## ACCESO GRATIS a la Lectura en la Nube

Para visualizar el libro electrónico en la nube de lectura envíe junto a su nombre y apellidos una fotografía del código de barras situado en la contraportada del libro y otra del ticket de compra a la dirección:

ebooktirant@tirant.com

En un máximo de 72 horas laborales le enviaremos el código de acceso con sus instrucciones.

# DERECHO DE SOCIEDADES

## Revisando el derecho de sociedades de capital

# DERECHO DE SOCIEDADES

## Revisando el derecho de sociedades de capital

*Dirección:*

**María Belén González Fernández**
**Amanda Cohen Benchetrit**

*Coordinación:*

**Eugenio Olmedo Peralta**
**Antonio F. Galacho Abolafio**

ESPAÑA

NIHIL PRIUS FIDE
NOTARIO

**tirant lo blanch**

Valencia, 2018

©  María Belén González Fernández
Amanda Cohen Benchetrit
Antonio F. Galacho Abolafio
Eugenio Olmedo Peralta y otros

©  TIRANT LO BLANCH
EDITA: TIRANT LO BLANCH
C/ Artes Gráficas, 14 - 46010 - Valencia
TELFS.: 96/361 00 48 - 50
FAX: 96/369 41 51
Email:tlb@tirant.com
www.tirant.com
Librería virtual: www.tirant.es
DEPÓSITO LEGAL: V-137-2018
ISBN: 978-84-9169-759-6

Si tiene alguna queja o sugerencia, envíenos un mail a: *atencioncliente@tirant.com*. En caso de no ser atendida su sugerencia, por favor, lea en *www.tirant.net/index.php/empresa/politicas-de-empresa* nuestro Procedimiento de quejas.

Responsabilidad Social Corporativa: http://www.tirant.net/Docs/RSCTirant.pdf

# Índice

## IV. PÉRDIDA DE LA CONDICIÓN DE SOCIO

## V. LOS GRUPOS DE SOCIEDADES

## VI. OPERACIONES SOCIETARIAS

## VII. JUNTA GENERAL

## VIII. EL ÓRGANO DE ADMINISTRACIÓN

### A) CONDICIÓN DE ADMINISTRADOR

### B) RETRIBUCIÓN DE ADMINISTRADORES

## C) DEBERES DE LOS ADMINISTRADORES

### D) RESPONSABILIDAD DE ADMINISTRADORES Y RESPONSABILIDAD DE LA SOCIEDAD

## IX. IMPUGNACIÓN DE ACUERDOS SOCIALES

## X. DISOLUCIÓN, LIQUIDACIÓN Y EXTINCIÓN DE LA SOCIEDAD

# Presentación

## I

En los últimos años, la estrecha relación entre la producción legislativa, el interés de los operadores y la situación económica, ha dado lugar a que ciertos sectores del Derecho mercantil se hayan desarrollado de manera urgente e intensa. Han aparecido nuevas publicaciones especializadas y los catálogos de las editoriales jurídicas han ido quedando trufados fundamentalmente de concursalidad. El Derecho de sociedades ha permanecido, sin embargo, en la preocupación constante de los juristas y, si en algún momento ha parecido ser superado por estos otros sectores, no ha sido sino por el crecimiento de los mismos y no porque el pensamiento societario español haya languidecido en modo alguno.

La excepcionalidad de la crisis nos ha llevado en muchas ocasiones a buscar soluciones igualmente excepcionales. En un momento ya de mayor sosiego legislativo, de alguna bonanza económica y cuando llega tanto la hora de gestionar las situaciones extremas, como la de buscar soluciones de reordenación, potenciación y gestión de los operadores jurídicos, el Derecho de sociedades demuestra una actualidad y un vigor importantes, además de una utilidad a menudo ignorada.

Pero además, en estos últimos años, en las últimas décadas, el Derecho de sociedades ha estado sometido, junto a la incidencia de la crisis económica, a sus propias tensiones regulatorias. A nuevas inspiraciones y nuevas influencias. Términos como Gobierno Corporativo, Gobernanza, *Compliance*, Responsabilidad Social, Sostenibilidad, han tenido que convivir con las cuestiones y tensiones tradicionales de la sociedad mercantil, los derechos del socio, los ejercicios oportunistas de dichos derechos, con abusos de mayoría y minoría, el control de los managers, la implementación jurídica de las relaciones de agencia, etc.

De hecho, el Derecho de Sociedades se encuentra en constante estado de evolución y adaptación a las nuevas realidades. Muestra de ello, son los trabajos ya abordados en el seno de la Unión Europea y que han fructificado en diversas directivas (v. gr., Directiva (UE) 2017/1132 del Parlamento Europeo y del Consejo, de 14 de junio de 2017, sobre determinados aspectos del Derecho de sociedades (DOCE 30.6.2017), que tiene por finalidad codificar las Directivas 82/891/CEE (3) y 89/666/CEE (4) del Consejo y las Directivas 2005/56/CE (5), 2009/101/CE (6), 2011/35/UE (7) y

2012/30/UE (8) del Parlamento Europeo y del Consejo, en orden a la coordinación de las disposiciones nacionales relativas a la constitución de dichas sociedades, así como al mantenimiento, al aumento y a la reducción de su capital para asegurar una equivalencia mínima en la protección de los accionistas y de los acreedores de sociedades anónimas; o la Directiva (UE) 2017/828 del Parlamento Europeo y del Consejo (DOCE 20.5.2017), de 17 de mayo de 2017, por la que se modifica la Directiva 2007/36/CE en lo que respecta al fomento de la implicación a largo plazo de los accionistas, que establece los requisitos relativos al ejercicio de determinados derechos de los accionistas vinculados a acciones con derecho de voto en lo que atañe a las juntas generales de sociedades que tengan su domicilio social en un Estado miembro y cuyas acciones estén admitidas a negociación en un mercado regulado que esté situado u opere en un Estado miembro (sociedades cotizadas), respondiendo esta norma al paquete de medidas propuesto por la Comisión Europea en su Comunicación de 12 de diciembre de 2012, titulada «Plan de acción: Derecho de sociedades europeo y gobierno corporativo — un marco jurídico moderno para una mayor participación de los accionistas y la viabilidad de las empresas", en la que anunció una serie de iniciativas en el ámbito del gobierno corporativo, destinadas en particular a fomentar la implicación a largo plazo de los accionistas y aumentar la transparencia entre las sociedades y los inversores.). Y, junto a estas directivas ya publicadas, continúan los trabajos en la Comisión en materia de sociedades con la finalidad de abordar el tratamiento de fenómenos tales como los grupos de sociedades, que requieren una solución jurídica específica, por lo que es de esperar que en los próximos años surjan nuevas normas en este campo del Derecho.


## II

De la problemática del derecho de sociedades y de sus soluciones, puesto que son las patologías de los operadores económicos y sus conflictos los que estimulan el pensamiento jurídico, nos hemos ocupado en esta obra. De parte al menos. Y de la misma forma que el pensamiento jurídico es plural, esta obra ha querido serlo también. Nadie duda del valor de la actividad de notarios, jueces, profesores y abogados. Pero siendo importantes cada una de sus visiones del Derecho, es mucho más rica, en nuestra opinión, la combinación de las cuatro. Teoría y práctica, especulación y ensayo, decisión y discurso... son mimbres necesarios en el conocimiento de las instituciones jurídicas del Derecho de sociedades. Cada una de ellas, por sí sola, es en realidad parcial y, sin embargo, adquieren en conjunto nuevas dimensiones superando sus respectivos planos individuales.

Existen problemas nuevos y nuevas soluciones. Pero también hay nuevos problemas con viejas soluciones, como hay viejos problemas que requieren nuevas soluciones por la inoportunidad, insuficiencia u obsolescencia de discursos pretéritos. Esto nos ha llevado a aproximarnos al *Derecho de sociedades* con un catálogo amplio de cuestiones que nos permitiera realmente afirmar que estábamos *revisando el Derecho de sociedades de capital.*

## III

La voluntad en el diseño de la obra no ha sido buscar un tema monográfico, sino revisar toda la vida societaria. Los casi setenta trabajos que se recogen se han agrupado en torno a diez bloques temáticos. No obstante, no cabe duda de los vínculos y remisiones que los diferentes contenidos tienen entre sí, por lo que se ha incluido un sucinto índice analítico al final de la obra.

Tras un estudio preliminar en el que se repasan los desarrollos doctrinales que desde el análisis económico se ha hecho, se abordan los grupos temáticos. Conflictos de interés, con una especial atención al artículo 190 LSC. También en ese grupo se recoge un trabajo de gran interés sobre los supuestos de voto vacío a los que da lugar en ocasiones las compras apalancadas de participaciones y a la conjunción de garantías y su financiación. Derechos del socio y la pérdida de esa condición son los siguientes bloques. Diversos trabajos de gran interés se engloban haciendo una taxonomía de derechos incidiendo más en cómo hacerlos eficaces que en su definición. En este bloque se incluye también un trabajo que por su originalidad cabe destacar, se trata de la posibilidad de cesar en la condición de socio por la renuncia o abandono de las participaciones sociales.

Un nuevo bloque se dedica a los problemas de grupos de sociedades. Materia sobre la que tanto se ha escrito y sobre la que, como ha indicado alguna vez Embid Irujo, todo está aún por escribir. En los trabajos ahí incluidos se aborda el concepto de interés de grupo y, entre otras cuestiones, las íntimas relaciones entre el derecho contable y el derecho de sociedades en materia de grupos, desde la doble perspectiva de IFRS y PGC.

Los trabajos sobre operaciones societarias no se limitan a las modificaciones estructurales, sino que se abordan también distintos aspectos problemáticos del aumento de capital por compensación de créditos, así como un trabajo, quizás definitivo, sobre una de las cuestiones más controvertidas en la jurisprudencia de la DGRN de los últimos años, el aumento de capital y la aportación de industria.

En materia de Junta General se ofrece una colección de temas que abordan, esencialmente, algunas de las principales novedades que sobre este órgano social se incorporaron en la reforma de 2014. Así, en materia de convocatoria de la junta y de la actuación de notarios y registradores en la misma. Otros trabajos se centran en las competencias de la Junta en los ámbitos que no le estaban tradicionalmente atribuidos.

El bloque más amplio de la obra está compuesto por trabajos centrados en el órgano de administración. Los mismos se han agrupado en torno a tres ejes temáticos: la condición de administrador, la retribución de los mismos, sus deberes y responsabilidad. En definitiva, se trata de un tratamiento exhaustivo del estatuto del administrador de la sociedad de capital.

Entre las novedades de la reforma de 2014, el régimen de impugnación de acuerdos tiene una especial relevancia. A él se le dedica un bloque completo en el que se abordan de forma separada las principales novedades de la institución. Por último, la obra recoge diversos trabajos sobre la disolución y liquidación de sociedades. En particular, destaca por su novedad el tratamiento de la cancelación registral y la extinción de las sociedades de capital en la jurisprudencia del Tribunal Supremo.

## IV

Por fin, como directoras de esta obra, no podemos acabar sin agradecer el esfuerzo de quienes han colaborado con sus contribuciones y, especialmente en este punto, a las personas que de forma callada han permitido que una colección de trabajos diversos adopten unas normas de estilo uniformes. De entre todos, cabe ahora destacar la labor de los doctores Olmedo y Galacho. Y siempre y, en todo, la del Profesor Peinado Gracia.

**Mª Belén González Fernández**
**Amanda Cohen Benchetrit**
*Directoras*

# I. CUESTIONES GENERALES

# 1. Contribuciones del análisis económico del Derecho de Sociedades en España

**FRANCISCO MARCOS**

*IE Law School*

## I. INTRODUCCIÓN

Los libros introductorios del análisis económico del derecho (AED) en España no suelen contener referencias específicas al empleo de esta metodología en el área del Derecho mercantil[1], esa situación se repite entre los principales manuales de esta disciplina, en los que llama la atención la falta de referencia alguna[2], lo que además se manifiesta en que normalmente el AED no se haya empleado apenas en su examen de las distintas instituciones jurídico-mercantiles.

A pesar de lo anterior, los conceptos y las herramientas que el AED proporciona para el estudio de las instituciones y normas jurídicas (costes de transacción, reglas de atribución y protección de titularidad de derechos)

---

[1]  Véanse DE QUEROL (2007); DE QUEROL & LÓPEZ (2014); DURÁN (1992); FLORIANO (1997) y PASTOR (1989). Una excepción es IBÁÑEZ (2011: 170-184) Pero es que la cuestión también se omite en alguno de los principales manuales norteamericanos traducidos al castellano, COOTER & ULEN (1998) y MERCU-RO (1991). En cambio, POSNER (1998: 371-428) dedica a las empresas, sociedades de capital y a los mercados financieros la cuarta parte de su libro. Ciertamente, debe reconocerse que en Estados Unidos hay manuales específicos dedicados al análisis económico del Derecho de sociedades: POSNER & SCOTT (1980) y ROMANO (1993).

[2]  Excepciones —críticas— son GONDRA (1992: 153 y 154) y quizás SÁNCHEZ (2015).

son de indudable utilidad también en las diversas materias comprendidas en el Derecho mercantil[3]. Además, siendo el Derecho mercantil el Derecho de la empresa, las contribuciones de la teoría económica de la empresa y en materia de la financiación empresarial constituyen obviamente instrumentos de indudable utilidad a la hora de examinar desde una perspectiva jurídica la organización y estructura de la actividad mercantil[4].

Dada la amplia utilización de las sociedades de capital como forma jurídica empleada para el ejercicio de la actividad empresarial en todo el mundo no es extraño comprobar que su disciplina jurídica sea probablemente una de las materias que ha recibido un mayor número de contribuciones doctrinales desde la perspectiva del AED.

Desde finales de los ochenta, los mercantilistas españoles se han hecho eco de la utilidad que el AED ofrece para una proporcionar una explicación del régimen de las sociedades mercantiles en España. A diferencia de otras disciplinas jurídicas, en las que la penetración del análisis económico ha encontrado dificultades mayores[5], su extensión en el Derecho de sociedades ha sido relativamente fluida[6]. A esto han ayudado también las pioneras aportaciones de los teóricos de economía de la empresa en subrayar la utilidad del AED para el examen del Derecho de sociedades[7].

Partiendo de las claves de la organización societaria para el ejercicio eficiente de la actividad empresarial (*infra* §II), en este artículo se pasa revista a algunas cuestiones nucleares del Derecho de sociedades de capital en nuestro país en las que el AED ha proporcionado nuevas ideas y aproximaciones para su estudio e investigación: el capital social (*infra* §III); los derechos los socios (*infra* §IV); la distinción entre las sociedades de capital abiertas y cerradas (*infra* §V); los deberes y la responsabilidad de los administradores (*infra* §VI); el mercado de control societario (*infra* §VII) y la auditoría de las cuentas de la sociedad (*infra* §VIII).

---

[3]     ALFARO (1996); GÓMEZ (1998) y PAZ-ARES (1995B).
[4]     DEMSETZ (1997). Entre nosotros, LLEBOT (1996B: 354-372).
[5]     Optimista DOMÉNECH (2014: 101).
[6]     ALFARO (2007). Aunque lo reconoce, presenta una visión distorsionada y demasiado parcial, EMBID (2013: 45-51).
[7]     ARRUÑADA (1988).

## II. EL EJERCICIO DE LA EMPRESA EN FORMA SOCIETARIA

Las sociedades de capital (anónima y limitada) son las principales fórmulas jurídicas empleadas para el ejercicio de la actividad empresarial en España cuando hay varios sujetos implicados[8]. Esta popularidad de las sociedades de capital se explica por ciertas características que reúne la organización societaria y que no están presentes en otros instrumentos jurídicos a disposición de los emprendedores cuando comienzan su actividad empresarial[9].

La raíz de las sociedades de capital es contractual, pero la sociedad constituye un contrato singular a través del cuál se articula una relación de carácter duradero en el tiempo entre los diversos sujetos que pueden verse implicados o afectados por sus actividades.

En efecto, el contrato de sociedad facilita la producción y la acumulación del capital como recurso especializado aportado por los inversores (i.e., los socios), delegando la gestión en un órgano de administración separado, pero su principal nota distintiva radica seguramente en su carácter de «contrato personificado». A través del contrato de sociedad, por virtud de lo previsto en la Ley, se crea una persona jurídica independiente, distinta de los socios, que tiene su patrimonio y que asume sus propias obligaciones. De este modo, los trabajadores, los clientes de la sociedad y otros terceros traban sus relaciones con ella y no con los socios.

La intervención del legislador es clave para el reconocimiento de las sociedades como personas jurídicas separadas. Ello presenta innumerables ventajas, reduciendo los costes de transacción que, en caso contrario, existirían si la sociedad no fuera una persona jurídica y una unidad patrimonial separada. El AED ha contribuido a destacar la extraordinaria relevancia de la personalidad jurídica en la dimensión *externa* de la empresa desde una perspectiva patrimonial, como centro de derechos y obligaciones[10].

Adicionalmente, a través del contrato de sociedad también se ordena la dimensión *interna* de la organización y las relaciones entre los distintos sujetos que la integran. La especialización de funciones que se articula a través del contrato de sociedad supone que los socios, que invierten capital

---

[8]   De acuerdo con los últimos datos del INE (enero 2017), el 37,90% de las empresas españolas son sociedades de capital (1.244.208 de un total de 3.282.346), Directorio Central de Empresas (DIRCE) 2015 (http://www.ine.es).

[9]   ARRUÑADA (1990: 397-399).

[10]  HANSMANN & KRAAKMAN (2000).

en la sociedad, y que son los propietarios de las cuotas en que se divide el
capital social, delegan en los administradores la gestión de la empresa, asumiendo normalmente una posición pasiva. A través de la teoría de la agencia[11], el AED ha permitido explicar las claves de la relación entre socios y
administradores y entre los socios entre sí; asimismo la regulación legal
está destinada a prevenir posibles conflictos entre ellos y a dar solución a
los que se susciten[12].

Igualmente, corresponde al AED el haber proporcionado la intelec-
ción correcta del principio de responsabilidad limitada en las sociedades
de capital[13]. Se trata de otro de los atributos nucleares de esta forma jurídica, coherente con la mencionada especialización funcional, por cuya
virtud los socios son sólo responsables por la cuantía de sus aportaciones
a la sociedad. Aunque la concepción jurídica más tradicional considera
la responsabilidad limitada como un privilegio de concesión estatal[14], en
el fondo constituye una característica propia de esta técnica organizativa,
cuya relevancia corre pareja a la personalidad jurídica de la sociedad. En
efecto, la raíz de la responsabilidad limitada es también contractual, entre
los socios primero, y luego de la sociedad con los terceros, y constituirá una
variable relevante que afectará los contratos que celebre en el mercado[15].

En coherencia con lo anterior, el AED acentúa la visión contractual
de las sociedades de capital[16], con consecuencias trascendentales después
en la marcha y funcionamiento de la sociedad. Frente a planteamientos
institucionalistas que consagran el interés social como algo diferente y al
margen del interés de los socios[17]. En verdad, el interés social es el interés
común de los socios, que se concreta en la maximización del valor de la

---

[11]   JENSEN & FAMA (1976); JENSEN (2000) y PERIS, RUEDA, DE SOUZA & PÉREZ
       (2012).
[12]   ROCK (2006) y KRAAKMAN ET AL. (2017: 19-47).
[13]   EASTERBROOK & FISCHEL (2002: 55-72). Entre nosotros, ALFARO (2008).
[14]   PAZ-ARES (2007: 189-190).
[15]   ARRUÑADA (1990: 224), GARCIMARTÍN (2002: 234-239) y LLEBOT (1996B:
       373-378).
[16]   ALFARO (1995: 21-26) y GARCIMARTÍN (2002: 117-126). *Contra* GONDRA
       (2010: 1217-1222).
[17]   Alcanzando ocasionalmente extremos insólitos, como ARROYO (2003: 709):
       «*Cuando los fundadores constituyeron la sociedad dieron nacimiento a la persona jurídica,
       que debe ser respetada en su integridad, y no puede ser destruida por la voluntad mayorita-
       ria de los socios o accionistas o disuelta sin más […] La sociedad tiene vida propia y no se
       puede destruir cuando la viabilidad está garantizada o al menos es razonable. Del mismo
       modo que unos padres, por muy progenitores que sean, no pueden disponer de la vida de sus*

empresa para los accionistas y que es la «brújula» que ha de guiar las decisiones de los gestores de la sociedad[18]. La relevancia de la cuestión es clara hasta el punto de que la tensión entre el planteamiento contractual ha tenido incluso reflejo en alguna sentencia del Tribunal Supremo[19].

Por otra parte, como ocurre con otros contratos, la legislación de las sociedades de capital proporciona una regulación supletoria del contrato de sociedad, pero permite que los socios adopten reglas diferentes a salvo de unas pocas normas imperativas[20]. El Derecho de las sociedades de capital debe asumir una función facilitadora que promueva las interacciones productivas entre los agentes implicados en la empresa[21]. Las normas legales definen el régimen estándar para este contrato y reducen los costes de transacción al permitir que las partes obvien un acuerdo detallado y prolijo de las cláusulas contractuales sobre todas las eventuales circunstancias que ocurran durante su relación, y pueden confiar en la aplicación de la regulación dispositiva contenida en la legislación de sociedades de capital.

Desde esta perspectiva, corresponde a diversas contribuciones hechas desde el AED la evaluación crítica del excesivo reglamentismo del legislador en la regulación de las sociedades de capital[22]. En efecto, el legislador actúa inspirado en distintos prejuicios sobre la necesidad de tutelar la autonomía y libertad contractual de las partes[23], que generalmente no se hallan justificados[24]. En muchos casos, el AED ha apuntado como la razón de la

---

  *hijos, tampoco los socios pueden liquidar la vida social cuando existen razones sobradas de viabilidad y mantenimiento».*

18 PAZ-ARES (2002A: 1807-1808).

19 STS de 10 de enero de 2011, *Canteras de Santander, S.A. (Tol 2054596).*

20 EASTERBROOK & FISCHEL (2002: 48-50). Entre nosotros ALFARO (1999: 935-937 y 955-956) y ARRUÑADA (1990: 215 y 216). Como dice GARCIMARTÍN (2002: 129) *«El único fundamento para una regulación imperativa que añade el Derecho de sociedades se vincularía a los problemas de acción colectiva que aquí son más comunes que en el ámbito contractual».*

21 PAZ-ARES (1996C: 68-69). *Contra* TENA (2010: 32-35).

22 Ya ARRUÑADA (1988: 198 y 1990: 225) *«se presume que las partes son incapaces por sí mismas de controlar óptimamente los conflictos de intereses que entre ellas existen, lo que aconseja su salvación por el legislador».*

23 Aunque referido a la legislación de la sociedad de responsabilidad limitada, vale la explicación de PAZ-ARES (2007: 168-189). En consecuencia, no debe negarse validez a los pactos para-sociales omnilaterales que surjan con el propósito de eludir algunas de esas normas imperativas, SÁEZ (2009) y PAZ-ARES (2011).

24 Como dice ARRUÑADA (1990: 214) *«Desde esta perspectiva, la existencia de una legislación sobre sociedades mercantiles o la necesidad de reformar y extender las regula-*

subsistencia de muchas reglas y procedimientos en la legislación societaria vigente, que encarecen y lastran el funcionamiento de las sociedades de capital, reside en los grupos de interés que de ellos se benefician[25]. Además, generalmente las trabas y obstáculos puestos por el legislador no impiden que los socios escapen de ellas, pero distraen y ocupan recursos de otras actividades más productivas de la empresa, que se han de dedicar a la «ingeniería contra-regulatoria»[26].

---

*ciones existentes, suele basarse en la necesidad de proteger el tráfico mercantil contra los abusos y arbitrariedades que, dejados a su libre albedrío, se infligirían sus protagonistas. Con frecuencia, precisando más esta posición, se postula una finalidad protectora de alguna de las partes, al parecer más débil o indefensa. En ambos casos, se introduce de modo implícito la suposición adicional de que la regulación mejora el tráfico mercantil y protege efectivamente a esas partes menos capacitadas […] conviene señalar aquí lo incompleto de su perspectiva, ya que no tiene en cuenta los costes que genera ni la existencia de mecanismos alternativos para controlar los conflictos de intereses entre las partes contratantes. Por esos motivos, conduce al desarrollo sin límites de normativas cada vez más detalladas»* (nota omitida).

En cambio, otra es la visión de GOMÁ (2014, 27): «*aunque el AED ha prestado un gran servicio al haber permitido enfocar las cuestiones jurídicas desde el punto de vista de su eficiencia, su exageración puede llevar a la desaparición del Derecho mediante su identificación con la Economía; y ello no es una simple defensa corporativa, sino la constatación de que ello implica una renuncia a la valoración democrática de los actos y por tanto a su control jurídico*» y, no digamos ya, ALONSO (1998: 102).

[25]   En palabras de ALFARO (2004: 451) «*the existence of significant and cumbersome procedures for the incorporation of a company can only be explained by the fact that they constitute an important source of income for certain interest groups, whose excellent organisation and interdependence with the public administration allow them to bring their own interests to prevail over the scattered interests of the universe of potential entrepreneurs*». En general, sobre algunas claves del Derecho europeo de sociedades, ENRIQUES & MACEY (2001: 1202-1203) y ENRIQUES (2006: 48-50 y 55-64) que, llega afirmar «*EC intervention in this area is like a cartel aiming to protect or increase the monopolistic rents of well-defined interest groups, especially professionals providing corporate-law related services*» (id. 49-50).

[26]   La expresión es de ARRUÑADA (1990: 214-215) «*Así mismo, suele ignorar que la más sólida garantía de las relaciones comerciales es el buen nombre, y la necesidad de mantenerlo para ejercer con continuidad una actividad económica en el mercado. Olvida también que muchas de las regularidades impiden el nacimiento espontáneo de pautas contractuales capaces de eliminar los conflictos de intereses por los que se creyó necesaria la regulación. Se desvía entonces el esfuerzo de las partes a efectuar ingeniería contrarregulatoria con el fin de disminuir sus costes, en vez de al desarrollo de fórmulas contractuales más depuradas*».

# III. EL CAPITAL SOCIAL

La Ley de Sociedades de Capital (LSC) establece un capital social mínimo e introduce diversas reglas sobre las aportaciones de los socios y las modificaciones de la cifra de capital (aumento y reducción)[27]. Obviamente, la influencia y los efectos de esta regulación se extienden después a la titularidad y los negocios de la sociedad sobre su propio capital (incluyendo la asistencia financiera para la adquisición de su capital)[28] y los repartos de dividendos[29] y la eventual restitución de aportaciones a los socios en caso de liquidación de la sociedad[30].

En su mayoría la raíz última de estas reglas es comunitaria (UE)[31], y se inspiran en la utilización del capital social como técnica de protección de los acreedores frente al posible oportunismo los socios. En principio, el propósito de todo este entramado de reglas es asegurar que la sociedad dispone un fondo de garantía con recursos suficientes para hacer frente a sus obligaciones. De alguna manera, se entiende que es el precio que los socios han de pagar por la obtención del «privilegio» de la responsabilidad limitada[32]. Estas normas tratan de evitar que los socios externalizaran el riesgo empresarial en los acreedores, actuando las normas en material de capital social como mecanismo para internalizarlo; sin embargo, la realidad desmiente lo anterior, porque en la práctica los acreedores tienen en cuenta esa circunstancia a la hora de contratar con la sociedad, haciendo recaer los costes de la eventual insolvencia empresarial en los propios socios[33].

---

[27]   *Real Decreto Legislativo 1/2010, de 2 de julio, por el que se aprueba el Texto Refundido de la Ley de Sociedades de Capital,* BOE 161, de 3 de julio de 2010 (en lo sucesivo LSC): art. 4 (capital mínimo); arts. 58-89 (aportaciones) y arts. 295-345 (aumento y reducción de capital).

[28]   Arts. 134 a 158 de la LSC.

[29]   Arts 273.2 y 275 (Aplicación del resultado y distribución de dividendos).

[30]   Arts. 392 y 393 de la LSC.

[31]   *Segunda Directiva del Consejo de 13 de diciembre de 1976 (77/91/CEE) tendente a coordinar, para hacerlas equivalentes, las garantías exigidas en los Estados miembros a las sociedades, definidas en el párrafo segundo del artículo 58 del Tratado, con el fin de proteger los intereses de los socios y terceros, en lo relativo a la constitución de la sociedad anónima, así como al mantenimiento y modificaciones de su capital* (DO L 026 de 31/01/1977).

[32]   ENRIQUES & MACEY (2001: 1175).

[33]   PAZ-ARES (1996C: 72-73).

Al final, es muy discutible si estas reglas proporcionan una mayor protección a los acreedores[34]. Lo que parece más claro, en cambio, es que se trata de reglas que hacen más rígida su estructura financiera, e introducen complejos y costosos procedimientos para su aplicación[35].

En efecto, el capital social mínimo establecido por la ley resulta artificial dada su desvinculación de las características de la empresa (riesgo y endeudamiento) y no proporciona información ni protección alguna a los acreedores[36], que generalmente introducirán protecciones alternativas en sus contratos[37]. Adicionalmente, las exigencias conexas en el régimen legal de aportaciones al capital (que han de ser recuperables y ejecutables singularmente)[38] impiden la aportación de servicios al capital de la sociedad, introduciendo una restricción que resulta inconveniente en muchos casos para el aporte y retribución del capital humano de los socios. Otro tanto puede decirse respecto de los límites legales a la emisión de acciones bajo par (por debajo del valor nominal)[39] o al reparto de dividendos y de la regulación de los negocios de la sociedad sobre su propio capital (autocartera y asistencia financiera)[40].

En su caso, con el propósito de proteger a los acreedores, el legislador debería emplear otros parámetros distintos del capital social, que se fijen en la solvencia de la compañía y en su nivel de endeudamiento, o acudir ocasionalmente al levantamiento del velo societario, que han demostrado ser más eficaces en otras legislaciones[41].

---

[34] ARRUÑADA (1988: 209 y 1990: 266) habla de la «*aberrante interpretación jurídica del capital nominal como garantía de acreedores, pese a ser en la práctica completamente irrelevante a tales efectos*».

[35] WORLD BANK /IFC (2014: 42-43).

[36] ARRUÑADA (1988: 210 y 1990: 267) «*La cifra de capital nominal es la única enteramente ficticia, excepto en el momento de constitución de la sociedad*»·

[37] ENRIQUES & MACEY (2001: 1186-1194). Más tímidamente, LLEBOT (1999).

[38] PAZ-ARES (1995A).

[39] Art. 59.2 de la LSC.

[40] ENRIQUES & MACEY (2001: 1195-1998). La regla de recapitalización o liquidación de las sociedades de capital cuando exista un desequilibrio entre el patrimonio y el capital parece más eficaz, pero también resulta ineficiente, ENRIQUES & MACEY (2001: 1201-1202).

[41] MANNING & HANKS (2013). Como dice ARRUÑADA (1990: 267) «*lo que garantiza a los acreedores es el valor de mercado de la sociedad y no su valor contable ni, mucho menos, su valor nominal*».

## IV. LOS DERECHOS DE LOS SOCIOS

Como propietarios de la sociedad, los socios son titulares de las rentas residuales de la empresa, y ven reconocidos derechos políticos y económicos. El principal derecho político es el voto, que es la manifestación de su poder soberano de decisión sobre la marcha de la sociedad. Los socios, reunidos en asamblea, votan las decisiones estructurales de la empresa o la elección de los administradores. De otro lado, a través de los derechos económicos el socio participa en las ganancias de la sociedad, concretándose en la revalorización de su inversión y en el derecho al dividendo, pero también en el derecho de suscripción preferente en caso de que la sociedad emita nuevas cuotas representativas de su capital y, en fin, en la cuota de liquidación restante en caso de disolución de la sociedad.

Los derechos de los socios en las sociedades de capital constituyen un resultado del contrato de sociedad, respecto de los que —con carácter general— debería permitirse el juego de la libertad contractual[42]. Aunque la solución estándar suela ser la de que se trata de derechos comunes e inseparables, y eso sea eficiente para reducir los costes contractuales entre las partes, ello no quiere decir que no sean posibles variaciones en su configuración[43].

Consecuentemente, el AED ha contribuido a explicar el sentido de la posible existencia de distintas clases de acciones/participaciones, evaluando críticamente los límites legales a la ruptura de la proporcionalidad y separabilidad de los derechos (incluida su venta)[44]. Como es sabido, en las sociedades de capital pueden crearse acciones/participaciones con o sin derecho de voto, también con votos plurales, o privilegiadas en sus derechos económicos[45]. A través de la creación de clases de acciones se realizan

---

[42]  ARRUÑADA (1990: 243): «*libertad contractual de las partes para disociar las diversas funciones del accionista convencional*». Como ya se indico *supra* nota 26: «*La contratación libre de las partes utiliza diversas vías para reproducir estos contratos en situaciones regulatorias que impiden su formalización explícita. Constituye un argumento adicional a favor de la libertad contractual y de lo inadecuado de las limitaciones existentes el que las partes están dispuestas a consumir recursos para desarrollar esas fórmulas contractuales indirectas que evitan las prohibiciones*» ARRUÑADA (1990: 249).

[43]  ARRUÑADA (1990: 243).

[44]  ARRUÑADA (1988: 200-209); ARRUÑADA (1990: 244): «*La regulación no ha de impedir el desarrollo de aquellos instrumentos de contratación privada que permiten repartir de manera óptima la asunción de varias funciones del accionista, y ello aunque sólo sean de aplicación en casos particulares*».

[45]  Arts. 94-95, 98-102 y 188 de la LSC.

arreglos contractuales destinados a diseñar la posición y funciones que los distintos socios pueden asumir en cada organización societaria en función de sus intereses y de las características de las diversas sociedades[46].

Así, el derecho de voto del socio, constituye una particularidad de la organización societaria de raíz contractual y, por ello, es perfectamente posible que existan acciones sin voto que obtienen a cambio algunos beneficios económicos[47]. En efecto, la emisión de acciones sin voto supone la reorganización o consolidación de la propiedad y control de la compañía al margen de la explicación financiera que pueda existir en todo caso[48]. De otro lado, en el marco de las sociedades cotizadas el AED ha contribuido a proporcionar una explicación plausible de la regulación de las limitaciones de voto (*voting caps*) en las sociedades cotizadas[49], y ha criticado las limitaciones subsistentes a la delegación y representación de los accionistas para el ejercicio de sus derechos de voto[50].

En el plano de los derechos económicos, ni que decir tiene que obviamente los socios son quienes deciden reunidos en la asamblea, el reparto de dividendos[51]. Además, los socios tienen derecho de suscripción preferente de nuevas cuotas que se emitan de capital social[52], y la LSC vigente ha superado la rigidez que existía en la legislación societaria en el pasado que impedía a los socios modular su existencia: los socios deben ser libres de emitir nuevas acciones y adoptar la solución que les convenga sobre su derecho de preferencia en la suscripción de nuevas acciones[53].

---

[46]   ARRUÑADA (1990: 244-245).

[47]   EASTERBROOK & FISCHEL (2002: 83-114). Entre nosotros, se ha referido a esa concepción del derecho de voto como tecnología contractual en el marco del contrato de sociedad, que permite explicar razonablemente la existencia de acciones sin voto, PAZ-ARES (1996A: 7-8). Sobre el procedimiento de conversión en acciones ordinarias a acciones sin voto, ARRUÑADA (1992), ARRUÑADA & PAZ-ARES (1995) y PAZ-ARES (1996A: 19-166).

[48]   PAZ-ARES (1996A: 15-18).

[49]   Arts. 188.2 y 527 de la LSC, SÁEZ (2010).

[50]   ARRUÑADA (1988: 211-216 y 1990: 270).

[51]   A pesar del artículo 348bis, suspendido hasta el 31 de diciembre de 2016 (Disposición Final Primera. Dos de la Ley 9/2015, de 25 de mayo, de medidas urgentes en materia concursal), pero la tutela que el precepto proporciona cabría extraerla ya antes de la regla del abuso de derecho: ALFARO & CAMPINS (2014, 2011).

[52]   Arts. 93.b) y 304 LSC. Aunque referido a las sociedades cotizadas, GARCÍA DE ENTERRÍA (2010).

[53]   Art. 308 LSC (exclusión del derecho de preferencia). ARRUÑADA (1988: 221) abogaba porque «*los accionistas decidan libremente que fórmulas contractuales les re-*

# V. LA DISTINCIÓN ENTRE SOCIEDADES DE CAPITAL ABIERTAS Y CERRADAS

Al margen de los derechos específicos del socio, la posición del socio es muy distinta en las sociedades de capital abiertas (anónimas) y cerradas (limitadas)[54]. Aunque ambas se regulan en la Ley de Sociedades de Capital de 2010, su regulación responde —en principio— a pautas diferentes[55]. En efecto, la distinción entre unas y otras radica fundamentalmente en la existencia de restricciones a la transmisibilidad de las cuotas sociales que se establezcan en el contrato de sociedad, lo que obviamente tiene consecuencias en su valoración y en la necesidad de prever mecanismos de separación del socio en las sociedades cerradas.

Lógicamente, las distintas características de sociedades abiertas y cerradas darán lugar a estructuras de propiedad muy diferentes que implican que los costes de agencia tengan distintas manifestaciones en uno y en otro caso.

Por un lado, en las sociedades de capital cerradas, las restricciones a la transmisibilidad de las participaciones se explican normalmente por la relevancia de la condición personal de los socios, que frecuentemente se involucran en la gestión social, con una concentración significativa de riesgos en la empresa. Los costes de agencia traen causa en el subsiguiente monopolio bilateral y se concretan en tal caso en los posibles abusos de la mayoría[56], previéndose en el contrato distintos mecanismos preventivos y correctivos de los posibles conflictos; la legislación introduce además un buen número de reglas (muchas de ellas dispositivas) destinadas a paliarlos[57].

---

*sultan más beneficiosas, en lugar de ser constreñidos a utilizar derechos de suscripción en las ampliaciones de capital»*, argumentando que «*la existencia indeclinable del derecho de suscripción preferente supone una limitación al derecho de propiedad del accionista. En concreto, elimina su derecho a dividir el conjunto de derechos de que es titular en cuanto propietario*», ARRUÑADA (1990: 233).

54   ARRUÑADA (1998: 400-427) y SÁEZ (2008).

55   Aunque, como dice ALFARO (2005: 7) «*el modelo legal de sociedad cerrada —la sociedad limitada— se parece, legislativamente hablando, demasiado a la regulación de la sociedad anónima como para considerar que se adapta a las necesidades y expectativas de los socios [...]»*.

56   POSNER (1998: 401-402) y EASTERBROOK & FISCHEL (2002: 281-309).

57   ALFARO (2005).

En cambio, en el caso de las sociedades abiertas —la especialización de la inversión y gestión/control alcanza el grado máximo en la sociedades cotizadas—, al lado de los mecanismos *internos* referentes a la organización del propio órgano de administración y a la supervisión por la junta general, el mercado de control societario actúa como un poderoso mecanismo *externo* de reducción de los costes de agencia, que se manifiestan en tal caso en los abusos de los gestores en detrimento de los socios[58] (*infra* §VII).

## VI. LOS DEBERES Y LA RESPONSABILIDAD DE LOS ADMINISTRADORES

Otro de los elementos clave en las sociedades de capital es la delegación en el órgano de administración de la gestión de la empresa[59]. El régimen legal proporciona notable flexibilidad a los socios a la hora de decidir como configurar ese órgano[60], y tiene toda la lógica que se les proporcione plena libertad para adaptarlo a las características de cada sociedad.

El órgano de administración actúa como agente de los socios, al que estos confían la llevanza y supervisión de la empresa en aras de la consecución del objeto social. Como pautas de comportamiento exigibles, los miembros del órgano de administración asumen el deber de actuar diligentemente para alcanzar ese objetivo (*deber de cuidado*) y el deber de poner el interés social por encima del propio (*deber de fidelidad*)[61]. Naturalmente, el peligro de la mala administración (negligente) es menor que el de la administración desleal (infiel)[62]. La discrecionalidad empresarial (*business judgment rule*) ampara las actuaciones y decisiones de los administradores que pueden entrañar algún riesgo pero que son propias de la actividad de empresa[63]. Se trata de proteger las opiniones y juicios técnicos

---

[58]   FERNÁNDEZ & GÓMEZ (1999).

[59]   KRAAKMAN et al. (2017: 11-12).

[60]   Arts. 206-212bis de la LSC. La regulación es mucho más detallada en el caso de las sociedades cotizadas, a las que se obliga que dispongan de un consejo de administración (arts. 527-529novodecies de la LSC).

[61]   Arts. 225 y 227 de la LSC.

[62]   Ya POSNER (1998: 389) subrayaba que son múltiples los incentivos para la buena/diligente administración, pero no tantos para la administración justa/leal respecto del interés de los socios; PAZ-ARES (2003: 5-6).

[63]   Recayendo en aquéllos que, en teoría, se encuentran más preparados e informados para hacerlo (por conocimiento y experiencia) pero que, sobre todo, han sido designados por los socios para que lo hagan, MARCOS (2003: 4). Esta regla

sobre decisiones empresariales de los administradores, proporcionándoles un ámbito de inmunidad a sus decisiones[64].

Además, en las sociedades abiertas de mayor tamaño, una situación análoga se suscita en la relación de los administradores con los ejecutivos de la compañía, que son quienes realmente están encargados de la gestión diaria de la empresa, asumiendo los administradores una función de control y supervisión[65]. Diversos instrumentos intentan reducir los costes de agencia de esa relación (administradores-ejecutivos), incluyendo el nombramiento de administradores externos independientes para que intervengan en aquellas decisiones en las que el riesgo de conflicto de intereses sea más elevado[66]. Naturalmente, la retribución de los ejecutivos suele estar diseñada para alinear sus objetivos con la consecución del interés social, aunque obviamente su cese y sustitución constituye el principal mecanismo de control[67].

El AED ha contribuido a subrayar la concepción de los deberes fiduciarios de los administradores como instrumentos de reducción de los costes de agencia, que alinean el interés de los administradores con el de los socios[68]. De ahí la relevancia de las normas en materia de nombramiento y cese de los administradores, que son las principales herramientas internas para la prevención y reducción de los costes de agencia[69]. Obviamente, el adecuado diseño del sistema de retribución de los administradores constituye un mecanismo que también sirve a la indicada finalidad[70], como tam-

---

se halla actualmente consagrada en el art. 226.1 de la LSC tras la reforma de 2014: «*En el ámbito de las decisiones estratégicas y de negocio, sujetas a la discrecionalidad empresarial, el estándar de diligencia de un ordenado empresario se entenderá cumplido cuando el administrador haya actuado de buena fe, sin interés personal en el asunto objeto de decisión, con información suficiente y con arreglo a un procedimiento de decisión adecuado.*»

[64] PAZ-ARES (2003: 31).

[65] HART (1995: 679-680) y PAZ-ARES (2002 A: 1809-1812).

[66] FAMA & JENSEN (1983: 315) y MARCOS & SÁNCHEZ GRAELLS (2008).

[67] ARRUÑADA (1990 59-62). Alguna evidencia empírica sobre España en FERNÁNDEZ, GÓMEZ & FERNÁNDEZ (1998).

[68] EASTERBROOK & FISCHEL (2002: 115-136). Entre nosotros, RIBAS (2010: 128-129), LLEBOT (1996: 35-43) y PAZ-ARES (2015).

[69] KRAAKMAN ET AL. (2009: 58-61).

[70] MERINO, MANZANEQUE & BANEGAS (2009) y TUSQUETS (1998: 50) con la significativa advertencia «*No obstante no haber realizado este trabajo siguiendo el método del análisis económico del Derecho, ni haber tomado como base la Teoría de la Agencia, dada la creciente influencia de la misma, nos ha parecido conveniente comentar su incidencia en relación con la retribución de los administradores*».

bién lo hacen los denostados «paracaídas dorados» («*golden parachutes*»), que motivan a los administradores —en caso de venta de la compañía— a vendérsela al mejor postor[71]. En fin, las reglas en materia de responsabilidad de los administradores cierran el sistema de gobierno de las sociedades de capital, proporcionando el recurso al sistema judicial para intervenir frente a las actuaciones de los administradores que no respetan sus deberes fiduciarios dañando a la sociedad, a los socios o a un tercero[72].

## VII. EL MERCADO DE CONTROL SOCIETARIO

Las sociedades abiertas que cotizan en los mercados de valores constituyen la muestra más depurada de la especialización del binomio gestión/inversión que proporciona el contrato de sociedad de capital. Se habla entonces del problema que suscita la separación entre la propiedad y el control de la sociedad[73]: los inversores dispersos y con participaciones minúsculas en el capital de la compañía carecen de interés en controlar a los gestores que acumulan todo el poder[74]. Sin embargo, en tal caso existe un mecanismo externo adicional para disciplinar a los administradores, alineando su interés con el interés de los socios. El precio de sus acciones en el mercado es un buen indicador de la calidad de los gestores actuales de la sociedad y las eventuales ofertas de adquisición proporcionarán una valoración alternativa realizada por otros potenciales gestores de la misma[75].

Por ello, la regulación de los mercados de valores está destinada a hacer estos mercados más eficientes, favoreciendo la transparencia y reduciendo los costes de transacción[76]. La transparencia comprende a los emisores de

---

[71]   El interés de los administradores se alinea con el de los socios, reduciendo el conflicto de interés inherente a la pérdida de capital humano derivada de su salida de la gestión de la compañía, ARRUÑADA (1990: 68-69) y GARCÍA DE ENTERRÍA (1996: 496-500).

[72]   PAZ-ARES (2003), que construye un régimen preventivo y reactivo para la deslealtad del administrador, que a la postre se ha incorporado (en buena medida) en la vigente LSC en 2014 (arts. 228-232).

[73]   FAMA & JENSEN (1983).

[74]   POSNER (1998: 390) lo tacha de falso problema, dada su eficiencia. También DEMSETZ (1983).

[75]   MANNE (1965: 112-120); FAMA & JENSEN (1983: 313) y EASTERBROOK & FISCHEL (2002: 137-178). Entre nosotros, ARRUÑADA (1990: 18 y 1998: 413-417) y LOZANO (2005).

[76]   CASTILLA (2001).

valores y a las acciones y otros instrumentos que en ellos se negocian[77], y contribuye a hacer efectivo el mercado de control societario, estableciendo además la obligación de formular ofertas públicas de adquisición (OPA) cuando se compra una participación significativa del capital de la sociedad que proporcione el control (para hacer partícipes a los inversores minoritarios en la prima derivada del cambio de control de la compañía)[78].

Corresponde al AED haber acentuado la eficacia de los mercados de valores y de las OPAs como instrumento de reducción de los costes de agencia en las sociedades abiertas[79]. Se trata de la consecuencia última de la libre transmisibilidad de las acciones, que posibilita tanto su enajenación a quien que está dispuesto a adquirir la compañía cambiando la gestión de la misma, como la acumulación de bloques accionariales con el propósito de controlar más estrechamente a los administradores[80].

No obstante, dada la estructura de propiedad de muchas grandes sociedades anónimas en nuestro país[81], en las que existen accionistas mayoritarios (no institucionales), en la práctica el mercado de control societario no opera como mecanismo efectivo de control externo. En tal caso, los costes de agencia son de otro tipo, y se manifiestan en el riesgo de que el accionista mayoritario explote su posición para obtener beneficios del control en detrimento de la minoría, debiendo extenderse a ellos los deberes fiduciarios que se predican de los administradores, estableciéndose un control de operaciones vinculadas y de los conflictos de intereses[82].

---

[77]  La eficiencia del mercado se mide por la información que incorporan los precios de los valores que se negocian en el mercado, GARCÍA DE ENTERRÍA (1989: 657-659).

[78]  Critica el excesivo intervencionismo de la regulación española, ARRUÑADA (1990: 190), aunque desde una perspectiva análoga se ha criticado también la regulación estatal en los Estados Unidos de Norteamérica, EASTERBROOK & FISCHEL (2002: 269-275).

[79]  GARCÍA DE ENTERRÍA (1999) y GÓMEZ (1998).

[80]  ARRUÑADA (1990: 63-66).

[81]  CRESPÍ & CLADERA (2002), aunque ya GALVE & SALAS (1992 y 1994). Incluso cuando no hay socios mayoritarios la estructura de la propiedad favorece los acuerdos entre dos y cinco accionistas para controlar la sociedad con menos del 50% del capital social, LEECH & MANJÓN (2003 y 2002).

[82]  PAZ-ARES (2002 A: 1815-1818).

## VIII. LA AUDITORÍA DE LAS CUENTAS DE LA SOCIEDAD

Varios agentes privados externos pueden incidir en diversos momentos en la vida de la sociedad de capital contribuyendo a su funcionamiento eficiente para el desarrollo de una actividad empresarial (notarios, registradores, abogados, bancos y analistas de inversión, agencias de calificación, auditores)[83]. El AED ha desarrollado un marco conceptual útil para la explicación de las funciones que estos agentes desempeñan actuando como «guardabarreras» (*gatekeepers*)[84] que controlan la conducta de los gestores de la sociedad (interviniendo en sus decisiones o supervisando la información que hacen pública).

En particular, interesa aquí subrayar la intervención que los auditores de cuentas realizan como «guardabarreras» al revisar las cuentas de las sociedades de capital. La principal aportación del AED en esta materia constituye una extensión lógica de la teoría de la agencia y proporciona una explicación de los incentivos privados que las sociedades tienen para la contratación voluntaria de estos servicios[85]. De manera análoga, permite entender las características básicas de la relación económica que une al auditor y al cliente, y que estimulan al auditor a ser independiente en la prestación de su servicio[86]. La teoría contractual de la auditoría constituye el marco de análisis que permite explicar de manera satisfactoria los riesgos de la regulación que introduzca elementos que pueden distorsionar la demanda contractual de estos servicios. Así ha ocurrido, por ejemplo, con la duración de la relación de auditoría y la rotación obligatoria[87]. Igualmente, el entendimiento adecuado de la prestación del auditor y sus atributos de calidad son claves para regular correctamente la prestación de otros servicios profesionales complementarios de la auditoría de cuenta por las empresas auditoras[88]. Como consecuencia de ello, tiene sentido introducir

---

[83]    COFFEE (2006: 103-214).

[84]    KRAAKMAN (1986). Algunos de ellos pueden actuar también como «ingenieros de los costes de transacción»: GILSON (1986) y PAZ-ARES (1995C).

[85]    ARRUÑADA (1998: 308-316 y 1997: 29-30) y PAZ-ARES (1996B: 42-43).

[86]    MARCOS (2000: 178-181).

[87]    IGLESIAS (1994: 28-33), ARRUÑADA & PAZ-ARES (1996) y RUIZ, GÓMEZ & CARRERA (2009). No obstante, la rotación obligatoria se ha introducido recientemente por la *Ley 22/2015, de 20 de julio, de Auditoría de Cuentas*, BOE 173 de 21 de julio de 2015 (art. 40).

[88]    ARRUÑADA (1999 y 1997).

mecanismos que eviten una dependencia excesiva por el auditor de sus clientes[89].

# IX. CONCLUSIONES

El AED ha desempeñado un papel relevante en la modernización del Derecho de las sociedades de capital en España en las últimas tres décadas. Incluso sus detractores más acérrimos lo reconocen. Naturalmente, ello no quiere decir que las propuestas y las soluciones propugnadas por el AED hayan sido siempre y en todo momento seguidas; aunque ocasionalmente así haya ocurrido.

Seguramente la mayor contribución del AED consiste en haber proporcionado una perspectiva distinta en el examen de las diversas cuestiones nucleares que plantea el Derecho de las sociedades de capital. Sin ánimo de exhaustividad, este artículo ha intentado pasar revista a las principales aportaciones doctrinales en algunas de esas cuestiones, a ellas se debe en buena medida el haber estimulado la discusión y el debate académicos en materia de Derecho societario en los últimos tiempos.

## Bibliografía

ALFARO, J. (2008) «Capital Social y Responsabilidad: La Responsabilidad Limitada de los Socios de las Sociedades de Capitales por las deudas sociales: el estado de la discusión» en FLOR DE Mª CÓRDOVA (ed.) *Derecho de sociedades y Gobierno Corporativo*, Grijley, Lima (http://ssrn.com/abstract=1543967).

— (2007) «Los juristas españoles y el análisis económico del Derecho» *Indret* 417.

— (2005) «Los problemas contractuales en las sociedades cerradas» *Indret* 308.

— (2004) «Lowering Legal Barriers to Entry through Technology without Touching Vested Interests: The Spanish Sociedad Limitada-Nueva Empresa», *European Business Organization Law Review* 5: 449-469

— (1999) «Imperialismo Económico y Dogmática Jurídica» *Revista de Derecho Mercantil* 233: 925-976.

— (1996) «Los costes de transacción» en JUAN LUIS IGLESIAS (coord.), *Estudios jurídicos homenaje al prof. Aurelio Menéndez*, Civitas Madrid, Vol. 1: 131-162.

— (1995) *Interés social y Derecho de suscripción preferente. Una aproximación económica*, Civitas Madrid.

---

[89]    PAZ-ARES (1996B: 76-79) y art. 41.2 de la *Ley 22/2015, de Auditoría de Cuentas*.

ALFARO, J. & CAMPINS, A. (2014) «Abuso de la mayoría en el reparto de dividendos y derecho de separación del socio en las sociedades de capital» en *Liber Amicorum Juan Luis Iglesias*, Civitas, Madrid, 65-93.

— (2011) «El abuso de la mayoría en la política de dividendos. Un repaso por la jurisprudencia», *Otrosí 5: 19-26*.

ALONSO, A. (1998) «El Gobierno de las grandes empresas (Reforma legal versus Códigos de conducta)» en GAUDENCIO ESTEBAN (dir.) *El gobierno de las sociedades cotizadas*, Marcial Pons, Madrid-Barcelona, 95-136.

ARROYO, I. (2003) «Interés social c/ Interés de la mayoría» en D. R. VITOLO & J. M. EMBID (dirs.) *Las sociedades comerciales y su actuación en el mercado. Actas del I Ccongreso argentino español de Derecho mercantil*, Comares, Granada, 699-712 [publicado como «Reflexiones en torno al interés social» *en Libro Homenaje al prof. F. Sánchez Calero*, McGraw-Hill, Madrid, 2002, 1845-1858].

ARRUÑADA, B. (1999) «Audit Quality and the regulation of non-audit services» *International Review of Law & Economics* 19: 513-531.

— (1998) *Teoría contractual de la empresa*, Marcial Pons, Madrid-Barcelona.

— (1997) *La calidad de la auditoría. Incentivos privados y regulación*, Marcial Pons, Madrid-Barcelona.

— (1990) *Control y regulación de la sociedad anónima*, Alianza Editorial, Madrid.

— (1988) «Un análisis económico de la regulación de la sociedad anónima en España» *Anales de Estudios Económicos y Empresariales* 3: 191-224.

— (1992) «La Conversión Coactiva de Acciones Comunes en Acciones sin Voto para Lograr el Control de las Sociedades Anónimas: De cómo la ingenuidad legal prefigura el fraude» *Revista Española de Financiación y Contabilidad* 71: 283-314.

ARRUÑADA, B. & PAZ-ARES, C. (1996) «Mandatory rotation of Company Auditors - A critical examination» *International Review of Law & Economics* 16: 31-61.

— (1995) «Conversion of Ordinary Shares Into Non-Voting Shares» *International Review of Law & Economics* 15/4: 351-372 [también en DIRK HEREMANS & HEREMAN COUSY (eds.) Financial *Markets and Insurance*, MAKLU, Antwerp, 1996, 129-162].

CASTILLA, C. (2001) *Regulación y Competencia en los mercados de valores*, Civitas, Madrid.

COFFEE JR., J. C. (2006) *Gatekeepers. The professions and corporate Governance*, Oxford University Press.

COOTER, R. & ULEN, T. (1998) *Derecho y Economía* (trad. Eduardo L. Suárez) Fondo de Cultura Económica, México.

CRESPÍ, R. & CLADERA, M. A. (2002) «Ownership and Control of Spanish Listed Firms», en FABRIZIO BARCA & MARCO BECHT (eds.), *The Control of Corporate Europe*, Oxford University Press, 207-227.

DE QUEROL, N. (2007) *Análisis Económico del Derecho. Teoría y Aplicaciones*, FIEC.

DE QUEROL, N. & LÓPEZ, N. (2014) *Análisis Económico del Derecho*, Dykinson, Madrid.

DEMSETZ, H. (1997) *La economía de la empresa* (trad. Mª Elena Aparicio), Alianza Editorial, Madrid.

— (1983) «The Structure of Ownership and the Theory of the Firm» *Journal of Law & Economics* 26/2: 375-390.

DOMÉNECH, G. (2014) «Por qué y Cómo hacer Análisis Económico del Derecho», *Revista de Administración Pública* 195: 99-133.

DURÁN, P. (1992) *Una aproximación al análisis económico del Derecho*, Comares, Granada.

EASTERBROOK, F. H. & FISCHEL, D. R. (2002) *La estructura económica de las sociedades de capital* (trad. Francisco Marcos), *Fundación Cultural del Notariado*, Madrid.

ENRIQUES, L. (2006) «EC Company Law Directives and Regulations: How Trivial they are?» *University of Pennsylvania Journal of International Economic Law* 27: 1-78.

ENRIQUES, L. & MACEY, J. R. (2001) «Creditors Versus Capital Formation: The Case Against the European Legal Capital Rules» *Cornell Law Review 86*: 1165-1204.

EMBID, J. M.ª (2013) *Sobre el Derecho de sociedades de nuestro tiempo. Crisis económica y ordenamiento societario*, Comares, Granada.

FAMA, E. F. & JENSEN, M. C. (1983) «Separation of Ownership and Control» *Journal of Law & Economics* 26: 301-325.

FERNÁNDEZ, A. I. & GÓMEZ, S. (1999) «El Gobierno de la empresa: mecanismos alineadores y supervisores de las actuaciones directivas» *Revista Española de Financiación y Contabilidad* 100: 355-380.

FERNÁNDEZ, A. I., GÓMEZ, S. & FERNÁNDEZ, C. (1998) «El papel supervisor del Consejo de Administración sobre la actuación gerencial. Evidencia para el caso español» *Investigaciones Económicas* 22/3: 510-516.

FLORIANO, C. (1997) *Derecho y Economía. Una aproximación al análisis económico del Derecho*, Universidad de Extremadura.

GALVE, C. & SALAS, V. (1992) «Análisis de la estructura accionarial de la gran empresa» *Revista de Economía Aplicada* 4/II: 75-102.

— (1992) «Estructura de propiedad de la empresa Española» *Revista de Economía-ICE* 701: 79-90.

GARCÍA DE ENTERRÍA, J. (2003) *Sociedades cotizadas, Aumento de capital y Derecho de suscripción preferente: Una consideración económica*, Civitas, Madrid.

— (1999) «El control del poder societario en la gran empresa y la función disciplinaria de las OPAS» en *Mercado de control, medidas defensivas y ofertas competidoras. Estudios sobre OPAs*, Civitas, Madrid, 49-77 [antes en *Revista de Derecho Bancario y Bursátil* 47: 665-689].

— (1995) «Los pactos de indemnización del administrador cesado» *Revista de Derecho Mercantil* 216: 473-516.

— (1989) «Sobre la eficiencia del mercado de capitales. Una aproximación al "Securities law" de los Estados Unidos» *Revista De Derecho Mercantil* 193-194: 653-678.

GARCIMARTÍN, F. J. (2002) *Derecho de sociedades y conflictos de leyes: una aproximación contractual*, EDERSA, Madrid.

GILSON, R. J. (1984) «Value Creation by Business Lawyers: Legal Skills and Asset Pricing» *Yale Law Journal* 94/2: 239-313.

GOMÁ, I. (2014), «Poder y dinero en las grandes sociedades: vuelta a los principios», Documento de Trabajo, Dept. Derecho Mercantil, UCM, 2014/83.

GÓMEZ, F. (1998) «Derechos de propiedad y costes de transacción: ¿qué puede enseñar Coase a los juristas?» *Anuario de Derecho Civil* 51: 1035-1069.

GÓMEZ, S. (1998) *El mercado de control corporativo y los efectos de riqueza asociados a las adquisiciones de empresas*, Univ. Oviedo.

GONDRA, J. M.ª (2010) «La teoría contractual de la sociedad anónima: una aproximación a sus fundamentos teórico-económicos» *Revista de Derecho Mercantil* 278: 1171-1231.

— (1992) *Derecho Mercantil I. Introducción*, UCM, Madrid.

HANSMANN, H. B. & KRAAKMAN, R. (2000) «The essential role of organizational law» *Yale Law Journal* 110: 387-440.

HART, O. (1995) «Corporate Governance: Some Theory and Implications» *The Economic Journal* 105: 678-689.

IBÁÑEZ, J. W. (2011) *Análisis económico del Derecho: Método de investigación y práctica jurídica*, J. Mª Bosch, Barcelona.

IGLESIAS, J. L. (1994) «La duración del cargo de auditor: Consideraciones críticas» *Revista de derecho de sociedades* 3: 11-34.

JENSEN, M. C. (2000) *A Theory of the Firm. Governance, Residual Claims, and Organizational Forms*, Harvard University Press.

JENSEN, M. C. & MECKLING, W. H. (1976) «Theory of the Firm: Managerial Behaviour, Agency Costs and Ownership Structure» *Journal of Financial Economics* 3/4: 305-360.

KRAAKMAN, R. H. , ARMOUR, J., DAVIES, P., ENRIQUES, L., HANSMANN, H. B., HERTIG, G., HOPT, K. J., KANDA, H., PARGENDLER, M., RINGE, W-G. & ROCK, E. B. (2017) *The Anatomy of Corporate Law*, 3 a Ed.

KRAAKMAN, R. H. (1986) «Gatekeepers: The Anatomy of a Third-Party Enforcement Strategy» *Journal of Law, Economics & Organization* 2: 53-104.

LEECH, D. & MANJÓN, M. C. (2003) «Corporate Governance and Game Theoretic Analyses of Shareholder Power: The Case of Spain» *Applied Economics* 35: 847-858.

— (2002) «Corporate Governance in Spain (with an Application of the Power Indices Approach)» *European Journal of Law & Economics* 13: 157-173.

LLEBOT, J. O. (1999) «La geometría del capital social» *Revista de Derecho Mercantil* 231: 37-90.

— (1996A) *Los deberes de los administradores de la sociedad anónima*, Civitas, Madrid.

— (1996B) «Doctrina y Teoría de la Empresa en el Derecho Mercantil (Una Aproximación al Significado de la Teoría Contractual de la Empresa)» *Revista de Derecho Mercantil* 220: 319-388.

LOZANO, M.ª B. (2005) «El mercado de control empresarial ante el conflicto accionista-directivo» *Tribuna de Economía ICE* 823: 217-233.

MANNING, B. & HANKS, J. J. JR. (2013) *Legal Capital*, 4ª ed. Foundation Press, Nueva York.

MANNE, H. (1965) «Mergers and the Market for Corporate Control» *Journal of Political Economy* 73/2: 110-120.

MARCOS, F. (2003) «Análisis económico del derecho de sociedades. *Recensión a Frank H. Easterbrook y Daniel R. Fischel*, La estructura económica de las sociedades de capital» *Indret nº 167*.

— (2000) «La independencia del auditor y las cuasi-rentas», *Revista de Derecho Bancario y Bursátil* 79: 175-193.

MARCOS, F. & SÁNCHEZ GRAELLS, A. (2008) «Necesidad y sentido de los consejeros independientes. Dificultades para el trasplante al derecho de las sociedades cotizadas españolas» *Revista de Derecho Mercantil* 2008: 499-568.

MERCURO, N. (1991) *Derecho y Economía* (trad. Juan J. Fernández Cainzos), IEF, Madrid.

MERINO, E., MANZANEQUE, M. & BANEGAS, R. (2009) «Retribución y composición del Consejo de Administración. Evidencia empírica para las empresas cotizadas españolas», *Pecvnia* 8: 203.224.

PASTOR, S. (1989) *Sistema jurídico y Economía. Una introducción al análisis económico del derecho*, Tecnos, Barcelona.

PAZ-ARES, C. (2015) «Anatomía del deber de lealtad» *Actualidad U&M* 39: 43-65.

— (2011) «La cuestión de la validez de los pactos parasociales» *Actualidad U&M Homenaje prof. J. L. Iglesias*: 252-256 [también en *Diario La Ley* 7714, de 13 de octubre 2011, 12-14 (La Ley 17051/2011)].

— (2003) «La responsabilidad de los administradores como instrumento de gobierno corporativo» *InDret* 162 [también en *Rev. Derecho Sociedades* 20 (2009) 67-109].

— (2002A) «El Gobierno de las sociedades: Un apunte de política legislativa» en *Libro Homenaje al prof. Sánchez Calero*, McGraw-Hill, Madrid, 1805-1818.

— (1997) «¿Cómo entendemos y cómo hacemos el Derecho de sociedades?», en CÁNDIDO PAZ-ARES (coord.), *Tratando de la sociedad limitada*, Colegio Notarial, Madrid, 163-205.

— (1996A) *¿Dividendos a cambio de votos? Contribución al estudio de la conversión de acciones con voto en acciones sin voto*, McGraw-Hill, Madrid.

— (1996B) *La ley, el mercado y la independencia del auditor*, Civitas, Madrid.

— (1996C) «La Infracapitalización. Una Aproximación Contractual» en FERNANDO RODRÍGUEZ *et al.* (eds), *Derecho de Sociedades de Responsabilidad Limitada*, vol. I, McGrawHill, Madrid, 65-86 (publicado antes en *Revista de Derecho de Sociedades*, N° Extraordinario 1994: 253-269).

— (1995A) «La aportación de uso en las sociedades de capital», *Revista de Derecho de sociedades* 5: 33-46 (también en *Estudios homenaje al prof. Aurelio Menendez*, Civitas, Madrid, 1996, vol. 2, 2219-2236).

— (1995B) «Principio de eficiencia y derecho privado», *Estudios de Derecho Mercantil en homenaje al prof, M. Broseta Pont*, Tirant lo Blanch, Valencia, Vol. 3: 2843-2900.

— (1995C) *El sistema notarial. Una aproximación económica*, Fundación Notarial, Madrid.

PERIS, M., RUEDA, C., DE SOUZ, C. & PÉREZ, M. (2012) «Fundamentos de la Teoría Organizativa de la Agencia», *Revista de Economía ICE* 826: 107-118.

POSNER, R. A. (1998) *El análisis económico del derecho* (trad. Eduardo L. Suárez), Fondo de Cultura Económica, México.

POSNER, R. A. & SCOTT, K. E. (1980) *Economics of Corporation Law & Securities Regulation*, Little, Brown & Co., Boston-Toronto.

RIBAS, V. (2010) *El deber de lealtad del administrador de sociedades*, La Ley, Las Rozas.

ROCK, E. B. (2006) «The Corporate Form as a solution to a discursive dilemma» *Journal of Institutional and Theoretical Economics* 162: 57-71.

ROMANO, R. (1993) *Foundations of Corporate Law*, Oxford University Press.

RUIZ, E., GÓMEZ, N. & CARRERA, N. (2009) «Derogación de la rotación obligatoria de auditores y calidad de la auditoría» *Revista de Economía Aplicada* 49: 105-134.

SÁEZ, M.ª I. (2010) «¿Por qué prohibir las restricciones del derecho de voto?» *Indret* 2/2010.

— (2009) «Los pactos parasociales de todos los socios en Derecho español. Una materia en manos de los jueces» *Indret* 3/2009.

— (2008) «Las bases económicas de la junta de socios» *InDret* 2/2008.

SÁNCHEZ, A. (2015) «Derecho y mercado» en ÁNGEL ROJO & AURELIO MENÉNDEZ (dirs.) *Lecciones de Derecho Mercantil*, vol II, Thomson, 13ª ed., 37-58.

TENA, R. (2010) «Instinto Jurídico contra análisis económico (con un comentario sobre las modificaciones estructurales)» *Documento de Trabajo, Dept. Derecho Mercantil, UCM 2010/30.*

TUSQUETS, F. (1998) *La remuneración de los administradores de las sociedades mercantiles de capital,* Civitas, Madrid.

WORLD BANK/IFC (2013) «Why are minimum capital requirements a concern for enterprises?» en *Doing Business 2014. Understanding Regulation for Small and Medium Size Enterprises,* 14th ed., Washington, D.C.

# II. CONFLICTOS DE INTERÉS

# 2. Abnegación y silencio en la sociedad mercantil (apuntes sobre los conflictos de interés entre el socio y su sociedad)

**JUAN IGNACIO PEINADO GRACIA**

*Catedrático de Derecho Mercantil*
*Universidad de Málaga*

## I. ¿SOCIOS LEALES?

### 1. Introducción

En este trabajo abordamos dos conjuntos temáticos diferentes pero complementarios. En primer término nos referimos al supuesto deber de lealtad del socio respecto de su sociedad. Lo hacemos para negar la existencia de tal deber como algo diferente del deber de buena fe propio de toda relación contractual y de la relación contractual societaria. Al respecto nos referiremos a dos aspectos de su generación conceptual que consideramos lastran la elaboración actual del legislador y la doctrina cuando se aproximan al mismo. De una parte, la extensión de modelos elaborados en sociedades personalistas a sociedades de capital, sociedades en las que el elemento personal es determinante y donde la propiedad y la gestión son a menudo lo mismo. De otra, la extrapolación de la expresión «deber de lealtad», alumbrada en el régimen de las relaciones entre sociedad y administradores, al ámbito de las relaciones entre el socio y su sociedad. Ni conceptual ni funcionalmente las situaciones son similares. Ni, en nuestra opinión, tiene sentido extender a los socios un deber que actúa como norma de cierre en una relación de agencia de trato sucesivo como es la de administrador (agente) y sociedad (principal). El segundo bloque temático se refiere a algunos aspectos dudosos referidos al propio mecanismo del artículo 190 LSC.

En el seno de toda sociedad subyace el conflicto entre la misma y los intereses de los socios. Esto no es a priori una situación excepcional, sino la tensión propia de la concurrencia de sujetos diferentes que limitan su actuación voluntariamente mediante la firma de un contrato. En las sociedades de capital, a pesar de ello, nuestra tradición jurídica contemplaba como un hecho extraño el regular tal conflicto, en razón de la inocuidad asignada en las mismas a las condiciones e intereses personales de los socios. Hoy ya, sin embargo, no es trascendente la diferenciación tipológica que ha estado presente en la doctrina y en la propia norma. Sí tiene más sentido hacer en la actualidad una taxonomía de los conflictos basada en la concentración del capital, constituyendo las respuestas del ordenamiento, especialmente las basadas en el derecho de impugnación, más un escenario en el enfrentamiento mayoría de control versus minoría, que socio versus sociedad[1].

Así, nuestro ordenamiento en el momento actual recoge tres diferentes respuestas ante la evidencia del conflicto[2] que puede calificarse como soluciones preventivas: suspensión del derecho de voto del socio en supuestos tasados (art. 190 LSC)[3], a las que nos referiremos después; soluciones co-

---

[1]    Véase GONZÁLEZ FERNÁNDEZ, Mª. B., «Reglas de legitimación e impugnabilidad. El conflicto entre mayorías y minorías inmanente en la impugnación de acuerdos», en *Revista de Derecho de Sociedades*, núm. 50, 2017, págs. 67 a 111.
       Este mismo conflicto mayoría minoría puede ser la base de otra perspectiva interesante que no desarrollaremos aquí por alejarnos del objeto principal. Nos referimos a la buena fe del socio y al deber de lealtad del administrador en supuestos de grupo. De interés, PAZ-ARES RODRÍGUEZ, C., «Anatomía del deber de lealtad», *Actualidad Jurídica Uría Menéndez*, 2015, núm. 39, págs. 43 a 65. Con una perspectiva muy diferente, VICENT CHULIÁ, F., «Grupos de sociedades y conflictos de intereses», *Revista de Derecho Mercantil*, 2011, núm. 280, págs. 19 a 43.

[2]    En general, para una enunciación y clasificación de las respuestas legales al conflicto véase a VIVES, F., «Los conflictos de intereses de los socios con la sociedad en la reforma de la legislación mercantil», *Revista de Derecho Bancario y Bursátil*, 2015, núm. 137, págs. 7 a 62.

[3]    Sobre los diferentes supuestos previstos en el art. 190 LSC (que aquí no analizamos), véase RECALDE, A., «Artículo 190. Conflicto de intereses», *Comentario de la Reforma del régimen de las sociedades de capital en materia de Gobierno Corporativo (Ley 31/2014). Sociedades no cotizadas,* Juste Mencía (coord.), Civitas Thomson Reuters, Madrid, 2015, págs. 75 y ss.; EMBID, J. M., «Los supuestos de conflicto de interés con privación del derecho de voto del socio en la junta general (Art. 190.1 y 2 LSC)», *Revista de Derecho de Sociedades*, núm. 45, 2015, págs. 147 a 176.

rrectivas: impugnación de acuerdos por abuso de mayoría (art. 205 LSC); y mecanismos informativos: deberes contables para operaciones vinculadas, por ejemplo. Habida cuenta que el mecanismo preventivo es limitativo de uno de los derechos básicos del socio (derecho de voto)[4], realmente el artículo 190 LSC ocupa una función marginal dentro del sistema de actuación frente al conflicto. Es una actuación *ex ante* el conflicto se vaya a materializar y, como tal, extraña al mecanismo de convivencia ordinario en las sociedades[5].

---

[4] La LSC (art. 93) contempla el derecho de voto como parte del paquete mínimo de derechos que le corresponden al socio por el hecho de serlo. No obstante, el propio precepto contempla excepciones al ejercicio de ese mismo derecho en determinadas circunstancias acogidas por la norma. Efectivamente, nuestro ordenamiento recoge diversas ocasiones en las que el socio se ve privado del derecho de voto e, incluso, acoge la existencia de accionistas que no tengan ese derecho de forma permanente (salvo que lo recuperen por un incumplimiento de la sociedad). Nos referimos a las acciones sin voto (art. 98 y ss. LSC). En otras ocasiones, la privación del derecho de voto es transitoria. Así sucede por mora en el pago de los desembolsos pendientes (art. 83 LSC) o en los supuestos de participaciones recíprocas excedentes (art. 152.2 LSC). El propio artículo 190 LSC es una excepción al derecho de voto. Y ya con carácter subjetivo, los estatutos sociales pueden limitar el número máximo de votos que puede ejercer un mismo socio o grupo (art. 188.3 LSC).

[5] La Directiva (UE) 2017/828, que debe ser traspuesta a las normativas nacionales hasta el 10 de junio de 2019, regula las operaciones vinculadas frente a las cuales administradores y/o socios pueden tener un interés contrapuesto al de la sociedad. Expresamente contempla la necesidad de regular estos procesos como una norma derivada de la necesidad de proteger a las minorías frente al abuso de los accionistas mayoritarios o de control, que bien pueden expropiar el valor de la sociedad (del conjunto de socios) para que pueda apropiárselo un grupo de ellos. En este sentido, la Directiva (ver considerando 43) considera que cuando en la operación con una parte vinculada participe un accionista (por lo que ahora nos interesa), ese accionista no debería participar en la aprobación o la votación. No obstante, los Estados miembros tendrán la posibilidad de regularlo sin tener que acudir a privar del derecho de voto a ese accionista si se prevén *«garantías apropiadas en relación con el proceso de votación a fin de proteger los intereses de las sociedades y de los accionistas que no sean partes vinculadas, incluidos los accionistas minoritarios, como por ejemplo un umbral más elevado para la mayoría necesaria para aprobar operaciones».*

## 2. ¿Existe un deber de lealtad por el socio?

No existe en nuestro ordenamiento una proscripción general del conflicto ni un deber genérico de lealtad que pese sobre el socio[6]. No consideramos que el socio cuando vota un acuerdo en junta general deba perseguir el interés social, sino su propio interés, luego no hay propiamente abuso del derecho por el simple hecho de votar conforme al propio interés. No es necesario subordinar al interés común el voto del socio[7].

Por cuanto se refiere al conflicto, la Junta General es el órgano societario con el que, en el ámbito de sus competencias, la sociedad determina su voluntad. La concurrencia de votos es definitoria de esa voluntad y frente a la misma es difícil ver un interés social distinto. Piénsese en un acuerdo unánime de la junta y, más allá de los problemas de legitimación, el sinsentido de que se intentara calificar como contrario al interés social[8]. Sin embargo, los mecanismos de prevención y sanción de los riesgos derivados del conflicto de interés se hacen en beneficio del interés social, muy centrados en la protección de la minoría que no alcanza a poder inclinar la voluntad social en sus órganos colegiados y que, al mismo tiempo, no va a poder internalizar los beneficios del acuerdo tomado en conflicto y que la mayoría de control sí está en condiciones de capturar[9]. Así pues, las normas sobre conflicto de interés son realmente normas de protección de minorías.

En cuanto al deber de lealtad del socio hacia la sociedad, como decimos, no se contempla de forma expresa en nuestro ordenamiento positivo. A

---

[6]     La posición comúnmente aceptada en la doctrina es que este deber sí existe en el socio. En este sentido y por todos, véase a GIRÓN TENA, J., *Derecho de sociedades: Parte general. Sociedades colectivas y comanditarias,* Madrid, 1972, pág. 423. También RECALDE, A., «Deberes de fidelidad y exclusión del socio incumplidor en la sociedad civil. Comentario a la STS (Sala 1) de 6 de marzo de 1992», *La ley,* 1993, págs. 304 a 316.

[7]     ENCISO ALONSO-MUÑUMER, M. T., «Adopción de acuerdos y conflicto de interés», en *Las nuevas obligaciones de los administradores en el gobierno corporativo de las sociedades de capital,* Emparanza Sobejano, A. (dir.), Madrid, 2016, pág. 59.

[8]     De la misma forma, adviértase que por mor del artículo 190.2 LSC el acuerdo finalmente puede ser adoptado por una exigua minoría, apartándonos de la idea de que le interés social es el interés de la mayoría.

[9]     De gran interés la información de GONZÁLEZ FERNÁNDEZ, Mª. B., «Reglas de legitimación e impugnabilidad...», *op. cit.,* págs. 68 y 69, nota 2, sobre la realidad social bajo las sentencias del Tribunal Supremo en el último lustro, que pone en evidencia cómo la práctica totalidad de ellas arranca de un conflicto entre mayoría y minoría.

pesar de ello, el mismo se ha intentado generar a partir del deber de buena fe genérico (art. 7 Cc) o específicamente contractual (art. 1258 del mismo código y 57 Cód. com.)[10]. Empero, resulta difícil hacer esa equiparación, bien porque no son lo mismo, bien porque sobre la base de la buena fe se pretende exigir al socio mucho más de lo que aquélla lo obligaría[11]: se pretende que el socio ordene su actuación a la consecución del interés común en detrimento de su interés particular cuando ambos estén en conflicto. En definitiva cuando se enuncia el deber del socio hacia la sociedad como de lealtad, se pretende poner al socio en una situación fiduciaria respecto de la misma sociedad. Y esto no es así.

La razón de la exigencia de ese comportamiento en el socio puede estar en las expectativas creadas libre y legítimamente en las contrapartes o, como se ha dicho, en la eficacia de la buena fe en el contrato de sociedad. Pero eso no es exactamente lo que venimos llamando lealtad en el derecho de sociedades[12] o, al menos, no tiene los perfiles funcionales de la lealtad propia de los administradores. El deber de lealtad de los administradores no es discutido y encuentra su fundamento en la relación de agencia que se establece entre principal y agente, entre capital y administrador[13], una relación en la que el administrador (agente) debe actuar en beneficio de la sociedad (principal) durante un periodo prolongado de tiempo y en

---

[10] IRÁCULIS ARREGUI, N., *Conflictos de interés del socio. Cese del administrador nombrado por el accionista competidor*, Madrid, Marcial Pons, 2013, págs. 51 a 54.

[11] Véase SÁEZ LACAVE, M., «Reconsiderando los deberes de lealtad de los socios: el caso particular de los socios de control de las sociedades cotizadas», *INDRET*, 2016-I, pág. 11.

[12] Véase PEINADO GRACIA, JI., «Las acciones derivadas de la infracción del deber de lealtad (art. 232 LSC)» en AA.VV., *Junta General y Consejo de Administración de la Sociedad cotizada* Roncero Sánchez, A. (coord.), Rodríguez Artigas, F. Alonso Ureba, A., Fernández de la Gándara, L. Velasco San Pedro, L., Quijano González, J., Esteban Velasco, G. (dirs.), vol. 2, 2016, págs. 563 a 591.

[13] La DGRN se pronunció en el sentido de considerar el deber de lealtad como un deber del administrador y no del accionista. Así, la RDGRN de 30 de marzo de 1999 *(Tol 132740)*. Esta Resolución rechazaba la inscripción en el Registro Mercantil de las cláusulas estatutarias que regulaban la responsabilidad general de los socios y el deber general de lealtad de los mismos; cláusulas en las que se regulaba un régimen sancionador respecto de determinadas conductas desleales del socio, que generaran el entorpecimiento por el socio del buen funcionamiento social. Este rechazo en la inscripción se fundamenta en que el contenido de las cláusulas que se pretendía inscribir no se corresponde con el «status» de socio no administrador, quien se encuentra comprometido sólo a asumir obligaciones económicas —básicamente su aportación a capital—.

circunstancias que no pueden preverse inicialmente, ni en las que cabe que el principal está instruyendo permanentemente a su agente[14]. La actuación del agente se disciplina por las normas que regulan el estatuto del administrador social, pero con un deber de lealtad que cierra su régimen abocándole a actuar en beneficio de principal sin permitirse nunca actuar con intereses contrapuestos o en competencia con los de su principal.

Este deber de lealtad no es pues más que un mecanismo de control para que el agente aquiete su actuación frente al interés del principal, un deber genérico que ante la asimetría informativa de principal y agente, obliga al agente a prescindir de cualquier interés propio en la operación en la que está interviniendo. Este deber de lealtad del administrador quizás quepa sostenerlo en la buena fe del tipo contractual del mandato, como base jurídica principal de las relaciones de agencia[15]. Pero los socios entre sí no tienen una relación de agencia, ni unos frente a otros tienen a priori asimetrías informativas, ni necesitan darse instrucciones, ni tienen tal relación con la sociedad.

## 3. Un conflicto dinámico

La sociedad es un contrato por el cual dos o más personas se obligan a poner en común dinero, bienes o industria, con ánimo de partir entre sí las ganancias. El artículo 1665[16] del Código civil, de forma sencilla y bella, sintetiza no sólo la realidad contractual de la sociedad, sino que apunta la razón por la que el socio hace sus sacrificios y participa en la creación de

---

[14]    Recuérdese el artículo 1719 Cc: «En la ejecución del mandato ha de arreglarse el mandatario a las instrucciones del mandante...» y en el Código de comercio, los artículos 254 y 255: «El comisionista que en el desempeño de su encargo se sujete a las instrucciones recibidas del comitente, quedará exento de toda responsabilidad para con él»; y «En lo no previsto y prescrito expresamente por el comitente, deberá el comisionista consultarle, siempre que lo permita la naturaleza del negocio».

[15]    Véase SÁEZ LACAVE, M., *op. cit.*, pág. 17. Sobre la relación de agencia, véase PEINADO GRACIA, J. I., *El contrato de comisión. Cooperación y conflicto: La comisión de garantía*, Madrid, Civitas, 1996. Más recientemente, un estado de la cuestión en COHEN, G. M., «Law and economics of agency y partnership», en AA.VV. (edit. F. PARISI), *Law and economics. Private and comercial law*, NY, 2017, págs. 399 a 422, y la completa bibliografía allí reseñada.

[16]    Véase PEINADO GRACIA, JI, «Principios y derechos del socio (significado y límites de la condición de socio)», en AA.VV., *Accionistas minoritarios*, Agundez, Martínez-Simancas (dirs.), Madrid, La Ley, 2011, págs. 63-79.

un ente nuevo y diferenciado de él al que el ordenamiento atribuye personalidad jurídica. Del sacrificio común y de la cooperación entre los socios debe surgir un beneficio repartible, mayor que el que podrían obtener de forma individual esos mismos socios a cambio de su individual dinero, bienes o industria. Hay una concentración de capacidades o de capitales, o de unas y otros, para acceder a mayores beneficios.

Se trata pues de un juego de cooperación de suma positiva y es precisamente ese el resultado, con la detracción derivada de los propios costes de transacción, de información y monitoreo. Las expectativas, a corto o largo plazo, de apropiación de cuotas de ese resultado común justifica el propio comportamiento cooperativo de los socios entre sí y con la sociedad. Es más, esa colaboración sustentada en la buena fe contractual supone una reducción de costes de transacción porque genera una regla de conducta que no debe ser negociada individualmente para cada sujeto, ni específicamente para cada situación.

Ahora bien, se trata de un juego repetido, y como en todo juego hay un conflicto de interés. Acudir al dilema del prisionero puede resultar interesante[17]. El marco legal de la institución previene en ocasiones y castiga en otras los comportamientos que no son cooperativos, esto es, en las ocasiones en las que el interés extrasocietario del socio prima sobre su interés societario.

Para juegos repetitivos en los que un jugador tuviera un comportamiento cooperativo pero otro no, la solución más fácil es cambiar de contraparte en el juego[18]. Sin embargo esto en el ámbito societario no es fácil,

---

[17]  Las relaciones de cooperación o conflicto nos han interesado ya en otros ámbitos como el concursal PEINADO GRACIA, J. I., «Cooperación y conflicto en el concurso», *Anuario de Derecho Concursal*, núm. 9, 2006, págs. 231 a 257 o en el contractual PEINADO GRACIA, J. I., *El contrato de comisión. Cooperación y conflicto, op. cit.*, Madrid, Civitas, 1996.

[18]  En ocasiones el conocimiento sobre la estrategia cooperativa o no de un jugador puede proceder de experiencias ajenas al propio juego o adquirida por jugadores previos. Piénsese por ejemplo en algunas plataformas de venta por internet (ebay por ejemplo), que deben a priori luchar por la confiabilidad de las mismas y sus jugadores. El recelo que ya el medio puede generar se ve incrementado cuando un comprador en lugar de ser cooperativo opta por una estrategia de pillaje. Si no hay información, en juegos *one shot* podrá ser un jugador no cooperativo en todas las partidas, lo que redundará en una menor confianza hacia el mercado donde opera. Para prevenir esto, las plataformas permiten que las sucesivas contrapartes de las operaciones aisladas opinen sobre el comportamiento de la contraparte, lo

porque esta genérica afirmación de cambio de contraparte se remite en nuestro supuesto a los derechos de separación o, en su caso, exclusión; lo que no supone un mecanismo ágil para el cambio[19]. No siendo fácil esta vía de cambio de la contraparte, el ordenamiento intenta incentivar la cooperación.

Y es que en cada relación societaria subyace la paradójica relación de cooperación y conflicto entre quienes ponen en común en una sociedad y el conjunto de otros intereses del socio, generalmente extrasocietarios. Sin embargo, no es a esa dimensión conceptual estática o potencial del conflicto a lo que nos estamos refiriendo, sino al conflicto *in faciendo, in acto,* frente al que el ordenamiento sí reacciona, pues conflicto o, si se prefiere, tensión entre interés individual y social lo hay con carácter estructural y esa realidad la reconoce la norma en grado extremo no imponiendo formalmente, como hemos visto, ningún mandato de comportamiento leal al socio.

En este sentido se ha hablado[20] de conflictos estructurales en los que la convivencia entre socio y sociedad, o intereses de uno y otra, es imposible por ser permanentes. Realmente, en nuestra opinión, para estas situaciones la respuesta del ordenamiento es insuficiente, toda vez que estamos realmente ante una incompatibilidad ajena a la institución societaria. La solución contractual es inhabitual en nuestros estatutos y la legal pasa por la separación o exclusión del socio, que desde luego no convierten precisamente en líquida la posición del socio más allá de los supuestos de cotizadas.

---

que permite por multicontribución identificar a los no cooperativos y, en su caso, expulsarlos del juego.

[19]   Véase FRAMIÑÁN SANTAS, F. J., en *La exclusión del socio en la sociedad de responsabilidad limitada,* Comares, Granada, 2005, págs. 106 y ss. quien manifiesta que *«La exclusión por incumplimiento grave de las obligaciones sociales es común a toda forma social porque está conectado con la base contractual del derecho de sociedades y no con la forma en que se desea organizar la colaboración entre varias personas (...) Algunos incumplimientos pueden resultar graves desde la perspectiva de la causa del contrato de sociedad; fin común y desarrollo del objeto social (...) En atención a estas circunstancias, en nuestro ordenamiento se ha reaccionado permitiendo la exclusión del socio».* Si bien, este mismo autor también reconoce que las probabilidades de que se den los presupuestos para excluir a un socio en una gran sociedad anónima son muy bajas.

[20]   ALFARO ÁGUILA-REAL, J., «Conflictos intrasocietarios (los justos motivos como causa legal no escrita de exclusión y separación de un socio en la sociedad de responsabilidad limitada)», *Revista de Derecho Mercantil,* núm. 222, 1996, pág. 1080.

No es un simple supuesto de laboratorio y nuestra jurisprudencia[21] ha admitido que esta situación merme los derechos de los socios o los limite abocados a su propia función. Así ha sucedido respecto al derecho de representación proporcional en el consejo mediante el agrupamiento de derechos de voto, que en presencia de un interés estructural y permanente del socio en competencia con el interés social habilita a la mayoría a dejar sin efecto el derecho vía cese de su administrador.

La comunidad de intereses limitada, como se ha dicho, es algo esencial a toda sociedad. Es algo inherente a su propio concepto[22] cuando se pone en común dinero, industria, etc., para la obtención de beneficios. Sin embargo, ese interés común vive en tensión permanente con el interés de los socios en la sociedad y el interés de los socios fuera de la sociedad. De esta forma el derecho de sociedades puede reconstruirse en gran medida como un sistema de incentivos positivos y negativos al comportamiento cooperativo de los socios entre sí y de los mandatarios.

En este sentido podemos recordar como en innumerables ocasiones las impugnaciones de acuerdos societarios no responden a la lesividad o anormalidad de un determinado acuerdo, sino a una situación de enfrentamiento entre socios, mayoritario —que por tanto configura la voluntad social— y minoritario —que afirma la lesividad social del acuerdo—. Esos acuerdos de Junta General son desarrollo del propio contrato de sociedad como contrato organizativo, y consecuentemente el comportamiento de los socios en la misma debe responder a la lógica del contrato y a sus reglas.

El conflicto de interés entre socio y sociedad ha ido teniendo un paulatino reconocimiento en nuestra legislación y en nuestra jurisprudencia. En principio resulta una figura extraña a la regulación de las sociedades de capital no sólo por la indiferencia apriorística hacia las condiciones subjetivas del socio, a las que hacíamos referencia, sino también por el propio concepto de que el riesgo que éste asume se limita a la cantidad de capital aportada o comprometida. Aislado, por tanto, este capital, el socio puede tener participación e intereses diversos y, llegado el caso, incluso concurrentes con la sociedad.

---

[21]   Véanse las SSTS 15 de octubre de 2014 *(Tol 4530457)* y 11 de noviembre de 2014 *(Tol 4617590)*.

[22]   Además de lo señalado sobre el artículo 1665 Cc recuérdese que según el artículo 1666 Cc. *«La sociedad debe tener un objeto lícito y establecerse en interés común de los socios...»*

En razón de eso, las respuestas legales y jurisprudenciales han crecido en el seno de las sociedades de corte personalista[23], donde la prestación personal y las características y comportamientos del socio son esenciales en su compromiso societario. Estas características justificaron igualmente la previsión en el ámbito de las sociedades de responsabilidad limitada (art. 52 LSRL) de determinados deberes de abstención del socio cuando la sociedad debía manifestarse en su Junta General sobre cuestiones que le afectan directa y personalmente. Éste era un elemento más coherente con el carácter híbrido, cerrado y flexible, de este tipo social[24]. El último paso en este camino lo podemos situar en la extensión, *ex* artículo 190 LSC, de este deber de abstención también en el caso de la sociedad anónima[25] [26].

---

[23] En el mismo sentido respecto de la otra cara del conflicto, el deber de lealtad, SÁEZ LACAVE, M, *op. cit.*, pág. 11, señala: «La dogmática de los deberes de lealtad traspasa así el ámbito en el que fue concebido —las sociedades de personas— y se predica también de las sociedades de capitales».

[24] «Tres postulados generales deben servir de base al nuevo derecho. El primero hace referencia al carácter híbrido de la sociedad de responsabilidad limitada, cuyo equívoco nombre se decide mantener por la tradición que tiene en el derecho español, no sin reconocer que dicho nombre ha podido constituir en el pasado un factor negativo a la hora de la elección de la forma social; el segundo, es el relativo a su carácter "cerrado", y el tercero, en fin, se manifiesta en la flexibilidad de su régimen jurídico.» (Exposición de Motivos de la LSRL, epígrafe II). CABANAS TREJO, R., «Conflicto de intereses», en AA.VV., *La sociedad de responsabilidad limitada*, vol. I, Madrid, 1995, pág. 299, señalaba como la jurisprudencia había ido defendiendo bajo el imperio de la LSRL de 1953 la posibilidad de incluir estatutariamente un deber de abstención del socio en conflictos tales como la autorización para la transmisión de participaciones sociales. Señalaba la falta de razón en la diferencia tipológica sobre el conflicto de interés antes de 2014, EMBID IRUJO, J. M., «Los supuestos de conflicto…», *op. cit.*, pág. 96.

[25] El artículo 49.2 LSC incorporaba ya un supuesto de conflicto entre socio y sociedad en el momento de la fundación sucesiva referido a la reserva de derechos especiales para los promotores o en el caso de que existan aportaciones no dinerarias.

[26] El *Estudio sobre propuestas de modificaciones normativas* (octubre, 2013) de la Comisión de Expertos en materia de Gobierno Corporativo que se halla en los antecedentes de la reforma societaria de 2014 señaló la necesidad de *establecer una cláusula específica de prohibición de derecho de voto en los casos más graves de conflicto de interés, para lo cual se propone generalizar a las sociedades anónimas, con ligeras modulaciones o restricciones, la norma actualmente prevista para las sociedades de responsabilidad limitada en el artículo 190.1 de la LSC y, por ende, a todas las sociedades de capital. No se encuentra justificación alguna para un tratamiento tan diferenciado de esta cuestión en uno y otro tipo de sociedades como el actualmente contenido en la LSC.* Esta afirmación diferenciaba además dos supuestos distintos: los de conflictos más graves, señala-

La paulatina recepción por las normas del posible conflicto de interés entre socio y sociedad, desde las de carácter personalista a las capitalistas, cuya mayor plasmación es la actual (post 2014) redacción del artículo 190 LSC ha supuesto también que se extrapolen valoraciones axiológicas que son propias de las sociedades personalistas. Nos estamos refiriendo a la extensión de soluciones legales (deber de abstención) y conceptos (deber de lealtad) propios de los administradores al conjunto de los socios. Esta extensión lleva en su germen la condición de potencial administrador de todo socio en la sociedad colectiva (art. 129 Cco.). Y, sin embargo, en nuestra opinión y como ha quedado dicho, no tiene el socio un deber de lealtad como deber cualificado sobre el genérico de buena fe. Por esto, los supuestos del artículo 190 LSC no se ven acompañados de una cláusula general prohibitiva y por esto no debe extenderse el mecanismo de control *ex ante* del 190 LSC a nuevos supuestos no previstos allí[27].

## 4. *Taxonomía del conflicto*

La diferenciación tipológica como justificación del tratamiento legal del conflicto es hoy de una utilidad limitada, pues independientemente de la sociedad de la que se trate y de la respuesta expresa legal a la cuestión, siempre cabe acudir a los mecanismos propios del negocio básico de naturaleza contractual que está en todas y cada una de las sociedades. Además, y como ha quedado dicho, se han extrapolado a todos los tipos sociales soluciones propias y coherentes con las sociedades personalistas. El abuso de derecho o el ejercicio de mala fe de los derechos derivados del contrato de sociedad son una vía genérica de actuación contra las consecuencias de los actos en los que el socio ha actuado en beneficio propio y contra la sociedad.

Ahora bien, junto al contractual tipológico, hay otro enfoque u otra taxonomía societaria que ha venido a dar luz a esta cuestión. Se trata de la clasificación, en el ámbito de las sociedades de capital, de la estructura de propiedad.

---

dos específicamente por el legislador; y aquellos otros en los que el ejercicio del derecho de voto resulta dirigido a un interés contrario al interés social. En estos últimos, se entiende que el voto ejercido en conflicto desnaturaliza la voluntad social resultante, por lo que la reacción del legislador es habilitar la vía de la impugnación de ese acuerdo contrario al interés social.

27  Excepción hecha de la inclusión de nuevos supuestos vía estatutaria. Nos detendremos en esta cuestión más adelante.

En el ámbito de las sociedades de capital cotizadas, de donde han venido algunas de las innovaciones técnicas en la materia que posteriormente se han generalizado, podemos distinguir la sociedad con una gran dispersión de la propiedad, de aquellas otras sociedades en las que existe un núcleo duro de control y el *free float* es minoritario. Ambos modelos, propiedad dispersa y propiedad concentrada, si bien se suelen estudiar en el ámbito de las sociedades cotizadas, aparecen en multitud de sociedades de capital no cotizadas.

## 4.1. La propiedad dispersa y los administradores

En el primer caso, propiedad dispersa, los costes de información, negociación y organización del capital disperso entran en conflicto con los gestores de la sociedad, cuyo interés, vinculado a su posición, puede determinar de forma predominante su comportamiento, todo ello frente al interés disperso e, incluso, difuso, de los socios (a tal fin la teoría sobre la acción social y los grupos de interés puede resultar de utilidad). En esta estructura de propiedad el conflicto que se ha tratado más tanto por la doctrina como por el legislador y la jurisprudencia es el derivado de lo que se llamó la revolución gerencial[28]; esto es, el conflicto en la actuación de los administradores sociales entre el interés propio de los mismos y el interés de la sociedad. La falta de control efectivo, el fracaso de la junta general, ha permitido actuaciones incontrolables e impunes en los que la tensión entre principal (sociedad/conjunto de accionistas) y el agente (administradores) se ha resuelto primando el interés de los administradores (la teoría de la agencia ayuda a comprender este conflicto). El desarrollo de los deberes de lealtad así como las diferentes soluciones del ordenamiento para el conflicto de interés en los administradores bien entre los mismos y un interés público (prohibiciones), o con el interés social de forma ocasional (deber de abstención) o permanente (cese), son respuestas

---

[28]   Es éste ya un lugar común en la doctrina española como antes en la francesa y antes en la anglosajona. Por todos, véanse a MENÉNDEZ MENÉNDEZ, A., *Ensayo sobre la evolución actual de la Sociedad Anónima*, Civitas, Madrid, 1974, obra de necesaria lectura por cuanto se describen los entonces incipientes fenómenos que han cambiado la fisonomía de nuestros mercados de valores y nuestra legislación societaria; OLIVENCIA RUIZ, M. «Manager' revolution/indepents' counter-revolution (Ensayo sobre una nueva fase en la evolución de la Sociedad Anónima)», en *Estudios jurídicos en homenaje al Profesor Aurelio Menéndez*, Tomo II, Civitas, Madrid, 1996, págs. 2173-2193.

legales en este ámbito[29]. La iniciativa de estas reformas legales y las mejores prácticas de gobierno corporativo han venido desde ordenamientos anglosajones y se han extendido a medida que los mercados de valores se han universalizado.

Ahora bien, este conflicto administrador versus sociedad ha tenido un desarrollo jurisprudencial de interés para el ámbito (socio/sociedad) que nos ocupa. Pese a que el estatuto jurídico de los administradores sociales es único con independencia de su calificación como dominicales, ejecutivos o independientes, en el caso de los primeros la jurisprudencia ya ha reconocido que las circunstancias personales de los accionistas con los que mantiene vínculo deben ser tenidas en cuenta. Y, en este sentido, que el conflicto de interés socio versus sociedad puede justificar el cese del administrador propuesto por una minoría en ejercicio de su derecho de representación proporcional.

### 4.2. Accionista de control y apropiación de externalidades

La segunda estructura de propiedad que puede incidir en la cuestión es aquella en la que hay un accionista de control[30] y unos accionistas minoritarios. El llamado socio de control puede orientar por sí mismo la voluntad social expresada en los acuerdos de la junta general, lo que no le exime, antes al contrario, de ser escrutado en la posible existencia de conflicto de interés. En tal hipótesis puede producirse una situación de conflicto, pues el accionista de control puede apropiarse de rentas (los beneficios privados del control) u oportunidades de negocio generadas por la sociedad, que internaliza su coste de generación, mientras que dichas rentas y oportunidades son capturadas por el accionista de control[31]. Obviamente el perjuicio se causa a la sociedad y a los accionistas minoritarios que han financiado ese coste de generación sin internalizar los beneficios.

---

[29]  Véase PEINADO GRACIA, JI., «Las acciones derivadas de la infracción del deber de lealtad (art. 232 LSC)», *op. cit.*, págs. 563-591.

[30]  En términos generales, puede verse el interesante trabajo de SÁEZ LACAVE ya citado.

[31]  Aunque no es un trabajo reciente, resulta de mucho interés el repaso de la literatura sobre la apropiación de rentas por parte del accionista de control en LA PORTA, R., LÓPEZ-DE-SILANES, F., SHLEIFER, A., VISHNY, R., «Investor protection and corporate governance», *Journal of Financial Economics*, 2000, núm. 58, págs. 3 a 27.

Por fin, el conflicto que estudiamos se produce también en el caso de relaciones contractuales entre socio y sociedad, lo que algunos han llamado *el conflicto transaccional.* Por su propia naturaleza, hay una confrontación de intereses legítimos por ambas partes. Es el caso de las operaciones vinculadas, resueltas por lo general mediante normas de transparencia que ponen en evidencia el conflicto y los términos contractuales[32].

## 4.3. El voto vacío

Una cuestión paralela es el la ausencia de interés del socio en la sociedad, el llamado *voto vacío.* Esto es, cuando por diversos negocios colaterales a la acción o participación, el riesgo económico de la compañía y el ejercicio de los derechos políticos están transferidos a terceros o, al menos, el socio que conserva sus derechos de voto y por tanto está afectado por el artículo 190 LSC, carece de interés económico en la marcha de la compañía.

A esta situación se llega mediante la descomposición de los derechos inherentes a la condición de socio y al tiempo utilizando productos financieros derivados[33]. La referencia en este caso es procedente porque no cabe duda que el socio sí conserva un interés propio o particular (aunque no siempre sea fácil identificarlo) mientras que, subsistiendo su deber de buena fe derivado del contrato de sociedad del que es parte, la justificación de su condición societaria (cooperar para maximizar el beneficio común repartible) ha desaparecido. Estos accionistas tienen pues influencia en la compañía en razón de cuál sea su participación (nominal) en el capital, sin tener interés económico[34]. Esto obviamente genera un conflicto con otros accionistas y con la propia sociedad. La existencia de este «voto vacío» a menudo esconde no sólo el verdadero interés del socio, sino que en muchas ocasiones esconde quién es el socio real, quién tiene interés

---

[32]   Véase LATORRE CHINER, N., «Las operaciones vinculadas en las sociedades cotizadas. Especial atención a las operaciones intragrupo», *Revista de Derecho de Sociedades*, núm. 51, 2017 (citamos por el original facilitado por la autora).

[33]   Véase HU, H. T. C., «Financial Innovation and Governance Mechanisms: The Evolution of Decoupling and Transparency» (March 20, 2015). *Business Lawyer*, Vol. 70, No. 2, 2015, págs. 347 a 405. Disponible también en: SSRN: https://ssrn.com/abstract=2588052.

[34]   Véase BECK, P. «What we talk about when we talk about voting: efficiency and the error in empty voting», *Fordham J. Corp. & Fin. L.*, vol. XXI-I, 2016, págs. 211 a 230.

en la sociedad y cuál es ese interés[35]. Por este motivo la mejor respuesta a este conflicto de interés, puesto que un control sustantivo no es viable, descansa en la transparencia de la posición o en que se haga visible el «interesado» último o real en la compañía y en el sentido con el que se van a ejercer los derechos de voto.

El tratamiento del fenómeno de *empty vote* desde una perspectiva sustancial se ha intentado abordar en alguna ocasión desde la práctica, vinculándolo a la ausencia de *affectio societatis* en el socio que ya no tiene interés patrimonial en la compañía, de lo que se ha pretendido ver la posibilidad de que quedase privado de su derecho de voto. Y no es tanto la pérdida derivada del conflicto ex artículo 190 LSC, cuanto la posibilidad de que la mesa de la junta admitiéndolo en el quórum, le impida posteriormente votar pues su falta de interés es un conflicto de interés irresoluble. Adelantamos ya que no consideramos esta vía la más eficaz.

Volviendo al propio concepto de contrato de sociedad, recordamos que son sus elementos caracterizadores la constitución de un fondo común con las aportaciones de los socios y la intención de obtener un lucro común repartible en su caso[36] (aunque a esta intención de obtener un lucro común partible pueden añadirse otras finalidades de carácter económico o moral). Esta misma idea, predicable para las sociedades civiles, puede ser igualmente extrapolada a las sociedades mercantiles, cualquiera que fuera su tipo, con las especificaciones que veremos más adelante en relación a las sociedades cotizadas.

A los anteriores elementos caracterizadores del contrato de sociedad, podría añadirse un tercer elemento, la mencionada *affectio societatis*[37], siendo este elemento discutido tanto por la jurisprudencia del Tribunal Supremo como por la doctrina. El Tribunal Supremo se ha pronunciado en la línea de considerar la *affectio societatis* como un elemento diferente del consentimiento[38]:

---

[35]   ESMA, *Call for evidence. Empty voting*. 2011. Ver el texto y las respuestas en https:// www.esma.europa.eu/press-news/consultations/call-evidence-empty-voting.

[36]   PAZ-ARES RODRÍGUEZ, C., «Comentario al artículo 1665», en *Comentario del Código Civil*, Ministerio de Justicia, Tomo II, Madrid, 1993. págs. 1.321 manifiesta que «*el consentimiento ha de versar necesariamente sobre el fin común y sobre las aportaciones, que son los elementos esenciales del contrato...*»

[37]   Con raíces en el Derecho Romano (ULPIANO aludía a la *affectio societatis*, a *animus contrahendae societatis* o a *societatis contrahendae causa*).

[38]   «(…) *Que a diferencia de otros contratos menos complejos, en el de sociedad, hay que agregar a los elementos generales comunes a toda relación contractual, la intención de constituir so-*

En otras ocasiones, el Alto Tribunal matiza su propia posición y considera la *affectio societatis* como un elemento contractual que se subsume en el consentimiento emitido sobre el objeto y la causa. A modo de ejemplo, citamos la Sentencia del Tribunal Supremo de fecha 14 de julio de 2006[39].

---

*ciedad (affectio societatis anumus contraendis societales) considerada como elemento distinto del consentimiento la constitución de un fondo común con las aportaciones de los socios y la obtención de un lucro común partible (…).*

*Que en la sociedad la oposición de intereses, propia de los contratos conmutativos, está sustituida por la convergencia de intereses, de aquí que la voluntad de unión sea indudablemente el primer elemento esencial de la causa del contrato de sociedad, ya que cada uno de los contratantes en vez de considerarse como rival de los otros es su aliado para luchar con terceros, existiendo otro elemento complementario, que es la voluntad de correr en común ciertos riesgos, tanto los de pérdida como los de ganancias, elementos ambos que yuxtapuestos constituyen la "affectio societates" que en síntesis no es más que la representación subjetiva de los elementos objetivos y económicos que constituyen la finalidad y la esencia del contrato de sociedad, debiendo el Juez indagar en cada caso la intención que preside la celebración del contrato para discernir si se trata de una verdadera sociedad (…)».* En este último sentido, baste citar la Sentencia del 3 de de diciembre de 1959 *(Tol 4349500)*. Esta misma línea la han seguido las Sentencias del Tribunal Supremo de fechas 27 de junio de 1960 *(Tol 4339701)*, 23 de mayo de 1962 *(Tol 4334100)*, 2 de octubre de 1978 *(Tol 2189631)* ó 19 de marzo de 1990 *(Tol 1730288)*. La Jurisprudencia menor también se ha pronunciado al respecto. Puede citarse, a modo de ejemplo, la Sentencia de la Audiencia Provincial de Madrid (Sección 21ª) de 21 de octubre de 2010 *(Tol 2027412)*, que dice lo siguiente: «*(…) es una sociedad que nace de un contrato asociativo, en el que deben concurrir todos los requisitos generales del contrato, recogidos en el artículo 1261 del Código Civil, y los específicos del asociativo, plasmados en el artículo 1665 del Código Civil, y que son los tres siguientes: Primero, aportaciones de actividades o bienes que pasan a formar un patrimonio común; Segundo, la finalidad de la obtención de un lucro común con el animo de partir entre si las ganancias o las eventuales pérdidas; Y tercero, la llamada "affectio societatis" o "animus contrahendae societatis" como elemento subjetivo consistente en la intención de constituir la sociedad o asociarse. De tal manera que, ante la ausencia de acreditación de alguno de esos tres requisitos, debe concluirse que la relación jurídica preexistente no era la de una sociedad civil irregular, en el buen entendimiento que la prueba del elemento subjetivo o intencional se puede derivar de la constatación de hechos concluyentes (…)»*

[39] «*(…) Los elementos del contrato de sociedad, conforme es definido por el artículo 1665 del Código civil y ha sido desarrollado por la jurisprudencia, son, primero, el consentimiento, como declaraciones concordes de los sujetos sobre la constitución del ente social, en el que está inmersa la llamada affectio societatis que no es otra cosa que la voluntad de crear la sociedad, es decir, el consentimiento contractual (artículo 1261, 1º); segundo, el objeto, actividad de colaboración de los contratantes-socios, con interés y patrimonio común, que implica la existencia de un fondo común y de un lucro común partible (artículo 1666); tercero, la forma que, habiendo libertad de forma (artículo 1667), debe constar cualquiera que haya sido. Cuya sociedad, ente creado por el contrato, tiene personalidad jurídica, a no ser que no*

Respecto a la doctrina, inicialmente defendía que la *affectio societatis* era un elemento característico del contrato de sociedad, tratándose de un elemento de índole subjetivo, es decir, la intención de asociarse, precisamente de cooperar como socios en el marco del contrato de sociedad para obtener un beneficio común mediante operaciones hechas en interés común («*Actividad Común*»)[40]. También se planteaban visiones de corte objetivo, entendiendo esta *affectio societatis* como un elemento de colaboración activa y leal. En todo caso, este elemento, implícita o explícitamente, está agregado al propio consentimiento, prestándose de una vez y afectándole sus vicios, en caso de existir[41.]

Este elemento subjetivo implícito en el consentimiento tiene sin embargo una importancia diversa en función del tipo social elegido, alcanzando su menor grado en la sociedad cotizada, donde deberemos distinguir entre accionistas de control y accionistas inversores que no tienen otra pretensión que la rentabilidad financiera de su inversión. La intensidad con la que se aprecia en unos y otros la *affectio* tiene que ser diferente necesariamente. La sociedad cotizada debe entenderse como el más puro ejemplo de sociedad abierta, por lo que lo relevante es la aportación de capital,

---

*se trate de sociedad irregular (artículo 1669) caso de la que no trasciende a terceros (...)»* (Fº Jº 4º). (Tol 984834). A modo de muestra véanse las SSTS de 15 de diciembre de 1992 (Tol 1654874), 18 de febrero de 1993 (Tol 1662753), 9 de febrero de 1994 (Tol 1664774), 13 de noviembre de 1995 (Tol 5127503), 17 de julio de 1996 (Tol 5153351), 29 de abril de 2005 (Tol 674243) ó 14 de julio de 2006 (Tol 984834).

[40] La doctrina clásica ha entendido esta «*Actividad Común*» como la «*intención de trabajar todos juntos y en un plano de igualdad en el éxito de la empresa común*». Ver, por todos FERNÁNDEZ DE LA GÁNDARA, L., *La atipicidad en Derecho de Sociedades*, Pórtico, Zaragoza, 1977, pág. 318.

[41] PAZ-ARES RODRÍGUEZ, C., «Comentario al artículo 1665», *op. cit.*, pág. 1.321. En este sentido, DÍEZ-PICAZO y GULLÓN afirman que el contrato de sociedad no requiere una especie de voluntad «mística», ni tampoco un consentimiento que sea distinto del que requieren los demás tipos contractuales, ya que en todos los contratos se requiere una representación subjetiva de los elementos objetivos y económicos y una cierta voluntad de alcanzarlos. La *affectio societatis* no parece ser otra cosa que el genérico consentimiento contractual unido a la elaboración del intento empírico que las partes persiguen en su aplicación a este contrato. En definitiva, la *affectio societatis* no sería más que una traducción abstracta de las distintas finalidades jurídico-económicas perseguidas por las partes contractuales. Véase DÍEZ-PICAZO/ GULLÓN, «*Sistema de Derecho Civil*», vol. II, Tecnos, Madrid, 2002, págs. 387-388. En el mismo sentido, BLASCO GASCO, F., «Contratos societarios», en *Derecho Civil. Derecho de Obligaciones y Contratos*, Valpuesta /verdera (coords.), Tirant lo Blanch, Valencia, 2001, pág. 502.

siendo indiferentes sus características personales; produciéndose, por lo tanto, una «despersonalización» de la condición de accionista que se hace fungible y perfectamente intercambiable.

Para la obtención de un fin común, y en definitiva, para la consecución del interés social, resultan relevante las relaciones de confiabilidad derivada de que todos los socios ordenan su proceder conforme el mandato de la buena fe, que encuentran reflejo en nuestra normativa societaria[42]. Justamente en este sentido se han de situar también los límites a la manera de ejercitar el derecho de voto.

No obstante lo anterior, analizada la Ley de Sociedades de Capital, en la que no se impone a los socios ningún tipo de deber de lealtad para con la compañía de la que son accionistas o partícipes, resulta evidente que tampoco existirá una regulación de las sanciones inherentes al incumplimiento del referido a un supuesto deber de lealtad.

Dicho esto, volvemos a la cuestión inicial. Se trata de valorar el conflicto de interés entre el accionista titular de acciones o participaciones vacías y la compañía. La construcción basada en la *affectio societatis* nos parece que difícilmente puede permitir privarle del derecho de voto y, menos, como referencia genérica a valorar por la presidencia de la Junta general. Si bien es cierto que todo accionista en esas condiciones no vota persiguiendo el interés social, pues nunca le afectará por ser inmune a los avatares sociales, es igualmente cierto que ningún socio está privado su derecho de voto por perseguir un interés privado en el ejercicio de su voto, sino por votar en conflicto de interés en los casos señalados en el artículo 190 LSC o en las previsiones estatutarias de la sociedad. La solución puede venir de la inclusión estatutaria de causas objetivas que pongan en evidencia el conflicto de interés y aparejen al mismo el deber de abstención del socio[43].

---

[42]   Entre otros, artículo 204 de la Ley de Sociedades de Capital, en lo que se refiere a la posibilidad de impugnar los acuerdos sociales formalmente correctos pero que lesionen los intereses de la sociedad.

[43]   Al respecto resulta de mucho interés la STS de 12 de noviembre de 2014 *(Tol 4605788)* en la que se examinó la reacción estatutaria de una cotizada frente a un fenómeno de *empty vote*. El titular de unas acciones tenía en virtud de diferentes operaciones de apalancamiento y derechos reales convertida su participación en acciones vacías. Como tal situación se produjo en el marco de un enfrentamiento prolongado en el tiempo, la sociedad cotizada procedió a la reforma de sus estatutos en los que se habilitaba al presidente de la junta a «*resolver sobre la suspensión o limitación de los derechos políticos y, en particular, el derecho de voto de las acciones de acuerdo con la ley y el sistema de gobierno corporativo de la sociedad*» (art. 27.1 estatutos

## 5. Mecanismos preventivos y correctivos del conflicto. La información del conflicto

Las anteriores vías de desarrollo del conflicto de interés entre sociedad y socio trascienden la simple explicación teórica y desembocan en una multitud de problemas prácticos en ocasiones recogidos en nuestro ordenamiento vía derecho de separación, vía deber de abstención o, por ejemplo, vía carácter causal del cese de consejeros. Junto a estos fenómenos típicos, el propio conflicto mantiene una sede de resolución de los supuestos atípicos en el ámbito del derecho contractual.

La normativa contiene mecanismos preventivos y mecanismos sancionadores. El artículo 190 LSC es un mecanismo preventivo, pues ante la existencia de un conflicto de interés que la ley presume o hace objetivo en los supuestos expresamente tasados, impone un deber de abstención que impide que el riesgo para la compañía derivado del conflicto se llegue a perfeccionar. A los mecanismos sancionadores responde el artículo 204 LSC sobre impugnación de acuerdos, así como el apartado 3 del artículo 190, para los casos en que el conflicto ya se ha perfeccionado. Los mecanismos preventivos suponen una limitación de los derechos del socio y en consecuencia deben interpretarse restrictivamente sin que proceda por ejemplo, la aplicación analógica.

El legislador expresamente decidió no incluir una cláusula abierta que exigiera la abstención para todos aquellos otros conflictos de similar natu-

---

sociales); de la misma forma el art. 30.1 Estatutos: «*No podrán ejercitar su derecho a voto, por si mismos o a través de representante en la junta general de accionistas, en relación con los asuntos o propuestas de acuerdo a los que el conflicto se refiera, los accionistas que se hallen en situación de conflicto de interés y, en particular, los que participen en un proceso de fusión o escisión con la sociedad o que estén llamados a suscribir una ampliación de capital con exclusión del derecho de suscripción preferente o a adquirir por cesión global el conjunto de los activos de la sociedad o que se vean afectados por acuerdos en virtud de los cuales la sociedad les conceda un derecho, les libere de una obligación, les dispense, en el caso de ser administradores, de la prohibición de competencia o apruebe una operación o transacción en que se encuentren interesados y, en general,* los accionistas meramente formales y aparentes que carezcan de interés real y efectivo y no actúen de forma plenamente transparente frente a la sociedad» (el resaltado sin cursiva es nuestro). Esta STS ratifica la decisión de la SAP previa que ya había declarado nulas las modificaciones estatutarias de carácter más amplio que otorgaban cierta discrecionalidad al presidente de la Junta para valorar el conflicto de interés o la existencia de accionistas meramente formales, y en razón de lo anterior privarles del derecho de voto.

raleza a los mencionados. Por el contrario, en los mecanismos sancionadores si existe esa previsión que descansa en la idea de abuso de Derecho
(art. 7 Cc) y se manifiesta procesalmente en la posibilidad de impugnar los
acuerdos sociales (*ex* art. 204) por lesividad para el interés social del acuerdo tomado por la mayoría.

La impugnación como mecanismo de corrección a posteriori o sancionador, puede operar no sólo para los supuestos que no están expresamente previstos en el artículo 190, sino también como mecanismo de último
recurso cuando el artículo 190 no es correctamente aplicado, bien por la
conducta rebelde del accionista, bien por la inactividad del Presidente de
la Junta.

Junto a los mecanismos preventivos y sancionadores, la normativa también recoge mecanismos de información, en los que el conflicto de interés
desemboca en el deber legal de aportar información al mercado para que
el conjunto de socios y también los terceros que pudieran verse dañados
conozcan de la existencia de operaciones que son susceptibles de encerrar
un conflicto. Este es el caso de los deberes contables relacionados con las
operaciones vinculadas[44].

---

[44]    De interés los trabajos de GARCÍA LLANEZA, R. «Grupos de sociedades, empresas asociadas, sociedades de propósito especial y vinculadas. PGC y NIIF», *Revista
de Derecho Mercantil*, núm. 304, 2017, págs. 295 a 300; y su trabajo en esta misma
obra. Tradicionalmente, las consecuencias más relevantes de la existencia de vinculación tenían especial trascendencia en la esfera tributaria. No obstante, ya el
Plan General de Contabilidad de 1990 obligaba a identificar las operaciones con
determinadas partes vinculadas. Este es el aspecto que hoy nos interesa pues se
refiere a la protección de minorías mediante la obligación de transparencia de
operaciones societarias con partes vinculadas. En este tipo de actuaciones, de no
realizarse en condiciones de mercado, el accionista de control bien puede forzar
por sí mismo o por los administradores una expropiación de rentas de la sociedad
a favor de sí mismo o de un tercero. El concepto de vinculación lo establece el
art. 18 de la Ley 27/2014, de 27 de noviembre, del Impuesto sobre Sociedades. El
actual PGC, en su NECA 15a, considera que existe vinculación entre dos entidades cuando una de ellas o un conjunto que actúa en concierto, ejerce o tiene la
posibilidad de ejercer directa o indirectamente o en virtud de pactos o acuerdos
entre accionistas o partícipes, el control sobre otra o una influencia significativa
en la toma de decisiones financieras y de explotación de la otra. Para las sociedades cotizadas, la Orden de Operaciones Vinculadas y su desarrollo normativo a
través de la Circular 1/2005, de 1 de abril, de la Comisión Nacional del Mercado
de Valores, por la que se modifican los modelos de información pública periódica
de las entidades emisoras de valores admitidos a negociación en Bolsas de Valores (la «Circular 1/2005») —actualmente derogada y sustituida por la Circular

Más allá de los mecanismos preventivos, correctivos e informativos del conflicto de interés, ¿el ordenamiento responde a dicho conflicto de otra forma? Sí, aunque es difícil discernir cuándo estamos hablando de conflicto socio/sociedad o del conflicto socio mayoritario/socio minoritario. Creemos que hay un amplio desarrollo jurisprudencial pendiente derivado de conflictos socio versus sociedad, pero sustanciados a través del conflicto

---

1/2008, de 30 de enero de información periódica de los emisores con valores admitidos a negociación en mercados regulados relativa a los informes financieros semestrales, las declaraciones de gestión intermedias y, en su caso, los informes financieros trimestrales (la «Circular 1/2008»)—, ahondan en la exigencia especial de transparencia en aquellos casos en los que una sociedad realiza operaciones con terceros con los que, dada la especial relación mantenida entre las sociedades implicadas, pudieran existir dudas sobre la adecuación de los términos y condiciones de la relación contractual a aquellos que hubieran podido pactar partes independientes. Ver PAREDES, C./ VILLACAMPA, A., «La nueva regulación sobre comunicación de operaciones vinculadas en derecho español», *Actualidad Jurídica Uría y Menéndez*, 2005-11, págs. 13 a 24. Con acierto LATORRE CHINER, N., «Las operaciones vinculadas en las sociedades cotizadas...», *op. cit.*, señala: «*Otros sectores del ordenamiento, ajenos a nuestro estudio, han prestado atención a las operaciones con partes vinculadas. De querer extraer un elemento común, de entre todos ellos, habría que buscarlo en que la proximidad entre las partes se revela como un hecho capaz de alterar los normales efectos de un concreto negocio. En este sentido, se advierte que determinados vínculos, normalmente de parentesco, pero también de otro tipo, pueden alterar lo que sería el normal resultado de la transacción, entendido como el que cabría esperar de haberse realizado entre dos partes independientes. Así, la finalidad perseguida por cada regulación sería identificar cómo y en qué grado se produce la desviación del resultado esperado, y disponer los remedios más eficaces para corregir dicha desviación (por ejemplo, en el ámbito tributario, la Ley sobre el Impuesto de Sociedades somete dichas operaciones a un régimen especial, porque la valoración de la transacción establecida por las partes se presume, por motivo de su vinculación, inferior a la normal de mercado; el objetivo de la norma es corregir la desviación, a fin de que el impuesto se grave sobre la base que correspondería si la operación se hubiera celebrado entre partes no allegadas)*».

El artículo 9 quater, núm. 2 de la Directiva (UE) 2017/828 del Parlamento Europeo y del Consejo de 17 de mayo de 2017 por la que se modifica la Directiva 2007/36/CE en lo que respecta al fomento de la implicación a largo plazo de los accionistas, mantiene la información (más allá de lo que diremos después) como el mecanismo de protección de minoritarios frente al riesgo de las operaciones vinculadas. Así señala que las normativas nacionales deberán garantizar den información suficiente en la celebración de estas operaciones. La Directiva además prescribe el contenido mínimo de esa información sobre «la naturaleza de la relación con la parte vinculada, el nombre de la parte vinculada, la fecha y el valor de la operación y otra información necesaria para valorar si esta es justa y razonable desde el punto de vista de la sociedad y de los accionistas que no sean partes vinculadas, en particular los minoritarios».

socio y administrador dominical versus sociedad. Por ejemplo, a la hora de valorar conflictos estructurales y permanentes de un socio que desembocan en la imposibilidad de nombrar administrador dominical por representación proporcional.

## II. ANÁLISIS DE CASOS

### 1. El socio rebelde

En referencia al artículo 190 y el deber de abstención, cabe plantearse ¿qué sucede si el socio, en los supuestos tasados, decide votar los temas a tratar?

Caben diversas posibilidades desde

(i) considerar que el artículo 190 supone un mandato sobre el socio y que su conducta rebelde no puede ser corregida sino con posterioridad mediante la impugnación del acuerdo adoptado contraviniendo la prohibición del precepto;

(ii) considerar que el Presidente de la Junta (la mesa de la Junta) tiene la facultad de privarle de derecho de voto; o

(iii) considerar que es la propia Junta la que debe resolver sobre este tema mediante votación de esa cuestión de procedimiento.

Optar por considerar un mandato que pesa sobre el socio y diferir la respuesta a la impugnación no lo consideramos idóneo. El artículo 190 es un remedio preventivo que no puede quedar al albur del propio socio. Obviamente la vía impugnativa del acuerdo, si la votación hubiera dependido de los votos emitidos por el socio rebelde, está siempre expedita, pero ese no es el diseño normativo. Si el socio decidiese no abstenerse y el acuerdo se adopta, las consecuencias pueden ser irreversibles en sus propios términos (excluimos el resarcimiento patrimonial), por ejemplo, por la transmisión de las participaciones a un tercero de buena fe. Pero es que, además, el literal de la norma no identifica en el socio claramente el sujeto pasivo de su mandato: «*El socio no podrá ejercitar el derecho de voto*», sino que simplemente se suspende su derecho de voto y da un mandato finalista: «*no podrá*». Considerar que la corrección del socio rebelde se realiza mediante la impugnación es privar a la norma de fuerza vinculante en fase preliminar o preventiva. Por otro lado, si el resultado de una conducta rebelde es que un procedimiento impugnativo podría llegar a dejar sin efecto el acuerdo adoptado con su contravención de la norma, se está dejando la eliminación de sus resultados al albur de que efectivamente se impugne y el órgano juzgador estime la pretensión. Y todo ello además, sin castigo alguno sobre el socio rebelde.

Si el socio «no podrá» y es rebelde, debemos situar el centro de decisión en otro sujeto. Cabe plantearse que sea la propia sociedad a través de sus órganos.

Ahora bien no nos parece viable que la propia junta general tenga que decidir sobre si el socio debe abstenerse[45], pues no haría sino repetir la cuestión sucesivamente, toda vez que tal decisión de la Junta no estaría entre las expresamente recogidas en el artículo 190 LSC y, por tanto, a priori, no requeriría la abstención del socio sobre cuyo derecho de voto se decide. Si ubicamos este conflicto en su sede natural de enfrentamiento entre mayorías de control y minorías, cabe prever que la decisión de la asamblea le sería contraria a quienes quisieran corregir la rebeldía del socio. Sería una vía costosa e ineficiente que no protegería al minoritario.

Las funciones de la Mesa de la Junta no están claramente recogidas en la norma. El uso le atribuye responsabilidad sobre el desarrollo de la junta. A tal fin tiene las competencias necesarias[46], incluyendo orden y disciplina, para dirigir la Junta incluyendo la resolución de los conflictos que se planteen tanto en la constitución de la junta[47], como en la ordenación de las sesiones, así como todo lo relativo a la eventual exclusión, suspensión o limitación de los derechos políticos y, en particular, del derecho de voto de acuerdo con la ley y los Estatutos. La Mesa resuelve sobre las votaciones, establece los sistemas y procedimientos de votación, determina el sistema de

---

[45]  Defendida por DUQUE DOMÍNGUEZ, *Tutela de la minoría. Impugnación de acuerdos lesivos (art. 67 LSA)*, Valladolid, 1967, pág. 137 y ss. sostiene que la competencia, ante la falta de una clara atribución al Presidente, corresponde al conjunto de la Junta General, con capacidad eso sí del Presidente de proponer una votación sobre tal extremo pese a no figurar en el orden del día, por lo que tendrá la consideración de acuerdo complementario a los sí incluidos y que podrían estar en conflicto.

[46]  Abrir la sesión, verificar el quórum de asistencia y declarar válidamente constituida la reunión, declarar el cierre de la Junta, suspender o prorrogar las sesiones, dar cuenta, en su caso, de la presencia de un notario para que levante acta de la reunión, etc.

[47]  Resolver las dudas, aclaraciones o reclamaciones suscitadas en relación con la lista de asistentes, la identidad y legitimidad de los accionistas y sus representantes, la autenticidad e integridad de las tarjetas de asistencia, delegación y voto a distancia o medios acreditativos correspondientes.

escrutinio y cómputo de los votos. Por fin, la Mesa proclama los resultados de las votaciones. En razón de lo anterior, entendemos que deberá ser la Mesa, a través de su presidente[48], quien decida si el socio tiene o no derecho de voto en los puntos donde se produzca supuestamente el conflicto de interés de entre los recogidos en el elenco del artículo 190 LSC.

Si el socio decide no abstenerse, la mesa de la junta debe privarle de su derecho de voto. A la presidencia le corresponde la ordenación y legalidad del acto, incluyendo la eficacia del artículo 190. Como hemos señalado, adviértase que la discrecionalidad de la Mesa es mínima, toda vez que ni legal ni, en su caso, estatutariamente, puede incorporarse cláusulas abiertas de prohibición del conflicto o de imposición de un presunto deber de lealtad[49].

Adviértase además que esta facultad invertirá el mecanismo de impugnación de acuerdos y sus siempre difíciles cautelares. Si el socio en conflicto vota y se acuerda conforme a su interés, quienes valoren que sí existía el conflicto sólo podrán impugnar. Si se le priva de ese derecho, deberá ser el socio conflictuado quien recurra.

La posición del socio no queda desprotegida pues aún le cabe acudir a la impugnación del acuerdo si considera que se le ha privado ilegítimamente de su derecho de voto; pero la eficacia preventiva del precepto queda a salvo. Bien puede objetarse que hacemos una valoración diferente de soluciones idénticas. Utilizar la impugnación como último recurso ya por el socio privado del derecho, ya por los socios (minoría) que consideran que el acuerdo se adoptó violentando el precepto. Y es cierto, pero esa opción la tomó el legislador mediante su mandato dirigido a la sociedad y al propio socio. Además nos inclinamos por reforzar la competencia de la Mesa de la Junta pues el socio tendría que tomar su decisión de cumplir la norma o no en una situación de conflicto, por lo que no cabría esperar necesariamente un comportamiento colaborativo por su parte.

---

[48]   En contra, ALBORCH BATALLER, C., *El derecho de voto del accionista (supuestos especiales)*, Madrid, 1977, págs. 277 a 278.

[49]   La *Propuesta de Código Mercantil* elaborada por la Sección de Derecho Mercantil de la Comisión General de Codificación en 2013 (art. 231-63) si recogía una cláusula general. El problema, como ha quedado apuntado en el texto principal, es que daría una discrecionalidad grande al Presidente de la Junta para apreciar o no la existencia de conflicto.

## 2. *El conflicto compartido*

Cabe plantearse también ¿qué sucede si hay una pluralidad de socios afectados por la misma causa de abstención?[50].

La cuestión es si no habiendo abstención voluntaria, la decisión de privarles de ese derecho puede ser conjunta o individual. Se ha sostenido que existiendo unidad de causa puede haber decisión conjunta y, consecuentemente, sí se les puede privar en conjunto de su derecho de voto.

La doctrina se ha manifestado bajo un argumento de «inteligencia» a favor de una decisión conjunta. De hecho, si se tratara de un consejo táctico, sin duda éste sería tratar de forma conjunta a todos y dejarles la impugnación como medio defensivo. Sin embargo, no parece que haya una respuesta fácil. El derecho de voto es un derecho individual que sólo en presencia de un conflicto de interés tasado puede ser suspendido. Esto no nos permitirá dar una respuesta en cada supuesto pues, si en su interés en conflicto participan otros socios (por ejemplo, venta de participaciones o acciones a favor de un tercero que oferta condicionado a alcanzar un porcentaje), parece indudable que puede haber conflicto de interés asociado a la situación de otro socio. Esta evidencia contrasta con el hecho de que el elenco previsto en el artículo 190 se refiere siempre a conflictos personales del socio al que suspende su derecho de voto. La respuesta es necesariamente casuística y dependerá de cómo se formule en cada caso el conflicto de interés. Permítasenos un ejemplo, si el socio va a votar a favor de la venta de participaciones de otro socio porque eso facilita la venta de las propias, parece razonable y acorde al artículo 190 apreciar que está en conflicto pues en su voto está implícita la funcionalidad de favorecer la venta de las propias tanto por la reciprocidad entre socios como por perseguir una autorización al margen del interés social. De esta forma el problema se sitúa en determinar realmente si en el ejercicio de su derecho de voto no está el socio realmente persiguiendo directa o indirectamente, pero de forma objetiva, participar en la toma de decisión sobre su propio interés en los supuestos tasados.

---

[50] Véase PEÑAS MOYANO, M. J., «Ejercicio de derecho de voto y conflicto de intereses en la exclusión de varios socios de una sociedad de responsabilidad limitada. A propósito de la RDGRN de 16 de octubre de 2000», *Cuadernos de Derecho y Comercio*, 2001, núm. 36, págs. 220 y 221.

## 3. Supuestos estatutarios que generan deber de abstención

El artículo 190 recoge una serie de supuestos frente a los que decae el derecho de voto del socio y añade que «*En los casos de conflicto de interés distintos de los previstos en el apartado 1, los socios no estarán privados de su derecho de voto*»[51]. Cabe no obstante plantearse la posibilidad de que los estatutos sociales incorporen otros supuestos.

Realmente estamos ante un doble problema. De una parte, hay que examinar si los estatutos pueden modular o eliminar algunos de los supuestos legalmente previstos. De otra, cabe cuestionarse si los estatutos podrán incorporar nuevos supuestos de prohibición de voto.

Así, en primer término, en nuestra opinión hay que descartar que la norma estatutaria elimine o limite estos supuestos. Adviértase que la norma legal tutela los intereses de los socios minoritarios que pueden verse violentados porque el acuerdo social de la mayoría se realice en conflicto de interés. Por tal motivo, parece razonable que el elenco legal no pueda ser alterado por una previsión estatutaria.

Distinto es el supuesto en que se plantea si los estatutos sociales pueden incorporar nuevos supuestos limitativos del derecho de voto. El argumentario tradicional (y, hay que subrayarlo, la posición mayoritaria)[52] indica que esto tampoco es posible.

Dicho argumentario podemos resumirlo en:

(i) La propia literalidad de la norma. Este argumento se ha reforzado después de la reforma de 2014 toda vez que para las sociedades de responsabilidad limitada en el texto de 1995 y en el refundido de 2010 no se incorporaba la expresión «*En los casos de conflicto de interés distintos de los previstos en el apartado 1, los socios no estarán privados de su derecho de voto*». A esto debe añadirse la opción legislativa por no incorporar cláusulas generales.

---

[51]    Ni el artículo 52 de la LSRL de 1995 ni el artículo 190 en la versión del TRLSC de 2010 contenían una previsión como ésta.

[52]    Por todos véase a EMBID IRUJO, J. M., «Comentario al art. 52 de la Ley de Sociedades de Responsabilidad Limitada», en AA.VV., *Comentarios a la Ley de Sociedades de Responsabilidad Limitada*, Arroyo/Embid (coords.), Madrid, Tecnos, 1997, págs. 561 y ss. Si bien el prof. Embid de *lege ferenda* ve necesario que la ley habilite a los estatutos a introducir nuevas prohibiciones (págs. 562-563). También véase a CURTO, M. M., «Comentario al art. 190 LSC», en AA.VV., *Comentario de la Ley de Sociedades de Capital*, Rojo/Beltrán (dirs.), tomo I, Madrid, Civitas, 2011, págs. 1350 a 1355, en particular, pág. 1352.

(ii) La interpretación restrictiva de las limitaciones de derechos ordenada por el artículo 4 Cc.

(iii) La seguridad jurídica.

A lo anterior cabe añadir que cuando el artículo 93 LSC incorpora el elenco mínimo de derechos del socio, admite que los mismos pueden ser modulados en los términos previstos en la propia ley[53]. En nuestra opinión, la cuestión admite discusión[54]. Y no sólo porque pudieran subsistir sociedades limitadas con estatutos inscritos y previsiones no armónicas con la Ley reformada, sino porque los argumentos anteriores no nos parecen concluyentes y dejan sin una respuesta legal a verdaderos conflictos de interés. A modo de ejemplo, piénsese en cuando el derecho de voto corresponde a persona de análoga relación afectiva a la marital con el socio conflictuado y socio al mismo tiempo.

La previsión en los estatutos de otros supuestos tanto objetivos (supuestos de conflicto) como subjetivos (sujetos obligados por la norma a la abstención) desde luego no tiene por qué afectar a la seguridad jurídica, pues se contendría en una norma societaria. De la misma forma, no estaríamos necesitados de un criterio hermenéutico para que le Presidente de la Junta general valorase conforme a su discrecionalidad la existencia o no de un conflicto, sino que esa decisión estaría contenida en una norma contractual entre los socios. Normas estatutarias no supondrían mayor discrecionalidad, como sí habría sucedido si el legislador hubiera incorporado una cláusula general. Adviértase que los temas de seguridad son cuestión de costes de la incertidumbre y que, por tanto, un elenco mayor con acogida estatutaria no generaría nuevos costes.

Tampoco vemos mayor objeción de naturaleza axiológica en permitir que los estatutos amplíen la protección de la minoría, pues cualquier mención estatutaria es un límite a la mayoría coyuntural que puede sacar adelante los acuerdos lesivos.

---

[53] «En los términos establecidos en esta ley, y *salvo los casos en ella previstos*, el socio tendrá, como mínimo, los siguientes derechos…» (la cursiva es nuestra).

[54] En este sentido, aunque finalmente parece inclinarse por la tesis más restrictiva, véase el trabajo de GONZÁLEZ FERNÁNDEZ, Mª. B., «El deber de abstención de un socio en conflicto de interés indirecto con la sociedad», *Revista de Derecho Mercantil*, núm. 307, 2018 (original facilitado por la autora). Además véase allí la profusa referencia bibliográfica y jurisprudencial.

Queda por fin, y no es menor, la consideración de si la previsión del artículo 190.3 LSC proscribe la discrecionalidad de la presidencia de la Junta general o es una limitación a la propia sociedad para que no limite más derechos vía estatutaria. Nos inclinamos por la primera interpretación. En nuestra opinión, el artículo 190.3 prohíbe la discrecionalidad del Presidente, prohíbe la interpretación analógica del elenco de supuestos, e incluso consideramos que prohíbe que vía estatutaria se introduzca una cláusula general prohibitiva que permitiese por esa vía la discrecionalidad del Presidente, pero no prohíbe que los estatutos puedan recoger supuestos objetivos de conflicto de interés frente a los que limita el derecho de voto[55]. Los estatutos bien pueden limitar o modalizar el ejercicio de otros derechos políticos y económicos del socio; pueden incluso (artículo 351 LSC) contener supuestos de exclusión de la sociedad.

Así que, en nuestra opinión hay argumentos favorables a la incorporación estatutaria suficientes como para considerar que una norma protectora de la minoría, de naturaleza contractual y, por tanto, obligatoria para todos los socios, que aporta seguridad jurídica, pueda establecer supuestos distintos de deber de abstención[56]. En un marco normativo diferente, antes de la reforma de 2014[57] el Tribunal Supremo admitió estos supuestos estatutarios.

## 4. *Suspensión parcial del derecho de voto*

¿Puede un socio tener suspendido parte de sus derechos de voto por conflicto de interés pero ejercer sus votos con otras acciones o participaciones? Piénsese en la solicitud de autorización para la venta a terceros de parte de su cartera. La respuesta consideramos que es negativa, el interés es del socio no de las acciones o participaciones, y es un interés único.

---

[55] Véase SÁNCHEZ RUIZ, M., «Voto y conflicto de intereses del accionista», *Revista Lex Mercatoria*, núm. 4, 2017, pág. 126.

[56] Véase RECALDE, A., «Artículo 190. Conflicto de intereses», *op. cit.*, págs. 73 y ss. V. add. SÁNCHEZ RUIZ, M., *Conflictos de intereses entre socios en sociedades de capital*, Aranzadi, 2000, pág. 256 y ss.

[57] La STS 15 de marzo de 2014 admitió la introducción estatutaria en una sociedad anónima cotizada de conflictos de interés que generaban en el socio la suspensión de su derecho de voto, si bien proscribió cualquier discrecionalidad en la presidencia, que se produciría si los supuestos incluidos en estatutos fueran tan laxos que se convirtiera en una discrecionalidad absoluta por el presidente para decidir quién está o no en la junta general.

Permitir lo contrario sería desconocer el llamado principio de inescindibilidad relativa del socio[58], que dicho en términos sencillos implica que con independencia de que sea la titularidad de una cuota la que le atribuye la condición de socio (cada participación, por ejemplo), el interés del socio es único. Este principio ha resultado de utilidad normalmente para aproximarse a temas de representación y voto, y puede ayudarnos en la materia que nos ocupa. Permitir escindir la condición del socio en tantas unidades como acciones tenga (por ejemplo) sería un instrumento para vulnerar el mandato legal del artículo 190 LSC. En el ejemplo apuntado, autorización para la venta a tercero de un paquete de participaciones, escindir su estatuto le permitiría abstenerse de votar sólo por los derechos de voto afectados por la pretensión de venta, pero le permitiría votar por la participaciones no comprometidas con un tercero, desconociendo que es el socio el centro de imputación y el beneficiario último de la decisión social adoptada.

## 5. *El conflicto indirecto*

¿El artículo 190 LSC contempla el conflicto indirecto? Piénsese en la solicitud de autorización para la enajenación de participaciones de las que es titular un socio con relación de afectividad equivalente a la marital de otro socio. Aunque es una cuestión debatible, consideramos que sí existe ese conflicto en este caso y que por tal motivo queda suspendido el derecho de voto de ambos socios.

Dentro del común supuesto del conflicto indirecto cabe incluir una amplia diversidad de supuestos. No todos tienen una misma solución legal, si bien debe advertirse que la doctrina mayoritaria al respecto, reconociendo la muy diferente estructura que pueden tener estos supuestos, se inclina por una interpretación restrictiva y, consecuentemente, por no considerar que el artículo 190 LSC abarque en general a los llamados conflictos indirectos[59]. Estos son, a modo de ejemplo:

---

[58] Véase PEINADO GRACIA, J. I. «Principios y derechos del socio...», *op. cit.*, págs. 63 a 79.

[59] Véase RECALDE, A., «Artículo 190...», *op. cit.*, pág. 81. En el mismo sentido, en referencia al régimen pretérito y reconociendo la diferente estructura jurídica de los supuestos, véase a SÁNCHEZ-CALERO GUILARTE, J., «El conflicto de interés en la sociedad limitada» en *Derecho de Sociedades de Responsabilidad limitada*, Tomo I, Rodríguez Artigas, García Villaverde, Fernández de la Gándara, Alonso Ureba, Velasco San Pedro, Esteban Velasco (coords.), Mc Graw Hill, Madrid, 1996, págs.

(i) supuestos en los que un socio en conflicto es al tiempo representante o delegado de otro socio sin conflicto. Una primera aproximación nos lleva a no extrapolar las normas sobre la representación que reciben los miembros del órgano de administración en cuanto tales, que nos abocaría a no estimar la representación o a ir a un mecanismo de sustitución de la representación previsto, quizás, en el Reglamento de la Junta. Para el supuesto aquí planteado, un socio en conflicto tiene la representación de otro socio, consideramos que debe estudiarse a la luz de las propias normas del negocio de representación, y no desde la óptica de derecho de sociedades. El representante incurrirá en responsabilidad frente a su representado si prima un interés propio frente al interés de su principal. Cabrá también que la representación lleve instrucciones de voto. En definitiva, que la sociedad no debería entrar a conocer de la relación entre sus dos socios. Contrariamente y aunque el supuesto no es totalmente idéntico, nuestro Tribunal Supremo ha tenido ocasión de manifestarse sobre este supuesto[60] para extender al representante el conflicto de interés incluso cuando el representado carece de dicho interés en conflicto. Así el TS señala que el conflicto de intereses puede extenderse también al supuesto en el que el socio no interesado está representado en la Junta por quien sí lo está y explicaba que «*el deber de abstención es aplicable tanto si el conflicto de intereses existe respecto del socio, como si existe respecto de la persona que ejercita en concreto el derecho de voto [...] Lo relevante es que no puede intervenir en una votación sobre un asunto quien detenta el interés extrasocial en conflicto con el interés social*». Esto último es lo que le ocurriría al socio en conflicto que pretendiese votar no por él mismo sino en representación de otro socio.

Supuesto distinto consideramos que sería la situación en que un socio en conflicto pretendiera ejercer su derecho al voto por medio de un representante al que nadie pueda objetar conflicto alguno. En esta situación, en nuestra opinión, no obtendremos respuesta de las normas de la representación sino del propio artículo 190 LSC. Así el precepto priva al

---

695 y ss. Por el contrario, véase, LÓPEZ SÁNCHEZ, M. A., «Los supuestos de conflicto de intereses sin privación del derecho de voto: la distribución de la carga de la prueba en caso de impugnación de los acuerdos sociales (art. 190.3 LSC)» en *Junta General y Consejo de Administración en la Sociedad cotizada*, Tomo I, Rodríguez Artigas, Fernández de la Gándara, Quijano González, Alonso Ureba, Velasco San Pedro, Esteban Velasco (dirs.), Aranzadi, Navarra, 2016, págs. 139.

60   Ver la STS de 26 de diciembre de 2012 *(Tol 2732470)* y el comentario de FAYOS FEBRER, J. B. «El conflicto de interés y la extensión subjetiva del deber de abstención en el voto a persona distinta del socio», *Revista de Derecho Mercantil*, núm. 288, 2013, págs. 479-498.

socio de su derecho de voto por estar en conflicto y, en nuestra opinión, lo priva por cualquier forma que vaya a ejercer tal derecho que tiene suspendido. Por tanto, si el principal está en conflicto sus representantes están contaminados.

(ii) Cabe también que el socio participe en la Junta por sí mismo y a través de sociedades donde tenga participación o incluso control. Al respecto no consideramos estar ante supuestos de conflicto indirecto, sino que la respuesta legal al fenómeno debería venir de la mano del levantamiento del velo de la sociedad[61]. Quizás por el paralelo problema de las sociedades vinculadas, se tiende a considerar que podemos dar un tratamiento único al socio y a sus «vehículos». Y es cierto que en sede de vinculadas y en general de grupos, y con un régimen no muy celoso de los intereses del minoritario del «vehículo», tendemos a valorar un interés único en todos y a predicar el deber de abstención del conjunto. Pero, sin embargo, ese levantamiento del velo no parece que pueda ser de la competencia del presidente de la Junta, por lo que no podría conminarse a los «vehículos» del socio a la abstención.

Este supuesto se lo ha planteado el Tribunal Supremo[62] desde una perspectiva formal conforme a la cual, la dicción del artículo 190 LSC no permite ninguna extrapolación a sujetos distintos de los allí referidos (socios) y consiguientemente las partes vinculadas no estarán afectadas por el deber de abstención.

Al respecto se ha considerado que la extensión sí procedería, pero no por vinculación sino porque la parte vinculada carece de ajeneidad respecto del socio[63]. En nuestra opinión tal planteamiento no puede sostenerse toda vez que se estaría presumiendo un determinado interés en una persona jurídica sin un previo (y judicial) levantamiento del velo. Si bien es

---

[61]   Sobre el estado de la cuestión en nuestra jurisprudencia, véase recientemente GONZÁLEZ FERNÁNDEZ, Mª. B., «La doctrina del levantamiento del velo societario en la jurisprudencia del Tribunal Supremo: *status quaestionis*», *La Ley Mercantil*, núm. 26, 2016, págs. 3 y ss.

[62]   STS (Sala 1ª) en su sentencia de 2 de febrero de 2017 *(Tol 5960232)*. Y véanse los comentarios de GONZÁLEZ FERNÁNDEZ, Mª. B., «El deber de abstención de un socio…» *op. cit.;* JUSTE MENCÍA, J., «El deber de abstención del socio-administrador en la junta general», *Revista de Derecho de Sociedades*, núm. 49, 2017, págs. 213 a 226; ALFARO, J., «Conflictos de interés del socio y personas vinculadas. Nota sobre la Sentencia del Tribunal Supremo de 2 de febrero de 2017», disponible en http://almacendederecho.org/conflictos-interes-del-socio-personas-vinculadas/.

[63]   Socio administrador en la sentencia de referencia. Véase JUSTE *op. ult. cit.*

verdad que los deberes de lealtad del administrador se extienden a sujetos vinculados al mismo, de los que se presume una identidad de interés (arts. 229.2 y 231 LSC), también los es que en sede de conflicto de interés del socio no tenemos similar apunte legal[64].

También cabe hacer un cambio de enfoque del problema[65] no partiendo del artículo 190 LSC y el conflicto de interés del socio, sino desde el régimen de los administradores, para lo cuales sí hay un mandato expreso que afecta también a los sujetos vinculados. Desde esta perspectiva, el régimen de los administradores no se proyecta sólo sobre el consejo (en su caso) sino que de alguna manera el socio administrador «contamina», por su condición de administrador, su condición de socio. Y así, el régimen que afecta a los sujetos a él vinculados se extiende también a la actuación del administrador/socio y vinculados en junta general[66]. Nos resulta igualmente difícil compartir, *ex lege data*, por cuanto desde el régimen de los administradores se está afectando a otros socios que no tienen tal condición, ni su deber de lealtad ni una relación fiduciaria con la sociedad. De esta forma, un socio, una sociedad, se vería privado de su derecho de voto sin que ninguna norma lo amparase, sino por el estatuto jurídico de un vinculado, estatuto al que él no ha dado su consentimiento mediante la aceptación del puesto de consejero. Y por otra parte, no cabe desconocer que sin un mandato sobre los socios vinculados, y un sistema de presunciones que sólo afecta al administrador, considerar aunque sea de forma indirecta a esos socios en conflicto de interés parte de un levantamiento del velo que no corresponde al presidente de la junta.

Más acertada nos parece la aproximación desde el propio estatuto del socio (vinculado), que deberá valorar por sí si tiene conflicto de interés relacionado con la posición de otro socio (vinculante). Esto no aboca a nadie a levantar el velo. Bien es cierto que decir esto y no decir nada nuevo se parecen bastante. Obviamente cada socio valora su conflicto de interés más allá de su obligación legal. La dificultad a la que nos aboca esto consideramos que está en el artículo 190.2 LSC, esto es, la exclusión del sistema de mayorías de los votos abnegados. Esa exclusión sí es competencia del Presidente de la junta y puede por sí misma entrañar un cierto riesgo. Que

---

[64]   Siempre cabría que existiese presunción afín en los estatutos.

[65]   Así GONZÁLEZ FERNÁNDEZ *op. ult. cit.* Como hemos señalado estas consideraciones se hacen a la luz de la STS referida, en la que en el socio del que se discutía la abstención concurría también la condición de administrador.

[66]   Así GONZÁLEZ FERNÁNDEZ, *op. ult. cit.*, que no oculta las dificultades técnicas de esta vía.

el socio, en ejercicio de su derecho de voto, opte por participar o no, no puede por sí mismo afectar al sistema de mayorías, cuando no hay un soporte legal que convierta en obligada esa abstención.

(iii) Por último, aquellas situaciones en las que sin existir vinculación, representación ni participación, la motivación del socio al emitir su voto no es el interés común sino el interés particular de otro socio y en detrimento del dicho interés social. Obviamente esta categoría puede generar una casuística muy rica y de difícil resolución. En todo caso siendo un supuesto próximo es necesario distinguirlo de lo que hemos llamado el conflicto compartido, esto es, una pluralidad de socios con un mismo interés[67].

## Bibliografía

ALBORCH BATALLER, C., *El derecho de voto del accionista (supuestos especiales)*, Madrid, 1977.

ALFARO ÁGUILA-REAL, J., «Conflictos intrasocietarios (los justos motivos como causa legal no escrita de exclusión y separación de un socio en la sociedad de responsabilidad limitada)», *Revista de Derecho Mercantil*, núm. 222, 1996, págs. 1079 a 1142.

— «Conflictos de interés del socio y personas vinculadas. Nota sobre la Sentencia del Tribunal Supremo de 2 de febrero de 2017», disponible en http://almacendederecho.org/conflictos-interes-del-socio-personas-vinculadas/

BECK, P. «What we talk about when we talk about voting: efficiency and the error in empty voting», *Fordham J. Corp. & Fin. L.*, vol. XXI-I, 2016, págs. 211 a 230.

CABANAS TREJO, «Conflicto de intereses» en AA.VV., *La sociedad de responsabilidad limitada*, vol. I, Madrid, 1995, págs. 299 a 302.

COHEN, G. M., «Law and economics of agency y partnership» en AA.VV. (edit. F. PARISI), *Law and economics. Private and comercial law*, NY, 2017, págs. 399 a 422.

CURTO, M. M., «Comentario al art. 190 LSC» en AA.VV. *Comentario de la Ley de Sociedades de Capital*, tomo I, Rojo/Beltrán (dirs.), Madrid, Civitas, 2011, págs. 1350 a 1355.

DÍEZ-PICAZO/ GULLLÓN, *Sistema de Derecho Civil*, vol. II, Tecnos, Madrid, 2002.

DUQUE DOMÍNGUEZ, *Tutela de la minoría. Impugnación de acuerdos lesivos (art. 67 LSA)*, Valladolid, 1967.

EMBID IRUJO, J. M. «Comentario al artículo 52 de la Ley de Sociedades de Responsabilidad Limitada» en AA.VV., *Comentarios a la Ley de Sociedades de Responsabilidad Limitada*, Arroyo/Embid (dirs.), Madrid, 1997.

— «Los supuestos de conflicto de interés con privación del derecho de voto del socio en la junta general (Art. 190.1 y 2 LSC)», *Revista de Derecho de Sociedades*, núm. 45, 2015, págs. 147 a 176.

ENCISO ALONSO-MUÑUMER, M. T., «Adopción de acuerdos y conflicto de interés» en *Las nuevas obligaciones de los administradores en el gobierno corporativo de las sociedades de capital*, Emparanza Sobejano, A. (dir.), Madrid, 2016, págs. 57 a 84.

---

[67] Vid. supra epígrafe II.2.

ESMA, *Call for evidence. Empty voting*, 2011.

FAYOS FEBRER, J. B., «El conflicto de interés y la extensión subjetiva del deber de abstención en el voto a persona distinta del socio», *Revista de Derecho Mercantil*, núm. 288, 2013, págs. 479-498.

FERNÁNDEZ DE LA GÁNDARA, L., *La Atipicidad en Derecho de Sociedades*, Zaragoza, 1977.

FRAMIÑÁN SANTAS, F. J., *La exclusión del socio en la sociedad de responsabilidad limitada*, Comares, Granada, 2005.

GARCÍA LLANEZA, R., «Grupos de sociedades, empresas asociadas, sociedades de propósito especial y vinculadas. PGC y NIIF» en *Revista de Derecho Mercantil*, núm. 304, 2017, págs. 295 a 300.

GIRÓN TENA, *Derecho de sociedades: Parte general. Sociedades colectivas y comanditarias*, Madrid, 1972.

GONZÁLEZ FERNÁNDEZ, Mª B., «La doctrina del levantamiento del velo societario en la jurisprudencia del Tribunal Supremo: *status quaestionis*», *La Ley Mercantil*, núm. 26, 2016, págs. 3 y ss.

— «Reglas de legitimación e impugnabilidad. El conflicto entre mayorías y minorías inmanente en la impugnación de acuerdos», *Revista de Derecho de Sociedades*, Núm. 50, 2017, págs. 67 a 111.

— «El deber de abstención de un socio en conflicto de interés indirecto con la sociedad», *Revista de Derecho Mercantil*, núm. 307, 2018, 2018.

HU, H. T. C., «Financial Innovation and Governance Mechanisms: The Evolution of Decoupling and Transparency». *Business Lawyer*, Vol. 70, No. 2, 2015, págs. 347 a 405. Disponible también en: SSRN: https://ssrn.com/abstract=2588052.

IRÁCULIS ARREGUI, N., *Conflictos de interés del socio. Cese del administrador nombrado por el accionista competidor*, Madrid, Marcial Pons, 2013.

JUSTE MENCÍA, J., «El deber de abstención del socio-administrador en la junta general», *Revista de Derecho de Sociedades*, núm. 49, 2017, págs. 213 a 226.

LA PORTA, R., LÓPEZ-DE-SILANES, F., SHLEIFER, A., VISHNY, R., «Investor protection and corporate governance», *Journal of Financial Economics*, 2000, núm. 58, págs. 3 a 27.

LATORRE CHINER, N., «Las operaciones vinculadas en las sociedades cotizadas. Especial atención a las operaciones intragrupo», *Revista de Derecho de Sociedades*, núm. 51, 2017 (original facilitado por la autora).

LÓPEZ SÁNCHEZ, M. A., «Los supuestos de conflicto de intereses sin privación del derecho de voto: la distribución de la carga de la prueba en caso de impugnación de los acuerdos sociales (art. 190.3 LSC)» en *Junta General y Consejo de Administración en la Sociedad cotizada*, Tomo I, Rodríguez Artigas, Fernández de la Gándara, Quijano González, Alonso Ureba, Velasco San Pedro, Esteban Velasco (dirs.), Aranzadi, Navarra, 2016, págs. 121 a 149.

MENÉNDEZ MENÉNDEZ, A., *Ensayo sobre la evolución actual de la Sociedad Anónima*, Civitas, Madrid, 1974.

OLIVENCIA RUIZ, M., «Manager' revolution/indepents' counter-revolution (Ensayo sobre una nueva fase en la evolución de la Sociedad Anónima)», en *Estudios jurídicos en homenaje al profesor Aurelio Menéndez*, Tomo II, Civitas, Madrid, 1996, págs. 2173 a 2193.

PAREDES GALEGO, C./ VILLACAMPA SERRANO, A., «La nueva regulación sobre comunicación de operaciones vinculadas en derecho español», *Actualidad Jurídica Uría y Menéndez*, 2005-11, págs. 13 a 24.

PAZ-ARES RODRÍGUEZ, C., «Comentario al artículo 1665», en *Comentario del Código Civil*, Ministerio de Justicia, Tomo II, Madrid, 1993.

— «Anatomía del deber de lealtad», *Actualidad Jurídica Uría Menéndez*, 2015, núm. 39, págs. 43 a 65.

PEINADO GRACIA, JI, *El contrato de comisión. Cooperación y conflicto: La comisión de garantía*, Civitas, Madrid, 1996.

— «Cooperación y conflicto en el concurso», *Anuario de Derecho Concursal*, 2006, núm. 9, págs. 231 a 257.

— «Principios y derechos del socio (significado y límites de la condición de socio)» en AA.VV., *Accionistas minoritarios* Agundez/ Martínez-Simancas (dirs.), Madrid, La Ley, 2011, págs. 63 a 79.

— «Las acciones derivadas de la infracción del deber de lealtad (art. 232 LSC)» en AA.VV., *Junta General y Consejo de Administración de la Sociedad cotizada* Roncero Sánchez, A. (coord.), Rodríguez Artigas, F. Alonso Ureba, A., Fernández de la Gándara, L. Velasco San Pedro, L., Quijano González, J., Esteban Velasco, G. (dirs.), vol. 2, 2016 págs. 563 a 591.

PEÑAS MOYANO, B./SÁNCHEZ PACHÓN, «El conflicto de interés socio-sociedad», en AA.VV.), *Creación gestión estratégica y administración de la PYME*, Alcalá, Mª A (coord.), Madrid, 2011, págs. 355-402.

PEÑAS MOYANO, M. J., «Ejercicio de derecho de voto y conflicto de intereses en la exclusión de varios socios de una sociedad de responsabilidad limitada. A propósito de la RDGRN de 16 de octubre de 2000», *Cuadernos de Derecho y Comercio*, 2001, núm. 36, págs. 209 a 228.

RECALDE, A., «Deberes de fidelidad y exclusión del socio incumplidor en la sociedad civil. Comentario a la STS (Sala 1) de 6 de marzo de 1992», *La ley*, 1993, págs. 304 a 316.

— «Artículo 190. Conflicto de intereses» en *Comentario de la Reforma del régimen de las sociedades de capital en materia de Gobierno Corporativo (Ley 31/2014). Sociedades no cotizadas*, Juste Mencía (coord.), Civitas Thomson Reuters, Madrid, 2015, págs. 75 y ss.

SÁEZ LACAVE, M., «Reconsiderando los deberes de lealtad de los socios: el caso particular de los socios de control de las sociedades cotizadas», *INDRET*, 2016-I.

SÁNCHEZ-CALERO GUILARTE, J., «El conflicto de interés en la sociedad limitada» en *Derecho de Sociedades de Responsabilidad limitada*, Tomo I, Rodríguez Artigas, García Villaverde, Fernández de la Gándara, Alonso Ureba, Velasco San Pedro, Esteban Velasco (coords.), Mc Graw Hill, Madrid, 1996, págs. 677-701.

SÁNCHEZ RUIZ, M., *Conflictos de intereses entre socios en sociedades de capital (artículo 52 de la Ley 2/1995, de 23 de marzo)*, Aranzadi, 2000.

— «Voto y conflicto de intereses del accionista», *Revista Lex Mercatoria*, núm. 4, 2017, págs. 121 a 128.

VICENT CHULIÁ, F., «Grupos de sociedades y conflictos de intereses», *Revista de Derecho Mercantil*, 2011, núm. 280, págs. 19 a 43.

VIVES, F., «Los conflictos de intereses de los socios con la sociedad en la reforma de la legislación mercantil», *Revista de Derecho Bancario y Bursátil*, 2015, núm. 137, págs. 7 a 62.

# 3. Prohibiciones de voto por conflicto de intereses del accionista

**MERCEDES SÁNCHEZ RUIZ**
*Profesora Titular de Derecho Mercantil*
*Universidad de Murcia*

## I. INTRODUCCIÓN

La Ley 31/2014, de 3 de diciembre, por la que se modifica la Ley de Sociedades de Capital para la mejora del gobierno corporativo introdujo una sustancial modificación, no tanto en el contenido sino, sobre todo, en el ámbito de aplicación del artículo 190.1 de la Ley de Sociedades de Capital. El precepto establece una prohibición de ejercer el derecho de voto dirigida a los socios que se encuentren en alguna de las situaciones de conflicto de intereses con la sociedad allí definidas. Los afectados por esta prohibición no son ya únicamente los socios de sociedades limitadas, como ocurría hasta la reforma, sino que la prohibición de votar se extiende también a los accionistas.

La actual redacción de la norma coincide, de forma literal, con la propuesta de modificación normativa realizada por la Comisión de ex-pertos en materia de gobierno corporativo designada por acuerdo del Consejo de Ministros, de 10 de mayo de 2013, publicado por Orden ECC/895/2013, de 21 de mayo. La recomendación de la Comisión de ex-pertos en esta materia fue «*generalizar a las sociedades anónimas, con ligeras modulaciones o restricciones, la norma actualmente prevista para las sociedades de responsabilidad limitada en el artículo 190.1 de la LSC y, por ende, a todas las sociedades de capital»*[1].

Dada su relativa novedad en nuestra legislación societaria[2], presenta especial interés profundizar en el análisis de estas prohibiciones de voto por conflicto de intereses entre el socio y la sociedad en el ámbito normativo de las sociedades anónimas.

Presupuesto esencial para que aquellas actúen es la adopción de un acuerdo por la junta general de accionistas, al margen de cuáles sean las circunstancias que motiven la decisión de este órgano. Así, el acuerdo podrá deberse a que se trata de una materia en la que la junta tiene atribuida expresamente la competencia por la ley[3] o por los estatutos sociales[4]; a que la propia junta se haya reservado la facultad de autorizar determinadas decisiones en materia de gestión[5], o bien a que, de forma voluntaria, el órgano de administración haya decidido someter a la decisión de los socios un asunto propio de su competencia.

En las sociedades anónimas, como se verá *infra*, la junta general no tiene legalmente atribuida *de forma exclusiva (y excluyente)* la competencia decisoria en la mayoría de los supuestos establecidos en el artículo 190.1 LSC. Si a esto se añade que, como «ligera modulación» diferencial entre las dos formas sociales capitalistas, el legislador ha excluido la operatividad *ex lege* de dos de ellos en las sociedades anónimas, puede extraerse ya una primera conclusión: la efectividad de la norma en este contexto será más reducida.

---

[1]    AA.VV., «Estudio sobre propuestas de modificaciones normativas. Comisión de Expertos en materia de Gobierno Corporativo (creada por acuerdo del Consejo de Ministros, de 10 de mayo de 2013, publicado por Orden ECC/895/2013, de 21 de mayo)», Madrid, 14 de octubre de 2013, pág. 20.

[2]    Existen precedentes de prohibiciones legales de voto por conflicto de intereses aplicables a los accionistas. *Cfr.* el artículo 49.2 LSC (que recoge lo ya dispuesto en los derogados arts. 27.2 de la LSA de 1989 y 22 de la LSA 1951), así como el discutible art. 526 LSC; en relación con las sociedades comanditarias por acciones, *vid.* el artículo 252.4 LSC (y, anteriormente, el art. 156.3 del C.Com.).

[3]    Arts. 160 y 511 bis LSC, así como el conjunto del articulado de la Ley.

[4]    *Cfr.* art. 160, letra j) *i.f.* LSC y último inciso del art. 512 LSC.

[5]    Art. 161 LSC.

## II. PROHIBICIONES LEGALES DE VOTO DE LOS ACCIONISTAS *EX* ARTÍCULO 190.1 LSC

En las letras c), d) y e) del artículo 190.1 LSC se establecen sendas prohibiciones *legales* de voto por conflicto de intereses que, a diferencia de las previstas en las letras a) y b), se aplican con carácter imperativo a los socios de cualquier sociedad de capital («el socio *no podrá* ejercitar el derecho de voto correspondiente a sus *acciones o participaciones*»).

Se prohíbe votar al socio, concretamente, en el acuerdo por el que la sociedad le libere de una obligación o le conceda un derecho, le facilite cualquier clase de asistencia financiera o, siendo administrador, le dispense de las obligaciones derivadas del deber de lealtad conforme a lo dispuesto por el artículo 230 LSC.

Estas tres prohibiciones, por su propia configuración, constituyen obligaciones (de no hacer) derivadas de la propia ley, como ocurre con todos los supuestos del artículo 190.1 LSC cuando se aplican a las sociedades de responsabilidad limitada. Interesa aquí determinar, en relación con cada una de ellas, su contenido y alcance en el marco del régimen jurídico propio de las sociedades anónimas.

A tal efecto, cobra particular relevancia el factor relativo al reparto legal de competencias entre Junta general y órgano de administración, que difiere en algunos casos del previsto para las sociedades limitadas. En los supuestos considerados, la prohibición de voto del accionista particularmente interesado solo se activa cuando el acuerdo respectivo *sea adoptado por la junta general*, sin que el establecimiento de una prohibición de voto en el art. 190.1 LSC pueda ser entendido, en sí mismo, como un medio indirecto para atribuir a la junta la competencia exclusiva en la materia respectiva[6].

Cuando una decisión con idéntico contenido que las previstas en las letras c), d) y e) del artículo 190.1 LSC sea adoptada por el órgano de administración, resultará aplicable lo dispuesto en el artículo 228 c) LSC. Este precepto establece una «obligación básica» de todo administrador, derivada de su deber de lealtad, de «abstenerse de participar en la deliberación y votación de acuerdos o decisiones en las que él, o una persona vinculada, tenga un conflicto de intereses, directo o indirecto», aunque se

---

[6]   En el mismo sentido, VIVES RUIZ, F., «Los conflictos de intereses de los socios con la sociedad en la reforma de la legislación mercantil», *Revista de Derecho Bancario y Bursátil*, núm. 137, 2015, págs. 7-62, pág. 50.

excluyen los acuerdos o decisiones «que le afecten en su condición de administrador», como los allí enumerados «u otros de análogo significado».

La previsión de un *deber general de abstención* por conflicto de intereses (directo o indirecto) del administrador y la indeterminación de los casos en los que se exceptúa generan un nivel elevado de inseguridad jurídica que dificulta la aplicación del precepto, acrecentado por la omisión de una previsión expresa de las consecuencias específicas derivadas del incumplimiento del deber de abstención[7]. Estas cuestiones, en todo caso, exceden los límites del presente trabajo, cuyo objeto son las prohibiciones de voto por conflicto de intereses de los socios *en su condición de tales*.

Procede abordar, pues, un breve análisis singularizado del contenido de las prohibiciones de voto del accionista que actúan *ope legis*.

### 1. *Liberación de una obligación o concesión de un derecho*

Los tres casos contemplados en las letras c) a e) del artículo 190.1 LSC no son supuestos en los que esté atribuida legalmente la competencia de forma exclusiva a la junta general de accionistas. En consecuencia, será frecuente que la decisión sobre estos asuntos sea adoptada por el órgano de administración y, por ende, no resulte aplicable el precepto estudiado. Así ocurrirá casi siempre en las decisiones que supongan la *liberación de una obligación* o la *concesión de un derecho* a un determinado accionista, pues se encuadrarán, normalmente, en el marco de los actos de gestión que competen al órgano de administración. Solo de forma excepcional recaerá un pronunciamiento de la junta en estos casos pero, si lo hubiera, procederá la aplicación del artículo 190 LSC.

Los términos amplios en los que el legislador ha descrito el supuesto determinante de la prohibición en el artículo 190.1.c) LSC no avalan, a

---

[7]    El artículo 232 LSC (*acciones derivadas de la infracción del deber de lealtad*) tiene un alcance más amplio, referido a la *eficacia de los actos y contratos* celebrados por los administradores con violación de su deber de lealtad. Sin embargo, la LSC no especifica las «sanciones» aplicables en caso de infracción del deber de abstención. Las dudas suscitadas por la norma en este ámbito han sido planteadas incluso por uno de los más ilustres miembros de la Comisión de expertos impulsora de la norma. *Vid.* PAZ-ARES, C., «Anatomía del deber de lealtad», en *Estudios jurídicos en memoria del profesor Emilio Beltrán. Liber Amicorum* (coord. A. Rojo y A. B. Campuzano), Tirant lo Blanch, Valencia, 2015, págs. 569-611, págs. 586 y 587, especialmente nota 33.

mi juicio, una interpretación que restrinja la aplicación del precepto atendiendo a la naturaleza o el origen de la obligación ni, por ende, que la reserve *exclusivamente* a los acuerdos referidos a obligaciones o derechos derivados de las *relaciones sociales*. Entre estos últimos supuestos, cuya inclusión en la norma no parece discutible, se han señalado como posibles ejemplos el establecimiento, modificación o extinción de prestaciones accesorias, o los cambios en el régimen de los bonos de los socios fundadores[8].

Sin embargo, considero que también son subsumibles en la norma los casos en que la sociedad libere a uno o más accionistas concretos de una obligación frente a ella, o les conceda un derecho a cargo del patrimonio social, que sean ajenos a las relaciones societarias[9]. Apelar a una interpretación restrictiva de la norma será técnicamente correcto para evitar que se extienda su aplicación a supuestos *análogos* pero *distintos* de los previstos expresamente en ella; sin embargo, no podría justificar que se impida su aplicación a una parte de los supuestos directamente contemplados, aunque se hayan definido por el legislador en términos generales.

La finalidad perseguida por la norma (interpretación teleológica) será el criterio más adecuado para fijar los límites de la prohibición de voto y su aplicación a un caso concreto[10]. El conflicto de intereses se concreta aquí en el detrimento patrimonial para la sociedad (que renuncia a un crédito del que era titular o deviene deudora del derecho concedido) y el

---

8   *Vid.*, mencionando estos y otros casos, RECALDE CASTELLS, A., «Artículo 190. *Conflicto de intereses*», en *Comentario de la reforma del régimen de las sociedades de capital en materia de gobierno corporativo (Ley 31/2014). Sociedades no cotizadas* (Coord. Juste Mencía), Civitas-Thomson Reuters, Cizur Menor (Navarra), 2015, págs. 67-88, pág. 77.

9   En otro sentido, respecto al art. 52 LSRL, *vid.* ya MODREGO IBÁÑEZ, A. L., «El deber de abstención del socio en conflicto de intereses con la sociedad» (Análisis del art. 52 de la nueva Ley de SRL), págs. 88-90; respecto al artículo 190 LSC, *vid.*, expresamente, RECALDE CASTELLS, A., «Artículo 190», *cit.*, pág. 77; implícitamente, es también la postura seguida en EMBID IRUJO, J. M., «Los supuestos de conflicto de intereses con privación del derecho de voto del socio en la Junta General (art. 190.1 y 2 LSC)», en *Junta general y consejo de administración en la sociedad cotizada* (Dir. Rodríguez Artigas *et al.*), t. I, Thomson Reuters Aranzadi, Cizur Menor (Navarra), 2016, págs. 89-119, págs. 112-114.

10  En el mismo sentido, vid. HÜFFER, U., «Der korporationsrechtliche Charakter von Rechtsgeschäften -Eine hilfreiche Kategorie bei der Begrunzung von Stimmverboten im Recht der GmbH?», en *Festschrift für Theodor Heinsius zum 65. Geburtstag am 25. September 1991* (Dirs. Kübler, Mertens y Werner), Walter de Gruyter, Berlín-Nueva York, 1991, págs. 337-356, págs. 339 y 340.

correlativo enriquecimiento del accionista (que quedará liberado de una obligación o resultará acreedor de un derecho frente a la sociedad). El sentido de la prohibición de voto es asegurar que la formación de la voluntad social en estos casos no pueda estar influida por el beneficiario particular de tales decisiones, del que, por razones obvias, no cabe esperar que vote teniendo en cuenta el interés social (común).

El caso típico de «liberación de una obligación» sería la condonación por la sociedad de una deuda que uno de los accionistas hubiera contraído frente a ella. La condonación es un modo de extinción de las obligaciones cuyo efecto es la liberación (total o parcial) del deudor[11]. El origen de la deuda podrá ser cualquier relación jurídica por virtud de la cual la sociedad anónima resulte acreedora de un determinado accionista; ejemplos posibles serían la obligación nacida de un contrato entre ambos (en el que el accionista ocuparía frente a la sociedad una posición equivalente a la de un tercero) o una deuda indemnizatoria de daños y perjuicios causados a la sociedad (de los que un accionista estuviera obligado a responder).

Respecto a la «concesión de un derecho», debe tratarse de la atribución de una ventaja o beneficio particular por parte de la sociedad a cualquiera de los accionistas, ya sea en el ámbito de las relaciones sociales (por ejemplo, convertir en retribuidas prestaciones accesorias hasta entonces gratuitas) o al margen de ellas.

La decisión de liberar a un socio concreto de una eventual obligación que este haya contraído *como tercero* frente a la sociedad debe entenderse incluida en el ámbito de aplicación de la prohibición porque concurre el riesgo objetivo de lesión del interés social cuya eliminación preventiva persigue la norma. Su finalidad es evitar que el socio interesado pueda «liberarse a sí mismo» de la obligación que le incumbe, por su influencia decisiva en el acuerdo, en la medida en que este tiene como efecto la extinción del correlativo derecho de crédito de la sociedad. Igualmente, se quiere impedir que un socio llegue a «concederse a sí mismo» un derecho del que la sociedad sea deudora[12]. En esto consiste el riesgo objetivo de perjuicio o lesión al interés social.

---

[11]  *Cfr.* arts. 1156, 1187 a 1191 del Código Civil.

[12]  Debe tenerse en cuenta que, cuando la decisión competa al órgano de administración y sea injustificada, siempre cabría la reintegración del patrimonio social mediante el ejercicio de acciones de responsabilidad frente a los administradores.

Cuando el socio tiene un interés particular *extrasocial* (ajeno al contrato de sociedad y, por ende, que no «comparte» en medida alguna con los demás socios) es todavía más evidente que no cabe razonablemente esperar que lo postergue al emitir su voto; por eso el legislador prefiere que decidan al respecto los restantes socios desinteresados.

En uno y otro caso (liberación de una obligación y concesión de un derecho), se tratará de un acto unilateral de la sociedad frente al socio; no deben entenderse comprendidos, en mi opinión, ni la decisión de la sociedad sobre la celebración de un negocio jurídico entre ambos, ni tampoco el acuerdo social que decida sobre el eventual ejercicio de una acción judicial contra él[13]. En cambio, sí actuaría la prohibición legal de voto analizada cuando el objeto del acuerdo social sea *renunciar o transigir* a su ejercicio.

Asimismo, es preciso que el acuerdo *no afecte por igual a todos los accionistas* para que opere la prohibición de voto, pues la *ratio* de la norma es dejar que decidan los que no tengan interés directo en el asunto[14].

## 2. *Asistencia financiera de la sociedad al socio*

En las sociedades de responsabilidad limitada, como regla general, se condiciona legalmente la posibilidad de que la sociedad preste asistencia financiera a alguno de sus socios a la existencia de un acuerdo de la junta general que así lo decida en cada caso[15]. Por tanto, está garantizada la intervención de la Junta general en estos supuestos.

En las sociedades anónimas, por el contrario, no se requiere la autorización de la junta general de accionistas en ningún caso, ni siquiera cuando se trate de prestar asistencia financiera a un socio que, además, ostente el

---

[13]  Prueba de ello es que, en otros ordenamientos que sí contemplan prohibiciones de voto para estos casos, se recogen como supuestos diferentes. Cfr., en este sentido, el § 47.4 *GmbHG*, aplicable a las sociedades limitadas, que prevé sendas prohibiciones de voto para el acuerdo por el que se libere a un socio de una obligación, el relativo al inicio o terminación de un pleito contra él y el que se refiera a la celebración de un negocio con él. En las sociedades anónimas, por su parte, el último de estos supuestos se ha omitido en el precepto equivalente (*cfr.* § 136.1 *AktG*).

[14]  *Vid.*, en esta línea, la SAP Madrid de 12 de febrero de 2010 *(Tol 1849687)*, F. D. quinto.

[15]  Art. 162.1 LSC. *Vid.*, al respecto, la sentencia del Juzgado de lo Mercantil núm. 4 de Barcelona de 23 de septiembre de 2013 *(Tol 4121607)*, F. D. sexto.

cargo de administrador[16]. En consecuencia, no será frecuente que la junta se pronuncie al respecto.

Algún autor ha señalado como escenario más factible para que resulte de aplicación esta prohibición de voto en las sociedades anónimas el caso en el que la junta general de accionistas imparta instrucciones al órgano de administración en esta materia[17].

### 3. Dispensa al socio-administrador de obligaciones derivadas del deber de lealtad

Este supuesto es, sin duda, el que está llamado a tener más relevancia en el ámbito de las sociedades anónimas.

Conforme a lo dispuesto en el artículo 230 LSC, la junta general de accionistas será el único órgano competente para la dispensa de la prohibición de obtener una ventaja o remuneración de terceros, así como para autorizar una transacción con la sociedad cuyo valor sea superior al diez por ciento de los activos sociales.

La obligación de no competir con la sociedad, igualmente, solo podrá ser dispensada por acuerdo expreso y separado de la junta general, siempre que concurran los presupuestos sustantivos a los que el legislador ha subordinado la licitud de la dispensa[18].

En los demás casos en los que se admite la dispensa por la sociedad de obligaciones concretas derivadas del deber de lealtad, «*la autorización también podrá ser otorgada por el órgano de administración siempre que quede garantizada la independencia de los miembros que la conceden respecto del administrador dispensado*» (art. 230, núm. 2, último párrafo, LSC)[19].

---

[16]    Art. 230.2, párrafo segundo, último inciso, LSC.

[17]    RECALDE CASTELLS, A., «Artículo 190», *cit.*, pág. 79.

[18]    Art. 230.3 LSC: «*que no quepa esperar daño para la sociedad o el que quepa esperar se vea compensado por los beneficios que prevén obtenerse de la dispensa*».

[19]    La utilización de la expresión «también podrá» permite interpretar que la competencia para autorizar del órgano de administración se acumula, en todo caso, a la de la junta general, de manera que esta última debe estimarse competente en cualquiera de los supuestos previstos. Esta interpretación, asimismo, conduciría a entender que, cuando «no esté garantizada la independencia» de los demás miembros del órgano de administración respecto al administrador de cuya dispensa se trate, será la junta el órgano competente para otorgarla. Hubiera sido deseable, por su trascendencia, que el legislador hubiera explicitado esta cuestión,

Una interpretación conjunta de los arts. 190.1 (letra e) LSC y el último párrafo del 230.2 LSC permite considerar que, tanto en una sociedad anónima como en una sociedad limitada, el socio administrador también tendrá prohibido votar cuando la Junta general sea el órgano que le autorice para el uso de ciertos activos sociales o el aprovechamiento de una concreta oportunidad de negocio de la sociedad, si bien en estos casos no es obligatorio que exista acuerdo de la Junta, porque la autorización también podrá ser otorgada por el órgano de administración (cfr. último párrafo del art. 230.2 LSC).

## III. PROHIBICIONES DE VOTO CONDICIONADAS A SU EXPRESA INCORPORACIÓN EN LOS ESTATUTOS SOCIALES

En relación con las sociedades anónimas, como ya hemos señalado, el legislador ha introducido una distinción entre prohibiciones de voto «derivadas de la ley» y «derivadas de los estatutos sociales» cuyas consecuencias, a mi juicio, no han sido debidamente ponderadas.

Además de las prohibiciones *legales* de voto por conflicto de intereses del accionista consideradas en los apartados anteriores, el régimen legal vigente prevé también dos supuestos concretos de conflicto de intereses socio-sociedad en los que la vigencia de una prohibición de votar queda condicionada a su expresa incorporación mediante una cláusula estatutaria (letras a) y b) del artículo 190.1 LSC). Cabe hablar, por tanto, de prohibiciones *estatutarias* de voto por conflicto de intereses del accionista, para cuya incorporación existe una expresa habilitación legal.

No es fácil establecer el motivo por el cual el legislador ha querido impedir la aplicación directa de la prohibición de voto en estos dos casos[20].

---

indicando si, en los casos de administrador único, administración mancomunada y administración solidaria, es siempre la Junta el *único* órgano competente para autorizar o, como parece deducirse de la norma, *también* podrán serlo los demás administradores solidarios o conjuntos (siempre que haya un número de ellos no interesados en el asunto, independientes del que sí lo esté y en número suficiente que posibilite el funcionamiento del órgano de acuerdo con las normas que resulten aplicables al mismo).

[20]  Como ha señalado algún autor, con acierto, esta diferencia entre sociedades anónimas y limitadas no estaría justificada por razones tipológicas; *vid.* EMBID IRUJO, J. M., «Los supuestos de conflicto…», *cit.*, pág. 96; *vid.* también la crítica de RECALDE CASTELLS, A., «Artículo 190», *cit.*, pág. 73.

La Comisión de expertos en materia de gobierno corporativo, autora del informe que está en el origen de la reforma introducida en la LSC por la Ley 31/2014, a pesar de considerar que no hay justificación para un tratamiento *tan diferenciado* entre sociedades anónimas y sociedades limitadas como el derivado del art. 190 LSC antes de la reforma, no especifica en su estudio las razones que le inducen a recomendar que se mantenga esta diferencia entre ambas formas sociales[21].

El único elemento común a los dos supuestos considerados es que la regulación legal no impone directamente restricciones a la transmisión de las acciones (pues la regla es su libre transmisibilidad), ni tampoco prevé causas de exclusión aplicables a los accionistas (pues restringe la aplicación de las recogidas en el art. 350 LSC a los socios de sociedades limitadas), pero sí admite expresamente la posibilidad de que los estatutos sociales las incorporen. Este dato, en sí mismo, no permite explicar por qué, una vez introducidas en los estatutos de una sociedad anónima, la prohibición de voto por conflicto de intereses no opera de forma automática, como hubiera sido deseable[22], sino que debe ser incorporada expresamente.

Al haberse condicionado la vigencia de la prohibición de votar a su expresa previsión en los estatutos, se favorecen, indirectamente, situaciones de desigualdad de trato entre los accionistas, como se expone a continuación. No obstante, los efectos negativos de esta previsión legal, a mi juicio, son más graves en el segundo caso (letra b) que en el primero (letra a).

## 1. *Autorización de la junta general para la transmisión de acciones*

Conforme al régimen legal resultante tras la reforma del artículo 190.1 LSC, en las sociedades anónimas de capital concentrado y con grupos estables de accionistas mayoritarios y minoritarios, los primeros siempre podrán autorizarse a sí mismos para transmitir las acciones, mientras que los segundos quedarán sometidos a la voluntad de aquellos. El efecto producido es que la restricción a la libre transmisibilidad, cuando consista en una cláusula de consentimiento o autorización por parte de la Junta general, únicamente afectará, *de facto*, a los socios minoritarios. El artículo 123.3 LSC contempla, no obstante, un mecanismo preventivo para limitar la arbitrariedad de la mayoría en estos casos: deben constar en los estatutos las causas que permitan denegar la autorización. Además, salvo disposición en

---

[21]   AA.VV., «Estudio…», *cit.*, págs. 20 y 21.
[22]   Cfr., en el mismo sentido, RECALDE CASTELLS, A., «Artículo 190», *cit.*, pág. 73.

contrario, el órgano competente para otorgar la autorización no es la junta sino el órgano de administración.

Como regla general, por tanto, no se aplicará en este caso el artículo 190.1 a) LSC, sino el artículo 228 c) LSC. En consecuencia, cuando el accionista que pretenda transmitir sus acciones sea administrador, según el citado precepto, en principio, debería abstenerse de participar en la decisión del órgano de administración que le afecta personalmente, salvo que se considere, como creemos acertado, que estamos en este caso ante un conflicto «posicional». Según se ha afirmado por un sector doctrinal, la regla general en estos casos es que no concurra un genuino conflicto de intereses socio/sociedad, sino una contraposición entre los distintos intereses individuales de los accionistas[23].

Solo cuando una cláusula estatutaria exija que la junta general autorice las transmisiones de acciones, el accionista que solicite la autorización habría de abstenerse de votar, aunque *de lege data* únicamente si dicha cláusula así lo establece. De *lege ferenda*, sin embargo, considero que, siempre que los accionistas, en ejercicio de su autonomía estatutaria, introduzcan la exigencia de un acuerdo de la junta que autorice las transmisiones, la regla legal supletoria debería garantizar que dicho acuerdo puede ser adoptado de forma imparcial (es decir, sin la influencia potencialmente decisiva del interesado). No obstante, debería permitirse que en los estatutos sociales se excluyera la aplicación de la prohibición de voto por conflicto de intereses que, en tal supuesto, tendría carácter legal y naturaleza dispositiva.

## 2. *Exclusión de un accionista*

Menos razonable resulta aceptar que un accionista pueda votar en el acuerdo por el que se decida su exclusión, siempre que los estatutos de una sociedad anónima contemplen un régimen de exclusión de socios y no incluyan la prohibición de voto.

En sociedades anónimas con mayorías estables, ante la eventual previsión de un régimen estatutario de causas de exclusión de los accionistas que no incorpore expresamente la prohibición de voto del socio afectado por el acuerdo de exclusión, la regulación actual ampara que se suprima, *de facto*, la posibilidad de que los socios mayoritarios sean excluidos, aun-

---

[23]    PERDICES HUETOS, A. B., *Cláusulas restrictivas de la transmisión de acciones y participaciones*, Civitas, Madrid, 1997, pág. 64.

que en ellos concurra alguna de las causas de exclusión contempladas en los estatutos, mientras que los restantes socios, en circunstancias idénticas, sí podrían ser excluidos de la sociedad.

Este resultado, a mi juicio, es contrario a la naturaleza última de la exclusión, en cuanto facultad de naturaleza *resolutoria* atribuida (de forma conjunta) a los socios cumplidores («fieles» al fin común) frente a los socios incumplidores (o, en general, frente a aquellos cuya permanencia dificultaría gravemente su consecución)[24].

Contraviene claramente el principio de igualdad de trato que, en presencia de una misma causa de exclusión, prevista como tal en los estatutos, pueda haber accionistas que sean inmunes a la exclusión y, al mismo tiempo, estén dotados del poder de excluir a los restantes. Sería como si, en un contrato con obligaciones recíprocas, se atribuyera la facultad de resolución en caso de incumplimiento a una de las partes y a la otra no; en tal caso, quedaría desvirtuado el fundamento de la facultad resolutoria, extensible también a la exclusión: la protección de la parte contractual que ha cumplido o se muestra dispuesta a cumplir[25].

No ignoramos que la eventual exclusión del mayoritario impediría en muchos casos la continuidad de la actividad empresarial; de ahí que sea acertado que el juego de la exclusión, en la sociedad anónima, solo opere cuando los estatutos así lo hayan previsto. Ahora bien, lo que no nos parece admisible es que, cuando estos lo incluyan, pueda haber accionistas que, de hecho, no se vean afectados.

---

[24]   Sobre las relaciones entre resolución y exclusión, así como sobre el fundamento o *ratio* esencial de esta última, nos permitimos remitir a lo dicho en otro lugar [SÁNCHEZ RUIZ, M., *La facultad de exclusión de socios en la teoría general de sociedades*, Thomson-Civitas, Cizur Menor (Navarra), 2006, págs. 82-94; respecto a la legitimación para excluir y la esencial irrelevancia de la voluntad del socio de cuya exclusión se trate, *vid.* págs. 235 y ss., 252-255].

[25]   Vid., por todos, DÍEZ-PICAZO, L. *Fundamentos del Derecho civil patrimonial*, vol. II, 5ª ed., Civitas, Madrid, 1996, págs. 704 y 705, así como pág. 708 «*la facultad resolutoria corresponde al contratante que padece o sufre el incumplimiento y se ejercita frente al incumplidor*»; en el mismo sentido, GIL RODRÍGUEZ, J., «Unidad y pluralidad de vínculos», en PUIG FERRIOL, L./ GETE-ALONSO Y CALERA, M. C. / GIL RODRÍGUEZ, J. / HUALDE SÁNCHEZ, J. J., *Manual de Derecho civil*, t. II, Marcial Pons, Madrid, 1996, págs. 107-143, en concreto pág. 125 donde, respecto a la naturaleza jurídica de la resolución, se destaca que es «*una facultad o derecho potestativo que el ordenamiento reconoce [...] a cualquier obligado recíprocamente que cumpla o esté dispuesto a cumplir lo que le incumbe si el otro falta a su compromiso*».

El único remedio al alcance de los restantes socios en esta situación sería la impugnación del acuerdo negativo de exclusión (si se admite) por lesivo para el interés social, siendo aplicable la inversión de la carga probatoria prevista en el artículo 190.3 LSC. Aun así, es dudoso que la estimación de la impugnación conduzca a entender válidamente adoptado el acuerdo de signo contrario.

De ahí que estimemos francamente desacertado que la prohibición de voto por conflicto de intereses no actúe *ope legis* en el ámbito de las sociedades anónimas en este caso concreto. Con ello, el propio legislador, inexplicablemente, ha propiciado que pueda producirse una diferencia de trato entre los accionistas que, a mi juicio, no debería quedar amparada por el ordenamiento jurídico. Ante una misma causa estatutaria de exclusión, unos accionistas serían potencialmente «excluibles» (los minoritarios), mientras que otros serían «inexcluibles» *de facto* (porque, de forma perfectamente lícita, pueden impedir con sus votos la adopción del acuerdo social de exclusión o, en su caso, pueden influir decisivamente en el sentido del acuerdo sobre el ejercicio de la acción judicial de exclusión prevista en el artículo 353.2 LSC).

Conviene resaltar que este indeseable resultado es consecuencia de la subordinación legal de la prohibición de voto a una expresa previsión estatutaria en este caso, puesto que no se producía con la regulación anterior a la reforma de la LSC de 2014.

La irrelevancia de la voluntad del socio a excluir siempre se ha considerado una de las características definitorias de la exclusión de socios. Este instituto opera típicamente *sin o contra* la voluntad del socio a quien afecta la causa que faculta a la sociedad (*rectius*, al conjunto de los *restantes socios* «leales» y, por ende, que no estén también afectados) para decidir su exclusión (o no), de acuerdo con el procedimiento que resulte aplicable. Por ese motivo, antes de la reforma de 2014, la prohibición de votar del socio interesado en el acuerdo habría debido entenderse aplicable a las sociedades anónimas, por analogía, junto a los demás elementos que configuran el procedimiento de exclusión regulado en el artículo 353 LSC para las sociedades de responsabilidad limitada, siempre que en la sociedad anónima se hubieran establecido causas de exclusión en los estatutos pero estos no regularan el procedimiento aplicable. La regulación actual, por el contrario, conduce a entender que *únicamente* regirá la prohibición de voto si se incluyó de forma expresa[26].

---

[26] Cuando las causas de exclusión se incluyan en los estatutos tras la reforma de 2014, los minoritarios podrían evitar el trato discriminatorio negándose a pres-

La exigencia de que la prohibición de voto se incluya, en concreto, «en las correspondientes cláusulas estatutarias reguladoras de la restricción a la libre transmisión o la exclusión», plantea, a su vez, ciertas dudas de interpretación.

En una primera aproximación, parece lógico pensar que, a pesar de la dicción literal del precepto, debería ser indiferente en qué cláusula estatutaria se incluyera la prohibición; lo importante es que, por el contenido de la misma, resulte inequívoco que el socio de esa sociedad anónima no podrá votar en el acuerdo de la junta general relativo a su exclusión o a la autorización de la sociedad para transmitir sus acciones.

No obstante, debe tenerse en cuenta que la incorporación a los estatutos de estas dos cláusulas está sujeta a reglas especiales de tutela de los socios. La inclusión de causas estatutarias de exclusión (y la modificación o supresión de las ya existentes) requiere el consentimiento de *todos los socios*[27], exigencia que se extenderá a la inclusión de la prohibición de voto del afectado si se entiende que, en todo caso, ambas deben ser incorporadas a los estatutos simultáneamente. Por su parte, cuando la restricción a la libre transmisión de las acciones se incluya mediante una modificación de los estatutos, los socios que no votaran a favor del acuerdo no quedarán sujetos al mismo durante un plazo de tres meses[28].

Podría entenderse que la finalidad del legislador, al imponer que la prohibición de voto «esté expresamente prevista en las correspondientes cláusulas estatutarias reguladoras de la restricción a la libre transmisión o la exclusión», era procurar que la prohibición de voto, en todo caso, se introdujera *simultáneamente* a estas y, por ende, quedara sujeta a esas mismas reglas de tutela de los socios.

En todo caso, la regulación legal, en sus términos actuales, no parece que excluya de plano la posibilidad de que la prohibición de voto pueda ser incorporada mediante un acuerdo posterior de modificación de estatutos, cuando estos ya exigieran la autorización de la junta general para transmitir las acciones o contemplaran causas de exclusión. De aceptarse

---

tar su consentimiento a la cláusula correspondiente si no incorpora también la prohibición de voto; en cambio, cuando el régimen estatutario de exclusión de los accionistas esté ya previsto en los estatutos y no contemple la prohibición de voto, los socios minoritarios no podrán impedir la desigualdad de trato, pues es consecuencia de la aplicación del régimen legal dispositivo.

[27]   Art. 351 LSC.
[28]   Art. 123.1, inciso segundo, LSC.

esta interpretación, en defecto de previsión especial en contrario, resultaría aplicable a dicha modificación estatutaria el régimen general previsto en los arts. 285 y siguientes de la Ley de Sociedades de Capital[29].

## IV. ALCANCE DE LA AUTONOMÍA ESTATUTARIA EN ESTA MATERIA

La contemplación expresa por el legislador de prohibiciones «estatutarias» de voto por conflicto de intereses permite plantear bajo una nueva óptica el alcance de la autonomía de la voluntad de los accionistas al respecto.

La posibilidad de regular en los estatutos de una sociedad anónima prohibiciones concretas de voto por conflicto de intereses había sido admitida por el Tribunal Supremo antes de la reforma del precepto estudiado. La SAP de Vizcaya de 28 diciembre 2012[30] admitió, en relación con una sociedad cotizada, «la incorporación a los estatutos de supuestos concretos de privación de derecho de voto por conflicto de interés, siempre que en los supuestos para los que se contemple la suspensión del voto se aprecie objetivamente la posibilidad de conflicto de interés»; por el contrario, la Audiencia no consideró admisibles cláusulas genéricas, indeterminadas o imprecisas como las que sí habían sido admitidas por el Juzgado de lo Mercantil núm. 2 de Bilbao en la sentencia recurrida en apelación, de 10 de enero de 2012[31]. El Tribunal Supremo, a su vez, confirmó la interpretación de la Audiencia en este aspecto, en su sentencia de 12 de noviembre de 2014[32].

En la actualidad, cabe plantearse si esta postura jurisprudencial es compatible o no con el régimen vigente. Es preciso establecer si aún cabe fijar en los estatutos sociales de una sociedad anónima (o de una sociedad limitada) supuestos concretos de privación del derecho de voto por conflicto de intereses distintos de los legales (siempre que sean concretos y sea ob-

---

[29] En el mismo sentido, vid. CABANAS TREJO, R., «Deber de abstención del accionista en un supuesto de venta forzosa por infracción de una prohibición de concurrencia dispensable por la junta general», Diario La Ley, núm. 8480, de 13 de febrero de 2015, ref. D-55, LA LEY 845/2015 (consultada versión en base de datos digital, a la que se refieren las páginas citadas), págs. 1-24, pág. 12.

[30] *(Tol 3013561)* (F. D. segundo).

[31] *(Tol 2366962)* (F. D. séptimo).

[32] *(Tol 4605788)* (F. D. quinto).

jetivamente apreciable el conflicto de intereses subyacente) o si dicha posibilidad debe entenderse vedada por el nuevo apartado 3 del artículo 190 LSC, cuando dispone que «en los casos de conflicto de interés distintos de los previstos en el apartado 1, los socios no estarán privados de su derecho de voto».

Una interpretación posible es entender que, con esta previsión, el legislador ha pretendido limitar la autonomía de la voluntad de los accionistas a los dos supuestos expresamente mencionados (quedando restringido su alcance a la opción entre incluir la prohibición de voto o no hacerlo) y excluirla en cualquier otro caso.

Sin embargo, también cabe considerar que el legislador, al haber introducido para las sociedades anónimas la distinción entre prohibiciones «legales» y «estatutarias» de voto, no debe ver con malos ojos la previsión en los estatutos de las sociedades de capital (no solo anónimas, sino también limitadas) de una regulación estatutaria de prohibiciones de voto por conflicto de intereses (adicionales a las previstas, con carácter imperativo, en el artículo 190.1 LSC), que permita modular su aplicación para adaptarla a las necesidades de cada sociedad (en función del tamaño, la composición de su base subjetiva u otros factores).

Para realizar una toma de postura sobre esta cuestión, debe partirse de la norma que delimita el alcance de la autonomía estatutaria en las sociedades de capital: el artículo 28 LSC. Este precepto fija dos límites relevantes a estos efectos: la ley y los principios configuradores de la forma social.

Empezando por este último límite, no creo que contravenga los principios configuradores de la sociedad anónima (ni tampoco de la sociedad limitada) la eventual previsión en los estatutos de otras prohibiciones de voto referidas a concretos acuerdos sociales en los que sea objetivamente apreciable la existencia de un conflicto de intereses socio-sociedad, o la extensión del ámbito de aplicación subjetivo de todas o algunas de las prohibiciones de voto legalmente previstas (por ejemplo, regulando los conflictos indirectos, en los términos delimitados por la correspondiente cláusula estatutaria).

Respecto al límite de la ley, el principal obstáculo vendría planteado por el primer inciso del artículo 190.3 LSC si bien este, a mi juicio, no puede considerarse insalvable. Una interpretación teleológica y contextual de todos los apartados del artículo 190, en relación con el artículo 204.1 LSC, permite afirmar que este inciso únicamente tiene por objeto excluir la aplicación analógica de las prohibiciones de voto del apartado 1 a otros supuestos distintos de los allí previstos, así como recordar que, en defecto de previsión expresa (sea esta legal o estatutaria), la norma general es que el socio pueda ejercer su derecho de voto incluso cuando, por el contenido del acuerdo y su vinculación particular con el mismo, pueda objetivamente apreciarse que se encuentra en conflicto de intereses con la sociedad. En tal caso, lo procedente será impugnar el acuerdo cuando resulte lesivo para esta, si bien la presencia del conflicto de intereses, unida al carácter decisivo del voto del socio interesado, permite presumir el carácter «lesivo para el interés social» del acuerdo en cuestión, salvo que la sociedad demuestre lo contrario.

En consecuencia, el artículo 190.3 LSC no debería considerarse un argumento decisivo para negar la admisibilidad de prohibiciones estatutarias de voto por conflicto de intereses, puesto que no se dirige a establecer los límites de la autonomía estatutaria en esta materia. De su tenor literal únicamente se derivaría, según la interpretación del mismo que nos parece más acertada, que no cabe afirmar la existencia de una tácita prohibición general de voto en cualquier supuesto posible de conflicto de intereses, ni tampoco extender a otros supuestos distintos, por analogía, las prohibiciones de voto expresamente previstas en el artículo 190.1 LSC (ni, en su caso, las que hayan podido establecerse en los estatutos de la sociedad de que se trate).

### Bibliografía

AA.VV., «Estudio sobre propuestas de modificaciones normativas. Comisión de expertos en materia de gobierno corporativo (creada por acuerdo del Consejo de Ministros, de 10 de mayo de 2013, publicado por Orden ECC/895/2013, de 21 de mayo)», Madrid, 14 de octubre de 2013.

CABANAS TREJO, R., «Deber de abstención del accionista en un supuesto de venta forzosa por infracción de una prohibición de concurrencia dispensable por la junta general», *Diario La Ley*, núm. 8480, de 13 de febrero de 2015, ref. D-55, págs. 1-24 (consultada versión en base de datos digital, LA LEY 845/2015).

DÍEZ-PICAZO, L., *Fundamentos del Derecho civil patrimonial*, vol. II, 5ª ed., Civitas, Madrid, 1996.

EMBID IRUJO, J. M., «Los supuestos de conflicto de intereses con privación del derecho de voto del socio en la Junta General (art. 190.1 y 2 LSC)», en *Junta general y consejo de administración en la sociedad cotizada* (Dir. Rodríguez Artigas *et al.*), t. I, Thomson Reuters Aranzadi, Cizur Menor (Navarra), 2016, págs. 89-119.

GIL RODRÍGUEZ, J., «Unidad y pluralidad de vínculos», en PUIG FERRIOL, L./ GETE-ALONSO Y CALERA, M. C. / GIL RODRÍGUEZ, J. / HUALDE SÁNCHEZ, J. J., *Manual de Derecho civil*, t. II, Marcial Pons, Madrid, 1996, págs. 107-143.

HÜFFER, U., «Der korporationsrechtliche Charakter von Rechtsgeschäften -Eine hilfreiche Kategorie bei der Begrunzung von Stimmverboten im Recht der GmbH?», en *Festschrift für Theodor Heinsius zum 65. Geburtstag am 25. September 1991* (Dirs. Kübler, Mertens y Werner), Walter de Gruyter, Berlín-Nueva York, 1991, págs. 337-356.

PAZ-ARES, C., «Anatomía del deber de lealtad», en *Estudios jurídicos en memoria del profesor Emilio Beltrán. Liber Amicorum* (coord. A. Rojo y A. B. Campuzano), Tirant lo Blanch, Valencia, 2015, págs. 569-611.

PERDICES HUETOS, A. B., *Cláusulas restrictivas de la transmisión de acciones y participaciones*, Civitas, Madrid, 1997.

RECALDE CASTELLS, A., «Artículo 190», en *Comentario de la reforma del régimen de las sociedades de capital en materia de gobierno corporativo (Ley 31/2014). Sociedades no cotizadas* (Coord. Juste Mencía), Civitas-Thomson Reuters, Cizur Menor (Navarra), 2015, págs. 67-88.

SÁNCHEZ RUIZ, M., *La facultad de exclusión de socios en la teoría general de sociedades*, Thomson-Civitas, Cizur Menor (Navarra), 2006.

VIVES RUIZ, F., «Los conflictos de intereses de los socios con la sociedad en la reforma de la legislación mercantil», *Revista de Derecho Bancario y Bursátil*, núm. 137, 2015, págs. 7-62.

# 4. Los conflictos de intereses del socio mayoritario: el deber de abstención en las juntas generales

**INMACULADA SOLAR BELTRÁN**

*Abogada*
*Profesora Asociada del Área de Derecho Mercantil*
*Universidad de Málaga*

**Sumario:** I. IDEAS PREVIAS: LA NUEVA CONFIGURACIÓN DE LA PROHIBICIÓN DEL DERECHO A VOTO. II. EL CONFLICTO DE INTERESES COMO PRESUPUESTO DEL DEBER DE ABSTENCIÓN. III. EL VOTO DEL SOCIO MAYORITARIO: ACREDITACIÓN DEL CONFLICTO DE INTERESES POR LA MINORÍA. IV. CONSIDERACIONES FINALES. Bibliografía.

## I. IDEAS PREVIAS: LA NUEVA CONFIGURACIÓN DE LA PROHIBICIÓN DEL DERECHO A VOTO

El funcionamiento interno de las sociedades de capital se basa en el principio de mayorías, pues las decisiones de la Junta general se adoptan conforme al régimen de mayorías legal o estatutariamente establecido. Así, aquel o aquellos socios que tengan una posición mayoritaria en la sociedad tendrán la posibilidad de decidir sobre los asuntos de la misma, con independencia del parecer de los socios minoritarios. En este escenario, lo socios que tengan el control de la sociedad podrán adoptar acuerdos a través de los cuales dirijan, incluso, la gestión de la sociedad, y podrán hacerlo, en principio, legítimamente[1].

El art. 190 de la Ley de Sociedades de Capital[2] se concibe para evitar que el conflicto de intereses relativo a un socio repercuta negativamente

---

[1]    Sobre el régimen de mayorías para la adopción de los acuerdos, *Vid.* SÁNCHEZ LINDE, M., *El principio de mayoría en la adopción de acuerdos de la Junta general de la Sociedad Anónima*, Ed. Aranzadi, 2009.

[2]    Real Decreto Legislativo 1/2010, de 2 de julio, por el que se aprueba el texto refundido de la Ley de Sociedades de Capital, «BOE» núm. 161, de 03/07/2010, en

en el interés social con motivo de la adopción, en su caso, de un determinado acuerdo por la Junta general. La privación del derecho de voto puede considerarse como garantía para la correcta formación de la voluntad social en la Junta impidiendo así que el socio en conflicto pueda ser juez y parte en su propia causa[3].

Para ello, el art. 190 LSC establece un deber de abstención del socio que se encuentre en determinados supuestos de conflictos de intereses, deber de abstención que tiene carácter imperativo cuando el socio esté incurso en alguno de los supuestos señalados en el apartado 1 del citado artículo. En la anterior redacción del art. 190 LSC este deber de abstención se circunscribía al ámbito de las sociedades de responsabilidad limitada, sin embargo, la reforma operada por la Ley 31/2014, de 3 de diciembre para la mejora del Gobierno Corporativo lo ha extendido a toda sociedad de capital distinguiendo, además, entre unos supuestos tasados y otros residuales[4]. Los primeros son aquellos supuestos concretos de conflictos de intereses que provocan la privación directa del derecho al voto del socio afectado cuando se trata de adoptar un acuerdo que tenga por objeto:

a) autorizarle a transmitir acciones o participaciones de las que el socio sea titular y estén sujetas a una restricción legal o estatutaria.

b) excluirle de la sociedad.

c) liberarle de una obligación o de concesión de un derecho.

d) facilitarle cualquier tipo de asistencia financiera, incluida la prestación de garantías a su favor o

e) dispensarle de las obligaciones derivadas del deber de lealtad conforme a lo previsto en el art. 230.

---

adelante LSC.

[3]   EMBID IRUJO, J. M. Los supuestos de conflicto de interés con privación del derecho de voto del socio en la junta general (Art. 190. 1 y 2 LSC), *Revista de Derecho de Sociedades* núm. 45/2015, Aranzadi, pág. 4.

[4]   A propósito de su extensión a otros tipos societarios, el Tribunal Supremo dictó Sentencia núm. 608/2014, de fecha 12 de noviembre de 2014 *(Tol 4605788)*, esto es, tres semanas antes de que se publicara la Ley 31/2014, en la que estableció la licitud de las cláusulas estatutarias de una sociedad anónima que prevén la privación del derecho de voto al accionista en relación con aquellos supuestos de carácter concreto o específico que vinieran establecidos, en la medida en que en ello fuera objetivamente apreciable la posibilidad de un conflicto de intereses entre el socio y la sociedad.

En las sociedades anónimas, la prohibición de ejercitar el derecho de voto en los supuestos contemplados en las letras a) y b) anteriores sólo será de aplicación cuando dicha prohibición esté expresamente prevista en las correspondientes cláusulas estatutarias reguladoras de la restricción a la libre transmisión o la exclusión[5].

El deber de abstención del socio en los supuestos del art. 190.1 LSC ha de entenderse como un deber de carácter imperativo, hasta el punto de que si el socio no se abstuviera, el presidente de la Junta no deberá tener en cuenta su voto en el cómputo para ese asunto concreto. Claro está que si el socio considera que no está incurso en tal situación de conflicto de interés podrá impugnar el acuerdo. Sin embargo, la prohibición no puede extenderse a otros asuntos incluidos en el orden del día, para los que el socio afectado no tendrá limitado el ejercicio de su derecho de voto ni tampoco al resto de derechos del socio, pues no tiene prohibido el derecho de asistencia ni tampoco el de información[6]. La prohibición del derecho a voto, como cualquier limitación de derechos, debe ser aplicada con carácter restrictivo, por lo que no puede extenderse a otros supuestos distintos de los que la Ley contempla, tanto de forma tasada como la regla que se aplica a los conflictos de intereses residuales, a los que ahora aludimos.

En segundo lugar, la norma establece una regla de presunción para todos los supuestos de conflictos de interés no previstos en el apartado 1 del art. 190 LSC, los que podemos denominar conflictos residuales[7]. En el apartado 3 del citado art. 190 LSC se establece que el socio no estará privado de su derecho de voto en supuestos de interés distintos de los es-

---

[5] Redacción dada al apartado 1 del art. 190 LSC tras la reforma operada por la Ley 31/2014, de 3 de diciembre para la mejora del Gobierno Corporativo, «BOE» núm. 293, de 4 de diciembre de 2014.

[6] VALPUESTA GASTAMIZA, E., *Comentarios a la Ley de Sociedades de Capital* (Arts. 188 a 190), Bosch, Barcelona, 2015, págs. 487 a 491.

[7] Así, LÓPEZ SÁNCHEZ, M. A. «Los supuestos de conflicto de intereses sin privación del derecho de voto: la distribución de la carga de la prueba en caso de impugnación de los acuerdos sociales (art. 190.3 LSC)», en *Junta General y Consejo de Administración en la sociedad cotizada. Estudio de las modificaciones de la Ley de Sociedades de Capital introducidas por las Leyes 31/2014, de 3 de diciembre de 2015, 5/2015, de 27 de abril, 9/2015, de 25 de mayo, 15/2015, de 2 de julio y 22/2015, de 20 de julio, así como de las Recomendaciones del Código de Buen Gobierno de febrero de 2015*, (Dirs., RODRÍGUEZ ARTIGAS, FERNÁNDEZ DE LA GÁNDARA, QUIJANO GONZÁLEZ, ALONSO UREBA, VELASCO SAN PEDRO, ESTEBAN VELASCO, coord. RONCERO SÁNCHEZ), Tomo I, Thomson Reuters 20º aniversario de la Revista de Derecho de Sociedades, Pamplona, 2016, págs. 131 a 139.

tablecidos en el apartado 1, señalando a continuación que cuando el voto del socio o socios incursos en conflicto de interés haya sido decisivo para la adopción del acuerdo, corresponderá en caso de impugnación a la sociedad y, en su caso, al socio o socios afectados por el conflicto, la carga de la prueba de la conformidad del acuerdo al interés social. Por su parte, el socio o socios que impugnen deberán acreditar el conflicto de interés.

Exceptúa el precepto los acuerdos relativos al nombramiento, el cese, la revocación y la exigencia de responsabilidad de los administradores y cualesquiera otros de análogo significado en los que el conflicto de interés se refiera exclusivamente a la posición que el socio ostenta en la sociedad. En estos casos, a diferencia de lo anterior, corresponderá a quienes impugnen la acreditación del perjuicio al interés social.

La actual redacción del art. 190 LSC supone una evolución con respecto a la anterior, en la que se contemplaban dos categorías de conflicto de intereses con privación del derecho de voto referidas exclusivamente a las sociedades de responsabilidad limitada. De un lado, aquellos conflictos relativos a un socio en cuanto tal, y cuya enumeración coincidía con los cuatro primeros apartados del art. 190.1 LSC. De otro, se refería a los conflictos del socio que ostenta, además, la condición de administrador con respecto a los acuerdos de la Junta general en los que se pretendiera dispensarle de la prohibición de competencia o se intentara establecer entre él y la sociedad una relación de prestación de cualquier tipo de obras o servicios[8].

La referencia al socio en su condición de administrador no desaparece en la nueva redacción, pues la misma se configura en la letra d) del apartado 1 del vigente art. 190 LSC cuando se refiere a la dispensa de las obliga-

---

[8]  Antes de la reforma operada por la Ley 31/2014, de 3 de diciembre para la mejora del Gobierno Corporativo, la redacción el art. 190, bajo la rúbrica «Conflicto de intereses en la sociedad de responsabilidad limitada» era la siguiente:
*«1. En las sociedades de responsabilidad limitada el socio no podrá ejercer el derecho de voto correspondiente a sus participaciones cuando se trate de adoptar un acuerdo que le autorice a transmitir participaciones de las que sea titular, que le excluya de la sociedad, que le libere de una obligación o le conceda un derecho, o por el que la sociedad decida anticiparle fondos, concederle créditos o préstamos, prestar garantías en su favor o facilitarle asistencia financiera, así como cuando, siendo administrador, el acuerdo se refiera a la dispensa de la prohibición de competencia o al establecimiento con la sociedad de una relación de prestación de cualquier tipo de obras o servicios.*
*2. Las participaciones sociales del socio que se encuentre en alguna de las situaciones de conflicto de intereses contempladas en el apartado anterior se deducirán del capital social para el cómputo de la mayoría de votos que en cada caso sea necesaria».*

ciones derivadas del deber de lealtad conforme a lo previsto en el art. 230 LSC, ya que dicho artículo sólo es aplicable a los administradores sociales.

## II. EL CONFLICTO DE INTERESES COMO PRESUPUESTO DEL DEBER DE ABSTENCIÓN

Los conflictos de interés preocupan especialmente entre socios y sociedad cuando existe un socio de control capaz de ejercer una influencia suficiente en la sociedad por el porcentaje en el que participa en ella, hasta el punto en puede llegar, incluso, a controlar la labor de los administradores. Las decisiones en la Junta general de las sociedades de capital se adoptan por mayoría y, una vez adoptados, los acuerdos vinculan a todos los socios, incluso a los disidentes y a los que no hayan participado en la reunión[9]. Eso puede traducirse en casos en los que un socio (o varios) que ostenten una posición mayoritaria o de influencia, tengan el control de la sociedad, pues su voto será determinante en la designación del órgano de administración, pudiendo intervenir en la gestión de la sociedad, impartir desde la junta general instrucciones al órgano de administración e incluso someter a su autorización determinadas decisiones de este como, por ejemplo, para la adquisición de bienes de valor significativo, la disposición de determinadas cantidades de dinero o el endeudamiento de la sociedad[10].

---

[9]   URÍA, R., MENÉNDEZ, A. Y MUÑOZ PLANAS, J. M. ª, La Junta general de accionistas, en AA.VV., *Comentario al régimen legal de las sociedades mercantiles*, Tomo V, Ed. Civitas, 1992, págs. 23-54. Sánchez Linde, M., El principio de mayoría en la adopción de acuerdos de la Junta general de la Sociedad Anónima, Aranzadi, 2009.

[10]   Antes de la reforma operada al art. 161 LSC por la Ley 3/2014, de 3 de diciembre por la que se modifica la Ley de Sociedades de Capital para la mejora del gobierno corporativo (BOE núm. 293, de 4 de diciembre), la facultad de la Junta para intervenir en los asuntos de gestión de la sociedad sólo estaba permitida en las sociedades de responsabilidad limitada, siendo una cuestión heredada del antiguo art. 44.2 LSRL. La redacción actual del precepto extiende esta posibilidad de intervención a todas las sociedades de capital, salvo que los Estatutos excluyan, total o parcialmente, esta posibilidad. La extensión al resto de sociedades de capital había generado un debate previo en la doctrina que no era unánime con respecto a que se extendiera también a la sociedad anónima pues según algunos autores iría en contradicción de los principios configuradores del cada tipo social. Como señala VALPUESTA la posibilidad de que los estatutos sociales modulen esta regla resuelve el debate abierto sobre la conveniencia de que la misma se aplique en las sociedades anónimas, especialmente las grandes, ya que serán los estatutos los que modulen las funciones de la Junta General en asuntos de gestión. (Vid. VALPUES-

Sin embargo, no siempre estas situaciones son, por el mero hecho de llevarse a cabo por quien ostenta una posición de control, perjudiciales para la sociedad ni suponen necesariamente un aprovechamiento para el socio mayoritario, por lo que para interpretar el alcance del art. 190 LSC y, en particular, de la presunción contenida en el apartado 3, conviene delimitar qué debemos entender por conflicto de intereses.

Como decimos, la Ley no nos ofrece una definición del concepto de conflicto de interés, sino que se limita a señalar las situaciones en las que este se produce o se presume, a pesar de los problemas de interpretación que ello puede producir en el seno de la sociedad, en particular, a quien deba interpretar la norma para apreciar la situación del conflicto de intereses cuando el socio afectado no la reconozca por sí mismo. En este sentido, por conflicto de intereses podríamos considerar toda situación fáctica surgida en el ejercicio de los poderes y facultades concedidos a una persona en la que aparecen intereses personales (directos o indirectos, esto es, por cuenta propia o de terceros), distintos o contrapuestos con los sociales, en cuya virtud el socio en conflicto podría adoptar no la decisión que más convenga al interés social, sino la que le permita obtener una mayor ventaja personal extra social a costa del referido interés social[11].

Se configura entonces el «interés social» como la clave para la impugnación de aquellos acuerdos que ocasionen o sean susceptibles de ocasionar un daño a la sociedad. Para ello debemos delimitar que debe entenderse por interés social, pues el mismo está configurado como concepto jurídico indeterminado y, como tal, la Ley no ofrece una definición. El «interés social» es un elemento relevante desde el punto de vista de la impugnación de acuerdos sociales por infracción del deber de lealtad a la sociedad. El deber de lealtad del socio a la sociedad y el del administrador, son la manifestación del deber de buena fe que impone el art. 7 del Código Civil, pues al igual que el socio debe actuar con sus actos y decisiones en busca del interés de la sociedad, el administrador deber ser leal y proteger ese mismo interés por encima del suyo propio, con independencia de que sea socio o no.

Doctrina y jurisprudencia han ofrecido dos teorías tradicionalmente opuestas a la definición del interés social, la teoría institucionalista y la

---

TA GASTAMIZA, E., Comentarios a la Ley de Sociedades de Capital (Arts. 159 a 162), Bosch, 2015, págs. 411 a 413.

[11]  Vid. SERRANO CAÑAS, J. M., *El conflicto de interés en la administración de las sociedades mercantiles*, Real Colegio de España, Bolonia, 2008, pág. 50.

teoría contractualista. La teoría institucionalista considera a la sociedad de capital como una «institución-corporación» en la que el interés social que en ella se persigue es distinto del de sus socios, viniendo a coincidir con los intereses de los componentes de la empresa, esto es, accionistas/partícipes, administradores, acreedores, trabajadores, etc. Por su parte, según la teoría contractualista, el interés social no es otro que la suma de los intereses particulares de sus socios, de forma que cualquier daño producido en el interés común del reparto de beneficios o en cualquier otra ventaja comunitaria, supone una lesión al interés social.

La anterior redacción del art. 226 LSC se inclinaba, al menos en apariencia, por la teoría institucionalista, pues el precepto aludía expresamente al deber de los administradores de defender el interés social «entendido como interés de la sociedad». Los tribunales, por su parte, se habían inclinado tradicionalmente por la teoría contractualista, especialmente cuando de sociedades cerradas se trata, pues quizá el concepto más amplio de «institución-corporación» case mejor con las grandes sociedades abiertas, mientras que el carácter contractual, esto es, «el interés común de los socios» y de «la suma de los de todos ellos» lo haga con el resto de sociedades de capital[12].

La recomendación 12 del Código de buen gobierno de las sociedades cotizadas, aprobado por el acuerdo de la Comisión Nacional del Mercado de Valores de 18 de febrero de 2015, considera el interés social *«como la consecución de un negocio rentable y sostenible a largo plazo, que promueva su continuidad y la maximización del valor económico de la empresa».* Recomendación que ha tenido su traducción en la nueva redacción del art. 226 LSC tras la reforma operada por la Ley 31/2014, en la que la «discrecionalidad empresarial» sustituye al «interés social» antes reseñado.

La clave se encuentra, entonces, en la contraposición entre el «interés personal» y el «interés social», pues es ahí donde surge el conflicto de intereses cuando el socio pretende hacer uso de su capacidad de influir en la sociedad a través del ejercicio de su derecho de voto en la Junta general o cuando ostenta la condición de socio-administrador, si su voto resulta determinante para la adopción del acuerdo al que subyace el conflicto de intereses.

---

[12]    Por su importancia, la Sentencia del Tribunal Supremo (Sala de lo Civil) de 19 febrero 1991, *(Tol 540811).*

A lo anterior hay que sumar el conflicto que puede surgir cuando se contraponen los intereses de los socios mayoritarios a los de los minoritarios, dando lugar a acuerdos que no causan daño al patrimonio de la sociedad, pero que se adoptan en beneficio exclusivo de los socios de control y en perjuicio de los minoritarios.

Esta situación encuentra respuesta legal en la nueva redacción dada por el Legislador al art. 204 LSC que, siguiendo las propuestas de la Comisión de Expertos en Materia de Gobierno Corporativo[13] tras la reforma operada por la Ley 31/2014, amplía el concepto de interés social y considera como lesivos del interés social también los acuerdos adoptados por la mayoría en interés propio y en detrimento injustificado de los demás socios, aunque no causen daño al patrimonio social, siempre que no respondan a una necesidad razonable de la sociedad.

## III. EL VOTO DEL SOCIO MAYORITARIO: ACREDITACIÓN DEL CONFLICTO DE INTERESES POR LA MINORÍA

El apartado 3 del art. 190 establece una presunción de infracción del interés social en aquellos supuestos de carácter no posicional, esto es, aquellos acuerdos que no estando dentro del listado del apartado 1 (cuya prohibición de voto tiene carácter imperativo para el socio afectado por el supuesto concreto), hayan sido adoptados con el voto decisivo de algún socio en situación de conflicto de intereses distinta de las reseñadas en el citado apartado. En este supuesto corresponderá a los socios impugnantes acreditar tal conflicto subyacente al acuerdo, mientras que a la sociedad y, en su caso, al socio en conflicto, le corresponde probar la conformidad del acuerdo al interés social.

De esta regla se exceptúan los acuerdos relativos al nombramiento, el cese, la revocación y la exigencia de responsabilidad de los administradores y cualesquiera otros de análogo significado en los que el conflicto de interés se refiera exclusivamente a la posición que ostenta el socio en la sociedad. En estos casos corresponderá a los que impugnen la acreditación

---

[13] Creada por Acuerdo del Consejo de Ministros de 10 de mayo de 2013, publicada por Orden ECC/895/2013, de 21 de mayo.

del perjuicio al interés, pues no puede hablarse tanto de un conflicto de intereses con la sociedad como de un conflictos de los socios entre sí[14].

Por tanto, para impugnar el acuerdo en los casos a los que se refiere este apartado 3 del art. 190 LSC será necesario la existencia de un presupuesto esencial, cual es que se haya adoptado el acuerdo con el voto decisivo de la mayoría y de un hecho presunto consistente en que se haya producido una infracción del interés social. Estos supuestos resultan de especial interés para las sociedades de responsabilidad limitada, en las que, por su carácter de sociedades cerradas, el reducido número de socios y, en consecuencia, la concentración del capital social, facilita al socio impugnante la posibilidad de acreditar que el carácter decisivo del voto del socio o socios afectados por el conflicto de intereses. Sin embargo, en las sociedades anónimas de mayor envergadura, con un capital social muy atomizado, será más complejo acreditar que el voto de determinado socio fue decisivo para la adopción del acuerdo.

Pero no toda situación de conflicto de intereses puede tener como consecuencia la lesión del interés social ni suponer, per se, un abuso de posición de la mayoría, de ahí que el apartado 3 del art. 190 LSC establezca una presunción, por lo que tras la impugnación del acuerdo corresponde a la sociedad o, en su caso, al socio o socios afectados, la carga de la prueba de la conformidad del acuerdo al interés social.

Piénsese en los supuestos de operaciones vinculadas en las que una de las partes contratantes ostenta, también, la condición de socio y la otra es la propia sociedad (por ejemplo, la compraventa de un inmueble, su arrendamiento, un contrato de suministro etc.), esto es, supuestos en los que el socio afectado por el conflicto de intereses podría aprovechar su posición dentro de la sociedad para que esta lleve a cabo operaciones que le resulten ventajosas en detrimento del interés de la sociedad y del resto de socios.

---

[14] En este sentido, la Resolución de la Dirección General del Registro y del Notariado de 16 de marzo de 2015 «BOE» núm. 91, de 16 de abril de 2015, páginas 33660 a 33664 *(Tol 4840378)*, consideró que la votación para cesar al socio-liquidador, y nombrar un nuevo liquidador, no supone un conflicto de interés del socio con la sociedad, sino un conflicto entre los socios, *«esfera ésta en la debe jugar el principio de mayoría para decidir sobre el órgano de administración —o el liquidador—»*. Así, el socio -liquidador cuya separación se pretendía tenía, a juicio de la DGRN, derecho de voto e igual ocurre en el caso de separación del administrador.

Pero no todas las decisiones que adopte el socio mayoritario deben tener la consideración de abusivas ni ser perjudiciales para el interés social, ya que ello iría directamente en contra de la regla general de la mayoría para la adopción de acuerdos, que es la que rige en las sociedades de capital. Los acuerdos que tienen trascendencia a estos efectos son aquellos en los que no estando el socio en una posición de conflicto de intereses que le prohíba de forma imperativa el derecho a ejercer el voto (art. 190.1 LSC), su situación pueda entrar en conflicto con la sociedad por afectar al interés social, siempre y cuando su voto haya sido determinante para la adopción del acuerdo. Es el caso, por ejemplo, del socio que a su vez es administrador de otra sociedad o el socio mayoritario que también ostenta una posición de control en otra sociedad con la que se va a realizar una transacción.

La redacción del art. 190.3 LSC supone dispensar a los impugnantes de la carga de la prueba del perjuicio, pues lo que deben acreditar es que la adopción del acuerdo fue alcanzada por el voto decisivo del socio en un asunto en el que se hallaba en una situación de conflicto de interés distinta de las señaladas en el apartado 1. Es por ello que la presunción no puede concebirse únicamente como la incursión de uno o varios socios en conflicto de intereses con respecto a determinado acuerdo de la Junta, sino que el voto de aquellos tendrá que haber sido determinante para la adopción del acuerdo.

Podremos entender, entonces, que para los socios minoritarios el apartado 3 del art. 190 LSC bien puede configurarse como un límite al poder de decisión de la mayoría, que en estos casos podrá defender la validez del acuerdo impugnado acreditando que el mismo responde a una conciliación de intereses en los que a pesar incluso del conflicto, la sociedad ha podido obtener un beneficio o que, al menos, no se ha derivado ningún daño al patrimonio social[15].

En definitiva, la actuación del socio mayoritario no siempre tiene por qué implicar una situación de abuso, pero cierto es que su posición dominante puede dar lugar a situaciones de conflictos de interés que pueden ser impugnadas por los socios minoritarios cuando, para la adopción del acuerdo, el voto del socio de control ha sido determinante al amparo de la nueva redacción del art. 190.3 LSC.

---

[15]  Vid. LÓPEZ SÁNCHEZ, M. A. «*Los supuestos de conflicto...*» *op. cit.*, págs. 143-144.

# IV. CONSIDERACIONES FINALES

La Ley 31/2014 ha introducido en la Ley de Sociedades de Capital una reforma del tratamiento jurídico de los conflictos de interés con base en dos ejes esenciales. En primer lugar, se establece una cláusula específica de prohibición de derecho de voto en los casos más graves de conflicto de interés, que son los que afectan al socio por su posición. En segundo lugar, se establece de una presunción de infracción del interés social en los casos en que el acuerdo social haya sido adoptado con el voto determinante del socio o de los socios incursos en un conflicto de interés.

Los cambios operados, además, han supuesto generalizar a las sociedades anónimas una norma que había estado prevista hasta la reforma sólo para las sociedades de responsabilidad limitada. No obstante, la prohibición del derecho a ejercitar el voto en las sociedades anónimas solo será de aplicación en los casos de autorización para transmisión de acciones sujetas a restricción legal o estatutaria y en caso de exclusión de la sociedad, cuando dicha prohibición esté expresamente contemplada en los estatutos.

La privación del derecho al voto puede suponer una garantía para la adecuada formación de la voluntad social así como un límite al poder de decisión de los socios mayoritarios. Por otro lado, la nueva configuración del art. 190.3 LSC habilita a los minoritarios para poder impugnar aquellos acuerdos en los que el voto de un socio en conflicto de interés haya sido determinante para del acuerdo que consideren lesivo para el interés social.

Es de destacar que en estos casos el régimen de la carga de la prueba establecido impone a la sociedad y, en su caso, al socio o socios afectados, demostrar que el acuerdo no ha conculcado el interés social. No así en los casos previstos en el apartado 1 del precepto objeto de análisis, donde la privación del derecho al voto tiene carácter imperativo, debiendo excluirse del cómputo de los votos los correspondientes a las acciones o participaciones del socio afectado por la situación de conflictos de intereses.

Aun cuando no todas las actuaciones del socio mayoritario tienen por qué considerarse perjudiciales para sociedad o en su propio beneficio, la nueva redacción del art. 190 LSC supone una oportunidad para los socios minoritarios, tanto de las sociedades de responsabilidad limitada como de las anónimas, para poder de impugnar los acuerdos impuestos por la mayoría cuando se aprecia que en los socios de control concurren situaciones de conflicto de interés y que su voto ha sido decisivo para la adopción del acuerdo.

No obstante, como todas las limitaciones de derechos, la privación del derecho de voto debe aplicarse carácter restrictivo por lo que no debe extenderse a supuestos distintos de los contemplados en la norma. La falta de un concepto que defina el conflicto de interés, al igual que la ausencia de una definición del interés social, dejará en manos del presidente de la Junta determinar en los supuestos más difusos la existencia de este. De la misma forma que corresponderá a los socios minoritarios demostrar la existencia de una situación de conflicto en aquellos acuerdos en los que el voto del socio mayoritario haya sido decisivo para la adopción de un acuerdo que se estime que ha sido lesivo para el interés de la sociedad.

En cualquier caso, la reforma configura una nueva medida tuitiva a favor de los socios minoritarios, estableciendo una vía impugnatoria para todos los tipos de sociedades de capital de aquellos acuerdos que se consideren lesivos para el interés social, lo que permite ejercer un control sobre el socio o socios mayoritarios que pretendan utilizar la Junta general como medio instrumental para abusar de sus derechos de voto, reorientando la posición y los poderes de tales socios.

## Bibliografía

AA.VV. *Comentario al Régimen Legal de las Sociedades Mercantiles*, (Dir. URÍA/MENÉNDEZ/OLIVENCIA), Civitas, Madrid, 1999.

ALFARO ÁGUILA-REAL, J, «Los problemas contractuales en las sociedades cerradas», *Indret: Revista para el Análisis del Derecho*, Barcelona, N° 4, 2005.

BUSTILLO SAÍZ, M. M., «Apuntes sobre el régimen de los acuerdos negativos inválidos de la junta de socios en las sociedades de capital (I)», *LA LEY mercantil, N° 31, Sección Sociedades*, Editorial Wolters Kluwer, 2016.

CABANAS TREJO, R. «Deber de abstención del accionista en un supuesto de venta forzosa por infracción de una prohibición de concurrencia dispensable por la junta general», *Diario La Ley*, N° 8480, Sección Doctrina, Editorial LA LEY.

CURTO POLO, M. «Artículo 190. Conflicto de intereses en la sociedad de responsabilidad limitada», *Comentario de la Ley de Sociedades de Capital*. Coord. ROJO FERNÁNDEZ RÍO, A., BELTRÁN SÁNCHEZ, E.; APARICIO GONZÁLEZ, M. L., (aut.), ÁVILA DE LA TORRE, A (aut.), BATALLER GRAU, A. (aut. ESTEBAN RAMOS, L. M. (aut.), SÁNCHEZ PACHÓN, L. (aut.), vol. 1, 2011 (Tomo I), págs. 1350-1355.

EMBID IRUJO, J. M. «Los supuestos de conflicto de interés con privación del derecho de voto del socio en la Junta General (art. 190.1 y 2 LSC)», *en Junta General y Consejo de Administración en la sociedad cotizada. Estudio de las modificaciones de la Ley de Sociedades de Capital introducidas por las Leyes 31/2014, de 3 de diciembre de 2015, 5/2015, de 27 de abril, 9/2015, de 25 de mayo, 15/2015, de 2 de julio y 22/2015, de 20 de julio, así como de las Recomendaciones del Código de Buen Gobierno de febrero de 2015*, (Dirs., RODRÍGUEZ ARTIGAS, FERNÁNDEZ DE LA GÁNDARA, QUIJANO GONZÁLEZ, ALONSO UREBA, VELASCO SAN PEDRO, ESTEBAN VELASCO, coord.

RONCERO SÁNCHEZ), Tomo I, Thomson Reuters 20° aniversario de la Revista de Derecho de Sociedades, Pamplona, 2016.

HERNANDO CEBRIÁ, L. *El abuso de la posición jurídica del socio en las sociedades de capital.* Bosch, Barcelona, 2013.

LÓPEZ SÁNCHEZ, M. A. «Los supuestos de conflicto de intereses sin privación del derecho de voto: la distribución de la carga de la prueba en caso de impugnación de los acuerdos sociales (art. 190.3 LSC)», *en Junta General y Consejo de Administración en la sociedad cotizada. Estudio de las modificaciones de la Ley de Sociedades de Capital introducidas por las Leyes 31/2014, de 3 de diciembre de 2015, 5/2015, de 27 de abril, 9/2015, de 25 de mayo, 15/2015, de 2 de julio y 22/2015, de 20 de julio, así como de las Recomendaciones del Código de Buen Gobierno de febrero de 2015,* (Dirs., RODRÍGUEZ ARTIGAS, FERNÁNDEZ DE LA GÁNDARA, QUIJANO GONZÁLEZ, ALONSO UREBA, VELASCO SAN PEDRO, ESTEBAN VELASCO, coord. RONCERO SÁNCHEZ), Tomo I, Thomson Reuters 20° aniversario de la Revista de Derecho de Sociedades, Pamplona, 2016.

MEGÍAS LÓPEZ, J., Abuso de mayoría y de minoría en las sociedades de capital cerradas, *Revista de Derecho Bancario y Bursátil núm. 132/2013,* Aranzadi.

PEINADO GRACIA, J. I. y GONZÁLEZ FERNÁNDEZ, M. ª B., «Los derechos del socio», en AA.VV. *Derecho Mercantil. Las sociedades mercantiles,* vol. 3.°, (coords. JIMÉNEZ SÁNCHEZ Y DÍAZ MORENO), Tecnos, Madrid, 2013, págs. 335-369.

SÁNCHEZ LINDE, M., *El principio de mayoría en la adopción de acuerdos de la Junta general de la Sociedad Anónima,* Aranzadi, 2009.

SERRANO CAÑAS, J. M., *El conflicto de interés en la administración de las sociedades mercantiles,* Real Colegio de España, Bolonia, 2008, pág. 50.

URÍA, R., MENÉNDEZ, A. Y MUÑOZ PLANAS, J. Mª, La Junta general de accionistas, en AA.VV., *Comentario al régimen legal de las sociedades mercantiles,* Tomo V, Ed. Civitas, 1992, págs. 23-54.

VALPUESTA GASTAMIZA, E., *Comentarios a la Ley de Sociedades de Capital,* Bosch, Barcelona, 2015, págs. 622-623.

VIVES RUIZ, F., «Los conflictos de intereses de los socios con la sociedad en la reforma de la Legislación Mercantil», *Revista de Derecho Bancario y Bursátil* núm. 137/2015, Aranzadi.

# 5. *El voto vacío como situación de conflicto de interés de menor entidad*[1]

**MIGUEL GIMENO RIBES**

*Profesor Ayudante Doctor de Derecho Mercantil*
*Universidad de Valencia*

**Sumario:** I. INTRODUCCIÓN. II. LA SITUACIÓN DE *VOTO VACÍO*. 1. Realidad fáctica relevante. 2. Explicación económica. III. DINÁMICA DEL ART. 190.3 LSC. 1. Tipología societaria. 2. Interés social. 3. Inversión de la carga de la prueba. 4. Otros problemas de aplicación. 5. Evaluación en clave sistemática y de política legislativa. IV. CONCLUSIONES.

## I. INTRODUCCIÓN

Entre los cambios que se produjeron en el funcionamiento de la Junta General con ocasión de la reciente reforma legislativa operada a través de la Ley 31/2014, por la que se modifica la Ley de Sociedades de Capital para la mejora del gobierno corporativo, se encuentra la modificación del art. 190 LSC, en el que se regulan los supuestos de conflicto de interés en los que puede encontrarse incurso un socio en este tipo de compañías. Tradicionalmente, la consecuencia jurídica que acarreaban las situaciones de estas características era la privación del derecho de voto en el concreto asunto a debatir en la Junta General en el que se advirtiese la referida problemática y el ámbito de aplicación subjetivo de la norma se restringía a las sociedades de responsabilidad limitada[2]. Ambos elementos limitaban la

---

[1] El presente trabajo se inscribe en el marco del Proyecto de investigación del Ministerio de Economía y Competitividad que lleva por título «La renovación tipológica en el Derecho de Sociedades contemporáneo» (DER-44438-P), cuyo investigador principal es el Prof. Dr. José Miguel Embid Irujo.

[2] Véase ampliamente BOQUERA MATARREDONA, J., «La regulación del conflicto de intereses en la Ley de Sociedades de Responsabilidad Limitada», *Revista de Derecho Mercantil*, núm. 217, 1995, págs. 1007-1048; EMBID IRUJO, J. M., «Artículo 52», en ARROYO MARTÍNEZ, I./ EMBID IRUJO, J. M./ GÓRRIZ LÓPEZ, C., *Comentarios a la Ley de Sociedades de Responsabilidad Limitada*, 2ª Ed., Madrid, Tecnos, 1999, págs. 664 y ss.; CURTO POLO, M., «Artículo 190», en ROJO FERNÁNDEZ-RÍO/ BELTRÁN SÁNCHEZ, E. (Coords.), *Comentario de la Ley de Sociedades de Ca-*

operatividad del precepto, destinado a impedir, en una serie de casos tasados, la actuación de uno de los socios en la Junta General y, en particular, el cómputo de su voto a la hora de adoptar un acuerdo. La norma, en la que se podía entrever cierta manifestación del deber de lealtad del socio en una compañía de carácter cerrado[3], ha experimentado un cambio notable, siendo en la actualidad de aplicación, en primer lugar, a compañías de carácter más abierto, como son las sociedades anónimas, y habiéndose introducido, en segundo lugar, un apartado tercero en el precepto, donde se prevé una consecuencia jurídica diferente para aquellos conflictos de interés distintos de los enumerados en el primero.

Constituye esta segunda novedad el núcleo de la cuestión en el presente trabajo, puesto que se presenta una cláusula general de conflictos de interés de menor entidad que ha de ser dotada de contenido de manera casuís-

---

*pital*, Madrid, Civitas, 2011, págs. 1350-1355; SÁNCHEZ RUIZ, M., *Conflictos de intereses entre socios en sociedades de capital (artículo 52 de la Ley 2/1995, de 23 de marzo)*, Cizur Menor, Aranzadi, 2000.

[3]  Véanse las consideraciones sobre el deber de fidelidad del socio en las sociedades de responsabilidad limitada de BOQUERA MATARREDONA, J., «La regulación...», *cit.*, págs. 1017-1018. En términos generales, sobre esta cuestión, MIQUEL RODRÍGUEZ, J., «Reflexiones sobre los deberes de fidelidad de socios y accionistas», en SÁENZ GARCÍA DE ALBIZU, J. C. / OLEO BANET, F./ MARTÍNEZ FLÓREZ, A., (Coords.), *Estudios de Derecho Mercantil en memoria del Profesor Aníbal Sánchez Andrés*, Madrid, Civitas, 2010, págs. 453-470. De manera más evidente, en la jurisprudencia alemana se ha ido construyendo progresivamente el deber de lealtad del socio en las sociedades capitalistas a partir del principio general de la buena fe del § 242 BGB, reconociéndose primero en la sociedad de responsabilidad limitada (BGH, Urt. v. 28.01.1980 - II ZR 124/78, BGHZ 76, 352), luego también para el socio mayoritario en las sociedades anónimas en el asunto *Linotype* (BGH, Urt. v. 01.02.1988 - II ZR 75/87, BGHZ 103, 184) y finalmente también respecto de la posición de relevancia del socio minoritario en la sociedad anónima, en particular, cuando su voto en la Junta General resulte determinante, de manera evidente en el caso *Girmes* (BGH, Urt. v. 20.03.1995 - II ZR 205/94, BGHZ 129, 36). Puede verse, sobre la evolución jurisprudencial en la materia y, en particular, sobre esta última resolución judicial, FLUME, W., «Die Rechtsprechung des II. Zivilsenats des BGH zur Treupflicht des GmbH-Gesellschafters und des Aktionärs», *Zeitschrift für Wirtschaftsrecht*, vol. 17, núm. 4, 1996, págs. 161-167, especialmente, págs. 165-166; HENNRICHS, J., «Treupflichten im Aktienrecht - zugleich Überlegungen zur Konkretisierung der Generalklausel des § 242 BGB sowie zur Eigenhaftung des Stimmrechtsvertreters», *Archiv für die civilistische Praxis*, vol. 195, núm. 2, 1995, págs. 221-273. Más restrictivo, entre nosotros, aunque citando bibliografía alemana anterior a 1980, GIRÓN TENA, J., *Derecho de Sociedades*, Madrid, Artes Gráficas Benzal, 1976, págs. 297-298.

tica. Al tiempo, las implicaciones generan ciertas dudas en su aplicación que conviene resolver para cada supuesto. En el trabajo se trata el concreto problema del *voto vacío*, situación cuya posible subsunción en la norma que nos ocupa procede dilucidar con carácter previo. Como se observará, el supuesto de hecho resultaba de complejo tratamiento jurídico bajo el régimen anterior, en la medida en que no existía una fórmula específica para soslayar los posibles efectos perniciosos de realidades como la que nos ocupa[4] y, en ocasiones, ni aun detectarlas[5] o determinar cuál debiera ser el criterio por el que se dilucidara si una concreta decisión había de ser interpretada en sentido negativo o no[6].

En este sentido, la combinación de aspectos de índole societaria y de aquellos otros de carácter esencialmente bursátil dificultaban el correcto entendimiento de la situación y, en su caso, la respuesta que hubiera sido pertinente. Y es que en las situaciones denominadas como de *voto vacío*, se produce una disociación entre el riesgo o interés económico de una inversión y las posibilidades de decisión, de manera que el derecho político y el económico que confiere la condición de socio no se encuentran correlacionadas de manera positiva[7]. Una circunstancia de estas características

---

[4]   Entre los trabajos pioneros sobre la materia, cabe traer a colación las constataciones de HU, H. T. C./ BLACK, B., «The new vote buying: empty voting and hidden (morphable) ownership», *Southern California Law Review*, vol. 79, núm. 4, 2005-2006, págs. 811-908; HU, H. T. C./ BLACK, B., «Equity and debt decoupling and empty voting II: importance and extensions», *University of Pennsylvania Law Review*, vol. 156, núm. 3, 2007-2008, págs. 625-739. En la bibliografía que se ha ocupado de buscar fórmulas de tratamiento jurídico de la situación, puede verse, notablemente, RINGE, W-G., «Hedge Funds and Risk Decoupling - The Empty Voting Problem in the European Union», *Seattle University Law Review*, vol. 36, núm. 2, 2012-2013, págs. 1027-1115. Entre nosotros, véase FERNÁNDEZ DEL POZO, L., «Los problemas societarios y de gobierno corporativo del llamado "voto vacío" ("empty voting")», *Revista de Derecho Mercantil*, núm. 289, 2013, págs. 153-214.

[5]   Véase sobre la cuestión FLORES DOÑA, M. S., «"Propiedad oculta" y "voto vacío" en la armonización de la transparencia corporativa», *Revista de Derecho Bancario y Bursátil*, núm. 132, 2013, págs. 103-131, concretamente, págs. 109-110.

[6]   En contra de posibles prejuicios o asunciones no contrastadas sobre el posible carácter pernicioso, véase la evidencia empírica que traen a colación BEBCHUK, L./ BRAV, A./ YIANG, W., «The Long-Term Effects of Hedge Fund Activism», *Columbia Law Review*, vol. 115, núm. 5, págs. 1085-1156. También, con anterioridad, ENGERT, A., «Hedgefonds als aktivistische Aktionäre», *Zeitschrift für Wirtschaftsrecht*, vol. 27, núm. 46, 2006, págs. 2105-2112.

[7]   Véase sobre esta realidad, aun en otra circunstancia, IRIBARREN BLANCO, M., «La reserva de los derechos políticos en la compraventa de acciones con precio

viene provocada por una combinación de posiciones en el mercado de valores —lo que también puede ocurrir en los no regulados— derivadas de una serie de negocios jurídicos que, sin embargo, tienen implicaciones relevantes en la realidad societaria de la compañía y, en su caso, pueden afectar al curso de operaciones relevantes llevadas a cabo en su seno[8].

Una rigidez como la que presentaba el art. 190 LSC con anterioridad a la mencionada reforma no sólo hacía difícilmente subsumible la realidad descrita, sino que, a mayor abundamiento, la aplicación de la consecuencia jurídica que el precepto lleva aparejada resultaba poco apropiada, dado que la negación del derecho de voto se antojaba una medida excesivamente lesiva de la posición jurídica del socio[9]. En la actualidad, el instrumento que ha sido introducido con ocasión de la reforma legislativa referida permite al menos explorar las posibilidades de subsunción, poniendo de manifiesto su posible adecuación tanto en el plano positivo, como normativo, destacando, en el primer caso, las posibles dificultades en la aplicación del precepto y, en el segundo, la efectividad de una norma de las características consideradas como instrumento para abordar el tratamiento jurídico de la realidad. A tal efecto, se realiza en primer lugar un breve análisis de la realidad fáctica que se antoja posiblemente perniciosa, procurando interpretarla en términos económicos para así arrojar luz sobre la posible respuesta jurídica que sería oportuna (II) y, a continuación, se explora la posible subsunción de dicha realidad en el art. 190.3 LSC, poniendo especial énfasis en los aspectos novedosos del precepto, así como, notablemente en las consideraciones recién evidenciadas en relación con la problemática analizada (III).

---

aplazado», *Revista de Derecho Mercantil*, núm. 290, 2013, págs. 271-290.

[8] Véase, por muchos, la sistematización de supuestos de voto vacío que propone VANNESTE, K., «Decoupling Economic rights from Voting Rights: A Threat to the Traditional Corporate Governance Paradigm», *European Business Organization Law Review*, vol. 15, núm. 1, 2014, págs. 59-81, en concreto, págs. 66-69. También, CLOTTENS, C., «Empty Voting: A European Perspective», *European Company and Financial Law Review*, vol. 9, núm. 4, 2012, págs. 446-483, págs. 447-450.

[9] RINGE, W-G., «Hedge Funds and Risk Decoupling...», *cit.*, págs. 1083-1084, donde da cuenta de los numerosos problemas que acarrea una prohibición de estas características.

## II. LA SITUACIÓN DE *VOTO VACÍO*

El llamado *voto vacío* puede producirse en situaciones distintas y, en ocasiones, ha sido asimilado a una suerte de compra de votos; no correspondiéndose con tal configuración en sentido estricto, contiene perfiles más complejos que dan lugar a que, por lo demás, resulte más incierta su detección. La descripción que se realiza a continuación no constituye sino una mera aproximación, parcial, a alguno de los supuestos en los que se puede producir; en ellos, ocurre que el sentido del voto de un determinado socio no se corresponde con el verdadero interés económico derivado de la tenencia de la acción, que habría llevado, en su caso, al socio a tomar una decisión favorable o contraria a un punto del orden del día a resolver en la Junta General. A la consideración general a realizar sobre algunas fórmulas a través de las cuales se produce este tipo de situaciones le seguirá una valoración en términos económicos de algunos de los aspectos más relevantes de la mencionada realidad.

### 1. *Realidad fáctica relevante*

Ejemplos paradigmáticos de situaciones observables en la realidad fáctica que pueden dar lugar al voto vacío son los que se producen como consecuencia de la combinación de actuaciones societarias y de la utilización de derivados financieros cuyo subyacente sean acciones o de otras estrategias de actuación en los mercados. En concreto, una posibilidad tiene que ver con aquellos supuestos en los que un operador económico adquiera acciones de una sociedad anónima, las tome prestadas o las tenga en su haber como resultado de un negocio jurídico de compraventa con pacto de *retroemendo*, ostentándolas durante el tiempo que media entre la convocatoria y la celebración de una Junta General en cuyo orden del día se encuentre una decisión del calado, por ejemplo, de una modificación estructural —especialmente, una fusión— cuya consecución vaya a tener un efecto notable en el valor de mercado que éstas tengan, especialmente si se trata de una sociedad cotizada y si se tienen perspectivas alcistas en caso de que el acuerdo resulte efectivamente adoptado. Dicha tenencia tendrá por objeto que las acciones sean presentadas en el momento de la fecha de registro con el fin de poder ejercitar los derechos políticos dimanantes de la condición de socio durante la Junta General y, en particular, el derecho de voto. Dicho registro, típicamente exigido para las sociedades anónimas por el art. 179.3 LSC en aquellos supuestos en los que así se ha establecido en una cláusula estatutaria al efecto, tiene lugar con una antelación de varios días al inicio de la deliberación en el mencionado órgano de la compañía.

Dada dicha circunstancia, quien ostenta las acciones, una vez registradas, las enajena en el mercado bursátil, reservándose la posibilidad de votar en la Junta General, pero sin tener un interés alineado con la compañía, en la medida en que su inversión no se verá afectada por el acuerdo adoptado en un sentido u otro.

Paralelamente, quien pretende llegar a una situación de voto vacío generalmente utilizará una determinada estrategia para poder utilizar los derechos políticos en provecho propio, aunque su decisión no sea la más oportuna para la sociedad. En tal sentido, una posibilidad es que el inversor venda en corto una cantidad importante de acciones de la sociedad con anterioridad a la Junta General, recibiendo por ello el precio de mercado de los valores. Hipotéticamente, en una sociedad cuyas acciones coticen en el mercado bursátil, se prevé que la decisión relevante tenga un efecto positivo en dicho precio de mercado, dándose el efecto contrario en el supuesto de que el acuerdo no pueda ser adoptado por rechazarse en una votación. En el caso de que la votación pueda encontrarse ajustada, quien dispone de los derechos de voto como consecuencia de las acciones registradas y posteriormente enajenadas puede votar en contra de la decisión, frustrando la iniciativa. De esta manera, la sociedad no puede llevar a cabo aquello proyectado, lo que redunda en una caída de la cotización bursátil de las acciones y, al tiempo, genera una ganancia en el inversor, quien adquirirá las acciones que previamente vendió en corto a un precio muy reducido, obteniendo, consecuentemente, el beneficio por la diferencia[10].

Otra manifestación de la situación de voto vacío tiene lugar a consecuencia de una operación similar que se basa, sin embargo, en la utilización de derivados financieros[11], mayoritariamente, opciones y futuros sobre acciones. En concreto, la estrategia sigue el mismo esquema, esto es, el inversor pide prestadas acciones para ejercer los derechos de voto derivados de los títulos en el mismo sentido que en el caso anterior. Al tiempo, existen diversas posibilidades, pero todas ellas se basan en la utilización de un instrumento financiero que aporte ganancias en caso de caída del valor de cotización de la acción. En este sentido, la primera configuración de la que puede hacerse uso es la de una opción de compra (opción *call*). En

---

[10]   Una ejemplificación de las actuaciones societarias que pueda estar llevando a cabo la compañía puede verse en el trabajo de DENOZZA, F., «Verso il tramonto dell'"interesse sociale"», en PACIELLO, A. (Ed.), *La dialettica degli interessi nella disciplina delle società per azioni*, Napoli, Jovene Editore, 2011, págs. 77-90, particularmente, págs. 82 y ss.

[11]   Ampliamente, HU, H. T. C./ BLACK, B., «The new vote buying...», págs. 828-832.

concreto, quien vende una opción de compra sobre una acción espera que el precio de mercado del subyacente descienda, puesto que con ello logra que el comprador de la opción no la ejercite, siendo el beneficio neto el del vendedor, que cobró la prima en un origen. Igualmente, el comprador de una opción de venta (opción *put*) confía también en que el precio de la acción sea menor en el momento en el que deba ejercitarse, de manera que, en el momento oportuno, tenga derecho a vender a un precio superior, pudiendo comprar previamente al precio de mercado y, seguidamente, enajenar al precio de la opción. En todos los casos, la posibilidad de influir en el precio mediante el voto negativo en la decisión relevante, permite que la estrategia de inversión dé lugar siempre a un beneficio.

## 2. *Explicación económica*

La razón de ser de este comportamiento por parte de los inversores tiene su origen, como se indicaba, en una disociación (*decoupling*) entre el derecho político que se ejercita, el derecho de voto, y el interés económico que tiene el inversor. Si como consecuencia de la compra y posterior venta o el préstamo y el registro de las acciones se obtiene la primera de las implicaciones, la segunda, por el contrario, tiene que ver con la estrategia bursátil que hace que deje de existir indiferencia en términos económicos en el sentido que se pretenda dar al voto y se genere un incentivo a actuar en contra de lo que previsiblemente tendría un efecto positivo para la sociedad. Las consecuencias que tienen estos incentivos en términos de costes y beneficios son difícilmente cuantificables, pero puede realizarse alguna aproximación de tipo teórico, diferenciando a tal efecto entre costes de agencia y de transacción.

Por lo que se refiere al primer grupo, es sabido que el problema de agencia tiene que ver con los conflictos de interés que se producen entre los diferentes sujetos que intervienen en relaciones fiduciarias, necesariamente prototípicas en la realidad societaria. En ellas existe siempre alguien con posición de principal, que tendrá un interés económico determinado, pero cuya representación o gestión de su patrimonio depende de un tercero, que se denomina agente[12]. Tradicionalmente se habla de tres manifes-

---

[12]   En términos generales, la teoría sobre el problema de agencia ha sido desarrollada en los trabajos de JENSEN, M. C./ MECKLING, W. H., «Theory of the firm: Managerial behavior, agency costs and ownership structure», *Journal of Financial Economics*, vol. 3, núm. 4, 1976, págs. 305-360; FAMA, E. F./ JENSEN, M. C., «Separation of ownership and control», *Journal of Law and Economics*, vol. 26, núm. 2,

taciones paradigmáticas del problema de agencia que se dan en la realidad empresarial, como son, en primer término, aquélla que se produce a consecuencia de la diferencia de intereses entre el administrador como agente y los socios o la sociedad como principal; aquélla que tiene lugar con el socio mayoritario como agente y el socio minoritario como principal y una tercera que se observa entre la sociedad y los acreedores, especialmente cuando está próxima la situación de insolvencia, donde la primera sería el agente y los segundos conformarían el principal. La primera de las relaciones descritas, sin embargo, puede invertirse hasta cierto punto, lo que ocurre en las situaciones de voto vacío. En concreto, lo que se produce es que la decisión relevante para la compañía, ante una votación igualada, acaba encontrándose en el minoritario, quien actuaría en este sentido como agente, frente al socio mayoritario o incluso la sociedad, que será el principal[13]. La disociación entre el derecho político y el riesgo e interés económico del socio minoritario da lugar por tanto a un coste de agencia frente al que la norma jurídica debe reaccionar, paliando la situación de otra manera.

Al mismo tiempo, la mera detección de la existencia de inversores que se encuentren en situación de voto vacío resulta compleja[14], lo que genera otro tipo de costes —de transacción—[15], en la medida en que para la aplicación de las reglas de evitación de conflicto de interés deberá, primero, determinarse cuándo estamos ante una situación de dichas características. También este coste, por tanto, debe ser paliado mediante la oportuna regulación al efecto.

En tal sentido, se ha producido un debate en los ordenamientos de nuestro entorno en relación con las posibilidades de actuación legislativa que tengan por objeto eliminar los costes recién expuestos. Por lo que se

---

1983, págs. 301-325. También, ARMOUR, J./ KRAAKMAN, R./ HANSMANN, H., «Agency Problems and Legal Strategies», en KRAAKMAN, R. et al., *The Anatomy of Corporate Law*, Oxford, Oxford University Press, 2009, págs. 35-53.

[13]    Esto no siempre tiene que ser así, sino que depende de las posibilidades de que unos determinados votos generen distorsiones, lo que depende, hasta cierto punto, de la proximidad o la conexión entre los diferentes accionistas. Véase sobre el particular, BRAV, A./ MATHEWS, D., «Empty Voting and the efficiency of corporate governance», *Journal of Financial Economics*, vol. 99, núm. 2, 2011, págs. 289-307.

[14]    Véase LEE, M., «Empty Voting: Private Solutions to a Private Problem», *Columbia Business Law Review*, vol. 22, núm. 3, págs. 883-911, págs. 898-899.

[15]    Véase RINGE, W-G., «Hedge Funds and Risk Decoupling...», *cit.*, págs. 1070-1071.

refiere a los de agencia, en la medida en que constituyen conflictos de interés entre sujetos que se encuentran en la compañía, pero en los que el agente no es el socio mayoritario, sino el minoritario, podría argumentarse que el primero pudiera autorregularse, en la medida en que tiene interés económico para hacerlo y capacidad para introducir la posible restricción, incorporando, en concreto, por ejemplo, una cláusula estatutaria que limitara las posibilidades de voto de determinados socios en algunas circunstancias que hicieran presagiar una utilización torticera del mismo o contraria a la sociedad. A mayor abundamiento, pudiera plantearse una utilización de las posibilidades del art. 179.2 LSC, esto es, la exigencia de la tenencia de un porcentaje mínimo del capital social para poder actuar en la Junta General. Cabe plantear, sin embargo, algunas objeciones a lo expuesto con carácter previo. En primer término, la capacidad de introducir alguna cláusula estatutaria en el sentido sostenido se encuentra limitada por las correspondientes normas imperativas o, en concreto, por la restricción del propio art. 179.2 LSC, según la cual el mayor mínimo a establecer es del uno por mil. En este sentido, y sin perjuicio de lo concreto del caso, es posible que los porcentajes utilizados por quienes generan situaciones de voto vacío cuenten con paquetes accionariales que superen la cifra indicada, en cuyo caso quedarían fuera de los límites de la autonomía estatutaria. A mayor abundamiento, pese a que en nuestro entorno económico es habitual observar sociedades con estructuras de capital concentrado, lo cierto es que perfectamente puede ocurrir que no sea el caso[16], lo que dificulta notablemente la creación de mayorías que puedan dar lugar a modificaciones estatutarias del carácter de las planteadas.

Es por ello que una apuesta por la autorregulación en este punto puede ser descartada[17]. Con anterioridad a la reforma de la Ley 31/2014, algunas voces habían planteado en este sentido una ampliación de las limitaciones del ejercicio del derecho de voto[18]. Una medida como es la eliminación

---

[16] Véase, en términos generales, sobre las diferentes estructuras de capital y, en particular, sobre la existencia de accionistas de control en relación con el gobierno de las sociedades, GILSON, R. J., «Controlling Shareholders and Corporate Governance: Complicating the Comparative Taxonomy», *Harvard Law Review*, vol. 119, núm. 6, 2005-2006, págs. 1641-1679.

[17] En favor de ella, sin embargo, ampliamente, LEE, M., «Empty Voting: Private Solutions...», *cit.*, págs. 906 y ss.

[18] Véase FERNÁNDEZ DEL POZO, L., «Los problemas societarios...», *cit.*, págs. 213-214, quien sugería la introducción de un art. 190 bis LSC en el que se prohibiera el ejercicio del derecho de voto a quienes tuvieran posiciones cortas en acciones. Ello, sin embargo, no resolvía todos los posibles problemas, particularmente

de un derecho político parece excesivamente lesiva y probablemente poco justificable, en la medida en que resulta complejo determinar un supuesto de hecho que efectivamente sea indicativo de una situación de voto vacío, habida cuenta, como es sabido, de la dificultad de su identificación[19]. Quizá la única fórmula próxima pudiera ser una configuración que estableciera presunciones en las que cupiera prueba en contrario, siendo la consecuencia la eliminación del derecho de voto. Ésta ha sido parcialmente la línea que ha seguido el legislador, aunque, pese a todo, ha optado por una consecuencia jurídica de menor efecto. En cuanto a la ampliación no tanto legal, sino estatutaria, de los supuestos de conflicto de interés, su posibilidad pareciera dudosa antes de la reforma y, en su caso, habría requerido unanimidad; con posterioridad, la incorporación del apartado tercero parece vedar, por coherencia sistemática, esta posibilidad.

Por lo que se refiere a los costes de tipo informativo, por su parte, la solución debe seguir la senda del incremento de la transparencia, lo que hasta cierto punto ya ha sido iniciado mediante la introducción de determinadas obligaciones de este tipo por parte del legislador europeo, notablemente, la Directiva de Transparencia (Directiva 2004/109/CE)[20]. Con todo, en la reforma de la Ley 31/2014, el legislador español ha optado por establecer un tratamiento que, sin embargo, no requiere verdaderamente de un esfuerzo identificador por parte de quien se ve afectado por la situación de voto vacío, sino que introduce una inversión de la carga de la prueba en los términos que se exponen con posterioridad. En todo caso, el control de este tipo de realidades tiene lugar con carácter *ex post*[21].

---

cuando la situación de voto vacío surge a partir de una combinación de derivados financieros.

[19] Planteamiento que pusimos de manifiesto en nuestro trabajo, GIMENO RIBES, M., «Derecho de voto, interés social y estrategias en los mercados bursátiles: las situaciones de voto vacío», *La Ley Mercantil*, núm. 13, 2014, págs. 10-24, en concreto, págs. 17-18.

[20] Ampliamente, sobre la mayor o menor necesidad de transparencia y las fórmulas de su aplicación, ZETZSCHE, D., «Hidden Ownership in Europe: BaFin's Decision in Schaeffler v. Continental», *European Business Organization Law Review*, vol. 10, núm. 1, 2009, págs. 115-147, particularmente, págs. 141 y ss.

[21] Sobre el control *ex post* de la problemática derivada de las situaciones de voto vacío, GIMENO RIBES, M., «Derecho de voto…», *cit.*, pág. 18.

## III. DINÁMICA DEL ART. 190.3 LSC

La subsunción de los supuestos de voto vacío en el art. 190.3 LSC plantea interrogantes diversos que exigen una valoración completa del precepto y de los problemas que surgen en su aplicación. Como es sabido, la norma incorpora una segunda categoría de conflictos de interés, distinta de aquélla en la que se incluyen los contemplados en el apartado primero del artículo, que no priva del derecho de voto, sino que tan sólo da lugar a una inversión de la carga de la prueba respecto de la realidad del conflicto de interés en caso de impugnación del acuerdo. La regla, así, sirve para determinar, por un lado, que el apartado primero del art. 190 LSC constituye un *numerus clausus* y que, al tiempo, todos los demás conflictos de interés quedan subsumidos en la cláusula general contenida en aquél.

A este segundo grupo de conflictos son aplicables una serie de especialidades, a saber, la consecuencia jurídica ya mencionada, que, por lo demás, contiene algunas particularidades en lo que a su operativa se refiere, al tiempo que incorpora una excepción referida a aquellos conflictos denominados de carácter posicional. Ambas cuestiones generan ciertas dudas interpretativas que procede resolver. Igualmente, se plantean algunos problemas aplicativos que exigen el correspondiente ejercicio hermenéutico.

### 1. *Tipología societaria*

La primera novedad de la norma tiene que ver con la extensión del ámbito subjetivo de aplicación del art. 190 LSC a todas las sociedades de capital, lo que puede ser entendido como una convalidación de la propuesta doctrinal tendente a aceptar su aplicabilidad a las sociedades anónimas[22] o, en su caso, deberse a una toma de conciencia por parte del legislador de la realidad económica que caracteriza a este tipo de compañías, lo que, por otro lado, no se fundamenta en planteamientos muy diferentes[23]. Nos referimos, en este sentido, a las estructuras de capital habitualmente cerradas, incluso de la mayoría de las sociedades anónimas, en la Europa continental. Una distinción tan evidente entre el carácter cerrado de las socie-

---

[22] EMBID IRUJO, J. M., «Artículo 52», *cit.*, pág. 667.

[23] RECALDE CASTELLS, A., «Artículo 190», en JUSTE MENCÍA, J. (Coord.), *Comentario de la reforma del régimen de las sociedades de capital en materia de gobierno corporativo (Ley 31/2014). Sociedades no cotizadas*, Cizur Menor, Civitas, 2015, págs. 67-88, por su parte, entiende que es debido a la gravedad de los diferentes supuestos incluidos en el apartado primero del art. 190 LSC (pág. 72).

dades de responsabilidad limitada y una pretendida naturaleza abierta de las sociedades anónimas no es verdaderamente observable, por lo que una divergencia entre el tratamiento de los conflictos de interés que afectan al socio en uno y otro tipo de sociedades resulta poco justificable.

Nada decía sobre ello el *Estudio sobre propuestas de modificaciones normativas de la Comisión de Expertos en materia de gobierno corporativo*, pero una comprensión del texto a través de sus influencias que, en este precepto, son, de manera más evidente, del Derecho estadounidense[24], conduciría a considerar que también la metodología llevada a cabo fuera de índole similar. Una consideración de las estructuras de capital prototípicas a efectos de determinar una mayor amplitud tipológica parece una exégesis oportuna.

En el caso de las situaciones de voto vacío, la oportunidad de una medida legislativa destinada a ampliar el ámbito de aplicación subjetivo a otros tipos sociales tiene especial relevancia, puesto que las estrategias bursátiles a las que se hacía alusión pueden llevarse a término, esencialmente, en sociedades anónimas.

## 2. Interés social

La configuración del art. 190.3 LSC, en todo caso, se asienta en una presunción, de carácter necesariamente *iuris tantum*, de que, en determinados supuestos de conflicto de interés, esto es, en todos aquellos no contemplados en el apartado primero del artículo, el voto en la Junta General por parte de quien se encuentra en dicha situación es contrario al interés social. Sobre el particular conviene, con todo, realizar algunas consideraciones. En primer lugar, dicha presunción tan sólo viene referida a la contravención del interés social[25], no así a la existencia del conflicto, como establece el tenor literal de la norma, pero tampoco, en su caso, al posible daño causado, si lo hubiera habido.

---

[24]  Piénsese, por ejemplo, en el *entire fairness test*, al que se alude en la pág. 21 y la referencia al carácter posicional o transaccional de los conflictos, contenida en la originaria redacción del apartado tercero del art. 190 LSC (pág. 21).

[25]  Véase, en tal sentido, RECALDE CASTELLS, A., «Artículo 190», *cit.*, pág. 84; LÓPEZ SÁNCHEZ, M. A., «Los supuestos de conflicto de intereses sin privación del derecho de voto: la distribución de la carga de la prueba en caso de impugnación de los acuerdos sociales (art. 190.3 LSC)», en RODRÍGUEZ ARTIGAS, F. et al. (Dirs.), *Junta General y Consejo de Administración en la sociedad cotizada*, Cizur Menor, Aranzadi, 2016, págs. 121-148, en particular, págs. 142-143.

En segundo lugar, se establece una excepción en el propio texto de la norma en la que se alude a una serie de actos relacionados con la posición o el cargo que ocupa el socio que, al tiempo, sea administrador en la compañía; se trata, en concreto, del «*nombramiento, el cese, la revocación y la exigencia de responsabilidad de los administradores*», a los que se añadirían «*cualesquiera otros de análogo significado en los que el conflicto de interés se refiera exclusivamente a la posición que ostenta el socio en la sociedad*». La exclusión pudiera, en su caso, ser aplicable a las situaciones de voto vacío[26], imposibilitando la inversión de la carga de la prueba en este tipo de situaciones y restringiendo las posibilidades de defensa, por dificultad probatoria, frente al socio incurso en el conflicto. Conviene, consecuentemente, realizar algunas consideraciones, distinguiendo entre aquellos conflictos que según la norma pueden ser asimilables a aquéllos que son enumerados en ella y los que no, y determinando, al tiempo, cómo ha de interpretarse la indicación de analogía recién reproducida.

Por lo que se refiere a la tipología de conflictos, la alusión del precepto a la «*posición*» del socio parece establecer una línea divisoria entre las situaciones en las que se vea afectado un sujeto por razón del cargo que ostente sin que se altere, como consecuencia del acuerdo a adoptar, la situación patrimonial de la compañía, y aquellos otros en los que no ocurra lo mismo. En este sentido, a los efectos de los primeros, considerados *posicionales*, el precepto establece una lista de supuestos respecto de los cuales realizar la analogía. En cuanto a los otros, de tipo *transaccional*, cabe plantearse si el perjuicio que, en su caso, genere el acuerdo a consecuencia de la situación de voto vacío puede ser entendido como tal[27]. Si esto fuera así, este tipo de actuación entraría dentro del ámbito objetivo, mientras que, de lo contrario, sería necesario continuar analizando el precepto para determinar si el conflicto, en su caso, posicional, impediría la aplicación del precepto al supuesto de hecho descrito. Lo cierto es que, como consecuencia de una actuación derivada de una situación de voto vacío, en modo alguno puede entenderse que el patrimonio social de la compañía sufra un quebranto, puesto que el perjuicio se produce meramente en el precio de cotización de las acciones. No se trata de una relación jurídica en la que se vea invo-

---

[26]  Explícitamente lo admite RECALDE CASTELLS, A., «Artículo 190», *cit.*, pág. 84 y pág. 86.

[27]  Una primera aproximación a ambas categorías, que parte de un análisis de las influencias de otros ordenamientos que pudiera haber habido durante la elaboración del precepto legal puede verse en LÓPEZ SÁNCHEZ, M. A., «Los supuestos de conflicto de intereses...», *cit.*, págs. 134 y ss.

lucrada la sociedad y un socio o tercero, ya que la compañía no entra en juego.

Procede, así, continuar con el planteamiento seguido, esto es, que el conflicto, por exclusión y dado el carácter dicotómico que parece predicarse de la norma, si no es transaccional, debe ser posicional. Cabe plantearse, sin embargo, si dicha clasificación de conflictos viene referida a la propia condición de socio[28] o al cargo de administrador que, en su caso, concurra en el socio. A primera vista, cabría entender que hubiera de contestarse al interrogante mediante la primera de las respuestas y ello por dos razones esencialmente. En primer lugar, desde el punto de vista de la literalidad de la norma, el precepto habla de la «*posición que ostenta el socio en la sociedad*», lo que permitiría llegar a la conclusión de que el conflicto relevante que se produzca por la situación en que se encuentre aquél que ostente la condición de socio en un momento determinado del tiempo. En segundo lugar, en clave sistemática, si el régimen de abstenciones para el administrador ya se encuentra en sede de deber de lealtad (arts. 229c) y 231 LSC), cabría pensar que, de entenderse que se trata de la posición del socio en tanto administrador, el legislador habría sido redundante, lo que supondría que la alusión necesariamente debiera ser a la posición del socio.

Sin embargo, un planteamiento de estas características encuentra algunas dificultades interpretativas, especialmente la que se refiere a determinar lo que debe entenderse por conflicto de interés del socio derivado de su posición. Además, en todo caso, las ejemplificaciones que realiza el propio art. 190.3 LSC de lo que debe entenderse por conflicto posicional vienen referidas en su integridad al cargo de administrador, lo que llevaría a una interpretación en sentido contrario. A ello podría añadirse, como ha sostenido algún sector de la doctrina, el hecho de que puede entenderse que los supuestos análogos sean aquéllos en los que los socios ostenten cargos similares al de administrador, por ejemplo, el de liquidador, lo que en cierto sentido confirmaría que se trata, en definitiva, de cargos que

---

[28]   Se trataría, en su caso, del conflicto indirecto al que ha hecho alusión algún autor, en el que un socio tendría tal condición también en otra sociedad. Véase sobre el particular, HERNÁNDEZ SÁINZ, E., «El deber de abstención en el voto como solución legal ante determinados supuestos de conflicto de intereses en la sociedad de responsabilidad limitada», *Revista de Derecho de Sociedades*, núm. 6, 1996, págs. 105-128, concretamente, págs. 117-118. Se refiere a ellos, de manera restrictiva, SÁNCHEZ-CALERO GUILARTE, J., «Conflicto de intereses en la sociedad de responsabilidad limitada y derecho de voto del socio», *Revista de Derecho de Sociedades*, núm. Extraordinario, 1994, págs. 289-207, pág. 302.

pueda ostentar el socio, no así de la condición de socio en sí misma o de la situación en que el socio pueda encontrarse en relación con aquélla[29]. Una exégesis en este sentido supondría que las realidades que se corresponden con el voto vacío, si constituyen un conflicto de interés, no escapan del ámbito de aplicación objetivo del precepto que nos ocupa.

En realidad, lo que ocurre es que el legislador ha utilizado una terminología importada de ordenamientos anglosajones para contingencias propias del órgano de administración[30] y la ha introducido en sede de Junta General en una norma sobre las posibles consecuencias del ejercicio del derecho de voto. Conceptualmente, por tanto, la dualidad posicional-transaccional sólo es predicable de los socios que ostenten el carácter de administradores —o, en su caso, de otras figuras próximas, como los liquidadores—, no así de los socios[31].

La subsunción de la situación de voto vacío en el supuesto de hecho normativo del art. 190.3 LSC, sin embargo, genera alguna otra duda, especialmente en lo que al ámbito de aplicación subjetivo se refiere. En particular, cabe preguntarse si la pérdida de condición de socio inmediatamente antes de la Junta General, pese a la posibilidad de ejercitar el derecho de voto, tiene alguna implicación. Una lectura literal del precepto conduciría a excluir esta situación de sus consecuencias, en la medida en que la norma se refiere al *socio* y quien se encuentra en una situación de voto vacío, en realidad, no ostenta tal condición. En todo caso, sí que sería aplicable

---

[29]  LÓPEZ SÁNCHEZ, M. A., «Los supuestos de conflicto de intereses...», *cit.*, pág. 136.

[30]  Véase, por muchos, EISENBERG, M. A., «The Structure of Corporation Law», *Columbia Law Review*, vol. 89, núm. 7, 1989, págs. 1461-1525, en concreto, págs. 1472-1473, donde trae a colación el ejemplo de las ofertas públicas de adquisición, en las que los administradores tienen incentivos a actuar en contra del interés social para mantenerse en el cargo que, en su caso, podrían perder como consecuencia de la actuación de los nuevos socios de la compañía.

[31]  Los socios, en realidad, siempre tendrán una posición orgánica —de administrador o similar— o análoga, en caso de que se encuentren en situación de conflicto. Los posibles supuestos de exclusión (art. 350 LSC), que podrían ser argumentados en contra de lo que se ha sostenido, en realidad, plantean supuestos en los que, por ejemplo, se ha incumplido una prestación accesoria, que, por ejemplo, puede consistir en una obligación de hacer o no hacer prototípica de la posición del administrador. Véase, en términos generales, sobre esta problemática, el trabajo de DEL VAL TALENS, P., «La prohibición de competencia del socio. ¿Prestación accesoria, deber fiduciario o pacto parasocial?», *Revista Jurídica del Notariado*, núms. 95-96, 2015, págs. 629-646.

si en alguna constelación el sujeto fuese titular de algunas acciones en el momento decisivo, esto es, a la hora de realizar la votación, y no parece que debiera restringirse la aplicación a las acciones que tuviera y no a aquéllas que ya hubiese vendido, puesto que seguiría siendo socio en todo caso. Sin embargo, una interpretación estricta del precepto eliminaría el efecto de contrapeso que se le pretende atribuir, en la medida en que quien se encuentra incurso en situación de conflicto de interés lo está como consecuencia del ejercicio del derecho de voto y ello con independencia de que se conserve la condición de socio o no[32]. Si la referencia al socio del art. 190.3 LSC parte, en buena medida, de la facultad de ejercicio del derecho político indicado, cabe entender que el ámbito subjetivo de la norma deba extenderse a todas las realidades en las que un sujeto tenga derecho de voto en la Junta General.

## 3. Inversión de la carga de la prueba

Determinada la aplicabilidad de la regla del art. 190.3 LSC a los supuestos de voto vacío, compete analizar las especificidades de la operativa concreta que ello supone. Varias son las cuestiones que surgen en particular en relación con esta cuestión, a saber, de entrada, la concreción de los diferentes elementos o presupuestos que el precepto exige y que son, respectivamente, la existencia de un conflicto de interés y su acreditación, por un lado, y la necesidad de que el voto resulte indispensable para el acuerdo, por otro. Finalmente, cabe realizar alguna consideración sobre los aspectos puramente procesales relevantes en el ejercicio de la acción de impugnación realizada al amparo de la referida norma.

---

[32]  Para otros supuestos y, en concreto, más graves, del apartado primero del art. 190 LSC, el Tribunal Supremo ha llevado a cabo una interpretación teleológica por la que ha extendido el ámbito subjetivo del precepto, incluso, al representante del socio. Véase la Sentencia del Tribunal Supremo de 26 de diciembre de 2012 —núm. 781— *(Tol 2732470)*, comentada por FAYOS FEBRER, J. B., «El conflicto de intereses y la extensión subjetiva del deber de abstención en el voto a persona distinta del socio. Comentario a la STS de 26 de diciembre de 2012», *Revista de Derecho Mercantil*, núm. 288, 2013, págs. 479-493; téngase en cuenta especialmente las consideraciones contenidas en la pág. 489 a propósito de la idea de fin extrasocial de una determinada medida. En el régimen actual, véase LÓPEZ SÁNCHEZ, M. A., «Los supuestos de conflicto de intereses…», *cit.*, pág. 139.

Por lo que se refiere a la existencia de un conflicto de interés, probablemente constituye el elemento que mayor complejidad reviste[33], en la
medida en que las posibilidades probatorias en el supuesto de voto vacío
se encuentran especialmente limitadas[34]. Para ello, entran en juego, particularmente en las sociedades cotizadas, las obligaciones de transparencia
establecidas en Derecho de la Unión Europea[35], lo que constituye un complemento para la tutela del interés social de la compañía, habida cuenta de
que, de otra manera, la aplicabilidad del precepto resultaría gravemente
constreñida.

En cuanto al carácter determinante del voto en un concreto sentido por
parte del sujeto incurso en situación de conflicto de interés, la exigencia
constituye otra manifestación de la prueba de resistencia[36], enunciada de
manera evidente en el art. 204.3c) y d) LSC, precepto en el que se levanta
acta de una tendencia jurisprudencial preexistente. La utilización de adjetivos distintos en ambos preceptos («*determinante*» y «*decisivo*») no parece
que deba dar lugar a un distinto tratamiento jurídico de ambas situaciones; más bien debe entenderse que nos encontramos ante un requisito
añadido que, no existiendo referencia específica en relación con alguna

---

[33]    Este problema ya venía advertido, respecto de la regla sobre abstención de voto en
conflictos de interés, en el Proyecto de LSRL, por la ausencia de una relación de
supuestos. Véase sobre la cuestión BOQUERA MATARREDONA, J., «El conflicto
de intereses en el Proyecto de Ley de Sociedades de Responsabilidad Limitada»,
en AA.VV., *Estudios de Derecho Mercantil en homenaje al Profesor Manuel Broseta Pont*, t.
I, Valencia, Tirant lo Blanch, 1995, págs. 453-492, en particular, págs. 474-475.

[34]    RECALDE CASTELLS, A., «Artículo 190», *cit.*, pág. 85 sugiere la alegación de una
causa de impugnación junto a la demostración de que quien votó se encontraba
en situación de conflicto de interés, lo que incrementará las probabilidades de
éxito.

[35]    Directiva 2004/109/CE. Véase sobre la transparencia como elemento de regulación en materia de voto vacío, BACHMANN, G., «Rechtsfragen der Wertpapier-
leihe», *Zeitschrift für das gesamte Handelsrecht und Wirtschaftsrecht*, vol. 173, núm. 5,
2009, págs. 596-648, en concreto, págs. 640-641; OSTERLOH-KONRAD, C., «Ge-
fährdet "Empty Voting" die Willensbildung in der Aktiengesellschaft?», *Zeitschrift
für Unternehmens- und Gesellschaftsrecht*, vol. 41, núm. 1, 2012, págs. 35-80, pág. 44.

[36]    Véase, en general, con anterioridad a la reforma de la Ley 31/2014, RODRÍGUEZ
SÁNCHEZ, S., «La aplicación de la denominada "prueba de resistencia" (Comentario de la STS de 15 de enero de 2013)», *Revista de Derecho Mercantil*, núm. 292,
2014, págs. 629-646; FARRANDO MIGUEL, I., «Impugnación de acuerdos sociales y "prueba de resistencia"», en CUIÑAT EDO, V. et al. (Dirs.), *Estudios de derecho mercantil. Liber amicorum profesor Dr. Francisco Vicent Chuliá*, Valencia, Tirant lo
Blanch, 2013, págs. 281-300.

presunción o inversión de la carga de la prueba, constituirá un presupuesto más en caso de impugnación. En concreto, la parte demandante deberá probar que, efectivamente, el voto de quien se encontraba en situación de conflicto de interés dio lugar al concreto resultado contrario al interés social[37]. Cabe plantearse si procede realizar algún tipo de distinción entre quien, incurso en el conflicto de interés, vota en contra y quien, en la misma situación, no vota, siempre, en todo caso, en constelaciones en las que, bien a consecuencia del voto negativo, bien por la ausencia de ejercicio del mismo, se llegue al mencionado resultado. A nuestro entender, no pueden asimilarse ambos supuestos, puesto que la norma parece exigir la emisión de un voto, sin el cual no se activaría el precepto. Nada impediría, sin embargo, que, en una situación muy similar, el acuerdo fuese contrario al interés social a consecuencia de un voto en blanco, en cuyo caso sí que sería de aplicación la norma, puesto que el derecho político sí que habría sido ejercitado.

El núcleo de la norma es la inversión de la carga de la prueba en lo que a la determinación de la contravención del interés social se refiere, lo que en el caso del supuesto de voto vacío incluye alguna complejidad específica. En particular, la parte demandada puede argumentar que como consecuencia de la actuación no se produce un perjuicio directo para el patrimonio social de la compañía, lo que restringe ulteriores valoraciones sobre el interés. Cabe sin embargo rebatir y, probablemente, con carácter preventivo, hacer constar en la propia demanda de impugnación, que la votación en contra de un acuerdo de la trascendencia de una modificación estructural puede generar una caída del precio de cotización de la acción, lo que, pese a todo, restringe las posibilidades futuras de financiación de la compañía. Del mismo modo, impedir que una fusión tenga lugar limita los potenciales efectos positivos que la reestructuración interna de una sociedad pueda tener, tanto en términos de sinergias, como de economías de escala. En este sentido, la inexistencia de un perjuicio directo para la sociedad no debe ser entendida como la ausencia de una contravención del interés social, en la medida en que su concurrencia puede dar lugar a una menor eficacia de la compañía en el futuro.

---

[37]    Véase LÓPEZ SÁNCHEZ, M. A., «Los supuestos de conflicto de intereses...», *cit.*, pág. 143. Sobre el cómputo de votos, véase HERNANDO CEBRIÁ, L., «Apuntes sobre el abuso del socio minoritario en las sociedades de responsabilidad limitada», *Revista de Derecho Mercantil*, núm. 283, 2012, págs. 271-324, en concreto, págs. 290-291; BOQUERA MATARREDONA, J., «La regulación...», *cit.*, págs. 1040-1041.

Finalmente resta dilucidar aquellos aspectos de carácter meramente procesal, esto es, aquellos relacionados con el ejercicio de la acción de impugnación del acuerdo social. Siguiendo el esquema del art. 206 LSC, lo que debe combinarse necesariamente con las particularidades del art. 190.3 LSC, esta construcción puede dar lugar a determinados problemas por las razones que siguen. Parece lógico entender que el principal interesado en la impugnación de un acuerdo social de fusión que haya sido frustrado sea el accionista mayoritario que, por razones evidentes, no será de control. En todo caso, se encontrará legitimado al ser un socio que ostenta un porcentaje del capital social superior al umbral existente al efecto. Los legitimados pasivos, según el art. 190.3 LSC deberán ser la sociedad necesariamente y, con carácter potestativo, el socio, lo que plantea algunas dudas en la operativa del precepto, especialmente ante determinadas realidades fácticas. No nos encontramos, en todo caso, ante un litisconsorcio pasivo necesario, sino que la intervención del socio incurso en conflicto es puramente voluntaria. No resulta improbable que el administrador de la sociedad tenga intereses alineados con los del socio mayoritario, lo que haría suponer que, ante el ejercicio de una acción de impugnación, la sociedad se allanara y que la probabilidad de éxito de la acción, caso de no personarse quien se encontraba incurso en el conflicto de interés, fuera total. A mayor abundamiento, cabe plantearse si quien se encontraba en un conflicto de interés, si ya no fuera socio e incluso ni siquiera lo hubiese sido en el momento de la votación, pueda actuar en el procedimiento judicial. Debe entenderse que esto último sí que sería posible por las mismas razones que condujeron a entender subsumibles las situaciones de voto vacío en el ámbito subjetivo de aplicación del precepto.

## 4. Otros problemas de aplicación

El supuesto de hecho que aquí es objeto de análisis, esto es, las situaciones de voto vacío, presenta alguna particularidad que genera interrogantes en la aplicación de la norma sobre conflictos de interés. En concreto, surge la duda de la posibilidad de impugnación de determinados acuerdos, dado que, cuando se produce el voto vacío, generalmente el resultado es una decisión negativa de la Junta General. Esto lleva a indagar sobre la problemática general de la posibilidad impugnatoria de los acuerdos negativos. En relación con esta cuestión, se ha diferenciado entre la inexistencia de decisión (votación) sobre una materia, que en ningún caso daría lugar a la posibilidad de impugnar, y la votación contraria a lo propuesto, esto es, la adopción de un acuerdo en el que se niega la decisión y, por tanto, no genera modificación alguna en la sociedad. Si respecto a los primeros no existe ninguna duda en que no pueden ser impugnados, puesto que no hay acuerdo alguno, en los segundos, por el contrario, existe cierta controversia en la jurisprudencia[38] y en la doctrina[39] a propósito de esta facultad. En concreto, algunas voces han seguido un planteamiento restrictivo, según el cual tan sólo sería posible atacar las situaciones en las que un acuerdo hubiese sido negativo a consecuencia de la emisión incorrecta de votos. La forma de articular la tutela jurídica frente a una patología como la descrita vendría a través de una acción de nulidad del voto emitido, que se combinaría con la solicitud de declaración de que el acuerdo, eliminando el voto de la persona incursa en el conflicto, fue, en realidad, adoptado[40].

Otros autores han considerado, por el contrario, que la decisión negativa por parte de la Junta General de una sociedad es, en último término,

---

[38]   No lo admite el Tribunal Supremo en un supuesto de acuerdo negativo de ejercicio de una acción de responsabilidad de los administradores mediante el argumento de que existe la posibilidad, aunque con una legitimidad activa más restringida, de que la minoría lo ejercite (Sentencia del Tribunal Supremo de 2 de junio de 2015 —núm. 286— *(Tol 5190984)*); El órgano jurisdiccional, sin embargo, admite, como regla general, la impugnabilidad de los acuerdos negativos. La resolución judicial ha recibido dos comentarios, ROJO ÁLVAREZ-MANZANEDA, R., «Sentencia de 2 de junio de 2015. Impugnabilidad de acuerdos negativos», *Cuadernos Civitas de Jurisprudencia Civil*, núm. 100, 2016, págs. 445-472, donde se considera que éste va a ser el criterio definitivo del Tribunal Supremo (p. 464); IRIBARREN BLANCO, M., «Sentencia 2 junio 2015. La impugnación de los acuerdos negativos de la Junta General de la Sociedad Anónima. Rechazo de la propuesta de ejercer acciones contra los administradores», *Cuadernos Civitas de Jurisprudencia Civil*, núm. 101, 2015, págs. 131-150, quien valora positivamente el resultado de la sentencia en el sentido de que, en términos generales, los acuerdos negativos sean impugnables (pp. 142-143).

[39]   En contra de su impugnabilidad, ROJO-FERNÁNDEZ-RÍO, A., «Artículo 204», en ROJO FERNMÁNDEZ-RÍO/ BELTRÁN SÁNCHEZ, E. (Coords.), *Comentario de la Ley de Sociedades de Capital*, t. I, Madrid, Civitas, 2011, págs. 1434-1446, concretamente, a lo largo de su exposición en las págs. 1437-1440. A favor, por el contrario, ALFARO ÁGUILA-REAL, J., «Artículo 204», en JUSTE MENCÍA, J. (Coord.), *Comentario de la reforma del régimen de las sociedades de capital en materia de gobierno corporativo (Ley 31/2014). Sociedades no cotizadas*, Cizur Menor, Civitas, 2015, págs. 155-229, pág. 170; MARÍN DE LA BÁRCENA GARCIMARTÍN, F., «La impugnación de acuerdos negativos (art. 204.1 LSC)», en RODRÍGUEZ ARTIGAS, F./ FARRANDO MIGUEL, I./ TENA ARREGUI, R. (Dirs.), *El nuevo régimen de impugnación de los acuerdos sociales de las sociedades de capital*, Madrid, Colegio Notarial de Madrid, 2015, págs. 277-294, págs. 289-290.

[40]   ROJO-FERNÁNDEZ-RÍO, A., «Artículo 204», *cit.*, págs. 1439-1440.

un acuerdo, lo que lleva a entender que la acción a ejercitar por parte de quien quiere revertir el resultado en supuestos en que determinados sujetos votaron cuando no debieron haberlo hecho y ello condujo a un resultado negativo, no es tanto la de declaración de nulidad del voto, sino la impugnatoria. Se argumenta desde el punto de vista de que una interpretación en sentido contrario iría en detrimento de la seguridad jurídica, en la medida en que otra configuración acabaría dilatando el período en que la votación negativa fuera atacable, imposibilitando que ésta, en su caso, sanara[41]. El planteamiento nos parece más adecuado que el anterior, pero, en todo caso, cabe complementarlo desde la propia estructura del art. 190.3 LSC, supuesto particular, pero, al tiempo, paradigmático, y es que el legitimado pasivo es la sociedad (como también ocurre en el art. 206.3 LSC) y no el socio o el sujeto que no podía votar, por lo que el legislador, en supuestos de conflicto de interés de estas características, no parece estar pensando en una acción de nulidad del voto, sino en una impugnación de acuerdos. Piénsese, por lo demás, que en los casos en los que no sea de aplicación la inversión de la carga de la prueba, nada impide que la misma acción sea ejercitada y el propio art. 190.3 LSC indica en su último inciso que quien impugna deberá probar la contravención del interés social. Pues bien, uno de esos supuestos es el del acuerdo por el que se decide ejercitar la acción de responsabilidad contra el administrador, circunstancia que generará controversia cuando el resultado sea negativo[42].

En todo caso, en la demanda no se podría incluir una pretensión complementaria por la que se requiriese la declaración de que el acuerdo fue adoptado correctamente, en la medida en que no nos encontramos ante uno de los supuestos del art. 190.1 LSC, en los que la consecuencia jurídica es la privación del derecho de voto y, consecuentemente, la adopción del acuerdo. Aquí, la decisión de la Junta General no puede ser sustituida por un nuevo recuento de votos, sino que, en todo caso, se debería volver a votar[43].

---

[41] MARÍN DE LA BÁRCENA GARCIMARTÍN, F., «La impugnación...», pág. 288.

[42] Y, sin embargo, véase la nota 38.

[43] Véase RECALDE CASTELLS, A., «Artículo 190», *cit.*, pág. 86, quien, sin embargo, opta por un planteamiento más restrictivo.

## 5. *Evaluación en clave sistemática y de política legislativa*

El legislador plantea un precepto que, a partir de planteamientos generales, resuelve posibles situaciones de conflicto de interés en las que, por su carácter menos evidente que los enumerados en su primer apartado, requieren de un tratamiento diferenciado. Acertadamente establece, por la dificultad probatoria que reviste demostrar la contravención del interés social, una inversión de la carga de la prueba, configurando una presunción de carácter *iuris tantum*; al tiempo, evita establecer una consecuencia jurídica que suponga la eliminación del derecho de voto, que pudiera resultar lesiva e inadecuada, además de que la determinación de los supuestos en los que resultara aplicable el precepto resultaría especialmente compleja. La norma, sin embargo, adolece de algunos problemas que se ponen de manifiesto en las situaciones de voto vacío, como son, de un lado, los múltiples elementos que restringen los ámbitos subjetivo y objetivo de aplicación y los diferentes presupuestos que deben concurrir para que los efectos del art. 190.3 LSC puedan producirse, que, en ocasiones, bien por tratarse de conceptos jurídicos indeterminados, bien por hacer uso de una terminología de origen foráneo, dificultan una exégesis apropiada.

Por otro lado, el precepto, por sí solo no contribuye a prever o a compensar los posibles efectos adversos de una situación de voto vacío, sino que requieren de otros elementos que pueden contribuir en tal sentido. Cabe pensar, en primer término, en las normas que incrementan la transparencia en el mercado de valores, de manera que quien impugna pueda detectar la situación de conflicto de interés, ya que, de lo contrario, le resultará imposible impugnar el acuerdo. Igualmente, una actuación como la considerada no tiene ningún efecto si la decisión no vuelve a someterse a la Junta General, lo que, pese a todo, puede generar una repetición de la situación de voto vacío. Con el fin de evitar una perpetuación de estas características, cabe pensar en instrumentos que desincentiven una determinada actuación por sujetos que ejerciten el derecho de voto en circunstancias como las que aquí se han analizado. Cabe pensar, de manera general, en el ejercicio de acciones civiles de enriquecimiento injusto contra los que se encontraban incursos en un conflicto de interés y obtuvieron un lucro como consecuencia de su estrategia en el mercado bursátil. Parece que, en este caso, dicho beneficio debiera ser entregado a la sociedad, en la medida en que la contravención del interés social se produjo en perjuicio de la misma.

## IV. CONCLUSIONES

Uno de los supuestos de hecho en los que parece resultar de aplicación el art. 190.3 LSC es el de las situaciones de voto vacío, en las que, sin embargo, la invocación de tal precepto plantea diversos interrogantes que requieren de la oportuna dilucidación. En primer término, el concepto de conflicto posicional a los efectos de la exclusión de tales realidades del ámbito objetivo de aplicación, debe entenderse referido a los administradores y a otros cargos análogos, no siendo respecto de la situación en que se encuentre el socio o sujeto con derecho a voto en la compañía. En segundo lugar, el ámbito subjetivo debe extenderse en todo caso a quien ejercita el derecho de voto, puesto que, de lo contrario, se vaciaría el contenido de la norma. Finalmente, la posibilidad de impugnar acuerdos que deriven de una votación que no haya alcanzado la mayoría necesaria para adopción debe reputarse posible, en la medida en que el propio art. 190.3 LSC parece partir de tal premisa a la luz de su estructura y de algunos de los supuestos en él enumerados.

A ello debe añadirse el hecho de que el precepto que aquí es objeto de estudio no resulta, por sí solo, suficiente como instrumento jurídico frente a los posibles perjuicios que puedan acarrear las situaciones de voto vacío. Las normas sobre transparencia en el mercado bursátil permiten una mejor detección de los sujetos que puedan encontrarse incursos en conflictos de interés. Las acciones civiles de enriquecimiento injusto, por su parte, contribuyen a desincentivar este tipo de actuaciones, en la medida en que la posible ganancia derivada de la utilización de estrategias bursátiles concretas deberá ser entregada, en su caso, a la sociedad.

# III. LOS DERECHOS DEL SOCIO

# 6. *La autonomía de la voluntad y los derechos de los socios a la luz de la Ley de Sociedades de Capital y sus reformas posteriores*

**JORGE MIQUEL**
*Universidad Autónoma de Barcelona*

**Sumario:** I. PLANTEAMIENTO. II. LOS PRINCIPIOS CONFIGURADORES COMO LÍMITE A LA AUTONOMÍA DE LA VOLUNTAD. III. LOS EJEMPLOS CONCRETOS: LAS PRESTACIONES ACCESORIAS Y LAS CAUSAS ESTATUTARIAS DE SEPARACIÓN Y EXCLUSIÓN DE SOCIOS. IV. LA JURISPRUDENCIA DEL TS Y ESPECIALMENTE LA STS 10-1-2011 A LA LUZ DE LAS MODIFICACIONES RESEÑADAS. Bibliografía. Webgrafía.

## I. PLANTEAMIENTO

La Ley de Sociedades de Capital y sus reformas posteriores nos han traído modificaciones muy evidentes y relevantes. Entre ellas, naturalmente, las introducidas por la Ley 31/2014. Además de los cambios más obvios, los que derivan directamente de la reforma del articulado y otros que no lo son tanto, consecuencia de la refundición y el cambio de ubicación sistemática de algunos preceptos, existe a mi juicio un tercer nivel que debe destacarse. Desde 2010, la refundición y nueva estructura de la Ley de Sociedades de Capital, incluyendo la consolidación de un estatuto jurídico propio para la sociedad anónima cotizada y los numerosos cambios posteriores deben implicar necesariamente un cambio en la valoración de la división tipológica y las relaciones entre sociedad anónima y sociedad de responsabilidad limitada, y el alcance de determinadas restricciones a la autonomía de la voluntad que no están expresamente formuladas en la Ley. En particular, todas aquellas reglas que han supuesto una generalización de soluciones en instituciones diversas, pero especialmente las relacionadas con los derechos de socios y accionistas, deben tener incidencia en la forma de tratar la autonomía de la voluntad estatutaria. En definitiva, el evidente acercamiento en las soluciones legales de determinadas cuestiones concretas debe traducirse en un planteamiento general más flexible en lo referido a la autonomía de la voluntad estatutaria.

Sostenemos que en lo que se refiere a las sociedades de capital no cotizadas, el acercamiento evidente en su regulación, en la reforma de 2010 y sobre todo en las subsiguientes, debe tener consecuencias generales más allá de cada detalle concreto. Era evidente desde hacía décadas que una gran mayoría de nuestras sociedades anónimas y todas las de responsabilidad limitada eran sociedades cerradas, con estructuras internas muy similares que estaban sometidas a regímenes en algunos aspectos injustificablemente distintos. La LSC de una parte consagra un estatuto para la sociedad anónima cotizada al tiempo que equipara de manera notable determinadas reglas referidas a los derechos y obligaciones de los socios y accionistas en las todas las demás sociedades de capital no cotizadas.

Por citar algunos casos especialmente significativos, el régimen de las prestaciones accesorias, la regulación de la separación y exclusión de socios, o como ejemplo más reciente, la extensión del deber de abstención por conflicto de intereses son algunos de los supuestos que tenemos en cuenta a la hora de enfocar la cuestión.

De otra parte y desde una perspectiva distinta, pero igualmente a favor de nuestra posición, también tendremos en cuenta que la reciente reforma de la Ley 31/2014 nos ha traído algunas reglas originariamente concebidas en el marco de las sociedades cotizadas que se han extendido también a todas las sociedades de capital. Me refiero, por ejemplo, a la regla del 160 f) LSC y al régimen de retribución de administradores, principalmente en los artículos 217 y 249 LSC, que a la vez que han generado —como es sabido— diversos pronunciamientos y resoluciones también ponen de manifiesto la convergencia evidente en planteamientos y soluciones en lo referido a la autonomía de la voluntad estatutaria en las sociedades no cotizadas.

Tomamos como referencia de nuestra reflexión un ejemplo significativo, la célebre Sentencia del Tribunal Supremo de 10 de enero de 2011 («Canteras Santander») *(Tol 2054596)* que ilustra perfectamente la cuestión que se pretende tratar: la consideración de una cláusula restrictiva de la libre transmisibilidad de acciones, de las llamadas «de rescate» como contraria a los principios configuradores de una sociedad anónima. En nuestra opinión la posición sostenida por la mayoría de la Sala parte de una serie de principios que no están ya en nuestra legislación societaria y que se han ido diluyendo desde la promulgación de la LSC pero especialmente en las modificaciones posteriores. Me parece extraño que con el tiempo transcurrido después de la Sentencia la doctrina allí sentada no se haya rectificado, ni siquiera por el legislador. No me parece que esas cláusulas hayan dejado de establecerse y probablemente en muchos casos desplazadas hacia el ámbito de lo parasocial.

## II. LOS PRINCIPIOS CONFIGURADORES COMO LÍMITE A LA AUTONOMÍA DE LA VOLUNTAD

La referencia más directa a la autonomía de la voluntad en la configuración estatutaria se encuentra en el artículo 28 de la Ley de Sociedades de Capital que, precisamente bajo la rúbrica *Autonomía de la voluntad,* reproduce sin apenas modificaciones los artículos 10 LSA y 12.3 LSRL. Según el tenor literal actual, que es prácticamente el mismo desde la reforma de 1989, *en la escritura y en los estatutos se podrán incluir, además, todos los pactos y condiciones que los socios fundadores juzguen conveniente establecer, siempre que no se opongan a las leyes ni contradigan los principios configuradores del tipo social elegido.* Como es sabido, la presencia de los principios configuradores en nuestro derecho de sociedades es bastante reciente[1].

Desde el primer momento se apreció la existencia de un doble problema fundamental en torno a ellos, tanto en relación a la SA como a la SRL: la ausencia de una enumeración explícita —ni siquiera a modo de lista ejemplificativa— y la falta de elementos para definirlos y concretarlos[2]. Es

---

[1]     Cfr. MIQUEL, «Comentario al artículo 10» en ARROYO, EMBID, GÓRRIZ (Coord.) *Comentarios a la Ley de Sociedades Anónimas,* Madrid, 2009, págs. 150 y ss., en donde recordábamos que «*su aparición en la reforma de 1989 se produjo en la fase final del iter legislativo, aunque no esté claro donde se inspira [en concreto fue el Grupo Socialista del Senado, en la Enmienda n.º 393, relativa al entonces art. 13, que escuetamente justificó su introducción por la necesidad de cobertura de lagunas —cfr. BOCG, Senado, III Legislatura, Serie II, Textos Legislativos, n.º 304 (c) de 23 de mayo de 1989, pág. 169—. PAZ-ARES, ¿Cómo entendemos y como hacemos el Derecho de sociedades?, pág. 192, califica a los principios configuradores como "enigmático límite a la libertad contractual" y señala que su origen es de carácter doctrinal, citando en concreto la obra de GIRÓN TENA, Derecho de sociedades*». VAQUERIZO, «Autonomía de la voluntad (art. 28)» en ROJO-BELTRÁN (dirs.), *Comentario de la Ley de Sociedades de Capital,* Madrid, 2001, T. I, págs. 386 y ss.

[2]     Cfr. por todos, entre los primeros comentarios, aquellos que incidían que determinar el alcance y contenido exacto de los límites es una tarea muy complicada: se establece un límite cuya función está clara pero no sus contornos EMBID IRUJO y MARTÍNEZ SANZ «Libertad de configuración estatutaria en el Derecho español de sociedades de capital», *Revista de Derecho de Sociedades,* núm. 7, 1996, págs. 11 ss., págs. 17 ss., 22 y 23), PAZ-ARES, «¿Cómo entendemos y cómo hacemos el Derecho de sociedades? (Reflexiones a propósito de la libertad contractual en

razonable pensar que la formulación legal debe interpretarse en coherencia con la polivalencia con que se configuran ambos tipos, especialmente
la sociedad anónima. Se ha señalado con acierto que en consonancia con
la variedad de estructuras internas que puede tener una sociedad anónima, oscilando entre la máxima apertura y la sociedad cerrada, no puede
hablarse de unos principios configuradores unívocos[3]. Tenemos que añadir además que existe entre la doctrina y la jurisprudencia una notable
tendencia a considerar que además de ese límite específico del derecho de
sociedades y el general del 1255 C.c., puede haber otros límites generales a
la autonomía de la voluntad, límites intrínsecos derivados del tipo[4].

De otra parte también es significativa la escasa presencia que han tenido
a lo largo de casi tres décadas los principios configuradores en la jurisprudencia del Tribunal Supremo (tampoco abundan en los pronunciamientos
de Audiencias ni en los Juzgados Mercantiles o anteriormente los tribunales de 1ª Instancia) y en las Resoluciones de la DGRN[5].

---

la nueva LSRL)», en VVAA (coord. PAZ-ARES), *Tratando de la sociedad limitada*,
Madrid, 1997, págs. 159 ss., págs. 192-194), SÁNCHEZ CALERO, «Derecho de
las sociedades de responsabilidad limitada y el derecho de la sociedad anónima.
Una valoración de la reforma», en VVAA (coord. PAZ-ARES), *Tratado de la sociedad limitada, cit.*, págs. 1253 ss., VELASCO, «Comentario al artículo 10 LSA», en
SÁNCHEZ CALERO (dir.), *Comentarios a la Ley de Sociedades Anónimas, tomo I, Disposiciones Generales, Fundación de la Sociedad y Aportaciones*, Madrid, 1997, págs. 321 y
ss. Recientemente entre otras, ALFARO, «Más sobre los principios configuradores
del tipo», blog *Derecho mercantil*, 9-9-2013 y «Los principios configuradores del tipo
societario», blog *Almacén del Derecho*, 20-2-2017.

[3]   RECALDE, *Limitación estatutaria del Derecho de voto en las sociedades de capitales*, Madrid, 1996, págs. 73 ss., 140 y 141. También en esa dirección, VELASCO, «Comentario al artículo 10 LSA», *cit.*, pág. 322.

[4]   Cfr. por todos, VAQUERIZO, «Autonomía de la voluntad (art. 28)», *cit.*, págs. 391-
394). Puede verse como ejemplo reciente de las distintas concepciones existentes
de una parte, ALONSO LEDESMA, «La autonomía de la voluntad en la exclusión
y separación de socios», RDM, 287, págs. 89 y ss. y «La eficacia de la Ley en el
derecho de separación del socio» *Blog Derecho mercantil*, 16-9-2013 y de otro lado
ALFARO, «¿Cómo concretar los principios configuradores del tipo?», blog *Derecho
mercantil*, 25-5-2013, «Límites a la libertad de configuración estatutaria, separación
y exclusión de socios» *Blog Derecho mercantil* 5-9-2013 y «Más sobre los principios
configuradores del tipo» *Blog Derecho mercantil* 9-9-2013.

[5]   Las referencias que el TS realiza a ellos suelen tener un carácter muy genérico,
con frecuencia de manera algo confusa y casi siempre asimilada a otros conceptos
ya existentes: STS 29-10-2008 *(Tol 1401719)* («*Es cierto que si el contenido de las Juntas
universales hubiera sido totalmente ficticio, como se alegaba en la demanda, los acuerdos
atribuidos a tales Juntas serían contrarios al orden público, ya que la simulación de acuerdos*

Además de ser invocados con muy poca frecuencia, no aparecen nunca en el centro de la decisión sino que han tenido un papel secundario, a veces como mera coletilla[6].

---

*sociales inexistentes atenta contra los principios configuradores de la sociedad o, si se quie-re, contra derechos esenciales para el sistema societario (SSTS 18-5-00, 21-2-06, 26-9-06, 30-5-07, 19-7-07 y 29-11-07)»*, STS 19-4-2010 *(Tol 1877229)* *(«el cumplimiento de los requisitos del artículo 99, como alternativa a la correcta convocatoria de los socios, afecta a la esencia de la sociedad anónima, en el sentido de conjunto de principios configuradores de la misma, a los que se refiere el artículo 10 del Texto refundido. […] Entre las normas que incorporan esos valores se encuentran aquellas que disciplinan aspectos esenciales del sistema societario —S 26-9-07—. Las mismas son reflejo, en efecto, de los principios con-figuradores del tipo de sociedad mercantil de que se trata —SS 28-11-05 y 29-11-07—, a los que antes se hizo referencia»)* y STS 21-3-2013 *(Tol 3707320)* *(«Asimismo con la más autorizada doctrina, podría pensarse que en la disciplina legal de la sociedad anónima cabría encontrar el orden público en los "principios configuradores de la sociedad" a que se refiere el artículo 10 TRLSA o cuando como en el caso de la STC 43/1986, de 15 de abril el acuerdo lesiona los derechos y libertades del socio»).* Cfr. asimismo, JM 1 Cádiz, Auto 9-3-2007 *(Tol 1078004)*(*«se estima justificada la apariencia de buen derecho de la actora, ya que el acuerdo adoptado va en contra de otros acuerdos anteriores de la misma sociedad, siendo el ánimo de lucro, y consiguientemente el reparto de beneficios entre los socios, uno de los principios configuradores de la sociedad anónima, sin que resulte justificado el carácter indebido de los dividendos que fueron repartidos»)* y SAP Oviedo 30-12-2009 *(«La exi-gencia de acuerdo unánime para la adopción de determinados acuerdos por la Asamblea de sindicados, que implica derecho de veto para el accionista minoritario, es contrario a los principios configuradores de la Sociedad Anónima»).*

[6] A las Sentencias que citamos en la nota anterior, pueden añadirse todas las que menciona ALFARO, «Los principios configuradores del tipo societario» *cit.:* «*no es extraño que, cuando el Tribunal Supremo ha hecho uso de esta categoría, los resultados hayan sido muy criticados o la apelación a los principios configuradores, irrelevante. En un caso, para poner límites a la libertad de los socios de una sociedad anónima para limitar la transmisibilidad de las acciones (STS 10-I-2011) y en otra para afirmar el carácter imperati-vo de la forma de sociedad profesional para las agrupaciones de profesionales que ejercen la profesión en común (STS 18-VII-2012). Normalmente, la apelación a los principios configu-radores no afecta al fallo, bien porque se diga que no se aprecia la contradicción entre dichos principios y el pacto estatutario (SAP Vizcaya 28-XII-2012), bien porque la referencia a los mismos no se incluya en el análisis de si un pacto estatutario es nulo sino en la discusión acerca de si determinados acuerdos sociales han de considerarse contrarios al orden público societario (SAP Madrid, 4-III-2013; SAP Coruña 5-IX-2012; SAP Barcelona 15-XI-2012; SAP Pontevedra 28-IV-2011 entre las más recientes que consideran como no caducable en el sentido del art. 205.1 LSC la acción para impugnar los acuerdos adoptados en Juntas "falsamente universales" siguiendo a la STS 19-IV-2010). En todo caso, la discusión se ha limitado a las cláusulas estatutarias en la sociedad anónima. Fuera de estos casos, no conocemos principios configuradores que hayan sido reconocidos como tales por la doctrina y la jurisprudencia*».

## III. LOS EJEMPLOS CONCRETOS: LAS PRESTACIONES ACCESORIAS Y LAS CAUSAS ESTATUTARIAS DE SEPARACIÓN Y EXCLUSIÓN DE SOCIOS

Los ejemplos concretos en los que la refundición ha incidido de manera que creemos determinante para que no podamos compartir la esencia de la posición del Tribunal Supremo en este caso son el régimen de las prestaciones accesorias y las causas estatutarias de separación y exclusión. No son los únicos, también podemos referirnos a diversos ejemplos de generalización de soluciones, tanto con la propia reforma de 2010, como modificaciones posteriores hasta llegar a las introducidas por la Ley 31/2014, desde la posibilidad de impartir instrucciones por parte de la junta al órgano de administración hasta la extensión del deber de abstención en caso de conflicto de intereses. Haremos un breve repaso a las diferencias antes y después de la reforma así como menciones específicas al momento en que se han introducido.

El régimen de las prestaciones accesorias en primer lugar, se unificó completamente en el momento mismo de la refundición. Supone un caso muy evidente de derribo de barreras tipológicas. No debe perderse de vista, de cualquier modo, que las prestaciones accesorias en las sociedades anónimas ya estaban contempladas por la propia LSA, eso sí con una escueta referencia en el marco de las menciones estatutarias[7] (art. 9 l) y un régimen más completo en la LSRL de 1995 (artículos 86 a 89) se convierte en el texto refundido de la Ley de Sociedades de Capital en una regulación unitaria en la que apenas se establece alguna leve diferencia derivada de alguna especialidad concreta.

Por mencionar los ejemplos más claros en los que se admite la personalización, el hecho de que en el 86.3 LSC señale expresamente que los *estatutos podrán establecerlas con carácter obligatorio para todos o algunos de los socios o vincular la obligación de realizar las prestaciones accesorias a la titularidad de una o varias participaciones sociales o acciones concretamente determinadas* o incluso puede advertirse una referencia —que nos puede acercar a esa cláusula que el TS considera contraria a los principios configuradores— en el artículo 88 LSC, que bajo la rúbrica *Transmisión de participaciones o de acciones con prestación accesoria* dice en su apartado 1 que *será necesaria la autorización*

---

[7]   *El régimen de prestaciones accesorias, en caso de establecerse, mencionando expresamente su contenido, su carácter gratuito o retribuido, las acciones que lleven aparejada la obligación de realizarlas, así como las eventuales cláusulas penales inherentes a su incumplimiento.*

*de la sociedad para la transmisión voluntaria por actos inter vivos de cualquier participación o acción perteneciente a un socio personalmente obligado a realizar prestaciones accesorias y para la transmisión de aquellas concretas participaciones sociales o acciones que lleven vinculada la referida obligación.* Y para terminar, el artículo 89.2 LSC, referido a la modificación de la obligación de realizar prestaciones accesorias: *Salvo disposición contraria de los estatutos, la condición de socio no se perderá por la falta de realización de las prestaciones accesorias por causas involuntarias.*

Otro ejemplo relevante es el referido a las causas estatutarias de separación: en concreto, el artículo 347 LSC desde el momento mismo de la refundición señala que *los estatutos podrán establecer otras causas de separación distintas a las previstas en presente ley. En este caso determinarán el modo en que deberá acreditarse la existencia de la causa, la forma de ejercitar el derecho de separación y el plazo de su ejercicio.*

Por su parte, el artículo 351 LSC, *Causas estatutarias de exclusión de socios* dice en su versión actual que *en las sociedades de capital, con el consentimiento de todos los socios, podrán incorporarse a los estatutos causas determinadas de exclusión o modificarse o suprimirse las que figurasen en ellos con anterioridad*[8].

El artículo 351 ya prevé expresamente el mecanismo del consentimiento de todos los socios, circunstancia también exigida en relación a los otros dos ejemplos que hemos puesto[9] y que creo que también es digna de mención, pues cualquier reserva que pudiera existir respecto a la posible tutela de los socios queda disipada con esa exigencia de consentimiento. Es decir, al final vuelve a revelarse que se trata de un mero problema de barreras injustificadas a la autonomía de la voluntad. Me parece especialmente relevante que existan determinadas cláusulas que se consideren contrarias a los principios configuradores de la sociedad anónima. Me refiero a cláusu-

---

[8] En su versión primera en 2010 el artículo 351 decía que *En las sociedades de responsabilidad limitada, con el consentimiento de todos los socios, podrán incorporarse a los estatutos causas determinadas de exclusión o modificarse o suprimirse las que figurasen en ellos con anterioridad.* La modificación se introdujo con *la Ley 25/2011, de 1 de agosto, de reforma parcial de la Ley de Sociedades de Capital y de incorporación de la Directiva 2007/36/CE, del Parlamento Europeo y del Consejo, de 11 de julio, sobre el ejercicio de determinados derechos de los accionistas de sociedades cotizadas.*

[9] Respectivamente, artículos 89.1. *La creación, la modificación y la extinción anticipada de la obligación de realizar prestaciones accesorias deberá acordarse con los requisitos previstos para la modificación de los estatutos y requerirá, además, el consentimiento individual de los obligados* y 347.2. *Para la incorporación a los estatutos, la modificación o la supresión de estas causas de separación será necesario el consentimiento de todos los socios.*

las habituales en nuestro entorno más cercano, pero también incluso en nuestras sociedades.

## IV. LA JURISPRUDENCIA DEL TS Y ESPECIALMENTE LA STS 10-1-2011 A LA LUZ DE LAS MODIFICACIONES RESEÑADAS

Como ejemplo más relevante podemos mencionar sin duda la referida STS de 10 de enero de 2011[10], en la que se declara nula una cláusula estatutaria de las denominadas de rescate forzoso en una sociedad anónima (Canteras Santander) precisamente por contradecir los principios configuradores de la SA.

Conviene recordar de entrada que se trata de un supuesto que no llega hasta el TS por impugnación de ningún accionista (por descontado tampoco por tercero alguno), sino precisamente por la oposición de la registradora a inscribir la cláusula en base a los principios configuradores.

El ponente enfoca el problema en estos términos: «*la cuestión que realmente se plantea es si una sociedad anónima, sociedad capitalista por antonomasia, es compatible con una regulación estatutaria que acentúe la prevalencia del elemento personal, la identidad de sus socios, hasta tal punto que la convierta en una sociedad esencialmente personalista*». Y lo resuelve afirmando que «*la respuesta a la cuestión planteada es que una sociedad anónima no puede tener una regulación es-*

---

[10]   La Sentencia tuvo además un voto particular. Sobre ella tratamos con cierto detenimiento en MIQUEL, «La autonomía de la voluntad en las sociedades de capital: ejemplos de la reciente jurisprudencia del TS y la doctrina de la RDGRN», en *Autonomía de la voluntad y exigencias imperativas en el derecho internacional de sociedades y otras personas jurídicas* (Coord. Arenas, Górriz y Miquel) 2014, págs. 171 y ss. También extensamente, ALFARO, «Transmisibilidad de acciones: una Sentencia de la Sala 1ª con voto particular: Institucionalistas 1 Contractualistas 0», *Blog Derecho mercantil*, 31-3-2011, ILLESCAS «Sentencia de 10 de enero de 2010. El Tribunal Supremo se pronuncia sobre los tipos sociales (S.A. y S.R.L.) y la aplicación analógica de sus normas», *Cuadernos Civitas de Jurisprudencia Civil*, n. 88, 2012 págs. 195 y ss. y SÁNCHEZ ÁLVAREZ, «Transmisión indirecta de acciones y principios configuradores del tipo», *Revista de Derecho de Sociedades*, núm. 39, 2012, págs. 377 y ss. Más breve en el comentario de la misma pero especialmente interesante en la totalidad del artículo en el contexto de las presentes reflexiones, SÁNCHEZ GONZÁLEZ, «La autonomía de la voluntad en la configuración estatutaria de las sociedades de capital», en *Autonomía de la voluntad en el derecho privado: estudios en conmemoración del 150 aniversario de la Ley del Notariado*, Madrid, 2012 T. II, págs. 1 y ss., págs. 22 y ss.

*tatutaria que la configure como esencialmente personalista o absolutamente cerrada por estar ello en contradicción con los principios configuradores de la SA».* Quizás es esta la frase sobre la que se apoya primordialmente la Sentencia, de modo que creo que son convenientes unas observaciones.

En primer lugar, cabría objetar que no puede darse por buena la frase *una sociedad anónima no puede tener una regulación estatutaria que la configure como esencialmente personalista o absolutamente cerrada por estar ello en contradicción con los principios configuradores de la SA.* ¿Qué es una regulación estatutaria que la configure como esencialmente personalista? ¿Lo sería una que tenga en sus estatutos cláusulas restrictivas a la libre transmisibilidad de la acciones, en la que casualmente todos los socios son miembros de una misma familia, que extienda en virtud del 124.1 LSC las restricciones estatutarias a las adquisiciones mortis causa, que además establezca prestaciones accesorias? ¿Una sociedad que conforme a lo que admite expresamente la LSC contemple causas estatutarias de separación o exclusión? Si queremos añadir más, podríamos plantearnos qué calificación debería darse desde esa perspectiva a una SA en la que se exijan unas mayorías posibles de conseguir solamente si hay unanimidad entre los socios, no hablo de exigencia estatutaria de unanimidad, sino una situación que se produce de hecho. Es inevitable si es una SA de solo dos socios al 50 %, más complejo si los estatutos establecieran unas mayorías del 80% de votos, si son 4 socios con 25% cada uno, en tanto no cambie esta situación y combinando adecuadamente con todas lo demás ayudaría bastante a mantener esa situación. Esa SA se configuraría como esencialmente personalista —en el sentido de la evidente y notoria importancia de las cualidades personales de los socios— siguiendo escrupulosamente las previsiones del legislador. De otro lado, la regulación estatutaria que la configure como absolutamente cerrada es efectivamente contraria a la Ley, pero no por la vía de los principios configuradores, sino por contravención del artículo 123.2 LSC (aunque con las excepciones admitidas por el siempre discutido 123.4 RRM).

A continuación desarrolla su tesis diciendo que *«sentado lo anterior, debe concluirse que la calificación negativa del controvertido artículo 8 bis por la registradora mercantil se ajustó a la LSA de 1989 porque al establecer dicho artículo un "derecho de rescate" omnímodo y sin sujeción a plazo alguno, no por razón de actividades de las sociedades adquirentes que fueran contrarias a los intereses de la sociedad actora-recurrente sino por razón de cualesquiera vicisitudes internas de aquellas sociedades adquirentes, incluidas su fusión y su escisión, determinantes de la pérdida de control absoluto de la sociedad adquirente por los socios, o sus familiares, de la sociedad recurrente, el sustrato personal acababa imponiéndose en los estatutos en un grado tal que el carácter capitalista, abierto y anónimo de la sociedad recurrente quedaba prácticamente eliminado hasta convertir en ilusorio, como con acierto razona el tribunal sentenciador, el principio de igualdad entre accionistas de la misma clase que se desprende del art. 49.2 LSA. Y tanto es así, que incluso se impone a la sociedad adquirente, en el antepenúltimo párrafo del artículo 8 bis, una sujeción permanente y perpetua ("en cualquier momento") al control del órgano de administración de la sociedad actora-recurrente sobre la composición personal de su censo de socios».* De nuevo me parece oportuno subrayar que las palabras anteriores, que parecen importantes en el razonamiento, no son a mi juicio correctas. Ni el *sustrato personal acababa imponiéndose en los estatutos en un grado tal* más que si se establecieran otras cláusulas restrictivas, ni *el carácter capitalista, abierto y anónimo de la sociedad recurrente quedaba prácticamente eliminado* (¿qué es el carácter capitalista? ¿qué apertura queda eliminada en una sociedad que ya tenía cláusulas restrictivas? ¿qué carácter anónimo es el de una sociedad con acciones nominativas?) ni convierte *en ilusorio, como con acierto razona el tribunal sentenciador, el principio de igualdad entre accionistas,* en el que se invoca a mi juicio sin motivo el artículo 49.2 LSA (que habla de las series de acciones).

Una vez expuesta nuestra objeción principal al razonamiento del ponente, apoyado por la mayoría, y que es, obviamente, más largo, creo que en vez de reproducir los argumentos de la mayoría y a continuación el voto particular y comentar uno y otro, puede ser más adecuado tratar de aprovechar lo que dice éste para argumentar nuestras divergencias con la Sentencia y la opinión de la mayoría, al tiempo que manifieste las reservas que tengo sobre algunos argumentos del magistrado discrepante, si bien comparto plenamente la mayoría de ellos.

Emplearemos, por tanto las palabras del voto particular, que sintetiza muy bien el argumento de la mayoría. Después de recordar el párrafo que acabo de reproducir, con referencia «al derecho de rescate omnímodo y sin plazo alguno», que impone el carácter personal y desvirtúa el elemento capitalista y atenta contra el principio de igualdad, recuerda que la Sentencia «*también sostiene que la validez de cualesquiera cláusulas restrictivas de la transmisión de las participaciones en la SRL reflejada en el artículo 188.1 del RRM no es "trasladable analógicamente" a las sociedades anónimas, dada la preponderancia en éstas del elemento o carácter capitalista sobre el personalista. Finalmente sostiene que la legislación societaria, brinda una diversidad de tipos societarios tan amplia que, jurídicamente, debe tener como lógica correspondencia una interpretación del artículo 10 LSA (hoy 28 LSC) que ponga como límite las cláusulas estatutarias que supongan una auténtica desnaturalización del tipo societario escogido para el desarrollo del objeto social como acontece en este caso que convierte en esencialmente cerrada un tipo de sociedad que es naturalmente abierta».*

En fin, a modo de contraste, puede mencionarse la interesante Sentencia del Juzgado Mercantil 3 de Barcelona de 26-6-2006 *(Tol 5272593)* en donde la discusión va mucho más allá, pues el presupuesto es la aceptación de tales restricciones. Se trata de una sociedad en la que existen restricciones estatutarias a la libre transmisibilidad de acciones, sin que se hiciera mención expresa a las transmisiones indirectas, que finalmente se llevan a cabo. La actora reclama la nulidad de esas transmisiones. La Sentencia afirma que el criterio que debe presidir la interpretación de las normas estatutarias que limitan la libre transmisión de las acciones debe evitar una interpretación analógica o extensiva que amplíe los supuestos de restricción de la transmisión que prevean expresamente los Estatutos[11].

## Bibliografía

ALONSO LEDESMA, C., «La autonomía de la voluntad en la exclusión y separación de socios», RDM, 287, págs. 89 y ss.

EMBID IRUJO, J. M., y MARTÍNEZ SANZ, F., «Libertad de configuración estatutaria en el Derecho español de sociedades de capital», *Revista de Derecho de Sociedades*, núm. 7, 1996, págs. 11 ss., págs. 17 ss., 22 y 23).

GARCÍA LAPUENTE, A., «¿Cómo cabe protegerse frente a las transmisiones indirectas no deseadas de acciones y participaciones sociales?» *Revista de Derecho de Sociedades Revista de Derecho de Sociedades*, n. 30, 2008, págs. 313 y ss.

ILLESCAS, R., «Sentencia de 10 de enero de 2010. El Tribunal Supremo se pronuncia sobre los tipos sociales (S.A. y S.R.L.) y la aplicación analógica de sus normas», *Cuadernos Civitas de Jurisprudencia Civil*, n. 88, 2012 págs. 195 y ss.

MIQUEL, J. «Comentario al artículo 10» en ARROYO, EMBID, GÓRRIZ (Coord.) *Comentarios a la Ley de Sociedades Anónimas*, Madrid, 2009.

— «La autonomía de la voluntad en las sociedades de capital: ejemplos de la reciente jurisprudencia del TS y la doctrina de la RDGRN», en *Autonomía de la voluntad y exigencias imperativas en el derecho internacional de sociedades y otras personas jurídicas* (Coord. Arenas, Górriz y Miquel) 2014, págs. 171 y ss.

PAZ-ARES, C., «¿Cómo entendemos y cómo hacemos el Derecho de sociedades? (Reflexiones a propósito de la libertad contractual en la nueva LSRL)», en VVAA (coord. PAZ-ARES), *Tratando de la sociedad limitada*, Madrid, 1997, págs. 159 ss.

---

[11]   Cfr. sobre este tipo de cláusulas PERDICES HUETOS, *Cláusulas restrictivas de la transmisión de acciones y participaciones*, Madrid, 1997, págs. 365 y ss. También, como evidencia de su normalidad en la práctica, GARCÍA LAPUENTE, «¿Cómo cabe protegerse frente a las transmisiones indirectas no deseadas de acciones y participaciones sociales?» *Revista de Derecho de Sociedades*, n. 30, 2008, págs. 313 y ss. o SÁNCHEZ ÁLVAREZ, «Modelo de cláusula estatutaria de prohibición de transmisión indirecta de acciones», *Revista de Derecho de Sociedades*, n. 30, 2008, págs. 329 y ss.

PERDICES HUETOS, A., Cláusulas restrictivas de la transmisión de acciones y participaciones, Madrid, 1997.

RECALDE, A., *Limitación estatutaria del Derecho de voto en las sociedades de capitales*, Madrid, 1996.

SÁNCHEZ ÁLVAREZ, M. M., «Modelo de cláusula estatutaria de prohibición de transmisión indirecta de acciones», *Revista de Derecho de Sociedades*, n. 30, 2008, págs. 329 y ss.

— «Transmisión indirecta de acciones y principios configuradores del tipo», *Revista de Derecho de Sociedades*, núm. 39, 2012, págs. 377 y ss.

SÁNCHEZ CALERO, F., «Derecho de las sociedades de responsabilidad limitada y el derecho de la sociedad anónima. Una valoración de la reforma», en VVAA (coord. PAZ-ARES), *Tratado de la sociedad limitada*, Madrid, 1996, págs. 1253 ss.

SÁNCHEZ GONZÁLEZ, J. C., «La autonomía de la voluntad en la configuración estatutaria de las sociedades de capital», en *Autonomía de la voluntad en el derecho privado: estudios en conmemoración del 150 aniversario de la Ley del Notariado*, Madrid, 2012 T. II, págs. 1 y ss., págs. 22 y ss.

VAQUERIZO, A., «Autonomía de la voluntad (art. 28)» en ROJO-BELTRÁN (dirs.), *Comentario de la Ley de Sociedades de Capital*, Madrid, 2001, T. I, págs. 386 y ss.

VELASCO, L., «Comentario al artículo 10 LSA», en SÁNCHEZ CALERO (dir.), *Comentarios a la Ley de Sociedades Anónimas, tomo I, Disposiciones Generales, Fundación de la Sociedad y Aportaciones*, Madrid, 1997, págs. 321 y ss.

**Webgrafía**

ALFARO, J., «Transmisibilidad de acciones: una Sentencia de la Sala 1ª con voto particular: Institucionalistas 1 Contractualistas 0» *Blog Derecho mercantil*, 31-3-2011.

— «¿Cómo concretar los principios configuradores del tipo?», blog *Derecho mercantil*, 25-5-2013.

— «Límites a la libertad de configuración estatutaria, separación y exclusión de socios» *Blog Derecho mercantil* 5-9-2013.

— «Más sobre los principios configuradores del tipo» *Blog Derecho mercantil* 9-9-2013.

— «Los principios configuradores del tipo societario», blog *Almacén del Derecho*, 20-2-2017.

ALONSO LEDESMA, C., «La eficacia de la Ley en el derecho de separación del socio» *Blog Derecho mercantil*, 16-9-2013.

# 7. La transparencia societaria como vía de protección del inversor en las sociedades cotizadas

**CARMEN ROJO ÁLVAREZ-MANZANEDA**

*Profesora Contratada Doctora*
*Acreditada al Cuerpo de Profesores Titulares de Universidad*
*Departamento de Derecho Mercantil*
*Universidad de Granada*

## I. INTRODUCCIÓN

Cuando el inversor acude al mercado de valores en busca de la maximación del valor de su cartera contrae un riesgo derivado de la naturaleza especulativa que el mercado implica. En efecto, son tres los factores esenciales que deben ser tenidos en cuenta en el momento en el que el inversor debe adoptar la decisión de invertir, desinvertir o mantener un determinado valor en cartera. Estos son, la rentabilidad, como capacidad de producir rendimientos, la liquidez, como aptitud para desinvertir los recursos invertidos en dichos valores, y el riesgo, como probabilidad de que el emisor de los valores no pueda cumplir total o parcialmente las obligaciones asumidas ante los inversores que los han adquirido.

La información de naturaleza económica, es decir, aquella relacionada con la capacidad de rentabilidad del producto, y por ello, la que viene a otorgar únicamente seguridad económica en la toma de decisiones en el mercado, es la que detenta un mayor peso en la en la opción inversora o desinversora por los inversores.

Así pues, el reto que se plantea es luchar contra la conformación de un consentimiento en la opción inversora o desinversora sólo basado en un criterio económico y este desafío se conseguirá si la relación jurídica que se gesta entre el inversor y la sociedad cotizada cuyos valores han sido admitidos a negociación en un mercado secundario oficial de valores, se fundamenta, además, desde la adquisición preventiva de una información de naturaleza jurídica a través de la cual los inversores puedan formularse un juicio fundado de la inversión o desinversión que se les propone y se les ayude de tal forma a mitigar la fuerte asimetría informativa que caracteriza al mercado y a tutelar así el equilibrio de las posiciones negociales, a efectos de que se consiga prestar un consentimiento no viciado y se logre constituir a los clientes en beneficiarios del juego de la libre competencia al poder efectuar una elección eficiente de los productos y servicios que se adecuen a sus necesidades. De esta forma, se trata de obtener el buen funcionamiento y eficiencia del mercado dado que al depender tal consecución en gran medida de la confianza que se inspire a los inversores, su protección se constituye en el fin último de la ordenación de los mercados de valores y ello puesto que aunque se planteen como objetivos fundamentales el proteger la actividad de cuantas personas físicas y jurídicas se relacione en el tráfico del mismo, el contar con un mercado que asigne eficientemente los recursos, el asegurar la competitividad de las entidades que en él operan, y el proporcionar estabilidad al sistema, no pueden conseguirse a expensas de los inversores.

Dentro de la búsqueda de este adecuado marco de actuación, se proyecta como un cauce idóneo para la ejecución de tal pretensión la vía jurídica. Efectivamente, la decisión final de inversión que permite la canalización del ahorro hacia la inversión productiva, función económica esencial del sistema financiero en general, y del mercado de valores en particular, queda en buena medida condicionada por el contenido de la información efectivamente suministrada al inversor poniendo así de manifiesto que el substrato de lo que se negocia en el mercado de valores es la información.

Pero ahora bien, esta decisión final del inversor no debe de atender tan sólo a la observancia de la información de carácter económico que contempla a éste desde el ámbito de la seguridad económica que se le debe de procurar, sino que también, tiene que estar fuertemente condicionada por la información que además se le dota al inversor desde su faceta jurídica en aras de reportarle confianza (*fiducia*) en el negocio jurídico de inversión o desinversión a realizar, es decir, en el grado de seguridad jurídica que le ofrezca la concreta inversión a ejecutar.

Pretendiendo precisamente esta última finalidad de protección jurídica del inversor, desde la legislación financiera y la actividad supervisora en el ámbito del mercado de valores se permite contemplar a una disciplina informativa por la que se viene a exigir la difusión de cuanta información resulte necesaria para fundamentar su decisión de inversión. Efectivamente, para alcanzar aquel objetivo de tutela, desde el Real Decreto 4/2015, de 23 de octubre por el que se aprueba la Ley del mercado de valores (en adelante L. M. V.) y que viene a derogar a través de su disposición derogatoria única a la Ley 24/1988, de 28 de julio, del Mercado de Valores, se prescriben y posibilitan diversos mecanismos de recepción y de difusión de la información sobre las sociedades cotizadas.

Así las cosas, si la disciplina de la información contemplada en el seno normativo de la regulación del mercado de valores que afecta a las sociedades cotizadas es uno de los principios clave para otorgar seguridad jurídica al inversor, se hace necesario procurar un análisis de la misma a efectos de poder determinar si la normativa mediante la que se procede a su articulación, esto es, si las informaciones que han de suministrarse al inversor, sus modalidades y sus contenidos en el ámbito del mercado de valores, contemplan la eficacia deseada, y de tal forma pues, si podrían erigirse en el cauce oportuno que operase como contrapeso a las especulaciones basadas en un flujo de información limitadas al estricto sentido económico de la rentabilidad y liquidez. Ahora bien, a este respecto, habrá que proceder a la procura de la resolución de las siguientes cuestiones:

1º. Delimitar al ámbito de actuación normativo donde se ubica la exigencia de información a las sociedades cotizadas que tutelan al inversor en la fundamentación de su opción inversora.

2º. Determinar cuáles son tales obligaciones informativas requeridas a las sociedades cotizadas.

3º. Resolver si las exigencias legales que imponen el deber genérico de transparencia en el mercado de valores a las sociedades cotizadas permiten tutelar jurídicamente al inversor con la pretensión de poder determinar si existe o no un sistema de responsabilidad que proporcione tanto una función de prevención de comportamientos ilícitos como de procura al sujeto perjudicado de una reintegración de la pérdida patrimonial sufrida en el intento de que su patrimonio retornase a una situación lo más cercana posible a la existente en ausencia de acto ilícito.

## II. DELIMITACIÓN DEL ÁMBITO DE ACTUACIÓN

Dentro de la categoría de los emisores de valores, detenta una gran transcendencia la especie de las sociedades cotizadas que son aquellas sociedades emisoras cuyos valores han sido admitidos a negociación en un mercado secundario oficial de valores (art. 495 del R. D. Legislativo 1/2010, de 2 de julio).

Así, las sociedades cotizadas se presentan como un subtipo de las sociedades anónimas abiertas dotadas de un estatuto jurídico característico. La razón de ser de tal circunstancia se debe a que están permanentemente sometidos a la normativa societaria y además a la mobiliaria.

Pero ahora bien, es necesario delimitar nuestro marco de acción a efectos de analizar la disciplina informativa que afecta a las sociedades cotizadas desde el ámbito normativo del mercado de valores frente al perfil del accionista y del obligacionista que puede contemplar el inversor.

Efectivamente, en primer término, la necesidad de procurar tal distinción se debe dado que la noción económica del inversor posibilita revelar un perfil jurídico en torno a las figuras del accionista y del obligacionista. Pero ahora bien, esta circunstancia que ha permitido a la L. M. V., regular desde su marco normativo ciertos aspectos del accionista y por la que el inversor que detentase alguna de aquellas condiciones resultaría también tutelado desde la aplicación del derecho de sociedades, no puede ser utilizada para reconocer e identificar al inversor con el accionista y el obligacionista, y para de tal forma, considerar que los mismos reciben un tratamiento análogo por las normas procedentes del sector societario y del mercado de valores a efectos de su tutela.

Tal consideración se debe a que si bien es cierto que las disciplinas del mercado de valores y de sociedades encuentran una identidad de fin en la protección jurídica de las legítimas expectativas y derechos de los inversores en valores negociables dentro de la consecución de una eficiencia funcional de los mercados mediante la regulación de la apelación pública al ahorro y sus distintas manifestaciones, la disciplina societaria cuenta con una eficacia más limitada, por cuanto que escapará al ámbito de sus normas la protección de quienes en el mercado de valores se inclinen por formas y por instrumentos de inversión productiva diferentes de las acciones y obligaciones emitidas por una S. A., puesto que se trata de un conjunto de normas esencialmente organizativas y dirigidas a regular las relaciones con la sociedad, y por la que por ello, escapan de su órbita la regulación de la comercialización de todos los valores negociables e instrumentos financieros.

Pero además, aquella circunstancia también se corresponde a que la tutela jurídica que se otorga desde el derecho de sociedades es de carácter colectivo y no es por tanto objeto de una caracterización individual, esto es, dirigida a proteger los derechos de los concretos inversores, como si que acontece desde el derecho del mercado de valores.

Pero además de lo anterior, y en segundo lugar pues, también es necesario delimitar nuestro marco de actuación a efectos de analizar si la disciplina informativa que afecta a las sociedades cotizadas puede venir procurada desde el marco normativo del derecho de los consumidores y usuarios y ello ante el perfil del consumidor que puede contemplar el inversor.

Así pues, y partiendo para ello de la condición de inversor, si bien en principio podría parecer un contrasentido hablar de su tutela como protección de consumidor o usuario si se tiene presente que sólo se puede invertir la parte de la renta que no se consume, dado que el individuo no puede consumir todo lo que detenta, se puede considerar que el hombre medio es consumidor e inversor en potencia, y de este modo se puede estimar que cuando toma sus decisiones económicas de invertir su ahorro adquiriendo o enajenando valores en el marco de un mercado y utiliza los servicios que le presten los intermediarios en el desarrollo de su actividad, se encuentra expuesto a las mismas dificultades con las que tiene que enfrentarse al adquirir otra clase de bienes o servicios, por lo que parece obvia la existencia de una cierta analogía entre su posición y la del resto de los consumidores o usuarios que obtienen bienes y servicios en otros mercados, siendo esto lo que justificaría que el término de inversor permita ser acogido desde la definición de consumidor o usuario siempre y cuando en aquél se diesen las circunstancias contempladas en el art. 3 de la Ley general para la defensa de los consumidores y usuarios aprobada por el Real Decreto Legislativo 1/2007, de 16 de noviembre, y por lo tanto, que se configurase en ámbito de aplicación de la citada Ley. Pero dado que tal noción sólo permite acoger a los que operasen como destinatarios finales de bienes o servicios y en ningún caso a los que integrasen un proceso de comercialización, y no puede subsumir, ni a los emisores de valores que acuden al mercado para la puesta en circulación de sus bienes mediante la venta de sus acciones, obligaciones, etc., ni a los oferentes que ofrecen al público valores negociables ya emitidos, y de este modo, ni establecerlos pues, como objeto de sus normas, no puede ser utilizada tal equiparación para reconocer e identificar al inversor con el consumidor en todo caso, y para de tal forma, considerar que los mismos reciben un tratamiento análogo a efectos de su tutela. Efectivamente, la imposibilidad de realizar tal equiparación se debe a que sólo se permite acoger a los que operasen en un ámbito ajeno a una actividad empresarial o profesional, esto es, al cliente minorista (art. 204 L. M. V.), quedando así fuera del amparo del art. 3 de la Ley de consumidores y usuarios aprobada por el Real Decreto

Legislativo 1/2007, de 16 de noviembre, a otros sujetos que si son beneficiarios del marco jurídico de protección dado desde el mercado de valores
como son las figuras del cliente profesional (art. 205 L. M. V.), así como las
operaciones realizadas con contrapartes elegibles (art. 207 L. M. V.).

Como consecuencia de todo lo anterior, se permite observar que la delimitación del ámbito de actuación normativo que permite integrar a los
deberes de transparencia que afectan a las sociedades cotizadas en aras de
la protección jurídica del inversor, vendrá conformado desde el derecho
del mercado de valores.

Pero ahora bien, una vez ubicados dentro de tal ámbito, también es necesario, en cuarto lugar, procurar la distinción entre las sociedades cotizadas y las emisoras en general, dado que frente a la sujeción al derecho del
mercado de valores ocasional y relacionada con el mercado primario de
valores que caracteriza a éstas, las sociedades cotizadas detentan tanto una
vinculación permanente, esto es, con independencia de que se realice una
operación de emisión de valores en un determinado momento, como una
afectación en su integridad al mercado de valores, es decir, a las normas del
mercado primario y del mercado secundario de valores. La razón de ser de
tal circunstancia se debe dado que las sociedades cotizadas comprometen
diariamente el ahorro de miles de pequeños y medianos inversores en la
negociación de los valores que emiten y están admitidos en un mercado
regulado obteniendo con ello un cauce privilegiado de financiación con
cargo a sus recursos propios (acciones) o ajenos (obligaciones), por lo que
es justo que ofrezcan al mercado de valores una mayor transparencia. Así
fundamentalmente, se les somete a unas obligaciones típicas en cuanto a
su información financiera relacionada con el régimen de sus acciones, relativa a su situación contable, financiera y política, así como en sus normas
de conducta.

## III. OBLIGACIONES INFORMATIVAS RELACIONADAS CON EL RÉGIMEN DE LAS ACCIONES DE LA SOCIEDAD COTIZADA

La política de transparencia que desde la normativa reguladora del mercado de valores se proyecta sobre las sociedades cotizadas incide en primer
término en el régimen de sus acciones. Efectivamente, derivado de la observancia de éste, se denotan una serie de exigencias en las que la disciplina
informativa resulta empleada de un distinto modo, forma y alcance, como
mecanismo jurídico a través del cual los inversores pueden formularse un

juicio fundado de la inversión o desinversión que se les propone de forma permanente mediante la cotización de sus acciones. Así pues:

1º. Se contempla en el ámbito de la exigencia por el que las acciones y las obligaciones que pretendan acceder o permanecer admitidas a cotización en un mercado secundario oficial de valores tengan que estar representadas necesariamente por anotaciones en cuenta[1], el uso de medios informativos como vía óptima para la tutela del inversor.

2º. Se establece en el ámbito del requerimiento por el que los valores tendrán que ser libremente transmisibles a efectos de compatibilidad con un mercado de compraventa ágil como son los mercados regulados, la utilización del recurso informativo como vía óptima para la tutela del inversor.

3º. En el ámbito de la regulación de la oferta pública que se ocasione como consecuencia de los aumentos de capital que se produzcan en la sociedad cotizada y por el que se produce la sujeción al deber preceptuado en el art. 309 del R. D. Legislativo 1/2010, de 2 de julio y la facultad de poder inscribir el acuerdo de ampliación de capital en el Registro Mercantil con anterioridad a su ejecución, también se procede al requerimiento de unas exigencias establecidas desde el ámbito del mercado de valores, en las que se viene a contemplar la utilización de mecanismos de difusión y recepción de información como vía óptima para la tutela del inversor. Estos son, la obligación de tener que publicar un folleto informativo (arts. 30 bis. 1 L. M. V., 40 del R. D. 1310/2005, de 4 de noviembre, y Orden EHA 3537/2005, de 10 de noviembre), así como la exigencia de tener que cumplir con los requisitos de información establecidos en el Capítulo III, del Título I del R. D. 1310/2005, de 4 de noviembre y relativos a la aportación y registro a la C. N. M. V., tanto de los documentos que acrediten la sujeción de la sociedad cotizada y de sus valores al régimen jurídico que les resulta de aplicación, como de sus cuentas anuales.

Pero ahora bien, al aproximarnos nuevamente al folleto informativo como documento que pretende cumplir eficazmente con la función de tutela del inversor al contener las características esenciales de la oferta irrevocable del contrato, se plantea como necesario analizar si las exigencias legales que atienden a la regulación del mismo le vienen a reportar conjuntamente de un adecuado sistema de responsabilidad de tal forma que permita distinguir con claridad frente al público inversor de la existencia

---

[1]    *Vid.* art. 496. 1 del R. D. Legislativo 1/2010, de 2 de julio, y arts. 6 L. M. V., y 9. 3 del R. D. 1310/2005, de 4 de noviembre.

de un medio eficaz que le otorga seguridad jurídica tanto de naturaleza reintegradora, en el supuesto de daños ocasionados a sujetos determinados, como de carácter preventivo, a efectos de disuadir la difusión en los folletos de informaciones falsas o inexactas.

Así pues, hay que poner de manifiesto que en nuestro sistema se encuentra establecido un principio de responsabilidad derivada del folleto informativo[2] que en el intento de que el patrimonio del inversor retorne a una situación lo más cercana posible a la existente en ausencia de acto ilícito viene a establecer que los oferentes, así como los administradores en los términos que establezca la legislación mercantil que resulte aplicable, estarán obligados a indemnizar a las personas que hayan adquirido de buena fe los valores a los que se refiere el folleto durante su período de vigencia por los daños y perjuicios que hubiesen ocasionado como consecuencia de cualquier información incluida en el folleto que sea falsa, o por la omisión en el folleto de cualquier dato (art. 33.1 y 36 del R.D. 1310/2005, de 4 de noviembre). Además, también se viene a indicar la excepción de la responsabilidad de los daños y perjuicios causados por la falsedad en cualquier información contenida en el folleto, o por una omisión de cualquier dato relevante en el caso en el que se probase que en el momento en el que el folleto fue publicado, el oferente actuó con la debida diligencia para asegurarse que la información contenida en el folleto era verdadera o que los datos relevantes cuya omisión causó la pérdida fueron correctamente omitidos (art. 37 del R. D. 1310/2005, de 4 de noviembre).

Ahora bien, el recurso a tal mecanismo no asegura el éxito de la reivindicación en tanto que si bien permite plantear la reclamación de las pérdidas íntegras experimentadas, incluyendo así junto al daño emergente, la restitución del lucro cesante, cuando el legislador procede a su articulación expresa en torno al folleto informativo no resuelve las importantes dificultades que se plantean en torno a la prueba del daño que hacen que en unos casos prevalezca el hecho de que será normalmente muy difícil la efectividad de la función de reintegración patrimonial para el perjudicado concreto, y que en otras ocasiones, origina que la escasa entidad del daño desanime a suscitar controversias judiciales de incierto resultado. Así pues, y de una forma acorde con el especial régimen de protección del inversor que tal sector del mercado financiero configura, se hace oportuno pues, si lo que se pretende es seguir el camino de la causalidad, que la prueba del

---

[2]    *Vid.* arts. 37 y 38 L. M. V., y 17 c, 32, 33, 36 y 37 del R. D. 1310/2005, de 4 de noviembre.

inversor perjudicado deba ser más específica. De esta forma, será preciso indagar sobre la relevancia causal de aquellas circunstancias que determinen la frustración de la confianza del inversor, y que de tal modo, permitan presumir razonablemente que no ha existido relación entre el dato falso u omitido con la decisión inversora a efectos de que se pueda construir toda una serie de presunciones de causalidad referidas al parámetro del inversor medio y que se subdividen en diferentes clases en función al tipo de circunstancia concurrente, bien porque se refieran a situaciones en los que dicho dato no hubiese sido conocido por el inversor, o bien porque aludan a contextos en los que la información suministrada no tuviese la suficiente magnitud como para haber constituido la base de la decisión inversora errónea.

Además de esta forma, y sin perjuicio de que el oferente pudiese también en el ámbito de la responsabilidad precontractual o derivada de los tratos preliminares asumir responsabilidades de la misma naturaleza civil al amparo del art. 1902. C. c., por los eventuales daños y perjuicios que sufriera el inversor como consecuencia de defectos de carácter informativo manifestados en el folleto, se pone de manifiesto que la normativa reguladora de la responsabilidad derivada del contenido del folleto se establece en el ámbito de la responsabilidad contractual poniéndose así de manifiesto no ya desde la normativa general[3] sino ahora de un modo expreso para el supuesto concreto, la consideración del folleto como una verdadera oferta comercial vinculante en donde se contienen todos los elementos esenciales del contrato.

Pero además de lo anterior, hay que tener en cuenta que desde el mercado de valores también se establecen instrumentos distintos de los privatistas para realizar la función de prevención de los actos ilícitos. Este procedimiento se establece mediante el recurso a instrumentos de control público, y en su caso, a sanciones administrativas.

Efectivamente, de esta forma y en primer término, es por lo que se viene a establecer que el folleto tenga que ser objeto de control administrativo por la C. N. M. V. Efectivamente, la aprobación del folleto como mecanismo previo y necesario para su posterior publicación, es un acto expreso de

---

[3]     Efectivamente, desde el ámbito general, tal oferta del contrato integra el contenido del mismo tanto si el cliente es un consumidor en función del art. 61 de la Ley general para la defensa de los consumidores y usuarios, como si no lo es en base al recurso de la buena fe contractual que tiene que presidirla ejecución de todos los contratos mercantiles (arts. 7.1 y 1258 del C. c., y 57 C.co).

la C. N. M. V. (arts. 34 L. M. V., y 24 del R. D. 1310/2005, de 4 de noviembre), resultante del análisis realizado, por el que ésta concluye, sin que ello en ningún caso implique un juicio sobre la calidad del emisor o los valores, que el folleto es completo, comprensible y que contiene información coherente. Esta decisión de la entidad supervisora del mercado de valores relativa a la aprobación del folleto deberá de ser dada —y sin perjuicio de que se puedan establecer plazos inferiores— dentro del periodo máximo de 10 días hábiles desde la presentación del proyecto de folleto. No obstante, el plazo máximo mencionado para la aprobación del folleto será de 20 días hábiles si la oferta pública se refiere a valores emitidos por un emisor que no tiene ningún valor admitido a negociación en un mercado secundario oficial o en otro mercado regulado domiciliado en la Unión Europea y que no ha ofrecido previamente valores al público (art. 40. 1 b del R. D. 1310/2005, de 4 de noviembre). La falta de resolución expresa de la C. N. M. V., en el plazo establecido tendrá carácter desestimatorio. Además, en el caso de que la C. N. M. V., considere que el folleto presentado es incompleto, deberá notificar la información adicional que se precise a la persona que solicite la oferta pública. En este caso, el plazo para resolver se interrumpirá desde que la C. N. M. V., efectúe la solicitud y hasta que le sea remitida tal información. Por último, también hay que tener en cuenta que cuando le corresponda a la C. N. M. V., la aprobación del folleto por ser España el Estado miembro de origen, ésta podrá trasladar esta competencia a la autoridad competente de otro Estado miembro de la Unión Europea, siempre que cuente con el acuerdo de ésta.

En segundo lugar, se vienen a reconocer responsabilidades de naturaleza administrativa para los oferentes, así para quienes detenten cargos de administración o dirección en aquellas cuando cometiesen infracciones derivadas del incumplimiento del deber de publicar el folleto que resulten tipificadas en la L. M. V[4].

4º. En el marco del régimen de autocartera de las sociedades cotizadas, y conjuntamente a las especialidades previstas desde el ámbito societario referentes a la reducción del límite cuantitativo de adquisición por la sociedad de sus propias acciones o de las de la dominante establecido en el art. 509 del R. D. Legislativo 1/2010, de 2 de julio, y por el que salvo en los supuestos de libre adquisición de las propias acciones, en las sociedades cotizadas el valor nominal de las acciones propias adquiridas directa o indirectamente por la sociedad, sumándose al de las que ya posean la sociedad

---

[4]    *Vid.* Arts. 282.2, 279. 2, 296. 1, 279.2, y 295.3 L. M. V.

adquirente y sus filiales, y en su caso, la sociedad dominante y sus filiales, no podrá ser superior al diez por ciento del capital suscrito, también desde la normativa mobiliaria se vienen a incorporar otras particularidades.

Ahora bien, tales requerimientos vuelven a basarse en la disciplina informativa a efectos de transmitir al mercado transparencia, y de tal forma, con la finalidad de reportar seguridad jurídica al inversor al permitirle conocer los negocios que hubiese efectuado la sociedad cotizada sobre sus propias acciones y con ello ver incrementado su grado de confianza en la inversión que proyecta realizar. Así pues, es por lo que se les viene a exigir a la sociedad cotizada un régimen de comunicación a la C. N. M. V., de la proporción de derechos de voto que quede en su poder, cuando adquieran acciones propias que atribuyan derechos de voto, en un solo acto o por actos sucesivos, bien por sí mismas, a través de una entidad controlada o por persona interpuesta, y dicha adquisición alcance o supere el 1% de los derechos de voto. El contenido de la información, indicado desde el art. 41 del R. D. 1362/2007, de 19 de octubre, deberá de ser remitido obligatoriamente por vía telemática a la C. N. M. V., y tendrá carácter público, en tanto que tal órgano rector del mercado de valores empleará como medio de recepción de la información a un registro oficial a los que el público tendrá libre acceso[5].

Igualmente, tales exigencias informativas contemplan a efectos de tutela frente al público inversor de la presencia de una responsabilidad de carácter netamente administrativo por razón de la imposición de una sanción de tal naturaleza ante la falta de cumplimiento de tales deberes informativos que resulta contemplada desde el art. 282. 3 L. M. V.

5º. En el régimen de las ofertas públicas de adquisición de valores (en adelante O. P. As.,) contemplado en el Título IV, del Capítulo IX, L. M. V., así como en el R. D. 1066/2007, de 27 de julio, aplicable a las sociedades cotizadas cuando se alcanzase su control tanto de forma directa como sobrevenida, en las ofertas que realizasen para la exclusión de los valores de cotización, en el caso de que deseasen reducir el capital mediante la adquisición de sus propias acciones para su posterior amortización, así como cuando una persona quisiese adquirir un paquete grande de sus acciones apelando a todo el capital o a parte del mismo, se denota que en la normativa prevista para garantizar que las ofertas públicas de adquisición se lleven a cabo con total seguridad jurídica, ocupa un lugar preferente

---

[5]     *Vid.* art. 238. F, L. M. V.

el recurso a la disciplina informativa concebido como deber a efectos de permitir el conocimiento y difusión de hechos y en aras de procurar una adecuada tutela al inversor.

Efectivamente, el procedimiento a seguir en una O. P. As., que viene regulado en todas sus fases por el R. D. 1066/2007, de 27 de julio, comienza con el anuncio de la intención (cuando es voluntaria), o de la obligación (en caso contrario), de presentar una oferta pública. Este anuncio ha de hacerse tan pronto como se decida formular una oferta o tan pronto como se den los supuestos de hecho que exigen la formulación de una oferta obligatoria. El oferente deberá hacer pública y difundir esa decisión en los términos establecidos en el art. 82 de la L. M. V (art. 16.1 del R. D. 1066/2007, de 27 de julio).

Una vez anunciada la decisión de formular una O. P. As., se han de presentar a la C. N. M. V., tres tipos de documentos: una solicitud de autorización, una documentación adicional y un folleto informativo (arts. 17.1, 18 y 20 del R. D. 1066/2007, de 27 de junio).

Así pues la difusión de la información se produce con la finalidad de informar al mercado y, en particular, a todos los accionistas de la sociedad objeto de la oferta. En todo este proceso los trabajadores del oferente y de la sociedad objeto de la oferta han de estar adecuadamente informados.

Pero ahora bien, al aproximarnos de nuevo al folleto informativo como documento que pretende cumplir eficazmente con la función de tutela del inversor al contener las características esenciales de la oferta irrevocable del contrato así como al tenerse que producir las declaraciones de aceptación de la oferta de acuerdo con lo señalado en el folleto (art. 34. 1 del R. D. 1066/2007, de 27 de julio), se plantea como necesario analizar si las exigencias legales que atienden a la regulación del mismo le vienen a reportar conjuntamente de un adecuado sistema de responsabilidad de tal forma que permita distinguir con claridad frente al público inversor de la existencia de un medio eficaz que le otorga seguridad jurídica tanto de naturaleza reintegradora, en el supuesto de daños ocasionados a sujetos determinados, como de carácter preventivo, a efectos de disuadir la difusión en los folletos de informaciones falsas o inexactas.

Así pues, hay que poner de manifiesto que para tal caso se posibilita aplicar un sistema de responsabilidad civil que permite que el patrimonio del inversor retorne a una situación lo más cercana posible a la existente en ausencia de acto ilícito en el ámbito de la responsabilidad precontractual o derivada de los tratos preliminares al amparo del art. 1902. C. c., por los eventuales daños y perjuicios que sufriera el inversor como consecuencia de defectos de carácter informativo manifestados en el folleto.

Pero además desde el ámbito de la responsabilidad contractual, y ello no ya sólo desde la normativa general[6] sino también de un modo expreso para el supuesto concreto, dada la consideración que detenta el folleto de ser una verdadera oferta vinculante en donde se contienen todos los elementos esenciales del contrato.

Ahora bien, el recurso a tal acción civil como medida dirigida a la protección del inversor no asegura el éxito de la reivindicación en tanto que si bien permite plantear la reclamación de las pérdidas íntegras experimentadas, incluyendo así junto al daño emergente, la restitución del lucro cesante, plantea dificultades para probar la relación de causalidad por la que el inversor perjudicado no se habría visto inducido a adquirir si hubiese conocido el comportamiento doloso o culposo de los oferentes en la difusión de las informaciones inexactas, falsas o erróneas, lo que viene a originar que la escasa entidad del daño desanime a suscitar controversias judiciales de incierto resultado.

Pero además de lo anterior, hay que tener en cuenta que desde el mercado de valores también se establecen instrumentos distintos de los privatistas para realizar la función de prevención de los actos ilícitos. Efectivamente, este procedimiento se establece mediante el recurso a sanciones de carácter administrativo. De esta forma, es por lo que se vienen a reconocer responsabilidades de naturaleza administrativa para los oferentes, así para quienes detenten cargos de administración o dirección en aquellas cuando cometiesen infracciones derivadas de la falta de publicación o de remisión a la C. N. M. V., de la información y documentación que haya de publicarse o enviarse a aquella como consecuencia de actuaciones que obliguen a la presentación de una O. P. As., así como procedentes de la publicación o el suministro de información o documentación relativas a una O. P. Vs. (art. 280. 1 L. M. V.).

Además, junto a esta normativa sancionadora, la L. M. V., también prevé unas medidas sancionadoras peculiares consistentes en la suspensión de los derechos políticos de las acciones adquiridas en contravención de la

---

[6]   Efectivamente, desde el ámbito general, tal oferta del contrato integra el contenido del mismo tanto si el cliente es un consumidor en función del art. 61 de la Ley general para la defensa de los consumidores y usuarios, como si no lo es en base al recurso de la buena fe contractual que tiene que presidir la ejecución de todos los contratos mercantiles (arts. 7.1 y 1258 del C. c., y 57 C.co).

obligación de formular una O. P. As., en aras de pretenderse con ello paralizar los efectos políticos de la adquisición de acciones, neutralizando la contravención e impidiendo que resulte política o corporativamente rentable (art. 132 L. M. V.).

## IV. OBLIGACIONES INFORMATIVAS PROCEDENTES DEL RÉGIMEN DE TRANSPARENCIA CONTABLE, FINANCIERO Y POLÍTICO

Dado que la principal consecuencia de la admisión a negociación en un mercado secundario oficial de valores consiste en que, cada día, miles de ahorradores pueden adoptar decisiones de inversión y desinversión en dichas acciones, como contraprestación a la facilidad de financiación que ello reporta, se les viene a exigir desde su condición de sociedades cotizadas y a través de la normativa reguladora del mercado de valores, unos deberes informativos.

Esto se debe a que la divulgación de información exacta, completa y puntual sobre tales sociedades fomenta la confianza continua del inversor y permite una evaluación informada de su rendimiento y sus activos. Con ello mejora la protección de los inversores y aumenta la eficiencia del mercado. Tales cometidos de carácter informativo se proyectan sobre las sociedades cotizadas en los siguientes aspectos:

1º. Tendrán que cumplir con unas obligaciones de transparencia contable por las que deberán de someter a auditoría de cuentas sus cuentas anuales (art. 118 L. M. V.)[7]. Además, este informe de auditoría tendrá la consideración de información pública, dado que junto al informe financiero anual y el informe de gestión revisados por el auditor con el alcance definido en el art. 268 del R. D. Legislativo 1/2010, de 2 de julio, tendrán que hacerse públicos no sólo por la propia sociedad, sino también a través de las Sociedades Rectoras de la bolsa y de la propia C. N. M. V.

---

[7]    *Vid.*, PETIT LAVALL, M. V., «Escepticismo ante una ¿nueva? Ley de Auditoría de Cuentas», *La Ley mercantil*, nº. 22, 2016, pág. 2; OLMEDO PERALTA, E., «La comisión de auditoría de las sociedades cotizadas tras la reforma para la mejora del gobierno corporativo y la nueva Ley de auditoría. ¿Avanzando hacia un verdadero órgano de control?», *Revista de derecho de sociedades*, nº. 46, 2016, págs. 167 a 192.

2º. Deberán de observar un régimen de información financiera periódica y que dentro de las denominadas como información regulada[8], queda compuesto por la exigencia de información pública que tendrán que anunciar y difundir al mercado con carácter periódico a través del informe financiero anual y los informes semestrales. En este sentido, se entiende que las sociedades cotizadas cumplirían con tal exigencia, cuando publicase la información regulada en su página web[9] y, de manera simultánea, cuando difundiese la información regulada a través de un medio que garantice su acceso rápido, no discriminatorio y generalizado al público en todo el ámbito de la Unión Europea y en el que no se cobre a los inversores ningún gasto concreto por el suministro de la información[10].

Conjuntamente a lo anterior, esta información financiera también queda integrada por las declaraciones intermedias de gestión o informes trimestrales en aras de pretenderse mantener actualizada la información financiera disponible por el público inversor respecto de las sociedades cotizadas al constatar que el régimen de elaboración, depósito y publicidad anual de las cuentas de las sociedades anónimas en general resulta insuficiente cuando se trata de tomar decisiones de inversión y desinversión continuadas[11].

Por ello, las sociedades cotizadas deberán de remitir a la C. N. M. V., para su incorporación al registro oficial regulado en el art. 238 L. M. V.:

– En primer término, y conforme al art. 118 L. M. V., el informe financiero anual que comprenderá de las cuentas anuales y el informe de gestión revisados por el auditor con el alcance definido en el *art. 268* del *texto refundido de la Ley de Sociedades de Capital*, aprobado por Real Decreto Legislativo 1/2010, de 2 de julio, así como las declaraciones de responsabilidad de su contenido.

---

8    *Cfr.* Directiva 2004/109/CE, de 15 de diciembre.

9    Analizando tal herramienta de información *vid.* ROJO ÁLVAREZ-MANZANEDA, R., «Las webs corporativas de las sociedades cotizadas como instrumento de comunicación y de ejercicio de los derechos de los socios», *Revista de derecho bancario y bursátil*, nº. 138, 2015, págs. 133 a 184.

10    *Vid.* SÁNCHEZ CALERO GUILARTE, J., «La Recomendación sobre el principio de "cumplir o explicar"», *Revista de derecho bancario y bursátil*, nº. 134, 2014, pág. 291 a 292.

11    En este sentido *vid.* TAPIA HERMIDA, A. J., *Derecho del mercado de valores*, Ed. Bosch, *Barcelona, 2000*, pág. 69.

– En segundo lugar, y en función con lo dispuesto en el art. 119. 2 L. M. V., sendos informes financieros semestrales, uno relativo a los primeros seis meses del ejercicio, y otro referente a los doce meses del ejercicio y en el que se incorporarán las cuentas anuales resumidas y el informe de gestión intermedio individual de la sociedad cotizada, y, en su caso, de su grupo consolidado, así como las declaraciones de responsabilidad sobre su contenido[12].

– En tercer lugar, y en base a lo establecido en los arts. 120 L. M. V., y 19 del R. D. 1362/2007, de 19 de octubre, dos declaraciones intermedias durante el primer y segundo semestre del ejercicio, respectivamente.

3º. Tendrán que respetar unas normas de transparencia política dirigidas a informar y difundir de manera continuada una información que permita conocer las estructuras de poder de la sociedad en la medida en que aquellas pueden influir esencialmente en los proyectos económicos de futuro de las mismas en los que los inversores participan o abandonan al comprar o vender sus acciones. Estas exigencias, que junto al régimen de información financiera periódica integran una categoría de información denominada como regulada, queda compuesta por la información relevante según el régimen de abuso del mercado, la identidad de los accionistas significativos, las operaciones de autocartera, así como la información periódica del art. 123 L. M. V., y otras dispuestas por el R. D. 1362/2007, de 19 de octubre.

Finalmente, también es necesario precisar que en tales exigencias informativas se vienen a contemplan con claridad a efectos de tutela frente al público inversor de la presencia de una responsabilidad de carácter netamente administrativo por razón de la imposición de una sanción de tal naturaleza ante la falta de cumplimiento de tales deberes informativos.

## V. OBLIGACIONES INFORMATIVAS DERIVADAS DE LA APLICACIÓN DE NORMAS DE CONDUCTA

A las sociedades cotizadas también les resulta de aplicación un conjunto de normas que procedentes del mercado de valores quedan identificadas por su ubicación en torno a un ámbito general de confianza pública sobre el debido comportamiento en el mercado con la finalidad de garantizar

---

[12]   En este sentido *vid.* Arts. 124 L. M. V., y 17 del R. D. 1362/2007, de 19 de octubre.

que el desarrollo de las prestaciones se efectuará en torno a los criterios de profesionalidad, moralidad y corrección.

En este caso, la técnica legislativa de tutela que se adopta viene a configurarse a través de dos mecanismos. Estos son, en primer término, una normativa estatal derivada de los poderes de vigilancia del mercado, y en segundo lugar, una disciplina interna que faculta la presencia de normas autorreguladoras.

En efecto, como consecuencia en primer término de tal circunstancia, a las sociedades cotizadas les resulta de aplicación unas normas de conducta compuestas por normas legales que les imponen los siguientes deberes:

1º. Cuando se dispusiera de información privilegiada, se tendrá en función de lo preceptuado en los arts. 226 y 227. 3 L. M. V., 1 del R. D. 1333/2005, de 11 de noviembre así como en la Circular 4/2009, de 4 de noviembre de la C. N. M. V., la obligación de salvaguardarla adoptando las medidas adecuadas para evitar que tal información pueda ser objeto de utilización abusiva o desleal. Pero además, ante la tenencia de tal información también se requerirá la prohibición de abstenerse de ejecutar por cuenta propia o ajena, directa o indirectamente, una serie de conductas.

2º. Hacer público y difundir inmediatamente al mercado toda información relevante (art. 228 L. M. V.).

3º. Durante las fases de estudio o negociación de cualquier tipo de operación jurídica o financiera que pueda influir de manera apreciable en la cotización de los valores o instrumentos financieros afectados, tienen una serie de obligaciones contempladas en el art. 230 L. M. V.

4º. Someter la realización de operaciones sobre sus propias acciones a medidas que eviten que las decisiones de inversión o desinversión puedan verse afectadas por el conocimiento de información privilegiada (art. 230. 2 L. M. V.).

5º. Someter a los miembros de su órgano de administración y a los directivos a medidas que impidan el uso de información privilegiada sobre los valores emitidos por la propia sociedad u otras de su grupo (art. 230. 3 L. M. V.).

6º. Sus administradores y directivos, así como las personas que tengan un vínculo estrecho con éstos, habrán de comunicar a la C. N. M. V., todas las operaciones realizadas sobre las acciones de las sociedades cotizadas (Arts. 230. 4 L. M. V., 9 del R. D. 1333/2005, de 11 de noviembre, y Circular 2/2007, de 19 de diciembre). La notificación a la que se refieren estos preceptos habrá de efectuarse en los cinco días hábiles siguientes a aquél en el que tiene lugar la transacción.

7°. Abstenerse de la preparación o realización de prácticas que falseen la libre formación de los precios (Arts. 231 L. M. V., 2 y 3 del R. D. 1333/2005, de 11 de noviembre).

Pero además de todo lo anterior, y de tal forma en segundo lugar, también aquella técnica jurídica de tutela adoptada por las normas de conducta se configura desde la exigencia a las sociedades cotizadas, de normas disciplinarias internas elaboradas por la propia sociedad (art. 225.2 L. M. V.).

Así las cosas, si consideramos que tal disciplina informativa desarrollada mediante normas de conducta no se limitan a constituir una serie de principios éticos sino que se tratan de preceptos de obligatoria aplicación en aras de procurar la represión de los abusos del mercado, es necesario determinar si las exigencias legales que atienden a la regulación de aquellos le vienen a reportar conjuntamente de un adecuado sistema de responsabilidad de tal forma que permita distinguir con claridad frente al público inversor que se tratan de unos elementos eficaces de prevención, o en su caso, de represión, para aquellas prácticas en las que se hayan vulnerado los límites de tolerancia.

Así pues, se contempla como nuestra L. M. V., básicamente procede a imponer sanciones administrativas a las sociedades cotizadas así como quienes ostenten de hecho o de derecho cargos de administración o dirección en ellas como consecuencia de estimar como conductas tipificadas las correlativas al incumplimiento de los deberes informativos expuestos en alguno de los tipos de infracciones muy graves, graves y leves establecidas en los capítulos V, y VI, del título VIII de la L. M. V respectivamente. Ahora bien todo lo anterior, no por ello podemos considerar que esta categoría de responsabilidad de carácter netamente administrativo agote el sistema de responsabilidad y ello puesto que en nuestro ordenamiento no se carecen de otros mecanismos que también se estiman aplicables al supuesto. En efecto, esta circunstancia se contempla dado que también se puede recurrir a mecanismos privatistas.

Es decir, el derivado del ejercicio de la acción de responsabilidad extracontractual al amparo del art. 1902 C.c., dado que la difusión de información falsa puede producir un resultado dañoso equivalente a la diferencia existente entre el precio de mercado de los valores y el que efectivamente correspondería a éstos en el mismo por lo que se origina una relación de causalidad observada por la teoría de la equivalencia de las condiciones en la fórmula *condicio sine qua non,* y mediante la teoría de la condición ajustada a las leyes de la experiencia, ocasionándose así objetivamente una imputación del resultado dañoso a dicha conducta.

Pero además, el procedente del ejercicio de la acción de responsabilidad contractual. En efecto, si bien las normas de conducta no se podrán configurar como una normativa contractual sino que más bien vienen a imponer obligaciones a las entidades que realicen actividades relacionadas con los mercados de valores por el específico régimen de ordenación y disciplina al que están sujetas por su condición de tales, denotan una incidencia en las relaciones individuales entre la sociedad cotizada y el cliente inversor de una forma indirecta tal que posibilita establecerlas como un mecanismo jurídico de protección en favor de éste, en tanto que le permite reclamar el resarcimiento por los daños ocasionados por una falta de cumplimiento en sus exigencias de comportamiento, a través del ejercicio de una acción civil de responsabilidad contractual. Esto se debe dado que el incumplimiento de estas normas de conducta derivadas de valores y principios éticos ampliamente reconocidos devienen en vinculantes mediante el recurso a una buena fe contractual que ha de presidir la ejecución de todos los contratos mercantiles (arts. 7.1 y 1258 C.c., y 57 C.co.) y que si bien carece de una formulación positiva concreta, la jurisprudencia especifica que opera como límite al ejercicio de los derechos subjetivos y que se considera infringida, cuando se procede a crear una apariencia jurídica para contradecirla después en perjuicio de quien puso una confianza en ella[13] y que entendemos que se encuentra vigorizada para este caso, por la exigencia y necesidad de acatamiento de las normas previstas por las propias disposiciones de ordenación y disciplina operantes en el mercado de valores, vulnerando de este modo con dicha conducta las normas éticas que deben informar el ejercicio del derecho, y determinado así, que su práctica se torne inadmisible, con la consiguiente posibilidad de poderla impugnar por antijurídica.

**Bibliografía**

AA. VV., (Dir. RODRÍGUEZ ARTIGAS, F.), *Derecho de sociedades anónimas cotizadas*, Ed. Thomson-Aranzadi, Cizur Menor (Navarra), 2005.
AA. VV., (Coord. VIVES, F., PÉREZ-ARDÁ, J.), *La sociedad cotizada*, Ed. Marcial Pons, Madrid, 2006.

---

[13]   En este sentido *vid.* las Sentencias del T. S., de 29.1.1965 *(Tol 4307647)*; 31.3.1982 *(Tol 1739257)*; 21.9.1987 *(Tol 1739835)*; 23.2.1988 *(Tol 1735505)*; 11.5.1988 *(Tol 1734882)*; 27.3.1991 *(Tol 1727255)*; 22.10.1992 *(Tol 181101)*; 2.2.1996 *(Tol 217752)* y 9.10.1998. *(Tol 171940)*.

AA. VV., (Dir. PEINADO GRACIA, J. I, CREMADES GARCÍA, J.), *El accionista minoritario en la sociedad cotizada (Libro blanco del accionista minoritario)*, Ed. La Ley, Madrid, 2012.

ALBELLA AMIGO, S.: *Régimen jurídico español de la sociedad cotizada*, Ed. Comares, Granada, 2006.

BOQUERA MATARREDONA, J.: «El derecho del accionista a la información», *Revista de derecho mercantil*, n°. 300, 2016, págs. 13 a 3;

CANDELARIO MACÍAS, M. I.: *Tutela de la minoría en la sociedad cotizada en bolsa: examen de los derechos políticos-administrativos*, Ed. Atelier, Barcelona, 2007.

GUERRERO LEBRÓN, M. J., «La competencia de la junta general en las operaciones relativas a activos esenciales», *Revista de Derecho Mercantil*, n°. 298, 2015, págs. 183 a 206.

MARTÍNEZ-ECHEVARRÍA Y GARCÍA DUEÑAS, A.: *El aumento del capital de la sociedad cotizada*, Ed. Thomson-Aranzadi, Cizur Menor (Navarra), 2006.

MAYORGA TOLEDANO, M. C., «Productos estructurados, inversores minoristas y deberes de conducta en el mercado de valores (comentario de la Sentencia del Tribunal Supremo [1ª] de 15 de diciembre de 2014)», *Revista de derecho mercantil*, n°. 296, 2015, pág. 449 a 480.

MONTALENTI, P.: «Sociedades cotizadas, mercados financieros y relaciones con los inversores», *Revista de derecho de sociedades*, n°. 44, 2015, pág. 15 a 36.

OLMEDO PERALTA, E., «La comisión de auditoría de las sociedades cotizadas tras la reforma para la mejora del gobierno corporativo y la nueva Ley de auditoría. ¿Avanzando hacia un verdadero órgano de control?», *Revista de derecho de sociedades*, n°. 46, 2016, pág. 167 a 192.

PEINADO GRACIA, J. I., «Riesgo sistémico, solvencia y riesgo moral. Incidencia en el Derecho privado de los mercados financieros. Un apunte crítico», *Revista de derecho bancario y bursátil*, n°. 134, 2014, pág. 7 a 34.

PETIT LAVALL, M. V., «Escepticismo ante una ¿nueva? Ley de Auditoría de Cuentas», *La Ley mercantil*, n°. 22, 2016, pág. 2;

RABITTI, G. L., «Il conflitto di interessi tra investitoti e brokers-dealers nell'esperienza anglo-americana.», *Rivista delle società*, n°. 1, 1989, pág. 461.

ROJO ÁLVAREZ-MANZANEDA, R., «Las webs corporativas de las sociedades cotizadas como instrumento de comunicación y de ejercicio de los derechos de los socios», *Revista de derecho bancario y bursátil*, n°. 138, 2015, pág. 133 a 184.

SALINAS ADELANTADO, C., «Desregulación y neoregulación en el mercado de valores», *Revista de Derecho Mercantil.*, n°. 224, págs. 743 a 747.

SÁNCHEZ-CALERO GUILARTE, J.: «Sociedades cotizadas y Ley de Sociedades de Capital», *Revista de Derecho de Sociedades*, n°. 36, 2011, págs. 7 y ss.

— «La Recomendación sobre el principio de "cumplir o explicar"», *Revista de derecho bancario y bursátil*, n°. 134, 2014, págs. 291 a 292.

TAPIA HERMIDA, A. J., *Derecho del mercado de valores*, Ed. Bosch, Barcelona, 2000.

— «La igualdad de los accionistas en las sociedades cotizadas», *Revista de Derecho de Sociedades*, n°. 35, 2010, págs. 15 y ss.

TAPIA HERMIDA, A. J.: «Las sociedades anónimas cotizadas como sociedades anónimas especiales», en AA. Vv., *Sociedades anónimas cotizadas y ofertas públicas de adquisición*, Ed. La Ley, Madrid, 2012, págs. 8 y ss.

# 8. El consentimiento en el ejercicio de los derechos del socio mediante medios de comunicación electrónicos en el Derecho español e inglés[1]

ÁNGELA MARÍA PÉREZ RODRÍGUEZ

*Profesora Contratada Doctora*
*Universidad Pablo de Olavide de Sevilla*

**Sumario:** I. INTRODUCCIÓN. II. EL CONSENTIMIENTO EN LAS COMUNICACIONES ELECTRÓNICAS SOCIO-SOCIEDAD EN DERECHO ESPAÑOL (ART. 11 *QUÁTER* LSC). III. EL CONSENTIMIENTO EN LAS COMUNICACIONES ELECTRÓNICAS SOCIETARIAS EN DERECHO INGLÉS (*COMPANIES ACT 2006 Y GUÍA ICSA SOBRE COMUNICACIONES ELECTRÓNICAS CON ACCIONISTAS 2014*). 1. Consideraciones generales. 2. El consentimiento de la sociedad en las comunicaciones electrónicas remitidas por el socio. 3. El consentimiento del socio en las comunicaciones electrónicas remitidas por la sociedad. IV. CONCLUSIONES. Bibliografía.

## I. INTRODUCCIÓN

En nuestro ordenamiento jurídico societario la incorporación de las llamadas Tecnologías de la Información y Comunicación (TICs) se ha producido de forma progresiva y puntual. Ello se pone particularmente de manifiesto en el ámbito de las comunicaciones societarias entre la sociedad y los socios y, concretamente, en el marco de los derechos del socio por medios electrónicos, que cuentan ya con una dilatada trayectoria en nuestro ordenamiento jurídico desde el año 2004[2]. Sin embargo, este progresivo

---

[1]    El presente trabajo es fruto de la actividad investigadora desarrollada por la autora en IALS (*Institute of Advanced Legal Studies, University of London*), actividad que ha contado con la financiación del Ministerio de Educación, Cultura y Deporte dentro del Programa de Estancias de Movilidad de Profesores e Investigadores en Centros Extranjeros de Enseñanza Superior e Investigación (convocatoria 2014).

[2]    Vid. más ampliamente sobre esta evolución legislativa en CRUZ RIVERO, D., Las comunicaciones electrónicas entre la sociedad y los socios, RDM, núm. 291, enero-marzo, 2014, págs. 268-275.

reconocimiento legal de los medios electrónicos de comunicación no sólo se había realizado por nuestro legislador para los supuestos expresamente contemplados en la norma sino que, además, se limitaba a concretos tipos societarios de capital (obligatoriedad y contenido mínimo de la web en Sociedades cotizadas, asistencia telemática, voto y delegación del voto electrónicos en SA, etc.). Faltaba, en definitiva, una regulación general en materia de comunicaciones electrónicas entre la sociedad y sus socios, una laguna legal que nuestro legislador intenta solventar con el artículo 11 *quáter* de la Ley de Sociedades de Capital (LSC), precepto que se enmarca dentro del Título I de la Ley (*«Disposiciones Generales»*).

Concretamente, bajo la rúbrica *«Comunicaciones por medios electrónicos»*, el primer inciso del art. 11 *quáter* señala que pueden realizarse por medios electrónicos comunicaciones entre la sociedad y los socios siempre que el socio preste su consentimiento. El precepto se incorporó en 2012 en nuestra LSC —en un primer momento por el Real Decreto-Ley 9/2012 de 16 de marzo, redacción que fue modificada poco más tarde por la Ley 1/2012 de 22 de junio—[3] para «potenciar» el uso de los medios electrónicos de comunicación con el objetivo de simplificar y abaratar los costes de funcionamiento de las sociedades mercantiles. El precepto resulta innovador en cuanto que supone con carácter general el reconocimiento legal expreso para todas las sociedades de capital de la posibilidad de utilizar los medios electrónicos de comunicación en el ejercicio de los derechos de socio. El problema radica en que esta supuesta regulación general en materia de comunicaciones electrónicas no sólo llega tarde sino que también resulta insuficiente además de que no está adecuadamente concordada con otros

---

[3] En un primer momento la redacción del artículo se hizo bajo el formato excepcional de un Real Decreto-Ley —concretamente, el Real Decreto-Ley 9/2012, de 16 de marzo— «aprovechando» que había que trasponer urgentemente a nuestro Derecho la Directiva 2009/109/CE de 16 de septiembre de 2009 sobre derecho de los accionistas por haber expirado ya su plazo de trasposición fijado para el 30 de junio de 2011 La urgente tramitación de este Real Decreto-Ley motivó que el Gobierno solicitará poco después su tramitación como Proyecto de Ley al objeto de que pudiera perfeccionarse la norma a través de las correspondientes enmiendas que pudieran presentarse durante su tramitación parlamentaria. Como resultado de este Proyecto se promulgó tan solo unos meses más tarde la Ley 1/2012, de 22 de junio, Ley que aunque derogó formalmente el mencionado Real Decreto-Ley mantuvo inalterado gran parte de su contenido. El precepto que nos ocupa fue precisamente uno de los que recibió nueva redacción: se suprimió la indicación de que el consentimiento del socio debía ser expreso y se añadió el actual segundo inciso del artículo.

preceptos de la LSC, evidenciándose con ello una falta de coherencia interna del sistema que no contribuye precisamente a incentivar el uso de las comunicaciones electrónicas en el ámbito societario. Ello explica las numerosas carencias y cuestiones jurídicas que suscita el precepto y, particularmente, su inciso primero en relación con la exigencia del consentimiento en las comunicaciones electrónicas societarias, situación que contrasta con la existente en el Derecho inglés que, como veremos más adelante, cuenta con una completa regulación marco en materia de consentimiento en las comunicaciones electrónicas societarias. Veámoslo primero la regulación de la materia en el Derecho español.

## II. EL CONSENTIMIENTO EN LAS COMUNICACIONES ELECTRÓNICAS SOCIO-SOCIEDAD EN DERECHO ESPAÑOL (ART. 11 *QUÁTER* LSC)

El primer inciso del artículo 11 *quáter* se limita a señalar que pueden realizarse por medios electrónicos las comunicaciones entre la sociedad y los socios, incluyendo expresamente a título meramente ejemplificativo la remisión de documentos, solicitudes e información[4], siempre que dichas comunicaciones hayan sido aceptadas por el socio[5]. Dos son fundamentalmente las cuestiones que suscita el precepto: primero, para qué tipo de comunicaciones exige el legislador español el consentimiento del socio y, en segundo lugar, efectos y características del consentimiento requerido por la norma.

Aunque el precepto no lo diga expresamente, está claro que las comunicaciones a las que se refiere el legislador son las que se desarrollan estrictamente en el ámbito de las relaciones societarias y no las que pudieran realizarse al socio o por el socio como tercero[6]. Sin embargo, puesto que

---

[4]   Vid. asimismo, CRUZ RIVERO, D., «Las comunicaciones electrónicas…», *cit.*, pág. 276.

[5]   Nótese que en su redacción originaria por Real Decreto-Ley 9/2012, de 16 de marzo, el primer inciso exigía que el consentimiento del socio fuera expreso, mención que se suprimió por la Ley 1/2012 de 22 de junio.

[6]   Vid. DÍAZ MORENO, A. - JUSTE MENCÍA, J., «Apuntes de urgencia sobre la Ley 1/2012, de 22 de junio, de simplificación de las obligaciones de información y documentación de fusiones y escisiones de sociedades de capital», RDS núm. 39, julio-diciembre, 2012, pág. 208. Vid. asimismo en este sentido, FARRANDO MIGUEL, I., «La página web de la sociedad y las comunicaciones electrónicas

nuestro legislador sólo menciona el consentimiento del socio, cabría plantearse si el precepto se está refiriendo exclusivamente a las comunicaciones remitidas por la sociedad al socio o también incluye las comunicaciones remitidas por el socio a la sociedad. A tenor de la rúbrica de la norma —«*Comunicaciones por medios electrónicos*»— así como de la terminología empleada por el legislador en el texto del precepto —«*comunicaciones entre la sociedad y los socios*»— parece que el ámbito de aplicación de la norma comprende ambos sentidos de la comunicación socio-sociedad[7] y no sólo a las comunicaciones remitidas por la sociedad al socio[8]. Es más, hay una referencia implícita a ambos sentidos de la comunicación en el segundo inciso del precepto cuando, al tratar el tema del dispositivo de contacto obligatorio en la página web, utiliza la expresión «*mensajes electrónicos intercambiados entre los socios y la sociedad*»[9]. Ahora bien, aunque la norma también comprende las comunicaciones electrónicas remitidas por la sociedad, *una interpretación sistemática del precepto nos lleva a sostener que el legislador exclusivamente se está refiriendo a las comunicaciones «individuales» o «singulares» que la sociedad remita a los socios* (por ejemplo, la contestación a una solicitud de información, a una petición de remisión de documentos, etc.)[10]. Esto es, no precisarían el consentimiento del socio los mensajes remitidos en masa por la sociedad a los socios con carácter general a todos ellos y con el mismo contenido ya que estos supuestos cuentan ya con una regulación específica en la LSC

---

a los socios», en AA.VV., Las reformas de la Ley de Sociedades de Capital (Real Decreto-Ley 13/2010, Ley 2/2011, Ley 25/2011 y Real Decreto Ley 9/2012), Dirs. RODRÍGUEZ ARTIGAS - FARRANDO MIGUEL - GONZÁLEZ CASTILLA, Ed. Thomson Reuters - Aranzadi, Cizur Menor, 2012, pág. 76; CRUZ RIVERO, D., «Las comunicaciones electrónicas…», *cit.*, pág. 276.

[7]　Vid. asimismo, DÍAZ MORENO, A. - JUSTE MENCÍA, J., «Apuntes de urgencia sobre la Ley 1/2012…», *cit.*, pág. 208; CRUZ RIVERO, D., «Las comunicaciones electrónicas…», *cit.*, pág. 276.

[8]　Vid. no obstante en este sentido, FARRANDO MIGUEL, I., «La página web de la sociedad…», *cit.*, pág. 76.

[9]　Como ponen de manifiesto DÍAZ MORENO, A. - JUSTE MENCÍA, J., la expresión legal utilizada sería incongruente con la indicada interpretación restrictiva del precepto (vid., «Apuntes de urgencia sobre la Ley 1/2012…», *cit.*, pág. 209).

[10]　Vid. asimismo entre la doctrina que limita la norma a estos supuestos, FARRANDO MIGUEL, I., «La página web de la sociedad…», *cit.*, pág. 76 —señalando a modo de ejemplo supuestos tales como la exigencia de pago de los desembolsos pendientes *ex* art. 81.2 LSC, la comunicación de la intención de rectificar el libro registro de socios *ex* art. 104.4 LSC, etc.—; DÍAZ MORENO, A. - JUSTE MENCÍA, J., «Apuntes de urgencia sobre la Ley 1/2012…», *cit.*, pág. 208; CRUZ RIVERO, D., «Las comunicaciones electrónicas…», *cit.*, pág. 291.

que no condiciona su eficacia al previo consentimiento del socio. Este sería el caso del régimen previsto para la difusión de la convocatoria de Junta por medios electrónicos *ex* artículo 173 LSC —supuesto que el legislador tradicionalmente ha diferenciado respecto de las comunicaciones individuales socio-sociedad—[11] en el que el consentimiento del socio se sustituye *ex lege* por un simple acuerdo mayoritario de los socios. O también los actos de difusión pública obligatoria a través de la página web corporativa en cumplimiento de la normativa societaria, en los que dicha publicación no está condicionada tampoco al previo consentimiento del socio. En este contexto se enmarca, por ejemplo, la obligación general que pesa sobre las sociedades cotizadas de disponer de una página web para atender el derecho de información de los socios y para difundir la información relevante exigida por la legislación sobre mercado de valores (art. 539 LSC) así como otras manifestaciones particulares de esta obligación tales como la de difundir en la página web el anuncio de convocatoria (art. 516 LSC) así como otras informaciones generales previas a la celebración de una Junta *ex* artículo 518 (por ejemplo, los formularios a utilizar para la delegación de voto y voto a distancia si esta posibilidad se ha contemplado en la convocatoria de Junta), etc.

Si, como ya hemos señalado, el precepto se refiere a las comunicaciones electrónicas societarias remitidas tanto por el socio como por la sociedad, *lo lógico sería que nuestro legislador hubiera hecho referencia al consentimiento del receptor de dichas comunicaciones electrónicas, tanto si se trata del socio como de la sociedad*[12]. Nuestro legislador, sin embargo, guarda un clamoroso silen-

---

[11] Nótese que esta diferenciación entre comunicaciones individuales electrónicas socio-sociedad y remisión electrónica en masa de convocatoria de Junta estaba ya presente en el modelo de estatutos-tipo de SRL que el Ministerio de Justicia aprobó con la Orden JUS/3185/2010, de 9 de diciembre (BOE n° 301, de 11 de diciembre de 2010). Por una parte, el art. 5 señala que la «*convocatoria se comunicará a los socios a través de procedimientos telemáticos, mediante el uso de firma electrónica. En caso de no ser posible se hará mediante cualquier otro procedimiento de comunicación individual y escrito que asegure la recepción por todos los socos en el lugar designado al efecto o en el que conste en el libro registro de socios.*», mientras que el art. 6 dispone que las «*comunicaciones que deba realizar la sociedad o los socios, en cumplimiento de lo dispuesto en la Ley de Sociedades de Capital [...] se realizarán a través de procedimientos telemáticos, mediante el uso de firma electrónica. En caso de no ser posible se hará mediante cualquier otro procedimiento de comunicación individual y escrito que asegure la recepción por todos los socos en el lugar designado al efecto o en el que conste en el libro registro de socios*».

[12] Vid. asimismo en este sentido, CRUZ RIVERO, D., «Las comunicaciones electrónicas...», *cit.*, págs. 276 y ss. y especialmente pág. 278 («*...lapsus del legislador, que*

cio en torno al consentimiento de la sociedad y únicamente condiciona la utilización de estos medios electrónicos de comunicación al previo consentimiento del socio, sin indicar nada más («*siempre que dichas comunicaciones hayan sido aceptadas por el socio*»). La parquedad de nuestro legislador a la hora de regular el consentimiento en las comunicaciones electrónicas socio-sociedad también suscita interrogantes tales como la forma en la que el socio debe prestar ese consentimiento, efectos de la prestación o falta de prestación del consentimiento, contenido, revocación, etc.

En primer lugar hay que señalar que, pese a que el precepto no es todo lo expresivo que debiera, *parece que la exigencia de consentimiento del socio debe entenderse referida únicamente a las comunicaciones que la sociedad le remita al socio y no a la inversa.* Así pues, no cabe duda de que la sociedad podrá comunicarse válidamente con el socio utilizando medios electrónicos si este lo ha consentido pero, incluso contando con el consentimiento del socio, ello no supone que la sociedad esté obligada a comunicarse electrónicamente con él, simplemente constituirá una opción para la sociedad; y por otra parte, aunque la sociedad autorice los medios electrónicos de comunicación en sus relaciones con los socios tampoco podrá imponerles la utilización de estos cauces de comunicación[13].

En definitiva, el precepto simplemente permite las comunicaciones electrónicas socio-sociedad pero no las impone, ni siquiera contando con el consentimiento de la sociedad y del socio en tanto que destinatarios de las comunicaciones electrónicas socio-sociedad. Así pues, *parece que el socio tendría siempre derecho a que la sociedad le remita comunicaciones bajo la forma impresa aunque haya autorizado que la sociedad pueda remitirle comunicaciones electrónicas*[14], y ello pese a que nuestro legislador, inexplicablemente, tan sólo reconoce expresamente este derecho en el ámbito de las sociedades

---

*omite la trascendencia del consentimiento de la sociedad como receptora de comunicaciones electrónicas*»).

[13]   FARRANDO MIGUEL, I., «La página web de la sociedad...», *cit.*, pág. 79; DÍAZ MORENO, A. - JUSTE MENCÍA, J., «Apuntes de urgencia sobre la Ley 1/2012...», *cit.*, pág. 210; CRUZ RIVERO, D., «Las comunicaciones electrónicas...», *cit.*, pág. 277.

[14]   Vid. asimismo, DÍAZ MORENO, A. - JUSTE MENCÍA, J., «Apuntes de urgencia sobre la Ley 1/2012...», *cit.*, pág. 210; en contra CRUZ RIVERO: «*la autorización del socio implicaría además la imposibilidad del socio de invocar el mencionado derecho a recibir la información en soporte papel*» (cfr. en «Las comunicaciones electrónicas...», *cit.*, pág. 278).

cotizadas *ex* art. 539.1 LSC[15] —derecho que, no obstante, tiene como excepción el supuesto de las solicitudes de información relativas a la junta si se encuentran disponibles en la web bajo el formato de pregunta-respuesta (FAQ) *ex* art. 520.3 LSC—[16].

Por otra parte, del tenor literal del precepto parece desprenderse también que la referencia legal a la aceptación del socio *debe entenderse* como *consentimiento individual o personalizado de cada uno de los socios*[17]. En consecuencia, para que puedan utilizarse eficazmente medios electrónicos en las relaciones entre los socios y la sociedad, no será suficiente ni un acuerdo mayoritario adoptado en Junta ni una cláusula estatutaria que imponga la

---

[15]  Art. 539 (*Instrumentos especiales de información*) Apartado 1 LSC: «*Las sociedades anónimas cotizadas deberán cumplir los deberes de información por cualquier medio técnico, informático o telemático, sin perjuicio del derecho de los accionistas a solicitar la información en forma impresa*».

[16]  Art. 520 (*Ejercicio del derecho de información del accionista*) Apartado 3 LSC: «*Cuando, con anterioridad a la formulación de una pregunta concreta, la información solicitada esté disponible de manera clara, expresa y directa para todos los accionistas en la página web de la sociedad bajo el formato pregunta-respuesta, los administradores podrán limitar su contestación a remitirse a la información facilitada en dicho formato*».

[17]  Vid. en este sentido, RECALDE CASTELLS, A. - APILÁNEZ PÉREZ DE ONRAITA, E.: «Reforma de la Ley de Sociedades de Capital y de la Ley sobre modificaciones estructurales de las sociedades mercantiles», *Diario La Ley*, núm. 7853, 8 de mayo de 2012, pág. 5; DÍAZ MORENO, A. - JUSTE MENCÍA, J., «Apuntes de urgencia sobre la Ley 1/2012…», *cit.*, pág. 209; CRUZ RIVERO, D., «Las comunicaciones electrónicas…», *cit.*, pág. 304; MELERO BOSCH, L. V.: «A propósito de la convocatoria de la junta general en las sociedades de capital no cotizadas: ¿Sistema de convocatoria tradicional o convocatoria web?», RDS, julio-diciembre, núm. 43, 2014, pág. 296. Nótese que esta opción de política legislativa ha sido cuestionada, no obstante, por un sector de la doctrina atendiendo a que reduce en la práctica la pretendida virtualidad simplificadora del precepto al implicar que la sociedad podrá comunicarse electrónicamente con algunos socios y otros no (vid. DÍAZ MORENO, A. - JUSTE MENCÍA, J., *op. ult. cit.*, pág. 209; LUCEÑO OLIVA, J. L.: «El nuevo régimen legal de la página web de la sociedad», Diario La Ley, núm. 7855, 10 de mayo de 2012, págs. 1363; MELERO BOSCH, L. V.: ult. *cit.*, pág. 296), de ahí que se haya sostenido que hubiera sido más razonable establecer un régimen unitario por la vía de su aprobación en Junta mediante la adopción de un acuerdo con mayorías cualificadas (vid. LUCEÑO OLIVA, J. L.: ult. *cit.*, pág. 1363). A nuestro entender, hoy por hoy nos parece razonable exigir el consentimiento individual de los socios habida cuenta de que no todos puede que estén familiarizados o dispuestos a utilizar los medios electrónicos de comunicación; cuestión distinta es que ciertamente el precepto no simplifica precisamente la labor de los administradores sociales ya que ello les obligará a actuar con una mayor diligencia a la hora de comunicarse con los socios.

utilización de las comunicaciones electrónicas[18] ya que, en ambos casos, los nuevos socios que ingresen en la sociedad deberán prestar también individualmente su consentimiento para que la sociedad pueda comunicarse electrónicamente con ellos[19].

En cuanto a la forma de la prestación del consentimiento, ya se ha señalado que con la nueva redacción dada al precepto por la Ley 1/2012 se suprimió la indicación de que el consentimiento del socio debe ser expreso, una opción de política legislativa que sin duda alguna favorece la utilización de las comunicaciones electrónicas entre la sociedad y los socios[20]. Ello conlleva que *dicho consentimiento podrá prestarse también a través de*

---

[18]   Nótese que, por el contrario, en el modelo de estatutos de SA publicado en la web www.notariosyregistradores.com con fecha de 3 de mayo de 2016 (vid. en http://www.notariosyregistradores.com/web/practica/modelos-escrituras/nuevo-modelo-de-estatutos-de-sociedad-anonima-que-incluyen-clausulas-telematicas/#nota-introductoria, consulta realizada el 8 de febrero de 2017) sí se considera admisible una cláusula que obligue a aceptar las comunicaciones electrónicas por el simple hecho de adquirir la condición de socio: «*Artículo 5°.- WEB CORPORATIVA. COMUNICACIONES ENTRE ACCIONISTAS Y ADMINISTRADORES POR MEDIOS TELEMÁTICOS. 1.- Todos los accionistas y Administradores, por el mero hecho de adquirir dicha condición, aceptan que las comunicaciones entre ellos y con la sociedad puedan realizarse por medios telemáticos y están obligados a notificar a la sociedad una dirección de correo electrónico y sus posteriores modificaciones si se producen. Las de los accionistas se anotarán en el Libro Registro de Accionistas. Las de los Administradores en el acta de su nombramiento*». Esta cláusula también se incluye en el modelo de estatutos de SRL, si bien para esta sociedad —y no para la SA— se propone una redacción alternativa para no entrar en conflicto con el artículo 11 *quáter* si dicha cláusula se hubiera incluido, no por unanimidad en el momento de constitución, sino mediante acuerdo mayoritario de modificación de estatutos (vid. en http://www.notariosyregistradores.com/web/practica/modelos-escrituras/nuevo-modelo-de-estatutos-de-sociedad-de-responsabilidad-limitada-que-incluyen-clausulas-telematicas/#nota, consulta realiza el 8 de febrero de 2017).

[19]   Vid. asimismo, FARRANDO MIGUEL, I., «La página web de la sociedad…», *cit.*, pág. 78; DÍAZ MORENO, A. - JUSTE MENCÍA, J., «Apuntes de urgencia sobre la Ley 1/2012…», *cit.*, pág. 209; VICENT CHULIÁ, F.: «Notas sobre convocatoria…», *cit.*, pág. 50. Así, en opinión de VICENT CHULIÁ: «*esta aceptación puede expresarse en los estatutos sociales, sea por la suscripción de los estatutos sociales como socio fundador o sea por adhesión a los mismos al ingresar en la sociedad en un momento posterior, o por modificación unánime de los estatutos en junta universal*» (cfr. «Notas sobre convocatoria e información previa a la junta en la sociedad cotizada española», RDM, núm. 287, enero-marzo, 2013, pág. 50).

[20]   Un sector de la doctrina ya había criticado la exigencia de consentimiento expreso del socio (vid. por todos, RECALDE CASTELLS, A. - APILÁNEZ PÉREZ DE ONRAITA, E.: «Reforma de la Ley de Sociedades de Capital…», *cit.*, pág. 1346).

*hechos concluyentes* (*facta concludentia*), esto es, cuando de su conducta pueda deducirse inequívocamente que se ha dado por enterado del mensaje electrónico remitido por la sociedad[21] o que permite que la sociedad puede comunicarse electrónicamente con él (por ejemplo, la sociedad podrá responder a la solicitud de información del socio contestándole a través de la dirección de correo electrónico que el socio utilizó para solicitarle información o documentación, salvo que el socio lógicamente hubiera señalado lo contrario)[22]. Aunque nuestro legislador no se pronuncia sobre el consentimiento de la sociedad para recibir comunicaciones electrónicas por parte del socio, lo más lógico será que dicho consentimiento provenga de un acuerdo de la Junta General —ya sea para incluir tal previsión en los estatutos o para impartir la correspondiente instrucción al órgano de administración—, aunque nada impide tampoco que sin el acuerdo de la Junta pueda otorgarse el consentimiento por el órgano de administración al tratarse de un acto de gestión[23]. Ahora bien hay que tener en cuenta que si la sociedad tiene página web, conforme establece el segundo inciso del precepto la sociedad obligatoriamente deberá disponer de un dispositivo de contacto que acredite tanto el contenido como la fecha de los mensajes que intercambie con el socio, por lo que no será necesario que la sociedad autorice ese cauce de comunicación electrónica con los socios.

Como estamos viendo, nuestro legislador no sólo hace referencia únicamente a la exigencia del consentimiento del socio sino que, además, tampoco dice nada sobre el carácter y contenido de ese consentimiento. No parece que el socio tenga que prestar este consentimiento aisladamente para cada una de las comunicaciones electrónicas que reciba de la sociedad. Nuestro legislador más bien está pensando en un consentimiento del socio «a futuro», consentimiento que, pese al silencio legal, podría consistir *tanto en un consentimiento general para que todas las comunicaciones de la sociedad se hagan por vía electrónica como en un consentimiento particular referido sólo a determinadas comunicaciones de la sociedad*[24]. Este consentimiento a fu-

---

[21] Vid. DÍAZ MORENO, A. - JUSTE MENCÍA, J., «Apuntes de urgencia sobre la Ley 1/2012...», *cit.*, pág. 210.

[22] *Ibidem*, CRUZ RIVERO, D., «Las comunicaciones electrónicas...», *cit.*, pág. 302.

[23] Vid. CRUZ RIVERO, D., «Las comunicaciones electrónicas...», *cit.*, pág. 301.

[24] Vid. asimismo, DÍAZ MORENO, A. - JUSTE MENCÍA, J., «Apuntes de urgencia sobre la Ley 1/2012...», *cit.*, pág. 210 —quienes, acertadamente, señalan que a falta de aceptación general, el socio también podrá aceptar caso por caso unas comunicaciones y otras no—; CRUZ RIVERO, «Las comunicaciones electrónicas...», *cit.*, pág. 302.

turo, para que sea plenamente eficaz, *debería ser también un consentimiento «actual», esto es, un consentimiento que no haya sido revocado*, aspecto sobre el que tampoco se pronuncia nuestro legislador. Pese a ello, lo más razonable es entender que el consentimiento prestado tanto por el socio como por la sociedad podrá ser objeto de revocación posterior[25], cuestión esta que, como ha puesto acertadamente de manifiesto un sector de nuestra doctrina, plantea el problema de cuáles serían sus condiciones[26]. Por regla general, habrá que entender que el consentimiento en las comunicaciones electrónicas socio-sociedad surtirá sus efectos siempre que no conste su revocación[27].

Como vamos a ver, todas estas lagunas y problemas interpretativos no se plantean en el Derecho inglés dado que cuenta con una más completa regulación jurídica en materia de comunicaciones electrónicas societarias, regulación que gira en torno al consentimiento del receptor de la comunicación, ya sea este el socio o la sociedad.

## III. EL CONSENTIMIENTO EN LAS COMUNICACIONES ELECTRÓNICAS SOCIETARIAS EN DERECHO INGLÉS (*COMPANIES ACT 2006 Y GUÍA ICSA SOBRE COMUNICACIONES ELECTRÓNICAS CON ACCIONISTAS 2014*)

### 1. *Consideraciones generales*

Aunque desde el año 2000 la *Companies Act 1985* (CA 1985) ya incluía algunas previsiones aisladas sobre los medios electrónicos de comunicación

---

[25]   Vid. CRUZ RIVERO, D., «Las comunicaciones electrónicas…», *cit.*, pág. 302.

[26]   Vid. en este sentido en cuanto a la revocación del consentimiento del socio, DÍAZ MORENO, A. - JUSTE MENCÍA, J., «Apuntes de urgencia sobre la Ley 1/2012…», *cit.*, pág. 210.

[27]   Sobre esta cuestión se pronuncia CRUZ RIVERO: «*En nuestra opinión, la revocación solo tendrá efectos una vez que haya sido conocida —o no pueda ser ignorada sin incumplir el deber de buena fe— por el destinatario de la misma. Lógicamente, esta regla general en el caso del consentimiento prestado por la sociedad habrán de añadirse las reglas propias de la oponibilidad de los actos inscribibles en el Registro Mercantil, si la alteración del consentimiento implica una modificación estatutaria. Asimismo, respecto a la página web corporativa deberá estarse a los dispuesto en el art. 11 bis Ley de Sociedades de Capital.*» (cfr., «Las comunicaciones electrónicas…», *cit.*, págs. 302 y 303).

en las relaciones de la sociedad con los socios[28], con la promulgación de la *Companies Act 2006* (CA 2006)[29] es cuando el ordenamiento inglés cuenta con una completa regulación marco sobre comunicaciones societarias electrónicas. Concretamente y para todas las sociedades de capital —tanto SRL (*Private Company*) como SA (*Public Company*)—, dentro de la Parte 37 de la Ley (*Companies: Supplementary provisions*) los arts. 1143 a 1148 regulan el envío o remisión de documentos o información con carácter general (*Sending or supplying documents or information: Sections 1143-1148*), régimen que incluye referencias específicas a las comunicaciones en formato electrónico. Esta regulación general se desarrolla en los Apéndices 4 y 5 de la Ley e incluyen igualmente disposiciones sobre el consentimiento en las comunicaciones en formato electrónico en función de que sea la sociedad la receptora de la documentación o información enviada electrónicamente (*Schedule 4: Documents and information sent or supplied to a company, Part. 3: Communication in electronic form*) o que sea su remitente (*Schedule 5: Communications by a company. Part. 3: Communication in electronic form y Part 4: Communications by means of a website*). Sobre este tema también hay que destacar la Guía de buenas prácticas sobre comunicaciones electrónicas con los accionistas realizada por el ICSA (*Institute of Chartered Secretaries and Administrators*) en su edición revisada de 2014 (Guía ICSA 2014)[30], un Instituto cuyas recomendaciones ya fueron tenidas en cuenta por el legislador inglés en el año 2000[31].

---

[28]    Y concretamente, en virtud de la *Companies Act 1985 (Electronic Communications) Order 2000* y como consecuencia de la promulgación de la *Electronic Communication Act 2000,* pero se contemplaban las comunicaciones electrónicas con los accionistas únicamente para supuestos concretos tales como la publicación vía web de los anuncios de convocatoria de Junta *ex section 369 CA 1985* (vid. AA.VV., *Palmer's company law: annotated guide to the Companies Act 2006,* London, 2007, pág. 265) o para el nombramiento electrónico de representante en la Junta previsto en la *Regulation 62 (aa)* de la *Companies (Tables A to F) Regulation 1985* en su modificación realizada en 2000 por la norma *SI 2000/3373.*

[29]    La *Companies Act 2006* (SI 2006/3428) entró en vigor el 20 de enero de 2007.

[30]    *ICSA Guidance on Electronic Communications with Shareholders 2013* (January 2014).

[31]    Cuando las previsiones sobre comunicaciones electrónicas empezaron a incluirse en el 2000 por la CA 1985, la *Regulation 115 of the Table A* fue modificada para hacer referencia expresa a la primera versión de la Guía ICSA en cuanto a la prueba de la remisión electrónica de convocatoria de Junta. Concretamente se incluyó la indicación de que «*proof that a notice contained in an electronic communication was sent in accordance with guidance issued by the Institute of Chartered Secretaries & Administrators shall be conclusive evidence that the notice was given*».

Antes de entrar a analizar la regulación legal y las recomendaciones de buenas prácticas en materia de consentimiento en las comunicaciones electrónicas entre la sociedad y los socios en el Derecho inglés, hay que tener en cuenta que el legislador se encarga de precisar desde un primer momento a qué tipo de comunicaciones le resulta aplicable este régimen legal. Concretamente, conforme establece el art. 1143 este régimen legal se aplica con carácter general a cualquier previsión de la normativa societaria que autorice o exija la remisión de documentos o información a la sociedad o por la sociedad, sin perjuicio de la sujeción a los requisitos impuestos o previsiones en contrario previstos en cualquier otra disposición y con independencia de que la normativa societaria se limite a indicar expresamente un determinado formato para la comunicación electrónica[32]. De aquí cabe extraer tres consideraciones a tener en cuenta. La primera de ellas es que *el legislador inglés determina claramente cuál es el ámbito objetivo de aplicación de este régimen legal* y lo hace haciéndolo extensivo a todas las informaciones o documentación previstas en la normativa societaria[33] —salvo que haya regulación específica o en contrario y aunque la normativa societaria haga referencia expresa a una concreta forma de comunicación—, indicación legal que se echa en falta en el art. 11 *quáter* LSC. En segundo lugar, que el legislador inglés también *parte de un ámbito subjetivo de aplicación mucho más amplio que el previsto por el legislador español*: mientras que el art. 11 *quáter* únicamente hace referencia a las comunicaciones electrónicas entre la sociedad y los «socios» —dejando fuera, por tanto, a las comunicaciones estrictamente societarias entabladas con otros sujetos (usufructuarios, obligacionistas, etc.) el legislador inglés acertadamente hace referencia a cualquier comunicación electrónica societaria en la que esté presente la sociedad, ya sea como receptora o como remitente de la información o documentación societaria. Lógicamente, el supuesto más habitual será las

---

[32]  «*Section 1143: The Company communications provisions.* [...] *(2) The company communications provisions have effect subject to any requirements imposed, or contrary provision made, by or under any enactment.* [...] *(4) For the purpose of subsection (2), provisions is not to be regarded as contrary to the company communications provisions by reason only of the fact that it expressly authorizes a document or information to be sent or supplied in hard copy form, in electronic form or by means of a website.*»

[33]  Precisamente, esta es una de las ventajas que destaca la Guía ICSA 2014 frente al régimen legal anteriormente existente que, como ya hemos señalado, sólo contemplaba las comunicaciones electrónicas para supuestos concretos: «*they allow any document or information authorised or required by the Companies Acts to be sent or supplied by or to a company to be sent electronically (rather than just those identified above)...*» (cfr. *ICSA guidance...*, *cit.*, pág. 2).

comunicaciones electrónicas socio-sociedad, de ahí que el legislador inglés haga referencia expresa en la mayoría de los casos al supuesto en el que el socio es el remitente o destinatario de la información/documentación remitida por medios electrónicos, pero también contempla previsiones específicas cuando se trata de sujetos distintos de los socios[34]. Y por último, que el legislador inglés acertadamente establece una completa regulación del consentimiento del receptor de las comunicaciones electrónicas societarias, esto es, no se limita a mencionar el requisito del consentimiento del socio como hace el legislador español en el art. 11 *quáter* sino que incluye una *completa regulación tanto del requisito del consentimiento del receptor de las comunicaciones electrónicas remitidas por la sociedad —sea socio o no— como del consentimiento de la sociedad* para la remisión de documentos/información por vía electrónica. Es más, como tendremos ocasión de ver, contempla incluso un régimen especial del consentimiento para las comunicaciones electrónicas de la sociedad vía web.

En el siguiente epígrafe vamos a analizar únicamente el consentimiento en las comunicaciones electrónicas socio-sociedad —no entre sujetos no socios y la sociedad—, una regulación que como ya se ha señalado, tiene un régimen diferenciado en función de que la sociedad sea la remitente o la receptora de la comunicación electrónica. Nótese que, a diferencia de lo que previsto por nuestro legislador en el art. 11 *quáter*, el legislador inglés sí que contempla expresamente el requisito del consentimiento de la sociedad en tanto que receptora de la comunicación remitida por medios electrónicos.

## 2. *El consentimiento de la sociedad en las comunicaciones electrónicas remitidas por el socio*

Conforme establece el apartado 1 del art. 1144 (*Section 1144 Sending or supplying documents or information*), la remisión de documentación o información a la sociedad tiene que hacerse de acuerdo con lo establecido en el Anexo 4 de la Ley (*Schedule 4 Documents or information sent or supplied to a*

---

[34]   Por ejemplo, el apartado 6 del art. 1147 señala el ámbito de aplicación del precepto («*This section has effect subject to…*») en función de que la sociedad remita documentación/información a sus socios («*to its members*»), obligacionistas («*debentures holders*») o cualquier otra persona («*to a person otherwise than in his capacity as a member or debenture holder*»).

*company*)[35]. La Parte tercera de este Anexo es la que contiene concretamente el régimen de las comunicaciones electrónicas remitidas a la sociedad (*Part. 3 Communications in electronic form*). Así pues, para que la remisión de información o documentación en formato electrónico a la sociedad sea válida es necesario contar con el consentimiento de la sociedad en los términos que se indican en la Subsección 6 (*Conditions for use of communications in electronic form*). Esta Subsección contempla dos posibles modalidades de consentimiento prestado por la sociedad.

En principio, es necesario que la sociedad haya prestado su consentimiento para el envío de comunicaciones electrónicas, *consentimiento (expreso) que puede ser tanto general como especial y siempre que no haya sido revocado por la sociedad*[36], aspectos estos sobre los que nuestro legislador guarda un clamoroso silencio. El precepto no exige un consentimiento expreso, pero así se interpreta por la doctrina[37] seguramente en contraposición con la otra modalidad de consentimiento prevista por el legislador. En cualquier caso, alternativamente para determinados supuestos es también posible que se entienda que la sociedad ha otorgado su *consentimiento (consentimiento pre-*

---

[35]    Nótese que, conforme establece el apartado 3 del precepto, el Anexo 5 es aplicable a las comunicaciones que remita una sociedad a otra sociedad y, en consecuencia, no le resulta aplicable este Anexo 4 a las comunicaciones electrónicas entre una sociedad-socio y la sociedad (vid. KOSMIN, L. - ROBERTS, C., *Company meetings and resolutions. Law, practice and procedure*, Oxford, 2ª ed., 2013, parag. 18.47, pág. 298).

[36]    «*(6) A document or information may only be sent or supplied to a company in electronic form if- a) the company has agreed (generally or specifically) that the document or information may be sent or supplied in that form (and has not revoked that agreement), or ...*». Como se pone de manifiesto en la Guía ICSA 2014, la referencia legal a un consentimiento «general» o «especial» debe entenderse como referido a cualquier tipo de documentación/información con character general o, por el contrario, a algún documento o parte de un document en particular: «*This is not a reference to general meetings but is simply drawing a distinction between a general consent which relates to all documents or information as opposed to a specific consent relating to a specific document or piece of document by the Company.*» (cfr. *ICSA guidance...*, *cit.*, pág. 5).

[37]    En este sentido se pronuncia KOSMIN y ROBERTS cuando se refieren al consentimiento exigido al receptor de la comunicación electrónica remitida por la sociedad *ex* apartado 6, Parte 3 del Anexo 5 CA 2006, una disposición que se expresa en los mismos términos que el apartado que analizamos del Anexo 4: «*It is important to note that both the prior and continuing agreement of a person to receive documents or information in electronic form is a prerequisite of this method of communication by a company. [...] ...that person must give their specific permission in accordance with the requirements of Sch 5, Part 3, para 6(a)*» (cfr. *Company meetings and resolutions...*, *cit.*, parag. 18.58, pág. 300).

*sunto) conforme a lo establecido por la normativa societaria*[38]. Este es el caso, por ejemplo, de los dos supuestos de consentimiento presuntos contemplados en el art. 333 CA (*Section 333 Sending documents relating to meetings etc in electronic form*). El primero de ellos tiene un carácter general y se describe en el Apartado 1 de la norma: Si una sociedad incluye su dirección electrónica[39] en el anuncio de una JG se entiende que acepta que cualquier documento o información relativa a la celebración de esa Junta puede hacerse por medios electrónicos a la dirección indicada (por ejemplo, solicitud de información o petición de remisión de documentación relativa a la celebración de una Junta, etc.), aunque estaría sometido a posibles limitaciones o condiciones indicadas en la propia convocatoria de la Junta[40] —por ejemplo, indicando claramente en la convocatoria que el número de teléfono facilitado es únicamente para solicitar información—[41]. El otro se contempla en el Apartado segundo y hace referencia al supuesto particular de la delegación del voto por medios electrónicos: si una sociedad facilita su dirección electrónica en un instrumento de representación o en una solicitud de representación en la Junta[42] se entiende que la sociedad acepta que cualquier documentación o información relativa a la representación en

---

[38]   *(6) A document or information may only be sent or supplied to a company in electronic form if- b) the company is deemed to have so agreed by a provision in the Companies Acts.* Así pues como indica la doctrina «*Alternatively, a document or information may be sent or supplied in electronic form where the company is deemed to have agreed to be sent or supplied documents or information in electronic form by a specific provision in the Companies Acts. There are a number of provisions under A 2006 where a company will be deemed to have agreed to accept communications at an electronic address*» (cfr. KOSMIN, L. - ROBERTS, C., *Company meetings and resolutions...*, *cit.*, parags. 18.40 y 18.41, pág. 296).

[39]   El apartado 4 de la norma indica que el término «dirección electrónica» ha de entenderse como cualquier dirección o número utilizado con el objetivo de enviar o recibir documentación o información por medios electrónicos. En consecuencia, en la convocatoria podría incluirse un número de fax, una dirección de correo electrónico o, incluso, un número de teléfono (cfr. *ICSA guidance...*, *cit.*, pág. 4).

[40]   «*333 Sending documents relating to meetings etc in electronic form (1) Where a company has given an electronic address in a notice calling a meeting, it is deemed to have agreed that any document or information relating to proceedings at the meeting may be sent by electronic means to that address (subject to any conditions or limitations specified in the notice)*».

[41]   Supuesto indicado a modo de ejemplo en la Guía ICSA 2014 (cfr. *ICSA guidance...*, *cit.*, pág. 5).

[42]   Nótese que, conforme precisa el apartado 3 de precepto, a los efectos de este art. la documentación relacionada con la representación incluye tanto el nombramiento de representante en la Junta, como cualquier documento necesario para acreditar la validez —o cualquier otro extremo— del nombramiento de representante así como la revocación del mismo.

esa Junta puede hacérsele llegar por medios electrónicos a esa dirección (posibilidad sometida también a las posibles limitaciones o condiciones indicadas en la propia convocatoria de la Junta)[43].

Nótese que, con buen criterio y a diferencia de lo que ocurre en el Derecho español, el art. 333A —introducido en la CA 2006 por la norma de trasposición de la Directiva 2007/36/CE, de 11 de julio de 2007, sobre determinados derechos de los accionistas en sociedades cotizadas—[44] señala que las sociedades cotizadas (*Traded Companies*) están obligadas a incluir dicha dirección electrónica en los documentos de representación[45] y, por tanto, están obligadas a aceptar delegaciones del voto en formato electrónico[46].

### 3. El consentimiento del socio en las comunicaciones electrónicas remitidas por la sociedad

El Apartado 2 del art. 1144 indica que los documentos o información que remita una sociedad debe realizarse conforme a lo previsto en el Anexo 5 de la CA 2006 (*Schedule 5 Communication by a company*). Este Anexo 5 contempla tanto un régimen general de las comunicaciones electrónicas

---

[43]    «*333 Sending documents relating to meetings etc in electronic form*
*(2) Where a company has given an electronic address*
*a)    in an instrument of proxy sent out by the company in relation to the meeting, or*
*b)    in an invitation to appoint a proxy issued by the company in relation to the meeting it is deemed to have agreed that any document or information relating to proxies for that meeting may be sent by electronic means to that address (subject to any conditions or limitations specified in the notice).*»

[44]    Art. 333 A CA 2006 introducido por la norma de trasposición *Companies (Shareholders' Rights) Regulation 2009*, con efectos desde el 3 de agosto de 2009.

[45]    *Section 333A Traded company: duty to provide electronic address for receipt of proxies etc*
*(1) A traded company must provide an electronic address for the receipt of any documents or information relating to proxies for a general meeting.*
*(2) The company must provide the address either*
*a)    by giving it when sending out an instrument of proxy for the purpose of the meeting or issuing an invitation to appoint a proxy for those purpose; or*
*b)    by ensuring that it is made available, throughout the period beginning with the first date on which notice of the meeting is given and ending with the conclusion of the meeting, on the website on which the information required by section 311A(1) is made available.*
*(3) The company is deemed to have agreed that any document or information relating to proxies for the meeting may be sent by electronic means to the address provided (subject to any limitation specified by the company when providing the address).*

[46]    Vid sobre el particular en KOSMIN, L. - ROBERTS, C., C*ompany meetings and resolutions...*, *cit.*, parag. 18.42, pág. 297.

remitidas por la sociedad (*Part 3 Communication in electronic form*) como un régimen específico para las comunicaciones remitidas por la sociedad a través de su web (*Part 4 Communications by means of a website*), un régimen que también se articula en torno al consentimiento del socio pero con peculiaridades relevantes al consentimiento exigido a la sociedad. Hay que tener también en cuenta que, a diferencia de lo que ocurre en el Derecho español, el legislador inglés también se encarga de precisar que el *socio que haya recibido una información/documentación por medios electrónicos tiene derecho, en cualquier caso, a solicitar una copia por escrito,* de forma gratuita y en el plazo de 21 días contados desde que la sociedad reciba tal petición[47]

En cuanto a los requisitos exigidos con carácter general para las comunicaciones electrónicas remitidas por la sociedad[48], la Subsección 6 de la Parte 3 (*Agreement to communications in electronic form*) también contempla dos modalidades de consentimiento pero aquí, a diferencia de lo que acontece para las comunicaciones electrónicas remitidas a la sociedad, no operan alternativamente sino en función de quién sea el destinatario de la comunicación electrónica societaria. Así pues, en principio la remisión electrónica por la sociedad de información/documentación requiere el consentimiento del socio —*rectius*: del destinatario, sea socio o no destinatario («*to a person*»)—, consentimiento que el legislador enuncia en los mismos términos que la primera modalidad de consentimiento de la sociedad ya vistos en el epígrafe anterior[49]; esto es, lo supedita al previo *consentimiento (expreso) del receptor tanto si tiene un carácter general como específico y siempre que no haya sido revocado*[50]. Ahora bien, *si el destinatario de la comunicación electrónica es concretamente una sociedad* («*to a company*») —socia o no de la sociedad remitente— el envío también será válido[51] *si se entiende que lo ha aceptado conforme a lo previsto en la normativa societaria*[52] (supuestos

---

[47]  Cfr. *Section 1145 Right to hard copy versión* CA 2006.

[48]  Dentro de esta categoría se incluyen, además de la web, supuestos tales como el correo electrónico, mensajes SMS, etc. (cfr. *ICSA guidance...*, *cit.*, pág. 6).

[49]  «*6 A document or information may only be sent or supplied by a company in electronic form (a) to a person who has agreed (generally or specifically) that the document or information may be sent or supplied in that form (and has not revoked that agreement) or...*».

[50]  Vid. KOSMIN, L. - ROBERTS, C., *Company meetings and resolutions...*, *cit.*, parag. 18.58, pág. 300.

[51]  Cfr. KOSMIN, L. - ROBERTS, C., *Company meetings and resolutions...*, *cit.*, parag. 18.59, pág. 300.

[52]  «*6 A document or information may only be sent or supplied by a company in electronic form (b) to a company that is deemed to have so agreed by a provision in the Companies Acts*».

legales de consentimiento presunto). Pero no sólo es necesario el consentimiento previo del destinatario de la comunicación electrónica remitida por la sociedad, también *tiene que remitirse a una concreta dirección electrónica*: en principio, a la «dirección» (electrónica)[53] indicada a estos efectos por el destinatario —ya sea para la recepción electrónica de cualquier tipo de información/documento o sólo para alguno de ellos— o, si el destinatario es una sociedad, a la dirección (electrónica) que se considera por la normativa societaria que ha sido indicada[54]. En consecuencia, si no hay consentimiento o el socio no facilita una dirección la sociedad estaría obligada a remitirle cualquier información/documentación por escrito[55].

Como ya se ha señalado, junto a este régimen general el Derecho inglés también contempla en la Parte 3 del Anexo 5 un *régimen particular para la remisión de documentación/información a través de la web de la sociedad*. Conforme establece el Apartado 9[56], para que el envío a través de la web sea válido es necesario contar con un *consentimiento individual del socio y que no haya sido revocado, consentimiento que puede ser tanto un consentimiento (expreso)[57] general o referido a determinada documentación/información como un consentimiento presunto*. Esta exigencia de consentimiento individual del socio para el uso

---

[53]　Nótese que, conforme establece el art. 1148, a los efectos de la regulación sobre comunicaciones societarias, el término «dirección» incluye un número o dirección utilizado para enviar o recibir documentos o información por medios electrónicos.

[54]　*«Address for communications in electronic form*
*7 (1) Where the document or information is sent or supplied by electronic means, it may only be sent or supplied to an address*
*(a) specified for the purpose by the intended recipient (generaly or specifically), or*
*(b) where the intended recipient is a company, deemed by a provision of the Companies Acts to have been so specified».*

[55]　*«Where the individual does not agree or fails to provide an address, hard copy must be sent»* (cfr. *ICSA guidance...*, *cit.*, pág. 6).

[56]　*«Agreement to use of web*
*9 A document or information may only be sent or supplied by the company to a person by being made available on a website if the person*
*(a) has agreed (generally or specifically) that the document or information may be sent or supplied to him in that manner, or*
*(b) is taken to have so agreed under*
*(i) paragraph 10 (members of the company etc) or ...*
*And has not revoked that agreement.»*

[57]　Como en los supuestos anteriormente indicados, aquí también se entiende que se trata de un consentimiento expreso (vid. KOSMIN, L. - ROBERTS, C., *Company meetings and resolutions...*, *cit.*, parag. 18.63, pág. 301; *ICSA guidance...*, *cit.*, pág. 6).

de la web contrasta con la solución adoptada por nuestro legislador en el art. 11 *bis* 2 LSC en el que, como es sabido, la creación y posterior uso de la web está condicionada a su aprobación mediante acuerdo mayoritario en Junta. Especialmente cabe destacar la regulación legal de este consentimiento presunto para las comunicaciones societarias vía web así como la interpretación que se hace de ella en la Guía ICSA.

Para que pueda operar este consentimiento presunto, con carácter previo es necesario que haya una *autorización (colectiva) de los socios para que la sociedad pueda facilitar documentación/información a través de la web*[58], ya sea mediante la aprobación de un acuerdo[59] o a través de su previsión estatutaria —Apartado 10 (2)—. Esta previsión está en la línea de nuestro art. 11 *bis* 2 LSC, pero, junto a este presupuesto de hecho, también deben concurrir una serie de condiciones para que se entienda que el socio ha dado su consentimiento. Por una parte, el Apartado 10 (3) exige que se den dos condiciones acumulativas. En concreto, se considera que el socio autoriza que le faciliten documentación/información a través de la web si 1) la sociedad le ha preguntado *individualmente* si consiente que le facilite documentación/información a través de la web; y 2) la sociedad no recibe respuesta en el plazo de 28 días contados desde el envío de la solicitud. Se trata, en definitiva, de un supuesto de consentimiento presunto por la vía del silencio positivo, una opción de política legislativa orientada claramente a facilitar al máximo las comunicaciones electrónicas de la sociedad vía web obviando el inconveniente de que el socio tenga que pronunciarse expresamente sobre ello[60]. Ahora bien, esta solicitud de consentimiento debe además cumplir los requisitos objetivos y temporales previstos en el Apar-

---

[58]    Estrictamente el precepto no indica expresamente que se trata de un requisito que deba cumplirse con carácter previo al cumplimiento de las demás condiciones previstas en la norma (vid. *ICSA guidance...*, *cit.*, pág. 10), pero así se interpreta por la mayoría de la doctrina (vid. KOSMIN, L. - ROBERTS, C., *Company meetings and resolutions...*, *cit.*, parag. 18.68, pág. 302; AA.VV., *Palmer's company law...*, *cit.*, pág. 954).

[59]    Nótese que, conforme precisa el Apartado 10 (5), no se trata de un acuerdo ordinario sino de un acuerdo especial sometido al régimen previsto en la Parte 3 del Capítulo 3 CA 2006, arts. 29 a 30 («*Resolutions affecting a company's constitution*».). Ello tiene como consecuencia que una copia de deste acuerdo debe remitirse al *Registrar of Companies*.

[60]    De hecho, la doctrina pone de manifiesto que este consentimiento presunto se incorpora en la CA 2006 ante la dificultad de obtener en la práctica el consentimiento expreso del socio (vid. KOSMIN, L. - ROBERTS, C., *Company meetings and resolutions...*, *cit.*, parag. 18.648, pág. 301).

tado 10(4), unos requisitos que conllevan, *de facto*, que los administradores sociales tengan que extremar su diligencia a la hora de hacer la solicitud de consentimiento a los socios[61]. Y es que, aunque se haga la solicitud de consentimiento en plazo, no se va a entender que el socio ha prestado su consentimiento si no se indica claramente en la solicitud cuáles son los efectos de la falta de respuesta[62] o si se ha realizado en menos de 12 meses tras haber remitido una solicitud de consentimiento para el mismo o similar documento/información. Este último requisito se interpreta por el Instituto de Secretarios y Administradores Colegiados en el sentido de que lo que prohíbe estrictamente la norma es sólo que en más de una ocasión cada 12 meses puedan remitirse peticiones de esta naturaleza a los accionistas pero no que durante ese período y con la frecuencia que quieran pueda animar e invitar a los accionistas a utilizar los medios electrónicos de comunicación[63]. Se trata de una sutil diferencia que, como ha puesto de manifiesto la doctrina, requiere gran habilidad por parte de los administradores si no quieren frustrar la obtención de ese consentimiento presunto[64].

---

[61]   Indirectamente la doctrina alude a esta cuestión cuando señala que «*Accordingly, it will be important for officers of a company to keep an accurate record of when requests have been sent to members and also how the member has reacted to such a request*» (cfr. KOSMIN, L. - ROBERTS, C., *Company meetings and resolutions...*, *cit.*, parag. 18.71, pág. 303).

[62]   A modo de ejemplo, la doctrina señala que sería suficiente una solicitud del siguiente tenor: «*Usted debe devolver este formulario durante/dentro de [una fecha concreta] o se entenderá que ha aceptado recibir futuras comunicaciones a través de la web*»(cfr. KOSMIN, L. - ROBERTS, C., *Company meetings and resolutions...*, *cit.*, parag. 18.70, pág. 302).

[63]   «*Companies need to leave at least 12 months between making request of this nature to shareholders in respect of the same or a similar class of documents or information (any number of other communications in the year encouraging sign up to electronic communications is acceptable; it is the process of deeming agreement from a non-response that can only be applied annually.[...] It is anyway our view that, in normal circumstances, recommended best practice is to consult no more frequently than every other mailing cycle. This is because we do not believe that those that want hard copy should be unduly pestered by the company into having to reaffirm this preference too often. To be clear, there is nothing to prevent you encouraging and inviting shareholders to sign up to electronic communications as often as you like and as part of all your shareholder mailings; you simply cannot deem agreement to website from a non-response more than once every 12 months.*» (cfr. *ICSA guidance...*, *cit.*, págs. 6 y 12, respectivamente).

[64]   Vid. KOSMIN, L. - ROBERTS, C., *Company meetings and resolutions...*, *cit.*, parag. 18.72, pág. 302.

# IV. CONCLUSIONES

En el año 2012, más de 10 años después de la paulatina incorporación de los medios de comunicación electrónicos en nuestro Derecho societario —jalonado, además, de continuas reformas y contrarreformas—, se incluye entre las disposiciones generales de nuestra LSC el art. 11 *quáter* bajo la rúbrica *«Comunicaciones por medios electrónicos»*. El precepto, lejos de establecer un régimen completo y clarificador del consentimiento en las comunicaciones electrónicas entre la sociedad y los socios, resulta insuficiente además de que no está adecuadamente concordado con otros preceptos de la LSC, evidenciándose con ello una falta de coherencia interna del sistema que no contribuye precisamente a incentivar el uso de las comunicaciones electrónicas en las relaciones de la sociedad con sus socios. Ello explica las numerosas carencias y cuestiones jurídicas que suscita el precepto (ámbito de aplicación del requisito del consentimiento del socio, sus características, contenido y revocación, papel del consentimiento de la sociedad, etc.). Esta situación contrasta con la existente en el Derecho inglés tras la promulgación de la CA 2006, que incluye una completa regulación de las comunicaciones electrónicas societarias y, especialmente, en materia de consentimiento del receptor de las comunicaciones electrónicas societarias —ya sea el socio o la sociedad— contemplando, incluso, supuestos legales de consentimiento presunto tanto por parte de la sociedad como del socio. Si nuestro legislador verdaderamente quiere fomentar el uso de los medios electrónicos de comunicación en las relaciones societarias, debería tomar buena nota de este régimen legal.

## Bibliografía

AA.VV., *Palmer's company law: annotated guide to the Companies Act 2006*, London, 2007.
CRUZ RIVERO, D., *Las comunicaciones electrónicas entre la sociedad y los socios*, RDM, núm. 291, enero-marzo, 2014, págs. 267-309.
DÍAZ MORENO, A. JUSTE MENCÍA, J., «Apuntes de urgencia sobre la Ley 1/2012, de 22 de junio, de simplificación de las obligaciones de información y documentación de fusiones y escisiones de sociedades de capital», *Revista de Derecho de Sociedades*, núm. 39, julio-diciembre, 2012, págs. 199-228.
FARRANDO MIGUEL, I., «La página web de la sociedad y las comunicaciones electrónicas a los socios», en AA.VV., *Las reformas de la Ley de Sociedades de Capital (Real Decreto-Ley 13/2010, Ley 2/2011, Ley 25/2011 y Real Decreto Ley 9/2012)*, Dirs. RODRÍGUEZ ARTIGAS - FARRANDO MIGUEL - GONZÁLEZ CASTILLA, Ed. Thomson Reuters - Aranzadi, Cizur Menor, 2012.
ICSA, *Guidance on Electronic Communications with Shareholders 2013*. Documento interno del *Institute of Chartered Secretaries and Administrators*, Londres, enero 2014.

KOSMIN QC LESLIE - ROBERTS, CATHERINE, *Company meetings and resolutions. Law, practice and procedure*, Oxford, 2ª ed., 2013.

LUCEÑO OLIVA, J. L.: «El nuevo régimen legal de la página web de la sociedad», *Diario La Ley*, núm. 7855, 10 de mayo de 2012, págs. 1362-1363.

MELERO BOSCH, LOURDES V.: «A propósito de la convocatoria de la junta general en las sociedades de capital no cotizadas: ¿Sistema de convocatoria tradicional o convocatoria web?», *Revista de Derecho de Sociedades*, julio-diciembre, núm. 43, 2014, págs. 255-302.

RECALDE CASTELLS, A. - APILÁNEZ PÉREZ DE ONRAITA, E.: «Reforma de la Ley de Sociedades de Capital y de la Ley sobre modificaciones estructurales de las sociedades mercantiles», *Diario La Ley*, núm. 7853, 8 de mayo de 2012, págs. 4-9.

VICENT CHULIÁ, F.: «Notas sobre convocatoria e información previa a la junta en la sociedad cotizada española», *Revista de Derecho Mercantil*, núm. 287, enero-marzo, 2013, págs. 29-61.

# 9. Algunas cuestiones sobre usufructo de acciones y participaciones sociales y ejercicio de los derechos de socio

## Mª BELÉN GONZÁLEZ FERNÁNDEZ

*Profesora Titular de Derecho Mercantil*
*Universidad de Málaga*

## I. LA TRANSMISIÓN SEPARADA DE LOS DERECHOS DE SOCIO: EL DERECHO DE USUFRUCTO COMO MECANISMO A TALES EFECTOS

Las acciones y participaciones de las sociedades de capital cumplen, como sabemos, una doble función: de un lado, sirven de vehículo para la correcta integración de capital social mediante las aportaciones que cada socio realiza en el momento en el que las suscribe o las asume; y, de otro, confieren a su titular, es decir, a quien sea su propietario, la condición de socio (art. 91 TRLSC).

Tener la condición de socio implica situarse en una determinada posición frente a la sociedad, posición que está integrada por un conjunto de derechos y obligaciones inherentes a la misma a los que comúnmente llamamos estatuto personal del socio. Como tal estatuto personal, los derechos y obligaciones que lo integran sólo corresponderán a quien tenga esa condición. Inherentes a la condición de socio quiere decir, además, que todo socio ostentará estos derechos por el solo hecho de serlo. Bastará ser titular de una sola participación o de una sola acción para ostentar estos derechos en la sociedad en cuestión.

Los que constituyen derechos inherentes a la condición de socio son también, precisamente por ello, derechos inseparables, indisociables o inescindibles de tal condición si los consideramos en abstracto, que es como los recoge el artículo 93 TRLSC[1]. Es decir, no puede quien sea socio no ostentarlos por su exclusiva voluntad, ni reservárselos para sí al transmitir sus participaciones o acciones. Distinto es que, una vez concretado el contenido de alguno de esos derechos, por ejemplo, el contenido exacto del derecho de suscripción preferente de nuevas acciones tras un acuerdo específico de aumento del capital social, ese derecho concreto pueda ser separado de la titularidad de la acción y transmitido aisladamente a quien ni siquiera sea accionista[2].

La disposición de los derechos de socio a favor de terceros es, en cualquier caso, una cuestión controvertida[3], respecto de la cual podríamos plantearnos no sólo su posibilidad, sino también y, en caso de que la admitamos, la vía por la que podrá llevarse a cabo tal disposición (transmisión directa, constitución de derechos reales sobre las acciones y participaciones) y los derechos, en concreto, de los que podrá disponerse (todos o sólo los que indica el TRLSC o sólo los que implican un derecho de crédito económico frente a la sociedad).

Respecto a esta última cuestión existen claros pronunciamientos en el sentido de que es posible la transmisión, separada de la condición de socio,

---

[1]     Sobre la trascendencia de esta inescindibilidad de los derechos del socio v. DÍAZ MORENO, A., «Participaciones sociales y acciones (Artículo 90)», en *Comentario de la ley de sociedades de capital*, Tomo I, Rojo A./ Beltrán E. (dirs.), Civitas, Madrid, 2011, págs. 767 y ss.; PEINADO GRACIA, J. I., «Principios y derechos del socio (significado y límites de la condición de socio)» en *Accionistas minoritarios. Cuadernos de Derecho para Ingenieros*, Cremades, J./ Peinado, J. I. (coords.), La Ley, 2011, págs. 71 y ss.; SÁNCHEZ RUIZ, M., «Usufructo de acciones y participaciones sociales» en *Tratado de usufructo*, La Ley, 2016, págs. 834 y ss.

[2]     El propio TRLSC recoge esta posibilidad en su artículo 306.2. Para el caso concreto del derecho al dividendo, también como concreción del derecho a participar en las ganancias sociales, v. PANTALEÓN PRIETO, F., «Las acciones: Copropiedad, usufructo, prenda y embargo (Artículos 66 a 73 de la Ley de Sociedades Anónimas)», en *Comentario al régimen legal de las sociedades mercantiles*, Uría, R., / Menéndez, A.,/Olivencia M. (dirs.), Tomo IV, Vol. 3º, Civitas, 1992, págs. 27 y ss.

[3]     Más aún cuando lo que se pretende escindir de la condición de socio es un derecho político. Es muy interesante el trabajo de IRIBARREN., M., «La reserva de los derechos políticos en la compraventa de acciones con precio aplazado», *Revista de Derecho Mercantil*, núm. 290, 2013, 271 y ss.

de los derechos del mismo que tienen un carácter económico[4] (lo tendría, por ejemplo, el derecho al dividendo ya acordado —concreción del derecho a participar en el reparto de las ganancias de la sociedad— y no el derecho de voto, por ejemplo) o, dicho de otra forma, los que representan un derecho de crédito del socio contra la sociedad. Parece lógico que la transmisión separada de estos derechos sea más fácilmente admisible por lo siguiente: cuando se transmite un derecho de carácter económico se transmite realmente una facultad cuyo ejercicio afecta fundamentalmente a los intereses personales del socio, a su particular esfera patrimonial. Por el contrario, al transmitir un derecho político se estaría transmitiendo la posibilidad de influir en la marcha de la sociedad, en sus decisiones, lo que necesariamente va a afectar a terceros y, fundamentalmente, al resto de los socios. En todo caso la cuestión no es pacífica porque, a la postre, todos los derechos constituyen un valor patrimonial para el socio y representan un sumando en el valor final de su participación en la sociedad.

En cuanto a la vía por la que podrían transmitirse separadamente los derechos de socio, habría que tener en cuenta lo que sigue. La condición de socio deriva de ser parte, original o sobrevenida, del contrato de sociedad. Si aceptamos que el socio tiene la libre disposición de todos los derechos estamos considerando exclusivamente la relación entre el socio y sus facultades y, con ello, desconociendo que esos derechos tienen una contraparte (la sociedad). Considerar que el socio es libre para disponer individualmente de sus derechos es reconocer efectos *erga omnes* al negocio de transmisión que lleve a cabo[5], pues éste no sólo repercutirá sobre transmitente y adquirente, sino también sobre la sociedad y sobre el resto de los socios. Estas consecuencias son ajenas al ámbito de las normas de obligaciones y contratos.

La solución legal no es, sin embargo, negar que en algún caso se puedan separar facultades propias de la condición de socio en diferentes titularidades o, al menos, en diferentes legitimaciones de ejercicio o titularidades temporales. El mismo ordenamiento da una salida a esta situación reconduciendo la disponibilidad de los derechos del socio a los instrumentos

---

[4]    Así PAZ-ARES, C., «Artículo 1696», *Comentario del Código Civil*, Tomo I, Paz-Ares Rodríguez, C./ Díez-Picazo Ponce de León, L./ Bercovitz, R./ Salvador Coderch, P. (dirs), Ministerio de Justicia, 1991, pág. 1475. V. también la RDGRN de 9 diciembre 1997.

[5]    Como señala PEINADO GRACIA, J. I., «Principios y derechos del socio (significado y límites de la condición de socio)», *op. cit.*, pág. 72.

legales propios de cuando se pretende una eficacia *erga omnes*: los derechos reales (arts. 126 a 132 LSC).

Efectivamente, el propio TRLSC tiene previstos ciertos mecanismos que, en última instancia, pueden facilitar la transmisión de todos o sólo de algunos de los derechos y, en definitiva, que permiten la disposición de los mismos a favor de un tercero: la posibilidad de constituir derechos reales limitados de usufructo o de prenda sobre las participaciones sociales o las acciones aprovechando su eficacia *erga omnes*.

Ahora bien, mediante estos mecanismos, también por previsión legal, el poder de disposición del socio estará limitado por lo que establezcan los estatutos como norma básica de regulación de las relaciones entre socio y sociedad (arts. 127 y 132 TRLSC). Serán los estatutos sociales los que determinen cómo podrá concretarse esa posible escisión de algún derecho derivado de la condición de socio. Las partes podrán pactar en otro sentido, pero no podrán hacer valer frente a la sociedad el acuerdo, salvo que ésta voluntariamente lo consienta. En los derechos del socio el sujeto pasivo del derecho (dividendo, voto o cualquier otro) es la sociedad, que no tiene en principio que reconocer legitimación activa para el ejercicio a nadie más que al socio, salvo que así lo disponga la ley o los estatutos. No es pues la relación entre el socio y un tercero la que puede delimitar libremente la distribución de derechos, sino una norma estatutaria donde se regulan las relaciones del socio con la sociedad.

Todo lo anterior nos lleva a poder afirmar que quien es titular de acciones y participaciones sociales puede disponer de los diferentes derechos que le atribuye la condición de socio. Puede hacerlo por vía contractual y sus acuerdos vincularán a los contratantes como tales, es decir, como partes de un contrato, pero en absoluto serán oponibles a la sociedad, que podrá negar, por ejemplo, el derecho de asistencia a junta, voto, información, etc. al cesionario de los derechos. Puede también constituir derechos reales sobre sus acciones o participaciones que, como tales, serán oponibles a terceros como la sociedad, pero en los términos en que establezca la norma de la propia sociedad, es decir, los estatutos sociales. La sociedad podrá incluso rehusar la prestación exigida a cualquier tercero, aunque éste acredite suficientemente su relación con el socio, si el derecho que pretende ejercer no le viene asignado por los estatutos sociales o por la norma dispositiva en su defecto, quedando pues al tercero como única vía la exigencia al socio de indemnización por el daño causado.

A pesar de ello, no podemos desconocer que en el mercado encontramos supuestos en los que se admite esta segregación de la posición del socio en diversas posiciones, fundamentalmente en el ámbito de las sociedades anónimas y, particularmente, de las sociedades anónimas cotizadas. Pero tales prácticas obedecen en realidad a que el accionista no lo es más que con carácter fiduciario o profesional, en cuyo caso, el ejercicio de los derechos que se le atribuyen lo lleva a cabo en función de los titulares reales por cuya cuenta actúa, personalmente o a través, a su vez, de distintos representantes, que pueden ser incluso esos mismos titulares reales[6].

Dedicamos este trabajo a una de las vías de transmisión de derechos separada de la titularidad de las acciones o participaciones sociales legalmente previstas, la constitución sobre las mismas de un derecho real de usufructo, y a las consecuencias y problemas de orden práctico que en relación con las acciones o participaciones usufructuadas se vienen reflejando más recientemente en nuestra jurisprudencia o pueden empezar a aparecer.

El usufructo de acciones o participaciones sociales consiste, conforme a la definición general que de este derecho ofrece el artículo 467 C.C., en el derecho a disfrutar de las acciones o participaciones de una sociedad anónima o limitada que son de la titularidad de otra persona. Ese derecho de *disfrute* parece naturalmente vinculado a la posibilidad de apropiarse de los frutos o beneficios de la sociedad que esas acciones o participaciones reportan como consecuencia del derecho de todo socio a participar en los mismos (art. 93 TRLSC) y, de hecho, fundamentalmente es así. Pero, como veremos, no necesariamente tiene que ceñirse a eso. El disfrute de las acciones o participaciones puede alcanzar también al resto de los derechos derivados de la condición de socio.

## II. LA CONSTITUCIÓN DEL DERECHO DE USUFRUCTO

La constitución de un derecho de usufructo sobre acciones o participaciones sociales puede ser contemplada desde una doble perspectiva, material y formal.

---

6　En relación con los llamados accionistas «profesionales», v. los artículos 522 y 524 TRLSC, que provienen de la Directiva 2007/36/CE del Parlamento Europeo y del Consejo, de 11 de julio de 2007, sobre el ejercicio de determinados derechos de los accionistas de sociedades cotizadas, recientemente modificada por la Directiva (UE) 2017/828 del Parlamento Europeo y del Consejo, de 17 de mayo de 2017, por la que se modifica la Directiva 2007/36/CE en lo que respecta al fomento de la implicación a largo plazo de los accionistas.

Desde un punto de vista material o de cuál sea su eficacia, la constitución del usufructo representa una transmisión, si bien con efectos limitados o restringidos, de las participaciones sociales o acciones sobre las que recae. Es decir, con la constitución del usufructo no se transmite la acción o la participación y, con ello, la condición de socio que incorpora, pero sí la posibilidad de ejercitar o disfrutar algunos de los derechos que la misma conlleva. Consecuentemente con esto, es entre las normas societarias sobre transmisión de acciones y participaciones entre las que se encuentran muchas de las reglas relativas a la constitución del usufructo y otros derechos reales limitados sobre las mismas. Entendemos con ello, que también las restricciones tanto legales como estatutarias que puedan establecerse en cuanto a la transmisión de acciones o participaciones (prohibición de transmitir antes de la inscripción de la sociedad en el Registro Mercantil, necesidad de autorización de la sociedad cuando las acciones o participaciones en cuestión lleven aparejadas prestaciones accesorias, etc.) resultan de aplicación a la constitución del usufructo. Puede pensarse que esta afirmación constituye una interpretación extensiva de reglas restrictivas de derechos cuando, sin embargo, el supuesto de hecho al que se aplican no es exactamente el mismo[7]. No podemos negar que sea así, pero no es menos cierto que, si bien con la constitución del usufructo a favor de un tercero no se va a producir la transmisión de la condición de socio (efectivamente, el supuesto de hecho no es el mismo), sí que ocurrirá que como consecuencia del mismo podrán pasar a ejercitar los derechos de socio terceras personas. Éstas, de no aplicarse aquellas restricciones, podrán incluso participar activamente en las decisiones de la sociedad, y no sólo en sus beneficios, sin haberse sometido para su entrada en dicha sociedad a los mecanismos de control que ésta pudiera tener legal o estatutariamente establecidos[8].

---

[7]    En este sentido, SÁNCHEZ RUIZ, M., «Usufructo de acciones y participaciones sociales», *op. cit.*, págs. 854 y ss.

[8]    Las restricciones a la libre transmisibilidad de las acciones y participaciones constituyen el mecanismo mediante el cual es posible controlar las personas y las cualidades de los socios que componen la sociedad. V. en este sentido PERDICES, A., en «Restricciones a la libre transmisibilidad (Artículo 123)» en *Comentario de la ley de sociedades de capital*, Tomo I, Rojo A./ Beltrán E. (dirs.), Civitas, Madrid, 2011, pág. 991. Siendo el ejercicio de los derechos de socio la principal forma de relación entre los miembros del ente colectivo, es por lo que afirmamos que la constitución de un derecho real (el usufructo) que supone la transmisión de la legitimación para el ejercicio de esos derechos debiera quedar sometida al mismo tipo de restricciones que la transmisión plena de las acciones y participaciones.

Ahora bien, tan frecuente o más que la constitución del usufructo para la transmisión de concretos derechos de socio, es la transmisión de la nuda propiedad y, consecuentemente, de la condición de socio en sí, reservándose el transmitente, precisamente, el usufructo de las acciones o participaciones transmitidas. Esta transmisión, sujeta sin duda a las reglas generales sobre transmisión, resulta igualmente limitada. Es habitualmente la consecuencia de un negocio jurídico voluntario *inter vivos* de reorganización o redistribución de la propiedad y la gestión del capital en las sociedades familiares, a efectos de preparar o materializar el relevo generacional; como es también limitada la transmisión separada, normalmente *mortis causa* (art. 787 C.C.), de la nuda propiedad (a los hijos, por ejemplo) por un lado y el usufructo (al cónyuge) sobre las acciones o participaciones, por otro.

No obstante, la constitución del usufructo también puede ser el resultado de la aplicación de una disposición legal, generalmente asimismo de derecho sucesorio (arts. 468, 834, 837 CC). En este último caso, a pesar de que el negocio constitutivo del derecho sea válido entre las partes desde que la previsión legal resulte de aplicación, para que el mismo tenga eficacia frente a la sociedad habrán de seguirse las prescripciones relativas a su constitución formal.

Formalmente, siendo los derechos reales derechos subjetivos que protegen el interés de una persona sobre *una cosa* otorgándole un poder directo e inmediato sobre ella y con eficacia general frente a terceros, la posibilidad de constituir derechos reales limitados[9] en general sobre las acciones y las participaciones sociales deriva del proceso de «cosificación» de las mismas. Las acciones cuando se encuentran documentadas en títulos tienen la consideración de cosa mueble y a ellas se han equiparado las acciones anotadas en cuenta, puesto que en ambos casos tienen la consideración de valor mobiliario. El valor que tienen se les atribuye porque incorporan un conjunto de derechos y es en virtud de esa incorporación del derecho al título (aunque en el caso de las acciones no estemos ante una incorporación perfecta) que podemos hablar sin ambages de derechos reales sobre

---

[9]     Sobre la calificación del derecho de usufructo como un derecho real limitado en cosa ajena, v. MALUQUER DE MOTES BERNET, C. J., «Artículo 467» en *Comentario del Código Civil*, Tomo I, Paz-Ares Rodríguez, C./ Díez-Picazo Ponce de León, L./ Bercovitz, R./ Salvador Coderch, P. (dirs), Ministerio de Justicia, 1991, pág. 1252.

las acciones[10]. Al estar ante similar conjunto de derechos cuando se trata de una sociedad de responsabilidad limitada, el régimen de la constitución de derechos reales sobre las acciones acaba por extenderse a las participaciones, aunque su naturaleza sea distinta, no rija para ellas el principio de incorporación, ni puedan ser consideradas valores mobiliarios[11].

Por ello, el procedimiento que debe seguirse en la constitución del usufructo depende de la forma en que se encuentren representadas o documentadas las acciones o participaciones. En cuanto a las acciones, se establece en el TRLSC en primer lugar una remisión general a lo dispuesto por el Derecho común (art. 121.1 TRLSC) y, por tanto, a lo previsto en el Código civil (arts. 467 y ss. C.C.), sin olvidar los derechos forales. A partir de ahí se añaden algunas reglas especiales. Tratándose de acciones nominativas, será posible alternativamente la constitución del derecho real mediante endoso con la cláusula «valor en usufructo» o alguna equivalente (art. 121.2 TRLSC), resultando aplicable como norma supletoria la LCCh (arts. 14 y ss.). En cualquier caso, para que la constitución del derecho de usufructo o de prenda sobre acciones nominativas sea eficaz frente a la sociedad deberá inscribirse en el libro registro de acciones nominativas (art. 116.1 TRLSC), lo que implicará comunicación previa a la sociedad para que los administradores puedan realizar la correspondiente anotación (arts. 121.2 y 120.1 TRLSC). En el caso de que los títulos sobre los que recaigan sus derechos no se hayan impreso ni entregado, el usufructuario tendrá derecho a que la sociedad le expida un certificado de la inscripción en el libro-registro. No existe regla especial para cuando las acciones son títulos al portador, aunque siempre parece aconsejable la utilización de documento público que acompañe a la exhibición del título a efectos de

---

[10]   Así, PANTALEÓN, F./PORTELLANO, P., «Régimen de las participaciones sociales en la sociedad de responsabilidad limitada (Artículos 36 a 42)» en *Comentario al régimen legal de las sociedades mercantiles*, Uría/Menéndez/Olivencia (dirs.), tomo XIV, vol. 1 B, Civitas, Madrid, 1999, págs. 256 y ss. que, sin embargo, no consideran que sea posible hacer la misma afirmación respecto a las participaciones sociales, atendida su diferente naturaleza.

[11]   En realidad, tanto acciones como participaciones representan la condición de socio y es sobre ésta, entendida de forma unitaria, sobre la que acaba recayendo el derecho real de usufructo. A partir de la consideración de tal posición como un derecho, también se ha justificado la posibilidad de constituir un derecho de usufructo sobre las acciones y, sobre todo, sobre las participaciones con base en la posibilidad que se recoge en el artículo 469 C.C. de constituir el usufructo sobre un derecho, siempre que no sea personalísimo o intransmisible. V. SÁNCHEZ RUIZ, M., «Usufructo de acciones y participaciones sociales», *op. cit.*, págs. 827 y ss.

hacer efectivo el derecho frente a la sociedad[12]. Si las acciones estás representadas mediante anotaciones en cuenta, habrá que estar a lo dispuesto por la normativa sobre el Mercado de Valores (art. 118.1 TRLSC), conforme a la cual la constitución de los derechos reales limitados o de cualquier gravamen sobre valores anotados en cuenta deberá inscribirse en la cuenta correspondiente (art. 10 LMV). La entidad encargada del registro contable en cuestión podrá expedir certificado a favor del usufructuario (art. 12 LMV). La necesidad e incluso la posibilidad de un desplazamiento posesorio dependerá del negocio de constitución del derecho y de lo que establezcan los estatutos de la sociedad. En todo caso, el desplazamiento de la posesión a veces será imprescindible para el ejercicio de los derechos por parte del usufructuario, como ocurrirá cuando el derecho real se haya constituido por medio de la técnica del endoso limitado[13].

Por lo que se refiere a las participaciones de la sociedad de responsabilidad limitada, la constitución del usufructo deberá constar en escritura pública (art. 106.1 TRLSC) y, para que tenga eficacia frente a la sociedad, deberá inscribirse en el libro-registro de socios (art. 104 TRLSC), pudiendo obtener el usufructuario certificación del derecho registrado a su nombre (art. 105.2 TRLSC). Cuando la sociedad limitada sea de la modalidad nueva empresa y ésta no lleve (puesto que no es preceptivo *ex* artículo 445 TRLSC) libro-registro de socios, la constitución del usufructo sobre las participaciones sociales habrá de ser notificada al órgano de administración mediante la remisión del documento público en el que figure. El órgano de administración, a su vez, deberá notificar a los restantes socios la constitución de tal derecho tan pronto como tenga conocimiento de que se hayan producido, siendo responsable de los perjuicios que el incumplimiento de esta obligación pueda ocasionar.

---

[12]   Para el caso concreto del derecho de prenda se deduce así de las normas civiles (art. 1865 C.C.).

[13]   En relación con el desplazamiento posesorio, aunque no se derive de la condición de socio, sino más bien de la buena fe con la que deben ser cumplidos los contratos (art. 1258 C.C.), es bueno recordar que el TRLSC insiste en el deber del usufructuario de facilitar al nudo propietario el ejercicio de los derechos que a él le correspondan (art. 127.1.2° TRLSC).

## III. RÉGIMEN DE EJERCICIO DE LOS DERECHOS DERIVADOS DE ACCIONES Y PARTICIPACIONES USUFRUCTUADAS

El hecho de que los derechos que incorporan y reflejan las acciones y participaciones sociales sean derechos que se ejercitan frente a un tercer sujeto (la sociedad), implica que a la habitual relación entre el usufructuario y el nudo propietario que surge de la constitución del usufructo, se haya de sumar la presencia de la sociedad de cuyo capital forman parte las acciones o participaciones sociales usufructuadas. A su vez, la sociedad, que no es parte en esa relación de usufructo, puede verse afectada en su normal funcionamiento por la existencia del mismo.

Como consecuencia de lo anterior, para concretar el régimen de ejercicio de los derechos de socio en estos casos, es conveniente distinguir entre el régimen que se establece para la regulación de las relaciones internas en materia de usufructo (es decir, las relaciones entre el nudo propietario y el usufructuario de las acciones o participaciones) y el régimen que se prevé para la regulación de las relaciones externas o con terceros (en concreto, las relaciones del nudo propietario y del usufructuario con la sociedad).

Los artículos 127 a 131 TRLSC, como no podía ser de otra forma, se dedican, fundamentalmente, a las reglas que disciplinan las relaciones del nudo propietario y el usufructuario con la sociedad (las que hemos llamado relaciones externas). En concreto, estos preceptos definen las consecuencias que la constitución del derecho de usufructo va a tener sobre el ejercicio de los derechos inherentes a la condición de socio, consecuencias que se materializan, esencialmente, en la separación entre la titularidad de tales derechos y la posibilidad de ejercitarlos y en la asignación de dicha posibilidad de ejercicio en función del derecho de que se trate.

Para realizar esta asignación, el TRLSC remite en primer lugar y con carácter general a los estatutos sociales para que sean éstos los que indiquen a quién corresponderá ese ejercicio; previendo a continuación alguna regla supletoria para el caso de que los estatutos no establezcan nada en contrario o guarden silencio. De participar en la decisión de cómo deba quedar finalmente configurada la asignación de los derechos y la posibilidad de ejercitarlos queda fuera, por tanto, la autonomía de la voluntad de quienes son parte en el usufructo. Serán los estatutos y el TRLSC (y por este orden) los que determinen la asignación final, pero no el nudo propietario ni el usufructuario.

A su vez y, como excepción a lo anterior, queda fuera de la voluntad de la sociedad, expresada a través del contenido de los estatutos, la posibilidad de disponer sobre el concreto derecho a los dividendos acordados por la sociedad que corresponda a las participaciones o acciones usufructuadas (art. 127.1 TRLSC). Este derecho queda legalmente asignado al usufructuario, lo cual resulta lógico, pues estamos precisamente ante el derecho de socio (participar en el reparto de las ganancias) configurador del propio derecho de usufructo en sí.

Para el resto de los derechos, en defecto de previsión estatutaria, el TRLSC dispone el ejercicio unificado de los mismos y, en concreto, el ejercicio por parte o a cargo del nudo propietario (art. 127.1 TRLSC). Debe advertirse que esto será así, independientemente de lo que se haya pactado entre las partes en el título constitutivo del usufructo. La legitimación para actuar frente a la sociedad, como acabamos de exponer, es una materia sobre la que no pueden disponer los interesados, es decir, quienes son parte en el usufructo (usufructuario y nudo propietario), ni aunque los propios estatutos sociales les autoricen[14].

Ahora bien, en una reciente Sentencia, el Tribunal Supremo[15] ha reconocido que aún hay algo que debe prevalecer sobre las propias normas estatutarias o legales de reparto de derechos, que es la buena fe con la que, en todo caso, estos deben ser ejercitados[16]. El asunto planteado es muy interesante, puesto que en el mismo se daba la circunstancia de que en

---

[14]　En tal sentido, v. la RDGRN de 4 de marzo de 1981 que declara nula una cláusula estatutaria que deja en manos de la autonomía de la voluntad de los contratantes la atribución de legitimación para el ejercicio de los derechos frente a la sociedad.

[15]　Nos referimos a la STS de 25 de febrero de 2016 *(Tol 5658004)*, que precisamente analiza un caso en el que el socio lo que transmite (un padre, a sus dos hijos) es la nuda propiedad de las participaciones sociales, reservándose para sí el usufructo de las mimas.

[16]　Sobre esta cuestión, en general, nos hemos pronunciado en GONZÁLEZ FERNÁNDEZ, Mª B., «Reglas de legitimación e impugnabilidad. El conflicto entre mayorías y minorías inmanente en la impugnación de acuerdos», *Revista de Derecho de Sociedades*, núm. 50, 2017, págs. 67 y ss. Coincidimos y creemos, pues, planamente acertado el pronunciamiento de nuestro Alto Tribunal. Es verdad, como algún autor ha señalado (v. RADOVANOVIC, B., «La impugnación de acuerdos sociales adoptados en cumplimiento de un pacto parasocial omnilateral y la relevancia de la buena fe», *Cuadernos Civitas de Jurisprudencia Civil*, núm. 103, 2017 (BIB 2017/10817), que el supuesto enjuiciado constituía una buena ocasión para resolver las dudas sobre la correcta relación entre estatutos y pacto parasocial (que es lo que constituye en este caso el contrato transmisivo de las participaciones que sirve de título constitutivo al usufructo), pero tanto o más consideramos que es necesario que desde la jurisprudencia se insista en la antijuridicidad del ejercicio de mala fe de los derechos de socio.

el título constitutivo del usufructo se había dispuesto sobre el ejercicio de los derechos, en particular, del derecho de voto, de forma distinta a como prevé el TRLSC, es decir, se había dispuesto que tal derecho quedase en manos del usufructuario. La cuestión es que dicha previsión no fue trasladada a los estatutos sociales, por lo que, en aplicación estricta de la Ley, la que resultaba de aplicación era la regla que recoge el TRLSC y que destina el ejercicio del derecho de voto, a falta de previsión estatutaria, al nudo propietario.

La alteración del régimen legal sobre asignación de los derechos, como en este caso, puede resultar muy útil. Se trataba de una sociedad limitada familiar en la que las participaciones se transmitían por mitad a los ya dos únicos socios y la reserva del derecho de voto para el usufructuario transmitente se incluía como mecanismo de solución de conflictos entre ellos, puesto que ante una eventual situación de desacuerdo, la distribución paritaria del capital social que resultaba de la transmisión podría llevar a la paralización de la sociedad.

Llegado el desacuerdo, se impugna un acuerdo social por haber participado en la votación el usufructuario, tal como recogía el título constitutivo del usufructo y en contra de lo dispuesto por el TRLSC (que dispone la asignación del derecho de voto al nudo propietario, a falta de pacto estatutario). El Tribunal Supremo advierte en la interposición de la acción de impugnación un ejercicio contrario a la buena fe del derecho del impugnante, que incurre además en el abuso de derecho, puesto que solicita el incumplimiento del pacto parasocial que él mismo firmó sin otra razón que la estrictamente formal de su carácter no estatutario.

En definitiva, el Tribunal Supremo afirma que a pesar de las disposiciones legales, lo pactado en cuanto al régimen de ejercicio de los derechos no puede contravenirse por los mismos actores de la relación contractual, en la relación societaria, cuando además en ningún momento se denuncia el pacto contractual extraestatutario. Es decir, en la tesitura entre exigir el cumplimiento estricto de la Ley, beneficiando a quien actúa de forma antijurídica, o no permitir este resultado, aunque ello suponga dar entrada a lo pactado por las partes en el ámbito de las relaciones externas del usufructo, de las que normalmente están excluidas, el Tribunal opta por esto último[17].

---

[17]  Finalmente es el Tribunal el que acaba corrigiendo las deficiencias en el régimen de asignación de derechos establecido, dadas las circunstancias del caso. En este sentido resulta interesante el trabajo de SÁEZ LACAVE, Mª I., «Los pactos para-

Debe tenerse en cuenta una cuestión más. La ineficacia de las previsiones convencionales en el ámbito societario, tal como dispone el TRLSC, no implica la ineficacia del título constitutivo del usufructo entre los firmantes del mismo. Permitir que siendo la realidad subjetiva la misma en el ámbito social y en el parasocial[18], pueda alguna de las partes vulnerar el acuerdo existente entre ellos, amparándose en una cuestión formal que dependía de su conducta (pues son ellos mismos los que debieron también trasponer a los estatutos lo que particularmente habían acordado), llevaría a la solución paradógica de reconocerle a dicha parte un derecho por el que, a su vez, se verá obligado a responder e incluso indemnizar a la otra parte por incumplimiento contractual.

Por su parte, aunque las relaciones externas o frente a la sociedad sean el objetivo fundamental de la normativa societaria, las relaciones internas derivadas del derecho de usufructo sobre acciones o participaciones no le son completamente ajenas. En este otro ámbito el TRLSC establece, por un lado, cuál es la prelación de fuentes a la que deberán sujetarse esas relaciones (art. 127.2 TRLSC) y, por otro, algunas normas especiales en materia de liquidación del usufructo (art. 128 TRLSC) y del ejercicio de derecho de preferencia (art. 129 TRLSC) que deberán ser tenidas en cuenta: en algún caso, para ser aplicadas con carácter preferente a lo previsto por el Derecho común y en defecto de previsión alternativa por los interesados y, en otro, parece incluso que con carácter preferente a lo previsto por las partes en el título constitutivo del usufructo.

En concreto y, según lo dispuesto, las relaciones entre usufructuario y nudo propietario de las acciones y participaciones deberán someterse, en primer lugar, a la autonomía de la voluntad de las partes. La primera regla a aplicar será, por tanto, lo previsto en el título constitutivo del usufructo. En segundo lugar, resultará de aplicación lo previsto por el propio TRLSC

---

sociales de todos los socios en Derecho español. Una materia en manos de los jueces», *Indret*, núm. 3, 2009.

[18] Siendo éstas las circunstancias del caso, la STS retoma el debate sobre la eficacia de los pactos parasociales onmnilaterales, pues tal consideración tiene la previsión sobre asignación de derechos que se realiza en el título constitutivo del usufructo en este caso. Quienes firman el pacto junto con el usufructuario son los dos únicos socios de la sociedad. Un recorrido por ese debate doctrinal y jurisprudencial puede verse en PÉREZ MORIONES, A., «Una vez más sobre la eficacia de los pactos parasociales tras la STS de 25 de febrero de 2016», *Revista Doctrinal Aranzadi Civil-Mercantil*, núm. 5, 2016 (BIB 2016/21189). V. sobre estos pactos NOVAL PATO, J., *Pactos omnilaterales: su oponibilidad a la sociedad*, Civitas, 2012.

para el ámbito de esas relaciones internas. Por último, éstas se someterán supletoriamente a lo dispuesto por el Código civil, lo que resulta congruente con las propias normas de este cuerpo legal, que se disponen siempre con carácter supletorio (art. 470 C.C.). El artículo 127.2 TRLSC que, como hemos dicho, es el que establece esta prelación, deja claras así dos cosas: de un lado, la imposibilidad de que, al contrario de lo que ocurre en el ámbito de las relaciones externas en caso de usufructo, la sociedad, por medio de los estatutos, pueda configurar la relación que se establece entre el nudo propietario y el usufructuario; y, de otro, el carácter preferente de la normativa de Derecho societario en este ámbito sobre el Derecho común[19].

Respecto a esto último hay que hacer aún alguna matización. Cuando estamos en el caso concreto del usufructo de acciones de una sociedad anónima, las disposiciones del TRLSC parecen establecerse incluso con carácter preferente respecto del título constitutivo del derecho. Y ello por lo siguiente: cuando se trata de participaciones sociales de una limitada, las normas que afectan a las relaciones internas se fijan, de forma expresa, con carácter dispositivo, indicándose que el título constitutivo del usufructo de participaciones puede disponer reglas distintas (arts. 128.4 y 129.5 TRLSC). Sin embargo, esa referencia expresa no se hace para el caso del usufructo sobre acciones. Esta ausencia de referencia al carácter prioritario de lo que pudiera establecer el título constitutivo puede hacer pensar que las reglas serán, en este caso, de carácter imperativo. No obstante, en general la doctrina entiende que igual que en el caso de las participaciones, puede el título constitutivo del derecho de usufructo sobre las acciones alterar lo dispuesto por el TRLSC[20].

Como vemos, conforme a todo lo anterior, el estatuto personal del socio se verá afectado de una forma peculiar cuando se constituya el usufructo sobre sus acciones o participaciones. El contenido de ese estatuto seguirá siendo el mismo, es decir, seguirá estando conformado por los mismos

---

[19]   Esto último no aparecía tan claro para las participaciones sociales a tenor de lo dispuesto por el antiguo artículo 36.2 LSRL. El propio Tribunal Supremo, en Sentencia de 9 de marzo de 2011 *(Tol 2087971)* insistía en la diferencia en ese punto entre la normativa sobre sociedades anónimas y la normativa de las sociedades de responsabilidad limitada.

[20]   La referencia expresa a las participaciones y no a las acciones en este caso suele entenderse como una deficiencia de la técnica legislativa empleada para refundir los textos reguladores de los dos tipos societarios correspondientes, pues carece de sentido cualquier distinción en este punto. Así, v. por todos VALPUESTA GASTAMIZA, E., *Comentarios a la Ley de Sociedades de capital*, Bosch, 2015, págs. 343 y ss.

derechos y obligaciones, pero las posibilidades de ejercicio de tales derechos y de cumplimiento de esas obligaciones sí que experimentarán una modificación. Y esto, tanto si el socio inicialmente titular de las acciones y participaciones constituye el usufructo a favor de un tercero, como si se lo reserva para sí transmitiendo la nuda propiedad.

En todo caso, como punto de partida en el régimen de asignación de derechos que se establezca habrá que estar a la afirmación primera que se realiza en el artículo 127 TRLSC: en caso de usufructo de participaciones o de acciones *la cualidad de socio reside en el nudo propietario*. Que el nudo propietario ostente la condición de socio implica que la titularidad de las acciones y participaciones, así como los derechos y obligaciones inherentes a ellas, le pertenecen a pesar de que por la constitución del usufructo se haya dispuesto de parte de ellos en favor de un tercero. Es la legitimación actual para el ejercicio de los derechos sobre los que se disponga, lo que corresponderá entonces al usufructuario, mientras que la legitimación en potencia sobre los mismos (y también las eventuales obligaciones) le corresponderá como nudo propietario[21].

Lo anterior supondrá, por ejemplo, que la facultad de disponer de las acciones o participaciones que tiene todo socio para enajenarlas, dentro de las limitaciones que eventualmente pudieran existir con carácter general, será una facultad del nudo propietario, que podrá transmitir la condición de socio dentro de esos límites si bien con el correspondiente gravamen que el usufructo representa. En definitiva, el socio nudo propietario podrá transmitir lo que sí tiene, la nuda propiedad sobre las mismas y, por tanto, la condición de socio.

## IV. PROBLEMÁTICA DERIVADA DE LA ASIGNACIÓN Y EL EJERCICIO DE CIERTOS DERECHOS DEL SOCIO

### 1. *Sobre el derecho a participar en las ganancias sociales*

Acabamos de ver que el TRLSC deja en manos de la propia sociedad, por medio de los estatutos, la determinación de cuáles sean en concreto los derechos que podrá ejercitar el nudo propietario y cuáles los que corres-

---

[21]    En este sentido también PANTALEÓN, F./PORTELLANO, P., «Régimen de las participaciones sociales en la sociedad de responsabilidad limitada (Artículos 36 a 42)», *op. cit.*, págs. 260 y ss.

ponderán al usufructuario. Pero también hemos visto que se establece una excepción: el usufructuario tendrá derecho *en todo caso* a los dividendos acordados por la sociedad durante el usufructo.

El derecho de usufructo es un derecho de contenido económico y por ello, siendo lo usufructuado acciones o participaciones de una sociedad de capital, inexcusablemente recae sobre el principal de los derechos económicos del socio, la participación en los beneficios de la sociedad y, en concreto, sobre el derecho al *dividendo acordado* en cada ejercicio durante la vigencia del usufructo. La precisión que hace el TRLSC es importante puesto que, como es sabido, el derecho a participar en los eventuales beneficios que pudiera obtener la sociedad es un derecho en abstracto que debe concretarse en el derecho a un *dividendo* concreto. La forma de concretarlo será el acuerdo de la Junta en base al cual, si es que han existido esos beneficios en el ejercicio, se decide repartirlos entre los socios y no, por ejemplo, destinarlos a reservas[22].

Dado que el tenor literal del artículo 127.1 TRLSC se refiere a los dividendos *acordados* durante el usufructo, el usufructuario será acreedor de los mismos y estará legitimado para su cobro frente a la sociedad si el usufructo estaba constituido y vivo al tiempo del acuerdo correspondiente de la Junta general, independientemente del momento en el que los mismos se hubiesen generado o repartido, e incluso al margen de algún acuerdo en otro sentido entre las partes[23]. Que el derecho del usufructuario recae sobre ese dividendo ya acordado implica que si el acuerdo de la Junta en un determinado ejercicio es no repartir los beneficios, el usufructuario no podrá exigir nada de la sociedad, ni tampoco del nudo propietario. En principio, simplemente no habrá habido frutos de los que apropiarse en

---

[22]  Como señala GARCÍA VICENTE, J. R., «Copropiedad y Derechos reales sobre participaciones sociales o acciones (arts. 126 a 133)» en *Comentario de la ley de sociedades de capital*, Tomo I, Rojo A./ Beltrán E. (dirs.), Civitas, 2011, pág. 1021, este derecho al dividendo, que es un derecho de crédito contra la sociedad, se integrará de modo inmediato en el patrimonio del usufructuario, no integrándose entre los derechos del nudo propietario en caso de concurso de éste.

[23]  Así nos manifestábamos ya en GONZÁLEZ FERNÁNDEZ, Mª B., «Derechos reales sobre participaciones sociales y acciones» en *Derecho Mercantil*, Vol. 3º, Jiménez Sánchez, G. J./Díaz Moreno, A. (coords.), Marcial Pons, 2013, pág. 458. En contra, entendiendo que los dividendos que corresponde obtener al usufructuario son los generados durante el usufructo, cualquiera que sea el momento en que se hayan acordado, incluso aunque tal momento sea posterior a la extinción del usufructo, SÁCHEZ RUIZ, M., «Usufructo de acciones y participaciones sociales», *op. cit.*, págs. 882 y ss.

ese ejercicio. Así pues, se da la paradoja de que si el resto de los derechos de socio han quedado en manos del nudo propietario, éste con su voto en la Junta podrá participar en la decisión que determinará si, en cada ejercicio, el derecho del usufructuario llegará a tener o no un contenido real.

A pesar del usufructo, el nudo propietario tendría fácil, según lo anterior, apropiarse de los frutos o rendimientos de las acciones o participaciones si conserva el derecho de voto, manifestándose siempre en contra del reparto de dividendos cuando se trate de decidir en la Junta sobre la aplicación del resultado del ejercicio. Si se consigue ese acuerdo contrario al reparto, los beneficios de la sociedad pasarían a integrar reservas, que en un momento dado podrían pasar incluso a formar parte del capital mediante un aumento formal del mismo con cargo a tales reservas, aumentando en todo caso el valor de las acciones o participaciones sociales. De ello se beneficiaría el nudo propietario a efectos de una posible transmisión de esas acciones o participaciones, o en caso de liquidación de la sociedad, al percibir la cuota correspondiente a su derecho a participar en el patrimonio resultante de la sociedad.

Pues bien, tanto el TRLSC, fijando reglas sobre liquidación del usufructo, como la jurisprudencia han establecido mecanismos correctores para esta situación con la finalidad de evitar el abuso de su derecho por parte del nudo propietario. De un lado, el artículo 128.1 TRLSC establece que, finalizado el usufructo, el usufructuario puede exigir al nudo propietario[24] la entrega del incremento de valor que hayan experimentado las acciones o participaciones sociales como consecuencia de beneficios propios de la explotación de la sociedad obtenidos durante el usufructo que no se hubiesen repartido, sino que se hubiesen integrado en reservas de cualquier tipo (naturaleza o denominación) que figuren en el balance de la sociedad[25]. De otro, el artículo 128.2 TRLSC establece que en caso de disolución de la sociedad durante el usufructo, por el mismo concepto que antes (beneficios no distribuidos e integrados en reservas) podrá el usufructuario exigir del nudo propietario la parte de la cuota de liquidación que corresponda a ese incremento de valor. Además, se extiende el usufructo al resto de la cuota.

---

[24]  Y no de la sociedad. V. STS de 15 de marzo de 2017 *(Tol 6001390)*.

[25]  La STS de 9 de marzo de 2011 *(Tol 2087971)* indica la necesidad de interpretar esta referencia a la constancia en el balance de la sociedad en el sentido de que el hecho causante de las reservas expresas tenga lugar durante el usufructo y no en el de que en el momento final del usufructo el balance aprobado contemple de modo expreso esas reservas.

Ahora bien, esta solución legal no es tal en el caso de un usufructo vitalicio. En estos casos, si se dan las circunstancias descritas, el derecho de usufructo queda efectivamente vacío de contenido durante toda la vida del usufructuario, que podría llegar a no recibir nada nunca. Es por tanto una solución que sólo es eficaz en ciertos tipos de usufructo[26].

Por su parte la jurisprudencia de nuestro Alto Tribunal tiene establecido, incluso antes de que existieran estas previsiones legales al respecto, que no puede el derecho del usufructuario quedar vacío de contenido si tal situación es consecuencia del abuso de derecho del nudo propietario que puede deducirse de que sistemáticamente se niegue a la distribución de dividendos[27]. Dicho abuso se aprecia más claramente cuando su voto resulta determinante en el acuerdo de la Junta general[28]. Es más, nuestra jurisprudencia más reciente señala que esto debe ser así incluso aunque las partes hubiesen pactado voluntariamente, para la terminación del usufructo, la exclusión de las reglas de liquidación que se recogen en el TRLSC (como permite el artículo 128.4 TRLSC). En concreto, en la STS de 20 de marzo de 2012 *(Tol 2509137)* se analiza un caso en el que las partes habían pactado que al usufructuario correspondería exclusivamente el derecho a los dividendos acordados durante el usufructo (que no los hubo) y que el mismo no tendría derecho a participar en las reservas acumuladas en el momento de extinción del usufructo o de liquidación de la sociedad. El Tribunal Supremo entiende que, a pesar de que convencionalmente las partes podrían establecer reglas que alterasen las previsiones legales, el resultado final no puede ser que el usufructo quede vacío de contenido y, por tanto, condena al nudo propietario a pagar al usufructuario una cantidad que se considera equilibrada y razonable en atención a las circunstancias del caso.

---

[26] Así lo apunta GALLEGO LARRUBIA, J., «Derecho del usufructuario de acciones o participaciones a exigir al nudo propietario el dividendo no acordado. Problemática en las sociedades familiares», *Revista Aranzadi doctrinal*, núm. 2, 2015 (BIB 2015/2430).

[27] El artículo 128 TRLSC proviene del TRLSA de 1989 al que a su vez remitía la LSRL y que cubrió en su día el vacío normativo al respecto que existía en la legislación anterior. Dicho vacío venía siendo resuelto por la jurisprudencia en el sentido de no dejar a la voluntad de una sola de las partes el cumplimiento del contrato (art. 1256 C.C.), ni permitir el enriquecimiento injustificado del nudo propietario, exigiendo el cumplimiento de lo acordado —es decir, de la creación de un derecho de usufructo— conforme a criterios de buena fe (art. 1258 C.C.).

[28] V., entre otras, las SSTS de 28 de mayo de 1998 *(Tol 5120021)* y 27 de julio de 2010 *(Tol 1952125)*.

No creemos, por otro lado, que el voto en contra del reparto emitido por el socio nudo propietario, en caso de ser mayoritario, pueda integrar un supuesto de acuerdo abusivo del artículo 204.1.2º TRLSC que lo haría susceptible de impugnación por lesionar el interés social. Tales acuerdos deben imponerse abusivamente por la mayoría *en detrimento de los demás socios*[29], condición que no tiene el usufructuario de acciones o participaciones sociales. Por tanto, la eventual reclamación de éste por el vaciamiento intencionado de su derecho contra la actuación del nudo propietario deberá sustentarse sobre la lesión de su propio interés, por el incumplimiento de lo acordado al constituir el derecho de usufructo.

Una cuestión particular que podría también plantearse en relación a la ausencia de reparto de dividendos en una sociedad es la de las consecuencias de la aplicación del artículo 348 bis TRLSC[30] cuando las acciones o participaciones sociales se hallen usufructuadas. Este precepto reconoce un derecho de separación al socio que vota a favor de repartir los beneficios cuando, a partir del quinto año desde la inscripción de la sociedad en el Registro Mercantil, la sociedad no ha acordado nunca un reparto de dividendos mínimo.

El derecho de separación puede identificarse con una disolución parcial de la sociedad[31], por lo que cabría entender que en el momento en el que se ejercite procede para el usufructuario la aplicación de las reglas de liquidación del usufructo (art. 128 TRLSC). Si la ausencia de reparto obe-

---

[29]  Señala Alfaro, J. en ALFARO, J. /MASSAGUER, J., «La impugnación de acuerdos. Artículo 204. Acuerdos impugnables» en *Comentario de la Reforma del Régimen de las sociedades de capital en materia de gobierno corporativo (Ley 31/2014). Sociedades no cotizadas*, Juste Mencía (coord.), Civitas Thomson Reuters, 2015, págs. 198 y ss., que este supuesto de acuerdo abusivo del artículo 204.1.2º TRLSC lo es por ser un acuerdo adoptado por el socio mayoritario en infracción de su deber de lealtad «hacia la minoría» (resto de socios) y tal conducta lesiona el interés social porque implica una redistribución del patrimonio social a favor del socio mayoritario, reduciendo la parte correspondiente «a los socios minoritarios».

[30]  V. recientemente sobre este precepto PULGAR EZQUERRA, J., «Reparto legal mínimo de dividendos: protección de socios y acreedores (Solvency tests)», *Revista de Derecho Bancario y Bursátil*, núm. 147, 2017, págs. 139 y ss. V. también BRENES CORTÉS, J., «El derecho de separación en caso de falta de distribución de dividendos: la entrada en vigor del controvertido artículo 348 bis de la Ley de Sociedades de Capital», *Revista de Derecho Mercantil*, núm. 305, 2017, págs. 37 y ss.

[31]  Así, MADRID PARRA, A., «Separación y exclusión de socios» en *Derecho Mercantil*, Vol. 3º, Jiménez Sánchez, G. J./Díaz Moreno, A. (coords.), Marcial Pons, 2013, pág. 711.

dece a una falta real de beneficios repartibles, poco habrá rendido su derecho al usufructuario, que ni ha recibido dividendos constante el usufructo ni podrá exigir del nudo propietario un incremento de valor, al liquidarlo, que no ha existido.

Ahora bien, puesto que el artículo 128.4 TRLSC permite la alteración contractual de las reglas legalmente previstas sobre liquidación del usufructo y, realmente, la separación del nudo propietario no tiene por qué suponer la extinción del usufructo[32], podría establecerse estatutariamente o, incluso, entenderse, que en estos casos el usufructo sigue a las acciones o participaciones de forma que es la sociedad, que adquiere su titularidad tras la separación del socio, la que a partir de entonces resulta nuda propietaria de las mismas, y debe actuar como tal hasta que se produzca su enajenación o amortización. El problema sería que, conforme a las reglas de la autocartera (en la que se encontrarían esas acciones o participaciones sociales), los eventuales beneficios aparejados a las mismas tienen ya señalado un destino: la suspensión (en el caso de las participaciones) o la asignación al resto de los socios (en el caso de las acciones)[33]. Habría que determinar si el derecho del usufructuario a los eventuales dividendos abarcaría también los que pudieran corresponderle en estos casos, en lugar de que los mismos sean dirigidos a tales destinos, cuestión que creemos debe contestarse afirmativamente.

En todo caso, dadas las importantes alteraciones que de una u otra forma puede sufrir el usufructuario en su derecho en caso de separación del socio nudo propietario, la doctrina señala la conveniencia de que éste último cuente con el consentimiento del usufructuario en cualquier supuesto en el que pretenda separarse de la sociedad[34] y, por tanto, entendemos que también en éste que prevé el artículo 348 bis TRLSC.

## 2. Sobre el derecho de preferencia en la emisión de nuevas acciones o participaciones sociales

También hace referencia expresa el TRLSC al derecho de preferencia para la asunción de nuevas participaciones o suscripción de nuevas accio-

---

[32] Tal separación no encaja en ninguno de los supuestos del artículo 513 C.C.
[33] Sobre el régimen de distribución de derechos en los casos de autocartera v. GONZÁLEZ FERNÁNDEZ, Mª. B., «Autocartera» en *Accionistas Minoritarios*, Peinado Gracia/Cremades García (coords.), La Ley, Madrid, 2011, págs. 195 y ss.
[34] V., por todos, SÁNCHEZ RUIZ, M., «Usufructo de acciones y participaciones sociales», *op. cit.*, págs. 875 y ss.

nes en los aumentos del capital de la sociedad que, en este último supuesto de sociedades anónimas, se extiende también a la emisión de nuevas obligaciones convertibles en acciones (art. 129). Debe entenderse que, como en el caso del derecho sobre los dividendos, lo que se establece en este punto (en el primer apartado del artículo 129, que es el que regula las relaciones externas del usufructo, es decir, la relación con la sociedad de nudo propietario y usufructuario) no es alterable por medio de los estatutos. Y esto, porque, en su condición de derecho de carácter mixto (económico y político)[35] que asegura al socio el mantenimiento de su posición relativa en la sociedad tras un aumento de capital, el derecho de preferencia asegura también al usufructuario la posibilidad de seguir participando en los beneficios sociales en la misma medida que antes del aumento[36].

El tratamiento que hace el TRLSC de esta materia puede constituir una excepción a la regla del ejercicio unificado de los derechos de socio. Así, en principio, el ejercicio de este derecho durante el usufructo, como del resto de los derechos, corresponde si nada dicen los estatutos en otro sentido al nudo propietario. Ahora bien, conforme al artículo 129.1 TRLSC, si el nudo propietario no lo hubiese ejercitado o enajenado diez días antes de que finalice el plazo señalado para su ejercicio (art. 305 TRLSC), podrá hacerlo el usufructuario. Aunque se pueda provocar un conflicto de legitimación, no está claro que se trate de una habilitación sucesiva, en el sentido de excluyente, entre el nudo propietario y el usufructuario. Realmente, el TRLSC no impide al nudo propietario ejercer el derecho o disponer del mismo en ese plazo restante hasta el término indicado, por lo que puede entenderse que lo que se hace es habilitar al usufructuario para que él también pueda hacerlo. Hasta ese momento el nudo propietario tiene preferencia y pasado el plazo cualquiera de los podría ejercitar el derecho.

Si, ya sea por el nudo propietario o por el usufructuario, se asumen nuevas participaciones o se suscriben nuevas acciones, se producirá la exten-

---

[35]    Sobre la taxonomía de los derechos de socio, v. PEINADO GRACIA, J. I./GONZÁLEZ FERNÁNDEZ, Mª B., «Sistemática y clasificación de los derechos del accionista en la sociedad cotizada», *El accionista minoritario en la Sociedad Cotizada (Libro Blanco del Accionista Minoritario)*, Zabaleta Díaz, M. (coord.), Peinado Gracia, J. I./Cremades, J. (dirs.), La Ley, 2012, págs. 67 y ss.

[36]    Así, la jurisprudencia, (v. la STS de 30 de octubre de 1984 *(Tol 1738225)*, aunque referida a la regulación anterior), venía haciendo hincapié en la necesidad de contar con el consentimiento del usufructuario para poder privarlo, incluso estatutariamente, del derecho que la ley le concedía al ejercicio del derecho de preferencia en ciertos casos.

sión del usufructo a las nuevas participaciones o acciones cuyo desembolso hubiera podido realizarse con el valor total de los derechos utilizados en su asunción o suscripción, calculado por su valor teórico (art. 129.3 TRLSC). En el supuesto de acciones de una sociedad cotizada, la valoración de las nuevas acciones a las que se extenderá el usufructo dependerá del precio medio de cotización durante el período de suscripción (art. 502.1 TRLSC). En todo caso, las participaciones o acciones restantes serán de la plena propiedad de quien las hubiese asumido o suscrito.

Si en lugar de adquirirse nuevas participaciones o acciones se enajena el derecho de asunción o de suscripción, independientemente de si el que ha procedido a tal enajenación ha sido el nudo propietario o el usufructuario se prevé que el usufructo se extienda al importe obtenido por la enajenación (art. 129.2 TRLSC), convirtiéndose en esta parte, en un usufructo de dinero.

No se olvida el texto societario de la posibilidad de que el aumento de capital en base al cual sean creadas las nuevas participaciones sociales o las acciones se realice con cargo a beneficios o reservas. En estos casos, los socios tienen un derecho equivalente al derecho de preferencia para la asunción o suscripción de participaciones o acciones que se concreta en un derecho a que le sean asignadas gratuitamente las que proporcionalmente (en función del valor nominal de las que ya posea) les correspondan. Si los beneficios o las reservas se hubiesen obtenido o constituido durante el usufructo, se prevé que aunque las nuevas participaciones o acciones corresponderán al nudo propietario, a ellas se extenderá también el usufructo (art. 129.4 TRLSC).

De lo que se trata en todos los casos, como puede observarse, es de asegurar o, por lo menos, dar la opción, de que el valor financiero del usufructo, antes y después del aumento de capital, sea constante. El punto de partida es pues, en estas normas, que el objeto del usufructo de participaciones sociales o acciones lo constituye un determinado porcentaje sobre el capital social y, consecuentemente, sobre los fondos propios del patrimonio de la sociedad correspondiente a ese porcentaje[37].

---

[37]     V. la STS de 18 de julio de 1990 *(Tol 1729334)* y, en contra, indicando que cuando se establece el usufructo sobre un número de participaciones no se está implicando al porcentaje que las mismas representan sobre el total del capital social la SAP Barcelona, de 3 de abril de 2006 *(Tol 1093918)*.

## 3. Sobre los derechos políticos

Respecto de los derechos políticos, nada especifica más el TRLSC al margen de la previsión general del artículo 127.1 TRLSC, por lo que serán los estatutos los que deban establecer a quien corresponde su ejercicio. En su defecto, todos ellos corresponderán al nudo propietario. Puede entenderse, no obstante, que aunque esta última fuese la regla que resultase de aplicación, el usufructuario podrá ejercer algún derecho, como el derecho a impugnar los acuerdos sociales (art. 206.1 TRLSC), que se atribuye no sólo a los socios sino también a cualquier interesado. Parece innegable el interés legítimo que pueda tener el usufructuario en algunas decisiones de la sociedad. Como tal tercero y no como socio, podrá siempre ejercitar ese derecho[38].

En la práctica, puede facilitar las cosas, evitando conflictos entre nudo propietario y usufructuario, que se reserven a este último los derechos en virtud de los cuales pueda personalmente proteger su propio interés como tal, es decir, que por ejemplo se le permita el derecho de voto cuando se trate de decidir sobre la aplicación del resultado de la sociedad, o sobre un aumento de capital, o sobre una modificación estatutaria que afecte al derecho de usufructo.

Pero para evitar conflictos en la vida de la sociedad, como decimos, tales previsiones deberían realizarse en los estatutos y no sólo en el título constitutivo del usufructo ni, en cualquier otra fórmula que pueda revestir un pacto parasocial. Aunque las partes pacten particularmente en un sentido, lo que será eficaz frente a la sociedad y podrá ser exigible incluso por terceros que no participan en la relación de usufructo (que, por ejemplo, podrán impugnar una acuerdo de la Junta en el que haya participado con su voto la persona a quien le correspondía según lo pactado entre las partes —siempre que ese voto fuese determinante *ex* artículo 204.3.c TRLSC—) será lo que conste en los estatutos y, en su defecto, lo indicado por el TRLSC. No obstante, ya vimos que por encima de este entramado de fuentes rige la buena fe que debe presidir el ejercicio de los derechos y que puede llegar incluso a determinar la inversión de dicho entramado[39].

---

[38] En este sentido, v. MASSAGUER, J., «Artículo 206. Legitimación para impugnar» en *Comentario de la Reforma del Régimen de las sociedades de capital en materia de gobierno corporativo (Ley 31/2014). Sociedades no cotizadas,* Juste Mencía (coord.), Civitas Thomson Reuters, 2015, pág. 258.

[39] Nos referimos a lo indicado en relación a la STS de 25 de febrero de 2016 *(Tol 5658004).*

Ahora bien, si por vía de estatutos tiene lugar una asignación indiscriminada y absoluta de todos los derechos del socio al usufructuario, la que estaría quedando vacía de contenido es la nuda propiedad y con ella la propia condición de socio, equiparándose, sin embargo, a ésta, la posición del usufructuario. Hasta tal punto se produce dicha identificación que, en un caso como éste, la reciente Sentencia del Tribunal Supremo de 15 de marzo de 2017 *(Tol 6001390)* señala la necesidad de aplicar las reglas de la autocartera a las acciones o participaciones usufructuadas si, además, el usufructuario resulta ser la propia sociedad[40]. Efectivamente, una previsión estatutaria en este sentido podría servirle a la propia sociedad para burlar las disposiciones sobre acciones y participaciones propias.

Habría que tener también en cuenta la relativa instrumentalidad de ciertos derechos respecto de otros, lo que implicaría la necesidad de reconocer la posibilidad del ejercicio de los primeros a quien ostentase la facultad de ejercicio de los segundos. Así por ejemplo, debería admitirse el ejercicio del derecho de información[41] a aquella de las partes (nudo propietario o usufructuario) que pudiese ejercitar el derecho de voto en una determinada Junta.

## Bibliografía

ALFARO, J. /MASSAGUER, J., «La impugnación de acuerdos. Artículo 204. Acuerdos impugnables» en *Comentario de la Reforma del Régimen de las sociedades de capital en materia de gobierno corporativo (Ley 31/2014). Sociedades no cotizadas*, Juste Mencía (coord.), Civitas Thomson Reuters, 2015, págs. 155-229.

BENAVIDES VELASCO, P., «El derecho de información de los socios en las sociedades de capital», *Revista de Derecho Mercantil*, núm. 302, 2016, págs. 207-254.

BRENES CORTÉS, J., «El derecho de separación en caso de falta de distribución de dividendos: la entrada en vigor del controvertido artículo 348 bis de la Ley de Sociedades de Capital», *Revista de Derecho Mercantil*, núm. 305, 2017, págs. 37-79.

---

[40]  Pero señala bien la Sentencia del Tribunal Supremo mencionada, que a pesar de que ésta deba ser la consecuencia, la constitución del usufructo no altera la titularidad del capital social y que la condición de socio corresponderá al nudo propietario. Lo que ostentará la sociedad, como usufructuaria, serán derechos *sobre bienes ajenos*.

[41]  Sobre el carácter instrumental o autónomo de este derecho respecto a la participación en las Juntas, v. BENAVIDES VELASCO, P., «El derecho de información de los socios en las sociedades de capital», *Revista de Derecho Mercantil*, núm. 302, 2016, págs. 207 y ss.

DÍAZ MORENO, A., «Participaciones sociales y acciones (Artículo 90)», en *Comentario de la ley de sociedades de capital*, Tomo I, Rojo A./ Beltrán E. (dirs.), Civitas, Madrid, 2011, págs. 763-769.

GALLEGO LARRUBIA, J., «Derecho del usufructuario de acciones o participaciones a exigir al nudo propietario el dividendo no acordado. Problemática en las sociedades familiares», *Revista Aranzadi doctrinal*, núm. 2, 2015 (BIB 2015/2430).

GARCÍA VICENTE, J. R., «Copropiedad y Derechos reales sobre participaciones sociales o acciones (arts. 126 a 133)» en *Comentario de la ley de sociedades de capital*, Tomo I, Rojo A./ Beltrán E. (dirs.), Civitas, Madrid, 2011, págs. 1009 y ss.

GONZÁLEZ FERNÁNDEZ, Mª B., «Derechos reales sobre participaciones sociales y acciones» en *Derecho Mercantil*, Vol. 3º, Jiménez Sánchez, G. J./Díaz Moreno, A. (coords.), Marcial Pons, 2013, págs. 439-469.

— «Reglas de legitimación e impugnabilidad. El conflicto entre mayorías y minorías inmanente en la impugnación de acuerdos», *Revista de Derecho de Sociedades*, núm. 50, 2017, págs. 67-111.

— «Autocartera» en *Accionistas Minoritarios*, Peinado Gracia/Cremades García (coords.), La Ley, Madrid, 2011, págs. 195-215.

IRIBARREN., M., «La reserva de los derechos políticos en la compraventa de acciones con precio aplazado», *Revista de Derecho Mercantil*, núm. 290, 2013, 271-292.

MADRID PARRA, A., «Separación y exclusión de socios» en *Derecho Mercantil*, Vol. 3º, Jiménez Sánchez, G. J./Díaz Moreno, A. (coords.), Marcial Pons, 2013, págs. 711-731.

MALUQUER DE MOTES BERNET, C. J., «Artículo 467» en *Comentario del Código Civil*, Tomo I, Paz-Ares Rodríguez, C./ Díez-Picazo Ponce de León, L./ Bercovitz, R./ Salvador Coderch, P. (dirs), Ministerio de Justicia, 1991, págs. 1252-1255.

MASSAGUER, J., «Artículo 206. Legitimación para impugnar» en *Comentario de la Reforma del Régimen de las sociedades de capital en materia de gobierno corporativo (Ley 31/2014). Sociedades no cotizadas*, Juste Mencía (coord.), Civitas Thomson Reuters, 2015, págs. 247-269.

NOVAL PATO, J., Pactos omnilaterales: su oponibilidad a la sociedad, Civitas, 2012.

PANTALEÓN PRIETO, F., «Las acciones: Copropiedad, usufructo, prenda y embargo (Artículos 66 a 73 de la Ley de Sociedades Anónimas)», en *Comentario al régimen legal de las sociedades mercantiles*, Uría, R., /Menéndez, A.,/Olivencia M. (dirs.), Tomo IV, Vol. 3º, Civitas, 1992.

PANTALEÓN, F./PORTELLANO, P., «Régimen de las participaciones sociales en la sociedad de responsabilidad limitada (Artículos 36 a 42)» en *Comentario al régimen legal de las sociedades mercantiles*, Uría/Menéndez/Olivencia (dirs.), tomo XIV, vol. 1 B, Civitas, 1999, págs. 256-531.

PAZ-ARES, C., «Artículo 1696» en *Comentario del Código Civil*, Tomo I, Paz-Ares Rodríguez, C./ Díez-Picazo Ponce de León, L./ Bercovitz, R./ Salvador Coderch, P. (dirs), Ministerio de Justicia, 1991, págs. 1468-1476.

PEINADO GRACIA, J. I., «Principios y derechos del socio (significado y límites de la condición de socio)» en *Accionistas minoritarios. Cuadernos de Derecho para Ingenieros*, Cremades, J./ Peinado, J. I. (coords.), La Ley, 2011, págs. 65-78.

PEINADO GRACIA, J. I./GONZÁLEZ FERNÁNDEZ, Mª B., «Sistemática y clasificación de los derechos del accionista en la sociedad cotizada», *El accionista minoritario en la Sociedad Cotizada (Libro Blanco del Accionista Minoritario)*, Zabaleta Díaz, M. (coord.), Peinado Gracia, J. I./ Cremades, J. (dirs.), La Ley, 2012, págs. 67-103.

PERDICES, A., en «Restricciones a la libre transmisibilidad (Artículo 123)» en *Comentario de la ley de sociedades de capital*, Tomo I, Rojo A./ Beltrán E. (dirs.), Civitas, Madrid, 2011, pág. 990-997.

PÉREZ MORIONES, A., «Una vez más sobre la eficacia de los pactos parasociales tras la STS de 25 de febrero de 2016», *Revista Doctrinal Aranzadi Civil-Mercantil*, núm. 5, 2016 (BIB 2016/21189).

PULGAR EZQUERRA, J., «Reparto legal mínimo de dividendos: protección de socios y acreedores (Solvency tests)», *Revista de Derecho Bancario y Bursátil*, núm. 147, 2017, págs. 139-176.

RADOVANOVIC, B., «La impugnación de acuerdos sociales adoptados en cumplimiento de un pacto parasocial omnilateral y la relevancia de la buena fe», *Cuadernos Civitas de Jurisprudencia Civil*, núm. 103, 2017 (BIB 2017/10817).

SÁEZ LACAVE, Mª I., «Los pactos parasociales de todos los socios en Derecho español. Una materia en manos de los jueces», *Indret*, núm. 3, 2009.

SÁNCHEZ RUIZ, M., «Usufructo de acciones y participaciones sociales» en *Tratado de usufructo*, La Ley, Madrid, 2016, págs. 825-905.

VALPUESTA GASTAMIZA, E., *Comentarios a la Ley de Sociedades de capital*, Bosch, 2015.

# 10. La supresión del derecho de preferencia en el Anteproyecto de Código Mercantil

JUAN FLAQUER RIUTORT

*Profesor Titular de Derecho Mercantil*
*Universitat de les Illes Balears*

**Sumario:** I. IDEAS PRELIMINARES. II. LA DESAPARICIÓN DEL CONCEPTO DE INTERÉS SOCIAL COMO PRESUPUESTO LEGITIMADOR DE LA EXCLUSIÓN DEL DERECHO DE PREFERENCIA. 1. La situación actual. 2. La nueva redacción del artículo 252-13 del Anteproyecto de Código Mercantil. III. EL MANTENIMIENTO DEL RESTO DE PRESUPUESTOS O REQUISITOS PARA LA VÁLIDA EXCLUSIÓN DEL DERECHO DE PREFERENCIA. 1. El acuerdo de la Junta general. 2. La obligación de información. 3. El precio de emisión de las nuevas acciones o participaciones. 4. El doble control de legalidad. IV. LA DESAPARICIÓN DEL REQUISITO DE LA APORTACIÓN DINERARIA COMO PRESUPUESTO MATERIAL DE NACIMIENTO DEL DERECHO DE PREFERENCIA. Bibliografía.

## I. IDEAS PRELIMINARES

En el tiempo transcurrido desde la adaptación de nuestro ordenamiento jurídico societario a la Segunda Directiva comunitaria en materia de capital social, la regulación referida o que atañe al derecho de preferencia del socio ha sido objeto de diversas modificaciones[1], de entre las que destaca especialmente la derivada de la sentencia del Tribunal de Justicia de la Unión Europea, de 18 de diciembre de 2008 *(Tol 2172240)*[2], por cuya virtud, y esencialmente, se introdujeron dos importantes novedades: por un lado, la eliminación del derecho de suscripción preferente a los titulares de obligaciones convertibles en acciones; y, por otro, la introducción del requisito de la aportación dineraria como presupuesto material básico del nacimiento del derecho de preferencia.

---

[1]    Puede verse un resúmen completo de las mismas en GARCÍA CREWE, C.: *El derecho de suscripción preferente. Exclusión, inexistencia y configuración estatutaria*, Cizur Menor, 2014, págs. 57 y ss.

[2]    Modificación introducida en la LSA de 1989 por efecto del apartado 16ª de la Disposición final 1ª de la Ley 3/2009, de abril, sobre modificaciones estructurales de las sociedades mercantiles.

El Anteproyecto de Código Mercantil (en adelante, ACM), aprobado por el Consejo de Ministros en mayo de 2014, vuelve a incidir de manera significativa en esta materia, alterando de manera esencial el régimen actual contenido en la LSC. El objeto de estas líneas consiste precisamente en analizar ese nuevo régimen, tratando de prestar una especial atención a aquellos aspectos que implican un cambio respecto de la situación actual.

## II. LA DESAPARICIÓN DEL CONCEPTO DE INTERÉS SOCIAL COMO PRESUPUESTO LEGITIMADOR DE LA EXCLUSIÓN DEL DERECHO DE PREFERENCIA

### 1. La situación actual

El artículo 308.1 de la LSC establece expresamente que, «*en los casos en que el interés de la sociedad así lo exija, la Junta general, al decidir el aumento del capital, podrá acordar la supresión total o parcial del derecho de suscripción preferente*». Por consiguiente, se contempla la posibilidad de que la Junta general, al tomar la decisión de aumentar el capital social, suprima el derecho de preferencia a favor de los antiguos socios o accionistas, si bien el propio precepto nos revela inmediatamente que la concurrencia de un interés social, que justifique la supresión de la preferencia, constituye el eje central sobre el que descansa el régimen de exclusión.

La introducción de este concepto en la LSA de 1989 supuso la adopción de un sistema mucho más garantista de la posición del accionista que lo que exigía realmente la Directiva comunitaria[3], en la que la posibilidad de supresión se condiciona única y exclusivamente al respeto de las debidas garantías formales, centradas fundamentalmente en la adopción de un acuerdo mayoritario en la Junta general (artículo 29). Sin embargo, el legislador español introdujo en nuestro sistema la idea del interés social como presupuesto legitimador de la exclusión[4], de manera que no resulta suficiente con la voluntad mayoritaria de los socios, sino que se hace

---

[3]   Recordemos, sin embargo, que la referencia a dicho concepto no aparecía en el artículo 76 de la LSRL de 1995.

[4]   El sistema trae causa, a su vez, del ordenamiento jurídico italiano (artículo 2441 del *Codice civile*), por contraposición a otros sistemas europeos, como el alemán y el francés, que prescinden por completo de este presupuesto material de exclusión.

necesaria también la concurrencia de un interés social que legitime la operación de exclusión de la preferencia[5].

Cuestión distinta es precisar que ello no significa que, para legitimar la operación de exclusión, la sociedad deba hallarse en un auténtico «estado de necesidad», ni que de ella dependa la subsistencia de la misma, ya que, si así fuera, se haría prácticamente imposible la aplicación de la norma y de su finalidad. Más bien parece que debe existir una relación de medio a fin, en virtud de la cual la exclusión aparezca como un medio indispensable para la realización del interés social[6]. De ahí que algunos autores prefieran hablar de relación de conveniencia en lugar de necesidad[7]. Sea como fuere, lo que resulta incuestionable es que el interés social debe motivarse adecuadamente en el informe de los administradores, sin que sea suficiente una mera invocación genérica al mismo, puesto que ello sería causa suficiente para la impugnación del acuerdo de supresión de la preferencia.

En realidad, el presupuesto del interés social se convierte así en un requisito de proporcionalidad, en una suerte de cálculo contractual, que trata de identificar la voluntad hipotética de las partes, y que debe satisfacer, en palabras de IGLESIAS PRADA y PAZ-ARES tres condiciones esenciales: por un lado, la idoneidad o adecuación significativa del medio utilizado, que no es otro que la exclusión de la preferencia, al fin buscado; por otro, la inexistencia de otro medio menos gravoso para alcanzar el fin buscado; y, finalmente, una relación equilibrada o razonable entre la gravedad del medio —es decir, entre el sacrificio infligido— y la utilidad del fin buscado[8].

---

5    ALONSO LEDESMA, C.: «Algunas consideraciones sobre el juego de la cláusula del interés social en la supresión o limitación del derecho de suscripción preferente», en *Derecho mercantil de la Comunidad Económica Europea: estudios en homenaje a José Girón Tena*, Madrid (1991), págs. 31-64, en concreto, págs. 37 y 38.

6    ALONSO LEDESMA, C.: *op. cit.*, pág. 50; y LARGO GIL, R.: «La exclusión del derecho de suscripción preferente», en *Derecho de sociedades anónimas*, obra colectiva coordinada por el Profesor Alonso Ureba, Madrid (1994), t. III, vol. I, págs. 602-670, en concreto, pág. 634.

7    VÁZQUEZ ALBERT, D.: *La exclusión del derecho de suscripción preferente*, Madrid (2000), pág. 205.

8    IGLESIAS PRADA, J. L. y PAZ-ARES, C.: «Obligaciones convertibles y exclusión del derecho de suscripción preferente», en *InDret*, nº 418, enero (2007), pág. 21.

## 2. *La nueva redacción del artículo 252-13 del Anteproyecto de Código Mercantil*

En el artículo 252-13 del ACM desaparece toda mención al concepto de interés social como presupuesto legitimador de la exclusión, así como la referencia explícita al verbo «exigir», por lo que cabe presumir que es voluntad de nuestro legislador alterar de modo significativo el régimen de la exclusión del derecho de preferencia, abandonando esa posición ciertamente garantista de la posición del socio, para aproximarse en este aspecto mucho más al tenor literal de la Directiva comunitaria[9].

Ahora bien, ¿significa lo anterior que, con la regulación proyectada, será suficiente para excluir el derecho de preferencia la voluntad mayoritaria de los socios expresada en la Junta? Parece evidente que ello no deber ser así, entre otras razones porque el propio precepto exige que los administradores o, en su caso, los socios autores de la propuesta, formulen un informe escrito en el que se justifique detalladamente la supresión. Por consiguiente, no basta con que se tome el acuerdo con las mayorías legal o estatutariamente requeridas, sino que se precisa algo más, se hace necesario ofrecer y detallar las razones que aconsejan la supresión, aunque, eso sí, no será ya imprescindible acreditar que el interés de la sociedad solo puede ser satisfecho por medio de dicha exclusión.

De hecho, debemos dejar constancia que, en el sistema alemán, en el que se omite la referencia al concepto de interés social y la exclusión de la preferencia se somete solo a requisitos de tipo formal, la jurisprudencia ha venido construyendo una serie de presupuestos materiales para determinar la validez del acuerdo de supresión de la preferencia, sin que, por consiguiente, la decisión quede solo en manos del acuerdo mayoritario de la Junta. A grandes rasgos, estos presupuestos pueden resumirse en la exigencia de una justificación objetiva de la exclusión, que comprende tres elementos: un interés de la sociedad en la supresión; la conveniencia y necesidad de la misma como medio más apropiado para obtener ese fin; y, finalmente, la proporcionalidad entre el referido interés y los perjuicios que la exclusión causa a los socios[10].

---

9   Con todo, esta nueva orientación ha sido criticada en el dictamen emitido por el Consejo de Estado sobre el citado Anteproyecto, de fecha 29 de enero de 2015, al no aparecer justificación alguna que explique esta supresión de toda referencia al interés social.

10  Puede verse el estado de la cuestión en la doctrina y jurisprudencia alemanas en: VÁZQUEZ ALBERT, D.: «El derecho de suscripción preferente en Europa», en

En cualquier caso, la modificación propuesta en el ACM implica una diferencia sustancial, advertida ya en su día por el profesor ROJO, al analizar el distinto régimen aplicable a la sociedad anónima y a la limitada con anterioridad a la aprobación de la LSC, consistente en la ausencia, en este último tipo societario, de mención alguna al interés social como presupuesto material básico de la supresión del derecho de preferencia[11]. Así, con la regulación actual, corresponde a la sociedad demostrar el interés social que exige la supresión, mientras que con la regulación proyectada, deberá presumirse la conformidad del acuerdo con el interés social, recayendo en los socios disconformes la carga de probar que el acuerdo lesiona el interés social en beneficio de uno o varios accionistas.

Con todo, conviene advertir que la modificación operada en el año 2014 en el régimen general de impugnación de acuerdos sociales, desvirtúa en parte las consecuencias de este cambio. En efecto, con la redacción anterior, el régimen de impugnación de los acuerdos nulos era más beneficioso que el de los anulables, tanto en el plazo de ejercicio de la acción, como en el del círculo de legitimados activos para entablarla. De este modo, la apelación expresa al interés social como presupuesto material de la exclusión en el artículo 308 de la LSC, convertía a un acuerdo de supresión sin tener en cuenta dicho presupuesto en un acuerdo *contra legem* y, por consiguiente, nulo, otorgando un plazo de impugnación considerablemente más amplio (1 año), que el que se hubiera tenido si el acuerdo hubiera sido simplemente lesivo del interés social en beneficio de uno o varios socios o de terceros.

Sin embargo, tras la reforma de 2014, y se sigue igual criterio en el artículo 214-11 del ACM, ya no se distingue entre acuerdos nulos y anulables, por lo que la incidencia de esta propuesta de cambio en este específico aspecto es nula.

Por lo demás, es necesario destacar que la desaparición del concepto de interés social como presupuesto legitimador de la exclusión, convierte en innecesaria la discusión acerca de si la supresión de la preferencia es o no un acto libre y facultativo de la sociedad. En efecto, con la redacción actual, se ha planteado la cuestión de si, acreditándose la existencia de un

---

*Revista de Derecho de Sociedades*, n° 11 (1999), págs. 79 y ss., en concreto, pág. 91; y GARCÍA CREWE, C.: *op. cit.*, pág. 118 y ss.

[11]   ROJO FERNÁNDEZ-RÍO, Á.: «El aumento del capital de la sociedad de responsabilidad limitada», en *Estudios de Derecho Mercantil Homenaje al Profesor Justino Duque*, tomo I, Valladolid (1998), pág. 586.

interés social, la sociedad está obligada a tomar la decisión de suprimir la preferencia. A este respecto, la opinión mayoritaria entre nuestra doctrina sostiene que la utilización en el artículo 308 de la LSC del término «*podrá*» revela claramente que nos hallamos ante un acto discrecional, que facultará a la Junta general para su adopción o no, siempre naturalmente que concurra el presupuesto legitimador del interés social. Y ello a pesar de lo contradictorio que resulta la utilización en el mismo precepto del término «*podrá*», referido a la actuación de la Junta, y la expresión «*en los casos en que el interés de la sociedad así lo exija*». Es decir, la exigencia derivada del interés social no obliga en todos los casos a la exclusión de la preferencia, sino que será siempre necesario que la Junta general, en un acto enteramente libre, adopte dicha decisión. De ahí que podamos afirmar que, siendo el interés social el presupuesto legitimador de la exclusión, será impugnable aquel acuerdo de la Junta que suprima el derecho sin que se aprecie la concurrencia del mismo. Sin embargo, al no ser un presupuesto automático de la exclusión, no resultará impugnable aquel acuerdo de la Junta que, a pesar de la concurrencia del interés social, no acuerde la supresión del derecho de preferencia[12].

Con todo, dicha opinión, mayoritaria entre nuestra doctrina, ha sido puesta en tela de juicio por algún autorizado autor, al entender que el término «*podrá*» no puede interpretarse como una liberación absoluta de la Junta frente al carácter vinculante que el interés social tiene como límite inmanente frente a todos los acuerdos de cualquier órgano social. En concreto, se señala que, cuando no existan otras alternativas para la consecución del interés social, la Junta deberá (no simplemente podrá) proceder a la exclusión de la preferencia, ya que existe un deber de fidelidad de los socios de no sacrificar dicho interés social en aras del provecho particular que puede suponerles el disfrute del derecho[13].

Pues bien, con la redacción prevista en el ACM, parece claro que la decisión de suprimir el derecho de preferencia constituirá siempre un acto libre y facultativo de la sociedad, que deberá valorar en cada momento la conveniencia u oportunidad de su adopción, sin que se pueda imponer forzosamente la misma sobre la base de la existencia de un pretendido

---

[12]   VELASCO SAN PEDRO, L. A.: «El derecho de suscripción preferente», en *Derecho de sociedades anónimas*, *op. cit.*, t. III, vol. I, págs. 517-601, en concreto, pág. 562; y ALONSO LEDESMA, C.: *op. cit.*, pág. 47-49.
[13]   SÁNCHEZ ANDRÉS, A.: «La acción y los derechos de los accionistas», en *Comentario al régimen legal de las sociedades mercantiles*, obra colectiva dirigida por los profesores Uría, Menéndez y Olivencia, tomo IV, vol. 1º, Madrid (1992), págs. 240-242.

interés social, prevalente al individual de cada uno de los socios, y que solo puede ser satisfecho por medio de la exclusión.

## III. EL MANTENIMIENTO DEL RESTO DE PRESUPUESTOS O REQUISITOS PARA LA VÁLIDA EXCLUSIÓN DEL DERECHO DE PREFERENCIA

Por lo demás, el artículo 252-13 del ACM mantiene en su esencia el resto de requisitos exigidos para la válida supresión del derecho de preferencia, aunque con algunas modificaciones puntuales a las que nos referiremos a continuación.

### 1. *El acuerdo de la Junta general*

La supresión debe ser acordada por la Junta general, y para cada concreto acuerdo de aumento, sin que sean válidas aquellas decisiones de la Junta tendentes a privar de dicho derecho con carácter general y para el futuro. Naturalmente, dicho acuerdo debe someterse a los requisitos previstos para cualquier modificación estatutaria, puesto que dicha supresión se inscribe en el seno de una decisión más amplia, la de aumento del capital social.

Con relación a dicho presupuesto, se hace necesario incidir en dos cuestiones puntuales. La primera de ellas va referida a la eventual inclusión en la escritura de constitución o en los estatutos sociales de la supresión del derecho de preferencia, lo que haría innecesario, caso de admitirse, el acuerdo de la Junta en tal sentido. Con relación a ello, y aunque la LSC, a diferencia de la Directiva comunitaria, no lo prohíba expresamente, debe entenderse que no es posible una renuncia anticipada de carácter general contenida en la escritura o en los estatutos sociales, ya que, al tratarse de un derecho esencial o mínimo del socio, solo puede ser excluido en los casos previstos expresamente por la Ley, y a través del cumplimiento de las formalidades previstas para tutelar el interés de la sociedad y de los socios minoritarios[14]. Sin embargo, algún autor ha criticado dicha opción legal,

---

[14]   VELASCO SAN PEDRO, L. A.: *op. cit.*, pág. 555; RUIZ PERIS, J. I.: «Pactos estatutarios y derecho de suscripción preferente», en *Estudios jurídicos en homenaje al Profesor Aurelio* Menéndez, vol. 2º, pág. 2409; y VÁZQUEZ ALBERT, D.: *op. cit.*, pág. 187.

por lo menos en lo que hace referencia a la posibilidad de que la exclusión de la preferencia pueda ser incluida en la escritura de constitución de la sociedad. Según dicha apreciación doctrinal, en el momento fundacional, en el que debe concurrir la voluntad unánime de todos los socios fundadores, no existen argumentos que justifiquen la imposibilidad de suprimir el derecho de suscripción preferente, por lo que esta debería ser admisible[15].

Con todo, y a pesar de la citada opinión doctrinal, parece que la prohibición expresa contenida en la Directiva, así como la consideración del derecho de preferencia como uno de los derechos mínimos del socio, aconsejan entender que no es posible la renuncia anticipada y con carácter general del mismo. Tan solo cabría exceptuar de esta regla a las acciones sin voto emitidas por las sociedades cotizadas, respecto de las cuales el artículo 499.2 de la LSC nos indica que «*se estará a lo que dispongan los estatutos sociales respecto del derecho de suscripción preferente de los titulares de estas acciones*»[16]. Sin embargo, el ACM no contempla ya esta regla, por lo que cabe considerar que no será posible tampoco para las acciones sin voto de una sociedad cotizada suprimir el derecho de preferencia con carácter general en los estatutos sociales.

La segunda cuestión va referida a la posibilidad de que sean los administradores quienes excluyan dicho derecho en el ejercicio de su facultad, delegada por la Junta, de acordar el aumento de capital. Con relación a la misma, debemos convenir que la Directiva comunitaria permitía dicha eventualidad. No obstante, la redacción literal del artículo 308 de la LSC, al referirse expresamente a la Junta general, no deja lugar a dudas sobre la cuestión, con la única excepción de las sociedades cotizadas, respecto de las cuales el artículo 506.1 permite que, en estos supuestos, la Junta delegue también en los administradores la facultad de excluir el derecho de suscripción preferente. Con esta previsión específica para las sociedades cotizadas se cumple adecuadamente con la razón de ser del capital autorizado, que no es otra que la de permitir a los administradores reaccionar rápidamente a las condiciones de mercado para obtener las mejores ventajas económicas para la sociedad, lo que difícilmente podría lograrse si el órgano de administración tuviera que recurrir puntualmente a la Junta

---

[15] ALFARO ÁGUILA-REAL, J.: *Interés social y derecho de suscripción preferente*, Madrid (1995), pág. 80, nota 110.

[16] GARCÍA DE ENTERRÍA, J.: «Acciones con derecho de suscripción preferente limitado a las emisiones de acciones de la misma clase», en *Estudios de Derecho Mercantil: liber amicorum Profesor Dr. Francisco Vicent Chuliá*, 2013, págs. 325 y ss., en concreto, págs. 327 y 328.

para acordar válidamente la supresión del derecho de preferencia[17]. En la misma dirección se sitúa el artículo 285-5 del ACM, en el que desaparece también la referencia al concepto de interés social como presupuesto legitimador de la exclusión.

Sin embargo, debemos tener presente que nuestro sistema del capital autorizado recoge como límite cualitativo a la delegación el que las aportaciones sean de carácter dinerario (artículo 297.1.b. de la LSC), lo que nos advierte de la necesidad de que los motivos de la exclusión se justifiquen adecuadamente, por cuanto los antiguos accionistas se hallan en perfectas condiciones de dar cumplimiento a este tipo de aportación. Por consiguiente, para la supresión por los administradores del derecho de suscripción preferente, se requerirá siempre la constatación efectiva de un interés social que justifique la postergación de los antiguos accionistas en favor de terceros inversores[18]. Precisamente por ello, tanto el artículo 506.1 de la LSC, como el artículo 285-5 del ACM, con la excepción de los matices referidos al concepto de interés social, vienen acompañados de toda una serie de requisitos que tienen como fundamento el garantizar una adecuada protección de los intereses del accionista, que se ve privado de su derecho de preferencia sobre la base de una decisión adoptada por los administradores en el ejercicio de su facultad de elevar el capital social. De tal forma, se exige que, en el anuncio de convocatoria de la Junta que vaya a delegar en los administradores la facultad de aumentar el capital, se haga constar ya la propuesta, con su debida justificación, de delegar también la posibilidad de excluir el derecho de suscripción preferente (artículo 506.2 de la LSC y 285-5.2 del ACM); la necesidad de que los informes de administradores y auditores de cuentas vayan referidos a cada unas de las concretas ampliaciones y sean puestos a disposición de los accionistas y comunicados a la primera Junta que se celebre tras la ampliación (artículo 506.3 y 4 *in fine* de la LSC, con referencia explícita al concepto de interés social, y 285-5.3 y 5 del ACM, sin referencia alguna a dicho concepto); y, finalmente, que el valor nominal de las acciones a emitir, más, en su caso, el importe de la prima de emisión se correspondan con el valor razonable que resulte del informe del auditor de cuentas (artículo 506.4 de la LSC y 285-5.4 del ACM).

---

[17]   ALFARO ÁGUILA-REAL, J.: *op. cit.*, pág. 86.

[18]   MAMBRILLA RIVERA, V.: «El aumento de capital por compensación de créditos», en *Derecho de sociedades* anónimas, obra colectiva coordinada por el Profesor Alonso Ureba, Madrid (1994), tomo III, vol. 1º, págs. 623 y 634; y FLAQUER RIUTORT, J.: *El capital autorizado*, Palma de Mallorca (1995), págs. 91 y 92.

En otro orden de cosas, en lo que no parece existir inconveniente es en que la Junta, en el momento en que acuerda la delegación en los administradores de la facultad de aumentar el capital social, decida ella misma la supresión total o parcial del derecho de preferencia, aunque siempre constreñida al ámbito de los acuerdos que eventualmente realicen los administradores al amparo de dicha autorización[19]. Naturalmente, la necesidad de cumplimentar los requisitos y formalidades del artículo 308 provoca que dicha posibilidad sea ciertamente factible en el marco del artículo 297.1.a) (delegación para fijar la fecha del aumento y las condiciones del mismo no previstas en el acuerdo de la Junta), pero bastante dificultosa en el del artículo 297.1.b), que es propiamente el del capital autorizado[20].

## 2. La obligación de información

La innegable trascendencia del acuerdo de supresión de la preferencia ha exigido siempre la adopción de una serie de cautelas que tienen como denominador común el evitar posibles actuaciones arbitrarias de los socios mayoritarios. Así, junto a la obligación de incluir en la convocatoria de la Junta la propuesta de supresión del derecho de preferencia y el tipo de emisión de las nuevas acciones o de creación de las nuevas participaciones sociales (artículo 308.2.b), se impone la obligación de poner a disposición de los socios un conjunto de información, así como el derecho a su examen en el domicilio social o a su envío gratuito, que sirve para que estos puedan tener suficiente conocimiento de causa a la hora de expresar su decisión en el seno de la Junta general, y cuya ausencia o insuficiencia autorizarán a la impugnación del acuerdo e incluso pueden motivar la denegación de su inscripción registral (artículo 166.2.2ª del RRM).

Dentro de la información a la que estamos haciendo referencia, adquiere un papel relevante el informe escrito que debe presentarse a la Junta general, en el que se detallen los motivos que aconsejan la supresión del derecho de preferencia. Con relación a ello, debe reseñarse que el ACM presenta la particularidad de contemplar expresamente la posibilidad de que la iniciativa de exclusión surja de alguno o alguno socios, a diferencia

---

[19]    VELASCO SAN PEDRO, L. A.: *op. cit.*, pág. 556; y ALFARO ÁGUILA-REAL; J.: *op. cit.*, págs. 86-88.

[20]    VELASCO SAN PEDRO, L. A.: *op. cit.*, pág. 556.

del artículo 308.2.a) de la LSC, que parece reservar únicamente la misma al órgano de administración[21].

Por lo que se refiere al contenido del citado informe, los encargados de la gestión social y eventualmente, con el ACM, el socio o los socios autores de la propuesta, deben explicar ante todo los motivos que justifican la supresión del derecho de preferencia. De tal forma, parece evidente que no basta con enunciar simplemente la medida, sino que es necesario motivar suficientemente las razones que aconsejan tal privación. En realidad, este es el aspecto central del informe, por lo que cabe exigir que la información sea lo más minuciosa y detallada posible. La principal diferencia entre la regulación actual y la proyectada radica aquí, de nuevo, en la desaparición del concepto de interés social, de manera que no será necesario ya justificar en el informe la existencia de un interés social que solo puede ser cumplido por medio de la supresión de la preferencia.

En segundo lugar, debe indicarse en el informe el valor de las participaciones y/o acciones de la sociedad, así como la contraprestación a satisfacer por las nuevas acciones y/o participaciones, lo que ha de permitir al socio valorar, con carácter previo a la decisión acerca de la exclusión del derecho, si su posición económica en el seno de la sociedad va a resultar o no alterada por la supresión de la preferencia.

Por último, el informe en cuestión deberá indicar las personas a las que habrán de atribuirse las nuevas acciones y/o participaciones, extremo este que para nada exige la Directiva comunitaria. Dicha exigencia puede dificultar la realización de aumentos de capital con exclusión del derecho de preferencia en supuestos en los que no se conoce previamente quiénes van a ser los destinatarios de las nuevas acciones y/o participaciones sociales, lo que sucede muy a menudo en aquellos casos en los que se recurre a la financiación exterior o, simplemente, a la suscripción pública de las nuevas acciones. En tales circunstancias, la aplicación estricta y literal del precepto en cuestión podría constituir un obstáculo considerable para el recurso a la financiación exterior de determinadas empresas, ya que determinados accionistas, no conformes con el acuerdo de supresión, podrían impugnar

---

[21]  Sobre las razones que justifican, en la actualidad, la competencia exclusiva del órgano de administración en esta materia, puede verse: ROJO FERNÁNDEZ-RÍO, A.: «El acuerdo de aumento de capital de la sociedad anónima», en *Estudios jurídicos en Homenaje al Profesor Aurelio Menéndez*, t. II, Madrid (1996), págs. 2339-2391, en concreto, pág. 2356; y GARCÍA CREWE, C.: *op. cit.*, págs. 200 y ss. En contra, sin embargo, VÁZQUEZ ALBERT, D.: *op. cit.*, págs. 227 y 228.

dicho acuerdo sobre la base de la falta de individualización previa de los nuevos accionistas. De ahí que sea aconsejable proceder a una interpretación amplia del precepto y entender que la exigencia se cumple igualmente respecto de personas que, aun cuando no estén plenamente identificadas en el informe de los administradores, sean identificables con arreglo a criterios que permitan su individualización posterior[22]. En cualquier caso, lo cierto es que el ACM mantiene en su integridad la citada exigencia.

En aras a una mayor objetividad de la información facilitada a los accionistas, el artículo 308.2.a) de la LSC exige, solo para el caso de las sociedades anónimas, que se facilite a estos un informe elaborado por un experto independiente, distinto del auditor de cuentas de la sociedad, nombrado a estos efectos por el RM, para que, bajo su responsabilidad, elabore un informe que deberá versar sobre el valor razonable de las acciones de la sociedad, el valor teórico del derecho de preferencia cuyo ejercicio se propone suprimir o limitar y la razonabilidad de los datos conferidos en el informe de los administradores. Naturalmente, ello supone para este tipo de sociedades un reforzamiento mayor de la posición jurídica de los accionistas, ya que implica la presencia de un control externo a la sociedad, de cuya independencia debe presumirse la emisión de un juicio de cierto valor para la decisión de aquellos.

Respecto de dicho informe, se suscita una primera cuestión de índole subjetiva, relacionada con el sujeto autorizado para la emisión del mismo. Ante todo, cabe señalar que, hasta la reciente modificación operada por la disposición final 4ª.14º de la Ley 22/2015, de 20 de julio, de Auditoría de Cuentas, necesariamente debía tratarse de un auditor de cuentas debidamente colegiado y acreditado para desempeñar su labor, lo que garantizaba tanto su pericia y profesionalidad en beneficio de los destinatarios de la información, como su sometimiento a las normas contenidas en la citada Ley. No obstante, con la reforma introducida por la antedicha Ley, que aparece confirmada en el artículo 252-13 del ACM, es suficiente con la designación de un experto independiente nombrado a estos efectos por el Registro Mercantil. Parece, en este sentido, que se opta por una solución menos garantista de los intereses que se pretenden proteger[23].

---

[22]   LARGO GIL, R.: *op. cit.*, pág. 649; VELASCO SAN PEDRO, L. A.: *op. cit.*, pág. 566; ALONSO LEDESMA, C.: *op. cit.*, pág. 1474; y LARA GONZÁLEZ, R.: «Artículo 308. Exclusión del derecho de preferencia», en *Comentario de la Ley de Sociedades de Capital*, obra colectiva dirigida por los profesores Rojo y Beltrán, vol. 2º, t. II, Madrid (2011), págs. 2271-2281, en concreto, pág. 2277.

[23]   GARCÍA CREWE, C.: *op. cit.*, pág. 277.

Con relación al contenido concreto del informe, debe advertirse que el experto no debe entrar en la valoración de la oportunidad o conveniencia de la operación, puesto que esta no es su función, sino únicamente en la razonabilidad de los datos suministrados por los administradores, especialmente en lo que hace referencia al valor razonable de las acciones y al valor teórico del derecho de preferencia cuyo ejercicio se propone suprimir o limitar[24]. A tales efectos, partiendo de la base de que la Ley no hace referencia alguna a lo que deba entenderse por valor razonable de las acciones, debe tomarse en consideración el trabajo de homogeneización desarrollado por el Instituto de Contabilidad y Auditores de Cuentas en sus distintas resoluciones sobre este particular[25]. Téngase en cuenta, no obstante, que para el caso específico de las sociedades cotizadas, el artículo 504.2 de la LSC asimila el valor razonable de las acciones a su valor de mercado, debiendo presumirse, salvo que se justifique lo contrario, que ese valor es el que se establece por referencia a la cotización bursátil. Por su parte, por lo que se refiere al valor teórico del derecho de preferencia, lo que se pretende es que el accionista pueda valorar cuál es la pérdida patrimonial que puede experimentar, así como si el precio de emisión compensa o no la misma[26].

Con todo, debe reseñarse que el ACM modifica el contenido de dicho informe, toda vez que limita el mismo a comprobar la exactitud de los datos contenidos en el informe de los administradores o de los socios autores de la propuesta, así como a pronunciarse sobre el valor razonable de las acciones emitidas, sin que se exija referencia alguna al valor teórico del derecho de preferencia, ni a la razonabilidad de los datos contenidos en el informe. En realidad, en las sociedades no cotizadas, la indicación del valor teórico del derecho de suscripción no aporta ninguna información adicional al socio[27], sin embargo, la supresión del juicio de razonabilidad del experto acerca del informe de los administradores, constituye una rebaja notable del nivel de protección de aquel.

## 3. El precio de emisión de las nuevas acciones o participaciones

El artículo 308.2.c) de la LSC apura aún más la tutela del socio o accionista, al exigir expresamente que el valor nominal de las nuevas acciones

---

[24] VELASCO SAN PEDRO, L. A.: *op. cit.*, pág. 566.
[25] LARGO GIL, R.: *op. cit.*, págs. 659-669; y LARA GONZÁLEZ, R.: *op. cit.*, pág. 2278.
[26] LARA GONZÁLEZ, R.: *op. cit.*, pág. 2279.
[27] Véase, en dicho sentido, GARCÍA CREWE, C.: *op. cit.*, pág. 291.

o participaciones, más, en su caso, el importe de la prima, se corresponda con el valor real que resulte del informe de los administradores en el caso de las sociedades de responsabilidad limitada y del experto independiente en las sociedades anónimas. En cualquier caso, debe tenerse presente que, respecto de las sociedades cotizadas, el artículo 505 de la LSC permite que la Junta general, una vez que disponga del informe de los administradores y del informe del experto independiente, acuerde la emisión de las nuevas acciones a cualquier precio, siempre que sea superior al valor neto patrimonial de estas, pudiendo limitarse a establecer el procedimiento para su determinación.

Con dicha exigencia, que implica la obligatoriedad de la prima en todos aquellos casos en que existan reservas en el patrimonio de la sociedad[28], se consigue evitar la dilución de la posición económica de las acciones y/o participaciones originarias, reduciéndose su perjuicio al ámbito de los derechos políticos del socio[29]. Nuevamente, en este punto, la Ley española asume un grado de protección mayor que el establecido en la Directiva comunitaria, puesto que en esta tan solo se exige que se justifique el precio de emisión propuesto. La obligatoriedad de la prima de emisión, y consecuentemente la pérdida de su carácter inicialmente facultativo, puede no resultar aconsejable en aquellos casos en los que exista un interés especial en atraer a determinados inversores. Sin embargo, la dicción literal del artículo 308.2.c) es clara y terminante, al igual que la que se recoge en el artículo 252-13.c) del ACM, y de ella resulta que, dejando al margen el supuesto de las sociedades cotizadas, el interés en tutelar la posición económica de los antiguos socios prevalece frente a un hipotético interés social que pudiera justificar la supresión de la prima o, cuando menos, su reducción por debajo del valor real de las acciones y/o participaciones antiguas.

Sin embargo, el ACM presenta también algunas novedades en esta materia. En efecto, el artículo 252-13.c) dispone que el valor de las nuevas acciones o participaciones, sumado en su caso al importe de la prima de emisión, debe corresponderse con el valor razonable que resulte del informe de los administradores en la sociedad limitada o del informe del experto en la sociedad anónima. Observemos, por tanto, que desaparece la refe-

---

[28]   SÁNCHEZ ANDRÉS, A.: «Principios, casos y conceptos en materia de asignación gratuita de acciones», en *Derecho mercantil de la Comunidad Económica Europea: estudios en homenaje a José Girón Tena*, Madrid (1991), págs. 885-904, en concreto, pág. 897; y LARGO GIL, R.: *op. cit.*, pág. 654.

[29]   VELASCO SAN PEDRO, L. A.: *op. cit.*, pág. 566.

rencia al valor real de las participaciones en la sociedad de responsabilidad limitada, de manera que ahora el parámetro de referencia será siempre el valor razonable de los títulos. A tal efecto, conviene precisar que el artículo 285-3.2 del citado ACM, en sede de sociedades cotizadas, considera como valor razonable el valor de mercado, presumiéndose, salvo que se acredite lo contrario, que este coincidirá con el que se establezca por referencia a la cotización bursátil. Naturalmente, dicha previsión solo sirve para las sociedades cotizadas, de manera que para el resto de sociedades habrá que estar al informe del experto en la sociedad anónima y al de los administradores en la de responsabilidad limitada, en los que se nos indicará cuál es el valor razonable de la acción y/o la participación, lo que puede dar lugar en este último caso a comportamientos abusivos por parte del órgano de administración. No obstante, no podemos ignorar que en la fijación de ese valor habrá que tener siempre presente la Norma Técnica de Auditoría sobre el «valor razonable» aprobada, en su día, por el Instituto de Contabilidad y Auditores de Cuentas.

En otro orden de cosas, debemos referirnos a la participación del órgano de administración en la fijación del tipo de emisión de las nuevas acciones. Parece claro, en este sentido, que la distribución competencial prevista tanto en la LSC como en el ACM otorga al órgano de administración la facultad de proponer la prima, que deberá ser aprobada, en última instancia, por la Junta general de socios. No obstante, no puede desconocerse que, especialmente en el ámbito de las sociedades bursátiles, la determinación inicial del tipo de emisión puede dificultar enormemente la colocación de los títulos en el mercado. De ahí que sea preciso arbitrar alguna solución que permita, por una parte, respetar al máximo el esquema competencial fijado por la Ley, pero, al mismo tiempo, asegurar la viabilidad misma de la operación en juego. Por ello, algún autor ha sugerido la posibilidad de atribuir a los administradores el poder de determinar la cuantía de la prima entre un valor mínimo —que deberá respetar, en todo caso, el valor real de las viejas acciones—, y un valor máximo, que debería adecuarse a la marcha de las cotizaciones. Con todo, y aún admitiendo que con dicho sistema se ganaría cierta versatilidad, sin perjudicar excesivamente los derechos del antiguo accionista, el propio autor reconoce que persistiría cierta rigidez derivada de la concreta delimitación de una banda de oscilación. Precisamente por ello, sugiere la posibilidad de que la decisión de la Junta no se proyecte sobre el tipo concreto de emisión de las nuevas acciones, sino sobre los criterios a seguir para su obtención posterior, lo que equivaldría a dotar de un cierto protagonismo a la delegación de facultades del artículo 297.1 a) de la LSC[30]. En cierto modo, la referencia que el artículo 505.1 *in fine* hace a la posibilidad de que la Junta se limite a establecer el procedimiento para la determinación del precio de emisión de las nuevas acciones, viene a corroborar dicha posición doctrinal.

Por lo demás, cabe consignar que, al igual que sucede en la actualidad, el importe de la prima de emisión debe desembolsarse íntegramente, puesto que el artículo 259-2.2 del ACM coincide plenamente en este aspecto con el artículo 298.2 de la LSC.

## 4. *El doble control de legalidad*

Una vez acordada la supresión del derecho de preferencia, la protección del socio se enmarca ya en el ámbito del doble control de legalidad que puede efectuarse sobre la misma, sin que se aprecien diferencias significativas en la regulación propuesta en el ACM. En una primera instancia, aparece el control registral, que facultará al Registrador para denegar la inscripción del acuerdo de aumento, con supresión del derecho de preferencia, en aquellos casos en los que no se respete la legalidad de las formas extrínsecas de los documentos, así como la capacidad y legitimación de los sujetos que los otorguen o suscriban y la validez de su contenido (artículo 6 del RRM y 140-7 del ACM).

Junto a ese primer control, que dará paso a la inscripción registral y a la consiguiente publicación del acuerdo de aumento en el BORME, se abre ya la posibilidad de impugnar judicialmente la decisión acordada por la Junta. Respecto de dicha facultad de impugnación, debe señalarse que, en la actualidad, su causa podrá derivar o bien de la no concurrencia del interés social, o bien de la vulneración de los requisitos formales y procedimentales exigidos por la Ley[31]. De ahí que la actuación judicial no deba reducirse a un mero control del cumplimiento de esos requisitos formales y procedimentales, sino que debe enjuiciar también el carácter necesario o la exigencia, que no la mera conveniencia, de la supresión de la preferen-

---

[30]   YANES YANES, P.: «Exclusión del derecho de suscripción y tutela del accionista», en *Estudios jurídicos en homenaje al Profesor Aurelio Menéndez*, vol. 2°, Madrid (1996), págs. 2649-2694, en concreto, pág. 2664.

[31]   Con todo, ROJO, Á.: *op. cit.*, pág. 2387, advierte que las impugnaciones fundadas en la inexistencia del interés social acostumbran a ser desestimadas, por lo que la praxis habitual es la de aducir, además, el incumplimiento de los demás requisitos legalmente exigidos.

cia. Sin duda alguna, esta es una de las cuestiones que mayores problemas suscita de entre las que integran el tema de la exclusión, puesto que se trata de imponer límites al poder discrecional de la mayoría, sin que se llegue a una intromisión judicial en las decisiones de la sociedad[32]. Precisamente en atención a esto último, algunos autores sostienen que la actuación judicial no puede convertirse en un juicio empresarial alternativo de dudosa viabilidad, sino que debe limitarse a constatar si la exclusión se ha realizado diligente y lealmente, esto es, teniendo en cuenta suficientemente los intereses de la minoría[33].

Sin duda alguna, la supresión en el ACM de la mención al interés social como presupuesto legitimador de la exclusión reafirma aún más esta tesis, si bien ello no implica que la decisión quede exclusivamente en manos de la mayoría, por cuanto ya hemos visto que deben justificarse adecuadamente los motivos que aconsejan la adopción de la misma.

En cualquier caso, una vez declarada la nulidad del acuerdo por la autoridad judicial, debe señalarse que la misma no solo afecta al acuerdo de exclusión de la preferencia, sino que se proyecta también sobre el aumento mismo, ya que la ampliación de capital, sin afectar al derecho de suscripción preferente, alteraría las bases esenciales sobre las que discutió y decidió la Junta general de socios[34]. Tan solo cabría exceptuar aquellos casos en los que el aumento conserve su propia razón de ser, a pesar de la invalidez de la exclusión. Este sería el caso, por ejemplo, de la operación acordeón, en la que el aumento, tras la reducción del capital social a cero, es absolutamente imprescindible para la continuación de la sociedad[35].

## IV. LA DESAPARICIÓN DEL REQUISITO DE LA APORTACIÓN DINERARIA COMO PRESUPUESTO MATERIAL DE NACIMIENTO DEL DERECHO DE PREFERENCIA

El artículo 304 de la LSC circunscribe el derecho de preferencia del socio a los aumentos de capital con cargo a aportaciones dinerarias, hacien-

---

[32]   ALONSO LEDESMA, C.: *op. cit.*, págs. 56-61.
[33]   SÁNCHEZ ANDRÉS, A.: «La acción y los derechos…», *op. cit.*, págs. 241 y 242; ALFARO ÁGUILA-REAL, J.: *op. cit.*, pág. 79; y YANES YANES, P.: *op. cit.*, pág. 2686, nota 114.
[34]   LARGO GIL, R.: *op. cit.*, pág. 671; y YANES YANES, P.: *op. cit.*, pág. 2686, nota 112.
[35]   LARGO GIL, R: *op. cit.*, pág. 671.

do uso en este punto de la opción concedida por la Directiva comunitaria, que permite no extender el mismo a los aumentos no dinerarios. Con esta opción, introducida ya en la LSA de 1989 por efecto del apartado 16ª de la Disposición final 1ª de la Ley 3/2009, de abril, sobre modificaciones estructurales de las sociedades mercantiles, perdió sentido la discusión doctrinal acerca de la reconducción o no a la figura de la exclusión por interés social de los casos en que el aumento de capital se efectúe con cargo a aportaciones no dinerarias o mediante el canje de créditos por acciones, supuesto en el que deben incluirse las obligaciones simples[36]. En efecto, en estas situaciones, no cabe hablar de exclusión o supresión de la preferencia, puesto que sencillamente esta no existe, al preverse tan solo el derecho de preferencia en los aumentos con cargo a aportaciones dinerarias.

No obstante, el ACM, en su artículo 252-11, omite de nuevo toda referencia a las aportaciones dinerarias, por lo que es previsible que se reavive la citada polémica, al extenderse el derecho de preferencia a los casos de aumento con cargo a aportaciones no dinerarias o por compensación de créditos[37]. De confirmarse esta modificación legal, consideramos que estas situaciones deben reconducirse al supuesto de exclusión por acuerdo de la Junta, sin que pueda afirmarse sin más la inaplicabilidad de la preferencia, y ello por las siguientes razones: en primer lugar, respecto de las aportaciones no dinerarias, porque la exclusión no puede decretarse nunca de modo automático, puesto que la misma dependerá de si los bienes que se pretenden aportar pueden ser o no aportados por los antiguos socios, ya que, si se trata de bienes genéricos, de fácil aportación por estos, no se comprende la necesidad de suprimir el derecho de preferencia de modo automático; en segundo término, respecto del canje de créditos por acciones y/o participaciones, porque la sujeción al acuerdo de la Junta y su justificación impide el recurso al mecanismo de la concesión de créditos para su posterior compensación como sistema de evitación del derecho de

---

[36] Recordemos tan solo, a este respecto, que frente a una doctrina mayoritaria que abogaba por la reconducción a dicha figura de tales hipótesis (GARRIGUES, J. y URÍA, R.: *Comentario a la Ley de Sociedades Anónimas.*, tomo I, Madrid, 1976, pág. 456; LARGO GIL, R.: *op. cit.*, págs. 635-636 y 673; ALONSO LEDESMA, C.: *op. cit.*, pág. 38; y ALFARO ÁGUILA-REAL; J.: *op. cit.*, págs. 129 y 142), se alzaba también la autorizada opinión del profesor SÁNCHEZ ANDRÉS («La acción y los derechos…», *op. cit.*, págs. 215-219), para quien estos supuestos debían considerarse como casos de inaplicabilidad automática de la preferencia.

[37] De hecho, tanto en el artículo 252-5 como en el 252-6, normas en las que se regulan estos particulares tipos de aumento, se obliga expresamente a la observancia del régimen del derecho de preferencia.

preferencia[38]; y, finalmente, porque no podemos ignorar que la obligatoriedad de que el valor nominal de las nuevas acciones, sumado al importe eventual de la prima de emisión, se corresponda con el valor razonable que se desprende del informe de los administradores o del experto independiente, garantiza el mantenimiento del valor económico de las acciones y/o participaciones antiguas, lo que no se consigue suficientemente en los supuestos de inaplicabilidad automática de la preferencia[39].

A nuestro entender, la modificación proyectada en el ACM puede resultar especialmente beneficiosa en el caso de las sociedades cerradas, en las que la exclusión automática de la preferencia en supuestos de aumento con cargo a aportaciones no dinerarias o por compensación de créditos puede originar algún comportamiento abusivo por parte de la mayoría, especialmente en aquellos casos en los que la aportación *in natura* es genérica y de fácil aportación o en aquellos otros en los que determinados socios se subrogan en la posición de ciertos acreedores para recibir posteriormente las nuevas acciones o participaciones sociales[40]. De aprobarse el nuevo régimen, la exclusión del derecho de preferencia en este tipo de aumentos requerirá siempre la constatación por la Junta de que dicha decisión procura a la sociedad mayores beneficios que perjuicios a los socios[41]. La contrapartida a este mayor grado de protección del socio se va a producir en el contexto de la sociedad de capital abierta, en la que el interés del socio se centra mucho más en sus derechos económicos, y no en un derecho de suscripción preferente en las posteriores ampliaciones de capital, toda vez que, exceptuando los supuestos de inaplicabilidad automática *ex lege* de la preferencia, deberá recurrirse siempre a la adopción de un acuerdo de exclusión y a la justificación del mismo.

Naturalmente, la extensión del ámbito objetivo de preferencia a todo tipo de aumentos y no solo a los realizados con cargo a aportaciones dinerarias, dota de mayor sentido también a los supuestos legales de inaplicabilidad de la preferencia, contemplados actualmente en el artículo 304.2 de la LSC. En efecto, tanto en el supuesto de aumento de capital por conversión de obligaciones en acciones, como en el de ampliación como consecuencia

---

[38]    LARGO GIL, R.: *op. cit.*, págs. 635 y 636; y ALONSO LEDESMA, C.: *op. cit.*, pág. 38.

[39]    ALONSO LEDESMA, C.: *op. cit.*, pág. 1489.

[40]    Sobre estos riesgos pueden verse las consideraciones efectuadas por ALONSO LEDESMA, C.: *op. cit.*, pág. 117.

[41]    GARCÍA CREWE, C.: «La inexistencia del derecho de suscripción preferente en los aumentos de capital mediante aportaciones no dinerarias», en *Liber Amicorum Juan Luis Iglesias*, 2014, págs. 483 y ss., en concreto, pág. 499.

de la absorción de otra sociedad o de parte del patrimonio escindido de
esta, la limitación del ámbito objetivo de la preferencia a los aumentos con
cargo a aportaciones dinerarias, deja sin sentido, a juicio de algunos autores, esta regla especial del apartado 2º del artículo 304, por cuanto no es
necesario exceptuar estos aumentos de capital con aportaciones no dinerarias especiales del régimen general de preferencia, ya que la exclusión se
extiende con carácter general a todos los aumentos no dinerarios[42]. Con
la regulación propuesta en el ACM, en el que el derecho de preferencia se
extiende a todo tipo de aumentos, la regla de la inaplicabilidad legal de la
preferencia a este tipo de aumentos, contemplada en el artículo 252-11.2
cobra toda su relevancia y deviene absolutamente necesaria.

## Bibliografía

ALFARO ÁGUILA-REAL, J.: *Interés social y derecho de suscripción preferente*, Madrid (1995).
ALONSO LEDESMA, C.: «Algunas consideraciones sobre el juego de la cláusula del in-
terés social en la supresión o limitación del derecho de suscripción preferente», en
*Derecho mercantil de la Comunidad Económica Europea: estudios en homenaje a José Girón
Tena*, Madrid (1991), págs. 31-64.
FLAQUER RIUTORT, Juan: *El capital autorizado*, Palma de Mallorca (1995).
GARCÍA CREWE, C.: «La inexistencia del derecho de suscripción preferente en los
aumentos de capital mediante aportaciones no dinerarias», en *Liber Amicorum Juan
Luis Iglesias*, 2014, págs. 483 y ss.
GARCÍA CREWE, C.: *El derecho de suscripción preferente. Exclusión, inexistencia y configura-
ción estatutaria*, Cizur Menor, 2014.
GARCÍA DE ENTERRÍA, J.: «Acciones con derecho de suscripción preferente limitado
a las emisiones de acciones de la misma clase», en *Estudios de Derecho Mercantil: liber
amicorum Profesor Dr. Francisco Vicent Chuliá*, 2013, págs. 325 y ss.
GARRIGUES, J. y URÍA, R.: *Comentario a la Ley de Sociedades Anónimas*, tomo I, Madrid
(1976).
HERNÁNDEZ SAINZ, E.: «La penúltima reforma del derecho de suscripción preferente en las sociedades anónimas. La adecuación del Derecho español a la STJCE
de 18 de diciembre de 2008 y otras modificaciones», en *Revista de Derecho Bancario y
Bursátil*, nº 117 (enero-marzo 2010), págs. 69 y ss.

---

[42]   MOYÁ YOLDI, J.: «La exclusión legal del derecho de preferencia en los aumentos
de capital con cargo a aportaciones no dinerarias o por compensación de créditos
a la luz de la ley de modificaciones estructurales de las sociedades mercantiles y de
la ley de sociedades de capital», en *Revista Aranzadi Doctrinal*, nº 8/2010, págs. 25 y
ss.; y HERNÁNDEZ SAINZ, E.: «La penúltima reforma del derecho de suscripción
preferente en las sociedades anónimas. La adecuación del Derecho español a la
STJCE de 18 de diciembre de 2008 y otras modificaciones», en *Revista de Derecho
Bancario y Bursátil*, nº 117 (enero-marzo 2010), págs. 69 y ss., en concreto, pág. 84.

IGLESIAS PRADA, J. L. y PAZ-ARES, C.: «Obligaciones convertibles y exclusión del derecho de suscripción preferente», en *InDret*, n° 418, enero (2007).

LARA GONZÁLEZ, R.: «Artículo 308. Exclusión del derecho de preferencia», en *Comentario de la Ley de Sociedades de Capital*, obra colectiva dirigida por los profesores Rojo y Beltrán, vol. 2°, tomo II, Madrid (2011), págs. 2271-2281.

LARGO GIL, R.: «La exclusión del derecho de suscripción preferente», en *Derecho de sociedades anónimas*, obra colectiva coordinada por el Profesor Alonso Ureba, Madrid (1994), tomo III, vol. I, págs. 602-700.

MAMBRILLA RIVERA, V.: «El aumento de capital por compensación de créditos», en *Derecho de sociedades anónimas*, obra colectiva coordinada por el Profesor Alonso Ureba, tomo III, vol. 1°, Madrid (1994).

MOYÁ YOLDI, J.: «La exclusión legal del derecho de preferencia en los aumentos de capital con cargo a aportaciones no dinerarias o por compensación de créditos a la luz de la ley de modificaciones estructurales de las sociedades mercantiles y de la ley de sociedades de capital», en *Revista Aranzadi Doctrinal*, n° 8/2010, págs. 25 y ss.

ROJO FERNÁNDEZ-RÍO, A.: «El acuerdo de aumento de capital de la sociedad anónima», en *Estudios jurídicos en Homenaje al Profesor Aurelio Menéndez*, tomo II, Madrid (1996), págs. 2339-2391.

— «El aumento del capital de la sociedad de responsabilidad limitada», en *Estudios de Derecho Mercantil Homenaje al Profesor Justino Duque*, tomo I, Valladolid (1998), págs. 569-591.

RUIZ PERIS, J: I.: «Pactos estatutarios y derecho de suscripción preferente», en *Estudios jurídicos en homenaje al Profesor Aurelio Menéndez*, vol. 2°, Madrid (1996), págs. 2393-2420.

SÁNCHEZ ANDRÉS, A.: *El derecho de suscripción preferente del accionista*, Madrid (1973).

— «Principios, casos y conceptos en materia de asignación gratuita de acciones», en *Derecho mercantil de la Comunidad Económica Europea: estudios en homenaje a José Girón Tena*, Madrid (1991), págs. 885-904.

— «La acción y los derechos de los accionistas», en *Comentario al régimen legal de las sociedades mercantiles*, obra colectiva dirigida por los profesores Uría, Menéndez y Olivencia, tomo IV, vol. 1°, Madrid (1992).

VÁZQUEZ ALBERT, D.: *La exclusión del derecho de suscripción preferente*, Madrid (2000).

— «El derecho de suscripción preferente en Europa», en Revista de Derecho de Sociedades, n° 11 (1999), págs. 79 y ss.

VELASCO SAN PEDRO, L. A.: «El derecho de suscripción preferente», en *Derecho de sociedades anónimas*, obra colectiva coordinada el Profesor Alonso Ureba, tomo III, vol. 1°, Madrid (1994), págs. 517-601.

YANES YANES, P.: «Exclusión del derecho de suscripción y tutela del accionista», en *Estudios jurídicos en homenaje al Profesor Aurelio Menéndez*, vol. 2°, Madrid (1996), págs. 2649-2694.

# 11. El derecho de los socios a formular preguntas a propósito de la celebración de la Junta General

**PATRICIA G. BENAVIDES VELASCO**

*Profesora Titular de Derecho Mercantil*
*Universidad de Málaga*

## I. CONSIDERACIONES PREVIAS

La Ley 31/2014, de 3 de diciembre, por la que se modifica la Ley de Sociedades de capital para la mejora del Gobierno corporativo[1], ha incorporado a nuestro Ordenamiento una serie de reformas que, pese al título de la Ley, no solo ha afectado a las sociedades cotizadas, sino que se ha extendido a todas las calificadas como sociedades de capital[2]. En efecto, hace

---

[1]    Esta modificación legal tiene su origen en el cumplimiento de los objetivos del Plan Nacional de Reformas 2013 que el Gobierno de la nación se había planteado, con la finalidad de ampliar el marco del Buen Gobierno Corporativo en España, y con la intención de mejorar la eficacia y responsabilidad en la gestión de las sociedades y con ello conseguir situar al más alto nivel los estándares nacionales de cumplimiento de los criterios y principios internacionales sobre Buen Gobierno. No obstante, como pondremos de manifiesto a lo largo de este trabajo, la ley no solo se ha limitado a la observancia de este extremo, sino que ha ido más allá en sus pretensiones.

[2]    Así, ZUBIRI DE SALINAS, M., «La junta general de las sociedades capitalistas tras la modificación de la LSC por la Ley 31/2014, de 3 de diciembre: convocatoria, celebración y adopción de acuerdos», *Revista Doctrinal Aranzadi Civil-Mercantil*, núm. 4, 2015, pág. 30, que manifiesta que el título de la Ley es equívoco, pues la

ya algún tiempo que se dejó atrás el considerar que las prescripciones sobre Gobierno corporativo solo debían vincular a las sociedades cotizadas[3].

Con el objetivo de revitalizar el funcionamiento de las juntas generales y la participación en las mismas de los socios, se ha llevado a cabo una completa revisión, entre otras, del funcionamiento del derecho de información y de la impugnación de los acuerdos sociales. La intención de esta reforma es la de tratar de garantizar que los socios puedan emitir de forma diferenciada su voto y procurar una intervención y participación más efectiva del socio en la actividad de la sociedad, facilitándole la mayor información posible sobre los asuntos que en la junta se van a tratar[4].

Del mismo modo, con la finalidad de evitar el uso oportunista del derecho de información y reducir así las conductas abusivas que ejercitaban algunos socios bajo el amparo de la legislación anterior, se introduce en la norma una serie de supuestos en los que resulta improcedente acudir al mecanismo de impugnación de acuerdos sociales. Concretamente, nos referimos a aquellos supuestos en los que la impugnación planteada por el socio se basaba en la incorrección o insuficiente información recibida de la sociedad durante la celebración de la junta general. Siempre, claro está, que dicha información no sea considerada como esencial para el ejercicio razonable del derecho de voto, o de cualquier otro de los calificados como derecho de participación.

Además, y pese a que el legislador reconoce en el preámbulo de esta norma que el derecho de información de los socios se encontraba regulado de forma adecuada, acometió su modificación con el objeto de distin-

---

reforma no solo abarca lo referido al Gobierno Corporativo sino que afecta profundamente al régimen de funcionamiento de la junta general, extendiéndose su aplicación a todas las sociedades de capital y no solo a las cotizadas.

[3]  En este sentido, *vid.*, por todos, HIERRO ANIBARRO, S. y ZABALETA DÍAZ, M., «Principios de Gobierno Corporativo en sociedad no cotizada», en *Gobierno Corporativo en sociedades no cotizadas*, dir. Hierro Anibarro, Madrid, 2014, págs. 39 y ss.

[4]  Compartimos la opinión de RODAS PAREDES, P., «Derecho de información de los socios en la junta general», en *Mejora del Gobierno Corporativo de Sociedades no cotizadas (a propósito de la Ley 31/2014, de 3 de diciembre)*, dirs. Jordá García y Navarro Matamoros, Madrid, 2015, pág. 73, cuando afirma que no obstante las ventajas de la nueva redacción de la norma puede ocurrir que los efectos sean los contrarios a los pretendidos, pues puede dejarse la aplicación y el ejercicio del derecho de información a expensas de la decisión de los administradores sociales.

guir las diferentes consecuencias jurídicas de la modalidad del mismo, así como para armonizar su ejercicio atendiendo al marco de la buena fe[5].

## II. RASGOS CONCEPTUALES DEL DERECHO DE INFORMACIÓN DE LOS SOCIOS

El artículo 93 del Texto Refundido de la Ley de Sociedades de capital, en adelante TRLSC, enumera los derechos de carácter mínimo que ostentan los socios de la sociedades de capital. Entre ellos, en su apartado d) se encuentra el derecho de información.

---

[5]     La materia que analizamos en este trabajo no ha sido pacífica en lo que a su regulación se refiere. De hecho, en un breve espacio temporal, han sido varias las modificaciones legales por las que, de una u otra manera se ha visto afectada. Este es el caso de las reformas introducidas con la aprobación, entre otras, del Real Decreto-Ley 13/2010, de 3 de diciembre, de actuaciones en el ámbito fiscal, laboral y liberalizadoras para fomentar la inversión y la creación de empleo; la Ley 2/2011, de 4 de marzo, de Economía Sostenible; Ley 25/2011, de 1 de agosto, de reforma parcial de la Ley de Sociedades de Capital y de incorporación de la Directiva 2007/36/CE, del Parlamento Europeo y del Consejo, de 11 de julio, sobre el ejercicio de determinados derechos de los accionistas de sociedades cotizadas; Ley 1/2012, de 22 de junio, de simplificación de las obligaciones de información y documentación de fusiones y escisiones de sociedades de capital; Ley 5/2015, de 27 de abril, sobre fomento de la financiación empresarial (plataformas financieras participativas); Ley 9/2015, de 25 de mayo, de modificaciones urgentes en materia concursal; Ley 15/2015, de 2 de julio, de jurisdicción voluntaria; Ley 22/2015, de 20 de julio, de auditoría de cuentas; Real Decreto Ley 18/2017, de 24 de noviembre, por el que se modifican el Código de Comercio, el Texto Refundido de la Ley de sociedades de capital, aprobado por el Real Decreto Legislativo 1/2010, de 2 de julio, y la Ley 22/2015, de 20 de julio, de Auditoría de cuentas, en materia de información no financiera y diversidad; Código de Buen Gobierno Corporativo de las sociedades cotizadas, aprobado por Acuerdo del Consejo de la Comisión Nacional del Mercado de Valores, de 18 de febrero de 2015. En el ámbito Europeo podemos reseñar la Directiva (UE) 2017/1132 del Parlamento Europeo y del Consejo sobre determinados aspectos del Derecho de sociedades, de 14 de junio de 2017, Decisión del Parlamento Europeo y del Consejo sobre determinados aspectos del Derecho de Sociedades (versión codificada), Bruselas, 25 de abril de 2017, PE-CONS 57/16; Directiva (UE) 2017/828 del Parlamento Europeo y del Consejo, de 17 de mayo de 2017, por la que se modifica la Directiva 2007/36/CE en lo que respecta al fomento de la implicación a largo plazo de los accionistas.

Este es un derecho integrante de la condición de socio y de los calificados como político y funcional, que opera básicamente como un instrumento de control de la gestión de la sociedad[6] y como herramienta destinada a que el socio pueda defender conscientemente sus derechos[7].

Estos derechos inherentes a la condición de socio son también por este hecho, derechos de carácter inseparable, indisociables o inescindibles de tal condición, si los consideramos en abstracto, tal y como se recogen en el artículo 93 TRLSC[8].

La finalidad última del derecho de información es la de permitir al accionista tener conocimiento de la actividad social y de su situación real, llevándole esta percepción a conformar una opinión concreta, reflexiva y eficaz y posibilitando, por tanto, que pueda emitir su voto en un sentido determinado. Si bien, este derecho de información le resultará positivo en otras situaciones al margen de la formación de su voluntad para ser expresada en la junta general, como puede ser el caso de valorar si su permanencia en la sociedad se corresponde con sus intereses[9].

Por estos motivos, a este derecho se le ha considerado como instrumental respecto de otros, como puede ser el de voto[10]. No obstante, hace algún tiempo que la jurisprudencia viene calificándolo como un derecho autónomo[11], pues el mismo se ostenta aun cuando el socio decida no ejercitar

---

[6]   URÍA, R., MENÉNDEZ, A. y GARCÍA DE ENTERRÍA, J., «La sociedad anónima: la acción en general» en *Curso de Derecho Mercantil*, Tomo I, dirs. Uría y Menéndez, Madrid, 2006, págs. 872 y ss.

[7]   RECALDE CASTELLS, A., «Derecho de la información en la sociedad anónima», en *Comentario de la reforma del régimen de las sociedades de capital en materia de gobierno corporativo (Ley 31/2014)*, Pamplona, 2015 (BIB 2015/4465).

[8]   PEINADO GRACIA, J. I. y GONZÁLEZ FERNÁNDEZ, Mª B., «Participaciones sociales y acciones», en *Derecho Mercantil. Las sociedades mercantiles*, vol. 3º, coords. Jiménez Sánchez y Díaz Moreno, Madrid, 2013, págs. 315 y ss.

[9]   *Vid.*, entre otros, PEINADO GRACIA, J. I. y GONZÁLEZ FERNÁNDEZ, Mª B., «Los derechos del socio», en *Derecho Mercantil. Las sociedades mercantiles*, vol. 3º, coords. Jiménez Sánchez y Díaz Moreno, Madrid, 2013, págs. 357 y ss.

[10]  Ha sido tradicional el que la doctrina y la jurisprudencia considerara que el derecho de información podía ser un derecho instrumental o accesorio respecto del de voto, sobre todo en sede de junta general. *Vid.*, la Sentencia del Tribunal Supremo núm. 250/2008, de 1 de abril *(Tol 1351234)* y las resoluciones allí citadas, en las que se considera el derecho de información como un derecho fundamental para que el accionista pueda ejercer su derecho de voto.

[11]  En este sentido, Sentencia de la Sala Primera del Tribunal Supremo núm. 531/2013, de 19 de septiembre de 2013, *(Tol 3984724)* y la más reciente, núm.

su derecho de voto; es titular de acciones sin voto; no reúne el número mínimo de títulos para asistir a la junta general o, simplemente, opta por no acudir a la misma.

También ha sido calificado como derecho de carácter imperativo, pues no puede ser restringido ni limitado por los estatutos de la sociedad ni por otras normas de régimen interno, como podría ser el reglamento de junta de socios[12]. Esta restricción se produce cuando en estos documentos se prevén causas de denegación de la información que van más allá de las contempladas en la legislación. No obstante, resulta posible que la sociedad decida recoger en sus estatutos una regulación más favorable para el socio que la prevista legalmente, así como ordenar la forma de ejercicio del derecho para que su titular pueda conocer los cauces a través de los cuales puede formular su solicitud de información. En cualquier caso, no cabe siquiera su supresión o eliminación por parte del socio titular del mismo[13]. Pese a esta imperatividad, como no podía ser de otro modo, sí que resulta posible que el socio decida no ejercitar su derecho en algún momento concreto de la vida societaria.

La importancia de este derecho es de tal alcance que se le ha configurado por nuestro más Alto Tribunal como inderogable e irrenunciable y el mismo se concreta en la obligación de la sociedad de proporcionar la información requerida por el socio. Por ello, se ha afirmado que es un derecho de cumplimiento inexcusable para el órgano de administración social[14]. Esta obligación la podemos enmarcar dentro del deber general

---

608/2014, de 12 de noviembre *(Tol 4605788)*, dictada por el mismo Tribunal.

[12] Sentencia de la Sala Primera del Tribunal Supremo núm. 608/2014, de 12 de noviembre *(Tol 4605788)*, concretamente su Fundamento de Derecho Tercero, ordinal segundo. Un comentario al contenido de esta sentencia lo podemos consultar en BENAVIDES VELASCO, P., «Validez sobre determinadas cláusulas estatutarias limitativas de derechos en las sociedades anónimas. Sentencia del Tribunal Supremo de 12 de noviembre de 2014», *Cuadernos Civitas de Jurisprudencia Civil*, núm. 99, 2015, págs. 149-182.

[13] Se ha entendido que son derechos que se encuentran sustraídos al poder de disposición de los socios y que han sido concedidos por el legislador para la protección del interés general y no para el particular de cada uno de los miembros que componen la sociedad. *Vid.*, ROMERO FERNÁNDEZ, J. A., *El derecho de información documental del accionista*, Madrid, 2000, págs. 68 y ss. y la bibliografía allí citada.

[14] BOLDÓ RODA, C., «Estatuto jurídico del socio (I). Derechos y deberes del socio», en *Derecho de Sociedades de Capital. Estudio de la Ley de sociedades de capital y de la legislación complementaria*, dir. Embid Irujo, coord. Fernando Villalba, Hernando Cebrá y Martí Moya, Madrid, 2016, págs. 195-196.

de diligencia que ha de presidir la conducta de los administradores dentro de sus facultades organizativas y de gestión[15].

El derecho de información, como cualquier otro derecho, se encuentra sujeto al límite genérico o inmanente de su ejercicio de forma no abusiva objetiva y subjetivamente. Para poder detectar estas situaciones en sede societaria, dada la casuística existente, se pueden utilizar distintos parámetros que nos permitan dilucidar si su ejercicio, por parte del socio, puede resultar desmesurado y, por ende, calificable de abusivo. Así, es habitual recurrir a analizar las características de la sociedad, la distribución de su capital, el volumen de información solicitada y la forma en la que la misma se ha requerido[16].

En cualquier caso, este derecho no puede entenderse en un sentido tan amplio que permita su ejercicio de forma abusiva, o que bajo la justificación de su amparo, pueda llevar a obstaculizar la actividad de la sociedad. En este mismo sentido, tampoco puede interpretarse de forma tan restringida que el mismo pueda llegar a ser ilusorio y que los socios minoritarios se vean privados de él[17].

El problema principal al que nos enfrentamos es el de determinar el alcance y extensión del derecho de información, al no encontrarse en la norma su delimitación de forma precisa. A resolver esta inconcreción a la que nos referimos, tampoco ha ayudado la interpretación doctrinal y jurisprudencial que del mismo se ha realizado, pues no siempre se han mantenido los mismos criterios.

Así, una vez superada la postura más restrictiva, carente de apoyo normativo y basada en la sensibilidad del contenido de la información que se podía dar a los socios y el temor al uso que de la misma estos pudieran realizar, en la actualidad nos encontramos en un momento en el que se realiza una interpretación más abierta y acorde con las tendencias legislativas, tanto europeas como nacionales, y que ha sido bien acogida por nuestra jurisprudencia[18].

---

[15]    BENAVIDES VELASCO, P., «El Derecho de información de los socios en las sociedades de capital», *Revista de Derecho Mercantil*, núm. 302, 2016, pág. 217.

[16]    En este sentido, Sentencia de la Sala Primera del Tribunal Supremo, núm. 204/2011, de 21 de marzo, *(Tol 2117156)*.

[17]    BENAVIDES VELASCO, P., «El Derecho de información…», *op. cit.*, pág. 216.

[18]    Vid., por todas la Sentencia de la Sala Primera del Tribunal Supremo, núm. 652/2011, de 5 de octubre, *(Tol 2259612)*.

Este derecho posee dos vertientes claramente diferenciadas. Nos referimos a la clásica categorización y distinción entre el derecho de información en sentido estricto y el derecho de información en sentido amplio[19].

Así, encontramos la modalidad que se contrae a los supuestos en los que el socio tiene derecho a recibir información sobre determinados hechos acaecidos en la vida societaria. A ésta se la considera dentro del término amplio del derecho de información. También ha recibido otras denominaciones, tales como derecho documental o derecho al examen de la información documental. Este derecho es de carácter imperativo y supone un deber para los administradores sociales, ya que sobre ellos pesa la obligación de elaboración y puesta a disposición de la información. Este derecho se extiende a distintos ámbitos de la vida de la sociedad y no se contrae exclusivamente a aspectos relacionados con la marcha económica y financiera de la sociedad, sino que se amplía a otras esferas societarias como pueden ser las modificaciones estatutarias o las modificaciones estructurales.

De otra parte, podemos hacer referencia al derecho de información en sentido estricto. En este caso, nos encontramos con un derecho que recae sobre el socio y que le faculta para poder requerir con anterioridad a la celebración de la junta general, o durante el desarrollo de la misma, los informes o aclaraciones que considere pertinentes, acerca de los asuntos que se están ventilando en la asamblea societaria y que formen parte del orden del día. Nos situamos, en definitiva, ante un derecho a hacer preguntas.

En esta última modalidad del derecho, derecho a hacer preguntas, es en el que ha incidido el legislador, perfeccionando técnicamente la norma, precisando los límites temporales de su ejercicio y fijando el contenido de la obligación del órgano de administración societario. En esta última caracterización es en la que centraremos nuestra atención en las próximas páginas.

El contenido del derecho de información enunciado en el apartado d) del artículo 93 de la norma societaria, se materializa en los artículos 196 y 197 de este mismo texto, de aplicación respectivamente a las sociedades de responsabilidad limitada y a las sociedades anónimas, en este último caso se ve completado para las sociedades cotizadas en los artículos 518 y 520 del texto legal.

---

[19]    De la clasificación y el análisis de ambas categorías la doctrina se ha ocupado extensamente. Vid., por todos el completo trabajo de MARTÍNEZ MARTÍNEZ, Mª T., *El derecho de información del accionista en la Sociedad Anónima*, Madrid, 1999.

## III. EL DERECHO DEL SOCIO A FORMULAR PREGUNTAS

Como hemos adelantado, el derecho de información en la sociedad anónima lo encontramos regulado en el artículo 197 TRLSC. Este precepto se ha visto modificado en un breve periodo de tiempo, pues no solo se reformó su redacción y contenido a través de la Ley 31/2014, sino que también ya había sido previamente modificado por la Ley 25/2011, como consecuencia de la incorporación al ordenamiento jurídico español de la Directiva sobre determinados derechos de los accionistas[20].

La finalidad últimas de este nuevo precepto se encuentra en incentivar la participación del socio, motivándole a acudir a la junta general con la mayor información posible sobre los asuntos que en ella se van a tratar y disponiéndole para poder participar de forma activa en la misma.

En la redacción de esta norma se distinguen varios aspectos que podemos agrupar de modo que nos facilite su análisis. Así, en él se abordan cuestiones acerca de las diferentes formas de ejercicio del derecho por parte del socio; el deber de los administradores de proporcionar la información solicitada, los límites al ejercicio del derecho; las consecuencias de la vulneración del derecho de información y, por último, los derechos que ostenta la minoría.

El socio puede ejercitar su derecho de información en dos momentos diferenciados: antes de la celebración de la junta general y durante el desarrollo de la misma. No obstante, el ejercicio de este derecho se materializa de forma distinta en cada uno de estos diferentes tiempos, y también las consecuencias jurídicas derivadas del mismo son desiguales.

En sede de sociedades cotizadas, pese a la remisión genérica que realiza el artículo 520 TRLSC al artículo 197 TRLSC, este derecho se ejercita bajo ciertas especialidades que pondremos de manifiesto más adelante.

El derecho de información en la sociedad de responsabilidad limitada se encuentra regulado en el artículo 196 del Texto Refundido de la Ley de Sociedades de Capital y el mismo no ha sufrido modificación alguna con la aprobación de la Ley 31/2014, que analizamos. Lo único que se ha produci-

---

[20]   *Vid.*, Ley 25/2011, de 1 de agosto, de reforma parcial de la Ley de Sociedades de Capital y de incorporación de la Directiva 2007/36/CE, del Parlamento Europeo y del Consejo, de 11 de julio, sobre el ejercicio de determinados derechos de los accionistas de sociedades cotizadas.

do con esta dualidad normativa es que se acentúen las diferencias existentes entre este tipo social y el que adopta la forma de sociedad anónima[21].

## 1. La posibilidad de formular preguntas antes de la celebración de la junta general

El apartado 1º del artículo 197 TRLSC reconoce el derecho del accionista a realizar preguntas con anterioridad a la celebración de la junta general. En concreto, dispone que hasta el séptimo día anterior a la celebración de la reunión, los socios podrán solicitar los informes y aclaraciones que consideren precisos sobre las cuestiones que se contemplen en el orden del día, o formular por escrito las preguntas que consideren pertinentes.

Este derecho de ejercicio previo a la celebración de la junta general está directamente ligado al interés que tiene el accionista de recibir una información que le permita formarse una opinión y conformar un criterio para poder ejercer el voto sobre las cuestiones tratadas[22], reforzándose así el deber de diligencia que pesa sobre el socio a la hora de asistir y votar en las juntas generales[23].

El ámbito subjetivo de este derecho recae sobre todos los socios, al no existir ningún requisito legal, o estatutario, que éstos deban cumplir para poder ejercitarlo. Por ello, son titulares de este derecho los accionistas sin voto, aquellos que no pueden acudir a la junta general por no tener el número de títulos suficiente para hacerlo, incluso aquellos que se han visto privados del derecho de voto por encontrarse en mora con la sociedad.

El accionista deberá legitimarse ante la sociedad para poder ejercitarlo de forma correcta. Por tanto, en ocasiones resultará necesario que el socio exhiba sus títulos, o el certificado de su depósito en una entidad, sí se tratara de acciones nominativas que las mismas se encuentren inscritas en

---

[21]   BENAVIDES VELASCO, P., «El Derecho de información…», *op. cit.*, pág. 237. Con anterioridad a la reforma que venimos comentando, las diferencias en la regulación del ejercicio de este derecho entre ambas sociedades ya existían, aunque las mismas eran mínimas.

[22]   Así se manifiesta en el Estudio sobre propuestas de modificaciones normativas realizado por la Comisión de Expertos en materia de Gobierno Corporativo, presentada el 14 de octubre de 2013, disponible en: http://www.cnmv.es/docportal/ publicaciones/codigogov/cegc_estmodif_20131014.pdf.,

[23]   En este sentido ZUBIRI DE SALINAS, M., «La junta general de las sociedades capitalistas…», *op. cit.*, pág. 35.

el libro registro de acciones nominativas, y si se encuentran representadas mediante anotaciones en cuenta que estén inscritas en el preceptivo registro[24]. Si bien, estas medidas habrán de tenerse en cuenta y acreditarlas, tal y como establecen sus normas reguladoras (vid. artículos 122 y 116.2 TRLSC y 11 LMV), y devienen muy útiles en grandes sociedades en las que el capital social esté muy fragmentado, pueden resultar de un celo excesivo en una sociedad cerrada, o en sociedades familiares, en las que hay un número muy reducido de socios, convirtiéndose en una medida tendente a impedir que el socio ejercite su derecho[25].

El plazo para la solicitud de la información o aclaración se ha estipulado en siete días antes de la celebración de la junta general. Consideramos que este plazo resulta razonable para que los administradores puedan organizarse en la elaboración de los informes requeridos para poder proporcionar al socio una repuesta que le resulte suficiente[26].

Los administradores sociales vienen obligados a facilitar la información solicitada por escrito y hacerla llegar al socio en un plazo temporal concre-

---

[24]    Así, RECALDE CASTELLS, A., «Derecho de la información…», *op. cit.*

[25]    BENAVIDES VELASCO, P., «El Derecho de información…», *op. cit.*, pág. 221.

[26]    En la Propuesta de Código Mercantil, este plazo se había fijado en cinco días, *vid.* artículo 231-68 de la Propuesta de Código Mercantil. Además, el plazo era común a todo tipo de sociedades. Sin embargo, el informe emitido por el Comité de Expertos sobre Gobierno Corporativo indicaba que esta reducción del plazo le obligaba a la sociedad a disponer de una organización más amplia y unos medios más costosos para atender a las peticiones de los socios. Por ello, recomendaba ampliarlo y dejar aquellos cinco días para las sociedades cotizadas. El legislador aceptó esta recomendación, pero no solo en la norma aprobada siguiendo este informe y materializada en la Ley 31/2014, sino que también trasladó esta propuesta al Anteproyecto de Ley de Código Mercantil, en el que en su artículo 233-38, se reitera el plazo de siete días para las anónimas rebajándose a cinco, en el caso de las cotizadas.

En efecto, consideramos que este plazo de siete días anteriores a la celebración de la junta general permitirá que la mayor parte de las sociedades anónimas que no son cotizadas puedan dar cumplimiento a la obligación que pesa sobre los administradores de proporcionar la información requerida por el socio, sin que ello les suponga un gran esfuerzo organizativo, pues se encontrarán preparando la asamblea. La reducción propuesta, con la intención de igualar este período de tiempo en todas las sociedades, habría supuesto un inconveniente para las pequeñas y medianas empresas que han adoptado esta forma social, en las que resulta frecuente que cuenten con un número limitado de trabajadores, y en las que es habitual que los propios trabajadores también sean los socios, e incluso que sean ellos mismos los que conformen los órganos societarios.

to, hasta el día de la celebración de la junta general. Pese a que el plazo que otorga la ley lleva a que los administradores puedan contestar al accionista hasta el mismo momento de la celebración de la junta, la prudencia nos aconseja tener que modular ese plazo máximo con la intención de que el derecho del socio pueda ser efectivo y se cumpla su objetivo. Así, el remitir la información requerida el mismo día de la celebración de la junta, o incluso el día antes, puede ser motivo de infracción de esta obligación que comentamos, ya que ello puede imposibilitar, bien por la extensión de la misma, bien por su complejidad, que el socio pueda tomar conocimiento de la información recibida. En este sentido, el Tribunal Supremo se ha pronunciado considerando que estos supuestos, aun cuando no nos encontremos ante una negativa a la entrega de la información solicitada ni ante una omisión a la petición realizada por los socios, el hecho de que la información se facilite de forma voluntaria muy tardía, debe asimilarse a las conductas infractoras recogidas en la norma[27].

Sobre el órgano de administración societario recae la obligación de elegir el medio que considere más adecuado para que la información llegue temporáneamente a la esfera del destinatario. Sobre este particular, nuestro más Alto Tribunal ha declarado que no es suficiente con la remisión inmediata de la información requerida sino que es necesario que la misma sea recibida por el accionista, sobre el que pesa el deber de colaboración en la efectividad de la comunicación[28].

Respecto al modo en el que los socios han de recibir la información solicitada, la norma no se pronuncia, pero consideramos que será válida la contestación de los administradores realizada por cualquier medio escrito, siempre que quede constancia de su recepción por parte del socio. Por tanto, resultará posible que se emitan documentos, solicitudes e información por medios electrónicos, como permite el artículo 11 quater TRLSC, ya que además así se garantizará la recepción y el contenido de los mensajes intercambiados entre el socio y la sociedad, pues la norma obliga a la sociedad que decida realizar las comunicaciones con sus socios a través de

---

[27] Sentencia de la Sala Primera del Tribunal Supremo núm. 531/2013, de 19 de septiembre de 2013, *(Tol 3984724)*.

[28] Sentencia de la Sala Primera del Tribunal Supremo núm. 741/2012, de 13 de diciembre *(Tol 2710155)*, en la que, además, añade que «la eficacia de la información queda condicionada a su recepción por el accionista».

estos medios, a implantar un dispositivo que permita acreditar ambas cosas —contenido y recepción—[29].

El objeto de la información solicitada debe contraerse a cuestiones relacionadas con los puntos a tratar en la junta general, es decir, que las preguntas planteadas o los informes requeridos posean cierta conexión con el orden del día de la misma, por lo que los accionistas no pueden demandar cualquier tipo de información. En caso contrario, los administradores no tendrán la obligación de responder. También podrán negarse a contestar en aquellos casos en los que concurran las circunstancias previstas en el artículo 197.3 TRLSC, de las que nos ocuparemos más adelante.

Resulta del todo necesario interpretar de forma amplia y no restrictiva el alcance de este derecho. La instrumentalidad del mismo respecto del derecho de voto alcanza uno de sus máximos exponentes en el ejercicio del derecho a preguntar antes de la celebración de la junta. Pero la propia autonomía que este derecho posee requiere que se realice una interpretación flexible de lo que deba considerarse una conexión entre la información solicitada y el contenido del orden del día de la junta general[30].

La incorrección o la insuficiencia de la información solicitada antes de la celebración de la junta, ha sido desechada como causa de impugnación de los acuerdos sociales. Así, el artículo 204.3,b) TRLSC realiza esta exclusión de forma expresa. Ahora bien, matiza que su falta sí podrá ser causa de impugnación del acuerdo social si la información incorrecta, o la no facilitada, hubiera sido esencial para el ejercicio razonable por parte del socio medio, del derecho de voto o de cualquier otro derecho de participación.

Esta falta de información, o la incorrección en la misma, permitirá que el socio pueda iniciar un procedimiento de impugnación de los acuerdos sociales, pero le corresponderá probar que la información proporcionada de ese modo ha influido de forma determinante en su voto. Además, habrá de plantearlo como cuestión incidental de previo pronunciamiento, pues el artículo 204 *in fine*, dispone que la cuestión sobre el carácter esencial o determinante de los motivos de impugnación se planteará de aquella manera.

---

[29]   Advierte RECALDE CASTELLS, A., «Derecho de la información…», *op. cit.*, que en el caso de las sociedades no cotizadas la utilización de los medios electrónicos o telemáticos, como forma de comunicación con los socios requieren de la aceptación expresa de estos, como dispone el artículo 11, quater TRLSC.

[30]   Así, la ya citada Sentencia de la Sala Primera del Tribunal Supremo núm. 531/2013, de 19 de septiembre de 2013, *(Tol 3984724)*.

En sede de sociedades cotizadas este derecho se ejercita bajo ciertas especialidades. Así, y pese a la remisión genérica que realiza el artículo 520 al artículo 197, ambos del Texto Refundido de la Ley de sociedades de capital, disponiendo que el ejercicio del derecho de información de los accionistas de sociedades cotizadas se rige por lo establecido en aquel, no está exento de diferencias.

Una de estas diferencias radica en el plazo de ejercicio del derecho para que los socios pueden solicitar a los administradores, por escrito, antes de la celebración de la junta, pues el mismo se ha establecido hasta el quinto día anterior previsto para la celebración de la junta[31].

En el artículo 196 TRLSC se recoge el derecho de información en la sociedad de responsabilidad limitada, que no ha sufrido modificación alguna con la aprobación de la Ley 31/2014. En él se reconoce este derecho a los participes facultándoles a formular preguntas, solicitar informes o aclaraciones, una vez que la junta general de la sociedad se encuentre convocada. Se les permite ejercitarlo por escrito con anterioridad a la celebración de la junta, o verbalmente durante el desarrollo de la misma. Este derecho se contrae a aquellas informaciones que los socios estimen precisas y que se encuentren comprendidas en el orden del día.

La obligación de proporcionar la información solicitada y contestar a las preguntas formuladas recae sobre el órgano de administración, éste podrá responder de forma oral o escrita, de acuerdo con el momento de solicitud y la naturaleza de la información solicitada (art. 196.2 TRLSC).

La excepción a contestar a lo solicitado, la encontramos en la imposibilidad, reconocida legalmente, de negar la información cuando la petición de la misma se encuentre apoyada por socios que representen, al menos, el veinticinco por ciento del capital social (art. 196.3 TRLSC)[32]. En este punto, hemos de resaltar que el legislador no ha previsto para este tipo social la posibilidad de que estatutariamente se pueda reducir el porcentaje que refuerza el derecho de información de la minoría. El carácter cerrado que presenta este tipo social permite que legalmente se pueda producir cierta flexibilidad en su organización a través de la inclusión de reglas internas en sus estatutos sociales. Pese a que el legislador no ha incluido en la reforma

---

[31]  *Vid.*, en el epígrafe siguiente las referencias realizadas a las sociedades cotizadas.

[32]  Aunque el contenido del artículo que tratamos y el que regula esta excepción en el caso de que la sociedad sea anónima, no son del todo idénticos, podemos extrapolar a este punto lo que ya hemos adelantado en sede de sociedades anónimas.

de 2014 ninguna posibilidad acerca de que el derecho de información de los socios de la limitada pueda ser ampliado por vía estatutaria, si que hemos observado esta tendencia a su implantación[33].

En cuanto a la forma en la que los administradores sociales deben proporcionar la información, el precepto legal dispone que «en forma oral o escrita de acuerdo con el momento y la naturaleza de la información», pero no nos indica cómo se debe responder a esta interpelación. La norma, al contrario de lo que ocurre en sede de anónimas, guarda un absoluto silencio sobre cómo debe materializarse la respuesta. Por este motivo se han planteado dudas acerca de si se podría exigir que la información solicitada por escrito se entregara también mediante este medio o, por el contrario, si los administradores podrían decidir, en cada momento, la mejor forma para así cumplir la obligación legal.

La redacción y el silencio de la norma también nos suscita dudas acerca del momento en el que los socios pueden hacer valer su derecho de información. A diferencia de lo que ocurre en las sociedades anónimas, el legislador solo indica que este derecho se puede ejercitar desde el momento de la convocatoria de la junta general con anterioridad a que la misma se celebre. Esta circunstancia, en la que no existe un plazo mínimo entre el momento en el que se convoca la junta y el de su celebración, puede llevar al socio a ejercitar su derecho en cualquier momento, lo que puede suponer un verdadero obstáculo para que los administradores cumplan con la obligación que sobre ellos pesa acerca de contestar a las preguntas formuladas o para ampliar la información requerida.

No obstante, la redacción del precepto que analizamos parece salvar esta situación al disponer que los administradores deberán proporcionar la información, de forma oral o escrita, *de acuerdo con el momento y la naturaleza* de la misma. Pese a ello, entendemos que si el socio ejercita este derecho impidiendo la posibilidad de cumplir su deber a los administradores, estaría en uno de los supuestos considerados como abusivos y la falta de dicha

---

[33]  El artículo 232-30 del Anteproyecto de Código Mercantil, al regular el derecho de información de los partícipes, prevé que, junto al ejercicio de este derecho con ocasión de la celebración de la junta, los estatutos sociales puedan disponer que el socio, o la minoría que en ellos se establezca, puedan solicitar en cualquier momento o en los períodos, circunstancias y condiciones que se determinen, la información que consideren oportuna sobre la marcha de la sociedad, así como consultar en el domicilio social los libros sociales y los documentos relativos a la actividad de la sociedad. Este derecho se contrae a aquellos socios que no pertenezcan a los órganos de administración de la sociedad.

información no acarrearía consecuencias imputables para aquéllos, sino todo lo contrario, al encontrarnos ante una clara situación de abuso del ejercicio del derecho[34].

En este sentido, coincidimos con la mayoría de la doctrina que ha interpretado el silencio del legislador, inclinándose a considerar que si la información se ha solicitado por escrito, la contestación debe realizarse también de ese modo y, salvo excepciones, la respuesta se le debe dar al socio antes de la celebración de la junta general[35].

## 2. El ejercicio del derecho a formular preguntas durante la celebración de la junta general

El derecho a plantear cuestiones durante el desarrollo de la junta general se encuentra reconocido en el apartado segundo del artículo 197 de la norma reguladora de las sociedades de capital. En él se permite que durante la celebración de la junta general, el accionista pueda solicitar las informaciones o aclaraciones que considere pertinentes acerca de los asuntos comprendidos en el orden del día. En esta ocasión, este derecho solo puede ejercitarse por el socio de forma verbal y a los administradores les corresponde contestar de igual manera.

No obstante la previsión legal de que la contestación se realice verbalmente, en aquellos supuestos en los que, por alguna causa, no se pudiera satisfacer la petición realizada por el accionista durante el desarrollo de la junta general, la norma obliga a los administradores a responder a las cuestiones planteadas en un plazo no superior a siete días, desde la terminación de la junta y, además, a hacerlo por escrito. Este plazo permitirá a los administradores preparar la respuesta a preguntas complejas o que hicieran referencia a documentos de los que no disponían durante la celebración de la junta[36].

La exigencia legal de que este derecho a hacer preguntas durante la celebración de la junta se deba realizar de forma verbal restringe el ámbito subjetivo del mismo, pues ello supone que solo tendrán oportunidad

---

[34] BENAVIDES VELASCO, P., «El Derecho de información…», *op. cit.*, pág. 240.

[35] *Vid.*, por todos PULIDO BEGINES, J. L., *El derecho de información…*, *op. cit.*, págs. 34-38 y la doctrina y jurisprudencia allí citada.

[36] En este sentido, MARTÍNEZ-GIJÓN MACHUCA, P., «El derecho de información del accionista de una sociedad anónima de carácter familiar», *Revista de Derecho Mercantil*, núm. 291, 2014 (BIB 2014/828).

de ejercitarlo aquellos accionistas que tengan derecho a acudir a la junta general[37] y que, de hecho, acudan a la misma personalmente o por medio de representante.

El momento en el que el accionista puede ejercer este derecho se somete a dos límites temporales. El primero de ellos, la necesidad de que realice sus preguntas durante el desarrollo de la junta general. En segundo lugar, debe formularlas de forma no extemporánea. Es decir, en el momento dedicado al tratamiento del correspondiente asunto del orden del día. Si el asunto a tratar ya ha sido cerrado, se ha deliberado sobre el mismo y se ha votado, pasando a otro punto del orden día, el accionista no se encontraría legitimado para volver sobre aquél asunto que ya se ha dado por finalizado[38].

Las cuestiones planteadas, al igual que ocurre en el ejercicio previo del derecho, deben guardar una conexión con los asuntos contenidos en el orden del día. El legislador no le ha reconocido al accionista el derecho a hacer preguntas, solicitar informes y/o aclaraciones en cualquier momento de la vida social, muy al contrario le ha impuesto para su ejercicio unos límites temporales, formales y de contenido, que debe corresponderse con el orden del día de la junta general.

Sin embargo, resulta difícil delimitar cuándo se produce una conexión entre las preguntas que realizan los accionistas y las materias contenidas en el orden del día, pues sobre este particular la ley no exige el cumplimiento

---

[37]   RODAS PAREDES, P., «Derecho de información de los socios…», *op. cit.*, pág. 77, pone de manifiesto que el ámbito subjetivo de aplicación de este derecho es potencialmente mucho más reducido que el del derecho de información previo a la celebración de la junta general.

[38]   Así, ALONSO ESPINOSA, F. J., «El derecho de información del accionista ejercitado verbalmente durante la junta general tras la Ley 31/2014 (anotaciones al artículo 197.5 LSC)», en *Junta General y Consejo de administración en la sociedad cotizada. Estudio de las modificaciones de la Ley de Sociedades de Capital introducidas por las Leyes 31/2014, de 3 de diciembre, 5/2015, de 27 de abril, 9/2015, de 25 de mayo, 15/2015, de 2 de julio y 22/2015, de 20 de julio, así como de las Recomendaciones del Código de Buen Gobierno de febrero de 2015*, dirs., Rodríguez Artigas, Fernández de la Gándara, Quijano González, Alonso Ureba, Velasco San Pedro, Esteban Velasco, coord. Roncero Sánchez, Tomo I, 20º aniversario de la Revista de Derecho de Sociedades, Pamplona, 2016, pág. 216.

de ningún requisito que pueda poner de relieve la utilidad de la información solicitada para el ejercicio del derecho del socio[39].

Parece, en principio, que es posible cualquier relación que pueda apreciar el socio entre el orden del día y su pregunta para sentirse legitimado a formularla, si bien con ella no obliga a los administradores a tener que satisfacerle, salvo que los accionistas autores de la interpelación representen, al menos, el veinticinco por ciento del capital social, o, en su caso, el porcentaje que estatutariamente se hubiera estipulado.

La delimitación y decisión de cuándo existe esa conexión dependerá de diversos factores[40]. Los administradores son los legitimados para decidir cuándo la información solicitada por el accionista no se puede satisfacer en el mismo momento de la celebración de la junta. Para ello, no tendrán que alegar causa ni justificación alguna, pues bastará con que aprecien y decidan que la pregunta «no se pueda satisfacer en ese momento», pudiendo posponer temporalmente el momento de su respuesta. Ello puede suponer que el acuerdo sobre el que el accionista requería información se adopte en el seno de la junta sin que se haya visto satisfecho su derecho de información[41] y, lo que puede ser aún peor, sin que se encuentre, en principio, legitimado para posteriormente impugnarlo.

Sin embargo, este no es el único caso en el que el accionista no obtiene respuesta a su interpelación durante la celebración de la junta general, pues ocurre igual con los socios que asisten a la junta general de forma telemática. En este sentido, el artículo 182 *in fine* TRLSC dispone, ya sin dejarlo a la discrecionalidad de los administradores, que las respuestas a los accionistas que ejerciten su derecho de información durante la celebración de la junta se contestarán por escrito, durante los siete días siguientes a la finalización de la misma. Suponemos que estas cautelas del legislador intentan velar por el normal desarrollo de la reunión. Si bien, ya que en ese

---

[39]   MARTÍNEZ MARTÍNEZ, M., «Los supuestos de exoneración del deber de información a los accionistas por los administradores (Art. 197.3 LSC)», *Revista de Derecho de Sociedades*, núm. 45, 2015 (BIB 2015/17373).

[40]   Así, el Tribunal Supremo ha entendido que no es precisa una relación directa y estrecha, debiendo atender para determinarla al juicio de pertinencia de los administradores en el caso concreto, Sentencia de la Sala Primera del Tribunal Supremo, núm. 204/2011, de 21 de marzo, *(Tol 2117156)*.

[41]   Este hecho ya ha sido criticado por MARTÍNEZ MARTÍNEZ, M., «Los supuestos de exoneración...», *op. cit.*, que considera que la información proporcionada después de la celebración de la junta deja de desempeñar la función que justifica el derecho a solicitarla.

mismo precepto se les permite a los administradores organizar la asamblea cuando en ella se prevea que asistirán accionistas de forma telemática[42], no entendemos porque no ha dejado también que fueran ellos los que decidieran dar respuesta inmediata a las preguntas de estos socios, o posponerla en el caso de no poder satisfacerla. En definitiva, nos estamos refiriendo a aplicar el mismo régimen con independencia de si la presencia del accionista en la reunión es física o telemática[43].

Los administradores sociales cumplen con su obligación de informar cuando contestan al socio que les interpela. El derecho se ve cumplido sin que resulte necesario que el socio quede convencido por la información que se le ha facilitado. Solo es necesario que se le informe razonablemente sobre las cuestiones planteadas, lo que no es incompatible con la concisión o brevedad. Si bien, resulta necesario que la información no sea objetivamente falsa, inexacta o incompleta[44].

Debemos hacer referencia también a la posibilidad que se les reconoce a los socios de reiterar sus preguntas. Nos referimos, concretamente, a aquellas situaciones en las que el socio ha ejercitado su derecho de información de forma escrita con anterioridad a la celebración de la junta y decide volver a preguntar sobre los mismos temas, ahora ya de forma verbal, durante el desarrollo de la misma. Este último derecho es cumulativo al anterior ejercitado. Ya que el haber solicitado previamente la información no es incompatible con la posibilidad de requerir aclaraciones durante el desarrollo de la junta general, sino al contrario, pues si el socio aprecia alguna infracción legal acerca de su derecho de información lo debe po-

---

[42]   Para MARTÍNEZ MARTÍNEZ, M., «El derecho de información del accionista en los supuestos de ampliación del orden del día. Su ejercicio en los supuestos de asistencia telemática del socio a la junta general», *Revista de Derecho de Sociedades*, núm. 26/2006, (BIB 2006/704), el confiar en los administradores para que decidan cómo será el desarrollo de cada junta cuando a ella se prevea que asistirán accionistas de forma telemática, supone un importante grado de inseguridad jurídica, por la arbitrariedad que puede propiciar esta previsión. En este mismo trabajo, también se pregunta el porqué de la decisión del legislador de postergar el derecho de información ejercitado de esta forma.

[43]   *Vid.*, en este sentido, el contenido del artículo 189.3 TRLSC en el que se considera que el accionista que emita su voto a distancia deberá ser tenido en cuenta a efectos de constitución de la junta como si estuviera presente en la misma.

[44]   Sentencia del Tribunal Supremo, núm. 531/2013, de 19 de septiembre *(Tol 3984724)*.

ner en conocimiento de la sociedad lo antes posible, a fin de que la misma pueda subsanarlo[45].

En el artículo 520 TRLSC se prevé la posibilidad de que los accionistas puedan hacer preguntas durante la celebración de la junta general, o solicitar las aclaraciones precisas acerca de la información accesible al público que la sociedad hubiera facilitado a la Comisión Nacional del mercado de Valores desde la celebración de la última junta general y acerca del informe del auditor.

La Comisión Nacional del Mercado de Valores ha realizado varias recomendaciones referentes a la conveniencia de que las sociedades cotizadas realicen una serie de informes, aunque no sean obligatorios, y los publiquen en su página web con la antelación suficiente a la celebración de la junta general ordinaria, con la finalidad de que los accionistas puedan analizarlos en profundidad; que la sociedad retransmita en directo, a través de su página web, la celebración de la junta y, que se presenten las cuentas anuales sin limitaciones ni salvedades y, que de existir aquéllas, sea en supuestos que se consideren excepcionales y que los auditores expliquen con claridad a los accionistas el contenido y alcance de las limitaciones o salvedades[46].

La información a la que vienen obligadas a cumplimentar las sociedades anónimas cotizadas posee dos vertientes diferenciadas. Una de ellas, la información pública, en virtud de su sometimiento a las normas de transparencia del mercado de valores y cuyos resultados se encuentran dirigidos al público inversor y que revisten una gran importancia en el mercado. A pesar de resaltar esta importancia, y de que la misma se encuentra dirigida

---

[45]    De hecho, el no realizar estas preguntas acerca de algún extremo que no le ha sido facilitado, o la constatación por su parte de la falta de alguna formalidad, puede incluso llevar a que su actitud se considere contraria a la buena fe. Sobre este particular, vid. el Fundamento Jurídico Octavo de la Sentencia del Tribunal Supremo, núm. 531/2013, de 19 de septiembre, *(Tol 3984724)*.

[46]    Vid. Sobre este particular el Código de Buen Gobierno de Sociedades Cotizadas. Respecto a las actuales obligaciones y funciones en materia de información que recaen sobre los auditores de cuentas, OLMEDO PERALTA, E., «La comisión de auditoría de las sociedades cotizadas tras la reforma para la mejora del gobierno corporativo y la nueva Ley de Auditoría ¿avanzando hacia un verdadero órgano de control?», *Revista de Derecho de Sociedades*, núm. 46, 2016 (BIB 2016/3019) y PORTELLANO DÍEZ, P., «La nueva composición de la comisión de auditoría y los conocimientos técnicos de sus miembros», *Revista de Derecho del Mercado de Valores*, núm. 20, 2017, (LA LEY 8480/2017).

a todo el que desee conocerla, este tipo de información no viene a satisfacer plenamente la obligación que pesa sobre los administradores sociales en cuanto al derecho de información del socio se refiere. Por ello, existe una segunda vertiente de esta obligación de prestar información que es la que se encuentra focalizada en los socios, y cuya intención última es que su participación en la sociedad pueda ser satisfactoria y les permita adoptar las mejores decisiones en el desarrollo de la vida societaria.

Los supuestos que habilitan al socio a solicitar información difieren en el caso de las sociedades cotizadas. Así, se amplían las materias sobre las que se puede ejercitar este derecho. Ya no se limitan a las relacionadas con la vida societaria y además que se encuentren contenidas en el orden del día, sino que alcanzan a otras materias, cuya definición se deja a la normativa del mercado, y que son aquellas sobre las que la sociedad se encuentra obligada a informar a la Comisión Nacional del Mercado de Valores[47] y, que en ocasiones, nada tienen que ver con el orden del día previsto para la celebración de la junta general, pero que se encuentran accesibles al público en la página web[48]. Ello supone una importante ampliación del ámbito del derecho a preguntar que poseen los socios.

El ámbito temporal y de contenido sobre el que los accionistas pueden interpelar a los administradores puede resultar excesivamente amplio, pues, como hemos expuesto anteriormente, se extiende a toda la información que la sociedad hubiera proporcionado a la Comisión Nacional del Mercado de Valores desde la celebración de la última junta general, lo que puede resultar cuanto menos heterogéneo y de una amplitud difícil de

---

[47]  Vid. PEINADO GRACIA, J. I y GONZÁLEZ FERNÁNDEZ, Mª B.: «Sistemática y clasificación de los derechos del accionista en la sociedad cotizada», en *El accionista minoritario en la sociedad cotizada*, dirs. Peinado Gracia y Cremades García, coord. Zabaleta Díaz, Madrid, 2012, pág. 84.

[48]  VARGAS VASSEROTT, C., «Las solicitudes de informaciones o aclaraciones o la formulación por escrito de preguntas con anterioridad a la celebración de la junta o verbalmente durante la misma», en J*unta General y Consejo de administración en la sociedad cotizada. Estudio de las modificaciones de la Ley de Sociedades de Capital introducidas por las Leyes 31/2014, de 3 de diciembre, 5/2015, de 27 de abril, 9/2015, de 25 de mayo, 15/2015, de 2 de julio y 22/2015, de 20 de julio, así como de las Recomendaciones del Código de Buen Gobierno de febrero de 2015*, dirs., Rodríguez Artigas, Fernández de la Gándara, Quijano González, Alonso Ureba, Velasco San Pedro, Esteban Velasco, coord. Roncero Sánchez, Tomo I, 20° aniversario de la Revista de Derecho de Sociedades, Pamplona, 2016, pág. 773.

satisfacer[49]. Por ello, un importante sector de la doctrina viene reclamando la necesidad de que esta información se le proporcione al accionista al margen del derecho de información durante la celebración de la junta general[50].

El derecho de información de la sociedad cotizada se ha visto reforzado con la inclusión de la previsión contenida en el artículo 539 TRLSC, que bajo la rúbrica «los instrumentos especiales de información» impone diversas obligaciones a este tipo de sociedades. Así, les requiere que cumplan los derechos de información por cualquier medio técnico, informático o telemático, dejando a salvo el derecho que ostentan los accionistas a solicitar a la sociedad que la información se le proporcione de forma impresa. También obliga a este tipo de sociedades a que dispongan de una página web en la que atiendan el ejercicio, por parte de los socios, del derecho de información y que, igualmente, se utilice para difundir la información relevante exigida por la legislación sobre el mercado de valores, correspondiéndole a los miembros del consejo de administración establecer el contenido a incorporar en la página, de conformidad con lo dispuesto por el Ministerio de Economía y Hacienda, o en su caso, en función de concesión de una habilitación expresa, por lo que indique la Comisión Nacional del Mercado de Valores.

La información exigida que debe constar en la página web, ha de cumplir con una serie de requisitos, pues la misma tiene que encontrarse disponible de manera clara, expresa y directa para los accionistas. En esta página, además, los administradores están obligados a incorporar aquella información solicitada válidamente por los accionistas y que haya sido objeto de aclaración o pregunta realizada por escrito, así como la respuesta que la sociedad ha proporcionado sobre la misma.

---

[49]   Para SÁNCHEZ-CALERO GUILARTE, J., «Sociedades cotizadas y Ley de Sociedades de Capital», *Revista de Derecho de Sociedades*, núm. 36/2011-1, (BIB 2011/565), refiriéndose al entonces artículo 527 del Texto Refundido, dada la amplitud de contenidos sobre la que puede recabarse la información, la aplicación de este precepto debiera restringirse a aquellos supuestos en los que el ejercicio del derecho de información se proyecte sobre información relevante, entendiendo por tal aquella que recibe este calificativo en la Ley del Mercado de Valores.

[50]   MARTÍNEZ MARTÍNEZ, M., «Ejercicio del derecho de información del accionista», en *Las reformas de la Ley de Sociedades de Capital (Real Decreto-Ley 12/2010, Ley 2/2011. Ley 25/2011 y Ley 1/2012)*, dirs. Rodríguez Artigas, Farrando Miguel y González Castilla, Pamplona, 2012, pág. 574.

Esta información a la que nos referimos debe constar en la página web de la sociedad en el formato pregunta/respuesta. Su constancia de tal forma en la web societaria libera a los administradores, como hemos adelantado, de la obligación a contestar a los requerimientos formulados por los socios con motivo de la celebración de la junta general, ya sea antes de su celebración o durante el desarrollo de la misma. En tales casos resultará suficiente para cumplir esta obligación con remitir al accionista a aquel lugar para que pueda satisfacer su derecho a la información.

La exigencia legal del establecimiento de estas preguntas/respuestas además de aligerar las sesiones asamblearias, evita que estas reuniones se alarguen innecesariamente con cuestiones rutinarias[51], dada, como hemos indicado la amplitud y heterogeneidad de cuestiones que se pueden plantear en su desarrollo.

Como hemos indicado anteriormente, en el artículo 196 TRLSC se regula el derecho de información de los socios en las sociedades de responsabilidad limitada[52]. Este derecho recae en todos los socios, no requiriéndose ningún requisito, objetivo ni subjetivo, para su reconocimiento. No obstante, a diferencia de lo que ocurre en la sociedad anónima, todos los socios pueden acudir a la junta general, sin que resulte posible condicionar estatutariamente el poseer la titularidad de un mínimo de participaciones sociales para la asistencia a la misma (art. 179.1, TRLSC). Este hecho provocará, que, en cualquier caso, el socio asistente a la junta, que así lo desee pueda interpelar a los administradores durante el desarrollo de la reunión[53].

---

[51]   LATORRE CHINER, N., «Aspectos técnicos del derecho de información en la Directiva 2007/36/CE, de 11 de junio, sobre el ejercicio de determinados derechos de los accionistas de sociedades cotizadas», en *Derecho de Sociedades y Concurso. Cuestiones de actualidad en un entorno en crisis*, dirs. Vítolo, Embid Irujo, León Sánz, coord. Rodríguez Sánchez, Granada, 2011, pág. 78.

[52]   Sobre este derecho, *vid.* Las consideraciones realizadas en el epígrafe anterior de este trabajo.

[53]   No obstante, como indicara PULIDO BEGINES, J. L., *El derecho de información del socio en la sociedad de responsabilidad limitada (arts. 51 y 86 LSRL)*, Madrid, 1997, pág. 28, en determinadas ocasiones se produce una separación entre la titularidad de la participación social y la legitimación para el ejercicio del derecho de información. En tales casos, habrá de estarse a las normas generales sobre copropiedad, usufructo, prenda o embargo de participaciones.

### 3. *Exoneración de la obligación de los administradores a prestar información al socio*

Junto a los límites temporales y de contenido que hemos enunciado, entre las novedades introducidas por la Ley 31/2014 se encuentra el cambio y ampliación de los motivos por los que se podrán exonerar los administradores de la obligación de prestar información al socio que la solicita. En la anterior normativa existía un solo motivo, el interés social[54], que hoy aún perdura para las sociedades de responsabilidad limitada y que para las sociedades anónimas podemos subsumir en alguno de los nuevos motivos legales actualmente vigentes[55].

La obligación de los administradores de proporcionar la información decae en aquellos casos en los que la misma resulte innecesaria para la tutela de los derechos del socio, existan razones objetivas para considerar que podría utilizarse para fines extrasociales, o si su publicidad perjudica a la sociedad o a las sociedades vinculadas[56].

Estas situaciones recogidas en el texto legal[57] constituyen ejemplos de actuaciones, hasta ahora calificadas por la doctrina y la jurisprudencia como abusivas: las que persigan entorpecer, obstruir el funcionamiento de la sociedad u obtener información en contra de la misma[58].

---

[54] La desaparición de este motivo como causa para denegar la información ha sido bien valorada por ALONSO ESPINOSA, F. J., «El derecho de información del accionista ejercitado verbalmente…», *op. cit.*, pág. 214, al considerar que viene a contribuir a dotar de mayor seguridad jurídica, al eliminarse las situaciones de posible arbitrariedad por parte de los administradores obligados a responder a los requerimientos de los socios.

[55] Como podría ser el de causar un perjuicio a la sociedad.

[56] Estos supuestos legales nos parecen del todo necesarios, razonables y adecuados para preservar los intereses sociales y evitar algunos abusos que se han cometido por socios que pueden ser, o convertirse, en posibles competidores, BENAVIDES VELASCO, P., «El Derecho de información…», *op. cit.*, pág. 227 y 228.

[57] El antecedente inmediato de esta regulación lo encontramos en la Propuesta de Código Mercantil, en la que en su artículo 231-71, apartado primero, se dispone que: «Los administradores estarán obligados a proporcionar la información solicitada al amparo de los artículos anteriores, salvo que esa información sea innecesaria para la tutela de los intereses del socio, existan razones fundadas para considerar que la información solicitada podría utilizarse para fines extrasociales o la publicidad de la misma perjudique a la sociedad o a sociedades vinculadas».

[58] Vid., por todos, PETIT LAVALL, Mª V., «Los límites al derecho de información y la reducción del número de consejeros en la sociedad anónima (a propósito de la Sentencia del Juzgado de lo Mercantil núm. 2 de Bilbao, de 10 de enero de 2012

La facultad de decidir no dar respuesta a las preguntas realizadas corresponde a los administradores, viniendo la norma a solucionar una polémica que había sido puesta de manifiesto por un amplio sector de la doctrina[59]. En la reforma llevada a cabo se han suprimido las referencias que anteriormente se hacían al presidente de la junta, que era el que tenía la potestad para decidir si la información solicitada perjudicaba el interés social. Ello pese a que la obligación de prestarla recaía en los administradores, y aun cuando la presidencia de la asamblea la podía ostentar una persona que no perteneciera al órgano de administración societario[60]. Con mejor técnica jurídica, hoy son los administradores los obligados legalmente a satisfacer el derecho de información y también los que tomarán la decisión acerca de si la información solicitada se facilitará al accionista. No obstante, son ellos los que poseen los conocimientos acerca de los temas sobre los que versan la preguntas y los que gestionan la sociedad con discrecionalidad, correspondiéndoles, por tanto, ponderar los elementos concurrentes para el ejercicio del derecho así como el análisis de la existencia de causa para la denegación de la información[61].

Estas causas de exoneración del deber de información pueden resultar a priori difíciles de evaluar. Entre las facultades de los administradores para denegar la información se encuentra la consideración de que la interpelación realizada resulte innecesaria para el ejercicio de los derechos de socio. Hemos de destacar que esta información no debe negarse exclusivamente por el motivo de que la misma no resulte relevante para el ejercicio del derecho de voto, pues el legislador no lo ha previsto así. Por ello, la solicitud debe atenderse si la misma resulta de utilidad para el ejercicio de cuales-

---

(Residencial Monte Carmelo, S.A. c Iberdrola, S.A.)», *Diario La Ley*, núm. 7882, 2012, ref. D-247, (La Ley 6739/2012).

[59] Entre otros, MARTÍNEZ MARTÍNEZ, M., «Reformas en materia de derecho de información (Modificación del art. 197.4 LSC», en *Las reformas de la Ley de Sociedades de Capital (Real Decreto-Ley 12/2010, Ley 2/2011. Ley 25/2011 y Ley 1/2012)*, dirs. Rodríguez Artigas, Farrando Miguel y González Castilla, Pamplona, 2012, pág. 434, que critica esta disociación ente el órgano obligado a proporcionar la información y el competente para denegarla.

[60] Sobre esta posibilidad vid. el artículo 191 TRLSC (RCL 2010,1792) que contiene una previsión para determinar quien preside la junta general, salvo que en los estatutos se hubiera estipulado otra cosa. Así, si existe Consejo de administración, será el presidente del mismo y si no existiera ese órgano, la presidencia de la junta la elegirán los socios.

[61] Así lo ha expresado RECALDE CASTELLS, A., «Derecho de la información...», *op. cit.*

quiera derechos inherentes a la condición de socio, como pueden ser el derecho de suscripción preferente, el de separación, o cualquier otro.

Estas situaciones que hemos esbozado conllevan a que el accionista no pueda exigir el cumplimiento de la obligación de información que pesa sobre los administradores y que se vean privados de la posibilidad de exigir los daños y perjuicios que se le hayan podido ocasionar, como indica el apartado quinto del artículo 197 TRLSC. Estas previsiones legales entraran en juego en el momento en el que se vulnere el derecho a hacer preguntas[62], y no en aquellos otros casos en los que la falta de información se encuentre amparada en alguno de los supuestos legales.

En el artículo 197.6 se incorpora expresamente una sanción para el accionista que utilice de forma abusiva o perjudicial la información solicitada. Concretamente, se contempla su responsabilidad frente a la sociedad por los daños y perjuicios causados[63]. No obstante, pese a la sencillez del precepto, los tratamientos procesales de los supuestos en los que puede contextualizarse son distintos, en función de la relación jurídica subyacente entre los sujetos activo y pasivo del posible abuso dañoso y se contrae exclusivamente al ámbito previsto en la norma, en los casos de solicitud de información por parte del socio, no en aquellos otros en los que el socio revela información que ha obtenido por otros medios[64].

---

[62]  Nuestra jurisprudencia ya se ha ocupado de condenar el ejercicio abusivo del derecho de información, declarando la necesidad de que el derecho de información no debe ejercitarse de forma abusiva. El Tribunal Supremo, en este sentido, ha declarado que para considerar que el socio no actúa de tal manera, resulta necesario que se demuestre que se sobrepasan manifiestamente los límites normales del ejercicio del derecho. Esta situación se debe deducir de la situación en la que se encuentre el socio que realiza la pregunta, la finalidad que el mismo persigue o las circunstancias que acompañan al caso concreto. *Vid.* Sentencia de la Sala Primera del Tribunal Supremo, núm. 668/2006, de 16 de junio *(Tol 961842)*.

[63]  Parte de la doctrina ha considerado que esta sanción es de una efectividad relativa, ya que se limita a recoger lo estipulado en el artículo 7 del Código Civil. En este sentido, CARRASCO PERERA, Á., «Abuso de derecho de la mayoría, conflictos de intereses y lesión del derecho de información en la Ley 31/2014, de reforma de la Ley de Sociedades de Capital», en *Las reformas del régimen de sociedades de capital según la Ley 31/2014*, Gómez-Acebo & Pombo. Gestión del conocimiento, Madrid, mayo 2015, disponible en: http://www.gomezacebo-pombo.com/media/k2/attachments/las-reformas-del-regimen-de-sociedades-de-capital-segun-la-ley-31-2014.pdf.

[64]  En este sentido, ECHEVARRÍA SÁENZ, M., «La responsabilidad del socio por la información solicitada», en *Junta General y Consejo de administración en la sociedad cotizada. Estudio de las modificaciones de la Ley de Sociedades de Capital introducidas por*

Estos límites que pueden alegar los administradores para no ofrecer la información decaen cuando la misma es solicitada por accionistas que representen al menos el veinticinco por ciento del capital social, o un porcentaje menor si así se ha previsto estatutariamente, siempre que sea superior al cinco por ciento del capital social (art. 197.4 TRLSC).

Esta última previsión legal podría entenderse como que la solicitud de la minoría obliga a los administradores a proporcionar la información aún cuando la misma pueda ser perjudicial para la sociedad o pudiera enmarcarse en alguno de los supuestos contemplados en el artículo 197.3 TRLSC. No obstante, consideramos que incluso en estos casos en los que actúan estas mayorías los administradores podrán negar la información requerida sobre la base del ejercicio abusivo del derecho[65], o si la información puede utilizarse para fines extrasociales, o contrarios al interés social[66].

Los administradores de las sociedades de responsabilidad limitada también podrán denegar la información requerida si, a su propio juicio, consideran que la publicidad de dicha información o la respuesta a las aclaraciones solicitadas perjudican al interés social (art. 196.2 *in fine* TRLSC). No se trata, por tanto, de un derecho incondicional del socio, ni siquiera de un derecho condicionado a que exista un perjuicio social, sino que nos

---

las *Leyes 31/2014, de 3 de diciembre, 5/2015, de 27 de abril, 9/2015, de 25 de mayo, 15/2015, de 2 de julio y 22/2015, de 20 de julio, así como de las Recomendaciones del Código de Buen Gobierno de febrero de 2015,* dirs., Rodríguez Artigas, Fernández de la Gándara, Quijano González, Alonso Ureba, Velasco San Pedro, Esteban Velasco, coord. Roncero Sánchez, Tomo I, 20º aniversario de la Revista de Derecho de Sociedades, Pamplona, 2016, págs. 227-239, en las que realiza un completo análisis del ámbito de aplicación de la norma, de sus exclusiones, el ejercicio de la acción y sus consecuencias.

[65] *Vid,* Sentencia de la Sala Primera del Tribunal Supremo, núm. 846/2011, de 21 de noviembre *(Tol 2300076)*. También ALBA FERNÁNDEZ, M., «Los derechos de la minoría cualificada en las sociedades de capital bajo el Anteproyecto de Ley de Código Mercantil», en *Estudios sobre el futuro Código Mercantil, Libro homenaje al Profesor Rafael Illescas Ortiz,* Getafe, 2015, pág. 532, considera que este derecho de información se encuentra sometido a los límites generales que se aplican al derecho de minoría como tal.

[66] Precisamente esta es la justificación que nos proporciona la Sentencia del Tribunal Supremo, núm., 406/2015, de 15 de julio *(Tol 5429864),* en la que *a sensu contrario* se dispone que no puede negarse la información solicitada a una minoría cualificada (en este caso del 48,79 %), pues al tratarse de una sociedad participada íntegramente por la demandada, el Tribunal considera que no existen razones objetivas para considerar que la información puede utilizarse para fines extrasociales.

encontramos ante un derecho que existe siempre que los administradores no consideren que la información es perjudicial[67].

Corresponde a los administradores realizar la valoración de lo que puede ser perjudicial para la sociedad. Tendremos que atender a las circunstancias de cada caso concreto para determinar si la actuación del órgano de administración puede calificarse de arbitraria. Además, para apreciar si efectivamente se produce ese perjuicio para el interés social habrá de valorarse el alcance del mismo. En este sentido, la doctrina ha sido coincidente en afirmar que el perjuicio a la sociedad debe ser grave o importante[68], resultando el daño social relevante en comparación con el beneficio que la información puede reportarle a los socios[69].

Pese a que la norma solo exime a los administradores de la obligación de prestar información a los socios en el caso de que la misma pueda perjudicar a la sociedad, coincidimos en afirmar que será posible también denegarla cuando nos encontremos ante los supuestos de exoneración de este deber contemplados para las sociedades anónimas. Una aplicación analógica del contenido del artículo 197 TRLSC no resultaría extravagante por cuanto se trata de motivos que expresan límites al ejercicio de todo derecho y con la prohibición de su ejercicio de forma abusiva[70].

A diferencia de lo que ocurre en sede de sociedades anónimas y que acentúa las divergencias entre ambas sociedades, la negativa a proporcionar información a los socios que ejercitan su derecho durante la celebración de la junta general no conlleva, como así ocurre en la anónima, la imposibilidad de que el partícipe pueda impugnar los acuerdos adoptados en la junta general[71]. Así pues, el socio podrá seguir recurriendo al expedien-

---

[67]   En este sentido, Sentencia de la Sala Primera del Tribunal Supremo, núm. 658/2005, de 22 de julio *(Tol 697677)*.

[68]   PULIDO BEGINES, J. L., *El derecho de información...*, *op. cit.*, pág. 32; ROMERO FERNÁNDEZ, J. A., *El derecho de información...*, *op. cit.*, pág. 47.

[69]   En este sentido, vid., MARTÍNEZ MARTÍNEZ, Mª T., *El derecho de información...*, *op. cit.*, pág. 391.

[70]   También, MARTÍNEZ MARTÍNEZ, M., *op. cit.*, *RdS*, núm. 45, 2015.

[71]   Para RECALDE CASTELLS, A., «Derecho de la información...», *op. cit.*, esta diferenciación parece no responder a una decisión consciente del legislador, ya que en materia de impugnación de acuerdos sociales por violación del derecho de información se unifica el criterio a seguir para ambas sociedades, apartándose así de lo previsto en otras normas que si han sufrido reformas y que difuminan los elementos de distinción tipológica entre ambas sociedades.

te de tutela que supone el procedimiento de impugnación de acuerdos sociales para hacer valer su derecho de información si los administradores no han cumplido su deber de proporcionarle una respuesta acorde a su consulta durante la celebración de la junta general.

## IV. LA PROTECCIÓN JURÍDICA DEL DERECHO A LA INFORMACIÓN DEL SOCIO

En nuestro ordenamiento jurídico el derecho de los socios a recibir información no posee un medio específico de tutela. Por ello, la protección que del mismo se puede realizar ha sido reconducida al ámbito de la impugnación de los acuerdos sociales.

La ley 31/2014 ha venido a modificar de forma profunda esta posibilidad que se encontraba muy arraigada en nuestro proceder societario, pues resultaba habitual que los socios impugnaran los acuerdos sociales adoptados en junta general fundamentando su acción en la infracción del derecho de información.

El artículo 197.5 del Texto Refundido de la Ley de sociedades de capital dispone que la vulneración del derecho de información durante la celebración de la junta general, solo faculta al accionista para exigir el cumplimiento de la obligación de información y los daños y perjuicios que se le hayan podido causar, pero no será causa de impugnación de la *junta general*.

En parecido sentido, el artículo 204.3,b) del mismo texto legal, viene a reiterar que la insuficiencia de información facilitada por la sociedad en respuesta al ejercicio del derecho de información, en este caso cuando la misma se solicita con anterioridad a la celebración de la junta, no será causa para la impugnación de los acuerdos sociales. No obstante, el legislador matiza esta afirmación incluyendo una salvedad: que la información incorrecta o no facilitada hubiera sido esencial para el ejercicio razonable por parte del accionista o socio medio, del derecho de voto o de cualquiera de los demás derechos de participación.

Pese a la opción de política legislativa que tiende a impedir la impugnación de acuerdos sociales basados en la infracción del derecho de información y que ha generado un número excesivo de procedimientos judiciales, cuya justificación en ocasiones era dudosa. No acertamos a entender los motivos que han llevado al legislador a diferenciar el régimen de impugnación de acuerdos en sede de sociedades anónimas y limitadas. Pese a que el artículo 204 TRLSC es aplicable a ambos tipos sociales, el derecho de información se regula de forma separada para cada una de ellas, lo que provoca ciertas distorsiones en esta materia[72]. No existe una previsión legal que recoja esta imposibilidad de acudir a la tutela de los tribunales cuando la impugnación de acuerdos se plantee en el seno de una sociedad de responsabilidad limitada y el motivo alegado sea la infracción del derecho de información durante la celebración de la junta general, pues no existe una previsión como la contenida en el artículo 197.5 TRLSC, de aplicación exclusivamente para las sociedades anónimas[73] y, por ello entendemos que, no es posible extender su aplicación a otros tipos sociales[74].

En cualquier caso, la imposibilidad de impugnar los acuerdos sociales por vulneración del derecho de información, recogida en los artículos 197.5 y 204.3 b) TRLSC, se aleja de la actitud mantenida por nuestro Tribunal Supremo acerca de las manifestaciones sobre la importancia de este derecho y su consideración como fundamental para el funcionamiento de las sociedades, la protección de los socios, la potenciación de la transparencia y el control de los órganos sociales, entre otros.

El legislador ha previsto que esta falta de información o la incorrección de la misma, insistimos la solicitada antes de la celebración de la junta general, podrá ser causa de impugnación de los acuerdos sociales, siempre que dicha información hubiera resultado esencial para el ejercicio razonable por parte del accionista o socio medio, del derecho de voto o de cualquiera de los demás derechos de participación, conforme dispone el artículo 204.3 b) TRLSC.

El primer requisito que exige el legislador para que la falta de información sea susceptible de alegarse como causa de impugnación de los acuerdos sociales es que la misma resultara *esencial* para el ejercicio de los derechos de socio. Adviértase que no se requiere que la información sea relevante, significativa o importante, sino que se va más allá y la misma se

---

[72] Para RECALDE CASTELLS, A., «Derecho de la información…», *op. cit.*, este hecho supone una laguna legal difícil de cubrir.

[73] El artículo 214-11. 3, apartado b) del Anteproyecto de Código Mercantil se pronuncia en el mismo sentido que la reforma que analizamos en materia de inimpugnabilidad de los acuerdos sociales basados en la insuficiencia o incorreción de la información solicitada por los socios. Si bien, suprime la referencia que la actual norma realiza al derecho de información ejercitado con anterioridad a la celebración de la junta general. Este régimen resultaría aplicable a todos los tipos sociales y con independencia del momento en el que los socios ejercitan el derecho de información.

[74] *Vid.*, BENAVIDES VELASCO, P., «El Derecho de información…», *op. cit.*, pág. 246.

debe calificar como esencial, es decir, sustancial para el ejercicio de los derechos de socio. Así, podríamos considerar que nos encontramos ante supuestos en los que el socio de conocer la información requerida habría modificado el sentido de su voto[75].

No obstante, y pese a las críticas recibidas por el exceso que supone el exigir que la información se tenga que calificar como esencial, esta matización ya la venía realizando nuestra jurisprudencia, como un elemento a tener en cuenta para identificar si, en efecto, había existido una vulneración del derecho de información de los socios, al hacerla depender del tipo de información solicitada.

El segundo requisito exigido por el legislador es que esta información esencial posea ese carácter para un accionista o socio medio, sin entrar a definir qué debemos entender por tal, recurriendo a un estándar utilizado en el derecho del consumo, que poco o nada tiene que ver con el derecho societario[76].

La forma mediante la cual el accionista podrá impugnar el acuerdo social por falta de información, siempre que cumpla con los requisitos anteriormente comentados, es por la vía del incidente de previo pronunciamiento, regulado en la Ley de Enjuiciamiento Civil. Sin embargo, la norma societaria no ha previsto el control de oficio de la relevancia o esencialidad del motivo, ni tampoco ha exigido al actor acreditar dicha relevancia, con

---

[75]  En este sentido, coincidimos con GARCÍA-VILLARUBÍA, M., «El derecho de información del socio como fundamento de la impugnación de los acuerdos sociales. Cuestiones sustantivas y procesales», *El Derecho. Revista de Derecho Mercantil*, núm. 29, 2015. Disponible en: http://www.uria.com/es/abogados/mgv?iniciales =mgv&seccion=publicaciones&id=4550&pub=Publicacion, para el que esta esencialidad equivale a una información «decisiva».

[76]  Sobre este particular resulta muy ilustrativa la crítica realizada a este concepto introducido por el legislador español por FARRANDO MIGUEL, I., «Los déficits informativos como causa de impugnación de los acuerdos sociales (arts. 197.5 y 204.3 b) LSC)», en *Junta General y Consejo de administración en la sociedad cotizada. Estudio de las modificaciones de la Ley de Sociedades de Capital introducidas por las Leyes 31/2014, de 3 de diciembre, 5/2015, de 27 de abril, 9/2015, de 25 de mayo, 15/2015, de 2 de julio y 22/2015, de 20 de julio, así como de las Recomendaciones del Código de Buen Gobierno de febrero de 2015*, dirs., Rodríguez Artigas, Fernández de la Gándara, Quijano González, Alonso Ureba, Velasco San Pedro, Esteban Velasco, coord. Roncero Sánchez, Tomo I, Pamplona, 2016, págs. 434 y ss. y en la que pone de manifiesto que el legislador se ha olvidado de la casuística societaria existente en nuestro país y la gran diferencia entre sociedades abiertas y cerradas.

objeto de justificar la concurrencia de las excepciones previstas en el artículo 204.3 TRLSC y, por ende, la procedencia de la acción de impugnación[77].

## Bibliografía

ALBA FERNÁNDEZ, M., «Los derechos de la minoría cualificada en las sociedades de capital bajo el Anteproyecto de Ley de Código Mercantil», en *Estudios sobre el futuro Código Mercantil, Libro homenaje al Profesor Rafael Illescas Ortiz*, Getafe, 2015, págs. 521-539.

ALONSO ESPINOSA, F. J., «El derecho de información del accionista ejercitado verbalmente durante la junta general tras la Ley 31/2014 (anotaciones al artículo 197.5 LSC)», en *Junta General y Consejo de administración en la sociedad cotizada. Estudio de las modificaciones de la Ley de Sociedades de Capital introducidas por las Leyes 31/2014, de 3 de diciembre, 5/2015, de 27 de abril, 9/2015, de 25 de mayo, 15/2015, de 2 de julio y 22/2015, de 20 de julio, así como de las Recomendaciones del Código de Buen Gobierno de febrero de 2015*, dirs., Rodríguez Artigas, Fernández de la Gándara, Quijano González, Alonso Ureba, Velasco San Pedro, Esteban Velasco, coord. Roncero Sánchez, Tomo I, Pamplona, 2016, págs. 185-224.

BENAVIDES VELASCO, P., «El Derecho de información de los socios en las sociedades de capital», *Revista de Derecho Mercantil*, núm. 302, 2016, págs. 207-254.

— «Validez sobre determinadas cláusulas estatutarias limitativas de derechos en las sociedades anónimas. Sentencia del Tribunal Supremo de 12 de noviembre de 2014», *Cuadernos Civitas de Jurisprudencia Civil*, núm. 99, 2015, págs. 149-182.

BOLDÓ RODA, C., «Estatuto jurídico del socio (I). Derechos y deberes del socio», en *Derecho de Sociedades de Capital. Estudio de la Ley de sociedades de capital y de la legislación complementaria*, dir. Embid Irujo, coord. Ferrando Villalba, Hernando Cebrá y Martí Moya, Madrid, 2016, págs. 182-203.

CARRASCO PERERA, Á., «Abuso de derecho de la mayoría, conflictos de intereses y lesión del derecho de información en la Ley 31/2014, de reforma de la Ley de Sociedades de Capital», en *Las reformas del régimen de sociedades de capital según la Ley 31/2014*, Madrid, 2015, págs. 55-58, disponible en: http://www.gomezacebo-pombo.com/media/k2/attachments/las-reformas-del-regimen-de-sociedades-de-capital-segun-la-ley-31-2014.pdf.

CORDÓN MORENO, F. J., «La exclusión de la impugnación de determinados acuerdos sociales y su tratamiento procesal (art. 204.2 y 3 LSC)», en *Las reformas del régimen de sociedades de capital según la Ley 31/2014*, Madrid, 2015, págs. 63-69, disponible en:

---

[77] CORDÓN MORENO, F. J., «La exclusión de la impugnación de determinados acuerdos sociales y su tratamiento procesal (art. 204.2 y 3 LSC)», en Las reformas del régimen de sociedades de capital según la Ley 31/2014, Gómez Acebo & Pombo, 2015, Madrid, págs. 68 y 69, disponible en: http://www.gomezacebo-pombo.com/media/k2/attachments/las-reformas-del-regimen-de-sociedades-de-capital-segun-la-ley-31-2014.pdf, en las que se plantea la viabilidad de esta cuestión como incidental y si la misma, en caso de no plantearse por el actor, puede ser apreciada de oficio por el Juez que conozca del asunto y apreciarla de oficio.

http://www.gomezacebo-pombo.com/media/k2/attachments/las-reformas-del-regimen-de-sociedades-de-capital-segun-la-ley-31-2014.pdf.

ECHEVARRÍA SÁENZ, M., «La responsabilidad del socio por la información solicitada», en *Junta General y Consejo de administración en la sociedad cotizada. Estudio de las modificaciones de la Ley de Sociedades de Capital introducidas por las Leyes 31/2014, de 3 de diciembre, 5/2015, de 27 de abril, 9/2015, de 25 de mayo, 15/2015, de 2 de julio y 22/2015, de 20 de julio, así como de las Recomendaciones del Código de Buen Gobierno de febrero de 2015*, dirs., Rodríguez Artigas, Fernández de la Gándara, Quijano González, Alonso Ureba, Velasco San Pedro, Esteban Velasco, coord. Roncero Sánchez, Tomo I, Pamplona, 2016, págs. 225-239.

FARRANDO MIGUEL, I., «Los déficits informativos como causa de impugnación de los acuerdos sociales (arts. 197.5 y 204.3 b) LSC)», en *Junta General y Consejo de administración en la sociedad cotizada. Estudio de las modificaciones de la Ley de Sociedades de Capital introducidas por las Leyes 31/2014, de 3 de diciembre, 5/2015, de 27 de abril, 9/2015, de 25 de mayo, 15/2015, de 2 de julio y 22/2015, de 20 de julio, así como de las Recomendaciones del Código de Buen Gobierno de febrero de 2015*, dirs., Rodríguez Artigas, Fernández de la Gándara, Quijano González, Alonso Ureba, Velasco San Pedro, Esteban Velasco, coord. Roncero Sánchez, Tomo I, Pamplona, 2016, págs. 413-440.

GARCÍA-VILLARUBIA, M., «El derecho de información del socio como fundamento de la impugnación de los acuerdos sociales. Cuestiones sustantivas y procesales», *El Derecho. Revista de Derecho Mercantil*, núm. 29, 2015. Disponible en: http://www.uria.com/es/abogados/mgv?iniciales=mgv&seccion=publicaciones&id=4550&pub=Publicacion.

HIERRO ANIBARRO, S. y ZABALETA DÍAZ, M., «Principios de gobierno corporativo en sociedad no cotizada», *Gobierno corporativo en sociedades no cotizadas*, dir. Hierro Anibarro, Madrid, 2014, págs. 39-82.

LATORRE CHINER, N., «Aspectos técnicos del derecho de información en la Directiva 2007/36/CE, de 11 de junio, sobre el ejercicio de determinados derechos de los accionistas de sociedades cotizadas», en *Derecho de Sociedades y Concurso. Cuestiones de actualidad en un entorno en crisis*, dirs. Vítolo, Embid Irujo, León Sánz, coord. Rodríguez Sánchez, Granada, 2011.

MARTÍNEZ MARTÍNEZ, Mª T., *El derecho de información del accionista en la sociedad anónima*, Madrid, 1999.

— «El derecho de información del accionista en los supuestos de ampliación del orden del día. Su ejercicio en los supuestos de asistencia telemática del socio a la junta general», *Revista de Derecho de Sociedades*, núm. 26/2006, (BIB 2006/704).

— «Reformas en materia de derecho de información (Modificación del art. 197.4 LSC», en *Las reformas de la Ley de Sociedades de Capital (Real Decreto-Ley 12/2010, Ley 2/2011. Ley 25/2011 y Ley 1/2012)*, dirs. Rodríguez Artigas, Farrando Miguel y González Castilla, Pamplona, 2012, págs. 426-440.

— «Ejercicio del derecho de información del accionista», en *Las reformas de la Ley de Sociedades de Capital (Real Decreto-Ley 12/2010, Ley 2/2011. Ley 25/2011 y Ley 1/2012)*, dirs. Rodríguez Artigas, Farrando Miguel y González Castilla, Pamplona, 2012, págs. 569-580.

— «Los supuestos de exoneración del deber de información a los accionistas por los administradores (Art. 197.3 LSC)», *Revista de Derecho de Sociedades*, núm. 45, 2015, (BIB 2015/17373) y en *Junta General y Consejo de administración en la socie-*

*dad cotizada. Estudio de las modificaciones de la Ley de Sociedades de Capital introduci- das por las Leyes 31/2014, de 3 de diciembre, 5/2015, de 27 de abril, 9/2015, de 25 de mayo, 15/2015, de 2 de julio y 22/2015, de 20 de julio, así como de las Recomendaciones del Código de Buen Gobierno de febrero de 2015*, dirs., Rodríguez Artigas, Fernández de la Gándara, Quijano González, Alonso Ureba, Velasco San Pedro, Esteban Velasco, coord. Roncero Sánchez, Tomo I, Pamplona, 2016, págs. 149-183.

MARTÍNEZ-GIJÓN MACHUCA, P., «El derecho de información del accionista de una sociedad anónima de carácter familiar», *Revista de Derecho Mercantil*, núm. 291, 2014 (BIB 2014/828).

— «Algunas cuestiones sobre el derecho de información del socio tras las reformas introducidas por la Ley 31/2914, de 3 de diciembre», *Revista de Derecho de Socie- dades*, núm. 47, 2016 (BIB 2016/85708).

OLMEDO PERALTA, E., «La comisión de auditoría de las sociedades cotizadas tras la reforma para la mejora del gobierno corporativo y la nueva Ley de Auditoría ¿avan- zando hacia un verdadero órgano de control?», *Revista de Derecho de Sociedades*, núm. 46, 2016 (BIB 2016/3019).

PEINADO GRACIA, J. I. y GONZÁLEZ FERNÁNDEZ, Mª B., «Los derechos del socio», en *Derecho Mercantil. Las sociedades mercantiles*, vol. 3º, coords. Jiménez Sánchez y Díaz Moreno, Madrid, 2013, págs. 335-369.

— «Participaciones sociales y acciones», en *Derecho Mercantil. Las sociedades mercan- tiles*, vol. 3º, coords. Jiménez Sánchez y Díaz Moreno, Madrid, 2013.

— «Sistemática y clasificación de los derechos del accionista en la sociedad coti- zada», en *El accionista minoritario en la sociedad cotizada*, dirs. Peinado Gracia y Cremades García, coord. Zabaleta Díaz, Madrid, 2012, págs. 67-103.

PETIT LAVALL, Mª V., «Los límites al derecho de información y la reducción del nú- mero de consejeros en la sociedad anónima (a propósito de la Sentencia del Juzga- do de lo Mercantil núm. 2 de Bilbao, de 10 de enero de 2012 (Residencial Monte Carmelo, S.A. c Iberdrola, S.A.)», *Diario La Ley*, núm. 7882, 2012, ref. D-247, (La Ley 6739/2012).

PORTELLANO DÍEZ, P., «La nueva composición de la comisión de auditoría y los conocimientos técnicos de sus miembros», *Revista de Derecho del Mercado de Valores*, núm. 20, 2017, (LA LEY 8480/2017).

PULIDO BEGINES, J. L., *El derecho de información del socio en la sociedad de responsabilidad limitada (arts. 51 y 86 LSRL)*, Madrid, 1997.

RECALDE CASTELLS, A., «Derecho de la información en la sociedad anónima», en *Comentario de la reforma del régimen de las sociedades de capital en materia de gobierno cor- porativo (Ley 31/2014)*, Pamplona, 2015 (BIB 2015/4465).

RODAS PAREDES, P., «Derecho de información de los socios en la junta general», en *Mejora del Gobierno corporativo de sociedades no cotizadas (a propósito de la Ley 31/2014, de 3 de diciembre)*, dirs. Jordá García y Navarro Matamoros, Madrid, 2015, págs. 71-84.

ROMERO FERNÁNDEZ, J. A., *El derecho de información documental del accionista*, Madrid, 2000.

SÁNCHEZ-CALERO GUILARTE, J., «Sociedades cotizadas y Ley de Sociedades de Ca- pital», *Revista de Derecho de Sociedades*, núm. 36/2011-1, (BIB 2011/565).

URÍA, R., MENÉNDEZ, A. y GARCÍA DE ENTERRÍA, J., «La sociedad anónima: la acción en general» en *Curso de Derecho Mercantil*, Tomo I, dirs. Uría y Menéndez, Madrid, 2006.

VARGAS VASSEROTT, C., «Las solicitudes de informaciones o aclaraciones o la formulación por escrito de preguntas con anterioridad a la celebración de la junta o verbalmente durante la misma», en *Junta General y Consejo de administración en la sociedad cotizada. Estudio de las modificaciones de la Ley de Sociedades de Capital introducidas por las Leyes 31/2014, de 3 de diciembre, 5/2015, de 27 de abril, 9/2015, de 25 de mayo, 15/2015, de 2 de julio y 22/2015, de 20 de julio, así como de las Recomendaciones del Código de Buen Gobierno de febrero de 2015*, dirs., Rodríguez Artigas, Fernández de la Gándara, Quijano González, Alonso Ureba, Velasco San Pedro, Esteban Velasco, coord. Roncero Sánchez, Tomo I, Pamplona, 2016, págs. 765-780.

ZUBIRI DE SALINAS, M., «La junta general de las sociedades capitalistas tras la modificación de la LSC por la Ley 31/2014, de 3 de diciembre: convocatoria, celebración y adopción de acuerdos», *Revista Doctrinal Aranzadi Civil-Mercantil*, núm. 4, 2015, págs. 29-50.

# IV. PÉRDIDA DE LA CONDICIÓN DE SOCIO

# 12. Salida del socio por renuncia a las participaciones sociales

### FRANCISCO JOSÉ ARANGUREN URRIZA
*Notario de Sevilla*

**Sumario:** I. PLANTEAMIENTO. II. RENUNCIA DE PARTICIPACIONES SOCIALES. 1. Consideración sociológica. 2. Renuncia: concepto y caracteres. 3. Distinción de la denuncia de contrato o desistimiento. 4. Distinción de la revocación de contrato. 5. Renunciabilidad de las participaciones sociales. 6. La separación por justos motivos, como alternativa a la renuncia de participaciones sociales. III. LA RENUNCIA EN LA LEGISLACIÓN Y LA JURISPRUDENCIA. 1. Menciones legislativas. 2. Doctrina de la DGRN. IV. REQUISITOS DE LA RENUNCIA DE PARTICIPACIONES SOCIALES. 1. Requisitos subjetivos. 2. Requisitos objetivos. 3. Requisitos formales. 4. Indemnidad de terceros. V. EFECTOS DE LA RENUNCIA. 1. Extinción del dominio y pérdida de la condición de socio. 2. Acrecimiento del valor de las participaciones de los restantes socios. 3. Adquisición de las participaciones por la sociedad. VI. SUPUESTOS ESPECIALES. 1. Aportaciones no dinerarias. 2. Prestaciones accesorias. 3. Otras relaciones obligatorias. VII. CONFIGURACIÓN ESTATUTARIA DE LA RENUNCIA. 1. Posibilidad de regulación y quorum para su incorporación. 2. Posible contenido. Bibliografía.

## I. PLANTEAMIENTO

Frente a la caracterización por la doctrina tradicional de determinados derechos de socio en las sociedades de capital como irrenunciables e indisponibles, se ha ido abriendo paso en tiempos más recientes una consideración más amplia de la libertad de disponer de dichos derechos, por los socios y por vía de modificación estatutaria[1].

El mayor debate se ha centrado, en los últimos años, en el derecho de separación y sus posibles limitaciones, dividiéndose la doctrina entre quienes admiten la posibilidad de incluir entre las causas estatutarias de sepa-

---

[1] Las llamadas corrientes *contractualistas*, bajo la influencia de las teorías del análisis económico del Derecho, han defendido una interpretación flexible del Derecho societario, potenciando las posibilidades de auto regulación, como cauce idóneo para que cada sociedad mejore su funcionalidad y adopte una estructura más eficiente. Estas corrientes progresivamente han ido marcando la evolución de la legislación y la jurisprudencia societarias.

ración la libre voluntad de los socios y quienes niegan tal posibilidad. En el fondo, se plantea la posibilidad de admitir o no en las sociedades de capital un *derecho de salida* del socio por su sola voluntad[2]. La cuestión se plantea sobre todo y con mayor intensidad en las sociedades de responsabilidad limitada, por ser predominantemente sociedades cerradas[3].

El reconocimiento de un derecho de salida o abandono tiene especial importancia a la hora de dar respuesta a conflictos en el seno de sociedades de capital con un alto grado de personalización, en las que las relaciones personales o familiares entre los socios y la implicación de los mismos en la gestión social pueden generar situaciones de enfrentamiento que, unidas a la inexistencia de una posibilidad real de transmisión de las participaciones sociales, determinen que la vinculación contractual del socio minoritario resulte opresiva, perdiendo éste la *affectio societatis*.

Entre quienes defienden el derecho de separación «ad nutum», o «puerta abierta» en las sociedades de capital, cabría distinguir los que lo hacen en el ámbito de la autonomía de la voluntad, como posibilidad de configurar estatutariamente la facultad de abandono de la sociedad, y los que van más allá, afirmando que tal derecho integra el contrato de sociedad cuando no se ha establecido para éste una duración determinada, de

---

[2]    El concepto «Salida de socio» (utilizado tradicionalmente por la doctrina alemana) es más amplio que el de separación o exclusión, y presenta la utilidad sistemática de comprender tanto la salida voluntaria como la expulsión o salida forzosa, comprendiendo en la primera categoría además de la separación, el desistimiento y supuestos de baja convenida (como las cláusulas que imponen la venta o la compra a los socios). La expresión «derecho de salida» es frecuentemente utilizada entre los mercantilistas españoles (GIRÓN TENA, VICENT CHULIÁ) y por la jurisprudencia, con esa finalidad sistemática de abarcar los distintos supuestos que la determinan. Es preferible hablar de «salida del socio» y no de «baja del socio», que podría introducir cierta confusión con el principio de alta y baja voluntaria propio de las sociedades cooperativas.

[3]    No hay un hecho tipológico diferencial en este punto entre la sociedad anónima y la limitada. La polivalencia funcional de ambos tipos sociales hace que sólo en términos de «tipo prevalente» podamos identificar la limitada como una sociedad cerrada y la anónima como una sociedad abierta. Cierto es que, a mayor personalización de la sociedad, con mayor amplitud habrá de ser reconocido el derecho de salida. Pero en la anónima pueden introducirse elementos personalizadores (prestaciones accesorias, por ejemplo) y también en ellas puede producirse una situación de práctica intransmisibilidad las acciones. Esto dicho, en lo que sigue, nos vamos a referir a las participaciones sociales y a la sociedad de responsabilidad limitada, por la mayor frecuencia sociológica en ella del tipo de conflictos que provocarían la renuncia como vía de salida.

forma que existiría una *causa legal no escrita* de separación, fundada en un derecho cuasi-constitucional contrario a las vinculaciones permanentes.

La posibilidad de un derecho de salida en las sociedades de capital se relaciona (aunque es distinto de él) con el *derecho de denuncia* (llamado «*renuncia*» por el codificador), reconocido en la regulación de las sociedades civiles (artículos 1705 y 1707 CC) y también para las sociedades mercantiles personalistas (artículo 224 Ccom). Aquí se plantearía, ante el silencio de la LSC, si el silencio del legislador se puede calificar de *elocuente* y por tanto excluyente de ese derecho en las sociedades de capital, o si cabría considerar aplicable, como normativa común, a falta de otra previsión, la de la de los Códigos[4].

A pesar del interés de los mercantilistas por el derecho de separación, apenas se ha contemplado la salida de la sociedad desde la perspectiva del derecho de propiedad de las participaciones sociales, esto es, desde la posibilidad de renuncia abdicativa del derecho de propiedad recayente sobre las mismas. Es algo que resulta extraño pues, admitida la renuncia de los distintos derechos que integran *como mínimo* la condición de socio (artículo 93 LSC), parecería razonable plantearse la renuncia a la condición misma de tal, su validez y requisitos y los efectos de dicha renuncia en relación con la sociedad y los consocios y acreedores sociales.

La renuncia a la propiedad de participaciones sociales plantea cuestiones de índole civil y mercantil. En relación con los requisitos de validez de la renuncia y el posible perjuicio de terceros (artículo 6.2 CC), hay que considerar la naturaleza del vínculo contractual que une al socio con la sociedad y aplicar el principio de buena fe en el ejercicio de los derechos (artículo 7.1 CC), para lo que será relevante el estudio de los artículos 1705, 1706 y 1707 CC y 224 y 225 CCom. Por otra parte, a falta de una regulación legal de la renuncia al dominio (o abandono) de las participaciones sociales, habrá que tener en cuenta la especial naturaleza de éstas, en su doble

---

[4]　El TS, en Sentencia de 10 de febrero de 1997 *(Tol 215355)* niega que la falta de regulación expresa de la denuncia en la LSRL suponga que no sea aplicable en ella supletoriamente el 225 CCom. Un sector de la doctrina, al interpretar el anterior 96 LSRL, entendió que la separación era posible con los únicos límites de los artículos 1705 y 1706 CC y 225 CCom (RUEDA PÉREZ, M. A. y ALONSO ESPINOSA, F. J.). Dichos preceptos aplican los principios de buena fe y prohibición de vinculaciones perpetuas. Por su parte el TS ya en S. 14 de noviembre de 1958 *(Tol 4350803)*, admitía en términos amplios que el principio de autonomía de la voluntad posibilita la revocación del contrato de sociedad por cualquiera de los socios.

condición de bienes muebles pero también de representación y medida de derechos en una relación contractual compleja.

## II. RENUNCIA DE PARTICIPACIONES SOCIALES

### 1. Consideración sociológica

Tradicionalmente, la renuncia de derechos ha merecido poca atención por parte de los civilistas. Quizás porque se consideraba poco frecuente o anómalo el supuesto de abandono del dominio. Sin embargo, en la actualidad podemos decir que *la renuncia está de moda* entre nosotros, no sólo porque en los últimos años hemos sido testigos de las más grandes renuncias (la abdicación de un Rey, la renuncia de un Papa), sino por la gran proliferación de renuncias de derechos en los últimos años motivadas por la crisis económica, cuando muchas veces los gastos para adquisición y conservación del derecho han superado al valor del derecho mismo, debido a la depreciación de activos y a mantenimiento de la presión fiscal. Hemos visto en los titulares de los periódicos las estadísticas notariales y el alto porcentaje de herencias que se renuncian, sea por las deudas que comprenden, sea para evitar los costes fiscales de las mismas[5]. Y, como se comprenderá, si en lugar de hablar de renuncia hablamos del *derecho de separación,* estamos ante una cuestión que ocupa el primer plano de la actualidad geopolítica española y europea.

En nuestros despachos la realidad nos muestra con frecuencia personas que quieren abandonar una sociedad. Una sociedad en la que entraron como socios minoritarios por compromiso con un amigo o por hacer un favor a alguien en quien confiaban o un familiar y esa persona ahora no se pone al teléfono y está haciendo *cosas muy raras.* Las relaciones personales e incluso familiares se han roto y lo que empezó como una simple firma sin importancia, se ha convertido en un verdadero problema y fuente de inquietud.

Esas personas no quieren recuperar su inversión. La dan por perdida. Lo que quieren es salir de la sociedad y olvidarse de ella; quedar libres de

---

[5]     Estas circunstancias sociológicas han sido tenidas en cuenta por la DGRN al ocuparse de la renuncia de inmuebles en régimen de propiedad horizontal, a las que posteriormente nos referiremos, habida cuenta del perjuicio que pueda suponer para el partícipe la permanencia en la Comunidad cuando las obligaciones del copropietario resultan desproporcionadas al valor del inmueble.

cualquier responsabilidad por lo que pueda suceder en el futuro, porque han perdido la confianza en la gestión de la empresa.

Si miramos en Internet esa pregunta se repite: «cómo puedo irme de una sociedad». Y las respuestas suelen ser: únicamente vendiendo sus participaciones sociales, a menos que en los estatutos se reconozca a los socios el derecho de libre separación, y aún en este caso, mediante acuerdo con la sociedad sobre el valor de sus participaciones y la forma de pago del mismo. «Pero —nos dirá el cliente— es que yo no quiero nada, lo que quiero es irme de la sociedad».

Partimos de una sociedad cerrada. La sociedad limitada es su *tipo prevalente*, aunque a vueltas con el no resuelto problema tipológico, hoy el 99% de las sociedades que se constituyen son limitadas y no todas ellas son cerradas, lógicamente. En este tipo de sociedades no hay un mercado para la venta de las participaciones sociales. Las posibilidades de venta se limitan esencialmente a los restantes socios o a la propia sociedad. Es decir, resulta ilusoria la posibilidad de venta de participaciones sociales a un tercero como forma normal de abandono de la sociedad.

Lo más frecuente será que no se contemple en los estatutos la libre separación, en cuyo caso, habida cuenta que la introducción de una nueva causa de separación en los estatutos ha sido sometida por el legislador a la necesidad de acuerdo unánime (artículo 347.2 LSC), haría inviable el derecho de separación si cualquiera de los socios ejerciera su derecho de veto. A falta de un acuerdo para la venta de las participaciones sociales a la sociedad o a los restantes socios, podría plantearse la salida de la sociedad mediante renuncia por el socio al dominio de sus participaciones sociales.

## 2. *Renuncia: concepto y caracteres*

La renuncia se define por los civilistas como un negocio jurídico unilateral y no recepticio, consistente en una declaración de voluntad de abandono de la titularidad de un derecho subjetivo por quien puede disponer de él y que determina la extinción de ese derecho. Se habla en términos técnicos de *abandono* o *derelicción*.

En general, la doctrina distingue en la renuncia un elemento material y otro espiritual: se requiere determinada conducta —desposesión o *corpus derelictionis*— y una declaración expresa de voluntad abdicativa —declaración de voluntad o *animus derelinquendi*—, pues el abandono no puede presumirse. Sin embargo, algunos autores admiten que la declaración de voluntad pueda ser tácita o *implícita en el acto de desposesión*.

El carácter unilateral de la renuncia se corresponde con la naturaleza del derecho real que se renuncia que consiste en un *poder directo* sobre los bienes o derechos que constituyen su objeto, por lo que el efecto extintivo de la renuncia no depende de ninguna otra persona.

La renuncia no tiene carácter recepticio, en la medida en que la pérdida del derecho se produce automáticamente, sin intervención de otras personas, por lo que no es necesario notificarla. Ello no quiere decir que no conlleve consecuencias para otras personas, pero se trata de *consecuencias reflejas o mediatas*[6].

La renuncia es un acto dispositivo, por cuanto la voluntad del renunciante se dirige a la consecuencia jurídica de extinguir el derecho, por lo que conlleva la pérdida del mismo. Por tanto, es un acto de riguroso dominio que requiere que el derecho forme parte del patrimonio del renunciante y éste tenga el pleno poder de disposición sobre el derecho de que se trate.

No es un negocio traslativo del dominio sino abdicativo del mismo, pues el único efecto de la renuncia es la extinción del derecho. El renunciante no enajena su derecho ni la posterior adquisición por un tercero deriva del renunciante, sino que es una adquisición originaria (artículos 609 y 610 CC).

## 3. Distinción de la denuncia de contrato o desistimiento

La verdadera renuncia, en sentido propio, es la del artículo 6.2 CC, esto es renuncia *de derechos*. En el contrato de sociedad, los artículos 1705 y 1706 CC contemplan la llamada *renuncia del socio* (en realidad, técnicamente, se habla de *desistimiento* o *denuncia*) pero en este caso la renuncia no se refiere a un derecho subjetivo sino al contrato de sociedad, provocando la disolución de la sociedad por voluntad de uno de los socios (artículo 1700.4 CC)[7].

---

[6]    En este sentido, CABANILLAS SÁNCEZ, A. señala que «el hecho de que la renuncia determine el ingreso del derecho renunciado en el patrimonio de otro sujeto no implica que se transmita a éste el derecho. El beneficio que pueda experimentar el tercero como consecuencia de la renuncia es irrelevante desde el punto de vista causal, no convirtiendo el acto abdicativo en enajenación siempre que exista una veradera renuncia».

[7]    A diferencia del derecho de separación y de la exclusión, la denuncia provoca la disolución de la sociedad. La exclusión (y la separación), tienen su origen en la

No hay por tanto que confundir la renuncia, como facultad del dominio cuyo ejercicio determina su extinción, y el desistimiento, que es un derecho potestativo cuyo ejercicio determina la disolución de la sociedad. El desistimiento se fundamenta en el carácter *duradero* del contrato de sociedad, reconociéndose a los socios cuando no se ha establecido una duración determinada (1705 CC) y es común en otras relaciones jurídicas duraderas, como el mandato (1.732.2 CC), el albaceazgo (900 CC), hasta el punto que la doctrina entiende que dicho derecho integra el contenido de los contratos de duración indeterminada (así, en el contrato de trabajo, artículo 1583 CC o en el de obra, artículo 1594 CC)[8].

### 4. *Distinción de la revocación de contrato*

La renuncia del socio a la titularidad de sus participaciones sociales implica la pérdida de la condición de socio. La resolución del vínculo del socio con la sociedad es un efecto semejante al fenómeno que tiene lugar cuando sobre una relación obligatoria recae una *condición resolutoria*. Ésta puede ser expresa o tácita. Si admitimos la separación del socio por aplicación un principio general del Derecho o «causa no escrita de separación» que operaría como condición resolutoria implícita en cualquier contrato de sociedad, tal condición consistiría en el hecho de sobrevenir circunstancias que determinen una ruptura del equilibrio sinalagmático, deviniendo

---

idea de *conservación de la empresa*. «La práctica se defendió precisamente contra las causas de disolución y los incumplimientos, mediante la eliminación del socio en que se dieran, antes de que la teoría construyera y explicara con el concepto de contrato plurilateral, que vicios y vicisitudes de una relación socio-sociedad no necesitan para resolverse de la destrucción de la sociedad, si aquélla no es de esencia para ésta; que basta extinguir esa sola relación» (GIRON TENA, J.).

8    No se opone a dicha facultad el artículo 1256 CC, según el cual «la validez y el cumplimiento de los contratos no puede dejarse al arbitrio de uno de los contratantes». La STS de 3 de mayo de 2002 *(Tol 4975550)* afirma que no existe fundamento ni causa que lo justifique, para entender prohibido o *contra legem* que en un contrato de duración indefinida se fijen en los estatutos sociales cómo separarse alguno de los socios permaneciendo la misma entre los socios perseverantes, facultad que es otorgada a cualquiera de los socios, por lo que no puede sostenerse que sea contraria a lo dispuesto en el 1256 CC. Dicho precepto se introdujo en el Código como una generalización poco meditada del artículo 1115.1 CC, que declara nula las condiciones puramente potestativas, pero no excluye la incorporación de cláusulas de desistimiento unilateral, posibilidad que de hecho reconoce el artículo 1594 CC al dueño, aunque la obra estuviera comenzada, sin perjuicio de las consecuencias indemnizatorias [STS. de 15 de junio de 2016 *(Tol 5756175)*].

opresivo o perjudicial el vínculo societario establecido[9]. A este supuesto se refiere el artículo 1707 CC, siendo aplicable en toda sociedad, aun cuando la sociedad se hubiera constituido por tiempo determinado[10]. La concurrencia de *justos motivos* permitiría abandonar la sociedad, perdiendo la condición de socio[11]. Sin embargo, en tal caso, no estaríamos ante una renuncia en sentido propio, pues la renuncia, aun cuando debe ser hecha de buena fe, no requiere para su eficacia la invocación de justos motivos, siendo suficiente la mera voluntad abdicativa del titular.

## 5. Renunciabilidad de las participaciones sociales

Los derechos, como regla general, son renunciables. Conforme al artículo 6.2 Cc, «la exclusión voluntaria de la ley aplicable o la renuncia a los derechos en ella reconocidos sólo serán válidas cuando no contraríen el interés o el orden público ni perjudiquen a terceros».

Las participaciones sociales tienen la consideración de bienes muebles. Son, como tales, susceptibles de apropiación y sobre ellas puede recaer el derecho de propiedad y derechos reales limitados. La Ley de Sociedades de Capital (artículos 126 y ss.) regula las situaciones de copropiedad, usufructo y prenda de participaciones sociales, pero no contempla la renuncia al dominio, probablemente por no considerarla materia propiamente

---

[9]　Así se reconoce en la jurisprudencia, entre otras, en SSTS 3 de mayo de 2002 *(Tol 4350803)* y 14 de marzo de 2013 *(Tol 3266667)*. Ésta última, en relación con la separación en un supuesto de incumplimiento de prestación accesoria por extinción de la relación laboral, invoca la prohibición de vinculaciones perpetuas y añade como argumento el artículo 13, apartado primero, de la Ley 2/2007 de 15 de marzo de Sociedades Profesionales que dispone que «los socios profesionales podrán separarse de la sociedad constituida por tiempo indefinido en cualquier momento».

[10]　Para PAZ-ARES, los *justos motivos* a que se refiere el precepto son circunstancias sobrevenidas en virtud de las cuales no puede exigirse al socio la continuación de su vinculación, por frustrar dichas circunstancias su interés negocial, señalando entre ellas la crisis financiera no declarada de otro socio o una condena penal, o circunstancias sobrevenidas al propio socio denunciante, como la obligación de desplazarse a otra ciudad. Pero también hechos externos como la previsión de pérdidas cuantiosas o inminentes o el declive del sector.

[11]　La exclusión y la separación son aplicaciones al Derecho de sociedades de la figura jurídica de la resolución, lo que plantearía la cuestión de la entidad de la obligación incumplida (en el caso de la exclusión) o de la causa de separación, dada la exigencia de principalidad en el Derecho civil (GIRÓN TENA, J.).

mercantil. Sin embargo, nada impide admitir el carácter renunciable de los derechos sobre las participaciones sociales, como acto dispositivo de su propietario, con la consecuencia de extinción del derecho de que se trate. En este mismo sentido, el artículo 552.5 apartado 4 del Libro V del Código civil de Cataluña contempla expresamente la renuncia al derecho de propiedad y otros derechos, en supuestos de comunidad sobre participaciones de sociedades mercantiles, con el mismo efecto de producir la extinción del derecho renunciado.

El dominio sobre las propias participaciones sociales es un derecho renunciable, lo mismo que podrá el socio que se separa renunciar al reembolso del valor razonable de las participaciones sociales. Dicho derecho individual, reconocido en el artículo 353 LSC, no se puede considerar irrenunciable. La doctrina mayoritaria entiende que dicho precepto tiene carácter dispositivo y admite la posibilidad de incluir en los estatutos normas sobre liquidación y criterios de valoración de las participaciones sociales, con apoyo en los artículos 114.2.b) y 175.2.b) del RRM. Por su parte, la DGRN ha admitido también la libertad de valoración, reconociendo como válidas las llamadas *cláusulas de rescate* [R. 2 de noviembre de 2010 *(Tol 6273358)*].

Las participaciones sociales pueden ser objeto de renuncia. Sin embargo, al enfrentarse a la renuncia de participaciones sociales no podemos adoptar una perspectiva excesivamente *cosificadora* de las mismas, pues aunque jurídicamente sean consideradas cosas, su naturaleza jurídica es peculiar. En efecto, no representan una realidad física económicamente autónoma sino *una compleja posición social* cuyo contenido y características vienen delimitados por la norma estatutaria que rige la Sociedad [así lo recuerda la DGRN en R. 13 octubre 1998 *(Tol 132495)*]. Las cuestiones sobre posibilidad y efectos de la renuncia de participaciones sociales no pueden resolverse en términos de pura renuncia de derechos subjetivos, por implicar la desvinculación de una relación jurídica compleja.

En las sociedades de capital, la renuncia de uno de los socios no determina por sí misma la disolución de la sociedad, que está sujeta al principio mayoritario, lo que diferencia este supuesto del desistimiento o denuncia, que provocan la disolución en las sociedades personalistas.

La renuncia encajaría mejor con los conceptos técnicos de *revocación* o *rescisión*, porque afecta a la posición contractual en la que una de las partes se desvincula legítimamente de un contrato plurilateral, sea por permitirlo así el carácter duradero del contrato, sea como consecuencia de circunstancias sobrevenidas que hagan gravosa la continuación en la sociedad para el socio. En este sentido, la renuncia presenta más similitud, en cuando a sus efectos, con el derecho de separación que con la denuncia del contrato, distinguiéndose de la separación en el carácter unilateral y gratuito de la renuncia, al no requerir el concurso de la sociedad por no existir transmisión de las participaciones sociales ni, en consecuencia, derecho al reembolso de su valor liquidativo.

## 6. *La separación por justos motivos, como alternativa a la renuncia de participaciones sociales*

Admitida la libre separación del socio en virtud de una causa legal no escrita de separación si concurren justos motivos que hagan opresiva la vinculación social, el interés de la renuncia de las participaciones sociales sería puramente dogmático, pues resultaría más útil para el socio en conflicto con la sociedad ejercer el derecho de separación, que le permitiría abandonar la sociedad por su propia voluntad y a la vez ser reembolsado del valor de sus participaciones. Desde un punto de vista práctico, quizás pudiera inclinar por la renuncia la posibilidad de eludir la responsabilidad por deudas sociales vinculada al reembolso de las participaciones (artículo 357 LSC), en aquellos casos en que el valor de las participaciones sociales no hiciera atractivo dicho derecho de reembolso.

Por el contrario, rechazamos esa causa legal no escrita de separación y limitamos el derecho de libre separación a los supuestos en que los estatutos sociales lo reconozcan (posición mayoritaria), la posibilidad de renuncia a la propiedad de las participaciones sociales cobra especial significación, pues puede constituir de hecho la única vía que permita la salida de la sociedad, siquiera sea dando por perdida la inversión en su día realizada.

A la hora de determinar el alcance de la voluntad individual en el ejercicio del derecho de separación, hay que considerar cuál es el *fundamento* de dicho derecho. En este punto, cabe señalar la evolución habida en la doctrina y la jurisprudencia. En un primer momento, las *causas legales* de separación tenían que ver con *acuerdos sociales* de especial trascendencia, frente a los cuales se reconocía al disidente el derecho de salida. Se entendía que la mayoría no podía imponer al socio minoritario la continuación en una sociedad que había decidido cambiar sustancialmente su proyecto inicial. El derecho de separación sería, por tanto, instrumento de tutela de la minoría frente al poder decisorio de la mayoría. Posteriormente, la ley permitió incluir *causas estatutarias* de separación en la sociedad limitada (y la LSC unificó el régimen de separación para todas las sociedades de capital, artículo 347), sin exigir que dichas causas estatutarias se refirieran a acuerdos sociales, pudiendo consistir no sólo en acuerdos sino *también en hechos* (artículo 205 RRM). El fundamento del derecho de separación sería por tanto, más amplio, identificándose con su funcionalidad que es proporcionar solución a los conflictos intrasocietarios, especialmente intensos y sentidos en las sociedades pequeñas o de carácter familiar[12].

En definitiva, se ha difuminado la distinción entre la separación y la denuncia o desistimiento de los artículos 1705 y 1707 CC, pues, en términos de funcionalidad, ambas instituciones se encaminan a la solución de conflictos mediante resolución parcial del contrato, como alternativa ventajosa a la disolución de la sociedad en términos de costes y de conservación de la empresa.

El fundamento del derecho de separación, lo mismo que el de la denuncia en las sociedades personalistas, debemos encontrarlo en el principio general que permite la separación en las relaciones contractuales duraderas o por justos motivos, principio que entronca con la libertad personal del contratante. En este sentido se podría sostener que la LSC *regula de modo incompleto* la separación, al no haber incluido esos justos motivos entre las causas legales que la permiten, debiéndose considerar esos justos motivos como *causa legal no escrita* de separación (ALFARO).

En supuestos en que de hecho se manifiesta la completa iliquidez de las participaciones sociales, la condición del *socio cautivo* se asemeja a la de aquél en cuya sociedad los estatutos prohíben la transmisión. Dicha prohibición sólo es posible si estatutariamente se reconoce a los socios el derecho a *separarse en cualquier momento* (artículo 108.3 LSC). Por ello, se ha llegado a decir, que el legislador incluye en este precepto una causa legal de separación que no figura en la lista de causas legales del artículo 346 CC. No es que el sólo derecho de separación permita imponer la prohibición (operando como contrapeso), sino que ese derecho existe siempre que de hecho sea imposible la transmisión. El fundamento, en todo caso,

---

[12]   GIRÓN TENA relacionaba el derecho de separación con el principio de continuidad de la empresa social, teniendo especial interés en aquéllos casos en que determinadas *circunstancias personales de un socio* podrían provocar (legal o estatutariamente) la disolución de la sociedad. En la misma línea, el mismo argumento podría invocarse cuando el enfrentamiento continuado por problemas personales o la imposibilidad de localizar a uno de los socios ha creado de hecho una situación de *paralización de los órganos sociales*.

sería el mismo antes señalado, esto es la interdicción de vinculaciones perpetuas u opresivas.

Concluimos, por tanto, que parece avanzar en la doctrina la consideración de un derecho de libre salida de la sociedad, al menos en presencia de justos motivos o, incluso, por el propio carácter duradero de la relación. Sin embargo, el ejercicio de este derecho deberá en todo caso contar con la colaboración de la sociedad, en orden a la liquidación del valor de las participaciones.

La renuncia, a diferencia del derecho de separación, *no requeriría motivación*, aunque sí deberá hacerse de buena fe y en tiempo oportuno (artículo 1705 CC). Tampoco, a falta de reembolso, deberá contar con el concurso de la sociedad, ni determinará una responsabilidad posterior del socio renunciante por deudas sociales (como en el caso de la separación impone el artículo 367 LSC). Por ello, aunque posible como alternativa, la separación por justos motivos presenta inconvenientes respecto de la renuncia.

## III. LA RENUNCIA EN LA LEGISLACIÓN Y LA JURISPRUDENCIA

### 1. Menciones legislativas

A la hora de determinar los requisitos y efectos civiles de la renuncia, el Código civil no nos ayuda pues no se refiere a la renuncia como causa de extinción del dominio, aunque sí lo hace en relación con la renuncia de derechos reales limitados (usufructo, servidumbre o prenda). En cuanto al dominio, únicamente contiene el Código una referencia a la llamada *renuncia liberatoria*, esto es, la renuncia como forma de liberarse el copropietario de una obligación impuesta por la propiedad de la cosa, en este caso de la participación en los gastos comunes, mediante el abandono de la cuota de participación a los restantes condueños (artículo 395 CC). El precepto no hace referencia a la titularidad de la cuota parte renunciada, deduciéndose por la doctrina como consecuencia del abandono el *acrecimiento* de la cuota de los restantes comuneros.

El Libro V del Código civil de Cataluña desarrolla en el apartado 2 del artículo 552.5 el supuesto de renuncia del cotitular a su derecho en la comunidad, señalando que «comporta el acrecimiento de los demás cotitulares en proporción a sus derechos sin necesidad de aceptación expresa pero sin perjuicio de poder renunciar a los mismos». El mismo precepto en su apartado 4 se refiere expresamente a la renuncia de derechos cuando la comunidad tenga por objeto participaciones sociales.

## 2. Doctrina de la DGRN

La DGRN se ha ocupado de la renuncia en relación con el dominio de inmuebles en régimen de propiedad horizontal [R. 30 de agosto de 2013 *(Tol 3954422)*] o multipropiedad [R. 21 de octubre de 2014 *(Tol 4542466)*]. La Dirección admite la renuncia al dominio de un departamento privativo y la asimila a la renuncia del socio en una sociedad civil, apreciando la analogía con los artículos 1705 y 1706 CC, considerando que ambas situaciones, la sociedad civil y la Comunidad de Propietarios, presentan similitudes en cuanto crean una vinculación de duración indeterminada. La renuncia es —señala la Resolución citada en primer lugar— «una facultad que corresponde al propietario como correlato del principio jurídico constitucional y civil a no quedar vinculado perpetuamente, en este caso, por la cargas de una administración cuya gestión no controla (ya que su propiedad, al menos en cuanto a los elementos comunes, está incorporada como parte al corpus más amplio de una organización de orden superior que la integra)». Es especialmente interesante la consideración que se hace sobre la falta de acceso a la gestión de los intereses comunes y el posible perjuicio que de ello pudiera derivarse para el renunciante.

La DGRN considera la renuncia válida y rechaza la invocación del artículo 6.2 CC, por el Registrador de la Propiedad que alegaba el posible perjuicio a los restantes copropietarios por la traslación de la parte de gastos comunes del renunciante. Señala la Resolución que «los demás propietarios (en las relaciones internas) no son terceros jurídicamente extraños sino terceros jurídicamente interesados, con una posición más cercana a la de partes que a terceros en la medida que la renuncia en cuestión, en cuanto libera unilateralmente a uno de la relación jurídica plurilateral que ligaba a todos, tiene repercusiones jurídicas automáticas para los demás».

La Dirección parte de la naturaleza de la renuncia como *declaración de voluntad unilateral*, cuya validez no requiere el consentimiento de los restantes propietarios. Sin embargo deberá serles notificada la renuncia, a efectos de que puedan impugnarla si la considerasen imputable a mala fe. La buena fe en el ejercicio de los derechos tiene una manifestación específica en el artículo 1706 CC, al imponer que la renuncia se haga de buena fe. No lo será «tanto cuando el renunciante intente apropiarse beneficios, como desplazar gastos, que "deberían ser comunes", siendo mala fe, en particular, cuando la contraprestación no cubra los presumibles gastos futuros (o incluso pasados, que también comprende, según una sólida corriente doctrinal, la renuncia funcionalmente equivalente del artículo 395 del Código Civil)».

En la medida en que hay un traslado forzoso de los gastos correspondientes a la cuota del renunciante, la renuncia representa un mayor riesgo que la compraventa para los restantes propietarios y en atención a ello la Dirección exige que la notificación a los mismos se acompañe a la escritura de renuncia para su inscripción, juntamente con la notificación al Secretario de la Comunidad (a los efectos del artículo 9.1 LPH).

Sin perjuicio de la validez de la renuncia, la posibilidad de impugnación y la necesidad de certeza de los asientos registrales determinan a juicio de la DGRN que la inscripción del acrecimiento no pueda llevarse a cabo sin el consentimiento de los restantes copropietarios o sin que se resuelva a favor del renunciante la impugnación judicial de la renuncia. En este punto cabe apreciar una cierta falta de coherencia entre el carácter unilateral de la renuncia y la necesidad de consentimiento de terceros para la inscripción. La posibilidad de impugnación judicial de la renuncia no debería impedirle producir sus efectos, debiéndose presumir, por otra parte, la buena fe y no requerir su establecimiento judicial, lo que implicaría que la mera falta de impugnación hiciera inviable la inscripción por tiempo indefinido.

Lógicamente, en la medida en que la transmisión de participaciones sociales no es inscribible en el Registro Mercantil, tampoco lo será la renuncia, sin perjuicio de lo cual la doctrina de la Dirección en cuanto a inmuebles podría servir como apoyo a la admisión de la validez y eficacia de la renuncia del socio sin necesidad de consentimiento de los restantes ni de la sociedad, produciendo sus efectos de forma automática, conforme a su naturaleza de declaración unilateral de voluntad, sin perjuicio de la posibilidad de impugnación si la renuncia fuere imputable a mala fe.

## IV. REQUISITOS DE LA RENUNCIA DE PARTICIPACIONES SOCIALES

### 1. Requisitos subjetivos

La renuncia de participaciones debe ser hecha por el titular de las mismas, esto es, el socio. A él corresponde el poder de disposición de las participaciones sociales, sin perjuicio de la necesidad de prestar su consentimiento el cónyuge si se tratase de derechos de naturaleza ganancial (1377.1 CC). La iniciativa de la disposición corresponde al cónyuge titular y a su consorte, como consecuencia de la ganancialidad, un consentimiento control o asentimiento, que puede ser suplido, a diferencia del consentimiento del titular, por la autoridad judicial (1377.2 CC). Aunque la renuncia es un acto gratuito, no es un acto de enajenación ni por tanto constituye donación, por lo que la falta de consentimiento del cónyuge del titular no determinará la nulidad de pleno derecho de la renuncia (1378 CC), sino que tendrá una validez provisional y claudicante, pudiendo ser anulado por el consorte o sus herederos (1322 CC).

En caso de socios menores o personas con la capacidad limitada judicialmente, se requerirá autorización judicial. En el caso de apoderado, el poder para renunciar deberá, como acto de riguroso dominio que es, ser expreso (1732 CC).

## 2. Requisitos objetivos

La renuncia a que nos referimos (la que determina la salida de la sociedad por pérdida de la condición de socio) debe comprender la totalidad de participaciones sociales de que sea titular el renunciante. En el caso de copropiedad, deberá afectar a la totalidad de la cuota parte indivisa del renunciante.

La renuncia a la propiedad de una o varias participaciones sociales conservando otras (o al menos una), sería posible pero no supondría la salida del socio de la sociedad ni por tanto la resolución del vínculo societario, sino la extinción de un derecho subjetivo (de propiedad). En todo caso, sería posible, como lo sería el derecho de separación parcial.

## 3. Requisitos formales

El artículo 610 CC se refiere al efecto del abandono de cosas muebles, que las convierte en *res nullius* que cualquiera puede apropiarse. Sin embargo, en el caso de las participaciones sociales no puede haber un *acto material* de abandono por no estar incorporadas a títulos. Será suficiente por tanto la manifestación de la voluntad de renuncia, que habrá de ser expresa y deberá constar en documento público, por exigirse éste para la creación, modificación, transmisión y extinción de las participaciones sociales (artículo 106 LSC).

La renuncia, en la medida en que no trasmite el derecho, no depende de la adquisición del mismo por la sociedad o por los socios, produciendo su efecto extintivo de forma automática. Sin embargo, la buena fe impondrá la notificación a la sociedad a otros efectos: por una parte será necesaria la notificación de la renuncia al administrador a fin de que la haga constar en el Libro de socios a su cargo; por otra, para permitir la impugnación de la renuncia si fuere de mala fe 1706 CC)

En la escritura de renuncia, por tanto, deberá contenerse el requerimiento para la notificación al administrador (a cualquiera de ellos o al Presidente del Consejo, conforme al artículo 219 LSC), sin perjuicio de la inmediata eficacia extintiva de la renuncia.

### 4. Indemnidad de terceros

La renuncia no será válida si perjudica a terceros (artículo 6.2 CC), debiendo por tanto tratarse de verdaderos terceros y existir un perjuicio para ellos, esto es, no un mero efecto reflejo de la renuncia, para que la misma carezca de validez.

En el supuesto de copropietarios en régimen de propiedad horizontal, la DGRN ha entendido que los copropietarios del renunciante no pueden ser considerados terceros respecto del renunciante por existir una íntima conexión entre los derechos y obligaciones de uno y los otros. En la sociedad limitada no existe tal conexión: los socios no responden personalmente de las deudas sociales ni la renuncia de un socio supone una alteración automática de la situación jurídica de los restantes, ni se traslada a los mismos ningún gasto del renunciante. No obstante, es difícil que puedan ser considerados de terceros al ser parte del contrato social. Sea como fuere, no parece que la renuncia de un socio pueda perjudicar a los demás, ni siquiera cuando la sociedad quede reducida a un solo socio, lo cual no constituye un perjuicio, aunque pueda imponer determinadas cargas. Tampoco puede haber perjuicio a los acreedores sociales ni a la sociedad, en la medida en que la renuncia no afecta al patrimonio social, verdadera garantía de aquellos, sin perjuicio de la reducción del capital social. Si el capital social se redujera por debajo del mínimo legal, la obligación de aumentar el capital social no sería un perjuicio causado por la renuncia, sino un mero efecto indirecto de la misma.

Por su parte, el posible perjuicio que determinase para la sociedad la renuncia tiene su tutela en el principio general de buena fe en el ejercicio de los derechos (artículo 7.1 CC), del que es una mera aplicación el artículo 1706 CC. Conforme al mismo, la renuncia requiere para su validez que se lleve a cabo de buena fe y en tiempo oportuno. En otro caso, la sociedad podrá impugnar la renuncia. Ello no supone que la sociedad tenga que prestar consentimiento a la renuncia. Del mismo modo, en la sociedad colectiva, los demás socios podrán oponerse por causa de mala fe del que solicite la disolución (artículo 224, párrafo primero CCom), pero no es necesario su consentimiento para la eficacia de la renuncia, sin perjuicio de la posible impugnación.

## V. EFECTOS DE LA RENUNCIA

### 1. *Extinción del dominio y pérdida de la condición de socio*

La renuncia realizada de buena fe y en tiempo oportuno determina la extinción del derecho renunciado y la pérdida para el renunciante de la titularidad de las participaciones sociales y de la condición de socio.

### 2. *Acrecimiento del valor de las participaciones de los restantes socios*

Se plantea el problema de la titularidad de las participaciones sociales abandonadas. A falta de una solución legal, en términos teóricos, podrían sostenerse varias posibilidades: o mantener dichas participaciones sin titular (pero ello sería contrario a la propia definición de las participaciones sociales como partes alícuotas del capital social); o reactivar la titularidad previa a la del renunciante, sea la sociedad en el caso de adquisición originaria, o del transmitente, en el caso de adquisición derivativa (pero ello supondría confundir los efectos de la renuncia con los de la resolución en un contrato de cambio, vinculado al incumplimiento de las obligaciones correspectivas); o admitir la solución adoptada por la DGRN y también en el Código civil de Cataluña para situaciones de comunidad, esto es el acrecimiento a los restantes partícipes en proporción a su derecho (lo cual supondría la asignación proporcional de las participaciones renunciadas, o bien —con mayor dificultad— mediante aumento del valor de las participaciones sociales restantes).

La falta de regulación de la renuncia nos obliga a recurrir a la analogía (artículo 4.1 del Código Civil). La DGRN aplica las normas propias de la sociedad civil, por considerar este contrato el más próximo a la relación del copropietario en Propiedad Horizontal, «no solo ya por la frecuencia con que allí existe también una comunidad subyacente (*arcam comunem*); se produce un juego de responsabilidades personales (para cada socio) y comunes (del fondo colectivo) semejantes; o la exigencia del ejercicio de buena fe de los derechos (que el Código trata de salvaguardar con esa regulación) es principio de vigencia general en nuestro Ordenamiento (cfr. artículo 7.1 del Código Civil). Las comunidades en propiedad horizontal persiguen un fin común y exigen un título de constitución».

Sin embargo, no toda la normativa civil resultaría aplicable a la renuncia de participaciones sociales. En la sociedad civil la renuncia (*rectius*, denuncia o desistimiento) provoca la disolución de la sociedad (artículo 1705 CC). En este sentido, la renuncia del socio se define como «un derecho potestativo cancelatorio que compete a todos los socios a fin de poner término al vínculo societario» (PAZ-ARES). El 1700.4 CC incluye como causa de disolución de la «voluntad de cualquiera de los socios», lo que constituye, una modalidad de terminación de las relaciones obligatorias de larga duración (DÍEZ-PICAZO). La exclusión y la separación, aparecen en la sociedad colectiva (y en la sociedad civil) precisamente como recurso técnico para evitar la disolución, mediante la resolución parcial del contrato, con subsistencia de la sociedad, conciliando así los intereses individuales del socio que desea abandonar la sociedad y los de los restantes socios de mantener la sociedad en funcionamiento. Se habla en este caso de baja del socio o salida del socio, como modificación del contrato sin pérdida de identidad de la sociedad.

En las sociedades personalistas, la renuncia del socio se traduce en el acrecimiento de la parte del socio saliente a favor de los que permanecen, en el sentido de que quedan en el patrimonio social las aportaciones efectuadas por aquél, sin perjuicio, habida cuenta su responsabilidad personal por las deudas sociales, de que la sociedad le libere o reembolse de las deudas que se hubiera que satisfacer a terceros y del valor del patrimonio conforme a un Balance de salida (GIRÓN TENA).

Ese efecto de acrecimiento, en las limitadas, hay que entenderlo *en términos contables o de valor*, pues el valor razonable de las participaciones sociales a cuyo reembolso tendría derecho el socio caso de que la voluntad unilateral constituyera causa estatutaria de separación, quedará para la sociedad en caso de renuncia. En tal sentido, los restantes socios, como efecto reflejo de la renuncia, reciben un acrecimiento en el valor razonable de sus propias participaciones sociales, al no verse disminuido el patrimonio social. Y ello aunque no se les asignen las participaciones sociales abandonadas.

### 3. Adquisición de las participaciones por la sociedad

La sociedad podrá aceptar la renuncia o bien podrá impugnar judicialmente la renuncia, por no haberse verificado con cumplimiento de los requisitos impuestos por la buena fe. Ello no supone que la renuncia haya de ser motivada ni es necesario para que sea de buena fe, si hablamos de verdadera renuncia, que hayan concurrido circunstancias sobrevenidas que hagan opresiva o perjudicial para los intereses del socio la vinculación contractual con la sociedad.

La sociedad adquiere las participaciones renunciadas como consecuencia de la *resolución parcial del contrato*. No estamos ante un supuesto de adquisición originaria, como sería la ocupación del 610 CC (por no consentirlo la naturaleza de las participaciones sociales), ni es aplicable por tanto la prohibición del artículo 135 LSC. Se trata de una adquisición que se produce por efecto propio de la ley del contrato de sociedad (como contrato duradero), supuesto que estaría incluido entre los permitidos por el artículo 140.1.a) LSC. Es una adquisición a título gratuito, pero el carácter unilateral de la renuncia justifica que no se produzca una transmisión del dominio de las participaciones sociales mismas, ni por tanto se dé el supuesto propio de la donación[13].

Se trata de un supuesto de adquisición de participaciones *para su amortización*, por lo que deberá ofrecerse su adquisición a todos los socios (artículo 338 LSC). Si éstos no las adquieren, el régimen de las participaciones sociales adquiridas por la sociedad será el del artículo 141 LSC, debiendo amortizarlas o enajenarlas por su valor razonable.

En el supuesto de renuncia, la adquisición no comporta devolución de aportaciones a los socios, por lo que, conforme al artículo 141.1 LSC, la sociedad *deberá dotar una reserva* por el importe del valor nominal de las participaciones amortizadas, la cual será indisponible hasta que transcurran cinco años a contar desde la publicación de la reducción en el BORME, salvo que antes del vencimiento de dicho plazo hubieran sido satisfechas todas las deudas sociales contraídas con anterioridad a la fecha en que la reducción fuera oponible a terceros. Conforme al párrafo 2º del 141 LSC, si las participaciones no fueren enajenadas en el plazo de tres años, deberán ser inmediatamente amortizadas y reducido el capital social y si la sociedad omite estas medidas, cualquier interesado podrá solicitar su adopción por el secretario judicial o por el registrador mercantil del domicilio social. Los

---

[13]   PRADOS RAMOS, L. con algunas dudas, se inclina a considerar que existe tal donación, razón en que fundamenta el carácter recepticio de la renuncia, en la medida en que el efecto de la misma requeriría un determinado comportamiento por parte de la sociedad. Si de donación se tratase, sería necesaria la aceptación de la sociedad, pero ello se compadece mal con el carácter unilateral de la renuncia. Además falta el *animus donandi*, siendo causa de la renuncia la extinción del dominio, por lo que nada se transmite a la sociedad, aunque la sociedad posteriormente adquiera.

administradores sociales estarán obligados a hacerlo si no pudiera logarse el acuerdo de amortización y reducción de capital.

La protección de los *acreedores sociales* no requiere por tanto prohibir la renuncia, pues, en definitiva, si la renuncia determinase la reducción del capital social, la tutela de los acreedores vendría dada por la normativa propia de la reducción de capital y las garantías generales que conlleva.

En definitiva, los efectos de la renuncia en relación con la titularidad de las participaciones sociales abandonadas serían similares a los que resultarían por ejercicio del derecho de separación, evitándose mediante la renuncia el problema de la necesidad de acuerdo con la sociedad sobre valoración de las participaciones sociales y la consiguiente necesidad de colaboración de la sociedad para la liberación del socio del vínculo social.

## VI. SUPUESTOS ESPECIALES

### 1. Aportaciones no dinerarias

Si el socio que abandona la sociedad desembolsó las participaciones sociales que renuncia mediante aportaciones no dinerarias, seguirá siendo responsable, a pesar de la renuncia, en los términos del artículo 73 LSC, si no hubiere transcurrido el plazo de prescripción de cinco años de artículo 75 LSC. La razón es que la renuncia no puede perjudicar en ningún caso a terceros que hubieren adquirido derechos anteriormente (artículo 6.2 CC). Tampoco perjudicará a los acreedores del socio renunciante, caso de efectuarse en fraude de sus derechos.

### 2. Prestaciones accesorias

La imposición de prestaciones accesorias a los socios revela un *especial acento personalista* por lo cual debe ser más intenso en estas sociedades el reconocimiento del derecho de salida.

Si el socio renunciante estuviera obligado frente a la sociedad a la realización de prestaciones accesorias, la pérdida de la condición de socio determinará la extinción de obligación, por la accesoriedad de ésta. En tal caso la renuncia operará un efecto liberatorio similar al que origina en el artículo 395 CC. El hecho de que se trate de un incumplimiento voluntario no debe determinar las consecuencias indemnizatorias propias de los contratos bilaterales, lo que podría constituir una limitación al derecho de salida, contraria a la intensa personificación que suponen las prestaciones accesorias. En este sentido, el TS, en S. de 14 de marzo de 2013 *(Tol 3266667)* rechaza tales consecuencias como contrarias al derecho de separación en un supuesto en que la prestación accesoria consistía en mantener una relación laboral con la sociedad y el socio trabajador presentó su cese por discrepancias con el resto de los socios.

Habrá que tener en cuenta que, según la naturaleza de la prestación, la renuncia puede determinar una causa legal de disolución, acercándose el supuesto en tal caso en sus efectos a la denuncia del contrato.

### 3. Otras relaciones obligatorias

Si el socio renunciante estuviera vinculado con la sociedad por razón de otras relaciones obligatorias independientes de su condición de socio, éstas no se verán afectadas por la renuncia. En concreto, la responsabilidad que pudiera tener como socio fundador, en los supuestos del artículo 30 LSC, subsistirá, por tratarse de una responsabilidad de origen legal, cuyo presupuesto es la condición de fundador, independientemente de la posterior transmisión o pérdida de las participaciones sociales[14].

## VII. CONFIGURACIÓN ESTATUTARIA DE LA RENUNCIA

### 1. Posibilidad de regulación y quorum para su incorporación

La jurisprudencia ha admitido por vía de configuración estatutaria, la separación *ad nutum*, esto es, por pura voluntad del socio, fuera del supuesto del artículo 108.3 LSC. Primero, la DGRN en Resoluciones de 25 de septiembre de 2003 *(Tol 317358)* (implícitamente) y 2 de noviembre de 2010 *(Tol 6273358)*, en ésta configurada bajo la forma de un derecho de venta del socio con obligación de compra a cargo de la sociedad, la cual encuentra apoyo en el artículo 175.2, letra b) RRM, tras la reforma por el RD 171/2007, de 9 de febrero.

Después, el TS en Sentencias de 3 de mayo de 2002 *(Tol 4975550)*, 15 de noviembre de 2011 *(Tol 299988)* y 14 de marzo de 2013 *(Tol 3266667)*, ha

---

[14] Lo mismo cabe decir de las ventajas de fundador en la sociedad anónima (artículo 27 LSC). Éstas son contrapartida de la actuación del fundador como tal, por lo se tiene derecho a ellas aún después de haber perdido la condición de socio.

desmontado los argumentos contrarios a la libre separación invocados tradicionalmente por la doctrina: primero, la cláusula de libre separación no es contraria al principio mayoritario de la sociedad de capital, sino que se limita a atribuir al socio un derecho individual (derecho que está incluso reconocido por la ley para los supuestos de prohibición de transmisión de participaciones sociales); en segundo lugar, tampoco contraviene lo dispuesto en el 1256 CC, pues no deja al arbitrio del socio la validez o eficacia del contrato social, sino que le atribuye un derecho potestativo de resolución parcial del contrato social.

La posibilidad de configurar estatutariamente la cláusula de puerta abierta dentro del ámbito del artículo 28 LSC, reconocida por la jurisprudencia, permite afirmar que la libre separación no es contraria a ningún principio configurador de la sociedad limitada, ni contraviene la prohibición del artículo 108.1 LSC de hacer prácticamente libre la transmisión de las participaciones sociales.

Las mismas conclusiones permiten regular estatuariamente la renuncia a las participaciones sociales, siempre con el del respecto a las exigencias de la buena fe (plasmadas en el artículo 1705.2 CC) y, por tanto, con posibilidad de impugnar el ejercicio del derecho de separación si las mismas se vulneran.

No afectará a la renuncia la exigencia de unanimidad requerida por el artículo 347.2 LSC para introducir nuevas causas de separación en los estatutos, por ser de interpretación estricta la norma limitadora o prohibitiva (*odiosa sunt restringenda*).

## 2. *Posible contenido*

Desde un punto de vista subjetivo, no cabrá restringir el derecho de renuncia limitándolo a algunos socios, no tanto por imperativo del artículo 1256 CC, sino porque la facultad de renuncia forma parte del derecho de propiedad. La introducción de una cláusula restrictiva de este tipo requeriría el voto favorable del socio afectado [aplicación analógica del artículo 292 LSC, por afectar directamente a un derecho individual, ver Resoluciones de fecha 30 de julio de 2015 *(Tol 5506967)*]. En cuanto a la posibilidad de excluir la renuncia, siquiera durante un plazo de tiempo o para considerarla de mala fe durante ese plazo, por la misma razón, requeriría unanimidad. En todo caso, tales cláusulas restrictivas no impedirían al socio renunciar *por justos motivos*, lo cual debe considerarse una facultad inderogable, por responder a un principio general del Derecho que veta las vinculaciones opresivas en los contratos duraderos. La carga de la prueba de tales motivos correría a cargo del que los invocase.

En los estatutos podrán regularse los requisitos de la renuncia, en cuando a la notificación a la sociedad y plazo de preaviso, como requisitos para que la renuncia se entienda hecha *en tiempo oportuno* (artículo 1706 CC).

También podrán regularse circunstancias cuya concurrencia se considerará *justo motivo* para la renuncia, entendiéndose ésta en tales casos de buena fe; incluso podría admitirse la renuncia con base en valoraciones puramente subjetivas o circunstancias personales ajenas a la vida de la sociedad[15].

Más dudoso sería si podrán establecerse en los estatutos circunstancias que determinen por parte del socio a que afecten la *obligación de renunciar*, esto es, su salida de la sociedad sin derecho de reembolso, en la medida en que pudieran vulnerarse las normas sobre exclusión[16]. A la inversa, sí podrán reconocer los estatutos en caso de renuncia a favor del socio saliente determinada contraprestación económica. Podría alegarse en contra que ello, si el acuerdo para introducir dicha cláusula no fuera unánime, posible vulneración de la exigencia legal de unanimidad para incorporar la separación ad nutum. Sin embargo, la renuncia no es un supuesto de separación y ambas tienen distinta naturaleza.

---

[15]  En relación con el derecho de separación, se ha admitido la posibilidad de personalizar al máximo las causas que estatutariamente permitan su ejercicio, incluso pudiendo establecerse causas que no afecten por igual a todos los socios (MARTÍNEZ SANZ, F.).

[16]  En relación con la separación, la R. de 2 de noviembre de 2010 *(Tol 6273358)* no considera aplicable el procedimiento de valoración de las participaciones del socio que se separa contenido en el artículo 353 y ss. LSC para el supuesto de *cláusulas de rescate,* opción de venta o de compra, esto es cuando se establece a cargo de los socios la obligación de transmitir sus participaciones sociales o a cargo de la sociedad la obligación de adquirirlas (cláusulas que tiene su reconocimiento societario en el artículo 188.3 RRM). Aunque se configura una especie de separación, la DGRN no asimila ambos supuestos (y aplica el 175.2 b) RRM, en cuanto permite establecer métodos y sistemas de valoración en los estatutos. La renuncia tampoco es asimilable a la separación o exclusión y la naturaleza de la cantidad que se fijase no sería precio o reembolso, sino prima de salida. La posibilidad de pactar libremente criterios de valoración en el contrato social también se reconoce en el artículo 16 de la Ley 2/2007, de 15 de marzo para las sociedades profesionales. Los límites en cuanto a valoración de participaciones serían los generales de los artículos 1255 CC y 28 LSC, así como el 1691 CC que establece la nulidad de los pactos leoninos.

También podrán regularse los *efectos de la renuncia*, pudiendo establecerse el sistema de atribución de las participaciones renunciadas o su adquisición de las participaciones por la sociedad o por uno o varios socios, lo cual podría justificarse en una sociedad fuertemente personalizada como la limitada, para evitar el acceso de personas ajenas a la propia sociedad.

Nada impediría que la norma estatutaria estableciendo los criterios de atribución se introdujera con posterioridad a la notificación de la renuncia. En todo caso, la adquisición no traería causa del renunciante, sino que se produciría como acrecimiento, por efecto de la norma estatutaria No se daría el hecho imponible del Impuesto de Donaciones, pero sí podría existir un incremento patrimonial en renta.

## Bibliografía

ALFARO ÁGUILA-REAL: «In dubio, contra libertatem, cláusulas estatutarias de separación ad nutum en la doctrina de la Dirección General de Registros». *Revista de derecho de sociedades*, N° 23, 2004, págs. 243-255.
— «Conflictos intra societarios (los justos motivos como causa legal no escrita de exclusión y separación de socios en la sociedad de responsabilidad limitada)». *Revista de Derecho Mercantil*, N° 222, 1996.
— «Las cláusulas de liquidación del socio saliente». *Anales de la Academia Matritense del Notariado*, N° XXVIII, 1999, pág. 357 y ss.
ALFARO ÁGUILA-REAL/CAMPINS VARGAS: «La liquidación del socio que causa baja como consecuencia de su separación o exclusión». *Revista de Derecho Mercantil*, N° 20, 2001, págs. 441 y ss.
ALONSO ESPINOSA, F. J.: «La posición jurídica del socio en la Ley 2/1995», en *RdS*, Aranzadi 1996, pág. 26.
BONARDELL LENZANO: «Causas estatutarias de separación en la SRL». *Revista de derecho de sociedades*, N° 6, 1996, págs. 189-197.
CABANILLAS SÁNCHEZ, A.: *Artículo 6.2 CC. Comentarios al Código Civil y Compilaciones forales*. Edersa, 1992. Tomo I, vol. 1. págs. 734 y ss.
CARBAJO, F.: «Sociedades de responsabilidad limitada ¿Separación libre y voluntaria de los socios en la SL?», *Revista Crítica de Derecho Inmobiliario*, N° 685, 2004, pág. 2567.
— «Resolución de la DGRN de 25 de septiembre de 2003», *Revista Crítica de Derecho Inmobiliario*, Núm. 685, octubre 2004.
DÍEZ-PICAZO, L: *La extinción de la relación jurídico real, en Fundamentos de Derecho Civil Patrimonial*, 5ª ed. Cívitas-Thomson Reuters, 2008. Vol II. págs. 998 y ss.
FELIÚ REY, M. I.: «Separación ad nutum del partícipe en la sociedad de responsabilidad limitada. Comentario a la Sentencia de 15 de noviembre de 2011 (RJ 2012, 1492)». *Cuadernos Cívitas de jurisprudencia civil*, N° 90, 2013, págs. 47 y ss.
GIRÓN TENA, J.: *La separación de socios, Derecho de Sociedades* (1978). Tomo I, págs. 684 y ss.

IBÁÑEZ ALONSO: «Posible cláusula de separación ad nutum en una SRL y sistema de valoración de las participaciones. Comentario a la RDGRN de 2 de noviembre de 2010». *Revista de derecho de sociedades*, N° 36, 2011, págs. 455 y ss.

MARTÍNEZ SANZ: «Causas de separación del socio en la LSRL». *Revista de derecho de sociedades*, N° 6, 1996, pás 61 y ss.

PÉREZ HEREZA, J.: «Cláusulas de valoración de las participaciones ¿Existe un derecho inderogable a obtener su valor real?», *Cuadernos de Derecho y Comercio*, N° 50, 2008, págs. 129 y ss.

PRADOS RAMOS, L.: *Quiero renunciar a ser socios.* Disponible en http://www.notaria-luisprados.com/quier-renunciar-a-ser-socio/

RUEDA PÉREZ, M. A.: *La Sociedad de Responsabilidad Limitada*, T. I, Colegios Notariales de España, Madrid 19995, págs. 439 y 440.

SÁNCHEZ GONZÁLEZ, J. C.: *La autonomía de la voluntad en la configuración estatutaria de las sociedades de capital, Estudios en conmemoración del 150 aniversario de la Ley del Notariado. Consejo General del Notariado (2012).* Tomo II, págs. 5 y ss.

# 13. El derecho de separación del socio ante situaciones de bloqueo en sociedades con distribución de capital 50-50

**PABLO SANZ BAYÓN**

*Doctor en Derecho. Profesor Colaborador Asistente de Derecho Mercantil*
*Facultad de Derecho de la Universidad Pontificia Comillas (Madrid)*

**Sumario:** I. INTRODUCCIÓN. II. FUNDAMENTO DEL DERECHO DE SEPARACIÓN Y SU APLICABILIDAD AL SOCIO DE UNA SOCIEDAD PARITARIA. III. RELACIÓN DEL DERECHO DE SEPARACIÓN CON EL DERECHO DE EXCLUSIÓN. IV. MODO DE ARTICULAR EL DERECHO DE SEPARACIÓN DEL SOCIO PARITARIO. LA PERTINENCIA DE LA SEPARACIÓN POR JUSTA CAUSA. V. VALORACIÓN CRÍTICA DE LA SEPARACIÓN *AD NUTUM* EN SOCIEDADES PARITARIAS. Bibliografía.

## I. INTRODUCCIÓN

El objeto de este trabajo es analizar la idoneidad del derecho de separación en las sociedades de capital, examinando su regulación legal y el margen de libertad estatutaria, para su configuración e invocación por los socios paritarios (50%) en el marco de una situación de bloqueo de la junta general. Para ello, se desarrollará una aproximación crítica aplicada a esta problemática, siguiendo la sistematización que comparte actualmente junto al derecho de exclusión, en el Título IX del Real Decreto Legislativo 1/2010, de 2 de julio, por el que se aprueba el texto refundido de la Ley de Sociedades de Capital (en adelante, LSC)[1].

En primer lugar, se abordará el fundamento dogmático de este instituto, a partir de un análisis positivo y exegético de su regulación, y su posible aplicación para los supuestos de bloqueo orgánico de las sociedades con distribución de capital 50-50. Acto seguido, se tratará la vinculación exis-

---

[1] En este sentido, SEQUEIRA MARTÍN, A., «Derecho de separación y la exclusión del socio», *Revista de Derecho de Sociedades*, núm. 36, 2011, págs. 189-201, considera que la refundición operada tras la LSC dota de mayor claridad a la exposición sistemática de ambos institutos en comparación con la técnica de la LSRL.

tente entre la separación como derecho del socio y el derecho de exclusión, para después proseguir con su articulación causal y técnica, así como la discusión de la pertinencia de una reforma legislativa que introduzca el derecho de separación por justa causa. Finalmente se concluirá con una valoración crítica de un hipotético derecho de separación sin causa o *ad nutum*, y la problemática que su inclusión puede plantear en las sociedades cerradas, y particularmente, en las sociedades 50-50.

## II. FUNDAMENTO DEL DERECHO DE SEPARACIÓN Y SU APLICABILIDAD AL SOCIO DE UNA SOCIEDAD PARITARIA

El derecho de separación es un derecho individual, de naturaleza económico-patrimonial, inderogable e irrenunciable[2]. Teniendo en cuenta que la *ratio legis* del derecho de separación es la protección del socio mino-

---

[2]     Aunque no venga expresamente contemplado en el catálogo de derechos del socio del art. 93 LSC, el derecho de separación es un auténtico derecho individual de naturaleza económico-patrimonial, como han observado unánimemente la doctrina: URÍA, R./MENÉNDEZ, A./IGLESIAS PRADA, J.L., «La sociedad de responsabilidad limitada: exclusión y separación de socios», en URÍA/MENÉNDEZ. *Curso de Derecho Mercantil*, 2ª ed., Tomo I. Cizur Menor, 2006, págs. 1261-1287; BRENES CORTÉS, J. *El derecho de separación del accionista*. Madrid, 1999, pág. 153; FARRANDO MIGUEL, I. *El derecho de separación del socio en la Ley de Sociedades Anónimas y la Ley de Sociedades de Responsabilidad Limitada*. Madrid, 1998, págs. 64-65; MARTÍNEZ SANZ, F. *La separación del socio en la sociedad de responsabilidad limitada*. Madrid, 1997, pág. 22; ALONSO LEDESMA, C., «La autonomía de la voluntad en la exclusión y separación de socios», *Revista de Derecho Mercantil*, núm. 287, 2013, pág. 96; RODAS PAREDES, P. *La separación del socio en la Ley de sociedades de capital*. Madrid, 2013, págs. 28-29; SÁNCHEZ ANDRÉS, A., «La acción y los derechos del accionista», en *Comentario al régimen legal de las sociedades mercantiles*, Tomo IV, Vol. 1º, Madrid, 1994, pág. 104 y PERALES VISCASILLAS, M. P. *El derecho de separación del socio en las sociedades de capital*. Madrid, 2001, *passim*. El derecho de separación es un instituto que no puede ser suprimido por la mayoría. En este sentido, GIRÓN, J. *Derecho de Sociedades Anónimas (Según la Ley de 17 de julio de 1951)*. Valladolid, 1952, págs. 183 y 469; BRENES CORTÉS, J. *El derecho...*, *cit.*, págs. 153-154; BONARDELL LENZANO, R./CABANAS TREJO, R. *Separación y exclusión de socios en la sociedad de responsabilidad limitada*. Pamplona, pág. 25; FARRANDO MIGUEL, I. *cit.*, pág. 67; MARTÍNEZ SANZ, F. *cit.*, pág. 23; MOTOS GUIRAO, M., «La separación voluntaria del socio en el Derecho Mercantil español», *Revista de Derecho Notarial*, núm. 11, 1956, pág. 165 y VELA TORRES, P. J., «El derecho de separación del socio en las sociedades de capital: una reforma incompleta y parcialmente fallida», *Derecho de los Negocios*, núm. 268, 2013, págs. 53-61.

ritario —sin ser expresamente un derecho de minoría—, al ofrecerle una vía de salida frente a los acuerdos de modificación de la sociedad adoptados por mayoría, nuestra posición en el presente análisis será explorar si es factible llevarlo más allá de la tradicional *ratio* para extender su tutela a las sociedades presididas por una absoluta relación de igualdad o paridad en la composición del capital social[3].

El derecho de separación no puede ser suprimido o hacerse más gravoso su ejercicio por la vía de la modificación estatutaria ya que entonces se estaría contraviniendo la *ratio* de este instituto, que es servir de contrapeso al poder de la mayoría. La mayor parte de la doctrina se posiciona en el sentido de negar la renunciabilidad del derecho a priori, pero también a posteriori. A priori porque el socio sólo puede renunciar a algo de lo que sea titular de conformidad con el art. 6.2 CC. A posteriori, en el sentido de que los socios no pueden renunciar *in genere* al derecho de separación, aun cuando lo hagan por unanimidad, sobre la base de la consideración del derecho de separación como un principio configurador de la sociedad de capital y como tal, integrado en el concepto de orden público invocado como límite a la autonomía de la voluntad.

Adicionalmente, en el marco de las sociedades cerradas, en las que no hay mercado de desinversión líquido, o al menos es extremadamente reducido, renunciar a priori al derecho de separación equivaldría a eliminar una salida de la misma, pudiendo quedarse el socio atrapado en la sociedad contra su voluntad. Cuestión diferente a la renuncia del derecho es la

---

[3] Vid. FARRANDO MIGUEL, I., *cit.*, pág. 55; GONZÁLEZ CASTILLA, F., «Reformas en materia de separación y exclusión de socios», en FARRANDO MIGUEL, I./ GONZÁLEZ CASTILLA, F./ RODRÍGUEZ ARTIGAS, F. (coords.). *Las reformas de la Ley de Sociedades de Capital,* 2ª ed. Cizur Menor, 2012, págs. 303-357, págs. 313-314: «En las sociedades capitalistas (…), [el derecho de separación] se considera básicamente un derecho de protección de la minoría: como contrapartida a la vigencia del principio mayoritario se reconoce al socio la posibilidad de salir de la sociedad con el reembolso de su participación en el caso de que se adopten determinados acuerdos sociales», y EMPARANZA, A., «Artículo 346. Causas legales de separación» en ROJO/BELTRÁN (dirs.). *Comentarios a la Ley de Sociedades de Capital.* Cizur Menor, 2011, pág. 2471: «(…) el derecho de separación viene a tutelar el interés de los socios minoritarios que no están de acuerdo con las decisiones adoptadas por la mayoría de socios porque suponen un cambio fundamental del escenario societario interno».

renuncia a su ejercicio para una situación determinada, que queda dentro del libre arbitrio de cada socio y de su política de inversión[4].

Más discutible sería la renuncia a priori, al constituirse la sociedad o por vía de reforma de los estatutos sociales. Sus defensores sostienen que esta clase de renuncia no es contraria al orden público al actuar en un ámbito que está desligado de las situaciones de deber jurídico y que tampoco perjudica a terceros, incluida la propia sociedad[5].

El derecho de separación se configura, por tanto, como un derecho de salida de la sociedad de capital, siendo exigido para su ejercicio el acogimiento a una causa legal o estatutaria habilitante, excluyéndose así el uso oportunista del mismo[6]. Además del ejercicio voluntario del derecho de

---

[4]    A pesar de la posición institucionalista, que es la nos parece aquí más razonable, un sector de la misma, afiliada a la corriente contractualista, como MOTOS GUIRAO, M., *cit.*, pág. 165 y GIRÓN, J. *cit.*, págs. 468-469, apoya la renuncia del derecho de separación *a posteriori* y por unanimidad, una vez ya integrado en la esfera jurídica de su titular, cuando se toma posición como socio, porque entiende que no se altera el carácter de la norma ni se perjudica a tercero. Así, el derecho de separación renunciable, es decir, permeable a la autonomía de la voluntad pero no a la regla mayoritaria, como hace notar CAMPINS VARGAS, A., «Derecho de separación por no reparto de dividendos: ¿es un derecho disponible por los socios?», *La Ley*, núm. 7824, 2012, págs. 7 y 9.

[5]    En este punto es de nuevo ilustrativa la opinión de CAMPINS VARGAS, A., *cit.*, pág. 10: «Aunque (…), en términos generales, desde la dogmática, existen buenos argumentos para defender a priori la renunciabilidad estatutaria del derecho de separación a futuro, desde un punto de vista práctico, reconocemos sin embargo, la dificultad de que la doctrina registral y judicial admita la inscripción y validez de un pacto de renuncia a futuro en abstracto firmado por todos los socios». No obstante, como otras tantas veces, el derecho societario italiano es más clarificador, al tener un precepto específico que recoge la irrenunciabilidad de *il diritto di recesso*, como es el art. 2437 *Codice*: «È nullo ogni patto che esclude il diritto di recesso o ne rende più gravoso l'esercizio». Esta norma, como apuntan FRÈ, G., «Della Società per azioni (Arts. 2325-2461)», en SCIALOJA, A./BRANCA, G. Commentario del Codice civile, 6ª ed. Bolonia, 1997, pág. 614 y BRENES CORTÉS, J. *El derecho…*, *cit.*, págs. 154-156, sostiene la nulidad del pacto que excluya el derecho de separación o haga más gravoso su ejercicio, de tal modo que se configura en derecho como un instituto de orden público. Sería necesario, de *lege ferenda*, que el derecho español contemplara una manifestación similar, para cerrar la polémica.

[6]    La doctrina española sobre el derecho de separación es prolija y no exenta de posiciones enfrentadas sobre aspectos sustanciales que tendremos ocasión de apuntar *infra*. Vid. BRENES CORTÉS, J. *El derecho de separación…*, *cit.*, pág. 26; DUQUE, J. F., «Las formas del derecho de separación del accionista y la reorganización

separación, otra de sus notas características es la unilateralidad. Su ejercicio es independiente del concurso de la voluntad del resto de los socios. En el contexto de una sociedad paritaria, cualquiera de los dos socios podría ejercitarlo en orden a abandonar la sociedad, sin que resultara prescriptivo el consentimiento del consocio. La única obligación es la de realizar en el plazo de un mes y por escrito un acto comunicativo recepticio (art. 348.2 LSC)[7].

La separación del socio no implica la disolución social, excepto que como efecto de la reducción de capital operada tras el reembolso de su participación se redujese la cifra de capital por debajo del mínimo determinado legalmente (art. 358.2 LSC). Por esta razón, hay que distinguir el ejercicio del derecho de separación —cuya función es ofrecer una salida al socio disidente sin disolver la sociedad— de la potencial infracapitalización que puede causar el reembolso de su participación sobre la cifra de retención patrimonial de tutela de acreedores.

Así, si la reducción de capital a resultas de la separación del consocio disidente no reduce la cifra de capital por debajo del mínimo legal, la sociedad seguirá subsistiendo al permanecer participada por el socio único, quedando intacta la persona jurídica que desarrolla el objeto social[8]. En la sociedad 50-50, por su carácter cerrado, habrá que atender al volumen

---

jurídica y financiera de la sociedad», *Boletín de Estudios Económicos*, núm. 139, abril 1990, pág. 75; FARRANDO MIGUEL, I. *cit.*, págs. 71-72; MOTOS GUIRAO, M., *cit.*, págs. 81-83; VELASCO ALONSO, A. *El derecho de separación del accionista*. Madrid, 1976, pág. 11; GONZÁLEZ CASTILLA, F., «Reformas en materia de separación y exclusión de socios», en FARRANDO MIGUEL, I./GONZÁLEZ CASTILLA, F./ RODRÍGUEZ ARTIGAS, F. (Coords.). *Las reformas de la Ley de Sociedades de Capital*, 2ª ed. Cizur Menor, 2012, págs. 312-313 y EMPARANZA, A., *cit.*, pág. 2470.

[7]  A este respecto, GIRÓN, J. *cit.*, pág. 469, califica la comunicación del socio disidente a los administradores ejercitando el derecho de separación como «(...) de unilateral recepticia» y GALGANO, F., «Le società per azioni», en GALGANO (dir.). *Trattato di diritto commerciale e di diritto pubblico dell'economina*, Tomo VII. Padua, 1988, pág. 368: «Il recesso è una dichiarazione unilaterale del socio, che non richiede alcuna accettazione da parte della società: deve essere comunicato, se il recedente era intervenuto all'assemblea, entro tre giorni dalla chiusura di questa e, se non vi era intervenuto, entro quindici giorni dalla data dell'iscrizione della deliberazione nel registro delle imprese (...)».

[8]  Cfr. VELASCO ALONSO, A. *cit.*, pág. 21; BRENES CORTÉS, J. *El derecho...*, *cit.*, pág. 29 y GARCÍA SANZ, A., «Derecho de separación en caso de falta de distribución de dividendos», *Revista de Derecho de Sociedades*, núm. 38, 2012, pág. 57: «(...) el ejercicio del derecho de separación no provoca una disolución total de la sociedad que la conduzca a su extinción. La separación sólo supone una ruptura del

total del haber social que debe ser reembolsado por la sociedad. Dependiendo del alcance dinerario del mismo y de su situación patrimonial y financiera —tanto de la sociedad como del consocio no disidente— la reducción de capital subsiguiente al ejercicio del derecho de separación podría ocasionar indefectiblemente la disolución social[9].

A este respecto, como confirma un sector de la doctrina, hay un argumento crítico contra el derecho de separación que descansa en el peligro de descapitalización que puede traer consigo, si el reembolso de la cuota al socio saliente compromete el equilibrio patrimonial de la sociedad, su propia subsistencia[10]. Pero precisamente, en nuestra opinión, este peligro de descapitalización constituye realmente la función disuasoria del derecho de separación, por tratarse del «precio» que el socio obstruccionista tendría que asumir para sacar al consocio que no está dispuesto a seguir en una sociedad paralizada funcionalmente[11].

En las relaciones mayoría-minoría no hace falta ir tan lejos. Basta comprobar ese efecto disuasorio al momento de valorar la adopción de un acuerdo que puede producir una modificación sustancial del contrato de sociedad. En tal circunstancia, la mayoría debe medir con precisión si conviene o no a la economía de la sociedad que los minoritarios ejerciten o no su derecho de separación. En ello reside el verdadero efecto tuitivo de las

---

vínculo societario respecto del socio que ejercita su derecho de separación. Los demás socios permanecerán vinculados por el contrato social».

[9]   En caso de desacuerdo sobre la valoración de la participación del socio saliente, nuestro derecho de sociedades contempla, como mecanismo de verificación patrimonial de la sociedad, el recurso a la valoración de experto independiente, preferentemente designado por el Registrador Mercantil (art. 353.1 LSC).

[10]  Conforme con GIRÓN, J. *cit.*, pág. 468 y MOTOS GUIRAO, M., *cit.*, pág. 111.

[11]  Vid. VELASCO ALONSO, A. *cit.*, pág. 21; MARTÍNEZ SANZ, F. *cit.*, pág. 25 y ALONSO LEDESMA, C., «La autonomía...», *cit.*, págs. 93-94: «(...) Constituye este aspecto un efecto tuitivo de la minoría (aunque se configure como un derecho individual del socio y no como un derecho de minoría en sentido estricto), fundamentalmente por el efecto preventivo o disuasorio que puede ejercer el derecho de separación sobre la mayoría que intentará presentar propuestas de acuerdos o adoptar decisiones que aglutinen a la mayor parte del capital para evitar que se active la separación. De otra, sin embargo, el derecho de separación tutela la conservación de la empresa social, al permitir la disolución parcial de la sociedad y la continuidad de la misma con el resto de los socios. De ahí que haya podido afirmarse que desde el punto de vista de su finalidad última el derecho de separación es una figura destinada a tutelar no tanto los intereses individuales del socio cuanto la propia continuidad de la sociedad como ente».

minorías y de control de administradores así como de los socios mayoritarios que los sustentan[12]. En consecuencia, puede afirmarse que el derecho de separación se revela como un instrumento adecuado para armonizar los distintos intereses de los socios, y en especial el del saliente o disidente, ya fuera minoritario o paritario, frente a situaciones que devienen ajenas a las condiciones originales en las que entró en sociedad y que se consideran de alta trascendencia[13].

---

[12]   De conformidad con MARTÍNEZ SANZ, F. *cit.*, pág. 29.

[13]   A este respecto, BONARDELL LENZANO, R./CABANAS TREJO, R. *Separación y exclusión...*, *cit.*, pág. 24. Por otra parte, en derecho estadounidense el fundamento del derecho de separación o *appraisal right* se concibe de forma muy diferente en relación al derecho español. Como hace notar EINSENBERG, M. A. *The Structure of the Corporation: A Legal Analysis.* Boston, 1976, pág. 67, el *appraisal right* pone el acento en el aspecto patrimonial, esto es, la valoración del paquete accionarial, de tal forma que lo fundamental no es el hecho en sí de la separación sino el reembolso del valor real de su participación en la sociedad. Esta diferencia nos permite hacer una interesante comparativa con el fundamento del derecho de separación en nuestro ordenamiento jurídico. Así, mientras que la *ratio* en el nuestro es la salida del socio como tutela, en el ordenamiento estadounidense lo que prima ante todo es el derecho a obtener el reembolso de la inversión, siendo la salida una consecuencia intrínseca a esa petición de valoración y reembolso. Por tanto, puede afirmarse, siguiendo a PERALES VISCASILLAS, M. P., «Origen, evolución y tendencias actuales del *appraisal right* estadounidense (el derecho de separación y de exclusión del socio)», *Actualidad Civil,* núm. 2, 2000, pág. 765, que en nuestro ordenamiento la concepción del derecho de separación deriva de la tesis contractualista de la sociedad, mientras que en el derecho estadounidense, el *appraisal right* responde más bien a una visión patrimonialista más que contractualista. En derecho español, la base argumentativa de la separación pivota sobre el eje de que la modificación que se produce como consecuencia de una decisión mayoritaria supone una alteración sustancial del contrato social o por el acaecimiento de un conflicto intra-corporativo insuperable y por tanto, de las condiciones que en su día hicieron al socio ingresar en la sociedad. Sin embargo, por parte del derecho estadounidense lo que prima es la protección al socio en su inversión, es decir, la recuperación del valor y liquidez de las cantidades inicialmente aportadas a la sociedad. En síntesis, como afirma PERALES VISCASILLAS, M. P., «Origen...», *cit.*, pág. 767, el *appraisal right* se concede cuando tienen lugar determinadas operaciones corporativas que afectan de una manera importante al valor de las acciones, de tal forma que si esa operación produce unas diferencias muy notables en ese valor está justificado el ejercicio del derecho de separación, entendiendo la salida como un mecanismo tutelar. Dichas operaciones corporativas están previstas en la sección 13.02 de la *Model Business Corporation Act* y son operaciones tales como: fusión (*merger*), cesión de paquete de control (*share exchange*), venta de la totalidad o parte de los activos (*disposition of assets*), determinadas modificaciones de los estatutos sociales (*amendment of the articles of incorporation*) y transformación

Hay que tener en cuenta, adicionalmente, que la reducción de capital no es la única vía posible para cumplir con el deber de reembolsar la participación del consocio saliente[14]. La propia sociedad, el socio no saliente (a los nuevos efectos «socio único») o un tercero, pueden preferir adquirir su participación, como permite el art. 359 LSC[15]. Igualmente, en el caso de que el socio no saliente tuviese fondos suficientes podría promover una ampliación de capital simultánea al ejercicio del derecho de separación a fin de evitar una potencial infracapitalización. En todo caso la diferencia básica entre estas alternativas es que por medio de reducción de capital se procedería a una liquidación parcial de la sociedad, amortizándose las participaciones equivalentes a la mitad del capital social, mientras que la

---

de la sociedad (*conversion*). Ante este tipo de operaciones corporativas que pueden lesionar el interés del socio (minoritario), el mecanismo de protección del *appraisal right* se centra, no tanto en examinar la causa que se invoca para hacer efectiva la salida considerando que ha habido una modificación sustancial de las condiciones en las que se tomó participación en el contrato de sociedad (como así sucede en derecho español), sino en el reembolso de la inversión del socio y en la determinación de su valor justo. A este respecto, WERTHEIMER, B. M., «The shareholders' appraisal remedy and how courts determine fair value», *Duke Law Journal*, 1998, vol. 47, núm. 4, págs. 613-614.

[14]   Vid. EMPARANZA, A., «Artículo 346...», *cit.*, págs. 2470-2471: «El ejercicio del derecho de separación lleva consigo la obligación de la sociedad de restituir al socio que se separe el valor de sus participaciones o acciones. La cuestión más controvertida será a menudo precisamente determinar dicho valor. La forma en que se materialice dicha devolución será a través de la amortización de las acciones o participaciones con la consiguiente reducción del capital, proporcional a la amortización practicada o por la adquisición por la sociedad de tales acciones o participaciones». Para una aproximación al régimen de liquidación del socio, vid. FARRANDO MIGUEL, I. *cit.*, pág. 73; ALFARO, J./CAMPINS VARGAS, A., «La liquidación del socio que causa baja como consecuencia de su separación o exclusión», en *Derecho de sociedades: libro homenaje al profesor Fernando Sánchez Calero*, vol. 3. Madrid, 2002, págs. 3151-3188 y MASTURZI, S., «Il recesso ex art. 2343 Cod. Civ.», *Rivista del diritto commerciale e del diritto generale delle obbligazioni*, núm. 4, 2011, vol. 109, pág. 905: «(...) la società deve ridurre il capitale annullando le azioni rimaste scoperte (...). La norma sembra, pertanto, riconoscere a questo recesso un'efficacia retroattiva reale estranea al sistema che, all'esercizio del diritto collega sempre e soltanto il rimborso o la liquidazione del vallore della partecipazione al capitale».

[15]   En este sentido, BRENES CORTÉS, J. *El derecho...*, *cit.*, pág. 30 y VELASCO ALONSO, A., *cit.*, pág. 14.

transmisión de la titularidad de esa mitad subrogaría al socio paritario no disidente en la posición del socio disidente, que entonces dejaría de serlo[16].

## III. RELACIÓN DEL DERECHO DE SEPARACIÓN CON EL DERECHO DE EXCLUSIÓN

El derecho de exclusión opera como el reverso del derecho de separación al permitir a la sociedad extinguir las relaciones existentes con un socio, evitando la extinción de la sociedad, una vez se ha producido alguna de las causas contempladas en la ley o en los estatutos sociales, mediante la correspondiente amortización de su cuota[17]. Así, la existencia de un conflicto de intereses dentro de las especialidades de la sociedad de responsabilidad limitada impediría al socio afectado emitir su voto en el acuerdo de exclusión en junta general (art. 190 en relación con el art. 199 b LSC)[18].

---

[16]  Sobre las formas de evitar la descapitalización de la sociedad en derecho comparado, véase MARTÍNEZ ROSADO, J., «Conductas opresivas de la mayoría frente a la minoría en las sociedades cerradas (a propósito del art. 18 de la Propuesta de Reglamento de la Sociedad Privada Europea y de la Regulación Norteamericana)», en ALONSO LEDESMA, C./ALONSO UREBA, A./ESTEBAN VELASCO, G. (Dirs.), *La modernización del Derecho de sociedades de capital en España. Cuestiones pendientes de reforma*, Tomo I. Cizur Menor, 2011, págs. 325-362.

[17]  Conforme URÍA, R., «La transformación de las sociedades anónimas y el derecho de separación del accionista», *Boletín del Ilustre Colegio de Abogados de Madrid*, enero-febrero 1953, pág. 40. Por otro lado, entender al derecho de exclusión como el reverso conceptual del derecho de separación ha sido la tendencia en el derecho continental. Sin embargo, esto no sucede en el ámbito estadounidense. En derecho estadounidense el término *appraisal right* se identifica aproximadamente con nuestro derecho de separación, aunque también hay que incluir en él determinadas situaciones de expulsión de socios, que a diferencia de lo que sucede en nuestro derecho de sociedades, no tienen su razón de ser en determinados incumplimientos del contrato social o de los estatutos. A este respecto, EINSENBERG, M. A. *The Structure of the Corporation...*, *cit.*, pág. 67. Para ahondar en aspectos generales del derecho de exclusión, véase BONARDELL LENZANO, R./CABANAS TREJO, R. *Separación y exclusión de socios en la sociedad de responsabilidad limitada. cit.*, pág. 27 y FARRANDO MIGUEL, I. *cit.*, pág. 23.

[18]  En cualquier caso, la exclusión requerirá la mediación de condena de indemnizar a la sociedad, que se conforma como una de las acciones dimanantes del abuso de derecho, o bien, ante la disconformidad del socio afectado que fuere titular de al menos un 25%, de resolución judicial firme que ratifique la existencia de la causa de exclusión (arts. 350 y 352 LSC). Vid. NOVAL PATO, J., «La acción de exclusión del socio: plazo de ejercicio y legitimación: Sentencia de la Audiencia Provincial

Si nos ceñimos a las causas de exclusión tasadas legalmente, no parece que se permita que el socio que adopte una postura obstruccionista o abusiva, incumpliendo sus deberes de fidelidad, pueda ser excluido de la sociedad. Podría pensarse que esta vía sería una solución excesivamente gravosa para sancionar toda conducta antisocial, salvo previsión estatutaria del deber de fidelidad. Éste sería el caso de una prestación accesoria, para de esta forma aplicar las sanciones previstas en caso de incumplimiento, como por ejemplo la exclusión del socio o la venta forzosa de las acciones o participaciones[19].

Su carácter sancionador —como ha puesto de manifiesto la jurisprudencia ((SSTS de 7 de noviembre de 1986 *(Tol 1734254)*, de 25 de octubre de 1990 *(Tol 1730001)*, de 16 de julio de 1992 *(Tol 1662213)* y de 4 de marzo de 1993 *(Tol 1662721)* y de 26 de marzo de 1994 *(Tol 5123577)*))— configuraría la exclusión como un sistema defensivo del socio leal al interés social contra el socio obstruccionista, permitiendo sancionar con la expulsión al socio que incumpliera los deberes de fidelidad[20], al mismo tiempo que garantizaría la pervivencia de la persona jurídica societaria, que en el caso

---

de Asturias núm. 209/2006 (Sección 1ª), de 1 de junio de 2006 *(Tol 981958)*», *Revista de derecho de sociedades*, núm. 27, 2006, pág. 475-484.

[19]   Vid. MIQUEL RODRÍGUEZ, J., «Reflexiones sobre los deberes de fidelidad de socios y accionistas», en SÁEZ GARCÍA DE ALBIZU, J. C./OLEO BANET, F./ MARTÍNEZ FLÓREZ, A. (coords.). *Estudios de Derecho Mercantil: en memoria del Profesor Aníbal Sánchez Andrés*. Cizur Menor, 2010, pág. 469.

[20]   En este sentido, ALFARO, J., «Conflictos intrasocietarios…», *cit.*, pág. 1081, aboga por concebir la exclusión como derivado natural de las exigencias de la buena fe. Así lo ha entendido también la SAP de Cádiz de 30 de enero de 2004 *(Tol 366661)* que en su Fundamento Jurídico 3º sostiene la exclusión de un socio administrador que propició la inactividad de la sociedad y la paralización de sus órganos, contraviniendo el principio de buena fe contractual. Misma posición favorable a la facultad de exclusión como concreción del principio de buena fe es mantenida por FRAMIÑÁN, SANTAS, F. J. *La exclusión del socio en la sociedad de responsabilidad limitada*. Granada, 2005, pág. 149: «el principio de buena fe exige, tal y como hemos fundamentado, reconocer una facultad de exclusión en las SRL. (…) En una sociedad, no puede imponerse a los socios que soporten como consocio a aquel que impide o dificulta de forma grave alcanzar el fin común último que se hayan propuesto —en términos absolutos o relativos. En estas circunstancias, como se afirma en Alemania, el socio, por imperativo de la buena fe, debe aceptar (en realidad, debe poder) ser excluido —continuando la sociedad con los demás».

de la sociedad 50-50 devendría entonces unipersonal por efecto de la expulsión del socio paritario infractor[21].

A nuestro juicio, como ya sucede en otros ordenamientos de nuestro entorno, como el portugués[22], este mecanismo de exclusión cobraría especial sentido, sobre todo en lo relativo a las sociedades cerradas como las paritarias, al servir de herramienta disciplinaria de tipo disuasorio respecto del socio que lesionara sistemáticamente el interés social al realizar conductas obstruccionistas en sede de junta general[23].

Como se observa, ambos institutos tienen evidentes puntos de conexión. Tanto la separación como la exclusión cumplen la función de re-

---

[21]  De esta forma, como la sociedad no es un contrato sinalagmático, como sostiene GARCÍA VILLAVERDE, R. *La exclusión de socios*. Madrid, 1977, pág. 23: «los vicios, incumplimientos, etc., que afecten a una de las partes no invaliden el negocio fundacional ni hagan desaparecer el ente creado, salvo en la medida en que la parte afectada sea esencial para la consecución del fin común. Esto es lo que permite la posibilidad (…) de extinción de la posición de socio sin que suponga la disolución de la sociedad».

[22]  De *lege ferenda* podría tomarse como referencia a seguir el art. 242.1 del Código das Sociedades Comerciais, que permite la exclusión judicial del socio de la *sociedade por quotas* (equivalente formal de nuestra sociedad limitada) cuando mediante una conducta desleal o gravemente perturbadora hubiera causado o pudiera causar graves perjuicios. Para ahondar en el tratamiento de esta materia en derecho portugués, TRIUNFANTE, A. *A tutela das minorías nas sociedades anónimas*. Coimbra, 2004, pág. 437, quien además se muestra favorable a extender esta norma a las sociedades anónimas de carácter cerrado.

[23]  De acuerdo con VELASCO SAN PEDRO, L., «Amortización de participaciones y responsabilidad de los socios reembolsatarios», *Revista de Derecho de Sociedades*, núm. 17, 2001, págs. 31-46, podría mantenerse para el caso de las sociedades limitadas la responsabilidad solidaria por las deudas anteriores del socio excluido cuyas participaciones fueran amortizadas, una responsabilidad limitada al reembolso de su valor (art. 357 en relación con el art. 331 LSC). Por otra parte, nótese de nuevo la diferencia de fundamento del derecho de exclusión con respecto al ámbito estadounidense. En el derecho estadounidense apenas existen supuestos de exclusión de socios, aunque puede apreciarse cierta similitud en los casos de morosidad, donde los socios, a cambio de recibir sus participaciones, se ven obligados a abonar la *consideration* fijada por los administradores, de tal modo que si no lo hacen existirá responsabilidad para los socios. En este sentido la previsión de la sección 6.22 *Model Business Corporation Act*: «(a) A purchaser from a corporation of its own shares is not liable to the corporation or its creditors with respect to the shares except to pay the consideration for which the shares were authorized to be issued (section 6.21) or specified in the subscription agreement (section 6.20)».

solver conflictos intra-corporativos graves. Los dos sistemas, el de salida (separación) como el de expulsión (exclusión), provocan la pérdida de la condición del socio, con los derechos y obligaciones inherentes a tal posición jurídica, aunque posibilitan la conservación de la sociedad y de la empresa que desarrolla su objeto social, que podrá continuar operativa si consigue amortizar la cuota del socio que se separa o es excluido[24].

No obstante, la diferencia cardinal existente entre ambas instituciones radica en su fundamento. Mientras que el derecho de separación pretende proteger al socio que ya no desea permanecer en una sociedad donde se han modificado los presupuestos esenciales que motivaron su ingreso en la misma, el derecho de exclusión permite expulsar al socio incumplidor. La separación es una decisión libre y voluntaria —siempre que se adopte de conformidad con una causa legal o estatutaria—, mientras que la exclusión opera como sanción, porque el socio excluido no tiene capacidad de elección sobre la misma. En consecuencia, las causas respectivas de separación y exclusión tienen una naturaleza jurídica inversa pero complementaria, en el sentido de que las primeras lo son por cuanto presuponen modificaciones esenciales que legitiman al socio a salirse del contrato de sociedad, mientras que las segundas permiten salvaguardar la conservación de la empresa a pesar del incumplimiento de unas determinadas obligaciones por parte de uno de los socios[25].

La cuestión problemática que se plantea es cómo articular un derecho de separación del socio paritario cuando la *ratio* que informa todo el régimen de separación es concebida con respecto a conflictos intra-corporativos de sociedades donde rige el principio de mayoría. Por tanto, el fundamento de la separación, en última instancia, se encuentra en la tutela de los socios minoritarios frente a determinados acuerdos adoptados por la mayoría, válidos y eficaces, pero que alteran sustancialmente algún elemento esencial de la sociedad[26]. Es ahí donde, sin ánimo de alterar ese fundamento,

---

[24] Para ALFARO, J., «Conflictos intrasocietarios...», *cit.*, pág. 1081, en la exclusión es la mayoría la que desea deshacerse de una relación con un socio minoritario mientras que la separación cumple una función simétrica, permitiendo al socio minoritario «salir» de la sociedad y acabar así con una relación con la mayoría social. Por ello, califica la separación como un caso particular de denuncia extraordinaria.

[25] Vid. BRENES CORTÉS, J. *El derecho...*, *cit.*, págs. 33-34 y VELASCO ALONSO, A. *cit.*, pág. 17.

[26] A este respecto, BRENES CORTÉS, J. *El derecho...*, *cit.*, págs. 152-153: «La doctrina ha intentado buscar un fundamento a este derecho, bien en la Ley ("teoría de

hay margen para ensanchar su alcance e incluir a las sociedades paritarias, organizaciones donde no hay socios mayoritarios ni minoritarios.

Por esta razón corresponde examinar si bajo la expresión «modificación sustancial de algún elemento esencial de la sociedad» podemos referirnos a un conjunto de situaciones que abocan al bloqueo de los órganos sociales y donde la configuración de un derecho de salida al socio perjudicado por dicha situación insuperable puede contribuir, entre otros mecanismos resolutivos posibles y alternativos, a deshacer una situación que deviene insuperable. Es en este sentido por donde puede abrirse un cauce para su eficiente configuración estatutaria, de modo que se definiera el alcance de dicha categoría, esto es, la de aquellos comportamientos generadores de opresión que hacen que la relación socio-sociedad devenga intolerable[27].

---

la ley"), bien en el negocio genérico del que nace la sociedad anónima ("teoría del contrato"); pero, en definitiva, el fin último de la institución, el elemento aglutinador de ambas teorías, viene constituido por su consideración como instrumento de tutela del socio frente a acuerdos sociales mayoritarios que modifican sustancialmente alguno de los elementos de la estructura social considerados como presupuestos esenciales de adhesión del socio a la compañía». Por su parte, IRACULIS ARREGUI, N., «La separación del socio sin necesidad de justificación: por no reparto de dividendos o por la propia voluntad del socio», *Revista de Derecho de Sociedades*, núm. 38, 2012, pág. 231, considera que «el fundamento de la institución es la inexigibilidad de continuar en sociedad en aquellos supuestos en que un cambio trascendental en la base del negocio lo justifique». Igualmente en esta línea encontramos la opinión de ALONSO LEDESMA, C., «La autonomía...», *cit.*, pág. 93: «(...) el derecho de separación se ha configurado inicialmente como un instrumento jurídico para permitir al socio apartarse de la sociedad ante modificaciones estatutarias que alteran algunos elementos de la estructura social que el legislador presume que fueron esenciales para que el socio entrara a formar parte de la sociedad. El derecho de separación se establece, pues, esencialmente, como un mecanismo jurídico para permitir la salida del socio sin necesidad de recurrir a la solución extrema de disolver y liquidar la sociedad». En este sentido, EMPARANZA, A., «Artículo 346...», *cit.*, pág. 2471: «Se propugna su fundamento con base no tanto en el carácter más o menos duradero de la sociedad, sino en la necesidad de proteger a la minoría. Esta protección se articula a través del derecho de separación del socio que cobra su sentido cuando la mayoría, legítimamente, modifica las reglas estatutarias generándose un marco regulador distinto al anterior que no se ajusta a las expectativas que hasta entonces tenían los socios minoritarios. Al socio minoritario se le otorga, en suma, la posibilidad de dejar la sociedad porque las circunstancias en las que él se incorporó han variado y no está de acuerdo, habiéndose expresado expresa o tácitamente su disconformidad con dicho cambio».

[27] Así, ALFARO, J., «Conflictos intrasocietarios...», *cit.*, pág. 1132.

A nuestro juicio, el comportamiento que motiva el bloqueo orgánico de la sociedad paritaria consiste en el ejercicio del poder de veto de forma sistemática, continua y vicaria con un *animus nocendi* hacia el otro socio, es decir, aplicando un control negativo en junta. La justificación de este instituto se encontraría en ofrecer una vía de salida al consocio que no está dispuesto a asumir el riesgo patrimonial que entraña permanecer en una sociedad bloqueada. En este sentido, el derecho de separación constituirá un mecanismo de defensa más, aparte de otros que pudieran articularse alternativamente en pactos estatutarios o extraestatutarios, para que el socio paritario pudiese hacer frente a las actuaciones opresivas, oportunistas y obstruccionistas del consocio sobre los órganos sociales. En consecuencia, desde esta perspectiva el fundamento original del derecho de separación no se traiciona si se abre a la sociedad paritaria, dado que lo que procura es dar una respuesta transaccional para conciliar unos intereses contrapuestos sin necesidad de que la sociedad se disuelva y liquide judicialmente.

## IV. MODO DE ARTICULAR EL DERECHO DE SEPARACIÓN DEL SOCIO PARITARIO. LA PERTINENCIA DE LA SEPARACIÓN POR JUSTA CAUSA

Como nos hemos referido antes, el derecho de separación puede operar como un cauce válido para resolver el bloqueo de las sociedades 50-50, a pesar de que su *ratio* está pensada para ejercitarlo en estructuras corporativas que presentan una relación mayoría-minoría, siendo el fundamento, en última instancia, tutelar al socio minoritario facilitándole la salida ante una modificación de elementos esenciales del contrato de sociedad o ante conductas opresivas de la mayoría.

Ahora corresponde examinar críticamente cómo debe instrumentarse el derecho de salida del socio paritario disconforme ante una modificación de un elemento esencial del contrato de sociedad o cuando sea directamente perjudicado por el acaecimiento de un bloqueo societario insuperable promovido por su consocio.

En primer lugar, nada obsta para que los socios, al momento fundacional o posteriormente, incorporen unánimemente a los estatutos el supuesto de bloqueo orgánico como causa de separación (art. 347 LSC). Esta medida permitiría anticiparse al mismo, pero para que pudiera ser realmente operativa debería estipularse detalladamente el modo en que debe acreditarse la causa por aquel socio que la invocara, la forma de ejercitar el derecho y el plazo de ejercicio, conforme con el art. 204.1 RRM.

A nuestro juicio, la implementación de este mecanismo no excedería los límites impuestos por el principio de la autonomía privada de la voluntad (art. 1255 CC) sino que sería una manifestación de la libertad estatutaria para la creación y configuración de causas de separación[28]. Este pacto estatutario no supliría la causa legal de disolución por paralización de los órganos sociales (art. 363.1 d LSC) sino que tomando el mismo supuesto fáctico (bloqueo orgánico de la sociedad) lo transforma en causa estatutaria de separación. De este modo se posibilita un marco de resolución anticipado y potestativo del conflicto por parte del socio lesionado en su interés, que podría ejercitarlo o alternativamente demandar judicialmente la disolución de la sociedad.

En segundo lugar, el derecho español es sumamente restrictivo en la tipificación de esta materia, al no contemplar una cláusula general de separación por justa causa para las sociedades capitalistas a modo de técnica de cierre del catálogo de causas legales de separación[29], como en efecto existe

---

[28]  En sentido general, conforme con FELIÚ REY, J., «Derecho de separación, flexibilización societaria y autonomía de la voluntad», *Derecho de los Negocios*, núm. 260, 2012, págs. 23-27.

[29]  Critican la restrictividad de la tipificación legal de las causas de separación AL-FARO, J., «Conflictos intrasocietarios...», *cit.*, pág. 1133 y SÁNCHEZ-CALERO GUILARTE, J., «La transmisión de las participaciones sociales y el derecho de separación en la sociedad limitada. Breve reflexión en torno al artículo 95.c) LSRL», *Revista de Derecho de Sociedades*, núm. 6, 1996, págs. 11-26. Partiendo de esta crítica, nos parece razonable aducir que este carácter restrictivo del derecho de separación en la tipificación legal, al no contemplar la separación por justa causa, responde a una suerte de prejuicio ideológico que nuestro derecho de sociedades tantas otras veces padece, en el sentido de fundar la regulación sobre la base de la sociedad anónima, que por su carácter abierto, permite a sus socios liquidar inmediatamente su inversión mediante la enajenación de sus acciones. Mismo prejuicio ideológico se manifiesta en lo tocante al origen del *appraisal right* en el contexto estadounidense, que nace vinculado a la *public corporation* (análoga a la sociedad anónima) y de ahí se ha ido extendiendo a otros tipos sociales, como las *close corporations*. A este respecto, resulta interesante traer a colación a DUQUE, J. F., «Las formas...», *cit.*, págs. 81-83. Sin embargo, cuando se trata de sociedades cerradas, que no disponen de un mercado de desinversión líquido, la restrictividad del *numerus clausus* legal desprotege al socio que quiere salirse de la sociedad, estrechando el margen de invocación y ejercicio del derecho, lo cual se agravará en defecto de cláusulas estatutarias de separación. Así, en los casos de grave conflicto, como una situación de bloqueo insuperable, el socio de la sociedad cerrada sólo tiene abierta la puerta de la impugnación judicial de los acuerdos o en su caso la disolución judicial, no pudiendo simplemente separarse y recuperar su inversión cuando la permanencia en la sociedad sea a todas luces insoportable.

ya en nuestro ordenamiento societario para las sociedades profesionales[30] o para las Agrupaciones de Interés Económico[31], así como en muchos ordenamientos jurídicos continentales[32].

---

[30]   La justa causa de separación está prevista en el art. 13.2 de la Ley de Sociedades Profesionales: «Si la sociedad se ha constituido por tiempo determinado, los socios profesionales sólo podrán separarse, además de en los supuestos previstos en la legislación mercantil para la forma societaria de que se trate, en los supuestos previstos en el contrato social o cuando concurra justa causa». Para ahondar a este respecto, GARCÍA PÉREZ, R., «La salida voluntaria y forzosa del socio profesional y su reflejo en las cláusulas estatutarias de separación y exclusión», en TRIGO GARCÍA/FRAMIÑÁN SANTAS (Coords.). Estudios sobre sociedades profesionales: Ley 2/2007, de 15 de marzo, de sociedades profesionales. Madrid, 2009, págs. 183-204.

[31]   Art. 15.1 de la Ley de Agrupaciones de Interés Económico: «Cualquier socio podrá separarse de la Agrupación en los casos previstos en la escritura, cuando concurriese justa causa o si mediare el consentimiento de los demás socios».

[32]   A este respecto, es de lamentar la falta de tratamiento de esta materia en el derecho europeo, si se tiene en cuenta que la separación por justa causa sí se recomendaba en el Informe Winter, si bien circunscrito únicamente a las sociedades cotizadas. Así lo pone de relieve FERNÁNDEZ DEL POZO, L., «La arbitrabilidad de un derecho estatutario de separación por "justa causa" en una Sociedad Anónima. En torno a la STC de 17 de enero de 2005 (Tol 570195)», Revista de Derecho de Sociedades, núm. 26, 2006, págs. 276-277 y nota 27. La justa causa como derecho separación está contemplada en varios ordenamientos de derecho continental. En el derecho suizo, por ejemplo, el art. 822.C 2 del Código de obligaciones recoge el derecho de separación por justa causa así como la posibilidad de solicitar la disolución de la sociedad. El mismo sistema puede encontrarse en derecho alemán, el cual configura un derecho de separación por justa causa al trasladar por analogía iuris al régimen de la sociedad limitada la cláusula general contenida en el Código de Comercio a propósito de las sociedades personalistas (arts. 133 y 140 HGB). En este sentido, VÁZQUEZ LÉPINETTE, T., «La separación por justa causa tras las recientes reformas legislativas», Revista de Derecho Mercantil, núm. 283, enero-marzo 2012, págs. 180-181 afirma: «La jurisprudencia ha permitido el ejercicio de la resolución extraordinaria que supone este derecho de separación por justa causa en los casos en que, a la vista de las circunstancias, es irrazonable hacer que el socio permanezca en la sociedad (en este sentido la Sentencia del Tribunal de Apelación de Colonia de 26 de marzo de 1999). En particular, se ha considerado justa causa destinar sistemáticamente los beneficios a reservas, sin que haya una justificación económica para ello, combinada con una rebaja del precio en el contrato de servicios que había celebrado el minoritario con la sociedad, así como el hecho de que la sociedad hiciera préstamos a bajo interés al mayoritario (Sentencia del Tribunal de Apelación de Colonia de 26 de marzo de 1999). En estos casos, el minoritario tiene derecho a separarse de la sociedad, percibiendo el valor razonable de su participación (Sentencia del Tribunal Supremo alemán de 16 de diciembre de 1991 y Sentencia del Tribunal de Apelación de Co-

Si hubiera una cláusula general en tal sentido, en defecto de regulación estatutaria de la causa de separación por bloqueo, el socio paritario podría acogerse a la misma y solicitar ante los tribunales la separación. La ventaja que tendría la incorporación de este tipo de cláusula general es que limitaría el riesgo de un fallo en la configuración estatutaria de las causas específicas de separación, de modo que supliría el coste que tiene para los socios definir y pactar todos los potenciales conflictos intra-corporativos que pueden acontecer a lo largo de la relación jurídica que pone en marcha el contrato de sociedad. Además, en el caso que nos atañe, si los socios no hubieran previsto estatutariamente el bloqueo como causa de separación, en el caso de que sobreviniese efectivamente, dejaría al socio perjudicado por el mismo en una situación de desprotección[33].

Por esta razón, debería abogarse por una reforma de la tipificación legal de la LSC que incluyera la cláusula general de separación por justa causa, de modo que los socios de sociedades cerradas pudieran ampararse en la existencia de justos motivos para salirse, siempre y cuando la relación societaria hubiera devenido intolerable y el conflicto intra-corporativo existente no pudiera resolverse de ninguna otra forma[34].

---

lonia de 26 de marzo de 1999)». Para ahondar sobre este punto, ULMER, P. *Principios fundamentales del Derecho alemán de sociedades de responsabilidad limitada.* Madrid, 1999 (traducción: J. Alfaro). Este derecho de salida también ha sido propuesto en otros ordenamientos jurídicos de derecho continental como el belga, no como un derecho de separación sino más bien como un derecho de venta forzosa. El *Code des Sociétés* belga (arts. 340 y 642) obliga a que los socios que han provocado la justa causa de salida procedan a adquirir todas las participaciones o acciones, así como las obligaciones convertibles en acciones o los derechos de suscripción preferente para el caso de la sociedad anónima, existentes en ese momento y que son propiedad de los socios que han instado el procedimiento de venta forzosa al existir un justo motivo para ello. A este respecto, VÁZQUEZ LÉPINETTE, T., «La separación por justa causa...», *cit.*, pág. 181: «La jurisprudencia considera que existe justa causa si existe un desacuerdo profundo y permanente que impide de hecho cualquier colaboración ulterior entre los socios. No es necesario que proceda de un comportamiento doloso, pero es necesario que sea imputable al socio frente al que se ejercita el derecho de compra forzosa». Para profundizar en esta materia, vid. MARTÍNEZ MUÑOZ, M., «El derecho de separación del socio en las sociedades de capital y su regulación en el Anteproyecto de Ley de Código Mercantil», *CEF Legal. Revista Práctica de Derecho*, núm. 175-176, 2015, págs. 5-44.

[33] Vid. MARTÍNEZ SANZ, F. *cit.*, pág. 44.
[34] En igual sentido, MARTÍ MIRAVALLS, J., «La ampliación del derecho de separación del socio en las sociedades de capital cerradas», en HIERRO ANIBARRO, S. (Dir.). *Simplificar el Derecho de Sociedades.* Madrid, 2010, pág. 496.

El fundamento de la separación por justa causa radicaría en el principio de denunciabilidad de las relaciones perpetuas[35]. Este principio general de derecho privado, en su dimensión societaria, significa que no puede exigirse al socio permanecer vinculado eternamente a una organización donde la *affectio societatis* se ha desvanecido[36]. Adicionalmente, cabe señalar

---

[35]  Haciendo más énfasis en la denunciabilidad de las relaciones duraderas como fundamento del derecho de separación, ALFARO, J., «Conflictos intrasocietarios...», *cit.*, págs. 1108-1109: «El fundamento del derecho de separación es, en todos los casos idéntico: constituye una concreción del principio cuasiconstitucional del derecho privado de denunciabilidad de las relaciones duraderas, o más precisamente, de la idea según la cual nadie puede quedar vinculado eternamente (y, por lo tanto, las relaciones sin término de duración son libremente denunciables —denuncia ordinaria—) y, la complementaria, según la cual, todos tienen derecho a desvincularse de una relación pensada como permanente si hay razones serias para ello (denuncia extraordinaria) en particular, en el derecho de sociedades, una perturbación que determine la inexigibilidad al socio de permanecer en la sociedad. Consecuentemente, el contrato de sociedad, como cualquier otra relación duradera debe poder denunciarse anticipadamente por una causa justificada cuando la relación afecta en una medida importante la actividad vital de los participantes».

[36]  Vid. ALFARO, J., «Conflictos intrasocietarios...», *cit.*, págs. 1100, 1113-1114: «Constituyen justos motivos de separación, a nuestro juicio, dos conjuntos de circunstancias. En primer lugar, la adopción por la sociedad de medidas que modifiquen la situación jurídica y económica del socio en una forma que su aceptación no resulte exigible para el socio. En segundo lugar, la existencia de un conflicto permanente y duradero entre mayoría y minoría cuyo origen se encuentre en el comportamiento antiestatutario o ilegal de la mayoría». Adicionalmente, FERNÁNDEZ DEL POZO, L., *cit.*, pág. 280 afirma: «Suele entenderse que constituye justa causa cualesquiera incumplimientos graves de las obligaciones sociales aunque sean incumplimientos parciales o no reiterados y aunque tales incumplimientos no sean culpables o dolosos. No sólo eso: se entiende que, en general, procede reconocer justa causa para la separación en todas aquellas situaciones en que deba convenirse en la inexigibilidad de la permanencia del socio dentro de la sociedad». Por su parte, RETORTILLO ATIENZA, O., «La posible enervación del derecho de separación (Orientación del Tribunal Supremo en la Sentencia de 23 de enero de 2006 *(Tol 815668)*», *Revista de Derecho de Sociedades*, núm. 28, 2007, págs. 315-326, pág. 320: «En cuanto a cuáles son esos justos motivos de separación, se incluirían todas aquellas medidas adoptadas por la sociedad que modifiquen la situación jurídica y económica del socio en una forma cuya aceptación no resulta exigible para el mismo, así como la existencia de un conflicto permanente y duradero entre mayoría y minoría, cuyo origen se encuentre en el comportamiento antiestatutario o ilegal de la mayoría de forma sistemática». Para ver ejemplos concretos de justas causas en el marco de sociedades cerradas, MARTÍ MIRAVALLS, J., *cit.*, págs. 510-516.

a favor de esta posición el hecho de que existen ciertos pronunciamientos en nuestra jurisprudencia apoyando la justa causa de separación. En particular, la STS de 10 de febrero de 1997 *(Tol 215355)*, en la que se consideró procedente la pretensión de separación voluntaria alegada por un socio en el que concurría justa causa, declarando que la inexistencia de un expreso reconocimiento de ese derecho en la LSRL de 1953 no constituía un obstáculo decisivo para su admisibilidad[37].

En sentido contrario por el que abogamos se posiciona un sector de la doctrina, desde el argumento de la seguridad jurídica, entendiendo que los justos motivos supondrían realizar una valoración *ex post* del hecho o circunstancia que provoca la resolución, lo que contravendría directamente con el sistema *ex ante* de determinación de las causas habilitadoras para la separación[38]. A nuestro juicio, esta posición contraria a la separación por justa causa no es satisfactoria. Nuestro derecho no desconoce la separación por justa causa para el caso de las sociedades profesionales ni para las Agrupaciones de Interés Económico.

Por tanto, la falta de previsión estatutaria de determinados conflictos intra-corporativos, como el bloqueo de los órganos sociales, no debería ser óbice para impedir al socio interesado separarse de la sociedad por la vía de su invocación, porque ante el acaecimiento de un hecho de gravedad

---

[37]  Para un comentario sobre esta sentencia, consúltese ECHEBARRÍA SÁENZ, J. A., «El derecho de separación del socio en la SRL [(comentario a la STS de 10 de febrero 1997 *(Tol 215355)*]», *Revista de Derecho de Sociedades*, núm. 9, 1997, págs. 390-402.

[38]  Opinión esgrimida por BONARDELL LENZANO, R. y CABANAS TREJO, R. *Separación y exclusión...*, *cit.*, págs. 34-39; MARTÍNEZ SANZ, F. *cit.*, págs. 104-106, nota 124; FERNÁNDEZ DEL POZO, L., *cit.*, pág. 278 y ALONSO LEDESMA, C., «La autonomía...», *cit.*, págs. 105-106, quien considera que en el sistema legal español no cabe establecer una cláusula estatutaria de separación por justos motivos pues no se acomodaría al art. 347 LSC: «(...) la exigencia legal de que los motivos habilitantes para la separación tengan que estar "causalmente fundados" resulta coherente no solo con la fundamentación que justifica el derecho de separación (que no es otra que la protección de intereses del socio dignos de tutela), sino también la de protección de los intereses de la sociedad, como antes se dijo, al eliminar la inseguridad jurídica que podría generar la determinación de la "justeza" de la causa esgrimida por el socio para separarse de la sociedad. Además, la introducción de una cláusula general como la indicada haría superflua la inserción de cualquier otra especificando los justos motivos que permiten la separación ya que todas las causas que justifican el abandono de la sociedad deben ser "justas" y, en consecuencia, todas ellas formarán parte de la causa genérica establecida».

insuperable, el ordenamiento jurídico no puede exigirle seguir vinculado
a la sociedad o forzarle inexorablemente a la demanda de disolución y
liquidación judicial. Esta última opción le supondría con casi total seguridad, aparte de una mayor dilación en la consecución del resultado, una
notable pérdida en el retorno de la inversión, pues el valor de su participación a desembolsar será presumiblemente mayor si la sociedad sigue en
funcionamiento que si su patrimonio se atomiza durante las operaciones
de liquidación que siguen a la disolución judicial. En cambio, a través de la
separación, la propia sociedad, el consocio paritario o un tercero, podrían
adquirir la participación del socio paritario saliente por un valor mayor
que el que resultara de una hipotética cuota liquidatoria, la cual muy remo-
tamente podría alcanzar el valor inicial de su inversión.

Por las razones esgrimidas, consideramos que el principio de justa causa
de separación es especialmente necesario en las sociedades cerradas, porque por su particular configuración, el socio que pretende ejercitarlo carece de la debida tutela a través de las actuales causas legales de separación.
El reconocimiento positivo de la separación por justa causa contribuiría
a reforzar el cumplimiento de los deberes de fidelidad, limitando potenciales abusos de igualdad derivados de la facultad de bloqueo o control
negativo.

## V. VALORACIÓN CRÍTICA DE LA SEPARACIÓN *AD NUTUM* EN SOCIEDADES PARITARIAS

Igual de problemática se presenta la proposición de un derecho de separación *ad nutum* o sin causa en las sociedades capitalistas de derecho
español, más aun teniendo en cuenta la jurisprudencia que ya lo ha reconocido[39]. A ello hay que sumar la especificidad que comportan las sociedades de capital 50-50, por su intrínseca base constitutiva cerrada de
carácter personalista. A pesar de tener formalmente una configuración
corporativa que *a priori* debería desinteresarse de ofrecer un mecanismo

---

[39] A este respecto, la SAP de Madrid de 24 de septiembre de 2002 *(Tol 253361)*, la
SAP de Guipúzcoa de 28 de octubre de 2008 *(Tol 1480079)* y las SSTS de 3 de mayo
de 2002 *(Tol 161874)* y la de 15 de noviembre de 2011 *(Tol 2299988)*, resolviendo
ésta última definitivamente la validez de las cláusulas estatutarias que atribuyen a
los socios de una sociedad limitada el derecho a separarse sin necesidad de alegar
causa alguna, con independencia de que se hayan hecho intransmisibles las participaciones sociales.

de salida voluntario al socio sin alegación de causa alguna, lo cierto es que la preeminencia en la sociedad paritaria del *intuitu personae* la aproxima funcionalmente al régimen de la sociedad de personas, donde nuestro derecho sí contempla, en virtud de los arts. 1705 CC y 224 C.com, la denuncia unilateral, por repugnancia de las vinculaciones perpetuas[40].

Únicamente el art. 108.3 LSC podría servir para entender reconocido el derecho de separación *ad nutum* en las sociedades capitalistas, pero sólo con un alcance limitado, esto es, cuando se configurara la separación *ad nutum* como la consecuencia jurídica ligada a la adopción por la sociedad de una cláusula que prohibiera las transmisiones voluntarias de las participaciones sociales por actos inter vivos. Hacer intransmisibles las participaciones sociales puede no suponer una carga excesiva teniendo en cuenta el mercado de desinversión tan ilíquido que tienen las participaciones sociales de las sociedades cerradas[41]. No obstante, el socio que quisiera proteger la estabilidad de su inversión podría utilizar la previsión del art. 108.4 LSC para establecer un periodo mínimo inicial durante el cual no pudiera ejercitarse el derecho de separación[42].

Pues bien, la cuestión que se nos plantea es sí es conveniente la inclusión de tal derecho por vía estatutaria en una sociedad paritaria. Hay suficientes argumentos para sostener una posición favorable para su reconocimiento, aparte de su similitud funcional con la sociedad personalista y los pronunciamientos jurisprudenciales que ya lo han asentado, como la STS de 15 de noviembre de 2011 *(Tol 2299988)* que señala que «no cabe entender como límite de la libertad autonormativa de los particulares el carácter cerrado de las sociedades de responsabilidad limitada, constitutivo de un principio configurador que solo quiebra excepcionalmente, dado que la posibilidad de separación de los socios en cualquier momento —cláusula

---

[40]   En la sociedad civil (art. 1705 CC) y en las sociedades colectivas y comanditarias (art. 224 C.com) no existe como tal un derecho de separación, sino un derecho potestativo de denuncia cuyo ejercicio tiene como efecto la disolución del vínculo societario personalista. Hay que entenderlo, por tanto, como un derecho a disolver, y no propiamente como un derecho a separarse. Vid. RETORTILLO ATIENZA, O., *cit.*, pág. 321.

[41]   Vid. PERDICES HUETOS, A. B., «Comentarios al art. 108 LSC», en ROJO/BELTRÁN (dirs.). *Comentario de la Ley de Sociedades de Capital*, Tomo II. Madrid, 2011, pág. 893 y sigs.

[42]   Sobre este particular, ALONSO ESPINOSA, F. J., «La posición jurídica del socio en la Ley 2/1995, de 23 de marzo, de sociedades de responsabilidad limitada (aspectos generales)», *Revista de Derecho de Sociedades*, núm. 4, 1995, pág. 26.

de puerta abierta— está expresamente admitida por Ley —incluso subordina la validez de las cláusulas de prohibición de transmisión voluntaria de participaciones al reconocimiento de la facultad de separación en cualquier momento (art. 30 LRSL, hoy art. 108.3 LSC)»[43].

En primer lugar, la separación *ad nutum*, al igual que sucedía con la separación por justa causa, tampoco supone una novedad en nuestro derecho societario, habida cuenta de que aparece recogido en el art. 13.1 de la Ley de Sociedades Profesionales[44]. Considerando que la *ratio* es la misma —evitar vinculaciones perpetuas— no se entiende por qué el legislador ha preferido regularlo expresamente para el caso de sociedades profesionales y no hacer lo propio con las sociedades capitalistas, negando la denuncia unilateral en aquellas sociedades limitadas (intrínsecamente cerradas) y en las sociedades anónimas (estatutariamente cerradas). De ello se deduce que el vigente régimen de separación no es un sistema eficiente. La tutela del socio paritario ante conflictos intra-corporativos de la sociedad —manifestativos de la pérdida de la *affectio societatis* (como así sucede en las situaciones de bloqueo)— no puede ser debidamente encauzada si el marco regulatorio no permite una posible separación sin causa, en caso de que *ex ante* no se hubiera recogido estatutariamente una causa a tal efecto[45].

---

[43]   Vid. FELIÚ REY, M. I., «Comentario a la Sentencia de 15 de noviembre de 2011 *(Tol 2299988)*. Separación *ad nutum* del partícipe en la sociedad de responsabilidad limitada», *Cuadernos Civitas de Jurisprudencia Civil*, núm 90, 2012, pág. 7, quién observa como muy positivo la validez de la cláusula estatutariamente establecida consistente en el derecho de separación *ad nutum*, que demuestra para este autor que nuestro derecho de sociedades se encuentra «no ya en un proceso de flexibilización, como así reza la Exposición de Motivos de la LSC, sino en una constante y necesaria fase de adaptación y renovación».

[44]   Art. 13.1 de la Ley de Sociedades Profesionales de la siguiente forma: «Los socios profesionales podrán separarse de la sociedad constituida por tiempo indefinido en cualquier momento. El ejercicio del derecho de separación habrá de ejercitarse de conformidad con las exigencias de la buena fe, siendo eficaz desde el momento en que se notifique a la sociedad». A este respecto, CAMPÍNS VARGAS, A. *La sociedad profesional*. Madrid, 2000, *passim*. Los socios profesionales tienen reconocido el derecho de separación sin causa porque están obligados a realizar prestaciones accesorias, que se corresponde con sus actividades profesionales. Por esta razón, si no se les reconociera la separación *ad nutum* podrían quedar encarcelados en la sociedad y en una profesión, lo cual violaría el art. 35 CE, que declara la libertad de profesión u oficio.

[45]   Vid. LUCEÑO OLIVA, J. L., «Estatutos y derecho de separación *ad nutum*», *Actualidad jurídica Aranzadi*, núm. 842/2012 (BIB 2012/899), *passim*.

En segundo lugar, la separación sin causa en ningún caso puede entenderse que contravenga lo dispuesto por el art. 1256 CC, ya que este precepto no impide que los socios, en el marco de un contrato de duración indefinida como el contrato de sociedad, se asignen derechos potestativos ni sometan a condición resolutoria dependiente de un acto volitivo de uno de ellos la efectividad de la relación jurídica. Por tanto, dicho precepto no prohíbe que los contratantes se concedan el derecho de denunciar el contrato unilateralmente[46].

Por los dos argumentos anteriores estamos en posición de afirmar la conveniencia de amplificar el alcance del derecho de separación, en orden a que sirva de efectivo instrumento para la resolución de conflictos intra-corporativos, tutelando eficientemente el interés del socio lesionado y su voluntad contraria a quedarse encarcelado indefinidamente en una sociedad o a disolverla judicialmente con potencial quebranto contra su patrimonio. Este objetivo se conseguiría por vía del reconocimiento de una cláusula de cierre del sistema, a través de la separación por justa causa o por la separación *ad nutum*. En este último caso, sería preciso modular el sistema previsto de causas legales tasadas (art. 346 LSC) dada la lógica imposibilidad de cumplir con los requisitos establecidos en el art. 347 LSC, pues no puede acreditarse la existencia de la causa cuando esta categoría de separación descansa en la mera voluntad del socio.

En sentido contrario, se ha negado virtualidad al derecho de separación *ad nutum* sobre la misma base crítica con que lo hace para la separación por justa causa. Se insiste en el argumento del peligro de descapitalización y consiguiente potencial desprotección de los acreedores, argumento idéntico que se puede sostener en términos generales contra el derecho de separación, cualquiera que sea su categoría, legal o estatutaria. Como ya nos referimos arriba en lo atinente a la separación por justa causa, este efecto potencialmente nocivo puede evitarse acudiendo a opciones distintas de la reducción de capital como, por ejemplo, la adquisición por la propia sociedad o por uno de los socios o un tercero, de las acciones o participaciones del socio disidente, la revocación del acuerdo que produce la causa de separación para así evitar la salida del socio o la ampliación de capital simultáneo al ejercicio del derecho de separación.

---

[46] En este sentido, ALFARO, J., «*In dubio, contra libertatem*: cláusulas estatutarias de separación *ad nutum* en la doctrina de la Dirección General de Registros», *Revista de Derecho de Sociedades*, núm. 23, 2004, pág. 247; MARTÍ MIRAVALLS, J., *cit.*, pág. 503, nota 37 y ECHEBARRÍA SÁENZ, J. A., *cit.*, págs. 396-400.

Además, como también apuntamos anteriormente, la descapitalización o infracapitalización tiene una función disuasoria, constituyendo el «precio» que tiene que pagar el socio obstruccionista por querer imponer una determinada modificación del contrato de sociedad o una determinada conducta. Tampoco es admisible una argumentación contraria a la separación *ad nutum* sobre la base de la desprotección que genera en los acreedores, pues el efecto patrimonial sobre los mismos es idéntico al ejercicio del derecho bajo cualquier otra categoría de separación, ya fuere legal o estatutaria. No hay razón, a nuestro juicio, que obligue a establecer un procedimiento más garantista ante la separación *ad nutum* vía estatutaria que en uno *ex legé*[47].

Ahora bien, expuesto lo anterior, la clave de la utilidad e idoneidad de la separación *ad nutum* depende de la ponderación de intereses en juego, de acuerdo a la realidad corporativa de que se trate en particular. La conveniencia de ampliar el derecho de separación para acabar con una hipotética desprotección del socio paritario ante la eventualidad de una situación de bloqueo podría al mismo tiempo perjudicar su inversión si la sociedad tiene como patrimonio social activos críticos y las prestaciones accesorias anexas a las participaciones son difícilmente sustituibles o reemplazables[48].

---

[47]    Vid. ALFARO, J., «In dubio…», *cit.*, págs. 247-248 e IBÁÑEZ ALONSO, J., «Posible admisión de una cláusula de separación *ad nutum* en una SRL y sistema de valoración de las participaciones. Comentario a la Resolución de la Dirección General de los Registros y del Notariado de 2 de noviembre de 2010». *Revista de Derecho de Sociedades*, núm. 36, 2011, pág. 463.

[48]    Por esta razón no compartimos la opinión de GIMENO BEVIÁ, V., «Derecho de separación *ad nutum* y prestaciones accesorias», *Revista de Derecho de Sociedades*, núm. 42, 2014, págs. 280-305, para quién la validez de la separación *ad nutum*: «facilita la inversión en las sociedades de carácter cerrado, pues tanto inversores profesionales como socios emprendedores que prestan sus servicios a una sociedad creada para tal fin, ven protegida su aportación ya que tienen mayor facilidad para, llegado el momento, retirarse. En consecuencia, cuanto más difícil resulte el derecho de separación en una sociedad, menos atractiva resultará su inversión por terceros, ante la incertidumbre existente sobre el retorno de su aportación». Ciertamente no se alcanza a ver cómo la regulación *ad nutum* va a generar una atracción y tutela de la inversión, cuando precisamente las inversiones específicas que se vehiculizan a través de las sociedades cerradas exigen un compromiso duradero, una fidelidad definida a través de deberes de conducta y, en general, una implicación personal en el proyecto empresarial por parte de los socios, factores incompatibles con un derecho de salida fácil que perjudicaría la estabilidad financiera de la empresa.

Así, el hecho de ofrecer al socio de una sociedad capitalista la misma facilidad para salir que tiene el socio de la sociedad personalista sería únicamente factible en sociedades que carecen de activos críticos. En dicha tipología social no importa que haya un cierto tráfico de salida y entrada de socios, porque aunque el elemento de *affectio societatis* sea esencial para su formación y funcionamiento normal, al no haber activos críticos, la sociedad podría reorganizarse patrimonialmente sin menoscabo para sí ni para los socios, cuando alguno decidiera salirse o separarse voluntariamente. Sin embargo, si la sociedad 50-50 tuviera activos críticos, como es habitual en la sociedad conjunta que sirve de estructura formal para canalizar una *joint venture*, la configuración de un derecho de salida «fácil» podría traer consigo más efectos negativos que positivos, al dificultar la captación de recursos financieros.

Por todo ello, tanto la tipología corporativa elegida como la presencia o ausencia de activos críticos incidirán determinantemente a la hora de valorar la amplitud del derecho de separación que se quieran dar los contratantes, en orden a controlar y limitar *ex ante* los costes que tendría la salida de uno de ellos del proyecto empresarial.

## Bibliografía

ALFARO, J., «*In dubio, contra libertatem*: cláusulas estatutarias de separación *ad nutum* en la doctrina de la Dirección General de Registros», *Revista de Derecho de Sociedades*, núm. 23, 2004, pág. 247.

ALFARO, J./CAMPINS VARGAS, A., «La liquidación del socio que causa baja como consecuencia de su separación o exclusión», en *Derecho de sociedades: libro homenaje al profesor Fernando Sánchez Calero*, vol. 3. Madrid, 2002, págs. 3151-3188.

ALONSO ESPINOSA, F. J., «La posición jurídica del socio en la Ley 2/1995, de 23 de marzo, de sociedades de responsabilidad limitada (aspectos generales)», *Revista de Derecho de Sociedades*, núm. 4, 1995, pág. 26.

ALONSO LEDESMA, C., «La autonomía de la voluntad en la exclusión y separación de socios», *Revista de Derecho Mercantil*, núm. 287, 2013.

BONARDELL LENZANO, R./CABANAS TREJO, R. *Separación y exclusión de socios en la sociedad de responsabilidad limitada*. Pamplona, 1998.

BRENES CORTÉS, J. *El derecho de separación del accionista*. Madrid, 1999.

CAMPINS VARGAS, A. *La sociedad profesional*. Madrid, 2000.

— «Derecho de separación por no reparto de dividendos: ¿es un derecho disponible por los socios?», *La Ley*, núm. 7824, 2012, págs. 7 y 9.

DUQUE, J. F., «Las formas del derecho de separación del accionista y la reorganización jurídica y financiera de la sociedad», *Boletín de Estudios Económicos*, núm. 139, abril 1990.

ECHEBARRÍA SÁENZ, J. A., «El derecho de separación del socio en la SRL [comentario a la STS de 10 de febrero 1997 *(Tol 215355)*]», *Revista de Derecho de Sociedades*, núm. 9, 1997, págs. 390-402.

EINSENBERG, M. A., *The Structure of the Corporation: A Legal Analysis*. Boston, 1976.

EMPARANZA, A., «Artículo 346. Causas legales de separación» en ROJO/BELTRÁN (dirs.). *Comentarios a la Ley de Sociedades de Capital*. Cizur Menor, 2011.

FARRANDO MIGUEL, I. *El derecho de separación del socio en la Ley de Sociedades Anónimas y la Ley de Sociedades de Responsabilidad Limitada*. Madrid, 1998.

FELIÚ REY, J., «Derecho de separación, flexibilización societaria y autonomía de la voluntad», *Derecho de los Negocios*, núm. 260, 2012, págs. 23-27.

FELIÚ REY, M. I., «Comentario a la Sentencia de 15 de noviembre de 2011. Separación *ad nutum* del partícipe en la sociedad de responsabilidad limitada», *Cuadernos Civitas de Jurisprudencia Civil*, núm. 90, 2012, pág. 7.

FERNÁNDEZ DEL POZO, L., «La arbitrabilidad de un derecho estatutario de separación por "justa causa" en una Sociedad Anónima. En torno a la STC de 17 de enero de 2005 *(Tol 570195)*», *Revista de Derecho de Sociedades*, núm. 26, 2006, págs. 269-309.

FRAMIÑÁN, SANTAS, F. J. *La exclusión del socio en la sociedad de responsabilidad limitada*. Granada, 2005, pág. 149.

FRÈ, G., «Della Società per azioni (Arts. 2325-2461)», en SCIALOJA, A./BRANCA, G. *Commentario del Codice civile*, 6ª ed. Bolonia, 1997, págs. 601-616.

GALGANO, F., «Le società per azioni», en GALGANO (dir.). *Trattato di diritto commerciale e di diritto pubblico dell'economina*, Tomo VII. Padua, 1988, pág. 412.

GARCÍA PÉREZ, R., «La salida voluntaria y forzosa del socio profesional y su reflejo en las cláusulas estatutarias de separación y exclusión», en TRIGO GARCÍA/FRAMIÑÁN SANTAS (Coords.), *Estudios sobre sociedades profesionales: Ley 2/2007, de 15 de marzo, de sociedades profesionales*, Madrid, 2009, págs. 183-204.

GARCÍA SANZ, A., «Derecho de separación en caso de falta de distribución de dividendos», *Revista de Derecho de Sociedades*, núm. 38, 2012, pág. 57.

GARCÍA VILLAVERDE, R. *La exclusión de socios*. Madrid, 1977, pág. 23.

GIMENO BEVIÁ, V., «Derecho de separación *ad nutum* y prestaciones accesorias», *Revista de Derecho de Sociedades*, núm. 42, 2014, págs. 280-305.

GIRÓN, J. *Derecho de Sociedades Anónimas (Según la Ley de 17 de julio de 1951)*. Valladolid, 1952.

GONZÁLEZ CASTILLA, F., «Reformas en materia de separación y exclusión de socios», en FARRANDO MIGUEL, I./GONZÁLEZ CASTILLA, F./ RODRÍGUEZ ARTIGAS, F. (coords.), *Las reformas de la Ley de Sociedades de Capital*, 2ª ed. Cizur Menor, 2012, págs. 303-357.

IBÁÑEZ ALONSO, J., «Posible admisión de una cláusula de separación *ad nutum* en una SRL y sistema de valoración de las participaciones. Comentario a la Resolución de la Dirección General de los Registros y del Notariado de 2 de noviembre de 2010», *Revista de Derecho de Sociedades*, núm. 36, 2011, pág. 463.

IRACULIS ARREGUI, N., «La separación del socio sin necesidad de justificación: por no reparto de dividendos o por la propia voluntad del socio», *Revista de Derecho de Sociedades*, núm. 38, 2012, pág. 231.

LUCEÑO OLIVA, J. L., «Estatutos y derecho de separación *ad nutum*», *Actualidad jurídica Aranzadi*, Nº 842/2012 (BIB 2012/899).

MARTÍ MIRAVALLS, J., «La ampliación del derecho de separación del socio en las sociedades de capital cerradas», en HIERRO ANIBARRO, S. (Dir.), *Simplificar el Derecho de Sociedades*, Madrid, 2010, pág. 496.

MARTÍNEZ MUÑOZ, M., «El derecho de separación del socio en las sociedades de capital y su regulación en el Anteproyecto de Ley de Código Mercantil», *CEF Legal. Revista Práctica de Derecho*, núm. 175-176, 2015, págs. 5-44.

MARTÍNEZ ROSADO, J., «Conductas opresivas de la mayoría frente a la minoría en las sociedades cerradas (a propósito del art. 18 de la propuesta de reglamento de la Sociedad Privada Europea y de la Regulación Norteamericana)», en ALONSO LEDESMA, C./ALONSO UREBA, A./ESTEBAN VELASCO, G. (Dirs.), *La modernización del Derecho de sociedades de capital en España. Cuestiones pendientes de reforma*, Tomo I, Cizur Menor, 2011, págs. 325-362.

MARTÍNEZ SANZ, F. *La separación del socio en la sociedad de responsabilidad limitada*. Madrid, 1997.

MASTURZI, S., «Il recesso ex art. 2343 Cod. Civ.», *Rivista del diritto commerciale e del diritto generale delle obbligazioni*, núm. 4, 2011, vol. 109, págs. 905-920.

MIQUEL RODRÍGUEZ, J., «Reflexiones sobre los deberes de fidelidad de socios y accionistas», en SÁEZ GARCÍA DE ALBIZU, J. C./OLEO BANET, F./MARTÍNEZ FLÓREZ, A. (coords.), *Estudios de Derecho Mercantil: en memoria del Profesor Aníbal Sánchez Andrés*, Cizur Menor, 2010, pág. 469.

MOTOS GUIRAO, M., «La separación voluntaria del socio en el Derecho Mercantil español», *Revista de Derecho Notarial*, núm. 11, 1956, págs. 79-182.

NOVAL PATO, J., «La acción de exclusión del socio: plazo de ejercicio y legitimación: Sentencia de la Audiencia Provincial de Asturias núm. 209/2006 (Sección 1ª), de 1 de junio de 2006 *(Tol 981958)*», *Revista de derecho de sociedades*, núm. 27, 2006, págs. 475-484.

PERALES VISCASILLAS, M. P. *El derecho de separación del socio en las sociedades de capital*. Madrid, 2001.

PERALES VISCASILLAS, M. P., «Origen, evolución y tendencias actuales del *appraisal right* estadounidense (el derecho de separación y de exclusión del socio)», *Actualidad Civil*, núm. 2000-2, pág. 765, WERTHEIMER, B. M., «The shareholders' appraisal remedy and how courts determine fair value», *Duke Law Journal*, 1998, vol. 47, núm. 4, págs. 613-614.

PERDICES HUETOS, A. B., «Comentarios al art. 108 LSC», en ROJO/BELTRÁN (dirs.). *Comentario de la Ley de Sociedades de Capital*, Tomo II. Madrid, 2011, pág. 893 y sigs.

RETORTILLO ATIENZA, O., «La posible enervación del derecho de separación (Orientación del Tribunal Supremo en la Sentencia de 23 de enero de 2006 *(Tol 815668)*», *Revista de Derecho de Sociedades*, Nº 28, 2007, págs. 315-326.

RODAS PAREDES, P. *La separación del socio en la Ley de sociedades de capital*. Madrid, 2013.

SÁNCHEZ ANDRÉS, A., «La acción y los derechos del accionista», en *Comentario al régimen legal de las sociedades mercantiles*, Tomo IV, Vol. 1º, Madrid, 1994, pág. 104.

SÁNCHEZ-CALERO GUILARTE, J., «La transmisión de las participaciones sociales y el derecho de separación en la sociedad limitada. Breve reflexión en torno al artículo 95.c) LSRL», *Revista de Derecho de Sociedades*, núm. 6, 1996, págs. 11-26.

SEQUEIRA MARTÍN, A., «Derecho de separación y la exclusión del socio», *Revista de Derecho de Sociedades*, núm. 36, 2011, págs. 189-201.

TRIUNFANTE, A. *A tutela das minorías nas sociedades anónimas.* Coimbra, 2004, pág. 437 y sigs.

ULMER, P. *Principios fundamentales del Derecho alemán de sociedades de responsabilidad limitada.* Madrid, 1999 (traducción: J. Alfaro).

URÍA, R., «La transformación de las sociedades anónimas y el derecho de separación del accionista», *Boletín del Ilustre Colegio de Abogados de Madrid,* enero-febrero 1953, pág. 40.

URÍA, R./MENÉNDEZ, A./IGLESIAS PRADA, J. L., «La sociedad de responsabilidad limitada: exclusión y separación de socios», en URÍA/MENÉNDEZ. *Curso de Derecho Mercantil,* 2ª ed., Tomo I. Cizur Menor, 2006, págs. 1261-1287.

VÁZQUEZ LÉPINETTE, T., «La separación por justa causa tras las recientes reformas legislativas», *Revista de Derecho Mercantil,* núm. 283, enero-marzo 2012, págs. 169-196.

VELA TORRES, P. J., «El derecho de separación del socio en las sociedades de capital: una reforma incompleta y parcialmente fallida», *Derecho de los Negocios,* núm. 268, 2013, págs. 53-61.

VELASCO ALONSO, A. *El derecho de separación del accionista.* Madrid, 1976.

VELASCO SAN PEDRO, L., «Amortización de participaciones y responsabilidad de los socios reembolsatarios», *Revista de Derecho de Sociedades,* núm. 17, 2001, págs. 31-46.

# 14. Causas de separación de socios en las sociedades laborales: entre la ley de sociedades de capital y la de sociedades laborales y participadas[*]

**ROSALÍA ALFONSO SÁNCHEZ**
*Catedrática de Derecho Mercantil*
*Universidad de Murcia*

**Sumario:** I. INTRODUCCIÓN. II. CAUSAS LEGALES DE SEPARACIÓN DE SOCIOS EN LAS SOCIEDADES LABORALES. 1. Una causa legal de separación de socios específica de la sociedad laboral: la pérdida de la condición «laboral» de la sociedad. 2. Una causa legal de separación de socios que en la sociedad laboral no asiste a los socios trabajadores: la falta de distribución de dividendos (arts. 348.bis LSC y 16.2 LSLP). 2.1. En general, la falta de distribución de dividendos. 2.2. Exclusión de los socios trabajadores del derecho de separación. 2.3. Los requisitos del art. 348.bis LSC. 3. Causas legales de separación de socios comunes a todas las sociedades de capital con especialidades en sede de sociedades laborales. 3.1. Reactivación de la sociedad disuelta (art. 346.1.c LSC). 3.2. La modificación del régimen de transmisión de las participaciones sociales (art. 346.2 LSC). 3.3. Transformación de la sociedad (arts. 346.3 LSC, 15 LME y 16.1 LSLP). 3.4. Fusión transfronteriza intracomunitaria con traslado de domicilio en otro Estado miembro (arts. 62 LME y 16.1 LSLP). 3.5. Traslado de domicilio al extranjero (arts. 99 LME y 16.1 LSLP). 3.6. Supuestos en el marco de la sociedad anónima europea (SAE). 4. Causas legales de separación de socios comunes a todas las sociedades de capital sin especialidades en sede de sociedades laborales (recordatorio). III. CAUSAS ESTATUTARIAS DE SEPARACIÓN DE SOCIOS. Bibliografía.

---

[*] El presente trabajo se enmarca en los siguientes proyectos: 1. «La renovación tipológica en el Derecho de Sociedades contemporáneo», del Ministerio de Economía y Competitividad (DER2013-44438-P). 2. «La necesaria y conveniente actualización del Régimen jurídico de las sociedades laborales: su idoneidad al servicio del emprendedor», de la Agencia de Ciencia y Tecnología de la Región de Murcia-Fundación Séneca (19311/PI/14). Este trabajo es parte del capítulo de mi autoría «Separación y exclusión de socios en las sociedades laborales», en AA.VV., *El nuevo régimen jurídico de las sociedades laborales* (Dir. ANDREU MARTÍ), Ed. Aranzadi-Thomson Reuters, Cizur Menor, 2017, págs. 135-183.

# I. INTRODUCCIÓN

En las sociedades de capital, la separación y la exclusión de socios son instituciones que permiten resolver conflictos relevantes y duraderos entre mayoría y minoría al compatibilizar la liquidación de la relación societaria devenida insoportable para alguna de las partes con el mantenimiento del resto de relaciones y la continuidad de la organización social. Así, la mayoría puede desvincularse de la relación que mantiene con uno o varios socios cuya conducta o circunstancias resulten perturbadoras para la obtención del fin a través de la *exclusión;* y el socio puede desligarse de la relación que le vincula con la mayoría social cuando concurran razones que hagan inexigible frente a él la conservación de esa relación gracias al derecho de *separación.* En ninguno de los casos se hace necesario liquidar la sociedad[1].

El derecho de separación se concibe como un derecho individual del socio a darse voluntariamente de baja de la sociedad cuando concurra alguna de las circunstancias previstas en la Ley o en los estatutos y coincidan los presupuestos en ella determinados. La exclusión de socios es, por su parte, un mecanismo a través del cual el socio deja de serlo contra su voluntad, por acuerdo adoptado por la junta general basado en el incumplimiento de alguna obligación legal o estatutaria.

Lo descrito resulta aplicable, lógicamente, a la sociedad laboral. Hasta la promulgación de la Ley 44/2015, de 14 de octubre, de Sociedades Laborales y Participadas (LSLP), el legislador no había considerado necesario dedicar precepto alguno a esta materia, resultando de aplicación directa lo dispuesto para las sociedades anónimas o de responsabilidad limitada, según el caso[2]. La Ley vigente, por el contrario, dedica un precepto a la separación y exclusión de socios (art. 16) que, lejos de contener el régimen completo de tales institutos, alude tan sólo a concretos aspectos de la especialidad «laboral» que se han de insertar en las previsiones contenidas en la LSC en dicha materia (arts. 346-359 LSC). Así, la descalificación como laboral de la sociedad se convierte en causa de separación del socio especí-

---

[1]    URÍA, R./MENÉNDEZ, A./IGLESIAS, J. L., «Capítulo 47. La sociedad de responsabilidad limitada: exclusión y separación de socios», URÍA, R./MENÉNDEZ, A., *Curso de Derecho Mercantil,* T. I, Ed. Civitas, Madrid, 1999, págs. 1145-1167, pág. 1145. Ambas instituciones pueden incardinarse en la terminación de las relaciones contractuales en el marco del Derecho contractual general.

[2]    Cfr. art. 2 de la Ley 15/1986, de 25 de abril, de sociedades anónimas laborales (LSAL/1986) y DFPrimera de la Ley 4/1997, de 24 de marzo, de sociedades laborales (LSL/1997).

fica de estas entidades (art. 16.1 LSLP); se declara inaplicable a los socios trabajadores la causa de separación basada en la falta de distribución de dividendos (art. 16.2 LSLP); se incluye como motivo de exclusión el hecho de que el socio incumpla las obligaciones legales en materia de transmisión de acciones y participaciones, o de que realice actividades perjudiciales para los intereses de la sociedad y por las que hubiera sido condenado por sentencia firme a indemnizar a la sociedad los daños y perjuicios causados (art. 16.3 LSLP); se define el destino de las acciones o participaciones de los socios separados o excluidos (art. 16.3 *in fine* LSLP); y se concreta el plazo en el que el socio separado o excluido tendrá derecho a obtener en el domicilio social el valor de sus acciones o participaciones, trasmitidas o amortizadas (art. 16.4 LSLP).

Pese a ello, las especialidades indicadas no son todas las que afloran al materializar un proceso de separación o exclusión de socios de sociedades laborales pues la posible distinta condición de los socios afectados (trabajadores y no trabajadores) y la incidencia de tal realidad en el régimen del capital y, en general, en el carácter laboral de la entidad, hacen que las normas de la LSC deban aplicarse adaptadas al carácter especial del tipo.

El presente trabajo se centra en las causas de separación que podrán alegar los socios de las sociedades laborales, ya sean anónimas o limitadas, distinguiéndose entre causas legales y causas estatutarias. No se olvida, no obstante, que dada la variedad de supuestos que recogen las normas (desde la modificación sustancial del objeto social hasta la falta de reparto de dividendos, pasando por la pérdida de la calificación laboral de la sociedad de este tipo), algunos autores llegan a afirmar la existencia de un derecho de separación por justos motivos[3]. Resulta así que el análisis del juego de las causas de separación repartidas entre la LSC, la LME y la nueva LSLP constituye la columna vertebral del estudio propuesto.

---

[3]    En opinión de ALFARO ÁGUILA-REAL, J., («La confusión en torno al derecho de separación», Blog del 7-11-2011, http://derechomercantilespana.blogspot.com. es/2011/11/la-confusion-en-torno-al-derecho-de.html) aunque ni la Ley ni los Estatutos sociales lo establezcan, el socio de una sociedad de capital puede separarse cuando concurran justos motivos de separación, como puede ser cuando a) la mayoría esté realizando actos de opresión continuada; b) se hayan modificado sustancialmente los términos en los que el socio se hizo socio, o c) concurran circunstancias personales en el socio o en los demás socios que hagan inexigible para el socio que desea separarse continuar en la sociedad. Véase, SAP-Salamanca 3-11-2010 *(Tol 2016817).*

## II. CAUSAS LEGALES DE SEPARACIÓN DE SOCIOS EN LAS SOCIEDADES LABORALES

A las sociedades laborales les resultan de aplicación, con carácter supletorio, las normas correspondientes a las sociedades anónimas o limitadas [según sea la forma de la sociedad laboral], pues así lo dispone la DFTercera LSLP. De este modo, los socios podrán quedar separados por las causas legales previstas en la LSC y en la LME, con las posibles especialidades que para las sociedades laborales establece la LSLP o se derivan del particular régimen jurídico que contiene.

En el presente epígrafe la atención se centra, en primer lugar, en una causa legal de separación que introduce la LSLP y que, obviamente, resulta exclusiva para las sociedades laborales; en segundo lugar se analiza una causa común en las sociedades de capital pero que en la sociedad laboral se particulariza al dejar excluidos del derecho de separación a un grupo de socios; en tercer lugar se revisan otras causas legales comunes en las que la «laboralidad» de la sociedad introduce algunas consecuencias especiales; finalmente se relatan las causas de separación de socios a las que no afecta el carácter laboral de la entidad.

### 1. Una causa legal de separación de socios específica de la sociedad laboral: la pérdida de la condición «laboral» de la sociedad

La sociedad laboral puede perder su calificación («laboral») cuando concurra alguna de las circunstancias previstas en el art. 15 LSLP y este hecho, en principio, abre para los socios (para todos ellos) la posibilidad de separarse de la sociedad (art. 16.1 LSLP). Ahora bien, si atendemos a la dicción literal del precepto, en él se indica que «(l)a pérdida de la calificación (...) *podrá ser* causa legal de separación», lo que permite preguntar si es que acaso una causa legal de separación puede no serlo; o dicho de otro modo, cuándo la descalificación de la sociedad como laboral es causa «legal» de separación. La respuesta a este interrogante viene dada, a nuestro juicio, por dos previsiones contenidas en la LSLP. Una de ellas guarda relación con las causas de descalificación del art. 15 LSLP; otra está vinculada a las causas estatutarias de disolución (art. 15.6 LSLP).

a) Si atendemos a las causas de pérdida de la calificación «laboral», existen dos causas legales o forzosas, esto es, objetivas y verificables por la Administración (arts. 15.1 y 1.3 LSLP)[4], y una causa voluntaria y que se expresa en la decisión de abandonar la condición «laboral» adoptada en junta general (art. 15.4 LSLP). Pues bien, en este escenario la descalificación sólo es causa legal de separación *para todos los socios* en los supuestos legales (forzosos) de pérdida de la condición laboral, ya que la descalificación basada en el acuerdo de la junta general sólo podrá ser alegada como causa legal de separación *por los socios que no hubieran votado a favor del acuerdo* (art. 16.1 LSLP)[5].

b) Por lo que hace a las causas de disolución, el hecho de que como causa estatutaria se incluya la pérdida de la condición de sociedad «laboral» (art. 15.5 LSLP), independientemente de que tal pérdida sea por causa legal o voluntaria, hace inviable un simultáneo derecho de separación del socio basado en la descalificación de la sociedad puesto que disolución total y disolución parcial son institutos incompatibles entre sí[6]. De modo que, materializada la opción estatutaria de considerar causa de disolución la pérdida del carácter laboral de la sociedad, la descalificación deja de operar como causa legal de separación, ya que la sociedad iniciará el camino hacia su extinción.

## 2. Una causa legal de separación de socios que en la sociedad laboral no asiste a los socios trabajadores: la falta de distribución de dividendos (arts. 348.bis LSC y 16.2 LSLP)

Señala el art. 16.2 LSLP que el derecho de separación en caso de falta de distribución de dividendos previsto en el artículo 348.bis LSC, no será

---

[4]   A saber, la superación de los límites establecidos en el art. 1 LSLP (mayoría del capital en manos de trabajadores indefinidos, límite del tercio del capital por socio, límite horas trabajadas por no socios), sin perjuicio de las excepciones previstas en el mismo, y la falta de dotación, la dotación insuficiente o la aplicación indebida de la reserva especial (art. 15.1 LSLP).

[5]   Sobre esta cuestión, ALFONSO SÁNCHEZ, R., «Capítulo V. Separación y exclusión de socios las sociedades laborales», AA.VV., *El nuevo régimen jurídico de las sociedades laborales* (Dir. ANDREU MARTÍ), Ed. Aranzadi-Thomson Reuters, Cizur Menor, 2017, págs. 135-183, págs. 154-157.

[6]   Por todos, SÁNCHEZ RUIZ, M., «Separación y exclusión de socios. La nueva regulación legal de la salida de socios en las sociedades laborales», *XVI Congreso de Investigadores en Economía Social y Cooperativa*, 2016, págs. 1-21, pág. 5. Disponible en http://ciriec.es/eventos/xvi-congreso-de-investigadores-en-economia-social-y-cooperativa/comunicaciones/?search-by=paper-type&search-paper-type=853&search-keyword=0&search-string=

de aplicación a los socios trabajadores de la sociedad laboral. Veamos en qué consiste esta causa de separación y las consecuencias de la exclusión de los socios trabajadores de la posibilidad de ejercicio de este derecho.

## 2.1. En general, la falta de distribución de dividendos

El art. 348.bis LSC permite al socio minoritario de una sociedad no cotizada separarse de ella si del ejercicio económico no se reparte al menos un tercio de los beneficios obtenidos en la explotación del objeto social[7]. La previsión pretende poner fin a la práctica consistente en la negativa sistemática a repartir dividendos, estrategia normalmente utilizada por el socio mayoritario para expropiar al minoritario y que suele ir acompañada de la percepción por aquél de salarios u otras prebendas asociadas al control, o de transacciones sobre las propias participaciones o acciones que diluyen al minoritario o le obligan a poner más recursos bajo el control del mayoritario[8]. El propósito no es reconocer al socio un derecho a un

---

[7]   Para una crítica del precepto, tanto desde el punto de vista económico como jurídico, SILVÁN RODRÍGUEZ, F./PÉREZ HERNANDO, I., «Derecho de separación y dividendos: El controvertido artículo 348 bis LSC», *Diario La Ley,* nº 7813, 7-3-2012, págs. 1-8; y SILVA SÁNCHEZ, M. J./SAMBEAT SASTRE, J. M., «Análisis y crítica del artículo 348 bis de la Ley de Sociedades de Capital», *Diario La Ley,* nº 7844, 24-4-2012, págs. 1-8.

[8]   La doctrina discute sobre la posibilidad de derogación estatutaria de esta causa de separación. Por ejemplo, ALFARO ÁGUILA-REAL, A. («Derecho de separación en caso de sequía de dividendos», *Alerta Mercantil* (CMS Albiñana & Suárez de Lezo), noviembre 2011, págs. 1-7) y CAMPINS VARGAS, A. («Derecho de separación por no reparto de dividendos: ¿es un derecho disponible por los socios?», *Diario La Ley,* núm. 7824, 23-3-2012, págs. 1-10 versión digital), defienden el carácter dispositivo del art. 348.bis LSC y, por tanto el carácter renunciable del derecho de separación que en él se reconoce. Véase también, ALFARO ÁGUILA-REAL, J./CAMPINS VARGAS, A., «Abuso de la mayoría en el reparto de dividendos y derecho de separación del socio en las sociedades de capital», en *Liber amicorum Juan Luis Iglesias* (Coord. GARCÍA DE ENTERRÍA), Civitas Thomson Reuters, Cizur Menor, 2014, págs. 65-93, págs. 82-88. En contra, ILLESCAS, J., «Reparto obligatorio de dividendos en no cotizadas», Expansión.com, 29-9-2011, http://www.expansion.com/accesible/2011/09/29/opinioneditorialyllaves/1317329001.html. De ser admitida la primera interpretación, sería también defendible la posibilidad de restringir el alcance del derecho de separación a través de la inserción por unanimidad de una cláusula estatutaria que condicione o excluya parcialmente su aplicación. Así lo entiende, SÁNCHEZ RUIZ, M., «Separación y exclusión», *cit.,* pág. 12.

dividendo mínimo, sino otorgarle un mecanismo de defensa ante el abuso de derecho que genera no repartir los beneficios sin una causa legítima[9].

Antes de la inclusión de esta causa de separación en la LSC, los tribunales protegían a los socios minoritarios a través de la prohibición del abuso del derecho. Así, partiendo de reconocer la legitimidad de la decisión de reinvertir los beneficios (art. 273.1 LSC), tal reinversión podía ser considerada abusiva (art. 7.2 C.c.) si el impugnante lograba probar que la finalidad del acuerdo social era perjudicar a la minoría. No obstante, cualquier justificación mínimamente razonable para la reinversión era suficiente para declarar válido el acuerdo de no repartir dividendos. De este modo, tan sólo algunas resoluciones dejaban sin efecto los acuerdos de no reparto, declarando en raras ocasiones su nulidad o anulabilidad aunque sin incluir —por lo general— el reconocimiento efectivo del derecho del socio a participar en el reparto de las ganancias. Pese a todo, a finales de los años 90 diversas sentencias de audiencias provinciales llegaron a declarar nulos, por abusivos, los acuerdos sistemáticos de reinversión de beneficios, condenando a las sociedades bien a su reparto de forma proporcional a la participación de los socios, o bien a adoptar acuerdos de reparto en la proporción que la sociedad considerara oportuna[10]. Esta tendencia judicial es la que motivó la promulgación del art. 348.bis LSC[11].

---

[9]    LUCAS MARTÍN, E.P., «Somera descripción de la lógica del art. 348 bis LSC», *Documentos de Trabajo del Departamento de Derecho Mercantil*, 2013/77, EPrints Complutense, págs. 1-25, pág. 6; MARTÍNEZ MUÑOZ, M., «El derecho de separación del socio en las sociedades de capital y su regulación en el anteproyecto de ley de código mercantil», *Revista CEFLEGAL*, núms. 175-176, 2015, págs. 5-44, pág. 28.

[10]    Así, SAP-Valencia 15-9-1997 (Id Cendoj:46250370071997100193)/ STS 26-5-2005 *(Tol 656593)*/ SAP-Madrid 7-10-2005 *(Tol 750274)*/ SAP-Málaga 27-4-2007 *(Tol 1243386)*/ SAP-Murcia 28-11-2008 *(Tol 1479504)*/ SAP-Murcia 27-2-2009 *(Tol 1528745)*/ SAP-Álava 19-10-2010 *(Tol 1998024)*/ SAP-Barcelona 21-1-2011 *(Tol 2181119)*/ SAP-Gerona 21-3-2013 *(Tol 3760209)*.

[11]    Según el razonamiento de la enmienda que propició la incorporación del precepto a la LSC (GP-Popular), si la Junta General evita año tras año repartir dividendos, vulnera el derecho del socio a participar en las ganancias sociales, haciendo ilusorio el propósito que le animó a incorporarse a la sociedad y convirtiéndose en uno de los principales factores de conflictividad. El reconocimiento del derecho de separación se concibe como un mecanismo técnico adecuado tanto para garantizar un reparto parcial periódico como para reducir tal conflictividad, al tiempo que posibilita el aumento de los fondos propios —al permitir que se destinen dos tercios de esas ganancias a la dotación de reservas— satisfaciendo, simultáneamente, la legítima expectativa del socio.

Pero quizá el momento para la incorporación de este mecanismo a la LSC, en plena crisis económica, no fue el más adecuado[12]. Y es por ello que, para evitar que el ejercicio por los socios del derecho de separación en caso de ausencia de reparto de dividendos pudiera comprometer la viabilidad de empresas no cotizadas en situación de dificultad, se decide en junio de 2012 suspender su aplicación hasta el 31 de diciembre de 2014[13], y se vuelve a suspender en 2014 hasta el 31 de diciembre de 2016[14]. En definitiva, el precepto sólo llegó a estar vigente entre el 2 de octubre de 2011 y el 23 de junio de 2012, y volverá a estarlo el 1 de enero de 2017.

Pese al escaso tiempo de vigencia, la aplicación del precepto permitió procesos de separación que no se vieron interrumpidos —ni expresa ni tácitamente— al suspenderse su aplicación. Las solicitudes de separación iniciadas mientras el art. 348.bis LSC estuvo vigente fueron consideradas eficaces y se continuó con su tramitación; lo contrario hubiera vulnerado diversos principios constitucionales como el de seguridad jurídica[15]. Así pues, la suspensión del art. 348.bis LSC sólo resultó operativa para aquellas situaciones en las que el derecho de separación no llegó a ser ejercitado[16]. Como consecuencia, los tribunales han tenido ocasión de pronunciarse sobre el precepto, lo que ha resultado de utilidad en orden a interpretar algunas de las cuestiones más controvertidas derivadas de su redacción[17] y sobre las que se volverá *infra*.

## 2.2. Exclusión de los socios trabajadores del derecho de separación

El derecho de separación que regula el art. 348.bis LSC no puede ser ejercitado por los *socios trabajadores* de la sociedad anónima o limitada la-

---

[12]   El precepto se añade por el art. 1.18 de la Ley 25/2011, de 1 de agosto, de reforma parcial de la LSC y de incorporación de la Directiva 2007/36/CE, del Parlamento Europeo y del Consejo, de 11 de julio, sobre el ejercicio de determinados derechos de accionistas de sociedades cotizadas.

[13]   Suspensión prevista en la DT añadida por el art. 1.4 de la Ley 1/2012, de 22 de junio, de simplificación de las obligaciones de información y documentación de fusiones y escisiones de sociedades de capital.

[14]   Así, DF. 1 del RD-Ley 11/2014, de 5 de septiembre, de medidas urgentes en materia concursal, y DF. 1.2 Ley 9/2015, de 25 de mayo, que lo convalida.

[15]   Esta es fue la decisión del Juzgado de lo Mercantil núm. 9 de Barcelona, de 25-11-2013 *(Tol 3987349)*.

[16]   SAP-Barcelona 26-3-2015 *(Tol 5211752)*.

[17]   SJM-1/Barcelona 21-6-2013 *(Tol 3987665)*; SJM-9/Barcelona, de 25-11-2013 *(Tol 3987349)*; SAP-Barcelona 26-3-2015 *(Tol 5211752)*.

boral[18], socios titulares de la mayoría del capital social y, por tanto —en principio— «socios mayoritarios» de la sociedad laboral (titulares de acciones o participaciones de la clase laboral, art. 5.2 LSLP). Quizá sea esta la razón por la cual no se les reconozca derecho de separación (art. 16.2 LSLP)[19]. Únicamente los socios de la clase general (los que no sean socios trabajadores) podrán decidir abandonar la sociedad ante un acuerdo de reinversión de beneficios adoptado por los [supuestamente] mayoritarios (socios trabajadores)[20].

Podría pensarse que con la previsión expuesta, el art. 16.2 LSLP vendría a romper la regla contenida en el art. 5 LSLP, según la cual *«(l)as acciones y participaciones, sean de la clase que sean (...) conferirán los mismos derechos*

---

[18] Trabajadores que presten en ellas servicios retribuidos de forma personal y directa, en virtud de una relación laboral por tiempo indefinido (art. 1.2.a) LSLP). Entendemos que también entrarían en esta clase los contratados a tiempo parcial pero con carácter indefinido. Así también en la LSL/1997, NEILA NEILA, J. Mª., *Sociedades Laborales. Análisis sistemático de la Ley 4/1997, de 24 de marzo*, Ed. Dykinson, 1998, pág. 23. Quedarían fuera, por el contrario, los socios trabajadores temporales, que sólo podrán ostentar acciones o participaciones de la clase general. Mantenemos así una postura contraria a la de ANDREU MARTÍ, Mª. M. («Fomento de las sociedades laborales: su nuevo régimen jurídico» en AA.VV., *Fomento del trabajo autónomo y la economía social* (Dirs. FARIAS BATLLE, M./FARRANDO GARCÍA, F. M.), Ed. Aranzadi, Pamplona, 2015, págs. 347-367, págs. 364-365), quien considera que la exclusión se extiende a todos los socios trabajadores, con independencia de que sean indefinidos —clase laboral— o temporales —clase general—. La Propuesta de Confesal de 2013 también proponía que la limitación afectara sólo a los socios que fueran trabajadores indefinidos (art. 15.2 PLSL-2013). Los socios con contrato de trabajo de duración determinada no serían «socios trabajadores» y por ello ostentarán acciones o participaciones de la clase general. Así lo entiende también SÁNCHEZ RUIZ, M., «Separación y exclusión», *cit.*, pág. 11.

[19] Además, al ser socios trabajadores quizá la norma pretenda entender que ya reciben el beneficio vía salario. Lo cual es un error ya que, a diferencia de los socios trabajadores de las cooperativas de trabajo asociado, los socios trabajadores de las sociedades laborales no tienen la doble condición de socios y trabajadores. Por eso lo que perciben los socios trabajadores en las cooperativas de trabajo asociado son «anticipos laborales» con respecto al retorno cooperativo; y lo que perciben los de las sociedades laborales son, simplemente, salarios.

[20] Los socios titulares de acciones o participaciones de la clase general son todos *los que no* mantienen con la sociedad laboral una relación de servicios retribuidos de forma personal o directa en virtud de una relación laboral por tiempo indefinido (*cfr.* art. 5.2 LSLP). Pueden ser, pues, socios de capital o socios con contrato laboral que no sea de duración indefinida. Así también, NEILA NEILA, J. Mª., *Sociedades Laborales, cit.*, pág. 147.

*económicos (...)»*, y a admitir, como excepción, acciones o participaciones privilegiadas (que serían las de la clase general) por otorgar a sus titulares un derecho de separación para caso de ausencia de reparto de beneficios —en los términos del art. 348.bis LSC—[21]. No creemos, no obstante, que esto sea así. El carácter marcadamente personalista de la sociedad laboral impide considerar que la posición de socio devenga (únicamente) de la titularidad de las acciones o participaciones, y ello porque un socio trabajador puede ser simultáneamente (aunque por breve periodo de tiempo) titular de acciones o participaciones de la clase general y de la clase laboral[22], y no por esta razón va a poder ejercitar el derecho de separación en cuanto titular de las de la clase general. En realidad, lo que impide al socio disponer de un derecho de separación en caso de reinversión de beneficios no es la titularidad de una clase u otra de acciones o participaciones, sino el hecho de ser un socio trabajador; y, por ser tal, no puede separarse de la sociedad por imperativo del art. 16.2 LSLP.

Lo indicado evidencia otra debilidad de la razón subyacente en la previsión del art. 16.2 LSLP. El precepto, sustentado en la pretensión de evitar abusos por parte de la mayoría materializados en la falta de reparto de dividendos, considera que tal mayoría será la mayoría de capital, que en las sociedades laborales ha de estar en manos de los socios trabajadores (art. 1.2.a) LSLP)[23]. Pero olvida la norma que en su propio articulado se permi-

---

[21]  Considera que se trata de una excepción a la regla general del art. 5 LSLP, SÁN-CHEZ RUIZ, M., «Separación y exclusión», *cit.*, pág. 11.

[22]  Lo que acontecerá en caso de transmisión por actos *inter vivos,* bien por transmisión libre de acciones o participaciones de la clase general a socios trabajadores (*cfr.*, art. 6.1 LSLP) o bien por adquisición preferente de esa clase de acciones o participaciones por socios trabajadores (art. 6.2.2º LSLP). Y ello porque, aunque tal transmisión supone un cambio de clase por razón de su propietario y tal cambio pueden formalizarlo los administradores sin acuerdo de la junta general, éstos tendrán que modificar los estatutos en el artículo/s afectados y deberán otorgar escritura pública siendo precisa también su inscripción en el Registro de Sociedades Laborales y en el Registro Mercantil (art. 5.3 LSLP), lo que lleva su tiempo. Así que desde que la transmisión se hace efectiva hasta que se materializa el cambio de clase, las acciones o participaciones en manos del socio trabajador adquirente serán de distinta clase: laborales aquéllas de las que ya fuera titular, generales las recién adquiridas (o pendientes de conversión). Lo mismo sucederá en el caso de las acciones o participaciones de la clase general resultado de un aumento de capital que por no ser asumidas por los socios de la clase general se asuman por los socios trabajadores (*cfr.*, art. 11.3 LSLP).

[23]  Mejor hubiera sido seguir en este caso la Propuesta de 19-2-2013 de la Confederación Española de Sociedades Laborales (Confesal), que propugnaba mayoría no

ten privilegios en materia de derechos políticos, ya que el art. 5.1 LSLP sólo exige que las acciones y participaciones [sean de la clase que sean] tengan el mismo valor nominal y confieran «*los mismos derechos económicos*» (nada dice de los derechos políticos)[24]. Ello conlleva, por aplicación supletoria de la LSC, la admisibilidad de participaciones de voto plural en la sociedad limitada laboral (*ex* art. 188.1 LSC)[25] y, por tanto, la posibilidad de que la mayoría de los derechos de voto no estén en manos de quienes ostentan la mayoría del capital (socios trabajadores)[26]. La consecuencia [absurda] será la posibilidad de que los socios no trabajadores[27] de una sociedad limitada laboral, titulares de participaciones con voto plural que les proporcionen mayoría de derechos de voto, sean los que adopten la decisión de no reinvertir los beneficios, no pudiendo los socios trabajadores disconformes (y «víctimas» de la ausencia de reparto) defenderse ejercitando un derecho de separación —que les queda negado por ley—, siendo su único recurso la impugnación del acuerdo que evite el reparto de dividendos cuando existan indicios suficientes de abuso[28].

---

de capital sino de derechos de voto en manos de los socios trabajadores. Sobre esta propuesta, ANDREU MARTÍ, MªM., «Consideraciones sobre la propuesta de reforma de la Ley de Sociedades Laborales», en AA.VV., *Economía social y Derecho. Problemas jurídicos actuales de las empresas de Economía social* (Coord. GÓMEZ MANRESA/PARDO LÓPEZ), Ed. Comares, Granada, 2013, págs. 19-47. Sobre el problema planteado ver, de la misma autora, «Fomento de las sociedades laborales», *cit,* págs. 353-354.

[24]  Se separa así —evidenciando la deficiente técnica legislativa— el articulado de la LSLP de su Preámbulo, en el que se afirma de forma rotunda que *«se incorporan nuevas medidas para asegurar el control de la sociedad por parte de los trabajadores»* y que las acciones y participaciones *«sean de igual valor nominal y (...) confieran los mismos derechos, lo que permite evitar posibles divergencias entre la propiedad del capital y el control efectivo de la sociedad».* Algo que no se materializa en el texto de la ley.

[25]  No así de acciones de voto plural, al prohibir la LSC que se pueda romper la proporcionalidad entre el valor nominal de la acción y el derecho de voto otorgado (art. 96.2 LSC).

[26]  Sobre la posibilidad de la existencia de socios de la clase general investidos, como conjunto, de un mayor número de votos que los correspondientes a los socios de la clase laboral, SANTOS MARTÍNEZ, V., «Sociedades laborales: implantación y renovación de una peculiar figura societaria», en AA.VV., *Libro homenaje a Fernando Sánchez Calero*, Madrid, 2002, vol. IV, págs. 4379 y ss., pág. 4441.

[27]  Entendiendo esta expresión como contrapuesta a la de socios trabajadores.

[28]  No compartimos, por tanto, la argumentación de ANDREU MARTÍ, MªM. («Fomento de las sociedades laborales», *cit.,* pág. 365), que justifica la exclusión del derecho de separación para los socios trabajadores porque «(...) la mayoría del capital la ostentan los socios trabajadores que pueden, en detrimento de los socios

La misma consecuencia se observa en el supuesto de que existan posturas discrepantes entre los propios socios trabajadores sobre la conveniencia
o no del reparto de beneficios, ya que los favorables al reparto no estarán
asistidos por un derecho de separación que actúe como mecanismo de presión frente a los mayoritarios partidarios de la autofinanciación, ni siquiera
en casos de abuso[29]. Su única posibilidad de defensa será la impugnación
del acuerdo de no reparto de beneficios. El supuesto descrito no corresponde a una hipótesis de laboratorio, siendo, por el contrario, el escenario
más evidente el de una sociedad laboral en la que sólo existan socios trabajadores, algo nada infrecuente.

## 2.3. Los requisitos del art. 348.bis LSC

Señala el precepto que el derecho de separación asiste al socio [en
nuestro caso, no trabajador] que hubiera votado a favor de la distribución
de los beneficios sociales si la junta general, a partir del quinto ejercicio
a contar desde la inscripción de la sociedad en el Registro Mercantil, no
acordara la distribución como dividendo de, al menos, un tercio de los
beneficios propios de la explotación del objeto social obtenidos durante el
ejercicio anterior, que sean legalmente repartibles.

Dispone pues la sociedad de cinco ejercicios desde su inscripción para
poder, libremente y sin condicionamientos, reinvertir los beneficios. Cumplido el quinto ejercicio, y ya para los resultados de éste y de los subsiguientes[30], la sociedad habrá de respetar [en cada ejercicio] el reparto de
al menos un tercio de los beneficios propios de la explotación del objeto
social legalmente repartibles[31], si no quiere enfrentarse a la separación de
los socios no trabajadores.

---

minoritarios no trabajadores, negarse, sistemáticamente al reparto de dividendos
con el consiguiente perjuicio para estos».

[29]  Véase SÁNCHEZ RUIZ, M., «Separación y exclusión», *cit.*, pág. 12.

[30]  Según la SJM-9/Barcelona 25-11-2013 *(Tol 3987349)*, el precepto se refiere a los
resultados del quinto ejercicio, por lo que la decisión de su distribución se deberá
adoptar en el sexto ejercicio. En ese sentido, LUCAS MARTÍN, E. P., «Somera
descripción», *cit.*, pág. 13.

[31]  El reparto de dividendos debe producirse en el momento en que la empresa ha
hecho frente a todos sus gastos financieros y ha satisfecho los impuestos (SJM-9/
Barcelona 25-11-2013 *(Tol 3987349)*. Como los beneficios han de ser legalmente
repartibles, se podrá no repartir beneficios cuando la ausencia de reparto se justifique en una limitación legal, como por ejemplo, en la necesidad de compensar

La determinación del beneficio propio de la explotación del objeto social encuentra mayores dificultades interpretativas[32]. Se podría entender como el derivado de la actividad ordinaria de la sociedad, excluyendo los beneficios extraordinarios y las plusvalías susceptibles de ser reflejadas en la contabilidad[33]; pero parece que la interpretación judicial se decanta por el que excluye los beneficios e ingresos de carácter excepcional y cuantía significativa, esto es, los ajenos a la actividad típica de la empresa, originados por operaciones que no se produzcan con frecuencia[34].

## 3. Causas legales de separación de socios comunes a todas las sociedades de capital con especialidades en sede de sociedades laborales

A continuación se analizan las causas legales generales en las que existen previsiones específicas para las sociedades laborales o en las que la especialidad laboral provoca alteraciones en el régimen general del derecho de separación de socios.

### 3.1. Reactivación de la sociedad disuelta (art. 346.1.c LSC)

Siempre que la liquidación no sea el resultado de una de las causas de disolución de pleno derecho, la sociedad disuelta puede acordar su reactivación y el socio separarse por tal decisión. Para que la Junta pueda adoptar el acuerdo, la causa de disolución deberá haber desaparecido, el patrimonio contable deberá ser superior al capital social y no deberá haber comenzado el abono de la cuota de liquidación a los socios.

---

pérdidas o de dotar reservas legales o estatutarias [SJM-9/Barcelona 25-11-2013-*(Tol 3987349)*].

[32]  SÁNCHEZ RUIZ, M., «Separación y exclusión», *cit.*, pág. 10; SILVÁN RODRÍGUEZ, F./PÉREZ HERNANDO, I., «Derecho de separación y dividendos», *cit.*, págs. 7 y 8; BRENES CORTES, J., «Nueva suspensión legal del controvertido art. 348 bis de la Ley de Sociedades de Capital», *Justiça do Direito*, v. 28, no. 1, 2014, págs. 108-132, pág. 118.

[33]  Así, la SJM-9/Barcelona 25-11-2013 *(Tol 3987349)*.

[34]  Así, la SAP-Barcelona 26-3-2015 *(Tol 5211752)*, que revoca en este punto la citada en nota anterior y que vincula el concepto al PGC-2007, habida cuenta que la base del reparto se determina a partir de lo que resulte de las cuentas anuales aprobadas en junta. Los ingresos financieros y los procedentes de subvenciones quedarían incluidos en los beneficios propios de la explotación (*cfr.*, FD 7).

Cabe aquí preguntarse si en el supuesto de una sociedad laboral en cuyos estatutos se hubiera recogido como causa de disolución la descalificación de la sociedad, sería admisible un acuerdo de reactivación. No se ha de ignorar que la Resolución de descalificación es un acto administrativo que puede ser recurrido y, en su caso, anulado de ser estimado el recurso, quedando entonces sin efecto la descalificación[35]. Si por esta circunstancia desapareciera la causa de disolución nada impediría, de darse el resto de requisitos exigidos por el art. 346.1.c) LSC, intentar un acuerdo de reactivación de la sociedad laboral[36].

El riesgo de este acuerdo de reactivación es que la separación de socios que el mismo provoque haga inviable la sociedad como laboral si se infringen los requisitos legales para tal calificación, bien porque la mayoría del capital social no quede en manos de trabajadores que presten en aquélla servicios retribuidos de forma personal y directa, en virtud de una relación laboral por tiempo indefinido, bien porque alguno de los socios pase a ser titular de acciones o participaciones sociales que representen más de la tercera parte del capital social[37]. La sociedad volvería a incurrir entonces en causa de descalificación y, de ser declarada ésta, en causa estatutaria de disolución. Para evitarlo la sociedad laboral podrá utilizar el plazo de dieciocho meses que le concede la Ley para acomodar la situación de sus socios y evitar esa nueva descalificación (*cfr.*, art. 1.2.a) y b) LSLP).

### 3.2. La modificación del régimen de transmisión de las participaciones sociales (art. 346.2 LSC)

En el marco de las sociedades de capital en general, la modificación del régimen de transmisión de *participaciones sociales* es causa de separación en

---

[35] Sobre los problemas que plantea la determinación del momento en que se ha de entender descalificada la sociedad laboral, véase ALFONSO SÁNCHEZ, R., «Capítulo V. Separación y exclusión», *cit.*, págs. 161-164.

[36] Lo que no será admisible, a nuestro juicio, es reactivar la sociedad laboral disuelta [por causa de su descalificación] en forma de sociedad anónima o sociedad limitada según hubiera sido su naturaleza, esto es, burlar la causa de disolución estatutaria y dejarla reducida a un supuesto de modificación de estatutos y adaptación al régimen legal del tipo genérico (sociedad anónima o limitada) del que la sociedad laboral hubiera sido el tipo específico.

[37] Salvo que se trate de socios que sean entidades públicas, de participación mayoritariamente pública, entidades no lucrativas o de la economía social, en cuyo caso la participación podrá superar dicho límite, sin alcanzar el cincuenta por ciento del capital social.

las sociedades de responsabilidad limitada, sin entrar a considerar la relevancia objetiva de la modificación ni el carácter, más o menos gravoso o liberalizador de la misma[38]. Lógicamente la modificación deberá respetar los límites del art. 108 LSC, que declara nulas las cláusulas que hagan prácticamente libre la transmisión voluntaria de las participaciones sociales por actos *inter vivos* y las cláusulas por las que el socio que ofrezca la totalidad o parte de sus participaciones quede obligado a transmitir un número diferente al de las ofrecidas.

Entendemos que los socios de una sociedad *limitada* laboral también quedan asistidos por el derecho de separación ante una modificación del régimen de transmisión de participaciones sociales aunque nada diga expresamente la LSLP, habida cuenta el carácter supletorio de la LSC; sin embargo no existirá tal derecho para los socios de las sociedades *anónimas* laborales, como tampoco lo ostentan los accionistas de las sociedades anónimas generales al no estar previsto en la LSC.

No parece justa esta solución, sobre todo teniendo en cuenta que el régimen de transmisión de acciones o participaciones sociales es común para sociedades anónimas o limitadas laborales (*cfr.*, arts. 6 y 9 LSLP) y que, como veremos *infra*, se puede incorporar a los estatutos la prohibición de transmisión voluntaria por actos *inter vivos* tanto de acciones como de participaciones sociales —si simultáneamente se reconoce a los socios el derecho a separarse de la sociedad en cualquier momento— (art. 8 LSLP), extendiendo así a las sociedades anónimas laborales una posibilidad sólo admitida en la LSC para las sociedades limitadas[39].

---

[38] Algunos autores proponen una interpretación restrictiva donde el derecho de separación sea una solución excepcional, no aplicable a modificaciones tendentes a atenuar las limitaciones a la transmisión. Otros consideran, por el contrario, que la liberalización del régimen de transmisión de participaciones bastaría para ejercitar el derecho de separación en la medida en que modifique el *status quo* de una sociedad tipológicamente cerrada. Sobre la discusión doctrinal, FERNÁNDEZ DE LA GÁNDARA, L., *Derecho de Sociedades*, Vol. II, Ed. Tirant lo Blanch, Valencia, 2010, págs. 1896-1897. Entre quienes defienden la interpretación estricta, BONARDELL, CABANAS, CALAVIA, SÁNCHEZ-CALERO GUILARTE. Entre los detractores, VIERA GONZÁLEZ.

[39] Sobre el régimen de transmisión de la LSLP, ESCUIN IBÁÑEZ, I., «La distinción entre acciones y participaciones de clase general y laboral en la nueva regulación de las sociedades laborales», *XVI Congreso de Investigadores en Economía Social y Cooperativa, CIRIEC-España*, Valencia, 2016, págs. 1-15. Disponible en http://ciriec.es/eventos/xvi-congreso-de-investigadores-en-economia-social-y-coopera-

En definitiva, la modificación del régimen de transmisión de participaciones o acciones que consista en incluir la prohibición de transmisión por actos voluntarios *inter vivos* sólo será causa de separación para los socios de las sociedades *limitadas* laborales, no así para los accionistas de las *anónimas* laborales. Pero una vez introducida la prohibición, tanto unos como otros podrán separarse de la sociedad laboral en cualquier momento, pues es condición para la validez de la prohibición el reconocimiento de un derecho de separación de los socios. Se da así la paradoja de que los accionistas de la sociedad *anónima* laboral, que no tienen derecho de separación al decidir la sociedad la inclusión en estatutos de tal prohibición, sólo tienen que esperar a la materialización de la modificación estatutaria para ejercer entonces el derecho de separación que simultáneamente les habrá quedado reconocido en los estatutos.

### 3.3. Transformación de la sociedad (arts. 346.3 LSC, 15 LME y 16.1 LSLP)

Dependiendo de las circunstancias de la sociedad resultante de la transformación, esta causa requerirá del ejercicio del derecho de separación por parte del socio o actuará de forma automática, lo que sucederá cuando por efecto de la transformación los socios hubieran de asumir una responsabilidad personal por las deudas sociales, pudiendo no obstante adherirse al acuerdo y evitar así la separación (art. 15 LME). La transformación y el derecho de separación que conlleva se rigen por lo dispuesto en los arts. 3-21 LME *ex* art. 346.3 LSC.

En sede de sociedades laborales la especialidad de esta causa de separación de socios tiene que ver con la naturaleza de la sociedad resultante de la transformación. Y es que mientras la transformación tenga como sociedades origen y destino sociedades anónimas o limitadas (transformación homogénea), la calificación laboral de la sociedad puede no verse afectada: laboral será la sociedad (anónima o limitada) de origen y laboral podrá seguir siéndolo la sociedad (anónima o limitada) destino de la transformación. Por el contrario, la transformación de una sociedad laboral fuera del marco de las sociedades anónimas o limitadas (transformación heterogénea), conlleve o no para los socios responsabilidad personal por las deudas sociales, implica la descalificación de la sociedad ya que sólo esas formas sociales pueden ser objeto de calificación «laboral» (art. 1 LSLP). En el

---

tiva/comunicaciones/?search-by=paper-type&search-paper-type=853&search-keyword=0&search-string=

primer caso (transformación sin descalificación) el derecho de separación de los socios de la sociedad laboral viene otorgado por la extensión del régimen de la LME y de la LSC a las sociedades laborales. En el segundo caso (transformación con descalificación), el derecho de separación viene reconocido en la propia LSLP (*cfr.*, art. 16.1)[40].

### 3.4. Fusión transfronteriza intracomunitaria con traslado de domicilio en otro Estado miembro (arts. 62 LME y 16.1 LSLP)

Los socios de las sociedades españolas participantes en una fusión transfronteriza intracomunitaria cuya sociedad resultante tenga su domicilio en otro Estado miembro podrán separarse de la sociedad conforme a lo dispuesto en el Título IX de la Ley de Sociedades de Capital (art. 62 LME), por lo que se aplican las reglas de los arts. 346 y ss. LSC. No se aprecia en este caso más especialidad predicable en caso de sociedades laborales que la descalificación que se derivaría para la sociedad laboral que actuara como sociedad absorbente con traslado de domicilio en otro Estado miembro, habida cuenta que la sociedad laboral es en la Unión Europea una figura exclusiva del Ordenamiento español. El derecho de separación asistiría entonces a los socios bien por aplicación del art. 62 LME, bien por la del art. 16.1 LSLP en caso de descalificación.

### 3.5. Traslado de domicilio al extranjero (arts. 99 LME y 16.1 LSLP)

Es causa de separación el acuerdo de traslado al extranjero del domicilio social de la sociedad mercantil española inscrita[41] pues el traslado conlleva la adopción de una nueva nacionalidad y la modificación de la *lex societatis*. Para que el traslado pueda realizarse, el Estado de destino ha de permitir el mantenimiento de la personalidad jurídica de la sociedad (art. 93 LME), rigiéndose por lo dispuesto en los Tratados o Convenios Internacionales vigentes en España y en la LME (art. 92 LME)[42]. El modelo de

---

40 Se trataría de una separación por descalificación consecuencia de un acuerdo adoptado en Junta, siendo el acuerdo el de transformación en una forma social no apta para recibir la calificación de laboral.

41 Para protección de acreedores, las sociedades en liquidación y las sociedades declaradas en concurso tienen restringido su derecho a trasladar su domicilio al extranjero (art. 93.2 LSC).

42 La LME establece como nuevo presupuesto de validez del traslado que el ordenamiento del país de destino admita el mantenimiento de la personalidad jurídica.

sede real es el que encaja con el presupuesto de validez impuesto por la LME. Aunque la sociedad haya sido constituida conforme a ley española puede, por voluntad de los socios, trasladar su domicilio para continuar su actividad en otro país sin que ello conlleve pérdida de la personalidad jurídica siempre que no imponga este efecto el país de origen ni el de destino. Y ello va a depender del modelo de atribución de nacionalidad y, en consecuencia, de determinación de la ley aplicable que prime en su Ordenamiento. Los países que adoptan un modelo de sede real serán los que admitan el traslado con mantenimiento de la personalidad jurídica.

Ahora bien, el traslado del domicilio de la sociedad laboral al extranjero provocará la pérdida de la condición laboral de la entidad habida cuenta que esta condición no tiene paralelo en otros Ordenamientos[43]; la «laboralidad», por tanto, sólo produce efectos para las sociedades españolas domiciliadas en España. Por esta razón, como en los supuestos anteriores, el derecho de separación podrán ejercitarlo los socios tanto en aplicación del art. 99 LME como por virtud del art. 16.1 LSLP con base, en este caso, en la pérdida de la condición laboral de la sociedad.

## 3.6. Supuestos en el marco de la sociedad anónima europea (SAE)

El traslado del domicilio de una SAE domiciliada en España a otro Estado miembro (art. 461 LSC), la fusión en la que intervenga una sociedad anónima española que implique la constitución de una SAE domiciliada en otro Estado miembro (art. 468 LSC), y la absorción de una sociedad anónima española por una SAE domiciliada en otro estado miembro (art. 468 LSC) son causas legales de separación de socios. También lo es la promoción de una SAE holding para los socios de las sociedades anónimas españolas promotoras (art. 473 LSC). Pues bien, como en los supuestos vistos en las letras anteriores, si en cualquiera de las situaciones aquí enunciadas

---

La viabilidad de la operación ya no queda vinculada a la existencia de un convenio o tratado entre España y el país de destino; la referencia a ellos es sólo aclaratoria de que de existir, la sociedad que emigre deberá cumplir no sólo con las provisiones contenidas en la LME, sino también con lo acordado entre en el tratado o convenio.

[43]   A excepción de los ejemplos de Argentina (Decreto 1406/2001 sobre sociedades laborales y Anteproyecto de Ley Federal sobre cooperativas y mutuales, de 2015) y Costa Rica (Ley 7407 de 3 de mayo de 1994, y reglamento, aprobado por Decreto 24202-MTSS de 22 de diciembre de 1994); incluso de Colombia, con su Ley 10 de 1991 relativa a las Empresas Asociativas de Trabajo.

la SAE laboral perdiera tal calificación, la separación de los socios podría venir avalada, además, por el art. 16.1 LSLP.

### 4. Causas legales de separación de socios comunes a todas las sociedades de capital sin especialidades en sede de sociedades laborales (recordatorio)

Por último, tan sólo recordaremos las causas legales de separación de socios comunes a todas las formas sociales de capital en las que el carácter laboral de la entidad no implica previsiones específicas y tampoco provoca alteraciones en el régimen general del derecho de separación de socios. Se trata de la sustitución o modificación sustancial del objeto social (art. 346.1.a LSC), la prórroga de la sociedad (art. 346.1.b LSC) y la creación, modificación o extinción anticipada de la obligación de realizar prestaciones accesorias, salvo disposición contraria de los estatutos (art. 346.1.d LSC)[44].

## III. CAUSAS ESTATUTARIAS DE SEPARACIÓN DE SOCIOS

Los estatutos pueden establecer otras causas de separación distintas a las previstas en la LSC, determinando, además, el modo en que deberá acreditarse la existencia de la causa, la forma de ejercitar el derecho de separación y el plazo de su ejercicio (art. 347.1 LSC)[45]. Para incorporar a los estatutos estas causas, para modificarlas o suprimirlas será necesario el consentimiento de todos los socios (art. 347.2 LSC).

Se discute si tal norma admite o no las cláusulas de *separación ad nutum*. El Tribunal Supremo afirma que el precepto no veta la posibilidad de configurar como causa estatutaria de separación la decisión unilateral del socio y que tal admisión no vulnera el art. 1256 CC ya que no queda al arbitrio de uno de los socios la validez y eficacia del contrato de sociedad, sino que se le faculta (por vía estatutaria, no por el contrato de sociedad) para

---

[44] Sobre estas causas, ALFONSO SÁNCHEZ, R., «Capítulo IX. Estatuto Jurídico del socio (II). Separación y Exclusión», AA.VV., *Derecho de sociedades de capital* (Dir. EMBID), 2ª ed. Ed. Marcial Pons, Madrid, 2016, págs. 206-224, págs. 207-208.

[45] En ese sentido se manifestaba la DGRN en su Resolución de 25-9-2003. Sobre la posibilidad de incluir en estatutos una cláusula de preaviso, si bien con relación a una SRL profesional, véase ANDREU MARTÍ, MªM., «Comentario a la RDGRN de 7 de febrero de 2012», AA.VV., *Archivo Commenda de Jurisprudencia societaria (2011-2012)*, Dir. EMBID IRUJO, Ed. Comares, Granada, 2014, págs. 108-113.

el ejercicio del derecho potestativo unilateral de separarse de un contrato de duración indefinida[46].

La LSC proporciona un ejemplo de causa estatutaria de separación que reproduce también la LSLP aunque con una importante modalización. En efecto, en el marco de la LSC el derecho de separación se ha de incorporar [necesariamente] en los estatutos de una *sociedad de responsabilidad limitada* cuando en ellos se prohíba la transmisión voluntaria de las participaciones por actos *inter vivos* (art. 108.3 LSC) puesto que la validez de la prohibición queda condicionada a la simultánea previsión de esta causa de separación[47]. El art. 8 LSLP se expresa en los mismos términos que el art. 108 LSC pero con una importante especialidad, al permitir que tanto las sociedades *limitadas* laborales como las *anónimas* laborales incluyan en sus estatutos la prohibición de transmisión voluntaria de acciones o participaciones sociales y el consiguiente derecho de separación del que depende su validez. Se generaliza así para todas las sociedades laborales una previsión reservada en la LSC a las sociedades limitadas, habida cuenta

---

[46]   De confirmarse la doctrina de la STS de 15-11-2011 *(Tol 2299988)*, se pondría fin a la discusión doctrinal y jurisprudencial y se evitaría que gran parte de los pactos de salida y acuerdos de separación entre los socios se redacten fuera del ámbito estatutario mediante pactos parasociales. Véanse comentarios a esta sentencia en LUCEÑO OLIVA, J. L., «¿Existe el derecho de separación sin causa en la SRL? Comentario a la Sentencia del Tribunal Supremo de 15 de noviembre de 2011» *Diario La Ley*, n° 7826, 27-3-2012, págs. 1-2; ALFARO ÁGUILA-REAL, J., «Importante Sentencia del Tribunal Supremo sobre el derecho de separación en la sociedad limitada», Blog del 19-1-2012, http://derechomercantilespana.blogspot. com.es/2012/01/importante-sentencia-del-tribunal.html; RODAS PAREDES, P. N., «Comentario de la Sentencia del Tribunal Supremo de 15 de noviembre de 2011 —núm. 1433—», AA.VV., *Archivo Commenda de Jurisprudencia societaria (2011-2012)*, Dir. EMBID IRUJO, Ed. Comares, Granada, 2014, págs. 103-107. Véase también, ALONSO LEDESMA, C., «La autonomía de la voluntad en la exclusión y separación de socios», *Revista de Derecho Mercantil*, n° 287, 2013, págs. 89-128. IRÁCULIS ARREGUI, N., «La separación del socio sin necesidad de justificación: por no repartir dividendos o por la propia voluntad del socio», *Revista de Derecho de Sociedades*, n° 38, 2012, págs. 225-244. En contra de la separación *ad nutum RDGRN 25-9-2003; a favor* RDGRN 2-11-2010.

[47]   Si la prohibición de transmitir se incorpora a los estatutos en el momento fundacional, también deberá incluirse en ese momento la cláusula que concede el derecho de separación a los socios. Si se incorpora posteriormente, la modificación estatutaria no será válida si no se acompaña de la inclusión del derecho de separación.

la prohibición en las sociedades anónimas de las restricciones que hagan prácticamente intransmisible la acción (art. 123.2 LSC).

El derecho de separación se podrá ejercitar en cualquier momento. No obstante, los estatutos pueden impedir el ejercicio del derecho de separación[48] durante un período no superior a cinco años a contar desde la constitución de la sociedad o, para las acciones o participaciones procedentes de una ampliación de capital, desde el otorgamiento de la escritura pública de su ejecución (art. 8 LSLP; *cfr.*, art. 108.4 LSC).

## Bibliografía

ALFARO ÁGUILA-REAL, J., «La confusión en torno al derecho de separación», Blog del 7-11-2011, http://derechomercantilespana.blogspot.com.es/2011/11/la-confusion-en-torno-al-derecho-de.html.

— «Derecho de separación en caso de sequía de dividendos», *Alerta Mercantil* (CMS Albiñana & Suárez de Lezo), noviembre 2011, págs. 1-7.

— «Importante Sentencia del Tribunal Supremo sobre el derecho de separación en la sociedad limitada», Blog del 19-1-2012, http://derechomercantilespana.blogspot.com.es/2012/01/importante-sentencia-del-tribunal.html.

ALFARO ÁGUILA-REAL, J./CAMPINS VARGAS, A., «Abuso de la mayoría en el reparto de dividendos y derecho de separación del socio en las sociedades de capital», en *Liber amicorum Juan Luis Iglesias* (Coord. GARCÍA DE ENTERRÍA), Civitas Thomson Reuters, Cizur Menor, 2014, págs. 65-93.

ALFONSO SÁNCHEZ, R., «Capítulo IX. Estatuto Jurídico del socio (II). Separación y Exclusión», AA.VV., *Derecho de sociedades de capital* (Dir. EMBID), 2ª ed. Ed. Marcial Pons, Madrid, 2016, págs. 206-224.

— «Capítulo V. Separación y exclusión de socios en las sociedades laborales», AA.VV., *El nuevo régimen jurídico de las sociedades laborales* (Dir. ANDREU MARTÍ), Ed. Aranzadi-Thomson Reuters, Cizur Menor, 2017, págs. 135-183.

ALONSO LEDESMA, C., «La autonomía de la voluntad en la exclusión y separación de socios», *Revista de Derecho Mercantil*, n° 287, 2013, págs. 89-128.

ANDREU MARTÍ, MªM., «Consideraciones sobre la propuesta de reforma de la Ley de Sociedades Laborales», en AA.VV., *Economía social y Derecho. Problemas jurídicos actuales de las empresas de Economía social* (Coord. GÓMEZ MANRESA/PARDO LÓPEZ), Ed. Comares, Granada, 2013, págs. 19-47.

— «Comentario a la RDGRN de 7 de febrero de 2012», AA.VV., *Archivo Commenda de Jurisprudencia societaria (2011-2012)*, Dir. EMBID IRUJO, Ed. Comares, Granada, 2014, págs. 108-113.

---

[48] Y también pueden prohibir la transmisión voluntaria de las acciones o participaciones por actos *inter vivos*.

— «Fomento de las sociedades laborales: su nuevo régimen jurídico» en *AA.VV.*, *Fomento del trabajo autónomo y la economía social* (Dirs. FARIAS BATLLE, M./FARRANDO GARCÍA, F. M.), Ed. Aranzadi, Pamplona, 2015, págs. 347-367.

BRENES CORTÉS, J., «Nueva suspensión legal del controvertido art. 348 bis de la Ley de Sociedades de Capital», *Justiça do Direito*, v. 28, no. 1, 2014, págs. 108-132.

CAMPINS VARGAS, A., «Derecho de separación por no reparto de dividendos: ¿es un derecho disponible por los socios?», *Diario La Ley*, núm. 7824, 23-3-2012, págs. 1-10 versión digital.

ESCUIN IBÁÑEZ, I., «La distinción entre acciones y participaciones de clase general y laboral en la nueva regulación de las sociedades laborales», *XVI Congreso de Investigadores en Economía Social y Cooperativa*, CIRIEC-España, Valencia, 2016, págs. 1-15. Disponible en http://ciriec.es/eventos/xvi-congreso-de-investigadores-en-economia-social-y-cooperativa/comunicaciones/?search-by=paper-type&search-paper-type=853&search-keyword=0&search-string=

FERNÁNDEZ DE LA GÁNDARA, L., *Derecho de Sociedades*, Vol. II, Ed. Tirant lo Blanch, Valencia, 2010.

ILLESCAS, J., «Reparto obligatorio de dividendos en no cotizadas», Expansión.com, 29-9-2011, http://www.expansion.com/accesible/2011/09/29/opinioneditorialy-llaves/1317329001.html.

IRÁCULIS ARREGUI, N., «La separación del socio sin necesidad de justificación: por no repartir dividendos o por la propia voluntad del socio», *Revista de Derecho de Sociedades*, n° 38, 2012, págs. 225-244.

LUCAS MARTÍN, E. P., «Somera descripción de la lógica del art. 348 bis LSC», *Documentos de Trabajo del Departamento de Derecho Mercantil*, 2013/77, EPrints Complutense, págs. 1-25.

LUCEÑO OLIVA, J. L., «¿Existe el derecho de separación sin causa en la SRL? Comentario a la Sentencia del Tribunal Supremo de 15 de noviembre de 2011» *Diario La Ley*, n° 7826, 27-3-2012, págs. 1-2.

MARTÍNEZ MUÑOZ, M., «El derecho de separación del socio en las sociedades de capital y su regulación en el anteproyecto de ley de código mercantil», *Revista CEFLEGAL*, núms. 175-176, 2015, págs. 5-44.

NEILA NEILA, J. Mª., *Sociedades Laborales. Análisis sistemático de la Ley 4/1997, de 24 de marzo*, Ed. DYkinson, 1998.

RODAS PAREDES, P. N., «Comentario de la Sentencia del Tribunal Supremo de 15 de noviembre de 2011 —núm. 1433—», AA.VV., *Archivo Commenda de Jurisprudencia societaria (2011-2012)*, Dir. EMBID IRUJO, Ed. Comares, Granada, 2014, págs. 103-107.

SÁNCHEZ RUIZ, M., «Separación y exclusión de socios. La nueva regulación legal de la salida de socios en las sociedades laborales», *XVI Congreso de Investigadores en Economía Social y Cooperativa*, CIRIEC-España, Valencia, 2016, págs. 1-21. Disponible en http://ciriec.es/eventos/xvi-congreso-de-investigadores-en-economia-social-y-cooperativa/comunicaciones/?search-by=paper-type&search-paper-type=853&search-keyword=0&search-string=

SANTOS MARTÍNEZ, V., «Sociedades laborales: implantación y renovación de una peculiar figura societaria», en AA.VV., *Libro homenaje a Fernando Sánchez Calero*, Madrid, 2002, vol. IV, págs. 4379 y ss.

SILVA SÁNCHEZ, M. J./SAMBEAT SASTRE, J. M., «Análisis y crítica del artículo 348 bis de la Ley de Sociedades de Capital», *Diario La Ley*, nº 7844, 24-4-2012, págs. 1-8.

SILVÁN RODRÍGUEZ, F./PÉREZ HERNANDO, I., «Derecho de separación y dividendos: El controvertido artículo 348 bis LSC», *Diario La Ley*, nº 7813, 7-3-2012, págs. 1-8.

URÍA, R./MENÉNDEZ, A., *Curso de Derecho Mercantil*, T. I, Ed. Civitas, Madrid, 1999.

URÍA, R./MENÉNDEZ, A./IGLESIAS, J. L., «Capítulo 47. La sociedad de responsabilidad limitada: exclusión y separación de socios», URÍA, R./MENÉNDEZ, A., *Curso de Derecho Mercantil*, T. I, Ed. Civitas, Madrid, 1999, págs. 1145-1167.

# V. LOS GRUPOS DE SOCIEDADES

# 15. Algunos criterios de política jurídica para la regulación de los grupos de sociedades[*]

## JOSÉ MIGUEL EMBID IRUJO

*Catedrático de Derecho Mercantil*
*Universidad de Valencia*

**Sumario:** I. CÓMO OCUPARSE JURÍDICAMENTE DEL GRUPO (A MODO DE INTRO-DUCCIÓN). 1. Premisa. 2. La ordenación jurídica del grupo, desde la vertiente protectora. 3. La ordenación jurídica del grupo, desde la vertiente organizativa. II. UN PLANTEA-MIENTO DE SÍNTESIS: HACIA EL GOBIERNO CORPORATIVO DEL GRUPO. 1. Consideraciones introductorias. 2. El modo de articular el gobierno corporativo del grupo. 2. La regulación. 3. Los intereses. 4. Los socios minoritarios. 5. Los administradores y sus deberes. III. CONSIDERACIONES FINALES. Bibliografía.

## I. CÓMO OCUPARSE JURÍDICAMENTE DEL GRUPO (A MODO DE INTRODUCCIÓN)

### 1. Premisa

No hace falta insistir en la importancia del grupo en la realidad empresarial de nuestros días ni tampoco en la dificultad de su ordenación jurídica desde la perspectiva del Derecho de sociedades. El análisis de esta singular forma de empresa, o de sus principales elementos, como los propuestos en la ponencia que me ha sido asignada, no puede llevarse a cabo al margen del planteamiento básico que se tenga respecto de nuestra figura como auténtica institución jurídica; y es que, a diferencia de la mayor parte de las realidades propias del Derecho de sociedades, el grupo no ha

---

[*] El presente texto recoge los aspectos principales de la ponencia presentada en el Congreso de Derecho de sociedades celebrado en Málaga, los días 2 y 3 de febrero del presente año. Agradezco a quienes han dirigido y organizado el congreso, especialmente a la profesora Belén González Fernández y al profesor Juan Ignacio Peinado, su amable invitación. El trabajo se inserta, asimismo, en el proyecto de investigación «La renovación tipológica del Derecho de sociedades contemporáneo» (DER2013-44438P), concedido por el Ministerio de Economía y Competitividad, del que es investigador principal el autor.

adquirido todavía un perfil indiscutible que permita, en su caso, el tratamiento separado de sus distintas vertientes. A la hora de hablar, por tanto,
de los «socios minoritarios, deber de lealtad y grupo, interés social», es preciso disponer de nociones claras sobre el modo en que dichos supuestos
han de ser situados en la incipiente dogmática del Derecho de los grupos
de sociedades.

Sobre la base de esta premisa, y evitando repetir cuestiones suficientemente conocidas, la presente ponencia intentará dibujar las orientaciones
predominantes en la materia, dentro del debate científico de nuestros días,
el cual además de intenso, constituye la fuente principal para avanzar en
la adecuada conformación jurídica de nuestra figura. Por ello, expondremos, como contenido básico de la ponencia, las dos maneras principales
de comprender el grupo desde el Derecho (la orientación protectora y la
orientación organizativa, en terminología simplificadora que adoptamos
para la mejor comprensión de la materia), para señalar después la incidencia que puedan tener ambas en punto al tratamiento concreto de sus
diversas.

## 2. La ordenación jurídica del grupo, desde la vertiente protectora

Aunque la orientación que aquí llamamos protectora reconoce, desde
luego, la legitimidad del grupo y la plena validez del poder de dirección
que en su ámbito pueda ejercerse, lo más característico de este planteamiento, tal y como se explica desde hace años, consiste en acentuar las
consecuencias negativas derivadas de la organización y funcionamiento del
grupo para ciertos colectivos de sujetos, tanto dentro como fuera de él.
Se quiere resaltar, de este modo, que el Derecho de grupos ha de poner
al mismo nivel que la legitimidad de la figura, como singular forma de
empresa, los instrumentos adecuados para la protección de quienes puedan experimentar un perjuicio directo en su esfera jurídica patrimonial;
se trata, esencialmente, de los colectivos articulados alrededor de las sociedades dominadas, como sus socios externos, acreedores y, si bien al margen del Derecho de sociedades, por lo general, los trabajadores de dichas
entidades.

Si se mira bien, esta configuración del Derecho de grupos como un
ordenamiento protector reduce la entidad de la figura, como institución
autónoma, y sitúa en primer plano la suerte y ventura de sus sociedades
componentes; prima, entonces, con matices que no vienen al caso, la singularidad de cada sociedad, independiente desde el punto de vista jurídico
y sometida en términos económicos, con un grado de dependencia varia-

ble, directamente proporcional, eso sí, al alcance del poder de dirección que se ejercite en el grupo. Por tanto, aunque no puede caber duda alguna sobre su legitimidad, así como sobre la pertinencia de defender y promover su interés, parece igualmente evidente que el planteamiento protector reduce el significado del grupo como institución jurídica.

En tal sentido, y sin dejar de ser una modalidad relevante de integración empresarial, el grupo termina convirtiéndose en un mero marco funcional para el ejercicio del poder de dirección, siempre constreñido por lo que se derive de su dinámica interna, entendida ésta como conjunto heterogéneo de relaciones intersocietarias[1]. Podría decirse, en resumen, que ante la imposibilidad de traducir en precisas fórmulas jurídicas la unidad (económica) y la pluralidad (jurídica) características de nuestra figura, la orientación protectora, sin dejar de reconocer la necesidad de la primera, acentúa el relieve de la segunda, dejando a la empresa de grupo, como institución jurídica, en un equilibrio siempre problemático[2].

---

[1]  La orientación protectora aparece reflejada, siempre con numerosos matices, en buena parte de la bibliografía española dedicada a los grupos de sociedades, teniendo en cuenta, entre otros extremos, que de tales trabajos han venido referidos directamente a los mecanismos de tutela existentes o previsibles respecto de los distintos colectivos susceptibles de verse perjudicados por el funcionamiento del grupo. En tal sentido, pueden consultarse, entre otros los estudios de EMBID IRUJO, J. M., *Grupos de sociedades y accionistas minoritarios. La tutela de la minoría en situaciones de dependencia societaria y grupo*, Madrid, 1987, MARTÍNEZ MACHUCA, P., *La protección de los socios externos en los grupos de sociedades*, Zaragoza, 1999, FUENTES NAHARRO, M., *Grupos de sociedades y protección de acreedores (una perspectiva societaria)*, Cizur Menor, 2007; téngase en cuenta también los trabajos de GIRGADO, P., *La empresa de grupo y el Derecho de sociedades*, Granada, 2001 y DE ARRIBA FERNÁNDEZ, M. L., *Derecho de grupos de sociedades*, 2ª ed., Cizur Menor, 2009.

[2]  Lo que vendría a constituir, como acertadamente se indicó en su día (cfr. IMMENGA, U., «Der Preis der Konzernierung», en AA.VV., *Wirtschaftsordnung und Staatsverfassung. Festschrift für Franz Böhm zum 80. Geburtstag*, Tübingen, 1975, págs. 253-267), «el precio de formación del grupo». Quizá por las razones expuestas en el texto, desde ciertas posiciones doctrinales se viene a sostener que en el Derecho alemán —quintaesencia, si se quiere, de la orientación protectora— no se reconoce al interés del grupo. Tal afirmación, tomada literalmente en el contexto de la *Aktiengesetz*, parece decididamente incorrecta, a tenor, cuando menos, de lo dispuesto en el § 308, 1°, de dicha Ley, donde, en el marco de los grupos integrados por sociedades anónimas y comanditarias por acciones, se reconoce expresamente el poder de dirección en el grupo —siempre que se haya concluido un contrato de dominio— y la posibilidad consiguiente de impartir instrucciones perjudiciales para las sociedades dependientes, con tal de que redunden en beneficio del interés de la empresa dominante o de las empresas unidas en grupo con

### 3. La ordenación jurídica del grupo, desde la vertiente organizativa

De otro lado, hay que referirse al planteamiento que se ocupa de nuestra institución desde la perspectiva esencial de su significado organizativo como empresa. El dinamismo funcional y su estricta radicación en el mercado, inherentes a este tipo de operadores económicos, pasan al primer plano, y retrocede, aunque no desaparezca, la noción de «conflicto del grupo», quizá una de las ideas originarias en el moderno Derecho de grupos, y de la que se ha derivado el tratamiento protector de la figura. De acuerdo con la orientación organizativa que ahora nos ocupa, y aun aceptando la posibilidad de que el funcionamiento de la empresa de grupo cause perjuicios a diversos colectivos, sobre todo a quienes permanezcan ajenos al ejercicio del poder de decisión en su seno, las prioridades van a variar de manera decisiva; ahora, el objetivo esencial no será tanto atender a la tutela de los sujetos dañados, sino, más bien, encontrar técnicas y procedimientos al servicio de la organización del grupo, que hagan posible su eficaz desempeño en el mercado, permitiendo adaptar su estructura interna a los continuos y diversos requerimientos que de él provengan[3].

Aunque este planteamiento no puede considerarse del todo reciente, sí se ha visto favorecido en nuestros días por dos circunstancias de diverso orden: en primer lugar, por la valoración negativa que sigue pesando sobre el Derecho alemán, cuya prioridad y carácter orgánico en el tratamiento de la figura no han permitido superar las intensas críticas que se le han dirigido; en segundo lugar, por las tendencias metodológicas que, aun con diverso signo[4], promueven la flexibilidad, modernización y simplificación

---

ésta última y con aquéllas. Es cierto, no obstante, que cuando salimos del marco tipológico al que se circunscribe la *Aktiengesetz*, la cuestión varía y de manera significativa; conviene tener en cuenta, a este respecto, la amplia doctrina jurisprudencial, no siempre coherente, sobre los grupos de los que formen parte sociedades de responsabilidad limitada.

[3]   Una de las primeras referencias a este planteamiento, como alternativa a la orientación protectora, puede verse en LUTTER, M., «Konzernrecht: Schutzrecht oder Organisationsrecht?» en REICHERT, K./SCHIEDERMAIER, M./STOCK, A./WEBER, D. (eds.), *Recht, Geist und Kunst. Liber Amicorum Rüdiger Volhard*, Baden-Baden, 1996, págs. 105-113.

[4]   Desde la perspectiva económica, hay que tener en cuenta, sobre todo, el llamado «análisis económico del Derecho», que aun sin ser un planteamiento estrictamente unitario, promueve que el Derecho sea un simple instrumento para la consecución de la eficiencia económica; al respecto, por muchos, EIDENMÜLLER, H., *Effizienz als Rechtsprinzip. Möglichkeiten und Grenzen der ökonomischen Analyse des Rechts*, 3ª ed., Tübingen, 2005. Complemento de todo ello, más en su formulación

del Derecho de sociedades —y, por lo tanto, también de la ordenación jurídica del grupo—, como un paso necesario para conseguir el más eficiente funcionamiento de las empresas en el mercado[5].

De acuerdo con tales criterios, el Derecho de grupos habría de ser, entonces, un Derecho dirigido a la organización del grupo con la finalidad de hacer posible la política de la empresa en beneficio de la satisfacción de su interés; en suma, un Derecho «habilitante» (*Enabling Law*), como se suele decir en nuestros días[6], y no, propiamente, un Derecho ordenador, al modo en que la metodología jurídica clásica, cuando menos en los países de *civil law*, ha considerado preferible. Que este planteamiento no se haya traducido, por lo común, en precisas normas jurídicas, no quita nada a su relieve en el debate doctrinal de nuestro tiempo, de un lado, así como, de otro, en el análisis y posible tratamiento de los principales problemas jurídicos suscitados por la organización y el funcionamiento de los grupos.

Queda claro que, con esta segunda orientación, es el grupo, como modalidad singular de empresa, quien pasa a primer plano, a pesar de seguir careciendo de la personalidad jurídica que mantienen sus sociedades integrantes, sin perjuicio de su sometimiento al ejercicio del poder de dirección característico del grupo. De este modo, la unidad empresarial se convierte en el objetivo inmediato del Derecho de grupos, gracias a la prioritaria atención dispensada, con este planteamiento, a quienes han de formular y aplicar la política de la empresa de grupo. De lo interindividual, como elemento característico del modelo protector, se pasa a una visión esencialmente colectiva de nuestra figura[7], en la que se diluye la autonomía de las sociedades integrantes, correspondiendo al grupo, no obstante su pluralidad interna, el protagonismo principal.

---

teórica que en la realidad práctica, es la postergación de las normas imperativas en beneficio de la autorregulación, con un talante de mayor intensidad del que acompaña al clásico entendimiento de la libertad contractual.

[5]    Al respecto, entre otros, HIERRO ANIBARRO, S. (dir.), *Simplificar el Derecho de sociedades*, Madrid, 2010, y VÁSQUEZ PALMA, Mª F./EMBID IRUJO, J. M. (dirs.), *Modernización del Derecho societario*, Santiago de Chile, 2015.

[6]    En tal sentido, véanse los trabajos de TEICHMANN, Ch., «Europäisches Konzernrecht: vom Schutzrecht zum Enabling Law», *AG*, núm. 6, 2013, págs. 184-197 y DRYGALA, T., «Europäisches Konzernrecht: Gruppeninteresse und Related Party Transactions», *ibidem*, págs. 198-210; también tienen interés las reflexiones de TOMBARI, U., «Il Diritto dei gruppi: primi bilanci e prospettive per il legislatore comunitario», *Riv. Dir. Comm.*, núm. CXIII-1, I, 2015, págs. 67-91.

[7]    Cfr. ORTEGA Y GASSET, J., *El hombre y la gente*, Madrid, Revista de Occidente en Alianza Editorial, 1996, págs. 101 y ss.

## II. UN PLANTEAMIENTO DE SÍNTESIS: HACIA EL GOBIERNO CORPORATIVO DEL GRUPO

### 1. Consideraciones introductorias

Podría pensarse que los dos planteamientos responden a dos orientaciones distintas, más jurídica, la protectora, más económica (o, si se prefiere, empresarial), la organizativa. Sin perjuicio de que este criterio, un tanto simplificador, contenga una porción de acierto, parece preferible, a nuestro juicio, sostener el carácter igualmente jurídico de ambas, siempre en la órbita del Derecho de sociedades, si bien sobre la base de planteamientos conceptuales diversos. Por un lado, la orientación protectora enlaza con la tradición de dicha disciplina predominante a lo largo del siglo pasado; en este sentido, el grupo, configurado como una especie de estructura societaria de segundo grado[8], con su poder de dirección y su propio interés, habría de hacerse compatible con la realidad jurídica de sus sociedades integrantes, mediante, eso sí, ciertos añadidos al Derecho de sociedades «clásico», sobre todo desde la perspectiva de los colectivos potencialmente afectados por su organización y funcionamiento. La regulación jurídica de los grupos no se convertiría, por ello, en una vertiente autónoma, sino que, con los reseñados complementos, seguiría formando parte de la disciplina societaria.

Por otro lado, la orientación organizativa, más reciente, como sabemos, se inserta también en el Derecho de sociedades, si bien a través de otros criterios. Sin entrar, eso sí, en el tratamiento singular de la figura, cuya realidad empresarial quedaría fuera de las previsiones del legislador —al

---

[8]  Algo de esto sostuvo, hace ya varias décadas, el gran jurista brasileño Fábio K. Comparato (cfr. *O poder de controle na sociedade anônima*, 3ª ed., Rio de Janeiro, 1983, págs. 290-293). Si se mira bien, esta fórmula aparece vinculada estrechamente con algunas de las ideas que se encuentran en la base, y también en la práctica, de la llamada «integración cooperativa», es decir de aquellas técnicas susceptibles de aplicarse para la constitución de auténticos grupos entre sociedades cooperativas o, cuando menos, protagonizados con carácter determinantes por entidades de tal naturaleza. Es bien sabido que para conseguir dicho fin, matizado y modulado por los caracteres singulares de estas sociedades, uno de los caminos preferidos, tanto dentro como fuera de nuestras fronteras, es el de la constitución de una cooperativa de segundo grado, objeto de tratamiento limitado, por lo general, desde la perspectiva jurídica, pero progresivamente atendido por la doctrina; al respecto, véase, con carácter ejemplar, ALFONSO SÁNCHEZ, R., *La integración cooperativa y sus técnicas de realización. La cooperativa de segundo grado*, Valencia, 2000.

margen de las cuestiones propias de la consolidación contable—, ahora el grupo aparece conectado con el amplio fenómeno del gobierno corporativo[9], de trascendental importancia en la realidad societaria de nuestros días. Con independencia de la imprecisión inherente a esta singular categoría conceptual[10], lo decisivo no es tanto el estatuto jurídico de cada sociedad ni tampoco la tutela de sus intereses, sino la articulación institucional de una figura que, como empresa plurisocietaria o policorporativa[11], presenta indudables dificultades a su ordenación desde el Derecho.

Sobre la base de este planteamiento, puede entenderse que las cuestiones esenciales de la orientación organizativa se refieran a la administración del grupo, trasladando y adaptando a ese nivel las reglas propias del Derecho de sociedades. Se trata de un criterio que ha ido adquiriendo en los últimos tiempos un cierto desarrollo, como se deduce, entre otros extremos, del debate sobre la posible traslación a la esfera del grupo del fenómeno que, entre nosotros, se ha denominado «discrecionalidad empresarial» (art. 226 LSC), trasunto interno de la muy conocida *business judgment rule*[12]. Algunos de los escasos autores que se han ocupado de este

---

[9]   Cuestión anticipada en algunos estudios de finales del pasado siglo; por muchos, EISENBERG, M., «The Governance of Corporate Groups», en *I gruppi di società. Atti del Convegno internazionale di studi*, II, Milano, 1996, págs. 1187-1212; también puede verse la monografía de DINE, J., *The Governance of Corporate Groups*, Cambridge, 2000.

[10]  Últimamente, SÁNCHEZ-CALERO GUILARTE, J., «Notas sobre la nueva fase del gobierno corporativo español», en RODRÍGUEZ ARTIGAS, F./ESTEBAN VELASCO, G./SÁNCHEZ ÁLVAREZ, M. (coord.), *Estudios de Derecho de sociedades. Liber Amicorum Profesor Luis Fernández de la Gándara*, Cizur Menor, 2016, págs. 166 y sigs.

[11]  Con esta denominación, ANTUNES, J. A., *Os grupos de sociedades. Estrutura e organização jurídica da empresa plurissocietária*, 2ª ed., Coimbra, 2002.

[12]  La bibliografía sobre este tópico, legalizado entre nosotros a partir de la reforma de la LSC llevada a cabo por la Ley 31/2014, empieza a ser abundante; entre otros, GUERRERO TREVIJANO, C., «La protección de la discrecionalidad empresarial en la Ley 31/2014, de 3 de diciembre», *RDM*, núm. 298, 2015, págs. 147-180, RECALDE, A., «Modificaciones en el régimen del deber de diligencia de los administradores; la business judgment rule», en ROJO, Á/CAMPUZANO, A. B. (coord.), *Estudios jurídicos en memoria del profesor Emilio Beltrán. Liber Amicorum*, I, Valencia, 2015, págs. 629-663, HERNANDO MENDÍVIL, R., «La business judgment rule», *RDM*, núm. 299, 2015, págs. 313-368. No han sido muchos, con todo, quienes han llamado la atención sobre la utilidad que para la interpretación y aplicación del art. 226 LSC podría tener la consolidada doctrina que sobre la discrecionalidad de la Administración (véase, entre otros muchos, FERNÁNDEZ RODRÍGUEZ, T. R., *De la arbitrariedad de la Administración*, 2ª ed., Madrid, 1997, distinguiendo acertadamente entre «discrecionalidad» y «arbitrariedad», en diversos apartados)

fenómeno intentan establecer criterios y requisitos procedimentales que, manteniendo el doble efecto unidad-pluralidad, propio de nuestra figura, hagan posible el funcionamiento del grupo desde su vertiente (esa sí unitaria) de empresa[13].

## 2. El modo de articular el gobierno corporativo del grupo

### 2.1. Planteamiento general

Resulta indudable que los temas contemplados en el título de la ponencia merecerán distinto tratamiento según cual sea la orientación elegida por el operador jurídico. Ya han quedado expresadas, eso sí, a grandes rasgos, las características básicas de las orientaciones estudiadas, siendo recomendable, a nuestro juicio, la búsqueda de un cierto equilibrio entre ellas. Y es que el hecho de acentuar sus rasgos característicos de manera excluyente sólo puede conducir a un tratamiento inadecuado, circunstancia sin duda evitable cuando se trata de ordenar desde el Derecho un fenómeno de la realidad, como el grupo, necesitado de tratamiento jurídico, por la pluralidad de intereses que concurren en su seno.

De este modo, debe reconocerse, de entrada, que constituye un indudable acierto de la perspectiva organizadora el haber traído a colación el fenómeno del gobierno corporativo, situando en su ámbito el tratamiento jurídico del grupo. Menos correcto parece, en cambio, el hecho de eliminar o, cuando menos, reducir a un nivel mínimo la orientación protectora, como consecuencia de su focalización exclusiva en las cuestiones propias del consejo de administración, el estatuto de sus miembros y la ordenación interna de dicho órgano. No obstante, la intensa evolución a que se está

---

y se ha desarrollado en el Derecho público, en particular por lo que se refiere a la necesidad de motivar los actos discrecionales de los administradores, no expresamente aludida en el mencionado precepto (en tal sentido, EMBID IRUJO, J. M., «La protección de la discrecionalidad empresarial: artículo 226», en HERNANDO CEBRIÁ, L. (coord.), *Régimen de deberes y responsabilidad de los administradores en las sociedades de capital*, Barcelona, 2015, págs. 105-133.

[13]   Cfr. CONAC, P. H., «Director's Duties in Groups of Companies-Legalizing the Interest of the Group at the European Level», *ECFR*, núm. 10-2, 2013, págs. 201-202, MONTALENTI, P., «Le operazioni con parti correlate: questioni sistematiche e problemi applicative», *Riv. Dir. Comm.*, CXIII-1, I, 2015, págs. 71-95, quien, no obstante, advierte contra la operativa basada exclusivamente en criterios formales, privados, en muchas ocasiones, de idoneidad para prevenir eficazmente los abusos.

viendo sometida desde hace no muchos años la temática específica del gobierno corporativo[14] no sólo permite, sino que convierte en necesaria, una visión más amplia e integradora de los elementos característicos del universo societario. Pensamos, desde luego, en las sociedades cotizadas, que han sido durante mucho tiempo las destinatarias de tales planteamientos; pero, del mismo modo, también han de ser consideradas las restantes sociedades mercantiles, así como otras entidades y personas jurídicas aun carentes de la habitual base asociativa[15].

De acuerdo con esta orientación, no se trata sólo de ocuparse, con motivo del estudio del gobierno corporativo, de la administración de las sociedades, particularmente de las que eligen el modelo colegiado del consejo; también la junta general constituye una referencia obligada en los últimos años, sin perjuicio de la inclusión de algunos grandes temas del Derecho de sociedades, como es el interés social y, más recientemente, la responsabilidad social corporativa[16]. La figura del grupo no ha sido objeto de particular atención en las reflexiones propias del gobierno corporativo, quizá por originarse dicha temática en el ámbito anglosajón, tradicionalmente ajeno, sin perjuicio de algunas excepciones, al tratamiento de los grupos[17].

---

[14]   En el marco europeo, véase, últimamente, LEYENS, P., «Comply or Explain im Europäischen Privatrecht. Erfahrungen im Europäischen Gesellschaftsrecht und Entwicklungschancen des Regelungsansatzes», *ZEuP*, núm. 2, 2016, págs. 389-426.

[15]   Así, por muchos, HIERRO ANIBARRO, S. (dir.), *Gobierno corporativo en sociedades no cotizadas*, Madrid, 2014 y, con perspectiva comparada, FLEISCHER, H., «Vergleichende Corporate Governance in der geschlossenen Kapitalgesellschaft», *ZHR*, núm. 179, 2015, págs. 404-452; en materia de fundaciones, EMBID IRUJO, J. M./EMPARANZA SOBEJANO, A. (dirs.), *El gobierno y la gestión de las entidades no lucrativas público-privadas*, Madrid, 2012, y MARTÍNEZ GARRIDO, S. (coord.), *Buen gobierno de las fundaciones*, Madrid, 2015.

[16]   Al respecto, últimamente, EMBID IRUJO, J. M./DEL VAL TALENS, P., *La responsabilidad social corporativa y el Derecho de sociedades de capital: entre la regulación legislativa y el* soft law, Madrid, 2016.

[17]   Tanto la legislación como la doctrina, en ese círculo jurídico, ha prestado la debida atención al fenómeno del control societario, sin perjuicio de diversas referencias al grupo, propiamente dicho. La diferencia entre ambas situaciones es, con todo, patente, a pesar de que suele ser frecuente, en los diversos ordenamientos su relativa interferencia, en particular cuando se carece, como sucede en el Derecho español, de una disciplina orgánica de nuestra figura. Por lo demás, la idea del grupo, en cuanto tal, sugiere, con todos los matices que se quiera, una perspectiva institucional, basada en la existencia previa de una organización, la empresa de grupo; éste es, a nuestro juicio, el verdadero motivo por el que las jurisdicciones de la órbita anglosajona tienden a ignorar al grupo como realidad susceptible de

Esta tendencia abstencionista parece ir remitiendo, como se deduce de algunas de las recomendaciones contenidas en el en el *Código de buen gobierno de las sociedades cotizadas* (en adelante, CBGSC), por limitarnos a la situación española en la materia[18].

Es cierto que el diseño de un modelo de gobierno corporativo para el grupo de sociedades, implica tener en cuenta su característica complejidad organizativa, dando a cada uno de sus niveles su particular tratamiento[19]. Resulta notoria, sin perjuicio de los rasgos comunes, la gran diversidad existente en el ámbito específico de la estructura de los grupos, lo que se pone de manifiesto en la conocida división entre grupos descentralizados y grupos descentralizados, de acuerdo con el diverso alcance, menor o mayor, que quepa atribuir en cada uno de ellos al poder de dirección. Pero la consideración de la vertiente plural no puede dejar sin atender el momento unitario de la figura, también derivado —aunque resulte paradójico— de la propia estructura de la que se haya podido dotar; con ello se trata, en resumidas cuentas, de tener en cuenta, de manera conjunta, a la empresa de grupo y al poder de dirección que hace posible su funcionamiento, de acuerdo con su particular configuración.

A la vista, entonces, de que la razón de ser del grupo consiste en la coexistencia de la unidad empresarial con la pluralidad jurídica, siempre en tensión dialéctica, el Derecho que aspire a lograr su más adecuada ordenación habrá de partir de ese vínculo, es decir, de la empresa de grupo, sin

---

tratamiento jurídico. Hay, con todo, excepciones significativas, como se deduce, en la doctrina de los Estados Unidos, de la relevante y voluminosa aportación al estudio de los grupos debida a BLUMBERG, P., *The Law of Corporate Groups*, seis volúmenes, Boston, 1983-1995.

[18] Merece la pena tener en cuenta lo indicado en el principio número dos y en la recomendación número dos del CBGSC. Con arreglo a aquél «cuando coticen varias sociedades pertenecientes a un mismo grupo deben establecerse las medidas adecuadas para proteger los legítimos intereses de todas las partes involucradas y solventar los eventuales conflictos de intereses». La recomendación no coincide literalmente con dicho enunciado, si bien parece inspirarse en un planteamiento similar. Sobre este asunto, con anterioridad al CBGSC, EMBID IRUJO, J. M., «El buen gobierno corporativo y los grupos de sociedades», *RDM*, núm. 249, 2003, págs. 933-979.

[19] Un detenido y reciente análisis sobre estas cuestiones se contiene en el trabajo de SÁNCHEZ ÁLVAREZ, M., «Concepto y clases de grupos en el Derecho español», en RODRÍGUEZ ARTIGAS, F./ESTEBAN VELASCO, G./SÁNCHEZ ÁLVAREZ, M. (coord.), *Estudios sobre Derecho de sociedades. Liber Amicorum profesor Luis Fernández de la Gándara*, Cizur Menor, 2016, págs. 725-819.

renunciar a los objetivos de equilibrio institucional y tutela de los intereses presentes en su seno. Esta aspiración exige un permanente diálogo entre la orientación organizativa y la de carácter protector, depurando cada una de ellas de todo lo que resulte inadecuado para lograr la debida funcionalidad equitativa en el tratamiento normativo del grupo[20]. Con arreglo a esta orientación metodológica, se aludirá, seguidamente, a algunos tópicos de necesaria consideración a la hora de afrontar la ordenación jurídica de los grupos[21], sin ir más allá en su tratamiento del mero enunciado de los que resultan más relevantes.

## 2. *La regulación*

A la hora de abordar este importante asunto, que tiene, por razones obvias, la consideración de presupuesto inexorable de los demás, no se trata de contemplar los posibles modelos sustantivos de ordenación, materia que fue objeto de intenso debate en épocas pasadas[22], sino, más bien, de aludir al modo con el que haya de llevarse a cabo la pretendida regulación. Una de las circunstancias de mayor relieve en los últimos años respecto de la legislación societaria (y, en general, de muchas cuestiones propias del

---

[20]   Por otro lado, al obrar de este modo, como tendencia metodológica general, no deberíamos limitarnos a considerar exclusivamente la perspectiva nacional; el grupo, por definición, trasciende fronteras, incorpora personas jurídicas diversas, y hace posible el establecimiento de multitud de relaciones jurídicas, lo que obliga a tener en cuenta, de manera inexorable, las orientaciones del Derecho comparado. Aun referidas al Derecho público, son interesantes las recientes consideraciones, entre nosotros, de DE LA SIERRA, S., «Límites y utilidades del Derecho comparado en el Derecho público. En particular, el tratamiento jurídico de la crisis económico-financiera», *RAP*, núm. 201, 2016, págs. 69-99, especialmente págs. 71-83.

[21]   Se anticipa este planteamiento en nuestro trabajo, «Una propuesta de regulación legal de los grupos de sociedades en el ordenamiento jurídico español», en ALONSO LEDESMA, C./ALONSO UREBA, A./ESTEBAN VELASCO, G. (dir.), *La modernización del Derecho de sociedades de capital. Cuestiones pendientes de reforma*, II, Cizur Menor, 2011, págs. 413-445.

[22]   Con la conocida contraposición entre el modelo contractual, característico del Derecho alemán, y el llamado modelo orgánico, acogido en proyectos de Derecho europeo y de Derecho francés que no llegaron a convertirse en norma vigente; al respecto, por muchos, IMMENGA, U., «Konzernverfassung ipso facto oder durch Vertrag. Zum Stand der Konzernrechtsdiskussion in der europäischen Gemeinschaft», *Europarecht*, 1978, págs. 242 y sigs.

Derecho mercantil y aun del entero Derecho privado)[23] ha sido el intenso
debate sostenido respecto de la conveniencia de mantener una regulación
basada en estrictas normas jurídicas, no sólo imperativas, o, desde otra
perspectiva, avanzar en la consolidación del llamado Derecho blando (*soft
law*), mediante el enunciado de recomendaciones.

Este debate, que tiene su origen, como tantos otros, en la temática del
gobierno corporativo, no ha tenido demasiados efectos en el terreno de
los grupos, si bien, por la dificultad de la materia y por la conocida insuficiencia del Derecho de grupos en la mayor parte de las jurisdicciones,
tiene sentido volver sobre él. La experiencia existente hasta el momento,
tanto en el Derecho alemán y en aquellos ordenamientos que lo siguen,
como en los distintos proyectos para la regulación de la figura, coincide
en mostrar la preferencia por la regulación legislativa; ello es así, a pesar
de que esa posición mayoritaria es tildada, por lo común, de rígida e inadecuada para el tratamiento de una figura de empresa tan necesitada de
ordenación flexible[24].

En el estado actual de la metodología jurídica, resulta obligado afirmar
la prioridad de la regulación legislativa frente a otras posibles modalidades
de ordenación normativa. A pesar de ello, y dada la fluidez de la situación,
parece igualmente conveniente ahondar en el plano del Derecho blando,
cuya utilidad, como elemento anticipador de futuras regulaciones, queda
fuera de toda duda[25]. A la hora de conjugar ambas categorías en la tarea común de articular un auténtico Derecho de grupos, ha de tenerse en cuenta
su distinta naturaleza y, hablando con una buena dosis de valor entendido,
su distinto modo de vigencia. Dicho de una manera más precisa, en tanto
que la regulación legislativa nace con la voluntad de *regir* una determinada
situación (sin perjuicio de los matices propios del Derecho dispositivo)[26],

---

[23]    Para la relación entre Derecho privado y regulación, recientemente, HELL-
        GARDT, A., *Regulierung und Privatrecht*, Tübingen, 2016.

[24]    Aun a riesgo de reiteración, parece conveniente indicar de nuevo la referencia, si
        bien limitada, a nuestra figura en el CBGSC (véase *supra* nota 18).

[25]    Como se pone de manifiesto en diversos apartados del propio CBGSC.

[26]    Viene a muy cuento la formulación del gran iuspublicista francés Maurice Hau-
        riou (*apud* RAMIRO RICO, N., *El animal ladino*, Madrid, 1980, pág. 146), según la
        cual «le droit n'est pas la conformité pure et simple à l'ordre brut des choses: sans
        doute, il s'y conforme en partie, puisqu'il est fait pour régir les rapports sociaux
        et les organisations sociales à l'état brut, mais il ne s'y conforme pas entièrement,
        car là, il ne les régirait point. Régir, cela signifie imposer une règle qui ne se
        confonde pas avec la réalité régie». Y el propio Ramiro (*ibidem*, pág. 147) continúa

el *soft law* se centra en la tarea de *mostrar* lo que pueda ser preferible, desde una cierta orientación valorativa[27]. No obstante esta relevante distinción, la realidad actual del gobierno corporativo, cuya temática intentamos trasladar al ámbito de los grupos, aconseja evitar la contraposición entre las dos perspectivas indicadas, promoviendo en lo posible su tratamiento integrado, sin perjuicio, claro está, de las lógicas diferencias que se derivan de su distinta naturaleza[28].

Con todo, además de postular la adopción de medidas legislativas y de recomendaciones para la formación de un adecuado Derecho de grupos, resulta aún más necesario profundizar en el relieve de la autonomía de la voluntad en dicha labor ordenadora; esta sugerencia parece recomendable en aquellas jurisdicciones desprovistas de regulación en la materia o que, como sucede en Derecho español, se hayan limitado a establecer algunas normas aisladas y dispersas sobre el concepto o la delimitación de la figura, sin ulteriores referencias a su régimen particular. Del mismo modo, también la autonomía de la voluntad puede prestar servicios relevantes en la tarea que nos ocupa dentro de los escasos ordenamientos que disponen de una regulación sustantiva del grupo. Ello es así, como consecuencia de los muchos aspectos que, de manera inevitable, quedan postergados de la norma por la complejidad del objeto de regulación; pero a la misma conclusión se ha de llegar por el hecho de que los sujetos integrantes del grupo —y no sólo las sociedades— son entes de Derecho privado cuya con-

---

y glosa la reflexión señalando que «con razón entendía Hauriou que para hablar del Derecho —y del Derecho en la sociedad— es menester que éste venga a traer a la sociedad lo que en ésta sin el Derecho no habría». Por ello, el Derecho «viene a regir (¡gran vocablo éste!) algo que ya es (inevitablemente: ¡cuán peculiar ha de ser un ser a cuyo modo ser pertenece el —tener que— ser regido)…Por esto, el Derecho, sus normas y sus fuentes de inspiración —y de promoción; para Hauriou, la justicia— han de estar en una cierta contradicción con la realidad que aspiran a regir».

[27] Hay un singular paralelismo histórico entre la contraposición actual del Derecho firme con el Derecho blando y la que, en la etapa medieval, se diseñaba en el ámbito teológico y jurídico entre la *lex imperans* y la *lex indicans*; al respecto, entre otros, WELZEL, H., *Introducción a la Filosofía del Derecho*, (trad. esp. de Felipe González Vicén), Madrid, 1971, págs. 94-100

[28] Algo de esto se intenta, a propósito del gobierno corporativo y su codificación actual, mediante la concurrencia del Derecho firme y el Derecho blando, en EMBID IRUJO, J. M., «La codificación del gobierno corporativo», *RDBB*, núm. 2016, págs. 11-41.

figuración particular se inserta en el amplio campo de juego de la libertad contractual[29].

Quizá resulte necesario advertir, a este respecto, que el despliegue de la autonomía de la voluntad a escala del grupo no ha de suponer su eliminación en el nivel específico de cada entidad integrada en él, como consecuencia de su propia naturaleza, en la que, como sabemos, la tensión dialéctica unidad-pluralidad muestra un valor que debería calificarse de constitutivo. Con todo, parece evidente que la libertad contractual propia del grupo, o que se refiera a él de manera directa, condicionará decisivamente la que pueda aplicarse en sus elementos componentes. Así sucederá, desde luego, en los grupos jerárquicos y, de manera más intensa aún, en los que se configuren con un elevado carácter centralizado; pero también se manifestará en los que, no obstante la existencia del control, muestren elementos significativos de descentralización. Menor conexión entre una y otra autonomía de la voluntad se observará, finalmente, en los grupos paritarios[30], donde el poder de decisión es el resultado del acuerdo libre de sus entidades integrantes[31].

---

[29]   Últimamente, desde la perspectiva general del Derecho de sociedades, con alusiones a los grupos, en el marco del *venture capital*, véase KUNTZ, T., *Gestaltung von Kapitalgesellschaften zwischen Freiheit und Zwang. Venture Capital in Deutschland und den USA*, Tübingen, 2015.

[30]   La temática de estos grupos, también llamados horizontales o por coordinación, ha experimentado algunos cambios relevantes desde su tipificación en la *Aktiengesetz*, sin prever un régimen específico al efecto. Tras una época en la que se les negaba el carácter de auténticos grupos, asemejándolos a meros acuerdos de cooperación interempresarial y posteriormente, se ha podido ver su idoneidad para servir de cauce a la integración de operadores económicos, como las sociedades cooperativas, cuya singular naturaleza no parece compatible con su sometimiento a una relación de control. La bibliografía no es precisamente abundante y de las aportaciones más relevantes, con carácter general, merece la pena mencionar el trabajo de SANTAGATA, R., *Il gruppo paritetico*, Torino, 2001.

[31]   No podemos entrar ahora en el análisis de los elementos concretos donde pueda llegar a ejercitarse la libertad contractual a escala del grupo. En aquellos ordenamientos, como el español, desprovistos de regulación orgánica de la figura, el punto de partida de la discusión habría de situarse en la viabilidad de aquellos pactos o acuerdos, como el contrato de grupo, susceptibles de «constituir» esta singular forma de empresa. En dicho negocio jurídico, a imitación del contrato de dominio del Derecho alemán, se da carta de legitimidad jurídica a las instrucciones vinculantes del titular del poder de dirección respecto de las entidades integradas en el grupo, con la consiguiente primacía del interés de este último sobre los intereses particulares de aquellas. Esa discusión se ha iniciado ya entre nosotros, habiéndose afirmado la validez de tan singular contrato (en realidad,

## 3. Los intereses

Quizá sea este tópico el que ha concentrado mayor atención con motivo de la formulación, el estudio y la puesta en práctica del Derecho de grupos. Se trata, en resumidas cuentas, del denominado «conflicto del grupo», el cual, como es sabido, no supone otra cosa que la contraposición entre el interés conjunto del grupo, como empresa policorporativa[32], y el interés singular de cada una de las entidades que lo forman. De esa contraposición, es decir, de que uno y otros no se dirijan a los mismos objetivos y de que, a su vez, el interés del grupo se coloque por encima de los restantes, se ha nutrido, en buena medida, la orientación que hemos llamado protectora a la hora de comprender y delimitar el Derecho de grupos[33].

Sin volver ahora sobre estos extremos, conviene poner de manifiesto los criterios implícitos que subyacen a dicha postura. De un lado, que no habría convergencia posible entre los intereses en presencia y sí, únicamente, contraposición; de otro, que esta última se resolvería siempre en beneficio del grupo, cuyo interés se impondría siempre y de manera inexorable al de sus sociedades o entidades integrantes. Sin negar parte de razón a tales presuposiciones, conviene indicar que el grupo no es, *per se*, una institución jurídica de peligro y que los objetivos perseguidos mediante su organización y funcionamiento no se oponen necesariamente a los que, de manera autónoma, puedan pretender los sujetos que lo componen.

Estas afirmaciones, siempre presentes desde la inicial andadura del moderno Derecho de grupos, están sirviendo de base en nuestros días a una destacada reivindicación del interés del grupo en el marco de la orienta-

---

un negocio jurídico de organización, como es bien sabido), si bien todavía no se ha llegado al necesario detalle que una cuestión de tal entidad plantea a un ordenamiento como el español y de la que en otros territorios, como en Italia, hay ejemplos concluyentes, sin perjuicio de que allí se disponga, con todos los matices que se quiera, de un auténtico Derecho de grupos. Por otro lado, no conviene ignorar la amplia tipología de acuerdos suscritos en el marco de los grupos realmente existentes en la práctica empresarial; de su contenido pueden extraerse conclusiones relevantes a la hora de analizar el papel efectivo que la libertad contractual puede jugar en el tema que nos ocupa.

[32]  Aunque la noción de «interés del grupo» aparece plenamente consolidada, tanto en la regulación como, sobre todo, en la doctrina, no faltan autores que nieguen entidad jurídica a tal magnitud, por considerarla incompatible con la falta de personalidad jurídica del grupo; en tal sentido, véase MANÓVIL, R., *Grupos de sociedades en el Derecho comparado*, Buenos Aires, 1998, págs. 580-585.

[33]  Véase *supra* I, 2.

ción que, con anterioridad, hemos llamado organizativa[34]. La idea inspira-
dora consiste en dar fijeza y seguridad al interés del grupo, en el sentido de
hacer posible la realización eficaz de las políticas propias de la empresa de
grupo sin que los intereses particulares de sus entidades componentes lo
obstaculicen de manera sustancial. De ahí la comprensión del Derecho de
grupos como una *disciplina jurídica habilitante* que ha de poner su acento en
el diseño de protocolos y procedimientos de actuación de quienes dirigen
el grupo, así como de los administradores de sus entidades integrantes.

Sin negar el acierto de quienes promueven la tutela del interés del grupo en nuestro tiempo[35], conviene recordar, una vez más, la propia naturaleza de la figura, con su constitutiva conjunción de unidad empresarial
y pluralidad jurídica, así como la necesidad de articular mecanismos de
integración de los diversos intereses concurrentes en su seno. Por tal motivo, quizá sea acertado entender inicialmente el interés del grupo como
el *interés de la empresa de grupo*[36], buscando de esta forma —al margen, si se
quiere, de su tono institucional—[37] un elemento explicativo de la figura
como nueva y singular forma de empresa.

No es fácil, desde luego, traducir este planteamiento en precisas normas
jurídicas, ya sean firmes o blandas, por lo que también aquí corresponderá
un papel decisivo a la libertad contractual, gracias, entre otros extremos, a
los contratos o acuerdos que, con naturaleza esencialmente organizativa,
puedan llegar a concluirse[38]. Y en este específico asunto, una de las cuestio-

---

[34]  Véase *supra* I, 3.

[35]  Últimamente (octubre de 2016), una entidad denominada ICLEG (siglas correspondientes a *The Informal Company Law Expert Group*), integrada por un relevante
conjunto de profesores y juristas de gran competencia en la materia, ha elaborado
un *Report on the recognition of the interest of the group*, con un planteamiento sumamente matizado alrededor del reconocimiento y tutela del interés del grupo, cuya
consulta parece obligada a fin de conocer el estado actual del debate sobre la
cuestión.

[36]  Así, por ejemplo, EMBID IRUJO, J. M., *Grupos de sociedades y accionistas minoritarios*,
*cit.*, págs. 252-253, y GIRGADO, P., *La empresa de grupo y el Derecho de sociedades*, *cit.*,
págs. 266-270.

[37]  Cfr. MANÓVIL, R., «Evolución del Derecho de los grupos de sociedades», en *Biblioteca Academia Nacional de Derecho y Ciencias Sociales de Buenos Aires*, Buenos Aires,
2005, pág. 55.

[38]  La libertad contractual también significa saber o poder aplicar determinadas figuras ya existentes en un determinado ordenamiento cuando haya que dar respuesta a realidades singulares u originales. Así sucede con el fenómeno del *compliance*, cuya presencia en el Derecho de sociedades —sin perjuicio de su relieve

nes clave será, sin duda, la de establecer límites al propio interés del grupo o, si se prefiere, a su corolario ejecutivo, esto es, el poder de dirección. Sin perjuicio de aquellos que puedan considerarse obvios, como el respeto a las normas imperativas o la necesidad de explicar, en su caso, el no seguimiento de las recomendaciones de *soft law*, empieza a generalizarse la idea de convertir a la subsistencia, como entidad jurídica y económica, de la sociedad sometida al poder de dirección en un límite infranqueable para el interés del grupo. Así se ha solido considerar en la doctrina alemana y así lo afirma entre nosotros la sentencia del Tribunal Supremo de 11 de diciembre de 2015 *(Tol 5589749)*[39].

En este plano de los intereses concurrentes en el grupo, conviene referirse, por último, a la posible presencia en su seno de *intereses de alcance general*, como serán, en la mayoría de los ordenamientos, los propios de las fundaciones, cuando estas personas jurídicas formen parte de su estructura. El hecho de que, por su específica naturaleza, suela situarse la fundación a la cabeza del grupo le obligará, como entidad ejerciente del poder de dirección, a un delicado ajuste entre el fin de interés general que ha de perseguir de manera inexorable, y el interés del grupo, como resumen o

---

jurídico-penal— resulta ya notoria. También el grupo se ve afectado por dicha circunstancia y, en una nueva muestra de la dialéctica unidad-pluralidad, son ya habituales las propuestas y reflexiones sobre el *compliance* a escala del grupo, que algunos autores (cfr. GRUNDMEIER, Ch., *Rechtspflicht zur Compliance im Konzern*, Köln, 2011), ven ya no sólo como una conveniencia, sino como una auténtica obligación jurídica, sin perjuicio de las actividades que, al respecto y en su ámbito, hayan de desarrollar las sociedades integrantes del grupo. Pues bien, a estos efectos, el contrato de dominio, previsto en el Derecho alemán, es un instrumento idóneo para facilitar el tratamiento del *compliance* a escala del grupo, reduciendo los riesgos y la responsabilidad de los administradores (en este sentido, SCHOCKENHOFF, M., «Haftung und Enthaftung von Geschäftsleitern bei Compliance-Verstössen im Konzernen mit Matrix-Strukturen», *ZHR*, núm. 180, 2016, pág. 231.

[39] Cfr. EMBID IRUJO, J. M., «Interés del grupo y ventajas compensatorias. Comentario de la sentencia del Tribunal Supremo (sala primera) de 11 de diciembre de 2015», *RDM*, núm. 300, 2016, págs. 313-314. En dicho fallo, se postula un equilibrio de intereses en caso de contraposición de los mismos, afirmando que «la existencia de un grupo de sociedades supone que cuando se produzca conflicto entre el interés del grupo y el interés particular de una de las sociedades que lo integran, deba buscarse un equilibrio razonable entre un interés y otro, esto es entre el interés del grupo y el interés social particular de cada sociedad filial». Véase, además, el trabajo de MAUGERI, M., «Interesse sociale, interesse dei soci e interesse del gruppo», en PACIELLO, A. (dir.), *La dialettica degli interessi nella disciplina delle società per azioni*, Napoli, 2011, págs. 245-280.

compendio de las aspiraciones de la empresa policorporativa por ella dirigida. En una segunda fase, el ajuste habrá de extenderse lógicamente a los
intereses de las entidades o sociedades integradas en el propio grupo, los
cuales, a diferencia de otros supuestos, se verán doblemente condicionados y seguramente más limitados de lo que es común por la concurrencia,
precisamente, de ese fin de interés general[40].

El problema planteado, en todo caso, dista mucho de ser teórico, a la
vista de la importancia que ciertas fundaciones, como las bancarias, han
adquirido en un sector tan sensible como el sistema financiero dentro de
algunos países de la Unión europea, como Italia y España[41]. Se trata, con
todo, de instituciones cuya efectiva conformación y permanencia no pueden separarse de la evolución que experimente en los próximos años el
propio sistema financiero[42].

---

[40]   Al respecto, EMBID IRUJO, J. M., «La inserción de una fundación en un grupo de
       empresas: problemas jurídicos», *RDM*, núm. 278, 2010, págs. 1373-1399.
[41]   Por muchos, véase, entre nosotros, EMPARANZA, A. (dir.), *Comentarios a la ley de
       cajas de ahorros y fundaciones bancarias*, Cizur Menor, 2015.
[42]   Un problema similar, si bien no del todo coincidente, es el que puede plantear
       la existencia dentro de un grupo (sobre todo los de naturaleza bancaria o, más
       ampliamente, financiera) de entidades, por lo común con forma societaria, dedi-
       cadas a la gestión del ahorro colectivo, derivado de la aportación que una masa
       indiferenciada de sujetos pueda efectuar a las mismas. Como es natural, tales en-
       tidades, muchas veces controladas íntegramente por la sociedad holding o domi-
       nante del grupo, quedan sometidas al ejercicio del poder de dirección en dicha
       modalidad de empresa, sin que la existencia de su específico interés (muy media-
       tizado, es cierto, en caso de que la dominante sea su socio único) añada nada al
       denominado «conflicto del grupo» al que se ha hecho referencia en el texto. La
       singularidad del supuesto se manifiesta, no obstante, en el vínculo de la entidad
       gestora del ahorro colectivo con los sujetos aportantes, que ha de quedar, en prin-
       cipio, al margen de la estructura y efectos de la empresa de grupo. La organiza-
       ción y el funcionamiento del grupo, como empresa policorporativa, incide, según
       es sabido, en los posibles socios externos de dicha entidad y en sus acreedores,
       pero nada tiene que ver con los sujetos participantes en los fondos gestionados
       por la sociedad. Sus intereses, como se ha dicho autorizadamente (cfr. GUIZZI,
       G., «La Sgr di gruppo tra integrazione e autonomia», *Riv. Dir. Comm.*, núm. CXIV,
       I, 2016, págs. 563-576, concretamente págs. 571-572), «se colocan en una dimen-
       sión no sólo externa a la empresa y a los objetivos perseguidos con su gestión,
       sino efectivamente antagónica, como sucede típicamente con una contraparte
       contractual». En el caso descrito nos encontramos, por tanto, ante un problema
       típico del Derecho de contratos y no del Derecho de la empresa, de modo que,
       sólo de esta forma, puede entenderse la aporía derivada de la efectiva coexistencia
       en tales grupos de una efectiva integración empresarial, por un lado, y, por otro,

## 4. Los socios minoritarios

La protección de los socios minoritarios o externos de las sociedades sometidas al poder de dirección en un grupo constituye, como sabemos, uno de los temas tradicionales del moderno Derecho de grupos[43]. Además, como también ha habido ocasión de referir, constituye el núcleo central de lo que aquí hemos llamado «orientación protectora», sobre cuya base se han articulado medidas favorables a tales sujetos en el contexto de un grupo, desde la doble perspectiva informadora y patrimonial[44].

El influjo que en este temario concreto ha ejercido el Derecho alemán, desde la delimitación misma de los socios externos, hasta la especificación

---

de la necesaria independencia con la que la entidad gestora del ahorro colectivo ha de configurar su relación con los participantes en el patrimonio gestionado. Obsérvese que este conjunto de relaciones no se insertan en el objeto social de la indicada entidad, sino que, más bien, forman parte del objeto de la prestación contractual por ella debida respecto de su clientela (cfr. GUIZZI, G., *ibidem*, pág. 570). Definido el problema en estos sintéticos términos, resulta evidente que no coincide exactamente con el expresado en el texto a propósito de la presencia de un interés general en una empresa de grupo, susceptible de condicionar el interés conjunto de ésta; no obstante, la aparente antinomia entre el poder de dirección, característico de ésta, y la necesaria autonomía de la entidad gestora del ahorro colectivo tendrá sus consecuencias en la propia política del grupo, por venir obligada la sociedad dominante a conseguir el mejor gobierno societario posible en esta última, con especial presencia de los administradores independientes en su consejo (cfr. de nuevo GUIZZI, G., *ibidem*, pág. 569, a propósito de los criterios de la Banca de Italia en lo que atañe a la articulación de los grupos financieros).

[43] No se trata, como es bien sabido, del único colectivo merecedor de protección en el marco del Derecho de grupos, entendido siempre desde la perspectiva societaria; la tutela de los acreedores constituye también un tópico habitual en nuestra materia, siendo objeto, como es notorio, de muy abundantes aportaciones; entre nosotros, por muchos, FUENTES NAHARRO, M., *Grupos de sociedades y protección de acreedores (una perspectiva societaria)*, ya citado.

[44] Es posible pensar, además, en otras medidas de protección, como, por ejemplo, las que, en su caso hagan posible la exigencia de responsabilidad a quienes ejerzan el poder de dirección en el grupo, seguramente identificados con los administradores de la entidad o sociedad formalmente titular del mismo. En esta misma línea, han de situarse las múltiples reflexiones existentes en nuestros días respecto de la figura del administrador de hecho, cuyo carácter genérico en el Derecho de sociedades de nuestro tiempo, no impide su consideración en el marco de la empresa de grupo. Como es fácil de imaginar, la cuestión inicial consistirá en determinar a quien pueda atribuirse dicha condición, de acuerdo con la dogmática que progresivamente se ha ido elaborando en la doctrina y en la Jurisprudencia, de la que la legislación se ha hecho eco en nuestros días.

minuciosa de las posibles medidas de tutela a su favor, resulta lo suficientemente conocido como para extenderse ahora en su análisis[45]. Bastará con
señalar que en la mayor parte de los ordenamientos con regulación de los
grupos se faculta a tales socios para separarse de su sociedad con motivo de
la fundación del grupo, sin perjuicio de que, en algunos de ellos —como
el propio Derecho alemán— se les permita optar entre dicha posibilidad y
el mantenimiento de su carácter de socio, con la asignación en tal caso de
una compensación económica. Las medidas de contenido informativo, por
su parte, pueden ser muy variadas, partiendo, como presupuesto básico, de
la necesaria elaboración de las cuentas consolidadas y de que el derecho de
información del socio se proyecte más allá de su propia sociedad. Ello es
así, tanto desde la perspectiva del socio externo, como, más recientemente,
del socio de la sociedad que ejercite el poder de dirección en el grupo[46].

No es posible ignorar las críticas suscitadas por la orientación protectora, a la que se achaca, en buena medida, el fracaso del Derecho de grupos
y, en todo caso, la insuficiente tutela del interés de la empresa de grupo. Se
comprende, de este modo, el creciente relieve en el moderno Derecho de
sociedades de mecanismos que permitan al socio mayoritario la exclusión
de las minorías, mediante vías adecuadas para la adquisición compulsiva
de sus participaciones o acciones. La consecuencia inmediata es la formación de sociedades unipersonales, de fácil acomodo en el marco del poder
de dirección, y más idóneas para la puesta en práctica de las políticas del
grupo. No puede extrañar, por ello, la frecuencia con la que, en los últimos años, se afronta el tratamiento jurídico de los grupos, aunque sea a
escala puramente doctrinal, separando la suerte de aquellas sociedades,
integradas en un grupo y que carecen de socios externos, de las que, por

---

[45]   No obstante el tiempo transcurrido, nos permitimos remitir al lector a las mo-
       nografías de EMBID IRUJO, J. M., *Grupos de sociedades y accionistas minoritarios.
       La tutela de la minoría en situaciones de dependencia societaria y grupo*, y MARTÍNEZ
       MACHUCA, P., *La protección de los socios externos en los grupos de sociedades*, ya citadas.

[46]   Planteamiento este último que se inserta en una orientación protectora de signo
       opuesto a la tradicional; se trata, con ella, de ver el modo de reparar algunos de
       los inconvenientes que para el socio minoritario de la sociedad dominante se pue-
       dan derivar del funcionamiento de este último. Entre nosotros, se ha hecho eco
       de dicha temática, FUENTES NAHARRO, M., «Accionistas externos de grupos de
       sociedades: una primera aproximación a la necesidad de extender la perspectiva
       tuitiva a la sociedad matriz», *RDM*, núm. 269, 2008, págs. 1009-1029.

otro lado, disponen de minorías activas y quizá incómodas para el ejercicio del poder de dirección[47].

## 5. Los administradores y sus deberes

Llegamos, finalmente, a uno de los puntos clave del moderno Derecho de grupos, el cual, si se quiere con cierta paradoja, no fue objeto de especial atención en la regulación alemana. En éste y, a imitación suya, en otros ordenamientos, el problema se situó en el marco de los límites del poder de dirección, sin perjuicio de contemplar algunas normas sobre responsabilidad civil de los propios administradores[48]. Toda la cuestión relativa a su estatuto en el marco de un grupo y, muy particularmente, de sus deberes fiduciarios, ha quedado sin tratamiento, para surgir con fuerza en nuestro tiempo, al hilo, una vez más, de la temática del gobierno corporativo.

La cuestión aquí esbozada resulta de imposible análisis en una ponencia necesariamente sintética, como la presente. Pero su consideración es, al mismo tiempo, inexorable, si se quiere dotar al Derecho de grupos de una consistencia firme, sin limitarlo a los tópicos consabidos, algunos de los cuales, como acabamos de ver, han merecido críticas relevantes y se sitúan en la actualidad en una zona gris, sin visos de convertirse en materia objeto de regulación. Entre nosotros, además, esta temática ha recibido una amplia atención, inicialmente circunscrita al Derecho blando, para consolidarse con posterioridad en el Derecho firme, sobre todo a través de la Ley

---

[47]     La doctrina de las ventajas compensatorias, de clara raigambre italiana, de la que se hace hecho la sentencia de 11 de diciembre de 2015 y también el Anteproyecto de Código mercantil, parece, en el terreno que ahora nos ocupa, una fórmula un tanto ambivalente, sobre todo si se la mira desde aquellos ordenamientos que han atribuido al socio externo derechos patrimoniales de protección. De entrada nos sitúa ante un mecanismo de tutela de las propias sociedades afectadas negativamente por el predominio del interés del grupo y por el consiguiente ejercicio del poder de dirección. Se puede comprender, por ello, que su puesta en práctica redundará en beneficio del patrimonio de tales sociedades, de lo que se deducirá, en su caso, una forma indirecta de tutela de socios externos y acreedores. Haría falta, por tanto, conocer mejor la experiencia italiana y contrastarla debidamente con la realidad de los grupos en nuestro país. Por desgracia, y ante la paralización del Anteproyecto, esa labor parece quedar circunscrita a la Jurisprudencia, en cuyo ámbito, como es sabido, no abundan las sentencias que se ocupen del grupo en clave societaria.

[48]     Entre nosotros, GIRGADO, P., *La responsabilidad de la sociedad matriz y de los administradores en una empresa de grupo*, Madrid, 2002.

31/2014[49]. El tratamiento de los deberes de los administradores, tanto de diligencia como de lealtad, así como los mecanismos de exención o dispensa, con la importante alusión a la discrecionalidad empresarial, configuran ahora un marco singular para el desenvolvimiento y supervisión de la actividad de los propios administradores, cuya interpretación y aplicación han de hacerse con cuidado, por la complejidad del régimen establecido.

Es cierto que esta detallada regulación ha sido concebida para la sociedad (de capital) aislada, sin apenas referencias a la figura del grupo. Se trata, como en tantas otras ocasiones, de un problema añadido para el jurista, que deberá «leer» la disciplina en vigor con «ojos» del Derecho de grupos, sin incurrir, por ello, en excesos interpretativos o, incluso, en la directa creación del Derecho. Además de las numerosas aportaciones doctrinales, en las que, por lo común, falta la perspectiva que ahora nos interesa[50], la sentencia del Tribunal Supremo de 11 de diciembre de 2015 *(Tol 5589749)*, ya citada, puede constituir un buen punto de apoyo, con las referencias en ella contenidas al interés del grupo, a la vinculación del administrador con el respectivo interés social, y con la alusión final al mantenimiento de la «vida» jurídica de la sociedad dependiente de un grupo, como límite preciso al poder de dirección[51].

---

[49] Sobre el contenido de dicha reforma, por muchos, JUSTE, J. (coord.), *Comentario de la reforma del régimen de las sociedades de capital en materia de gobierno corporativo (Ley 31/2014). Sociedades no cotizadas*, Cizur Menor, 2015; véase también, si bien con alcance más circunscrito, HERNANDO CEBRIÁ, L. (coord.), *Régimen de deberes y responsabilidad de los administradores en las sociedades de capital, cit., passim.*

[50] Véase, por muchos, PAZ-ARES, C., «Anatomía del deber de lealtad», en ROJO, Á./CAMPUZANO, A. B. (coord.), *Estudios jurídicos en memoria del profesor Emilio Beltrán. Liber Amicorum,* I, *cit.,* págs. 569-611, sin perjuicio de algunas alusiones a los grupos, como, por ejemplo, las contenidas en las págs. 574 y 587; igualmente, EMPARANZA, A., «El deber de lealtad de los administradores y de evitar situaciones de conflicto», en EMPARANZA, A. (dir.), *Las nuevas obligaciones de los administradores en el gobierno corporativo de las sociedades de capital*, Madrid, 2016, págs. 137-158.

[51] Algunas referencias recientes al problema, en RODRÍGUEZ SÁNCHEZ, S., «La delimitación de la figura del administrador de hecho», *RDM*, núm. 301, 2016, págs. 88-91, y también en MÁRQUEZ LOBILLO, P., «Límites al interés de grupo, deber de lealtad y responsabilidad de los administradores de la filial», *Cuadernos Civitas de Jurisprudencia Civil*, núm. 102, 2016, págs. 1-13. No se nos oculta que dicha sentencia, por sí sola y en ausencia, al menos por el momento, de una jurisprudencia societaria consolidada sobre el grupo, constituye un elemento insuficiente para llevar adelante tan difícil tarea.

No parece difícil concluir que la traslación al grupo de la temática correspondiente al deber de lealtad de los administradores supone plantear, en toda su intensidad, el llamado «conflicto del grupo», es decir, la efectiva o potencial tensión entre su interés, como conjunto empresarial, con el interés particular de cada sociedad que de él forme parte. En un contexto de ausencia de regulación de nuestra figura, según sucede en el Derecho español, resulta evidente la necesidad de partir de este último interés, al que, como es sabido (cfr. art. 227 LSC), debe referir el administrador su entera actuación, absteniéndose de todos aquellos actos u operaciones que entren en conflicto con él. La norma presupone, como regla general, una situación conflictiva entre el interés social y el interés, particular y concreto, del administrador o de cualquier persona con él vinculada, lo que sólo de manera restringida, y sin especiales valoración por el legislador, permite concebir el conflicto de grupo dentro de sus previsiones.

Hay elementos de coincidencia y otros de separación entre la tensión de intereses contemplada a propósito del deber de lealtad en la Ley de sociedades de capital y la que se deriva de la posible contraposición entre el interés del grupo y el interés social específico de una sociedad en él integrada. La coincidencia se deriva, obviamente, de que también en este caso hay un interés, el del grupo, que puede traer consigo la postergación del mencionado interés social; pero encontramos de inmediato un elemento distintivo entre las dos situaciones como consecuencia de que el administrador de la sociedad integrada en el grupo puede ser visto, *prima facie*, como un tercero respecto del potencial conflicto. Quiere decirse con ello que, al margen de los posibles datos que ofrezca la situación fáctica, no puede presumirse la vinculación de dicho administrador con quienes ejerzan la dirección del grupo.

Sin perjuicio de reiterar que el llamado «conflicto del grupo» ni es inexorable ni se da, en su caso, con la misma intensidad, es preciso reconocer la difícil posición del administrador de producirse la mencionada interferencia. El hecho de partir de su concreta posición jurídica, como sujeto obligado a comportarse lealmente con su propia sociedad y con su interés, es, ya se ha dicho, inevitable en un contexto normativo como el español. Pero, del mismo modo que se hace en la sentencia del Tribunal Supremo de 11 de diciembre de 2015 *(Tol 5589749)*, es igualmente imperativa la necesidad de tomar conciencia de que el interés del grupo es también legítimo, siendo perentorio encontrar caminos para la posible conjunción, en su caso, de ambos o, de otro modo, para la reparación, adecuada al grupo, de los daños que se produzcan en la sociedad en él integrada por la primacía del interés de este último.

Aquí aparecen las ventajas compensatorias[52], expediente singular, necesitado de muchas matizaciones y experiencias concretas, a cuyo fin podría ser de utilidad reflejar en el posible contrato de dominio o en el repertorio de pactos que en el grupo puedan concluirse mecanismos específicos al efecto. En ese marco se insertarán, desde luego, protocolos de actuación y normas de procedimiento; pero también es recomendable precisar el alcance, caracteres y circunstancias específicas que sirvan para identificar el posible daño y los medios idóneos para su reparación, siempre, conviene reiterarlo, con adecuación a la singular realidad del grupo. Quiere decir tal cosa que habrá de huirse de planteamientos de tipo resarcitorio, en la línea clásica de la responsabilidad aquiliana. No es una tarea fácil, aunque la experiencia italiana al respecto puede servir de elemento orientador.

## III. CONSIDERACIONES FINALES

La temática actual del Derecho de grupos, de la que aquí se ha dado una sumaria y circunscrita imagen, constituye un verdadero reto para el ordenamiento y, desde luego, para los juristas, como consecuencia, esencialmente, de la inacción legislativa en la mayor parte de los países; pero el reto se mantiene e, incluso, se incrementa, a la vista de la complejidad de la estructura empresarial que el grupo constituye, así como de la dificultad de traducir en precisas normas jurídicas las múltiples relaciones y conflictos que su funcionamiento pone de manifiesto. Como ha habido ocasión de señalar, no se trata de un asunto meramente teórico o de limitado relieve práctico, pues resulta evidente a todas luces el indudable protagonismo que en el mundo económico tiene esta singular modalidad de empresa, tal y como se deduce de una elemental consideración de la realidad.

En todo caso, el tratamiento jurídico del grupo obliga a enfrentarse con un fenómeno de poder empresarial ciertamente diverso al que es común dentro de las figuras del empresario individual y de los empresarios sociales, habitualmente consideradas por el Derecho. La singularidad de ese poder y la indudable legitimidad del interés del grupo no justifican, en modo alguno, que haya de ser la facilitación de su ejercicio la única o, cuando menos, la principal finalidad del Derecho de grupos. De la misma forma que el Derecho público ha rechazado hace tiempo la existencia de poderes exentos, tampoco pueden ser admitidos en el campo, esencialmente pri-

---

[52]    En el mismo sentido, PAZ-ARES, C., «Anatomía del deber de lealtad», *cit.*, pág. 587.

vado, de la actividad de empresa. En este sentido, no parece conveniente otorgar a la orientación organizativa la primacía que las aportaciones más recientes intentan atribuirle. Pero tampoco parece adecuado establecer un elenco de cautelas protectoras excesivamente amplio que termine restringiendo la funcionalidad y la eficiencia misma de la empresa de grupo.

No parece dudoso, por tanto, que el Derecho de grupos, si quiere servir de cauce al complejo unitario-pluralista que toda empresa de grupo representa, haya de buscar un adecuado equilibrio entre la organización y la tutela, es decir, entre el necesario refrendo a la viabilidad y la eficiencia de dicha empresa, de un lado, y la decidida consideración de ciertos colectivos necesitados de protección, de otra. A esa orientación de política jurídica, puede servir de apoyo y adecuado complemento el empleo, junto a la tradicional regulación legislativa, de la modalidad, hoy tan actual, del Derecho blando; ello es así, por la singularidad de este instrumento normativo y por la consiguiente capacidad de adaptación que sus recomendaciones pueden lograr en el seno de una estructura esencialmente dinámica y heterogénea, como es la propia del grupo. Y no puede olvidarse, en todo caso, el imprescindible acompañamiento de la libertad contractual, cuyo relieve en el Derecho de grupos resulta cada vez más elevado.

Por lo demás, el hecho de que la mentalidad dominante en la materia, tanto en el Derecho positivo como entre los autores, priorice el tratamiento de los grupos integrados exclusivamente por sociedades (sobre todo, de capital), no permite ocultar la necesidad de afrontar los problemas, por lo común poco tratados, derivados de la significativa y no infrecuente presencia en ellos de otras personas jurídicas (en particular, cooperativas y fundaciones). Parece necesario, entonces, que un Derecho de grupos a la altura de nuestro tiempo se configure, sustancialmente, de forma transtípica[53], lo que, aun reduciendo su extensión y su detalle, contribuirá con seguridad a comprender con mayor precisión la realidad concreta de la empresa de grupo. El papel de las categorías societarias en la construcción de esa rama del ordenamiento será, con todo, decisivo, no sólo por haber sido el germen de la misma, sino también por su progresiva influencia en la determinación del régimen jurídico de esas mismas personas jurídicas, aun carentes de base asociativa.

---

[53] Así, recientemente, TOMBARI, U., «Il "Diritto dei gruppi": primi bilanci e prospettive per il legislatore comunitario», *cit.*, pág. 91.

## Bibliografía

ALFONSO SÁNCHEZ, R., *La integración cooperativa y sus técnicas de realización. La cooperativa de segundo grado*, Valencia, 2000.

ANTUNES, J. A., *Os grupos de sociedades. Estrutura e organização jurídica da empresa plurissocietária*, 2ª ed., Coimbra, 2002.

BLUMBERG, P., *The Law of Corporate Groups*, seis volúmenes, Boston, 1983-1995.

COMPARATO, F. K., *O poder de controle na sociedade anônima*, 3ª ed., Rio de Janeiro, 1983.

CONAC, P. H., «Director's Duties in Groups of Companies-Legalizing the Interest of the Group at the European Level», *ECFR*, núm. 10-2, 2013, págs. 194-226.

DE ARRIBA FERNÁNDEZ, M. L., *Derecho de grupos de sociedades*, 2ª ed., Cizur Menor, 2009.

DE LA SIERRA, S., «Límites y utilidades del Derecho comparado en el Derecho público. En particular, el tratamiento jurídico de la crisis económico-financiera», *RAP*, núm. 201, 2016, págs. 69-99.

DINE, J., *The Governance of Corporate Groups*, Cambridge, 2000.

DRYGALA, T., «Europäisches Konzernrecht: Gruppeninteresse und Related Party Transactions», *AG*, núm. 6, 2013, págs. 198-210.

EIDENMÜLLER, H., *Effizienz als Rechtsprinzip. Möglichkeiten und Grenzen der ökonomischen Analyse des Rechts*, 3ª ed., Tübingen, 2005.

EISENBERG, M., «The Governance of Corporate Groups», en *I gruppi di società. Atti del Convegno internazionale di studi*, II, Milano, 1996, págs. 1187-1212.

EMBID IRUJO, J. M., *Grupos de sociedades y accionistas minoritarios. La tutela de la minoría en situaciones de dependencia societaria y grupo*, Madrid, 1987.

— «El buen gobierno corporativo y los grupos de sociedades», *RDM*, núm. 249, 2003, págs. 933-979.

— «La inserción de una fundación en un grupo de empresas: problemas jurídicos», *RDM*, núm. 278, 2010, págs. 1373-1399.

— «Una propuesta de regulación legal de los grupos de sociedades en el ordenamiento jurídico español», en ALONSO LEDESMA, C./ALONSO UREBA, A./ESTEBAN VELASCO, G. (dir.), *La modernización del Derecho de sociedades de capital. Cuestiones pendientes de reforma*, II, Cizur Menor, 2011, págs. 413-445.

— «La protección de la discrecionalidad empresarial: artículo 226», en HERNANDO CEBRIÁ, L. (coord.), *Régimen de deberes y responsabilidad de los administradores en las sociedades de capital*, Barcelona, 2015, págs. 105-133.

— «La codificación del gobierno corporativo», *RDBB*, núm. 140, 2016, págs. 11-41.

— «Interés del grupo y ventajas compensatorias. Comentario de la sentencia del Tribunal Supremo (sala primera) de 11 de diciembre de 2015», *RDM*, núm. 300, 2016, págs. 301-320.

EMBID IRUJO, J. M./DEL VAL TALENS, P., *La responsabilidad social corporativa y el Derecho de sociedades de capital: entre la regulación legislativa y el* soft law, Madrid, 2016.

EMBID IRUJO, J. M./EMPARANZA SOBEJANO, A. (dirs.), *El gobierno y la gestión de las entidades no lucrativas público-privadas*, Madrid, 2012.

EMPARANZA, A. (dir.), *Comentarios a la ley de cajas de ahorros y fundaciones bancarias*, Cizur Menor, 2015.

EMPARANZA, A., «El deber de lealtad de los administradores y de evitar situaciones de conflicto», en EMPARANZA, A. (dir.), *Las nuevas obligaciones de los administradores en el gobierno corporativo de las sociedades de capital*, Madrid, 2016, págs. 137-158.

FERNÁNDEZ RODRÍGUEZ, T. R., *De la arbitrariedad de la Administración*, 2ª ed., Madrid, 1997.

FLEISCHER, H., «Vergleichende Corporate Governance in der geschlossenen Kapitalgesellschaft», *ZHR*, núm. 179, 2015, págs. 404-452.

FUENTES NAHARRO, M., *Grupos de sociedades y protección de acreedores (una perspectiva societaria)*, Cizur Menor, 2007.

— «Accionistas externos de grupos de sociedades: una primera aproximación a la necesidad de extender la perspectiva tuitiva a la sociedad matriz», *RDM*, núm. 269, 2008, págs. 1009-1029.

GIRGADO, P., *La empresa de grupo y el Derecho de sociedades*, Granada, 2001.

— *La responsabilidad de la sociedad matriz y de los administradores en una empresa de grupo*, Madrid, 2002.

GRUNDMEIER, Ch., *Rechtspflicht zur Compliance im Konzern*, Köln, 2011.

GUERRERO TREVIJANO, C., «La protección de la discrecionalidad empresarial en la Ley 31/2014, de 3 de diciembre», *RDM*, núm. 298, 2015, págs. 147-180.

GUIZZI, G., «La Sgr di gruppo tra integrazione e autonomia», *Riv. Dir. Comm.*, núm. CXIV, I, 2016, págs. 563-576.

HELLGARDT, A., *Regulierung und Privatrecht*, Tübingen, 2016.

HERNANDO CEBRIÁ, L. (coord.), *Régimen de deberes y responsabilidad de los administradores en las sociedades de capital*, Barcelona, 2015.

HERNANDO MENDÍVIL, R., «La business judgment rule», *RDM*, núm. 299, 2015, págs. 313-368.

HIERRO ANIBARRO, S. (dir.), *Simplificar el Derecho de sociedades*, Madrid, 2010.

— *Gobierno corporativo en sociedades no cotizadas*, Madrid, 2014.

IMMENGA, U., «Der Preis der Konzernierung», en AA.VV., *Wirtschaftsordnung und Staatsverfassung. Festschrift für Franz Böhm zum 80. Geburtstag*, Tübingen, 1975, págs. 253-267.

— «Konzernverfassung ipso facto oder durch Vertrag. Zum Stand der Konzernrechtsdiskussion in der europäischen Gemeinschaft», *Europarecht*, 1978, págs. 242-275.

JUSTE, J. (coord.), *Comentario de la reforma del régimen de las sociedades de capital en materia de gobierno corporativo (Ley 31/2014). Sociedades no cotizadas*, Cizur Menor, 2015.

KUNTZ, T., *Gestaltung von Kapitalgesellschaften zwischen Freiheit und Zwang. Venture Capital in Deutschland und den USA*, Tübingen, 2015.

LEYENS, P., «Comply or Explain im Europäischen Privatrecht. Erfahrungen im Europäischen Gesellschaftsrecht und Entwicklungschancen des Regelungsansatzes», *ZEuP*, núm. 2, 2016, págs. 389-426.

LUTTER, M., «Konzernrecht: Schutzrecht oder Organisationsrecht?» en REICHERT, K./SCHIEDERMAIER, M./STOCK, A./WEBER, D. (eds.), *Recht, Geist und Kunst. Liber Amicorum Rüdiger Volhard*, Baden-Baden, 1996, págs. 105-113.

MANÓVIL, R., *Grupos de sociedades en el Derecho comparado*, Buenos Aires, 1998.

MANÓVIL, R., «Evolución del Derecho de los grupos de sociedades», en *Biblioteca Academia Nacional de Derecho y Ciencias Sociales de Buenos Aires*, Buenos Aires, 2005, págs. 1-82.

MÁRQUEZ LOBILLO, P., «Límites al interés de grupo, deber de lealtad y responsabilidad de los administradores de la filial», *Cuadernos Civitas de Jurisprudencia Civil*,
núm. 102, 2016, págs. 1-13.

MARTÍNEZ GARRIDO, S. (coord.), *Buen gobierno de las fundaciones*, Madrid, 2015.

MARTÍNEZ MACHUCA, P., *La protección de los socios externos en los grupos de sociedades*,
Zaragoza, 1999.

MAUGERI, M., «Interesse sociale, interesse dei soci e interesse del gruppo», en PACIE-
LLO, A. (dir.), *La dialettica degli interessi nella disciplina delle società per azioni*, Napoli,
2011, págs. 245-280.

MONTALENTI, P., «Le operazioni con parti correlate: questioni sistematiche e problemi applicative», *Riv. Dir. Comm.*, CXIII-1, I, 2015, págs. 71-95.

ORTEGA Y GASSET, J., *El hombre y la gente*, Madrid, Revista de Occidente en Alianza
Editorial, 1996.

PAZ-ARES, C., «Anatomía del deber de lealtad», en ROJO, Á./CAMPUZANO, A. B.
(coord.), *Estudios jurídicos en memoria del profesor Emilio Beltrán. Liber Amicorum*, I,
Valencia, 2015, págs. 569-611.

RAMIRO RICO, N., *El animal ladino*, Madrid, 1980.

RECALDE, A., «Modificaciones en el régimen del deber de diligencia de los administradores; la business judgment rule», en ROJO, Á/CAMPUZANO, A. B. (coord.),
*Estudios jurídicos en memoria del profesor Emilio Beltrán. Liber Amicorum*, I, Valencia,
2015, págs. 629-663.

RODRÍGUEZ SÁNCHEZ, S., «La delimitación de la figura del administrador de hecho», *RDM*, núm. 301, 2016, págs. 69-109.

SÁNCHEZ ÁLVAREZ, M., «Concepto y clases de grupos en el Derecho español», en
RODRÍGUEZ ARTIGAS, F./ESTEBAN VELASCO, G./SÁNCHEZ ÁLVAREZ, M.
(coord.), *Estudios sobre Derecho de sociedades. Liber Amicorum profesor Luis Fernández de
la Gándara*, Cizur Menor, 2016, págs. 725-819.

SÁNCHEZ-CALERO GUILARTE, J., «Notas sobre la nueva fase del gobierno corpora-
tivo español», en RODRÍGUEZ ARTIGAS, F./ESTEBAN VELASCO, G./SÁNCHEZ
ÁLVAREZ, M. (coord.), *Estudios de Derecho de sociedades. Liber Amicorum Profesor Luis
Fernández de la Gándara*, Cizur Menor, 2016, págs. 166-184.

SANTAGATA, R., *Il gruppo paritetico*, Torino, 2001.

SCHOCKENHOFF, M., «Haftung und Enthaftung von Geschäftsleitern bei Compliance-Verstössen im Konzernen mit Matrix-Strukturen», *ZHR*, núm. 180, 2016, pág.
231.

TEICHMANN, Ch., «Europäisches Konzernrecht: vom Schutzrecht zum Enabling
Law», *AG*, núm. 6, 2013, págs. 184-197.

TOMBARI, U., «Il Diritto dei gruppi: primi bilanci e prospettive per il legislatore comunitario», *Riv. Dir. Comm.*, núm. CXIII-1, I, 2015, págs. 67-91.

VÁSQUEZ PALMA, Mª F./EMBID IRUJO, J. M. (dirs.), *Modernización del Derecho societario*, Santiago de Chile, 2015.

WELZEL, H., *Introducción a la Filosofía del Derecho*, (trad. esp. de Felipe González Vicén),
Madrid, 1971.

# 16. Grupos de sociedades, empresas asociadas, sociedades de propósito especial y vinculadas: PGC y NIIF

**RAFAEL GARCÍA LLANEZA**
*Abogado*
*Uría Menéndez*

¿Para qué sirve la contabilidad? ¿Por qué y para qué regulamos los grupos de empresas? Si nos enfrentamos a estos interrogantes podremos entender nuestro derecho contable y, en especial, nuestro derecho de los grupos de sociedades, y en definitiva, comprender las lagunas, las carencias y apuntar las soluciones que permitan regular adecuadamente la realidad de los grupos de sociedades.

Hay autores que sostienen que la contabilidad llevó a inventar la escritura[1]: la necesidad de inventariar el contenido de almacenes, computar el patrimonio de reyes y sacerdotes, controlar los impuestos exigidos y pagados requería de algún tipo de registro y una clave para descifrar su significado. *Si non e vero...* al menos es plausible: recordar tediosas listas de bienes requiere un esfuerzo especial; al fin y al cabo, la historia de la creación, cómo Gilgamesh salvó al mundo o cómo el mío Cid fue desterrado no requiere ser grabado en un soporte físico: forma parte de nuestro imaginario. Habrá que suponer que la ley, la norma, debió seguir de cerca al registro contable; de cuantificar la realidad se pasó a dejar constancia de las normas.

---

[1] GLEESON-WHITE, JANE, *«Double entry»*, Allen&Unwin, Sidney, Melbourne, Auckland, London, 2011.

La contabilidad pretende informar de la realidad económica de una empresa, cualquiera que sea su forma jurídica. Y lo hace de varias formas: una descripción del valor de sus bienes y derechos, y de sus obligaciones, en un momento determinado —el balance—; del éxito o fracaso de su actividad, midiendo las ganancias o pérdidas generadas a lo largo de un periodo determinado —la cuenta de pérdidas y ganancias—; de su capacidad de generar efectivo —el estado de flujos de caja—; y la evolución de la diferencia entre sus bienes y derechos y sus obligaciones a lo largo del tiempo —los cambios en patrimonio neto—. La complejidad de la realidad económica es difícil de transmitir sólo con cifras y, para ello, exigimos que esas cifras se expliquen de alguna manera —la memoria—; y, finalmente, para armonizar la forma en la que describimos la realidad económica de una empresa, imponemos un conjunto de criterios que permiten entender y descifrar la forma en la que cuantificamos tal realidad.

La contabilidad ofrece al empresario esa capacidad de discernir y cuantificar la realidad de su actividad económica. Y a aquellos que conviven y se relacionan con el empresario les permite evaluar, con mayor o menor fortuna, su situación patrimonial[2].

¿Cuál es la finalidad de las cuentas consolidadas? La Séptima Directiva 83/349/CEE sostiene que la obligación impuesta de formular cuentas consolidadas pretende informar sobre la realidad económica de los grupos de sociedades. A través de la consolidación contable, los usuarios de la información financiera pueden conocer cuál es el activo y el pasivo, el patrimonio neto, los ingresos y gastos del grupo como realidad económica. La técnica de la consolidación contable construye esta realidad prescindiendo de las personas jurídicas que conforman el grupo económico, formulando los estados financieros como si correspondieran a un único agente económico. Las normas de consolidación superan la personalidad jurídica de cada uno de los miembros del grupo para dibujar la realidad económica del grupo en el que se integran: la sociedad dominante sustituye el valor de su inversión por los activos y pasivos de cada una de sociedades dependientes; y la parte proporcional de los recursos propios de estas que corresponde a otros accionistas se reconoce como una suerte especial de fondos propios del grupo: los intereses minoritarios; estos soportan pérdidas y participan

---

[2]    LEV, BARUCH y GU, FENG en «*The end of accounting and the path forward for investors and managers*» cuestionan la bondad de nuestro sistema de información contable. Consideran que es obsoleto e ineficaz para las necesidades de terceros que se relacionan con el empresario.

en las ganancias, sin que tales beneficios o pérdidas correspondan a la sociedad dominante.

Pero, ¿cuál es la utilidad de esta información? La sociedad dominante no puede siempre acceder a cada uno de los activos que pertenecen a sus sociedades controladas; los acreedores, tampoco podrán ver satisfechos sus derechos de crédito frente a otras entidades del grupo distintas de su deudora; los recursos propios, no suponen garantía para todos y cada uno de los terceros que contraten con el grupo. La representación de esta realidad adquiere ciertos tintes de artificiosidad cuando integra dentro de las cuentas consolidadas sociedades participadas o sobre las que se ejerce un control conjunto, pero sobre las que no existe un dominio efectivo que permita al socio último acceder a sus recursos sin contar con otros socios.

La propia definición del grupo puede variar en función de cómo se defina la relación de dominio: vertical u horizontal. Sin embargo, la existencia de una relación de control genera, en muy pocos casos, obligaciones sustantivas distintas a la publicidad; cumple, en la mayor parte de los casos, una única función externa[3]. Debemos acudir a ámbitos donde se establece un control regulatorio para que surjan obligaciones materiales: en el sector financiero, en las normas de competencia o en el ámbito tributario.

La consolidación, en definitiva, ofrece información económica sobre un ente ideal configurado a partir de la persona o entidad que ejerce el control de tal realidad económica. Las cuentas consolidadas son un instrumento, imperfecto, para reconocer la realidad de los grupos económicos; también son el mejor instrumento que conocemos para expresar tal realidad.

Y el grupo gira sobre un único eje: el control. La existencia de control determina la existencia de sociedades dominadas; un grado menos de control, el ejercido con un tercero, configura las entidades de control conjunto; aquellas en las que se dispone de una cierta capaz de influir en la toma de decisiones, identifica a las sociedades participadas.

La influencia sobre el proceso de toma de decisiones de una empresa —bien a través del control, bien cuando se participa en la toma de decisiones— tiñe de suspicacia la realidad de cualquier transacción. Así, la normativa tributaria exige contrastar la realidad económica de las operaciones

---

[3]   El profesor Rojo distingue entre la función externa e interna de la contabilidad. ÁNGEL, ROJO, en Uría-Menéndez, «*Curso de Derecho Mercantil*», Tomo I, pág. 167, Thomson Civitas, Madrid, 2006, 2ª edición.

realizadas con partes vinculadas. Y nuestra normativa contable asume que la realidad económica de una transacción entre partes vinculadas exige entender y explicar cuál es tal realidad: ¿se opera cómo harían terceros independientes en el tráfico? o las partes vinculadas se desvían del estándar de mercado; y si la operativa no se adapta a mercado, ¿cómo se califican las divergencias con el mercado?

Estas cuestiones son las que se apuntan a continuación.

# I. GRUPOS DE EMPRESAS

## 1. El concepto de control: Código de Comercio, PGC y NIIF

La Cuarta Directiva 78/660/CE y la Séptima Directiva 83/349/CEE fueron los instrumentos utilizados por la UE para armonizar las legislaciones contables de los Estados miembros, fijando principios contables únicos y modelos de estados financieros relativamente homogéneos, y permitiendo diversas modalidades de presentación de la información financiera que respetaban las distintas tradiciones contables de los estados miembros. La UE optó posteriormente por un nuevo estándar contable de aplicación homogénea en toda la Unión: las Normas Internacionales de Información Financiera («NIIF») mediante el Reglamento 1606/2002 y el Reglamento 1725/2003 —este último objeto de sucesivas reformas y sustituido por el Reglamento 1126/2008—.

La opción seguida por la UE consagra un sistema dual: en la Unión conviven normas contables que desarrollan, en cada estado miembro, la Cuarta y la Séptima Directiva; al mismo tiempo las NIIF aprobadas por la UE son de aplicación obligatoria para todas las sociedades que se rijan por la ley de un estado miembro si en la fecha de cierre de su balance, sus valores han sido admitidos a cotización en un mercado financiero regulado de cualquier Estado miembro; las NIIF, a opción de los estados miembros, pueden ser, incluso, de aplicación en la formulación de cuentas individuales.

## 2. El grupo de empresas

Esta dualidad de normas incide sobre la definición de grupo.

En una primera aproximación, el concepto de grupo debería ser único en nuestro Derecho Mercantil: el del artículo 42.1 del Código de Comercio («CCom»).

El artículo 42 del CCom define qué es grupo partiendo del control; como el resultado de la relación existente entre dominante y dominada: mayoría de derechos de voto o facultad por nombrar a la mayoría de los miembros del órgano de administración. Pero el CCom no define qué es control; describe una serie de relaciones que denotan dependencia de una sociedad frente a otra. Estas situaciones son (i) la posesión de la mayoría de votos, (ii) la facultad de nombrar o destituir a los miembros del órgano de administración, (iii) la capacidad de disponer, en virtud de acuerdos con terceros, de la mayoría de derechos de voto o (iv) el nombramiento, con sus votos, de la mayoría de los miembros del consejo. Este listado no es un numerus clausus: la existencia de control es un hecho que debe ser apreciado caso a caso.

El artículo 1.4 de las Normas para Formular las Cuentas Anuales Consolidadas («NFCAC») sí incluye una definición de control: «se entiende por control el poder de dirigir las políticas financieras y de explotación de una entidad, con la finalidad de obtener beneficios económicos de sus actividades». La Circular 4/2004 del Banco de España, que regula la contabilidad de las entidades de crédito, va más allá, entendiendo, en su Norma 3ª.3 que control se da cuando la entidad dominante «*(i) dispone del poder para dirigir sus actividades relevantes, esto es, las que afectan de manera significativa a su rendimiento,* por disposición legal, estatutaria o acuerdo; (ii) tiene capacidad presente, es decir práctica, de ejercer los derechos para usar aquel poder con objeto de influir en su rendimiento y (iii) debido a su involucración, está expuesta o tiene derecho a rendimientos variables de la entidad participada.»

La fórmula utilizada por el artículo 42 CCom o la definición de control incorporada a las NFCAC o la circular contable citada no son exclusivas de las normas contables españolas: si el CCom se inspira en la Séptima Directiva de sociedades; la Circular 4/2004 y las NFCAC utilizan una dicción cercana a las de la NIIF 10, Estados Financieros Consolidados, §7. Como hemos dicho, las NIIF son de aplicación obligatoria para la formulación de cuentas anuales consolidadas de las entidades que hayan emitido valores admitidos a negociación en un mercado regulado de cualquier Estado miembro de la UE; la Circular 4/2004 y las NFCAC se inspiran en las NIIF y son, en su mayor parte, consistentes con estas.

El concepto de control en nuestra normativa contable no se separa en demasía de las NIIF. La NIIF 10 describe la existencia de control, en su párrafo 6, cuando un inversor «por su implicación [...] está expuesto, o tiene derecho a unos rendimientos variables y tiene la capacidad de influir en dichos rendimientos a través del poder que ejerce sobre la participada.» Para la NIIF 10, el control exige reunir tres elementos: (i) poder sobre la participada; (ii) exposición a obtener rendimientos variables por su implicación con la participada y (iii) capacidad de utilizar su poder sobre la participada para influir en el importe de los rendimientos variables. La relación de control no depende de la titularidad jurídica de las acciones o participaciones que representan el capital social de una sociedad mercantil; el control, el poder sobre ésta, puede ejercerse basándose en contratos de dominio o en relaciones jurídicas que constriñen y limitan la libertad de acción de la dominada de forma similar a la que podría resultar de una relación patrimonial.

El «poder» al que se refiere el artículo 1.3 de las NFCAC, la Circular 4/2004 y la NIIF 10 es el que pone de manifiesto relaciones como las identificadas por el artículo 42.1 del CCom; pero las NIIF 10 y las NFCAC van más allá.

Las normas contables reposan no tanto en elementos formales como en la realidad económica —el principio de prevalencia del fondo sobre la forma—. En parte como consecuencia de la aplicación de este principio, el control no se ciñe sólo a la existencia de relaciones estatutarias: es la evaluación del conjunto de circunstancias de hecho y de derecho las que determinan la existencia, o no, de control. Así el control podrá derivar de una relación societaria —los derechos de voto que permitan, atendiendo a los estatutos sociales, adoptar decisiones clave para una sociedad—; o de la capacidad para nombrar a la mayoría de los miembros del órgano de administración de una entidad, de forma que se pueda asegurar el proceso de toma de decisiones; o de la existencia de acuerdos que permiten acceder al control, tal y como se contempla expresamente en la norma 3ª.3 de la Circular 4/2004 y en la NIIF 10, §B14 y, especialmente, en la §B15c): la existencia de acuerdos entre accionistas que permitan a uno de ellos determinar las decisiones clave de una sociedad o la existencia de acuerdos que supongan la cesión de la capacidad de adoptar decisiones a un tercero. En algunos casos, las NIIF contemplan situaciones que, incluso sin derechos contractuales, pueden denotar la existencia de control: la identidad de políticas o de personal clave.

La transcendencia de la realidad económica para fijar la existencia de grupo se manifiesta, también, en el artículo 2.2. de las NFCAC: además de las relaciones identificadas en el artículo 42 CCom, esta norma hace referencia a situaciones de control incluso sin existencias de derechos de voto, por el mero hecho de que se haya «explicitado el poder de dirección».

En el mercado español se han dado casos de creación de grupos de consolidación basados en elementos contractuales y no en las presunciones del artículo 42.1 del CCom. La creación de los sistemas institucionales de protección —las denominadas fusiones frías— de las cajas de ahorro —BFA, Banca Cívica, Liberbank…— se basaban, entre otros elementos, en la cesión de derechos de voto a una entidad central. Los sistemas institucionales de protección se inspiraron, a su vez, en relaciones similares existentes en otros estados de la UE —principalmente, Rabobank en los Países Bajos, Credit Mutuel en Francia y las Sparkasse austriacas—; en todos estos casos, las entidades del grupo cedían contractualmente el control de su actividad a una entidad central.

La existencia de control de una sociedad sobre otras desencadena la obligación de consolidar. A su vez, diversas normas confluyen para establecer distintas obligaciones sobre las entidades que conforman el grupo o sobre su entidad dominante. Si en nuestro Derecho no existe un concepto único de control, la consecuencia es que la composición del grupo —el perímetro de sociedades que configura el grupo— puede variar.

El artículo 42 CCom sustenta el control en la existencia de una relación de dominio: sólo existe un grupo cuando una sociedad ostente o pueda ostentar, directa o indirectamente, el control de otra u otras. Los llamados grupos horizontales o de coordinación quedan al margen. El artículo 42 CCom obliga a la sociedad dominante de un grupo a presentar cuentas anuales consolidadas. El Reglamento 1606/2002 no define qué es grupo: este concepto se concreta en las propias NIIF. Y las NIIF exigen una serie de requisitos adicionales al control: la exposición a rendimientos variables y la capacidad de utilizar la relación de dominio con el fin de influir sobre tales rendimientos variables.

Por consiguiente, ¿es la definición de control del CCom la que determina la composición del grupo para aquellos grupos que formulan bajo NIIF?

Los criterios de la Comisión al respecto son: (i) la Séptima Directiva determina la obligación de una empresa de elaborar cuentas consolidadas y, por tanto, es el derecho nacional, que transpone esta directiva, quien impone tal obligación y (ii) cuando las NIIF sean de aplicación para la elaboración de los estados financieros de una sociedad, el derecho nacional no podrá imponer ni sus propios formatos ni podrá exigir la aplicación de ninguna norma transpuesta de las directivas contables. Por tanto, los Estados miembros no podrán aplicar ninguna norma nacional que sea contraria, restrinja o se oponga al cumplimiento de una NIIF.

El criterio de la Comisión es trasladable a nuestro ordenamiento. La existencia de una dirección única en el sentido explicitado en el artículo 42 CCom supondrá que la sociedad dominante deberá formular cuentas anuales consolidadas, en principio, aplicando las NFCAC. Sólo si la sociedad dominante ha optado por formular las cuentas consolidadas bajo NIIF o en caso de emisión de valores, la sociedad dominante deberá aplicar las normas internacionales en la formulación de las cuentas consolidadas. Supuesta la obligación de formular bajo NIIF, las normas internacionales son de aplicación íntegra en la formulación de cuentas consolidadas: definirán el perímetro del grupo —que podrá coincidir, o no, con el del CCom—, las posibles excepciones, el marco conceptual y los métodos de consolidación. Por tanto, determinada la obligación de consolidar de acuerdo con el CCom, la formulación de las cuentas consolidadas se llevará a cabo de conformidad con el conjunto de normas que resulte de aplicación —las NIIF o las NFCAC, o la normativa sectorial correspondiente—.

## II. LAS EMPRESAS DE PROPÓSITO ESPECIAL

Como hemos visto, la existencia de control no se sustenta exclusivamente en relaciones estatutarias. Concluir sobre la existencia o no de control exige el análisis de las circunstancias de hecho que pudieran denotar una relación de dominio.

Como también hemos indicado anteriormente, las NFCAC —y las NIIF— hacen referencia a circunstancias que, sin derechos de voto o sin capacidad para nombrar un miembro del órgano de administración, revelan la posible existencia de control. Así, la subordinación a la actividad de la dominante, la existencia de un poder de decisión, la capacidad de obtener la mayoría de ventajas o beneficios de la sociedad, la exposición a la mayor parte de los riesgos o la retención de la mayor parte de los riesgos residuales son circunstancias que pueden suponer la existencia de control.

Las empresas de propósito especial («EPE») son entidades creadas con la intención de servir exclusiva o principalmente a una entidad o grupo; la diferencia con cualquier otra sociedad dependiente, es que la relación de control no se configura estatutariamente. Los derechos de voto o la capacidad de designar a los miembros del órgano de administración no son titularidad del grupo que determina su razón de ser. Sin embargo, los riesgos y beneficios de su actividad suelen recaer sobre ese grupo, bien porque asuma los riesgos y beneficios de su actividad económica, bien porque la forma en la que opera se coordina, de facto, con las necesidades de tal grupo.

Las NIC, en su formulación original, ya hacían referencia a este tipo de entidades. La SIC 12, hoy derogada e integrada dentro de la NIIF 10, las denominaba «entidades de cometido especial» y las definía como aquellas creadas para alcanzar un objetivo concreto y perfectamente definido de antemano, a menudo sujetas a condiciones legales que imponen límites estrictos a su órgano de administración. La SIC 12, de forma llamativa, señalaba como algunas de estas restricciones podían suponer que la entidad así configurada funcionara en una suerte de control remoto; son entidades efectivamente «autopilotadas».

La creación de este tipo de entidades puede responder a distintas finalidades, no necesariamente fraudulentas. La necesidad de aislar un conjunto de activos de los riesgos y ventura del negocio principal; la dotación de mayor seguridad a potenciales financiadores ante eventuales situaciones de insolvencia; o la posibilidad de fijar de antemano un objetivo económico que deba ser perseguido sin interferencias adicionales en la gestión del día a día, pueden ser circunstancias válidas que justifiquen su existencia. Pero los motivos que han llevado a dotar de aparente independencia a estas sociedades no las aíslan del grupo al que pertenece.

Para las NIIF y las NFCAC el concepto de control se sustenta en una relación de poder, en la exposición a rendimientos variables y a la capacidad de utilizar el poder de dirección para influir sobre tal rendimiento variable. Son los hechos los que sirven para concluir sobre la existencia de una relación de control.

Las EPE, se crean con la finalidad de alcanzar un objetivo concreto, definido de antemano, que supone, en esencia, que tal entidad actúe como extensión de las actividades del grupo o de su sociedad dominante. Su identificación requiere concluir sobre la existencia de control a partir del estudio de sus tres elementos: (i) poder sobre la actividad de la sociedad; (ii) capacidad de obtener unos rendimientos variables; y (iii) capacidad de influir en la obtención de tales rendimientos. Ante la ausencia de elementos estatutarios relevantes, la participación de una sociedad en los riesgos y beneficios de otra adquiere especial relevancia, hasta el punto de configurar relaciones de dominio atendiendo a la forma económica en la que opera o se dirige una entidad.

Las EPEs, en definitiva, no son más que manifestación de la capacidad de control por vías no estatutarias.

## III. LAS EMPRESAS ASOCIADAS

Las empresas asociadas revelan, simplemente, la capacidad de la entidad dominante de influir en la toma de decisiones; a priori, no una relación de control, pese a la existencia de una sociedad dominante. Ahora bien, no basta con disponer de cualquier forma o grado de influencia: el mero hecho de disponer de un voto, no supone influencia ninguna, salvo que tales derechos de voto se materialicen en capacidad para poder influir en el proceso de toma de decisiones de una entidad de forma significativa. El Plan General de Contabilidad («PGE») exige que la participación sea duradera y esté destinada a contribuir a su actividad.

El artículo 48 del CCom fija una presunción sobre cuándo el grado de influencia es significativo: el 20% de los derechos de voto.

Esta presunción es iuris tantum, no supone ni limita la consideración de «asociada» a una mera participación en el capital de la sociedad. De forma similar a como se determina el grupo, la capacidad de influencia significativa debe ser analizada caso a caso atendiendo a la realidad económica y no sólo a la forma jurídica: el mecanismo de toma de decisiones y la influencia sobre tales decisiones o cualesquiera otra condiciones en las que operan dos empresas deben ser analizado en detalle para poder concluir.

La norma de elaboración de cuentas anuales 13ª del PGC señala como elementos que denotan tal influencia la representación en el órgano de administración, la participación en el proceso de fijación de políticas, la existencia de transacciones significativas, el intercambio de personal directivo o el suministro de información técnica esencial.

Las consecuencias son, a priori, limitadas: las empresas asociadas deben identificarse en la memoria, incluyendo una serie de información relevante que permita entender la forma y consecuencias de tal influencia significativa.

Cuando el grado de influencia en la gestión supone que la fijación de políticas o la toma de decisiones no puede llevarse a cabo sin la participación del titular de tal relación, nos encontraremos ante sociedades gestionadas conjuntamente: las multigrupo.

## IV. LAS PERSONAS VINCULADAS

Para terminar, nos referiremos a las sociedades vinculadas.

Las transacciones en las que intervienen personas que guardan entre sí vínculos cercanos —familiares o económicos— se ven afectadas por las dudas sobre la efectiva independencia a la hora de fijar la condiciones económicas en las que se desenvuelven. La capacidad de influir en una operación económica puede llevar a realizar operaciones a precios superiores al que un tercero independiente estuviera dispuesto a satisfacer, a precios inferiores al del mercado o simplemente en condiciones que un tercero no sería capaz de obtener.

Los motivos para aplicar condiciones diferentes al mercado puede derivar de la necesidad de apoyar la actividad de una filial, de la voluntad de extraer recursos para atender las necesidades de la sociedad dominante, de retribuciones encubiertas a socios o administradores, o del maquillaje de cuentas ante acreedores o la competencia. Las operaciones entre partes vinculadas son de análisis obligado en cualquier operación de financiación o de compra entre empresas dados los riesgos de conflicto de interés, societarios, contables o tributarios.

La normativa tributaria ha sido la primera en reconocer este tipo de actividades con la intención de establecer reglas que impidan el trasvase artificial de resultados entre las personas afectadas: la Ley del Impuesto sobre Sociedades imponía, e impone, la obligación de valorar tales transacciones a precios de mercado y dota a las autoridades tributarias de la facultad para aplicar precios de mercado a las operaciones entre partes vinculadas. En el ámbito internacional, la OCDE emitió una serie de guías para determinar los métodos a utilizar en la determinación del precio de mercado en las operaciones vinculadas. Recientemente, la OCDE, dentro del plan para prevenir la erosión de bases y transferencia artificial de beneficios («BEPS») por parte de las empresas que operan internacionalmente, ha dedicado las Acciones 8-10 a las operaciones vinculadas.

En contabilidad, el denominado principio del fondo sobre la forma —las transacciones se registrarán de acuerdo con su verdadera naturaleza económica y no sólo atendiendo a su realidad jurídica— incide directamente sobre las transacciones entre partes vinculadas. Las relaciones entre sociedades que forman parte de un grupo o entre las que existe una cierta relación accionarial o de gestión afectan también a los estados financieros individuales, si tales transacciones suponen transferencias de beneficios entre las personas afectadas. Nuestra norma contable, permeada por la Ley del Impuesto sobre Sociedades, presume que tales relaciones pueden dar lugar a transacciones económicas en condiciones que no se darían entre partes independientes y ha establecido normas específicas que regulan el reconocimiento de esta realidad. Estas normas no tienen equivalente en las directivas contables ni en las NIIF, donde basta identificar la existencia de tales relaciones especiales.

## 1. *Concepto de vinculación: aspectos tributarios y societarios*

La vinculación ha sido un problema clásico en nuestro Derecho Tributario. Hoy es objeto de profunda revisión y atención por la OCDE en el marco del plan BEPS.

La Ley del Impuesto sobre Sociedades, en su artículo 18.2, identifica los supuestos en los que considera que existe vinculación: entre una sociedad y sus socios, entre una sociedad y sus administradores, entre una sociedad y una persona unida por lazos de parentesco —hasta tercer grado— con sus socios o administradores, entre dos sociedades del mismo grupo o entre una sociedad y los administradores de otra entidad del grupo, entre una entidad y otra participada indirectamente en el 25% del capital, entre dos entidades en las que los mismos socios o familiares participan o entre una entidad con sus establecimientos permanentes en el extranjero. Cuando la relación exista entre socio y sociedad, el socio debe tener, al menos, un 25% del capital. Las referencias a grupo lo son a los que forman parte del grupo mercantil, tal y como se configura por el artículo 42 del CCom.

La Ley del Impuesto sobre Sociedades exige que, existiendo vinculación, las partes valoren las operaciones a valor de mercado. Esto es, el que hubieran fijado personas independientes en condiciones de libre competencia. A estos efectos, la Ley del Impuesto sobre Sociedades fija varios métodos que considera aceptables —y que la OCDE recomienda—. Estos son: (i) el método del precio libre de mercado —el que hubieran pactado en circunstancias equiparables—, (ii) el método del coste incrementado —aumentando el valor atendiendo al margen habitual en operaciones comparables—, (iii) el método del precio de reventa —eliminado del precio el margen que normalmente se aplica a terceros independientes—, (iv) el método de la distribución de resultados —repartiendo el beneficio obtenido entre las distintas empresas afectadas— y (v) el método del margen neto operacional —atribuyendo el resultado neto, ya deducidos todos los costes, atendiendo a los riesgos que asume cada una de las partes—.

La norma exige, con alguna excepción, que el sujeto pasivo identifique las operaciones vinculadas, documente qué método se utiliza para calcular el valor de mercado y ajuste a este valor en todas las transacciones con partes vinculadas. Pero el ajuste a valor de mercado no altera las obligaciones y derechos entre las partes: si la dominante acuerda facturar a su filial un servicio por el 50% del precio de mercado, el ajuste a mercado de la operación supondrá, para la filial, un aumento de los gastos hasta el valor de mercado del servicio prestado por la dominante; pero reconocer tal diferencia no crea una obligación de pago de la filial. En este supuesto, la filial debería reconocer, además del gasto a precios de mercado, y una suerte de aportación que realiza la dominante al patrimonio neto de la participada.

El reconocimiento a valor de mercado de la operación vinculada se denomina «ajuste primario»; la diferencia entre el valor de mercado y el valor de la operación original, se denomina «ajuste secundario». La fijación del ajuste secundario se hace atendiendo a «la naturaleza de las rentas puestas de manifiesto». Así, cuando la relación se predica entre socio y sociedad, el ajuste secundario se traduce en un aumento de los fondos propios —cuando el valor pagado por la filial es inferior al de mercado—; y en una reducción de fondos propios —cuando la dominada está obligada a satisfacer un precio por debajo de mercado—. En aquellos casos en los que la relación socio-sociedad no sea del 100%, el ajuste secundario descrito se aplica ponderándolo por el porcentaje de participación que posee, directa o indirectamente, el socio; el resto se considera una suerte de «donación» y, como tal, se refleja como ingreso en la cuenta de pérdidas y ganancias.

En aquellos casos en los que la persona vinculada es un administrador, el ajuste secundario se llevará a cabo, normalmente, contra gastos de personal.

El soporte para esta recaracterización es el principio del fondo sobre la forma.

El artículo 231 de la Ley de Sociedades de Capital («LSC») define la vinculación utilizando, de un lado, relaciones similares a las del artículo 18 de la Ley del Impuesto sobre Sociedades y, de otro, relaciones ligadas al deber de lealtad de los administradores. Así, existe vinculación (i) entre una sociedad y el administrador y su cónyuge —o personas con análoga relación—, (ii) entre una sociedad y los ascendientes, descendientes y hermanos de los administradores y los cónyuges de aquellos y (iii) entre una sociedad y las sociedades controladas por el administrador. También son vinculadas las sociedades que formen parte del grupo y sus socios. La LSC, sin embargo, al centrar la vinculación en la persona de los administradores no establece un mínimo de participación accionarial.

El PGC, por su parte, en la norma 15ª de elaboración de las cuentas anuales opta por definir las partes vinculadas cómo aquellas que actúan en concierto o aquellas que ejercen o tienen la posibilidad de ejercer el control sobre otra o tienen una influencia significativa en la toma de decisiones financieras y de explotación de otra. El PGC incorpora, también, una serie de casos donde considera que existe vinculación: (i) las empresas del grupo, (ii) las multigrupo en los que la empresa sea partícipe, (iii) las empresas asociadas, (iv) las empresas con control conjunto o influencia significativa, (v) el personal clave de la dirección de la empresa o su sociedad dominante, (vi) los familiares próximos a administradores, representantes o directivos o (vii) los planes de pensiones de empleados. El PGC no establece umbrales mínimos de participación en el capital, más allá de la influencia significativa y, por tanto, se aplicaría la presunción de esta cuando se alcanza el 20% de participación.

## 2. Efectos derivados de la vinculación

La existencia de operaciones entre partes vinculadas obliga a incluir información sobre tales operaciones en la memoria, y cuando la vinculación pivota sobre el administrador entra en juego el deber de lealtad de éstos, incluyendo la adopción de las medidas necesarias para evitar incurrir en conflicto con el interés social y con sus deberes para la sociedad. Cuando la relación de vinculación se plantea, además, entre empresas del grupo, las normas contables prevén consecuencias similares a las adoptadas por la Ley del Impuesto sobre Sociedades.

A continuación, nos referiremos exclusivamente a los aspectos contables de las operaciones vinculadas.

### 2.1. Información a incluir en la memoria

El PGC, en la nota 23ª al modelo de memoria exige identificar las operaciones vinculadas, facilitando información para cada uno de los grupos de personas vinculadas con la empresa. La información exigida es notable: la entidad debe facilitar información suficiente para comprender las operaciones realizadas con partes vinculadas y los efectos de estas sobre los estados financieros. También debe informarse en la memoria sobre los potenciales conflictos de interés de los administradores.

### 2.2. Los efectos societarios de las normas contables

Las operaciones vinculadas también generan efectos societarios. El PGC, en su norma 21º, establece que las operaciones realizadas entre entidades del grupo, tal y como se definen en la norma 13ª de elaboración de cuentas anuales deben valorarse conforme a valor razonable. Pero, si el precio difiriese del valor razonable, estas deberán registrarse atendiendo a la realidad económica de la operación.

Esta disposición del PGC deriva, directamente, del mandato del artículo 34.1 CCom: «en la contabilización de las operaciones se atenderá a su realidad económica y no sólo a su forma jurídica». El principio del fondo sobre la forma supone reconocer que las diferencias entre el precio pactado en una operación entre entidades del grupo y el valor razonable de esta deba registrarse bien como distribuciones de dividendo a los socios, bien como aportaciones de los socios.

El resultado contable es similar al descrito anteriormente para el ajuste secundario en las operaciones vinculadas en el artículo 18 de la Ley del Impuesto sobre Sociedades: el reconocimiento de eventuales aportaciones de socios —cuando es el socio quien otorga una ventaja económica a su participada— o teóricas distribuciones de dividendos o devoluciones de aportaciones —cuando la ventaja económica es facilitada por la entidad participada—. Y si bien la norma 21ª del PGC limita sus efectos sólo a operaciones entre entidades del grupo, el principio del fondo sobre la forma permite extender el tratamiento a cualquier operación entre partes vinculadas.

El análisis es relativamente directo. Si la sociedad dominante del grupo realiza una operación con una dominada a un precio inferior al de mercado, la norma 21ª obliga a reconocer la transacción por el valor que hubieran acordado partes independientes. Sin embargo, la dominada no está obligada a pagar una cantidad distinta a la efectivamente acordada —el precio original—. La diferencia sólo podría reconocerse como una suerte de donación de la sociedad dominante. Sin embargo, la norma de registro y valoración 18ª del PGC prevé que las donaciones de una dominante a su filial deben registrarse como aportaciones a fondos propios. Y lo es tanto para la filial —aumenta su patrimonio neto— como para la dominante —aumenta el valor de adquisición de las participaciones en la filial afectada—.

De igual forma, cuando la sociedad filial concede una ventaja económica a su dominante, la naturaleza económica de tal transacción pocas veces responde al de una donación. La existencia de una relación de control afecta al fondo económico de tal transacción, llevando a identificar ésta no con el gasto asociado a una donación, sino con una operación de devolución de aportaciones o de distribución de dividendos al socio bajo cuya dirección se encuentra.

Si las operaciones se llevaran a cabo entre entidades del grupo, sin mediación de la sociedad dominante, la realidad económica llevaría a considerar una operación más compleja: la ventaja económica concedida entre dos empresas del mismo grupo se ve como una distribución de dividendos o como una devolución de aportaciones a la entidad dominante y la consiguiente aportación por parte de ésta a la entidad dependiente que obtiene tal ventaja.

Las operaciones con precio diferente al de mercado sólo generan impacto en la cuenta de pérdidas y ganancias cuando quien lleva a cabo la operación no controla —o es controlado al 100% por una sociedad dominante—. En este supuesto, la diferencia con el valor razonable de la transacción se registra contra patrimonio neto —como aportación o como distribución—, pero solo en la parte proporcional a la participación que se posee. La parte proporcional que debiera corresponder a otros socios se refleja, según corresponda, como gasto o ingreso en la cuenta de pérdidas y ganancias.

Este análisis ha sido confirmado por el Instituto de Contabilidad y Auditoría de Cuentas en contestación a distintas consultadas planteadas: la consulta nº 2 del BOICAC 83, en relación con una compraventa de activos, la nº 5 del BOICAC 79, en relación con capitalizaciones de créditos, la nº 6 del BOICAC 79, referente a un préstamo tipo cero entre matriz y filial, la nº 9 del BOICAC 79, que resuelve el tratamiento de una aportación al patrimonio neto o la nº 7 del BOICAC 75 sobre el registro de planes de opciones a empleados eventualmente concedidos por la sociedad matriz del grupo.

El efecto que la aplicación de estas normas tiene en el patrimonio neto de una sociedad mercantil puede ser relevante. El registro de estas operaciones entre entidades del grupo, en atención a la verdadera naturaleza económica de la operación, podría suponer sortear, aplicando la norma contable, normas imperativas de la LSC en relación con la distribución de dividendos o con la devolución de aportaciones a los socios.

Cabe una última cuestión: ¿es suficiente el mero reconocimiento contable de esta realidad y la información en la memoria? Es dudoso. La normativa tributaria aparentemente solventa la problemática de las operaciones vinculadas mediante información y ajustes que impidan o minimicen la pérdida de recaudación. La normativa societaria, más allá del incumplimiento del deber de lealtad, se limita a exigir información adecuada en los estados financieros de las sociedades y a que estas se reconozcan atendiendo a la verdadera realidad económica de la operación.

Cualquier otra reacción requiere mesura. No toda operación vinculada supone una defraudación a minoritarios o el maquillaje de los estados financieros. Las operaciones vinculadas son habituales en el tráfico y, en muchas ocasiones responden a intereses legítimos. Por otra parte, la valoración o el ajuste a mercado de cada operación no es siempre fácil: la existencia de operaciones comparables requiere información mercantil de complicado acceso. Al mismo tiempo, situaciones patológicas donde las operaciones vinculadas tienen como propósito principal eludir las normas que limitan la distribución de dividendos o las devoluciones de aportaciones no deben ser neutrales para nuestro Derecho. El desarrollo una norma específica que permita su control, más allá de los mecanismos habituales de responsabilidad de administradores o de impugnación de acuerdos es un tema a analizar con mayor profundidad. A priori, una disciplina específica de control no es perentorio ni necesario.

## Bibliografía

BAGO ORIA, B., *Dividendos encubiertos. El reparto oculto del beneficio en sociedades anónimas y limitadas*. Cizur Menor. Aranzadi, 2010.

BORRÁS AMBLAR, F., *Curso de consolidación fiscal*. Madrid. Centro de Estudios Financieros (CEF), 2015.

CENCERRADO MILLÁN, E., *El tratamiento de las entidades vinculadas en la imposición directa española*. Cizur Menor (Navarra). Aranzadi, 2000 (1ª ed.).

EMBID IRUJO, J. M., *Algunas reflexiones sobre los Grupos de Sociedades y su regulación jurídica*, 1983 (1ª ed.).

— *Grupos de sociedades y accionistas minoritarios. La tutela de la minoría en situaciones de dependencia societaria y grupo*, Madrid. Ministerio de Justicia, 1987.

— *Introducción al Derecho de los grupos de sociedades*, Granada: Comares, 2003.

— «Ante la regulación de los grupos de sociedades en España», *Revista de Derecho Mercantil*, nº 284, 2012.

— «El buen gobierno corporativo y los grupos de sociedades», *Revista de Derecho Mercantil*, nº 249, 2003.

— «La protección de la minoría en el grupo de sociedades (el punto de vista del Derecho español)», *Revista de Derecho Mercantil*, nº 214, 1994.

FERNÁNDEZ DEL POZO, L., *El Derecho contable de fusiones y de las otras modificaciones estructurales. Problemática contable en la Ley de Modificaciones Estructurales de las Sociedades Mercantiles*. Madrid. Marcial Pons, 2010.

FERRER VIDAL, D., *Las operaciones vinculadas: el ajuste secundario*. Cizur Menor. Aranzadi, 2015.

GLEESON-WHITE, J., *Double entry*, Allen&Unwin, Sidney, Melbourne, Auckland, London, 2011.

GONZÁLEZ SAINZA, J., *Normas de consolidación. Comentarios y casos prácticos*. Madrid. Centro de Estudios Financieros (CEF), 2011.

GONZÁLEZ GONZÁLEZ, J. M.ª, *Las operaciones vinculadas. Análisis contable y fiscal.* Ciss, 2009 (1ª ed.).

LEV, B. y GU, F., *The end of accounting and the path forward for investors and managers.* Hoboken, Nueva Jersey. John Wiley & Sons, Inc., 2016 (1ª ed.).

LÓPEZ ALBERTS, H., *Consolidación contable y fiscal de los grupos de sociedades. (Contenido actualizado a junio de 2003).* Ciss, 2003.

LÓPEZ JIMÉNEZ, J. M.ª, *El control societario en los grupos de sociedades. Un enfoque práctico y multidisciplinar.* Barcelona. Bosch, 2017 (1ª ed.).

MARINA GARCÍA-TUÑÓN, Á., *Régimen jurídico de la contabilidad del empresario.* Valladolid. Lex Nova, 1992.

ROJO FERNÁNDEZ-RÍO, Á. J., «Los Grupos de sociedades en el Derecho español», en *Revista de Derecho Mercantil,* n° 220, 1996, págs. 457-484.

SEBASTIÁN QUETGLAS, R., *El concurso de acreedores del grupo de sociedades.* Cizur Menor. Aranzadi, 2009.

WELLS, J. T., *Corporate fraud handbook: prevention and detection.* Hoboken, Nueva Jersey. John Wiley & Sons, Inc. 2013. (4ª ed.).

# 17. Estudio del concepto de «interés del grupo»: el interés del grupo no se identifica con el interés de la sociedad dominante[*]

**NEREA IRACULIS**
*Profesora Doctora de Derecho Mercantil*
*Universidad del País Vasco*

**Sumario:** I. REFLEXIÓN EN TORNO AL CONCEPTO DE «INTERÉS DEL GRUPO» A RAÍZ DE LA PROBLEMÁTICA PLANTEADA CON EL SEGUIMIENTO DE LAS INSTRUCCIONES PERJUDICIALES IMPARTIDAS POR LA DIRECCIÓN UNITARIA. II. CONCEPTO DE «INTERÉS DEL GRUPO»: DETERMINACIÓN DE SU CONTENIDO Y LÍMITES. 1. El concepto de «interés social» como soporte. 2. El «interés del grupo» es el interés de las sociedades que componen el grupo. 3. El «interés del grupo» es el interés común de las sociedades que componen el grupo. 4. La prioridad del «interés del grupo» en caso de colisión con el interés social de la sociedad de grupo. 5. El «interés del grupo» legitima el perjuicio o desventaja causado por la dirección del grupo con la impartición de instrucciones desventajosas, pero ha de ser compensado. III. CUANDO EL INTERÉS DEL GRUPO NO ES TAL, POR SU IDENTIFICACIÓN CON EL INTERÉS DE LA SOCIEDAD DOMINANTE: COLISIÓN ENTRE EL INTERÉS DE LA SOCIEDAD DOMINANTE Y EL INTERÉS SOCIAL INDIVIDUAL DE UNA SOCIEDAD DOMINADA. 1. Los administradores de una sociedad dominada como portadores de un interés ajeno, extrasocial e incompatible con el de la sociedad administrada. 2. Mecanismos de protección del patrimonio de la sociedad dominada: acción de responsabilidad contra los administradores por estar en conflicto de intereses e impugnación de acuerdos sociales en beneficio de la sociedad dominante y en detrimento del interés social individual de la sociedad dominada. 2.1. Acción de responsabilidad contra los administradores. 2.2. Acción de impugnación de acuerdo social por lesión del interés social de la sociedad dominada. Bibliografía.

---

[*] El presente trabajo se ha realizado en el marco del Proyecto de Investigación «Los conflictos de intereses en las sociedades y en las entidades no lucrativas. Modificaciones estructurales y Derecho de grupos» (Ref. DER2015-69549-P), financiado por el Ministerio de Economía, Industria y Competitividad.

# I. REFLEXIÓN EN TORNO AL CONCEPTO DE «INTERÉS DEL GRUPO» A RAÍZ DE LA PROBLEMÁTICA PLANTEADA CON EL SEGUIMIENTO DE LAS INSTRUCCIONES PERJUDICIALES IMPARTIDAS POR LA DIRECCIÓN UNITARIA

La realidad societaria grupal nos permite reparar en un problema destacable, como es la colisión de intereses. La discordancia entre el interés del grupo y el interés individual de cada una de las sociedades de grupo, que puede llegar a la incompatibilidad, constituye uno de los problemas estructurales que genera el funcionamiento del grupo. Ello se traduce en una situación de clara división que afecta, directamente, a los administradores de las distintas sociedades de grupo, pudiendo estos optar, ante intereses diversos o contradictorios, por actuar conforme al interés del grupo, acatando las instrucciones emanadas de la dirección del grupo para servir a dicho interés aunque perjudiquen a la sociedad administrada, o hacerlo en interés, única y exclusivamente, de la sociedad que administran. Se plantea un «conflicto de lealtades»[1], una situación que obliga a oponer un interés frente al otro, por lo que, en estos casos, indudablemente, el sistema societario de responsabilidad de los administradores en el desempeño del cargo, que genera para estos unos deberes genéricos para con la sociedad que administran, representa un instrumento adecuado para su solución.

En este sentido, el problema del conflicto de lealtades coloca en primera línea la problemática de la responsabilidad de los administradores y de su disciplina general, por daño causado por actos u omisiones «contrarios a la ley o a los estatutos o por los realizados incumpliendo los deberes inherentes al desempeño del cargo» (art. 236.1 LSC). La Ley, los estatutos sociales y los deberes de diligencia y lealtad conforman un límite insalvable al desempeño del cargo de administrador, sea de una sociedad jurídica y económicamente autónoma o de una sociedad de grupo. Ahora bien, este régimen de responsabilidad de los administradores debe interpretarse en un contexto de grupo, delimitado por una colisión de intereses propia — el interés del grupo y el interés de la sociedad de grupo—, y por el daño patrimonial que de tal colisión se deriva para esta. Sólo el daño patrimonial ocasionado a la sociedad de grupo que tuviera como causa aquella colisión se inserta en el devenir propio del grupo. Otro daño patrimonial que tuviera una causa distinta, como por ejemplo el conflicto de intereses

---

[1]   EMBID IRUJO, J. M. *Grupos de sociedades y accionistas minoritarios. La tutela de la minoría en situaciones de dependencia societaria y grupo.* Madrid. 1987, pág. 256.

entre el administrador y la sociedad de grupo administrada queda fuera de la realidad específica del grupo, situándose dentro de la problemática interna de la sociedad que sufre el perjuicio. Esta interpretación en clave de grupo permite construir un régimen más concreto de responsabilidad civil de los administradores de la sociedad de grupo, no sustentado en un «conflicto de intereses *stricto sensu*», en el que el administrador es un portador o representante de intereses contradictorios con el interés de la sociedad que administra, sino basado en una «colisión de intereses propia del grupo», en la que el administrador ejecuta una instrucción perjudicial proveniente de la dirección unitaria del grupo. En consecuencia, el juicio de responsabilidad por daño valorará la contradicción del comportamiento de los administradores con los deberes que les son impuestos, en particular, en el contexto de un grupo de sociedades, con el deber de diligencia. En este contexto, la actuación antijurídica por parte del administrador no viene determinada por el incumplimiento del deber de lealtad, sino por el incumplimiento del deber de diligencia. Así, se hace preciso valorar la diligencia para determinar si concurre o no el presupuesto de la actuación antijurídica y por tanto la responsabilidad. De ahí la importancia de conocer el contenido del deber de diligencia del administrador de la sociedad de grupo, de saber cómo debe actuar en relación con la ejecución de las instrucciones desventajosas recibidas de la dirección unitaria del grupo.

La razón de esta interpretación, delimitadora de la responsabilidad de los administradores de la sociedad de grupo respecto al acatamiento de instrucciones provenientes de la dirección unitaria que resultan perjudiciales para el interés de la sociedad administrada, se encuentra en el reconocimiento del llamado «interés del grupo». El interés del grupo es el elemento que da respuesta a la situación de colisión de intereses que se produce en el seno del grupo de sociedades, por lo que el estudio de su concepto resulta necesario en aras de otorgar «carta de naturaleza» a tal interés y afirmar su relevancia en el ámbito societario. Tanto la doctrina[2] como la

---

[2] La doctrina se aproxima a la definición del «interés del grupo», a través de la identificación de sus titulares y de su existencia con subjetividad y sustantividad propia, con independencia del interés social de la matriz: «En definitiva, consideramos que, en efecto, el interés del grupo debe concebirse como "autónomo" del interés particular de cada uno de sus miembros, y que ello se traduce en observarlo como un interés distinto al de cualquiera de ellos, incluso del interés de la matriz, y del cual será único titular la misma empresa de grupo. De esta forma, la dirección unificada revela un interés que no es el de cada sociedad, sino el de la empresa que conforman todas ellas. Y ello a pesar de que exista una sociedad matriz que articule la dirección, ya que tal sociedad también se verá modificada

jurisprudencia[3] reconocen la existencia de un «interés del grupo», distinto del interés social individual de cada una de las sociedades de grupo, que se observa como un interés preeminente, en atención a que es el que define el funcionamiento de la empresa policorporativa en la que la sociedad de grupo se encuentra integrada. Primacía o preeminencia del interés del grupo que permite a quien ejercita la dirección unitaria impartir instrucciones vinculantes a las sociedades agrupadas, incluso aunque su ejecución cause desventajas a estas últimas. Sin embargo, la jurisprudencia resulta confusa, al juzgar la responsabilidad por daño valorando la contradicción del comportamiento de los administradores con el deber de lealtad en relación con el acatamiento de las instrucciones desventajosas recibidas de la dirección unitaria del grupo[4]. Se indica como especialidad en relación con el acatamiento de las instrucciones recibidas el deber de actuar como un representante leal, absteniéndose de actuar en perjuicio del interés de la sociedad administrada. La exigencia del deber de actuar con lealtad no constituye el instrumento apropiado en aquellas sociedades cuya voluntad social viene determinada de acuerdo con un mandato externo (impuesto,

---

como consecuencia de la entrada en un grupo», tal y como lo defiende FUENTES NAHARRO, M. *Grupos de sociedades y protección de acreedores (una perspectiva societaria)*. Navarra. 2007, págs. 187-188; GIRGADO, P. *La empresa de grupo y el derecho de sociedades*. Granada. 2001, pág. 266; EMBID IRUJO, J. M. *Grupos de sociedades y accionistas minoritarios…, op. cit.*, pág. 162.

3   STS de 11 de diciembre de 2015 *(Tol 5589749)*: «La integración de la sociedad en un grupo societario, incluso aunque lo sea en concepto de sociedad filial o dominada, no supone la pérdida total de su identidad y autonomía. La sociedad filial no solo conserva su propia personalidad jurídica, sino también sus concretos objetivos y su propio y específico interés social, matizado por el interés del grupo, y coordinado con el mismo, pero no diluido en él hasta el punto de desaparecer y justificar cualquier actuación dañosa para la sociedad por el mero hecho de que favorezca al grupo en que está integrado» (FD 3.º).

4   Se dice textualmente: «El deber de actuar como un representante leal en defensa del interés social, entendido como interés de la sociedad, que tiene el administrador social, supone la obligación de desempeñar las funciones del cargo anteponiendo siempre el interés de la sociedad de la que es administrador al interés particular del propio administrador o de terceros. Ante cualquier situación de conflicto, el administrador ha de velar por el interés de la sociedad y dirigir su gestión hacia la consecución del objeto y finalidad social de manera óptima, absteniéndose de actuar en perjuicio de los intereses de la sociedad. Este deber de lealtad viene referido al interés de la sociedad que administra, no al de otras, aunque pertenezcan al mismo grupo, aunque sea la sociedad dominante, ni a otros intereses formalmente ajenos, como es el que se ha venido en llamar "interés del grupo"» (FD 3.º).

en el caso de los grupos verticales o por subordinación, o convenido, en el caso de los grupos horizontales o por coordinación), ya que el peligro que se cierne para su interés propio proviene de la existencia de una dirección unitaria que conforma directamente la voluntad social de la sociedad agrupada. El peligro, no proviene de la pretensión por parte de los administradores de satisfacer intereses propios o ajenos a los de la sociedad que administran, sino de la existencia de un poder de dirección unitario que interviene en la gestión económica de la sociedad de grupo. Por ello, si las órdenes o directrices directamente emanadas de la dirección unitaria perjudican al interés de la sociedad de grupo, para conjurar el peligro de daño de dicho interés se debe recurrir a la exigencia de una conducta activa de cuidado, rechazándose la conducta absentista por parte del administrador.

El problema no estriba en la necesidad de anteponer el interés de la sociedad administrada, debiendo prevalecer éste frente a cualquier interés extrasocial o externo (como ocurre en el caso de sociedades-isla o en las situaciones de dependencia societaria, donde tiene preferencia el interés social de cada de una de las sociedades involucradas)[5], sino en la disyuntiva entre obedecer o no una instrucción emanada de la dirección unitaria que perjudica a la sociedad de grupo administrada, lo que exige un deber de actuación por parte de los administradores, cuyo fin último es la defensa del interés de su sociedad, pero cuyo parámetro definidor se encuentra indudablemente en el interés del grupo o conjunto en el que se integra aquella, dado que este último es el punto de equilibrio en el seno del grupo, proporcionando la flexibilidad necesaria para que la empresa de grupo sea eficiente y protegiendo el interés patrimonial de la sociedad agrupada. En definitiva, el interés del grupo constituye el elemento clarificador de la problemática planteada con el seguimiento de las instrucciones perjudiciales impartidas por la dirección unitaria. El interés del grupo no puede

---

[5] EMBID IRUJO, J. M. *Grupos de sociedades y accionistas minoritarios…*, *op. cit.*, págs. 74-75, al diferenciar entre la mera situación de dependencia y el grupo: «En tanto que la influencia constata una situación de mero control, la segunda se refiere a un proceso económico más evolucionado, caracterizado por una profunda integración —y no mera yuxtaposición— de las sociedades dominante y dependiente. En este segundo caso, nos encontramos con una nueva forma de empresa, con su propio interés —eso sí, mediatizado por la sociedad dominante—, circunstancia que de ningún modo se aprecia en la mera situación de dependencia, en la cual la sociedad dominante se limita a perseguir, en principio, los intereses derivados de su participación en la dependiente, sin estar, por ello, económicamente unida con ésta o intentar la satisfacción de un interés común».

considerarse un interés indirecto y ajeno a la sociedad de grupo[6], debiendo rechazarse la exigibilidad de las obligaciones que integran el contenido del deber de lealtad, promoviendo, al contrario, la exigibilidad de las obligaciones específicas que integran el contenido del deber de diligencia, en aras de una tutela responsable del interés de la sociedad administrada.

## II. CONCEPTO DE «INTERÉS DEL GRUPO»: DETERMINACIÓN DE SU CONTENIDO Y LÍMITES

El «interés del grupo» constituye un criterio jurídico indeterminado, que requiere una concreción de contenido para su empleo en los casos en que corresponda. La determinación de dicho contenido no es una tarea sencilla, por cuanto nuestra legislación no prevé ninguna referencia a dicho interés. No ocurre lo mismo con la regulación proyectada. Así, en el Anteproyecto de Ley de Código Mercantil de 30 de mayo de 2014, en su artículo 291-9.1, se dispone un reconocimiento explícito del interés del grupo, cuando se prevé la facultad de los administradores de la sociedad dominante de impartir instrucciones en interés del grupo a los administradores de la sociedad dependiente, aunque la ejecución de las mismas pueda ocasionar un perjuicio a esta. La regulación proyectada reconoce el interés del grupo como un criterio informador y limitador del ejercicio de la dirección unitaria, que se plasma en la facultad de impartir instrucciones a los administradores de la sociedad dependiente. Se trata de una mención que reconoce la existencia y primacía del interés del grupo como base del ejercicio de la dirección unitaria, pudiendo incluso ocasionar desventaja o

---

[6]   Ni los administradores pueden ser reputados en todo caso como simples portadores o defensores de intereses indirectos y ajenos a la sociedad administrada. *Vid.* SERRANO CAÑAS, J. M. *El conflicto de intereses en la administración de sociedades mercantiles.* Bolonia. 2008, pág. 466, haciendo hincapié en los administradores propuestos por la sociedad dominante (en los grupos subordinados), como personas que pueden sufrir una influencia competitiva en la toma de decisiones sujetas al deber de protección del interés de la sociedad que administran: «En suma, a diferencia de lo que sucede en las situaciones de dependencia económica entre sociedades, los administradores propuestos por la sociedad dominante no pueden ser conceptuados, en todo caso, como simples portadores o representantes de intereses indirectos y ajenos a la sociedad dominada por cuanto que la constitución y formalización del grupo de sociedades supone la explotación (subordinada o coordinada) de una empresa común por parte de varias sociedades, lo que conlleva el sometimiento (subordinado o coordinado) de la voluntad social de cada sociedad a una dirección única».

perjuicio a la sociedad dependiente. Se observa la superioridad del interés del grupo respecto al interés social propio de cada una de las sociedades que integran el grupo. Sin embargo, el interés del grupo no convalida toda instrucción cuya ejecución ocasione o pueda ocasionar perjuicio o desventaja a la sociedad dependiente. Este es el caso de aquellas instrucciones cuya ejecución ocasione o pueda ocasionar desventajas «exorbitantes», esto es, la puesta en peligro de la subsistencia de la sociedad agrupada de que se trate. Y así se prevé en el artículo 291-9.2 de la regulación proyectada, al establecer que: «En ningún caso las instrucciones impartidas podrán ser contrarias a la Ley o a los estatutos de la sociedad dependiente ni poner en riesgo la solvencia de la propia sociedad». La regulación proyectada contiene preceptos que, además de incluir en su supuesto de hecho una referencia al interés del grupo, ponen de manifiesto varios aspectos verdaderamente relevantes en la delimitación del concepto de «interés del grupo», tales como la primacía de dicho interés, que se sobrepone al interés social propio de cada sociedad agrupada en caso de colisión, y el carácter limitado de dicha primacía, en la medida en que no puede suponer una completa abolición del interés social propio de cada sociedad agrupada. Estos aspectos y otros son los que configuran el concepto de «interés del grupo», y desde su análisis ha de afrontarse aquella noción.

## 1. El concepto de «interés social» como soporte

Como ocurre con el criterio del «interés del grupo», el «interés social» ha constituido también un criterio jurídico indeterminado, cuya delimitación se ha afrontado desde una perspectiva subjetiva, precisando el sujeto titular de dicho interés y, al mismo tiempo, los intereses englobados en el mismo. Se configura así el interés social como el interés común a todos los socios, reconducible a la esfera social de la sociedad. Por consiguiente, en la caracterización del interés social se subrayan tres aspectos: (i) es un interés exclusivamente de los socios[7]; (ii) es un interés englobado por

---

[7]    Desde una perspectiva contractualista, que defiende la concepción de la sociedad que la define como relación contractual entre personas, sin otros intereses que los de las partes contratantes, se entiende que los titulares del interés social son únicamente los socios, por lo que bajo el criterio del interés social se tutela únicamente el interés de los socios. IRACULIS ARREGUI, N. *Conflictos de interés del socio. Cese del administrador nombrado por accionista competidor*. Madrid. 2013, págs. 91-105, presenta las dos visiones defendidas en el debate doctrinal en torno al concepto de interés social: la contractualista y la institucionalista, considerando preferible,

aquellos intereses de los socios reconducibles a una esfera común; y (iii) es el interés de la sociedad como grupo conformado por el conjunto de los socios y centro de imputación inmediata de tal interés. Esta configuración del interés social como interés común de los socios, cuya titularidad inmediata corresponde a la sociedad, permite subrayar la inexistencia «a priori» de una relación jerárquica con el interés de los socios, en la medida en que el interés social se refiere al grupo constituido por el conjunto de los socios, esto es, al interés propio del socio, pero en sociedad o grupo interesadamente unificado[8]. No hay «a priori» un interés de la persona jurídica que sea distinto del interés de los socios, superior al de estos, de manera que la personalidad jurídica implica únicamente el reconocimiento de un centro de imputación inmediata del interés cuya titularidad mediata corresponde a los socios. Se diferencian esferas, sin establecer jerarquía alguna entre ellas. Así, el interés social representa la regla general a la que han de adecuar su conducta los socios[9] y administradores sociales[10]. Teniendo en cuenta dicha función, el interés social es el elemento idóneo para solucionar las situaciones conflictivas en el seno de la sociedad, alejándose del interés particular en el asunto concreto de que se trate. Ni el socio ni el administrador deben perseguir un interés particular, a costa del sacrificio de la sociedad, de lo que se deduce una jerarquización que subordina los intereses particulares (incompatibles) de socios y administradores al interés social o común de los socios. Se implanta la primacía del interés social o común de los socios, y se considera que es el que prima, prevalece o predomina sobre aquel interés privativo o particular, que queda definitivamente postergado. La subordinación y

---

tal y como lo propugna de forma claramente dominante nuestra doctrina y jurisprudencia, una interpretación contractualista del interés social.

[8]  GIRÓN, J. *Derecho de Sociedades*. Madrid. 1976, pág. 315, al señalar que el accionista no persigue ningún interés extraño, sino el propio, pero en sociedad.

[9]  COUTINHO DE ABREU, J. M., «Interés social y deber de lealtad de los socios», *Revista de Derecho de Sociedades*, núm. 19, 2002, pág. 41, al señalar que: «Cuando estén en discusión situaciones o comportamientos de los socios, deliberativos o no, éstos no tienen, naturalmente, que tener en cuenta sino los intereses de los que todos ellos, en una misma sociedad, participan»; ALFARO, J. *Interés social y derecho de suscripción preferente. Una aproximación económica*. Madrid. 1995, pág. 52; PAZ-ARES, C. *¿Dividendos a cambio de votos?: contribución al estudio de la conversión de acciones con voto en acciones sin voto*. Madrid. 1996, págs. 137-138.

[10]  PAZ-ARES, C. «La anomalía de la retribución externa de los administradores», *InDret Revista para el Análisis del Derecho*, enero 2014, pág. 29, «no es otra lo que queremos decir al afirmar que el interés social debe entenderse como un orden marco, no como un orden fundamental».

relegación definitiva reflejan una ineludible contradicción entre el interés social y el interés particular de socios y administradores. Si el interés social es un interés en colisión e incompatible con el del socio o administrador social, el interés que prima, relegando definitivamente al otro, es el interés social, siendo la tutela de este el objetivo directo de los socios y administradores (salvo que la propia sociedad decidiera consentir la realización de ese interés particular incompatible, en el caso de los administradores sociales, *ex* art. 230 LSC).

El conjunto de los aspectos hasta aquí comentados permite caracterizar el interés social como el «interés exclusivamente de los socios, reconducible a la esfera social o común de los socios y que prima sobre aquel interés particular o individual del socio, extrasocial o no extrasocial, en colisión e incompatible, que queda definitivamente postergado». Esta delimitación del concepto de «interés social» es realmente útil para intentar proporcionar una definición de «interés del grupo», dada la vigencia de los aspectos analizados, como la identificación del titular de aquel interés, el carácter común a todas las sociedades agrupadas que debe revestir y la consideración de su primacía. Desde esta triple perspectiva, tomando como referencia el modelo que dota de contenido al concepto de interés social, cabe afrontar la noción de interés del grupo.

### 2. El «interés del grupo» es el interés de las sociedades que componen el grupo

El artículo 226 LSC, primer inciso, (anterior a la reforma de la LSC por la Ley 31/2014, de 3 de diciembre) aclaraba que el interés social era el interés de la sociedad. En línea con la visión contractualista, se aclara que el interés social es exclusivamente el interés de los socios, de tal manera que con la referencia al interés social se tutela únicamente el interés de los socios. Esta polémica, zanjada en la sociedad-isla, se plantea de forma similar en la realidad grupal, siendo necesario determinar qué personas componen el grupo y, por ende, qué intereses quedan englobados en el denominado interés del grupo. Sin poder recurrir a las visiones defendidas en el debate doctrinal en torno al concepto de interés social, la contractualista y la institucionalista, la respuesta la encontramos en aquella definición de «grupo de sociedades», que lo concibe como «una empresa con una configuración peculiar, al ser el resultado de la integración económica de varias personas jurídicas, por lo común sociedades, que, sin perjuicio de su independencia jurídica, actúan en el mercado con la lógica de una sola empresa sobre la base de las instrucciones de la entidad que en el grupo

ejerce una dirección económica unificada»[11]. En virtud de este concepto
cardinal, cabe entender que los titulares del interés del grupo son las sociedades que en él participan. Es decir, que el interés del grupo es el interés
de dichas sociedades como proyección de su integración económica (por
subordinación o por coordinación), de tal manera que con la referencia
al interés del grupo se tutela únicamente el interés de dichas sociedades.

### 3. El «interés del grupo» es el interés común de las sociedades que componen el grupo

Una vez identificados los titulares del interés del grupo, se trata de determinar qué intereses correspondientes a las sociedades agrupadas deben
reconducirse exclusivamente a la noción de interés del grupo. La respuesta, a falta de una posición contractualista, la encontramos también en la
noción sustancial de grupo, que lo configura como una empresa peculiar,
basada en la unidad económica de las sociedades que en él participan. Así,
el interés del grupo se adscribe a una empresa articulada[12], por lo que, si
bien la titularidad mediata del interés del grupo corresponde a las sociedades agrupadas, el centro de imputación inmediata de tal interés es la empresa conformada por el conjunto de dichas sociedades. En consecuencia,
únicamente los intereses reconducibles a esa esfera empresarial común
representan el «interés del grupo». El interés del grupo se configura, en
sentido estricto, como el interés empresarial común a todas las sociedades
agrupadas, reconducible a la esfera colectiva de la empresa multisocietaria.
La representación del interés del grupo como interés de la empresa puede
favorecer la visión de esta cuestión desde la perspectiva institucionalista[13].
No obstante, a pesar de que la empresa es un elemento de carácter institucional, cabe sostener la concepción del interés del grupo como interés
común de las sociedades que lo componen, favoreciendo el beneficio del

---

[11]   EMBID IRUJO, J. M., «Capítulo XVIII. Grupos de sociedades», en EMBID IRUJO,
       J. M. (dir.) *Introducción al Derecho de sociedades de capital*. Madrid. 2013, pág. 414; *íd.
       Grupos de sociedades y accionistas minoritarios...*, *op. cit.*, pág. 153.

[12]   EMBID IRUJO, J. M. *Grupos de sociedades y accionistas minoritarios...*, *op. cit.*, pág.
       153, mediante la integración de diversas sociedades bajo una dirección económi-
       ca común, o dirección unitaria.

[13]   FUENTES NAHARRO, M. *Grupos de sociedades y protección de acreedores (una perspec-
       tiva societaria)*, *op. cit.*, pág. 187.

conjunto, lo que se concretará en el beneficio específico para alguna o algunas de las sociedades de grupo o incluso para todas[14].

## 4. La prioridad del «interés del grupo» en caso de colisión con el interés social de la sociedad de grupo

El carácter común que reviste el interés del grupo permite indicar la inexistencia de una relación jerárquica con el interés de las sociedades agrupadas. Se trata del interés empresarial de cada sociedad, pero perseguido en grupo subordinadamente o coordinadamente unificado. No se contempla un interés del grupo distinto del interés de las sociedades unificadas, ni superior al de estas. Únicamente se diferencian posiciones o esferas, sin establecer jerarquía alguna entre ellas. Así, el interés del grupo constituye la regla de comportamiento a la que debe someterse la actuación gestora y económica de las sociedades de grupo, incluida la sociedad dominante en los grupos jerárquicos. A pesar de que la dirección económica unitaria es prescrita por dicho miembro del grupo, el interés del grupo no se identifica con el interés de la sociedad dominante[15], habida cuenta de que el interés del grupo se adscribe, de forma inmediata, a la empresa conformada por el conjunto de sociedades agrupadas[16]. En consecuencia, el interés del grupo tiene un contenido propio como criterio de actuación en el ámbito empresarial al que han de someterse cada una de las sociedades del grupo. Dada la relevancia de dicha función, el interés del grupo tiene prioridad en situaciones de colisión en su seno, sobreponiéndose al interés social propio de cada sociedad agrupada. Se presenta así, por un lado, el interés del grupo, determinante en la actividad y funcionamiento del grupo y, por otro, el interés social de cada sociedad integrada en aquel, esto es, el individual, por su adscripción a cada sociedad-persona jurídica integrante del grupo.

---

[14] FUENTES NAHARRO, M. *Grupos de sociedades y protección de acreedores (una perspectiva societaria), op. cit.*, pág. 187, respecto a la identificación del interés del grupo con el interés de la sociedad matriz que hace el ordenamiento alemán.

[15] EMBID IRUJO, J. M. *Grupos de sociedades y accionistas minoritarios..., op. cit.*, pág. 252; FUENTES NAHARRO, M., *Grupos de sociedades y protección de acreedores (una perspectiva societaria), op. cit.*, págs. 186-187.

[16] EMBID IRUJO, J. M. *Grupos de sociedades y accionistas minoritarios..., op. cit.*, pág. 252, subrayando la unidad económica que se establece tras la obtención del control de una sociedad y el consiguiente ejercicio de una dirección unitaria, para poder hablar de la existencia de una empresa bajo la plural vestidura jurídica de las diversas sociedades que la integran.

La consideración del interés social de cada sociedad de grupo como «individual» y no como «particular» es una precisión necesaria en aras de determinar la caracterización del interés del grupo, en la medida en que la alusión al interés social como «particular» refleja una contradicción ineludible entre el interés del grupo y el interés privativo de la sociedad de grupo y, por ende, una jerarquización que subordina los intereses particulares (incompatibles) de las sociedades agrupadas al interés del grupo o común de aquellas sociedades. El interés del grupo tendría primacía y además sería el que primaría sobre aquellos intereses particulares, que quedarían definitivamente relegados. La colisión de intereses, cuando se produce en el seno del grupo, no presupone la existencia de un interés «extragrupo» o «ajeno al grupo»[17] de una de las sociedades agrupadas cuya satisfacción pueda poner en peligro el interés del grupo. La colisión o incompatibilidad se establece entre dos intereses distintos pero tutelados ambos, y ello hace que sea preferible referirse al interés social de cada sociedad agrupada como interés «individual», lo que propicia que no exista entre ellos, *a priori* y como principio general, una relación de jerarquía que permita afirmar la prevalencia absoluta de alguno de ellos, en este caso, del interés del grupo. La colisión entre ambos intereses es un conflicto entre dos intereses no jerarquizados, por lo que su solución no se encuentra en la subordinación de uno al otro, sino en su coordinación. Esta coordinación, no obstante, se traduce en un desplazamiento temporal, situándose en una posición prioritaria el interés del grupo y en una posición relegada temporalmente el interés social individual de cada sociedad agrupada. Se reconoce así la prioridad del interés del grupo, pero no así la consideración de que se trate de un interés que prima sobre aquel interés individual, postergándolo definitivamente.

La concurrencia de los aspectos mencionados permite ofrecer un concepto de interés del grupo como «interés de la empresa policorporativa en la que las sociedades de grupo se encuentran integradas, convergente y común a todas ellas y que, en caso de colisión o relación de incompatibilidad, goza de prioridad sobre el interés social individual de cada sociedad agrupada, cuya realización queda temporalmente postergada».

---

[17]  SERRANO CAÑAS, J. M. *El conflicto de intereses en la administración de sociedades mercantiles, op. cit.*, pág. 467, al señalar que el interés del grupo y el interés social de cada sociedad que lo integra no son magnitudes antagónicas.

## 5. El «interés del grupo» legitima el perjuicio o desventaja causado por la dirección del grupo con la impartición de instrucciones desventajosas, pero ha de ser compensado

La prioridad del interés del grupo legitima el perjuicio o desventaja para la sociedad de grupo que puede conllevar el cumplimiento de algunas instrucciones, pero tiene un importante límite, como es la necesaria compensación de aquella desventaja. Esta previsión de la compensación ha sido firmemente subrayada por nuestra doctrina especializada, bajo la denominada «doctrina o teoría de las ventajas compensatorias»[18]. Esta doctrina de la compensación somete la legitimidad plena de la consecución del interés del grupo al hecho de que, en caso de colisión, el interés social de la sociedad agrupada no se vea finalmente en desventaja, para proteger, así, de forma indirecta, el interés patrimonial de socios y acreedores de dicha sociedad agrupada. Esta formulación de la compensación constituye la aportación más novedosa de la mencionada sentencia del Tribunal Supremo de 11 de diciembre de 2015[19], concibiendo también el principio de la compensación como un mecanismo tuitivo de los socios externos y acreedores de la sociedad de grupo sacrificada. Este es el postulado de la doctrina de la compensación, de tal forma que la desventaja sea algo pasajero y se supere finalmente la situación de desprotección en que se encontrarían socios y acreedores que toman como referencia directa el interés social individual de la respectiva sociedad de grupo.

Sin perjuicio de esta atención tuitiva, cabe concebir la funcionalidad que informa el criterio de la compensación como legitimadora del interés del grupo, ya que como se ha definido el interés del grupo, éste no es un interés superior que prime sobre el interés individual de la sociedad agrupada, posponiéndolo definitivamente. Se trata de la prioridad de un interés distinto, por lo que el desplazamiento del interés social individual del miembro del grupo no puede traducirse en que se inflija una desventaja a dicho miembro sino, todo lo contrario, en que se garantice que finalmente no se causa dicho perjuicio o desventaja. El interés social individual de la sociedad agrupada se pospone pero no se llega a renunciar a su consecución final. Por consiguiente, la legitimidad del interés del grupo depende de que el interés social postergado por colisión o incompatibilidad con aquel no se vea finalmente perjudicado y esto se materializa en la recep-

---

[18]   *Vid.*, por todos, FUENTES NAHARRO, M., *Grupos de sociedades y protección de acreedores (una perspectiva societaria), op. cit.*, págs. 151-195.

[19]   *(Tol 5589749).*

ción de una contrapartida adecuada por el sacrificio exigido en su calidad
de sociedad agrupada. En este caso, el instrumento tuitivo del patrimonio
de la sociedad de grupo, e indirectamente, de sus socios externos y acreedores sociales no se encuentra en la compensación como instrumento especial de tutela, sino en un medio tradicional de protección del Derecho
de sociedades, como es la atribución de responsabilidad por el daño patrimonial que se derive del ejercicio del cargo de administrador o del ejercicio de la dirección unitaria en el seno del grupo.

El mecanismo de la atribución de responsabilidad, en particular, por el
daño patrimonial ocasionado a la sociedad agrupada por sus administradores, cobra especial relevancia a través de resoluciones judiciales como la
que es objeto de mención en este trabajo, que encabeza su Fundamento
de Derecho Tercero con esta cuestión jurídica «Decisión de la Sala. La responsabilidad del administrador de la sociedad filial que sigue las instrucciones de la dirección del grupo societario. El interés del grupo y el daño
para la sociedad filial en la que hay socios externos». En la delimitación
de la responsabilidad y en su construcción específica en el contexto del
grupo es determinante la concepción del interés del grupo y de los límites
de su consecución, porque de su respeto depende la consideración como
legítima (y de obligado cumplimiento para el órgano de administración de
la sociedad de grupo) de la instrucción desventajosa *a priori* impartida por
la dirección del grupo. Si resulta ese respeto, al afrontar el cumplimiento
de una instrucción desventajosa no hay ninguna duda de que se impone
al órgano de administración de la sociedad de grupo la estricta obligación
de acatarla, porque el problema que se plantea en torno al ejercicio de la
dirección unitaria queda resuelto, esto es, el amparo del interés social individual de cada sociedad agrupada. De esta manera, el acatamiento de una
instrucción desventajosa legítima no solo se traduce en el reconocimiento de la legitimidad del interés del grupo, sino también en la realización
de una conducta vinculada al cumplimiento del deber de diligencia que
nuestro ordenamiento societario impone a los administradores sociales[20].
Si no resulta ese respeto que permite entender como legítima una instrucción desventajosa, el principio de obediencia que incumbe al órgano
de administración de la sociedad de grupo es sustituido por el principio
de desobediencia[21], quedando aquel obligado a oponerse al cumplimiento

---

[20]  EMBID IRUJO, J. M. *Grupos de sociedades y accionistas minoritarios...*, *op. cit.*, pág.
      255.
[21]  SERRANO CAÑAS, J. M. *El conflicto de intereses en la administración de sociedades mer-*
      *cantiles, op. cit.*, pág. 469, habla de transformación.

de aquella instrucción, so pena de incurrir en responsabilidad por daños al interés social por incumplimiento del deber de diligencia que nuestro ordenamiento societario impone a los administradores sociales. Se impone al órgano de administración de la sociedad de grupo una conducta decididamente contraria al acatamiento de dichas instrucciones, que se vincula con la observancia del genérico deber de diligencia, en la cual tiene su origen la responsabilidad de los administradores de la sociedad de grupo. Su responsabilidad no se basa únicamente en el acatamiento en sí mismo de las instrucciones ilegítimas, sino en el hecho de haber sido negligentes a la hora de afrontar el cumplimiento de unas instrucciones desventajosas. En este contexto de la ejecución de la política de la dirección del grupo, la diligencia es el criterio que se ha de valorar en el comportamiento de los administradores sociales de la sociedad de grupo.

## III. CUANDO EL INTERÉS DEL GRUPO NO ES TAL, POR SU IDENTIFICACIÓN CON EL INTERÉS DE LA SOCIEDAD DOMINANTE: COLISIÓN ENTRE EL INTERÉS DE LA SOCIEDAD DOMINANTE Y EL INTERÉS SOCIAL INDIVIDUAL DE UNA SOCIEDAD DOMINADA

En atención a lo anteriormente indicado, el «interés del grupo» no debe considerarse como aquel que coincide con el interés de la sociedad dominante, en la medida en que el contenido de aquel no viene determinado por el interés de esta. El interés del grupo es autónomo y distinto que, en caso de colisión o relación de incompatibilidad, se alza, con límites, sobre el interés de cada una de las sociedades integrantes del grupo, incluida la sociedad dominante. En este sentido, si se produce esa identificación de intereses entre grupo y sociedad dominante, no cabe hablar de «interés del grupo» ni apelar a él, en caso de colisión o relación de incompatibilidad, para determinar su prioridad con respecto al interés social individual de la sociedad de grupo y concebir el conflicto de intereses en el seno del grupo como un conflicto de lealtades y no como un conflicto de intereses *stricto sensu*. Esta situación de colisión o incompatibilidad entre el interés de la sociedad dominante y el interés social individual de un miembro del grupo, que muestra al grupo como una prolongación de la sociedad aislada, puede traducirse en un conflicto de intereses en el sentido del artículo 227.1 LSC, en la medida en que los administradores de la sociedad dominada pueden considerarse portadores de un interés extrasocial e incompatible con el de la sociedad administrada (aunque no propio, sino ajeno).

## 1. *Los administradores de una sociedad dominada como portadores de un interés ajeno, extrasocial e incompatible con el de la sociedad administrada*

En atención a lo anteriormente indicado, en el seno del grupo de sociedades, la presencia de instrucciones desventajosas para la sociedad integrante, impartidas por la dirección económica unitaria al servicio de la consecución del interés del grupo, sólo origina un «conflicto de lealtades», que no de intereses, por cuanto el conflicto estriba en la dicotomía entre acatar o no la instrucción correspondiente. En este sentido, este conflicto de lealtades no se plantea únicamente en relación con los administradores nombrados por la sociedad dominante, sino respecto a todos los administradores de la sociedad dominada, al estar todos ellos sometidos a la obligación de obediencia a las instrucciones dictadas por la dirección económica unitaria. Ahora bien, cuando ese supuesto conflicto de lealtades constituye verdaderamente un conflicto de intereses, en el que el problema estriba en la dicotomía entre satisfacer el interés particular de la sociedad dominante en perjuicio de la sociedad dominada u otorgar preferencia al interés social de esta, dicho conflicto de intereses se plantea únicamente en relación con los administradores propuestos y nombrados por la sociedad dominante, porque son estos los que tendrán que optar entre el cumplimiento estricto del deber de lealtad en aras de preservar el interés social de la sociedad administrada, y el cumplimiento de las órdenes e instrucciones emanadas de quien les nombra, esto es, de la sociedad dominante.

Estos administradores son portadores de un interés ajeno (se produce una situación de conflicto de intereses indirecto), extrasocial determinante de un conflicto con la sociedad administrada. Así pues, el conflicto se extiende a toda operación en la que la sociedad dominante tenga un interés específico que, a su vez, resulte incompatible con el interés social de la sociedad dominada. Esta situación de conflicto de intereses indirecto debe resolverse aplicando el deber de lealtad de los administradores en el desempeño del cargo. En virtud del artículo 227.1 LSC, el administrador de una sociedad debe desempeñar su cargo con la lealtad de un fiel representante, en el mejor interés de la sociedad, por lo que la lealtad al interés social de la sociedad dominada (la administrada) prevalece sobre la defensa del interés particular de la sociedad dominante, pese a que esta posea la mayoría accionarial. Los administradores están vinculados por ley a satisfacer única y exclusivamente el interés de la sociedad que administran. En caso de que el administrador no vele por el interés de su sociedad y lo haga por otro en detrimento de este, la solución puede canalizarse, en primer lugar, a través de los diversos supuestos previstos en el artículo 228

LSC, como particular contenido del deber de lealtad, y del encaje del comportamiento concreto en alguno o algunos de los mismos y, en segundo lugar, en caso de encajar en el supuesto de la letra e) del artículo 228 LSC, mediante la aplicación del artículo 229 y del procedimiento establecido en el mismo y en el artículo 230 LSC.

## 2. Mecanismos de protección del patrimonio de la sociedad dominada: acción de responsabilidad contra los administradores por estar en conflicto de intereses e impugnación de acuerdos sociales en beneficio de la sociedad dominante y en detrimento del interés social individual de la sociedad dominada

El análisis de los pronunciamientos judiciales en torno al conflicto de intereses entre la sociedad dominante y una sociedad participada, en el seno del grupo, nos permite poner de manifiesto diversos cauces represivos de protección o tutela preferente del patrimonio de la sociedad dominada (indirectamente, de los socios externos o minoritarios y de los acreedores sociales). Por un lado, la demanda de responsabilidad contra los administradores de la sociedad dominada y, por otro, el mecanismo de la impugnación de los acuerdos sociales que satisfagan el interés extrasocial de la sociedad dominante en perjuicio del interés social de la sociedad dominada.

### 2.1. Acción de responsabilidad contra los administradores

El cumplimiento de un contrato cuyo contenido obligacional consistía en la cesión del uso de la marca Saeco a favor de una sociedad filial (Saeco Ibérica, S.A.) a cambio de una retribución, dejando desde ese momento de ser gratuito, provocó el ejercicio de la acción social de responsabilidad contra los administradores de la sociedad filial por parte del accionista titular del 20% de su capital social. Por virtud de dicho contrato, se imponían a la sociedad filial unas condiciones desfavorables, que generaban un gravoso flujo económico desde la filial a la matriz. El accionista demandante suscribió dicho contrato cuando desempeñó el cargo de administrador de dicha sociedad filial, aunque más tarde estimara su carácter gravoso y que su cumplimiento era improcedente. Por ello, el motivo del ejercicio de la acción social de responsabilidad contra los actuales administradores procedía del hecho de que estos continuaran haciendo los pagos, reprochándoles no haber denunciado el contrato, lo que estaba comportando un daño para la sociedad administrada. La demanda se estimó parcialmente por el Juzgado de lo Mercantil núm. 1 de Barcelona[22], condenando a los administradores demandados a abonar a la sociedad el daño producido, al considerar que, en atención a las condiciones en las que se firmó aquel contrato (el precio de los productos distribuidos llevaba incorporado el precio del uso de la marca), era injustificado que los administradores actuales (que a su vez lo eran de la matriz y de otra sociedad controlada al 100% por la primera) continuaran pagando las cantidades a las que se refería el contrato.

Esta resolución fue recurrida, alegando la falta de concurrencia de los elementos necesarios para que pueda prosperar la acción social de responsabilidad contra los administradores (art. 134 LSA, actual art. 236.1 LSC). Estos elementos son los siguientes: (i) un comportamiento antijurídico, imputable a los administradores, (ii) un daño al interés de la sociedad administrada causado por dicho comportamiento antijurídico, y (iii) el nexo causal entre el comportamiento y el daño producido al patrimonio social. El recurso fue estimado por la Audiencia Provincial de Barcelona[23], al determinar la inexistencia de uno de los elementos mencionados, en concreto, el acto antijurídico imputable a los administradores demandados. En este caso, la conducta antijurídica podía encontrar su fundamento en el incumplimiento del deber de lealtad[24] y dentro de este, en el incumplimiento del deber de evitar situaciones de conflicto de intereses, ya que se aprecia, efectivamente, que se trata de un contrato contrario al interés social de la filial Saeco Ibérica, S.A. y en beneficio del interés de la matriz. La transacción vinculada[25], en este caso, la transacción entre la matriz y la

---

[22] SJM núm. 1 de Barcelona de 15 de noviembre de 2010 *(Tol 2575725).*

[23] SAP de Barcelona de 12 de abril de 2012 *(Tol 2575725).*

[24] Incumplimiento que se observa también en el caso de que los administradores designados por la matriz, en cumplimiento de las órdenes impartidas por esta, transmitan información confidencial a la matriz que no sea necesaria para la dirección o gestión del grupo, sino en su propio beneficio, esto es, al servicio del interés de la matriz y a costa del interés social de la filial. Los administradores de la filial deben actuar, siempre, en el mejor interés de la sociedad que administran (art. 227.1 LSC) y una de las obligaciones derivadas de ese deber de lealtad es la de desempeñar sus funciones con independencia respecto de instrucciones y vinculaciones de terceros [art. 228 d) LSC]. Por tanto, el acatamiento de esa orden proveniente de la matriz solicitando información confidencial que no venga justificada por el interés social de la filial (al no venir exigida para la adecuada dirección y gestión del grupo), constituye un incumplimiento del deber de lealtad del administrador y, por ende, un acto antijurídico, cuya concurrencia permite que prospere el ejercicio de la acción social de responsabilidad contra los administradores.

[25] El artículo 229.1 a) LSC recoge como transacciones vinculadas las transacciones realizadas por el administrador con la sociedad e indica aquellas que no afectan

filial pone de relieve su carácter ilícito, por lo que los administradores que hubieran celebrado el contrato incumplen el deber de lealtad y ello constituye un acto antijurídico, cuya concurrencia permite que prospere el ejercicio de la acción social de responsabilidad contra los administradores. Sin embargo, en el caso analizado, esta conducta antijurídica era imputable al accionista demandante, ya que el acto lesivo para el interés de la sociedad filial fue la firma del nuevo contrato y él lo firmó personalmente cuando desempeñó el cargo de administrador. Lo lesivo no era el cumplimiento del contrato ya existente, por lo que no existía conducta antijurídica imputable a los administradores demandados, que actuaron con lealtad, en el mejor interés de la sociedad administrada, que requería cumplir el contrato para que Saeco Ibérica, S.A. no fuera cesada en la utilización de la marca.

## 2.2. Acción de impugnación de acuerdo social por lesión del interés social de la sociedad dominada

La otra vía societaria como mecanismo de tutela del patrimonio de la sociedad filial es la impugnación del acuerdo social que autoriza el comportamiento lesivo o perjudicial para el interés social de aquella (el acuerdo de la Junta General o el acuerdo del Consejo de Administración). En este sentido, resulta de interés la sentencia de la Audiencia Provincial de Asturias[26]. Los hechos suceden en una reunión del Consejo de Administración de Corporación Alimentaria Peña Santa (CAPSA), donde se acor-

---

al deber de lealtad, esto es, aquellas que no generan un conflicto de intereses, siempre y cuando concurran tres circunstancias: carácter ordinario de la transacción, hecha en condiciones estándar y de escasa relevancia (su información no es necesaria para expresar la imagen fiel de las cuentas anuales). En el caso de las transacciones entre la filial y la matriz o la sociedad y el socio de control, en los que los administradores lo son de las dos sociedades que participan en la transacción, se presenta un problema similar, ya que el administrador como administrador de la matriz, su interés puede ser contrapuesto al de la otra. En este sentido, *vid.* PAZ-ARES, C., «La responsabilidad de los administradores como instrumento de gobierno corporativo», *InDret*, núm. 4, 2003, págs. 16, 23 y 24, quien establece tres obligaciones sobre las transacciones relacionadas o vinculadas: independencia (del administrador respecto de la sociedad matriz con la que celebra el contrato en nombre de la sociedad filial), equidad (que la transacción se haga en condiciones de mercado) y transparencia (o plena información sobre la transacción a celebrar entre la sociedad filial y la sociedad matriz).

[26] SAP de Asturias de 15 de diciembre de 2014 *(Tol 4691783).*

dó aprobar un nuevo contrato de licencia de marca con Central Lechera Asturiana, S.A.T. (CLASAT, socio de control de CAPSA)), que alteraba los términos del anterior en aspectos como el precio (se incrementaba) y la renovación (se reducía el periodo). El acuerdo fue adoptado por siete de los consejeros designados por CLASAT, ejecutando el mandato recibido de esta. En atención a que el acuerdo perjudicaba el interés social de la sociedad dominada, un consejero discrepante lo impugnó sobre tres motivos, subsidiariamente planteados: (i) por haber votado los consejeros designados por CLASAT, estando estos en conflicto de interés [art. 229.1 a) LSC], (ii) por ser el acuerdo contrario al interés social de la sociedad y en beneficio del socio de control (art. 204.1 LSC), (iii) por infracción de los estatutos, al prever para este tipo de acuerdos una mayoría específica. El primer motivo fue rechazado[27], por no considerar que los consejeros se encontraran en conflicto de intereses. Se tuvo en cuenta que la prohibición de los administradores de realizar transacciones con la sociedad y la obligación de abstenerse de participar en las decisiones correspondientes se refieren a conflictos que afecten personalmente al administrador o a personas vinculadas a ellos. Como el elenco de personas vinculadas es el previsto en el artículo 231 LSC y en el caso de autos no concurría ninguna de estas personas, se concluyó que no había conflicto de intereses en los consejeros de CAPSA designados a propuesta de la matriz.

El segundo motivo fue estimado, y ratificado por la Audiencia Provincial de Asturias, concluyendo que el acuerdo de aprobación del contrato de licencia de marca era contrario al interés social de la filial: «Evidentemente, la única beneficiaria de aquella mayor cuantía y de la reducción del tiempo es Central Lechera Asturiana, no desde luego CAPSA». Como conclusión, las decisiones o acuerdos adoptados en el seno de la sociedad filial, desventajosos o perjudiciales para esta, como acatamiento de las instrucciones, órdenes o proposiciones derivadas de la sociedad matriz pueden ser lícitos cuando sirven al interés del grupo, son beneficiosos para el grupo en su conjunto y, además, la matriz compensa ese sacrificio. Si sirven meramente al interés de la matriz, beneficiándola patrimonialmente en detrimento del patrimonio de la filial, son ilícitos, por ser contrarios al interés social de la filial. Y respecto a la consideración o no de los administradores de la filial designados a propuesta de la matriz en una situación de conflicto de intereses, el artículo 231 LSC resulta aplicable al artículo 229.1 a), donde

---

[27]    SJM núm. 1 de Oviedo de 9 de enero de 2014 *(Tol 4810345)*. Este caso tiene relación con el de Transmediterránea-Acciona, *vid.* STS de 17 de enero de 2012 *(Tol 2494139)*.

se incluyen las transacciones del administrador con la sociedad, y únicamente las personas en él previstas como beneficiarias pueden constituir un supuesto de conflicto indirecto, por lo que, al no preverse, no cabría extender el conflicto indirecto al socio de control o sociedad dominante que ha propuesto al administrador de la filial[28].

## Bibliografía

ALFARO, J. *Interés social y derecho de suscripción preferente. Una aproximación económica.* Madrid. 1995.

COUTINHO DE ABREU, J. M., «Interés social y deber de lealtad de los socios», *Revista de Derecho de Sociedades*, núm. 19, 2002, págs. 39-56.

EMBID IRUJO, J. M. *Grupos de sociedades y accionistas minoritarios. La tutela de la minoría en situaciones de dependencia societaria y grupo.* Madrid. 1987.

— «Capítulo XVIII. Grupos de sociedades», en EMBID IRUJO, J. M. (dir.) *Introducción al Derecho de sociedades de capital.* Madrid. 2013, págs. 413-433.

— «Interés del grupo y ventajas compensatorias (comentario a la sentencia 695/2015, de 11 de diciembre, del Tribunal Supremo)», *Revista de Derecho Mercantil*, núm. 300, 2016, págs. 1-17 (versión electrónica).

FUENTES NAHARRO, M. *Grupos de sociedades y protección de acreedores (una perspectiva societaria).* Navarra. 2007.

GIRGADO, P. *La empresa de grupo y el derecho de sociedades.* Granada. 2001.

---

[28]  En contra de esta extensión concluye la citada SJM núm. 1 de Oviedo de 9 de enero de 2014 *(Tol 4810345)*, sentenciando la inexistencia de conflicto de interés en los administradores de CAPSA, por aplicación del artículo 231 LSC: «que vendría a agotar los supuestos de conflicto indirecto a fin de dotar de coherencia y seguridad jurídica al conjunto normativo». Así lo advierte también parte de la doctrina española e italiana, considerando la necesidad de interpretar de forma flexible la situación de conflicto de interés en caso de grupos de sociedades a fin de no privarlos de operatividad, véase VICENT CHULIÁ, F., «Grupos de sociedades y conflictos de intereses», *RDM*, núm. 280, 2011, pág. 8, versión electrónica, al señalar que «si aplicáramos el art. 229.1 LSC en relación con el art. 231.2 LSC, el grupo no podría funcionar, al prohibir que voten los consejeros nombrados a propuesta de la sociedad dominante, teniendo que recurrir a acuerdos de autorización de las operaciones intra-grupo de la junta general, caso por caso». A favor de esta extensión, ALFARO, J., «Acuerdos sociales perjudiciales para el interés de la filial en beneficio de la matriz», en el blog jurídico Almacén de Derecho, http://derechomercantilespana.blogspot.com.es, de 10 de abril de 2015, cuando se trate de negociar un contrato entre la filial y la matriz, ya que en este caso no se da el riesgo de mayorización de la minoría, «los socios externos de la filial están en buena posición para defender los intereses de esta y los intereses de la matriz pueden ser defendidos por la matriz en la negociación del contrato entre matriz y filial».

GIRÓN, J. *Derecho de Sociedades.* Madrid. 1976.

IRACULIS ARREGUI, N. *Conflictos de interés del socio. Cese del administrador nombrado por accionista competidor.* Madrid. 2013.

PAZ-ARES, C. *¿Dividendos a cambio de votos?: contribución al estudio de la conversión de acciones con voto en acciones sin voto.* Madrid. 1996.

— «La responsabilidad de los administradores como instrumento de gobierno corporativo», *InDret,* núm. 4, 2003, págs. 1-61.

— «La anomalía de la retribución externa de los administradores», *InDret Revista para el Análisis del Derecho,* enero 2014, págs. 1-53.

SERRANO CAÑAS, J. M. *El conflicto de intereses en la administración de sociedades mercantiles.* Bolonia. 2008.

VICENT CHULIÁ, F., «Grupos de sociedades y conflictos de intereses», *RDM,* núm. 280, 2011, págs. 8-18 (versión elestrónica).

# 18. El derecho de información del socio sobre la filial

**GUILLERMO MEDINA ORS**
*Socio*
*Belagua Abogados*

**Sumario:** I. CONSIDERACIONES PRELIMINARES. 1. El statu quo legislativo de los grupos de sociedades. 2. El derecho de información contable de los socios en los grupos de sociedades. 3. El grupo de sociedades como presupuesto normativo. II. LA TUTELA DEL DERECHO DE INFORMACIÓN DEL SOCIO SOBRE LAS FILIALES. 1. La importancia de la función judicial. 2. La Sentencia del Tribunal Supremo 324/2012, de 21 de mayo. 3. La Sentencia del Tribunal Supremo 406/2015, de 15 de julio. III. REFLEXIONES FINALES. Bibliografía.

## I. CONSIDERACIONES PRELIMINARES

El análisis del derecho de información del socio desde la perspectiva de los grupos de sociedades es un tema intrincado que plantea numerosas cuestiones. Sirva de aviso a navegantes que este trabajo no pretende enunciarlas todas ni, menos aún, responderlas todas. Tampoco pretende realizar un análisis crítico de esta cuestión sino que persigue un propósito más modesto: realizar un comentario sobre algunos aspectos de la misma, ofreciendo un planteamiento general de esta materia en el momento actual y aportando algo de claridad sobre la misma.

### 1. El statu quo legislativo de los grupos de sociedades

Este trabajo no puede comenzarse sin poner de manifiesto que nuestro ordenamiento jurídico carece de una regulación específica, completa y sistemática de los grupos de sociedades. Por el contrario, del mismo modo que en la realidad económica y empresarial en la que nos desenvolvemos no existe una visión única de los grupos de sociedades, sino que éstos se manifiestan a través de una amplia diversidad de tipos y estructuras, el tratamiento que nuestro ordenamiento jurídico otorga a estos conjuntos societarios dista mucho de ser uniforme y singular, sino reflejo de aquella realidad, esto es, diverso y disperso.

El propio legislador español, en la Exposición de Motivos del Real Decreto Legislativo 1/2010, de 2 de julio, por el que se aprueba el texto refundido de la Ley de Sociedades de Capital, ya se refería al carácter provisional de dicho texto en numerosos aspectos y anticipaba la necesidad de afrontar, en el futuro inmediato, nuevas reformas de la materia, incluyendo, entre otras, la creación de un Derecho sustantivo de los grupos de sociedades. Pues bien, así como en otras materias, como es el caso de las sociedades cotizadas, el legislador ha seguido su autoimpuesto mandato, dotando a éstas de una regulación específica más detallada, dicho mandato ha sido desatendido reiteradamente en lo relativo a los grupos de sociedades, aun no habiendo faltado ocasiones para hacer lo contrario. Bien debido a la incapacidad de acortar la distancia existente entre nuestro ordenamiento jurídico y la realidad económica de los grupos empresariales, bien a la ausencia de criterios claros y de consenso en la política legislativa en esta materia, o bien a la carga legislativa que ha supuesto el torrente reformista de últimos años en relación con otros aspectos del Derecho societario, lo cierto es que, desde la perspectiva de éste último, los grupos de sociedades permanecen confinados en el régimen de las cuentas consolidadas y en otras normas dispersas por el articulado de la Ley de Sociedades de Capital.

Se alude frecuentemente al hecho de que dotar a los grupos de sociedades de una regulación específica y suficiente sigue siendo una asignatura pendiente de nuestro ordenamiento jurídico, a diferencia de otros ordenamientos de nuestro entorno, como es el caso del alemán, en el que el legislador ha tomado la opción contraria, esto es, proporcionar una regulación completa a esta compleja realidad empresarial en la que confluyen elementos económicos y jurídicos[29].

---

[29]   GIRGADO PERANDONES, P., «En torno a la noción de grupo de sociedades y su delimitación en el ámbito español y europeo». Rev. Boliv. de Derecho, n°. 18, julio 2014, págs. 76-97. Nos obstante, como señala este mismo autor, en España han existido varios intentos de dotar de una regulación completa a los grupos de sociedades desde la perspectiva del Derecho societario, a saber: (a) el Anteproyecto de Ley de Sociedades Anónimas de 1979 y su propósito de incorporar a nuestro ordenamiento el régimen jurídico sobre grupos del proyecto comunitario de sociedad anónima europea; (b) la propuesta de Código de Sociedades Mercantiles de 2002 cuyo propósito era unificar en dicho texto normativo tanto la normativa existente sobre sociedades mercantiles como aspectos nuevos, como era la regulación bajo el epígrafe relativo a uniones de sociedades no sólo los grupos de sociedades sino también las agrupaciones de interés económico y las uniones temporales de empresa; y (c) la propuesta de Código Mercantil de 2014, que introduce un concepto de grupo de sociedades distinto al concepto vigente en nuestro ordenamiento

Esta carencia ha permitido —más aún, ha propiciado— que en nuestro ordenamiento jurídico convivan hoy fragmentos normativos diseminados por distintas piezas de legislación en distintos ámbitos materiales, como son el contable, el tributario, el laboral, el societario, el bursátil o el concursal. De esta forma, es un hecho que no existe un derecho sustantivo de los grupos de sociedades uniforme sino una regulación sectorial dispersa y heterogénea, cuyo alcance y contenido vienen determinados en función del interés perseguido por el legislador en cada uno de aquellas áreas del ordenamiento y varían según la legislación específica que los acoge.

Sin embargo, nuestra doctrina no es unánime en cuanto a la conveniencia o necesidad de establecer un régimen específico y completo de los grupos de sociedades, entendiendo una parte de la misma que la regulación de la que disponemos en la actualidad es suficiente para dar respuesta a este fenómeno, en la medida en que el vigente art. 42 del Código de Comercio mantenga una función integradora del concepto de grupo, derivada de las reiteradas remisiones que se hacen al mismo desde distintas normas sectoriales. En todo caso, la tarea de dotar a los grupos de sociedades de una regulación sustantiva específica sería compleja, pues requeriría dar una respuesta legislativa a cuestiones harto discutibles, como pudieran ser, entre otras, si todos los grupos deben estar sometidos a una misma regulación (siendo la composición y estructura real de los grupos enormemente dispar) o si la regulación de los grupos debe tener o no carácter imperativo[30].

En nuestro ordenamiento jurídico vigente, la configuración de los grupos de sociedades se asienta sobre los arts. 42 a 49 del Código de Comercio, esto es, en el conjunto de normas que regula las cuentas anuales de los grupos sociedades y su régimen de consolidación contable, cuya redacción vigente viene dada por la Ley 16/2007, de 4 de julio, de reforma y adapta-

---

jurídico (el del art. 42 del Código de Comercio), esto es, no exclusivamente centrado en el criterio del «control» sino en el criterio del «poder de dirección» (al concepto de grupo de sociedades me referiré brevemente más adelante en este mismo trabajo). Ninguno de los citados intentos ha terminado de concretarse en nuestro ordenamiento societario sustantivo, pues nuestro legislador no ha optado por tales reformas globales sino por modificaciones específicas y parciales de la legislación de las sociedades de capital.

30	EMBID IRUJO, J. M., «Los grupos de sociedades en la propuesta de Código Mercantil», Revista de Derecho Mercantil, n°. 290, 2013, págs. 53-68.

ción de la legislación mercantil en materia contable para su armonización internacional con base en la normativa de la Unión Europea[31].

El régimen de consolidación contable europeo, y por ende de nuestro Código de Comercio, responde a la finalidad de aportar la debida transparencia a la información sobre la situación económico-financiera del grupo, reflejando la imagen fiel del patrimonio y de los resultados del conjunto de las sociedades que lo conforman. Dicho objetivo no se conseguiría con la mera agregación de las cuentas anuales individuales de cada una de las sociedades que integran el grupo, sino que para ello se precisa del empleo de intricadas técnicas y métodos de integración contable[32].

El art. 42 del Código de Comercio, siguiendo a la regulación europea, recurre al criterio del «control» como elemento delimitador del perímetro de consolidación contable de los grupos de sociedades. Así, con carácter general, existe un grupo cuando una sociedad (que se calificará como dominante) ostente o pueda ostentar el control de otra u otras sociedades (que se calificarán como dependientes) y dicho control se pueda ejercitar tanto de manera directa como indirecta, de tal manera que, cuando aquel exista, la sociedad dominante vendrá obligada a formular, además de sus propias cuentas anuales e informe de gestión individuales, las cuentas anuales y el informe de gestión consolidados[33].

---

[31]   Ley desarrollada por el Real Decreto 1514/2007, de 16 de noviembre; el Plan General de Contabilidad de Pequeñas y Medianas Empresas aprobado por el Real Decreto 1515/2007, de 16 de noviembre; las Normas para la Formulación de Cuentas Anuales Consolidadas aprobadas por el Real Decreto 1159/2010, de 17 de septiembre; y las Normas de Adaptación del Plan General de Contabilidad a las entidades sin fines lucrativos aprobadas por el Real Decreto 1491/2011, de 24 de octubre, y el Decreto 602/2016, de 2 de diciembre, por el que se modifican las normas anteriores.

[32]   MARTÍNEZ-GIJÓN MACHUCA, P., «La protección de los socios externos en los grupos de sociedades en el Anteproyecto de Ley de Código Mercantil», Estudios sobre el futuro Código Mercantil: libro homenaje al profesor Rafael Illescas Ortiz, Universidad Carlos III de Madrid, 2015, págs. 693-715. Como también señala este autor, la aplicación de los distintos métodos de integración contable o consolidación vendrá determinada por la situación particular de control dentro de cada grupo: el método de integración global se aplicará cuando exista control (art. 46 del Código de Comercio), el método de integración proporcional se aplicará cuando exista una influencia significativa (art. 47 del Código de Comercio) y el método de participación o puesta en equivalencia se aplicará en los restantes supuestos (art. 47.4 del Código de Comercio).

[33]   A diferencia del Código de Comercio, en el proyecto de Código Mercantil la idea de grupo reside en el «poder de dirección», de forma que aquel existe (a) «*cuando*

Ahora bien, el art. 42 del Código de Comercio no contiene una auténtica definición del grupo de sociedades sino un régimen de presunciones: de una parte, se entiende que existe grupo cuando existe control y, de otra parte, se entiende que existe control cuando la sociedad dominante se encuentre, en relación con las sociedades dependientes, en alguna de las situaciones previstas en el precepto citado[34]. De esta forma, nuestro legislador ha optado no por definir qué es el grupo de sociedades sino por delimitar cuándo se entiende que éste existe[35].

Sin perjuicio de ello, el art. 42 del Código de Comercio se configura como la referencia fundamental de nuestro ordenamiento al grupo de sociedades. Buen ejemplo de ello es el art. 18 de la Ley de Sociedades de Capital, que eludiendo cualquier intento de aportar una noción propia, se limita a disponer que, a los efectos de esta ley, *«se considerará que existe grupo de sociedades cuando concurra alguno de los casos establecidos en el artículo 42 del Código de Comercio, y será sociedad dominante la que ostente o pueda ostentar, directa o indirectamente, el control de otra u otras»*[36].

---

una sociedad esté sometida al poder de dirección de otra o cuando varias sociedades estén sometidas al poder de dirección unitario de una misma persona natural o jurídica, cualquiera que sea el fundamento de ese poder de dirección» o (b) «cuando dos o más sociedades independientes actúen coordinadamente entre sí bajo un poder de dirección unitario y común».

[34] Dichas circunstancias son las siguientes: a) que posea la mayoría de los derechos de voto, b) que tenga la facultad de nombrar o destituir a la mayoría de los miembros del órgano de administración, c) que pueda disponer, en virtud de acuerdos celebrados con terceros, de la mayoría de los derechos de voto, d) que haya designado con sus votos a la mayoría de los miembros del órgano de administración, que desempeñen su cargo en el momento en que deban formularse las cuentas consolidadas y durante los dos ejercicios inmediatamente anteriores. En particular, se presumirá esta circunstancia cuando la mayoría de los miembros del órgano de administración de la sociedad dominada sean miembros del órgano de administración o altos directivos de la sociedad dominante o de otra dominada por ésta. A estos efectos a los derechos de voto de la entidad dominante se añadirán los que posea a través de otras sociedades dependientes o a través de personas que actúen en su propio nombre pero por cuenta de la entidad dominante o de otras dependientes o aquellos de los que disponga concertadamente con cualquier otra persona.

[35] GIRGADO PERANDONES, P., «En torno a la noción de grupo de sociedades y su delimitación en el ámbito español y europeo». Rev. Boliv. de Derecho, n°. 18, julio 2014, págs. 76-97.

[36] La Ley de Sociedades de Capital contiene diversas y dispersas alusiones al grupo de sociedades, s saber: art. 107 (transmisibilidad de las participaciones sociales), art. 143 (prohibición de asistencia financiera en las sociedades de responsabilidad limitada respecto de las acciones emitidas por la sociedad del grupo a que perte-

nezca); art. 150 (prohibición de asistencia financiera en las sociedades anónimas respecto de las acciones de su sociedad dominante y excepciones); art. 157.6 (comunicación a la entidad supervisora la apertura de un expediente sancionador cuando éste se inicie sobre los administradores de una entidad integrada en un grupo consolidable de entidades financieras, sujetos a supervisión); art. 162 (asistencia financiera permitida a favor de socios y administradores de la sociedad no siendo necesario el acuerdo de la Junta General cuando se realice a favor de otra sociedad perteneciente al mismo grupo); art. 188 (en las sociedades anónimas, facultad de establecer en los estatutos sociales el número máximo de votos que pueden emitir las sociedades pertenecientes al mismo grupo en la Junta General); art. 229 e) (deber de los administradores de evitar obtener ventajas o remuneraciones de terceros distintos de la sociedad y su grupo); art. 231 (consideración de las sociedades que formen parte del mismo grupo como personas vinculadas a los administradores); art 260.Séptima a) (referencia en la memoria a los compromisos asumidos con las sociedades del grupo); art. 260.Decimoséptima (deber de indicar el nombre y domicilio social de la sociedad que elabore los estados financieros consolidados del grupo al que pertenezca la sociedad); art. 261 (deber de expresar en la memoria el nombre y el domicilio social de la sociedad que establezca los estados financieros consolidados, en caso de que la formulación se lleve a cabo de forma abreviada); art. 283 (régimen sancionador en caso de incumplimiento por el órgano de administración de la obligación de depositar, dentro del plazo establecido, las cuentas anuales y demás documentos relacionados, cuando el grupo de sociedades tenga un volumen de facturación anual superior a 6.000.000 euros, el límite de la multa para cada año de retraso se elevará a 300.000 euros); art. 505 (régimen especial de exclusión del derecho de suscripción preferente para las sociedades cotizadas de un grupo de empresas. En tal caso, el valor neto patrimonial se determinará conforme a los datos que para la sociedad se deriven de la contabilidad consolidada del grupo); art. 527 (las cláusulas estatutarias limitativas del derecho de voto de las sociedades pertenecientes a un mismo grupo quedarán sin efecto en caso de OPA con determinadas características); art. 529 ter (facultades indelegables del Consejo de Administración de sociedades cotizadas respecto de (i) la determinación de la política de gobierno corporativo de la sociedad y del grupo del que sea entidad dominante; (ii) la definición de la estructura del grupo de sociedades del que la sociedad sea entidad dominante; (iii) la aprobación de la creación o adquisición de participaciones que por su complejidad, pudieran menoscabar la transparencia de la sociedad y su grupo; (iv) la aprobación, previo informe de la comisión de auditoría, de las operaciones que la sociedad o sociedades de su grupo realicen con consejeros o accionistas que formen parte del mismo grupo); art. 529 duodecies.1 (categorías de consejeros según desempeñen funciones de dirección en la sociedad o su grupo (consejeros ejecutivos) o sean altos directivos o consejeros de sociedades pertenecientes al grupo de la entidad dominante (consejero dominical)); art. 529 duodecies 4 (categoría de consejeros como independientes cuando puedan desempeñar sus funciones sin verse condicionados por relaciones con la sociedad o su grupo, sus accionistas significativos o

## 2. El derecho de información contable de los socios en los grupos de sociedades

El derecho de información de los socios en sede de grupos de sociedades está estrechamente ligado al régimen de información sobre las cuentas anuales. El art. 42.5 del Código de Comercio regula específicamente dicho derecho de información: «*los socios de las sociedades pertenecientes al grupo podrán obtener de la sociedad obligada a formular las cuentas anuales consolidadas los documentos sometidos a la aprobación de la Junta, así como el informe de gestión del grupo y el informe de los auditores*»[37]. De conformidad con dicho precepto, corresponde igualmente a la sociedad dominante o matriz obligada a consolidar la aprobación, en la junta general de socios, de las cuentas consolidadas y el informe de gestión del grupo simultáneamente con sus cuentas anuales individuales y el depósito de dichas cuentas e informe de gestión, así como, en su caso, del informe de los auditores de cuentas, en el Registro Mercantil.

El régimen jurídico de las cuentas anuales está recogido asimismo en los arts. 160.a) y 253 a 284 de la Ley de Sociedades de Capital. Los administradores de la sociedad están obligados a formular, en el plazo máximo de tres meses contados a partir del cierre del ejercicio social, las cuentas anuales, el informe de gestión y la propuesta de aplicación del resultado de cada sociedad, junto con las cuentas anuales y el informe de gestión consolidados cuando aquellas sociedades se encuentren en cualquiera de los supuestos del art. 42.1 del Código de Comercio. Por su parte, la junta general de cada sociedad es el órgano social competente para aprobar su documentación contable individual, mientras que la junta general de la sociedad dominante o matriz de un grupo de sociedades es la competente para aprobar la documentación contable consolidada correspondiente a dicho grupo. Las cuentas anuales comprenderán el balance, la cuenta de

---

sus directivos. Enumeración de situaciones en las que un consejero no puede ser considerado independiente entre las que se incluyen algunas en relación con el grupo); art. 540 (inclusión de las operaciones vinculadas de la sociedad con sus accionistas y sus administradores y cargos directivos y operaciones intragrupo en el informe anual de gobierno corporativo).

[37] Dicho precepto dispone asimismo que las cuentas consolidadas y el informe de gestión del grupo habrán de someterse a la aprobación de la junta general de la sociedad obligada a consolidar simultáneamente con las cuentas anuales de esta sociedad y que el depósito de las cuentas consolidadas, del informe de gestión del grupo y del informe de los auditores de cuentas en el Registro Mercantil y la publicación del mismo se efectuarán de conformidad con lo establecido para las cuentas anuales de las sociedades anónimas.

pérdidas y ganancias, un estado que refleje los cambios en el patrimonio neto del ejercicio, un estado de flujos de efectivo y la memoria, tanto individuales como, cuando el caso lo requiera, consolidadas.

En la Ley de Sociedades de Capital el derecho de información constituye uno de los derechos esenciales del socio (art. 93) y está estrechamente vinculado al derecho de información en la junta general regulado en los arts. 196 y 197 (cada uno de ellos dedicado a una forma social). Mientras que una parte de nuestra doctrina asocia el derecho información al derecho de voto y le otorga una función instrumental de éste último, otra parte entiende que el derecho de información debe interpretarse en un sentido más amplio, que trasciende al derecho de voto, pues no se dispone de él con la única finalidad de decidir el sentido del voto sino también como un mecanismo de control del socio sobre la sociedad, que no está, por tanto, ligado a aquél sino a la condición «política» de socio[38].

El derecho de información del socio sobre las cuentas anuales está regulado de manera particular en el art. 272 de la Ley de Sociedades de Capital que dispone que, a partir de la convocatoria de la junta general ordinaria, cualquier socio de una sociedad (cualquiera que sea su forma) puede obtener de la sociedad, de forma inmediata y gratuita, los documentos contables que hayan de ser sometidos a la aprobación de la misma, así como en su caso, el informe de gestión y el informe del auditor de cuentas. El juego de los arts. 272 y 196 de la Ley de Sociedades de Capital determina que, en sede de sociedades limitadas, desde la convocatoria, el socio o socios que representen al menos el cinco por ciento del capital pueda examinar en el domicilio social, por sí o en unión de experto contable, los documentos que sirvan de soporte y de antecedente de las cuentas anuales individuales y, en su caso, consolidadas; los socios puedan solicitar por escrito, con anterioridad a la reunión de la junta general o verbalmente durante la misma, los informes o aclaraciones que estimen precisos acerca de las cuentas anuales individuales y, en su caso, consolidadas; que el órgano de administración esté obligado a proporcionárselos, en forma oral o escrita de acuerdo con el momento y la naturaleza de la información solicitada, salvo en los casos en que, a juicio del propio órgano, la publicidad de ésta perjudique el interés social; y que no proceda la denegación de la información

---

[38]   ROJO, A. y BELTRÁN, E., «Comentario de la Ley de Sociedades de Capital», Ed. Thomson Reuters, Civitas Aranzadi, Madrid, 2011, Tomo I, págs. 1372-1389, y GASTAMINZA, E. V., «Comentarios a la Ley de Sociedades de Capital: estudio legal y jurisprudencial», Ed. Bosch, Barcelona, 2013, págs. 513513-524.

solicitada cuando la solicitud esté apoyada por socios que representen, al menos, el veinticinco por ciento del capital social.

Por su parte, el juego de los arts. 272 y 197 de la Ley de Sociedades de Capital determina que, en sede de sociedades anónimas, hasta el séptimo día anterior al previsto para la celebración de la junta, los accionistas puedan solicitar de los administradores las informaciones o aclaraciones que estimen precisas acerca de cuentas anuales individuales y, en su caso, consolidadas, o formular por escrito las preguntas que consideren pertinentes; que los administradores estarán obligados a facilitar la información por escrito hasta el día de la celebración de la junta general; que durante la celebración de la junta general, los accionistas de la sociedad pueden solicitar verbalmente las informaciones o aclaraciones que consideren convenientes acerca de las cuentas anuales individuales y, en su caso, consolidadas; que si el derecho del accionista no se pudiera satisfacer en ese momento, los administradores están obligados a facilitar la información solicitada por escrito, dentro de los siete días siguientes al de la terminación de la junta; que los administradores están asimismo obligados a proporcionar la información solicitada, salvo que esa información sea innecesaria para la tutela de los derechos del socio, o existan razones objetivas para considerar que podría utilizarse para fines extrasociales o su publicidad perjudique a la sociedad o a las sociedades vinculadas; y que la información solicitada no pueda denegarse cuando la solicitud esté apoyada por accionistas que representen, al menos, el veinticinco por ciento del capital social (los estatutos podrán fijar un porcentaje menor, siempre que sea superior al cinco por ciento del capital social).

## 3. *El grupo de sociedades como presupuesto normativo*

Dar una respuesta jurídica al fenómeno de los grupos de sociedades es una tarea compleja, pues éstos distan mucho de ajustarse a una realidad uniforme. Por el contrario, los grupos empresariales representan una materialidad jurídica y económica multiforme, dificultosamente reducible a una única categoría jurídica, incluso a su mera clasificación o tipificación. Al abordar dicha realidad nos encontramos con un universo heterogéneo de sujetos, formas y estructuras y con una variedad inabarcable de relaciones societarias, patrimoniales y contractuales entre la sociedad matriz y sus filiales, de éstas entre sí y entre todas ellas y sus socios externos.

Los grupos de sociedades son una realidad instalada en nuestro entorno empresarial amparada por el principio de libertad de empresa —el derecho de los empresarios a emprender y a organizar libremente sus actividades— y por el desarrollo económico. La creación de grupos constituye un mecanismo válido de estructuración y ordenación empresarial, cuya relevancia actual y creciente responde a diversos motivos. El grupo puede contribuir a dotar a la actividad empresarial de una mayor eficiencia económica, administrativa, fiscal y operativa. Puede dotar a las empresas de mayor flexibilidad para adaptarse a la estructura de unos mercados cada día más globalizados, pero que frecuentemente requieren una presencia local o regional. También pueden facilitar la financiación de los negocios, a través de una gestión común de la tesorería o de la captación de recursos para cada negocio o filial de manera separada, incluso mediante la salida a bolsa de las sociedades filiales o la emisión por éstas de deuda simple o convertible en los mercados.

El grupo puede constituirse mediante la integración de empresas ajenas entre sí, con la finalidad habitual de aumentar su tamaño para adaptarse a la creciente magnitud de los mercados. También puede constituirse por el procedimiento inverso, esto es, la «reorganización» o «filialización» de sus negocios y actividades, según el cual éstos se distribuyen entre diversas sociedades filiales con personalidad jurídica propia y diferenciada de la personalidad jurídica de la sociedad originaria. De esta forma, ésta última queda configurada como una sociedad matriz o tenedora de las acciones o participaciones de sus filiales (una sociedad «*holding*»), siendo éstas últimas las que, en mayor o menor medida, comparten o se dedican de forma exclusiva a la operación y explotación de los negocios que les hayan sido atribuidos.

La opinión existente sobre los grupos de sociedades se divide entre quienes, por un lado, entienden que éstos constituyen estructuras intrínsecamente positivas y consideran que estamos ante una realidad justificada por la racionalidad económica global, y quienes, por otro lado, albergan la visión contraria de este fenómeno, indubitadamente negativa, motivada por su creciente poder económico y su supuesta predisposición a actuaciones reprobables.

Ambos colectivos emplean argumentos no exentos de razón pero la realidad, como siempre, es mucho más compleja y requiere adosarse con objetividad, tanto desde un punto de vista económico como jurídico. La ordenación jurídica del grupo de sociedades suscita serias dudas y plantea problemas complejos, pero ello no debe llevarnos a elegir entre una u otra de aquellas opiniones. Una aproximación equitativa a esta cuestión debería abordarse aplicando sendas dosis de realismo y de cautela, evitando las aprobaciones o las enmiendas a la totalidad, y aceptando que los grupos de sociedades conforman una realidad legítima, justificada económicamente y lícita jurídicamente, pero no exenta de los riesgos derivados de su eventual uso con intencionalidad fraudulenta o abusiva. Esto nos conducirá a las siguientes conclusiones: que el grupo de sociedades no constituye una forma de configuración empresarial esencialmente nociva; que, sin embargo, y como cualquier construcción jurídica o económica, puede emplearse como instrumento para actuaciones fraudulentas o abusivas en perjuicio de intereses legítimos internos y externos; y que, en consecuencia, demanda una ordenación jurídica que salvaguarde aquellos intereses que lo meriten y requieran.

La situación legislativa de los grupos de sociedades provoca, como se ha visto, que el ordenamiento jurídico español nos ofrezca un tratamiento normativo asimétrico y paradójico en la materia objeto de este trabajo. De una parte, nuestro sistema de derecho societario acoge la defensa de los derechos de los socios de las sociedades de capital —derechos económicos y políticos y, entre éstos, el derecho de información—, tutelando de manera específica los derechos de los socios minoritarios.

De otra parte, carece de una regulación positiva, pormenorizada y sistemática de los grupos de sociedades que sea capaz de dar una respuesta concreta a las cuestiones que derivan del encaje del estatuto del socio en el marco de los grupos societarios. En particular, no ofrece soluciones válidas a los problemas que plantea el ejercicio del derecho de información en sede de dichos grupos, lo que supone que el sano propósito de nuestro sistema de gobierno societario de tutelar el derecho de información de los socios se atenúe, cuando no se agota, en el momento en que se proyecta sobre la tutela de los derechos del socio de la sociedad matriz o dominante que sólo participa indirectamente en el capital de sus sociedades filiales o dependientes, o los del socio de una sociedad filial o dependiente que no participa, ni directa ni indirecta, en el capital de su sociedad matriz o dominante, especialmente cuando aquellos son socios minoritarios y, por tanto, merecedores de una especial atención y protección. Por tanto, la creación de un grupo de sociedades conlleva relevantes consecuencias jurídicas, que han sido tratadas parcialmente por nuestro ordenamiento mediante la adaptación de normas ya existentes a elementos concretos de los grupos de sociedades, pero no de manera sistemática.

La doctrina ha apuntado como uno los problemas principales de la creación de los grupos sociedades el conflicto entre el interés del grupo y los intereses de cada una de las sociedades que lo componen, que se traslada directamente a los administradores y gestores de las distintas so-

ciedades cuando adoptan decisiones que pueden afectar a los intereses de
alguna o varias de dichas sociedades en detrimento de otras. Dicha tensión se traslada también indirectamente a los socios de estas sociedades.
Por ello la constitución de dichos grupos no está plenamente exenta de
consecuencias y riesgos para los socios de la sociedad originaria —matriz o
dominante— ni para los socios de las sociedades filiales —dependientes—.
Dichos riesgos se acentúa aún más cuando se trata de socios minoritarios,
puesto que el socio mayoritario puede, a través de su presencia en los órganos de administración y gestión de la matriz, tener una mayor presencia
en la administración y gestión de la filial, si bien el objeto de este trabajo se
centra en la necesidad de considerar la situación de los socios minoritarios
de la sociedad matriz o dominante, en particular respecto de su derecho
de información respecto de las sociedades filiales o dependientes, no así de
la situación de los socios de éstas últimas[39].

Así, los socios minoritarios de la sociedad matriz se pueden enfrentar
a situaciones de «reorganización» o «filialización» por la que se produce
una sustitución en el objeto social de la sociedad matriz —las sociedades
filiales asumen la explotación directa de los negocios de la sociedad matriz
originaria y ésta se transforma en explotadora indirecta de los mismos— y,
por otra parte, se produce una sustitución de los socios —los socios de la
sociedad operativa originaria pasan a ser socios directos de una sociedad
holding y socios indirectos de las filiales explotadoras de los negocios—.
En definitiva, estas situaciones afectan a los derechos de los socios de la
sociedad matriz, tanto económicos —distribución de dividendos de las sociedades filiales— como políticos, ya que al carecer de presencia directa
en la filial también carecen de los derechos que les permiten participar
en la junta general de la filial e informarse y votar sobre los asuntos de los
negocios filializados.

---

[39]   Suele ocurrir que los estudios sobre la situación de las minorías sigan la pauta contraria, esto es, que se desentiendan de la situación de los socios minoritarios de la
sociedad matriz y se centren principalmente en la de los socios de las sociedades
dependientes. Esto es debido a que frecuentemente se parte de un concepto o
estructura de grupo subordinado, en el que la matriz ostenta la capacidad de
dirección de las filiales, y se considera que en dicha estructura la situación de los
primeros es más favorable que la de los segundos: la minoría de la sociedad matriz
únicamente precisa protección frente a la mayoría de la matriz mientras que los
minoritarios de las filiales no sólo necesitan protección frente a los mayoritarios
de la propia filial sino también frente a la subordinación de los intereses de ésta a
los intereses de la matriz.

Los socios de la sociedad matriz gozan de cierta protección en nuestro ordenamiento jurídico en relación con la ejecución de las formas más habituales de llevar a cabo una reorganización empresarial, tanto en el caso de sustitución del objeto social como en aquellos casos que sean calificados como modificaciones estructurales de la sociedad o sociedades afectadas. En el primer caso, los socios podrán ejercitar su derecho de separación[40]. En el segundo caso, serán aplicables las normas de la Ley 3/2009, de 3 de abril, sobre modificaciones estructurales de las sociedades mercantiles, que requieren la aprobación de la junta general de socios de las sociedades afectadas en los supuestos en que la reorganización conlleve la segregación o escisión de activos o negocios a favor de sociedades filiales existentes o de nueva creación.

Sin embargo, una vez que el proceso de filialización se ha concluido, los socios de la matriz se enfrentan a una situación de falta de acceso directo a la información sobre la gestión, situación y resultados de las filiales y de sus negocios. Es un riesgo que merece una especial atención pues no parece descabellado pensar que en el mundo real haya quien se ampare en el derecho a la reestructuración empresarial para coartar, e incluso impedir, el derecho de información de los socios sobre las filiales. Y aún en el caso de que la filialización no se lleve a cabo con dicho ánimo fraudulento, lo cierto es que el riesgo siempre estará ahí y podrá materializarse en cualquier momento de la vida societaria, especialmente en circunstancias de desavenencias o conflictos entre socios de la sociedad matriz.

La manera en que dicho riesgo puede materializarse en el mundo empresarial es muy diversa, pues se trata de una realidad que afecta por igual a todas las sociedades de capital sin distinción de su forma —principalmente a anónimas y limitadas, por ser las más habituales— y, entre las primeras, a sociedades cotizadas y no cotizadas[41].

---

[40]  El art. 346.1.a) LSC otorga a los socios que no hubieran votado a favor del correspondiente acuerdo, incluidos los socios sin voto, el derecho a separarse de la sociedad de capital en los casos de sustitución o modificación sustancial del objeto social.

[41]  Si bien en sede de cotizadas existe una regulación más amplia del derecho de información, fruto de la adaptación a la normativa comunitaria y a la influencia del soft law.

## II. LA TUTELA DEL DERECHO DE INFORMACIÓN DEL SOCIO SOBRE LAS FILIALES

### 1. La importancia de la función judicial

La situación brevemente descrita en los apartados anteriores nos impone la necesidad de recurrir a otras fuentes para delinear la efectiva tutela de los socios en el marco del grupo de sociedades. La mayor responsabilidad y el mayor protagonismo recaen en el ámbito judicial y en la función de la jurisprudencia. Esto resulta especialmente relevante en relación con la materia objeto de este estudio, pues el derecho de información del socio de una sociedad de capital es —y seguirá siendo— una de las materias más controvertidas y una de las principales fuentes de conflictos societarios que se producen en el mundo empresarial real.

Las discrepancias relacionadas con el derecho de información constituyen uno de los motivos de impugnación de acuerdos sociales más habituales a los que hacen frente nuestros jueces y la salvaguarda de este derecho se ha convertido en una de las piedras angulares de la tutela judicial del socio. La relevancia del derecho de información ha resultado en la existencia de numerosos pronunciamientos judiciales que se refieren a su alcance, contenido y límites, cuando se ejercita por los socios de una sociedad mercantil individual en relación con los asuntos propios de dicha sociedad. Como no podía ser de otro modo y se verá más adelante, esta controversia en sede judicial se ha hecho necesariamente extensiva, aunque de manera incipiente, al derecho de información del socio de la sociedad matriz o dominante sobre los asuntos de las sociedades filiales o dependientes.

Aun siendo todavía exiguos, dichos pronunciamientos judiciales han puesto de manifiesto de forma inequívoca la singular relevancia que la elaboración jurisprudencial ha adquirido en esta materia. A los jueces les corresponde resolver las dudas que genera la aplicación de los preceptos de la Ley de Sociedades de Capital que atienden a la existencia y contenido del derecho de información y colmar las notables carencias legislativas existentes en cuanto al ejercicio de dicho derecho específicamente en relación con las sociedades filiales o dependientes dentro de un grupo. Los criterios jurisprudenciales serán determinantes para la construcción de un estatuto del socio dentro de un grupo empresarial.

En este contexto, la Sala de lo Civil del Tribunal Supremo ha abordado con frecuencia, y desde tiempo atrás, controversias relativas al derecho de información del socio, en sentencias que han tratado esta cuestión exclusivamente desde el punto de vista de la sociedad individual, y por medio de las cuales ha contribuido a ir configurando y delimitando el contenido y los límites de dicho derecho. Sin embargo, son aún muy escasas y muy recientes las sentencias del Alto Tribunal en las que el derecho de información se trata desde el prisma de los socios de sociedades que son matrices de grupo de sociedades y en relación con la información sobre las sociedades filiales. Se trata, concretamente, de las Sentencias del Tribunal Supremo 324/2012, de 21 de mayo[42], y 406/2015, de 15 de julio[43], a las que se refieren la próximas páginas de este trabajo.

## 2. La Sentencia del Tribunal Supremo 324/2012, de 21 de mayo

La STS 324/2012, de 21 de mayo, tiene interés por ser la primera vez que el Tribunal Supremo analiza el alcance del derecho de información de los socios de la sociedad holding respecto de aquella información relativa a las sociedades participadas e integrantes del grupo de sociedades en la aprobación de las cuentas anuales consolidadas.

Los hechos de la Sentencia surgen en relación con la convocatoria y celebración de la junta general ordinaria de la sociedad matriz del grupo Banco Santander Central Hispano, S.A., cuyo orden del día contemplaba la aprobación de las cuentas anuales individuales y las cuentas anuales consolidadas del grupo.

Con anterioridad a la celebración de la mencionada junta general, uno de los accionistas solicitó la entrega del balance, la cuenta de pérdidas y ganancias a 31 de diciembre de 2004, la memoria y demás documentos que integran las cuentas anuales de la sociedad matriz, así como el informe de auditoría de ciertas sociedades del grupo. Dicha solicitud fue denegada por la sociedad dominante alegando que el accionista no tenía derecho a recibir tal documentación y que, en cualquier caso, los datos más relevantes de tales sociedades se encontraban en los anexos de las memorias de las cuentas anuales individuales y consolidadas. En un segundo intento de obtener información sobre las sociedades del grupo, el accionista en cuestión solicitó que se le explicara la aparente contradicción de los resultados de una de las sociedades del grupo ya que, según se considerasen las cuentas anuales individuales o las consolidadas del grupo, este resultado arrojaba considerables pérdidas o importantes plusvalías, respectivamente. En respuesta, la sociedad matriz señaló que el origen de la diferencia radicaba

---

[42]   *(Tol 2572652).*
[43]   *(Tol 5429864).*

en que la normativa de aplicación en la elaboración de cada una de las cuentas anuales era distinta. No conforme con ninguna de las respuestas, el accionista en cuestión inquirió del consejo de administración durante la celebración de la junta general para que expusiera al resto de accionistas si las sociedades participadas habían formulado y aprobado sus cuentas anuales propias, lo cual le fue confirmado.

Tras la celebración de la junta general ordinaria, el mencionado accionista impugnó la validez de la misma, interesando la nulidad de la misma y, subsidiariamente, la anulación de los acuerdos primero y segundo, alegando la vulneración de su derecho de información y la falsedad o falta de justificación de las cuentas anuales consolidadas, a lo cual se opuso la sociedad demandada defendiendo que las cuentas anuales auditadas, así como el informe de gestión y el informe de auditoría fueron puestos a disposición de los accionistas.

Las Sentencias de primera y segunda instancia desestimaron íntegramente las pretensiones del accionista demandante. De los recursos extraordinarios que interpuso el accionista, solo fue admitido a trámite por el Tribunal Supremo el recurso de casación por el motivo segundo que, finalmente, fue desestimado como a continuación se expone. En dicho motivo, el accionista alegó el interés casacional por la indebida aplicación del entonces art. 112 de la Ley de Sociedades Anónimas, al entender que la aplicación del mencionado precepto había sido contraria a la doctrina jurisprudencial. A fin de dar soporte a este motivo, el demandante alegó que las contestaciones a los requerimientos de información adolecían «*de la falta de la necesaria concreción y transparencia exigibles, remitiéndose a la figura de los anexos de la Memoria*» y que la razón de solicitar dicha información contable de las sociedades instrumentales no era otro que tal carácter instrumental y el hecho de que no habían presentado cuentas, lo cual generaba opacidad.

A fin de delimitar el interés casacional referido por el accionista y por el que se había admitido el recurso, el Tribunal Supremo razonó, en primer lugar, que el demandante imputaba un déficit genérico de información al no concretar si la vulneración de su derecho de información se debía, bien a la falta de remisión de las cuentas anuales de las sociedades integrantes del grupo, o bien a la insuficiencia de la información recibida. En segundo lugar, el Alto Tribunal señaló que tanto la Sentencia de primera instancia como la de segunda instancia, afirmaban la suficiencia de la información facilitada en la memoria. Por todo ello, el Tribunal Supremo dictaminó que no existía tal interés casacional por infracción de la doctrina, sino por «*su discrepancia con la valoración de la suficiencia de la proporcionada*».

Para el Tribunal Supremo el interés casacional en este caso era «*definir si el derecho de información documental del socio de la sociedad holding [...] comprende el de que le sean entregados el Balance, la Cuenta de Pérdidas y Ganancias, junto con la Memoria y demás documentos que integran las respectivas cuentas anuales de las sociedades incluidas en la consolidación*».

En este sentido, la Sentencia reconoce la falta de regulación en el ordenamiento normativo como fuente de problemas «*derivados de la inadecuación de equilibrios y herramientas en sociedades que de hecho modifican el sistema de distribución de competencias entre los órganos sociales, lo que se traduce en un aumento del poder del órgano de administración y una correlativa disminución del socio ajeno al círculo de control*» y señala al legislador como encargado de diseñar el «*equilibrio entre los derechos de las minorías y el gobierno societario a fin de evitar, por un lado, la paralización de los órganos sociales y, por otro, los abusos de poder y la falta de transparencia*».

No obstante lo anterior, el Tribunal Supremo se acoge estrictamente a la aplicación de la normativa vigente en su fallo, pudiendo calificarse tal posición como «restrictiva» respecto a la información necesaria para la aprobación de las cuentas anuales consolidadas en relación con el derecho de información del accionista del socio de la sociedad holding y la extensión de este derecho a la documentación de las sociedades filiales. El Tribunal Supremo consideró en esta Sentencia que el derecho de información en los grupos de sociedades «*no atribuye a los accionistas el de obtener la documentación de cada una de las sociedades integrantes del grupo, ya que estas no se someten a aprobación, sino las del grupo a tenor de lo que dispone el artículo 42.5 del Código de Comercio: "los documentos sometidos a la aprobación de la Junta, así como el informe de gestión del grupo y el informe de los auditores"*», sin entrar a debatir otras cuestiones. Por todo ello, el Tribunal Supremo desestima el motivo y confirma las sentencias recurridas afirmando que el derecho de información no se corresponde con un derecho a obtener la entrega de la cualquier documentación de las sociedades del grupo si no va a ser posteriormente sometida a aprobación.

## 3. La Sentencia del Tribunal Supremo 406/2015, de 15 de julio

La STS 406/2015, de 15 de julio analiza nuevamente el derecho de información de los accionistas de la sociedad matriz respecto de aquella información de las sociedades íntegramente participadas, entre otros asuntos.

Los hechos de la Sentencia surgen en relación con la solicitud de convocatoria de junta general que lleva a cabo una minoría cualificada de la sociedad matriz —Funeraria Gijonesa, S.A.— y su celebración. Entre los puntos del orden del día de la solicitud, la mencionada minoría solicitaba explicaciones e información sobre las actuaciones de la sociedad Gijonesa de Cementerios S.A.U., sociedad íntegramente participada por la primera, y proponía a su vez la inclusión entre los puntos del orden del día del cese de algunos de los miembros del consejo de administración de la sociedad participada y nombramiento, en su caso, de nuevos consejeros.

La junta general extraordinaria fue convocada por el consejo de administración de manera extemporánea y fue celebrada de la misma manera. Durante la celebración de la junta general, el Presidente de la misma decidió no abordar algunos de los puntos del orden del día referentes a las explicaciones solicitadas por entender que dichas explicaciones e informaciones excedían de la competencia de la junta general que se celebraba, y que en cualquier caso, correspondía a otra sociedad proveer tales informaciones y explicaciones, incluso aunque la sociedad, en teoría competente, fuera íntegramente participada por la primera.

La tramitación en primera instancia estimó parcialmente la demanda y la tramitación en segunda instancia desestimó íntegramente las pretensiones de la mencionada minoría. En primera instancia, el Juez de Primera Instancia consideró inadmisible que la junta general, y mucho menos su Presidente, decidieran no tratar alguno de los puntos del orden día. El juzgador consideró que el Presidente de la junta general no tiene competencia para decidir sobre su propia competencia y que, en cualquier caso, los puntos del orden del día debían haber sido debatidos con independencia del sentido de acuerdo que pudiera alcanzarse. Por ello, el Juez declaró el derecho de la minoría a que se debatieran, discutieran y votaran en la celebración de la siguiente junta general los puntos del orden del día que no habían sido abordados en la junta general impugnada.

Asimismo, el Juez de Primera Instancia consideró que desde la aceptación de los mencionados puntos del orden del día por el órgano de administración, «*es inmutable, sin que la Junta pueda posteriormente decidir que no trata un determinado asunto*», añadiendo que, en tal caso, «*ha de facilitarse información sobre los puntos solicitados por los demandantes sin más límites que los previstos en el propio art. 112 o la doctrina del abuso del derecho*» dado su carácter instrumental para el ejercicio del derecho del voto. Sin embargo, en este caso, reconoce la falta de dicho carácter instrumental de la información ya que de la lectura del acta se desprendía que no se sometieron a votación, ni hubo ningún acuerdo social que pudiera ser anulado.

La tramitación en segunda instancia desestimó íntegramente las pretensiones. En primer lugar, rechazó la primera tesis del Juez de Primera Instancia, asumiendo que dentro del ámbito competencial de la junta general, se incluía el debatir o no los puntos del orden del día que pudieran estar referidos a una sociedad ajena, por más que pudiera tratarse de una filial íntegramente participada por la sociedad matriz. Por tanto, según la Audiencia Provincial, la junta general se encontraba facultada para rechazar el debate de los puntos del orden del día que, según su entender, excedieran su competencia, y que por ello, «*carece de objeto que deba procederse a repetir la celebración de una nueva Junta cuando los puntos del orden del día vienen encaminados a la adopción de acuerdos que exceden de la competencia que le es propia a dicha Junta*». Asimismo, rechaza la vulneración del derecho de información de los socios respecto de los puntos del orden del día pues «*en la medida en que vienen encaminados tan solo a obtener alguna explicación por parte de los Administradores acerca de los extremos que se describen en la convocatoria, no puede predicarse respecto de ellos la necesidad de un específico derecho de información al no ir encaminados a la adopción de un determinado acuerdo como expresión de la voluntad societaria*».

De los recursos extraordinarios que interpuso la minoría afectada, el recurso extraordinario por infracción procesal fue desestimado en todos sus motivos. En cuanto al recurso de casación, los motivos que abordaron el derecho de información fueron íntegramente estimados confirmando la sentencia de primera instancia.

Tomando en consideración los extremos del derecho de información discutidos a lo largo del procedimiento, el Tribunal Supremo señaló la doctrina jurisprudencial asentada de que «*no pueden limitarse los derechos de la minoría cualificada a proponer la adopción de acuerdos, vetando aquellos que tengan por objeto obtener información sobre asuntos que no estén relacionados con la sociedad, al socaire de que la Junta es un órgano decisorio sobre materias de su competencia, lo que cercenaría el derecho autónomo de información de los socios y permitiría una opacidad sobre determinadas materias que decidieran no someter a la Junta*». No queda resquicio a las dudas sobre la incapacidad de la junta general para negar las explicaciones e información solicitada por la minoría cualificada en base al pretexto de su incompetencia para proporcionar dicha información. En este sentido, el Alto Tribunal entiende que, en este caso, al tratarse de información respecto de una sociedad íntegramente participada «*no existen razones objetivas para considerar que podría utilizarse para fines extrasociales o contrarios al interés social, tanto menos cuando, ostentando la condición de sociedad unipersonal, sus decisiones son del socio único que ejerce las competencias de la Junta General pudiendo ser ejercitadas o formalizadas por el propio socio o por los administradores de la Sociedad»*. El Alto Tribunal señaló expresamente que de admitir la tesis de la sentencia de segunda instancia, *«la sociedad unipersonal, cuyo objeto social es complementario al de la sociedad demandada, puede adoptar decisiones a través de sus administradores, sustrayendo una información relevante a accionistas de la sociedad demandada»* que suponen una minoría cualificada.

Es importante apuntar que en esta Sentencia el Tribunal Supremo también se pronuncia necesariamente sobre una problemática paralela, pues guarda relación directa con los hechos y motivos de casación, como es el derecho de los socios minoritarios a solicitar la inclusión en el orden del día de puntos meramente informativos, incluso cuando se refieren a información de sociedades filiales. El Tribunal Supremo se remite, entre otras, principalmente a su Sentencia 377/2012, de 13 de junio[44], para sostener que no pueden limitarse los derechos de la minoría a proponer la adopción de acuerdos, vetando aquellos que tengan por objeto obtener información sobre asuntos sociales que no estén relacionados con la sociedad, al socaire de que la junta general es un órgano decisorio sobre materias de su competencia. El Alto Tribunal entiende que con ello se cercenaría de forma inadmisible el derecho de información, y ello porque como asimismo ha considerado en diversas ocasiones, el derecho de información es un derecho autónomo, por más que habitualmente tenga una finalidad instrumental en relación con la formación de la decisión de voto, pues de lo contrario se permitiría a los administradores una opacidad sobre aquellas materias que decidieran no someter a la junta general, extremos incompatibles con el deber de transparencia de quien gestiona bienes ajenos.

## III. REFLEXIONES FINALES

Existe el riesgo de que la creación de grupos de sociedades se lleve a cabo con intencionalidad de coartar la transparencia informativa sobre los negocios y actividades filializadas, derivado de la falta de acceso directo de los socios de la sociedad matriz a la información sobre la gestión, situación y resultados de las filiales. Dicho riesgo puede materializarse en cualquier momento de la vida del grupo societario, especialmente cuando surjan conflictos entre socios de la sociedad matriz y el acceso a dicha información se convierta en un elemento esencial para la defensa de los intereses

---

[44]    *(Tol 2586335).*

de los socios que se encuentren en una posición minoritaria. Por tanto, cabe preguntarse si dicho riesgo debe evitarse legalmente. Para lógico responder que debe ser afrontado y evitado (o, al menos, reducido), si no en el marco de una más ambiciosa implantación de un derecho sustantivo de los grupos de sociedades, al menos sí mediante el reconocimiento inequívoco de un derecho de información de los socios de la sociedad dominante sobre las sociedades filiales, haciendo extensivo a éstas el derecho de información reconocido con carácter general en el caso de sociedades individuales.

A falta de dicho reconocimiento legislativo del derecho de información en los grupos de sociedades, el análisis del derecho de información de los socios de una sociedad matriz sobre una filial debe hacerse necesariamente partiendo de las normas de carácter general en materia de sociedades, que con carácter general lo son de las sociedades individuales, y su aplicación realizarse en función de las circunstancias concretas de cada grupo.

El derecho de información de los socios de una sociedad matriz sobre una filial tiene una naturaleza análoga al derecho de información de un socio en una sociedad individual, esto es, se trata de un derecho autónomo y no exclusivamente instrumental del derecho de voto. Dicho carácter autónomo habilita a los socios de una sociedad individual a solicitar la inclusión de asuntos meramente informativos en el orden del día de la junta y, por tanto, habilita igualmente a los socios de la matriz a solicitar información sobre cualquier asunto de las filiales en las juntas de la sociedad matriz (puesto que no pueden hacerlo directamente en las juntas de las filiales) y no solamente información sobre propuestas de acuerdos que sean competencia de la junta de la matriz. Lo contrario sería vaciar de contenido el derecho se información sobre las filiales, limitándolo a aspectos contenidos en las cuentas anuales consolidadas que se sometan a la aprobación de la junta general de la matriz.

En este sentido, resulta discutible la tesis de la STS de 21 de mayo de 2012 en materia de derecho de acceso documental en sede de grupos de sociedades, que permite a los socios a la obtención únicamente de los documentos que prescribe el artículo 42 del Código de Comercio que se someten votación en la matriz (las cuentas anuales de la sociedad obligada a consolidar, así como las cuentas anuales consolidadas, el informe de gestión del grupo y el correspondiente informe de los auditores), pero que les veda el derecho de obtener la documentación de las sociedades integrantes del grupo, por no someterse a aprobación de la junta del grupo. Con este criterio se estaría desfigurando el carácter autónomo del derecho de información y el principio de transparencia, en beneficio de la opacidad.

Así, parece más acertado el criterio del Tribunal Supremo en su Sentencia
de 15 de julio de 2015, en el que hace extensivo el derecho de pregunta a
cualesquiera asuntos de las filiales, criterio que parece razonable hacer extensivo al derecho de información documental sobre las sociedades filiales.

Si se llega a la conclusión de que existe un derecho de información
sobre las filiales, la siguiente conclusión debe ser que dicho derecho de
información no puede ser ilimitado, como tampoco lo es en relación con
la información sobre la sociedad matriz. Así, cabe preguntarse cuándo está
justificada la petición de información sobre las filiales y cabe entender que
lo estará cuando dicha información se refiera a extremos que tengan conexión con el orden del día de la junta de la matriz, teniendo en cuenta
que éstos pueden incluir peticiones de información sobre las filiales; que la
información se solicite de conformidad con lo previsto en la Ley de Sociedades de Capital (en cuanto a la forma, los plazos y las normas de legitimación); que la información no perjudique el interés social (salvo cuando lo
solicite al menos el 25% de las acciones), lo que no debe confundirse con
el interés de los administradores en ocultar dicha información; y, finalmente, como ocurre con todo derecho, que no se ejercite de forma abusiva.
En definitiva, cuando la información no se pide de manera desmesurada,
buscando entorpecer la marcha de la sociedad o usándose como pretexto
en el marco de otros conflictos societarios, o su entrega es contraria al interés social.

La cuestión que cabe plantearse seguidamente es cuándo la petición de
información sobre las filiales no sobrepasa los límites del derecho de información. Parece razonable responder que esto ocurrirá siempre que, con
independencia de su volumen, dicha petición de información responda a
un legítimo interés del socio de disponer de datos precisos sobre los asuntos del grupo en su conjunto, cuando dicha información se precise para
conocer la marcha de los negocios filializados y censurar la gestión de los
mismos, y cuando su petición se realice de un modo ordenado y lógico que
demuestre que responde a dicha finalidad.

Finalmente, corresponde plantear cómo debe valorarse el ejercicio correcto y no abusivo del derecho de información del socio sobre las filiales.
Siguiendo los criterios jurisprudenciales que se aplican con carácter general al derecho de información del socio, cabe concluir que dicha valoración deberá hacerse de forma casuística, haciendo una ponderación de
las características y circunstancias de cada grupo societario, esto es, considerando si se trata de un grupo conformado por sociedades cerradas, lo
que exige potenciar su transparencia y el control de los administradores
por la minoría; la participación del socio en la sociedad matriz (si es titular

de una participación de, al menos, un 25% del capital); la naturaleza de la información y documentación solicitados, si se refieran a cuestiones relevantes o controvertidas de la vida del grupo societario (como aquellas que deben constar en la memoria); si las cuentas son abreviadas, lo que implica una reducción de los datos contenidos en las mismas, lo que justificaría una mayor amplitud de la solicitud de información y documentación; la existencia de indicios razonables de actuaciones irregulares del órgano de administración de la matriz o de las filiales, o de mala gestión de éstas; y, finalmente, el volumen o complejidad de la información o documentación solicitada y el grado de perturbación que ésta pueda suponer para el funcionamiento del órgano de administración y la estructura administrativa de la matriz, buscando un adecuado equilibrio entre el derecho de información y el gobierno societario, de forma que se evite, de una parte, la paralización de sus órganos y los abusos de poder y, de otra, la falta de transparencia por parte de éstos.

## Bibliografía

ALFARO ÁGUILA-REAL, J., *Derecho de información en grupos de sociedades*, septiembre 2015, www.almacendederecho.org.

EMBID IRUJO, J. M., «Los grupos de sociedades en la propuesta de Código Mercantil», *Revista de Derecho Mercantil*, n°. 290, 2013, págs. 53-68.

GASTAMINZA, E. V., *Comentarios a la Ley de Sociedades de Capital: estudio legal y jurisprudencial*, Ed. Bosch, Barcelona, 2013, págs. 513513-524.

GIRGADO PERANDONES, P., «En torno a la noción de grupo de sociedades y su delimitación en el ámbito español y europeo». *Rev. Boliv. de Derecho*, n°. 18, julio 2014, págs. 76-97.

MARTÍNEZ-GIJÓN MACHUCA, P., «La protección de los socios externos en los grupos de sociedades en el Anteproyecto de Ley de Código Mercantil», *Estudios sobre el futuro Código Mercantil: libro homenaje al profesor Rafael Illescas Ortiz*, Universidad Carlos III de Madrid, 2015, págs. 693-715.

ROJO, A. y BELTRÁN, E., *Comentario de la Ley de Sociedades de Capital*, Ed. Thomson Reuters, Civitas Aranzadi, Madrid, 2011, Tomo I, págs. 1372-1389.

SÁNCHEZ-CALERO GUILARTE, J., «Algunas cuestiones concursales relativas a los grupos de sociedades», *Anuario de Derecho Concursal* n° 5, 2005, págs. 7-60.

# 19. Alcance del deber de lealtad del administrador de una filial en un supuesto de conflicto entre el interés del grupo, el de la sociedad que administra y el propio

**PATRICIA MÁRQUEZ LOBILLO**

*Profesora Contratada Doctora de Derecho Mercantil*
*Acreditada al Cuerpo de Profesores Titulares de Universidad*
*Universidad de Málaga*

**Sumario:** I. CONSIDERACIONES PREVIAS. II. EL CONFLICTO DE INTERESES EN LAS RELACIONES INTRA-GRUPOS: ¿HASTA DONDE EL EJERCICIO DE LA DIRECCIÓN UNITARIA EN DEFENSA DEL INTERÉS DEL GRUPO?. III. ALCANCE DEL DEBER DE LEALTAD DEL ADMINISTRADOR DE LA FILIAL EN SITUACIONES DE CONFLICTO INTRA-GRUPO Y PERSONAL. 1. ¿Por qué alcance del deber de lealtad y no alcance del deber de diligencia?: consideraciones *ad hoc* que no reglas generales. 2. Alcance del deber de lealtad del administrador de la filial en las situaciones de conflicto entre el interés del grupo, el de su sociedad y el suyo propio. IV. LAS CONSECUENCIAS DE LA DESLEALTAD: ALGUNAS REFLEXIONES. Bibliografía.

## I. CONSIDERACIONES PREVIAS

Al hilo del pronunciamiento del Tribunal Supremo, en su sentencia de 11 de diciembre de 2015[1], nos hemos planteado los efectos que, del mismo, pueden derivarse en el entendimiento, concreción y delimitación del deber de lealtad en el supuesto concreto en el que se produce un conflicto entre los intereses de la matriz, los de la filial, y los del propio administrador.

---

[1] *(Tol 5589749)*. EMBID IRUJO, J. M., «Interés del grupo y ventajas compensatorias. Comentario de la Sentencia del Tribunal Supremo (Sala Primera) de 11 de diciembre de 2015», *Revista de Derecho Mercantil*, núm. 300, abril-junio, 2016; MÁRQUEZ LOBILLO, P., «Límites al interés de grupo, deber de lealtad y responsabilidad de los administradores de la filial. STS de 11 de diciembre de 2015, núm. 695/2015 (RJ 2015, 5440)», *Cuadernos Civitas de Jurisprudencia Civil*, núm. 102, septiembre-diciembre, 2016.

Aunque debemos reconocer que el grupo[2] sobre el que el Tribunal Supremo se pronuncia pueda calificarse, cuanto menos, de patológico[3], no podemos negar la importancia de la Resolución quizá porque es de las pocas en las que podemos hablar de un pronunciamiento estrictamente societario, o quizás porque, indirectamente, crea Derecho de grupo de sociedades[4]. Así, como méritos destacables, proporciona una definición de grupo societario; confirma y reconoce la existencia de un interés del grupo, distinto del individual de las filiales, marcando las pautas o límites a los que se someten las decisiones adoptadas en su defensa[5]; consagra o, de alguna

---

[2]   El Tribunal Supremo resuelve el ejercicio de una acción social de responsabilidad contra los administradores solidarios de una sociedad filial, por daños ocasionados como consecuencia de una acción de los mismos contraria a la buena fe, consistente en el trasvase de parte de la clientela de la sociedad filial a otra sociedad del grupo, creada de uno de los administradores demandados, a la sazón socio de la misma junto con la matriz del entramado societario. Dicho traspaso de clientela fue el desencadenante de la inviabilidad empresarial de la filial, mermando, además, las expectativas de los socios externos (el socio demandante) y de los acreedores, que vieron decrecer el patrimonio social considerablemente.

[3]   En la concepción que de los mismos tiene el profesor VICENT CHULIÁ, F., «Grupos de sociedades y conflictos de intereses», *Revista de Derecho Mercantil*, núm. 280, abril-junio, 2011, pág. 23, por entender que en ellos se produce un abuso sistemático de la personalidad jurídica de la sociedad dominada, derivado de la impartición de instrucciones contrarias a su interés social.

[4]   Para EMBID IRUJO, J. M., «Interés del grupo y ventajas compensatorias…», *op. cit.*, pág. 309 la Resolución puede servir …*como auténtico vademécum o guía para el jurista interesado en nuestra figura porque en él se contempla el núcleo esencial de su temática jurídica, con consideraciones de orden general inmediatamente aplicables…*, si bien, considera, no debe olvidarse su alcance parcial (grupos jerárquicos); ni que el tratamiento jurídico que hace del grupo se sustenta en un criterio protector no solo de la filial sino de sus socios y sus acreedores. Como ha indicado MARTÍNEZ-GIJÓN MACHUCA, P., «La responsabilidad de los administradores en los grupos de sociedades: reflexiones en torno a la sentencia del Tribunal Supremo de 11 de diciembre de 2015», *La Ley Mercantil*, núm. 26, junio, 2016, (La Ley 4281/2016) la resolución …*no pasará desapercibida entre las que conforman el acervo jurisprudencial sobre la responsabilidad de los administradores de sociedades integradas en grupos, pues podría suponer un cambio sustancial en la forma de interpretar el conjunto del sistema de la responsabilidad…*

[5]   A pesar de reconocer la importancia de la resolución, compartimos con EMBID IRUJO, J. M., «Interés del grupo y ventajas compensatorias…», *op. cit.*, pág. 317, que la misma adolece de algunas carencias, como la ausencia del tratamiento de la licitud de las instrucciones de la dirección unitaria o el de todos los límites que pueden imponerse al poder de dirección unitario. Para MARTÍNEZ-GIJÓN MACHUCA, P., «La responsabilidad de los administradores en los grupos de so-

forma, reconoce la necesaria convivencia de ambos intereses para que el grupo funcione, sin que ello implique la postergación del interés social de las filiales y, fija sobre esta base el procedimiento que ha de tomarse como referencia para resolver las situaciones de conflicto que puedan plantearse entre ambos intereses. Concluye, en este marco, concretando el alcance del deber de lealtad de los administradores de las sociedades filiales en un supuesto muy concreto: cuando la obediencia a la dirección unitaria, en beneficio de la matriz, de otra sociedad del grupo y del propio, causa un daño a la filial de tal calibre que la termina aniquilando económicamente.

La demanda de un concepto de grupo, específico para el Derecho de sociedades pero que tome en consideración la realidad económico-social-jurídica que es el grupo y permita acceder al auténtico conocimiento de su naturaleza[6], no es nueva en la doctrina que se ha ocupado del estudio de la figura[7], quizás porque sigue cuestionándose que el artículo 42 C. de c., al que se remite, entre otros el artículo 18 TRLSC, contenga un concepto que pueda considerarse base o general; quizá porque la evolución que ha experimentado la interpretación de la norma desde su promulgación (del control a la dirección unitaria y de nuevo, en la reforma de 2007, al control)[8] tampoco ayude a concretar que deba entenderse por grupo

ciedades...», *op. cit.*, la resolución adolece de defectos, que de forma resumida pueden concretarse en la ausencia de un análisis exhaustivo de la estructura del grupo que pueda justificar de modo más consistente los fundamentos del fallo, con las consecuencias que de ello pueden derivarse en orden a la concreción del tipo de grupo, a la determinación del interés protegible o de la responsabilidad de los administradores.

6    EMBID IRUJO, J. M., «Interés del grupo y ventajas compensatorias...», *op. cit.*, pág. 303.

7    *Vid.* EMBID IRUJO, J. M., «El significado jurídico de los grupos de sociedades. La corporate governance», *Ekonomiaz*, núm. 68, 2º cuatrimestre, 2008, págs. 84 y ss.; FERNÁNDEZ MARKAIDA, I., *Los grupos de sociedades como forma de organización empresarial*, Madrid, 2001, *passim*; GIGARDO PERANDONES, P. «En torno a la noción de grupo de sociedades y su delimitación en el ámbito español y europeo», *Revista Boliviana de Derecho*, núm. 18, julio, 2014, págs. 78 y ss.; MARTÍNEZ-GIJÓN MACHUCA, P., *La protección de los socios externos en los grupos de sociedades*, Bolonia, 1999, *passim*; SÁNCHEZ CALERO, F., «De nuevo sobre la regulación de los grupos de sociedades», *Revista de Derecho Bancario y Bursátil*, núm. 77, 2000, págs. 14 y ss.; ROJO, A., «Los grupos de sociedades en Derecho español», *Revista de Derecho Mercantil*, núm. 220, 1996, pág. 470.

8    DE ARRIBA FERNÁNDEZ, Mª. L., *Derecho de los grupos de sociedades*, Madrid, 2009, págs. 35 y ss.; EMBID IRUJO, J. M., «Ante la regulación de los grupos de sociedades en España», *Revista de Derecho Mercantil*, núm. 284, abril-junio, 2012, págs. 27

societario. Excede de nuestro trabajo entrar en dicha problemática. Compartimos el último pronunciamiento interpretativo del artículo 42 del C. de c[9]., conforme al cual, el concepto que la norma contiene se limita a materia de consolidación contable, ámbito en el que puede ser coherente un concepto de grupo sustentado, de forma exclusiva en la idea de dominio o control. En el ámbito del Derecho de sociedades el concepto de grupo debe sostenerse sobre la base de la dirección unitaria y ha de concretarse tomando como referencia los criterios de ...*unidad de decisión*... o ...*dirección unitaria*... ejercitada a través de los órganos de administración. En definitiva porque, como de forma acertada ha puesto de relieve la doctrina, si la noción de grupo de sociedades se desentendiera de la de dirección unitaria, se estaría negando la realidad social, se estarían excluyendo aquellos grupos que operan en el mercado sobre la base de dicha unidad, sin que entre las sociedades o entidades que lo conforman medie relación de subordinación o control alguna[10].

Así, defendiendo que la unidad de decisión que define el grupo no tiene por qué provenir de vínculos societarios, sino que su existencia puede estar motivada por «vínculos de coordinación», el Tribunal Supremo en la sentencia de 11 de diciembre de 2015 afirma que tendría cabida en nuestro ordenamiento, un concepto de grupo entendido como ...*aquella formación empresarial que, sobre la base de unas de relaciones determinadas —contractuales, de participación, de directivos comunes— entre varias empresas formalmente independientes, establece una unidad de decisión y aglutina una unidad económica funcional...*

---

y ss.; FUENTES NAHARRO, M., *Grupos de sociedades y protección de acreedores (Una perspectiva societaria)*, Madrid, 2007, págs. 56 y ss., y en «Art. 18. Grupos de sociedades», en AA.VV., *Comentario de la Ley de sociedades de capital*, dirs. Rojo, A. y Beltrán, E., Madrid, 2011, págs. 298 y ss.; GIRGADO PERANDONES, P., *La empresa de grupo y el derecho de sociedades*, Granada, 2001, págs. 159 y ss. y en «En torno a la noción de grupo de sociedades...», *ob. cit.*, págs. 85 y ss.

9    Sentencia del Tribunal Supremo de 11 de diciembre de 2015, sobre la base del pronunciamiento de la Sentencia de la Audiencia Provincial de Barcelona de 21 de junio de 2013 *(Tol 3890207)*.

10   EMBID IRUJO, J. M., «Ante la regulación de los grupos de sociedades...», *op. cit.*, págs. 34 y ss.; GIRGADO PERANDONES, P., «En torno a la noción de grupo de sociedades...», págs. 88 y 89; SÁNCHEZ CALERO, F., «De nuevo sobre la regulación de los grupos...», *op. cit.*, pág. 15 y 19 y ss.

## II. EL CONFLICTO DE INTERESES EN LAS RELACIONES INTRA-GRUPOS: ¿HASTA DONDE EL EJERCICIO DE LA DIRECCIÓN UNITARIA EN DEFENSA DEL INTERÉS DEL GRUPO?

Partiendo de dicha concepción es fácilmente comprensible que, en el seno de los grupos de sociedades, fruto de la inevitable existencia en el mismo de relaciones-operaciones intra-grupo[11], puedan surgir conflictos de intereses que enfrentan al interés del grupo con el interés social individual de alguno de los miembros del mismo, de alguna de sus filiales[12]. Esta situación demanda la determinación del interés que ha de tomarse como referencia o medida de actuación a fin de concretar, si existe o no un interés que debe primar sobre el otro y en cuya defensa ha de orientarse la actuación de los administradores de la filiales, o si por el contrario, dichos intereses están abocados, en el seno del grupo, a convivir, estableciéndose mecanismos que permitan conciliarlos[13].

Cierto es que en aquellos supuestos en los que el grupo se ha constituido sobre la base de un pacto o acuerdo *ad hoc* (contrato de grupo) o en cuyo seno se han ido alcanzando distintos tipos de acuerdos relativos, sobre todo al ejercicio del poder de dirección, a sus límites, etc[14]., va a resultar más fácil justificar la legitimidad del interés del grupo y, por ende,

---

[11] Para VICENT CHULIÁ, F., «Grupos de sociedades y conflictos...», *op. cit.*, pág. 22, las relaciones intra-grupo son *...la insuprimible razón de vida de los grupos de sociedades...*

[12] Se ha afirmado que dicho conflicto debe diferenciarse de aquel que enfrentaría, fruto de la obediencia a las instrucciones de la dirección unitaria, al administrador con la sociedad que administra, entendiéndose que el fundamento de la responsabilidad del administrador será distinto en el caso del conflicto empresarial (interés del grupo *versus* interés de las filiales, por infracción del deber de diligencia) y en el del puramente societario (administrador *versus* sociedad administrada, por infracción del deber de lealtad). *Vid.* IRACULIS ARREGUI, N., «Interés del grupo y daño patrimonial por acatamiento de una instrucción ilegítima: responsabilidad por negligencia de los administradores de la sociedad dominada», *Revista de Derecho Mercantil*, núm. 49, enero-abril, 2017 (BIB. 2017\11125).

[13] Es bastante probable que la defensa del interés del grupo termine causando algún tipo de daño o menoscabo al interés de las sociedades filiales e incluso al de los socios de esta y sus acreedores. FUENTES NAHARRO, M., «Conflictos de intereses en grupos de sociedades: reflexiones a propósito de la STS de 12 de abril de 2007», *Revista de Derecho de Sociedades*, núm. 30, 2008, págs. 402 y 403.

[14] Sobre la importancia de dichos acuerdos en el funcionamiento de los grupos societarios, a los efectos que analizamos en el presente trabajo, EMBID IRUJO, J. M., «El derecho de los grupos de sociedades: entre las medidas de tutela y la or-

del ejercicio del poder de dirección en su defensa[15], incluso cuando se imparten instrucciones que, de alguna forma, puedan resultar perjudiciales para la filial, sobre todo porque es muy probable que se hayan pactado los mecanismos para paliar y, si fuese necesario, compensar dichos daños.

Por el contrario, cuando los grupos se constituyen *de facto*, surgen dudas acerca del alcance y contenido de la dirección unitaria y de la legitimidad de las instrucciones perjudiciales, no solo para la filial, sino también para los externos o los acreedores[16], que obligan a comprobar, la legitimidad del interés del grupo y del ejercicio del poder de dirección en su defensa, porque existe dicho interés y se plasma en el desarrollo y ejecución de una política común coherente; y porque si la sociedad filial soporta una determinada carga o perjuicio, que en ningún caso va a poder exceder de sus posibilidades financieras, es o será debidamente compensada por ello[17].

No podemos negar que el interés del grupo existe, como tampoco podemos negar que la dirección unitaria se ejerce en aras de su garantía y de su consecución[18]. Lo contrario sería negar la mayor, la existencia misma de los grupos societarios.

Este reconocimiento no supone, en nuestra opinión, la afirmación de la supremacía de un interés sobre el otro[19], porque sería incompatible con la

---

      ganización de la empresa policorporativa», *Revista de Derecho Mercantil*, núm. 304, abril-junio, 2017 (Bib. 2017\11942).

[15] El problema no se encuentra en declarar la legitimidad del ejercicio de la dirección unitaria, quizá porque como indica el profesor VICENT CHULIÁ el mismo tiene amparo constitucional (artículos 33 y 38), ...*sino en declarar la legitimidad del fin o interés social al que va dirigido aquel ejercicio, en particular, cuando suponga el perjuicio al interés social individual de alguna de las sociedades agrupadas...*

[16] De forma detallada, sobre toda la problemática al respecto, DE ARRIBA FERNÁNDEZ, Mª. L., *Derecho de los grupos...*, *op. cit.*, págs. 350 y ss., en especial, 399 y ss.

[17] La concurrencia, en definitiva, de los requisitos que se asentaron en la doctrina Rozenblum, tras la sentencia de la Court Cassation Criminale francesa de 4 de febrero de 1985.

[18] Dicho poder, afirma EMBID IRUJO, J. M., «Interés del grupo y ventajas compensatorias...», *op. cit.*, pág. 303, ...*adquiere un matiz verdaderamente singular, como consecuencia de su constitutiva pluralidad, de su variable estructura interna y de su intenso dinamismo...*

[19] De hecho, el Tribunal Supremo, en la relevante sentencia que sirve de base a este trabajo se limita, sin definir en qué consiste, a reconocerlo, para dejar claro que es una ...*magnitud no absoluta y, por tanto, inhábil para justificar, en todo caso, los posibles daños que el ejercicio del poder de decisión pueda causar a las sociedades filiales, a sus socios y a sus acreedores...*

personalidad jurídica autónoma de las sociedades-isla y con la ausencia de personalidad jurídica de la empresa policorporativa. Sí supone reconocer la necesidad de convivencia-coordinación de ambos intereses, para que el grupo funcione y para que las sociedades que lo integran no pierdan su entidad-identidad[20]. Dicha convivencia-coordinación, respeto mutuo si se quiere, lleva consigo que, en situaciones de conflicto de intereses intra-grupo, los administradores de la filial deben coordinar el interés social propio con el de la empresa de grupo[21], lo que puede implicar un ...*desplazamiento temporal de la realización individual del interés social, sin renunciar a su consecución final...*[22] y, por supuesto, no «a coste cero».

No podemos olvidar que la esencia del grupo no es la lesión del interés de las filiales por el mero hecho de que formen parte del mismo o de que la dirección unitaria se ejercite en defensa del interés grupal. Es más, es indudable que las filiales que se incorporan a un grupo buscan el camino más adecuado para la defensa y promoción de su propio interés[23].

Por ello, no cualquier decisión que se adopte, en interés del grupo, va a poder considerarse legítima siempre y en todo caso[24] y, como advertíamos anteriormente, se va a poder adoptar «a coste cero» para el grupo. Se impone, sobre estas bases, la necesidad de establecer mecanismos que permitan proteger a las sociedades filiales, a los socios externos y a los acreedores, porque es indiscutible que cuando se emitan y ejecuten instrucciones

---

[20]  Nos remitimos, para analizar el debate que esta afirmación ha generado, en general, a la doctrina que ha abordado la materia y, por su reciente publicación a los trabajos de EMBID IRUJO, J. M., «El derecho de los grupos de sociedades: entre las medidas de tutela y la organización...», *op. cit.* e IRACULIS ARREGUI, N., «Interés del grupo y daño patrimonial por acatamiento de una instrucción ilegítima...», *op. cit.*

[21]  Cumpliendo de forma exhaustiva el deber de diligencia del artículo 225 TRLSC, conforme a los dictados de discrecionalidad del artículo 226, y sin olvidar, en ningún caso, las normas sobre lealtad que les imponen, entre otras cosas, la obligación de no colocarse en una situación personal de conflicto de intereses.

[22]  De forma detallada, IRACULIS ARREGUI, N., «Interés del grupo y daño patrimonial por acatamiento de una instrucción ilegítima...», *op. cit.*

[23]  *Vid.* DE ARRIBA FERNÁNDEZ, Mª. L., *Derecho de los grupos...*, *op. cit.*, págs. 377 y ss.; FUENTES NAHARRO, M., «Conflictos de intereses en grupos de sociedades...», *op. cit.*, pág. 404; PAZ-ARES, C., «Anatomía del deber de lealtad», *Actualidad Jurídica Uría&Menéndez*, núm. 39, 2015, pág. 43.

[24]  Y ello, incluso, si tomamos como referencia la proyectada redacción de los artículos 291-9 y 291-10 del Anteproyecto de Ley de Código Mercantil, de 30 de mayo de 2014.

perjudiciales, amparadas en la defensa del interés del grupo, recae sobre la matriz la obligación de «responder»[25] de los daños que se hayan ocasionado[26], siempre, como es lógico, que el daño no resulte ...*inexistente a la luz del resultado conjunto de las actividades de dirección y coordinación...*[27].

Así las cosas, como ha defendido la doctrina, la legitimidad que pueda reconocerse a las instrucciones provenientes de la dirección unitaria en interés del grupo que puedan perjudicar al interés de las sociedades filiales, está íntimamente relacionada con la compensación de forma adecuada de las desventajas que la consecución del mencionado interés grupal haya podido ocasionar a alguno de los miembros de la organización empresarial[28].

---

[25] El entrecomillado es nuestro, porque sin perjuicio de la responsabilidad en la que pueda incurrir en su condición de administradora de hecho, cuyo tratamiento excede de nuestras consideraciones en este momento, queremos resaltar, siguiendo al profesor EMBID IRUJO («El derecho de los grupos de sociedades: entre las medidas de tutela y la organización...», *op. cit.*) que no nos referimos a una responsabilidad de tinte resarcitorio, en la línea de la aquiliana.

[26] DE ARRIBA FERNÁNDEZ, Mª. L., *Derecho de los grupos...*, *op. cit.*, pág. 399.

[27] VICENT CHULIÁ, F., «Grupos de sociedades y conflictos...», *op. cit.*, pág. 28, al considerar que es perfectamente admisible, en la aplicación de la impugnación por lesión al interés social de la sociedad dominante o de tercero (art. 204.2 TRLSC) la aplicación de este criterio.

[28] FUENTES NAHARRO, M., «Conflictos de intereses en grupos de sociedades...», *op. cit.*, pág. 414 y en *Grupos de sociedades y protección de acreedores (Una perspectiva societaria)*, Madrid, 2007, págs. 140 y ss.; GIRGADO PERANDONES, P., *La responsabilidad de la sociedad matriz y de los administradores en una empresa de grupo*, Madrid, 2002, pág. 147. Para el profesor VICENT CHULIÁ, F., «Grupos de sociedades y conflictos...», *op. cit.*, sería absurdo que los intereses del grupo de sociedades, como empresa policorporativa, quedasen en manos de los socios minoritarios externos al grupo, pues estos ...*solo han realizado una inversión financiera que no les legitima a ejercer una política estratégica y de gestión sobre la sociedad dominada, que constituye el contenido jurídico indispensable del poder legítimo de control...*
En contra ALFARO ÁGUILA-REAL, J., ¿Hay un interés del grupo que deba prevalecer sobre el interés social de la filial?, http://derechomercantilespana.blogspot. com.es/2017/03/hay-un-interes-del-grupo-que-deba.html, que de forma literal afirma ...*No se puede sustituir el interés social de la filial por el interés del grupo. Hacer tal cosa implica una modificación de la causa del contrato de sociedad en la sociedad filial. Sus socios externos (los distintos de la matriz) se han asociado para maximizar el valor de su aportación a la sociedad y no tienen por qué sacrificar dicho interés en el altar de los intereses del socio mayoritario. La solución de los conflictos entre el interés de la filial y el interés de la matriz deben resolverse aplicando los deberes de lealtad del socio mayoritario y de los administradores...*

Dos cuestiones al hilo de lo expuesto. La primera, para hacer referencia a los límites que puedan pesar sobre las órdenes o decisiones que en el ejercicio del poder de dirección se adopten en interés del grupo. La segunda para mencionar, si quiera brevemente, los mecanismos que han de arbitrarse para poder compensar a las sociedades afectadas por las decisiones que, en cumplimiento de dicho ejercicio, y esto es fundamental, se llevan a cabo por sus propios órganos de administración.

El Tribunal Supremo, en el Fundamento quinto de la sentencia de 11 de diciembre de 2015, señala, de forma expresa, que la integración de una sociedad en un grupo, incluso en concepto de sociedad filial o dominada, *...no supone la pérdida total de su identidad y autonomía...*, ya que sigue conservando su personalidad jurídica y sigue siendo titular de sus concretos objetivos y de su propio y específico interés social. Por ello, no es concebible, que el interés de cada sociedad integrante del grupo quede *...diluido...* en el interés del grupo, *...hasta el punto de desaparecer y justificar cualquier actuación dañosa para la sociedad por el mero hecho de que favorezca al grupo en que está integrada...*

Ahora bien, el interés social puede, como venimos manteniendo, ser matizado por el interés del grupo y coordinado con el mismo, pues lo contrario implicaría, como de forma acertada se ha indicado, impedir el funcionamiento eficaz de la «empresa de grupo» *...que se ve constreñida y coartada por una normativa sobre conflictos de intereses que no se adapta a la nueva realidad empresarial que este fenómeno representa...*[29].

Así parece reconocerlo el Tribunal Supremo en su sentencia de 11 de diciembre de 2015, pues tras admitir la existencia de conflictos de intereses intra-grupo, procede de alguna forma a legitimarlos siempre que se busque un equilibrio razonable entre el interés del grupo y el particular de las sociedades que lo integran, entendiendo como tal, aquel *...que haga posible el funcionamiento eficiente y flexible de la unidad empresarial que supone el grupo de sociedades, pero impida a su vez el expolio de las sociedades filiales y la*

---

[29]  FUENTES NAHARRO, M., «Conflictos de intereses en grupos de sociedades...», *op. cit.*, pág. 413. *Vid.* VICENT CHULIÁ, F., «Grupos de sociedades y conflictos...», *op. cit.*, págs. 29 y ss., en relación con los problemas que para la operativa del grupo de sociedades plantea la aplicación de los actuales artículos 229.1 y 231.2 TRLSC. Preceptos que, en definitiva, no podemos olvidar que están concebidos para la sociedad-isla y sus administradores.

*postergación innecesaria*[30] *de su interés social, de manera que se proteja los socios externos y a los acreedores...*[31]. Para ello, entiende el ponente que ha de realizarse un balance de las ventajas facilitadas o las prestaciones realizadas por ambas direcciones, y concluir si existe o no un resultado negativo para la filial, acogiendo la denominada «teoría de la ventaja compensatoria»[32], y precisando los requisitos que han de concurrir en dichas ventajas para que se consideren resarcitorias de los posibles daños que, en interés del grupo, se hayan ocasionado al interés social de las filiales[33].

Debemos partir, en este sentido, de una premisa. La mera pertenencia al grupo no puede ser considerada como ventaja suficiente o compensación en los supuestos en los que la obediencia a las instrucciones de la dirección unitaria cause un grave perjuicio al interés social de la filial. Como de forma acertada se ha indicado, los efectos grupales positivos son debidos, mo-

---

[30]   Afirma EMBID IRUJO, J. M., «Interés del grupo y ventajas compensatorias...», *op. cit.*, págs. 314 y 315, de forma acertada en nuestra opinión, que el uso de esta fórmula («postergación innecesaria») lleva a que para al Tribunal Supremo la existencia y el funcionamiento del grupo conlleve siempre la postergación de los intereses sociales particulares. Conforme a esta premisa, se impone, como mantiene trayendo a colación las palabras del ponente, la necesidad de encontrar el instrumento de ajuste, de equilibrio, entre los intereses presentes en el seno de los grupos, *...que haga posible, con los correspondientes matices, su defensa y promoción...*

[31]   Ha señalado EMBID IRUJO, J. M., «Interés del grupo y ventajas compensatorias...», *op. cit.*, pág. 313 que el interés de las dependientes no se convierte para el Alto Tribunal en un límite al interés del grupo, *...sino, más bien, en un elemento con el que la dirección del conjunto empresarial ha de contar, necesariamente al efecto, ..., de hacer posible «su funcionamiento eficiente y flexible»...*

[32]   De forma gráfica señala el profesor EMBID IRUJO («Interés del grupo y ventajas compensatorias...», *op. cit.*, pág. 316) que *...Lo que interesa, a la hora de buscar la concordancia entre el interés del grupo y el interés de sus sociedades filiales, no es, propiamente, la delimitación de un instrumento jurídico susceptible de articular voluntades diversas, sino, más bien, la atribución directa de elementos patrimoniales a las sociedades filiales, con la finalidad inmediata de eliminar o excluir el daño que pueda haber causado la promoción del interés del grupo...* Por ello, considera que no es tan determinante concretar que instrucciones son lícitas o no, ni cuestionarse el origen de las mismas, sino que daños van a ser *...absorbidos por las pertinentes ventajas compensatorias...*

[33]   Un estudio detallado de dicha teoría, desde una perspectiva crítica, al calificarlo con una suerte de indemnización, no totalmente compatible con nuestro ordenamiento positivo, lo podemos encontrar en FUENTES NAHARRO, M., *Grupos de sociedades y protección de acreedores...*, *op. cit.*, págs. 151 y ss., en especial, proponiendo otro entendimiento de la compensación, págs. 173 y ss.

tivados u obligados por la adecuada dirección unitaria[34], mientras que, las compensaciones a que tiene derecho la filial, en casos de perjuicios, tienen su origen en una decisión directa de la matriz, *...un comportamiento activo... y, consecuentemente, consciente...* orientado, valga la reiteración, a compensar los daños ocasionados como consecuencia de la ejecución de decisiones perjudiciales[35].

Partiendo de la exigencia de una clara voluntad compensatoria por parte de la matriz, y de que las ventajas compensatorias pueden ser previas, simultáneas o posteriores a la causación del daño, en las mismas han de recurrir una serie de requisitos puestos claramente de relieve por el ponente de la Sentencia del Tribunal Supremo de 11 de diciembre de 2015. En primer lugar, es necesario que sean verificables o ciertas[36], sin que, *...sean suficientes meras hipótesis, invocaciones retóricas a «sinergias» o a otras ventajas faltas de la necesaria concreción...* En segundo lugar, habrán de tener consistencia real, aunque no necesariamente material (apostillamos), porque puede tratarse, por ejemplo, de oportunidades de negocio concretas dotadas de valor patrimonial, como puede ser el trasvase de clientela. No tienen cabida, en consecuencia, aquellas ventajas que no sean razonablemente previsibles, al menos[37]. En tercer lugar, al hilo de lo anterior, la ventaja deberá tener valor económico, debiendo dicho valor guardar proporción con el daño sufrido por la sociedad filial. Por último, ha de estar justificada, sin que, conforme defiende el ponente, pueda considerarse justificación suficiente *...[e]l argumento del interés del grupo y la alegación de los beneficios que, en abstracto, supone la integración en un grupo societario...* (Fundamento de Derecho sexto), sencillamente, entendemos, porque ello es consustancial a la integración de la sociedad filial en el grupo.

Concurriendo, *conditio sine qua non*, de dichas exigencias, en los supuestos en los que la decisión de la dirección unitaria supone la aniquilación de la sociedad filial, difícilmente podremos encontrar el fundamento o justifi-

---

[34] La consecuencia, si se nos apura, del ejercicio diligente del cargo de administrador del grupo por parte de quien ostenta el poder de dirección.

[35] DE ARRIBA FERNÁNDEZ, Mª. L., *Derecho de los grupos...*, *op. cit.*, pág. 379. De forma semejante, FUENTES NAHARRO, M., *Grupos de sociedades y protección de acreedores...*, *op. cit.*, págs. 183 a 185.

[36] Algún sistema propone para constatar la concurrencia de dichos elementos EMBID IRUJO, J. M., «Interés del grupo y ventajas compensatorias...», *op. cit.*, págs. 317 y 318.

[37] FUENTES NAHARRO, M., *Grupos de sociedades y protección de acreedores...*, *op. cit.*, pág. 178.

cación de la misma, porque *...la pervivencia de la sociedad filial es en todo caso un límite último al interés del grupo*[38], *en tanto que nunca puede estar justificada una actuación en beneficio del grupo que suponga poner en peligro la viabilidad y solvencia de la sociedad filial, con el perjuicio que ello puede suponer para los socios externos y para los acreedores...*[39].

## III. ALCANCE DEL DEBER DE LEALTAD DEL ADMINISTRADOR DE LA FILIAL EN SITUACIONES DE CONFLICTO INTRA-GRUPO Y PERSONAL

Si el interés del grupo existe, el interés de las filiales no desaparece, ambos deben convivir y la convivencia no siempre es fácil, surge casi de forma inexorable una duda: ¿cómo ha de actuar el administrador de la filial ante una situación de conflicto de intereses, propio y/o ajeno? La respuesta a la misma se impone a fin de concretar la existencia de responsabilidad de dicho administrador frente a su sociedad, los socios de la misma e incluso sus terceros-acreedores. Debemos cuestionarnos, en este sentido, el alcance del deber de lealtad impuesto al administrador de la filial.

### 1. ¿Por qué alcance del deber de lealtad y no alcance del deber de diligencia?: consideraciones ad hoc que no reglas generales

Antes de intentar proporcionar una respuesta a la pregunta que nos hemos planteado, debemos exponer los argumentos que nos llevan a la necesidad de abordar, en este caso concreto, el alcance del deber de lealtad, por

---

[38]   Se consagra así un límite infranqueable al interés del grupo, como ha indicado EMBID IRUJO, J. M., «Interés del grupo y ventajas compensatorias...», *op. cit.*, 2016, pág. 303, en la línea de las consideraciones contenidas en el Capítulo 4 del *Report of the Reflection Group on the Future os EU Company Law*, Bruselas, 5 de abril de 2011, al que se puede acceder en el siguiente enlace http://ec.europa.eu/internal_market/company/docs/modern/reflectiongroup_report_en.pdf.

[39]   Fundamento de Derecho octavo de la sentencia del Tribunal Supremo de 11 de diciembre de 2015. En la doctrina, DE ARRIBA FERNÁNDEZ, Mª. L., *Derecho de los grupos...*, *op. cit.*, págs. 267 y ss., en especial, 367; EMBID IRUJO, J. M., *Grupos de sociedades y accionistas minoritarios. La tutela de la minoría en situación de dependencia societaria y de grupo*, Madrid, 1987, págs. 253 y 254; FUENTES NAHARRO, M., *Grupos de sociedades y protección de acreedores...*, *op. cit.*, págs. 191 y ss.; GIRGADO PERANDONES, P., *La empresa de grupo...*, *op. cit.*, pág. 262 y en *La responsabilidad de la sociedad matriz...*, *op. cit.*, pág. 144.

entender que, en su incumplimiento habrá de buscarse la responsabilidad de aquellos administradores de las filiales que ejecutando ordenes de la dirección unitaria, en beneficio del interés del grupo, de una de las filiales y en el personal, causan un grave perjuicio a la sociedad que representan.

Esta cuestión nos surge a raíz del estudio de planteamientos doctrinales que defienden que la posible responsabilidad del administrador tendría sustento en el incumplimiento del deber de diligencia (aspecto externo) más que en la ausencia de lealtad (interna), por considerarse que, en el contexto grupal, como elemento imprescindible para otorgar legitimidad al grupo, ...*el concepto de conflicto de intereses de los administradores debe ser puntualizado. La presencia de instrucciones perjudiciales emanadas de la dirección del grupo pone de manifiesto un problema de conciliación de intereses empresariales, que no un conflicto de intereses, cuya solución requiere un comportamiento activo por parte de los administradores de la sociedad afectada, dirigido a determinar la legitimidad de la instrucción perjudicial...*, por lo que entienden que no ha promoverse la exigencia de las obligaciones que dimanan del deber de lealtad, sino aquellas que derivan del deber de diligencia. El fundamento de la responsabilidad, conforme a dichos planteamientos, sería distinto en el caso del conflicto empresarial (interés del grupo *versus* interés de las filiales, por infracción del deber de diligencia) y en el del puramente societario (administrador *versus* sociedad administrada, por infracción del deber de lealtad)[40].

Es indudable que el fundamento de la responsabilidad del administrador merita el examen del caso concreto de ejecución de instrucciones perjudiciales al interés social de la filial[41], en aras de comprobar, además, la concurrencia del resto de los presupuestos determinantes de la mencionada responsabilidad, como no puede ser de otra forma. Por ello, entendemos, que no deben excluirse *per se*, los razonamientos en torno a la fundamentación de la misma en el incumplimiento del deber de diligencia, porque puede darse el caso concreto en que dicho deber sea el que el

---

[40]   *Vid.* IRACULIS ARREGUI, N., «Interés del grupo y daño patrimonial por acatamiento de una instrucción ilegítima...», *op cit.*

[41]   Y más cuando de deber de lealtad estamos hablando, pues compartimos con PAZ-ARES, C., «Anatomía del deber...», *op. cit.*, págs. 48 que el examen del «derecho de la deslealtad» ...*requiere un enfoque sustancialista y centrado en las circunstancias específicas del caso...*

administrador de la filial ha incumplido, sencillamente porque no ha sido diligente y porque, no existe situación de conflicto de intereses personal[42].

Ahora bien, en un supuesto en el que como consecuencia de la ejecución de dichas instrucciones, por parte de un administrador que se encuentra, además, en una clara situación de conflicto de intereses personales[43], la filial quede completamente aniquilada y quede eliminado por completo su interés social, dicha responsabilidad debe constatarse tomando como referencia la lealtad que el mencionado administrador debe a su sociedad, como de forma acertada hace el ponente en la Sentencia de 11 de diciembre de 2015[44]. La cuestión no es, ni mucho menos baladí, pues no podemos olvidar que solo para la infracción del deber de lealtad se prevé, en el artículo 227.2 TRLSC, la doble sanción de indemnizar por el daño causado y devolver a la sociedad el enriquecimiento injusto obtenido.

Y lo entendemos así, además, porque, aunque ambos deberes están íntimamente relacionados con la protección y defensa del interés social, el fundamento o contenido de los mismos es completamente diferente.

La concreción del deber de diligencia, la diligencia en sí, se ha terminado configurando de forma clara por nuestro legislador en el artículo 225

---

[42]    No queremos con ello afirmar que la existencia de conflicto personal sea *conditio sine qua non*, aunque es obvio que facilite la prueba, para fundar la responsabilidad en incumplimiento del deber de lealtad. Como ha indicado la doctrina el mero hecho de que el administrador lleve a cabo una conducta contraria al interés social supone una infracción del deber de lealtad genérico, sin que sea necesario que *...la conducta que se aparte del interés social se haya hecho en la búsqueda del interés propio ante una situación de conflicto de intereses... Vid.* PEINADO GRACIA, J. I., «Las acciones derivadas de la infracción del deber de lealtad (art. 232 LSC)», en AA.VV., *Junta General y Consejo de Administración en la sociedad cotizada*, dirs. Rodríguez Artigas, F., Fernández de la Gándara, L., Quijano González, J., Alonso Ureba, A., Velasco San Pedro, L. A., Esteban Velasco, G., coord. Roncero Sánchez, A., Tomo II, Madrid, 2016, pág. 567.

[43]    Porque concurren los presupuestos exigidos por la doctrina para constatar la existencia de un conflicto de intereses: existencia de una transacción entre la compañía y otra parte; existencia de una persona con capacidad de influencia en el proceso de decisión de la compañía respecto de la transacción; y que el interés personal *...sea típicamente mayor que su interés en el bienestar de la compañía...* PAZ-ARES, C., «Anatomía del deber...», *op. cit.*, pág. 52.

[44]    Quizá porque creemos que, como de forma gráfica afirma PAZ-ARES, C., «Anatomía del deber...», *op. cit.*, págs. 45 y ss. en especial, pág. 47, la solución al problema de la extracción de beneficios privados pasa por *...tomarse en serio el deber de lealtad de quienes gobiernan la sociedad...*

del TRLSC: la de un ordenado empresario, que gestiona, dirige y representa a su sociedad, con sometimiento a la Ley y a los estatutos, conforme a la buena fe y de forma diligente y leal[45]. Está marcada por un tinte de profesionalidad, un modelo de conducta que define el propio cargo[46] y que exige del administrador la actuación propia no de cualquier ciudadano normal, sino de personas *...versadas en la actividad u objeto social de la sociedad a la que representa...*[47]. La diligencia ha de ponerse en práctica, de forma discrecional, en función de las necesidades, conforme surjan las situaciones, en el «devenir diario» de la sociedad, gestionando ordenadamente la misma, hasta el punto que conforme a la *business judgement rule* (artículo 226.1 TRLSC), los jueces no van a poder revisar las decisiones empresariales adoptadas por los administradores sociales que se ajusten a dicho estándar de diligencia, porque se amparan en la buena fe, no existe

---

[45] O en palabras del legislador *...cumpliendo los deberes impuestos por las leyes y los estatutos... teniendo en cuenta la naturaleza del cargo y las funciones atribuidas...* (artículo 225.1 TRLSC), teniendo *...la dedicación adecuada...* y adoptando *...las medidas precisas para la buena dirección y el control de la sociedad...* (artículo 225.2 TRLSC). En la doctrina, GUERRERO TREVIJANO, C., *El deber de diligencia de los administradores en el gobierno de las sociedades de capital,* Madrid, 2015, págs. 130 y ss. especialmente; LLEBOT MAJÓ, J. O., «Los deberes y responsabilidades de los administradores», en AA.VV., *La responsabilidad de los administradores de las sociedades mercantiles,* dir. Rojo, A. y Beltrán E., coord. Campuzano, E., Valencia, 2016, págs. 29 y ss. y en «El deber general de diligencia (art. 225.1 LSC)», en AA.VV., *Junta General y Consejo de Administración en la sociedad cotizada,* dirs. Rodríguez Artigas, F., Fernández de la Gándara, L., Quijano González, J., Alonso Ureba, A., Velasco San Pedro, L. A., Esteban Velasco, G., coord. Roncero Sánchez, A., Tomo II, Madrid, 2016, págs. 317 y ss.; MAMBRILLA RIVERA, V., «Las concretas manifestaciones del deber general de diligencia de los administradores», en AA.VV., *Junta General y Consejo de Administración en la sociedad cotizada,* dirs. Rodríguez Artigas, F., Fernández de la Gándara, L., Quijano González, J., Alonso Ureba, A., Velasco San Pedro, L. A., Esteban Velasco, G., coord. Roncero Sánchez, A., Tomo II, Madrid, 2016, págs. 345 y ss.

[46] LLEBOT MAJÓ, J. O., «Los deberes y responsabilidades de los administradores», *op. cit.,* pág. 26, afirma que la función del deber general de diligencia reside *...en incentivar que los administradores presten atención y se esfuercen al desarrollar las competencias de gestión y administración de la sociedad, esto es, que hagan un buen trabajo...,* sin que ello suponga, como mantiene, el reconocimiento de una *lex artis.* No podemos olvidar que al administrador se le exige desarrollar el cargo como un empresario especial, el ordenado, lo que implica que su actividad ha de llevarse a cabo *...siguiendo los modos y/o procedimientos precisos en cada caso...* (pág. 28).

[47] MARTÍNEZ-CORTÉS GIMENO, J., «El deber de lealtad de los administradores de las sociedades no cotizadas», *Cuadernos de Derecho y Comercio,* núm. 65, 2016, págs. 43.

conflicto de intereses[48], se toman sobre la base de una información suficiente y conforme a un procedimiento adecuado de toma de decisiones.

El deber de lealtad va más allá de esa profesionalidad ordenada propia de un empresario, de la que consideramos está impregnado el deber de diligencia. Está dotado de un componente moral y deontológico que impide al administrador, sin duda por el hecho de actuar como un ordenado empresario, pensar siquiera en la posibilidad de situar a su sociedad en un contexto de intereses enfrentados; plantearse, siquiera, colocarse personalmente en una situación de lealtades enfrentadas; obtener «beneficios privados» del control; o hacer «utilización oportunista» de sus facultades discrecionales[49].

Y lo entendemos así porque de ceñirnos de forma exclusiva a la constatación de que el administrador ha cumplido con el deber de diligencia, sin comprobar si ha sido leal a la sociedad, podría plantearse el absurdo de que no responda ante un supuesto en los que con su decisión (obediencia a la dirección unitaria) termina causando a su sociedad en beneficio de la matriz o de otros miembros del grupo, daños de especial consideración, porque actuó de buena fe, sobre la base de información suficiente y tomando la decisión conforme a un procedimiento adecuado (artículo 226 TRLSC). No podemos olvidar, insistimos, que el gravamen de la deslealtad es mucho mayor que el de la falta de diligencia (artículos 227.2 y 232 TRLSC).

## 2. Alcance del deber de lealtad del administrador de la filial en las situaciones de conflicto entre el interés del grupo, el de su sociedad y el suyo propio

Mucho se ha discutido en la doctrina, cuando ha analizado la legitimidad del interés del grupo, en torno al carácter obligatorio de las instrucciones emanadas de la dirección unitaria, como acicates para garantizar el funcionamiento de la «formación empresarial» que, de otra forma, queda-

---

[48] *Vid.* artículo 226.2 TRLSC en relación con la excepción de la aplicación de la regla del párrafo primero en relación con las decisiones que tienen por objeto autorizar las operaciones previstas en el artículo 230, relativo, precisamente, a la dispensa del cumplimiento del deber de lealtad.

[49] Como se deduce del examen conjunto de la base, el artículo 227 TRLSC, y de las reglas específicas, de los artículos 228 y 229 TRLSC. *Vid.* MARTÍNEZ-CORTÉS GIMENO, J., «El deber de lealtad de los administradores...» págs. 43 y ss.; PAZ-ARES, C., «Anatomía del deber...», *op. cit.*, págs. 44 (nota 2), 48 y ss.; VICENT CHULIÁ, F., «Grupos de sociedades y conflictos...», *op. cit.*, pág. 30.

ría totalmente coartado o aniquilado por la defensa del interés social y la tradicional concepción de la sociedad-isla[50].

La respuesta a dicha cuestión enlaza, directamente, con la legitimidad del ejercicio de la dirección unitaria. Nos hemos visto por ello obligados a conocer su alcance y sus límites[51], como paso previo para concretar el alcance del deber de lealtad de los administradores sociales en aquellos supuestos en los que el interés social de la filial que administran puede verse considerablemente perjudicado por la ejecución de órdenes provenientes de la dirección unitaria dictadas en interés del grupo, en el de una de las filiales y en el personal del administrador[52].

La demanda se hace especialmente patente si tenemos en cuenta que la regulación que de dicho deber se contiene en el artículo 227 y se matiza en los siguientes, está configurada para la sociedad-isla y no, al menos de forma completa, para aquella que forma parte de un grupo en calidad de subordinada o dependiente.

Es elogiable, en este sentido, el pronunciamiento del ponente de la Sentencia del Tribunal Supremo de 11 de diciembre de 2015, y lo es porque, como ha indicado la doctrina, es imposible …*regular de antemano una fenomenología compleja, cambiante y escurridiza, sin dejar muchas lagunas que puedan ser explotadas por el administrador desleal o establecer cortapisas que frecuentemente les dejarán atados de manos impidiéndoles realizar transacciones beneficiosas para la sociedad y sus accionistas…*[53].

El deber de lealtad de los administradores, …*el desempeño del cargo con la diligencia de un ordenado empresario y un representante leal…*[54], fue interpretado casi de forma unánime por la doctrina que lo analizó, antes de la reforma del TRLSC, como la obligación del administrador de ejercer sus funciones en todo momento en interés de la sociedad que administraba[55]. De hecho,

---

50    *Vid. supra.* Por todos, VICENT CHULIÁ, F., «Grupos de sociedades y conflictos…», *op. cit.*

51    *Vid. supra.*

52    Y, insistimos, en el asunto abordado en la sentencia de 11 de diciembre de 2015, en el particular del administrador ejecutante.

53    PAZ-ARES, C., «Anatomía del deber…», *op. cit.*, pág. 49.

54    Como señalaban los artículos 127 de la LSA, 61 LSRL y 227 TRLSC, antes de la reforma de 2014.

55    De hecho, afirma ALFARO ÁGUILA-REAL, J., «El interés social y los deberes de lealtad de los administradores», *Anuario de la Facultad de Derecho de la Universidad Autónoma de Madrid*, núm. 20, 2016, pág. 213, que en nuestro Derecho de sociedades …*el interés social es una directiva de actuación de los órganos sociales…*, de tal

la dicción literal del artículo 227 se refería al interés de la sociedad, cuando exigía el desempeño del cargo en las condiciones indicadas, en defensa del interés social[56]. Dicha interpretación ha quedado plasmada en la dicción literal del actual artículo 227 TRLSC, tras la reforma de 2014, de mayor precisión y claridad en cuanto al contenido de este deber que su antecesor, en tanto exige el desempeño del cargo con la ...*lealtad de un fiel representante*[57], *obrando de buena fe y en el mejor interés de la sociedad...*[58].

El deber de lealtad implica, en palabras del Tribunal Supremo[59], ...*la obligación de desempeñar las funciones del cargo anteponiendo siempre el interés de la sociedad de la que es administrador al interés particular del propio administrador o de terceros...*, de tal forma que, ...*Ante cualquier situación de conflicto, el administrador ha de velar por el interés de la sociedad y dirigir su gestión hacia la consecución del objeto y finalidad social de manera óptima, absteniéndose de actuar en perjuicio de los intereses de la sociedad...*

Se trata, como ha indicado acertadamente la doctrina[60], de la obligación del administrador de ...*anteponer el interés del principal al suyo propio y no puede obtener ningún beneficio personal (para sí o para persona allegadas a él) del ejercicio de su cargo (no profit)...* y para evitar que ello se produzca, se le prohí-

---

forma que, el deber de lealtad de dichos órganos al mencionado interés, posee una doble vertiente o sentido, positivo o legitimador de la toma de decisiones discrecionales por parte del órgano de administración, negativo o limitador de la actuación de los órganos sociales (págs. 228 y 229).

[56] RIBAS FERRER, V., «Artículo 226. Deber de lealtad», en AA.VV., *Comentario de la Ley de Sociedades de Capital*, dir. Rojo, A. y Beltrán, E., Madrid, 2010, págs. 1620 y ss., y en *El deber de lealtad del administrador de sociedades*, Madrid, 2010, págs., 84 y ss., y en «Deberes de los administradores en la Ley de sociedades de capital», *Revista de Derecho de Sociedades*, núm. 38, 2012 (BIB. 2012\685).

[57] Se ha afirmado, en este sentido, que no es exclusivo del derecho societario, sino común a toda relación representativa porque el representante debe actuar siempre en interés del representado. *Vid.* MARTÍNEZ-CORTÉS GIMENO, J., «El deber de lealtad de los administradores...», *op. cit.*, pág. 44.

[58] ALFARO ÁGUILA-REAL, J., «Artículo 225. Deber general de diligencia de los administradores», en AA.VV., *Comentario de la reforma del régimen de las sociedades de capital en materia de gobierno corporativo (Ley 31/2014)*, coord. Juste Mencía, Madrid, 2015, págs. 313 y ss.; JUSTE MENCÍA, J., «Artículo 227. Deber de lealtad», en AA.VV., *Comentario de la reforma del régimen de las sociedades de capital en materia de gobierno corporativo (Ley 31/2014)*, coord. Juste Mencía, Madrid, 2015, págs. 361 y ss.

[59] Sentencia de 11 de diciembre de 2015.

[60] ALFARO ÁGUILA-REAL, J., «El interés social y los deberes de lealtad...», *op. cit.*, pág. 230.

be, además, ...*que se ponga voluntariamente en situaciones en las que el riesgo de anteponer el interés personal sobre el interés de la sociedad, aumente (no conflict)*...

La lealtad del administrador, a su sociedad, al interés de su sociedad, se matiza en los artículos 228 y siguientes del TRLSC, conforme a su redacción actual, siendo especialmente relevante la norma contenida en el artículo 230, en la que se consagra la imperatividad del régimen y el procedimiento o mecanismo para que, en casos excepcionales, el administrador pueda ser dispensado del cumplimiento de los deberes que se le imponen[61].

El legislador, en el artículo 228, establece una serie de obligaciones básicas, de las que, por los problemas que pueden generarse en el seno de las relaciones grupales[62], queremos reseñar: el deber de no ejercitar sus facultades con fines distintos a aquellos para los que han sido concedidas [artículo 228.1.a)]; el deber de abstenerse de participar en la deliberación y votación de acuerdos o decisiones en las que él o una persona vinculada tenga un conflicto de intereses, directo o indirecto[63] [artículo 228.1.c)]; el deber de desempeñar sus funciones bajo el principio de responsabilidad personal con libertad de criterio o juicio e independencia respecto de instrucciones y vinculaciones de terceros [artículo 228.1. d)]; y, el deber de adoptar todas de las medidas necesarias para evitar incurrir en situaciones

---

[61]    Dispensa que, como afirma PEINADO GRACIA, J. I., «Las acciones derivadas de la infracción del deber de lealtad...», *op. cit.*, deberá formularse de forma expresa, sin que sean admisibles autorizaciones presuntas. Sobre el procedimiento de dispensa, de forma detallada, JUSTE MENCÍA, J., «Artículo 230. Régimen de imperatividad y dispensa», en AA.VV., Comentario de la reforma del régimen de las sociedades de capital en materia de gobierno corporativo (Ley 31/2014), coord. Juste Mencía, Madrid, 2015, págs. 413 y ss.

[62]    Así lo reconoce ARIAS VARONA, F. J., «Régimen general del deber de lealtad de los administradores. Obligaciones básicas y conflictos de intereses», en AA.VV. *Comentario práctico a la nueva normativa de gobierno corporativo: Ley 31/2014, de reforma de la Ley de Sociedades de Capital*, coords. Arias Varona, F. J. y Recalde Castells, A., Madrid, 2015, pág. 88.

[63]    *Vid.* artículos 231.1.d y 231.2 a) y c) TRLSC. Con exclusión de los acuerdos o decisiones que le afecten en su condición de administrador, tales como su designación o revocación para cargos en el órgano de administración u otros de análogo significado. Debemos reconocer que las propuestas de PAZ-ARES, C., «Anatomía del deber...», *op. cit.*, pág. 52 y ss. en relación con la mejora de la norma deben, cuanto menos, ponerse de relieve, aunque excede del objeto de nuestro estudio entrar en profundidad en esta materia.

de conflictos de intereses, con el cumplimiento de sus deberes y con el interés de la sociedad [artículo 228.e)][64].

En el artículo 229[65] se concreta, *numerus apertus* o en particular, como de forma literal se establece, cuales son las situaciones conflictivas que ha de evitar el administrador, tanto en casos en los que el beneficiario es el mismo como en aquellos en los que tal condición la ostente una persona vinculada con él (artículo 229.2 TRLSC), entre las que incluyen, *ex* artículo 231 ...*Las sociedades en las que el administrador, por sí o por persona interpuesta, se encuentre en alguna de las situaciones contempladas en el apartado primero del artículo 42 del Código de Comercio...*[66].

---

[64] Debemos tener presente, en relación con esta última obligación, que aunque conceptualmente puedan considerarse distintos, el conflicto de intereses debe equipararse, normativamente, al conflicto de deberes, o como se ha denominado al «conflicto de intereses por cuenta ajena». De hecho, así se matiza por nuestro legislador, indicando que la obligación a que hace referencia se impone tanto en los casos de que el conflicto provenga de actuaciones por cuenta propia como ajena.

[65] Elogiando la función del precepto, por considerarlo el ...*nervio central del deber de lealtad...*, PAZ-ARES, C., «Anatomía del deber...», *op. cit.*, pág. 53, quien afirma que es ...*profiláctica, por eso define un supuesto de peligro abstracto...*, es decir, considera que lo más eficaz para impedir que el administrador obtenga beneficios personales indebidos no es prohibirle que los obtenga, sino prohibirle ...*ponerse en una situación de riesgo, en la que pueda sucumbir a la tentación de alcanzarlo...* Para VICENT CHULIÁ, F., «Grupos de sociedades y conflictos...», *op. cit.*, págs. 29-30, la norma hace referencia a supuestos de conflicto que denomina «esporádicos», no a aquellos que puedan calificarse como «normales», plantea, además, los problemas que subyacen en la aplicación de los artículos mencionados al grupo de sociedades, afirmando incluso que pueden incidir de forma negativa en el funcionamiento del grupo y proponiendo otros mecanismos que, protegiendo a los externos, no causen ese efecto (*vid.* en este sentido, págs. 29 y ss.).

[66] Una breve referencia, obligada, al artículo 231 TRLSC, tras la reforma. Compartimos con PAZ-ARES, C., «Anatomía del deber...», *op. cit.*, pág. 56, que la norma debió prever cláusulas de asimilación ...*que permitan neutralizar las estructuras de interposición y conexión de intereses y la ingeniería societaria que pueda idearse para eludirla* ... Trae a colación, por ejemplo, la limitación legal en cuanto a personas vinculadas, que deja fuera casos sangrantes, como el de las entidades en las que el administrador o una persona allegada a él desempeñan funciones ejecutivas y/o poseen participaciones significativas; o el de los socios que han designado o promovido la designación del administrador, poniendo como ejemplo el de los directivos de la matriz, nombrados administradores de la filial. Propone, como no podría ser de otra forma, salvar este inconveniente en vía hermenéutica, presumiéndolos ...*empírica y eventualmente, cuando se acredite una conexión de intereses suficientemente significativa...*

Las situaciones conflictivas del artículo 229 encajan, fácilmente, en el funcionamiento ordinario de las empresas policorporativas: se prohíbe la realización de determinadas operaciones vinculadas; se impide que el administrador se prevalezca del cargo en beneficio propio; se imposibilita el uso de activos sociales con fines privados; se prohíbe la de la explotación de las oportunidades de negocio sociales; se impone la no concurrencia; o, se prohíbe la percepción de remuneraciones externas.

Se impone, además, el deber de comunicación de la situación conflictiva al resto de los administradores y a la propia sociedad, así como en la memoria a que se refiere el artículo 259.

El pronunciamiento del Tribunal Supremo, en la sentencia de 11 de diciembre de 2015, trayendo a colación la dictada por la Audiencia Provincial de Barcelona, es claro. El deber de lealtad se predica de la sociedad de la que se es administrador, de tal forma que, como indica el ponente en la Resolución casacional, se ha de actuar como un representante leal en defensa del interés social de la misma y no atendiendo a intereses particulares o de terceros, incluso cuando la sociedad pertenezca a un grupo de sociedades, aunque sea la sociedad dominante, aunque sean *...intereses formalmente ajenos, como es el que se ha venido en llamar «interés de grupo»...* Es por ello que, en una situación de conflicto, el administrador *...ha de velar por el interés de la sociedad y dirigir su gestión hacia la consecución del objeto y finalidad social de manera óptima, absteniéndose*[67] *de actuar en perjuicio de la sociedad...*, pues de lo contrario será responsable de los daños que pueda ocasionar a

---

[67]  El subrayado es nuestro. En un caso como el que se analiza en el que la obediencia a las directrices unitarias supone la aniquilación financiera de la sociedad, su colocación en una situación de insolvencia, la responsabilidad de los administradores puede venir no solo por el incumplimiento del deber de lealtad. El administrador no solo tenía la opción de no ejecutar la orden y de forma activa defender el interés de su sociedad absteniéndose de actuar en su perjuicio, y en beneficio propio, sino que consciente de la situación financiera en la que la misma quedada como consecuencia de la obediencia a dicha orden, podría haber procedido a ... *una disolución y liquidación ordenada que hubiera respetado el derecho a la cuota liquidativa del socio...*, cumpliendo las obligaciones dimanadas de su deber de diligencia. Propuesta que, nos lleva a apuntar, la posible concurrencia, en el caso que analizamos, de los presupuestos necesarios para la exigencia de responsabilidad al órgano de administración sobre la base del actual artículo 363.d). *Vid.* MÁRQUEZ LOBILLO, P., «Sentencia 15 de octubre de 2013. Acción de responsabilidad contra los administradores sociales por no instar la disolución de una sociedad declarada en concurso», *Cuadernos Civitas de Jurisprudencia Civil*, núm. 95, 2014, págs. 347-374.

la sociedad como consecuencia del incumplimiento del mencionado deber, en los términos que analizaremos en el apartado siguiente[68].

Compartimos, además, aquellos planteamientos que entienden que el órgano de administración de la dominante debe respetar la estructura interna de la sociedad dominada, sin perjuicio de la existencia de … *alteraciones funcionales limitadas*… que generan la extensión del orden de competencias de la dominante al conjunto del grupo[69]. Y resaltamos en cursiva lo de alteraciones funcionales limitadas porque no puede considerarse que tengan cabidas, en la concepción de dichas alteraciones, aquellas que dejen a la sociedad dominada en una situación de práctica insolvencia empresarial.

## IV. LAS CONSECUENCIAS DE LA DESLEALTAD: ALGUNAS REFLEXIONES

Si, conforme a lo expuesto en las líneas anteriores, tanto los deberes de diligencia como de lealtad y, especialmente, este último en lo que nos concierne, se predican de la sociedad que se administra, nos surge, en el seno de los grupos de sociedades una cuestión: ¿responde el administrador por los daños causados a su filial, en cumplimiento de las instrucciones de la dirección unitaria?

Dos posiciones doctrinales claramente contradictorias en este sentido[70]. Los que abogan por la no responsabilidad de los administradores que obedecen las instrucciones de la matriz, a fin de garantizar la viabilidad del grupo y que el mismo no quede configurado como una mera unión *sui*

---

[68]   En idéntica responsabilidad puede incurrir, según se deduce del fallo del Tribunal Supremo, en la sentencia de 11 de diciembre de 2015, en aquellos casos en los que existiendo ventaja compensatoria derivada de la mera inserción de la sociedad en el grupo, la actuación del administrador en cumplimiento de las directrices unitarias, no resultó además provechosa para la sociedad y ello porque, como de forma expresa se señala por el ponente, …*El argumento del interés del grupo y la alegación de los beneficios que, en abstracto, supone la integración en un grupo societario, si no van acompañados de una justificación razonable y adecuada de que la actuación del administrador resultó además provechosa para la sociedad filial, no excluye la existencia de un daño directo del que el administrador debe responder…*

[69]   En la doctrina, por todos, GIRGADO PERANDONES, P., *La responsabilidad de la sociedad matriz…, op. cit.*, pág. 149 y ss.

[70]   GIRGADO PERANDONES, P., *La responsabilidad de la sociedad matriz…, op. cit.*, *passim.*

*generis* de empresas. Los que entienden que la pertenencia de una sociedad a un grupo no afecta al sistema de responsabilidad de sus administradores que se deben lealmente al interés de su sociedad[71].

Es evidente que la responsabilidad de los administradores sociales se condiciona a la concurrencia de los presupuestos determinantes de la misma previstos en el artículo 236 TRLSC, por lo que su exigencia dependerá de la constatación, en el caso concreto, de la causación de un daño a la sociedad por actos u omisiones contrarios a la ley o a los estatutos o por ... *los realizados incumpliendo los deberes inherentes al desempeño del cargo, siempre y cuando haya intervenido dolo o negligencia...*

Así las cosas, si el administrador de la filial incumple el deber de lealtad al interés social de la sociedad que administra, porque ejecuta la decisión de la dirección unitaria en beneficio de la matriz, de otra filial y del suyo propio y, además, con ello coloca a la sociedad en situación de insolvencia, es obvio que concurren los presupuestos determinantes de su responsabilidad, porque, además, ha intervenido, cuanto menos, negligencia. La sanción, en este caso concreto, no es otra que la prevista en el artículo 227.2 TRLSC[72].

El problema será, como se ha indicado, el ejercicio de la acción social, en caso de incumplimiento de este deber concreto, dada la elevada exigencia de legitimación, la relativa opacidad que subyace debajo de las situaciones conflictivas y la falta de información sobre los actos que las motivan,

---

[71] Se afirma, incluso, que el instrumento idóneo para resolver el conflicto de lealtades que esta situación plantea, se encuentra, precisamente, en el sistema societario de responsabilidad de los administradores en el desempeño de su cargo, que genera para estos unos deberes en relación con la sociedad que administran, como hemos tenido oportunidad de analizar en el epígrafe anterior. Así lo considera IRACULIS ARREGUI, N., «Interés del grupo y daño patrimonial por acatamiento de una instrucción ilegítima...», *op. cit.*

[72] Y ello, claro está, sin perjuicio de lo establecido en el artículo 232 TRLSC. De forma detallada, sobre la norma PEINADO GRACIA, J. I., «Las acciones derivadas de la infracción del deber de lealtad...», *op. cit.* págs. 563 y ss. quien sostiene que si bien la norma no era necesaria, porque el ejercicio de las acciones previstas ya era posible con anterioridad a su aprobación en 2014, si es oportuna ...*para el fortalecimiento del gobierno corporativo de las sociedades de capital y para cerrar la conformación legal del deber...*(pág. 569 y 570). Analiza, el autor, además, otras acciones procedentes en el caso que analizamos no mencionadas en el artículo 232 TRLSC, como son la separación de los administradores y la exclusión del socio administrador (págs. 575 y ss.).

sin olvidar, las dificultades a que se enfrentan los socios en orden a la carga de la prueba[73].

Salvados dichos inconvenientes, la responsabilidad de un administrador como el sancionado en la sentencia de 11 de diciembre de 2015[74] era indubitada, tras quedar acreditado no solo el incumplimiento del deber genérico[75], sino también, de al menos tres apartados del artículo 228[76] y otros tantos del artículo 229[77]. No podemos olvidar que como consecuencia del comportamiento activo, consciente y en beneficio propio del administrador, la filial sufrió daños de tal consideración que la aniquilaron patrimonialmente.

El planteamiento del Alto Tribunal es claro y se decanta hacia la segunda de las corrientes a que nos referíamos anteriormente. ...*El administrador de la sociedad filial tiene un ámbito de responsabilidad que no desaparece por el hecho de la integración en un grupo societario...*, ya que la misma no deroga las

---

[73]  PAZ-ARES, C., «Anatomía del deber...», *op. cit.*, págs. 59 y ss.

[74]  Y matizamos que a dicho administrador porque, el otro administrador solidario fue exonerado de responsabilidad por considerar tanto la Audiencia como el Tribunal Supremo que no tomó parte activa en la causación del hecho dañoso y en la ejecución de las instrucciones perjudiciales, al limitarse sus funciones al cumplimiento de las obligaciones legales (convocatoria de juntas, depósito de cuentas...).
Discrepamos del pronunciamiento del Alto Tribunal, en relación con este «administrativo». Entendemos que el mismo, con su actuación pasiva, conculcó, cuanto menos el deber de diligencia (*vid. supra* nuestras consideraciones sobre la aplicación del artículo 363.d) TRLSC) y cuanto más el de lealtad (difícilmente una conducta observadora de las pérdidas a que fue abocada la sociedad durante tres años, sin hacer absolutamente nada, va a poder considerarse amparada en la discrecionalidad y en la buena fe).

[75]  En el caso analizado en la sentencia de 11 de diciembre de 2015, por ejemplo, siguiendo la propia jurisprudencia del Tribunal Supremo, el mero hecho de crear la sociedad a la que se traspasó la clientela ya supondría la realización de una conducta desleal, al no condicionarse la misma a la participación efectiva del administrador en la sociedad creada. Vid. Sentencia del Tribunal Supremo de 5 de diciembre de 2008 *(Tol 1413636)*.

[76]  Ejerció las facultades conferidas para fines distintos de aquellos para los que fueron concedidas; no se abstuvo de participar en la deliberación y votación, es más, todo lo contrario y no adoptó las medidas necesarias para evitar incurrir en situación de conflicto de intereses.

[77]  Realizó transacciones con la sociedad, se aprovechó de su condición de administrador, hizo uso de activos sociales para fines privados, obtuvo ventajas o remuneraciones de terceros, etc.

obligaciones que le incumben como administrador de su sociedad (gestión ordenada, representación leal y fidelidad al interés social, especialmente en este caso).

Es más, no solo siguen pesando sobre él los deberes que tiene atribuidos en su condición de administrador, sino que el cumplimiento de las órdenes que puedan provenir de la dirección unitaria del grupo no constituye causa de exención de una posible responsabilidad proveniente del mismo. *...El administrador de derecho de la sociedad filial tiene su ámbito propio de autonomía de decisión que no puede verse afectado por una especie de «obediencia debida» a las instrucciones del administrador del grupo que perjudique injustificadamente los intereses de la sociedad que administra...*

No plantea el ponente, entendemos, una regla general, sino la solución a un supuesto concreto en el que el «administrador obediente» perjudica de forma injustificada los intereses de la sociedad en favor de la matriz y de otra filial y, además, se beneficia personalmente de ello. Esta precisión nos lleva a dejar simplemente apuntada la posible inexistencia de responsabilidad del «administrador obediente» cuando los perjuicios que se causen a la sociedad sean debidamente justificados en la defensa del interés del grupo, en el sacrificio temporal del interés de la filial en aras del común, debidamente compensado.

De hecho, podría darse el caso de que tampoco fuese responsable cuando atiende a órdenes que pueden inscribirse en el margen de decisión que tiene atribuido el órgano de administración del grupo, pues en tal caso, aplicando la doctrina del «desplazamiento de la responsabilidad», podría considerarse que la misma recae sobre la matriz[78].

Insistimos, no obstante, que estas excepciones difícilmente se van a plantear en el caso *ad hoc*, por encontrarnos ante instrucciones de la dirección unitaria desmesuradas, desproporcionadas, injustificadas, no compensadas y que difícilmente tienen encuadre en el margen de decisión atribuible a los administradores de un grupo de sociedades.

Otro aspecto a señalar de la resolución de 11 de diciembre de 2015, por su importancia en la concreción del régimen general de la responsabilidad de los administradores de las filiales: la inexistencia de dolo en la actuación. Y es reseñable porque, como indica el ponente *...para que el administrador sea responsable del daño causado a la sociedad no es necesario que*

---

[78]    GIRGADO PERANDONES, P. *La responsabilidad de la sociedad matriz...*, *op. cit.*, págs. 197 y ss.

*su actuación sea dolosa, basta con que se haya tratado de una acción voluntaria y consciente, que puede ser meramente culposa, y que el daño haya sido efectivamente causado...*

En el caso *ad hoc*, a pesar de que es más que dudosa la ausencia de beneficios personales, se apunta otro elemento que si puede tener incidencia en la generalidad de los supuestos de responsabilidad de los administradores de las filiales, obvio por otra parte, si tenemos en cuenta que se ejercita acción social de responsabilidad. Y es que, como se indica *...lo relevante para la exigencia de responsabilidad es el daño que ha causado a la sociedad de la que es administrador, no el beneficio propio o ajeno que haya podido obtener con la actuación...* (Fundamento de Derecho décimo). Responsabilidad por el perjuicio-daño, como exige el artículo 236 TRLSC, constatada, además, que no fundamentalmente[79], por el beneficio personal del administrador y de los terceros a los que favorece con su conducta contraria a la Ley y a los deberes que como administrador se le imponen, como establece, igualmente, el precepto citado.

Decíamos anteriormente que uno de los problemas a los que se enfrenta el ejercicio de acciones sociales de responsabilidad por incumplimiento del deber de lealtad es la prueba. Compartimos el planteamiento de aquellos que consideran que, salvo que la actuación cumpla los requisitos del artículo 230 TRLSC, recae sobre el administrador el deber de *...deshacer la apariencia creada por el conflicto de intereses y demostrar cumplidamente la razonabilidad de la transacción...*, presumiéndose, en caso contrario, la infracción del mencionado deber (*ex* artículo 217.2 LEC)[80].

### Bibliografía

ALFARO ÁGUILA-REAL, J., «Artículo 225. Deber general de diligencia de los administradores», en AA.VV., *Comentario de la reforma del régimen de las sociedades de capital en materia de gobierno corporativo (Ley 31/2014)*, coord. Juste Mencía, Madrid, 2015.
— «El interés social y los deberes de lealtad de los administradores», *Anuario de la Facultad de Derecho de la Universidad Autónoma de Madrid*, núm. 20, 2016.

---

[79] En la doctrina, PEINADO GRACIA, J. I., «Las acciones derivadas de la infracción del deber de lealtad...», *op. cit.*, pág. 567, mantiene que es suficiente la lesión del interés social para infringir el deber genérico, sin que sea imprescindible que la conducta, además se haya llevado a cabo en la búsqueda del interés propio.

[80] PAZ-ARES, C., «Anatomía del deber...», *op. cit.*, pág. 62, que considera aplicable por analogía la regla prevista en el artículo 190.3 TRLSC, para los conflictos de intereses en la junta general.

ARIAS VARONA, F. J., «Régimen general del deber de lealtad de los administradores. Obligaciones básicas y conflictos de intereses», en AA.VV. *Comentario práctico a la nueva normativa de gobierno corporativo: Ley 31/2014, de reforma de la Ley de Sociedades de Capital,* coords. Arias Varona, F. J. y Recalde Castells, A., Madrid, 2015.

DE ARRIBA FERNÁNDEZ, Mª. L., *Derecho de los grupos de sociedades,* Madrid, 2009.

EMBID IRUJO, J. M., *Grupos de sociedades y accionistas minoritarios. La tutela de la minoría en situación de dependencia societaria y de grupo,* Madrid, 1987.

— «El significado jurídico de los grupos de sociedades. La corporate governance», *Ekonomiaz,* núm. 68, 2° cuatrimestre, 2008.

— «Ante la regulación de los grupos de sociedades en España», *Revista de Derecho Mercantil,* núm. 284, abril-junio, 2012.

— «Interés de grupo y ventajas compensatorias. Comentario de la Sentencia del Tribunal Supremo (Sala Primera) de 11 de diciembre de 2015», *Revista de Derecho Mercantil,* núm. 300, abril-junio, 2016, pág. 306.

— «El derecho de los grupos de sociedades: entre las medidas de tutela y la organización de la empresa policorporativa», *Revista de Derecho Mercantil,* núm. 304, abril-junio, 2017 (BIB. 2017\11942).

FERNÁNDEZ MARKAIDA, I., *Los grupos de sociedades como forma de organización empresarial,* Madrid, 2001.

FUENTES NAHARRO, M., *Grupos de sociedades y protección de acreedores (Una perspectiva societaria),* Madrid, 2007.

— «Conflictos de intereses en grupos de sociedades: reflexiones a propósito de la STS de 12 de abril de 2007», *Revista de Derecho de Sociedades,* núm. 30, 2008.

GIGARDO PERANDONES, P. *La empresa de grupo y el derecho de sociedades,* Granada, 2001.

— *La responsabilidad de la sociedad matriz y de los administradores en una empresa de grupo,* Madrid, 2002.

— «En torno a la noción de grupo de sociedades y su delimitación en el ámbito español y europeo», *Revista Boliviana de Derecho,* núm. 18, julio, 2014.

GUERRERO TREVIJANO, C., *El deber de diligencia de los administradores en el gobierno de las sociedades de capital,* Madrid, 2015.

IRACULIS ARREGUI, N., «Interés del grupo y daño patrimonial por acatamiento de una instrucción ilegítima: responsabilidad por negligencia de los administradores de la sociedad dominada», *Revista de Derecho Mercantil,* núm. 49, enero-abril, 2017 (BIB 2017\11125).

JUSTE MENCÍA, J., «Artículo 227. Deber de lealtad», en AA.VV., *Comentario de la reforma del régimen de las sociedades de capital en materia de gobierno corporativo (Ley 31/2014),* coord. Juste Mencía, Madrid, 2015.

— «Artículo 230. Régimen de imperatividad y dispensa», en AA.VV., Comentario de la reforma del régimen de las sociedades de capital en materia de gobierno corporativo (Ley 31/2014), coord. Juste Mencía, Madrid, 2015.

LLEBOT MAJÓ, J. O., «Los deberes y responsabilidades de los administradores», en AA.VV., *La responsabilidad de los administradores de las sociedades mercantiles,* dir. Rojo, A. y Beltrán E., coord. Campuzano, E., Valencia, 2016.

— «El deber general de diligencia (art. 225.1 LSC)», en AA.VV., *Junta General y Consejo de Administración en la sociedad cotizada,* dirs. Rodríguez Artigas, F., Fernández de la Gándara, L., Quijano González, J., Alonso Ureba, A., Velasco San Pedro, L. A., Esteban Velasco, G., coord. Roncero Sánchez, A., Tomo II, Madrid, 2016.

MAMBRILLA RIVERA, V., «Las concretas manifestaciones del deber general de diligencia de los administradores», en AA.VV., *Junta General y Consejo de Administración en la sociedad cotizada*, dirs. Rodríguez Artigas, F., Fernández de la Gándara, L., Quijano González, J., Alonso Ureba, A., Velasco San Pedro, L. A., Esteban Velasco, G., coord. Roncero Sánchez, A., Tomo II, Madrid, 2016.

MÁRQUEZ LOBILLO, P., «Sentencia 15 de octubre de 2013. Acción de responsabilidad contra los administradores sociales por no instar la disolución de una sociedad declarada en concurso», *Cuadernos Civitas de Jurisprudencia Civil*, núm. 95, 2014.

—  «Límites al interés de grupo, deber de lealtad y responsabilidad de los administradores de la filial. STS de 11 de diciembre de 2015, núm. 695/2015 (RJ 2015, 5440)», *Cuadernos Civitas de Jurisprudencia Civil*, núm. 102, septiembre-diciembre, 2016.

MARTÍNEZ-CORTÉS GIMENO, J., «El deber de lealtad de los administradores de las sociedades no cotizadas», *Cuadernos de Derecho y Comercio*, núm. 65, 2016.

MARTÍNEZ-GIJÓN MACHUCA, P., *La protección de los socios externos en los grupos de sociedades*, Bolonia, 1999.

—  «La responsabilidad de los administradores en los grupos de sociedades: reflexiones en torno a la sentencia del Tribunal Supremo de 11 de diciembre de 2015», *La Ley Mercantil*, núm. 26, junio, 2016, (LA LEY 4281/2016).

PAZ-ARES, C., «Anatomía del deber de lealtad», *Actualidad Jurídica Uría&Menéndez*, núm. 39, 2015.

PEINADO GRACIA, J. I., «Las acciones derivadas de la infracción del deber de lealtad (art. 232 LSC)», en AA.VV., *Junta General y Consejo de Administración en la sociedad cotizada*, dirs. Rodríguez Artigas, F., Fernández de la Gándara, L., Quijano González, J., Alonso Ureba, A., Velasco San Pedro, L. A., Esteban Velasco, G., coord. Roncero Sánchez, A., Tomo II, Madrid, 2016.

SÁNCHEZ CALERO, F., «De nuevo sobre la regulación de los grupos de sociedades», *Revista de Derecho Bancario y Bursátil*, núm. 77, 2000.

RIBAS FERRER, V., *El deber de lealtad del administrador de sociedades*, Madrid, 2010.

—  «Artículo 226. Deber de lealtad», en AA.VV., *Comentario de la Ley de Sociedades de Capital*, dir. Rojo, A. y Beltrán, E., Madrid, 2010.

—  «Deberes de los administradores en la Ley de sociedades de capital», *Revista de Derecho de Sociedades*, núm. 38, 2012 (BIB. 2012\685).

ROJO, A., «Los grupos de sociedades en Derecho español», *Revista de Derecho Mercantil*, núm. 220, 1996.

VICENT CHULIÁ, F., «Grupos de sociedades y conflictos de intereses», *Revista de Derecho Mercantil*, núm. 280, abril-junio, 2011.

# 20. Perspectiva de Derecho Europeo sobre los grupos societarios: el incierto futuro de la sociedad limitada unipersonal (SUP)

**ÁLVARO LUCINI MATEO**

*Notario de Madrid*

**Sumario:** I. PANORAMA ACTUAL DEL DERECHO DE GRUPOS EN LA UE. 1. Laguna en el Derecho de la Unión Europea y diversidad de soluciones nacionales de los Estados miembros. 2. Breve historia de un intento de armonización frustrado. 3. Propuestas de los expertos. II. EL PROYECTO DE UNA NUEVA DIRECTIVA SOBRE SOCIEDAD LIMITADA UNIPERSONAL (SUP), PUBLICADO POR LA COMISIÓN EUROPEA EL 9 DE ABRIL DE 2014. 1. Origen del proyecto. 2. Objetivos. 3. Fundamento legal. 4. Aspectos más significativos del contenido normativo. 5. Cambios introducidos en el texto de compromiso aprobado por el Consejo de la UE el 28 de mayo de 2015. 6. Situación actual del proyecto en su tramitación legislativa. III. LA SUP COMO INSTRUMENTO PARA LA CREACIÓN Y FUNCIONAMIENTO DE GRUPOS SOCIETARIOS. 1. La supresión del artículo 2.2 de la Directiva 2009/102/CE. 2. Las instrucciones vinculantes del socio al órgano de administración. 3. Responsabilidad de los administradores. 4. Constitución on line de sociedades filiales. IV. CONCLUSIONES. Bibliografía.

## I. PANORAMA ACTUAL DEL DERECHO DE GRUPOS EN LA UE

### 1. Laguna en el Derecho de la Unión Europea y diversidad de soluciones nacionales de los Estados miembros

Desde mediados del siglo XX el grupo de empresas compuesto de una red de compañías independientes, ha ido extendiéndose como estructura organizativa entre las grandes y medianas empresas con actividad internacional, y es hoy el predominante tanto en la Unión Europea como fuera de ella, frente al modelo alternativo de una única sociedad con establecimientos permanentes en los diferentes países en los que actúa[1]. Incluso las pequeñas empresas recurren, cada vez con más frecuencia, a esta técnica de

---

[1]  GALGANO, F., «La empresa de grupo», en GALGANO, F., ROITMAN H., LEÓN ROBAYO E. I., LÓPEZ CASTRO Y., *«Los grupos societarios. Dirección y coordinación de sociedades. Homenaje a Francesco Galgano»*, Bogotá 2012, págs. 11-78.

organización, como pone de manifiesto el ejemplo del muy activo sector industrial alemán, orientado a la exportación.

Los grupos constituyen una realidad omnipresente en la economía globalizada de nuestro siglo, lo cual contrasta con la inexistencia de normas de Derecho societario europeo que aborden los variados problemas que los grupos de sociedades plantean, entre ellos el del reconocimiento del interés de grupo. Tal vez sea ésta una de las lagunas principales en el programa de armonización del Derecho de sociedades dentro de la UE, especialmente si se considera que varias Directivas presuponen la existencia de los grupos al regular diversos aspectos que inciden en ellos, como sucede con algunas de las disposiciones sobre la conservación del capital en la Segunda Directiva, sobre la absorción por la matriz de sus filiales en la Tercera Directiva (fusiones nacionales) y en la Décima (fusiones transfronterizas), sobre consolidación de las cuentas anuales en la Séptima Directiva o sobre ofertas públicas de adquisición en la Decimotercera[2]. Y lo mismo sucede en el ámbito del Derecho concursal con los procedimientos de insolvencia de miembros de un grupo de sociedades, regulados en los artículos 56 a 77 del texto refundido del Reglamento europeo sobre procedimientos de insolvencia, aprobado el 20 de mayo de 2015 (Reglamento UE 2015/848).

Existen algunas disposiciones sectoriales, especialmente en el ámbito de la legislación reguladora de la actividad bancaria, donde la existencia del interés de grupo tiene un amplio reconocimiento (Directiva UE 2013/36 de 26 de junio, sobre el acceso a la actividad y la supervisión prudencial de las entidades de crédito y las empresas de inversión, Reglamento UE 575/2013 de 26 de junio, sobre los requisitos prudenciales de las entidades de crédito y las empresas de inversión, Directiva UE 2014/59 de 15 de mayo, sobre reestructuración y resolución de entidades de crédito y empresas de servicios de inversión).

Pero más allá del reconocimiento de la existencia de los grupos (e incluso en algunas de estas normas sectoriales del interés de grupo) y de su regulación contable[3], no existe en el Derecho societario europeo un tratamiento jurídico de los grupos de sociedades[4].

---

[2]    EDWARDS, V. «*EC Company Law*», Oxford 1999, pág. 390.

[3]    Hoy contenido en la Directiva 2013/34/UE, de 26 de junio de 2013, sobre los estados financieros anuales, los estados financieros consolidados y otros informes afines de ciertos tipos de empresas.

[4]    Desde el año 1990 existe un régimen fiscal armonizado, actualmente establecido por la Directiva 2011/96/UE del Consejo, de 30 de noviembre de 2011, relativa

A ello se suma la diversidad de criterios en los Derechos nacionales de los Estados miembros, tanto por lo que se refiere al concepto de grupo, como al reconocimiento del interés de grupo o del derecho del socio único a interferir en la administración de la sociedad unipersonal, como a la protección de los intereses de los acreedores (y en su caso de los socios minoritarios) de la sociedad dominada[5].

Las soluciones proceden en muchos casos de la jurisprudencia: son pocos los Estados miembros que cuentan con normas legales sobre la materia y menos aun los que disponen de una regulación completa y sistemática (caso de Alemania, Portugal, Hungría, República Checa, Croacia, Eslovenia; en menor medida de Italia).

Muchos ordenamientos reconocen de alguna manera o en cierta medida el interés de grupo, pero otros lo excluyen abiertamente (Austria, Alemania respecto de la sociedad de responsabilidad limitada —GmbH—, no respecto de la anónima —AG—, aunque la jurisprudencia lo ha admitido en ciertos casos también para la primera). Algunas leyes (Bélgica, Portugal) establecen un principio general de responsabilidad de la matriz por las deudas de las filiales. Frecuentemente la ley (Alemania) o la doctrina jurisprudencial (Francia, a partir de 1984 con el caso Rozenblum) exigen que la sociedad matriz compense, de una u otra forma, los perjuicios derivados de las decisiones contrarias al interés de la filial fundadas en el interés del grupo.

Pero las soluciones son diferentes. En el Derecho alemán las pérdidas deben valorarse y compensarse dentro del mismo ejercicio en que se hubieran producido. En cambio la doctrina del Tribunal Supremo francés en el caso mencionado (que se planteó en el ámbito penal) es mucho más laxa, al conformarse, para excluir la responsabilidad por el delito de «abus de biens sociaux» en un traspaso patrimonial intra-grupo, con el cumplimiento de las siguientes condiciones, sin establecer ningún límite cuantitativo o temporal: existencia de un interés común a las dos sociedades en el marco de una política elaborada para el conjunto del grupo, no estar la transferencia patrimonial desprovista de contrapartida

---

al régimen fiscal común aplicable a las sociedades matrices y filiales de Estados miembros diferentes, modificada por la Directiva (UE) 2015/121 del Consejo, de 27 de enero de 2015.

[5]   Puede encontrarse un análisis comparativo de los principales ordenamientos jurídicos europeos en ANDENAS, M.-WOOLDRIDGE, F., «*European Comparative Company Law*», Cambridge 2009, págs. 451-490.

ni romper el equilibrio entre los respectivos compromisos de las diversas sociedades afectadas, no exceder de las posibilidades financieras de la sociedad que sufre el perjuicio. Varios Estados miembros (Bélgica, Países Bajos, Luxemburgo) reconocen el interés de grupo con un enfoque flexible similar al de Francia. En el Reino Unido el planteamiento jurídico es diferente, aunque no las consecuencias. Y algo parecido puede decirse de los países nórdicos.

Pese a toda esta diversidad, se observa una cierta tendencia hacia el reconocimiento del interés de grupo, de la que son manifestaciones en España la sentencia de la Sala 1ª del Tribunal Supremo 695/2015 de 11 de diciembre *(Tol 5589749)*, su antecesora 652/2012 de 8 de noviembre *(Tol 2708621)* y el proyectado «derecho sustantivo de los grupos de sociedades» anunciado en la Exposición de Motivos de la Ley de Sociedades de Capital y contenido en las normas del artículo 291 (1 a 37) del Anteproyecto de Código Mercantil.

El tratamiento jurídico de los grupos no es, desde luego, tarea sencilla, pues implica resolver la tensión entre dos principios opuestos, de una parte la unidad empresarial del grupo societario, cuya consecuencia lógica es la vinculación de las sociedades filiales a las instrucciones procedentes de la matriz en el marco de la política común del grupo, aun cuando puedan resultar perjudiciales al interés individual de aquéllas; de otra parte, la autonomía patrimonial de cada una de las sociedades pertenecientes al grupo, que implica por el contrario la primacía de los intereses de la sociedad dominada y plantea el problema de la responsabilidad frente a los acreedores y, en su caso, de los demás socios de la sociedad dominada, por los perjuicios derivados del cumplimiento de aquellas instrucciones.

Hay que tener en cuenta, además, la diversidad que los grupos de sociedades presentan, tanto desde el punto de vista de los tipos societarios utilizados como del contenido de sus relaciones internas. Encontramos grupos horizontales y verticales, contractuales y de facto, en relación cooperativa o jerárquica; hay matrices y filiales de los más variados tipos, cotizadas o no, solventes y en riesgo de insolvencia, filiales ancilares o de servicio y filiales con actividad propia, participadas íntegramente o sólo en parte, adquiridas en origen por la matriz mediante suscripción en la constitución social de la filial o derivativamente por un título adquisitivo posterior al nacimiento de ésta.

La escasa diligencia del legislador puede explicarse en cierta medida por la complejidad de la materia. Contribuye también a ella la resistencia de los destinatarios de la norma, seguramente por el temor de que llegue a imponerse a la matriz la responsabilidad por las deudas de las filiales o a introducirse algún tipo de responsabilidad común a todas las sociedades integrantes del grupo[6]. Sin embargo, elementales razones de seguridad jurídica abogan por una intervención legislativa, a fin de encontrar un equilibrio entre el interés del grupo y el de cada una de las sociedades que lo componen, de manera que tanto los administradores de dichas sociedades, como los terceros que se relacionan con ellas, como, en su caso, los socios minoritarios, sepan a qué atenerse.

Algún tipo de intervención desde la Unión Europea parece necesaria a la vista de la diversidad de normas en los Estados miembros, anteriormente apuntada, y de la gran difusión de los grupos transfronterizos en la actividad empresarial de nuestro tiempo. El establecimiento de ciertos criterios básicos comunes contribuiría a mejorar la gestión de los grupos internacionales, en beneficio especialmente de las pequeñas y medianas empresas, con menores recursos para afrontar los costes derivados de la diversidad legal. La aprobación de una Directiva enfocada a los aspectos mínimos esenciales sería, probablemente, la forma más apropiada y eficaz. Como quiera que la diversidad legislativa no puede considerarse per se una restricción a la libertad de establecimiento, su fundamento habría de buscarse en el apartado letra g) del artículo 50 2 del TFUE (coordinación, en la medida necesaria y con objeto de hacerlas equivalentes, de las garantías exigidas en los Estados miembros a las sociedades definidas en el párrafo segundo del artículo 54, para proteger los intereses de socios y terceros) y no en al apartado g) de dicha norma (supresión progresiva de las restricciones a la libertad de establecimiento, en cada rama de actividad contemplada, respecto a las condiciones de apertura, en el territorio de un Estado miembro, de agencias, sucursales o filiales)

---

[6]    Es significativo en este sentido el resultado de la consulta pública realizada por la Comisión Europea en marzo de 2012 con ocasión del Plan de acción presentado al Parlamento y al Consejo el 12 de diciembre de 2012. Aunque dos terceras partes de las respuestas procedentes del sector empresarial apoyaron la intervención legislativa, especialmente en cuanto a la mejora de la información sobre grupos y el reconocimiento del interés de grupo, las asociaciones empresariales respondieron que no veían la necesidad de una actuación a nivel de la UE. Las respuestas y la valoración de la Comisión están disponibles en http://ec.europa.eu/internal_market/company/modern/index_en.htm#consultation2012.

## 2. Breve historia de un intento de armonización frustrado

La cuestión lleva, sin embargo, sobre la mesa más de cincuenta años, desde el memorandum de 1 de diciembre de 1965 de la Comisión de la Comunidad Económica Europea acerca de «El problema de la concentración (de empresas) en el Mercado Común»[7]. Entre 1974 y 1984 la Comisión Europea presentó hasta cuatro versiones distintas del proyecto de una novena Directiva sobre grupos de sociedades[8], inspirada en el modelo alemán del «Konzernrecht», con una regulación muy detallada de los grupos horizontales surgidos de un contrato de afiliación. La propuesta, acogida tibiamente cuando no con hostilidad, se limitaba a las filiales constituidas bajo la forma de sociedad anónima y basculaba en torno a dos ejes principales, de una parte la asunción por la sociedad dominante de responsabilidad por las deudas de sus filiales, anteriores o posteriores a la creación del grupo; de otra parte la publicidad de la relación de grupo, acompañada de ciertas medidas dirigidas a evitar los perjuicios que de ella pudieran derivarse para las sociedades dominadas.

Este intento armonizador no obtuvo el suficiente apoyo político y fue abandonado definitivamente en 1990. Desde entonces no se ha reactivado el proyecto. La Comisión Europea parece inclinada hacia un planteamiento más limitado, reducido a intervenciones puntuales para la solución de problemas específicos, o, a lo sumo, a una Directiva marco que reconozca el interés de grupo y establezca las líneas básicas de protección de los acreedores y de los socios minoritarios. Así, en el plan de acción actualmente en curso, publicado el 12 de diciembre de 2012[9], anunciaba simplemente su intención de presentar una iniciativa para mejorar la información disponible sobre los grupos y el reconocimiento del concepto de «interés de grupo», sin especificar cuál fuera a ser el instrumento jurídico utilizado, pero quedando excluida la idea de una regulación íntegra a nivel europeo

---

[7]   GIRÓN LARRUCEA, José Antonio, «La Unión Europea, la Comunidad Europea y el Derecho Comunitario», Sevilla 2002, págs. 441-442.

[8]   Preliminary Draft of a Directive Based on article 54, 3 (g) on Harmonization of the Law of Groups of Companies (Part I - EEC Doc. XI/328/74-E, Part II - EEC Doc. XV/593/75-E).

[9]   La publicación se hizo bajo la forma de una Comunicación de la Comisión al Parlamento, al Consejo y a los Comités económico-social y de las regiones, COM (2012) 740 de 12.12.2012, «Plan de Acción: Derecho de sociedades europeo y gobierno corporativo. Un marco jurídico moderno para una mayor participación de los accionistas y la viabilidad de las empresas», accesible en http://ec.europa.eu/justice/civil/company-law/index_en.htm.

de los grupos de sociedades. En cualquier caso, se ha producido un cambio en la orientación del legislador, en el sentido de tender a facilitar la gestión empresarial por medio del grupo más que a proteger los intereses de los acreedores y socios minoritarios de la filial.

El Parlamento europeo, por su parte, mediante una Resolución aprobada el 14 de junio de 2012, ha solicitado de la Comisión la reanudación de los trabajos para la elaboración de una Directiva sobre grupos, a fin de proporcionar un marco regulatorio a esta forma común de asociación de empresas, entendiendo que no es necesaria una legislación europea plenamente armonizada y sí un conjunto de normas comunes que aborde, entre otros aspectos, la protección de las filiales y de los diversos intereses en juego, así como una mayor transparencia en cuanto a la estructura jurídica y de propiedad[10].

### 3. Propuestas de los expertos

En el ámbito académico han surgido diversas propuestas, entre las cuales destaca la presentada a finales de la década de los noventa, por el Foro Europeo sobre Derecho de Grupos[11], consistente en una serie de normas básicas y principios reguladores, bajo el título «The Corporate Group Law Principles and Proposals» (1998)[12]. La noción de grupo de sociedades descansaría en el elemento del control, según lo establecido en los artículos 1 y 2 de la Séptima Directiva sobre cuentas consolidadas del grupo. La dirección unitaria realizada en interés del grupo quedaría legitimada, bajo ciertas condiciones, según la línea trazada por la doctrina Rozenblum en la jurisprudencia francesa, con la correspondiente responsabilidad frente a los socios y a los acreedores. Se sugiere la introducción de requisitos especiales de información acerca de la estructura interna del grupo y de medidas protectoras en relación con los socios minoritarios (derechos de

---

[10]  Resolución del Parlamento Europeo, de 14 de junio de 2012, sobre el futuro del Derecho europeo de sociedades (2012/2669(RSP), accesible en http://www.europarl.europa.eu/sides/getDoc.do?pubRef=-//EP//TEXT+TA+P7-TA-2012-0259+0+DOC+XML+V0//ES.

[11]  Forum Europaeum Konzernrecht o European Forum on Corporate Group Law, grupo independiente de profesores europeos entre los que figuran los españoles José Miguel Embid Irujo, de la Universidad de Valencia, y Ángel Rojo, de la Universidad Autónoma de Madrid.

[12]  FORUM EUROPAEUM, «Derecho de grupos: por un derecho de los grupos de sociedades», *Revista de Derecho mercantil*, núm. 232, 1999, págs. 445-576.

salida, facultad de la minoría cualificada de solicitar una auditoría bajo control judicial de las actividades del grupo). En caso de insolvencia la sociedad dominante tendría que decidir, en el instante en que comenzara la crisis de su filial, si realiza el saneamiento económico o bien la liquidación ordenada de ésta, bajo sanción de responsabilidad por las deudas de la filial insolvente, en la línea la doctrina del «wrongful trading» procedente del Derecho inglés[13].

En el año 2015 el Foro Europeo sobre Derecho de Grupos ha publicado una actualización de su propuesta, en la que distingue las filiales de servicio o ancilares (participadas al 100%, frecuentemente de menor tamaño y sin clientela propia) de las filiales ordinarias (con actividad y clientela propias, a veces con socios minoritarios). Ambas quedarían sujetas a las instrucciones de la sociedad matriz en interés del grupo y a una misma obligación general de diligencia y lealtad en el desempeño de la administración. Pero respecto de las sociedades de servicio se propone un régimen simplificado (obligación sin más de seguir las instrucciones salvo si comprometen la solvencia de la sociedad en los próximos doce meses), mientras que a las ordinarias se les aplicaría un conjunto de normas más elaborado (reconocimiento de una cierta autonomía dentro de la política general del grupo), buscando el equilibrio entre los diversos intereses afectados a medio y largo plazo a través del plan de empresa del grupo. La vía propuesta, tanto para unas como para otras, es la aprobación de una Directiva[14]

Otras propuestas proceden de los diferentes grupos de expertos creados por la Comisión Europea en los años 2001, 2010 y 2014 para el asesoramiento en las iniciativas legislativas dentro del ámbito del Derecho de sociedades:

– El Grupo cualificado de expertos en Derecho societario (High Level Group of Company Law Experts), creado en el año 2001, se pronunció en su informe de 4 de noviembre de 2002, conocido como informe Winter, en contra de la introducción de una regulación detallada a nivel europeo,

---

[13]   FERNÁNDEZ MARKAIDA, I. «Los grupos de sociedades como forma de organización empresarial», Madrid, 2001, págs. 134-146. WINDBLICHER, C., «Corporate Group Law for Europe»: Comments on the Forum Europaeum's Principles and Proposals for a European Corporate Group Law, European Business Organization Law Review, págs. 265-286.

[14]   FORUM EUROPAEUM ON COMPANY GROUPS, «Proposal to Facilitate the Management of Cross-Border Company Groups in Europe», European Company and Financial Law Review, 2015, vol. 12-2, págs. 299-306.

recomendando en su lugar la opción de establecer determinadas normas para tratar algunos problemas en particular: dirección unitaria del grupo (regla que legitime la política de grupo y la posibilidad de exclusión de los socios minoritarios), transparencia (exigencias reforzadas de publicidad acerca de la estructura y las relaciones de grupo), protección de los acreedores (introducción de la regla del wrongful trading), protección de los socios minoritarios (atribución de un derecho de salida), prevención de abusos realizados mediante grupos piramidales (exclusión de los mercados bursátiles de las sociedades holding cuyos únicos o principales activos estén constituidos por participaciones de control en otras sociedades cotizadas)[15].

– El Grupo de reflexión sobre el futuro del Derecho societario de la Unión Europea (Reflection Group on the future of EU company law), creado por la Comisión Europea en diciembre de 2010, en su informe de 5 de abril de 2011, planteaba eventuales mejoras por lo que se refiere a la información sobre grupos en las sociedades cotizadas y proponía una doble acción legislativa: por una parte, una Recomendación a los Estados miembros favorable al reconocimiento del interés de grupo; por otra parte, la creación mediante una Directiva de una forma simplificada de sociedad limitada unipersonal europea, sujeta a normas armonizadas en cuanto a su constitución, funcionamiento y administración, que serviría tanto para la creación de nuevas empresas individuales como para el establecimiento de filiales por sociedades existentes, de ahí que debería incluir normas protectoras de los acreedores de la filial. Fruto de esta propuesta cabe considerar el proyecto de una nueva Directiva sobre sociedad limitada unipersonal (SUP), publicado por la Comisión Europea el 9 de abril de 2014, objeto de este artículo[16].

– El Grupo informal de expertos en Derecho societario (Informal Company Law Expert Group), conocido como ICLEG por sus siglas en inglés, creado por la Comisión Europea en mayo de 2014, en su informe de octubre de 2016, sugiere abordar a nivel europeo, tal vez por la vía de una Directiva, el reconocimiento del interés de grupo y la regulación de la gestión

---

[15]  HIGH LEVEL GROUP OF COMPANY LAW EXPERTS, «*Report on a Modern Regulatory Framework for Company Law in Europe*», Bruselas, 4 de noviembre de 2002, págs. 94 y ss.

[16]  REFLECTION GROUP ON THE FUTURE OF EU COMPANY LAW, «*Report On the Future of EU Company Law*», Bruselas, 5 de abril de 2011, págs. 59-75, accessible en http://ec.europa.eu/internal_market/company/docs/modern/ reflectiongroup_report_en.htm.

centralizada de tesorería (cash pooling), siguiendo las orientaciones de la jurisprudencia francesa en el caso Rozenblum, con una distinción entre las sociedades íntegramente participadas y las no participadas íntegramente, pues respecto de estas últimas se establecerían medidas específicas de protección tanto de los acreedores como de los socios minoritarios[17].

El mismo grupo (ICLEG) ha presentado en marzo de 2016 otro informe sobre la publicidad de los grupos, en el que se contienen recomendaciones para mejorar la información disponible por los interesados tanto en la sociedad matriz como en sus filiales[18].

Merece ser destacada también una propuesta reciente, presentada en octubre de 2016, por el grupo independiente de expertos asociados bajo el nombre Expertos europeos en Derecho de sociedades (European Company Law Experts), contraria como las anteriores a una intervención masiva del legislador europeo y favorable a determinadas actuaciones selectivas:

– introducción de la regla británica del «wrongful trading»como instrumento de protección de los acreedores y de la atribución a los socios minoritarios de la facultad de solicitar judicialmente un informe por experto independiente.

– resolución de los conflictos de intereses implícitos en las relaciones de grupo mediante la aplicación de las normas sobre operaciones con partes vinculadas que rigen otros conflictos de intereses societarios, como la adquisición por los administradores de activos de la propia sociedad, siguiendo la línea introducida con la revisión de la Directiva 2007/36/CE, de 11 de julio de 2007 sobre el ejercicio de determinados derechos de los accionistas de sociedades cotizadas, cuyo texto ha sido aprobado el 23 de marzo de 2017, de manera que la aprobación de las transacciones intragrupo (o de otras decisiones susceptibles de causar perjuicio a alguna de las sociedades del grupo) por encima de determinado umbral quedaría sometida a un procedimiento especial[19].

---

[17]   INFORMAL COMPANY LAW EXPERT GROUP (ICLEG), «*Report on the recognition of the interest of the group*», octubre 2016, accesible en http://ec.europa.eu/justice/civil/company-law/index_en.htm.

[18]   INFORMAL COMPANY LAW EXPERT GROUP (ICLEG), «*Report on information on groups*», marzo 2016, accesible en http://ec.europa.eu/justice/civil/company-law/index_en.htm.

[19]   EUROPEAN COMPANY LAW EXPERTS (ECLE), «*A proposal for reforming group law in the European Union, Comparative Observations on the way forward*», octubre 2016, accesible en https://europeancompanylawexperts.wordpress.com/

Hemos de mencionar, por último, el proyecto de la Ley Societaria Modelo Europea (European Model Company Act), propuesto por otro grupo de académicos, pues aunque su enfoque es diferente —pretende inspirar al legislador nacional, no al europeo—, dedica el capítulo XV a los grupos societarios, reconociendo el interés de grupo con ciertas limitaciones, en la línea de la doctrina Rozenblum y estableciendo diversos mecanismos para la protección de los socios minoritarios y los acreedores[20].

## II. EL PROYECTO DE UNA NUEVA DIRECTIVA SOBRE SOCIEDAD LIMITADA UNIPERSONAL (SUP), PUBLICADO POR LA COMISIÓN EUROPEA EL 9 DE ABRIL DE 2014

Se trata de un proyecto bien conocido[21], por lo que nos limitaremos aquí a unas simples pinceladas para recordar su origen, los objetivos (que

---

[20] Aunque el proyecto, dirigido actualmente por el profesor de Copenhague Paul Krüger Andersen, ha sido presentado en Viena en septiembre de 2015 y en Roma en 2017, el texto completo no está disponible todavía en internet. Puede accederse a una parte del mismo en http://law.au.dk/en/research/projects/european-model-company-act-emca/

[21] En la doctrina española ha estudiado especialmente este Proyecto ESTEBAN VELASCO, G., «La propuesta de Directiva sobre la "Societas Unius Personae" (SUP): las cuestiones más polémicas», en *El Notario del siglo XXI,* marzo-abril 2015 (n° 60), págs. 148-151. (http://www.elnotario.es); «La propuesta de Directiva relativa a las sociedades unipersonales de responsabilidad limitada: (en especial la "Societas Unius Personae")», en ROJO FERNÁNDEZ DEL RÍO, A. J. y CAMPUZANO LAGUILLO, A. B. (coords.), *Estudios jurídicos en memoria del profesor Emilio Beltrán: liber amicorum,* vol. 1, 2015, págs. 909-940; y «La propuesta de Directiva sobre la "Societas Unius Personae" (SUP): El nuevo texto del Consejo de 28 de mayo de 2015», en *Anales de la Academia Matritense del Notariado,* 2015, pág. 105-164. Vid. también FUENTES NAHARRO, M. «Una primera aproximación al test de solvencia recogido en la propuesta de Directiva sobre la societas unius personae (SUP)», documento de trabajo del Departamento de Derecho Mercantil de la Facultad de Derecho en la Universidad Complutense de Madrid, 2015/97, octubre 2015, accesible en http://www.ucm.es/eprints; LUCINI MATEO, A., «En torno al proyecto de Directiva europea sobre la Sociedad Limitada Unipersonal (SUP) presentado por la Comisión Europea el 9 de abril de 2014», en *La Ley Mercantil,* 2015 (n° 10), págs. 24-32; «El proyecto de Directiva europea acerca de la Sociedad Limitada Unipersonal: un proyecto polémico y un futuro incierto», en *El Notario del Siglo XXI,* n° 61 (mayo-junio 2015) págs. 54-58.; y «Reflexiones acerca del proyecto de Directiva europea sobre Sociedad Limitada Unipersonal (SUP), de fecha 9-4-2014», en *Cuadernos de Derecho y comercio,* n° 63, 2015, págs. 13-44; MAMBRILLA RI-

incluyen facilitar la construcción de un Derecho europeo de grupos), el fundamento legal y los principales rasgos de su contenido, señalando los cambios introducidos por el Consejo de la UE en el texto acordado en el Consejo de competitividad el 28 mayo de 2015; y a dar noticia de la situación actual en que este proyecto se encuentra.

## 1. Origen del proyecto

Aunque otra cosa pueda parecer a primera vista por la elección de una Directiva como instrumento, esta iniciativa de la Comisión Europea se inserta en el proceso de abandono de la idea tradicional de armonización de los regímenes nacionales de Derecho societario, para sustituirla por la adopción de medidas indirectas y no sistemáticas tendentes a la mejora del entorno jurídico de las PYMES, bajo la invocación de sus actividades transfronterizas, con el propósito de implantar un nuevo modelo inspirado en el Derecho inglés, opción político-jurídica abiertamente preferida por la Comisión europea. El antecedente inmediato es el fracasado proyecto de Estatuto de la Sociedad Privada Europea, presentado el 25 de junio de 2008 y retirado definitivamente el 2 de octubre de 2013, ante la imposibilidad de lograr el acuerdo unánime de los Estados miembros requerido para su aprobación como Reglamento europeo, de conformidad con el artículo 308 del Tratado CE (actualmente 352 del TFUE) que constituía el fundamento de la intervención del legislador europeo.

## 2. Objetivos

La propuesta cubre varios objetivos. Pretende facilitar a las PYMES el establecimiento en el extranjero, reduciendo los costes en la constitución transfronteriza y las diferencias en este sentido entre residentes y no residentes. Pretende, también, facilitar la construcción del Derecho de gru-

---

VERA, V., «Propuesta de Directiva relativa a las sociedades unipersonales privadas de responsabilidad limitada unipersonal», en *Revista de Derecho de sociedades*, nº 43, 2014, págs. 531-536; RONCERO SÁNCHEZ, A., «Societas Unius Personae: analysis from the perspective of Spanish law», en VIERA GONZÁLEZ J.-TEICHMANN C. (Dirs.), *«Private companies in Europe: the Societas Unius Personae (SUP) and the recent developments in the EU Member States»*, Cizur Menor (Navarra), 2016, págs. 199-224; VELASCO SAN PEDRO, L. A., «De la societas privata europaea a la societas unius personae en las propuestas europeas», en *Cuadernos de derecho transnacional*, vol. 9, n°. 1, 2017, págs. 327-341.

pos, al establecer un régimen europeo uniforme para las sociedades íntegramente participadas e introducir en su artículo 27 el derecho de la sociedad matriz a dar instrucciones al órgano de administración de la filial, si bien con el límite del respeto a lo dispuesto en los estatutos y en la ley nacional aplicable. Aspira, de paso, y no es éste el aspecto menos importante, al igual que su antecedente, a la implantación de un nuevo paradigma en el Derecho societario europeo[22], basado en la simplificación administrativa, la introducción de procedimientos electrónicos de constitución on line, la libre elección del Derecho nacional aplicable independientemente del lugar en que radique el centro de decisión o la actividad productiva, la flexibilización del funcionamiento interno, la revisión de la función del capital social y el refuerzo de la responsabilidad de los administradores como medio de tutela de los acreedores.

## 3. Fundamento legal

La intervención del legislador europeo se basa aquí en el artículo 50 del TFUE, que se refiere a las Directivas del Parlamento europeo y del Consejo como medio de alcanzar la libertad de establecimiento en una determinada actividad, lo que implica sujetar su aprobación al procedimiento legislativo ordinario, es decir, por mayoría en vez de por unanimidad. La Exposición de motivos del proyecto se refiere en particular al artículo 50 2 f) del TFUE, esto es, a la eliminación progresiva de las restricciones sobre la libertad de establecimiento por lo que respecta a las condiciones de apertura de filiales.

Aunque los servicios jurídicos del Consejo de la UE han respaldado esta base legal, parece que la propuesta de la Comisión va más allá de una simple medida armonizadora, para establecer una nueva forma societaria europea, aunque sea de tipo mixto o un sub-tipo: hay una etiqueta única europea, un sistema específico de constitución «on line» basado en estatutos modelo cuya redacción se encomienda a la Comisión europea, otra vía de constitución que es la transformación de una SL en SUP, una regla propia en materia de Derecho internacional privado que permite disociar la sede real de la registral, un régimen de responsabilidad peculiar y novedoso que suprime prácticamente el capital mínimo y relega la función protectora del capital social, sustituyéndola por la declaración de solvencia del órgano de

---

[22] ESTEBAN VELASCO, G., «La propuesta de Directiva sobre la "Societas Unius Personae" (SUP): El nuevo texto…», *cit.* pág. 112.

administración y una previsión específica en cuanto a la estructura orgánica. De ahí que voces autorizadas, como la del Comité Económico y Social Europeo (en su Dictamen aprobado por una amplia mayoría los días 10 y 11 de septiembre de 2014 y publicado en el Diario Oficial de la Unión Europea el 19 de diciembre de 2014)[23], el Senado alemán (por acuerdo de 11 de julio de 2014)[24] o el Consejo de los Notariados de la Unión Europea (en la resolución aprobada el 24 de abril de 2014)[25] hayan advertido que este proyecto excede de la simple armonización y exigiría la aprobación de un Reglamento, con fundamento legal en el mencionado artículo 352 del TFUE, es decir, la unanimidad en el seno del Consejo europeo, tal como ha declarado el TJUE en la sentencia de 2 de mayo de 2006 (C-436/03), a propósito del Reglamento (CE) n° 14-35/2003 del Consejo, de 22 de julio de 2003, relativo al Estatuto de la Sociedad Cooperativa Europea (SCE).

Por otra parte, es la primera vez que una Directiva en materia societaria se funda en el apartado letra f) del artículo 50 2 del TFUE (supresión progresiva de las restricciones a la libertad de establecimiento en cada rama de actividad respecto a las condiciones de apertura de agencias, sucursales o filiales). Tanto la Directiva 2009/102/CE, cuyo texto pretende sustituir el proyecto que comentamos, como las demás Directivas europeas en materia societaria (incluso la Undécima Directiva 89/666/CEE, de 21 de diciembre de 1989, relativa a la publicidad de las sucursales), refieren su base legal al apartado letra g) de los mismos artículo y párrafo, esto es, a la coordinación, en la medida necesaria y con objeto de hacerlas equivalentes, de las garantías exigidas en los Estados miembros para proteger los intereses de socios y terceros.

---

[23] Dictamen del Comité Económico y Social Europeo sobre la Propuesta de Directiva del Parlamento Europeo y del Consejo relativa a las sociedades unipersonales privadas de responsabilidad limitada. COM(2014) 212 final - 2014/0120 (COD) (2014/C 458/04). El texto se puede encontrar en http://eur-lex.europa.eu/legal-content/EN/TXT/?uri=uriserv%3AOJ.C_.2014.458.01.0019.01.ENG.

[24] Beschluss des Bundesrates 11.07.14 (Drucksache 165/14). El texto en alemán se puede encontrar en https://www.bundesrat.de/SharedDocs/drucksachen/2014/0101-0200/165-14(B)(2).pdf?__blob=publicationFile&v=1.

[25] Position of the Council of the Notariats of the European Union concerning the proposal for a Directive on the single-member private limited liability company (SUP), Brussels, 26 May 2014. El texto se puede encontrar en http://www.notaries-of-europe.eu//index.php?pageID=11152&change_language., en inglés y en francés.

En la medida en que el artículo 50 2 f) del TFUE, invocado como base legal del texto propuesto, se refiere a las restricciones al libre establecimiento de agencias, sucursales o filiales, sólo cubriría la intervención del legislador europeo respecto a la creación por empresas ya existentes de filiales en otros Estados miembros, y ello suponiendo la existencia de tales restricciones (lo que en este caso ha sido invocado pero no demostrado)[26]. Fuera de ese ámbito, la UE carece de poderes de actuación y entra en juego lo dispuesto en el artículo 352 del TFUE con carácter general respecto a las actuaciones no previstas en los Tratados, es decir, se requiere la aprobación por unanimidad en el Consejo de la UE, a propuesta de la Comisión y previa aprobación del Parlamento Europeo. Es el caso, por ejemplo, de la regulación del primer establecimiento de una persona física o jurídica en ausencia de cualquier elemento transnacional, que a todas luces excede de lo previsto en el artículo 50 2 f) del TFUE.

## 4. Aspectos más significativos del contenido normativo

Cabe destacar los siguientes aspectos en relación con el texto inicialmente presentado por la Comisión Europea:

– La SUP puede ser constituida por cualquier persona física residente en la UE o por cualquier persona jurídica inscrita en un Estado miembro, ya «ex novo», ya por vía de transformación de una sociedad limitada preexistente, sin que se requiera la realización o el propósito de realización de una actividad económica trasnacional, ni se establezca restricción alguna por razón del tamaño de la empresa.

– Se rige por estatutos-tipo, disponibles por medios electrónicos, cuya elaboración se encomienda a la Comisión, con la asistencia de un Comité de expertos.

– La inscripción de la sociedad en el Registro mercantil se realiza online, sin que los Estados miembros puedan exigir la presencia física de los socios ante una autoridad nacional del Estado miembro en que vaya a inscribirse.

---

[26] Desde luego no pueden calificarse así los costes del desplazamiento entre dos puntos más o menos distantes, que se producen por igual en cualquiera de las direcciones; ni los derivados de la exigencia por los Estados de un control preventivo de legalidad, siempre que se aplique de forma justificada, proporcionada y no discriminatoria respecto a los no nacionales o no residentes.

– Los Estados miembros pueden establecer normas para controlar la identidad del fundador y la legalidad de los documentos presentados a inscripción, pero necesariamente han de aceptar la identificación efectuada en otro Estado miembro, incluso por medios electrónicos.

– El domicilio inscrito y la sede real (centro de administración o establecimiento principal) han de estar dentro de la UE, pero no necesariamente en el mismo Estado miembro.

– El capital mínimo es 1 euro y ha de estar íntegramente suscrito y desembolsado al tiempo de la constitución de la sociedad. Se prohíbe a los Estados miembros imponer la obligación de constituir reservas legales.

– La acción única puede pertenecer a varios socios en proindiviso, si la ley nacional no dispone lo contrario, lo que abre la puerta a sociedades limitadas de participación única, más que de único socio, y a la eventual aplicación en el ámbito de la SL de un régimen tan dispar del societario como es el de la copropiedad.

– Para el reparto de beneficios se requiere, además de superar la prueba del balance, una declaración de solvencia de la sociedad suscrita por el órgano de administración.

## 5. Cambios introducidos en el texto de compromiso aprobado por el Consejo de la UE el 28 de mayo de 2015

El 28 de mayo de 2015 se alcanzó en el Consejo de la Unión Europea un acuerdo «in extremis» sobre el texto de la Directiva, al sumarse a la mayoría el Gobierno húngaro, que hasta entonces había constituido una minoría de bloqueo junto a los Gobiernos de Alemania, Austria, Bélgica, España y Suecia, todos ellos contrarios al proyecto por diversas razones. En el texto de compromiso[27] hay diferencias importantes respecto a la propuesta inicial de la Comisión, en el sentido de extender la aplicación del Derecho nacional, reduciendo el ámbito de la armonización hasta el punto, por lo que al Derecho de grupos se refiere, de desvirtuar la utilidad de la SUP para el funcionamiento de los grupos de empresas.

---

[27]   El texto en inglés puede encontrarse en http://data.consilium.europa.eu/doc/document/ST-8811-2015-INIT/es/pdf.

En la denominación social se introduce la posibilidad de que un Estado miembro exija a las sociedades que en él se inscriban añadir al nombre la indicación del Estado de registro.

En el domicilio social se suprime la norma (artículo 10 y considerando 12) que permitía disociar el domicilio registral y la administración central de la sociedad en dos Estados diferentes. La SUP se regiría, pues, en este punto por la norma de Derecho nacional vigente para la sociedad limitada en cada Estado miembro, lo cual es, sin duda, más coherente con la afirmación de que se trata de un tipo societario de Derecho nacional.

En los estatutos sociales se suprime la delegación en la Comisión europea para establecer el modelo y el formulario de registro, cuya determinación se remite al Derecho nacional, dentro de los límites impuestos por la Directiva (que establece un contenido máximo).

En el procedimiento de constitución se excluye que los Estados miembros puedan exigir la comparecencia personal ante una autoridad pública en cualquier Estado miembro (no sólo en el de Registro, como en el texto inicial), pero el artículo 14 a) 1 del texto de compromiso aprobado en el Consejo contempla el control de legalidad en cuanto a la identificación y la capacidad del socio fundador, de conformidad con lo establecido en la legislación nacional. Esta norma ha de ponerse en relación con la nueva redacción del considerando 18, que habilita el uso a tal efecto de la videoconferencia u otros medios de comunicación audiovisual simultánea compatibles con la constitución on-line.

En el régimen del capital social se introduce la posibilidad de que la ley nacional exija obligatoriamente la constitución de reservas legales en forma de un porcentaje de los beneficios y/o hasta alcanzar el capital mínimo exigido a la sociedad limitada del tipo general. También se abre la puerta a la dispensa de la exigencia del desembolso íntegro, de acuerdo con lo dispuesto en la ley nacional.

En cuanto a los órganos sociales, se suprime buena parte de las normas del proyecto inicial, entre ellas la del artículo 22.7 acerca del administrador de hecho y la del artículo 23, que atribuía al socio único derecho a dar instrucciones al órgano de administración, con el límite del respeto a lo establecido en la escritura de constitución y en la ley nacional aplicable, norma esta última en la que asomaba un tímido reconocimiento del interés de grupo, aún desvirtuado por la remisión al Derecho nacional.

## 6. Situación actual del proyecto en su tramitación legislativa

El proyecto se encuentra paralizado en la Comisión de Asuntos Jurídicos del Parlamento europeo (competente en cuanto al fondo del asunto), al haber tropezado con una fuerte oposición entre los grupos de izquierda y en parte de la derecha alemana. Este rechazo es reflejo del que desde su publicación el proyecto ha encontrado en diferentes asociaciones profesionales, no solo los Sindicatos, también en algunas organizaciones empresariales. Resulta significativa, en este sentido, la opinión del Comité Económico y Social Europeo, anteriormente aludida, que rechazó la propuesta por una mayoría superior a los dos tercios, es decir, con la oposición no sólo de los representantes de los trabajadores, sino también de la mayoría de las entidades que integran el Grupo III, en el que se encuadran las asociaciones de pequeñas empresas, cooperativas y profesionales. También ha sido rechazado por la segunda de las asociaciones patronales de Alemania, la de la construcción. Los empresarios alemanes de este sector temen, al igual que el Comité Económico y Social Europeo, que el nuevo instrumento europeo incentive la competencia desleal por la vía de la sustitución de los contratos de trabajo por arrendamientos de obra o de servicios con sociedades unipersonales, en fraude de las normas del Derecho laboral.

Parecido temor ha inspirado la opinión de la Comisión de Empleo y Asuntos Sociales del Parlamento Europeo, presentada el 29 de junio de 2015, en el sentido de recomendar a la Comisión Europea la retirada del proyecto[28]. En cambio, la Comisión de Mercado Interior ha emitido, con fecha 23 de julio de 2015, una opinión no tan crítica[29], que se limita a sugerir determinadas enmiendas, similares algunas a las que han sido introducidas por el Consejo de la UE en el texto de compromiso aprobado el 28 de mayo de 2015.

El informe del ponente en la Comisión de Asuntos Jurídicos (el eurodiputado del Grupo Popular Europeo Luis de Grandes) no ha sido presentado todavía, aunque sí dos documentos de trabajo preliminares, uno el 6

---

[28]   Por una mayoría de 35 votos a favor de esta opinión y 14 en contra. El texto está accesible en http://www.europarl.europa.eu/sides/getDoc.do?pubRef=-//EP//TEXT+COMPARL+PE-549.466+02+NOT+XML+V0//ES

[29]   Con el apoyo de 21 diputados, 17 en contra y una abstención. Puede encontrarse el texto en http://www.europarl.europa.eu/sides/getDoc.do?pubRef=-%2f%2fEP%2f%2fNONSGML%2bCOMPARL%2bPE-546.844%2b02%2bDOC%2bPDF%2bV0%2f%2fES

de febrero de 2015, otro el 26 de enero de 2016[30]. En el primero se sugiere limitar el ámbito de la Directiva a las pequeñas y medianas empresas. El segundo documento de trabajo abunda en la misma idea, planteando una limitación aún mayor: la Directiva se aplicaría tan sólo a las microempresas y a las pequeñas empresas (según la definición establecida en la Directiva contable 2013/34/UE), para lo cual se propone, por una parte, reservar la posibilidad de constituir una SUP a las personas jurídicas que al tiempo de la constitución ostenten la condición de micro o pequeña empresa; y, por otra parte, que las SUP que dejen de tener tal condición, al rebasar los umbrales máximos previstos en la Directiva contable, deban optar entre transformarse o disolverse. Tal enfoque reduciría, evidentemente, la posibilidad de utilizar esta forma social para estructurar la actividad internacional de los grupos de empresas. Y lo mismo puede decirse de la propuesta de suprimir las normas relativas a las relaciones entre el socio único y la SUP, al igual que en el texto de compromiso aprobado en el Consejo el 28 de mayo de 2015.

## III. LA SUP COMO INSTRUMENTO PARA LA CREACIÓN Y FUNCIONAMIENTO DE GRUPOS SOCIETARIOS

### 1. *La supresión del artículo 2.2 de la Directiva 2009/102/CE*

El proyecto de la Comisión suprime la norma actualmente contenida en al artículo 2.2 de la Directiva 2009/102/CE, de 16 de septiembre de 2009, relativa a las sociedades de responsabilidad limitada de socio único, que autoriza a los Estados miembros, en tanto no se lleve a cabo la coordinación de las disposiciones nacionales en materia de grupos, a establecer disposiciones especiales o sanciones para el caso de que una persona física sea socio único de varias sociedades, o para el caso de que una sociedad unipersonal o cualquier otra persona jurídica sea socio único de una sociedad.

Ello implicaría la supresión de las restricciones actualmente existentes en algunos ordenamientos nacionales, como el polaco, que niega a las so-

---

[30]  El texto de los dos documentos de trabajo puede encontrarse en http://www.europarl.europa.eu/committees/es/search-in-documents.html?ufolderComCode=&ufolderId=&urefProcCode=COD&linkedDocument=true&ufolderLegId=&urefProcYear=2014&urefProcNum=0120.

ciedades de responsabilidad limitada el derecho a crear subsidiarias íntegramente participadas[31].

## 2. Las instrucciones vinculantes del socio al órgano de administración

En el considerando 23 del texto presentado por la Comisión el 9 de abril de 2014 se afirma que «facilitar la actividad de los grupos de empresas» constituye la finalidad de la norma del artículo 23, que faculta al socio para impartir al órgano de administración instrucciones vinculantes.

La nueva Directiva, sería pues, el primer instrumento de Derecho comunitario en abordar el tratamiento de los grupos, introduciendo una mínima coordinación a nivel europeo, en seguimiento de las recomendaciones formuladas por el «Reflection Group on the future of EU company law» en su informe de 5 de abril de 2011. Tal orientación puede explicar en parte la insólita adopción del artículo 50 2 f) del TFUE como fundamento legal del proyecto[32], cuando, como ya hemos apuntado anteriormente, todas las Directivas de Derecho societario hoy vigentes se basan en el artículo 50 2 g).

Sorprendentemente, sin embargo, el proyecto no aporta soluciones normativas para los problemas básicos del Derecho de grupos, como el reconocimiento del interés de grupo, las garantías de los acreedores y de los socios minoritarios o la responsabilidad de los administradores por el cumplimiento de las instrucciones de la matriz dictadas en interés del grupo. Simplemente delimita en los artículos 21, 22 y 23, a fin de facilitar el funcionamiento de los grupos societarios, el ámbito de las competencias del

---

[31]   TEICHMANN, C., «Corporate Groups within the Legal Framework ot the European Union: The group-related Aspects of the SUP Proposal and the EU Freedom of Establishment», en *European Company and Financial Law Review*, vol. 12, agosto 2015, págs. 225-226. Según este autor la supresión del artículo 2.2 de la Directiva 2009/102/CE implicaría igualmente la necesaria supresión del artículo 213. 2 del Código de Sociedades belga, que impone a las sociedades de responsabilidad limitada soportar las pérdidas de sus filiales íntegramente participadas, y que, en su opinión —excesivamente radical, a nuestro juicio— sería incompatible con la libertad de establecimiento.

[32]   MALBERTI, C. «The Societas Unius Personae between the Attainment of the Freedom of Establishment and the Harmonization of Company Law», en PRÜM, A (dir.), *«Cent ans de Droit luxembourgeois de sociétés»*, Bruselas, 2016, págs. 516-517. A juicio de este autor el artículo 50 2 f) constituye una base legal insuficiente por lo que respecta a algunas normas de la propuesta, como las que establecen los poderes representativos del órgano de administración o la estructura interna de la SUP.

socio único respecto del órgano de administración. Esta aproximación incompleta se debe, al parecer, a que el propósito de la Comisión es abordar el reconocimiento del interés de grupo, según lo anunciado en el plan de actuación, mediante una iniciativa legislativa diferente de ésta. Pero no se han explicado las razones de tal separación ni el interés que pueda haber aconsejado mezclar en una misma Directiva la armonización de la sociedad cerrada de responsabilidad limitada con este tratamiento fragmentario de los grupos societarios.

El artículo 21 atribuye al socio único facultades decisorias —sin necesidad de celebrar junta general ni más obligación formal que la de su consignación por el propio socio único en acta, a conservar durante al menos cinco años—, enumerando los asuntos de su exclusiva competencia, no delegables en el órgano de administración, que van desde la aprobación de las cuentas anuales hasta la transformación o disolución de la sociedad, pasando por la distribución de beneficios, el cese y nombramiento de los administradores, la fijación de su retribución y cualquier modificación de los estatutos sociales. Sin embargo, el artículo 21 ha sido suprimido en el texto de compromiso aprobado por el Consejo de la Unión Europea el 28 de mayo de 2015.

El artículo 22 regula la estructura y funcionamiento del órgano de administración, atribuyendo a éste en el apartado 3 el ejercicio de todas aquellas facultades que no sean ejercidas por el socio único, lo que parece sugerir que el socio único tendría una amplia libertad estatutaria para asumir personalmente o dejar en manos del órgano de administración las tareas de gestión propias de éste.

El punto 7 del artículo 22 se refiere al administrador de hecho siguiendo el concepto de «shadow director» del Derecho británico. Lo define como «cualquier persona, cuyas directrices o instrucciones estén acostumbrados a seguir los administradores de la sociedad, sin haber sido nombrada oficialmente» y le impone todos los deberes y responsabilidades propios del órgano de administración. Desde el punto de vista de los grupos societarios, esta norma plantea el problema de la eventual atribución de tales responsabilidades, como administrador de hecho, a la sociedad matriz que haga uso de la facultad de dar instrucciones al órgano de administración, según lo previsto en el artículo 23, por lo que se ha sugerido la introducción de una excepción similar a la del artículo 251.3 de la Companies act británica[33].

---

[33]    TEICHMANN, C., *op. cit.* pág. 227.

No obstante, en el texto de compromiso aprobado por el Consejo de la Unión Europea el 28 de mayo de 2015, ha desaparecido buena parte de las previsiones contenidas en el artículo 22 del texto inicial presentado por la Comisión, entre ellas las de los números 3 y 7 a las que acabamos de referirnos.

El artículo 23.1 permite, en principio, una amplia injerencia del socio único en el ámbito de la gestión, al proclamar el derecho de aquél a dar instrucciones al órgano de administración. Pero el número 2 del mismo artículo limita esta facultad al excluir la obligación de cumplir las instrucciones contrarias a la escritura de constitución o a la ley nacional aplicable, lo que viene a introducir una notable inseguridad y abre la puerta a interpretaciones muy diversas, manteniendo las dificultades que actualmente derivan de la diversidad de soluciones jurídicas nacionales.

Según el artículo 7.4 del proyecto inicial, la ley nacional aplicable sería la del Estado miembro de registro de la SUP, por lo que en el caso de separación entre la sede registral y la sede real de la sociedad, podrían quedar insuficientemente protegidos los intereses de los acreedores. Y en el caso de insolvencia podrían plantearse dificultades como consecuencia de la diferencia entre esta norma de conflicto y la establecida en los artículos 3.1 y 7.1 del Reglamento UE 848/2015, de 20 de mayo de 2015, por el que se aprueba el texto refundido sobre procedimientos de insolvencia, que remite a la ley del Estado miembro en cuyo territorio se sitúe el centro de intereses principales del deudor[34], el cual suele coincidir en la práctica con el de la sede del órgano de administración. Sin embargo, en el texto de compromiso el artículo 7.4 del texto inicial se modifica, añadiendo una referencia a la ley nacional aplicable a la sociedad limitada ordinaria (que se aplicaría a aquellas materias no reguladas específicamente en esta Directiva) y dejando a salvo la aplicación de la Ley nacional a todas las materias que quedan fuera del ámbito de la misma, entre ellas, expresamente, los procedimientos de insolvencia y los conflictos de leyes.

Las instrucciones del socio único no serían además, oponibles a los terceros, pues frente a éstos se aplica la regla general protectora de la confianza en la representación orgánica de los administradores, expresamente

---

[34]   KINDLER P., «*The Single-Member Limited Liability Company (SUP), A Necessary reform of EU Law on Business Organizations?*», Munich, 2016, págs. 41-42. Cabe recordar que en una versión anterior al texto de compromiso (la aprobada bajo la Presidencia italiana del Consejo de la UE), el artículo 23 se refería tanto la ley del Estado de registro como a la del Estado en el que opera la sociedad.

recogida en el artículo 24.2 del proyecto inicial (suprimido en el texto de compromiso).

La Comisión europea ha expresado su confianza en que la norma del artículo 23 favorezca la creación de grupos transfronterizos. Sin embargo la remisión al Derecho nacional podría operar como un factor disuasorio, al enfrentar a la sociedad matriz con la diversidad de sistemas legales y de criterios jurisprudenciales anteriormente apuntada.

En cualquier caso, en el texto de compromiso aprobado por el Consejo de la UE, se han suprimido el considerando 23 y el artículo 23 del proyecto de la Comisión, debido a las divergencias entre los delegados nacionales acerca del significado y alcance de la norma, con lo que decae la utilidad de esta Directiva como instrumento para el funcionamiento de los grupos de empresas.

### 3. Responsabilidad de los administradores

La insuficiencia de la propuesta se pone de manifiesto también en el régimen de la responsabilidad de los administradores, otro ámbito de gran importancia para la actividad transnacional de los grupos empresariales. El proyecto inicial no contiene ninguna previsión específica para salvar el cumplimiento, dentro de determinados límites, por el órgano de administración de la filial de las instrucciones recibidas de la matriz en interés del grupo. No hay más norma al respecto que la previsión general del artículo 18.5 (mal traducida en la versión española, pues en inglés dice justo lo contrario), en la que se establece la responsabilidad personal del administrador que hubiera ordenado o recomendado una distribución de beneficios sabiendo o debiendo saber que reduciría los activos de la sociedad por debajo de la cifra del capital más las reservas no disponibles o que impediría a la sociedad atender el pago de sus obligaciones, en contra de lo dispuesto en los números 2 y 3 del mismo artículo. A esta responsabilidad se suma la obligatoria devolución de lo recibido por el único socio (artículo 19). Por lo demás, son aplicables a la SUP las disposiciones del Derecho nacional referentes a la responsabilidad de los administradores de la sociedad limitada.

No obstante, el texto de compromiso suprime también en este punto aquélla mínima armonización y remite a la ley nacional el establecimiento o no de un régimen específico de responsabilidad por las distribuciones irregulares de beneficios.

## 4. Constitución on line de sociedades filiales

Insuficiente en inicio, es muy poco lo que, tras el acuerdo en el Consejo de competitividad del 28 de mayo de 2015, ha quedado del proyecto inicial de la Comisión que pueda servir para la construcción de grupos societarios europeos. Tan sólo la facilidad que, teóricamente, se derivaría de la posibilidad de constituir on line una filial en cualquier Estado miembro, sin necesidad de comparecencia personal del fundador ante una autoridad del Estado miembro de registro. Pero en este aspecto el proyecto merece serias objeciones, por lo que se refiere tanto al fundamento de la intervención legislativa como a su congruencia con el ordenamiento vigente y con las orientaciones de política jurídica seguidas en otros ámbitos conexos.

La justificación aducida en la Exposición de motivos se centra única y exclusivamente en la conveniencia de disminuir los costes de constitución y funcionamiento de las PYMES a la hora de establecerse en el extranjero, cuando no hay datos que reflejen la existencia de un problema de esta naturaleza que obstaculice el libre establecimiento en el mercado único y pueda justificar la intervención a nivel comunitario a través de una Directiva. Por el contrario, la mayor parte de los Estados miembros ha realizado durante los últimos años reformas en el Derecho de sociedades tendentes a favorecer el emprendimiento a través de la simplificación y el abaratamiento de los procedimientos de constitución de sociedades, en línea con las recomendaciones de la propia Comisión europea. Y todos los Estados miembros conocen la institución de la representación voluntaria, que permite de un modo muy sencillo ahorrar tiempo y gastos de desplazamiento. La Comisión pasa por alto también que la exigencia de un control público previo a través de la intervención notarial, no solo supone un coste para la nueva sociedad, también aporta valor a ésta, a todos los terceros que van a relacionarse con ella y al Estado. La supresión de ese control público implica necesariamente incurrir en costes alternativos o desplazar los costes hacia los terceros y la Administración pública.

En cualquier caso, no puede sostenerse seriamente la calificación que se hace en la Exposición de motivos del proyecto, como restricción a la libertad de establecimiento, de la exigencia legal de una presencia física ante notario u otra autoridad del Estado miembro de registro, por el hecho de implicar costes más elevados para los fundadores extranjeros que para los nacionales, pues tales costes derivan del hecho natural de la distancia en el espacio, sin que el requisito legal que se pretende suprimir, en sí mismo considerado, pueda ser considerado injustificado o desproporcionado, ni implique discriminación alguna. No hay razón objetiva que justifique la intervención en este punto sobre la base del artículo 50 2 f) del TFUE.

Hay también una incoherencia muy acusada respecto a la línea de rigor seguida por el legislador europeo en materia de prevención del blanqueo de capitales, a impulsos de las recomendaciones del Grupo de Acción Financiera Internacional (GAFI). La Directiva actualmente en vigor, Directiva UE 2015/849, de 20 de mayo de 2015, conocida como Cuarta Directiva, cuyo plazo de trasposición finaliza el 26 de junio de 2017, exige un mayor esfuerzo de los Estados miembros y de los sujetos obligados en la lucha contra el blanqueo de capitales y la financiación del terrorismo, mediante medidas como el reforzamiento de la diligencia exigida a los profesionales en orden a la detección y comunicación de operaciones sospechosas, la inclusión de los delitos fiscales en la definición de actividades delictivas y la insistencia en la identificación del titular real de las personas jurídicas, para lo cual se insta a los Estados miembros a la creación de un registro central o una base central de datos que mantenga esa información actualizada. La revisión de la Cuarta Directiva está ya en marcha, mediante el proyecto de una nueva Directiva, presentada por la Comisión europea el 8 de julio de 2016, que ha sido aprobada por el Consejo de la UE y está siendo actualmente debatida en el Parlamento europeo. En la misma línea de rigor creciente, propone nuevas medidas dirigidas a luchar más eficazmente contra la financiación del terrorismo y a aumentar la transparencia de las transacciones financieras y de las entidades societarias.

El proyecto de Directiva sobre la SUP camina, en cambio, en la dirección opuesta, al impedir a los Estados miembros exigir la comparecencia física ante un notario u otra autoridad investida de funciones de control preventivo. El modelo de la Comisión europea parece ser el Registro inglés, al que la información sobre las compañías accede por simple manifestación, sin control alguno acerca de la identidad, capacidad y legitimación de los declarantes, ni de la realidad de sus aportaciones. La escasa fiabilidad de los datos se advierte en la página web, donde se avisa también de que se dan alrededor de entre 50 y 100 casos al mes de «robo de identidad».[35]

Aunque el texto de compromiso ha introducido modificaciones, al remitir a la ley nacional el control de la identidad y de la capacidad del fundador, se considera una línea roja la posibilidad de realizar la totalidad del procedimiento de inscripción en línea, sin que el fundador haya de com-

---

[35]   https://www.gov.uk/guidance/protect-your-company-from-corporate-identity-theft.

parecer personalmente ante un notario u otra autoridad, ni en el Estado de origen ni en el de registro de la SUP.

En cuanto al uso de la video-conferencia u otros medios de comunicación audiovisual simultánea compatibles con la constitución on-line, a los que se refiere el considerando 18 (en la redacción introducida en el texto de compromiso), tales medios constituyen instrumentos de peor calidad para el ejercicio de funciones de control que la interacción personal con el fundador. Y su puesta en funcionamiento en las condiciones técnicas y de seguridad adecuadas tiene cierta complejidad e implica costes. No puede considerarse, pues, una solución, por lo que su uso, si llegara a implantarse, entendemos que debería quedar reducido estrictamente a los supuestos transfronterizos, no extenderse a los casos en que intervenga más de una persona e ir acompañado de la identificación electrónica con el más alto estándar de seguridad.

En cualquier caso, resulta sorprendente que un legislador tan exigente en su política respecto a la lucha contra el blanqueo de capitales, facilite al mismo tiempo con tal ligereza instrumentos que, al favorecer la opacidad del titular real de las sociedades mercantiles, son muy útiles para las prácticas de blanqueo.

La medida podría perjudicar en mayor medida a los países que ya cuentan con sistemas eficaces en funcionamiento. Es el caso de España, donde existe en el Consejo General del Notariado una base de datos de los titulares reales de personas jurídicas que incluye aproximadamente 2.000.000 de sociedades (más de la mitad del total, porcentaje en continuo aumento), constituida desde 2006 con la información procedente de todos los protocolos notariales. El acceso está restringido a las autoridades judiciales o administrativas en el ejercicio de sus funciones de investigación de delitos o infracciones administrativas, así como a los notarios u otros sujetos obligados, a los exclusivos efectos del cumplimiento de sus obligaciones legales en la materia. En la visita de los inspectores del GAFI a España en junio de 2014 esta base de datos fue considerada como el ejemplo a seguir en otros países. La introducción de agujeros en la información en el momento mismo de la constitución societaria —consecuencia muy probable de la aprobación de esta Directiva— amenazaría seriamente el rendimiento del sistema.

Hay que señalar, por último, la incoherencia que este proyecto supone respecto a la Primera Directiva sobre publicidad y otras garantías (codificada por la Directiva 2009/101/CE de 16 de septiembre de 2009). Un instrumento meramente armonizador debería ajustarse a las demás Directivas que desde 1968 han sido adoptadas con la finalidad de dotar de unas mínimas garantías a los terceros. Sin embargo, el proyecto se aparta de las exigencias establecidas en el artículo 11 de la Primera Directiva respecto a la necesaria existencia de un control de legalidad del acto constitutivo, aplicable a todas las sociedades de responsabilidad limitada. El artículo 11.2 del texto de compromiso lo hace recurriendo a la ficción legal de que con la inscripción registral de la constitución «on line» basada en el modelo estandarizado de estatutos se cumple lo dispuesto en el artículo 11 de la Primera Directiva.

Es de notar que la versión en lengua inglesa de ese artículo[36] difiere considerablemente de las versiones en alemán, español, francés o italiano[37]. Estas cuatro últimas coinciden en exigir el otorgamiento de un documento público mientras que la primera se conforma con un documento redactado y certificado en forma legal. Sucede, además, que la diferencia del texto en inglés no es achacable al azar de un error en la traducción. Al tiempo del ingreso del Reino Unido en la Comunidad Europea en 1973, el significado del texto en francés de la Primera Directiva y las vicisitudes de las negociaciones que habían conducido a él, eran bien conocidos en la doctrina anglosajona[38].

---

[36]  «In all Member States whose laws do not provide for preventive, administrative or judicial control, at the time of formation of a company, the instrument of constitution, the company statutes and any amendments to those documents shall be drawn up and certified in due legal form»

[37]  «In allen Mitgliedstaaten, nach deren Rechtsvorschriften die Gesellschaftsgründung keiner vorbeugenden Verwaltungs- oder gerichtlichen Kontrolle unterworfen ist, müssen der Errichtungsakt und die Satzung der Gesellschaft sowie Änderungen dieser Akte öffentlich beurkundet werden».

«En todos los Estados miembros cuya legislación no prevea un control preventivo, administrativo o judicial, en el momento de la constitución, la escritura de constitución y los estatutos de la sociedad, así como las modificaciones de estos documentos, deberán constar en escritura pública.»

«Dans tous les États membres dont la législation ne prévoit pas un contrôle préventif, administratif ou judiciaire, lors de la constitution, l'acte constitutif et les statuts de la société ainsi que les modifications de ces actes doivent être passés par acte authentique.»

«In tutti gli Stati membri la cui legislazione non preveda, all'atto della costituzione, un controllo preventivo, amministrativo o giudiziario, l'atto costitutivo e lo statuto della società e le loro modifiche devono rivestire la forma di atto pubblico.»

[38]  Lo pone claramente de manifiesto la obra de STEIN, E. *«Harmonization of European company laws: national reform and transnational coordination»*, Indianapolis 1971, págs. 237-312, en especial 299-312.

La solución propuesta en el texto de compromiso no resulta chocante en relación con la versión en inglés del artículo 11 de la Primera Directiva, pero sí lo es respecto de las versiones en las otras cuatro lenguas citadas, puesto que implica una equiparación carente del menor fundamento entre el documento público notarial y el uso de un mero procedimiento técnico informático, desprovisto de las garantías de aquél.

A la vista de la tergiversación realizada en la traducción al inglés de la Primera Directiva y de una ficción legal tan tosca como la contenida en el artículo 11.2 del texto de compromiso, la imagen del caballo de Troya, utilizada por algunos autores para referirse a este proyecto, parece evocada con toda justicia.

## IV. CONCLUSIONES

El régimen de la sociedad cerrada de responsabilidad limitada no ha sido apenas armonizado por el Derecho de la Unión Europea. Existe también una importante laguna en cuanto al régimen de los grupos societarios. El proyecto de una nueva Directiva sobre la sociedad limitada unipersonal (SUP), presentado por la Comisión europea el 9 de abril de 2014, constituye un intento, tan ingenioso como ligero en su fundamento jurídico, de abordar la armonización parcial de uno y otro, introduciendo de paso un nuevo modelo europeo de sociedad limitada próximo a la concepción del Derecho societario anglosajón, sin someterse a la regla de la aprobación unánime por el Consejo de la Unión Europea, que determinó el fracaso de su antecedente inmediato, el proyecto de Estatuto para la Sociedad Privada Europea.

El proyecto se presenta como una mera armonización parcial de determinados aspectos del régimen de la sociedad limitada unipersonal y ofrece a los Estados miembros la opción de incorporarla a su ordenamiento mediante la simple modificación del tipo de Derecho nacional ya existente o mediante la creación de un nuevo tipo de Derecho nacional, llamado a coexistir con el preexistente, intentando evitar que parezca un tipo nuevo de Derecho europeo, pese a la importancia de las modificaciones introducidas. Para justificar la intervención legislativa a nivel europeo al amparo del artículo 52 f) del TFUE, se invoca la existencia de restricciones a la libertad de establecimiento, presentando como tales meras diferencias en las soluciones normativas de los Derechos nacionales o mínimas diferencias (mal calculadas) en los costes de establecimiento derivadas de las anteriores, que ni tienen carácter discriminatorio, ni son desproporcionadas ni carecen de justificación.

Por su contenido este proyecto implica una profunda transformación de los Derechos nacionales[39], sin encajar en ninguno de los supuestos del artículo 52 del TFUE, por lo que debería haberse seguido para su aprobación el procedimiento previsto en el artículo 352 del mismo Tratado.

Ni en la versión inicial ni en el texto de compromiso, aborda este proyecto los problemas básicos que plantean los grupos societarios (definición del concepto mismo de grupo, publicidad de su existencia, prueba del control, reconocimiento del interés de grupo, régimen de responsabilidad de la sociedad dominante y de las demás sociedades del grupo derivada del ejercicio de las actividades controladas o coordinadas, determinación de la ley aplicable en los conflictos de leyes,...). Se limita a facilitar la creación de filiales mediante la introducción de la posibilidad de una constitución on line desde cualquier Estado miembro sin necesidad de comparecencia personal del fundador ante una autoridad del Estado miembro de registro y a establecer una regla general habilitante de las instrucciones vinculantes del socio único al órgano de administración de la filial, restringida por una remisión muy amplia al Derecho nacional.

En el texto de compromiso aprobado por el Consejo sólo ha quedado la constitución on line. Pero en este aspecto el proyecto merece serias objeciones, por lo que se refiere tanto al fundamento de la intervención legislativa, como a la utilidad real de la medida, como a la falta de coherencia con el acervo comunitario (en particular la Primera Directiva) y con la política jurídica seguida por la UE en materia de prevención del blanqueo de capitales y la financiación del terrorismo.

Dados los cambios producidos en la situación política europea tras el Brexit y las dificultades por las que atraviesa en su tramitación parlamentaria este proyecto, es probable que no llegue a ver la luz. Su retirada debería dar paso a otro planteamiento más realista, mejor fundado, menos oblicuo, que aborde en lo esencial la armonización del Derecho de grupos societarios, sobre la base del reconocimiento a nivel europeo del interés de grupo, separadamente de la armonización del régimen de las sociedades de capital cerradas.

---

[39] Vid. por lo que se refiere al Derecho español ESTEBAN VELASCO, G., «La propuesta de Directiva sobre la "Societas Unius Personae" (SUP): El nuevo texto...», *cit.*, págs. 162-164; y RONCERO SÁNCHEZ, A, *op. cit.* págs. 220-222.

## Bibliografía

ESTEBAN VELASCO, G., «La propuesta de Directiva sobre la "Societas Unius Personae" (SUP): las cuestiones más polémicas», en *El Notario del siglo XXI*, marzo-abril 2015 (núm. 60), págs. 148-151. (http://www.elnotario.es)
— «La propuesta de Directiva relativa a las sociedades unipersonales de responsabilidad limitada: (en especial la "Societas Unius Personae")», en ROJO FERNÁNDEZ DEL RÍO, A. J. y CAMPUZANO LAGUILLO, A. B. (coords.), *Estudios jurídicos en memoria del profesor Emilio Beltrán: liber amicorum*, vol. 1, 2015, págs. 909-940.
— «La propuesta de Directiva sobre la "Societas Unius Personae" (SUP): El nuevo texto del Consejo de 28 de mayo de 2015», en *Anales de la Academia Matritense del Notariado*, 2015, págs. 105-164.
FUENTES NAHARRO, M. «Una primera aproximación al test de solvencia recogido en la propuesta de Directiva sobre la societas unius personae (SUP)», documento de trabajo del Departamento de Derecho Mercantil de la Facultad de Derecho en la Universidad Complutense de Madrid, 2015/97, octubre 2015, accesible en http://www.ucm.es/eprints.
HOMMELHOFF P., «Die Societas Unius Personae: als Konzernbaustein momentan noch unbrauchbar», *Gmbh-Rundschau*, n°. 20, 2014, págs. 1065-1074.
KINDLER P., «*The Single-Member Limited Liability Company (SUP), A Necessary reform of EU Law on Business Organizations?*», Munich, 2016.
LUCINI MATEO, A., «En torno al proyecto de Directiva europea sobre la Sociedad Limitada Unipersonal (SUP) presentado por la Comisión Europea el 9 de abril de 2014», *La Ley Mercantil*, 2015 (núm. 10), págs. 24-32.
— «El proyecto de Directiva europea acerca de la Sociedad Limitada Unipersonal: un proyecto polémico y un futuro incierto», *El Notario del Siglo XXI*, núm. 61 (mayo-junio 2015) págs. 54-58.
— «Reflexiones acerca del proyecto de Directiva europea sobre Sociedad Limitada Unipersonal (SUP), de fecha 9-4-2014», *Cuadernos de Derecho y comercio*, núm. 63, 2015, págs. 13-44.
LUTTER, M.-KOCH, J. (eds.), «*Societas Unius Personae (SUP) Beiträge aus Wissenschaft und Praxis*», Berlin, 2015.
MALBERTI, C., «The Societas Unius Personae between the Attainment of the Freedom of Establishment and the Harmonization of Company Law», en PRÜM, A (dir.), «*Cent ans de Droit luxembourgeois de sociétés*», Bruselas, 2016, págs. 504-538.
— «The relationship between the Societas Unius Personae proposal and the acquis: Creeping Toward an Abrogation of EU Company Law?», European Company and Financial Law Review, vol. 12, agosto 2015, págs. 238-279.
MAMBRILLA RIVERA, V., «Propuesta de Directiva relativa a las sociedades unipersonales privadas de responsabilidad limitada unipersonal», *Revista de Derecho de sociedades*, núm. 43, 2014, págs. 531-536.
RONCERO SÁNCHEZ, A., «Societas Unius Personae: analysis from the perspective of Spanish law», en VIERA GONZÁLEZ J.-TEICHMANN C. (Dirs.), «*Private companies in Europe: the Societas Unius Personae (SUP) and the recent developments in the EU Member States*», Cizur Menor (Navarra), 2016, págs. 199-224.

TEICHMANN, C.-FRÖHLICH, A, «Societas Unius Personae (SUP): Facilitating Cross-Border Establishment», *Maastricht journal of European and comparative law*, vol. 21, núm. 3, 2014, págs. 536-544.

TEICHMANN, C., «Corporate Groups within the Legal Framework ot the European Union: The group-related Aspects of the SUP Proposal and the EU Freedom of Establishment», European Company and Financial Law Review, vol. 12, agosto 2015, págs. 202-229.

VELASCO SAN PEDRO, L. A., «De la societas privata europaea a la societas unius personae en las propuestas europeas», *Cuadernos de derecho transnacional*, vol. 9, núm. 1, 2017, págs. 327-334.

VIERA GONZÁLEZ J.-TEICHMANN C. (eds.), «*Private companies in Europe: the Societas Unius Personae (SUP) and the recent developments in the EU Member States*», Cizur Menor (Navarra), 2016.

# 21. Vinculatoriedad de las cartas de patrocinio en la reciente jurisprudencia del Tribunal Supremo

**ROCÍO DIÉGUEZ OLIVA**

*Prof. Titular de Derecho Civil*
*Universidad de Málaga*

**Sumario:** I. LAS CARTAS DE PATROCINIO EN LA RECIENTE JURISPRUDENCIA DEL TRIBUNAL SUPREMO (SALA 1ª). SU CALIFICACIÓN COMO NEGOCIO JURÍDICO UNILATERAL, NO FORMAL, CON TRASCENDENCIA OBLIGACIONAL, DIRIGIDO A LA CONSTITUCIÓN O CREACIÓN DE UNA RELACIÓN OBLIGATORIA. II. LA COMUNICABILIDAD DE RESPONSABILIDAD ENTRE SOCIEDADES DEL MISMO GRUPO. LEVANTAMIENTO DEL VELO. INTERÉS DEL GRUPO. Bibliografía.

## I. LAS CARTAS DE PATROCINIO EN LA RECIENTE JURISPRUDENCIA DEL TRIBUNAL SUPREMO (SALA 1ª). SU CALIFICACIÓN COMO NEGOCIO JURÍDICO UNILATERAL, NO FORMAL, CON TRASCENDENCIA OBLIGACIONAL, DIRIGIDO A LA CONSTITUCIÓN O CREACIÓN DE UNA RELACIÓN OBLIGATORIA

En la negociación entre empresas han proliferado los institutos financieros y jurídicos que, más allá de la seguridad que otorgan las figuras contractuales típicas, pretenden crear un marco de negociación más flexible, mediante el recurso a figuras atípicas, en muchas ocasiones provenientes del derecho anglosajón (como las garantías a primer requerimiento o a primera demanda-first demand guarantee; due diligence legal, …). Entre todas estas figuras, se encuentran las denominadas cartas de patrocinio, también conocidas como cartas de confort, de apoyo, de conformidad, etc… traducción de sus homólogas anglosajonas, letter of patronage, letter of confort, letter of responsability, letter of support, letter of intention, etc. Su creciente empleo en el tráfico mercantil responde, entre otras, a razones fiscales, contables y jurídicas si bien resulta imposible establecer un concepto genérico y aglutinador de las mismas. Generalmente en el marco de operaciones de financiación, el prestamista, entidad bancaria solicita al prestatario que le presente el patrocinio o apoyo financiero de otra empresa, apoyo que se materializa con la firma por parte de ésta de una carta, en ocasiones redactada por la propia entidad financiera, en la que, además de realizar una serie de manifestaciones relativas a la relación jurídica, económica o societaria entre ambas, se contraen ciertos deberes de vigilancia de la actividad de la patrocinada[40]. Junto a estas manifestaciones, y buscando transmitir cierto grado de seguridad, se hacen una serie de declaraciones relativas a la asistencia financiera entre ambas y al buen término de la operación crediticia[41]. El contenido de las mismas puede ser tan variado que, en cada caso concreto, será la interpretación de las declaraciones de voluntad en ellas contenidas la que determinará su naturaleza así como los eventuales efectos jurídicos que se pudieran derivar. Quizás los únicos rasgos comunes que presentan todas ellas sea su carácter de instrumento de acompañamiento de operaciones de financiación dentro del tráfico societario, así como la ambigüedad e imprecisión de los términos en que son redactadas si bien es cierto que en ocasiones se configura como «*causa determinante para la concesión de la financiación…*» (SSTS de 27 de junio de 2016 *(Tol 5768527)*, y de 28 de julio de 2015 *(Tol 5534678)*. Pero como señala MIQUEL «*es elemental distinguir entre función de garantía y medio jurídico mediante el que se obtiene garantía*»[42]. En las siguientes líneas, nuestro objetivo es determinar si la existencia de responsabilidad de las entidades patrocinadoras debe derivarse de la calificación de las cartas de patrocinio, como ha hecho la más reciente jurisprudencia del Tribunal Su-

---

[40]   CARRASCO PERERA, A., CORDERO LOBARO, E., MARÍN LÓPEZ, M. J., «Las cartas de patrocinio» en *Tratado de los Derechos de Garantía*, Tomo I, Cizur Menor, 2015, pág. 416-471).

[41]   Vid al respecto, ÁLVAREZ LATA, N., «Sentencia de 18 de marzo de 2009: Carta de patrocinio fuerte. Asunción de compromisos claros e inequívocos por la patrocinante en caso de impago de la prestataria», *Cuadernos Civitas de jurisprudencia civil*, nº 81, 2009, págs. 1447-1468; DOMÍNGUEZ PÉREZ, E. M., «Problemática de las cartas de patrocinio. Comentarios a algunos recientes pronunciamientos jurisprudenciales», *Revista Crítica de Derecho Inmobiliario*, Nº 694, 2006, págs. 782-795; DUQUE DOMÍNGUEZ, J., «Las cartas de Patrocinio» en *Nuevas entidades, figuras contractuales y garantías en el mercado financiero*, coord. por Alberto Alonso Ureba, Rafael Bonardell Lenzano, Rafael García Villaverde, 1990; GUILLÉN CATALÁN, R., «La carta de patrocinio, o de confort, a la luz de la STS 440/2015, de 28 de julio», Diario La Ley, nº 8680, 2016; HERRERA SÁNCHEZ, J. A., «Una reflexión sobre las cartas de patrocinio a la luz de la Sentencia del Tribunal Supremo de 30 de junio de 2005», Revista de Derecho Patrimonial, nº 19, 2007, págs. 125-141.

[42]   MIQUEL GONZÁLEZ, J. Mª., «Condición, obligación y garantía» en *Estudios Jurídicos en Homenaje a Vicente L. Montés Penadés*, tomo II, Madrid, 2012, pág. 1638.

premo sobre la materia, como negocio jurídico unilateral no formal, con trascendencia obligacional, dirigida a la constitución o creación de una relación obligatoria, además de carácter solidario; o si, por el contrario, dicha responsabilidad puede derivarse de las relaciones societarias existentes entre sociedades patrocinadas y patrocinadoras conforme al denominado «interés del grupo».

En las dos últimas sentencias del Tribunal Supremo sobre las denominadas cartas de patrocinio, en concreto en las SSTS de 28 de julio de 2015[43] *(Tol 5534678)*; y de 27 de junio de 2016[44] *(Tol 57685270)*, se lleva a cabo una novedosa calificación de las cartas de patrocinio, las denominadas cartas fuertes, señalando con respecto a las mismas su eficacia obligacional como garantía personal de los patrocinadores de carácter solidario con relación a los compromisos asumidos por el patrocinado. Señalan ambas resoluciones que, las cartas de patrocinio como figura jurídica, «*responden a la estructura del negocio jurídico unilateral con transcendencia obligacional, como declaración unilateral de voluntad, de carácter no formal, dirigida a la constitución o creación de una relación obligatoria... el patrocinador asume una obligación de resultado con el acreedor, o futuro acreedor, por el buen fin de las operaciones o instrumentos de financiación proyectados; de forma que garantiza su indemnidad patrimonial al respecto... el objeto de la garantía personal no es otro que la indemnidad*

---

43 El tenor literal de la carta es el que a continuación se transcribe: «*Por la presente les confirmamos que tenemos conocimiento de la operación de descuento que por importe nominal de 10.271.594,36 Euros van ustedes a formalizar con D.H.O. el presente día. Les confirmamos que somos accionistas de esta sociedad y somos conocedores de que la citada operación se ha concedido en base a nuestra participación en la misma Así mismo les confirmamos que, en base a las relaciones que mantenemos con dicha compañía, nos comprometemos frente a ustedes a realizar nuestros mejores esfuerzos, incluido el apoyo financiero, para que D.H.O. cumpla en todo momento sus compromisos con ustedes, y en especial los adquiridos por la citada operación de descuento, con objeto de que ustedes no tengan ningún perjuicio. El presente compromiso permanecerá en vigor en tanto subsistan responsabilidades derivadas de la citada operación de descuento que ustedes formalicen con D.H.O*».

44 El tenor literal de la carta es el que a continuación se transcribe: «*Nos comprometemos, de forma irrevocable, a asegurar a la sociedad xxx, S.L. nuestra completa asistencia financiera de acuerdo con la participación que tenemos en la misma, adoptando las medidas necesarias para asegurar que ésta cumpla puntualmente las obligaciones contraídas con su entidad, bien sea mediante la transferencia de fondos necesaria a favor de la misma, o bien realizando cualesquiera otras acciones que produzcan el mismo efecto. Este compromiso permanecerá en vigor hasta que nuestra filial cancele todas las obligaciones contraídas con Uds. Asimismo, nos comprometemos de forma irrevocable a que las obligaciones contraídas, o aquellas que pudiera contraer con ustedes en un futuro nuestra filial tendrán prioridad de cobro sobre nuestros créditos frente a la misma*».

*patrimonial respecto de los riesgos y vicisitudes que la operación financiera pudiera reportar al acreedor y, entre estos, claro está, el derivado de la insolvencia, o concurso de la entidad patrocinada»*. Se entiende que el patrocinador asume una obligación de resultado con el acreedor o futuro acreedor, por el buen fin de las operaciones de financiación proyectadas. Formula como presupuestos o condiciones que han de concurrir para que se produzca la eficacia obligacional: de una parte, que de la declaración de voluntad contenida en la carta se pueda deducir *«de forma clara e inequívoca»* el compromiso obligacional del patrocinador. Además, dado el carácter necesariamente receptivo de la declaración de voluntad del patrocinador, el efecto obligacional requiere que concurra la aceptación por el acreedor, aceptación en cualquier caso no formal, pudiendo ser expreso o tácito. Dicho vínculo obligacional asumido por la sociedad patrocinadora lo califica como *solidario*, como consecuencia de una adecuada interpretación de la base del negocio[45]. El vínculo obligacional se deriva de la interpretación del tenor de la carta de patrocinio, y en concreto del compromiso asumido por la patrocinadora al declarar que se comprometían frente a los acreedores, *«a realizar nuestros mejores esfuerzos, incluido el apoyo financiero, para que D.H.O. cumpla en todo momento sus compromisos con ustedes, y en especial los adquiridos por la citada operación de descuento, con objeto de que ustedes no tengan ningún perjuicio»* —STS de 27 de junio de 2016 *(Tol 5768527)*—, así como por comprometerse *«de forma irrevocable, a asegurar a la sociedad xxx, S.L. nuestra completa asistencia financiera de acuerdo con la participación que tenemos en la misma, adoptando las medidas necesarias para asegurar que ésta cumpla puntualmente las obligaciones contraídas con su entidad»* —STS de 28 de julio de 2015 *(Tol 5534678)*—. En segundo lugar, señala el Tribunal Supremo que, con inde-

---

[45]  Señala al respecto el Tribunal Supremo *«en efecto, si atendemos a la base del negocio que informó el propósito negocial querido por las partes, observamos que las cartas de patrocinio, conforme a su función de garantía personal, fueron los instrumentos que las partes acordaron para garantizar, en su conjunto, la operación de refinanciación de la deuda de la patrocinada y de su matriz fiadora (participada mayoritariamente por las patrocinadoras) que se llevó a cabo con la concesión del nuevo préstamo. De ahí, el carácter determinante de las cartas sobre la operación crediticia considerada en su unidad y, en consecuencia, el compromiso de las patrocinadoras de cara a garantizar el buen fin de la operación para acreedor, esto es, que la patrocinada cumpla puntualmente las obligaciones contraídas con dicha entidad. Por lo que, en contra de lo argumentado por las recurrentes, la intención de las partes fue claro al respecto, sin que se pueda dar prevalencia a las interpretaciones parciales y literales que se derivan de la referencia a los porcentajes de participación de los patrocinadores en la sociedad deudora, pues son ilustrativas, como expresamente reconocen, de su posición de dominio sobre la misma; a la que aluden, reiteradamente, como "nuestra filial"»* [FD Cuarto STS de 27 de junio de 2016 *(Tol 5768527)*].

pendencia de la posición de la sociedad matriz con respecto a la deudora, resultan innegable los intereses de los patrocinadores en la operación proyectada «*a tener de su doble condición de accionistas de la patrocinada y de la sociedad matriz de éstas, ostentando los patrocinadores una inequívoca posición de dominio respecto de la sociedad patrocinadora*». [FD Cuarto, STS de 27 de junio de 2016 *(Tol 5768527)*].

Sin embargo, consideramos que, dada la atipicidad de las cartas de patrocinio, es imposible establecer una regla general que nos permita calificar jurídicamente a las cartas de patrocinio y los efectos jurídicos de las mismas. El primer problema que nos encontramos es la determinación de la naturaleza jurídica de estas cartas y de las diversas declaraciones de voluntad contenida en las mismas, esto es, si las consideramos como acuerdo bilateral, en el que el emitente contiene su declaración frente al que la recibe y acepta, perfeccionado un contrato entre ambos y siendo, por tanto el mismo fuente de obligaciones ex art. 1255 CC. O por el contrario, como un negocio jurídico unilateral no formal, como ya hemos señalado anteriormente, tan sólo «*dirigida a la constitución o creación de una relación obligatoria*».

No podemos obviar que, en la materia que nos ocupa, la interpretación de la voluntad de las partes es la piedra angular del tema. Y que la misma versa sobre una conducta o hecho en el marco de una negociación en el que debemos presumir que ambas partes buscan un equilibrio. En este contexto, y con respecto a una carta de patrocinio frente a un aval o una fianza, el banco acepta la carta del emitente, renunciando a la seguridad de una garantía personal o real, siendo además en ciertos supuestos la propia redactora de la misma. En tal sentido consideramos que una garantía de hecho no puede, sin más, equipararse a una garantía de derecho[46]. El emitente evita sujetarse a una garantía real o personal que encarece fiscal, contable (en tanto que evita que conste en el pasivo del balance social), y jurídicamente la operación. Y la patrocinada, elude tener que buscar garantías personales o reales. Por dicho motivo, resulta fundamental analizar no sólo el contenido de la carta, la declaración de voluntad en ella contenida, sino también los actos anteriores y coetáneos a la emisión y aceptación de la misma (art. 1282 CC). En todos los supuestos, en el fondo de las reclamaciones relativas a los efectos de las cartas de patrocinio lo que subyace es un problema interpretativo, sobre lo que las partes quisie-

---

[46] CARRASCO PERERA, A., CORDERO LOBATO, E., MARÍN LÓPEZ, J. M., «Las cartas de patrocinio»… *ob. cit.* pág. 437.

ron, una discrepancia entre la voluntad emitida por el declarante y la que hubo de entender el destinatario, aun cuando ambas partes sabían perfectamente la voluntad y el efecto pretendido, e incluso, cuando es el propio destinatario el que redacta la carta de patrocinio para su ulterior firma por el emitente. La cuestión radica en determinar si se puede reconocer a la entidad financiera frente a quien se emite dicha declaración, por vía de interpretación más de lo que resultó de la negociación[47]. Y en nuestra opinión, la respuesta ha de ser negativa.

Tradicionalmente la doctrina ha calificado las cartas de patrocinio en débiles y fuertes, excluyendo con respecto a las primeras, cualquier tipo de vínculo y por ende, de efecto jurídico (declaraciones relativas a la estructura societaria de la patrocinada, a su situación financiera, fiscal o contable, etc...)[48], derivándose de las mismas únicamente «...*repercusiones en un orden estrictamente moral cuando se trata de expresiones declarativas sin otro alcance, y como tales limitadas a la afirmación de un hecho o a la manifestación de un parecer, pero sin asumir obligaciones sobre apoyo financiero[...], no contraer deberes positivos de cooperación a fin de que la compañía subordinada pueda hacer efectiva las prestaciones que le alcanzan en su trato con terceros...*» [FD Segundo STS 16 de diciembre de 1985 *(Tol 1736288)*]. Las cláusulas que han causado mayores dudas en su interpretación son aquellas que hacen referencia expresa a su compromiso de futuro como respecto a la patrocinada de reembolsar el crédito, de cumplimiento de la deuda, o de cumplimiento por parte de la filial, o de pasado, pero que de las que igualmente se interpreta su voluntad de responder por la filial (como, por ejemplo, «*hemos tratado siempre las deudas de nuestras filiales como propias*»). Este tipo de cláusula ha sido calificado en ocasiones como contenido fuerte de las cartas de patrocinio y con respecto a las mismas se ha pretendido determinar la eventual existencia de un vínculo jurídico, y por ende, de responsabilidad, bien como contrato de fianza, como garantía personal subsidiaria, de modo que, llegado el caso, gozaría del beneficio del excusión (art. 1830 CC) y podría oponer las excepciones derivadas de los art. 1835, 1851 y 1852 CC; como mandato de crédito[49]; o como negocio atípico de garantía. Y en esta dicotomía se sitúa

---

47  CARRASCO PERERA, A., CORDERO LOBATO, E., MARÍN LÓPEZ, J. M., «Las cartas de patrocinio»... *ob. cit.* pág. 431.

48  Vid. nota 13.

49  Vid. al respecto, ARCOS VIERA, Mª L., «Sentencia de 13 de febrero de 2007: Reclamación de la entidad bancaria prestamista frente al emitente de una carta de patrocinio, tras el incumplimiento del contrato por la empresa prestataria. Cartas de patrocinio: doctrina. Requisitos para la consideración de las cartas de

la doctrina y el Tribunal Supremo al calificar las cartas de patrocinio. La ambigüedad o equivocidad en las declaraciones contenidas en las cartas de patrocinio es la que ha llevado al TS en numerosas ocasiones, a excluir tanto el carácter de fianza [SSTS de 26 de diciembre de 2014 *(Tol 4738267)*; y de 13 de febrero de 2007 *(Tol 1042358)*]; como de mandato de crédito así como de cualquier forma atípica de garantía. En cuanto a la fianza porque, conforme al art. 1827 CC, la fianza ha de ser expresa y nunca se presume voluntad de constituir fianza, la declaración constitutiva de la misma que ha de ser clara y no basarse en ningún caso en expresiones equívocas [en tal sentido, SSTS de 13 de junio de 1957 *(Tol 4377714)*; de 3 de junio de 1968 *(Tol 4276663)*; de 31 de enero de 1977 *(Tol 24247227)*; de 14 de noviembre de 1988 *(Tol 1733989)*; 7 de marzo de 1992 *(Tol 1660321)*; de 10 de julio de 1995 *(Tol 5127594)*; de 14 de febrero de 1997 *(Tol 214982)*[50]. Y menos aún, su consideración como una fianza solidaria; sino porque incluso formalmente la carta no constituye tampoco *«el documento idóneo a los efectos del art. 440 del Código de Comercio»*, relativo a la fianza mercantil (FD Quinto STS de 16 de diciembre de 1985 *(Tol 1736288)*.

Como señala la doctrina, la interpretación no puede estar al servicio de compensar los defectos del poder negociador del destinatario, y cualquier interpretación en este sentido, ha de ser rechazada[51]. Porque el banco ha renunciado voluntariamente a las figuras típicas de garantía a cambio de una carta en la que se recoge, en muchos de los supuestos, únicamente declaraciones sobre la política empresarial y las relaciones entre las empresas del mismo grupo y/con respecto a la matriz. Incluso en la Propuesta de Código Mercantil elaborada por la Sección de Derecho mercantil de la Comisión General de Codificación con respecto a las cartas de patrocinio, se excluye la presunción del carácter vinculante como fianza, estableciendo al respecto que *«el emisor de manifestaciones de patrocinio, de conformidad o de garantía, en términos simples, no contrae obligación como fiador por dicha mera manifestación, salvo que la hubiese asumido de modo claro e indubitado»* (art. 578-11). Así pues, en principio rige la interpretación textual, tanto para el que la emite como para el que la acepta, por lo que en nuestra

---

patrocinio como contrato de garantía. Carta de patrocinio y mandato de crédito», *Cuadernos Civitas de Jurisprudencia Civil*, n° 77, 2008, págs. 511-536.

[50]　DÍEZ-PICAZO Y PONCE DE LEÓN, L., *Fundamentos del Derecho Civil patrimonial*, Madrid, 1996, págs. 426-427; CARRASCO PERERA, A., «La configuración jurídica de la fianza» en *Tratado de los derechos de garantía… ob. cit.*, pág. 94.

[51]　CARRASCO PERERA, A., CORDERO LOBATO, E., MARÍN LÓPEZ, J. M., «Las cartas de patrocinio» en *Tratado de los derechos de garantía… ob. cit.*, pág. 431.

opinión conforme al art. 1827 CC, cuando no resulta claro que ha querido obligarse, no puede interpretarse que estamos ante una fianza. Y si de la interpretación se dedujere que existencia de una garantía personal atípica, en cualquier caso, entendemos que de la intercesión de la patrocinadora deberá deducirse una garantía subsidiaria, no solidaria (art. 1137 CC)[52]. Es cierto que, en la interpretación de los negocios jurídicos, si alguna cláusula admitiese varios sentidos, deberá entenderse el más adecuado para que produzca efecto, pero cuando realmente haya vínculo jurídico, porque en caso contrario, tampoco hay que interpretar las unas por las otras, atribu-yendo al conjunto la interpretación que resulte del conjunto de otras (art. 1285 CC). Tampoco entendemos aplicable el art. 1288 CC en tanto que la oscuridad o ambigüedad que con respecto a alguna cláusula pudiera surgir no ha sido provocada por una parte, sino que dicha indeterminación fue la que quisieron ambas. De ahí que consideremos que, en ciertos supuestos, al ser imposible resolver la interpretación de la cláusula en cuestión, y en tanto que la misma hace referencia al objeto principal, la existencia o no una relación fideusoria, el negocio, la carta de patrocinio deberá enten-derse nula (art. 1289 CC). Igualmente es necesario atender, y así hace la jurisprudencia, a los correos y comunicaciones en los que la carta de pa-trocinio aparece como una alternativa a la fianza o el aval (art. 1282 CC)[53]. Y reiteramos nuestra opinión al respecto, en tanto que no se puede pre-tender por vía de interpretación más de lo que consiguió por vía de nego-ciación[54], máxime cuando incluso cuando quede acreditada la existencia entre ambos otras relaciones contractuales previas, como fianzas y avales, o que en la fase de negociación, ambas excluyeron la adopción de alguna forma tipificada de garantía personal[55]. En la STS de 27 de junio de 2016

---

[52]  PÉREZ SERRABONA, J. L., «La solidaridad de las obligaciones mercantiles en el anteproyecto de Código Mercantil», en *Estudios sobre el futuro Código Mercantil: libro homenaje al profesor Rafael Illescas Ortiz,* Getafe, 2015, págs. 1687-1706.

[53]  En la STS de 27 de junio de 2016 *(Tol 5768527),* en los autos quedo constancia del intercambio de correos y comunicaciones entre la entidad acreedora y la patroci-nadora, que revelaron que la carta fue redacta por la propia entidad bancaria, con contenido tales como *a continuación te remito el modelo de carta que tiene el banco para los compromisos de los socios sin que sea aval* (FD Segundo, punto 7).

[54]  CARRASCO... págs. 436-437.

[55]  En la STS de 27 de junio de 2016 *(Tol 5768527),* en el FD Primero, punto 4, se destacaron de los hechos que quedaron probados en primera instancia, que de la documentación obrante en los autos la patrocinada tenía una deuda que ascen-día a 1.800.000 euros frente a la parte demandante, deuda que había contraído la patrocinada con la demandante mediante la suscripción de, entre otros, 15 contratos de leasing en los que sí consta el afianzamiento como deudora solidaria

*(Tol 5768527)*, FD Primero, punto 4, se destacaron de los hechos que quedaron probados en primera instancia, que de la documentación obrante en los autos la patrocinada tenía una deuda que ascendía a 1.800.000 euros frente a la parte demandante, deuda que había contraído la patrocinada con la demandante mediante la suscripción de, entre otros, 15 contratos de leasing en los que sí consta el afianzamiento como deudora solidaria frente al deudor principal de otra de las empresas del grupo, por lo que cuando la entidad financiera quiso la existencia de una fianza solidaria, esta concurrió en la negociación. No excluimos que el incumplimiento por la sociedad patrocinadora de los compromisos contenidos en la carta de patrocinio pueda dar lugar a la responsabilidad que proceda, de naturaleza contractual o extracontractual, pero no que *per se* las cartas de patrocinio en cuanto que contengan declaraciones relativas al buen término de la operación y declaraciones similares, conlleve la calificación de los mismas como una garantía personal solidaria.

## II. LA COMUNICABILIDAD DE RESPONSABILIDAD ENTRE SOCIEDADES DEL MISMO GRUPO. LEVANTAMIENTO DEL VELO. INTERÉS DEL GRUPO

Quizás la clave se encuentre no en la interpretación de la declaración de voluntad emitida por la patrocinadora en orden «*al buen término*» de la operación de financiación, o a «*procurar por todos los medios el cumplimiento por parte de la filial*», con respecto a las cuales se ha intentado o pretendido calificar el vínculo entre ambas como una carta fuerte, sino en las consecuencias que se puedan extraer de las hasta ahora calificadas como cartas débiles o de mera declaraciones de hecho sobre la situación contable o fiscal de la sociedad patrocinada así como la posición de una y otra en el grupo empresarial. Con respeto a estas cláusulas se ha señalado la posibilidad de que las mismas pudieran ser fuente de responsabilidad extracontractual, ex art. 1902 CC, desde la perspectiva de la técnica del levantamiento del velo o atendiendo al denominado «interés del grupo», en tanto que la patrocinadora ejerza una situación de dominio o control sobre la patrocinada por pertenecer ambas al mismo grupo de sociedades. Desde el punto de vista legal, el fenómeno de los grupos de sociedades está

---

frente al deudor principal de otra de las empresas del grupo, por lo que cuando la entidad financiera quiso la existencia de una fianza solidaria, esta concurrió en la negociación.

reconocido y recogido en diversos preceptos, pero sin que existan medidas específicas protectoras de los intereses de los acreedores y socios de las sociedades dominadas. Como señala la doctrina, en España, y a diferencia de otros países de nuestro entorno, las únicas herramientas de la que dispone el acreedor en aras a establecer una comunicabilidad de responsabilidad patrimonial entre empresas integrantes del mismo grupo son, de una parte, la acción de responsabilidad contra los administradores, y de otra, el levantamiento del velo[56], si bien la más reciente jurisprudencia del Tribunal Supremo ha avanzado considerablemente en esta materia en las últimas resoluciones dictadas con relación al denominada «interés del grupo». En materia de derecho de sociedades, la jurisprudencia del Tribunal Supremo ha ido perfilando en las sentencias relativas a las cartas de patrocinio una serie de presupuestos que han de concurrir no sólo entre las empresas patrocinada y patrocinadora/s, sino también entre la empresa patrocinadora y aquel miembro de la misma que firma la carta, así como el propio objeto social de la empresa patrocinadora[57]. Así con respecto a la relación entre la sociedad patrocinadora y patrocinada, ha sido constante en la jurisprudencia del Tribunal Supremo la exigencia entre las sociedades patrocinada y patrocinadora, de una relación propia de sociedad matriz *versus* sociedad filial, si bien desde la STS de sentencia de 13 de febrero de 2007 *(Tol 1042358)*, y tras la reforma del 2007, el requisito de la relación matriz/filial ha quedado desplazado por la manifestación de alguna de las presunciones del art. 42 del C de C, a través de las cuales quede manifiesto la existencia de una relación de control de la patrocinadora con respecto a la patrocinada. Se presume la existencia de dicha relación cuando una sociedad ostente o pueda ostentar, directa o indirectamente, el control de otra u otras, control que se puede manifestar en alguna de las siguientes situaciones: la posesión de la mayoría de los derechos de voto; que tenga la facultad de nombrar o destituir a la mayoría de los miembros del órgano de administración; que pueda disponer, en virtud de acuerdos celebrados con terceros, de la mayoría de los derechos de voto; y/o que haya designado con sus votos a la mayoría de los miembros del órgano de administración, que desempeñen su cargo en el momento en que deban formularse las cuentas consolidadas y durante los dos ejercicios inmediatamente ante-

---

[56]    BOLDÓ RODA, Mª C., *Levantamiento del velo y persona jurídica en el Derecho Privado español,* Pamplona, 2006, págs. 407-408.

[57]    DIÉGUEZ OLIVA, R., «Cartas de patrocinio y delimitación con respecto a otras figuras afines: fianza solidaria, mandato de crédito: comentario a la STS de 13 de febrero de 2007», *Revista de Derecho Patrimonial*, nº 19, 2007, págs. 237.

riores. En particular, se presumirá esta circunstancia cuando la mayoría de los miembros del órgano de administración de la sociedad dominada sean miembros del órgano de administración o altos directivos de la sociedad dominante o de otra dominada por ésta.

Con relación a la persona firmante de la carta, cuando el firmante es un administrador, se ha exigido que tenga poder para realizar este tipo de actos. Con carácter general se entiende que el ámbito de poder de representación de los administradores alcanza cualquiera de los actos comprendidos en el objeto social de modo que, cualquier limitación al respecto, ha de estar necesariamente inscrita en el Registro Mercantil para ser efectiva frente a terceros. Todo ello, sin perjuicio, claro está, de la eventual responsabilidad del administrador por los actos contrarios a la ley, a los estatutos, o que resulten lesivos para la sociedad, tanto frente a la sociedad, como a los socios y a los acreedores sociales aun cuando dicho acto sea autorizado o ratificado por la junta. Y ello nos conduce necesariamente a los actos y negocios comprendidos en el objeto social de la patrocinadora, esto es que tenga comprendido entre su objeto social la posibilidad de concertar préstamos, avales o cualesquiera otras formas de garantía o de relación de patrocinio a otras sociedades bien filiales, participadas en su totalidad o gran parte por aquella (FD Primero STS de 30 de junio de 2005 *(Tol 697643)*. Este requisito ha sido puesto en duda por cierto sector de doctrina mercantilista. Las dudas surgen con relación a la conocida como doctrina de los actos neutros, conforme a la cual, no es necesaria la contemplación de este tipo de operaciones de modo específico en el objeto social de la entidad patrocinadora, sino que la operación de patrocinio puede considerarse incluida en los denominados «*actos neutros*», entendidos como aquellos que, aunque no se encuentren contemplados directamente en la configuración del objeto social, tampoco suponen una ampliación del mismo, sino que se consideran que se llevan a cabo en beneficio de la sociedad, como cauce o vía para realizar el objeto social. En el sentido sed pronuncia el art. 117. 2 del Reglamento del Registro Mercantil, que señala que no podrán incluirse en el objeto social «*los actos jurídicos necesarios para la realización o desarrollo de las actividades indicadas en él*». Así pues, la relación de patrocinio como un acto jurídico necesario para la realización del objeto social de la entidad patrocinadora, resulta, por tanto, inatacable. Si, además, tenemos en cuenta que, conforme al art. 236 del Texto Refundido de la Ley de Sociedades de Capital, frente a terceros de buena fe y que hayan obrado sin culpa grave la sociedad, quedará obligada aun cuando se desprenda de los estatutos inscritos en el Registro Mercantil que dicho acto no está comprendido en el objeto social de la misma.

En ninguna de las sentencias dictadas por el Tribunal Supremo en materia de cartas de patrocinio, la acción ejercitada en primera instancia ni principal ni subsidiariamente, ha versado sobre el posible levantamiento del velo de la sociedad patrocinada para hacer responsable a la patrocinadora de las deudas contraídas por aquella. Como señala CARRASCO no podemos olvidar que el levantamiento del velo, además de tener carácter subsidiario, requiere por parte de la sociedad dominante un abuso institucional, contrario a la buena fe[58]. Mediante el levantamiento del velo se puede penetrar en el substrato de las personas jurídicas, según los casos y las circunstancias, por vía de equidad y de la buena fe, para evitar que el abuso de esa independencia pueda ocasionar un ejercicio antisocial de su derecho (art. 7.2 CC), y daños tanto para terceros, como para los propios socios. Dicha técnica de penetración en el «substratum» personal y patrimonial de las entidades o sociedades, debe utilizarse cuidadosamente. Su aplicación ha de ser limitada, pues lo normal «...*es el obligado respeto a la forma legal»*, y sólo, excepcionalmente y de manera subsidiaria, cuando quede probado que la forma o bien esconde una ficción, un abuso de la personalidad jurídica, o un fraude de ley en perjuicio de los acreedores, «...*la frustración de los derechos de terceros,... pretendiendo evitar con ello simulación en la constitución de una sociedad que signifique elusión en el cumplimiento de un contrato así como la burla de la Ley como protectora de derechos ajenos...»* [FD Tercero de la STS de 22 de noviembre de 2000 *(Tol 4974222)*]. Así pues se entiende que representa un ejercicio antisocial de la personalidad jurídica la constitución de sociedades con la única finalidad de defraudar, de modo que se procede a rasgar el velo de la sociedad, a declarar la inexistencia de dicha personalidad jurídica en cuanto nulo el negocio de constitución de la misma. Son los denominados por la jurisprudencia anglosajona supuestos de «*piercing the veil*» o rasgar el velo societario, como instrumento para destruir la personalidad de las soceidades. Frente a este supuesto de destrucción de la personalidad jurídica y bajo la denominación de levantamiento del velo o «*lifting the veil*», los tribunales, sin destruir la personalidad jurídica de las personas jurídicas implicadas en el supuesto, procede a excluir el carácter de tercero de una de las sociedades con respecto a los bienes embargados a otra entidad con relación al ejercicio de tercerías de dominio (entre otras, SSTS 16 de julio de 1997 *(Tol 215368)*; de 22 de noviembre de 2000 *(Tol 4974222)*; de 22 de abril de 2003 *(Tol 274428)*; 30 de mayo de 2005 *(Tol 665591)*; 14 de septiembre de 2006 *(Tol 995542)*; o

---

[58]    CARRASCO PERERA, A., CORDERO LOBATO, E., MARÍN LÓPEZ, J. M., «Cartas de patrocinio»... *ob. cit.*, págs. 414-415.

cuando, aun estando ante entres jurídicamente independientes, el control y dirección de los mismos es único, siendo necesaria la comunicación de responsabilidad entre los patrimonios bien del socio y la sociedad [STS de 11 de octubre de 2002 *(Tol 225477)*]. El TS ya ha aplicado en supuestos de grupo de sociedades la técnica del levantamiento del velo para declarar la comunicabilidad de responsabilidad de entre las empresas pertenecientes a un mismo grupo. Así, la sala de lo social del Tribunal Supremo ha recurrido a la misma en numerosas ocasiones [entre otras, SSTS de 30 de junio de 1993 *(Tol 234504)*; de 22 de julio de 2005 *(Tol 726619)*; y de 4 de mayo de 2006 *(Tol 961999)*], como único cauce posible para salvaguardar los derechos de trabajadores/terceros acreedores condenando a todas las empresas integrantes del grupo a responder solidariamente de las deudas frente a los mismos, en tanto que se considera que «*la concentración, el grupo, genera vínculos económicos y organizativos derivados del propósito principal de la obtención de un fin empresarial común; unidad económica a la que se subordinan todas las empresas componentes, que se refleja en la acción unitaria al exterior*» [FD Décimo STS 30 de junio de 1993 *(Tol 234504)*]. En sentido similar se ha pronunciado igualmente la sala de lo civil, siempre y cuando además pudiera probarse «*que a todas las sociedades del grupo benefició de la actividad desarrollada[...]*», así como la concurrencia de una «*comunidad de gestión, intereses y beneficio*», sin que quepa ampararse en la distinta personalidad jurídica de cada una de las sociedades [FD Segundo y Tercero de la STS de 13 de diciembre de 1996 *(Tol 217576)*], incluso condenando solidariamente a todas las empresas del grupo. Si bien el levantamiento del velo conllevaría que si alguna de las sociedades del grupo controlara a la sociedad deudora, cabría justificar su responsabilidad, siempre que dicho control hubiera incidido decisivamente en el incumplimiento de esta última frente al acreedor[59].

Por otra parte, desde la perspectiva de la propia jurisprudencia del Tribunal Supremo en materia de grupo de sociedades y del denominado «*interés del grupo*» con respecto a las cartas de patrocinio, también es posible determinar cuándo debe responder la patrocinadora con respecto a la patrocinada por ser un préstamo o cualquier otra forma de financiación en la que subyazca la existencia de un interés para el grupo, y de este modo no que forzar la calificación de las cartas de patrocinio como «*contrato atípico de garantías*», con unos efectos jurídicos que, en la medida que el TS lo ha

---

[59]   EMBID IRUJO, J. M., «Protección de acreedores, grupo de empresas y levantamiento del velo de la personalidad jurídica. Comentario a la STS de 13 de diciembre de 1996 (RJ 1996, 9016), en *Revista de Derecho de Sociedades*», año VII/199, núm. 11, pág. 363.

calificado de vínculo solidario, excediendo incluso de las consecuencias jurídicas de la fianza (arts. 11830 CC-440 C de c). Así por ejemplo, queda por ejemplo evidenciado en el extracto que de los autos se hace en la sentencia del Tribunal Supremo en la sentencia de 28 de julio de 2015 *(Tol 5534678)*, al señalar que la entidad patrocinadora no sólo era accionista de la patrocinada, sino que igualmente existía una relación de dominio entre la sociedad emitente de la carta y aquella y que la obtención de financiación por la patrocinada podía redundar en beneficio de la patrocinadora, en tanto que en el informe de la administración concursal de la entidad patrocinada constaba que la patrocinadora era acreedor de una importe suma con respecto a la patrocinada, en concreto un 50% de las deudas de aquella. La integración de una sociedad en un grupo societario no supone la total pérdida de su personalidad jurídica y sus propios intereses y objetivos. Ahora bien, cuando mediante la actuación de la sociedad filial o participada lo que se está buscando no es la consecución de los objetivos o la protección del interés/interese de la sociedad sino la del grupo, la actuación de la sociedad dominante no se puede materializar en un daño o perjuicio para la sociedad dominada y la postergación de su interés social con perjuicio para dicha sociedad y sus acreedores de cualquier tipo. El Tribunal Supremo considera que en aquellos supuestos en los que se produzca un conflicto entre el interés del grupo y el interés de una de las sociedades que lo integren, debe buscarse un equilibrio entre uno y otro, de modo que el interés de las sociedades dominadas esté *«matizado por el interés del grupo y coordinado con el mismo, pero no diluido en él hasta el punto de desaparecer y justificar cualquier actuación dañosa para la sociedad por el mero hecho de que favorezca al grupo en que está integrado»* [FD Tercero punto 4º, STS 11 de diciembre de 2015 *(Tol 5589749)*]. Así pues, cuando conforme a las declaraciones de voluntad contenidas en la carta de patrocinio no se pueda interpretar de manera clara y determinante el vínculo obligacional que asume la patrocinadora con respecto a la patrocinada, la responsabilidad podrá alcanzarle cuando en su conducta concurra una situación de abuso frente al acreedor que exija el levantamiento del velo, así como en aquellos supuestos en los que la situación de la sociedad patrocinadora sobre la patrocinada exista una capacidad de control directo o indirecto, en la política financiera y comercial así como en el proceso decisorio del grupo, o como hemos señalado anteriormente, porque exista un elevado porcentaje en la deuda total de la patrocinada de la cual sea acreedora la propia patrocinadora. Como señala la STS de 4 de marzo de 2016 *(Tol 5564505)*, tras la reforma legislativa del art. 42 del C de C, el grupo de sociedades viene caracterizado por el control que ostenta, directa o indirectamente, una sociedad sobre otras. Así, con esta referencia al control más allá de la existencia de un control orgánico se extiende la noción de grupo a otros supuestos, como por ejemplo, la adquisición de derechos o la concentración de contratos que confieran a la parte dominante la capacidad de control, sobre la política financiera y comercial o el control del proceso decisorio del grupo. Porque la noción de control implica «*junto al poder de decisión, un contenido mínimo indispensable de facultades empresariales. Para ilustrar el contenido de estas facultades, sirve la mención que en la doctrina se hace al Plan General Contable, parte segunda, norma 19 que, al definir las "combinaciones de negocios", se refiere al "control" como el poder de dirigir las políticas financiera y de explotación de una negocio con la finalidad de obtener beneficios económicos de su actividades*» (FD Tercero).

## Bibliografía

ÁLVAREZ LATA, N., «Sentencia de 18 de marzo de 2009: Carta de patrocinio fuerte. Asunción de compromisos claros e inequívocos por la patrocinante en caso de impago de la prestataria», *Cuadernos Civitas de jurisprudencia civil*, n° 81, 2009, págs. 1447-1468.

ARCOS VIERA, Mª L., *Mandato de crédito*, Pamplona, 1996.

— «Sentencia de 13 de febrero de 2007: Reclamación de la entidad bancaria prestamista frente al emitente de una carta de patrocinio, tras el incumplimiento del contrato por la empresa prestataria. Cartas de patrocinio: doctrina. Requisitos para la consideración de las cartas de patrocinio como contrato de garantía. Carta de patrocinio y mandato de crédito», *Cuadernos Civitas de Jurisprudencia Civil*, n° 77, 2008, págs. 511-536.

BOLDÓ RODA, Mª C., *Levantamiento del velo y persona jurídica en el Derecho Privado español*, Pamplona, 2006, págs. 407-408.

CARRASCO PERERA, A., «Cartas de patrocinio y garantías independientes en el concurso» *Revista de derecho concursal y paraconcursal: Anales de doctrina, praxis, jurisprudencia y legislación*, N° 4, 2006, págs. 91-116.

— «Sentencia de 30 junio 2005: Cartas de patrocinio. Obligaciones resultantes de las declaraciones de titularidad sobre el capital de la filial y de apoyo financiero en caso de insolvencia», *Cuadernos Civitas de jurisprudencia civil*, n° 71, 2006, págs. 895-915.

— «Las nuevas garantías personales: las cartas de patrocinio y las garantías a primer requerimiento», Tratado de garantías en la contratación mercantil / coord. por Miguel Muñoz Cervera, Ubaldo Nieto Carol, Vol. 1, 1996 (Parte general y garantías personales).

DIÉGUEZ OLIVA, R., «Cartas de patrocinio y delimitación con respecto a otras figuras afines: fianza solidaria, mandato de crédito: comentario a la STS de 13 de febrero de 2007», *Revista de Derecho Patrimonial*, n° 19, 2007, págs. 233-242.

DÍEZ-PICAZO Y PONCE DE LEÓN, L., *Fundamentos del Derecho Civil patrimonial*, Madrid, 1996.

DOMÍNGUEZ PÉREZ, E. M., «Problemática de las cartas de patrocinio. Comentarios a algunos recientes pronunciamientos jurisprudenciales», *Revista Crítica de Derecho Inmobiliario*, N° 694, 2006, págs. 782-795.

DUQUE DOMÍNGUEZ, J., «Las cartas de Patrocinio» en *Nuevas entidades, figuras contractuales y garantías en el mercado financiero*, coord. por Alberto Alonso Ureba, Rafael Bonardell Lenzano, Rafael García Villaverde, 1990.

EMBID IRUJO, J. M., «Los grupos de sociedades en la Comunidad Económica Europea (el proyecto de novena Directiva)», en *Cuadernos de Derecho y Comercio*, núm. 5, junio de 1989, págs. 359 y ss.

— «Protección de acreedores, grupo de empresas y levantamiento del velo de la personalidad jurídica. Comentario a la STS de 13 de diciembre de 1996 (RJ 1996, 9016), en *Revista de Derecho de Sociedades*», año VII/199, núm. 11, págs. 363 y ss.

EMBID IRUJO, J. M. y SALAS FUMÁS, V., «El gobierno de los grupos de sociedades» en *Laboratorios de alternativas*, 2005.

MIQUEL GONZÁLEZ, J. M., «Condición, obligación y garantía» en *Estudios Jurídicos en Homenaje a Vicente Montés Penadés*, Madrid, 2011.

# VI. OPERACIONES SOCIETARIAS

# 22. *Aumento de capital por compensación de créditos. Reflexiones sobre dos cuestiones concretas: devengo de intereses y fraude de socios*

**CARLOS PAREDES GALEGO**

*Profesor de Fundamentos Jurídicos de la Actividad Empresarial,*
*Universidad Pontifica Comillas-Icade*
*Abogado, Uría Menéndez Abogados, S.L.P.*

**Sumario:** I. INTRODUCCIÓN. II. CONCEPTO. III. NATURALEZA JURÍDICA. IV. LA IN-CARDINACIÓN DE LA FIGURA EN LAS CATEGORÍAS SOCIETARIAS Y SUS EFECTOS. 1. La (desconcertante) consideración del aumento por compensación de créditos como un aumento no dinerario. 2. Las consecuencias de la consideración legal del aumento como no dinerario. V. EL PROBLEMA APARENTE DEL CÓMPUTO DE INTERESES DEL CRÉDITO CAPITALIZADO (¿HASTA CUÁNDO?). 1. Planteamiento. 2. El necesario consentimiento del acreedor. VI. LOS PROBLEMAS ASOCIADOS A LA VALORACIÓN DEL CRÉDITO A COMPENSAR Y A LA PARTICIPACIÓN DE LOS SOCIOS PREEXISTENTES. 1. ¿Valoración a nominal o con descuento? Relevancia del consentimiento del acreedor y los límites existentes. 2. La dilución de los socios que no convierten. Bibliografía.

## I. INTRODUCCIÓN

El aumento de capital por compensación de créditos es una de esas figuras que, configuradas bajo una aparente sencillez, acaban deslumbrando por la riqueza de matices e interpretaciones que provocan. Si a ello se le añaden las recientes modificaciones legislativas de los últimos tiempos, que han venido a situar la institución en el ámbito de los aumentos no dinerarios, y el recurso tan frecuente a la figura, especialmente en los últimos años, como consecuencia de las necesidades de capitalización de tantas empresas con exceso de endeudamiento y la escasez de aportaciones en efectivo, la polémica se aviva.

No es propósito de este trabajo examinar escolásticamente la figura. Nos detendremos exclusivamente en dos aspectos sin especial conexión entre sí, pero que sin duda permiten plantear reflexiones de interés y trasfondo práctico. Por un lado, la determinación de en qué medida el crédito que se capitaliza continúa devengando intereses mientras no se produce la entrega de las acciones o participaciones y, por otro, el análisis de las posibles condiciones en que un aumento de esta naturaleza puede llevarse a cabo y los riesgos asociados que pueden manifestarse en relación con aquellos socios que no participan en el mismo.

Con todo, antes de iniciar el desarrollo de los dos temas de la ponencia y con el fin de configurar el contexto en que el análisis debe producirse, resulta oportuno detenerse en las características de este tipo de aumento y tratar de desentrañar la naturaleza del mismo.

## II. CONCEPTO

El llamado aumento de capital mediante compensación de créditos permite a la sociedad que lo acomete transformar una partida de pasivo exigible (una deuda de la sociedad) en capital. Para el titular del crédito frente a la sociedad, la operación conlleva el cambio de ese derecho de crédito por un conjunto de acciones o participaciones, transformando una relación crediticia en una relación societaria. Además, el elemento esencial de la operación lo constituye el hecho de que el crédito que se capitaliza es un crédito frente a la propia sociedad: su titular lo compensa y lo convierte en capital.

No es capitalización de créditos, por consiguiente, la aportación por su titular de un crédito frente a un tercero distinto de la sociedad. En ese caso, dicha aportación debería efectuarse a través de los mecanismos establecidos para las aportaciones no dinerarias o *in natura* y, singularmente, contando con un informe de valoración por un experto o, en el caso de sociedades limitadas, sujetándose si falta dicho informe al régimen de responsabilidad solidaria de socios y administradores.

Además, debe recalcarse que la compensación de créditos conlleva un aumento real y no meramente contable. Al contrario de lo que acontece en un aumento con cargo a reservas, en la capitalización de créditos no solo se amplía el capital sino también el patrimonio de la sociedad, en la misma cuantía en que se reduce el pasivo exigible.

El artículo 301 del texto refundido de la Ley de Sociedades de Capital, aprobado por el Real Decreto Legislativo 1/2010, de 2 de julio, (la «**Ley de Sociedades de Capital**» o «**LSC**») establece los requisitos para llevar a cabo una capitalización de créditos. Son diversos según nos hallemos ante una sociedad anónima o limitada. En la sociedad limitada, los créditos deben ser líquidos, estar vencidos y ser exigibles, y los administradores deben elaborar un informe al tiempo de la convocatoria de la junta sobre la naturaleza y características de los créditos a compensar, la identidad de los aportantes, el número de participaciones que hayan de crearse y la cuantía del aumento, expresando la concordancia de los datos sobre los créditos con la contabilidad social.

Por su parte, en la sociedad anónima, los requisitos son los mismos que la norma prevé para limitadas con dos salvedades: basta con que un 25% de los créditos estén vencidos, sean líquidos y exigibles (siempre que el resto venza en un máximo de 5 años) y es preciso además poner a disposición de los accionistas una certificación del auditor de la sociedad (o, en defecto de éste, del designado por el Registro Mercantil) que acredite que, una vez verificada la contabilidad social, resultan exactos los datos ofrecidos por los administradores sobre los créditos a compensar[1].

## III. NATURALEZA JURÍDICA

Al aumento de capital por compensación de créditos alude de modo expreso y por vez primera la Ley de Sociedades Anónimas en su reforma de 1989[2]. El artículo 89 de aquel texto legal (luego 151 en el texto refundido aprobado ese mismo año) precisaba, después de especificar que el aumento puede efectuarse mediante creación de nuevas acciones o incremento del valor nominal de las existentes, que el contravalor de ese aumento podía consistir *«tanto en nuevas aportaciones dinerarias o no dinerarias al patrimonio social, incluida la compensación de créditos contra la sociedad, como en la transformación de reservas o beneficios que ya figuraban en dicho patrimonio».*

---

[1]  También es admisible, como afortunada y razonablemente ha entendido la DGRN (RDGRN de 19 de mayo de 2016 *(Tol 5747991)*) —luego de un dilatado proceso de más de dos años que habla mal de la competitividad de nuestro sistema de control societario— que los auditores se refieran a información «adecuada» en lugar de «exacta», amparándose en la «Norma técnica de elaboración del informe especial sobre aumento de capital por compensación de créditos, supuesto previsto en el artículo 156 del texto refundido de la Ley de Sociedades Anónimas», publicada por Resolución de 10 de abril de 1992, del Instituto de Contabilidad y Auditoría de Cuentas.

[2]  Ley 19/1989, de 25 de julio, de reforma parcial y adaptación de la legislación mercantil a las Directivas de la comunidad Económica Europea (CEE) en materia de sociedades.

Tan críptica definición dejaba sin discernir si los aumentos mediante compensación de créditos contra la sociedad debían reputarse efectuados con cargo a aportaciones dinerarias o no dinerarias, y al propio tiempo azuzaba la discusión acerca de la concreta naturaleza de la figura.

En relación precisamente con la naturaleza de la institución, varias han sido y son las posturas que se han venido postulando para caracterizarla: dación en pago, confusión, compensación, novación.

En cuanto a la teoría de la dación en pago, se razona por quienes han planteado esta caracterización[3] que el acreedor acepta la extinción de su relación crediticia con la sociedad a cambio de recibir acciones o participaciones en lugar del pago del préstamo. Sin embargo, se olvida en esta construcción que, al contrario de lo que acontece en una dación en pago, entendida como mecanismo de extinción de obligaciones (ex. art. 1166 CC), el antiguo acreedor continúa vinculado a su antiguo deudor, ahora mediante una relación societaria. Al propio tiempo, las acciones o participaciones que la sociedad entrega no surgen de la nada sino que su contraprestación proviene precisamente de la no exigibilidad del crédito. No puede ser por tanto la dación en pago el elemento definitorio de la figura.

En otros casos se ha considerado que nos hallábamos ante una extinción de créditos por confusión, al amparo del art. 1192.1 CC[4]. Sin embargo, no puede afirmarse que deudor y acreedor lo sean por una única relación crediticia, pues encontramos por una parte la relación derivada del préstamo, en la que la sociedad es deudora y el futuro accionista acreedor, y por otra la relación derivada del aumento de capital; dos relaciones por tanto.

Más certera nos parece la tesis que define la figura como compensación, si bien creemos preciso añadirle el elemento novatorio que, a nuestro juicio, completa adecuadamente la naturaleza de la figura. La norma legal, hoy consignada en el artículo 301 LSC, apuesta claramente por la tesis compensatoria, denominando así a este tipo de ampliación de capital: «aumento por compensación de créditos». Y sobre esta base se ha sostenido[5]

---

[3]    ALONSO ESPINOSA, Francisco José, «Modificación de estatutos y aumento y reducción de capital», Cuadernos de Derecho y Comercio, núm. 8, 1990, pág. 86.

[4]    OLIVENCIA, Manuel «La compensación en la quiebra y el art. 926 del Código de Comercio». ADC 1958, pág. 822.

[5]    IGLESIAS PRADA, Juan Luis «Sobre el aumento de capital por compensación de créditos», Anales Academia Matritense del Notariado, Tomo XXXIII, 1994, págs. 203-248.

que la tesis de la compensación es la que más adecuadamente define este tipo de aumento. Nuestro añorado Juan Luis Iglesias veía en la regulación legal de la figura evidencia de que solo podía ser rectamente comprendida desde la óptica de la compensación, bajo el argumento de que no tendría sentido permitir que la compensación de la deuda de aportación se pudiese efectuar con arreglo a la menos rigurosa disciplina del Código Civil y que, por tanto y aunque la compensación de los créditos se produce *in limine negotii* (el crédito de la sociedad por la deuda de aportación se crea y extingue simultáneamente), ello no sería obstáculo para concluir que la naturaleza de la figura nos remite a la compensación de la deuda de aportación.

Sin embargo, como anticipábamos, no desconocemos alguna dosis de artificialidad o posibilismo en esta estructuración, que debe despejarse atendiendo a la realidad de la operación y apelando al instituto novatorio. Efectivamente, en un aumento de capital por compensación de créditos se producen varias circunstancias que es preciso considerar en su justa medida. Por una parte, quienes son acreedores frente a la compañía consienten voluntariamente (ánimo de novar) en sustituir sus créditos monetarios preexistentes por acciones o participaciones. Al propio tiempo, la compañía acuerda ampliar el capital social y consignar como contraprestación del mismo, en compensación, la extinción de la deuda (ánimo igualmente de variar la relación crediticia inicial). Se produce un cambio por tanto, pasándose de una relación crediticia a una relación societaria. En el camino se ha «compensado» el crédito, que voluntariamente se ha canjeado (sustituido) por nuevas acciones o participaciones, siendo la contraprestación de ese nuevo capital la eliminación de la deuda original de la sociedad[6].

---

[6] En parecido sentido, PULGAR EZQUERRA, Juana, «El acuerdo de la junta de aumento de capital por compensación de créditos en el marco de las sociedades de capital», Revista de Derecho de Sociedades núm. 34, págs. 26-27, y SÁENZ, Juan Carlos, Artículo 301, «Aumento por compensación de créditos» en «Comentario de la Ley de Sociedades de Capital», Tomo II, Dirs. Beltrán, E., Rojo, A., pág. 2229, Cívitas.

## IV. LA INCARDINACIÓN DE LA FIGURA EN LAS CATEGORÍAS SOCIETARIAS Y SUS EFECTOS

### 1. La (desconcertante) consideración del aumento por compensación de créditos como un aumento no dinerario

Más relevante a nuestro entender que su naturaleza jurídico-civil se antoja la inserción del aumento por compensación en las categorías o posibilidades societarias disponibles para llevar a cabo una ampliación de capital.

Desde que el antiguo artículo 151.2 del texto refundido de la Ley de Sociedades Anónimas de 1989 admitiese expresamente la posibilidad de efectuar un aumento con cargo a créditos compensables, y lo hiciese sin aclarar adecuadamente si el aumento debería reputarse dinerario o *in natura*, la doctrina rápidamente se posicionó a favor de una u otra posibilidad.

La dominante se inclinó por la segunda de ellas (aportación *in natura*), aduciendo varios argumentos, entre los que fundamentalmente se encontraba la propia literalidad del precepto («*tanto en nuevas aportaciones dinerarias o no dinerarias al patrimonio social, incluida la compensación de créditos contra la sociedad*»), razonando, sin darle relevancia a la coma que precede a la proposición donde se menciona la compensación, que la referencia a dicha compensación parecería aludir a las aportaciones no dinerarias, a lo que se añadía la similitud, más superficial que real como luego veremos, entre los requisitos procedimentales exigidos para las aportaciones no dinerarias y las compensaciones de créditos, al ser precisa en ambas la existencia de un informe de un tercero[7]. Prontamente también, la Dirección General de los Registros y del Notariado abrazó esta misma tesis[8], calificando como no dineraria la aportación de créditos contra la propia sociedad. Ninguna duda plantea sobre su carácter no dinerario o *in natura*, merece la pena recordarlo, la aportación de créditos frente a un tercero distinto de la sociedad.

Esta consideración del aumento por compensación como análogo o similar a las aportaciones *in natura*, si bien sustituyendo el informe de valoración del experto por un informe o certificación del auditor (en sociedades

---

[7]   Vid. entre otros, GALÁN LÓPEZ, Carmen, «El aumento del capital por compensación de créditos», en «Derecho mercantil de la Comunidad Económica Europea. Estudios en homenaje a José Girón Tena», Madrid 1991, pág. 436.

[8]   RDGRN de 15 de julio de 1992 *(Tol 1468840)* y de 8 de octubre de 1993 *(Tol 273948)*.

anónimas) acerca de la corrección de los datos del crédito en la contabilidad social incurría sin embargo en una contradicción palmaria. Y es que, a diferencia del experto independiente, el auditor no valora el crédito. La norma de anónimas únicamente le exigía al auditor —y así sigue haciéndolo en la actualidad— que confirme, por referencia a lo declarado por los administradores, que los créditos a compensar son vencidos, líquidos y exigibles al menos en un 25%, y que si alguno no está vencido, lo haga en el plazo máximo de cinco años. Eso no guarda relación alguna con el propósito y finalidad del informe de valoración de un experto independiente en una ampliación *in natura* en la que el experto debe verificar que se cumple el principio de integridad del capital y, por tanto, que lo aportado (por ejemplo, un edificio, una escultura o un crédito frente a un tercero distinto de la sociedad) vale al menos lo mismo que el capital y, en su caso, la prima de emisión emitidos en contrapartida.

Lo cierto es que este posicionamiento doctrinal y registral favorable a la consideración del aumento por compensación como un aumento no dinerario ha carecido prácticamente de virtualidad práctica hasta la modificación en 2009 del texto refundido de la Ley de Sociedades Anónimas (art. 158.1), que dispuso que el derecho de suscripción preferente solo operase en los aumentos con cargo a aportaciones dinerarias[9]. Esta circunstancia introdujo desde ese momento una ventaja e incentivo añadidos a la figura de la compensación de créditos, siempre que se considerase realizada con cargo a aportaciones distintas de las dinerarias[10]. Hasta entonces, y como se ocupó oportunamente de recordar la STS 403/2008 de 23 de mayo *(Tol 1343825)*[11], los socios preexistentes disfrutaban de derechos de suscripción preferente en los aumentos por capitalización de créditos, salvo cuando estos derechos eran excluidos por exigencia del interés social y con arreglo al procedimiento legalmente previsto.

---

[9]     Modificación del art. 158.1 del texto refundido de la Ley de Sociedades Anónimas efectuada por la Ley 3/2009, de 3 de abril, sobre modificaciones estructurales de las sociedades mercantiles, con arreglo a la cual se adecuaba el régimen del derecho de suscripción preferente y de las obligaciones convertibles a la Sentencia TJUE (Sala Primera) de 18 de diciembre de 2008 *(Tol 1405713)*.

[10]    La regla no se extendía a las sociedades limitadas, hasta la refundición de la Ley de Sociedades de Capital (arg. SAP Madrid (sección 28ª) núm. 372/2012 de 26 de noviembre *(Tol 2721520)*).

[11]    En el mismo sentido y bajo la anterior normativa, SAP de Asturias núm. 615/2000 (sección 1ª) de 2 de diciembre *(Tol 6321004)* SAP de Castellón núm. 412/2005 (sección 3ª), de 29 de julio *(Tol 757940)* y SAP de Pontevedra núm. 388/2006 (sección 1ª) de 29 de junio *(Tol 6321003)*.

Después, la aprobación del texto refundido de la hoy vigente Ley de Sociedades de Capital, vino a descartar además, al menos en la práctica legal, la condición dineraria del aumento por compensación de créditos, encuadrándolo entre los aumentos que no son dinerarios y extendió a la sociedad limitada la regla que circunscribía a los aumentos con cargo a aportaciones dinerarias el derecho de preferencia de los antiguos socios. Así, la vigente Ley de Sociedades de Capital distingue hoy literalmente en sus artículos 299 a 303 cinco tipos de aumento: con cargo a aportaciones dinerarias (art. 299), con cargo a aportaciones no dinerarias (art. 300), por compensación de créditos (art. 301), por conversión de obligaciones en acciones (art. 302) y con cargo a reservas (art. 303)[12]. Quedaba por tanto expedito el camino para realizar compensaciones de créditos sin la carga de ofrecer la posibilidad de suscribir a todos los socios preexistentes.

Esa conclusión se vio rápidamente confirmada por diversos pronunciamientos judiciales y administrativos, que reiteraron la naturaleza no dineraria del aumento por compensación de créditos y la inexistencia, por consiguiente, de derecho preferente de suscripción o asunción alguno. Esa es la línea de la SAP Madrid (Sección 28ª) núm. 372/2012 de 26 de noviembre *(Tol 2721520)*, donde se anula un aumento por compensación de créditos de una sociedad limitada previo a la vigencia de la Ley de Sociedades de Capital en la que no se reconoció derecho preferente a todos los socios (ni se suprimió con las garantías legales) y, ya con meridiana claridad, SAP Madrid (Sección 28ª) núm. 298/2015 de 26 de octubre *(Tol 5566789)*, donde se explicita lo siguiente:

> *«Admitiendo que la cuestión es polémica, el tribunal considera que el aumento del capital por compensación de créditos [...] no implica un aumento con cargo a aportaciones dinerarias (artículo 299), lo que exige que las aportaciones dinerarias sean nuevas.*
> *Con independencia de la exacta naturaleza jurídica de la operación de aumento de capital por compensación de créditos (compensación, novación, dación en pago, canje de crédito por capital...) lo cierto es que las aportaciones dinerarias requieren nuevas aportaciones dinerarias (artículo 299) y el*

---

[12] En puridad esas cinco categorías deberían reconducirse a tres esenciales: dinerarias, no dinerarias y con cargo a reservas (los dos primeros como aumentos reales y el tercero meramente contable) ¿Dónde se hallarían en ese esquema las compensaciones de créditos y las conversiones de obligaciones? A nuestro juicio las primeras deberían formar parte de las ampliaciones dinerarias y las segundas en función de cómo se hubiesen desembolsado las obligaciones (si se desembolsaron con dinero, habría de reputarse un aumento dinerario; si con otros bienes, habría de ser no dinerario).

> *aumento por compensación de créditos no incorpora a la sociedad nuevos fondos dinerarios sino que capitaliza deudas frente a la sociedad y, concretamente, transforma en capital pasivo exigible, permitiendo así a la sociedad disponer de recursos que de otro modo habrían tenido que utilizarse para atender el pago de la deuda.*
>
> *En el texto refundido de la Ley de Sociedades de Capital [...] se configuran como modalidades distintas de aumento del capital, con nombre propio, las siguientes: aumento con cargo a aportaciones dinerarias, aumento con cargo a aportaciones no dinerarias, aumento por compensación de créditos, aumento por conversión de obligaciones y aumento con cargo a reservas [...]. Si a continuación la misma norma sólo reconoce el derecho de suscripción preferente en las ampliaciones de capital con emisión de nuevas participaciones sociales o de acciones [...], es que en las demás modalidades antes reseñadas no se otorga el derecho de preferencia [...].»*

En sentido similar a la citada SAP Madrid de 26 de octubre de 2015 *(Tol 5566789)* se había manifestado antes la propia Dirección General de los Registros y del Notariado. En sus resoluciones de fechas 4 y 6 de febrero de 2012 (*Tol 2469453* y *Tol 2469454*, respectivamente), emitidas en relación con dos ampliaciones de capital en sociedades limitadas, el centro directivo rechazó que en los aumentos por compensación de créditos fuese necesario cumplir con las normas del derecho de asunción preferente, en tanto que ese derecho solo surge en los aumentos con cargo a aportaciones dinerarias, que no incluyen, precisaba, las capitalizaciones de créditos frente a la sociedad.

Aunque no desconocemos que hoy en día la letra de la norma vigente, los pronunciamientos judiciales y administrativos enunciados y la doctrina mayoritaria existente dejan poco margen para la discusión, no podemos omitir una firme crítica a esa consideración de los aumentos por compensación de créditos como no dinerarios[13]. En apretada simplificación, un aumento por compensación de créditos es el reconocimiento de que unos fondos en dinero que ha percibido la sociedad y que constituyen una deuda de la misma se apliquen a la suscripción o asunción de un aumento de capital: así definido se asemeja desde luego más a un aumento dinerario en el que el dinero se entregó anticipadamente a la sociedad con otro título y que ahora, al cancelar o compensar la deuda, se aplica al desembolso del capital. Una aportación de un crédito frente a la sociedad es, si lo reducimos a la esencia, un tipo específico de aportación dineraria: en ella no se

---

[13]  En análogo sentido crítico y con notable perseverancia y justificación, vid. ALFARO ÁGUILA-REAL, Jesús, *almacendederecho.org/leccion-aumento-capital-compensacion-creditos/*

entrega dinero —en realidad ya se ha entregado de una u otra forma—, sino que se cancela una deuda de la sociedad compensando la deuda de aportación con esa cancelación de la deuda (dinero contable).

¿Qué más da que sea dinero físico que dinero contable? ¿O acaso no podemos convenir que tiene lo mismo quien es titular de 100 y debe (siendo vencido, líquido y exigible) 40, que el que es titular de 60? En parecido (y lógico sentido) ¿no nos recuerda la Dirección General de los Registros y del Notariado (vid. por ejemplo resolución de 21 de octubre de 2014)[14] que cuando se aporta un negocio y al mismo tiempo se efectúa un aumento dinerario es necesario valorar ese negocio para determinar si tiene o no valor negativo para asegurar la integridad del capital? Si el valor neto de lo aportado tiene, justificadamente, relevancia, ¿por qué no se le atribuye esa misma relevancia a efectos de calificación de la figura a un aumento que elimina un pasivo exigible monetario y lo transforma en capital?

Para poder efectuar un aumento mediante compensación de créditos la ley exige que estos estén vencidos y sean líquidos y exigibles. Es decir, tiene que acreditarse que la sociedad debe efectivamente esas deudas (y las tiene que abonar ya). Pero, como anteriormente razonábamos, el papel del auditor no es el de valorar esos créditos, sino simplemente el de constatar que resulta correcto lo que, sobre ellos y sobre su reflejo en la contabilidad social, afirman los administradores. El crédito puede valer muy poco, puede estarse negociando en el mercado con un descuento relevante sobre su valor facial (el nominal), especialmente si la sociedad se halla en dificultades financieras (circunstancia no infrecuente cuando asistimos a operaciones de capitalización de créditos), pero nada impide que a los efectos del desembolso del aumento el crédito se compute por su valor nominal. Al fin y al cabo, desde la perspectiva de los restantes acreedores de la sociedad, la capitalización del crédito posterga a un acreedor (el que convierte) y mejora la perspectiva de recobro de los que no lo hacen, en la medida en que la capitalización disminuye el pasivo exigible de la sociedad. La exigencia de la intervención del auditor, por otra parte, no constituye una garantía

---

[14]    Indica la RDGRN de 21 de octubre de 2014 (*Tol 4542465*) que «*por mucho que se argumente por el recurrente que la cifra en que se aumenta el capital social queda cubierta por el importe dinerario que se aporta por los socios y se acredita mediante certificación bancaria, resta por saber si, valorado en su conjunto la aportación dineraria y el resto de lo aportado y verificado todo ello por el experto, queda cubierto el valor asignado al capital social, al objeto de evitar, que como consecuencia de un valor negativo de la aportación de cada parte del patrimonio de la sociedad escindida, el total patrimonio de cada una de las beneficiarias sea inferior a su capital social*».

muy distinta a la exigida en las propias ampliaciones con efectivo, donde se requiere el certificado del banco acreditando el depósito de lo desembolsado en una cuenta abierta a nombre de la sociedad. Por esa razón no concordamos con quienes justifican la asimilación de las compensaciones de créditos a las aportaciones *in natura* sobre la base de que se exige algún tipo de control[15]. Porque «algún tipo de control» también existe en las aportaciones en efectivo.

Asimismo, el hecho de que en las sociedades anónimas no sea preciso que todo el crédito a convertir esté vencido, sea líquido y exigible, sino solo el 25%, siempre que el resto venza y sea líquido y exigible en un plazo máximo de cinco años, no afecta a nuestra convicción de que, en puridad, la capitalización de créditos debiera reputarse como una ampliación dineraria. No desconocemos que esa referencia al desembolso en cinco años puede sugerir una conexión con el plazo idéntico que se estipula en la norma para los desembolsos pendientes que deban hacerse mediante aportaciones no dinerarias (art. 80.2 LSC). Sin embargo, resulta oportuno recordar que la norma francesa, en la que se inspiró la norma original española[16], establece precisamente ese plazo de cinco años para efectuar el desembolso de las aportaciones dinerarias, entre las que se cuenta la capitalización de créditos[17] y que, al propio tiempo, se antoja razonable no haber querido extender más allá del quinto aniversario el vencimiento de los créditos, ni remitirlo a lo que establezcan los estatutos, con el ánimo de preservar la cercanía en el tiempo de la exigibilidad y liquidez de los créditos. Ello, unido a la, bajo nuestra perspectiva, más relevante evidencia de que no se ha traspuesto a este tipo de aumento la exigencia de valoración propia de las aportaciones no dinerarias, nos lleva a descartar que esta aparente descoordinación deba llevar aparejada una conclusión más drástica.

---

[15]   SÁENZ, Juan Carlos, *op. cit.*, pág. 2230.

[16]   IGLESIAS PRADA, Juan Luis, *op. cit.*, págs. 236-237.

[17]   Article L225-144 Code de Commerce «*Les actions souscrites en numéraire sont obligatoirement libérées, lors de la souscription, d'un quart au moins de leur valeur nominale et, le cas échéant, de la totalité de la prime d'émission. La libération du surplus doit intervenir, en une ou plusieurs fois, dans le délai de cinq ans à compter du jour où l'augmentation du capital est devenue définitive.*». El artículo L225-128 las incluye expresamente entre las dinerarias: «*Ils* [las acciones] *sont libérés soit par apport en numéraire y compris par compensation avec des créances liquides et exigibles sur la société, soit par apport en nature, soit par incorporation de réserves, bénéfices ou primes d'émission, soit en conséquence d'une fusion ou d'une scission.*».

Enrique Gandía plantea una tercera vía que resulta sugerente pero que entendemos pone de manifiesto una visión algo más posibilista que real[18]. Apunta el autor que la capitalización de créditos sería un *tertium genus*, ni dinerario ni no dinerario. Se trataría de un aumento real (no contable), pero en el que lo que se aporta es un «menor pasivo». Coincidimos en la descripción, pero nos parece, admitiendo que nuestra perspectiva pueda reputarse como excesivamente binaria o categórica, que lo que no es dinerario debe ser no dinerario por fuerza, esforzándonos después, como ha quedado reseñado, en justificar por qué —más allá de la literalidad normativa— la compensación de créditos encaja mejor entre los aumentos dinerarios aunque debamos acudir a la esencia económica de la figura para equipararlo a un aumento desembolsado con dinero en efectivo. Y lo cierto es que, en otros ordenamientos de nuestro entorno, los aumentos por capitalización de créditos contra la sociedad se reputan claramente como dinerarios. Así se pronuncia el Derecho francés, como hemos tenido ocasión de indicar ya. Y lo mismo ocurre con el Derecho inglés, donde se menciona entre las aportaciones dinerarias (art. 583 (3) (c) de la Companies Act 2006 «*a release of a liability of the company for a liquidated sum*»).

Con todo, nuestra militancia en pos de una posible (y deseable) consideración de las capitalizaciones de créditos como aumentos dinerarios no nos impide reconocer que en el momento actual ello es más un deseo de derecho ficción que una posibilidad palpable, especialmente mientras las decisiones judiciales no varíen su línea o la literalidad de la Ley de Sociedades de Capital no mude sensiblemente su expresión.

## 2. Las consecuencias de la consideración legal del aumento como no dinerario

La calificación legal del aumento por capitalización de créditos como un aumento no dinerario trae aparejada una serie de consecuencias, que pasamos a enumerar.

La primera es que necesariamente la decisión de la compensación de créditos ha de adoptarse por la junta. No es posible el recurso, disponible en los aumentos dinerarios de las sociedades anónimas, a la delegación a favor de los administradores durante un plazo de cinco años para que ellos decidan cuándo y en qué cuantía (no superior a la mitad del capital

---

[18]   GANDÍA, Enrique, «Derecho de suscripción preferente en el aumento de capital por compensación de créditos», Revista de Derecho de Sociedades núm. 48 (julio-diciembre 2016).

en la fecha de la autorización) se efectúa el aumento. Los administradores no pueden por tanto acordar la capitalización de créditos porque la junta solo puede delegar en ellos la facultad de aumentar el capital cuando la contraprestación consiste en aportaciones dinerarias. Ello supone que una compensación de créditos será normalmente una operación que no pueda hacerse de manera inmediata o sorpresiva, salvo naturalmente casos de juntas universales en sociedades pequeñas y con socios bien avenidos.

A su necesaria aprobación por la junta se anuda otra consecuencia y es el límite establecido para su ejecución, que no podrá exceder de un año. Así resulta de lo estipulado en el artículo 297.1 a) LSC, donde, para las sociedades anónimas, se permite que la junta decida los elementos esenciales del aumento (fundamentalmente su importe) y que los administradores integren el resto del acuerdo en el plazo de un año completándolo con el resto de menciones necesarias y ejecutándolo dentro de ese mismo plazo máximo. Eso sí y por imperativo del artículo 301 LSC, aunque se recurra a la posibilidad, ciertamente más flexible, que contempla el artículo 297.1 a) LSC, siempre deberán hacerse constar desde la convocatoria de la junta (salvo si es universal, en cuyo caso bastará el reflejo en el acuerdo), los datos, informes y certificados que reseña el mencionado artículo 301 LSC sobre los créditos a convertir. Por su parte, en el caso de sociedades limitadas y a pesar de que nunca hemos acertado a comprender el por qué de la no extensión a ellas de la posibilidad de integrar el acuerdo de la junta que permite el artículo 297.1 a) LSC, entendemos que no debería haber inconveniente en que, aunque el acuerdo de la junta deba estar completo, pueda preverse una ejecución en un plazo máximo de un año si las circunstancias así lo exigen (por ejemplo, cuando se estipule una condición suspensiva o se sujete la ejecutividad del aumento a alguna circunstancia adicional).

La segunda de las consecuencias enunciadas es que, en sociedades anónimas no aseguradoras, no resulta necesario el previo desembolso de las acciones previamente emitidas.

La tercera, y quizás la que mayor amparo puede ofrecer sobre el papel para la comisión de posibles abusos, es la inexistencia de derecho preferente de suscripción/asunción para quienes, siendo socios, no tienen o no aceptan la compensación de sus créditos frente a la sociedad. Más adelante volveremos sobre este tema. Ahora nos limitamos a apuntar que esta circunstancia facilita sin duda la realización de operaciones de capitalización y permite anticipar la composición resultante del accionariado tras la operación, pues en ella no pueden entrometerse otros socios distintos de los titulares de los créditos a compensar (si estos fuesen a su vez socios). Esto facilita que, aunque la decisión debe tomarla en todo caso la junta, una vez adoptada su ejecución resulte sencilla, pues no es necesario abrir ningún período de negociación de derechos de suscripción o asunción preferente y la ampliación puede completarse y ejecutarse con carácter inmediato.

## V. EL PROBLEMA APARENTE DEL CÓMPUTO DE INTERESES DEL CRÉDITO CAPITALIZADO (¿HASTA CUÁNDO?)[19]

### 1. Planteamiento

La cuestión que ahora interesa discernir es hasta qué momento devenga intereses el crédito que se capitaliza. Hemos de confesar que hasta ahora no habíamos reparado con especial énfasis en la materia, más allá de haber tenido el reflejo de considerar, cuando hemos instrumentado o asesorado en ampliaciones de capital mediante capitalización de créditos, el concreto importe del crédito a capitalizar. En esa determinación, normalmente hemos mirado por los intereses devengados y no pagados y, cuando la ampliación se acuerda en una junta que requiere previa convocatoria, incorporado entre los importes capitalizables el cálculo de los intereses que se habrán de devengar hasta la fecha de celebración de la junta general.

La cuestión, sin embargo, no es irrelevante, pues en algún momento debemos entender sustituida la tenencia del crédito por la tenencia de las acciones o participaciones en que éste se convierte. Y el momento en que ello acontezca arrastra determinadas consecuencias, dado que, mientras era titular del crédito, el acreedor podía confiar en que el principal pendiente de devolución continuaba produciendo un rendimiento, mientras que desde que el crédito se transforma en acciones o participaciones el único rendimiento que puede obtener el antiguo acreedor viene dado por los dividendos que paguen esas acciones o participaciones (lo que normalmente no depende de su sola decisión) o en la posibilidad de disponer en el mercado del capital recibido (especialmente si se trata de acciones líquidas).

---

[19]    Véase RODRÍGUEZ PEÑAMARÍA, Tomás. «La obligación de pago de intereses en créditos capitalizados en operaciones de aumento de capital». Revista de Derecho de Sociedades núm. 46, enero-abril 2016.

Hemos de advertir con todo que la cuestión de la indisponibilidad de las acciones o participaciones no resulta exclusiva de los aumentos por capitalización de créditos, pero puede resultar más aflictiva que en otros aumentos, pues el aportante en la capitalización del crédito parte de una situación en la que su inversión normalmente está ya obteniendo, bajo amparo contractual, una rentabilidad. Pero, como apuntábamos, en alguna medida también nos encontramos la misma problemática en los aumentos dinerarios o mediante aportaciones *in natura*. Pensando en una sociedad cotizada, que es quizás la realidad donde mejor puede ilustrarse el fenómeno, por el recurso sencillo que ofrece a la liquidez inmediata, el que desembolsa en dinero un aumento de capital no recibe unas acciones líquidas en el mismo momento en que aporta su dinero. Hasta la efectiva anotación de las acciones a su favor en el registro de anotaciones en cuenta transcurrirán unos días, en los que el aportante ostenta un derecho de crédito (a la entrega de las acciones) frente a la sociedad.

Se han planteado[20] por Rodríguez Peñamaría (quien finalmente opta por la segunda de ellas) dos grandes alternativas para entender hasta qué momento pervive como tal el crédito que se ha acordado capitalizar: (a) hasta el momento en que las acciones se entregan al suscriptor mediante su anotación en el registro contable[21], bajo la teoría del título y el modo; o (b) se entiende que la cesión opera y es efectiva desde el propio acuerdo de la junta general que decide sobre la capitalización de los créditos.

En el caso de la primera alternativa, que no nos convence en absoluto, la anotación en el registro contable conlleva, desde la perspectiva de la sociedad, el «pago» del precio convenido, pero en puridad el crédito se habrá normalmente extinguido antes. ¿En qué momento? No nos parece que pueda darse una respuesta unívoca a la cuestión. En su lugar, la solución pasará por atender a los concretos términos y condiciones de los acuerdos sociales y, en su caso, a los pactos alcanzados entre la sociedad y el acreedor, pues en ellos puede convenirse el momento en que se entiende finalizada

---

[20]  RODRÍGUEZ PEÑAMARÍA, Tomás, *op. cit.*

[21]  Según explicita el artículo 12.1 del Real Decreto 878/2015, de 2 de octubre, sobre compensación, liquidación y registro de valores negociables representados mediante anotaciones en cuenta, sobre el régimen jurídico de los depositarios centrales de valores y de las entidades de contrapartida central y sobre requisitos de transparencia de los emisores de valores admitidos a negociación en un mercado secundario oficial, *«los valores representados por medio de anotaciones en cuenta se constituirán como tales en virtud de su inscripción en el correspondiente registro de la entidad encargada del registro contable»*.

la relación crediticia o la fecha hasta la que los créditos devengan intereses. Lo mismo ocurre en los aumentos con dinero o en las aportaciones de bienes: el aportante transmite la propiedad cuando suscribe y desembolsa, lo que acontecerá en un momento previo o coincidente con la ejecución del aumento de capital, entendiendo por tal ejecución la declaración de los administradores acerca de la suscripción y desembolso de la ampliación de capital. Por tanto, el abanico de posibilidades es muy amplio y vendrá dado en el fondo por lo que concretamente pacten la sociedad y el acreedor o, a falta de pacto expreso, por lo que resulte implícito en los acuerdos sociales.

## 2. *El necesario consentimiento del acreedor*

Antes de proseguir con nuestro razonamiento, conviene recordar un elemento definitorio y esencial de la figura de la capitalización de créditos que nos ayudará a entender la problemática planteada. Nos referimos al necesario consentimiento del acreedor. No hay capitalización de créditos sin que el acreedor esté de acuerdo con ella. Así lo ha recalcado la Dirección General de los Registros y del Notariado con toda claridad y acierto en sus Resoluciones de 30 de noviembre de 2012 *(Tol 2705097)* y de 13 de junio de 2016 *(Tol 5788022)*. La primera de ellas explicita que «*al aumento debe aplicársele el artículo 60 de la Ley de Sociedades de Capital (…) en virtud del cual "toda aportación se entiende realizada a título de propiedad", derivando de ello también de forma inexcusable el necesario consentimiento del titular del bien o derecho aportado. (…). Las mismas reglas deben aplicarse a la compensación de créditos contra la sociedad, pues desde el punto de vista jurídico la transformación de un crédito en capital supone que un acreedor de la sociedad va a mudar su posición jurídica deviniendo socio de la sociedad deudora, o aumentando su participación en el capital de la sociedad, y descargando el pasivo exigible de la misma*». Y en el mismo sentido se pronuncia la segunda: «*Parece claro por tanto que el consentimiento del titular del crédito es en todo caso exigible para que el crédito se transforme en capital, pudiendo ser ese consentimiento expresado de forma tácita, al votar a favor del acuerdo, o de forma expresa al manifestar su deseo en la junta de que su crédito se transforme en capital social*»[22].

---

[22]  Es digna de mención, por el contraste que supone, la SAP Toledo (Sección 2ª) núm. 170/2016 de 22 de marzo de 2016 *(Tol 5721126)*, donde se dilucida la reclamación de impago de sendos préstamos que dos acreedores dirigen a la sociedad deudora. Esta aduce que los préstamos habían sido capitalizados (con el voto en contra de los titulares, que ya eran socios) y la Audiencia, revocando la (mejor) decisión del juez de instancia, considera que si no estaban de acuerdo con la ca-

Hasta tal punto es relevante el consentimiento del acreedor que la Ley lo mantiene como elemento esencial incluso en aquellas circunstancias en las que la sociedad afronta problemas financieros o de liquidez que amenazan su propia supervivencia. Nos referimos al régimen establecido en la disposición adicional 4ª de la Ley 22/2003, de 9 de julio, Concursal («**LC**»), donde se regula la homologación judicial de determinados acuerdos de refinanciación, homologación que blinda frente a posibles acciones rescisorias lo convenido entre la sociedad y los acreedores. Pues bien, en el contexto de los indicados acuerdos se prevé la extensión de algunos de sus efectos a los acreedores disconformes o que no los hayan suscrito (siempre que no dispongan de garantía real o en la parte no cubierta por aquella), pero esos efectos nunca conllevan la imposición de la transformación de la deuda en capital. Así, cuando el acuerdo de refinanciación se haya suscrito por acreedores que representen al menos el 60% del pasivo financiero, se podrán extender a los disconformes las esperas pactadas hasta un plazo de 5 años o transformar la deuda en préstamo participativo. Y cuando el acuerdo de refinanciación concita el apoyo de al menos el 75% del pasivo financiero, se pueden extender a los acreedores disconformes, entre otras medidas, las esperas hasta 10 años, las quitas e incluso la conversión de deuda en acciones o participaciones de la sociedad deudora. Pero en este último punto es donde se percibe esa relevancia —al menos en las formas— otorgada al consentimiento del acreedor (para dejar de serlo, no lo olvidemos), porque se permite al acreedor disconforme que no desee convertir su crédito en capital optar por una quita equivalente al importe del nominal de las acciones o participaciones que les corresponda suscribir o asumir y, en su caso, de la correspondiente prima de emisión o asunción y se explicita que la decisión de convertir ha de ser expresa, interpretándose el silencio en el sentido de aceptar en su lugar la quita antes mencionada[23].

---

pitalización debían haber impugnado el acuerdo social de aumento de capital. La sentencia resulta sorprendente y aunque también lo es la estrategia procesal de los demandantes por dejar incólume el acuerdo social, no nos parece adecuado que, existiendo una clara voluntad contraria a la capitalización, como lo evidencia la reclamación de repago del préstamo presentada unos días después de la inscripción registral del aumento, la capitalización quede confirmada y refrendada por esa falta de impugnación del acuerdo social; como si lo que quedase inscrito en el Registro Mercantil deviniese inmutable… Véase asimismo el comentario de ALFARO ÁGUILA-REAL, Jesús en derechomercantilespana.blogspot.com/…/ conversion-de-prestamos-en-capital-sin.html.

[23] Un régimen similar, aunque con distintos umbrales, se prevé en el apartado cuarto de la disposición adicional 4ª de la LC para la extensión de efectos por homolo-

No desconocemos que la alternativa de la quita puede ser enormemente desincentivadora toda vez que si los créditos se convierten a la par y el disidente no lo hace, la aplicación de la norma citada llevaría al disidente a aceptar una quita por la totalidad de su crédito. Por esa razón y como con todo tino apunta el profesor Díez Moreno[24] más lógico habría sido fijar una quita de una magnitud equivalente al descuento sufrido por los acreedores que sí convierten, aunque, como igualmente reconoce, esa solución impediría desde luego incentivar suficientemente la conversión (pues si se equipara la quita, siempre quedará mejor el que se mantiene como acreedor que el que convierte). La solución dada, por tanto, dista de ser óptima aunque no es posible negar su fuerza incentivadora (o prácticamente coactiva) cuanto menor resulte el descuento acordado para aquellos que convierten voluntariamente[25].

Tampoco parece por lo demás que esta exigencia del consentimiento del acreedor pueda verse arrumbada por la nueva redacción del artículo 100.2 LC, cuando precisa (el subrayado es nuestro) que la propuesta de convenio «*podrá contener, además de quitas o esperas, proposiciones alternativas o adicionales para todos o algunos de los acreedores o clases de acreedores, con excepción de los acreedores públicos*» y que dichas proposiciones incluyan «*las ofertas de conversión del crédito en acciones, participaciones o cuotas sociales*». A nuestro entender, ello no puede conllevar la imposición de una conversión obligatoria. A los acreedores pueden imponérseles desde luego quitas y esperas y transformaciones de la naturaleza de su deuda (como igualmente prevé el precepto referido), pero no convertirlos *ope legis* en socios[26].

Con todo y retomando lo que sugería la doctrina de la Dirección General de los Registros y del Notariado antes aludida, debe advertirse que no

---

gación judicial a los acreedores disconformes en la parte de los créditos cubierta por garantía real.

[24]   DÍEZ MORENO, Alberto, «Sobre el aumento de capital por compensación de créditos (reflexiones al hilo de la disposición adicional 4ª de la Ley Concursal)», Revista de Derecho Patrimonial núm. 38, septiembre-diciembre 2015.

[25]   Nótese que si la conversión de los acreedores que apoyan la refinanciación se realiza con un descuento superior al 50% del valor contable de los créditos, el incentivo opera en sentido contrario, pues el acreedor disidente mantendrá más de la mitad de su crédito sin verse afectado por la quita y preferirá previsiblemente mantenerse como acreedor.

[26]   En el mismo sentido, GARCÍA-VILLARRUBIA BERNABÉ, Manuel, «¿En qué supuestos podrá el socio negarse razonablemente a capitalizar su crédito en un acuerdo de refinanciación? ¿podrá un acreedor negarse a capitalizar su crédito en un convenio?» El Derecho. Revista de Derecho Mercantil núm. 37, 2016.

siempre será posible que el consentimiento se manifieste en la junta con el voto. Si el titular del crédito no es socio no podrá votar el aumento, porque no estará legitimado para ello. Al propio tiempo e incluso aunque el titular del crédito, siendo socio, haya votado a favor de la conversión en la junta, no estará de más, en prevención de calificaciones registrales rigurosas y como modo de acreditar indubitadamente ese consentimiento que el titular del crédito comparezca en la escritura de ejecución del aumento de capital para acreditar con su expresa aceptación la conversión del crédito, del mismo modo en que normalmente se hará cuando se aporten otros bienes a la sociedad.

Así las cosas, lo normal será que una operación de capitalización de créditos se pacte de antemano con el acreedor y en ese acuerdo (contractual) de conversión se convenga lo que proceda acerca del importe concreto a convertir y el tratamiento que se dé a los intereses devengados o por devengar. La libertad configuradora es amplia en esta materia. Podemos imaginar supuestos en los que se acuerde convertir el crédito y se pacte que los intereses devengados se abonen en dinero; otros en los que se convenga convertir el crédito y los intereses que se generen hasta la celebración de la junta (que pueden calcularse de antemano), que exista un compromiso de celeridad por parte de la sociedad para ejecutar el aumento y emitir las acciones o crear las participaciones y que, en su caso, se establezcan reglas compensatorias para la eventualidad de un retraso.

A falta de previsión expresa en los acuerdos sociales y en lo que entendemos puede configurarse como un supuesto bastante típico (acreedor que es accionista vota a favor de la conversión en la junta general sin que el acuerdo social estipule nada adicional acerca del momento de ejecución del aumento —puede hacerse en un año— ni incorpore precisión alguna acerca del devengo de intereses del crédito que se capitaliza), nos parece razonable concluir que desde ese momento en que la junta acuerda el aumento el crédito habrá dejado de devengar intereses, pues el acreedor ha aceptado con su voto transformar ya su crédito en un concreto número de acciones o participaciones[27]. Por su parte, si el acreedor no es socio habrá que atender a lo que haya pactado con la sociedad o a su efectiva renuncia al crédito sin incluir reserva sobre los intereses; no olvidemos que el acreedor debe consentir la capitalización y en ese caso dicho consentimiento se

---

[27]   En el mismo sentido ALFARO ÁGUILA-REAL, Jesús, derechomercantilespana. blogspot.com/2016/07/devenga-intereses-un-credito.html.

materializará normalmente con ocasión (o no más tarde) de la protocolización de los acuerdos sociales.

Quizás los supuestos más complicados que podamos encontrar son aquellos en los que se pacte el abono de intereses hasta una fecha posterior a la junta, ya sea la fecha de efectiva entrega de las acciones/participaciones o la de ejecución del aumento. Ciertamente en tales escenarios la forma sencilla de cumplir lo acordado sería mediante el abono de esos intereses en metálico. Pero ello no impide que imaginemos situaciones en las que esos intereses se abonen en acciones/participaciones, incorporándolos por tanto a la capitalización.

En este sentido, debemos distinguir dos categorías de escenarios: aquellos en los que el devengo de intereses y su transformación en acciones o participaciones se hace antes de la ejecución del aumento de capital y aquellos otros en los que se pretenda hacer después. Los primeros son posibles, los segundos no, en la medida en que afectaría al propio importe del aumento de capital, cuya cuantía dependería del momento en que las nuevas acciones/participaciones se entreguen al titular. En algún instante hay que poner el límite y ese no puede ir más allá de aquel momento en que —si no lo ha hecho ya la junta— los administradores constatan la existencia de todos los elementos necesarios para el aumento de capital y en su caso fijan su importe definitivo y condiciones como paso inmediatamente previo a la protocolización ante notario de los acuerdos adoptados.

Por ello, si se desease abonar en capital esos intereses, el acuerdo de aumento adoptado por la junta habría de prever las fórmulas adecuadas para fijar un importe del aumento determinable en función de la fecha en que dicho aumento se ejecute, de forma que con ocasión de la ejecución los administradores fijen la concreta y definitiva cuantía del aumento de capital, incluyendo los intereses devengados hasta esa fecha. Por las características del aumento, estas precisiones habrían de ser explicadas y contempladas en el informe de los administradores y, en el caso de las sociedades anónimas, validadas por el auditor. No conlleva ninguna especial dificultad más allá de complicar la redacción de los acuerdos y poner atención a las formalidades y procedimientos exigidos. Así y dado el exigente formalismo que rezuma el artículo 301 LSC en lo que a informes de administradores y, para anónimas, certificaciones de auditor se refiere, habrá de esmerarse el cuidado de estos documentos para consignar en ellos no solo los datos existentes a la fecha de su emisión (previa a la convocatoria de la junta, salvo si esta es universal), que son los únicos que figuran en ese momento en la contabilidad social, sino también los cálculos de lo que se estima representarán esos datos a la fecha de la junta o al momento posterior de la ejecución del acuerdo, estableciendo mecanismos de determinación prefijados y automáticos (o, más precisamente, matemáticos). Junto a ello y atendida la tradicional inclinación hacia un control puntilloso de las formas extrínsecas de nuestro derecho registral, será recomendable que, a la fecha de la junta o a la fecha de la ejecución del acuerdo, puedan por ejemplo los administradores emitir un informe o declaración complementaria en la que se confirme el resultado de la aplicación de las fórmulas consignadas en su informe original y que vaya acompañado (si operamos con una anónima) de un certificado complementario del auditor que confirme cómo a esa fecha los datos de los intereses que ya por fin se han devengado son concordes con los consignados en la contabilidad social.

Por la misma razón y como ya avanzábamos, tratar de «pagar» en nuevo capital los intereses que puedan devengarse después de la fecha de ejecución del aumento y hasta el momento de entrega efectiva de las nuevas acciones o participaciones no parece posible, pues esa entrega efectiva de las acciones/participaciones depende de terceros (Registro Mercantil, entidades encargadas de la llevanza del registro contable) y tras la ejecución y correlativa protocolización notarial el importe del aumento deviene inmutable (de lo contrario no podría inscribirse en el Registro). Sí pueden pagarse esos postreros intereses, si así se conviniese, mediante acciones o participaciones de autocartera y, naturalmente, como ya hemos referido, en dinero. Aunque como ya hemos indicado, si así voluntariamente se hiciese se estaría admitiendo algo que no acontece con otros tipos de aumentos de capital: cuando se aporta un inmueble o se desembolsa un importe en efectivo, desde ese momento —por definición siempre previo a la ejecución del aumento— el bien en cuestión queda entregado bajo título de propiedad (salvo que otro régimen se explicite ex. art. 60 LSC) a la sociedad, y el aportante queda simplemente a la espera de que la sociedad entregue efectivamente las acciones/participaciones. Pasa a ser titular de un crédito a la entrega de las acciones/participaciones y no aspira (o no suele aspirar) a recibir una compensación mediante intereses por el transcurso del tiempo hasta la efectiva entrega de los valores/participaciones. Y en el ínterin, además, y si las acciones/participaciones tienen los mismos derechos que las pre-existentes desde el momento de su emisión o creación (ejecución), tendrá el aportante derecho a recibir los dividendos que acuerde repartir la sociedad desde esa fecha, que, como es sabido, es previa a la inscripción del aumento e incluso a la de creación material de las acciones (si éstas se representan mediante anotaciones en cuenta).

Naturalmente, si se diese el supuesto del art. 316 LSC (esto es, que pasados seis meses desde la apertura del plazo de suscripción o asunción no se hubiese presentado a inscripción el acuerdo), podrá resolverse la aportación y exigirse la restitución de lo aportado, en su caso con abono de intereses.

## VI. LOS PROBLEMAS ASOCIADOS A LA VALORACIÓN DEL CRÉDITO A COMPENSAR Y A LA PARTICIPACIÓN DE LOS SOCIOS PREEXISTENTES

La consideración legal del aumento de capital por compensación de créditos como un aumento no dinerario puede estimular un empleo interesado de la figura, a pesar de que deba necesariamente acordarse por la junta general y no pueda delegarse la decisión en los administradores (como ocurriría en un aumento dinerario de una anónima). Varias son las posibilidades de actuación que se ofrecen para sacar el máximo (e interesado) partido de ella, en unos casos legítimas, en otros más discutibles.

Entre estas últimas, a nadie se le escapa que un acreedor a quien no le urja el repago del préstamo y en cambio prefiera tomar el control de una compañía tiene en el aumento por capitalización de créditos una excelente coartada para conseguir su propósito. Basta con que la junta lo consienta por las mayorías en cada caso aplicables. A su vez, el préstamo puede preconcebirse para acabar siendo convertido, ya sea de manera evidente o, para quienes lo diseñen con todo sigilo, sin que ésta finalidad se manifieste públicamente. La tentación está ahí, merced a la confirmación legal acerca de la inexistencia del derecho de suscripción o asunción preferente.

Analizaremos a continuación unas y otras.

### 1. ¿Valoración a nominal o con descuento? Relevancia del consentimiento del acreedor y los límites existentes

Como hemos puesto de manifiesto, la capitalización de créditos no lleva aparejado un procedimiento de valoración de los créditos a compensar como en cambio acontece con las aportaciones no dinerarias o *in natura*. Al contrario, lo único que se requiere es que el crédito (deuda para la sociedad) figure registrado en la contabilidad social y se convierta por un valor (nominal más prima) no superior al que resulte de esa contabilidad. En sociedades anónimas, un auditor (de la sociedad o, a falta de este, designado por el Registro Mercantil) deberá confirmar que los datos de la contabilidad consignados por los administradores son correctos (exactos o, en la terminología del ICAC, adecuados).

Existe un límite infranqueable como es el nominal del crédito (deuda para la sociedad). No olvidemos que la sociedad emite capital y en «compensación» elimina un pasivo exigible. Por tanto, desde la perspectiva de los restantes socios y de los acreedores resultaría inaceptable y contrario a la doctrina de la integridad del capital, que esa eliminación del pasivo exigible se tradujese en un aumento de capital nominal (y en su caso prima) superior a lo eliminado. De producirse, esa circunstancia determinaría la nulidad del acuerdo y previsiblemente el rechazo registral a su inscripción. Sería como si en un aumento dinerario se desembolsan 100 (desembolso íntegro) y el capital se aumenta en 140: hay 40 de capital que no tienen contrapartida, son ficticios. No resulta por tanto posible valorar los créditos por encima del nominal.

Pero al nominal o por debajo del nominal la libertad configuradora es amplia, tanto en lo relativo al valor que se atribuya al crédito (siempre igual o, si lo acepta el acreedor, por debajo del nominal del crédito) como en lo que concierne a la proporción en que, respecto del valor a convertir, se distribuya el capital y la prima (el tipo de emisión). Todo irá en función de lo que esté dispuesto a aceptar el acreedor que convierte y de lo que los administradores o la sociedad consideren admisible.

Naturalmente, para los socios que no deseen verse diluidos lo ideal sería que el acreedor convierta a un valor por debajo del nominal del crédito y en ese escenario lo óptimo sería además que la contrapartida de la cancelación del crédito sea una ampliación de capital pequeña y una prima de emisión/asunción proporcionalmente más amplia, incluso hasta el valor agregado de lo que fuese el nominal de la deuda. De esa manera se capitalizaría la sociedad en términos de fondos propios y la dilución de quienes no participan sería limitada (tanto más limitada cuanto mayor resulte en proporción ser la prima). Por supuesto no será esto lo que persigan normalmente los acreedores que capitalizan ni existe justificación para imponerlo: además de perder una inversión crediticia se les impondría un sacrificio adicional a costa del resto de socios. Nótese además que son ajenas a la operación de capitalización las vicisitudes que haya experimentado el crédito (y particularmente sus titulares) hasta el momento de la capitalización. No es infrecuente que quien muestra su disposición a convertir un crédito lo haya adquirido por una porción de su valor nominal de algún titular anterior.

Hay quien podría aducir, con razón, que en una sociedad con dificultades financieras los créditos frente a la misma cotizan a descuento y, continuando con el argumento, ya sin tanto fundamento, que por ese motivo resultaría más lógico que los términos de capitalización del crédito reconociesen ese descuento. Tal posición nos situaría en la necesidad de variar el entendimiento del sistema legal para reconocer la exigencia de valoración de los créditos a compensar. Y esa deriva nos situaría de lleno en el ámbito de los aumentos con aportaciones *in natura* y en el régimen de responsabilidad o de valoración por experto independiente previsto en cada caso (limitadas o anónimas) por la Ley. Es claro que en ningún caso la LSC dispone ni regula ni ampara valoración de mercado alguna para los créditos que se compensan. Simple y llanamente se sustituye un pasivo exigible (y su correlativo valor contable) por fondos propios (capital y, en su caso, prima). Las vicisitudes del titular del crédito (cuándo lo hubiese adquirido, por qué precio, etc.) son en principio ajenas a la operación societaria[28].

Más problemas puede plantear el concreto tipo de emisión que se convenga. En apretada síntesis, el acreedor maximizará el valor contable de su crédito transformándolo en capital emitido sin prima pues le permitirá adquirir un mayor porcentaje de capital y por consiguiente de «control» social; pero este hecho también maximizará como es lógico la dilución de los restantes socios. No creemos que puedan formularse reglas universales para afrontar esta situación, que habrá de ponderarse en cada caso a la luz de las circunstancias imperantes. En una sociedad abocada a la insolvencia y con problemas patrimoniales resultará de ordinario más frecuente que su valor contable o su valor razonable se sitúen por debajo de la cifra de capital y en tales supuestos ningún reparo puede ponerse a que el acreedor convierta créditos al nominal y sin prima de emisión (estaría de lo contrario regalando valor a la sociedad y por extensión al resto de socios), aunque la dilución resulte máxima. En el otro extremo, en una sociedad saneada o con un valor de mercado igualmente elevado (holgadamente

---

[28]   Decimos en principio porque las circunstancias indicadas pueden ser relevantes para entender la concordancia con el interés social de la operación en cuestión y revelar indiciariamente propósitos adicionales a los de la mera capitalización (reforzamiento del control accionarial, dilución de socios molestos, etc.). El origen de los créditos a capitalizar adquiere en esa tesitura su verdadera dimensión y relevancia, porque no es lo mismo que la propuesta sea capitalizar un crédito que ha servido con utilidad a las necesidades sociales cuando se creó, que hacerlo sobre un crédito cuyo único propósito hubiese sido asegurar una posición preponderante del aportante en el capital social como consecuencia de una capitalización futura y ya planeada.

por encima de su valor contable), si un socio mayoritario convierte créditos por el valor nominal de éstos y suscribe capital emitido a la par estaría diluyendo injustificadamente a los minoritarios, que no tienen en principio derecho preferente de suscripción.

## 2. *La dilución de los socios que no convierten*

Tradicionalmente, cuando la dicción legal no era tan terminante como la actual, no resultaba infrecuente que las operaciones de capitalización de créditos, especialmente aquellas de gran importe y por consiguiente con un gran potencial dilutivo, se instrumentasen con dos tramos, uno para los socios titulares de créditos que convertían y otro para los socios restantes. Resultaba más prudente hacerlo así que proceder a la supresión del derecho de suscripción preferente por exigencias del interés social y permitir que todo el aumento fuese a cuenta de los créditos capitalizados[29].

Hoy en día esa prevención se antoja en principio innecesaria, habida cuenta de que la LSC (y antes la reforma de 2009 del texto refundido de la Ley de Sociedades Anónimas) se ha ocupado de proclamar la inexistencia del derecho de preferente en los aumentos con cargo a aportaciones que no se reputen dinerarias. Ello no nos debe llevar a concluir sin embargo que gocemos de plena libertad para instrumentar las conversiones de créditos como se desee. Son operaciones no exentas de riesgo y al estructurarlas es preciso evaluar dichas contingencias y las circunstancias concurrentes.

Al hacerlo, conviene recordar las reformas introducidas en la LSC por la Ley 31/2014, de 3 de diciembre, por la que se modifica la Ley de Sociedades de Capital para la mejora del gobierno corporativo y en concreto las que atañen a las circunstancias que justifican una impugnación de los acuerdos sociales (art. 204 LSC) y las que regulan los conflictos de interés en sede de junta general y la inversión de la carga de la prueba en supuestos de impugnación (art. 190 LSC).

Indica el mencionado artículo 204.1 LSC que «[s]*on impugnables los acuerdos sociales que sean contrarios a la Ley, se opongan a los estatutos o al reglamento de la junta de la sociedad o lesionen el interés social en beneficio de uno o*

---

[29]  Véase, por ejemplo, aumento de capital de Metrovacesa, S.A. anunciado en mayo de 2007, con un tramo de compensación de créditos y otro de aportaciones en dinero, para los socios que no convertían (en particular, véanse los hechos relevantes de fecha 25 de mayo de 2007 (número de registro 80766) y de 24 de octubre de 2007 (número de registro 85225)).

*varios socios o de terceros».* Y añade en su segundo párrafo que «[l] *a lesión del interés social se produce también cuando el acuerdo, aun no causando daño al patrimonio social, se impone de manera abusiva por la mayoría. Se entiende que el acuerdo se impone de forma abusiva cuando, sin responder a una necesidad razonable de la sociedad, se adopta por la mayoría en interés propio y en detrimento injustificado de los demás socios».* Con esta previsión, se introducía en la LSC por vez primera el concepto y causa impugnatoria autónoma por abuso de mayoría, un supuesto que hasta entonces se había evaluado con éxito dispar desde la perspectiva del genérico abuso de derecho proscrito por el art. 7.2 CC.

En principio, realizar un aumento de capital por capitalización de créditos no conlleva *per se* contrariar la Ley, siempre que se haga con arreglo a las formalidades previstas, ni oponerse a los estatutos o reglamentos internos (salvo que éstos últimos establezcan reglas especiales sobre esta tipología de operaciones, lo que resultaría extraño). Por tanto, las operaciones de capitalización normalmente se revisarán, como tantas otras, a la luz del prisma que nos proporciona el interés social, ese concepto tan manido y al tiempo tan difícilmente aprehensible en sus manifestaciones prácticas… el interés común de todos los socios.

Afortunadamente, la reforma de 2014 ha venido a ampliar el concepto de lesión del interés social, que normalmente se había entendido vinculado a algún tipo de perjuicio a la sociedad y que, por ello, complicaba la discusión de aquellos supuestos en los que el patrimonio social pasaba incólume pero los socios (o algunos de ellos) podían ver afectados sus derechos legítimos. Recogía así la norma el impulso consignado en el estudio sobre propuestas de modificaciones normativas emitido el 14 de octubre de 2013 por la Comisión de Expertos en Materia de Gobierno Corporativo[30], donde se razonaba la necesidad de extender las causas de impugnación a estos supuestos en los que pueden cercenarse legítimos intereses de socios minoritarios en favor del rodillo de la mayoría sin que pueda rectamente invocarse un perjuicio patrimonial[31]. Con todo sentido incluía el citado estudio entre dichos supuestos los acuerdos o prácticas reiteradas de denegación del reparto de dividendos o los aumentos de capital innecesa-

---

[30]  https://www.cnmv.es/docportal/publicaciones/codigogov/cegc_estmodif_20131014.pdf
[31]  Son los denominados acuerdos redistributivos del patrimonio a favor del accionista mayoritario, vid. ALFARO ÁGUILA-REAL, Jesús, «Artículo 204. Acuerdos impugnables» en «Comentario de la Reforma del Régimen de las Sociedades de Capital en materia de Gobierno Corporativo (Ley 31/2014)», JUSTE MENCÍA, Javier (Coord.), pág. 199. Cívitas.

rios (destinados, en su finalidad oculta, a blindar o acrecer la participación del mayoritario), argumentando que el reconocimiento legal de esta nueva causa autónoma de impugnación permitiría impedir abusos flagrantes.

Así pues, consagrado normativamente ahora el principio de que, aunque no se cause daño al patrimonio social, un acuerdo social puede también resultar contrario al interés social se hace preciso determinar las condiciones requeridas para ello. Son tres, cumulativas: (a) que el acuerdo no responda a una necesidad razonable de la sociedad, (b) que se adopte por la mayoría en su propio interés y (c) que se haga además en detrimento injustificado de los demás socios. Si se observa atentamente, estas tres condiciones aluden a las tres sensibilidades en juego: la sociedad y lo que esta necesita, los socios que apoyan la operación y los socios disconformes con la misma.

Pues bien, estos son los parámetros para juzgar la adecuación o no de una concreta operación de capitalización a las exigencias del interés social. El tercero de ellos, el que alude al detrimento injustificado de los demás socios, se cauterizará normalmente[32] estableciendo un tramo del aumento para que los socios que no dispongan de créditos capitalizables (o teniéndolos, no deseen convertir) puedan mantener su participación en la sociedad suscribiendo un aumento dinerario bajo el mismo tipo de emisión que el aumento por conversión de créditos.

En el caso de que el acreedor que capitaliza no sea socio (ni lo sean tampoco otras entidades contractual o societariamente vinculadas, o controladas por él), el recurso a un tramo adicional tiene menos sentido porque será notablemente más complicado sostener por parte de los minoritarios que el aumento ha sido adoptado por la mayoría en su propio interés (el segundo de los parámetros de impugnación), cuando esa mayoría carece de vínculos con el acreedor que convierte. El perjuicio injustificado a otros socios también puede producirse cuando, siendo varios los socios con créditos capitalizables, estos se convierten en condiciones diferentes (primando injustificadamente a unos sobre otros) o directamente no se

---

[32] No son descartables supuestos patológicos y extremos en los que incluso la concesión del tramo dinerario para quienes no dispongan de créditos convertibles pueda no lograr enervar la situación de abusividad (v.gr. sociedad saneada y con cuantiosas reservas en la que los créditos, artificialmente convenidos por el socio de control, se convierten emitiendo capital a la par en un tiempo en que se sabe, y porque se sabe, que los minoritarios no tienen oportunidad alguna de allegar fondos para el aumento dinerario paralelo).

ofrece ni permite a algunos de esos titulares ofrecer su conversión en términos equivalentes a los del resto. Destacamos a la vista de todo ello que los socios afectados deben verse —al menos sobre el papel— «perjudicados» y que ese perjuicio ha de resultar «injustificado». En principio, a nuestro entender, no podrá cabalmente sostenerse la existencia de ese perjuicio injustificado cuando el socio disidente y acreedor haya podido capitalizar su crédito en las mismas o similares condiciones (si son diversas, deben estar «justificadas») que el socio acreedor que sí convirtió. La prevención consistirá por tanto en dar a todos los que se hallen en situaciones equivalentes las mismas oportunidades.

El otro requisito, que el acuerdo u operación responda a una necesidad razonable de la sociedad, habrá de ser evaluado en atención a las circunstancias concurrentes. Así, por ejemplo, si una sociedad se encuentra en graves dificultades financieras resultará normalmente razonable y justificable que se capitalicen créditos de socios o terceros ajenos a la sociedad, aunque ello pueda ocasionar que los socios que no dispongan de créditos vean diluida su participación. O que, en esas mismas circunstancias, no se atiendan las propuestas de reparto de dividendos o reservas que formulen unos socios disidentes, porque en esas condiciones existe un bien superior que proteger, como son las necesidades «razonables» o «justificadas» de la sociedad de preservar o recomponer su patrimonio y rebajar su pasivo exigible. Quiere esto decir que no es imperativo arbitrar mecanismos para que los socios que no convierten puedan mantener su participación en la sociedad ni tampoco tiene por qué resultar recomendable. En una sociedad que afronte serias dificultades financieras o de tesorería y que no disponga de acceso en buenas condiciones a financiación bancaria o en los mercados, puede ser muy conveniente acometer una rebaja del pasivo exigible transformando deuda en capital y, al configurar esa operación, puede ser preciso que las acciones o participaciones se emitan a un tipo inferior al que resulta de la valoración del mercado, lo que llevaría aparejado recibir más acciones o participaciones por el mismo nominal del crédito. Imaginemos una sociedad cuyas acciones cotizan a 14 euros por acción, con un nominal de 1 euro, y en la que se decide convertir créditos (valorados al nominal) para la emisión de acciones a un tipo de 10 euros por acción (1 de nominal y 9 de prima). La razón de ello puede encontrarse en que esas son las condiciones en las que el acreedor está dispuesto a convertir y que si dichas condiciones fuesen más desfavorables no lo haría. No cabe duda de que los términos descritos pueden provocar una (mayor) dilución de quienes no tienen créditos que compensar, pero en abstracto no creemos que pueda adjudicarse a una operación así el marchamo de abusiva, si es que realmente responde, como apunta la Ley, a una necesidad razonable de la sociedad. Un caso similar es el que analiza la SAP Madrid (sección 28ª) núm. 298/2015, de 26 de octubre *(Tol 5566789)*, en donde en relación con un aumento de capital por compensación de créditos en Sos Corporación Alimentaria, S.A., los impugnantes aducían, entre otras cuestiones, que el aumento se había efectuado a un precio por debajo del valor de cotización. Adecuadamente a nuestro parecer, el Tribunal ponderó la delicada y extraordinaria situación económica que atravesaba la demandada y la necesidad, en tal contexto, de lograr un reequilibrio de los fondos propios, propósito al que servía la ampliación realizada. La Sala razonó asimismo cómo resultaba justificado que el tipo de emisión fuese algo inferior al valor de cotización si se deseaba asegurar el éxito de la operación y la participación en la misma de los acreedores llamados a convertir sus créditos. Y es que en la ponderación de las circunstancias concurrentes será fundamental verificar el origen y justificación de los créditos cuya compensación se plantea y las necesidades de la compañía en cada momento.

Al propio tiempo, tal y como está formulado el artículo 204.1 segundo párrafo LSC podría plantearse en qué medida la relación de tres condiciones indicada para la existencia de abuso en la imposición de un acuerdo puede interpretarse como una presunción susceptible de prueba en contrario, pues, al fin y al cabo, la previsión legal comienza diciendo «[s]*e entiende que*». No creemos que la finalidad de la expresión ni el propósito del legislador —explicitado por la Comisión de Expertos antes aludida— fuese dejar abierta la discusión acerca de esta tipología de situaciones. Tampoco vemos trasladables los razonamientos que hace poco empleaba el Tribunal Supremo[33] para interpretar —abjurando de su primitiva interpretación del precepto equivalente de la antigua Ley de Sociedades Anónimas— que la expresión del art. 186.3 LSC de que *«se entenderá que ha habido solicitud pública cuando una misma persona ostente la representación de más de tres accionistas»* encierra en realidad una presunción susceptible de prueba en contrario, porque las circunstancias y el origen de una y otra norma son bien diversas. Adicionalmente, aunque esta nueva causa autónoma de impugnación no tiene por qué impedir que otros supuestos de abuso que no encajen perfectamente en la nueva dicción del artículo 204.1 segundo párrafo LSC y no cumplan por tanto sus tres exigencias, puedan ser cuestionados desde la perspectiva del genérico abuso de derecho al que alude el artículo 7.2

---

[33]  STS (Sala de lo Civil, Sección 1ª) núm. 296/2016 de 5 de mayo *(Tol 5718242)*.

CC, como norma general del ordenamiento[34], creemos que resultará notablemente más complicado invocar exitosamente un pretendido carácter abusivo cuando falte alguno de esos tres elementos.

Otra de las circunstancias que hemos de tomar en consideración en este punto es la relación de acuerdos de esta índole con las nuevas previsiones en materia de conflictos de interés que figuran en el artículo 190 LSC. Hemos de aclarar que en principio en una capitalización de créditos, el acreedor que convierte, si es socio, podrá legítimamente votar en la junta general aunque se halle incurso en el conflicto de interés derivado de su condición de titular del crédito a convertir. No resulta posible retorcer o alargar el significado de la prohibición de voto consistente en un acuerdo que tenga por objeto *«liberarle de una obligación o concederle un derecho»* (apartado 1 letra c) del indicado art. 190) para invocar que ese socio-acreedor debería abstenerse de votar. Podría aducirse que se le concede un derecho en la medida en que la sociedad permite que el crédito se transforme en capital, lo que a su vez se traduce en que amplía su posición como socio. Pero no, el significado y propósito de la prohibición es otro. Está destinada a prevenir acuerdos que modifican la posición individual del socio en la sociedad, en los que la sociedad pierde y el socio se beneficia y que aluden más bien a relaciones bilaterales entre el socio y la sociedad (condonación de desembolsos pendientes, la modificación de determinada prestación accesoria de la que sea titular el socio, etc.). Y no a limitar el voto en cuestiones atinentes al universo corporativo del contrato de sociedad como es la decisión sobre un aumento de capital, por mucho que conlleve la capitalización de un préstamo de que sea titular ese socio[35].

Lo anterior no debe impedir apercibirnos de los reparos que puede suscitar la aprobación de una conversión de créditos cuando es acordada merced a los votos del socio (y acreedor) que convierte. En esos supuestos, el acuerdo, como decimos, estará en principio regularmente adoptado, pero si, como apuntamos, los votos del socio acreedor han resultado decisivos para ello, el conflicto de interés que no le impidió votar adquiere ahora relevancia. Y es que, si el acuerdo fuese impugnado y hubiese de ser

---

[34]  En este sentido, PULGAR EZQUERRA, Juana. «Impugnación de acuerdos sociales: en particular abusos de mayoría» en «Junta General y Consejo de Administración en la sociedad cotizada» Tomo 1, pág. 320. Aranzadi 2016.

[35]  Véase RECALDE CASTELLS, Andrés. Artículo 190. «Conflicto de intereses» en «Comentario de la Reforma del Régimen de las Sociedades de Capital en materia de Gobierno Corporativo (Ley 31/2014)», JUSTE MENCÍA, Javier (Coord.). pág. 77. Cívitas.

revisado judicialmente, se producirá una inversión de la carga de la prueba de forma que, como preceptúa el apartado 3 del artículo 190 LSC, los socios impugnantes habrán de acreditar la existencia de dicho conflicto y el socio acreedor deberá probar la conformidad del acuerdo con el interés social. No corresponderá por consiguiente al impugnante demostrar que la operación no obedecía a una necesidad razonable de la sociedad (en la terminología empleada por el art. 204 LSC), sino que a esa tarea, la de justificar que el acuerdo obedecía a una necesidad razonable de la sociedad, debe aplicarse el socio cuyo voto a favor resultó decisivo y por tanto debe explicar y justificar qué otras alternativas existían y por qué, considerando todos los pros y contras, la compensación de créditos era la óptima. Por esta razón y para evitar ese trance[36], no está de más tratar de que entre los asistentes a la junta que adopta el acuerdo exista una mayoría desinteresada (una mayoría computada descontando los votos de los socios conflictuados) porque esa será la mejor forma de evidenciar que el acuerdo en cuestión contaba con el apoyo de la mayoría restante de entre los asistentes a la junta (identificable, en grueso trazo, con el interés social) y, por tanto, podría haberse adoptado incluso sin los votos del socio interesado.

Por último y antes de finalizar nos parece de interés recordar que la consecuencia anudada a la consideración como no dinerario del aumento por compensación de créditos de que los socios que no conviertan no gozan de derecho preferente alguno cuenta con una excepción que no debemos pasar por alto. Nos referimos a la realización del aumento de capital por compensación de créditos en el seno de una operación acordeón, en la que se reduzca simultáneamente el capital a cero antes de acometer la ampliación[37]. En esos supuestos y como se ocupa de prescribir el artículo 343.2 LSC, «[e]*n todo caso habrá de respetarse el derecho de asunción o de suscrip-*

---

[36]  Con todo y por exigencias del art. 286 LSC (por remisión del artículo 296 LSC), en las sociedades anónimas, los administradores que propongan una ampliación por compensación de créditos a la junta general habrán de elaborar un informe justificativo de la misma (más amplio, aunque puede ser el mismo, que el requerido bajo el art. 301 LSC) en el que idealmente habrán de aportar argumentos acerca de la conveniencia de la operación desde la perspectiva del interés social.

[37]  No nos cabe duda de que una operación así (operación acordeón con cargo parcialmente a compensación de créditos en la parte del aumento) debería admitirse si el acreedor es socio y se instrumenta un tramo dinerario para que los restantes socios no acreedores puedan mantener su porcentaje en la sociedad. En contra, Espín, Cristóbal, Artículo 343 «Reducción y aumento de capital simultáneos» en «Comentario de la Ley de Sociedades de Capital», Tomo II, Dirs. BELTRÁN, E., ROJO, A., pág. 2461, Cívitas, para quien no podrán utilizarse en una ope-

*ción preferente de los socios»*. A esa misma solución, invocando el precepto mencionado, llega la RDGRN de 20 de noviembre de 2013 *(Tol 4036310)*, donde se analiza una operación acordeón en una sociedad limitada que contaba con tres socios. Dos de ellos aumentan el capital mediante compensación de créditos. El tercero no tenía créditos compensables y no participa —porque no le dejan— en la operación. Le hurtan en definitiva su derecho. La Dirección General, con buen criterio, argumenta que la operación debió haberse realizado permitiendo que el socio preterido participase en la misma, habilitando en su caso un tramo dinerario.

## Bibliografía

ALFARO ÁGUILA-REAL, J., *Entradas varias en blog derechomercantilespana.blogspot.com.*
— «Artículo 204. Acuerdos impugnables» en *Comentario de la Reforma del Régimen de las Sociedades de Capital en materia de Gobierno Corporativo (Ley 31/2014)*, Juste Mencía, Javier (Coord.). Cívitas.

ALONSO ESPINOSA, F. J., «Modificación de estatutos y aumento y reducción de capital», *Cuadernos de Derecho y Comercio*, núm. 8, 1990.

DÍAZ MORENO, A., «Sobre el aumento de capital por compensación de créditos (reflexiones al hilo de la disposición adicional 4ª de la Ley Concursal)», *Revista de Derecho Patrimonial*, núm. 38, septiembre-diciembre 2015.

ESPÍN, C., Artículo 343 *Reducción y aumento de capital simultáneos»* en «Comentario de la Ley de Sociedades de Capital*, Tomo II, Dirs. Beltrán, E., Rojo, A.

GALÁN LÓPEZ, C., «El aumento del capital por compensación de créditos», en *Derecho mercantil de la Comunidad Económica Europea. Estudios en homenaje a José Girón Tena*, Madrid 1991.

GANDÍA, E., «Derecho de suscripción preferente en el aumento de capital por compensación de créditos», *Revista de Derecho de Sociedades*, núm. 48 (julio-diciembre 2016).

GARCÍA-VILLARRUBIA BERNABÉ, M., «¿En qué supuestos podrá el socio negarse razonablemente a capitalizar su crédito en un acuerdo de refinanciación? ¿Podrá un acreedor negarse a capitalizar su crédito en un convenio?» *El Derecho. Revista de Derecho Mercantil*, núm. 37, 2016.

IGLESIAS PRADA, J. L., «Sobre el aumento de capital por compensación de créditos», *Anales Academia Matritense del Notariado*, Tomo XXXIII, 1994.

OLIVENCIA, M., «La compensación en la quiebra y el art. 926 del Código de Comercio». *ADC* 1958.

PULGAR EZQUERRA, J., «El acuerdo de la junta de aumento de capital por compensación de créditos en el marco de las sociedades de capital», *Revista de Derecho de Sociedades*, núm. 34.

---

ración acordeón aquellos aumentos para los que no es aplicable el derecho de preferencia.

— «Impugnación de acuerdos sociales: en particular abusos de mayoría» en *Junta General y Consejo de Administración en la sociedad cotizada* Tomo 1. Aranzadi 2016.

RECALDE CASTELLS, A., Artículo 190. «Conflicto de intereses» en *Comentario de la Reforma del Régimen de las Sociedades de Capital en materia de Gobierno Corporativo (Ley 31/2014)*, Juste Mencía, Javier (Coord.). Cívitas.

RODRÍGUEZ PEÑAMARÍA, T., «La obligación de pago de intereses en créditos capitalizados en operaciones de aumento de capital». *Revista de Derecho de Sociedades,* núm. 46, enero-abril 2016.

SÁENZ, J. C., Artículo 301, «Aumento por compensación de créditos» en *Comentario de la Ley de Sociedades de Capital,* Tomo II, Dirs. Beltrán, E., Rojo, A. Cívitas.

# 23. *Aumento de capital y aportación de industria*

## SEGISMUNDO ÁLVAREZ ROYO-VILLANOVA

*Notario de Madrid. Doctor en Derecho*

**Sumario:** I. PLANTEAMIENTO DEL PROBLEMA. 1. La aportación de industria o empresa: su utilidad. 2. El reconocimiento legal de la aportación de empresa. 2.2. La aportación a una sociedad de una empresa a través de una modificación estructural: escisión parcial y segregación. 2.3. Diferencias entre las tres figuras. II. LA POSIBILIDAD DE LA APORTACIÓN DE UNIDAD ECONÓMICA EN UN AUMENTO DE CAPITAL TRAS LA REGULACIÓN DE LA SEGREGACIÓN. 1. El carácter imperativo o no del artículo 71 LSC. 2 Antecedentes legislativos. 3. Interpretación sistemática. 4. La protección de los interesados en las distintas operaciones y su trascendencia. 5. ¿Hay aportaciones que por implicar una alteración en la estructura patrimonial obliguen a aplicar las normas de las modificaciones estructurales?. 6. Conclusión: posibilidad de optar. III. CRITERIOS PARA OPTAR POR EL AUMENTO DE CAPITAL, LA ESCISIÓN O LA SEGREGACIÓN. 1. Por la función económica. 2. Por la simplicidad del procedimiento. 3. Por los efectos sobre la transmisión del patrimonio: la sucesión universal frente a la particular. 3.2. Reconocimiento de la sucesión universal en la escisión y segregación. 4. Por la resistencia a la rescisión concursal. 4.1. La posibilidad de que la rescisión afecte parcialmente a la escisión. 4.2. La aplicación del art. 47 LME a la rescisión concursal. 4.3. Otras acciones de los acreedores contra la segregación. Bibliografía.

## I. PLANTEAMIENTO DEL PROBLEMA

### 1. *La aportación de industria o empresa: su utilidad*

En un mundo económico que cambia de manera cada vez más rápida, las empresas y sociedades necesitan instrumentos para adaptarse a estas modificaciones de manera ágil y con unos costes de transacción reducidos. Las reorganizaciones empresariales se realizan a través de muy distintas operaciones, siendo una de las más frecuentes aquellas en que se aporta una empresa a una sociedad de capital recibiendo a cambio acciones o participaciones.

Estas operaciones cumplen una pluralidad de funciones. En su forma más simple puede servir para independizar una determinada actividad realizada por la sociedad: se trataría de la llamada filialización, a través de la cual una rama de actividad integrada en la sociedad pasa a ser una sociedad independiente controlada por la aportante. Pero también se puede perseguir cambiar la ubicación de esa actividad empresarial dentro de un grupo de sociedades, incluir a un nuevo socio en el desarrollo de unas de las actividades de la empresa, separar totalmente dos ramas de actividad, o incluso resolver una situación de bloqueo entre socios adjudicando a cada socio o grupo de socios una de las actividades. En el contexto de la crisis, la separación de unidades productivas o ramas de actividad se ha utilizado también para tratar de salvar las actividades más rentables, o incluso como forma de facilitar la liquidación de sociedades en concurso, separando las unidades más saneadas para venderlas.

Esto hace particularmente interesante examinar cuales son la vías existentes en derecho mercantil para aportar empresas a sociedades de capital, y una vez determinadas estas estudiar las diferencias entre las mismas para elegir la opción más conveniente teniendo en cuenta las circunstancias del caso.

## 2. El reconocimiento legal de la aportación de empresa

### 2.1. Aumento de capital con aportación de empresa

Una primera forma de que una unidad económica pase a formar parte de otra sociedad es aportarla a esta en un aumento de capital con aportaciones no dinerarias, figura regulada en el art 300 LSC. La posibilidad de que el objeto de la aportación no dineraria sea una empresa se deduce por una parte del art 66 LSC, que lleva el título de «Aportación de empresa» y regula la responsabilidad del aportante. La aportación de rama de actividad también se ha contemplado en la normativa fiscal para otorgarle el mismo régimen de neutralidad fiscal aplicable a las modificaciones estructurales. El art 76.3 de la Ley 27/2014 de 27 de diciembre del Impuesto de Sociedades dice: «3. *Tendrá la consideración de aportación no dineraria de ramas de actividad la operación por la cual una entidad aporta, sin ser disuelta, a otra entidad de nueva creación o ya existente la totalidad o una o más ramas de actividad, recibiendo a cambio valores representativos del capital social de la entidad adquirente.*» Asimismo, esta operación parece estar incluida en el art 511 bis LSC —aplicable a las sociedades cotizadas— que habla de la *«La transferencia a entidades dependientes de actividades esenciales»*, al que nos referiremos más adelante.

### 2.2. La aportación a una sociedad de una empresa a través de una modificación estructural: escisión parcial y segregación

Si bien la operación de aportación en un aumento de capital es la que responde literalmente a la denominación de aportación de empresa, no es la única forma de hacer esta aportación recibiendo a cambio acciones o participaciones.

El art. 70 de la Ley 3/2009 de Modificaciones Estructurales (LME) define la escisión parcial de la siguiente forma: «*Se entiende por escisión parcial el traspaso en bloque por sucesión universal de una o varias partes del patrimonio de una sociedad, cada una de las cuales forme una unidad económica, a una o varias sociedades de nueva creación o ya existentes, recibiendo los socios de la sociedad que se escinde un número de acciones, participaciones o cuotas sociales de las sociedades beneficiarias de la escisión proporcional a su respectiva participación en la sociedad que se escinde y reduciendo ésta el capital social en la cuantía necesaria.*» Es decir, que esta operación permite la aportación de una unidad económica contra la entrega de acciones o participaciones de la adquirente a los socios de la sociedad aportante.

El artículo 71 de la misma define la segregación como «*el traspaso en bloque por sucesión universal de una o varias partes del patrimonio de una sociedad, cada una de las cuales forme una unidad económica, a una o varias sociedades, recibiendo a cambio la sociedad segregada acciones, participaciones o cuotas de las sociedades beneficiarias.*» La segregación se introduce como modificación estructural por la LME, configurándola como una forma de escisión.

## 2.3. Diferencias entre las tres figuras

Las diferencias entre la aportación, la escisión y la fusión fueron examinadas por las Sentencias del Tribunal Supremo de 12 de enero y 3 de marzo de 2006 (sobre las que volveremos después) que dicen: «*la aportación no dineraria de rama de actividad se diferencia de la fusión en tener por fin no una concentración, sino una disgregación de fuerzas económicas, útil para la creación de sociedades filiales; de la fusión y de la escisión total, en que la sociedad aportante no se extingue; y de las tres operaciones* (se entiende que la tercera es la escisión parcial) *en que no son sus socios, sino ella misma, la que recibe en contraprestación las acciones o participaciones de la beneficiaria, con lo que produce en su patrimonio una subrogación real.*» También las resoluciones de la Dirección General de los Registros y del Notariado de 10 de junio y 4 de octubre de 1994 señalaron que en la aportación de rama de actividad «*la sociedad destinataria de la aportación, aunque amplía el capital social, no incorpora a su esquema orgánico a los socios de la sociedad aportante, quienes siguen perteneciendo a la misma sociedad, sino que las nuevas acciones o participaciones son entregadas a la sociedad aportante.*»

Cuando se dictan esas resoluciones la segregación aún no estaba regulada. Pero tal y como está ahora definida en el artículo 71 citado, está claro que se obtiene el mismo resultado económico que con la aportación realizada en un aumento de capital descrita en esas resoluciones. La diferencia es que ahora se realiza con el procedimiento y los efectos de la escisión.

Resumiendo, podríamos decir que la aportación y segregación se distinguen de la escisión en que las acciones las recibe la sociedad aportante y no los socios de la misma. Por otra parte la aportación en un aumento de capital se distingue de la escisión y segregación en que no se trata de una modificación estructural, lo que implica por una parte que no se aplica su procedimiento y que no se produce el efecto de la sucesión universal propio y específico de estas operaciones.

## II. LA POSIBILIDAD DE LA APORTACIÓN DE UNIDAD ECONÓMICA EN UN AUMENTO DE CAPITAL TRAS LA REGULACIÓN DE LA SEGREGACIÓN

Las resoluciones de la Dirección General de los Registros y del Notariado de 10 de junio y 4 de octubre de 1994 resolvieron que bajo la legislación anterior no era necesario aplicar las normas de la escisión al aumento de capital con aportación de empresa, y también que no era posible realizar una aportación de rama de actividad con el efecto de la sucesión universal, aunque se cumplieran los requisitos de procedimiento de una escisión.

Una vez regulada la segregación en el art. 71 queda claro que esto último sí es posible. La duda que se plantea ahora es si sigue siendo posible realizar esa aportación a través de un simple aumento de capital, cuando tiene el mismo efecto patrimonial que la segregación: una sociedad aporta una unidad económica y recibe acciones o participaciones creadas en el aumento de capital de la sociedad adquirente. La pregunta es por tanto si la regulación de la segregación, que abre una puerta antes cerrada, supone al mismo tiempo cerrar aquella por la que antes pasaban las aportaciones de unidades económicas, la del aumento de capital.

En la doctrina ha ido prevaleciendo la admisión de ambas operaciones, pero en la jurisprudencia alguna sentencia consideró imperativa la segregación (Sentencia del JM N.° 1 de Málaga de 15 de septiembre de 2014), y en los registros mercantiles coexistían criterios distintos, lo que había dado lugar a elecciones estratégicas del domicilio de la sociedad adquirente.

A mi juicio, la posibilidad de optar por una u otra forma era clara desde el principio[1]; esto se hizo más evidente con la introducción del artículo 160 f en la reforma de la LSC, reforma que a mi juicio revelaba una interpretación auténtica del legislador en ese sentido[2]. La Dirección General de los Registros y del Notariado de 22 de julio de 2016 debería terminar de afianzar esta postura, pero deja abiertos algunos interrogantes por lo que es conveniente resolver este punto en primer lugar.

## 1. El carácter imperativo o no del artículo 71 LSC

La identidad de efectos económicos entre la aportación de rama de actividad llevó a algunos autores a entender que existía una identidad conceptual o estructural entre ambas operaciones que, una vez regulada la segregación, impedía la pluralidad de regímenes jurídicos. Así Rodríguez Artigas señalaba: «*La consecuencia de esta identidad conceptual entre la segregación y la aportación de rama de actividad, que resulta del tenor literal del artículo 71 LME, es que el régimen jurídico aplicable a la operación, cualquiera que sea su denominación, será en principio el de la escisión.*»[3]

Sin embargo, no parece que esto sea así. Lo que existe es una identidad funcional, en el sentido de que el efecto económico en la relación interna entre las sociedades es el mismo: una sociedad transmite una empresa o rama de actividad a una sociedad y recibe a cambio acciones o participaciones de esta. Pero no hay identidad conceptual ni estructural porque la estructura jurídica de esas operaciones distinta: el acudir a instituciones distintas (aumento de capital frente a modificación estructural) supone que los requisitos y los efectos frente a terceros sean diferentes.

Esa diferencia estructural deriva de la propia redacción del art. 71 cuando define la operación y dice: «*Se entiende por segregación el traspaso en bloque por sucesión universal de una o varias partes del patrimonio de una sociedad... a una o varias sociedades*». La referencia a la sucesión universal parece limitar

---

[1]   ÁLVAREZ ROYO-VILLANOVA. La segregación ...

[2]   ÁLVAREZ ROYO-VILLANOVA Aportación de rama de actividad y segregación: ¿Al fin un criterio seguro?    Blog Hay Derecho. 25 mayo, 2016. https://hayderecho.com/2016/05/25/aportacion-de-rama-de-actividad-y-segregacion-al-fin-un-criterio-seguro/

[3]   RODRÍGUEZ ARTIGAS. Escisión... Pág. 132 «La consecuencia de esta identidad conceptual entre la segregación y la aportación de rama de actividad, que resulta del tenor literal del artículo 71 LME, es que el régimen jurídico aplicable a la operación, cualquiera que sea su denominación, será en principio el de la escisión.»

la aplicación del régimen a aquellas operaciones en que efectivamente se produzca esto: por tanto no se aplicará a aquellos traspasos en los que no se produzca esa sucesión universal, como los aumentos de capital, aunque lo aportado sea una unidad económica.

Esta es la postura que ha adoptado la resolución de la Dirección General de los Registros y del Notariado de 22 de julio de 2016, que señala: «*Estructuralmente, la operación realizada se sintetiza, para una sociedad, en una ampliación de capital con las consecuentes alteraciones en sus acciones o participaciones y en su patrimonio, y, para la otra sociedad, en una modificación de la composición cualitativa de su patrimonio, que pasa a quedar constituido parcialmente por acciones o participaciones de la primera sociedad, sin que su organigrama resulte, por lo demás, alterado.*» En el caso de la segregación, en cambio, la institución que se utiliza es una modificación estructural, como resulta de la inclusión de la segregación como modalidad de la escisión (Art. 68.1.3 LME) y su descripción en el citado Art. 71 LME. La resolución rechaza la identidad conceptual al decir «*existen sobradas razones para entender que la aportación de "rama de actividad" conserva sustantividad propia por las diferencias estructurales existentes entre la misma y la escisión (en su modalidad de segregación)*».

La diferencia conceptual el problema no resuelve definitivamente el problema puesto que aunque el mismo fin pueda en principio obtenerse utilizando instituciones distintas, la Ley podría imponer obligatoriamente una de ellas. La cuestión es si el artículo 71 se debe interpretar en el sentido de que impone siempre ese procedimiento cuando en el aumento de capital se aporta una unidad económica[4].

Así pareció interpretarlo la resolución de la Dirección General de los Registros y del Notariado de 11 de abril de 2016 que señaló: «*debe tenerse muy presente que en la Ley 3/2009, de 3 de abril, sobre modificaciones estructurales de las sociedades mercantiles, se regula, en su artículo 71, una nueva modalidad de modificación estructural de la sociedad como es la operación de segregación. Esta modificación estructural consiste "en el traspaso en bloque por sucesión universal de una o varias partes del patrimonio de una sociedad...".* ». Este traspaso en bloque

---

[4]    En realidad, esto se había planteado en las resoluciones de la Dirección General de los Registros y del Notariado de 10 de junio y 4 de octubre de 1994, aún antes de la existencia de la segregación. En estos casos el registrador sostenía que la aportación de rama de actividad requería el cumplimiento de los requisitos de la escisión por aplicación analógica. El centro directivo entendió que a falta de norma que no cabía aplicar analógicamente las normas de la escisión ni en cuanto a los requisitos de procedimiento ni en cuanto a sus efectos (sucesión universal).

*debe sujetarse a las rígidas reglas contenidas en dicha ley que van a exigir, aparte del acuerdo en junta de todas las sociedades afectadas, otra serie de medidas dictadas para la protección de los trabajadores de la empresa y para los acreedores (cfr. artículos 39 y 44 de la Ley 3/2009 entre otros). De esta forma queda desactivada para el administrador la posibilidad, que antes se admitía, de transmisión de una rama de actividad sin sujetarse a las estrictas reglas establecidas.»*

Como vemos, esta resolución no explica porque considera que el art. 71 cierra la puerta del aumento de capital, sino que lo da por supuesto[5]. Se trata además de un párrafo que nada tiene que ver con la cuestión que se discutía en esa resolución, que era el ámbito de un poder dado por una sociedad, tratándose de un obiter dicta realmente extraño.

Lo cierto es que el Art. 71 en ningún momento dice que toda operación de ese tipo tendrá que someterse a su régimen, ni prohíbe la realización de la aportación de rama de actividad a través de un aumento de capital. No obstante SÁNCHEZ ÁLVAREZ[6] entiende que el carácter imperativo deriva de la naturaleza de la regulación de las modificaciones estructurales en general. Dice este autor: «*No parece que exista duda respecto al carácter imperativo de la LME, que se manifiesta en la obligatoriedad de seguir el procedimiento establecido para la realización de la Modificación Estructural de que se trate y en lo inevitable de los efectos propios de cada una de las Modificaciones Estructurales... El susodicho carácter imperativo se proyecta en dos planos. En primer lugar (...) en la obligación de atenerse estrictamente a lo establecido en la Ley para la realización de cada Modificación Estructural (...). En segundo término, en la prohibición de eludir la aplicación de la Ley so pretexto de su atipicidad, para realizar operaciones que deben calificarse como Modificaciones Estructurales reguladas por la Ley pues ello debiera considerarse como un fraude de ley. Los conceptos de las distintas Modificaciones Estructurales y de sus modalidades han sido definidos en la Ley con la suficiente amplitud, tanto en sus características como en sus efectos, para cerrar el paso a esta posibilidad*».

---

[5]  Puede verse una crítica de esta resolución aquí: ÁLVAREZ, S. «La aportación de rama de actividad y el extravagante obiter...»

[6]  SÁNCHEZ ÁLVAREZ. *La Ley...* pág. 55: que señala: «*El susodicho carácter imperativo se proyecta en dos planos. En primer lugar (...) en la obligación de atenerse estrictamente a lo establecido en la Ley para la realización de cada Modificación Estructural (...). En segundo término, en la prohibición de eludir la aplicación de la Ley so pretexto de su atipicidad, para realizar operaciones que deben calificarse como Modificaciones Estructurales reguladas por la Ley pues ello debiera considerarse como un fraude de ley.*»

En relación con la cuestión concreta que examinamos aquí dice: «*se suscita la cuestión, de extraordinaria importancia, de si la transmisión en bloque de una parte del patrimonio que constituye una unidad económica debe realizarse de manera necesaria por medio de alguna de las Modificaciones Estructurales contempladas en la LME*». *Y concluye que:* «*si una transmisión* (…) *puede calificarse como constitutiva de alguna de las Modificaciones Estructurales, no hay duda de que dicha transmisión debiera sujetarse a lo establecido en la LME, incluso en el caso de que se pretenda renunciar nominalmente al efecto de la sucesión universal: esa renuncia debiera reputarse como un fraude de ley orientado a eludir la aplicación de una normativa inevitable*».

Sin embargo, esto supone ignorar el sentido de la regulación de las modificaciones estructurales. Es cierto que estas normas son imperativas, en el sentido de que no es posible saltarse ninguno de los pasos del procedimiento que establecen ni aligerar sus formalidades fuera de los casos expresamente previstos en la propia Ley. Pero esta normativa no nace para limitar o someter a especiales requisitos estas reorganizaciones sino para facilitarlas. El resultado de una fusión, por ejemplo, se puede obtener a través de una liquidación de una sociedad y posterior aportación de lo repartido a la que hubiera sido «absorbente» mediante un aumento de capital. La regulación de la fusión no pretende prohibir esta operación, sino evitar que se tengan que cumplir todos los requisitos ordinarios, tanto corporativos (acuerdos unánimes) como de transmisión patrimonial (consentimiento de acreedores y contratantes). La contrapartida de esa simplificación es el procedimiento que se establece para garantizar que con ella no perjudica a los interesados, con formalidades dirigidas a la protección de los socios (información, acuerdos con mayorías reforzadas, etc…) y de terceros (publicidad, derecho de oposición, etc…). Ese procedimiento es efectivamente imperativo, pero solo si se está utilizando ese sistema simplificado, pues en otro caso esos derechos están amparados por las normas generales del derecho civil y de sociedades.

Esta finalidad de la regulación de las modificaciones estructurales o ha sido reconocido en la doctrina nacional[7] e internacional[8] pero también por nuestro Tribunal Constitucional que en su Sentencia de 50/2011 de

---

[7]    GONZÁLEZ MENESES, ÁLVAREZ ROYO-VILLANOVA. *Modificaciones…* pág. 35.

[8]    SCHMIDT dice que «tienen la finalidad de simplificar los procesos de fusión y transformación y no de posibilitarlos» SCHMIDT. *Sucesión…* Pág. 208. En el mismo sentido KUBLER. Derecho de sociedades. 5º Edicion. Fundación Cultural del Notariado. 2001. Pág. 559.

14 de abril que dice: «*son operaciones de naturaleza societaria cuya finalidad se dirige a facilitar una mejor y más adecuada adaptación de los modelos organizativos de las personas jurídicas para la consecución de sus propios fines, mediante la realización de modificaciones estructurales (…) eludiendo con ello las dificultades y perjuicios que, tanto en el plano jurídico como en el económico, entrañaría la disolución y liquidación del conjunto de relaciones jurídicas activas y pasivas*»[9]. En el mismo sentido se pronuncia el TJUE en la sentencia C-411/03 (SEVIC Systems AG,) que señala: «*una fusión (…) constituye un medio eficaz de transformación de las sociedades, pues permite, mediante una sola operación, comenzar a ejercer una actividad dada sin solución de continuidad, reduciendo, por consiguiente, las complicaciones, demoras y costes resultantes de otras formas de agrupación de las sociedades,(…) por ejemplo, la disolución de una sociedad con liquidación de su patrimonio y la constitución de una nueva sociedad con transmisión de los elementos del patrimonio a ésta*». Ese carácter facilitador o habilitante de estas operaciones es lo que lleva al tribunal a resolver que la negativa a admitir una fusión transfronteriza es contraria a la libertad de establecimiento del Tratado.

En consecuencia, las modificaciones estructurales no se imponen para la obtención de determinados resultados de reorganización, sino que se ofrecen como alternativas a los procesos ordinarios del derecho mercantil. La resolución de 22 de julio de 2016 rechaza también el carácter imperativo de las modificaciones estructurales cuando dice que hay que entender que es posible aportar una unidad económica en un aumento de capital «*a falta de una norma que expresamente imponga la observancia del procedimiento establecido para dicha modalidad específica de la escisión también en los casos en que se aporte una unidad económica —o "rama de actividad"— con exclusión del efecto de sucesión universal*». De lo anterior resulta por una parte, que solo se impondrá la utilización de una de las alternativas si existe una prohibición u orden expresa. Por otra, el procedimiento está ligado a los especiales efectos de la sucesión universal: los requisitos de la LME no se asocian auto-

---

[9] La STC se refería a un supuesto de transmisión de arrendamiento con ocasión de una fusión. El Abogado del Estado, en su informe, se manifestaba también en el mismo sentido al comentar la reforma de la LAU que establecía que la fusión ya no implicaba traspaso inconsentido: «*la finalidad pretendida por el legislador se integra en un conjunto de medidas tendentes a suprimir las barreras que dificultaban los procesos voluntarios de fusión y escisión de sociedades; procesos que considera beneficiosos para la economía por sus efectos en el mercado y que se veían frenados por las consecuencias negativas que de ellos se pudieran derivar para las relaciones arrendaticias contraídas para la explotación de su negocio*».

máticamente a cualquier operación que cumpla la función económica de una modificación estructural, sino a que se quiera realizar esa operación con sus efectos privilegiados.

## 2 Antecedentes legislativos

El carácter imperativo del Artículo 71 LME también se había tratado de justificar en antecedentes legislativos remotos. Así, el anteproyecto de Ley de 1979 preveía el carácter optativo de la operación, lo que no sucede en el artículo 71. La supresión de ese carácter se interpreta por algún autor como reveladora de una voluntad del legislador contraria a la opción[10]. Esto tendría sentido si se tratara de un cambio durante la elaboración de la LME, pero no cabe presumir esa intención cuando se trata de un anteproyecto cuarenta años anterior a la Ley. Más bien parecería que ese anteproyecto revela la finalidad normal de la regulación de la segregación: ampliar las posibilidades de las sociedades sin prohibir otros sistemas admitidos antes. A la misma conclusión lleva el estudio de la normativa comparada: tanto la L. 236-22 del Código de Comercio francés como la regulación alemana, admiten la segregación como una alternativa al aumento de capital, y solo si se opta por ella hay que cumplir los requisitos de las modificaciones estructurales y solo en ese caso se produce una sucesión universal.

En cuando a los antecedentes de la LME en concreto, el Diario de sesiones recoge una intervención en la que se señala que la inclusión segregación amplía las garantías de los terceros, pero más que la intención del legislador revela la desorientación de ese parlamentario[11]. Para determinar aquella intención resulta más relevante el Preámbulo de la LME, que sin ser terminante sobre este punto si hace referencia a que la Ley persigue la *«ampliación del régimen de las modificaciones estructurales»*, dentro de lo cual *«sobresale el ingreso en el derecho sustantivo de sociedades mercantiles de la figura de*

---

[10]   RODRÍGUEZ ARTIGAS. *Escisión…* Pág. 4.
[11]   Intervención en la sesión de 2 de diciembre de 2008. D. Manuel de la Rocha: «Al incorporarse la segregación como una forma de escisión se amplían sin duda, las garantías para todos esos terceros afectados… Resulta jurídica y económicamente contradictorio y poco garantista que en el tráfico mercantil actual y en una economía globalizada si una empresa vende una parte de su patrimonio, una unidad económica o un centro de trabajo, debe someterse a importantes controles y garantías, mientras que si vende la totalidad de la empresa no requiere de ninguno…».

*la segregación»*. No se trata por tanto de limitar las posibilidades de reorganización sino de ampliarlas.

## 3. Interpretación sistemática

También se ha defendido el carácter imperativo del Artículo 71 interpretándolo en conjunto con el Artículo 72 LME que dice: «*se aplicarán también, en cuanto procedan, las normas de la escisión a la operación mediante la cual una sociedad transmite en bloque su patrimonio a otra sociedad de nueva creación, recibiendo a cambio todas las acciones, participaciones o cuotas de socio de la sociedad beneficiaria*». El imperativo utilizado («se aplicarán») parece indicar en este caso que las normas de la escisión se aplican de manera obligatoria. Además en este artículo no se hace referencia a la sucesión universal, lo que avala también que cabe su aplicación aunque no se persiga ese efecto. Podría pensarse que si en este caso —el de una filialización— se exige este procedimiento, con más razón habría que exigirlo cuando una unidad económica se aporta a otra sociedad, que puede no ser íntegramente participada, lo que implica un mayor riesgo para los socios de la aportante.

Sin embargo, esa interpretación se enfrenta a varios problemas: por una parte, que el supuesto de hecho es la transmisión de todo el patrimonio, e imponer al misma consecuencia para cualquier unidad económica, quizás insignificante, no parece lógico. Por otra, la diferencia de redacción podría también llevar a concluir, a sensu contrario, el carácter optativo para la operación del Artículo 71: al no haber prohibición u obligación expresa en este caso, no hay imperatividad. La falta de referencia en el 72 a que la transmisión sea «por sucesión universal» abundaría en el mismo sentido.

Finalmente no está claro qué quiere decir este artículo 72 cuando establece que las normas de escisión y su aplicación «*en cuanto procedan*»: no parece que se tengan que aplicar todas las normas, pero no se especifican cuales. Quizás lo que hay detrás de este artículo es un intento de proteger a los socios de la aportante de la llamada «mediatización» o filialización, ya que el control que los socios pueden ejercer sobre la actividad no es la misma si el patrimonio de la sociedad pasa a ser solo las acciones de una filial. Por tanto, lo que estaría pretendiendo el artículo 72 no es la aplicación del régimen de la modificación estructural en su conjunto sino solo exigir el acuerdo de los socios de la aportante. Lo que sucede es que una vez que se exige el acuerdo de junta para este caso en el art. 160 f LSC, no tiene sentido ya esta protección.

Tienen a mi juicio más fuerza los argumentos sistemáticos que apoyan la libertad de optar entre ambas figuras después de la entrada en vigor de la LME.

En primer lugar, y como señala la resolución de la Dirección General de los Registros y del Notariado de 22 de junio de 2016, la regulación en la Ley 27/2014 del Impuesto de Sociedades, reconoce esta figura como distinta de la escisión después de la entrada en vigor de la LME, confirmando la autonomía de las dos operaciones.

En segundo lugar, cuando la LME ha querido que una operación siga exclusivamente un procedimiento cuando podría realizarse a través de otro distinto, lo ha dicho expresamente: por ejemplo en el Artículo 53, que establece que la cesión global a favor del único socio debe seguir el procedimiento de la fusión y no de la cesión global.

Finalmente, el argumento sistemático de más peso en relación con la admisión de esta figura es la regulación sobre enajenación de activos esenciales introducida por la reforma de la LSC por la Ley 31/2014, de 3 de diciembre.

Cuando en la nueva letra f del art 160 LSC el legislador exige acuerdo de Junta General de socios para la «aportación» de activos esenciales a otra sociedad, no cabe duda que está pensando también en la aportación de unidad económica, pues este es el activo esencial típico. Que el legislador se está refiriendo a esta operación queda aún más claro en el art 511.bis.1.a LSC (aplicable a las cotizadas) que exige el acuerdo para la «*transferencia a entidades dependientes de actividades esenciales*», «actividades» que no pueden ser otra cosa que sus unidades económicas o ramas de actividad. Pues bien, si esa aportación solo fuera posible sometiéndose a la LME, no sería necesario exigir el acuerdo de la aportante. Nos encontramos por tanto ante una interpretación auténtica del legislador, que da por supuesta la posibilidad de ese tipo de operaciones al margen del procedimiento de escisión, y para esos casos exige acuerdo de Junta. Esto además de que como se examina en el punto siguiente, lo que movía a los autores a defender la necesidad del procedimiento de escisión era justamente la falta de una norma que exigiera la intervención de los socios de la aportante.

### 4. *La protección de los interesados en las distintas operaciones y su trascendencia*

La discusión sobre la necesidad de acudir a la segregación giraba sobre todo en torno a la protección de los interesados.

En principio no parece que los acreedores de ninguna de las sociedades queden especialmente desprotegidos en el caso de la aportación. En cuando a los de la sociedad adquirente, en principio la aportación implica un aumento de capital y por tanto de recursos. En cuanto a los de la aportante, al no haber sucesión universal no quedan afectados pues la sociedad sigue respondiendo de las deudas relacionadas con la actividad salvo que presten su consentimiento (Art. 1205), y en principio no disminuye la garantía patrimonial pues la unidad queda sustituida por las acciones o participaciones. Además, como en cualquier enajenación que consideren perjudicial, podrían acudir a la acción pauliana o rescisoria. En cuanto a los trabajadores quedan protegidos por la legislación laboral con arreglo al Artículo 44 ET. La posición de los socios de la adquirente como dice la resolución de 22 de julio de 2016 *«queda suficientemente garantizada con la aplicación de las normas propias de los aumentos de capital con aportaciones no dinerarias (régimen de responsabilidad del aportante, informe de los administradores, mayorías o quórums cualificados, informe de experto independiente si se trata de una sociedad anónima, etc.)»*

El problema se centraba en los derechos de los socios de la aportante. Rodríguez Artigas defendía la aplicación obligatoria del procedimiento de segregación por esta razón —aunque reconocía que no tenía mucho sentido cuando lo aportado era de escasa entidad—. Otros autores se planteaban si debía aplicarse el procedimiento de la escisión solo en cuanto a la necesidad de acuerdo de Junta General en la aportante para evitar que pudieran quedar defraudados estos derechos[12]. Esta preocupación aparecía también en las resoluciones de la Dirección General de los Registros y del Notariado de 1994 que señalaban que *«aunque, en rigor, y aunque no se plantee la cuestión en el recurso, es discutible si, en función del volumen de la aportación en relación con el patrimonio de la sociedad aportante, sería preciso el acuerdo de la Junta general, al exceder el acto de la competencia de los administradores»*. Aún antes de la introducción del art. 160 f. la doctrina y la jurisprudencia se habían planteado este problema y se buscaron vías de solución que no pasaban por la sumisión de estas operaciones a los requisitos de las modificaciones estructurales. SÁNCHEZ OLIVÁN sostenía que en cualquier aportación de rama de actividad es la Junta General la que debe acordarla por suponer el cese en algunas de las actividades de la sociedad, y debe procederse a modificar los estatutos. Otros autores adoptaban una postura

---

12     Tanto RODRÍGUEZ ARTIGAS. Escisión… como GONZÁLEZ MENESES, ÁLVAREZ ROYO-VILLANOVA. *Modificaciones…*

intermedia y hacían depender la necesidad de acuerdo de la importancia de la rama de actividad o de la existencia de control total sobre la sociedad adquirente. Parecía haber acuerdo en que si la aportación implicaba la enajenación de todo o sustancialmente todo el patrimonio era necesario el acuerdo de Junta. La resolución de la DGRN de 25 de abril de 1997 parecía adherirse a esta postura. Nuestro Tribunal Supremo («TS») también se ha manifestado en un sentido. La sentencia del TS («STS») de 17 de abril de 2008, en un supuesto de venta de todos los activos operativosde una sociedad por el consejero delegado, resolvió: «*Estimamos que excede del tráfico normal de la empresa dejarla sin sus activos, sin autorización de la Junta General para este negocio de gestión extraordinario (…) la cesión impugnada seccionaba una parte del objeto social estatutario, desde el punto de vista literal, lo que debía de ser autorizado por la Junta de Accionistas, lo mismo que estatutariamente tenía que hacerlo si la sociedad se dedicaba a otro objeto social*». También la STS de 8 de febrero de 2007 indicó que «*en modo alguno pueden los administradores acordar una reducción de actividades principales que impliquen un cercenamiento del objeto social, lo que solo podrá ser efectuado por la junta general*».

Una vez que esta cuestión la resuelve el art 160 f resuelve para todo tipo de transmisiones de activos esenciales deja de tener sentido defender por este motivo la aplicación de la normas de la escisión. Es cierto que el 160 f no impone los mismos requisitos de la escisión (mayorías, publicidad, derecho de oposición) pero eso es una opción del legislador. En relación con los derechos de los terceros es lógico pues al no existir sucesión universal quedan suficientemente protegidos por las normas generales del derecho patrimonial. Pensemos, por ejemplo, que en la venta de una unidad económica de la sociedad, los riesgos para los terceros son exactamente los mismos, y nadie ha defendido que los acreedores tengan en ese caso un derecho de oposición ni que se realicen publicaciones de la operación. En cuanto a los derechos de los socios de la aportante, el legislador ha considerado que quedan suficientemente protegidos con el acuerdo de Junta con las mayorías ordinarias, y eso es lo que hay que aplicar.

El legislador también ha dejado claro que lo relevante para exigir el acuerdo de Junta General no es que lo aportado sea una unidad económica, sino que tenga carácter esencial para la aportante, en contra de lo sostenido por algún autor[13]. La posición contraria partía de una confusión sobre la función del concepto de unidad económica en la normativa de escisión: no se trata de que por transmitirse una unidad económica sea

---

[13]    SÁNCHEZ ÁLVAREZ. *La ley…* Pág. 66.

necesario acudir a una modificación estructural. Se trata, más bien, de que para que una segregación patrimonial pueda merecer la simplificación de la sucesión universal tiene que existir una unidad económica: así se exige expresamente en la legislación fiscal y se deduce de la propia LME, que solo excluye este requisito a la escisión total, ya que en ella puede que haya elementos independientes que no puedan adscribirse a ninguna unidad concreta.

Lo ilógico de exigir el procedimiento de escisión queda más claro aún si comparamos la operación con otras enajenaciones de unidades productivas: si el art. 160 f no exige acuerdo de Junta para la venta de unidades de negocio no esenciales sería totalmente absurdo que para un negocio que supone mucho menos riesgo para el socio como es la aportación de esa misma unidad a una sociedad dependiente hubiera que acudir al procedimiento de escisión.

La conclusión es que cada operación es distinta y tiene su propio sistema de composición de intereses, y estos sistemas pueden ser distintos. En este sentido Alfaro[14] defiende que la resolución no debía haber entrado a analizar la cuestión de la protección de los interesados pues no corresponde al registrador ni a la Dirección General de los Registros y del Notariado evaluar si esos intereses quedan suficientemente protegidos en cada caso. Una vez establecido que la Ley admite las dos formas de llegar a ese resultado, la composición de intereses ya ha sido decidida por el legislador. Se puede estar en desacuerdo con la opción del legislador y criticar, por ejemplo, que para la enajenación de activos esenciales la LSC no exija la mayoría cualificada de la modificación de estatutos, pero eso no permite al registrador —ni al juez— cambiar la ley.

Además, la Ley regula las modificaciones estructurales como figuras autónomas, como un subsistema completo que reemplaza a la normal aplicación de las normas civiles y societarias. La resolución de 4 de noviembre de 2015 la Dirección General de los Registros y del Notariado confirma ese carácter autónomo: el registrador planteaba la necesidad de realizar una publicación relativa a la reducción de capital en una escisión parcial. La dirección general revoca la nota porque «*debe entenderse que esa reducción del capital social que se inserta como medio o instrumento natural en el fenómeno más amplio de la modificación estructural, con unos requisitos específicos atendiendo a la finalidad de ésta y a los intereses afectados, debe regirse por estos requisitos si no*

---

[14]   ALFARO, J. *La segregación...*

*se quiere desvirtuar el régimen propio de la escisión».* Esta autonomía debe jugar en ambos sentidos: ni cabe aplicar a las modificaciones estructurales las normas generales de las sociedades en el ámbito corporativo, ni de la transmisión de bienes particular en el ámbito de la sucesión universal; tampoco cabe en principio aplicar la norma más protectora de la LME para un caso en que se realice a través de otra operación.

### 5. ¿Hay aportaciones que por implicar una alteración en la estructura patrimonial obliguen a aplicar las normas de las modificaciones estructurales?

Antes de la reforma del 160 f, algunos autores entendían que, tras la LME, cabía defender la aplicación por *analogía iuris* de algunos preceptos de esa ley a una operación en principio configurada como aumento de capital. La resolución de 22 de junio de 2016 parece hacerse eco de esta idea cuando dice: «*de tratarse de una aportación que supusiera una alteración en la estructura patrimonial de la sociedad, debería ser observado —desde la perspectiva de la posición de los socios— el procedimiento más riguroso establecido para la segregación.*» Plantea este supuesto como hipotético y no influye en la solución, por lo que puede considerarse como un inócuo obiter dicta. Sin embargo, dado que en el caso sometido a la Dirección General existía un acuerdo unánime de los socios en las dos sociedades, la frase anterior podría plantear la duda de si en el caso de que no existiera ese acuerdo cabría exigir, al menos «desde la perspectiva de los socios», la aplicación de las normas de las modificaciones estructurales.

A mi juicio no se puede sacar esa conclusión de esta confusa y desafortunada expresión de la resolución, por varias razones.

La primera es que entiende que cabe deducir de la LME un concepto general de modificación estructural, lo cual es muy discutible. El artículo 1 de esa Ley, que tiene como título «Ámbito objetivo», no define ese ámbiyo con un concepto sino que se limita a enumerar las operaciones reguladas. La resolución trata de deducir el concepto del preámbulo de la Ley que dice que son «*aquellas alteraciones de la sociedad que van más allá de las simples modificaciones estatutarias para afectar a la estructura patrimonial o personal de la sociedad*». El problema es que ese concepto no parece útil por su total inconcreción: no es posible saber qué es la «*estructura patrimonial o personal*», ni tampoco es qué es lo que va «*más allá de las simples modificaciones estatutarias*».

La segunda razón es que no están claras las consecuencias de considerar que la aportación tiene una trascendencia estructural. La resolución dice que el procedimiento más riguroso «*debería ser observado desde la perspectiva de la posición de los socios*» lo que parece significar que no hay que aplicar todo el procedimiento sino las dirigidas a los socios; parece que no de todos los socios sino solo los de la aportante, pero tampoco es seguro. Como vemos, la doctrina de la resolución nos aboca a una total inseguridad jurídica. Aparte de que la indeterminación del concepto de modificación estructural hace difícil de prever cuando se deberían aplicar las normas de la LME, no está claro como se aplicarían.

Pero el principal problema de esa solución es que se olvida que la cuestión ha sido ya contemplada y resuelta por el legislador, como se puede comprobar con la lectura de los artículos 160 y 511 bis LSC. Ya hemos visto que de la redacción de los mismos resulta que entre los supuestos de transmisión de activos esenciales ha de entenderse incluida específicamente la aportación a otra sociedad de una unidad económica o rama de actividad. Pero es que el Artículo 160 f no se aplica a todas las aportaciones de rama de actividad, sino justamente a aquellas que tienen esa «relevancia estructural» a la que se refiere la Dirección General. La Ley utiliza el concreto de activos esenciales, pero del preámbulo de la reforma resulta que ese carácter esencial significa, justamente que afectan a la estructura patrimonial de la sociedad. Literalmente dice: «*Asimismo, se amplían las competencias de la junta general en las sociedades para reservar a su aprobación aquellas operaciones societarias que por su relevancia tienen efectos similares a las modificaciones estructurales*». Queda claro por tanto que una vez que el legislador ha contemplado estos supuestos y ordenado un procedimiento para ellos no tiene sentido acudir a una institución ajena como la modificación estructural para construir una nueva y mayor protección de los socios.

## 6. Conclusión: posibilidad de optar

La conclusión es que los operadores jurídicos pueden elegir la vía que les resulte más conveniente. Así lo entiende también la resolución de 22 de julio de 2016 —en contra del confuso obiter dictum de la resolución de 11 de abril de 2016—: «*La respuesta a la cuestión planteada debe ser afirmativa, pues existen sobradas razones para entender que la aportación de "rama de actividad" conserva sustantividad propia por las diferencias estructurales existentes entre la misma y la escisión (en su modalidad de segregación), de modo que, a falta de una norma que expresamente imponga la observancia del procedimiento establecido para dicha modalidad específica de la escisión también en los casos en que se aporte una unidad económica —o "rama de actividad"— con exclusión del efecto de sucesión universal, debiéndose presumir que no se produce dicha sucesión, salvo que se dijera*

*lo contrario. Por ello, debe ser admitida esta aportación no dineraria como contrava-*
*lor del aumento del capital social, toda vez que con el cumplimiento de los requisitos*
*establecidos para la modificación estatutaria correspondiente quedan suficientemente*
*protegidos los distintos intereses en juego.»*

La frase tiene un problema sintáctico y mezcla las conclusiones con los argumentos pero recoge tres ideas clave que he defendido: las dos operaciones se regulan de manera autónoma y conservan su sustantividad; el artículo 71 no impone ese procedimiento para todo tipo de aportación de unidad económica; cada operación tiene su propio sistema de protección de intereses. Desde un punto de vista práctico interesa señalar que la resolución aclara que si se acude a la aportación se debe presumir que no se produce la sucesión universal, por lo que no es necesario que en la escritura se excluya expresamente ese efecto, como pedían algunos registros mercantiles.

Finalmente y como resulta del punto anterior, deben considerarse irrelevantes las consideraciones (también obiter dicta) que hace la resolución en relación con las modificaciones de la estructura patrimonial de la sociedad.

Una vez admitida la posibilidad de optar entre varias formas de aportación, pasamos a examinar las diferencias entre los procedimientos para determinar los criterios influirán en la elección de uno u otro sistema.

## III. CRITERIOS PARA OPTAR POR EL AUMENTO DE CAPITAL, LA ESCISIÓN O LA SEGREGACIÓN

### 1. Por la función económica

En el primer punto del estudio vimos que la segregación y la aportación de rama de actividad tienen una consecuencia económica interna idéntica, pues es la sociedad aportante la que recibe acciones o participaciones de la sociedad adquirente. Por el contrario, en el caso de la escisión las acciones o participaciones de la adquirente se entregan a los socios. En este caso disminuye el valor patrimonial de la aportante, lo que en principio ha de reflejarse en una reducción de capital (salvo que existan reservas suficientes para absorber esa disminución).

La escisión conlleva por tanto una total independización de la unidad económica y por tanto una separación patrimonial total desde el punto de vista de la responsabilidad. En el caso de una segregación las deudas de la segregada no pueden ser reclamadas directamente a la matriz, pero sí reducen su valor patrimonial; y las deudas de la matriz no puede reclamarse directamente a la filial, pero pueden dar lugar a que se embarguen las acciones o participaciones de esta para pagar a los acreedores. En cambio, tras una escisión parcial, las dos masas patrimoniales tienen total autonomía.

Esto tiene como consecuencia que la escisión pericial será el mecanismo adecuado cuando se pretenda esa independización total de las empresas, pero también en otros casos. Por ejemplo para la separación de negocios entre los socios: aunque en principio el reparto se realiza de manera proporcional entre los socios, el artículo 76 LME permite un reparto desigual, de manera que es posible que cada socio o grupo de socios se quede solo con acciones o participaciones de una de las sociedades. Hay que tener en cuenta no obstante que la neutralidad fiscal solo se aplica en estos casos conforme al 76.2.2 de la Ley del Impuesto de sociedades que dice: «*En los casos en que existan dos o más entidades adquirentes, la atribución a los socios de la entidad que se escinde de valores representativos del capital de alguna de las entidades adquirentes en proporción distinta a la que tenían en la que se escinde requerirá que los patrimonios adquiridos por aquéllas constituyan ramas de actividad.*» En cualquier caso, y aunque no se cumpliera esta condición, una escisión parcial ordinaria (con asignación proporcional) puede ser un primer paso para la separación de socios si posteriormente los socios permutan acciones o participaciones. No se conseguiría la neutralidad fiscal desde el punto de vista de los socios pero sí en relación a las transmisión patrimonial entre sociedades.

La opción por la escisión vendrá por tanto determinada por el resultado económico, que no se puede obtener a través de ninguna de las otras figuras. En cambio, las razones para optar por la segregación o el aumento de capital en el caso de aportación de una unidad económica no serán nunca la situación e destino, que es idéntica, sino del camino que lleva a esta ella. Los dos elementos que van a influir son la simplicidad del procedimiento y los efectos de la operación desde el punto de vista del traspaso patrimonial, que son las cuestiones que se estudian a continuación.

## 2. Por la simplicidad del procedimiento

No procede aquí realizar un examen pormenorizado de los dos procedimientos. Como idea general podemos señalar que en principio el procedimiento de la segregación es más exigente, requiriendo por una parte la preparación de más documentación de cara a la información de los interesados, que debe publicitarse y ponerse a disposición de los interesados. Además, desde el punto de vista corporativo o de las decisiones se requiere siempre acuerdo de Junta General en la aportante; tanto para ella como para la adquirente se exigen mayorías y reglas de convocatoria especiales, que ni siquiera en el caso de que se trate de un activo esencial serían necesarias si se articula a través de un aumento de capital. La fase posterior al acuerdo es también más compleja, pues se exige su publicación, que abre un periodo en el que los acreedores pueden ejercitar su derecho de oposición a la operación. Finalmente los efectos de las dos operaciones son distintas desde el punto de vista de la transmisión, debido a que en un caso se realiza por sucesión universal y en el otro no.

Aunque la regla general es la mayor simplicidad del aumento de capital, la complejidad del procedimiento de segregación puede quedar notablemente reducida dadas las importantes simplificaciones que en determinados casos concede la ley. En primer lugar, en los casos en los que exista unanimidad de los socios de todas las sociedades participantes, no es necesario el depósito previo del proyecto de segregación ni el informe de administradores (art 42 LME), ni el informe de expertos acerca del tipo de canje (art. 34 LME). Si la Junta es universal tampoco existirá convocatoria previa con el plazo exigido legalmente. Por otra parte, en el caso de que las sociedades intervinientes sean sociedades limitadas —y aunque no haya acuerdo unánime—, no es preciso el informe sobre el tipo de canje por el mismo artículo 34. Sí la sociedad adquirente es una sociedad limitada tampoco debe aportarse el informe sobre la valoración del patrimonio social al que se refiere ese artículo. Finalmente, en el caso de operaciones intragrupo, el artículo 49 de la Ley de modificaciones estructurales permite prescindir de determinadas menciones del proyecto, del aumento de capital, de los informes, y del acuerdo en la absorbida. La dificultad en estos casos reside en como aplicar las simplificaciones del art. 49.1 de la LME, que se refiere a la absorción de una sociedad íntegramente participada, a los supuestos de escisión.

La conclusión de todo lo anterior es que los administradores tendrán que ver en cada caso qué simplificaciones son posibles y en qué medida el procedimiento es efectivamente mucho más largo y más costoso que el de la aportación de rama de actividad mediante un aumento de capital.

La aportación mediante aumento de capital en principio no requiere acuerdo de la Junta de la sociedad aportante. Sin embargo, tras su reforma en el año 2014, la LSC (art. 160 f) exige para la aportación de activos esenciales. Como se ha visto anteriormente, no cabe duda que entre esos activos esenciales pueden estar comprendidas las unidades económicas o ramas de actividad que se aporten a otras sociedades si tienen la suficiente entidad.

## 3. Por los efectos sobre la transmisión del patrimonio: la sucesión universal frente a la particular

### 3.1. El concepto de sucesión universal

Los dos procedimientos se distinguen no solo por sus requisitos sino también por sus efectos, en particular por la aplicación o no del sistema de sucesión universal. Las otras diferencias, relativas sobre todo a la responsabilidad de los distintos interesados, derivan de esta diferencia básica.

La diferencia entre sucesión particular y universal se entiende mejor con una imagen: en el caso de las transmisiones individuales, la ley establece un camino que cada relación jurídica necesita seguir para pasar de un titular a otro. El camino sería el título de transmisión y en el mismo se pueden tener que superar ciertos obstáculos para llegar al destino — el nuevo titular—. Estos obstáculos varían según el título adquisición y el bien o derecho de que se trate: por ejemplo, para transmitir la propiedad se necesita el título y el modo o transferencia de la posesión. Además, la transmisión puede encontrarse con barreras que habrá que levantar, como la necesidad de autorizaciones, o desvíos que pueden modificar la configuración original de la transmisión, como los derechos de adquisición preferente. Las deudas, por ejemplo, necesitan compañía para recorrer el camino pues hace falta el consentimiento del acreedor; para transmitir los créditos, en cambio, basta la notificación al deudor. En algunos tipos de transmisión hace falta además que se realicen formalidades especiales (escritura pública en las donaciones de inmuebles).

Por el contrario, en la sucesión universal, la totalidad de las relaciones se agrupan en un vehículo (el título único que otorga la ley tras el cumplimiento del procedimiento) que las transporta directamente hasta el lugar de destino, saltándose los obstáculos que de ordinario existen y que son diferentes para cada relación jurídica.

Esto es una diferencia esencial en las operaciones que examinamos. Si la transmisión no es universal, las partes no solo tienen que determinar específicamente los bienes y derechos que se transmiten, sino también cumplir para cada uno de ellos todos los requisitos legales. Es decir que para transmitir una deuda será necesario el consentimiento del acreedor

(1205 Cc); para que la transmisión de un crédito produzca efectos frente a terceros será necesaria la notificación al deudor (1527); para las relaciones contractuales deberá consentir el otro contratante (artículo 1257 Cc). En general habrá que cumplir también todas las formalidades que se exijan para cada elemento patrimonial.

Sin embargo, sería un error pensar que la sucesión universal soluciona de manera automática todos los problemas de la transmisión de bienes y derechos: particularmente en el caso de la segregación o escisión la fragmentación patrimonial, se plantean diversas particularidades que habrán de tenerse en cuenta.

### 3.2. Reconocimiento de la sucesión universal en la escisión y segregación

El primer problema es que la aplicación de este sistema a los supuestos de escisión y segregación no es del todo pacífica. La antigua Ley de Sociedades Anónimas recogía en el artículo 252 la mención al traspaso en bloque del patrimonio pero, a diferencia del artículo 233 de la misma relativo a la fusión, no hacía referencia a la sucesión universal. Esto había planteado la duda de si significaba que en la escisión había transmisión en bloque pero no sucesión universal[15], dudas que como vamos a ver no han cesado del todo.

Esto cambió con la LME, que en los arts. 69, 70 y 71 hace expresa referencia a que el patrimonio se transmite «por sucesión universal» para cada una de las tres modalidades de escisión recogidas en la LME: escisión total, parcial y segregación. Además las directiva 1982/891 de escisiones utiliza exactamente los mismos términos en cuanto a la transmisión del patrimonio para la fusión que la Directiva 2011/35 de fusiones, por lo que parece que quepa utilizar un concepto distinto de sucesión universal para fusión y escisión.

---

[15]   Así GONZÁLEZ-MENESES se pregunta «*¿Se trataba de una omisión que no obedecía a ningún propósito consciente y que el diligente intérprete debía cuidarse de subsanar entendiendo que, por analogía con la fusión y sobre la base de la remisión genérica que para lo no específicamente regulado en sede de escisión se hacía a las normas de la fusión, también la escisión producía una "sucesión universal"? ¿O este silencio debía interpretarse de otra forma: como algo consciente y voluntario, una exclusión para estas otras operaciones del efecto que sí se cuida de reconocer expresamente en sede de fusión, o, al menos, como un reflejo de la duda o incertidumbre que sobre este tema embargaba al propio legislador?*». *Cit.* 2010. La respuesta mayoritaria de la doctrina era entender que sí existía sucesión universal. Ver por todos RUBIO. 2009. *Cit.* Pág. 376.

No obstante, siguen existiendo posiciones doctrinales que mantienen[16] que no se puede hablar de sucesión universal en la escisión y se avanzan varios argumentos.

Se dice, en primer lugar, que la sucesión no puede ser «universal» cuando por definición en la escisión se crean varios bloques patrimoniales. Esta crítica puramente nominal no tiene peso en sí misma pues tampoco en la sucesión universal típica, la hereditaria, se transmiten todos los bienes (art. 659 Cc). También en este tipo de sucesión se produce una fragmentación patrimonial salvo que se exista un único heredero, sin que por ello —ni por que existan legados— se haya discutido su naturaleza de universal. Lo característico de la sucesión universal no es la transmisión de un conjunto de elementos activos y pasivos sino el modo de la transmisión[17]. Es decir, que dichos elementos se transmiten por un solo título y en un solo acto, o por decirlo de otra manera no es universal por ser una sucesión *in universtiatem* sino por ser una sucesión *per universitatem*[18].

También hay que tener en cuenta que el fundamento de la utilización de la sucesión universal es facilitar las reorganizaciones empresariales. Estas no se limitan a la concentración empresarial que facilita la fusión sino que existen muchas otras necesidades que son cubiertas por la escisión en sus distintas modalidades: desde la reorganización interna a la separación de socios mal avenidos, pasando por el mantenimiento de las unidades con capacidad de supervivencia en sociedades en crisis o la venta de partes del negocio. Si para la transmisión de las masas patrimoniales tuvieran que acudir a las reglas de transmisión de bienes individuales la operación de escisión, la utilidad de la escisión se reduciría drásticamente.

Por último, el reconocimiento expreso de la ley, que sigue además a la directiva, deja hoy pocas dudas sobre la necesidad de admitir la sucesión universal en la escisión[19]. Esta evolución hacia la admisión de la sucesión universal en la escisión no es exclusiva de nuestro ordenamiento. La sen-

---

[16]  ALONSO LEDESMA, C. Algunas consideraciones en torno al a sucesión universal como rasgo caracterizado de la segregación frente a la aportación de rama de actividad. Libro Homenaje al profesor Sánchez Calero. Madrid 2002, Mc Graw Hill. Págs. 4927 a 4962.

[17]  ÁLVAREZ ROYO-VILLANOVA. 2000. Pág. 827. Rodríguez Artigas. Escisión. Pág. 61.

[18]  SCHMIDT. Citando a LARENZ. Señala además *que «la institución jurídica de la sucesión universal no presupone necesariamente una transmisión sin fraccionamientos». Cit.* Págs. 204 y 205.

[19]  RUBIO. 2009. Pág. 387.

tencia del Tribunal Superior de Justicia de Castilla y León de Valladolid (Sala de lo Contencioso-administrativo, Sección 1ª, 2874/2015 de 23 Dic. 2015) relativa a un supuesto de escisión reconoce expresamente que la sucesión universal se aplica por imperativo de la LME y de las Directivas. En el mismo sentido se pronuncia la Sentencia de la Audiencia Provincial de Coruña, sección 5ª, de 27 de marzo de 2009 en un caso en que se discutía la aplicación del artículo 31.4 de la ley de arrendamientos urbanos. El tribunal entiende que ya con la regulación de las modificaciones estructurales de la LSA, no cabía negar el efecto de la sucesión universal en la escisión y que al no distinguir tampoco el artículo 31.4, el efecto sobre la escisión parcial debía ser el mismo que para la fusión y la escisión total; por ello concluía que no había obstáculo para la transmisión del contrato.

Algunos autores niegan la sucesión universal con el argumento de que el artículo 80 LME establece la responsabilidad de la sociedad escindida con las beneficiarias en el caso de escisión parcial, con carácter solidario y por la totalidad de la obligación[20]. Entienden que la responsabilidad solidaria de la escindida revela que no existe en este caso transmisión del pasivo por vía de sucesión universal, pues no afecta a los acreedores salvo que presten su consentimiento, es decir igual que en las transmisiones a título particular y conforme al artículo 1205 del código civil[21]. No obstante, hay que tener en cuenta que se trata por tanto de una responsabilidad ilimitada pero subsidiaria respecto de la beneficiaria obligada, mientras que en el supuesto normal de transmisión de deudas a falta del consentimiento del acreedor el primitivo deudor responde directamente. Además, en el caso de que la deuda no pagada sea de la escindida, la beneficiaria en principio no responde, por lo que la escisión sí tiene en ese aspecto efecto frente a

---

[20] La Directiva 1982/891 prevé la posibilidad de la escisión parcial en su Art. 25, pero el art. 12 que regula la responsabilidad de las sociedades beneficiarias, no contiene ninguna norma sobre la responsabilidad de la escindida. Entiendo que la directiva no pretende dar una libertad absoluta en esta materia, sino que al regular la escisión parcial por remisión a la normativa de la total, no advierte que las normas de responsabilidad no se pueden aplicar en este caso: se trata por tanto se trata de un olvido y por tanto de una laguna que hay que llenar. En consecuencia, lo que hay que hacer es aplicar analógicamente el Art. 12 adaptándolo al sistema de la escisión parcial, por lo que los estados podrán optar entre establecer un derecho de los acreedores a obtener una garantía o establecer una responsabilidad solidaria entre la escindida y las beneficiarias.

[21] ALONSO LEDESMA. 2002. Dice: «*no estaríamos ante un supuesto distinto de la asunción de deuda cumulativa*». Pág. 4944.

terceros[22]. El artículo 80 no excluye la sucesión universal sino que tiene en cuenta los riesgos especiales de la fragmentación patrimonial; no debería causar tantas dudas sobre su compatibilidad con la sucesión universal, pues es la solución adoptada por el derecho sucesorio al establecer la responsabilidad solidaria de los coherederos (1084 cc).

La jurisprudencia más moderna reconoce la sucesión universal en estos casos para todo el patrimonio, y en concreto para los contratos, como por ejemplo en la Sentencia de la Audiencia Provincial de Madrid, Sección 13ª, Sentencia 19/2015 de 19 Ene. 2015.

Eso no significa que la fragmentación patrimonial no tenga como consecuencia algunos efectos distintos en relación con la sucesión universal, como examinamos a continuación[23].

## 4. Por la resistencia a la rescisión concursal

Una posible razón para optar por una y otra modalidad puede ser que una de la operaciones sea más segura para la adquirente por ser más difícil su rescisión en el caso de posterior concurso de la aportante. Esta es una cuestión que se plantea en la reciente STS 5136/2016 de 21 de noviembre (Id Cendoj: 28079119912016100029). El caso era el siguiente: una sociedad ahora en concurso había realizado dentro del periodo de los dos años anteriores al concurso la escisión de una rama de actividad consistente en el arrendamiento de inmuebles a favor de una nueva sociedad, y los administradores concursales reclaman al amparo del art 71 LC la rescisión de la transmisión de los inmuebles.

### 4.1. La posibilidad de que la rescisión afecte parcialmente a la escisión

Una primera cuestión es si (como en el caso de la STS pretendía el demandante) es posible solicitar reintegración a la masa de los inmuebles que salieron con ocasión de la escisión «sin necesidad de dejar sin efecto la modificación estructural, en atención a la naturaleza funcional de la ineficacia que conlleva la rescisión concursal, que afectaría al negocio sólo en la medida necesaria para evitar el perjuicio a los acreedores que pudie-

---

[22] Esto entiendo que es un error del legislador, como veremos en la parte dedicada a la transmisión de deudas, pero en todo caso supone que existe transmisión ex lege de las deudas como consecuencia de la sucesión universal.

[23] CONDE TEJÓN. 2004. Pág. 385, citando a JOACHIMS, CLAUSSEN y THOMAS.

ra derivarse de la disminución de la masa activa patrimonial sobre la que pueden hacer efectivos sus créditos.»

El TS rechaza esa posibilidad. Señala que en efecto la rescisión es «una acción de ineficacia funcional, en cuanto que presupone que el acto impugnado es válido.» También que la rescisión permite rescindir no solo los contratos sinalagmáticos, «cuya estimación traerá consigo la restitución recíproca de las prestaciones realizadas» sino también «sólo el pago o cumplimiento de una de las obligaciones generadas por ese contrato», sin que eso afecte a la «eficacia del contrato, por lo que se acuerda la restitución del importe objeto de pago y el crédito satisfecho vuelve a renacer como crédito concursal.»

Sin embargo, entiende que «esta posibilidad de impugnar un negocio o un acto de cumplimiento de una de las obligaciones nacidas de ese contrato» solo puede darse «cuando sea posible diferenciar entre estos dos actos. Este no es el caso de la escisión parcial y la transmisión de los activos que dicha escisión conlleva desde la sociedad escindida a la beneficiaria. En una escisión parcial, ...se traspasa en bloque por sucesión universal una o varias partes del patrimonio de la sociedad escindida (…) La transmisión de los activos y pasivos de la rama de actividad escindida a favor de la sociedad beneficiaria es un efecto propio de la escisión, sin que sea un acto posterior o distinto de la propia escisión. La transmisión de los inmuebles incluidos en los activos de la rama de actividad escindida forma parte del propio negocio traslativo que supone la escisión, de la que no puede disociarse para su impugnación.» Como consecuencia de lo anterior concluye que el traslado de activos no es un acto distinto de la propia escisión. Por lo que, en todo caso, ha de pedirse la rescisión concursal de la escisión. Eso hace innecesario entrar en la gratuidad que también alegaba el recurrente, siendo evidente que las modificaciones son actos complejos pero en ningún caso gratuitos en el sentido de que exista ánimo de liberalidad ni que se produzcan en sentido estricto transmisiones sin contraprestación.

Me parece totalmente acertada la posición del TS, pues es de esencia de la escisión la producción simultánea y conjunta de todos sus efectos. Cabría añadir a los argumentos del Tribunal que esto viene impuesto tanto por la Directiva de 2011/35 de Fusiones (art. 19) como la 82/891/CEE de escisiones (art. 17), que establecen que todos los efectos de la fusión —sucesión universal, integración de los socios en la sociedad beneficiaria y extinción de la sociedad en su caso— se producen ipso iure y simultáneamente. A esto cabría añadir que la STJUE de 5 de marzo de 2015 declaró que el concepto de sucesión universal tenía que ser único en todos los países de la unión europea y debía comprender todo el patrimonio activo y pasivo.

## 4.2. La aplicación del art. 47 LME a la rescisión concursal

La Ley Concursal ley no excluye expresamente estas operaciones de la rescisión concursal, pues no se incluye entre los supuestos las modificaciones estructurales de la rescisión concursal en su art. 71.5, ni tampoco hay ninguna otra norma que las sustraiga a este procedimiento, como lo hace para los acuerdos de refinanciación el art. 71 bis LC y para las garantías financieras el art. 15 del RDL 5/2005 de 11 de marzo.

Por tanto, en principio cabría defender la rescisión concursal de estas operaciones, y lo que se plantea es si queda sujeta a las limitaciones del art. 47 LME. Como aquí se trataba de una operación de escisión hay que recordar que este artículo le es aplicable por la remisión general que el art. 73 hace a la regulación de la fusión.

El problema es interpretar si cuando ese artículo habla de impugnación comprende la también a la acción de rescisión concursal regulada en el art. 71 LC. En contra podría alegarse que el artículo habla de nulidad y de impugnación pero nunca de rescisión. A favor, que la finalidad del artículo 47 es evitar los problemas de todo tipo que supone deshacer un proceso complejo y costoso como la escisión, y que las consecuencias de la rescisión serían las mismas que la nulidad en relación con los socios y terceros. Por esta razón buena parte de la doctrina rechazaba totalmente el ejercicio de la rescisión (CERDÁ, Pág. 33), y los que nos inclinábamos a admitirlo defendíamos que el efecto no debía ser la nulidad de la operación sino la indemnización de los daños causados, y en particular el establecimiento de responsabilidades para la sociedad beneficiaria por las deudas impagadas de la beneficiaria (GONZÁLEZ-MENESES, ÁLVAREZ, pág. 311). En la doctrina extranjera predominaba la posición contraria a admitir la rescisión pero no de manera unánime (CERDÁ, págs. 35 y ss.).

En el caso examinado por la sentencia, la demandante defendía una interpretación restrictiva del art. 47 y que en su aplicación se debe limitar a las acciones que soliciten la nulidad de la fusión «sin que pueda extenderse a la acción de reintegración al no ser una acción dirigida a que se declare la nulidad del 5 negocio jurídico, sino a privarle de alguno de sus efectos». Pretende la no aplicación del no aplicación del art. 47 porque no solicitaba la nulidad de la escisión sino la reintegración en la masa de los inmuebles que se habían transmitido en la misma.

El TS rechaza la rescisión parcial de la escisión y señala que si se ejercita la rescisión tendría que ser respecto de la escisión en sí. Y así planteada la cuestión entiende que la rescisión no queda fuera del ámbito del art. 47 LME: «Esta previsión afecta a cualquier acción que pretenda la ineficacia de la modificación estructural, no sólo la nulidad, sino también la rescisión concursal, que, como hemos expuesto, legalmente conlleva la nulidad del acto objeto de rescisión (art. 73.1 LC). De hecho, el art. 47.1 LME emplea el término "impugnación", que es más amplio que el de nulidad, para abarcar cualquier acción que pretenda la ineficacia de la modificación estructural una vez inscrita».

También rechaza que la falta de mención de la rescisión en las exclusiones de los arts 71 y 71.bis de la Ley Concursal responda a una voluntad de legislador de admitir la rescisión: «Es cierto que en estos casos hay una expresa mención a la rescisión concursal, pero ello tiene sentido que sea así, pues en todos esos supuestos se excluye sólo la acción rescisoria concursal, y no el resto de acciones de impugnación, como la nulidad. La justificación de que baste la mención contenida en el art. 47.1 LME a la inimpugnabilidad de la fusión inscrita en el Registro Mercantil, y por ende de cualquier modificación estructural, radica en que en este caso la exclusión legal afecta a "todas" las acciones de impugnación que conlleven la ineficacia de la operación, 8 salvo la nulidad basada en el incumplimiento de los requisitos legales, que además deberá ejercitarse en un breve plazo de tiempo, tres meses. Por esta razón, el art. 47.1 LME no menciona expresamente la rescisión».

El TS además se apoya en la autonomía de la regulación de las modificaciones estructurales, que considera por así decirlo especialísima (por encima del carácter especial de la normativa concursal): «En este sentido, la Ley de Modificaciones Estructurales es una norma especial, respecto de la normativa general o sectorial que regula la ineficacia de los negocios jurídicos, tanto fuera como dentro del concurso de acreedores.»

En cualquier caso, la inclusión de la rescisión dentro de los supuestos de impugnación conlleva necesariamente que los motivos de ésta son exclusivamente los señalados en el art. 47, es decir los que infrinjan la Ley. Como el perjuicio de los acreedores no es una infracción de las normas legales que regulan las modificaciones estructurales, el TS concluye «la escisión parcial está excluida de los actos de disposición susceptibles de rescisión concursal.»

Es importante señalar que la sentencia no se apoya en ningún momento en otro argumento utilizado por la doctrina (y por el demandado) para negar la rescisión: la existencia de un derecho de oposición. La idea sería que si los acreedores no ejercitaron su derecho de oposición, nada pueden reclamar aunque la fusión o escisión les perjudique. Sin embargo, este argumento no es definitivo, pues este derecho tiene poca efectividad práctica pero sobre todo no protege a todos los acreedores de la escindida, pues quedan excluidos aquellos cuyos créditos estuvieran vencidos al tiempo de la publicación del proyecto de escisión.

### 4.3. Otras acciones de los acreedores contra la segregación

Excluida la rescisión, el TS se plantea si el acreedor tiene otras posibilidades de defensa de su crédito perjudicado como consecuencia de la escisión, entre otras cosas porque el demandante cita unas sentencias en las que, también en supuestos de escisión, se ampararon los derechos de los acreedores permitiéndoles reclamar contra sociedades distintas de la escindida.

El tribunal señala que el último inciso del art. 47.1 LME deja a salvo la posibilidad de reclamar los daños y perjuicios: «Es dentro de este apartado, que preserva la eficacia de la escisión, en el que se ha de enmarcar la pretensión amparada por las sentencias de esta sala invocadas en el recurso de casación (las sentencias 12/2006, de 27 de enero, y 873/2008, de 9 de octubre).»

La cuestión es entonces cuales son los instrumentos para reclamar. CERDÁ (pág. 41) interpreta dicho artículo en el sentido de que la única acción posible es la reclamación por «las reglas generales de la responsabilidad por daños (responsabilidad contractual: art. 1101 CC; o responsabilidad extracontractual o aquiliana: art. 1902 CC).» Según el autor, esto implica unas severas limitaciones desde el punto de vista de legitimación activa y pasiva, y hace según el autor en la práctica muy difícil la reclamación del acreedor frente a la sociedad beneficiaria, que es lo que normalmente interesa.

Pero el TS, aunque se refiere a la reclamación de daños, no parece tener esa visión tan estrecha en cuanto a las acciones que se pueden ejercitar. Señala por una parte que *«en caso de que la escisión se hubiera realizado para defraudar ilícitamente el derecho de crédito de algunos concretos acreedores existentes entonces, estos pudieran ejercitar una acción para pretender la satisfacción de sus créditos con los bienes transmitidos con la escisión, sin necesidad de dejar sin efecto la escisión.»* Y cuando concluye que no cabe solicitar la rescisión total como consecuencia del art. 47 LME dice que esto *«no impide otros remedios que permiten salvaguardar los derechos de los socios o, en su caso, de determinados acreedores que hubieran sido ilícitamente soslayados, como ocurrió en los precedentes expuestos.»*

Estos precedentes son, por una parte las sentencias relativas al caso de ERCROS/ERTOIL (entre otras, 1062/2005, de 12 de enero de 2006, 25/2006, de 30 de enero y 748/2006, de 5 de julio), en los que en un caso de segregación de rama de actividad se apreció que existía un fraude de acreedores con un «resultado prohibido por el ordenamiento, claramente preocupado por evitar los efectos perjudiciales de las insolvencias provocados por los mismos deudores (artículos 1111 y 1291.3 del Código Civil). En consecuencia decretó la responsabilidad de la sociedad beneficiaria de la rama de actividad con la que estaba relacionada la deuda (negocio del petróleo que se había segregado a ERTOIL).»

La segunda sentencia es la 796/2012, de 3 de enero de 2013 y el argumento es semejante, aunque en este caso se articula directamente sobre el concepto de unidad económica que es requisito de la escisión parcial en la LME: *«debe entenderse que esta deuda estaba afectada al negocio internacional de la sociedad escindida, en que consiste la unidad económica transmitida a la sociedad beneficiaria, razón por la cual fue también transmitida a ésta última, formando parte de las relaciones jurídicas traspasadas en bloque, conforme al art. 252.1.b) TRLSA, y es en virtud de esta sucesión que la sociedad beneficiaria resulta responsable de su cumplimiento».*

Por tanto cabe concluir que el TS rechaza la rescisión total de la escisión con base en el art. 71 LC pero ampara el ejercicio de una acción por fraude de acreedores por aplicación de los artículos 1111 y 6.4 del Código Civil. Es cierto que el art. 1291 habla de la rescisión del contrato como efecto de la acción de fraude de acreedores, posibilidad que esta sentencia rechaza respecto de cualquier modificación estructural con base en el art. 47 LME. Sin embargo, hay que tener en cuenta que el 1291.3 dice que se rescindirá *«cuando éstos no puedan de otro modo cobrar lo que se les deba»*, lo que parece significar que la acción del 1111 puede tener otros efectos, y que la rescisión es el último recurso (inaccesible en este caso) para obtener la reparación. En el caso de la escisión el fraude se soluciona estableciendo la responsabilidad de las beneficiarias por las deudas de la escindida, que es lo que establecieron las STS citadas de 2006 y 2013. En la fusión podría consistir en dar preferencia de cobro a estos acreedores sobre los bienes procedentes de la sociedad extinguida.

## Bibliografía

ALFARO, J. *La segregación y el aumento de capital son opciones a disposición de los socios.* http://derechomercantilespana.blogspot.com.es/2016/09/la-segregacion-y-el-aumento-de-capital.html?spref=tw.

ALONSO LEDESMA, C. «Algunas consideraciones en torno a la sucesión universal como rasgo caracterizador de la segregación frente a la aportación de rama de actividad». *Libro homenaje a Fernando Sánchez Calero,* Mc Graw-Hill, Madrid, 2002, págs. 4297-4962.

ALONSO UREBA y RONCERO SÁNCHEZ. «Aportación a una sociedad de una unidad económica tras la introducción de la segregación por la ley de modificaciones estructurales». *Revista de derecho de sociedades,* ISSN 1134-7686, Nº 34, 2010, págs. 271-278.

ÁLVAREZ ROYO-VILLANOVA. S y SÁNCHEZ SANTIAGO, J. «La nueva competencia de la junta general sobre activos esenciales: a vueltas con el art. 160 f) LSC». *Diario La Ley,* N.º 8546, 25 de mayo de 2015.

ÁLVAREZ ROYO-VILLANOVA, S. «La aportación de rama de actividad tras la regulación de la segregación en la Ley 3/2009 de Modificaciones Estructurales», *Diario La Ley, Nº 7253 (2009).*

— Aportación de rama de actividad y segregación: ¿Al fin un criterio seguro? Blog Hay Derecho. 25 mayo, 2016. https://hayderecho.com/2016/05/25/aportacion-de-rama-de-actividad-y-segregacion-al-fin-un-criterio-seguro/

— La aportación de rama de actividad y el extravagante obiter dictum de la RDGRN 11 de abril de 2016. Almacen del derecho. 7 de junio de 2016. http://derechomercantilespana.blogspot.com.es/2016/06/la-aportacion-de-rama-de-actividad-y-el.html.

CONDE TEJÓN, A. *La cesión global de activo y pasivo como operación de modificación estructural: (procedimiento aplicable, sucesión universal y protección de acreedores).* Colegio de Registradores de la Propiedad y Mercantiles de España, 2004.

GONZÁLEZ-MENESES, M. y ÁLVAREZ ROYO-VILLANOVA, S. *Modificaciones estructurales de las sociedades mercantiles.* Dykinson. 2013. 2ª Edición.

RODRÍGUEZ ARTIGAS, F.: «Escisión, segregación y aportación de rama de actividad». *EL NOTARIO DEL SIGLO XXI* - JULIO-AGOSTO 2010 / Nº 32.

— «Escisión parcial, segregación y aportación de rama de actividad» *ANALES DE LA ACADEMIA MATRITENSE DEL NOTARIADO.* (50). curso 2009/2010, págs. 443-461.

RUBIO VICENTE, P. J.: «*Escisión total. Concepto y elementos configuradores*». AA.VV. *Modificaciones estructurales de las sociedades mercantiles,* Thomson Reuters, 2009. Cap. 27. Tomo II. Págs. 341 a 411.

SERRA CALLEJO, J. «¿Es la aportación de rama de actividad una "modificación estructural?"». *EL NOTARIO DEL SIGLO XXI.* (28). noviembre-diciembre 2009, págs. 32-41.

SCHMIDT, Karsten, «Sucesión universal en virtud de negocio jurídico. Comprobación de la eficacia del derecho civil en el derecho de la empresa» *Revista Jurídica del Notariado.* 1995. 15: 197-239.

# 24. La «aportación de rama de actividad». ¿Es una modificación estructural? (A propósito de la RDGRN de 22 de julio de 2016)

**MARÍA GÁLLEGO LANAU**

*Prof.ª Ayudante Doctor de Derecho Mercantil*
*Universidad de Zaragoza*

## I. INTRODUCCIÓN

### 1. Objeto de estudio. ¿Coexisten la aportación de rama de actividad y la segregación?

El objeto de este trabajo es determinar si tras la aprobación de la Ley 3/2009, de 3 de abril, de modificaciones estructurales de las sociedades mercantiles (en adelante, LME), toda aportación de una unidad económica o de una rama de actividad debe llevarse a cabo siguiendo el régimen previsto para la segregación y, en consecuencia, desplegándose el régimen de la sucesión a título universal, o si por el contrario, la operación consistente en la aportación de una rama de actividad conserva sustantividad propia y, en virtud del principio de la autonomía de la voluntad de las partes, las sociedades pueden optar por seguir realizando esta operación al margen del cauce previsto en la LME.

La doctrina mantiene posiciones enfrentadas en torno a esta cuestión. Algunos autores estiman que la regulación de la segregación no implica que se haya prohibido la transmisión de unidades económicas o de ramas de actividad a título particular[1], mientras que otros sostienen que ya no cabe realizar este tipo de aportaciones fuera del cauce previsto en la LME[2]. Faltaba por conocer la posición de los Registradores Mercantiles y de la DGRN. La DGRN tuvo ocasión de pronunciarse sobre esta cuestión en su resolución del pasado 22 de julio de 2016[3]. En estas páginas abordo la cuestión relativa a si la aportación de rama de actividad es una modificación estructural desde la entrada en vigor de la LME, tomando como punto de referencia la citada resolución de la DGRN.

---

[1]    Véanse por todos ALONSO LEDESMA, C., «Segregación y constitución de sociedad íntegramente participada mediante transmisión del patrimonio», en RODRÍGUEZ ARTIGAS, F. (coord.), *Modificaciones estructurales de las sociedades mercantiles*, t. II, Thomson-Reuters/Aranzadi, Cizur Menor, 2009, pág. 504; ALONSO UREBA, A. Y RONCERO SÁNCHEZ, A., «La viabilidad de la aportación de una unidad económica tras la introducción de la segregación por la ley de modificaciones estructurales» *Revista de Derecho de Sociedades*, núm. 34, 2010, pág. 275; ÁLVAREZ ROYO-VILLANOVA, S., «La aportación de rama de actividad tras la regulación de la segregación en la Ley 3/2009 de modificaciones estructurales», *Diario La Ley*, núm. 7253, de 1 de octubre, 2009, pág. 3; el mismo autor en su último trabajo ÁLVAREZ ROYO-VILLANOVA, S., «La posibilidad de aportar una unidad económica a través de un aumento de capital. Comentario a la Resolución de 22 de julio de 2016, de la Dirección General de los Registros y del Notariado», *Revista de Derecho de Sociedades*, núm. 47, 2016, págs. 303-304; VIVES RUIZ, F. y TAPIAS MONNÉ, A., «La Ley de modificaciones estructurales. Una norma técnicamente fallida», *InDret*, octubre 2013, accesible en http://www.indret.com/pdf/1015_es.pdf, pág. 13; ZARZALEJOS TOLEDANO, I., «El régimen de la segregación en el Derecho español», *La Ley mercantil*, núm. 24, 2016, págs. 11-12.

[2]    Esta es la interpretación de RODRÍGUEZ ARTIGAS, F., «Escisión. Concepto. Función económica y Clases. Requisitos», en RODRÍGUEZ ARTIGAS, F. (coord.), *Modificaciones estructurales de las sociedades mercantiles*, t. II, Thomson-Reuters/Aranzadi, Cizur Menor, 2009, págs. 194-197; también en su trabajo RODRÍGUEZ ARTIGAS, F., «Escisión parcial, segregación y aportación de rama de actividad», *Anales Academia Matritense del Notariado*, t. 50, 2010, págs. 448-449; SÁNCHEZ ÁLVAREZ, M., «La Ley de Modificaciones Estructurales y el concepto de Modificación Estructural», en RODRÍGUEZ ARTIGAS, F. (coord.), *Modificaciones estructurales de las sociedades mercantiles*, t. II, Thomson-Reuters/Aranzadi, Cizur Menor, 2009, págs. 54-55; FERRANDO VILLALBA, M. L., «Algunas reflexiones sobre la regulación de la segregación en la ley de modificaciones estructurales de las sociedades mercantiles», *Revista de Derecho Patrimonial*, núm. 33, 2014, pág. 116.

[3]    Resolución de la DGRN de 22 de julio de 2016 publicada en el BOE de 19 de septiembre de 2016 *(Tol 5826103)*.

## 2. Delimitación conceptual de la aportación de rama de actividad y la segregación. Elementos coincidentes y divergentes

La aportación de rama de actividad es un supuesto de reestructuración empresarial con cobertura únicamente en la normativa tributaria (art. 76.3 de la Ley 27/2014, de 27 de noviembre, del Impuesto sobre Sociedades, en adelante, LIS)[4]. Por su parte, la segregación es una operación que ha sido incorporada al catálogo de las modificaciones estructurales en la LME.

Los rasgos en los que coinciden la aportación de rama de actividad y la segregación son estos: una sociedad traspasa una o varias partes de su patrimonio, cada una de las cuales forme una unidad económica[5], a una o varias sociedades de nueva creación o ya existentes. La sociedad aportante recibe como contraprestación acciones, participaciones o cuotas de socio de la sociedad o las sociedades beneficiarias. En consecuencia, la sociedad que realiza la aportación patrimonial no se extingue en ningún caso. No será necesario reducir el capital social, ya que el patrimonio no sufre alteración en su cuantía, únicamente en su composición.

Ambas operaciones constituyen supuestos de reestructuraciones empresariales en las que se aprecia una identidad estructural y funcional[6]. Sin embargo, el régimen jurídico que se ha aplicado hasta ahora a cada una de ellas es distinto. A la aportación de rama de actividad se le han venido

---

[4]    Se mantiene la tradicional división en nuestro derecho de modificaciones estructurales entre la normativa mercantil y la normativa fiscal. Como señalan GONZÁLEZ MENESES, M. y ÁLVAREZ, S., *Modificaciones estructurales de las sociedades mercantiles,* Dykinson, Madrid, 2ª ed. 2013, págs. 23-24, la ausencia de armonía entre las dos regulaciones y sus criterios de interpretación es una «fuente copiosa de incertidumbre y de dificultades prácticas».

[5]    Cada uno de los bloques que se transmita debe formar una unidad económica, pudiendo tratarse de empresa en funcionamiento o parte de ellas, ramas de actividad. Si el bloque o los bloques que se transmitan no forman una unidad económica la portación no puede calificarse como segregación ni como aportación de rama de actividad, sino simplemente como aportación de bienes.

[6]    La identidad estructural y funcional entre la aportación de rama de actividad y la segregación ha sido puesta de relieve por la doctrina. Véanse por todos ALONSO LEDESMA, C., «Segregación y constitución de sociedad íntegramente participada mediante transmisión del patrimonio», *op. cit.,* pág. 496; ÁLVAREZ ROYO-VILLANOVA, S., «La posibilidad de aportar una unidad económica a través de un aumento de capital. Comentario a la Resolución de 22 de julio de 2016, de la Dirección General de los Registros y del Notariado», *op. cit.,* pág. 297; ZARZALEJOS TOLEDANO, I., «El régimen de la segregación en el Derecho español», *op. cit.,* pág. 11.

aplicando las normas relativas a la constitución de sociedad mediante aportaciones no dinerarias o las de la ampliación de capital mediante aportaciones no dinerarias, en función de si la sociedad beneficiaria de la aportación era de nueva creación o ya existente. La transmisión de los elementos patrimoniales que conforman la rama de actividad se realiza *utisinguli*[7]. En la segregación, la transmisión de los bloques patrimoniales se realiza por sucesión universal[8].

Como he avanzado, tras la incorporación de la segregación al catálogo de las modificaciones estructurales, se discute sobre si toda aportación de una unidad económica debe someterse al régimen previsto en el art. 71 LME, por entenderse que este precepto tiene carácter imperativo. Si se acoge esta tesis, estaremos considerando que la aportación de rama de actividad es en todo caso, una operación de modificación estructural. Por el contrario, si consideramos que la tipificación de la segregación no ha sustituido a la aportación de rama de actividad y por tanto, que las sociedades pueden optar libremente por llevar a cabo esta operación al margen de la LME, estaremos manteniendo la autonomía de las dos operaciones.

---

[7]    Ni la LIS actual ni la anterior indican si en la aportación de rama de actividad la transmisión se realiza por sucesión universal o si por el contrario, deben aplicarse las normas generales de transmisión de los elementos patrimoniales, es decir, que la transmisión tiene lugar *uti singuli*. Pero no sólo no lo indica en referencia a esta operación, tampoco se refiere al modo de transmisión en la fusión y en la escisión, probablemente porque a efectos fiscales la forma en que se opera la transmisión no es relevante. En este sentido RODRÍGUEZ ARTIGAS, A., «Escisión parcial, segregación y aportación de rama de actividad», *op. cit.*, pág. 449. Antes de la LME podía defenderse sin ninguna duda que en la aportación de rama de actividad la transmisión se realizaba a título singular. Véanse entre otros, ALONSO LEDESMA, C. «Algunas consideraciones en torno a la sucesión universal como rasgo caracterizador de la segregación frente a la aportación de rama de actividad», en AA.VV., *Libro Homenaje al profesor Fernando Sánchez Calero*, t. V, Madrid, 2002, págs. 4936-4937; CERDÁ ALBERO, F. «Segregación de la sociedad anónima y de la sociedad de responsabilidad limitada. A propósito de las RDGRN de 10 de junio y 4 de octubre de 1994, así como del UmwG alemán de 28 de octubre de 1994», *Revista de Derecho Mercantil*, núm. 214, octubre-diciembre, 1994, pág. 938.

[8]    En la definición de la segregación en el art. 71 LME se indica expresamente que la transmisión de la parte o de las partes del patrimonio de la sociedad se realiza en bloque por sucesión universal.

## II. LA INTERPRETACIÓN DE LA DGRN ACERCA DE LA COEXISTENCIA DE LA APORTACIÓN DE RAMA DE ACTIVIDAD Y LA SEGREGACIÓN

### 1. Antecedentes de hecho de la RDGRN de 22 de julio de 2016

El recurso ante la DGRN se interpuso contra la negativa de la Registradora Mercantil a inscribir una escritura de aumento de capital de una sociedad de responsabilidad limitada que tenía como contraprestación una rama de actividad consistente en una unidad productiva de cogeneración eléctrica. Tanto el aumento de capital como la aportación de la rama de actividad fueron adoptados por las juntas generales universales de cada una de las sociedades y por unanimidad.

La Registradora consideró que la operación no podía considerarse como aumento de capital por aportación no dineraria ya que la aportación de una unidad económica convertía a la operación en una segregación y, por tanto, debía respetarse el procedimiento imperativo previsto en la LME, pudiendo constituir un fraude de Ley la utilización de la fórmula de aumento de capital. También estimó que la correcta tutela de los acreedores implicaba otorgarles el derecho de oposición que se reconoce en el procedimiento de segregación, por aplicación de los artículos 73 y 44 LME. Por todo ello consideró que el defecto era insubsanable y rechazó la inscripción.

El notario recurre la calificación argumentando que el artículo 71 de la LME no prohíbe ni impide la ampliación de capital con aportación no dineraria de rama de actividad. Dice que esta operación había sido expresamente permitida por las resoluciones de la DGRN de 10 de junio y 4 de octubre de 1994. Además, recuerda que los acuerdos han sido adoptados en las juntas generales universales de ambas sociedades participantes mediante unanimidad de todos los socios interesados. Esta circunstancia hace que no sea necesario entrar en el análisis de la importancia o el peso relativo de la rama aportada. Añade que el art. 160 f) LSC exige el acuerdo de la junta general en las transmisiones de activos esenciales pero no remite al procedimiento de la LME, es decir, no es necesario el cumplimiento de ningún requisito específico de información, convocatoria, quórum, mayorías reforzadas, etc.

## 2. Sobre el carácter imperativo de la LME

### 2.1. Cuestión previa: la evolución de la doctrina de la DGRN acerca de la posible aplicación analógica de las normas de las modificaciones estructurales a operaciones no tipificadas como tales

La DGRN ha venido cambiando su posición con respecto a la extensión analógica del régimen de las modificaciones estructurales sirviéndose para ello de argumentos varios. Mientras las resoluciones de la DGRN de 22 de junio de 1988 y de 21 de noviembre de 1989 optaron por la postura positiva —aplicar el régimen de la fusión a la cesión global de activo y pasivo— en aras de la defensa de los intereses de socios y acreedores[9]; las resoluciones de 10 de junio y de 4 octubre, ambas de 1994 rechazaron la aplicación analógica de las normas de escisión a dos supuestos en los que un aumento de capital tenía como contravalor la aportación de una rama de actividad, lo que dió lugar a posiciones doctrinales discrepantes[10].

---

[9]     La DGRN estima en ambas resoluciones que para que no se abra el periodo liquidatorio en los supuestos de cesión global de activo y pasivo debe reconocerse a los acreedores el derecho de oposición propio de la fusión. Sólo la observancia de los requisitos y solemnidades de la fusión permite, por vía analógica, reconocer a la cesión global plena eficacia liberatoria, siendo entonces innecesario, por lo que a los acreedores se refiere, que se abra la liquidación. La posición metodológica adoptada por la DGRN en estas resoluciones ha sido criticada por LARGO GIL, R., «Las modificaciones estructurales de las de las sociedades según la DGRN», *Revista de Derecho de Sociedades*, núm. 9, 1997, págs. 154-157, quien estima que el argumento de la analogía es invocado incorrectamente. No existe una identidad de razón entre el supuesto de hecho regulado —la fusión— y el no regulado —la cesión global de activo y pasivo—. Otros autores sin embargo valoraron positivamente la postura de la DGRN considerando que otorgaba una solución progresista y justa. Véase CASTROMIL SÁNCHEZ, F. «La cesión global del activo y el pasivo. El artículo 266 de la Ley de sociedades anónimas», en GARRIDO DE PALMA (dir.), *Estudios sobre la sociedad anónima*, vol. II, Madrid, 1993, págs. 429-430.

[10]    Entre los que consideraron que la doctrina sentada por la DGRN merecía un juicio positivo véanse CERDÁ ALBERO, F. «Resolución de 10 de junio de 1994 (BOE nº 168, de 15 de julio, págs. 22752-22755) y Resolución de 4 de octubre de 1994 (BOE nº 279, de 22 de noviembre, págs. 35764-35766)», *op. cit.*, págs. 13048-13050; LARGO GIL, R., «Las modificaciones estructurales de las de las sociedades según la DGRN», *op. cit.*, págs. 153-154 y 171-173; RUBIO VICENTE, P. J., «¿Cabe la extensión del régimen jurídico de la escisión a los supuestos de segregación patrimonial de sociedad por aportación?», *Revista de Derecho de Sociedades*, núm. 5, 1995, pág. 255. Los autores consideran acertado el rechazo de la aplicación analógica del régimen de la escisión a la operación de aportación de rama de actividad dado que al no existir laguna legal, ningún interés queda desprotegido. En

Ya vigente la LME, la resolución de la DGRN de 11 de abril de 2016 hace una referencia a si el artículo 71 LME impone su régimen para toda operación de rama de actividad[11]. Lo cierto es que la alusión a esta cuestión tiene poca relación con el objeto del recurso. No obstante, considero de interés poner de relieve la posición de la DGRN sobre esta cuestión en ese momento. En el Fundamento de Derecho 10 establece que tras la incorporación de la segregación como modalidad de modificación estructural, queda desactivada para el administrador la posibilidad que antes se admitía de transmisión de una rama de actividad sin sujetarse a las reglas de la LME. Sin embargo, no se entiende la justificación que añade a continuación, diciendo que esto fue ratificado por la reforma de la LSC de 2014 al incluir como competencia de la junta la enajenación, adquisición o aportación a otra sociedad de activos esenciales[12]. En mi opinión, como se verá posteriormente, la inclusión del art. 160 f) LSC precisamente permite defender lo contrario: la no imperatividad del procedimiento de segregación para toda aportación de rama de actividad.

## 2.2. Ausencia de precepto legal que imponga la observancia del procedimiento de escisión a toda aportación de rama de actividad

La RDGRN de 22 de julio de 2016 considera que existen suficientes razones para entender que la aportación de rama de actividad conserva sustantividad propia, sin que se produzca la sucesión patrimonial universal. Arguye que no existe una norma que expresamente imponga la observancia del procedimiento de escisión a toda aportación de una rama de actividad.

Ciertamente, la LME no ha prohibido la transmisión de la empresa o de las diferentes unidades económicas que la integran a través del régimen

---

contra, DOMÍNGUEZ GARCÍA, M. A., «El régimen jurídico de la escisión de sociedades anónimas por aportación como cuestión abierta (RDGRN de 10 de junio de 1994; RJ 1994, 4915)», *Revista de Derecho de Sociedades,* núm. 4, 1995, pág. 280 que consideró que no debía descartarse radicalmente la aplicación analógica del régimen legal de la escisión parcial a los supuestos de segregación por aportación.

[11]  Resolución publicada en el BOE de 2 de junio de 2016 *(Tol 5744340).*
[12]  Véase el comentario crítico que hace sobre este pronunciamiento ÁLVAREZ ROYO VILLANOVA, S., «La aportación de rama de actividad y el extravagante *obiter dictum* de la RDGRN 11 de abril de 2016», *Blog el Almacén de Derecho,* 7 junio de 2016 [consulta en línea: 20 de diciembre de 2016].

de transmisión particular de cada uno de estos elementos[13]. La regulación contenida en la LME es especial, en el sentido de que para lograr que la operación pueda llevarse a cabo con sucesión universal deben cumplirse imperativamente todos los trámites procedimentales tasados, pero sin embargo, no sustituye ni desplaza otras vías de transmisión[14]. Es cierto que nuestra normativa no establece expresamente la discrecionalidad a la hora de optar por una vía u otra para realizar la aportación de una rama de acti-

---

[13]   Así lo entiende la doctrina mayoritaria. Véanse ALONSO LEDESMA, C., «Segregación y constitución de sociedad íntegramente participada mediante transmisión del patrimonio», *op. cit.*, pág. 504; ALONSO UREBA, A. Y RONCERO SÁNCHEZ, A., «La viabilidad de la aportación de una unidad económica tras la introducción de la segregación por la ley de modificaciones estructurales» *op. cit.*, págs. 278-278; ÁLVAREZ ROYO-VILLANOVA, S., «La aportación de rama de actividad tras la regulación de la segregación en la Ley 3/2009 de modificaciones estructurales», *op. cit.*, pág. 3; el mismo autor en ÁLVAREZ ROYO-VILLANOVA, S., «La posibilidad de aportar una unidad económica a través de un aumento de capital. Comentario a la Resolución de 22 de julio de 2016, de la Dirección General de los Registros y del Notariado», *op. cit.*, págs. 303-304; VIVES RUIZ, F. y TAPIAS MONNÉ, A., «La Ley de modificaciones estructurales. Una norma técnicamente fallida», *op. cit.*, pág. 13; ZARZALEJOS TOLEDANO, I., «El régimen de la segregación en el Derecho español», *op. cit.*, págs. 11-12. En contra RODRÍGUEZ ARTIGAS, F., «Escisión. Concepto. Función económica y Clases. Requisitos», *op. cit.*, págs. 194-197; también en su trabajo RODRÍGUEZ ARTIGAS, F., «Escisión parcial, segregación y aportación de rama de actividad», *op. cit.* págs. 448-449; SÁNCHEZ ÁLVAREZ, M., «La Ley de Modificaciones Estructurales y el concepto de Modificación Estructural», *op. cit.*, págs. 54-55; FERRANDO VILLALBA, M. L., «Algunas reflexiones sobre la regulación de la segregación en la ley de modificaciones estructurales de las sociedades mercantiles», *op. cit.*, pág. 116. Para estos autores la aplicación del procedimiento de la segregación cuando se pretenda la transmisión de una rama de actividad no es algo discrecional sino imperativo, siempre que la operación encaje en el supuesto de hecho de la norma.

[14]   En palabras de CONDE TEJÓN, A. «Las modificaciones estructurales de las sociedades mercantiles como subtipo de operaciones de reestructuración empresarial caracterizadas por la sucesión universal (solución al régimen aplicable a la aportación de rama de actividad y a la cesión global de activo y pasivo)», *Revista de Derecho de Sociedades*, núm. 35, 2010, pág. 73, la regulación contenida en la LME no es exclusiva ni excluyente. Por su parte, ALFARO ÁGUILA-REAL, J., «La segregación y el aumento de capital son opciones a disposición de los socios», *Blog Almacén de Derecho*, 19 septiembre 2016, http://derechomercantilespana.blogspot. com.es/2016/09/la-segregacion-y-el-aumento-de-capital.html [consulta en línea: 20 de diciembre de 2016], indica que las modificaciones estructurales son un instrumento facilitador, no un corsé o una limitación a la autonomía privada.

vidad, al contrario de lo que ocurre en el ordenamiento francés[15]. Sin embargo, existen argumentos suficientes para fundamentar esta autonomía de la voluntad de las partes a la hora de elegir un cauce u otro para llevar a cabo la operación.

Los artículos 66 y 300 LSC relativos a la aportación de empresa y al aumento de capital con cargo a aportaciones no dinerarias se mantienen en vigor sin haberse modificado[16]. Si se aplicase a toda aportación de empresa o a todo aumento de capital por aportación de una rama de actividad el régimen de la segregación se dejaría sin contenido a estas reglas específicas[17].

Parece que la intención del legislador en el Anteproyecto de Ley de Código Mercantil de 2014 (en adelante, ACM) era introducir en nuestro ordenamiento la obligatoriedad de la aplicación del régimen de la segregación para aquellas aportaciones de empresa que realizasen las sociedades

---

[15]   Según el artículo L236-22 del *Code de Commerce* las partes pueden decidir de común acuerdo someter un acuerdo de *apport partiel d'actif* al régimen de la escisión, en cuyo caso, la trasmisión se realizará por sucesión universal. La existencia de la posibilidad de que las partes opten por un régimen u otro no plantea problemas. Sin embargo, la doctrina mantiene posiciones enfrentadas en torno a si esta posibilidad de opción está abierta a todo *apport partiel d'actif* o únicamente en los casos en los que el objeto que se transmita constituya una rama completa de actividad. En nuestro caso, esta cuestión no es discutida dado que para que se aplique el régimen de la segregación en todo caso la unidad patrimonial que se transmita deberá constituir una unidad económica. Y una rama de actividad se considerará en todo caso una unidad económica.

[16]   Como señalan VIVES RUIZ, F. y TAPIAS MONNÉ, A. «La Ley de modificaciones estructurales. Una norma técnicamente fallida», *op. cit.*, pág. 13, salvo que se interpretase que tras la LME el artículo 66 LSC sólo es de aplicación para las aportaciones efectuadas por personas físicas y otros entes a los que no les sea de aplicación la LME, si el legislador estuviese pensando en obligar a que todas las aportaciones se hiciesen a través de una segregación habría modificado el artículo 66 LSC y en general, el régimen de las aportaciones no dinerarias.

[17]   Como señala GARRIDO DE PALMA, V. M., «Escisión», en GARRIDO DE PALMA, V. M., ANSÓN PEIRONCELY, R. y BANACLOCHE PÉREZ, J. y ARANGUREN URRIZA, F. J., *Las modificaciones estructurales de las sociedades mercantiles*, Tirant lo Blanch, Valencia, 2013, pág. 222, la existencia de dos regímenes legales —el de la aportación de empresa y el de la segregación— lleva a distinguir la aportación de la segregación. En contra de esta argumentación RODRÍGUEZ ARTIGAS, F., «Escisión parcial, segregación y aportación de rama de actividad», *op. cit.*, págs. 449-450, que considera que la norma del artículo 66 LSC sólo se refiere a la obligación de saneamiento, no a la aportación de empresa en general.

mercantiles[18]. Pero lo cierto es que tras la paralización de la tramitación de esta norma, no se ha modificado ningún precepto de la LSC. Tampoco la reforma de la LIS de 2014, que como puede observarse es posterior a la entrada en vigor de la LME, incluye la aportación de rama de actividad dentro de las operaciones que tienen la consideración de escisión. Si el legislador pretendía incorporar a nuestro ordenamiento la imperatividad de la LME, era porque con la regulación vigente en este momento puede defenderse la libertad de las partes de optar por una vía u otra para realizar la aportación de una rama de actividad.

Otro argumento para fundamentar nuestra posición, es que el hecho de que el objeto transmitido constituya una rama de actividad —unidad económica— no permite afirmar que se desencadene forzosamente el procedimiento previsto para las modificaciones estructurales. Nada impide que un aumento de capital mediante aportaciones no dinerarias pueda tener por objeto una rama de actividad, sin perder por ello su calificación jurídica[19]. En consecuencia, considero que el requerimiento del art. 71 LME de cada uno de los bloques patrimoniales transmitidos constituya una unidad económica es meramente un requisito habilitante para poder llevar a cabo la operación de segregación, no es un elemento que sujete a la operación a un determinado régimen procedimental[20].

## 2.3. Ausencia de laguna legal: la tutela de los intereses afectados

Otro de los argumentos esgrimidos por la DGRN para defender que la aportación de rama de actividad mantiene su autonomía al margen de la LME es que los intereses de los terceros, en particular de los socios, acreedores y trabajadores, quedan suficientemente protegidos con la aplicación

---

[18]    Así lo dispone el artículo 231-6 ACM: *Si la aportación consistiera en una empresa o establecimiento, será de aplicación lo dispuesto en este Código para la transmisión de la empresa. Si la aportante fuera sociedad mercantil se estará lo establecido en este Código para la segregación de sociedades.*

[19]    RUBIO VICENTE, P. J., «¿Cabe la extensión del régimen jurídico de la escisión a los supuestos de segregación patrimonial de sociedad por aportación?»*op. cit.*, pág. 245.

[20]    GONZÁLEZ MENESES, M. y ÁLVAREZ, S., *Modificaciones estructurales de las sociedades mercantiles, op. cit.*, pág. 405.

de las normas propias de los aumentos de capital con aportaciones no dinerarias: no hay laguna legal[21].

En concreto, los terceros no quedan menos protegidos si la transmisión se realiza siguiendo el mecanismo de la sucesión a título particular ya que cuentan con la protección propia de las normas de derecho común.

Los acreedores que ostenten derechos de crédito comprendidos en la rama de actividad que se transmite pueden dirigirse contra la sociedad transmitente, ya que la modificación del sujeto pasivo en la relación jurídica no tendrá alcance liberatorio mientras los acreedores no presten consentimiento individualizado a la transmisión (art. 1205 CCiv).

Por su parte, la posición de los trabajadores queda suficientemente garantizada con la aplicación del artículo 44 ET que impone, para todo supuestos de cambio de titularidad de la empresa, la subrogación del nuevo titular en los derechos y obligaciones del anterior, junto con la obligación de comunicar el cambio de titularidad empresarial a los representantes de los trabajadores.

En cuanto a la posición de los socios de la sociedad adquirente, su posición queda suficientemente garantizada con la aplicación de los arts. 63-77 y LSC (informe de experto independiente si se trata de una sociedad anónima, informe sustitutivo de los administradores, régimen de responsabilidad solidaria de la sociedad aportante) y arts. 194, 199 y 201 LSC (quórum y mayorías reforzados previstos para la ampliación de capital).

Con respecto a los socios de la sociedad aportante, como no se produce el paso de los mismos a la sociedad beneficiaria, no se suscitan problemas por el tipo de canje y el respeto del principio de proporcionalidad[22]. Sin embargo, antes de la reforma de la LSC operada por la Ley 31/2014, de 3 de diciembre, por la que se modifica la Ley de Sociedades de Capital para la mejora del gobierno corporativo, se criticaba que la aportación de rama de actividad no tutelaba suficientemente a los socios de la sociedad

---

[21]    Este argumento fue introducido en nuestra doctrina por LARGO GIL, R. «La filialización de empresas» en RIVERO LAMAS, J. (dir.), *Descentralización productiva y responsabilidades empresariales. El Outsourcing*, Aranzadi, Pamplona, 2003, pág. 372. La autora señala que para la correcta tutela de los intereses legítimos que concurren en el supuesto de la compra de activos retribuidos mediante acciones o participaciones de la sociedad beneficiaria no es necesaria la aplicación del régimen jurídico de la escisión, sino que puede realizarse con el régimen jurídico de la ampliación de capital social con cargo a aportaciones no dinerarias.

[22]    LARGO GIL, R. «La filialización de empresas» *op. cit.*, pág. 372.

aportante. Los socios veían cómo salían de su patrimonio un conjunto de activos y pasivos, que podían ser esenciales para el desarrollo de su objeto social, sin poder pronunciarse al respecto. El problema subyacente era una cuestión de delimitación de la competencia orgánica para la toma de una decisión de esta envergadura[23]. Para ello resulta de gran trascendencia el nuevo artículo 160 f) LSC que exige el acuerdo de la junta cuando se transmitan activos esenciales. Con esta modificación el legislador está pensando en la aportación de unidad económica que es el supuesto típico de activo esencial[24]. En consecuencia, la única crítica que se hacía a la protección de los socios en los supuestos de aportación de rama de actividad, queda resuelta con el art. 160f) LSC[25].

Como he avanzado, la aprobación del art. 160 f) permite afirmar que la LME no tiene carácter imperativo en todas las transmisiones subsumibles en el supuesto de hecho de la segregación. Si una rama de actividad tiene poca entidad en relación con el patrimonio total de las sociedades participantes en la operación, el art. 160 f) LSC no se exige el acuerdo de la junta. Si considerásemos que el art. 71 LME es imperativo, cualquier rama de actividad, aunque cualitativa y cuantitativamente fuese de escasa entidad

---

[23]    Este problema fue puesto de relieve por la doctrina desde antes de la aprobación de la LME. Véanse, entre otros, LARGO GIL, R. «La filialización de empresas», *op. cit.*, págs. 368-369; MATEU DE ROS, R., «Escisión, segregación patrimonial y aportación de activos», *Revista de Derecho de Sociedades,* núm. 12, 1999, págs. 292-293. Desde la aprobación de la LME y hasta la modificación de la Ley por la Ley 31/2014, véanse por todos ALONSO LEDESMA, C., «Segregación y constitución de sociedad íntegramente participada mediante transmisión del patrimonio», *op. cit.*, págs. 504-505; ALONSO UREBA, A. Y RONCERO SÁNCHEZ, A., «La viabilidad de la aportación de una unidad económica tras la introducción de la segregación por la ley de modificaciones estructurales» *op. cit.*, págs. 273-277; ÁLVAREZ ROYO-VILLANOVA, S. «La aportación de rama de actividad tras la regulación de la segregación en la Ley 3/2009 de modificaciones estructurales», *op. cit.*, págs. 4-5.

[24]    ÁLVAREZ ROYO-VILLANOVA, S. «Aportación de rama de actividad y segregación. Viejos y nuevos problemas tras el artículo 160 f LSC», *El Notario del siglo XXI,* núm. 67, 2016, págs. 1-3, http://www.elnotario.es/index.php/practica-juridica/6647-aportacion-de-rama-de-actividad-y-segregacion-viejos-y-nuevos-problemas-tras-el-articulo-160-f-lsc [consulta en línea: 20 de diciembre de 2016].

[25]    En este sentido ÁLVAREZ ROYO-VILLANOVA, S., «La posibilidad de aportar una unidad económica a través de un aumento de capital. Comentario a la Resolución de 22 de julio de 2016, de la Dirección General de los Registros y del Notariado», *op. cit.*, pág. 310; ZARZALEJOS TOLEDANO, I., «El régimen de la segregación en el Derecho español», *op. cit.*, pág. 13.

para la sociedad aportante, estaría sometida al procedimiento de la LME. Esto no es coherente.

Asimismo, en sociedades con un número reducido de socios que participen activamente en la gestión social y se encuentren al corriente de los riesgos de la operación o, en aquellas sociedades en las que la decisión de aportación de rama de actividad se adopte por unanimidad de los socios de ambas sociedades, no tendría sentido obligar a que las partes se sometan al procedimiento de la segregación[26]. Sobre todo, si no pretenden en ningún caso la sucesión universal[27].

A modo de conclusión de este epígrafe, puede decirse que la aportación de rama de actividad es una operación que cuenta con sustantividad propia y no se ha visto desplazada por la regulación de la segregación. Las normas de la LME no son obligatorias para toda transmisión de una rama de actividad, sino opcionales[28]. La elección de uno u otro régimen dependerá de

---

[26] CONDE TEJÓN, A., «Las modificaciones estructurales de las sociedades mercantiles como subtipo de operaciones de reestructuración empresarial caracterizadas por la sucesión universal (solución al régimen aplicable a la aportación de rama de actividad y a la cesión global de activo y pasivo)», *op. cit.*, pág. 81; SERRA CALLEJO J., «¿Es la aportación de rama de actividad una modificación estructural?», *El Notario del s. XXI*, núm. 28, noviembre-diciembre, 2009, pág. 35. De igual modo, RODRÍGUEZ ARTIGAS, F., «Escisión. Concepto. Función económica y Clases. Requisitos», *op. cit.*, pág. 195, aunque se pronuncia a favor de la no disponibilidad de la normativa de las modificaciones estructurales, estima que cabría plantearse la posibilidad de que en una operación de rama de actividad con un número reducido de afectados pueda conseguirse con el acuerdo unánime de los mismos y prescindirse el procedimiento de escisión.

[27] GONZÁLEZ MENESES, M. y ÁLVAREZ, S., *Modificaciones estructurales de las sociedades mercantiles, op. cit.*, págs. 405-406, señalan que lo más probable que suceda es que nos encontremos con aportaciones calificadas expresamente como ramas de actividad, que pretendan gozar como tales de neutralidad fiscal, pero sin sujetarse al procedimiento de escisión, por no aspirar al efecto de la sucesión universal. Como indican VIVES RUIZ, F. y TAPIAS MONNÉ, A., «La Ley de modificaciones estructurales. Una norma técnicamente fallida», *InDret*, octubre 2013, accesible en http://www.indret.com/pdf/1015_es.pdf. pág. 11, sería el ejemplo de sociedades cotizadas en que resultara especialmente costoso o desaconsejable la celebración de una junta general de accionistas de la aportante, o en procesos en los que conviniese efectuar la operación rápidamente, sin tener que respetar los plazos del proceso de la segregación.

[28] Esta es la misma conclusión a la que he llegado en mi anterior trabajo sobre la cesión global de activo y pasivo. En ella abordo si el propósito del legislador al incorporar a la cesión global de activo y pasivo al catálogo de modificaciones estructurales ha sido simplemente abrir una vía más para la transmisión de empresas

si las circunstancias de la operación y la naturaleza del bloque patrimonial objeto de transmisión hacen necesaria la sucesión universal para garantizar el éxito de la operación[29].

## III. LA «ALTERACIÓN EN LA ESTRUCTURA PATRIMONIAL DE LA SOCIEDAD» COMO CRITERIO PARA APLICAR EL RÉGIMEN DE LA SEGREGACIÓN

### 1. La desconcertante argumentación de la DGRN

A pesar de que la RDGRN de 22 de julio de 2016 confirma la autonomía de la operación de aportación de rama de actividad, al examinarse la protección de los socios de la sociedad aportante añade un razonamiento confuso y desconcertante. Crea la sensación de que su postura es simplemente válida para este caso concreto y deja entrever que en ocasiones, la aportación de rama de actividad deberá tratarse como si fuese una modificación estructural. En concreto, el citado centro directivo entiende que si en atención al volumen y características de la aportación en relación con el patrimonio de la sociedad aportante, la operación puede integrarse dentro del concepto de modificación estructural, debería observarse el

---

o, si por el contrario, pretende que a partir de la promulgación de la LME todas las transmisiones de empresas subsumibles en el supuesto de hecho de la cesión global se reconduzcan obligatoriamente por esta norma. La opción correcta es claramente la segunda. El legislador únicamente establece la obligación de ajustar un tipo de cesión global a un procedimiento obligatorio: es el supuesto del artículo 53 LME. Cuando la cesión global de activo y pasivo se realice a favor de un único cesionario que revista la forma de sociedad mercantil, que a su vez sea el socio único de la sociedad cedente y la cesión comporte la extinción de la misma, la operación se excluye del ámbito de aplicación del título IV de la LME y queda sometida al régimen de la fusión. Pero debe tenerse en cuenta que la observancia del procedimiento de fusión se exige para *un tipo de cesión global*. Es decir, una operación que en su definición la incluye la noción de «transmisión en bloque por sucesión universal». Véase GÁLLEGO LANAU, M., *La cesión global de activo y pasivo en las sociedades mercantiles*, Thomson Reuters, Civitas, Cizur Menor, 2016, págs. 511-516.

[29] Véase CONDE TEJÓN, A., «Las modificaciones estructurales de las sociedades mercantiles como subtipo de operaciones de reestructuración empresarial caracterizadas por la sucesión universal (solución al régimen aplicable a la aportación de rama de actividad y a la cesión global de activo y pasivo)», *op. cit.*, págs. 79-80.

procedimiento previsto en la LME[30]. En ausencia de un concepto legal de modificación estructural, la DGRN hace alusión a la noción prevista en el Preámbulo de la LME: «aquellas alteraciones de la sociedad que van más allá de las simples modificaciones estatutarias para afectar a la estructura patrimonial o personal de la sociedad».

Así pues, según la DGRN, parece que las aportaciones de rama de actividad deberán tratarse obligatoriamente como operaciones de modificación estructural cuando por su volumen y características afecten a la estructura patrimonial de la sociedad y, por ende, se considere que van más allá de una simple modificación de estatutos.

Contrastando esta postura con las dos posiciones que ha mantenido hasta ahora la doctrina, esto es, la que defendía la aplicación imperativa del régimen de la LME a toda aportación de rama de actividad y la que se posicionaba a favor de la libertad para optar por uno u otro procedimiento, puede decirse que la DGRN mantiene con este pronunciamiento una posición intermedia. No exige la aplicación del procedimiento de la escisión para aquellas aportaciones de rama de actividad en la que la unidad económica transmitida sea de poca entidad, pero sí que lo exige cuando se altere la estructura patrimonial de la sociedad aportante.

## 2. Apreciación crítica de la postura de la DGRN

Si se admite como correcto el planteamiento mantenido por la DRGN, la pregunta que nos surge es dónde está el límite para considerar que una operación de aportación de rama de actividad pasa a estar considerada como una modificación estructural.

Como es sabido, la LME no contiene una delimitación legal de lo que debe entenderse por operación de modificación estructural. Obviamente, las referencias a la «alteración en la estructura patrimonial de la sociedad» o «modificaciones que van más allá de una simple modificación de estatutos» no nos sirven, dado que son conceptos indeterminados y plantean más problemas de los que resuelven.

---

[30] ÁLVAREZ ROYO-VILLANOVA, S., «La posibilidad de aportar una unidad económica a través de un aumento de capital. Comentario a la Resolución de 22 de julio de 2016, de la Dirección General de los Registros y del Notariado», *op. cit.*, pág. 309 indica que esto parece un cuerpo extraño en la resolución y que resulta totalmente contrario a la autonomía de la voluntad de las partes que la DGRN ha defendido hasta ese momento.

La ausencia de un concepto legal nos obliga a buscar una definición de lo que debe entenderse por modificación estructural a partir de un método inductivo, es decir, deduciendo las características comunes de esta categoría a partir del estudio particular de las operaciones que se incardinan en ella según el legislador. Pueden identificarse cuatro rasgos comunes que cumplen todas las operaciones de modificación estructural traslativas: la finalidad de reestructuración empresarial; la alteración sustancial del contrato de la sociedad; el procedimiento típico; y la sucesión del patrimonio mediante el mecanismo excepcional de la sucesión a título universal.

En la aportación de rama de actividad la intención reorganizadora se proyecta tanto en la sociedad beneficiaria como en la sociedad transmitente. Sin embargo, de los otros tres rasgos que caracterizan a las modificaciones estructurales, dos de ellos no se cumplen nunca, y uno de ellos solo a veces.

El procedimiento típico se concibe como una medida tuitiva del conjunto de intereses afectados por la modificación estructural[31]. Recordemos que el origen de la regulación de las modificaciones estructurales fue la armonización a nivel comunitario de la tutela de los intereses concurrentes en estas operaciones mediante la articulación de un completo sistema de información en favor de los socios y de los trabajadores, y el otorgamiento a los acreedores de un derecho de oposición[32]. Pero ya hemos visto como el interés de los socios de las sociedades participantes en una operación de aportación de rama de actividad queda suficientemente garantizado sin necesidad de acudir al procedimiento de escisión.

El mecanismo de la sucesión del patrimonio a título universal es una excepción a la aplicación de las normas generales de transmisión que no puede dejarse al arbitrio de las partes. La doctrina coincide en la existencia de un principio *numerus clausus* en materia de modificaciones estructurales, a pesar de la ausencia de una formulación expresa de este principio en

---

[31]   LARGO GIL, R., «Las modificaciones estructurales de las sociedades según la Dirección General de los Registros y del Notariado», *op. cit.*, págs. 165-166.

[32]   LARGO GIL, R., «La filialización de empresas», *op. cit.*, págs. 370; también en LARGO GIL, R., «Planteamiento jurídico y panorámica legislativa. Las transmisiones de empresas y las modificaciones estructurales de sociedades en el Derecho comunitario y en el Derecho español», en BENEYTO PÉREZ, J. M. y LARGO GIL, R. (dirs.), *Transmisiones de empresas y modificaciones estructurales de sociedades*, Bosch, Barcelona, 2010, págs. 76-77.

nuestro ordenamiento jurídico[33]. En consecuencia, sólo puede aplicarse el mecanismo excepcional de la sucesión universal a aquellas operaciones que el legislador ha configurado como tales[34]. La DGRN también comparte este criterio cuando dice que debe presumirse que en la aportación de rama de actividad no se produce la sucesión a título universal, salvo que se dijera lo contrario.

Con respecto a la alteración sustancial del contrato social que se observa en toda operación de modificación estructural, debe señalarse que en la aportación de rama de actividad la alteración no siempre será sustancial. Dependerá del peso de la rama de actividad transmitida dentro del patrimonio de cada una de las sociedades participantes. Como se ha adelantado, en la aportación de rama de actividad la posición de los socios de la sociedad aportante podía quedar comprometida cuando la unidad económica aportada tuviese especial entidad. Para ello, el legislador introdujo el art. 160 f) LSC en virtud del cual si la rama de actividad está integrada por activos esenciales será necesario el acuerdo de la junta.

En mi opinión, cuando la DGRN se refiere a una «alteración en la estructura patrimonial» está pensando precisamente en elementos que cuan-

---

[33]  La doctrina ha sostenido este principio de tipicidad en la materia. Véanse por todos, ALONSO LEDESMA, C., «Algunas consideraciones en torno a la sucesión universal como rasgo caracterizador de la segregación frente a la aportación de rama de actividad», *op. cit.*, pág. 4947; CERDÁ ALBERO, F., «Segregación de la sociedad anónima y de la sociedad de responsabilidad limitada», *op. cit.*, pág. 951; LARGO GIL, R., «Las modificaciones estructurales de las sociedades según la Dirección General de los Registros y del Notariado», *Revista de Derecho de Sociedades*, núm. 9, 1997, págs. 171-172 y también en LARGO GIL R., «Planteamiento jurídico y panorámica legislativa. Las transmisiones de empresas y las modificaciones estructurales de sociedades en el Derecho comunitario y en el Derecho español», en BENEYTO PÉREZ, J. M. y LARGO GIL, R. (dirs.), *Transmisiones de empresas y modificaciones estructurales de sociedades*, Bosch, Barcelona, 2010, págs. 100-102. En contra, SÁNCHEZ ÁLVAREZ, M., «La Ley de Modificaciones Estructurales y el concepto de Modificación estructural» en RODRÍGUEZ ARTIGAS, F. (coord.), *Modificaciones estructurales de las sociedades mercantiles*, t. I, Thomson-Reuters/Aranzadi, Cizur Menor, 2009, págs. 79-82, que defiende el carácter de *numerus apertus* de la categoría de modificaciones estructurales.

[34]  En los ordenamientos de nuestro entorno, también existe este interés por evitar que se reconozca el efecto de la sucesión a título universal a supuestos distintos de aquellos respecto de los cuales el legislador ha previsto su aplicación. El legislador alemán, por ejemplo, ha introducido expresamente el principio de *numerus clausus* y la prohibición de la analogía en materia de modificaciones estructurales en su § 1.2 UmwG.

titativa y cualitativamente puedan considerarse activos esenciales. Pero este planteamiento es incorrecto. Si la rama de actividad está compuesta por activos esenciales, por aplicación del art. 160 f) LSC será la junta la que adopte la decisión. Pero no será necesario cumplir los demás requisitos procedimentales previstos en la LME en cuanto a informes, la publicidad del acuerdo, la apertura de la fase de oposición de los acreedores, etc., porque en cuyo caso, dejaría de tener sentido el contenido de este precepto[35].

En conclusión, la referencia a la «alteración en la estructura patrimonial de la sociedad» como elemento determinante para la aplicación del régimen de la segregación es incorrecta e innecesaria teniendo en cuenta los argumentos que defiende anteriormente la DGRN: la autonomía de la aportación de rama de actividad y la segregación y, la vigencia del principio *numerus clausus* en las modificaciones estructurales al que se anuda la consecuencia de la prohibición de aplicación analógica a supuestos no tipificados como tales.

## IV. CONCLUSIONES

La regulación de la segregación como operación de modificación estructural suscita la duda de si el propósito del legislador en esta materia ha sido simplemente abrir una vía más para la transmisión de diferentes unidades económicas que integran una sociedad o, si por el contrario, pretende que a partir de la promulgación de la LME todas las transmisiones subsumibles en el supuesto de hecho de la segregación se reconduzcan obligatoriamente por esta norma. De aceptarse esta tesis, debería considerarse a la aportación de rama de actividad como una operación de modificación estructural.

---

[35]   Como señala ÁLVAREZ ROYO-VILLANOVA, S., «La posibilidad de aportar una unidad económica a través de un aumento de capital. Comentario a la Resolución de 22 de julio de 2016, de la Dirección General de los Registros y del Notariado», *op. cit.*, pág. 310, en el preámbulo de la reforma de la LSC ya se dijo que las competencias de la junta general se ampliaron para reservar a su aprobación aquellas operaciones societarias que por su relevancia tienen efectos similares a las modificaciones estructurales. Concluye este autor diciendo que lo que la Ley reconoce es que algunas modificaciones patrimoniales tienen una relevancia estructural, pero lo que establece no es la aplicación a las mismas de la LME, sino la extensión de la competencia de la junta general.

En mi opinión, de *lege data* no puede mantenerse que la aportación de rama de actividad sea una operación de modificación estructural.

No existe en nuestro ordenamiento jurídico ninguna norma que obligue a que toda aportación de rama de actividad realizada por una sociedad mercantil deba reconducirse obligatoriamente por el régimen de la segregación. Si el legislador pretendiese el carácter imperativo del artículo 71 LME, hubiese incluido en nuestro ordenamiento la norma proyectada en el art. 231-6 ACM. Además, con la aplicación de las normas propias de los aumentos de capital por aportaciones no dinerarias, los intereses en juego quedan suficientemente tutelados. En consecuencia, las partes podrán voluntariamente optar por el régimen de aportación de rama de actividad o el de segregación en función de si desean que la transmisión se realice por sucesión universal o no.

Al contrario de lo que ha señalado la Resolución de la DGRN de 22 de junio de 2016, el hecho de que la aportación de una rama de actividad implique una alteración sustancial del patrimonio social de la sociedad aportante no obliga a que las partes sometan la operación al procedimiento de la segregación. La posición de los socios de esta sociedad queda tutelada con el art. 160 f) LSC. En estos casos, la adopción del acuerdo competerá a la junta en lugar de al órgano de administración. Pero esto no quiere decir que deba seguir el procedimiento previsto en la LME. Si este fuese el objetivo del legislador, hubiera remitido expresamente a esta norma, en vez de reformar la atribución de competencias de la junta.

## Bibliografía

ALFARO ÁGUILA-REAL, J., «La segregación y el aumento de capital son opciones a disposición de los socios», *Blog Almacén de Derecho,* 19 septiembre 2016, http://derechomercantilespana.blogspot.com.es/2016/09/la-segregacion-y-el-aumento-de-capital.html [consulta en línea: 20 de diciembre de 2016]

ALONSO LEDESMA, C., «Segregación y constitución de sociedad íntegramente participada mediante transmisión del patrimonio», en RODRÍGUEZ ARTIGAS, F. (coord.), *Modificaciones estructurales de las sociedades mercantiles,* t. II, Thomson-Reuters/Aranzadi, Cizur Menor, 2009, págs. 473-523.

— «Algunas consideraciones en torno a la sucesión universal como rasgo caracterizador de la segregación frente a la aportación de rama de actividad», en *Libro homenaje al profesor Fernando Sánchez Calero,* t. V, Madrid, 2002, págs. 4927-4962.

ALONSO UREBA, A. Y RONCERO SÁNCHEZ, A., «La viabilidad de la aportación de una unidad económica tras la introducción de la segregación por la ley de modificaciones estructurales» *Revista de Derecho de Sociedades,* núm. 34, 2010, págs. 271-278.

ÁLVAREZ ROYO-VILLANOVA, S., «La posibilidad de aportar una unidad económica a través de un aumento de capital. Comentario a la Resolución de 22 de julio de

2016, de la Dirección General de los Registros y del Notariado», *Revista de Derecho de Sociedades,* núm. 47, 2016, págs. 295-314.

— «Aportación de rama de actividad y segregación. Viejos y nuevos problemas tras el artículo 160 f LSC», *El Notario del siglo XXI,* núm. 67, 2016, págs. 1-3, http://www.elnotario.es/index.php/practica-juridica/6647-aportacion-de-rama-de-actividad-y-segregacion-viejos-y-nuevos-problemas-tras-el-articulo-160-f-lsc [consulta en línea: 20 de diciembre de 2016]

— «La aportación de rama de actividad y el extravagante *obiterdictum* de la RDGRN 11 de abril de 2016», *Blog el Almacén de Derecho,* 7 junio de 2016 [consulta en línea: 20 de diciembre de 2016]

— «La aportación de rama de actividad tras la regulación de la segregación en la Ley 3/2009 de modificaciones estructurales», *Diario La Ley,* núm. 7253, de 1 de octubre, 2009, págs. 1-6.

CASTROMIL SÁNCHEZ, F. «La cesión global del activo y el pasivo. El artículo 266 de la Ley de sociedades anónimas», en GARRIDO DE PALMA (dir.), *Estudios sobre la sociedad anónima,* vol. II, Madrid, 1993, págs. 419-434.

CERDÁ ALBERO, F. «Segregación de la sociedad anónima y de la sociedad de responsabilidad limitada. A propósito de las RDGRN de 10 de junio y 4 de octubre de 1994, así como del UmwG alemán de 28 de octubre de 1994», *RDM,* núm. 214, octubre-diciembre, 1994, págs. 925-971.

CONDE TEJÓN, A., «Las modificaciones estructurales de las sociedades mercantiles como subtipo de operaciones de reestructuración empresarial caracterizadas por la sucesión universal (solución al régimen aplicable a la aportación de rama de actividad y a la cesión global de activo y pasivo)», *Revista de Derecho de Sociedades,* núm. 35, 2010, págs. 65-90.

DOMÍNGUEZ GARCÍA, M. A., «El régimen jurídico de la escisión de sociedades anónimas por aportación como cuestión abierta (RDGRN de 10 de junio de 1994; RJ 1994, 4915)», *Revista de Derecho de Sociedades,* núm. 4, 1995, págs. 271-280.

FERRANDO VILLALBA, M. L., «Algunas reflexiones sobre la regulación de la segregación en la ley de modificaciones estructurales de las sociedades mercantiles», *Revista de Derecho Patrimonial,* núm. 33, 2014, págs. 109-124.

GÁLLEGO LANAU, M., *La cesión global de activo y pasivo en las sociedades mercantiles,* Thomson Reuters, Civitas, Cizur Menor, 2016.

GONZÁLEZ MENESES, M. y ÁLVAREZ, S., *Modificaciones estructurales de las sociedades mercantiles,* Dykinson, Madrid, 2ª ed. 2013.

GARRIDO DE PALMA, V. M., «Escisión», en GARRIDO DE PALMA, V. M., ANSÓN PEIRONCELY, R. y BANACLOCHE PÉREZ, J. y ARANGUREN URRIZA, F. J., *Lasmodificacionesestructurales de las sociedades mercantiles,* TirantloBlanch, Valencia, 2013, págs. 206-260.

LARGO GIL, R., «Planteamiento jurídico y panorámica legislativa. Las transmisiones de empresas y las modificaciones estructurales de sociedades en el Derecho comunitario y en el Derecho español», en BENEYTO PÉREZ, J. M. y LARGO GIL, R. (dirs.), *Transmisiones de empresas y modificaciones estructurales de sociedades,* Bosch, Barcelona, 2010, págs. 69-126.

— «La filialización de empresas» en RIVERO LAMAS, J. (dir.), *Descentralización productiva y responsabilidades empresariales. El Outsourcing,* Aranzadi, Pamplona, 2003, págs. 354-383.

— «Las modificaciones estructurales de las sociedades según la Dirección General de los Registros y del Notariado», *Revista de Derecho de Sociedades*, núm. 9, 1997, págs. 143-185.

MATEU DE ROS, R., «Escisión, segregación patrimonial y aportación de activos», *Revista de Derecho de Sociedades*, núm. 12, 1999, págs. 279-299.

RODRÍGUEZ ARTIGAS, F., «Escisión, segregación y aportación de rama de actividad», *Anales de la Academia Matritense del Notariado*, t. 50, 2010, págs. 443-461.

— «Escisión. Concepto. Función económica y Clases. Requisitos», en RODRÍGUEZ ARTIGAS, F. (coord.), *Modificaciones estructurales de las sociedades mercantiles*, t. II, Thomson-Reuters/Aranzadi, Cizur Menor, 2009, págs. 173-208.

RUBIO VICENTE, P. J., «¿Cabe la extensión del régimen jurídico de la escisión a los supuestos de segregación patrimonial de sociedad por aportación?», *Revista de Derecho de Sociedades*, núm. 5, 1995, págs. 235-255.

SÁNCHEZ ÁLVAREZ, M., «La Ley de Modificaciones Estructurales y el concepto de Modificación Estructural», en RODRÍGUEZ ARTIGAS, F. (coord.), *Modificaciones estructurales de las sociedades mercantiles*, t. I, Thomson-Reuters/Aranzadi, Cizur Menor, 2009, págs. 39-88.

SERRA CALLEJO, J., «¿Es la aportación de rama de actividad una "modificación estructural"?», *El Notario del s. XXI*, núm. 28, noviembre-diciembre, 2009, págs. 32-41.

VIVES RUIZ, F. y TAPIAS MONNÉ, A., «La Ley de modificaciones estructurales. Una norma técnicamente fallida», *InDret*, octubre 2013, accesible en http://www.indret.com/pdf/1015_es.pdf.

ZARZALEJOS TOLEDANO, I., «El régimen de la segregación en el Derecho español», *La Ley mercantil*, núm. 24, 2016, págs. 1-30.

# 25. La insuficiencia del régimen legal de la cesión global de activo y pasivo como operación de modificación estructural de las sociedades mercantiles

**MARÍA SERRANO SEGARRA**
*Profesora Doctora de Derecho Mercantil*
*Universidad Miguel Hernández de Elche*

## I. INTRODUCCIÓN: REGULACIÓN LEGAL DE LA OPERACIÓN DE CESIÓN GLOBAL DE ACTIVO Y PASIVO

La cesión global de activo y pasivo, operación societaria de especial complejidad, ha sido objeto de una regulación completa y sistemática en nuestro ordenamiento jurídico por medio de la «Ley 3/2009, de 3 de abril, sobre modificaciones estructurales de las sociedades mercantiles» (en adelante, LMESM). Esta Ley supuso un acontecimiento legislativo destacado pues reguló en España por primera vez la totalidad de las modificaciones estructurales. En la misma se destaca la relevancia de la incorporación de la cesión global de activo y pasivo entre el resto de modificaciones estructurales, siendo ésta considerada por primera vez como una auténtica operación societaria de modificación estructural. Dicha regulación legal también resulta de interés pues difiere ostensiblemente del contenido legal que le otorgaba la normativa precedente ampliándose así la funcionalidad de la cesión global.

El objeto de mi investigación es verificar en qué medida la regulación que aporta la LMESM a la operación de cesión global de activo y pasivo, da una respuesta adecuada a los operadores económicos, pudiendo constituir un instrumento legislativo mas, para la transmisión de empresas en el Derecho español. Para poder alcanzar este objetivo, ha sido necesario realizar un análisis pormenorizado de su regulación legal. Mediante este análisis, se identifican tanto las mejoras que ha introducido la Ley con respecto a la regulación anterior que recibía la figura, como aquellas deficiencias o insuficiencias normativas existentes que dificultan o en ocasiones hasta impiden que se realice la cesión global. Llegados a este punto, se aportarán determinadas conclusiones y aquellas propuestas que considero oportunas para una deseable mejora de su regulación normativa.

Es de relevancia comenzar mi estudio refiriendo a continuación la evolución normativa que ha sufrido la figura. La cesión global de activo y pasivo fue regulada de forma escasa en un inicio por el art. 266 del derogado Texto Refundido de la Ley de Sociedades Anónimas de 1989. Posteriormente, la reforma de la Ley de Sociedades de Responsabilidad Limitada (LSRL), en el año 1995 con su novedoso artículo 117 mejoró su regulación considerándola como un mecanismo especial de liquidación social que se concretaba en una liquidación abreviada de la sociedad mercantil, al margen de la liquidación en sentido estricto[1]. Tras la publicación del Reglamento del Registro Mercantil en 1996, el régimen jurídico correspondiente a la cesión global de activo y pasivo, era el establecido por el ya conocido art. 117, al que entonces se sumaría también el art. 246 del Reglamento, que remitía dicha regulación también al ámbito de las sociedades anónimas. Dicho art. 246 RRM, complicaría aún más la situación provocando una expansión del régimen contenido en el artículo 117 LSRL.

Un hito determinante que tuvo lugar con posterioridad, fue la Resolución de la Dirección General de los Registros y del Notariado de 22 de mayo del año 2002, que marcó el necesario punto de inflexión para corregir la aplicación extensiva que se realizaba del art. 117 a determinadas operaciones que debían seguir recibiendo el tratamiento de fusiones. Ello se venía realizando con el fin de facilitar o aligerar esas operaciones

---

[1] CAMACHO DE LOS RÍOS, J., *La cesión global de activo y pasivo como mecanismo de liquidación y como supuesto de modificación estructural.* Madrid. 2004.

suponiendo mayor facilidad en su ejecución si eran consideradas como cesiones en vez de como fusiones. La Resolución igualmente dispuso que se siguiera utilizando la figura de la cesión global para las sociedades de responsabilidad limitada ya que el art. 117 en absoluto vulneraba la III Directiva 78/855/CEE del Consejo, de 9 de octubre de 1978, relativa a las fusiones de las Sociedades Anónimas. De esta forma, quedaba claro que la cesión global de activo y pasivo debía ser considerada, pues, como una operación diferenciada de la fusión.

A continuación, la LMESM identificó por primera vez en nuestro ordenamiento jurídico la nueva categoría de operaciones de modificación estructural como «*aquellas alteraciones de la sociedad que van más allá de las simples modificaciones estatutarias para afectar a la estructura patrimonial o personal de la sociedad*». Reunió la Ley un conjunto de operaciones tales como la fusión, escisión, transformación, y traslado internacional del domicilio social, dando también cabida a la cesión global de activo y pasivo, que dejaba desde este momento de ser considerada como una operación propia de la liquidación, y se revelaba como un nuevo instrumento legislativo para la transmisión de empresas. La cesión global es articulada con un régimen mucho más completo que el que disponía anteriormente la Ley de Sociedades de Responsabilidad Limitada, dotándola ahora de un carácter polivalente, que también permite el mantenimiento de las empresas cedentes y no solo posibilita la realización de una liquidación abreviada, tal como sucedía antes de la publicación de la Ley.

El art. 81 de la Ley la conceptúa de este modo refiriendo sus peculiaridades: «*una sociedad inscrita podrá transmitir en bloque todo su patrimonio por sucesión universal, a uno o a varios socios o terceros, a cambio de una contraprestación que no podrá consistir en acciones, participaciones o cuotas de socio del cesionario. A continuación, el apartado 2° dispone que la sociedad cedente quedará extinguida si la contraprestación fuese recibida total y directamente por los socios. Y, en todo caso, la contraprestación que reciba cada socio deberá respetar las normas aplicables a la cuota de liquidación*».

## II. ANÁLISIS DEL RÉGIMEN JURÍDICO DE LA CESIÓN GLOBAL DE ACTIVO Y PASIVO

Mi objeto es precisar el régimen jurídico de la figura de cesión global de activo y pasivo el cual se concreta en el procedimiento societario que me detendré a analizar a continuación. En virtud del mismo, regulado legalmente en los arts. 85 a 91 LMESM, se podrá realizar la transmisión patrimonial acordada por cedente y cesionario.

## 1. Fase previa o de negociaciones

La regulación legal de la cesión global de activo y pasivo comienza en la fase preparatoria con la redacción del proyecto de cesión. Esta etapa previa del procedimiento está carente de regulación normativa en la LMESM pues el legislador es consciente de que el contenido de la misma puede ser absolutamente diverso[2]. Sin embargo ello no es causa para que nuestro legislador no haya hecho mención de dicha fase tan crucial en la constitución de las voluntades que en una futura fase perfeccionarán la operación. Esta etapa es especialmente interesante y necesaria como objeto de realización de negociaciones, actos y operaciones que incluirán las procedentes reuniones previas entre las partes implicadas en las que se puedan fijar aspectos importantes de cara a una futura operación de cesión global.

Dentro del contenido de dichos acuerdos, sería conveniente durante esta fase igualmente fijar responsabilidades del cesionario que aparecen ignoradas a lo largo de todo el procedimiento. Y ello es debido a que la regulación de la cesión global refiere constantemente las obligaciones de la sociedad cedente pero deja al margen de actuación al cesionario.

## 2. Fase preparatoria o documental

Se trata de una fase caracterizada por su talante informador en la que se forma la voluntad de la sociedad cedente obviándose, por parte de la LMESM, la también importante formación de la voluntad de la sociedad cesionaria. Dicha fase preparatoria del procedimiento societario comprende el proyecto de cesión y el informe de los administradores, tareas que corresponden solo a la sociedad cedente y en las cuales ya se empieza a poder vislumbrar en su tratamiento legal la relajación de exigencias siempre presentes en otras operaciones como la fusión o escisión con las que, estimo, debería ser totalmente equiparable. Es destacable que tanto el proyecto de la cesión global como el informe de los administradores constituirán un mecanismo de protección de los socios de la entidad cedente pues, a través

---

[2]    CONTRERAS DE LA ROSA., I. «Cesión global de activo y pasivo. Aspectos contractuales y societarios» (monografía), *Revista de Derecho de Sociedades*, núm. 41, 2014, págs. 140.

de éstos, se otorga a los socios un derecho de información documental necesario para poder determinar el sentido del voto que emitirán en la junta de socios de la sociedad cedente cuando se proceda a la adopción del acuerdo sobre cesión global.

## 2.1. El proyecto de cesión global: artículo 85 LMESM

El procedimiento de la cesión global se inicia en sentido estricto con la redacción y suscripción (firma) por todos los administradores de la sociedad cedente de un proyecto de cesión global de activos y pasivos en el que deberá ser explicada la operación tanto desde un punto de vista económico como jurídico, que deberá depositarse en el Registro Mercantil correspondiente al domicilio de la sociedad cedente y que recogerá las menciones obligatorias mínimas recogidas en el art. 85 LMESM.

Es importante tener en cuenta que el artículo 117 de la derogada LSRL no exigía en ningún caso ningún proyecto de cesión global que ahora regula la LMESM. Antes, sencillamente, la junta general (art. 117.1LSRL) acordaba la cesión global con los requisitos y la mayoría establecidos para la modificación de los estatutos.

Pero, a pesar de este avance garantista que proporciona la exigencia de realización de un proyecto de cesión en la realización de la operación tal y como está regulada actualmente, observo como, a diferencia de lo que sucede en la fusión o en la escisión, no es suscrito por la otra parte: por el cesionario. El artículo 30 LMESM, en sede de fusión, expresa que «*los administradores de cada una de las sociedades que participen en la fusión habrán de redactar y suscribir un proyecto común de fusión*». En cambio, en sede de cesión global, son los administradores de la sociedad cedente los únicos que asumen esta obligación y no los de la sociedad cesionaria en el caso de que el cesionario fuera una persona jurídica, una sociedad mercantil. Si el cesionario fuera una sociedad mercantil, una persona jurídica, que de hecho es factible en la operación de cesión global, lo más coherente sería que sus administradores también participaran en la redacción del proyecto de cesión. Pero atendiendo al tenor legal del art. 85 LMESM, el proyecto es elaborado exclusivamente por el órgano de administración de la sociedad cedente y en absoluto participarán los administradores de la sociedad cesionaria o cesionarias. Se observa, pues, una carencia más en la regulación o régimen jurídico de la operación de cesión global. Se ha optado por omitir la regulación legal que refiriera el supuesto en el que el cesionario fuera una sociedad mercantil y en ese caso el proyecto de cesión debiera estar redactado y suscrito conjuntamente por los administradores de la o las sociedades cesionarias. El legislador parece reducir los requisitos en supuesto de la cesión global y, coincidiendo con González Meneses[3], no considero menos relevante o peligrosa la realización de la operación de cesión que la de una fusión para poder justificar así la no exigencia de un proyecto común por ambas partes.

La redacción del número 3º del artículo 85.1 es absolutamente necesaria pues relaciona la necesidad de información sobre la valoración del activo y pasivo del patrimonio, a pesar de que obvia aspectos fundamentales referidos a que dicha información aparezca justificada por un balance, una auditoría o un informe de experto independiente, tal como se exige en el resto de operaciones de modificación estructural. Se añade a todo ello, el hecho de que esa información sobre la valoración se va a realizar únicamente por los administradores de la sociedad cedente, lo cual podría conllevar una posible valoración arbitraria que no se ajustara a criterios reales con los consiguientes perjuicios que puedan sobrevenir para las dos partes e incluso para los acreedores de ambos. Los administradores pueden fijar un valor de mercado que sea razonable, pero al tratarse de una transacción y existiendo autonomía de la voluntad para realizarla, podrían fijar cualquier valor que consideraran oportuno.

Se observa otra deficiencia mas en la redacción del artículo 85.1. 3ª LMESM en el que debería aparecer una diferenciación en su redacción dependiendo de que nos encontremos ante uno o varios cesionarios. Sin embargo, su redacción defectuosa aparece así: el proyecto de cesión global contendrá al menos *la información sobre la valoración del activo y pasivo del patrimonio, la designación y, en su caso el reparto preciso de los elementos del activo y del pasivo que han de transmitirse a cada cesionario.* No sería oportuno, en el supuesto de que existan varios cesionarios, que el proyecto de cesión global diera información sobre la valoración del activo y pasivo total del patrimonio. Pero sí es necesario que, siguiendo el tenor del artículo 82 LMESM, cuando haya varios cesionarios, reciba cada uno de ellos una parte del patrimonio constitutiva de una unidad económica.

Otro aspecto que no es suficientemente desarrollado es el que se señala en el número 5º del artículo 85.1 LMESM sobre la mención que debe contener el proyecto de cesión global sobre las posibles consecuencias so-

---

[3]    GONZÁLEZ MENESES, M., «La cesión global de activo y pasivo como ilusión jurídica colectiva, o de cómo el Título IV de la Ley 3/2009 vulnera la tercera directiva», *El notario del siglo XXI*, nº 28, 2009, págs. 46.

bre el empleo[4]. Efectivamente, esto es algo que vuelve a sorprender pues compete exclusivamente a los administradores de la sociedad cedente en la cesión y que no se remite a los administradores de la sociedad cesionaria ya que éstos no intervienen en la redacción del proyecto de cesión global. En cambio, en la operación de fusión o de escisión sí intervienen los administradores de ambas partes. Es absolutamente necesario que así se proceda ya que la sociedad absorbente, en el caso de la fusión, es la que asumirá a los trabajadores. Del mismo modo, la sociedad o sociedades cesionarias, en la cesión global de activo y pasivo, asumen a estos trabajadores con la responsabilidad que ello conlleva pero, sin embargo, no intervienen de forma llamativa en el tratamiento de estas cuestiones[5].

El artículo 85.1 LMESM carece también de la referencia a otros aspectos del proyecto de cesión que sí aparecen tratados entre los contenidos del proyecto de fusión. Me estoy refiriendo a aspectos que quedan sin resolver como son las consecuencias que entrañará la operación sobre las prestaciones accesorias, si existieran las mismas (referido en el número 3° del art. 31 en la operación de fusión) o la factible modificación que podrán sufrir los estatutos (referido en el número 8° del art. 31 igualmente).

Por su parte, el art. 85.2 LMESM mostrará de nuevo que el tratamiento que recibe la publicidad del proyecto de cesión en comparación con el que recibe el proyecto común de fusión o de escisión, vuelve a distanciar las exigencias procedimentales respecto de la cesión global y las operaciones de fusión y escisión, si bien la antigua LSRL obviaba la exigencia ahora reconocida, por lo cual constato que se ha producido ya un avance. El artículo 85.2 solo exige, y de forma injustificada, que, una vez redactado, el proyecto de cesión se deposite en el registro mercantil. No se precisa a qué registro se está haciendo referencia, pero es entendible que se trata del registro correspondiente al domicilio social de la sociedad cedente: *los administradores deberán presentar para su depósito en el Registro Mercantil un ejemplar del proyecto de cesión global.*

En este sentido hay una merma de requisitos exigidos a la otra parte interviniente en la regulación legal de la cesión, cuando en el caso de la fusión o escisión, se corresponden o equilibran del mismo modo por las

---

4    CONDE TEJÓN, A., «Procedimiento aplicable a la cesión global de activo y pasivo y efectos», *Modificaciones estructurales de las sociedades mercantiles*, Madrid, 2009, págs. 714.

5    NOVAL PATO, J., *La cesión global de activo y pasivo en las sociedades de capital*. Madrid. 2003.

dos partes intervinientes en la operación. Además, este artículo será el único modificado y modernizado en virtud de la reciente publicación de la Ley 1/2012 de 22 de junio, lo que va a incrementar la diferenciación entre determinados requisitos relativos al proyecto de fusión y que en ningún caso se hacen extensivos al proyecto de cesión global provocándose una descoordinación legislativa que carece de sentido. Tras esta modificación legislativa, cuando se proceda a realizar una operación de fusión o escisión, los administradores están obligados a insertar el proyecto común de fusión en las páginas *webs* de cada una de las sociedades que participan en la fusión o escisión, sin perjuicio de poder depositar voluntariamente un ejemplar del proyecto de fusión en el Registro Mercantil correspondiente a cada una de las sociedades participantes.

Mientras, la operación de la cesión global continúa con el mecanismo del depósito en el Registro Mercantil, sin ninguna modificación al respecto. Esto supone de nuevo un distinto condicionante en dos operaciones de modificación estructural que deberían ser más coherentes y estar más cercanas en cuanto a sus garantías. Observo pues y sigo advirtiendo a lo largo del articulado del procedimiento que asiste a la realización de esta operación que la LMESM dispone para la cesión global de un régimen simplificado con respecto al propuesto en el ámbito de otras operaciones de modificación estructural como la fusión o a la escisión, que persiguen efectos equivalentes de reestructuración empresarial. Por ello, de entrada, no se entiende la laxitud o relajación de requisitos en la cesión global. Sin embargo, en este extremo que trato, se ve motivado por una publicación legislativa, Ley 1/2012, de 22 de junio, de simplificación de las obligaciones de información y documentación de fusiones y escisiones de sociedades de capital, cuyo objeto son las fusiones y escisiones de sociedades de capital, dejando fuera de su regulación a la operación de cesión global de activo y pasivo.

## 2.2. El informe de los administradores: artículo 86 LMESM

Los administradores de la sociedad cedente deberán elaborar un informe a los socios explicando y justificando detalladamente ese proyecto de cesión global (art. 86) que deberán presentar para su depósito en el Registro Mercantil. En el mismo se detallarán las consecuencias jurídicas y económicas que conlleva la realización de esta transacción patrimonial. Tampoco, con anterioridad a la entrada en vigor de la LMESM, se exigía por la LSRL la existencia del informe de los administradores sobre el proyecto de cesión, esto no era más que una consecuencia de la inexistencia de dicho proyecto. Pero el legislador, de nuevo y de modo injustificado, ha sido escaso en la determinación expresa de todos los aspectos del informe que deben aclarar detalladamente los administradores. Se constata como en el artículo 33 LMESM, en el ámbito de la fusión, sí se relaciona de forma expresa que el informe del proyecto de fusión explicará y justificará detalladamente sus aspectos jurídicos y económicos dando especial relevancia a la contraprestación que va a recibir la sociedad: el tipo de canje de las acciones, participaciones o cuotas así como también las implicaciones de la fusión para los socios, los acreedores y los trabajadores. Estos mismos aspectos referidos a las justificaciones económica y jurídica del informe debieran haber aparecido en la redacción del artículo 86 donde no aparece regulado legalmente ningún contenido específico que deba tener el informe de los administradores.

### 2.3. Inexistencia de informe de los expertos independientes: aspecto no regulado en la cesión global

Se trata de un aspecto no regulado en la cesión global de activo y pasivo pero sí en la fusión y en la escisión. Las operaciones de fusión y escisión regulan también en sus procedimientos la necesidad de un informe de expertos independientes junto a la realización del proyecto de fusión y el informe de los administradores.

Tras la referencia a estas dos operaciones de modificación estructural, evidencio como el artículo 85.1.3ª LMESM solo refiere la necesidad de que en el proyecto de cesión global redactado por los administradores de la sociedad cedente se contenga la información sobre la valoración del activo y pasivo del patrimonio, la designación y, en su caso, el reparto preciso de los elementos del activo y del pasivo que han de transmitirse a cada cesionario. Pero, sin balance ni auditoría del mismo, y sin informe alguno de experto independiente. De este modo los socios tienen menos conocimiento o información sobre la adecuación en la valoración del patrimonio y la oportunidad de la realización de la operación o bien, están menos informados y más desprotegidos si los comparamos con los socios que intervienen en la fusión o en la escisión. La previsión que realiza el artículo 34 para proteger el interés de las partes más débiles en la realización de la operación, no se da en el caso de la cesión global, donde no es observada esta garantía necesaria.

## 2.4. Documentación contable y mercantil: la inexistencia del balance en la cesión global

Destaco que en la cesión global, a diferencia de la fusión, no aparece redactada en la ley la necesidad de un balance de cesión global, de una verificación del mismo por parte del auditor de cuentas y de una aprobación del mismo por la junta de socios que resuelva sobre la cesión.

Todos estos extremos, en cambio, están recogidos por los artículos 36 y sgs. en sede de fusión proporcionando a estas modificaciones estructurales un régimen mucho más garantista que el que se ofrece por la LMESM a la cesión global. El artículo 37 es un ejemplo de la necesidad de esas cautelas objetivas pues el balance de fusión y las modificaciones de las valoraciones contenidas en el mismo deberán ser verificados por el auditor de cuentas de la sociedad, cuando exista obligación de auditar, y habrán de ser sometidos a la aprobación de la junta de socios que resuelva sobre la fusión a cuyos efectos deberá mencionarse expresamente en el orden del día de la junta.

La remisión que realiza el artículo 87.1 LMESM a la sección 4ª del capítulo I de la fusión, bajo el título: *Sobre el acuerdo de fusión,* relaciona el contenido de todos los requisitos sobre la información necesaria que ha de ser publicada antes de ser adoptado el acuerdo de cesión global. Sin embargo, queda fuera de esta sección la referencia al balance que ya ha sido tratado anteriormente en los arts 36 a 38 LMESM, en sede de fusión. En base a ello, estrictamente no sería exigible el balance para la operación de cesión global[6] sin embargo no es menos estricto el hecho de que, el artículo 39.1.5°, al que sí se remite el art. 87.1, refiere el balance como uno de los documentos que integra la información que debe ponerse a disposición de socios, obligacionistas, titulares de derechos especiales y de los representantes de los trabajadores, antes de la adopción del acuerdo de fusión. Esta última apreciación es destacada por autores[7] que concluyen que, en virtud de esa remisión del art. 87.1 al art. 39, el balance formará parte de la documentación contable y mercantil imprescindible para la realización de la cesión global.

---

[6]     VIDAGANY PELÁEZ, J. M., «La cesión global de activo y pasivo en las sociedades de capital, *Noticias jurídicas,* 2012.

[7]     ALONSO UREBA. A., *Modificaciones estructurales de las sociedades mercantiles.* vol. II. Madrid. 2009.

### 3. Fase decisoria en el seno de la sociedad cedente

En esta fase la sociedad cedente toma la decisión de llevar a cabo la cesión global de activo y pasivo. Comprende el acuerdo de cesión global adoptado por la junta de socios de la sociedad cedente (artículo 87 LMESM). Dicho aspecto es remitido a la fusión en cuanto a los requisitos establecidos para la adopción del acuerdo de cesión. Tanto la anterior fase preparatoria como la fase decisoria son etapas contractuales que nos son contempladas de modo íntegro por el procedimiento societario previsto legalmente por la LMESM obviándose la otra parte contractual: la figura del cesionario.

#### 3.1. El órgano competente para acordar la cesión global

En primer lugar y al igual que sucedía en la regulación de la cesión global en el derogado artículo 117 LSRL, el acuerdo de cesión global se adopta únicamente por la junta de socios de la sociedad cedente. El apartado 1 del artículo 87 LMESM solo se refiere a la adopción del acuerdo por la sociedad cedente y en ningún caso se refiere la necesidad de la adopción del mismo por el cesionario en el supuesto en que éste fuera una sociedad de capital. En ese supuesto, que es ignorado por el art. 87 LMESM, la adopción del acuerdo de cesión, para que pueda existir un equilibrio de derechos entre ambas partes, también debería ser adoptado también por la junta general de socios de la sociedad cesionaria, tal como ocurre en la operación de fusión.

De nuevo, ésta será, otra vez, una diferencia absurda en el tratamiento o en la consideración que otorga el legislador a la cesión global con respecto a la fusión, que en su artículo 40 señala que la misma habrá de ser acordada necesariamente por la junta de socios de cada una de las sociedades que participen en ella. El artículo 87 LMESM remite a lo establecido para la adopción del acuerdo de fusión únicamente en cuanto a los requisitos establecidos para la adopción del acuerdo. Por ello, el acuerdo de cesión global habrá de ser acordado necesariamente por la junta de socios de la sociedad cedente, ajustándose estrictamente al proyecto de cesión global, con los requisitos y formalidades establecidos en el régimen propio del tipo al que adopte la sociedad cedente.

#### 3.2. La preparación de la junta y convocatoria

El acuerdo de cesión deberá ajustarse estrictamente al proyecto de cesión global, así como a los requisitos y formalidades establecidos para la adopción del acuerdo de fusión. En esta primera remisión explícita a la fusión quedan incluidos los aspectos referidos a la convocatoria de la junta general del artículo 40 y también los aspectos que relacionan los contenidos que han de conocer los socios antes de la publicación del anuncio de convocatoria de la junta, detallados en el artículo 39 LMESM.

En cuanto a los requisitos de convocatoria de la junta general de la sociedad cedente para la aprobación del acuerdo de cesión: por remisión a los artículos de la fusión, se sigue el régimen establecido en los artículos 39 y ss. LMESM. Por lo tanto, sobre este aspecto hay que extraer una conclusión y es que el artículo 87, que refiere el acuerdo de cesión global estudiado, se remite expresamente al acuerdo de fusión del artículo 40, en el que se introduce, con la reforma de la Ley 1/2012, el aspecto referido a la página web que ahora, si es extensivo a la cesión global por la remisión que hace la misma a la fusión en ese aspecto. Esto resulta incoherente con el tratamiento que recibe el proyecto de cesión global. En el supuesto del acuerdo de cesión sí se observa el requisito de la página web y en el aspecto del proyecto de cesión (como no hay ninguna remisión por parte del artículo 85 al proyecto de fusión) no se requiere el requisito de su inserción en la página *web*, quedando desequilibrados los requisitos exigibles para llevar a cabo el proyecto y el acuerdo de cesión global. Es decir, aquel aspecto de la cesión global que se remite a la fusión queda actualizado por la Ley 1/2012, de 22 de junio, y lo restante, que no tiene esa remisión, parece quedar antiguo, sin ser objeto de la renovación necesaria y simplificación de las obligaciones de información y documentación que propone la Ley 1/2012, de 22 de junio, que sólo se refiere a las operaciones de fusión y escisión, dejando descolgada la operación de cesión global de activo y pasivo.

### 3.3. El acuerdo de la junta de socios de la sociedad cedente: competencia, procedimiento y contenido (Remisión a la fusión)

El acuerdo de la junta de socios de la sociedad cedente consiste en la aprobación del proyecto de cesión global de activo y pasivo.

En la cesión global de activo y pasivo no se regula de nuevo otro aspecto relevante que sí aparece contemplado en la operación de fusión. El artículo 30.2 LMESM detalla que una vez suscrito el proyecto común de fusión, los administradores se deben abstener de realizar cualquier clase de acto o de concluir cualquier contrato que pudiera comprometer la aprobación del proyecto. No es desdeñable que, si esto ocurriera en la cesión global, se afectarían los intereses de los socios como los del cesionario o cesionarios, por lo que dicha abstención debería regularse igualmente en nuestra operación.

El artículo 87.1 remite igualmente al apartado 3º del artículo 39 que versa sobre la obligación que tienen los administradores de comunicar a los de la otra sociedad cualquier modificación importante que haya acaecido en el activo o pasivo de cualquiera de las sociedades, entre la fecha de redacción del proyecto y la reunión de la junta de socios en que ha de aprobarse el mismo. Del mismo modo, esto está previsto en el artículo 79 LMESM para la operación de escisión. Sin embargo en la remisión que se realiza a la cesión, es difícilmente aplicable al cesionario o cesionarios pues, en virtud de la regulación legal de la cesión, no intervienen en esta operación hasta que se otorgue la escritura pública correspondiente de la operación (art. 89 LMESM), por lo que el beneficio de la información sobre estos posibles cambios en el valor del patrimonio solo serán conocidos por los socios de la sociedad cedente pero los posibles perjuicios en ese cambio de valoración del patrimonio serán siempre para la sociedad cesionaria desconocedora de los mismos.

### 3.4. La publicidad del acuerdo

El acuerdo de cesión global, art. 87.2 LMESM, una vez adoptado por la junta general de la sociedad cedente, queda sometido a una especial publicidad, que es coincidente con la publicidad de los acuerdos de fusión y escisión. Actualmente, desde la publicación de la LMESM, el número de anuncios establecidos para dar publicidad a la adopción de estas modificaciones estructurales, se ha equiparado y es precisamente porque la LMESM ha reducido la exigencia en cuanto al número de anuncios de la fusión y de la escisión. La publicación del acuerdo de cesión global se llevará a cabo en el BORME y en un diario de gran circulación en la provincia del domicilio social, con expresión de la identidad del cesionario o cesionarios.

### 4. *Fase de pendencia*

### 4.1. Derecho de oposición de los acreedores (Remisión a la fusión)

La fase de pendencia es aquella fase en la que los acreedores de la sociedad cedente y del cesionario o cesionarios pueden ejercitar su derecho de oposición a la operación de cesión global de activo y pasivo de acuerdo con el artículo 88 LMESM.

De la lectura de la LMESM infiero que el derecho de oposición deriva directamente del cambio de deudor que va a tener lugar cuando se realice dicha operación Este derecho se mantiene por la LMESM pues ya era observado en la regulación anterior por el derogado artículo 117 LSRL que en su apartado 4º establecía, del mismo modo que lo hace el art. 88 LMESM, que *la cesión no podrá ser realizada antes de que transcurra un mes, contado desde la fecha del último anuncio publicado*. En ambas regulaciones se amparan tanto a los acreedores de la sociedad cedente como a los correspondientes al cesionario o cesionarios, sea o no una sociedad mercantil.

El art. 88 LMESM reconoce un derecho de oposición a la realización de la cesión global por parte de los acreedores de la sociedad cedente y del cesionario o cesionarios, remitiendo las condiciones y efectos de dicha oposición al régimen previsto para la operación de fusión, concretamente al art. 44 LMESM que es el que regula el derecho de oposición de los acreedores en la operación de fusión. El apartado primero del artículo 88 es coincidente con el apartado primero del artículo 44 expresando ambos que la cesión global (o en su caso la fusión) no podrá ser realizada antes de que transcurra un mes, contado desde la fecha de publicación del último anuncio del acuerdo o, en caso de comunicación por escrito a todos los socios y acreedores, del envío de la comunicación al último de ellos. Durante tal plazo no se podrá llevar a efecto la cesión.

## 5. Fase de ejecución

Es la fase que comprende el otorgamiento de escritura pública y la inscripción registral.

### 5.1. Escritura pública

El artículo 89 LMESM en su aptdo. 1º recoge que la cesión global se hará constar en escritura pública otorgada por la sociedad cedente y por el cesionario o cesionarios. La escritura recogerá el acuerdo de cesión global adoptado por la sociedad cedente y constituirá el único medio por el que la operación de cesión global de activo y pasivo podrá acceder, a continuación, al Registro Mercantil. Por lo tanto, posteriormente y transcurrido el citado plazo de un mes (art. 88.1 LMESM) sin que haya existido oposición a la cesión global, o en su caso habiendo prestado suficientes garantías la sociedad, la sociedad cedente y el cesionario o cesionarios que han adoptado el acuerdo de cesión global, se deberá elevar a público el acuerdo de cesión, otorgando la correspondiente escritura pública, que deberá contener las menciones exigidas para la cesión global de activo y pasivo. Es llamativo que tenga lugar en este momento la primera intervención formal en el procedimiento del cesionario o cesionarios, la referencia a los mismos es tardía e inexcusable. Ansón Peironcely[8] entiende que es una de las deficiencias más importantes del régimen de la cesión global de activo y pasivo establecido por la LMESM.

## 5.2. Inscripción de la operación

Tras el otorgamiento de escritura pública, habrá de procederse a la inscripción de la cesión global en el Registro Mercantil del domicilio de la sociedad cedente (art. 89.2 LMESM) para lograr así la adquisición de eficacia jurídica de la operación.

Sin embargo he de reparar en que el procedimiento registral tiene lugar en el domicilio de la sociedad cedente y, en ningún supuesto intervendrá el Registro Mercantil del domicilio del cesionario aunque el mismo fuera un cesionario objeto de inscripción obligatoria (como p.ej. una sociedad mercantil) o bien un sujeto inscrito de modo potestativo en el mismo por ser un empresario individual (art. 19 CCom y 81 RRM).

El artículo 89.2 LMESM modifica sensiblemente la regulación anterior que sobre este aspecto disponía el derogado artículo 117.5 LSRL en el que la eficacia de la cesión global quedaba supeditada a la inscripción en la escritura pública de la extinción de la sociedad. Ahora la inscripción de la cesión ya no se vincula a la definitiva extinción de la sociedad pues puede seguir en funcionamiento la sociedad siendo igualmente eficaz la inscripción de la operación sin extinción de la sociedad cedente.

# III. CONCLUSIONES Y MEDIDAS LEGALES PROPUESTAS PARA SUPERAR LA INSUFICIENCIA NORMATIVA EN LA REGULACIÓN DE LA CESIÓN GLOBAL DE ACTIVO Y PASIVO

Tras efectuar el análisis del régimen jurídico de la cesión global de activo y pasivo, observo que la LMESM articula un desarrollo procedimental semejante para todas las operaciones de modificación estructural reguladas. La cesión global aparece pues regulada como una operación mas de

---

[8]    ANSÓN PEIRONCELY, R. «Cesión global de activo y pasivo», en *La reestructuración empresarial y las modificaciones estructurales de las sociedades mercantiles*, 2010, págs. 38.

reestructuración empresarial provista de un procedimiento legal establecido al efecto por la LMESM. De esta forma, consigue homogeneizarse en la Ley junto al resto de procedimientos que regulan las restantes operaciones de modificación estructural siendo considerada como un instrumento autónomo y con carácter polivalente que permite tanto la liquidación abreviada como el mantenimiento y la transmisión eficiente de sociedades mercantiles, realizando así una nueva función de reestructuración empresarial y adaptando las empresas a los cambios que con celeridad se producen en el mercado actualmente.

Gracias a la nueva regulación de la cesión global en dicha Ley, constato que se superan lagunas normativas que existían sobre la misma en la derogada LSRL. Así pues, elogio desde este punto de vista la publicación de la Ley pues logra una mayor transparencia en la información que se proporciona sobre el desarrollo del procedimiento a los socios, a través del proyecto de cesión global, del informe de los administradores, (ambos no exigidos por la derogada LSRL) y del acuerdo de cesión global, ajustado ahora a nuevos y estrictos requisitos.

Se logra también una protección efectiva a los acreedores a través de la regulación de un doble mecanismo tuitivo: el derecho de oposición de éstos a la operación y también mediante un régimen de responsabilidad solidaria por el incumplimiento de las obligaciones cedidas. Igualmente se alcanza la seguridad jurídica pretendida en virtud de la inimpugnabilidad de la cesión global establecida en el art. 90, que mejorará las garantías existentes en el cumplimiento de las relaciones nacidas tras la realización de la cesión global. La regulación de la cesión global es totalmente coherente con el propio Preámbulo de la Ley en el que se relacionan sólo dos aspectos garantistas de la cesión global: el de la tutela del socio y el de la tutela de los acreedores.

Sin embargo, tras el estudio de la regulación procedimental de la cesión global de activo y pasivo, se evidencia la carencia de un marco legal completo que permita equiparar la figura con el resto de operaciones de modificación estructural. Son constatables las insuficiencias legislativas en la regulación del régimen jurídico de la cesión global. Tras el análisis de todos los aspectos procedimentales anteriores, puedo corroborar la escasez de garantías, cautelas jurídicas o mínimas herramientas existentes en la protección dispensada a socios, acreedores o terceros en la realización de la operación de cesión global de activo y pasivo. Estos extremos se revelan inexistentes en las distintas fases procedimentales que presiden la regulación de la cesión global en comparación con los que acompañan a los procedimientos seguidos por el resto de operaciones de modificación estructural, sobre todo en los supuestos de las operaciones de fusión y escisión.

Del análisis de la regulación legal que recibe la operación de cesión global de activo y pasivo en la LMESM puede desprenderse, para finalizar, que actualmente el régimen legal de la cesión global de activo y pasivo en la LMESM presenta un conjunto de deficiencias e insuficiencias manifiestamente mejorables que la distancian del tratamiento legal que reciben el resto de operaciones de modificación estructural. Ello conllevará una falta de seguridad jurídica y una menor consideración y tutela de determinados sujetos intervinientes o afectados por la operación, sobre todo del cesionario.

Considero que la solución más factible para conseguir que la cesión global de activo y pasivo supere el conjunto de deficiencias e insuficiencias normativas señaladas en el desarrollo de su procedimiento legal, radica en una sencilla y escasa modificación de dichos extremos en la que se observen las modificaciones por mi parte propuestas. Propongo la adopción de las siguientes medidas legales para superar dichas insuficiencias a partir de los defectos legales verificados en su regulación legal:

1. La fase previa o de negociaciones, exenta de regulación legal, debe ser objeto de normativa reguladora. Son muchos los extremos que se pueden negociar en esta fase y, debido a las insuficiencias legales que va a mostrar la cesión global en fases posteriores: aun adquiere más sentido que esas carencias queden tratadas y superadas previa y convenientemente por cedente y cesionario antes de la redacción del proyecto de cesión. Del mismo modo, en estas negociaciones previas, se debería dejar constancia de los derechos, obligaciones y responsabilidades del cesionario, inexistentes todos ellos en la normativa.

2. Precisamente el cesionario, ignorado a lo largo del procedimiento por el legislador, y sólo referido en la fase de ejecución, revela otra insuficiencia procedimental en la regulación de la cesión global de activo y pasivo. Considero necesaria la inclusión del cesionario, no solo en la fase de negociaciones sino también en la fase preparatoria y en la fase decisoria. El cesionario debe ser referido por la LMESM como parte integrante de la operación, otorgándosele la misma relevancia y participación en el procedimiento que la que ostenta la sociedad cedente. Estimo que el legislador no concibió en su momento la posibilidad de un cesionario con forma de sociedad mercantil y el espíritu de la Ley se centró únicamente en un cesionario persona física. De hecho, el art. 81, párrafo primero de la Ley relaciona *«a uno o varios socios o terceros»*, pero en ningún caso refiere el tér-

mino «sociedad». Del mismo sucede en el art. 89, ya en la fase de ejecución de la operación.

3. Constato que algunas insuficiencias procedimentales son superadas, sólo en parte, gracias a la remisión puntual que realiza la Ley a la figura de la fusión y también a una interpretación analógica que realiza la doctrina. La operación de fusión es considerada como el referente a considerar en esa labor hermenéutica cumpliendo la función de completar la regulación de la cesión global. A partir de ello, considero necesaria la regulación autónoma de determinados aspectos procedimentales, concretamente tres, que aparecen remitidos por la Ley a la operación de fusión: éstos son: el establecimiento de los requisitos necesarios para la adopción del acuerdo de cesión global (art. 87.1), la regulación del derecho de oposición de los acreedores (art. 88) y la impugnación de la cesión global (art. 90). Ello dotará a la operación societaria de mayor coherencia y de la integridad que merece en su regulación procedimental como operación de modificación estructural.

4. Otras insuficiencias normativas se suceden desde el inicio de la fase preparatoria sin que el legislador de solución a las mismas distanciándose la cesión global de las exigencias procedimentales requeridas en las operaciones de fusión y escisión. De ello se infiriere una merma en el derecho de información de los socios sobre la adecuación en la valoración correcta de este conjunto patrimonial vivo o en funcionamiento que se transmite, y sobre la oportunidad en la realización de la operación. Dichas carencias normativas son las ya referidas con respecto al proyecto de cesión global, al acuerdo de cesión global y al ejercicio del derecho de oposición de los acreedores.

5. Verifico que la información que deben tener los representantes de los trabajadores sobre la realización de la operación de cesión global de activo y pasivo no es comunicada en el momento oportuno del desarrollo procedimental. De hecho, es objeto de una regulación anacrónica en el art. 87 in fine de la Ley, es decir, una vez ya se ha adoptado el acuerdo de cesión global, debiendo formar parte en todo caso del contenido del art. 85. Debido a ello, se produce actualmente una desconsideración o merma plausible hacia los derechos de los trabajadores, que ven limitados sus mecanismos de intervención. Considero conveniente que, no solo la sociedad cedente sino también el cesionario (que sigue siendo ignorado a pesar de adquirir la importante función de subrogarse *ex lege* en las relaciones laborales de la sociedad cedente): asuman la obligatoriedad de proporcionar el proyecto de cesión global y el informe de los administradores: a los representantes

de los trabajadores: si bien: antes de la adopción del acuerdo de cesión global, lográndose de este modo mayor coherencia con el art. 44, aptdo. 6º del Estatuto de los Trabajadores, artículo al que se remite la Disposición Adicional Primera de la Ley 3/2009, de 3 de abril sobre Modificaciones Estructurales de las sociedades mercantiles.

6. Refiero como solución para completar las carencias o lagunas existentes en el desarrollo del procedimiento societario: el recurso a la consideración de la naturaleza contractual de la cesión global de activo y pasivo. La reforma en materia concursal producida por la Ley 9/2015 de 25 de mayo, de medidas urgentes en materia concursal, modificó nuevamente la Ley 22/2003, de 9 de julio, Concursal (LC) estableciendo unas pautas de transmisión patrimonial para las empresas en su novedoso art. 149, párrafo 3º que pueden ser de utilidad no solo en una cesión concursal sino también en el escenario de una cesión extra-concursal (porque no olvidemos que, pese a la situación concursal, la cesión no pierde su naturaleza contractual). Por ello, estimo conveniente que, las pautas que marca el artículo 149 párrafo 3º LC puedan servir de orientación para colmar (asumiéndose contractualmente) los vacíos de la normativa en el desarrollo del procedimiento societario. Concretamente me estoy refiriendo a aquellas carencias procedimentales de la cesión global relacionadas con la no exigencia de balance, auditoría del mismo o informe alguno de experto independiente en la realización de la operación de cesión global. Todas esas carencias podrán ser suplidas con las pautas que establece el art. 149. párrafo 3º LC pues, pudiendo ser consideradas a modo de *due diligence*.

## Bibliografía

ALONSO UREBA. A., *Modificaciones estructurales de las sociedades mercantiles.* Madrid. 2009.

ANSÓN PEIRONCELY, R., «Cesión global de activo y pasivo», *La reestructuración empresarial y las modificaciones estructurales de las sociedades mercantiles,* Madrid, 2010.

CAMACHO DE LOS RÍOS, J., *La cesión global de activo y pasivo como mecanismo de liquidación y como supuesto de modificación estructural.* Madrid. 2004.

CONDE TEJÓN, A., «Procedimiento aplicable a la cesión global de activo y pasivo y efectos», *Modificaciones estructurales de las sociedades mercantiles,* Madrid, 2009.

CONTRERAS DE LA ROSA, I., «Cesión global de activo y pasivo. Aspectos contractuales y societarios», *Revista de Derecho de Sociedades,* núm. 41, 2014.

GONZÁLEZ MENESES, M., «La cesión global de activo y pasivo como ilusión jurídica colectiva, o de cómo el Título IV de la Ley 3/2009 vulnera la tercera directiva», *El notario del siglo XXI,* nº 28, 2009.

NOVAL PATO, J., *La cesión global de activo y pasivo en las sociedades de capital.* Madrid. 2003.

VIDAGANY PELÁEZ, J. M., «La cesión global de activo y pasivo en las sociedades de capital», *Noticias jurídicas*, 2012.

# 26. Modificaciones estructurales y concurso de acreedores: especial referencia a los contratos del sector público

**VICENTE GOZALO LÓPEZ**

*Profesor contratado Doctor de Derecho Mercantil*
*Universidad de Cantabria*
*Acreditado a Profesor Titular*

## I. MODIFICACIONES ESTRUCTURALES Y CONCURSO DE ACREEDORES

### 1. Planteamiento general

Uno de los problemas con el que se encuentra el operador al aplicar la Ley concursal es el escaso interés que ha dedicado el legislador para integrar sus principios y reglas en instituciones y categorías jurídicas de otros sectores del ordenamiento jurídico.

Es un problema habitual en numerosos sectores a la vista del desarrollo legal y jurisprudencial, que encuentra un claro ejemplo en la escasa coordinación que presentan nuestras normas societarias y concursales (v. gr. enajenación de acciones o participaciones sociales en el concurso, funcionamiento de la junta general, depósito de cuentas, liquidación societaria en situación de insolvencia, etc.), y, en particular, la coordinación de las modificaciones estructurales con el concurso de acreedores, sobre todo cuando las sociedades concursadas son también prestatarias de servicios públicos.

Sobre la cuestión inciden tres sectores del ordenamiento que responden a principios y reglas escasamente armonizadas, aun cuando en la práctica sean muy numerosas las situaciones en las que sociedades carentes de viabilidad empresarial escinden su cartera de servicios públicos con los inmuebles afectos a dicha actividad.

El análisis de las modificaciones estructurales de sociedades prestadoras de servicios públicos realizadas en situaciones concursales exige de la interpretación y aplicación conjunta no ya de dos textos legales (Ley 3/2009, de 3 de abril, sobre modificaciones estructurales de las sociedades mercantiles —LME— y Ley 22/2003, de 9 de julio, Concursal —LC—), lo que ya de por sí resulta complicado[1], sino de tres normas de compleja armonización (LME, LC y Real Decreto Legislativo 3/2011, de 14 de noviembre, por el que se aprueba el texto refundido de la Ley de Contratos del Sector Público —TRLCSP—).

La LME sólo contiene una referencia al concurso de acreedores para prohibir el traslado del domicilio al extranjero. De igual modo, la LC no contiene tampoco referencias a las modificaciones estructurales, mientras que únicamente se refiere a los contratos de servicios públicos en relación con la calificación de los créditos derivados de su resolución. Por último, el TRLCSP dedica una atención muy singular a las situaciones concursales para tratar su incidencia en la capacidad para contratar, como causa de resolución o en relación con los requisitos para la cesión del contrato, al tiempo que se refiere a la sucesión de empresa contratista mediante las operaciones de escisión, pero sin determinar los efectos que el concurso de la sociedad principal o de las sociedades escindidas puedan tener en relación con el contrato público.

Es más, junto a esa «*insuficiencia normativa*», la estructura que diseña la LC para las acciones de reintegración[2], articulada sobre los contratos sinalagmáticos, dista notablemente de la naturaleza jurídica de la modificación estructural, por lo que los efectos derivados de su reintegración son disimiles a los que tradicionalmente se derivarían de una relación sinalagmática clásica.

---

[1]   GARCÍA VILLARRUBIA, M., «A vueltas con las acciones de reintegración concursal. ¿Es posible rescindir una modificación estructural traslativa?», en http://www. uria.com/es/publicaciones/articulos-juridicos.html?id=3946&pub=Publicacion& tipo.

[2]   Resulta pacífico afirmar que la Ley Concursal establece una configuración esencialmente objetiva de las acciones rescisorias sobre la consideración de un perjuicio a la masa activa y de un criterio temporal delimitado por los dos años anteriores a la fecha de declaración de concurso.

Se trata, en todo caso, de instrumentos jurídicos (modificaciones estructurales y concurso de acreedores) autónomos, con finalidades específicas y diferentes, pero también compatibles. Por un lado, el concurso de acreedores es el instrumento previsto por la LC para asegurar el cumplimiento de las exigencias del principio de la *par condicio creditorum* en las situaciones de insolvencia a través de diferentes técnicas de realización empresarial (reorganización, transmisión o liquidación). En cambio, las modificaciones estructurales son operaciones de reestructuración societaria que, yendo más allá de las simples modificaciones estatutarias, afectan a la estructura patrimonial o personal de la sociedad, integrándola y dividiéndola patrimonialmente (constitución, transmisión y adquisición de unidades productivas).

Son operaciones que en la práctica vienen siendo utilizadas como instrumentos para afrontar situaciones de crisis empresarial, soslayando a la propia declaración de concurso, o al menos evitando dicha declaración sobre unidades productivas que, individualmente consideradas, resulten solventes. De hecho, nada impide su utilización en el propio concurso de acreedores[3].

Se trata, en consecuencia, de funciones compatibles con el concurso de acreedores. Ahora bien, la escasa armonización legal que presentan las modificaciones estructurales con el concurso, pueden provocar que las primeras incidan negativamente en el segundo, por cuanto que pueden servir como vehículo para el vaciamiento patrimonial de una sociedad en situación de insolvencia.

## 2. *Estado de la cuestión*

A la vista de los antecedentes, se echa de menos una completa regulación de las interacciones que se producen entre el concurso y, sobre todo, sus instrumentos de reintegración concursal, y las modificaciones estructurales que comportan una alteración patrimonial. Con ello se evitarían las situaciones que se vienen produciendo en la actualidad, en las que la

---

[3]  FERNÁNDEZ SEIJO, J. M., «Los posibles escenarios concursales de la Ley de Modificaciones Estructurales de las Sociedades Mercantiles», en http://www.elderecho.com/mercantil/Ley-Modificaciones-Estructurales-Sociedades-Mercantiles_11_184555009.html.

doctrina se encuentra dividida en sus posiciones[4], y las Sentencias que se van dictando por los Tribunales vienen resultando en muchos casos contradictorias[5], generando un grave problema de seguridad jurídica en relación con la incidencia de la declaración de concurso sobre las modificaciones estructurales ejecutadas durante el llamado «período sospechoso del concurso»[6] y sus efectos sobre los contratos públicos.

---

[4]   A favor de la rescindibilidad de las operaciones de modificación estructural, entre otros, ROJO, A./ BELTRÁN SÁNCHEZ, E., «Las modificaciones estructurales y el concurso de acreedores», en Anales de la Academia Matritense del Notariado, nº 50, 2011, págs. 159-183), LEÓN SÁNCHEZ, F. J., La reintegración de la masa: Congreso de Antequera. IV Congreso Español de derecho de la insolvencia. VII Congreso de derecho mercantil y concursal de Andalucía, 19 a 21 de abril de 2012 / Beltrán (dir.), 2012, ISBN 978-84-470-4016-2, págs. 181-198; ID., «La reestructuración empresarial como solución de la insolvencia», en Anuario de Derecho Concursal, 2013, (Aranzadi Insignis, BIB 2013/1716, págs. 1-26; LEÓN SÁNCHEZ, F. J. y RODRÍGUEZ SÁNCHEZ, S., «La rescisión de las operaciones societarias y la rescisión de la escisión», en Estudios del Derecho del Comercio Internacional, Homenaje a Juan Manuel Gómez Porrúa, JIMÉNEZ SÁNCHEZ, G./DÍAZ MORENO, A., Sevilla, 2013. En contra de dicha rescindibilidad, entre otros, CERDÁ ALBERO, F., «Modificaciones estructurales societarias y concurso de acreedores: acciones de impugnación y convenio concursal», en El Derecho Mercantil en el Umbral del Siglo XXI, VVAA, Madrid, 2010; Id. «Rescisión concursal y modificaciones estructurales traslativas», pág. 1-45; SÁNCHEZ-CALERO GUILARTE, J./FERNÁNDEZ TORRES, I., «Fusiones apalancadas, asistencia financiera y concurso (oportunidad y acierto del artículo 35 LME)», en Revista de Derecho Concursal y Paraconcursal, nº 14, 2011/GONZÁLEZ NAVARRO, B., «La rescisión de las modificaciones estructurales societarias», en La Reintegración de la Masa, Congreso de Antequera, IV Congreso Español de Derecho de la Insolvencia, VII Congreso de Derecho Mercantil y Concursal de Andalucía 19 a 21 de abril de 2012.

[5]   En contra de que una modificación estructural pueda ser objeto de impugnación por la vía del art. 71 LC por prohibición legal del art. 47 LME, entre otras, la Sentencia de la Audiencia Provincial de Zaragoza de 19/4/2013 *(Tol 3864268)*, la Sentencia del Juzgado de lo Mercantil nº 1 de A Coruña de 6/3/2014 *(Tol 4154789)* y la Sentencia del Juzgado de lo Mercantil de Vitoria de 20/4/2016 *(Tol 5758761)*. A favor, entre otras, la Sentencia de la Audiencia Provincial de Las Palmas de 29/10/2013 *(Tol 4037236)*, que revoca la Sentencia del Juzgado de lo Mercantil número 2 de las Palmas de 12/12/2011, y cuyo Recurso de Casación fue inadmitido por Auto del Tribunal Supremo de 11 de noviembre de 2014 *(Tol 4648701)*, sobre la base de que la ley concursal es ley especial y que la misma tiene justamente acto que en origen es válido pero que deviene ineficaz por circunstancias posteriores.

[6]   Las dudas en la jurisprudencia parece que han quedado resueltas a favor de la inatacabilidad de las operaciones de modificación estructural en la Sentencia del Tribunal Supremo de 21 de noviembre de 2016, STS 5136/2016 *(Tol 5899777)*.

La modificación estructural puede estar culminada a la fecha de la declaración de concurso, lo que suscita algunas cuestiones importantes, particularmente cuando antes de que transcurran dos años desde su realización es declarada en concurso de acreedores alguna de las sociedades participantes[7]. Así, por ejemplo, la relativa a la impugnación de la operación que, en caso de nulidad, podrá realizar la administración concursal; o también la posibilidad de ejercitar una acción rescisoria concursal frente a la modificación estructural realizada dentro de los dos años anteriores a la declaración de concurso (art. 71 LC), lo que tendría sentido en los casos de concurso de la sociedad que se escindió parcialmente, pero no en aquellos otros de segregación o de cesión global con contraprestación para la propia sociedad preexistente y concursada, y que exigiría, claro está, de la concurrencia del perjuicio, es decir, de la falta de equilibrio en las prestaciones, o, en fin, la posibilidad de que sean consideradas personas afectadas por la calificación administradores de sociedades ya extinguidas[8].

Los problemas, en cambio, no se plantean con la misma incidencia cuando la modificación estructural esté aún pendiente al tiempo de la declaración de concurso. El concurso puede, e incluso debe, tener lugar, aunque la sociedad esté participando en un proceso de modificación estructural. Cuando eso suceda, hay que valorar los efectos que la declaración —e incluso la solicitud— de concurso de una de las sociedades participantes produce sobre las demás. Hay que considerar que la formación de las masas activa y pasiva constituyen «importantes modificaciones del activo o del pasivo», de modo que se activa el doble deber de información exigido en el artículo 39.3 LME. Además, la solicitud de declaración de concurso y, por supuesto, su declaración judicial constituyen justa causa para la resolución del proyecto de fusión/escisión por parte de cualquiera de las otras sociedades participantes[9], por lo que será la Administración concursal de la sociedad en situación de concurso la que habrá de determinar el interés del concurso a la continuación de la operación estructural.

---

[7]   CERDÁ ALBERO, F., «Rescisión concursal y modificaciones estructurales traslativas», *cit.*, págs. 16-18, sintetiza los diferentes supuestos en los que la escisión plantea más problemas de interacción con las situaciones concursales.

[8]   Cfr. ROJO, A./ BELTRÁN SÁNCHEZ, E., «Las modificaciones estructurales y el concurso de acreedores», *cit.*, págs. 166-168.

[9]   ROJO, A./ BELTRÁN SÁNCHEZ, E., «Las modificaciones estructurales y el concurso de acreedores», *cit.*, págs. 168-169.

## II. ESCISIÓN Y LA REINTEGRACIÓN CONCURSAL

### 1. *Planteamiento general*

Nuestro punto de partida para el análisis de las modificaciones estructurales en un estado previo al concurso de acreedores, es la consideración de que la operación realizada en la futura concursada es una escisión parcial, por ser la más habitual en dicha situación[10].

La escisión aparece definida en el art. 70 de la LME como el traspaso en bloque por sucesión universal de una o varias partes del patrimonio de una sociedad, cada una de las cuales forma una unidad económica, a una o varias sociedades de nueva creación o ya existentes, recibiendo los socios de la sociedad que se escinde un número de acciones, participaciones o cuotas sociales de las sociedades beneficiarias de la escisión proporcional a su respectiva participación en la sociedad y reduciendo ésta el capital social en la cuantía necesaria.

La escisión parcial conforma, por tanto, una operación societaria cuya ejecución tiene lugar mediante un procedimiento contemplado legalmente, que comienza con el Proyecto de escisión y finaliza con la inscripción del acuerdo social en el Registro mercantil[11], del que derivan sus efectos constitutivos[12].

---

[10]  Cuando la LME habla de operaciones estructurales incluye más operaciones que la escisión parcial. No obstante, los efectos que las demás operaciones producen sobre la sociedad concursada suelen ser neutras para el concurso. Y ello ya sea porque la transformación no afecta a la responsabilidad anterior de los socios o porque tratándose de una segregación es la propia sociedad segregada quien recibe a cambio las acciones, participaciones o cuotas de las sociedades beneficiarias (nótese que la diferencia con la escisión parcial estriba en que las acciones de la sociedad beneficiaria las reciben no los socios sino la propia sociedad que se escinde), razón por la cual la operación resulta, en términos patrimoniales, neutra para el concurso; es más, incluso podría tratarse de una operación beneficiosa para el mismo, por cuanto que va a proteger los eventuales activos que tuviera la sociedad declarada en concurso (v. gr. contrato de prestación de servicios públicos que podría ser resuelto por la Administración contratante en el supuesto de que los mismos se encontrarán en la sociedad concursada).

[11]  La estructura y naturaleza de la escisión guarda muchas similitudes con la fusión. Por esa razón la LME se remite con carácter general a las normas reguladoras de la fusión reseñando únicamente algunas excepciones o especialidades propias de la escisión. Estas particularidades se refieren al proyecto de escisión, a los informes de administradores y expertos y a los requisitos de publicidad entre otros aspectos. Al igual que en caso de fusión la operación se inicia con la elabo-

## 2. *Escisión y rescisión tras la reciente Sentencia de 21 de noviembre de 2016 (Tol 5899777)*

### 2.1. La «inaplicabilidad» de las acciones rescisorias concursales a la escisión

En esta situación de opiniones doctrinales polarizadas entre quienes admiten la rescisión de las modificaciones estructurales y quienes la niegan,

---

ración de un proyecto de escisión. Este proyecto que es sustancialmente idéntico al de fusión debe incluir, además de las menciones ya analizadas con ocasión de la fusión, otras dos menciones adicionales y especiales para el caso de escisión: a) la designación y, en su caso, el reparto preciso de los elementos del activo y del pasivo que han de transmitirse a las sociedades beneficiarias b) el reparto entre los socios de la sociedad escindida de las acciones, participaciones o cuotas que les correspondan en el capital de las sociedades beneficiarias, así como el criterio en que se funda ese reparto. No procederá esta mención en los casos de segregación puesto que en ese caso será la sociedad segregante la que adquiere la totalidad de las acciones de las beneficiarias. El proyecto de escisión deberá ser informado por los administradores de las sociedades participantes en la escisión y cuando las sociedades participantes en la escisión sean anónimas o comanditarias por acciones el proyecto deberá someterse además al informe de uno o varios expertos independientes designados por el registrador mercantil del domicilio de una de las sociedades. Este informe comprenderá, entre otros aspectos, la valoración del patrimonio no dinerario que se transmita a cada sociedad (ha de señalarse que este informe de los expertos no será necesario cuando así lo acuerden la totalidad de los socios con derecho a voto de cada una de las sociedades que participan en la escisión). Por lo demás, será necesaria la adopción del correspondiente acuerdo de escisión por parte de cada una de las juntas generales conforme a las normas que rijan sus respectivos tipos sociales.

12  Establece el artículo 46 LME, aplicable a la escisión en virtud de la remisión del art. 73 del mismo texto legal, que su eficacia tiene lugar con la inscripción de la nueva sociedad en el Registro mercantil. Ahora bien, aunque se trate de una operación societaria cuya ejecución se deja en manos de los socios, la LME se preocupa también por la protección de los acreedores, a los que se atribuye un derecho de oposición y, en segundo término, a través de la responsabilidad solidaria del resto de las sociedades participantes en la operación, y en última instancia a la propia sociedad que se escinde. Esta regla tiene, no obstante, un límite y es que la responsabilidad solidaria del resto de las sociedades únicamente alcanza hasta el importe del activo neto atribuido en la escisión a cada una de ellas. Se trata, además, de normas que se completan con la recogida en el artículo 75 LME en cuya virtud la atribución de los elementos del pasivo cuyo destino no se haya especificado en el proyecto de escisión y no se pueda deducir de la interpretación de aquel, se hará de forma proporcional entre las sociedades beneficiarias de la escisión (esta norma rige también para la atribución de los elementos del activo si bien este supuesto no guarda relación con la tutela de los acreedores).

y de una doctrina jurisprudencial menor cambiante, el Tribunal Supremo ha venido a expresar su doctrina a través de la Sentencia de 21 de noviembre de 2016, STS 5136/2016 *(Tol 5899777)*, favorable a excluir la rescisión de las operaciones estructurales al margen de lo dispuesto en la propia LME, limitando la protección de los acreedores a la vía resarcitoria.

La Sentencia, de la que ha sido ponente Sancho Gargallo, resuelve un Recurso de casación derivado del ejercicio de una acción de reintegración prevista en el artículo 71 LC ante el Juzgado de lo Mercantil número 1 de A Coruña, en la que se reclamaba la reintegración de varios inmuebles transmitidos en el marco de la ejecución de una escisión parcial. En ella, al margen de argumentar la exclusión de la reintegración en relación con las operaciones estructurales, analiza también la naturaleza jurídica de la escisión y su condición inescindible, a efectos de reintegración, con la ejecución de operaciones singulares de transmisión de activos incluidos en el perímetro de la escisión.

Para el Tribunal Supremo, lo que también resulta pacífico en la doctrina, la acción de reintegración concursal tiene naturaleza rescisoria y sus efectos son la ineficacia funcional del acto impugnado, lo que presupone que el mismo es válido, pero que puede impugnarse en base a sus efectos perjudiciales para el concurso. En atención a dicha naturaleza, entiende que resulta posible impugnar tanto un contrato sinalagmático, cuya estimación traerá consigo la restitución recíproca de las prestaciones realizadas, como el pago o cumplimiento de una de las obligaciones generadas por dicho contrato (STS 629/2012, de 26 de octubre de 2.102). Se trata, sin embargo, de una posibilidad que puede darse únicamente cuando sea posible diferenciar entre dichos actos, lo que no resulta posible en el caso de la escisión y la transmisión de los activos integrados en su perímetro desde la sociedad escindida a la beneficiaria, puesto que dicha transmisión singular no es un acto posterior o distinto de la propia escisión. Que la transmisión de un activo requiera del cumplimiento de determinadas reglas singulares, no determina que dicha transmisión sea diferente de la escisión concursal, razón por la cual la ineficacia funcional debe predicarse de la totalidad del negocio jurídico y no parcialmente de los actos singulares de formalización, que no de ejecución, del negocio traslativo del bien concreto sobre el que se proyecta la modificación estructural.

Pese a todo, la cuestión central de la citada Sentencia se encuentra en la determinación de la posibilidad de impugnar por vía rescisoria concursal una modificación estructural ejecutada durante el período sospechoso, concluyendo a este respecto que la *«escisión parcial está excluida de los actos de disposición susceptibles de rescisión concursal»*.

El argumento del Tribunal Supremo se centra en el efecto sanatorio de la inscripción registral en virtud de la aplicación de lo dispuesto en el artículo 47 LME, que limita su impugnación al plazo de tres meses, siempre que se hubiera respetado el procedimiento previsto en la LME para su validez. Como dice el TS, la nulidad solo podrá fundarse en la infracción de las normas legales para la realización de cada concreta modificación estructural, y además debe ejercitarse en un breve lapso de tiempo, pues está sujeta a un plazo de caducidad de tres meses, contados desde que la fusión fuera oponible a quien invoca la nulidad, que cuando menos coincidirá con la publicidad registral derivada de la inscripción. Evidentes razones de seguridad jurídica son las que justifican este restrictivo régimen legal de impugnaciones[13], que deja a salvo el derecho de los socios y de los terceros al resarcimiento de daños y prejuicios. Se trata de garantizar que tras los tres meses de su inscripción, no pueda instarse la ineficacia de una modificación estructural traslativa. Esta previsión afecta a cualquier acción que pretenda la ineficacia de la modificación estructural, no sólo la nulidad, sino también la rescisión concursal, que, como hemos expuesto, legalmente conlleva la nulidad del acto objeto de rescisión (art. 73.1 LC). De hecho, el art. 47.1 LME emplea el término «impugnación», que es más amplio que el de nulidad, para abarcar cualquier acción que pretenda la ineficacia de la de la modificación estructural una vez inscrita en el Registro Mercantil.

A nuestro entender, sin embargo, los argumentos de *seguridad jurídica* y, en particular, la complejidad de retroceder todos los negocios y actos que hubieran realizado las sociedades resultantes de la modificación estructural, parecen insuficientes para justificar la exclusión de la rescisión concursal de las escisiones societarias. Además, tampoco puede olvidarse que la norma dispuesta por el artículo 47 LME, en cuanto que restringe la impugnación de modificaciones estructurales está pensada desde una

---

[13]   Los autores contrarios a la rescisión concursal de las modificaciones estructurales (entre otros, GONZÁLEZ NAVARRO, B., «La rescisión de las modificaciones estructurales societarias», pág. 205) coinciden en afirmar «la inviabilidad real de hacer frente a las consecuencias restitutorias que llevaría consigo el éxito de la rescisión. Incluso puede afirmarse que se trata del argumento realmente decisivo para el Tribunal Supremo en orden a la formación del razonamiento que subyace a la Sentencia. Ahora bien, las dificultades derivadas de la aplicación del sistema de la reintegración concursal a las modificaciones estructurales traslativas, no pueden configurarse como el factor determinante de la opción elegida.

estricta perspectiva exclusivamente societaria[14]. La cuestión estriba, por tanto, en determinar el alcance que debe darse a la «*eficacia constitutiva*» de la inscripción registral y a la limitación de la impugnación de la escisión al plazo de tres meses desde su inscripción.

Dispone el artículo 47. 1 de la LME (aplicable también a la escisión en virtud de la remisión que efectúa el artículo 73 LME) que ninguna fusión podrá ser impugnada tras su inscripción siempre que se haya realizado de conformidad con las previsiones de esta Ley. Quedan a salvo, en su caso, los derechos de los socios y de terceros al resarcimiento de los daños y perjuicios causados. Añade el número 2 del mismo artículo 47 LME que el plazo para el ejercicio de la acción de impugnación caduca a los tres meses, contados desde la fecha en que la fusión fuera oponible a quien invoca la nulidad, esto es, contados desde su inscripción registral.

Como hemos visto, la jurisprudencia menor ha venido estando también dividida en relación con esta cuestión. De un lado, aquellas Sentencias (entre otras, Sentencia del Juzgado de lo Mercantil número 1 de la Coruña de 6 de marzo de 2014, *(Tol 4154789)*, que, anticipando el tenor de la Sentencia del Tribunal Supremo, han venido entendiendo que «el artículo 47.1 puede entenderse como norma que asigna eficacia convalidante a la inscripción registral, esto es, sanadora de posibles defectos que pudieran afectar a la validez de la modificación estructural o a la de alguno de los acuerdos, negocios o instrumentos que culminaron en la inscripción, y así entendida es claro que no podrá impedir el ejercicio de acciones de reintegración concursal que, por ser rescisorias, presuponen precisamente la validez del negocio atacado, y por basarse en la idea de perjuicio objetivo a la masa activa de un concurso imponen un análisis del todo ajeno a la regularidad formal de la operación y, por supuesto, a la intención fraudulenta. Pero si el precepto se entiende con más amplio alcance, es decir, si se interpreta que lo que la norma hace es vedar, por razones de seguridad jurídica, cualquier acción impugnatoria posterior a la inscripción registral (salvo la de nulidad que regula en n°. 2 del artículo 47 y para la que establece un plazo de caducidad de tres meses), la escisión quedaría a salvo de las rescisorias comunes del Código civil y de la reintegradora concursal».

De otro lado, aquellas otras como la Sentencia del Juzgado de lo Mercantil de Vitoria de 20 de abril de 2016 *(Tol 5758761)*, que recogiendo la

---

[14]   RECALDE, A., «La rescisión concursal no se aplica a las escisiones inscritas en el Registro Mercantil. Post jurídico», en https://cms.law/es/ESP/Publication/La-rescision-concursal-no-se-aplica-a-las-escisiones-inscritas-en-el-Registro-Mercantil.

«Sentencia de la Audiencia Provincial de Las Palmas de 29 de octubre de 2013 *(Tol 4037236)*, que revoca la SJM de 12/12/2011 sobre la base de que la ley concursal es ley especial y que la misma tiene justamente por objeto rescindir un acto que en origen es válido pero que deviene ineficaz por circunstancias posteriores», considera natural compartir el criterio de la AP de Las Palmas de Gran Canaria, cuyos argumentos me parecen intachables e irrefutables y en cambio encuentro respuesta para las objeciones que oponen quienes consideran inatacable la escisión. Otra cosa será la dificultad en justificar y encontrar argumentos para hallar el perjuicio patrimonial en operaciones de escisión como la que tratamos y que expone de forma brillante la Sentencia del Juzgado de lo Mercantil nº 1 de A Coruña de 6 de marzo de 2014 *(Tol 4154789)*, o el vértigo que genera la complejidad y trascendencia de las consecuencias que su rescisión acarrearía, que al amparo de la seguridad jurídica también resulta defendible. Se trata de plantearnos si el art. 47 LME puede ser regulación suficiente para en un escenario de concurso de acreedores y sin que la Ley Concursal nada diga al respecto, vedar el ejercicio de acciones de rescisión cuando, por propia configuración, se trata de acciones que atacan actos jurídicos que en un escenario no concursal no serían atacables.

Puede suscribirse con el tenor literal del magistrado de Vitoria el hecho de que la Ley concursal se cuida de establecer los supuestos en los que no cabe de ningún modo la acción de rescisión (art. 71.5 LC) y los supuestos de rescisión limitada (legitimación y motivos) como es el caso de los acuerdos de refinanciación del art. 71 bis LC, sin que haga referencia alguna a las modificaciones estructurales, lo que ya de por sí sería suficiente para admitir la rescisión de las mismas. Incluso aceptando, como hace la referida Sentencia, que la LME acogió el criterio alemán y el italiano y el previsto en el reglamento europeo de operaciones transfronterizas de blindar las modificaciones estructurales una vez inscritas en el Registro Mercantil y aceptando que la LC y la LME son dos normas descoordinadas, no resulta posible para el Juez vetar la aplicación de la normativa propia de la LC, estableciendo la «inatacabilidad» de las operaciones de escisión prevista en el artículo 47 LME.

En realidad, y como ya hemos anticipado, las normas de protección de los acreedores en la escisión (derecho de oposición) y las rescisorias concursales no confluyen en un mismo plano, por cuanto que la finalidad perseguida con ambas normas no es idéntica; así, mientras que con el derecho de oposición se persigue la protección de los acreedores individuales frente a la operación estructural, en la rescisión se persigue la protección de la masa activa frente a los eventuales perjuicios que una operación del

concursado pueda deparar. La escisión, como modificación estructural societaria, presupone una situación de solvencia, mientras que la rescisión
concursal parte, por su propia definición, de una previa situación de insolvencia y, por lo tanto, de una potencial alteración de la *par conditio cre-*
*ditorum*, proyectándose el perjuicio sobre la globalidad de los acreedores,
y no únicamente sobre los que lo fueran al momento de la escisión (y no
tuvieran su crédito vencido), que no habrían tenido oportunidad alguna
de proteger sus derechos a través de la oposición a la escisión. Entender
que estos acreedores (posteriores o vencidos) no son dignos de tutela es
tanto como entender que en un supuesto ordinario de rescisión (v. gr.
disposición de un bien a título gratuito ejecutada cuando la sociedad ya
era insolvente), los acreedores posteriores a dicha operación rescindida no
tendrían derecho a satisfacer sus créditos con el resultante de dicha reintegración, por cuanto que los mismos no pudieron contar con la garantía
patrimonial de dichos bienes al momento de su nacimiento.

Al contrario, un acto resulta impugnable en tanto en cuanto causa perjuicio a la masa activa del concurso, sin que necesariamente cause perjuicio
a quienes eran acreedores de la escindida o las sociedades beneficiarias en
el momento de la escisión sino a cualesquiera acreedores integrados en la
masa pasiva del concurso.

Además, y como ya ha reseñado la doctrina[15], ha de tenerse en cuenta que, en el Derecho español, la responsabilidad por deudas ajenas de
las entidades participantes en una escisión parcial se establece de arriba a
abajo (la sociedad escindida responde de las obligaciones asumidas por las
beneficiarias), o en un mismo plano (las distintas sociedades beneficiarias
responden entre sí hasta el importe del activo neto atribuido en la escisión
a cada una de ellas), de conformidad con lo dispuesto en el artículo 80
LME, pero no prevé, como en otros países, una responsabilidad que actúe
de abajo a arriba, esto es, haciendo responder a la beneficiaria por las deudas de la sociedad escindida, al menos hasta el límite del neto patrimonial.

## 2.2. La protección de los acreedores en la escisión preconcursal: la respon-
sabilidad por el neto patrimonial

Excluida por el Tribunal Supremo la posibilidad de aplicar los mecanismos de la rescisión concursal a las modificaciones estructurales realizadas durante el período sospechoso, deben buscarse instrumentos que

---

[15]   RECALDE, A., *op. cit.*, *passim*.

permitan la salvaguarda de los derechos de los terceros de buena frente a la escisión.

Consciente de esta necesidad, el propio Tribunal Supremo, después de declarar la inimpugnabilidad de una fusión, escisión o de cualquier otra modificación estructural traslativa, una vez inscrita en el Registro mercantil, establece la necesidad de dejar a salvo los derechos de los socios y de los terceros al resarcimiento de los daños y perjuicios causados, todo ello de conformidad con la doctrina afirmada entre otras, en sus Sentencias de 27 de enero de 2006 [Sentencia 12/2006 *(Tol 820943)*], o en la Sentencia de 9 de octubre de 2008 [Sentencia 873/2008 *(Tol 1389672)*] y la Sentencia de 3 de enero de 2013 [Sentencia 796/2012 *(Tol 3054558)*]. Y ello en la medida en que la exclusión prevista en el artículo 47.1 LME afecta a las acciones por las que se pretende su ineficacia, pero no impide otros remedios que permitan salvaguardar los derechos de los socios o, en su caso, de determinados acreedores que hubieran sido ilícitamente soslayados. En concreto, el alto Tribunal entiende que la protección de dichos acreedores pasa por el ejercicio de la acción pauliana o por la aplicación de la doctrina del levantamiento del velo, pero obvia las dificultades probatorias que lleva aparejado su ejercicio y el hecho de que la técnica del levantamiento del velo se conforma como un mecanismo excepcional, contrario en muchos supuestos a los más elementales principios y requisitos de seguridad jurídica.

La Sentencia, no obstante, no se agota en dichos términos, por cuanto que, junto a dichos mecanismos, el alto Tribunal da también entrada a otra posibilidad, cuya exploración podría resultar un *tertium genus* en la dialéctica tradicional relativa a la admisibilidad de la acción rescisoria concursal. La mención contenida en el artículo 47.1 LME relativa a la inimpugnabilidad de la fusión/escisión inscrita en el Registro mercantil afecta únicamente a las acciones que conlleven la ineficacia de la operación, salvo la nulidad basada en el incumplimiento de los requisitos legales. Se trata de una limitación que afecta a las acciones por las que se pretende la ineficacia, pero no impide otros remedios que permitan salvaguardar los derechos de los socios o de terceros que hubieran sido ilícitamente defraudados.

Es una solución que, además, permitiría la protección de aquellos acreedores que contaban con la garantía patrimonial de los activos escindidos al momento de su nacimiento y que, por lo tanto, podían confiar legítimamente en la solvencia del deudor integrada por todos sus activos. La situación de estos acreedores es muy diferente a la de aquellos otros nacidos con posterioridad a la escisión, por cuanto que éstos nunca pudieron tener en cuenta el neto patrimonial escindido como elemento de garantía que justificase su comportamiento. No se trata de configurar una nueva categoría de acreedores en el concurso de acreedores, sino de delimitar correctamente las masas a los efectos de su satisfacción. Si el acreedor contaba con una garantía patrimonial al momento de su nacimiento, parece acertado limitar las posibilidades de que la misma pueda ser reducida a través de una modificación estructural, y no ya porque la misma sea ineficaz, sino porque con la misma no se puede perjudicar la situación de los acreedores que lo eran al tiempo de su ejecución.

A nuestro juicio, parece natural entender que el *fraude o sacrificio patrimonial injustificado* a los citados acreedores se integraría no por la escisión en sí, que, en principio y al arrastrar los activos y pasivos que conforman una unidad económica dotada de autonomía patrimonial, no puede causar perjuicio alguno a la masa, sino por *el neto patrimonial* que la escisión arrastra en la mayor parte de los supuestos en los que se efectúa. Coincidimos, por lo tanto, con la Sentencia del Juzgado de lo Mercantil nº 1 de A Coruña de 6 de marzo de 2014 *(Tol 4154789)* en que una operación estructural con desplazamiento patrimonial debe ser necesariamente entendida como una operación onerosa propia del contrato social de carácter no sinalagmático. Ahora bien, dicha configuración no puede tampoco llevarnos a desconocer que la justificación del acto dispositivo radica en el carácter neutro de la operación, por lo que no justificaría la transmisión de un valor económico equivalente al del neto patrimonial escindido, ni tan siquiera sería posible identificarlo con una reducción del pasivo no exigible de la compañía escindida, incluida, en la medida necesaria, la cifra del capital social.

La inatacabilidad de la escisión ex artículo 47.1 LME *protege* y *justifica* la operación estructural en cuanto que la misma sea *neutra*, esto es, en tanto en cuanto coincidan activo y pasivo, o en tanto en cuanto sea la propia sociedad que se escinde la que recibe las participaciones sociales, cuotas o acciones de las sociedades beneficiarias en proporción a su respectiva participación en la sociedad escindica (segregación), pero no puede cubrir el neto patrimonial que arrastra la escisión, cuya justificación se encontraría únicamente en el hecho de que la operación, «*en cierto modo, anticipa o concreta virtualmente los derechos de los socios sobre el patrimonio neto de la sociedad*»; razón por la cual únicamente resulta justificable en situaciones *in bonis*. En otro caso, esto es, cuando la sociedad se encuentra en situación de concursal, la justificación de la escisión y su inatacabilidad vía artículo 71 LC únicamente se justificaría cuando la operación fuera en sí misma neutra, es decir, en cuanto el activo coincida con el pasivo. Si dichas cifras de activo y pasivo no coincidieran, lo que ocurrirá en la práctica totalidad de los supuestos, el neto patrimonial, esto es, la porción en la que el activo escindido supera al pasivo, deberá reintegrarse al concurso de acreedores de la sociedad matriz, por cuanto que el mismo supone en la práctica, al encontrarse la sociedad en situación de insolvencia, exigir a los acreedores existentes en la sociedad al momento de la escisión un *sacrificio patrimonial injustificado*, o dicho de otro modo, un *fraude* que el ordenamiento no puede justificar, y cuya existencia quedaría acreditada por la concurrencia de la propia situación de insolvencia de la sociedad que traspasa el neto patrimonial.

Se trataría, como dice el propio Tribunal Supremo en la Sentencia de 21 de noviembre de 2016 *(Tol 5899777)*, de una acción por la que *«se pretendería una compensación equivalente sólo a los créditos que hubieran sido, en su caso, ilícitamente defraudados con la escisión. Esto es, sin perjuicio de que se tratara de una acción colectiva ejercitada por la Administración concursal (artículos 71.6 y 72.1 LC) y que lo obtenido fuera a parar a la masa, el importe reclamado guardaría relación con los créditos que realmente hubieran sido ilícitamente defraudados, que necesariamente deberían ser anteriores a la escisión».*

De una acción que minoraría el neto patrimonial de la escisión, por cuanto que el mismo conforma, en el caso de encontrarse la sociedad en una situación de insolvencia, un fraude a la masa de acreedores cuyo crédito fuera actual al tiempo en el que los administradores y socios, perfectos conocedores de la situación económica, acuerdan llevar a cabo una escisión, en claro perjuicio a los acreedores actuales a dicho acuerdo de modificación estructural.

## II. ESCISIÓN, CONCURSO DE ACREEDORES Y CONTRATOS PÚBLICOS

Un supuesto muy habitual en la práctica, directamente vinculado con las modificaciones estructurales en situaciones de pre insolvencia, es aquel en el que el perímetro de la escisión incluye diferentes contratos públicos, normalmente de servicios, siendo la sociedad que se escinde declarada de forma sucesiva en situación de concurso. La particularidad de este supuesto viene dada por el interés público del contrato que se gestiona (v. gr. recogida de basuras, servicios de aguas, etc.) y la actuación de la entidad administrativa adjudicataria frente a dichas situaciones. Basta reseñar, a este respecto, que son muy numerosas las sociedades constructoras y promotoras que en los años de bonanza económica diversificaron su negocio, incluyendo en sus divisiones la gestión de contratos de servicios públicos que, siendo su explotación rentable, son arrastrados a la situación de concurso de acreedores por la evolución del negocio de las restantes divisiones (fundamentalmente obra y promoción civil), con la consiguiente pérdida patrimonial que la declaración de concurso supone para dichas divisiones y los problemas que conlleva la gestión del servicio desde una sociedad concursada.

El supuesto que aquí se plantea tiene su encuadre normativo en el artículo 85 del TRLCSP, que regula los supuestos de sucesión del contratista estableciendo lo siguiente:

«En los casos de fusión de empresas en los que participe la sociedad contratista, continuará el contrato vigente con la entidad absorbente o con la resultante de la fusión, que quedará subrogada en todos los derechos y obligaciones dimanantes del mismo. Igualmente, en los supuestos de escisión, aportación o transmisión de empresas o ramas de actividad de las mismas, continuará el contrato con la entidad a la que se atribuya el contrato, que quedará subrogada en los derechos y obligaciones dimanantes del mismo, siempre que tenga la solvencia exigida al acordarse la adjudicación o que las diversas sociedades beneficiarias de las mencionadas operaciones y, en caso de subsistir, la sociedad de la que provengan el patrimonio, empresas o ramas segregadas, se responsabilicen solidariamente con aquélla de la ejecución del contrato. Si no pudiese producirse la subrogación por no reunir la entidad a la que se atribuya el contrato las condiciones de solvencia necesarias se resolverá el contrato, considerándose a todos los efectos como un supuesto de resolución por culpa del adjudicatario».

Como puede observarse en virtud de lo señalado en dicho precepto, el contrato continuará con la sociedad beneficiaria asumiendo los derechos y obligaciones derivados del mismo, estableciéndose un sistema de condiciones alternativas para considerar operada la subrogación en los derechos y obligaciones en el contrato en caso de escisión de la sociedad adjudicataria: i) que la sociedad beneficiaria tenga la solvencia exigida al acordarse la adjudicación; ii) que la sociedad matriz se responsabilice solidariamente con aquella de la ejecución del contrato (supuesto en el que no se exige ningún requisito concreto a la sociedad beneficiaria). Debe insistirse en que dicho sistema presenta, según se desprende de la propia conjunción utilizada por el precepto («o»), una configuración alternativa, de tal forma que bastaría con la mera concurrencia de uno de los dos requisitos descritos para que opere automáticamente la subrogación de la sociedad beneficiaria.

Sentado lo anterior, y entrando a valorar la concurrencia de alguno de los dos requisitos antecitados, el contratista puede optar libremente por cualquiera de las dos alternativas, siendo que normalmente lo hará por la segunda, por cuanto que el proceso de clasificación en nuestro país no es automático, sobre todo a efectos de una sucesión universal en la prestación del servicio como ocurre en los supuestos de escisión; esto es, en la práctica lo habitual es que el contratista, a los efectos de justificar su solvencia, opte por la vía de responsabilizar solidariamente a la sociedad matriz de la ejecución del contrato (supuesto en el que no se exige ningún requisito concreto a la sociedad beneficiaria), lo que normalmente se concreta en un acta de manifestaciones de los administradores de la matriz (que devendrá insolvente en breve tiempo), en la que se responsabilizan solidariamente con la nueva sociedad nacida de la escisión en la ejecución del servicio, cumpliendo por tanto con una de las dos posibles vías establecidas por el precepto para que opere la subrogación en los derechos y obligaciones en el contrato a favor de la nueva sociedad beneficiaria. Y dado que en numerosas ocasiones la sociedad matriz será declarada en concurso de acreedores de forma inminente, conviene recordar que la solvencia exigida a la sociedad resultante para que opere la subrogación es la solvencia exigida al acordarse la adjudicación.

Por tanto, cumplidas las exigencias contempladas en el artículo 85 TRLCSP, no existe impedimento legal alguno para que opere la automática subrogación en el contrato de referencia en favor de la nueva sociedad beneficiaria, y ello aun cuando la sociedad matriz devenga insolvente en un plazo breve de tiempo. Dicho de otra forma, el órgano de contratación no puede entrar a valorar otras circunstancias al margen de las previstas en el artículo 85 TRLCSP, cuyo tenor literal es terminantemente claro al condicionar únicamente la subrogación automática en los derechos y obligaciones dimanantes del contrato en los supuestos de escisión de empresas, bien a la existencia de solvencia por parte de la sociedad beneficiaria, bien la declaración de responsabilidad solidaria de sociedad escindida y sociedad beneficiaria. Concurriendo cualquiera de los dos requisitos, la subrogación se produce automáticamente, sin que resulte posible que el órgano de contratación pueda denegar la sucesión en la posición de contratista de la sociedad escindida en función de *factores extranormativos* (existencia de deudas pendientes o situación de insolvencia inminente de la sociedad matriz) en ningún caso previstos en la norma y que constituirían meras cavilaciones, presunciones y suposiciones carentes de cobertura normativa alguna.

La subrogación derivada de la escisión de la sociedad adjudicataria prevista en el artículo 85 TRLCSP no se encuentra sujeta a autorización expresa (Informe 30/01, de 13 de noviembre de 2001 de la Junta Consultiva de Contratación Administrativa). En efecto, el precepto se diferencia de la necesidad de autorización en el supuesto de cesión de los contratos (artículo 226 TRLCSP) o en el supuesto especial de escisión de una sociedad adjudicataria de un contrato de concesión de obra pública, donde su art. 270.6 (a diferencia de la regla general del art. 85), sí exige autorización expresa del órgano de contratación. La Ley por tanto diferencia claramente aquellos supuestos en los que se exige autorización respecto de los que no concurre dicha necesidad, mencionado expresamente tal requisito únicamente cuando así lo exige.

En consecuencia, en el presente supuesto, la continuación en el contrato opera *ope legis*, sin perjuicio lógicamente de la presentación ante la Administración contratante, bien de la solvencia de la sociedad beneficiaria, bien la declaración de responsabilidad solidaria de sociedad escindida y sociedad beneficiaria. Así, pues, una vez acreditado que la sociedad escindida cumple con las exigencias contempladas por la normativa de aplicación, debe tomarse razón de la automática subrogación contractual operada.

## Bibliografía

CERDÁ ALBERO, F., «Modificaciones estructurales societarias y concurso de acreedores: acciones de impugnación y convenio concursal», en *El Derecho Mercantil en el Umbral del Siglo XXI*, VVAA, Madrid, 2010; Id. «Rescisión concursal y modificaciones estructurales traslativas», pág. 1-45.

FERNÁNDEZ SEIJO, J. M., «Los posibles escenarios concursales de la Ley de Modificaciones Estructurales de las Sociedades Mercantiles», en http://www.elderecho.com/mercantil/Ley-Modificaciones-Estructurales-Sociedades-Mercantiles_11_184555009.html.

GARCÍA VILLARRUBIA, M., «A vueltas con las acciones de reintegración concursal. ¿Es posible rescindir una modificación estructural traslativa?», en http://www.uria.com/es/publicaciones/articulos-juridicos.html?id=3946&pub=Publicacion&tipo.

GONZÁLEZ NAVARRO, B., «La rescisión de las modificaciones estructurales societarias», en *La Reintegración de la Masa, Congreso de Antequera, IV Congreso Español de Derecho de la Insolvencia, VII Congreso de Derecho Mercantil y Concursal de Andalucía 19 a 21 de abril de 2012*.

LEÓN SÁNCHEZ, F. J., «La reintegración de la masa», en *Congreso de Antequera. IV Congreso Español de derecho de la insolvencia. VII Congreso de derecho mercantil y concursal de Andalucía, 19 a 21 de abril de 2012*/Beltrán (dir.), 2012, ISBN 978-84-470-4016-2, págs. 181-198; ID., «La reestructuración empresarial como solución de la insolvencia», en Anuario de Derecho Concursal, 2013, (Aranzadi Insignis, BIB 2013/1716, págs. 1-26.

LEÓN SÁNCHEZ, F. J. y RODRÍGUEZ SÁNCHEZ, S., «La rescisión de las operaciones societarias y la rescisión de la escisión», en Estudios del Derecho del Comercio Internacional, Homenaje a Juan Manuel Gómez Porrúa, JIMÉNEZ SÁNCHEZ, G./DÍAZ MORENO, A., Sevilla, 2013.

RECALDE, A., «La rescisión concursal no se aplica a las escisiones inscritas en el Registro Mercantil. Post jurídico», en https://cms.law/es/ESP/Publication/La-rescision-concursal-no-se-aplica-a-las-escisiones-inscritas-en-el-Registro-Mercantil.

ROJO, A./ BELTRÁN SÁNCHEZ, E., «Las modificaciones estructurales y el concurso de acreedores», en *Anales de la Academia Matritense del Notariado*, n° 50, 2011, págs. 159-183).

SÁNCHEZ-CALERO GUILARTE, J./FERNÁNDEZ TORRES, I., «Fusiones apalancadas, asistencia financiera y concurso (oportunidad y acierto del artículo 35 LME)», en *Revista de Derecho Concursal y Paraconcursal*, n° 14, 2011.

# 27. *La transmisión de la empresa familiar*

JUAN CARLOS MARTÍN ROMERO

*Notario de Málaga*
*Profesor Colaborador Cátedra Derecho Mercantil*
*y Vocal de la Cátedra de Derecho Notarial de la UMA*

**Sumario:** I. INTRODUCCIÓN. II. LA PLANIFICACIÓN SUCESORIA. 1. El testamento y los wills substitute. 2. Pactos Sucesorios. 2.1. Situación de la prohibición de la sucesión contractual en el Derecho común español y en el Derecho Comparado. 2.2. Situación en los Derechos Forales. Breve apunte. 2.3. Situación en Derecho Común. Las reformas. III. EXAMEN DE LA CUESTIÓN DESDE UN PUNTO DE VISTA SOCIETARIO. IV. CONCLUSIÓN. Bibliografía.

## I. INTRODUCCIÓN

Tema clave de la política empresarial de la Comisión Europea, ha sido y es la transmisión de la empresa familiar. Este tema fue objeto de unas Recomendaciones en 1994 y hace veinte años tuvo lugar un Foro en Lille (Francia) los días 3 y 4 de febrero de 1997 sobre transmisión de empresas familiares, donde se pusieron de manifiesto la necesidad de adoptar una serie de medidas jurídicas, fiscales y financieras. Además de las financieras de las que se ha hecho eco el sistema tributario español y que son básicas a los efectos transmisivos, nos interesan sobre todo las medidas jurídicas entre las cuales se propusieron la transformación societaria, la posibilidad de una sociedad anónima simplificada, y la de la sociedad de un solo socio o sociedad unipersonal adoptada por la XIIª Directiva y que en España se admitió por la doctrina de la Dirección General de los Registros y del Notariado y por la ley de sociedades de responsabilidad limitada que no solo reguló la sociedad limitada unipersonal, originaria y sobrevenida sino que modificó la ley de sociedades de anónimas introduciendo también la anónima unipersonal, materia que cristalizó también en la sociedad limitada nueva empresa y que hoy regula la Ley de Sociedades de Capital.

También es de destacar la necesidad de establecer medias que aseguraran la mejora en la continuidad de la empresa familiar a través de la relevancia del principio de continuidad, la introducción del trust vigente en otros países y los denominados protocolo familiares y sus medidas de ejecución como son los estatutos sociales, las capitulaciones matrimoniales, el testamento y los pactos sucesorios, así como sus medidas de publicidad, hoy adoptadas en el derecho español a partir del RDL 171/2007 de 9 de febrero de «Publicidad de los Protocolo familiares» sin olvidar los pactos extraestatutarios o parasociales.

También hay que tener en cuenta la «Recomendación sobre la sucesión en las pequeñas y medianas empresas» realizada en 1998 por la Comisión Europea con la Comunicación n. 98/C93/02. Con la misma se invitan a los Estados Europeos, que todavía prohíben los pactos sucesorios, a introducir al menos, los pactos de empresa o instrumentos parecidos que reduzcan el impacto negativo de la prohibición de los pactos sucesorios sobre la transmisión de la riqueza empresarial.

También insiste en la mejora de la transmisión inter generacional de la empresa familiar el Dictamen del Comité Económico y Social de 17 de septiembre de 2015 estableciendo la necesidad de elaborar un plan de sucesión, tanto desde el punto vista de derecho sucesorio como de derecho societario, combinado con la necesidad de incentivos fiscales y aunque mucho se ha discutido tipológicamente sobre la necesidad o no de un tipo de sociedad familiar específico, idea desechada en España por la Comisión y la doctrina ha proclamado las bondades del tipo sociedad limitada. Efectivamente en España, en el año 2001, a instancia de una moción del Senado, se constituyó una Ponencia en el seno de la Comisión de Hacienda del Senado para que emitiera un Informe que recogiese aquellas materias que en la compleja realidad de la Empresa Familiar podría ser objeto de una regulación específica. En dicho Informe se propuso, entre otras conclusiones, las siguientes: (i) Recomendar que por parte de las Administraciones Públicas se adopten políticas de información y comunicación para el desarrollo y mejora de la gestión en las empresas familiares; (ii) Recomendar a las empresas familiares la formalización de un Protocolo familiar, al considerarlo el instrumento más adecuado para regular la problemática de las empresas familiares:

En definitiva, se han diagnosticado muchos problemas que afectan a la Empresa Familiar (delimitación del patrimonio empresarial y familiar; falta de profesionalización en la gestión e incorporación de los miembros de la familia; búsqueda de capital para crecer sin diluir el control familiar; existencia de conflictos por necesidad de liquidez, etc.) pero, sin duda, el mayor reto que se presenta es el de garantizar la continuidad y sucesión de la Empresa familiar. Sin embargo volviendo a la categoría tipológica hoy se destaca la necesidad de potenciar iniciativas legislativas en los Estados miembros para lograr introducir la categoría de empresa y sociedad familiar.

# II. LA PLANIFICACIÓN SUCESORIA

En cuanto a la planificación sucesoria esta puede ordenarse a través del testamento, los denominados will substitute o alternativas al mismo y a los que nos hemos referidos como una de las medidas de ejecución del protocolo familiar, los denominados pactos sucesorios.

## 1. El testamento y los wills substitute

El testamento plantea la problemática de las cláusulas captatorias en relación con las directrices del protocolo y sus características esenciales unipersonal, personalísimo, formal y esencialmente revocable. Todo ello sin perjuicio de las especialidades forales en sede de testamento mancomunado y sucesiones transfronterizas. La figura del comisario con vigencia en sede foral y el carácter esencial de la revocabilidad que pugna con el dogma de la prohibición de la sucesión contractual, en contradicción con los ordenamientos forales (heredamientos, testamento por comisario, la figura de la distribución).

Los denominados wills substitute o alternativas al testamento elaborados por la legislaciones modernas y la doctrina tratan de salvar estos escollos. Así podemos citar la sociedad. El seguro de vida y la designación de beneficiario. Los planes de pensiones y las mutualidades de previsión. El contrato de renta vitalicia y de alimentos vitalicio. Las cuenta bancaria indistintas. Las compras con pacto de supervivencia. El depósito y mandato post mortem de la ley 559 de la Compilación de Navarrra, pues el mandatario queda obligado a cumplir el encargo que se le encomendó para después de morir el mandante. Esta misma posibilidad de realizar encomiendas ejecutables tras la muerte del mandante se consagra en la ley 151.2 en el poder post mortem, que representa el título ad extra para poder relacionarse con terceros en representación de los intereses del causante, singularmente para el caso de salvaguardar sin obstáculos ni argucias de terceros los documentos del causante y administrar sus intereses de forma inmediata y urgente tras la apertura de la sucesión, en tanto ocupa su posición el albacea que hubiera podido ser designado o en tanto los herederos se ocupan de forma efectiva del caudal relicto. El mandato post mortem puede ir acompañado o no de un poder post mortem. La donación y sus posibles pactos.

El contrato a favor de tercero y el trust que cada día goza de mayor predicamento por influencia extranjera así como la tesis que posibilitaría su introducción en el derecho español salvando los principios patrios que lo impiden. Algunas de las principales aplicaciones que recibe el trust en los países de common law se verifican en el ámbito sucesorio. En Estados Unidos, la difusión de la figura se ha debido, en gran parte, al interés que existe en evitar el procedimiento del probate. Este procedimiento judicial, en virtud del cual se produce la transmisión de bienes a la muerte de una persona en los países de common law, alcanza en la mayoría de los estados norteamericanos una gran complejidad, y ello se traduce en un elevado coste, tanto en términos de tiempo y dinero como en otros inconvenientes, como la falta de privacidad. De ahí que el norteamericano medio recurra a los wills substitutes, mecanismos específicos que permiten transmitir bienes inter vivos pero con efectos post mortem, sin pasar por el probate. Una de estas figuras es precisamente el living trust o trust inter vivos.

Al constituir un trust inter vivos, el settlor se despoja en vida de la propiedad de los bienes transferidos al fondo que son adquiridos por una persona que los administra en beneficio de terceros. El mismo settlor puede actuar como gestor y ser el único beneficiario de los frutos generados por dicha gestión (las posiciones pueden solaparse sin llegar a confundirse) pero, a su muerte, los bienes restantes en el fondo son entregados a las personas que él designó en el documento constitutivo como beneficiarios finales.

Evitar el procedimiento del probate no es una función extrapolable al ámbito de los países de civil law, donde no existe tal procedimiento, pero si lo es en cambio la posibilidad de utilizar el trust para planificar el destino de los bienes más allá de la muerte del causante. En primer lugar, el settlor puede asegurarse de que sus bienes seguirán en el patrimonio familiar durante una o varias generaciones, encomendando a quien hará las veces de sucesivo trustee tras su fallecimiento, que distribuya los frutos del trust entre sus hijos y, sucesivamente, entre sus nietos, y que posteriormente distribuya los bienes que queden en el fondo entre sus bisnietos cuando éstos cumplan cierta edad.

Todos ellos se basan en el juego de la autonomía privada y la sucesión mortis causa ya que los wills substitutes, son mecanismos específicos que tienen su origen en el comom law ya que permiten transmitir bienes inter vivos pero con efectos post mortem, sin pasar por el probate en sede testamentaria en dicho sistema.

## 2. *Pactos Sucesorios*

Los pactos sucesorios son medidas de ejecución del protocolo familiar. Es aquél negocio jurídico que tiene por objeto la herencia futura de una persona, sea ésta una de las partes en el negocio, sea un tercero extraño. Pueden ser a los efectos que nos interesa universales y particulares. Así se habla del referente a herencia de un tercero y los pactos de renuncia. La doctrina suele distinguir los siguientes tipos de pactos sucesorios: pacto adquisitivo, *de succedendo* o pacto institutivo; *pacto de non succedendo* o pacto renunciativo, y pacto sobre la herencia de un tercero o pacto de *heredita tertii*[1].

## 2.1. Situación de la prohibición de la sucesión contractual en el Derecho común español y en el Derecho Comparado

En cuanto a la sucesión contractual existen tesis prohibitivas como aquellos que recogen el criterio prohibitivo total o con alguna escasa y aún discutible excepción, como el caso del derecho italiano o portugués.

Existen tesis intermedias que admiten la sucesión contractual pero sólo si está incardinada en el Derecho de familia

El criterio permisivo proviene del mundo germánico que admite la sucesión contractual, con un criterio permisivo total, como el derecho alemán, austriaco o suizo.

En el Derecho español, las Partidas prohibieron las estipulaciones sobre la herencia futura, salvo algunas excepciones procedentes del Derecho Romano. Sin embargo, las Leyes de Toro (Leyes 17 y 22) admitieron los pactos sucesorios respecto a las mejoras.

En derecho común el artículo 1271.2º establece el criterio prohibitivo al señalar que sobre la herencia futura no se podrá, sin embargo, celebrar otros contratos que aquéllos cuyo objeto sea practicar entre vivos la división de un caudal y otras disposiciones particionales, conforme a lo dispuesto en el artículo 1056. Criterio reiterado en otros preceptos como el art. 816 referente renuncia o transacción sobre la legítima futura. El artículo 658 que solo contempla la sucesión testada, la intestada y la mixta al establecer que «La sucesión se defiere por la voluntad del hombre manifestada en testamento, y, a falta de éste, por disposición de la ley». La primera se llama testamentaria, y la segunda legítima. Podrá también deferirse en una parte por voluntad del hombre, y en parte por disposición de la ley. «El artículo 1674 referente a la aportación de bienes futuros sociedades universales».

---

[1] BRANCÓS I NÚÑEZ, ENRIC. «Los Pactos Sucesorios en el Derecho Civil de Cataluña». Tirant lo Blanch. Colección Derecho Catalán. 2016.

El artículo 655 que se refiere a la prohibición de renuncia a la acción reducción en vida del donante al señalar[2] y el artículo 667 que como señala CAÑIZARES LASSO no solo se refiere a lo que es el testamento al decir que es el acto por el que una persona dispone de todo o parte de sus bienes para después de su muerte sino que proclama al menos en derecho común que es el único cauce para disponer de los bienes después de la muerte[3].

Llegados a este punto ante la situación y la consideración de los protocolos familiares como medios de ejecución del protocolo familiar y la posibilidad de un protocolo familiar contenga un pacto sucesorio, debemos observar cual es la postura adoptada en el derecho comparado.

Sin embargo antes debemos poner de manifiesto que sin embargo esta regla prohibitiva ha sido muy criticada por la doctrina, que ha puesto en tela de juicio las objeciones que históricamente se han esgrimido para rechazar la admisibilidad de los pactos sucesorios, entre otras la que apuntaba que debía evitarse que, con fundamento en la libertad de contratación, resurgieran de hecho las vinculaciones y los mayorazgos propios una etapa pasada; la que justificaba la prohibición en la supuesta inmoralidad que supondría admitir la sucesión contractual, o incluso, la que considera que los pactos sucesorios privan al causante de la libre mutabilidad de su voluntad de disposición *mortis causa*, ya que no podría el causante revocar por su

---

[2]	el art. 816 que establece que «Toda renuncia o transacción sobre la legítima futura entre el que la debe y sus herederos forzosos es nula, y éstos podrán reclamarla cuando muera aquél; pero deberán traer a colación lo que hubiesen recibido por la renuncia o transacción.». El art. 658 que solo contempla la sucesión testada, la intestada y la mixta al establecer que «La sucesión se defiere por la voluntad del hombre manifestada en testamento, y, a falta de éste, por disposición de la ley». La primera se llama testamentaria, y la segunda legítima. Podrá también deferirse en una parte por voluntad del hombre, y en parte por disposición de la ley. «El art. 1674 referente a la aportación de bienes futuros sociedades universales, pues puede también pactarse en ella comunicación recíproca de cualesquiera otras ganancias; pero no pueden comprenderse los bienes que los socios adquieran posteriormente por herencia, legado o donación, aunque sí sus frutos». El art° 655 que se refiere a la prohibición de renuncia a la acción reducción en vida del donante al señalar «sólo podrán pedir reducción de las donaciones aquellos que tengan derecho a legítima o a una parte alícuota de la herencia, y sus herederos o causahabientes pero no podrán renunciar su derecho durante la vida del donante, ni por declaración expresa, ni prestando su consentimiento a la donación.»

[3]	CAÑIZARES LASSO, ANA «Comentarios al Código Civil. Art. 667». En Código Civil comentado, Vol. IV. (Dir.) Cañizares Laso, A., De Pablo Contreras, P., Orduña Moreno, J., y Valpuesta Fernández, R., Civitas-Thomson Reuters, 2011.

voluntad el contenido de la disposición otorgada. En suma para algunos la prohibición carece desde siempre de fundamento y hoy no cubre ningún interés que sea digno de protección legal, más bien imposibilita el tratamiento racional de las sucesiones.

En Francia no obstante la prohibición que establece el artículo 722 Código Civil Francés que dispone que *«Les conventions qui ont pour objet de créer des droit sou de renoncer à des droits sur tout ou partie d'une succession non encore ouverte ou d'un bien en dépendant ne produisent effet que dans les cas où elles sont autorices par la loi».* La reforma llevada a cabo por Ley 728/2006 23 junio 2006 aplicable a las herencias causadas a partir del 1 de enero de 2007 (y también debe mencionarse la denominada Ley de Fiducia de 19 de febrero 2007), que a estos efectos afecta en sede de «donación partage», «donación-partage transgeneracional» y sobre todo por la posibilidad de renuncia anticipada a la acción de reducción por lesión de la reserva, (legítima en derecho francés o parte reservada). JEAN-CLAUDE GINISTY[4]. Pues a la libertad individual en la organización previa o en la regulación de la sucesión, particularmente a través de la instauración del pacto sucesorio y de la permisión de la donación-partición trans-generacional.

La ley modera notablemente el principio de prohibición de los pactos sobre sucesiones futuras. A partir de ahora, todo heredero legitimario tiene la posibilidad de renunciar por anticipado, es decir, antes de la apertura de la sucesión, al ejercicio de la acción destinada a la reducción de las donaciones que pudiesen afectar a su reserva hereditaria.

La renuncia puede aplicarse a todo o a parte de los derechos reservatarios sobre una donación ya hecha y especialmente refrendada por el acta de renuncia o a las consecuencias de las donaciones futuras.

El régimen de donación-partición y el del testamento-partición han sido ampliados a beneficio de todos los presuntos herederos y no sólo de los descendientes. Así, una persona que no tiene ningún hijo podrá distribuir y repartir sus bienes por donación-partición entre sus hermanos y hermanas o los hijos de estos, si son herederos legitimarios.

Esta ampliación del beneficio de la donación-partición permite hacer de este acto un instrumento generalizado de normativa anticipada de la sucesión, mientras que en el pasado se concebía como un simple acto de autoridad parental que comprometía a los padres y a los hijos. Además, a partir de ahora también es posible para cualquier persona llevar a cabo la

---

[4]    Notario Siglo XXI. Revista Colegio Notarial de Madrid.

distribución y partición de sus bienes entre descendientes de grados diferentes sean o no herederos legitimarios. La donación-partición también puede ser consentida, con el consentimiento de los hijos, a beneficio de sus propios hijos (es decir, los hijos del donador). El recurso a esta donación-partición trans-generacional implica el consentimiento expreso del hijo de la generación intermedia, que no sólo renuncia a una parte de sus derechos sino que consiente que se gratifique a sus propios descendientes en su lugar.

El legislador se ha mostrado especialmente preocupado por reforzar las garantías que rodean las condiciones de renuncia con el fin de proteger la libertad del renunciante frente a cualquier riesgo de presión, en particular de su entorno familiar. La renuncia debe ser obligatoriamente constatada en una escritura pública otorgada de forma solemne ante dos notarios, de los cuales uno será especialmente designado a tal efecto por el presidente de la Cámara de Notarios (*Chambre des Notaires*). Se informa a quien renuncia de sus derechos y de las consecuencias de su renuncia y todo se consigna en la escritura pública de renuncia.

En Italia la materia fue reformada por Ley de 14 febrero de 2006 que crea siete artículos 768.bis y ss. modificando como excepción a la nulidad del pacto sucesorio establecida en el artículo 458, la institución denominada pacto de familia. aplicable tanto a la empresa como a las participaciones pues se trata del contrato, mediante escritura, sin ella se consideraría nulo, con el que «el empresario transfiere, totalmente o en parte, la empresa, y el titular de participaciones societarias transfiere, totalmente o en parte, sus cuotas, a uno o más descendientes.» (Artículo 768 bis C.C.). Con ello se intenta proporcionar a los empresarios un nuevo instrumento para la continuidad de la empresa en el cambio generacional limitando, sin excluirla, la tutela sucesoria de los legitimarios. De esta manera en un tejido económico caracterizado sobre todo por pequeñas y medianas empresas con base familiar, satisface la exigencia cada vez más fuerte de elegir libremente a quien continuará la actividad entre los descendientes del empresario. El elemento seguro es que se trata de un contrato inter vivos pero no es posible ponerse de acuerdo sobre si prevalece el aspecto de liberalidad de la atribución a favor del beneficiario o el deber de la liquidación a los otros legitimarios o la función divisoria anticipada que con el pacto de familia se obtiene. Así que se ha hablado del pacto de familia como de una nueva liberalidad típica y ulterior respecto al contrato de donación del que hablan los artículos 769 y siguientes del C.C., de donación con modus (aunque diferente del típico actuar del modus mismo), de contrato oneroso o a causa mixta, de contrato de división (por una sucesión) anticipada, problemática apuntada por GIOVANNI LIOTTA[5].

Pero debemos de destacar que se trata en suma de la adecuación del derecho italiano a las cambiantes exigencias del mundo empresarial.

## 2.2. Situación en los Derechos Forales. Breve apunte

Respecto a los ordenamientos forales hay que destacar que impera la posibilidad de sucesión contractual pero lo que en el fondo la es el juego del principio de autonomía de la voluntad. Y es que en el fondo de los sistemas jurídicos una lucha entre el carácter que se le atribuye a la legítima y la prevalencia o no del freno legitimario frente al juego del principio de la libertad de testar.

Hemos de destacar como el ejemplo Catalán de la Ley 10/2008 de 10 de julio reformada aborda los «problemas de Derechos en confluencia» en terminología de ÁNGEL ROJO siguiendo a GERARDO SANTINI[6].

Así podemos citar artículo 431-6 Cargas y finalidad del pacto sucesorio entre otras, el mantenimiento y continuidad de una empresa familiar o en la transmisión indivisa de un establecimiento profesional. En cuanto al artículo 431-7 referente a la forma del pacto sucesorio es de destacar la exigencia de que los pactos sucesorios, para que sean válidos, deben otorgarse en escritura pública, que no es preciso que sea de capítulos matrimoniales. El artículo 431-8 se refiere a la publicidad de los pactos sucesorios y señala que si los heredamientos o atribuciones particulares incluyen o tienen por objeto acciones nominativas o participaciones sociales, pueden hacerse constar, en vida del causante, en los respectivos asentamientos del libro

---

5    Notario Siglo XXI. Revista Colegio Notarial de Madrid.(El pacto de familia en el derecho italiano. Notas breves http://www.elnotario.es/index. php/hemeroteca/revista-16/2202-el-pacto-de-familia-en-el-derecho-italiano-notas-breves-0-7331799424562416GIOVANNI LIOTTA Notario de Torino (Italia). La Ley n. 55 del 14 de febrero de 2006, modificando el libro de las sucesiones del código civil, ha introducido los. El pacto de familia en el derecho italiano - Notaio Giovanni Liotta http://www.notaioliotta.it/index. php?option=com_content&view=article&id=43:el-pacto-de-familia-en-el-derecho-italiano&catid=14&Itemid=123El pacto de familia en el derecho italiano · Email. G. Liotta, El pacto de familia en el derecho italiano, El Notario del Siglo XXI noviembre-diciembre 2007 n. 16.

6    ROJO FERNÁNDEZ-RÍO, Transmisión mortis causa de acciones y participaciones sociales Tomo 54, 2013-2014. AAMN.

registro de acciones nominativas o del libro registro de socios. Destacando que la finalidad de un pacto sucesorio puede ser el mantenimiento y continuidad de una empresa familiar, en cuyo caso prevé que puede hacerse constar la existencia del mismo en el Registro Mercantil con el alcance y de la forma que la ley establece para la publicidad de los protocolos familiares, sin perjuicio que consten, además, las cláusulas estatutarias que se refieran al mismo. Por último el artículo 431-25 que se refiere a los efectos del heredamiento en vida del heredante matiza que si la finalidad del heredamiento es el mantenimiento o la continuidad de una empresa familiar o de un establecimiento profesional, puede convenirse que su transmisión onerosa, o la de las acciones o participaciones sociales que la representen, así como la renuncia al derecho de suscripción preferente, deba hacerse con el consentimiento expreso de la persona instituida, si es otorgante del pacto sucesorio, o de terceros. También pueden establecerse normas sobre la administración de la empresa o el establecimiento por el heredante o el heredero, que pueden incluirse en los estatutos sociales de la empresa familiar y publicarse en el Registro Mercantil. Recientemente ha señalado BRANCÓS NÚÑZ que a su juicio el precepto no era necesario, pues sin el mismo las posibilidades que enuncia existían ya. Las prohibiciones de disponer derivadas de actos a título gratuito o sucesorio son aceptadas en nuestro ordenamiento, lo que hace perfectamente viables las limitaciones dispositivas tanto respecto de las acciones y participaciones como de su extensión, el derecho de suscripción preferente. En cuanto a la inscripción de normas de administración de las sociedades en el Registro Mercantil, la norma no va más allá de lo que la propia legislación registral permite, sin que pueda entenderse que constituye una carta blanca para inscribir cualquier pacto sobre administración por el mero hecho de que provenga de un heredamiento. El Decreto Legislativo 1/2011, de 22 de marzo, del Gobierno de Aragón, por el que se aprueba, con el título de «Código del Derecho Foral de Aragón», el Texto Refundido de las Leyes civiles aragonesas señala en su artículo 284 referido a las explotaciones económicas privativas que se transmitan a hijos o descendientes, el titular de dichas empresas o explotaciones económicas privativas podrá ordenar, en testamento o escritura pública, la sustitución del usufructo vidual del sobreviviente sobre las mismas por una renta mensual a cargo del adquirente. Y el artículo 267 que se refiere a la división y adjudicación al señalar que liquidado el patrimonio y detraídas las aventajas, el caudal remanente se dividirá y adjudicará entre los cónyuges o sus respectivos herederos por mitad o en la proporción y forma pactadas. Pero el número dos del precepto nos alerta de que cada cónyuge tiene derecho a que se incluyan con preferencia en su lote, sin perjuicio de las compensaciones que procedan, los siguientes bienes: la empresa o explotación económica que dirigiera y las acciones, participaciones o partes de sociedades adquiridas exclusivamente a su nombre, si existen limitaciones, legales o pactadas, para su transmisión al otro cónyuge o sus herederos, o cuando el adquirente forme parte del órgano de administración de la sociedad. En Aragón, el «Código del Derecho Foral de Aragón», incluye la regulación de la sucesión paccionada en los artículos 377-404.

Al decir de CURIEL LORENTE las posibilidades de sucesión única, plural, a título universal o particular pueden darse en el Derecho aragonés sin esperar al fallecimiento del empresario mediante los pactos sucesorios que permite anticipar su sucesión o preverla, si bien el carácter vinculante del pacto dificulta la revocación por el instituyente y la renuncia del instituido, una vez fallecido el instituyente.

También en Baleares, cabe destacar la regulación de los pactos sucesorios en la Compilación del Derecho civil de Baleares, modificada por Ley 8/1990, de 28 de junio y Decreto Legislativo 79/1990, de 6 de septiembre, por el que se aprueba el Texto Refundido.

La Ley de Derecho Civil de 14 de junio de 2006 continúa y ahonda más, el camino trazado ya por la primera Ley de Derecho Civil de 24 de mayo de 1995 reconociendo de forma más completa la sucesión pactada como una tercera forma de delación.

Una de las figuras de pactos sucesorios que expresamente se regulan en el Derecho Civil de Galicia desde la Ley 4/1995, es el apartamiento sucesorio. Que supone un genuino pacto de *non succedendo,* que viene a significar una renuncia anticipada a la legítima futura por el apartado, a cambio de una atribución que recibe de presente del apartante. Es pues, un pacto que contradice abiertamente el principio prohibitivo de los negocios de disposición sobre la legítima futura del artículo 816 del CC, y que sitúa en la línea de los actos de renuncia anticipada de los derechos legitimarios que, con una u otra extensión, se repiten en prácticamente todos los Derechos de las Comunidades Autónomas con Derecho civil propio o de Derecho foral.

En suma una referencia directa del derecho foral catalán y aragonés y otros, a los denominados problemas que surgen de las instituciones o derecho en confluencia. Instrumentos similares existen en los demás ordenamientos forales.

Así también cabe destacar la Ley 3/1992, de 1 de julio, del Derecho Civil Foral del País vasco, que regula los pactos sucesorios, a título universal o particular, en los artículos 74 a 83.

## 2.3. Situación en Derecho Común. Las reformas

¿Y en derecho común? En derecho común podemos hablar de un reforzamiento título sucesorio destacando el papel estelar del testamento y ello aunque en ocasiones exista una tímida referencia al pacto sucesorio como en el artículo 9.8 del Código Civil[7].

La Ley 7/2003 de 1 de abril referente a la sociedad limitada nueva empresa en su DF 1ª modifica los arts. 1056.2º pues «el testador que en atención a la conservación de la empresa o en interés de su familia quiera preservar indivisa una explotación económica o bien mantener el control de una sociedad de capital o grupo de éstas podrá usar de la facultad concedida en este artículo, disponiendo que se pague en metálico su legítima a los demás interesados»[8]...«No será de aplicación a la partición así realizada lo dispuesto en el artículo 843 y en el párrafo primero del artículo 844». El artículo 1271.2º, disponiendo que «sobre la herencia futura no se podrá, sin embargo, celebrar otros contratos que aquéllos cuyo objeto sea practicar entre vivos la división de un caudal y otras disposiciones particionales, conforme a lo dispuesto en el artículo 1056». Este precepto en sus antecedente legislativos hacía referencia expresamente a y otras disposiciones particionales sobre sucesión en la empresa familiar, aunque luego este inciso se suprimió. También se modificó el número 2 del artículo 1406 pues «Cada cónyuge tendrá derecho a que se incluyan con preferencia en su haber, hasta donde éste alcance: 2.º La explotación económica que gestione efectivamente».

---

[7]     Al señalar que «La sucesión por causa de muerte se regirá por la ley nacional del causante en el momento de su fallecimiento, cualesquiera que sean la naturaleza de los bienes y el país donde se encuentren. Sin embargo, las disposiciones hechas en testamento y los pactos sucesorios ordenados conforme a la ley nacional del testador o del disponente en el momento de su otorgamiento conservarán su validez aunque sea otra la ley que rija la sucesión, si bien las legítimas se ajustarán, en su caso, a esta última. Los derechos que por ministerio de la ley se atribuyan al cónyuge supérstite se regirán por la misma ley que regule los efectos del matrimonio, a salvo siempre las legítimas de los descendientes.»

[8]     Continua afirmando que «A tal efecto, no será necesario que exista metálico suficiente en la herencia para el pago, siendo posible realizar el abono con efectivo extrahereditario y establecer por el testador o por el contador-partidor por él designado aplazamiento, siempre que éste no supere cinco años a contar desde el fallecimiento del testador; podrá ser también de aplicación cualquier otro medio de extinción de las obligaciones. Si no se hubiere establecido la forma de pago, cualquier legitimario podrá exigir su legítima en bienes de la herencia».

Por otro lado en la Disposición final segunda 3ª disponía que reglamentariamente se establecerán las condiciones, forma y requisitos para la publicidad de los protocolos familiares, así como, en su caso, el acceso al Registro Mercantil de las escrituras públicas que contengan cláusulas susceptibles de inscripción. La Ley 41/2003 de 18 de noviembre denominada del Patrimonio Protegido. Reforma los artículos 808, 813 y 831 al que nos vamos a referir con posterioridad pero que al decir de algunos trata la integración en el ordenamiento jurídico nacional de la fiducia, lo que supone un acercamiento del derecho común al derecho foral al establecer que «1. No obstante lo dispuesto en el artículo anterior, podrán conferirse facultades al cónyuge en testamento para que, fallecido el testador, pueda realizar a favor de los hijos o descendientes comunes mejoras incluso con cargo al tercio de libre disposición y, en general, adjudicaciones o atribuciones de bienes concretos por cualquier título o concepto sucesorio o particiones, incluidas las que tengan por objeto bienes de la sociedad conyugal disuelta que esté sin liquidar.»...... y «**3.** El cónyuge, al ejercitar las facultades encomendadas, deberá respetar las legítimas estrictas de los descendientes comunes y las mejoras y demás disposiciones del causante en favor de ésos...» y «De no respetarse la legítima estricta de algún descendiente común o la cuota de participación en los bienes relictos que en su favor hubiere ordenado el causante, el perjudicado podrá pedir que se rescindan los actos del cónyuge en cuanto sea necesario para dar satisfacción al interés lesionado.

Se entenderán respetadas las disposiciones del causante a favor de los hijos o descendientes comunes y las legítimas cuando unas u otras resulten suficientemente satisfechas aunque en todo o en parte lo hayan sido con bienes pertenecientes sólo al cónyuge que ejercite las facultades.»[9]

---

[9]   Estas mejoras, adjudicaciones o atribuciones podrán realizarse por el cónyuge en uno o varios actos, simultáneos o sucesivos. Si no se le hubiere conferido la facultad de hacerlo en su propio testamento o no se le hubiere señalado plazo, tendrá el de dos años contados desde la apertura de la sucesión o, en su caso, desde la emancipación del último de los hijos comunes.
   Las disposiciones del cónyuge que tengan por objeto bienes específicos y determinados, además de conferir la propiedad al hijo o descendiente favorecido, le conferirán también la posesión por el hecho de su aceptación, salvo que en ellas se establezca otra cosa.
   **2.** Corresponderá al cónyuge sobreviviente la administración de los bienes sobre los que pendan las facultades a que se refiere el párrafo anterior.
   **4.** La concesión al cónyuge de las facultades expresadas no alterará el régimen de las legítimas ni el de las disposiciones del causante, cuando el favorecido por unas u otras no sea descendiente común. En tal caso, el cónyuge que no sea pariente

Este artículo está redactado por el número seis del artículo 10 de la Ley 41/2003, de 18 de noviembre, de protección patrimonial de las personas con discapacidad y de modificación del Código Civil, de la Ley de Enjuiciamiento Civil y de la Normativa Tributaria con esta finalidad.

Así llegamos al RDL 171/2007 de 9 de febrero que se dicta en ejecución de la DF 2ª, apartado 3 de la Ley 7/2003 de 1 de abril de sociedad limitada nueva empresa. Tiene dos partes claramente diferenciadas, aunque ambas presididas por el objetivo de dar cauce a la redacción y publicidad de protocolos familiares. Para el desarrollo de esta norma se consideró necesario articular una pluralidad de vías que permitan el acceso a la publicidad registral con diversa eficacia según la elegida y siempre de carácter voluntario para las sociedades y ya que no es un real decreto el cauce oportuno para la alteración de los tipos societarios o para establecer especialidades de los mismos y por ello no se regulan aspectos estructurales u organizativos de la sociedad familiar ni se establecen los eventuales caracteres de la misma. En lo que interesa, a los efectos de este real decreto, será familiar una sociedad de personas o capital en la que existe un protocolo que pretende su publicidad. Señala la Exposición que puede entenderse como protocolo familiar aquel conjunto de pactos suscritos por los socios entre sí o con terceros con los que guardan vínculos familiares respecto de una sociedad no cotizada en la que tengan un interés común en orden a lograr un modelo de comunicación y consenso en la toma de decisiones para regular las relaciones entre familia, propiedad y empresa que afectan a la entidad. Los aspectos subjetivo, objetivo y formal del protocolo no son objeto de regulación, como tampoco lo es su contenido que será configurado por la autonomía negocial, como pacto parasocial, en hipótesis más frecuente sin más límites que los establecidos, con carácter general, en el ordenamiento civil y específico, en el societario. Además de su carácter estrictamente voluntario, se opta por articular la publicidad de un único

---

en línea recta del favorecido tendrá poderes, en cuanto a los bienes afectos a esas facultades, para actuar por cuenta de los descendientes comunes en los actos de ejecución o de adjudicación relativos a tales legítimas o disposiciones.

Cuando algún descendiente que no lo sea del cónyuge supérstite hubiera sufrido preterición no intencional en la herencia del premuerto, el ejercicio de las facultades encomendadas al cónyuge no podrá menoscabar la parte del preterido.

**5.** Las facultades conferidas al cónyuge cesarán desde que hubiere pasado a ulterior matrimonio o a relación de hecho análoga o tenido algún hijo no común, salvo que el testador hubiera dispuesto otra cosa.

**6.** Las disposiciones de los párrafos anteriores también serán de aplicación cuando las personas con descendencia común no estén casadas entre sí.

protocolo por sociedad. Se consideró que ésta era la fórmula que mejor garantizaba la seguridad jurídica que debe presidir la publicidad que ofrece el Registro mercantil, en aras a la certeza de los operadores y ciudadanos sobre el marco regulatorio de la entidad. El acceso al Registro mercantil del protocolo se produce a instancia del órgano de administración de las sociedades y bajo su responsabilidad, quedando para la esfera intrasocietaria la relación de éste con la propiedad y en general, con los firmantes del protocolo y sin perjuicio del recurso de éstos a la autoridad judicial en el supuesto de que no se halle autorizada su publicidad y se discuta el interés de la publicación. Estas normas actualizadas no sólo serán útiles herramientas para las sociedades de carácter familiar sino también para otras sociedades cerradas. Es el caso de la regulación de los comités consultivos, que en nada inciden en el binomio monista-dual, que se introdujo, limitadamente, en España por Ley 19/2005, de 14 de noviembre, sobre la sociedad anónima europea domiciliada en España.

Respecto a la Disposición final segunda. Modificación del Reglamento del Registro Mercantil aprobado por el Real Decreto 1784/1996, de 19 de julio. Siete. Se añade un nuevo apartado 5 al artículo 188, con la siguiente redacción: «5. Cuando así se establezca en los estatutos sociales, de acuerdo con la legislación civil aplicable, corresponderá al socio titular o, en su caso, a sus causahabientes, el ejercicio de los derechos sociales. De la misma forma, los estatutos podrán establecer, de conformidad con la legislación civil aplicable, la designación de un representante para el ejercicio de los derechos sociales constante la comunidad hereditaria si así fue establecido en el título sucesorio.»

Entre las normas que se incluyen en este apartado destaca el nuevo artículo 188.5 del Reglamento de registro mercantil con la siguiente redacción: «5. Cuando así se establezca en los estatutos sociales, de acuerdo con la legislación civil aplicable, corresponderá al socio titular o, en su caso, a sus causahabientes, el ejercicio de los derechos sociales. De la misma forma, los estatutos podrán establecer, de conformidad con la legislación civil aplicable, la designación de un representante para el ejercicio de los derechos sociales constante la comunidad hereditaria si así fue establecido en el título sucesorio.» El real decreto persigue con este nuevo precepto regular, en los meros límites adjetivos, y en sintonía con los restantes apartados del artículo 188 —en los que se establecen normas de cierre o atípicas en relación al contenido estatutario de la sociedad—, reglas de representación o habilitación que la práctica societaria ha demostrado que constituyen auténticas lagunas en la articulación de la sociedad conyugal y en la sucesión de la titularidad de la empresa familiar, objetivo esencial de la publicidad del protocolo. Realmente, la inclusión de estas normas constituye exclusivamente una llamada de atención sobre la lícita posibilidad en el actual estado de nuestro ordenamiento jurídico, de dar solución a dos supuestos de hecho. El primero, el de la sociedad conyugal —no necesariamente de gananciales—, disuelta y no liquidada, ya sea o no por fallecimiento del titular y en la que el socio puede, en su caso, ser supérstite. En este supuesto se pretende prever, en estatutos, las relaciones del socio con la sociedad al no poder considerarse automática la designación de representante por no constituir una comunidad en sentido estricto. El segundo, la lícita posibilidad de designar un representante sucesorio por el causante titular de las participaciones, para facilitar el ejercicio de socio constante de la comunidad hereditaria. Ambas normas tienen fundamento legal en los artículos 32, 35 y 36 de la Ley 2/1995, de 23 de marzo, de Sociedades de Responsabilidad Limitada, y titulo competencial constitucional al amparo del artículo 149.6 que establece la competencia estatal en la regulación del Derecho mercantil, sin perjuicio del recurso a la legislación civil aplicable cuando se incida en el contenido de una institución de esta naturaleza. Por lo demás Dos. El párrafo d) del artículo 124.2 queda redactado del siguiente modo: «Además, los estatutos podrán crear un comité consultivo. Deberá determinarse en los estatutos sociales si la competencia para el nombramiento y revocación del comité consultivo es del consejo de administración o de la junta general; su composición y requisitos para ser titular; su funcionamiento, retribución y número de miembros; la forma de adoptar acuerdos; las concretas competencias consultivas o informativas del mismo así como su específica denominación en la que se podrá añadir, entre otros adjetivos, el término "familiar"».

Además del Reglamento 650/2012 relativo sucesiones transfronterizas y por tanto aplicable en España debemos destacar a los efectos que nos interesa su artículo 1 que al referirse a su Ámbito de aplicación señala que «2. Quedarán excluidos del ámbito de aplicación del presente Reglamento) las cuestiones que se rijan por la normativa aplicable a las sociedades, como las cláusulas contenidas en las escrituras fundacionales y en los estatutos de sociedades, que especifican la suerte de las participaciones sociales a la muerte de sus miembros». Existen puntos oscuros como señala FERNÁNDEZ TRESGUERRRES, que ocurre en el supuesto de reducción de donaciones de participaciones sociales que deba reducirse por inoficiosa.

El artículo 25 se refiere a los pactos sucesorios señalando que «1. Un pacto sucesorio relativo a la sucesión de una sola persona se regirá, por lo que atañe a su admisibilidad, validez material y efectos vinculantes entre las partes, incluidas las condiciones para su resolución, por la ley que, en virtud del presente Reglamento, fuese aplicable a su sucesión si aquella hubiera fallecido en la fecha de conclusión del pacto.

**2.** Un pacto sucesorio relativo a la sucesión de varias personas únicamente será admisible en caso de que lo sea conforme a la ley que, de conformidad con el presente Reglamento, hubiera sido aplicable a la sucesión de cada una de ellas si hubieran fallecido en la fecha de conclusión del pacto.

Un pacto sucesorio que sea admisible en virtud del párrafo primero se regirá en cuanto a su validez material y efectos vinculantes entre las partes, incluidas las condiciones para su resolución, por aquella de las leyes referidas en dicho párrafo con la que presente una vinculación más estrecha.

**3.** No obstante lo dispuesto en los apartados 1 y 2, las partes podrán elegir como ley aplicable al pacto sucesorio, por lo que respecta a su admisibilidad, validez material y efectos vinculantes entre las partes, incluidas las condiciones para su resolución, la ley que la persona o una de las personas de cuya sucesión se trate habría podido elegir de acuerdo con el artículo 22 en las condiciones que este establece».

De esta materia hay que destacar las visiones diferentes del concepto de pacto sucesorio y su reflejo entre los juristas de distintas nacionalidades (alemanes, españoles, franceses, italianos) y la consideración del testamento mancomunado.

Otro precepto básico del Reglamento a los efectos de nuestro estudio es el artículo 30 que se refiere a las disposiciones especiales que imponen restricciones relativas o aplicables a la sucesión de determinados bienes y que establece que «cuando la ley del Estado donde se encuentren situados determinados bienes inmuebles, empresas u otras categorías especiales de bienes contenga disposiciones especiales que, por razones de índole económica, familiar o social, afecten o impongan restricciones a la sucesión de dichos bienes, se aplicarán a la sucesión tales disposiciones especiales en la medida en que, en virtud del Derecho de dicho Estado, sean aplicables con independencia de la ley que rija la sucesión». El considerando cincuenta y cuatro debe ser tenido en cuenta ya que por consideraciones económicas, familiares o sociales, determinadas empresas están sometidos a normas especiales en el Estado miembro de ubicación que establecen restricciones sobre la sucesión respecto de esos bienes o que afectan a la misma. Conviene que el presente Reglamento garantice la aplicación de esas normas especiales. No obstante, para que pueda seguir siendo compatible con el objetivo general del presente Reglamento, esta excepción a la ley aplicable a la sucesión ha de interpretarse en sentido estricto. Por consiguiente, ni las normas de conflictos de leyes que somete a muebles e inmuebles a leyes diferentes ni las disposiciones que prevén una legítima superior a la establecida en la ley aplicable a la sucesión en virtud del presente Reglamento pueden considerarse normas especiales que imponen restricciones sobre la sucesión respecto de esos bienes o que afectan a la misma.

## III. EXAMEN DE LA CUESTIÓN DESDE UN PUNTO DE VISTA SOCIETARIO

Lo primero que hay que poner de manifiesto es la complejidad de la transmisión post mortem vía societaria de la empresa, aspecto destacado por ÁNGEL ROJO y FERNÁNDEZ DE CÓRDOBA CLAROS, en sus dos vertientes transmisión de la propiedad y transmisión del control de la sociedad. De una manera estricta el contrato de sociedad no puede regular la transmisión mortis causa ya que sólo hay que estar al contenido del art. 658 del Código Civil, sucesión voluntaria, legítima o intestada y mixta, siendo la legítima un mero freno a la libertad de testar al decir de VALLET DE GOYTISOLO. Por ello hay que poner de manifiesto la desregulación de la materia y la complejidad del fenómeno sucesorio, pues a salvo las peculiaridades que puedan existir en la sociedad unipersonal, que lleva a FERNÁNDEZ DE CÓRDOBA CLAROS a hablar de la decisión del socio único como sucedáneo del testamento, es evidente que en esta materia más que en otra hay un derecho en confluencia, normativa civil, normativa mercantil y dos tipos de intereses claramente en posible fricción, el interés de los causahabientes y atendiendo a los distintos tipos sociales el interés de los consocios. Por ello el régimen puede ser distinto en una sociedad civil que mercantil; en una sociedad personalista o sociedad capitalista; en una sociedad abierta o cerrada; anónima o limitada. Surge con fuerza la polémica de si la sociedad familiar debe ser un tipo legal a lo que debemos responder que la sociedad familiar es un tipo real no tipo legal. En sede de la Ley de sociedades de capital las transmisiones mortis causa están reguladas en los artículos 110 y 124 LSC. En dicho sentido, cabe apuntar que tanto el Código de Comercio como el Real Decreto Legislativo 1/2010, de 2 de julio, por el que se aprueba el Texto Refundido de las Sociedades de Capital, prevén disposiciones que regulan el destino de las participaciones sociales y de las acciones en caso de fallecimiento de cualquiera de los socios. Y es que como se colige de lo expuesto especial interés presenta la transmisión *mortis causa* de las participaciones sociales en el ámbito de la empresa familiar, pues en este tipo de sociedades la continuidad de la empresa y el relevo generacional continúa siendo uno de sus principales retos.

Volviendo a este esquema general hay que destacar que puede distinguirse entre transmisiones voluntarias y transmisiones involuntarias que no responde a una decisión libre del socio sino a un evento involuntario.

En relación a las sociedades de personas, el *intuitus personae* representa el presupuesto básico tanto en la génesis como en el funcionamiento de la sociedad y explica los rasgos básicos de su configuración jurídica. En relación a la sociedad de responsabilidad limitada familiar la trascendencia de la muerte del socio en la sociedad de capital cerrada, normalmente familiar, imbuida de un fuerte *intuitus personae*, impide que la cualidad de socio sea fungible.

Los preceptos legales ponen de manifiesto las denominadas técnicas restrictivas como las de rescate, autorización y preferencia y los denominados sistemas de doble transmisión y de triple opción.

La muerte produce la disolución de la sociedad conforme al artículo 1700 Código Civil pero el artículo 1704 consagra el pacto de continuación de los socios sobrevivientes[10]. La intransmisibilidad *mortis* causa de la condición de socio y la disolución de la sociedad por fallecimiento de cualquiera de los socios son consecuencia de una doble causa: el juego del intuitus personae y el carácter personal de la condición de socio, estando presentes los intereses de los consocios y de los herederos del fallecido. La disolución por muerte en el Code Civil francés de 1804 lo establecía en su artículo 1865; y en Italia, el artículo 1729 del Código Civil de 1865. Aunque también cabe el pacto de continuación de los herederos del socio fallecido dado el carácter personalista en las sociedades personalistas y en las capitalistas cerradas. Todos estos pactos tienen antecedentes en el Code, Código 1829, Código 1885, CC 1889 y hoy día se reflejan en LSC. El pacto se incorpora al artículo 1868 Código Civil francés de 1804. Asimismo, se reconoce también la validez del pacto en el artículo 1732 del Código Civil italiano de 1865 y en el artículo 1277 del Código Civil portugués de 1867[11].

---

[10] Al decir que «es válido el pacto de que, en el caso de morir uno de los socios, continúe la sociedad entre los que sobrevivan. En este caso el heredero del que haya fallecido sólo tendrá derecho a que se haga la partición, fijándola en el día de la muerte de su causante; y no participará de los derechos y obligaciones ulteriores, sino en cuanto sean una consecuencia necesaria de lo hecho antes de aquel día.»

[11] El artículo 1597 del Proyecto de Código Civil de 1851, disponía en su primer párrafo que: «El pacto de que la sociedad ha de continuar sin embargo de la muerte de uno de los socios, es válido para los socios sobrevivientes, y el heredero no tendrá derecho sino a que se haga la partición fijándola en el día de la muerte de su causante; y no participará de los derechos y obligaciones ulteriores, si no en cuan-

Expuestos estos antecedentes ahora se trata de la observación de si los pactos con transcendencia mortis causa en derecho societario son contrarios a la prohibición del artículo 1271 o son excepciones como manifestaciones del art 1255 para el caso de fallecimiento del socio ya que esta posición jurídica no se transmite vía artículo 659 sino que lo que alcanza el pacto y se transmite es el contenido económico, por otro lado no necesariamente in natura. Es evidente que cuando se pactó se aseguró la subsistencia de la sociedad y en cuanto al pacto de continuación lo que se transmite, como señalaba GARRIGUES no es la cualidad de socio sino «poder ser socio», lo que no es contrario al artículo 1271, pues como afirma CAPILLA RONCERO estamos en presencia de un consentimiento anticipado de los socios. En esta misma postura milita PAZ-ARES, es decir hay que optar entre la transmisión mortis causa de la participación heredable o su valor. Hoy día debemos referirnos al artículo 15 LSP Ley 2/2007 de 15 de marzo sociedades profesionales que establece al referirse a la transmisiones forzosas y mortis causa que en el contrato social, y fuera de él siempre que medie el consentimiento expreso de todos los socios profesionales, podrá pactarse que la mayoría de éstos, en caso de muerte de un socio profesional, puedan acordar que las participaciones del mismo no se transmitan a sus sucesores. Si no procediere la transmisión, se abonará la cuota de liquidación que corresponda. Señalando el número dos que «La misma regla se aplicará a los que a estos solos efectos se asimila la liquidación de regímenes de cotitularidad, incluida la de la sociedad de gananciales.». Precepto que se completa con el artº. 16 que se refiere al reembolso de la cuota de liquidación. Precepto que se incardina en esta serie de pactos que estamos examinando.

Llegados a este punto hay que acudir al artículo 658 en relación con el 667 del Código Civil que proclaman que el testamento, al menos en derecho común es el único cauce para disponer de los bienes después de la muerte y la prevalencia de la sucesión voluntaria. En derecho común no se ha producido una reforma como la del derecho francés o italiano, sin perjuicio de que tras las reformas enunciadas en la tensión legítimas libertad

---

to sean una consecuencia necesaria de lo que se hubiere hecho antes de aquel día». En efecto, antes de la aprobación del Código Civil, el Código de Comercio español, aprobado por Real Decreto de 22 de agosto de 1885, establecía en su artículo 222.1.ª para las sociedades colectivas y en comandita, que la muerte de uno de los socios es causa de disolución de la sociedad, aunque este efecto puede evitarse si la escritura social contiene un pacto expreso de continuar la sociedad entre los socios sobrevivientes.

de testar hoy día la legítima es pars valoris. Existieron pactos en derecho común como los antiguos en sede de adopción del artículo 174 y el de la explotación familiar agraria y otros con plena vigencia como la promesa de mejorar y no mejora del artículo. 826 y la mejora irrevocable del artículo. 827. Además de la donación por razón de matrimonio a que alude el artículo 1341 que señala que por razón de matrimonio los futuros esposos podrán donarse antes del matrimonio en capitulaciones bienes futuros, sólo para el caso de muerte, y en la medida marcada por las disposiciones referentes a la sucesión testada.

Pero aparte de tener en cuenta la tesis de VALLET DE GOYTISOLO de la donación mortis causa figura distinta del legado sometida a la forma donación pero revocable, tras la sucesivas reformas parece que el horizonte se amplía si acudimos a la fiducia del artículo 831, pues nos señala que «podrán conferirse facultades al cónyuge en testamento para que, fallecido el testador, pueda realizar a favor de los hijos o descendientes comunes mejoras incluso con cargo al tercio de libre disposición y, en general, adjudicaciones o atribuciones de bienes concretos por cualquier título o concepto sucesorio o particiones, incluidas las que tengan por objeto bienes de la sociedad conyugal disuelta que esté sin liquidar». Y que «se entenderán respetadas las disposiciones del causante a favor de los hijos o descendientes comunes y las legítimas cuando unas u otras resulten suficientemente satisfechas aunque en todo o en parte lo hayan sido con bienes pertenecientes sólo al cónyuge que ejercite las facultades.». Esta amplitud de miras nos adentra en concepciones amplias sobre la sociedad de gananciales sin liquidar, no estanqueidad de los tercios, utilización de los bienes propios del fiduciario, pero dada su ubicación se trata de hijos y descendientes comunes y ello aunque el precepto con amplitud de miras señale que «cuando algún descendiente que no lo sea del cónyuge supérstite hubiera sufrido preterición no intencional en la herencia del premuerto, el ejercicio de las facultades encomendadas al cónyuge no podrá menoscabar la parte del preterido». MARTÍNEZ SANCHIZ[12].

Y sobre todo 1056.2° que por su importancia reproducimos parcialmente, pues «el testador que en atención a la *conservación de la empresa* o en interés de su familia *quiera preservar indivisa una explotación económica o bien*

---

[12] El artículo 831 y «el favor viduitatis». El patrimonio sucesorio: reflexiones para un debate reformista / coord. por Oscar Monje Balmaseda; Francisco Lledó Yagüe (dir.), María Pilar Ferrer Vanrell (dir.), José Angel Torres Lana (dir.), Vol. 1, 2014, págs. 969-1002.

*mantener el control de una sociedad de capital o grupo de éstas* podrá usar de la facultad concedida en este artículo, disponiendo que se *pague en metálico su legítima a los demás interesados.* A tal efecto, no será necesario que exista metálico suficiente en la herencia para el pago, *siendo posible realizar el abono con efectivo extrahereditario.».* Mucho se ha avanzado pues se nos habla de testador lo que no exige un parentesco familiar, pudiendo aplicarse a otros interesados. Concepción de la legítima como pars valoris y con posibilidad de pago en metálico al decir de nuestra doctrina más autorizada GARRIDO de PALMA, RUEDA ESTEBAN sin perjuicio de que la doctrina y la jurisprudencia exijan partición más testamento anterior, simultaneo, posterior.

## IV. CONCLUSIÓN

Por ello sin perjuicio de la transmisión societaria de la empresa, de la propiedad o del control hay que predicar la generosa aplicación del artículo 1056.2°[13], combinado con la ratio del 831 ambos del Código Civil previa aplicación del artículo 1406 en sede liquidación de gananciales con una visión amplia a la hora de interpretar el número 2 del precepto ya que «cada cónyuge tendrá derecho a que se incluyan con preferencia en su haber, hasta donde éste alcance: **2.°** La explotación económica que gestione efectivamente» en relación con la expresión del 1056.2° «explotación económica o bien mantener el control de una sociedad de capital o grupo de éstas» y con la posibilidad de partición conjunta de los gananciales en sendos testamentos dada la ratio del art. 1380 que proclama siguiendo los estudios de CÁMARA ÁLVAREZ que «La disposición testamentaria de un bien ganancial producirá todos sus efectos si fuere adjudicado a la herencia del testador. En caso contrario se entenderá legado el valor que tuviera al tiempo del fallecimiento» y la doctrina del testamento mancomunado

---

[13]    En principio, y dado que el artículo 1056, párrafo 2.°, del Código Civil, no lo prohíbe, puede ser beneficiario de la explotación económica o de las acciones o participaciones que otorguen el control de una sociedad de capital o grupo de estas cualquiera, incluso un extraño (no legitimario). El repetido precepto habla del pago en metálico *a los demás interesados,* y no «a los demás legitimarios».
En contra de esta opinión, Palazón Garrido sostiene que el artículo 1056, párrafo 2.°, del Código Civil solo permite que el testador nombre adjudicatario a cualquier legitimario (y no a cualquier persona), es decir, a descendientes, a falta de estos, ascendientes y cónyuge.

en derecho común. En suma la partición practicada por el testador reforzada con el usufructo universal a favor del otro cónyuge.

## Bibliografía

AA.VV. *Cuestiones jurídicas de la empresa familiar en España y en Cuba*. Thomson-Reuters. 2016.

AA.VV. *Régimen Jurídico de la Empresa familiar*. Thomson-Reuters. 2010.

AA.VV. *El buen gobierno de las empresas familiares*. Thomson-Aranzadi. 2004.

AA.VV. *Guía Jurídica sobre la empresa familiar*. Aranzadi. 2016.

AA.VV. «Autonomía privada, familia y herencia en el siglo XXI. Cuestiones actuales y soluciones de futuro». *Revista de derecho patrimonial*, Aranzadi. número 33. 2014.

ALBIEZ-DOHRMAN, K. J., «Disposiciones patrimoniales en vida para después de la muerte», en *El patrimonio familiar, profesional y empresarial. Sus protocolos*, t. II, Garrido Melero, M., y Fugardo Estivill, J. M. (Coordinadores), Bosch.

ÁLVAREZ GONZÁLEZ, S. (Ed.). *Estudios de derecho de familia y de sucesiones*. De conflictulegum. 2009.

AMAT, J. M. *La constitución de la empresa familiar*. Gestión 2000. 2004.

BRANCÓS I NÚÑEZ, E., *Los Pactos Sucesorios en el Derecho Civil de Cataluña*. Tirant lo Blanch. Colección Derecho Catalán. 2016.

DE LA CÁMARA ÁLVAREZ, M., *Estudios de Derecho Mercantil*. Edit. de Derecho Reunidas. Madrid. 1977.

CAMISÓN ZORNOZA Y RÍOS NAVARRO. *El protocolo familiar: metodologías y recomendaciones para su desarrollo e implantación*. Tirant lo Blanch. 2016.

CAÑIZARES LASSO, A., «Comentarios al Código Civil. Artº 667», en *Código Civil comentado*, Vol. IV. (Dir.) Cañizares Laso, A., De Pablo Contreras, P., Orduña Moreno, J., y Valpuesta Fernández, R., Civitas-Thomson Reuters, 2011.

CAPILLA RONCERO, F., «Comentario al artículo 1704 CC», en *Comentarios al Código Civil y Compilaciones Forales*, Albaladejo, M. (Dir.), t. XXI, vol. 1, EDERSA, Madrid, 1986.

CREMADES GARCÍA, P., *Sucesión mortis causa de la empresa familiar: la alternativa de los pactos sucesorios*. Dykinson. 2014.

CRESPO ALLUÉ, F., «Comentario al artículo 1704 CC», en *Comentarios al Código Civil*, Domínguez Luelmo, A. (Dir.), Lex Nova, Valladolid, 2010. Capilla Roncero, F., «Comentario a los artículos 1665 y 1666 CC», en *Comentarios al Código Civil y Compilaciones Forales*, Albaladejo, M. (Dir.), t. XXI, vol. 1, EDERSA, Madrid, 1986, pág. 11.

CUCURRUL POBLET, T., *El protocolo familiar mortis causa*. Dykinson. 2015.

DOMÍNGUEZ REYES J. F., «La transmisión mortis causa e inter vivos de la cualidad de socio en la sociedad civil». *RCDI*. Nº 758.

ESPEJO LERDO DE TEJADA, M., *La sucesión contractual en el Código Civil*, Universidad de Sevilla, Sevilla, 1999.

FERNÁNDEZ-TRESGUERRES, A., *Transmisión mortis causa de la condición de socio. Un estudio en la sociedad limitada familiar*.

FERRER VANRELL, M.ª P., «Los protocolos familiares y la Ley Balear 22/2006, de 19 de diciembre, como factores determinantes del resurgir de los pactos sucesorios», *Actualidad Civil*, n.º 12, 2009.

GARCÍA HERRERA, V., «La sucesión en la empresa familiar». *RCDI* Núm. 726, julio 2011.

GARCÍA RUBIO, M.ª P., «El apartamiento sucesorio en el Derecho civil. La reformulación por la Ley 41/2003 de la delegación de la facultad de mejorar». *Anuario de derecho civil*, Vol. 61, Nº 1, 2008.

GARRIDO DE PALMA, V. M., «La autonomía de la voluntad en las modificaciones estructurales», *Revista Jurídica del Notariado*, n.º 78, abril-junio, 2011.

GIRÓN TENA, J., *Derecho de sociedades*, t. I, Madrid, 1976.

HERRERO OVIEDO, M., «Los pactos sucesorios en el Código Civil francés», en *Estudios jurídicos en memoria del profesor José Manuel Lete del Río*, García Rubio, M.ª P. (Coord.), Thomson-Civitas, Cizur Menor, 2009.

HUERTA TRÓLEZ, A., «La empresa familiar ante el fenómeno sucesorio», *Revista Jurídica del Notariado*, n.º 50, 2004.

MARÍN LÓPEZ, J. J., «Comentario al artículo 1708», en *Comentarios al Código Civil*, Bercovitz Rodríguez-Cano, R. (Coord.), Aranzadi, Cizur Menor, 2001.

MARTÍN SANTISTEBAN, S., http://www.legaltoday.com/ exportarurls?idporget=336

MARTÍNEZ ROSADO, J., *Los pactos parasociasles*. Marcial Pons. 2017.

MARTÍNEZ SANCHIZ, J. A., *El artículo 831 y «el favor viduitatis». El patrimonio sucesorio: reflexiones para un debate reformista* / coord. por Oscar Monje Balmaseda; Francisco Lledó Yagüe (dir.), María Pilar Ferrer Vanrell (dir.), José Angel Torres Lana (dir.), Vol. 1, 2014, págs. 969-1002.

MARTÍNEZ VELENCOSO, L. M., «Comentario al artículo 1704 CC», *Código Civil Comentado*, vol. Iv, Cañizares Laso, A., De Pablo Contreras, P., Orduña Moreno, J., y Valpuesta Fernández, R. (Dir.), Civitas-Thomson Reuters, Cizur Menor, 2011.

MESA MERRERO, C. «Pactos con trascendencia sucesoria en la sociedad civil». *ADC*. Tomo LXVIII. 2014. Fasc. III.

NOTARIO SIGLO XXI. Artículos JEAN-CLAUDE GINISTY / y GIOVANNI LIOTTA. (Dº Francés e Italiano respectivamente.).

PALAZÓN GARRIDO, M.ª L., *La sucesión por causa de muerte en la empresa mercantil*. Tirant lo Blanch. 2002.

PANTALEÓN PRIETO, A. F., «Asociación y sociedad. (A propósito de una errata del Código Civil)», *Anuario de Derecho Civil*, enero-marzo, 1993.

PAZ-ARES, C., «La sociedad en general: elementos del contrato de sociedad»; en *Curso de Derecho Mercantil*, Uría, R., y Menéndez, A., 2.ª ed., Thomson-Civitas, Cizur Menor, 2006.

— «Comentario al artículo 1704 CC», en *Comentario del Código Civil*, Ministerio de Justicia, Madrid, 1993.

PERALTA CARRASCO, M. Director. Derecho de familia: Nuevos retos y realidades. Dykinson. 2016.

QUESADA GONZÁLEZ, M.ª C., «El futuro de la sociedad civil como instrumento de gestión de un patrimonio», en *El patrimonio familiar, profesional y empresarial. Sus protocolos*, t. I., Serrano de Nicolás, A. (Coord.), Bosch, Barcelona, 2005.

RAMS ALBESA, J., «Comentario al artículo 1271 CC», en *Comentarios al Código Civil y Compilaciones Forales*, dirigidos por Albaladejo, M., y Díaz Alabart, S., t. XVII, vol. 1, EDERSA, 1993.

REBOLLEDO VALERA, A. L. *Empresas, Sociedades y Actividades Económicas en la Liquidación de la Sociedad de Gananciales*. Thomson Reuters Aranzadi. 2017.

REQUEIXO SOUTO, X. M., «Pactos de atribución particular post mortem. Ámbito del artículo 1271, ap. 2.º del Código Civil», *Anuario de Derecho Civil*, t. LXV, Fasc. IV, 2012.

REYES LÓPEZ, M. J., «La empresa familiar encrucijada de intereses personales y empresariales». *Rev. Derecho Patrimonial.* Monografía. Número 11. Thomson 2004.

RODRÍGUEZ ARTIGAS, F., *La reforma de la sociedad limitada por la Ley 7/2003, de 1 de abril*, Tomo 44, 2006.

RODRÍGUEZ DÍAZ, I., *La empresa familiar en el ámbito del derecho mercantil*. Edersa. 2000.

ROJO FERNÁNDEZ-RÍO, *Transmisión mortis causa de acciones y participaciones sociales*, Tomo 54, 2013-2014. AAMN.

SÁNCHEZ ARISTI, R., «Propuesta para una reforma del Código Civil en materia de pactos sucesorios», en *Derecho de Sucesiones. Presente y futuro, XII Jornadas de la Asociación de Profesores de Derecho Civil*, Servicio de Publicaciones de la Universidad de Murcia, 2006.

SÁNCHEZ-GONZÁLEZ, C., «La autonomía de la voluntad en la configuración estatutaria de las sociedades de capital», *La Ley*, octubre-2011.

SERRANO CAÑAS, J. M., *El cambio generacional en la empresa familiar*. Marcial Pons. 2013.

TORRES GARCÍA, T. F., «La libertad de testar: el principio de igualdad, la dignidad de la persona y el libre desarrollo de la personalidad en el derecho de sucesiones», Madrid, Fundación Coloquio Jurídico Europeo. *Estudios de derecho de sucesiones*: «Liber amicorum» Teodora F. Torres García. Coord. por Margarita Herrero Oviedo; Andrés Domínguez Luelmo (dir.), María Paz García Rubio (dir.) Wolters Kluwer, 2014.

TRIGO GARCÍA, B., «Participación societaria y sucesión mortis causa» en, *Estudios de derecho de familia y de sucesiones*. De conflictulegum. 2009.

VALLE ZAYAS/PÉREZ RIVARÉS/ SALELLES. *Estudio sobre derecho de la empresa en el Código Civil de Cataluña.* J. Bosch. 2013.

VALMAÑA CABANES, A., *El régimen jurídico del protocolo familiar*, Comares. 2014.

VALPUESTA FERNÁNDEZ, R., «Comentario al artículo 1271 CC», en *Código Civil comentado*, vol. IV (Dir.) Cañizares Laso, A., De Pablo Contreras, P., Orduña Moreno, J., y Valpuesta Fernández, R., Civitas-Thomson Reuters, 2011.

VICENT CHULIÁ, F., «Protocolo familiar, organización jurídica y relevo generacional de la empresa familiar», en *La empresa familiar y su relevo generacional*, Colegio Notarial de Cataluña, Marcial Pons, 2011.

# VII. JUNTA GENERAL

# 28. Convocatoria y celebración de la Junta General. Junta Universal. Acta notarial

**RICARDO CABANAS**
*Notario*

**Sumario:** I. PLANTEAMIENTO. II. AUTOR DE LA CONVOCATORIA. 1. Competencia para convocar. 2. Autonomía para convocar. 3. Desconvocatoria. III. FORMA DE LA CONVO-CATORIA. 1. Sistema legal/estatutario. 2. Imperatividad del sistema y Registro Mercantil. 3. La perspectiva judicial. IV. ANTELACIÓN DE LA CONVOCATORIA. V. CONTENIDO DE LA CONVOCATORIA. 1. Orden del día. 2. Requerimientos informativos especiales. VI. CELEBRACIÓN DE LA JUNTA GENERAL. 1. Lugar de celebración. 2. Momento de celebración. VII. JUNTA GENERAL UNIVERSAL. 1. Requisitos. 1.2. Formales. 1.3. Legitimación de los socios ¿es posible la autogestión?. 2. Impugnabilidad por defecto de convocatoria y junta general universal de hecho. VIII. ACTA NOTARIAL DE JUNTA. 1. Requerimiento al notario. 2. Control de la convocatoria. 3. Requisito de validez de los acuerdos. 4. Control de la legitimación de los asistentes. 5. Junta general universal. IX. CONCLUSIÓN. Bibliografía.

## I. PLANTEAMIENTO

Suele decirse que la diferencia entre un ejército y una turba está en la organización. En parejo sentido podríamos decir que la diferencia entre una junta de socios y una tertulia radica en el procedimiento. Los acuerdos adoptados por mayoría en una reunión que se proclama «junta» solo obligan a todos los socios si han respetado el procedimiento legal y estatutariamente establecido, con la exigencia material añadida de no superar el ámbito de su competencia. Todos los requisitos de ese procedimiento son importantes, pero solo algunos son de verdad esenciales, como pone de manifiesto el art. 204.3.*a)* LSC al dejar fuera de la posible exención impugnatoria aquellas infracciones relativas «*a la forma y plazo previo de convocatoria, a las reglas esenciales de constitución del órgano o a las mayorías necesarias para la adopción de los acuerdos*», con una coda final más difusa abierta a cualquier otra que tenga carácter relevante.

El presente trabajo está ceñido a los temas de convocatoria y celebración de la JG, la JG universal y el acta notarial de la JG, pero quiero abordarlos desde su relación con los requisitos esenciales que confieren legitimidad al procedimiento. Con cierta libertad me permito hablar de legitimidad «institucional», solo para poner de manifiesto que son requisitos situados muy al comienzo del procedimiento, sin los cuales ni siquiera se puede hablar de JG como órgano propio de la sociedad. No es que la JG haya tomado mal sus acuerdos, es que no habría tenido lugar una JG. Por el carácter intermitente del órgano, que solo existe como tal JG una vez ha sido constituida (también sus cargos, que no pueden configurarse como permanentes, Res. de 07/12/1993), son requisitos previos que —normalmente— solo pueden ser cumplidos por el otro órgano de la sociedad que sí tiene naturaleza estable —pero puede no existir en ese momento—, el órgano de administración, o que demandan su presencia y colaboración activa para ser satisfechos. De ahí el calificativo «institucional», pues son requisitos que atienden al entramado orgánico de la sociedad, a su estructura institucional interna, antes que a la vertiente funcional de la JG una vez constituida.

Esos requisitos se centran en dos momentos clave:

+ La convocatoria de la JG como acto que pone en marcha el procedimiento y delimita —como regla— su capacidad para tomar acuerdos, pues solo un llamamiento «regular» desemboca en una reunión válida como JG. Sin embargo, excepcionalmente es posible constituir la JG sin esa legitimación inicial exógena, bien porque los mismos socios han decidido prescindir de la convocatoria (JG universal), bien porque en la misma reunión los socios convalidan una convocatoria anterior mal hecha. En ocasiones, esto último ocurre en forma poco consciente o inadvertida, hasta el punto que algún socio después pretenda —quizá— volver sobre sus propios pasos para impugnar los acuerdos.

+ La constitución de la JG, o más exactamente el control encomendado a la mesa de la JG —sea o no convocada— que se plasma en la lista de asistentes. Parece fácil cuando la mesa es de constitución automática, en aplicación de una regla legal o estatutaria (art. 191 LSC), o ha sido nombrada con anterioridad en los casos de convocatoria judicial/registral. Pero la situación se complica cuando depende de una elección por parte de los mismos reunidos, que a su vez demanda una verificación inicial de la condición de socio, en una singular paradoja temporal donde el resultado final también es presupuesto previo del control que hace posible aquel mismo resultado. De nuevo, con cierta libertad en el uso de las palabras, diría que es un control anterior al trámite de constitución, «pre-constituyente» por expresarlo gráficamente. Desde mi perspectiva ahora no interesa tanto la forma de resolver en ese momento las cuestiones de legitimación/representación del socio, como identificar la instancia responsable de ese primer control, o de suministrar la información auténtica necesaria para llevarlo cabo, fuera de aquellos casos de legitimación por la mera posesión del título. Ahí está la primigenia fuente de legitimidad institucional. No entraré en el tema al estar encomendado a otra ponencia, pero sí lo menciono con ocasión del acta notarial de JG, especialmente en aquellos supuestos conflictivos donde se pretende involucrar al notario en esa verificación, ya sea por falta de otra instancia de control interna, o como tercero imparcial que pueda desbloquear la situación.

Superados estos requisitos «legitimadores» la JG ya puede funcionar como tal órgano colegiado, ya puede tomar acuerdos, y en ocasiones con arreglo a un principio mayoritario «modulado» por el juego de un amplio deber de abstención (art. 190 LSC).

Sobre esta base he seleccionado algunos temas de interés práctico tomados de la más reciente experiencia judicial/registral en la materia, pero con la necesidad de separar ambas perspectivas. En la judicial la impugnación del acuerdo o de la JG permite la valoración de todas las circunstancias del caso. Es una valoración completa y definitiva de su validez, aunque en ocasiones demasiado casuística para permitir conclusiones generales. En cambio la registral no descansa en la contradicción entre partes, ni permite una valoración exhaustiva de aquellas circunstancias, por eso la doctrina de la DGRN, aunque más fácilmente susceptible de generalización, no siempre es útil para resolver sobre la validez de los acuerdos. Ni la falta de inscripción invalida el acuerdo, ni la inscripción por sí sola los convalida.

De todos modos, la atención a la perspectiva registral inevitablemente permea toda mi exposición con los problemas propios de la documentación de los acuerdos, pues muchos tendrán como destino último el RM, y por esa vía el acceso a todos los efectos asociados al principio de legitimación y la oponibilidad de los asientos. En un figurado recorrido de ida y vuelta, como regla —existen excepciones— hay que volver al órgano de administración para generar el título inscribible, con un singular requerimiento formal que dota al procedimiento de una mínima garantía de autenticidad, o por seguir con una terminología que resulta más expresiva, de legitimidad institucional (el importante art. 111 RRM). De una forma o de otra, al principio o al final, el órgano de administración casi siempre está presente para dotar a la JG, y a sus acuerdos, de la necesaria dosis de legitimidad.

## II. AUTOR DE LA CONVOCATORIA

### 1. Competencia para convocar

Solo una convocatoria hecha por quien tiene la competencia para ello concluye en una JG. Por eso la primera cuestión es a quién corresponde esa competencia. A continuación unas reglas básicas sobre cómo debe hacerse.

a) Con arreglo a la estructura del órgano: empezando por el autor de la convocatoria, está claro que la competencia corresponde a los administradores y, en su caso, a los liquidadores de la sociedad (art. 166 LSC). Con esto la ley remite a la estructura propia del órgano de administración, según resulta del art. 201 LSC, y de su eventual traslación al de liquidación (art. 376 LSC), sin tener en cuenta la forma de ejercicio del poder de representación (arts. 233.2 y 379 LSC). Destacan algunos supuestos problemáticos:

+ Administradores mancomunados: el ejemplo más claro de la anterior discordancia es la administración mancomunada, donde el criterio finalmente impuesto es que han de convocar todos los administradores de manera conjunta, y no solo en el número —menor— necesario para representar a la sociedad, pues se trata de una competencia interna (Res. de 27/07/2015; la SAP de Cantabria [4] de 04/06/2013 rec. 653/2012 admite la subsanación del defecto de autoría por el hecho de asistir los otros administradores a la reunión y consentir el orden del día). Adviértase que la muerte o el cese de alguno de ellos impide la convocatoria normal de la JG por todos los demás, aunque la válida representación de la sociedad pueda continuar normalmente con los restantes (arg. *ex* art. 171.I LSC). La cobertura de la vacante, o la reducción por la JG del número de administradores mancomunados, se convierte así en la práctica en imperativa para recuperar la normalidad en orden a las convocatorias futuras, para mi gusto excesiva, pues no parece que otras competencias internas se vean afectadas del mismo modo (p. ej., formular cuentas anuales, art. 253.2 LSC; no así para certificar el acuerdo de aprobación de las mismas, Res. de 02/01/2017).

+ Consejo de administración: otro tanto en el Consejo de Administración —CA—, por la exigencia de un acuerdo regular del órgano colegiado y la imposibilidad de su delegación (art. 249.*bis.j)* LSC). Esta exigencia es estricta y no permite que el CA decida las líneas básicas de la convocatoria, pero delegue parcialmente en algún miembro la concreción de extremos concretos, como la fecha o el lugar (admite cierta flexibilidad en relación con el lugar, SAP de Barcelona [15] de 26/01/2011 rec. 253/2010; la rechaza en forma de una pretendida rectificación del acta de la reunión,

SAP de Valladolid [3] de 29/06/205 rec. 61/2015). Por otro lado, esta dependencia del acuerdo previo de un órgano también colegiado, deja expuesta la convocatoria de la JG a los defectos de que adoleciere aquél, pues la nulidad del acuerdo del CA priva a la JG de una convocatoria válida (SAP de Córdoba [3] de 15/11/2010 rec. 322/2010). Pero, a la inversa, la caducidad de la acción de impugnación en contra de aquel acuerdo del CA (30 días, art. 251 LSC), automáticamente salva la convocatoria de la JG (SAP de Guipúzcoa [2] de 22/12/2014 rec. 2302/2014, SAP de Málaga [6] de 10/01/2013 rec. 96/2011).

b) La excepción del art. 171.II LSC: para hacer frente a las situaciones de acefalia funcional, pero solo cuando tengan su origen en la muerte o el cese de algún miembro del órgano, que impida a los demás convocar JG con arreglo a su estructura, los restantes podrán convocar la JG con el único objeto de nombrar a los nuevos administradores que cubran los puestos vacantes. Esta restricción afecta al orden del día de la convocatoria, que no podrá incluir ningún otro punto, sin perjuicio de los que siempre son susceptibles de inclusión «sobre la marcha» en la misma reunión. En particular, no se puede aprovechar esta convocatoria excepcional para —p. ej.— cambiar el sistema de administración (SAP de Toledo [1] de 20/10/2016 rec. 401/2015). Por otro lado esta legitimación es puramente individual, aunque todavía queden varios administradores mancomunados.

## 2. *Autonomía para convocar*

a) Iniciativa de la convocatoria: el monopolio del órgano de administración/liquidación para convocar la JG no es absoluto respecto de la iniciativa. Como regla corresponde a los administradores valorar, bajo su responsabilidad personal, la necesidad o conveniencia de convocar la reunión de socios (art. 167 LSC). Pero esta libertad queda restringida en algunos casos:

+ JG ordinaria/estatutaria: cuando se trate de la JG ordinaria, con un orden del día específico, debe celebrarse dentro de los seis primeros meses de cada ejercicio, si bien su celebración presupone la previa formulación de las cuentas por esos mismos administradores (art. 164 LSC). También, cuando los estatutos hayan previsto la convocatoria de otras JJGG, con la suficiente precisión en cuanto a las fechas y el orden del día. En tal caso, para acudir a la vía rápida en una convocatoria judicial/registral, no basta con la obligación de los administradores de convocar una JG, sino que los estatutos deben indicar las «*fechas o períodos*».

+ Solicitud de la minoría: además, una minoría que represente el 5 %
del capital social puede instar la convocatoria, con expresión del orden
del día, cualquier que sea este. En particular, nada se opone a que sea meramente informativo (posibilidad controvertida, v. SAP de Cantabria [4]
de 04/06/2013 rec. 653/2012, SAP de Madrid [28] de 26/03/2012 rec.
378/2011; no obstante, parece imponerse a la vista de lo que después diré
sobre el complemento de convocatoria, y no solo para la SA), o que se pretenda una intervención de la JG en asuntos de gestión (salvo disposición
contraria de los estatutos, art. 161 LSC; no confundir la gestión con el supuesto del art. 160.*f*) LSC).

+ Convocatoria judicial/registral: ante la negativa, o el cumplimiento
defectuoso/tardío por parte de los administradores, cualquier socio en el
primer supuesto, o el porcentaje mínimo del 5 % en el segundo, puede instar la convocatoria por parte del Letrado de la Administración de Justicia
o el Registrador Mercantil —LAJ/RM— (también posible en situaciones
de acefalia estructural completa, o acefalia meramente funcional, en este
caso sin tener que requerir antes a los administradores restantes, art. 171
LSC). De todos modos, aunque con esto se supla al autor «orgánico» de
la convocatoria, la formalización de la misma puede exigir la colaboración
de los administradores, y en su defecto que sea el mismo promotor del
expediente, o la persona designada para presidirla, quien deba encargarse
de su publicación o comunicación (así resultaría del art. 119.6 Ley de la
Jurisdicción Voluntaria —LJV—).

b) El control del orden día y el complemento de convocatoria: el autor
de la convocatoria, o quien asuma la iniciativa, también controla el orden
del día y con ello el ámbito de decisión de la JG. No obstante, en la SA los
accionistas que representen, al menos, el 5 % del capital social, podrán
solicitar —por notificación fehaciente— que se publique un complemento
a la convocatoria incluyendo uno o más puntos en el orden del día (existe
régimen especial para la sociedad cotizada, art. 519 LSC). En este caso el
cumplimiento defectuoso sí que provoca la nulidad de la JG, en el sentido
de extenderse a todos los acuerdos de la JG, y hasta puede conseguirse el
cierre temporal del RM mediante una anotación preventiva (tres meses,
art. 104 RRM; llama la atención que sea un asiento de vigencia temporal).

El problema se plantea por el margen de libertad de la minoría para
solicitar la inclusión de nuevos asuntos en el orden del día. El TS ha hecho
una interpretación muy generosa del derecho de la minoría, en el sentido
de que los nuevos asuntos no han de guardar relación con los previstos en
la convocatoria inicial, y pueden ser de contenido meramente informativo

(STS de 13/06/2012 rec. 447/2014; rectificando su criterio anterior, mucho más restrictivo, SAP de Madrid [28] de 15/07/2016 rec. 447/2014). Esto no significa que los administradores deban aceptar sin más los nuevos temas, y sobre todo con la misma redacción literal que proponga la minoría, pues es posible que ya se deban considerar incluidos en la convocatoria inicial (SAP de Madrid [28] de 15/07/2016 rec. 447/2014), que los administradores los redacten de forma extractada (SAP de Barcelona [15] de 08/01/2014 rec. 509/2012), o que tengan razones objetivas para rechazar la petición por entender que su inclusión en esos términos podría perjudicar a la sociedad (SAP de La Rioja [1] de 29/10/2015 rec. 311/2014).

## 3. Desconvocatoria

Una vez se ha puesto en marcha el procedimiento, la celebración de la JG ya deviene automática, pero aún es posible dar marcha atrás mediante la desconvocatoria de la JG. La ley no la regula, pero no parece que deba someterse a especiales requisitos de antelación, pero sí de forma, en el sentido de tener que respetar las mismas formalidades de la previa convocatoria (más flexible la SAP de Girona [1] de 210/01/2015 rec. 535/2014 al admitir cualquier medio idóneo para que los socios tengan conocimiento). El mayor problema es de competencia, que ha ser exclusiva del mismo órgano de administración con competencia para convocar (Res. de 28/07/2014) y con arreglo a su régimen propio de funcionamiento (en la SAP de Madrid [10] de 29/09/2015 rec. 485/2012, las tres administradoras mancomunadas y socias deciden suspender la reunión y convocar una nueva, así hasta en dos ocasiones, pero la tercera vez no consiguen ponerse de acuerdo, dos de ellas abandonan la reunión y la tercera celebra la JG; para la AP la JG se ha constituido válidamente, pues las dos ausentes no podía desconvocar). La situación se complica cuando el sistema de administración permite la actuación separada de varios sujetos, como ocurre con los administradores solidarios. No solo cuando uno pretenda desconvocar la JG que ha sido convocada por el otro, también cuando quiera boicotearla convocando otra JG para una fecha anterior, siempre que los plazos lo permitan (Res. de 20/12/2012). En este punto la competencia no es indistinta y entiendo que solo puede desconvocar el mismo administrador que ha hecho la convocatoria, y por eso el otro debe respetarla sin interferencias —contraprogramar otra en fecha anterior— salvo situaciones excepcionales (cuando sea necesario desconvocar, pero el convocante se encuentre impedido para realizarla o haya fallecido, SAP de Girona [1] de 20/01/2015 rec. 535/2014).

## III. FORMA DE LA CONVOCATORIA

### 1. Sistema legal/estatutario

a) Tras una sucesión de reformas legales que ha querido facilitar la convocatoria telemática —en ocasiones, algo confusas y problemáticas, v. Ress. de 25/04/2016, de 16/06/2015, de 27/11/2015—, el sistema vigente en la actualidad parece que ya resulta bastante claro y tiene la ventaja adicional de ser el mismo para SA y SRL (art. 173 LSC; especialidad sociedad cotizada, art. 516 LSC). Hay que distinguir:

+ Si la sociedad tiene página web inscrita/publicada en los términos del art. 11 *bis* LSC, solo convocará por este medio. No es necesaria previsión estatutaria, aunque los estatutos pueden imponer también un sistema de alerta.

+ Si la sociedad aún no tiene página web que cumpla esos requisitos, habrá de hacerlo mediante un anuncio en el BORME y en uno de los diarios de mayor circulación en —no «de»— la provincia del domicilio social.

b) Como sistema estatutario alternativo, en sustitución de los anteriores solo se admite la comunicación individual y escrita, que asegure la recepción del anuncio por todos los socios en el domicilio designado al efecto o en el que conste en la documentación de la sociedad (en caso de fallecimiento del socio, los interesados deben informar a la sociedad, y si no lo hacen la sociedad cumple enviando el anuncio al domicilio del fallecido, Res. 23/05/2014). Es necesario que conste de algún modo la recepción (para el correo electrónico, Ress. de 28/10/2014, de 13/01/2015; admite el correo certificado, aunque no acredite contenido, Res. de 02/08/2012). Adviértase que este sistema puede adelantar a la fase previa de convocatoria los problemas de legitimación que suelen plantearse en la constitución de la JG, cuando exista conflicto sobre la titularidad de las acciones/participaciones. No cabe un sistema alternativo mediante publicación del anuncio, como era posible en el pasado (un diario determinado), aunque nada se opone a que el diario se identifique en los estatutos, siempre que sea de «mayor» circulación en la provincia y, además, se publique en el BORME.

### 2. Imperatividad del sistema y Registro Mercantil

La doctrina de la DGRN en cuestiones de forma es muy rigurosa y rechaza la inscripción cuando se incumple el sistema legal/estatutario, sin tener en cuenta las ventajas del utilizado (Res. de 31/10/2001), o las dificultades prácticas que expliquen el cambio (en la Res. de 21/10/2015 la sociedad cambia el sistema estatutario de convocatoria por carta o burofax, por una publicación en BORME y un diario, al existir problemas hereditarios y litigios pendientes, que llevaban a desconocer la identidad de algunos socios; para la DGRN se tendría que haber remitido la comunicación al domicilio del socio fallecido). Para la DGRN el socio tiene derecho a recibir el anuncio en la forma prevista, y con la celeridad que resulte del propio sistema, de ahí que no quepa la sustitución por otro (Res. de 01/10/2013, al insistir en la rápida recepción por buro-fax o telegrama, frente a la lentitud del correo, diferencia importante porque el cómputo corre desde el envío, no desde la recepción; curiosa la Res. de 31/10/2001, al sugerir que el socio que cuenta con una convocatoria «pública», puede no tener prisa en comunicar su adquisición a la sociedad). Lógicamente, esto es así a afectos de su inscripción y desde la limitación de medios de prueba del procedimiento registral, muy distinto la posibilidad de que al final un juez declare su validez y termine por inscribirse.

De todos modos, y con carácter general para todas las cuestiones relacionadas con la convocatoria, la DGRN no desconoce la reforma llevada a cabo por la Ley 31/2014, en particular el nuevo art. 204 LSC cuando establece una serie de motivos por los que no procederá la impugnación de los acuerdos. Quede claro que el relieve impugnatorio de estos defectos «menores» no depende de la previa calificación del RM cuando se trate de acuerdos inscribibles. Por tanto, un acuerdo no queda convalidado por su mera inscripción cuando el defecto sea relevante, y así lo valore el Juez en una impugnación futura, ni la calificación negativa del RM ha de constituir para el Juez un indicio de la superior relevancia del defecto. Esto supuesto la DGRN contempla la reforma legal como una confirmación de su propia doctrina que distingue entre infracciones que conllevan indefectiblemente la nulidad de los acuerdos adoptados, e infracciones en las que, al no existir perjuicio posible para socios o terceros, no procede la sanción de nulidad, pero siempre fiel a su idea de que la protección de los derechos del socio no recae exclusivamente en su iniciativa (Res. de 02/10/2015), y por eso tampoco es determinante el aquietamiento de los socios. Sobre esta base las Ress. más recientes tampoco permiten formular conclusiones muy generales sobre una posible mayor tolerancia en la valoración de las infracciones, pues no es lo mismo que la flexibilidad descanse en una auto-restricción que el RM deba imponerse al calificar (tesis que la DGRN parece rechazar), que hacerlo por la simple acumulación de contingentes circunstancias particulares a valorar por el RM en su calificación, siempre desde la premisa de controlarlo todo (entre otras, Ress. de 06/02/2015, de 13/01/2015, de 29/11/2015, de 18/02/2015, de 21/10/2015, de

15/06/2015). En ese sentido las cosas siguen estando más o menos igual que antes.

### 3. La perspectiva judicial

En el ámbito judicial la situación es muy distinta, ya que los tribunales sí pueden valorar todas las circunstancias del caso, en especial la buena/mala fe, tanto del convocante, como del posible impugnante, igual que la proporcionalidad de la infracción cometida. Tanto es así que, en ocasiones, se anula una convocatoria formalmente impecable, pero distinta de la practicada hasta entonces —debemos suponer, en contra de lo dispuesto en la ley/estatutos— cuando se busca con el cambio «despistar» a algún socio (entre las más recientes, SAP de Zaragoza [5] de 16/02/2015 rec. 31/2015, SAP de Navarra [3] de 28/03/2014 rec. 126/2013), o, a la inversa, se rechaza la impugnación de una convocatoria defectuosa, por la actitud obstruccionista o pasiva que mostró el mismo destinatario, al ser él quien buscó a propósito una situación que le permitiera alegar el «desconocimiento».

## IV. ANTELACIÓN DE LA CONVOCATORIA

El plazo de antelación de la convocatoria es distinto para la SA y la SRL (salvo supuestos especiales, art. 40.2 LME), y en el caso de la SA hay que contar con el añadido del complemento y de la segunda convocatoria (una eventual ampliación del orden del día en SRL habría de cumplir los plazos generales, SAP de Santa cruz de Tenerife [4] de 25/01/2013 rec. 554/2012; lo mismo para la rectificación del anuncio, Res. 24/01/2002; para la segunda convocatoria en SA, considera que la falta de una diferencia de 24 horas no es causa de nulidad, SAP de Burgos [3] de 18/12/2012 rec. 372/2012; tampoco parece que la segunda salve una convocatoria que no respetó el plazo de antelación respecto de la primera, por mucho que se constituya con el quórum de esta, no obstante, v. Res. 09/07/1992). La materia se regula en los arts. 176 y 177 LSC, con la indicación expresa para la convocatoria individual de que se ha de estar al día de la remisión, y no al de la recepción (SAP de Madrid [28] de 11/12/2015 rec. 716/2013). Por lo demás la DGRN asume la doctrina del TS de que se debe incluir en el cómputo el día inicial, excluyendo el de la celebración de la JG, que ha de quedar ya fuera del plazo de antelación (Res. de 05/07/2016). Por otro lado, aunque algunos sistemas de comunicación dejan constancia de la hora, el cómputo es por días, sin tener en cuenta la hora (SAP de las Islas Baleares [5] de 20/05/2016 rec. 108/2016)

# V. CONTENIDO DE LA CONVOCATORIA

El art. 174 LSC regula con carácter general el contenido de la convocatoria. Hay circunstancias obvias, sin las cuales mal podría cumplir el llamamiento su finalidad convocante, como la fecha y hora de la reunión. Nada se dice del lugar, por no ser un requisito esencial, ya que supletoriamente el art. 175 LSC dispone dónde debe celebrarse. Solo sería necesaria la indicación en sentido contrario. No menos evidente resulta la identificación de la sociedad (el error no siempre ha de ser invalidante, Res. de 02/08/1993; en cambio, v. Res. de 03/04/1997), mientras que la del cargo solo quiere garantizar una primera apariencia formal de legitimidad a su autor. Pero ahora interesan los requisitos materiales con un significado más jurídico: los asuntos a tratar, en cuanto integran el orden del día; y los requerimientos informativos que, en ocasiones, deben cumplirse por medio del anuncio.

## 1. *Orden del día*

a) Orden del día y capacidad de la junta general para tomar acuerdos: aunque la JG puede tener un objeto puramente informativo, incluso deliberativo pero sin votación final, realmente su competencia se define por la posibilidad de adoptar acuerdos por mayoría, acuerdos a los que van a quedar sometidos todos los socios, incluidos los disidentes y los ausentes, y no solo los socios, pues el órgano de administración tampoco puede desconocer sin más las instrucciones y mandatos que reciba de la JG, sin perjuicio de la incidencia que tenga —o no— ulteriormente en cuestiones de responsabilidad (art. 236.2 LSC). Por eso la JG solo puede tomar acuerdos sobre los asuntos incluidos en el orden del día, con unas excepciones muy acotadas relacionadas con los administradores (como regla, directores de la convocatoria y —se supone— remisos a su inclusión por propia iniciativa), en particular el acuerdo de entablar la acción social de responsabilidad (art. 238.1 LSC) y el cese de los mismos (art. 223.1 LSC). Algo más problemático puede resultar el nombramiento de un nuevo administrador para cubrir la vacante generada inmediatamente antes por un sorpresivo acuerdo de cese, pues solo cabe reconstruir la normalidad del órgano anterior a la separación del cargo, en ningún caso cambiar el sistema de administración. Por idéntico motivo no queda claro que la JG pueda dejar vacante el puesto, si ello implica cambiar de hecho el sistema (sigue como administrador único el anterior solidario), o el número plural de administradores mancomunados/solidarios fijado en una JG anterior.

b) Supuestos especiales: en algunos casos el orden del día de la convocatoria ha de ser algo más preciso. En particular:

+ En la JG ordinaria no se debe omitir ninguno de los tres contenidos que constituyen su objeto (SAP de Sevilla [5] de 12/09/2014 rec. 6735/2013, aprecia defecto de convocatoria por no haber incluido el punto relativo a la aplicación del resultado —por cierto, negativo— como punto independiente objeto de votación separada; SAP de Madrid [28] de 01/03/2013 rec. 636/2011, en la JG ordinaria ha de figurar forzosamente la censura de la gestión social y su omisión determina la nulidad «*de los demás acuerdos que integran el contenido mínimo de la JG ordinaria*», pues no se puede entender subsumida dicha censura en la ulterior votación sobre el ejercicio de la acción social de responsabilidad).

+ Con carácter general en los supuestos de reforma de los estatutos sociales los extremos que hayan de modificarse deberán expresarse «*con la debida claridad*» (art. 287 LSC). Como la claridad ya es una exigencia de cualquier convocatoria, parece en estos casos que se demanda algo más de precisión, de detalle, a fin de que el socio tenga una idea clara de lo que puede decidirse, pero sin cercenar por completo la posibilidad de que la JG disfrute de cierto margen de maniobra, y sin convertir la convocatoria en un clon del texto íntegro de la modificación propuesta, que como documento complementario el instigador de la misma debe poner a disposición de todos los socios (art. 286 LSC; en la SA, además, un informe escrito con justificación de la reforma; sobre la necesidad de que el informe exponga «*razones convincentes*», v. SAP de Guadalajara [1] de 04/06/2013 rec. 501/2012).

+ Otras veces, determinadas características de la operación deben destacarse en la convocatoria por mandato legal expreso; así, la supresión del derecho de preferencia en los aumentos de capital (art. 308.2.*b*) LSC; en sociedad profesional, basta con indicar en el anuncio que el aumento de capital es para la promoción profesional, sin tener que destacar la ausencia del derecho de preferencia, STS de 05/06/2013 rec. 2148/2011), o ciertas menciones mínimas del proyecto de fusión (art. 40.2 LME).

## 2. *Requerimientos informativos especiales*

Pero, en ocasiones, no basta con la especificación de los asuntos que integran el orden del día. Por la especialidad de alguno de esos asuntos, la convocatoria debe servir de cauce para informar a los socios del derecho que tienen a examinar determinados documentos y de la forma en que pueden hacerlo.

Es el caso de las cuentas anuales, donde se ha de ser muy preciso a la hora de indicar, tanto los documentos objeto de posible examen (todos los documentos pertinentes, art. 272.2 LSC; para la Res. de 23/04/2012 no basta con hablar en general de «documentos», sino que deben identificarse, pues «*esa documentación no siempre es la misma*»; en el caso, no se destacó la existencia de informe de auditoría), como el derecho a obtenerlos de forma inmediata y gratuita (Res. de 18/02/2015, a pesar de aprobarse por el 99'60 % del capital).

También en la modificación de los estatutos, por la necesidad de destacar en la convocatoria el derecho de los socios a examinar en el domicilio social el texto íntegro de la modificación propuesta —y el informe en SA—, así como pedir la entrega o el envío gratuito (art. 287 LSC; han de constar las tres modalidades de examen/entrega/envío, Ress. de 28/10/2013, de 24/10/2013; más flexible, pero en atención a las circunstancias del caso, la Res. de 29/09/2015). Lo mismo en las modificaciones estructurales (art. 40.2 LME).

## VI. CELEBRACIÓN DE LA JUNTA GENERAL

### *1. Lugar de celebración*

a) Autonomía estatutaria: que el llamamiento a JG tiene lugar para reunirse en el lugar que resulte de la misma convocatoria, no parece plantear demasiadas dudas. Aunque los estatutos hubieran previsto y regulado la asistencia de los socios por medios telemáticos, y todos ellos hicieran uso de esta posibilidad, la JG, como tal órgano de la sociedad, y más específicamente su órgano rector —la mesa de la JG— ha de instalarse físicamente en un lugar, y este será el de celebración de la JG (art. 175 LSC, y para la SA arts. 182 y 189.2 LSC; sobre la posibilidad de hacer extensiva a la SRL la asistencia por video conferencia o por medios telemáticos, v. Res. de 19/12/2012).

Con arreglo al art. 175 LSC ese lugar de celebración puede conocerse de dos modos:

– Si nada se indica en el anuncio, la JG está convocada para celebrarse en el domicilio social.

– En otro caso el órgano convocante habrá de indicar un lugar concreto, siempre que esté dentro del término municipal donde la sociedad tiene su domicilio. Por tal ha de entenderse su domicilio estatutario, lo cual plantea dos posibles problemas: que haya discordancia entre el domicilio real (*ex* art. 9 LSC) y el estatutario; que haya discordancia entre el domicilio estatutario y el domicilio registral (traslado no inscrito). En ambos casos creo que se ha de estar al estatutario para salvar —en principio— la validez de la JG (el socio no es tercero del art. 10 LSC), pero el acuerdo encontrará problemas de inscripción si el RM consigue detectar la discrepancia (no siempre la detectará, pues el anuncio y la certificación pueden hablar simplemente de «*domicilio social*»; cuestión distinta es la maniobra de un posible socio disidente que mediante la presentación de otro documento ponga al RM sobre aviso, forzando una calificación conjunta; sin embargo, justo en el sentido contrario, por haber tenido en cuenta el nuevo domicilio social, aún no inscrito, v. Res. de 25/01/2012, «*el acuerdo de cambio de domicilio válidamente adoptado genera en cabeza de los socios y a efectos internos la expectativa legítima de que las juntas serán celebradas en el nuevo domicilio aunque penda la inscripción del correspondiente acuerdo social*»).

b) Situaciones especiales: fuera de los casos en los que resulta decisiva la mala fe o el posible abuso del impugnante, como regla general la posibilidad de celebrar la JG en un término municipal distinto queda restringida a supuestos muy excepcionales de fuerza mayor (desde la STS de 28/03/1989 ponente Trillo-Figueroa; v. SJM de Madrid [6] de 08/09/2014 proc. 470/2011; Res. de 20/11/2012, donde no considera suficiente la razón indicada para el traslado, en el caso la enfermedad de un socio, cuando precisamente el socio enfermo no asistió).

## 2. *Momento de celebración*

a) Día y hora: tampoco ofrece dudas que la reunión ha de tener lugar el día y la hora anunciados (con la debida antelación, por eso la DGRN rechaza la rectificación de la hora que no ha respetado el plazo legal, Res. de 29/04/2005), y en el caso de la SRL, además, único día/hora posible, pues no cabe una segunda convocatoria (art. 186.2 RRM, Res. de 26/02/2013). Sobre todo, ese momento marca el de la confección y cierre de la lista de asistentes, pues no deberían aceptarse incorporaciones tardías. No hay criterio sobre el plazo de «tolerancia» que se deba esperar al socio retrasado, fuera de la invocación genérica de la buena fe, sobre todo cuando se tiene noticia de la demora (llamada de móvil anunciándola, por culpa de un atasco). A la inversa, el socio que solo quiere hacer acto de presencia para manifestar su absoluto desacuerdo con «todo» para después marcharse, ha de saber que si espera a que la mesa redacte la lista, muy probablemente computará como asistente, aunque después no vote por abandono.

b) Duración: pero también están las cuestiones relacionas con la duración de la JG, y por ello con su identidad como tal JG. El art. 195 LSC regula el supuesto normal de prórroga de las sesiones, de tal modo que la legitimidad institucional concretada al inicio de la reunión se mantiene durante todas las sesiones posteriores, aunque se ausenten algunos socios, dejando incluso la presencia por debajo del quórum inicial requerido.

## VII. JUNTA GENERAL UNIVERSAL

### 1. Requisitos

#### 1.1. Materiales

Dos son los rasgos principales que definen la JG universal según el art. 178 LSC. Uno constituye su presupuesto, la presencia de todo el capital social (también posible en JG convocada), pero el elemento realmente definitorio es el hecho de haber quedado válidamente constituida, a pesar de no haber sido convocada en forma. Es una JG privada del acto inicial externo que pone en marcha el procedimiento conducente a un foro donde adoptar legítimamente acuerdos vinculantes, y es posible porque la JG como órgano se legitima a sí misma por medio de una decisión colectiva que han de tomar los socios antes de que la JG esté constituida como colegio, «*pues el hecho de su decisión unánime es precisamente el requisito imprescindible para que la junta llegue a nacer, configurarse o existir*» (STS de 91/07/2016 rec. 2526/2013). Para ello es necesario que esté presente/representado todo el capital social y que los concurrentes acepten por unanimidad la celebración de la reunión, con un determinado orden del día. La unanimidad no solo se requiere para celebrar la JG, también para decidir qué asuntos se deben tratar, y esta exigencia persiste durante toda la reunión. No cabe incluir sin el asenso de todos los presentes nuevos asuntos sobre la marcha, ni siquiera aquellos que pueden serlo con normalidad en una JG convocada, pues todos los asuntos tratados en la JG universal han de contar con el *placet* de la unanimidad, ya lo hagan al comienzo de la reunión, o en un momento posterior (no obstante, v. SAP de Madrid [28] de 18/12/2009 rec. 60/2009). Con esta salvedad ya funciona como una JG normal, cuyos acuerdos se adoptan por mayoría, y cuya acta también deberá aprobarse —en su caso— por mayoría (art. 202 LSC).

Al prescindir de la convocatoria los socios también renuncian a los mecanismos informativos asociados a la misma, en particular a la posibilidad de acceder con antelación, y de una forma específica, a ciertos documentos relevantes, lo que no significa que esos documentos dejen de existir, pues algunos pueden ser requisitos de la operación misma (p. ej., informe administradores/certificación auditor, art. 301 LSC). En absoluto ha de significar falta de información, pues normalmente se habrá recibido por otras vías, en términos que el socio considera suficientes (Res. de 07/12/2011: *«los socios al aceptar la celebración de la junta universal para la adopción del acuerdo de modificación de estatutos, y al aceptar el orden del día, implícitamente están renunciando al derecho de la disponibilidad formal de la información citada»*; por eso resulta poco comprensible la Res. de 29/11/2012 cuando afirma que la junta universal no exime de ciertos requisitos relativos al derecho de información, en particular la expresión del derecho que asiste a los accionistas a examinar el texto íntegro de las modificaciones propuestas y de la advertencia de las formas de su posible ejercicio, solo explicable porque en el caso uno de los socios formuló reserva sobre ese tema, a pesar de haber aceptado la constitución de la junta).

Por otro lado, el capital social puede estar presente o representado, incluida una representación de tipo general. Pero no es lo mismo que la amplitud del poder se refiera a las facultades conferidas (un poder general para administrar todo el patrimonio, arts. 183.1 y 187 LSC), que un poder conferido con carácter general para cualquier JG, pero solo para asistir y votar en ellas (en SRL posible, si consta en documento público, art. 183.2 LSC; más amplio en SA, solo por vínculo personal, art. 187 LSC). Aunque la decisión de constituirse en JG universal puede considerarse previa y distinta al hecho de asistir y votar en la reunión, se ha de admitir la actuación del apoderado, lo que supone un cierto riesgo para el poderdante, quizá por completo ignorante de que ha tenido lugar la JG. Si quiere precaverse debería excluir la JG universal del poder. Yendo algo más lejos, la DGRN también admite la exigencia estatutaria de un poder especial, cuando sea específicamente a los efectos de constituirse en JG universal (Ress. de 07/02/1996, de 05/03/1997 y de 27/10/1998). Lógicamente, si la representación se otorga para una junta concreta con convocatoria previa, aunque informal, y donde conste el orden del día, no será posible añadir nuevos asuntos a este último, pues al ser insuficiente el poder, no se cumpliría el requisito de la concurrencia de todo el capital social. Lo mismo para hacer que una JG mal convocada valga como JG universal. Distinto es que se pretenda una ratificación por parte de un socio ausente de la reunión para integrar *a posteriori* esa unanimidad, posibilidad que rechaza por principio la DGRN (Ress. de 16/03/1990 y de 20/11/1995).

## 1.2. Formales

La verificación de los presupuestos de la JG universal ha de resultar con claridad de la simple narración del acta de la JG. Sin embargo, por la especialidad del supuesto, el art. 97.1.4°.I RRM demanda algo más, endémico de la JG universal, cual es la exigencia de firma del acta por todos los socios a continuación de la fecha, lugar y del orden del día. No solo la narración, también la firma (para su constancia posterior en la certificación, v. art. 112.3.2ª RRM). Pero así es, con todo su rigor, solo en el ámbito del RM, donde el cumplimiento del requisito de la firma ha de resultar de la certificación para la posterior inscripción de los acuerdos, pero la firma no es necesaria para la validez del acta de la JG universal (SAP de Las Palmas [4] de 22/07/2014 rec. 574/2013; SAP de Lugo [1] de 16/09/2016 rec. 91/2016; SAP de Madrid [28] de 13/03/2012 rec. 271/2011; SAP de Cáceres [1] de 10/09/2015 rec. 239/2015), del mismo modo que el acta en general no es necesaria para la validez de los acuerdos de cualquier JG (Res. de 17/04/1999; sobre la necesidad de que conste expresamente la aceptación unánime del orden del día, sin que pueda deducirse de determinadas circunstancias, v. Res. de 24/04/ 2013; también Res. 28/10/2013; no obstante, siguiendo el precedente de la Res. de 17/02/1992 —anterior al RRM de 1996—, más recientemente la DGRN ha matizado su postura sobre la exigencia de la firma, así en la Res. de 12/12/2016, aunque se trata de un supuesto muy especial, pues de los tres representantes mancomunados de un socio, uno de ellos vota en contra y se niega a firmar el acta, pero, según resulta del acta, aceptó el orden del día). En el ámbito judicial la falta de un acta firmada pondrá sobre la sociedad la carga de la prueba (SAP de Madrid [28] de 12/11/2014 rec. 386/2012; la SAP de Madrid [28] de 04/03/2013 rec. 137/2011, destaca que la flexibilidad con la que se contempla el requisito de la firma en las juntas universales se refiere a supuestos de negativa a firmar, no a los casos de falta de asistencia).

## 1.3. Legitimación de los socios ¿es posible la autogestión?

No es una especialidad de la JG universal que el control de asistencia corresponda a la mesa de la JG, fácil de llevar a cabo cuando la mesa es de constitución automática, por tratarse de presidente/secretario de CA, o haber disposición estatutaria que lo permita (art. 191 LSC). Más difícil en aquellos casos en los que debe tener lugar una votación previa, que también dependa de una previa acreditación, aunque sea provisional de la condición de socio y de la representación, pero ¿a cargo de quién?

Parece claro que a cargo de los administradores, y deberá llevarse a cabo según se trate de acciones/participaciones, de la llevanza del libro registro de la existencia de títulos, de una posible legitimación anticipada, etc. La situación se puede complicar en el caso de administradores enfrentados, cualquier que sea la estructura del órgano, y por la posible existencia de fuentes de legitimación contradictorias; por ejemplo, libro de registro en poder de un administrador, mientras otro administrador exhibe títulos contradictorios. Son situaciones que pueden llevar a la imposibilidad de celebrar la reunión, o al desdoblamiento en dos reuniones opuestas según la legitimación que se aplique, con una probable contienda judicial para dirimir cuál de las dos es la correcta (el sorprendente caso de la SAP de Madrid [28] de 24/09/2012 rec. 552/2011, por una cuestión estrictamente sucesoria relacionada con la propiedad de las acciones objeto de un legado). Pero normalmente habrá algún administrador presente, pues algún administrador la ha tenido que convocar, y si se trata de convocatoria judicial/registral ya cuenta desde el inicio con su propia mesa (art. 170.2 LSC, art. 119.5 LJV).

Es una incidencia propia de cualquier JG, pero en la JG universal presenta una especialidad. En ausencia de convocatoria, y no siendo necesaria la presencia de los administradores sociales ¿pueden los asistentes legitimarse a sí mismos como socios, nombrar la mesa de la JG y tomar acuerdos? Expresado de forma gráfica ¿cabe la autogestión en la JG?

Indudablemente la respuesta ha de ser afirmativa, condicionada —lógicamente— a la veracidad de sus afirmaciones, es decir, que realmente sean socios, pero la ausencia de los administradores o la falta de los mecanismos formales de legitimación en poder de aquéllos no impide la constitución de la JG universal (un caso especial la sociedad unipersonal, arts. 15.2 LSC y 108.1.I RRM).

## 2. *Impugnabilidad por defecto de convocatoria y junta general universal de hecho*

Supuesto lo anterior, nada impide a efectos expositivos hablar de la JG universal como una modalidad de JG y de ese modo contraponerla —solo— a la JG convocada, como si fueran dos clases distintas. A pesar de ello la distinción resulta algo forzada, pues en la práctica se hace difícil una reunión de personas que tenga lugar por generación espontánea. Normalmente habrá una convocatoria previa, solo que mal hecha, ya sea por razón del autor, la forma, el plazo o el contenido. Lo característico de la JG universal es que ese defecto de convocatoria queda purgado por la voluntad explícita de todos los presentes de constituirse en JG con un determinado orden del día, sin necesidad de mencionar como fueron llamados antes a la reunión, y con el habitual remache formal —que no esencial— de un acta de JG que ha de cumplir requerimientos especiales, en especial la firma de todos.

Sin embargo, la impugnación de una JG mal convocada no siempre se ve coronada por el éxito, produciéndose entonces de algún modo la purga del defecto. Incluso, puede ocurrir que un socio, por sus circunstancias personales, ni siquiera esté en condiciones de impugnar por ese motivo. Los efectos de una eventual sentencia se extenderían a todos los socios, aunque no hubieran litigado (art. 222.3.III LEC), pero, a la inversa, esas circunstancias personales pueden ser decisivas en la impugnación de un socio y conducir a su fracaso. Si otros socios en situación distinta, y, por ello, mejor posicionados para invocar el defecto, no impugnaron por su cuenta y dejaron pasar la fecha límite de caducidad de la acción, la JG podrá salvarse. Por cuanto se trata de una situación singular del socio, en estos casos no se puede hablar propiamente de una JG universal «de hecho», por más que el defecto de convocatoria termine desactivado. No obstante, puede ocurrir que esa situación realmente afecte a todos los socios, o solo a los disidentes, pero a todos ellos, en cuyo caso sí que se produce una situación que podríamos calificar de JG universal de hecho, «virtual» o «ficticia», hasta el extremo que, en ocasiones, a pesar de su rigurosa doctrina sobre los requisitos formales de la JG universal, la DGRN admite la inscripción, aun siendo claro el defecto de convocatoria.

## VIII. ACTA NOTARIAL DE JUNTA

### 1. *Requerimiento al notario*

Como cuestión previa, conviene destacar otras consecuencias prácticas del acta notarial de JG, distintas de la más evidente de la cobertura por la fe notarial de los hechos consignados en el acta. Ahora me interesan otros efectos por razón del mismo documento, por razón de su naturaleza de acta de la JG, sobre todo en relación con los administradores y el RM:

+ No está sujeta aprobación, lo que supone que sus acuerdos son ejecutivos desde su cierre (art. 203.2 RRM; SAP de Madrid [28] de 15/02/2013 rec. 742/2011), que puede ser inmediato (art. 103.1 RRM).

+ En ocasiones es título inscribible por sí mismo, sin necesidad de que se eleve a escritura pública (p. ej., nombramiento administradores, art. 142.1.I RRM; separación administradores, art. 148 RRM; no será suficiente si hay cambio de sistema, pues debe elevarse a público, Res. de 06/04/2011). Obsérvese, en caso de cambio de todos los administradores, que la inscripción se obtiene directamente con un título que instaron los anteriores, sin que sea necesaria la intervención de los nuevos. De todos modos, aunque puede servir de base para la elevación a público de los acuerdos (art. 107.1 RRM), también es posible emitir una certificación en relación con el acta notarial de JG, en cuyo caso no será necesario acompañar su copia al RM, siempre que la certificación informe de todas las circunstancias necesarias para la calificación del RM (Res. de 18/04/2012; de todos modos, la DGRN entiende que la calificación del RM se extiende al requerimiento efectuado al notario, Res. de 10/04/2001; aunque no entra en el tema, es de interés la Res. de 04/12/1991).

+ En los casos de cambio en el titular de la facultad certificante (o del sistema, Res. de 23/05/2001), al no ser necesaria para la inscripción, ni la certificación del acuerdo, ni la correspondiente elevación a público, se puede obtener la inscripción directa sin la notificación al anterior titular del cargo que exige el art. 111 RRM. La exención está justificada porque consta fehacientemente la intervención en el requerimiento de un representante social, aunque no se trate del certificante.

Sobre esta base, la regla es que el requerimiento solo puede hacerse por un representante de la sociedad con facultades para ello, y en el caso del órgano de administración habrá de ser con arreglo a su estructura y forma de funcionamiento (aunque el art. 101.1 RRM solo habla de administradores, no hay razón para excluir a un representante, siempre que esté dotado de esta facultad específica —arg. *ex* art. 108.3 RRM—, no siendo suficiente un poder para actas en general; v. el supuesto de hecho de la Res. de 13/11/1999). No cabe el criterio más flexible en materia de legitimación propio de las actas notariales del art. 198.1.1º Reglamento Notarial —RN—. El acta redactada por el notario vale como acta de la JG, no es una simple acta de presencia, y con efectos exorbitantes si tenemos en cuenta la anterior exención del art. 111 RRM, por eso la garantía de un requerimiento en forma resulta ineludible.

Pero la legitimación es estrictamente «representativa», no por razón de la convocatoria. Es decir, podrá requerir cualquier administrador solidario, aunque no se trate del convocante, o el número mínimo de administradores mancomunados necesario para representar a la sociedad (en su caso, uno solo por medio de poder que confiera esta facultad específica, Res. de 12/09/1994), aunque la convocatoria haya exigido la intervención de todos ellos. En los casos de CA se habrá de acreditar el acuerdo previo, que el representante se limita a ejecutar, o intervenir un consejero delegado.

Los problemas surgirán cuando el requerimiento inicial se haga por quien no tiene por sí solo capacidad para representar a la sociedad, con sometimiento entonces a una ulterior ratificación por los otros administradores que sean necesarios, justo antes de empezar la reunión. Ningún inconveniente en que así se haga, pero ha de hacerse. No vale que en ese momento se quiera reemplazar la legitimación que solo confiere la intervención del representante social por una pretendida legitimación asamblearia por parte de los mismos socios, o de la mesa de la JG (v. *infra* para la JG universal; en la SAP de Santa Cruz de Tenerife [4] de 26/10/2009 rec. 477/2009, se acepta la ratificación por el presidente de la JG, a la vista de que ninguno de los presentes se opuso). El acta notarial es de JG solo cuando así se pide por la representación social legítima. En otro caso será un acta de presencia, no de JG (arg. *ex* art. 105 RRM, al aludir a otras posibles actas notariales en relación con la JG, y que solo será acta notarial de JG «*la regulada en los artículos anteriores*», entre ellos el art. 101.1 RRM para el requerimiento; esa intervención del otro órgano —o apoderado, que recibe el poder de ese órgano— también está presente en la elevación público de los acuerdos, que solo puede hacerse por determinadas personas —art. 108 RRM—, a diferencia de la simple protocolización, que puede hacerse por cualquiera que tenga en su poder el documento; para esta última distinción, v. Res. de 26/08/1998).

## 2. Control de la convocatoria

El art. 101.1 RRM dispone que el notario verificará si la reunión ha sido convocada con los requisitos legales y estatutarios, «*denegando en otro caso su ministerio*». No ofrece dudas que ha de controlar la autoría y la forma de la convocatoria, pues solo en ese caso se habría puesto en marcha el procedimiento que conduce a una JG. No tan claro respecto del contenido. Que el orden del día sea poco claro, que no satisfaga requerimientos informativos específicos, incluso que se exceda de lo permitido por razón del tipo de convocatoria (p. ej., art. 171 LSC; un ejemplo, en SAP de Tarragona [1] de

31/05/2016 rec. 701/2015), indudablemente puede afectar a la validez de los acuerdos, pero supone entrar en un terreno sujeto a su valoración, que no parece deba acometer el notario en ese momento (tampoco, creo, en la posterior elevación a público). El notario ha de limitar su control al autor y los requisitos de publicidad.

### 3. Requisito de validez de los acuerdos

Cuando haya existido solicitud de la minoría (1% en SA, 5% en SRL), y con una antelación de cinco días (es decir, cinco días antes del previsto para la JG; no lo está el 17 para una JG el 21, SAP de Madrid [28] de 14/03/2014 rec. 645/2012; el plazo cuenta dese que se recibe el requerimiento por la sociedad, no desde que se hace, SAP de Burgos [3] de 18/12/2012 rec. 372/2012), el acta notarial se convierte en requisito de validez (art. 203.1 LSC), tanto en la SA como en la SRL, incluso con la posibilidad de conseguir el cierre cautelar del RM (arts. 104 y 194 RRM, con la incoherencia de mantener en la SA un asiento de vigencia temporal; para el supuesto inverso, pues se extendió equivocadamente una anotación preventiva en SRL, atiende a la realidad de la nueva situación legal, la Res. de 28/06/2013). En la SA la exigencia de notario está referida tanto a la primera, como a la segunda convocatoria (SAP de Barcelona [15] de 21/07/2016 rec. 465/2015). La invalidez es una consecuencia inexorable, que rara vez se evita por los tribunales (SAP de Madrid [28] de 23/09/2013 rec. 347/2012, que no toma en consideración las dificultades —meramente alegadas— para encontrar notario disponible; SAP de Guipúzcoa [2] de 30/07/2013 rec. 2142/2013; interesante la SAP de Santa Cruz de Tenerife [4] de 26/01/2012 rec. 611/2011, que considera contrario a la buena fe que el solicitante se amparara en la inactividad de los otros administradores, cuando él también podía hacer el requerimiento al notario en su condición de administrador solidario, y así se lo hicieron saber los otros dos en la contestación).

Nada se opone a que la minoría renuncie, desbloqueando con ello la validez de la JG por esta causa, y en el caso de haber sido varios los socios solicitantes, la renuncia solo será efectiva si el porcentaje de capital del socio que persiste en la solicitud queda por debajo del mínimo requerido (Res. de 28/07/2014). Aunque la petición conste en el RM, la renuncia puede resultar del acta y su certificación. No equivale a una renuncia la ausencia en la reunión del socio que la solicitó (en algún caso extremo así se puede interpretar, como la SAP de Zaragoza [2] de 12/12/2014 rec. 371/2013). Menos claro si los socios aceptan constituirse en JG universal y nada dice el solicitante sobre la ausencia del notario. Cabe entender en ese caso que la JG finalmente celebrada ha sido distinta de la que fue convocada, y por ello no queda sujeta a la condición del acta notarial para su validez (en el caso de la STS de 13/11/2013 rec. 2032/2011, estuvo presente todo el capital social, pero no hubo unanimidad sobre la celebración de la reunión y el orden del día).

## 4. Control de la legitimación de los asistentes

Una cuestión que ha de quedar muy clara es que el notario no toma parte en la confección de la lista de asistentes. Es una tarea que corresponde en exclusiva a la mesa de la JG, que deberá constituirse según las reglas generales (STS de 12/02/2014 rec. 140/2012, «*el notario que asiste a la junta general para levantar el acta no realiza funciones de calificación de la legalidad de la actuación de los miembros de la mesa ni de la regularidad y licitud de los acuerdos que se adoptan. Tampoco de la suficiencia de los apoderamientos de quienes comparecen en representación de socios*»). El notario solo recoge la declaración oportuna de la presidencia (art. 102.1.2ª RRM), por mucho que discrepe de su criterio (art. 102.3 RRM). El problema es que en ocasiones ni siquiera será fácil designar a los integrantes de la mesa, sobre todo cuando los administradores presentes —y enfrentados— enarbolen fuentes de legitimación contradictorias entre sí. En estos casos el notario debe mantener una posición de exquisita neutralidad, sin preferir la postura del administrador requirente, aunque al final la situación se desborde y conduzca de hecho a la celebración ante notario de dos reuniones simultáneas contradictorias. Cuando el acta es privada, lo normal en estos casos será que los asistentes se separen y cada grupo tome sus propios acuerdos, arguyendo cada uno haber celebrado la única JG legítima (Res. de 06/07/2004, «*cuando existe incompatibilidad total entre los que se presentan como acuerdos adoptados por un mismo órgano social en la misma reunión y documentados por separado*»). En la práctica terminarán accediendo al RM dos títulos contradictorios y ninguno de ellos se inscribirá, en particular el presentado antes —siempre que el segundo llegue a tiempo— en aplicación de la conocida doctrina de la calificación conjunta, que mitiga en el ámbito del RM los efectos del principio de prioridad (fundamental en este tema la Res. de 05/06/2012). Cuando el acta es notarial la situación resultará un poco más surrealista, pues si ninguno de los administradores cede, es posible que se acaben nombrando dos mesas de JG, con dos listas de asistentes, dos votaciones y dos acuerdos, y todo ello en el mismo acta (Res. de 31/03/2003).

## 5. Junta general universal

La intervención del notario en una JG universal no ha de plantear mayores problemas cuando el requerimiento se formaliza por representante social con facultades para ello. En este caso no habría convocatoria que el notario debiera controlar, pero la ausencia de esta verificación no se reemplaza por una intervención notarial directa en la redacción de la lista de asistentes. Sigue siendo una tarea encomendada en exclusiva a la mesa de la JG, sin perjuicio de la previa intervención de los administradores, cuando resulte necesaria. El notario dejará constancia de la presencia de todo el capital social, según el presidente de la JG, y de la decisión unánime de constituirse en JG universal y del orden del día aceptado por todos los presentes.

El problema se plantea por la posibilidad antes indicada de una JG universal «auto-gestionada», es decir, sin intervención de los administradores, lógicamente cuando estos no sean socios, en cuyo caso ¿pueden requerir los mismos socios al notario? ¿se sustituye el requerimiento en forma por una verificación notarial de la condición de socio y de la legitimación para asistir? En mi opinión la respuesta ha de ser rotundamente negativa.

Por mucho que el notario se implique en esa verificación, en ocasiones facilitada por haber intervenido poco antes en la adquisición de los títulos, solo es acta notarial de JG la que se funda en un requerimiento previo de un representante social, también en el caso de unipersonalidad (el socio único puede ejecutar y formalizar sus acuerdos —art. 15 LSC—, pero no representa a la sociedad antes de tomarlos). Esto no obsta a que pueda levantarse un acta notarial de la reunión, pero como acta de presencia, no de JG. Es decir, con todos los efectos de la fe pública en cuanto a los hechos narrados, pero sin reemplazar el acta de la JG, que sigue siendo necesaria. Nada impide que entonces los socios la acepten como tal (más discutible que al notario se le puede nombrar secretario de la JG; no obstante, v. Res. de 21/06/1990 y SAP de Córdoba [3] de 25/01/2013 rec. 273/2013) y así se trascriba en el libro de actas, pero no será un acta notarial de JG, sino un acta de JG, solo que redactada por un notario a petición de los asistentes, no de la sociedad, que como tal solo puede actuar por medio de sus representantes. Puede plantearse una situación delicada, pues, como tal acta —no notarial— de JG, deberá someterse a la aprobación de la JG. El notario podrá considerarlo un desdoro, pero la aprobación es necesaria para que valga a la sociedad como acta de la JG, sin perjuicio de que la veracidad de los hechos narrados por el notario esté amparada por la fe pública.

Quede claro que no propugno que el notario deba inhibirse de controlar en esas situaciones extremas la condición que invocan los asistentes, actuación que normalmente solo podrá basar en la exhibición del título de adquisición, sin que figure en el mismo nota de transmisión, poco más. Al contrario, creo que es su deber hacerlo. Solo digo que no es acta notarial de JG, aunque nada impide que los asistentes la acepten como acta de la JG.

Podrá parecer que estoy diciendo lo mismo, sobre todo en relación con la validez del acta y de los acuerdos, pero hay un matiz importante que las distingue y que no cabe olvidar. Al no tratarse de acta notarial de JG, sino solo de acta de JG, ciertos acuerdos no podrán inscribirse directamente sobre la base de una copia autorizada del acta «de presencia», en particular los decisivos —en estos casos de conflicto— de separación/nombramiento de administradores. El nombrado habrá de elevar a público y notificar al anterior certificante con arreglo al art. 111.3 RRM. Ciertamente este último precepto se redactó en 1996 con singular torpeza, pues, queriendo evitar la grieta que en el RRM de 1989 dejaba la elevación a público del acuerdo sin certificación, sobre la base del acta o testimonio notarial del acta, incluyó estos supuestos en el ámbito de la notificación obligatoria, pero solo cuando hubiera elevación a público, olvidando que el art. 142.1 también permite la inscripción directa del «*testimonio notarial del acta*». Se impone una interpretación correctora, que en este caso evitaría la extravagancia de pretender que la copia del acta «de presencia» valiera como testimonio notarial de sí misma. Por tanto, solo cuando se trate de auténtica acta notarial de JG, es decir, con el fundamento inicial de un requerimiento a cargo de un representante social, cabe llegar a la inscripción de un nuevo cargo certificante sin la exigencia añadida de aquella notificación que, al menos en el terreno documental, opera como garantía última de legitimidad del sistema.

## IX. CONCLUSIÓN

He querido insistir desde el comienzo de la exposición en la necesidad de identificar aquellos requisitos esenciales que dan legitimidad a la JG entendida como procedimiento. La JG no es una reunión espontánea de personas, sino una reunión que necesita para constituirse válidamente que se cumplan ciertas condiciones, algunas de ellas muy anteriores en el tiempo. Por su naturaleza efímera, ya que la JG no sobrevive a su propia reunión, sólo los administradores están en posición de suministrar, como regla general, esa legitimidad. Pero no siempre es así, ya sea por la posibilidad de una JG universal sin la presencia de administradores, como por el riesgo de que este último órgano quede a su vez bloqueado por conflictos internos que hagan difícil proporcionar esa cobertura. Como el control de legitimidad no puede ser exhaustivo, especialmente en el trance final de la documentación de los acuerdos y su inscripción, el sistema también ha de cerrarse con mecanismos de alerta que, al menos en apariencia, ofrezcan un remoto control de autenticidad. Creo que tener claro el significado de cada uno de esos requisitos, el papel legitimador/adverante que singularmente cumplen, y el reparto preciso de competencias y de tareas entre los posibles participantes, tanto societarios, como externos, puede ser el hilo de ARIADNA que nos permita encontrar la salida en muchas situaciones que, por su propia complejidad, y como acreditan muchos de los casos tomados de la práctica judicial/registral que he reseñado, sin duda alguna pueden resultar laberínticas.

## Bibliografía

AA.VV., *Tratado sobre sociedades de capital,* dir. por PRENDES CARRIL, P., MARTÍNEZ ECHEVARRÍA, A., CABANAS TREJO, R., Cizur Menor, 2017.

AA.VV., *El nuevo régimen de impugnación de los acuerdos sociales de las sociedades de capital,* dir. por RODRÍGUEZ ARTIGAS, F., FARRANDO MIGUEL, I., TENA ARREGUI, R., Madrid, 2015.

AA.VV., *Comentario de la reforma del régimen de las sociedades de capital en materia de gobierno corporativo (Ley 31/2014),* dir. por JUSTE MENCÍA, J., Madrid, 2015.

AA.VV., *Comentario de la Ley de Sociedades de Capital,* dir. por ROJO, A. y BELTRÁN, E., Madrid, 2011.

# 29. Convocatoria «judicial» de la Junta General tras la Ley de la Jurisdicción Voluntaria: Letrado de la Administración de Justicia versus Notario

### CORAL FERRERO CASTRONUÑO
*Abogada-Socio de Ferrero Abogados*

## I. LA JUNTA GENERAL DE LA SOCIEDAD

La persona jurídica forma y expresa su voluntad por medio de órganos, los cuales pueden ser de dos clases (Ávila Navarro, «La sociedad limitada»): Órgano de soberanía, que delibera y decide libremente sobre los asuntos sociales, ocupando el primer lugar jerárquico entre los órganos sociales, y Órgano de gestión y representación, al que se encomienda, bajo la dependencia del órgano soberano, la gestión de la sociedad y su actuación externa.

La junta general es verdadero órgano de soberanía (Carrera Giral, «La Ley de Sociedades Anónimas y su interpretación por el Tribunal Supremo»), como ya lo declaraba el Tribunal Supremo en sentencia de 26 de octubre de 1979: *«Las Sociedades Anónimas tienen a través de las Juntas Generales de accionistas, su máxima expresión de voluntad sobre todo si son convocadas con carácter extraordinario para un fin concreto previamente anunciado a los directamente interesados, cuyas asambleas —verdaderos órganos de soberanía— vinculan con sus decisiones, no sólo a los concurrentes que votaron a favor, sino también a los disidentes y a los ausentes».*

Joaquín Garrigues, en su clásico «Curso de Derecho Mercantil» ya nos decía que «*la junta general de accionistas es el órgano de expresión de la voluntad colectiva; en la junta general ejercen los socios sus derechos de soberanía en forma de acuerdo mayoritario*», siguiendo esta misma postura Rodrigo Uría, en su también clásico «Derecho Mercantil», al concluir que la junta general «*es el órgano de formación y expresión de la voluntad social; órgano soberano, encarnador del poder supremo, cuyas decisiones obligan a los administradores y a todos los accionistas, incluso a los disidentes y a los que no hayan participado en la Junta*».

En actualidad, la Ley de Sociedades de Capital (texto refundido aprobado por Real Decreto Legislativo 1/2010, de 2 de julio) nos dice en su artículo 159.1 que «los socios, reunidos en junta general, decidirán por la mayoría legal o estatutariamente establecida, en los asuntos propios de la competencia de la junta», añadiendo en su apartado 2 que «todos los socios, incluso los disidentes y los que no hayan participado en la reunión, quedan sometidos a los acuerdos de la junta general».

Indica Megías López, en su trabajo «Competencia de la junta general de sociedades de capital en materia de gestión: relaciones internas y externas» que «*la junta general de las sociedades de capital delibera y decide sobre los asuntos propios de su competencia, entendiéndose con dicha afirmación que la competencia del órgano de socios se limita a los asuntos que dispone la Ley y en su caso (como veremos) los que puedan prescribir los estatutos, al contrario de la competencia abierta, genérica y no delimitada que tiene el órgano de administración sobre la gestión y la representación de la sociedad*».

Sin perjuicio de ello, establece el artículo 161 de la Ley de Sociedades de Capital que «salvo disposición contraria de los estatutos, la junta general de las sociedades de capital podrá impartir instrucciones al órgano de administración o someter a su autorización la adopción por dicho órgano de decisiones o acuerdos sobre determinados asuntos de gestión, sin perjuicio de lo establecido en el artículo 234»; precepto este último que se refiere al ámbito del poder de representación.

A pesar de la limitación de la soberanía de la junta a los asuntos de su competencia en los términos expuestos, ésta es amplísima, como resulta de las previsiones del artículo 160 de la Ley de Sociedades de Capital al relacionar los asuntos sobre los que la junta general tiene competencia para deliberar y adoptar acuerdos.

## II. CONVOCATORIA DE LA JUNTA

La soberanía de la junta general, y sus mayores o menores competencias, no nos deben hacer olvidar, siguiendo a Ávila Navarro —obra citada—, que «*como la junta general no es un órgano permanente, sus reuniones han de ser previamente convocadas. Pero esta convocatoria no puede hacerse libremente, sino sometiéndose a rigurosos requisitos para dar oportunidad a todos los socios de asistir a la reunión y evitar que pueda tomar el nombre de junta cualquier reunión subrepticia de un grupo de socios*». Ello sin perjuicio de la validez de la junta universal sin convocatoria, en la que, reunidos todos los socios y conformes con la celebración de la junta, la convocatoria no es necesaria.

De nada sirve, por tanto, proclamar que la Junta es un órgano de soberanía, si la misma no llega a reunirse, y de ahí la trascendental importancia que para la vida de la sociedad tiene el régimen de convocatoria de las juntas generales.

En cuanto a la convocatoria establece el artículo 166 de la Ley de Sociedades de Capital que «la junta general será convocada por los administradores y, en su caso, por los liquidadores de la sociedad», añadiendo el artículo 167 de dicho texto legal que «los administradores convocarán la junta general siempre que lo consideren necesario o conveniente para los intereses sociales y, en todo caso, en las fechas o periodos que determinen la ley y los estatutos».

El deber de convocar junta general concurre también en el supuesto que prevé el artículo 168 de la Ley de Sociedades de Capital: «Los administradores deberán convocar la junta general cuando lo soliciten uno o varios socios que representen, al menos, el cinco por ciento del capital social, expresando en la solicitud los asuntos a tratar».

Ahora bien, nos dice Uría —obra citada— que «*a lo largo de la vida social pueden producirse discrepancias entre los accionistas y los administradores que induzcan a éstos últimos a rehuir sistemáticamente la reunión de la junta general ordinaria en los plazos previstos en la ley o los estatutos*» o incluso la convocatoria de la junta general extraordinaria cuando se solicite en forma, «*y para estos supuestos la ley permite que los accionistas recaben el apoyo de la autoridad judicial al objeto de que convoque la junta que los administradores no convocan y pueda normalizarse así la vida de la sociedad*».

# III. CONVOCATORIA «JUDICIAL» DE LA JUNTA

Ese «*apoyo de la autoridad judicial*» para la convocatoria de la junta, en principio y teóricamente, estaba atribuido a los Juzgados de lo Mercantil pues, según el art. 86.ter.2.a de la Ley Orgánica del Poder Judicial, «los Juzgados de lo Mercantil conocerán, asimismo, de cuantas cuestiones sean de la competencia del orden jurisdiccional civil, respecto de [...] aquellas cuestiones que dentro de este orden jurisdiccional se promuevan al amparo de la normativa reguladora de las sociedades mercantiles».

Decimos teóricamente pues esto ya no es exactamente así tras la Ley de la Jurisdicción Voluntaria. La Ley de Sociedades de Capital atribuía, en su artículo 169, la competencia para la convocatoria de la junta cuando los accionistas buscan el apoyo de la «autoridad», al Juez de lo Mercantil del domicilio social. En cambio, en la actualidad, dicha competencia se atribuye, bien al antes denominado Secretario Judicial, bien al Registrador Mercantil.

En efecto, el citado artículo 169 de la Ley de Sociedades de Capital fue modificado por la Disposición final decimocuarta de la Ley 15/2015, de 2 de julio de la Jurisdicción Voluntaria, quedando redactado de la siguiente forma:

1.- Si la junta general ordinaria o las juntas generales previstas en los estatutos, no fueran convocadas dentro del correspondiente plazo legal o estatutariamente establecido, podrá serlo, a solicitud de cualquier socio, previa audiencia de los administradores, por el Secretario judicial o Registrador mercantil del domicilio social.

2.- Si los administradores no atienden oportunamente la solicitud de convocatoria de la junta general efectuada por la minoría, podrá realizarse la convocatoria, previa audiencia de los administradores, por el Secretario judicial o por el Registrador mercantil del domicilio social.

Por tanto, y a partir del 23 de julio de 2015 —fecha de la entrada en vigor de dicha modificación—, y dejando al margen la competencia asignada al Registrador mercantil, la denominada convocatoria «judicial» de la Junta es competencia del Letrado de la Administración de Justicia del Juzgado de lo Mercantil —que por turno corresponda, de ser varios— del domicilio social.

Nos referimos al Letrado de la Administración de Justicia, y no al Secretario Judicial como hace el citado artículo 169 de la Ley de Sociedades de Capital, pues inmediatamente tras su reforma, la Ley Orgánica 7/2015, de

21 de julio —que entró en vigor en este punto el 1° de octubre de 2015— cambió la denominación de Secretarios Judiciales por la de Letrados de la Administración de Justicia.

Pues bien, esta sustitución del Juez de lo Mercantil por el Letrado de la Administración de Justicia tiene mayor trascendencia de la que aparentemente parecería, y puede traer más de un conflicto en su aplicación práctica.

## 1. *Breve referencia a la convocatoria por el Registrador Mercantil*

Aun cuando no es objeto de estudio la convocatoria de la junta general por el Registrador Mercantil, vamos a hacer una breve referencia a la misma, remitiéndonos para ello a la Resolución de la Dirección General de los Registros y del Notariado de 20 de noviembre de 2015, de consulta sobre diversas cuestiones relativas a la convocatoria de la junta general de socios por Registradores Mercantiles en el ámbito de los artículos 169 y 171 de la Ley de Sociedades de Capital.

Nos dice, en lo que nos afecta, la Dirección General que «*en relación al procedimiento que debe seguirse para tramitar expedientes desjudicializados de Jurisdicción Voluntaria por el Registrador Mercantil suele existir en la Ley, en los distintos expedientes, una remisión expresa a lo previsto para ello en el Reglamento del Registro Mercantil*», si bien añade que «*falta remisión expresa al Reglamento del Registro Mercantil en los supuestos de convocatoria de junta por el Registrador*», y concluye que «*la omisión reseñada no obstante es salvable: también en estos casos de ausencia de una remisión expresa al Reglamento del Registro Mercantil debemos entender que se aplicará el procedimiento que allí estuviere contemplado*», matizando que «*mientras no se dicte un nuevo Reglamento del Registro Mercantil habrá que aplicar las reglas de procedimiento que por su función y naturaleza sean idóneas*».

El anterior razonamiento tiene una especial importancia, como veremos, a efectos de la cuestión que analizamos, pues no se deben olvidar las previsiones del Reglamento del Registro Mercantil, aun en el caso de juntas convocadas «judicialmente», aunque solo lo sea por aplicación de aquel principio general de derecho, proclamado por Celso —«*es antijurídico juzgar o dictaminar en vista de alguna pequeña parte de la ley, sin haberla examinado detenidamente en su totalidad*»— que ya recogía el Tribunal Supremo en su sentencia de 19 de diciembre de 1913.

## 2. Convocatoria de la Junta por el Letrado de la Administración de Justicia

Antes de la reforma operada por la Ley de la Jurisdicción Voluntaria —esto es, cuando la competencia era exclusiva, y personal, del Juez de lo Mercantil—, el artículo 170 de la Ley de Sociedades de Capital establecía, en su apartado 1, que «cuando proceda convocatoria judicial de la junta, el juez resolverá en el plazo de un mes desde que le hubiera sido formulada la solicitud y, si la acordare, designará libremente al presidente y al secretario de la junta», añadiendo en su apartado 2 que «contra la resolución por la que se acuerde la convocatoria judicial de la junta no cabrá recurso alguno».

Tras la reforma, se mantiene en el apartado 3 del nuevo artículo 170 de la Ley de Sociedades de Capital que «contra la resolución por la que se acuerde la convocatoria de la junta general no se dará recurso alguno», pero se altera el sistema, tanto en cuanto a la competencia, como en cuanto al procedimiento, al decirnos en el apartado 1 que «el Secretario Judicial procederá a convocar a la junta general de conformidad con lo establecido en la legislación de jurisdicción voluntaria», cuyo régimen pasamos a analizar.

## IV. RÉGIMEN DE LA CONVOCATORIA EFECTUADA POR EL LETRADO DE LA ADMINISTRACIÓN DE JUSTICIA

Como decimos, el artículo 170, apartado 1, de la Ley de Sociedades de Capital, en su redacción actual, dice que «el Secretario Judicial procederá a convocar a la junta general de conformidad con lo establecido en la legislación de jurisdicción voluntaria». Pues bien, el artículo 119 de la Ley de la Jurisdicción Voluntaria regula este supuesto de convocatoria de la junta estableciendo, en lo que nos afecta, lo siguiente: a.- En el escrito pidiendo la convocatoria de la junta se podrá solicitar «que se designe un presidente y secretario para la junta distintos de los que corresponda estatutariamente»; b.- El Secretario, si accediese a lo solicitado, convocará la junta «indicando lugar, día y hora para la celebración, así como el orden del día, y designará al presidente y secretario de la misma», añadiendo que «en caso de no aceptación de la persona designada, el Secretario judicial nombrará a otra que la sustituya», y c.- Contra el decreto por el que se acuerde la convocatoria de la junta general no cabrá recurso alguno.

## 1. Nombramiento de presidente y secretario de la junta

El artículo 170.1 de la Ley de Sociedades de Capital, en su redacción anterior a la Ley de la Jurisdicción Voluntaria, nos decía que el Juez, si accediese a la convocatoria de la junta, «designará libremente al presidente y al secretario de la junta».

Se trataba de una previsión que podemos calificar de razonable, no sólo para evitar los conflictos que podrían derivarse si tuviese que presidir la junta, en todo caso, quien se había negado a convocarla, sino, sobre todo, porque quien resolvía era el Juez, el cual, a tenor del artículo 117.3 de la Constitución, ejerce en exclusiva la función de juzgar y de hacer ejecutar lo juzgado, estando «*investido de jurisdicción*», tal y como nos recuerda la sentencia del Tribunal Constitucional de 17 de marzo de 2016.

Ahora bien, en la actualidad, la ley, al atribuir la competencia para acceder a la convocatoria al Letrado de la Administración de Justicia, ha eliminado esta previsión, limitándose a decir que «se podrá solicitar en el escrito que se designe un presidente y secretario para la junta distintos de los que corresponda estatutariamente», lo cual implica que la designación ya no es libre, como ocurría cuando la competencia la ostentaba el Juez, ya que la solicitud de nombramiento de personas distintas de las previstas en los Estatutos exige, como mínimo, la debida justificación. Sólo en el caso de que el inicialmente designado no acepte, se podrá nombrar a otro que lo sustituya; nombramiento que tampoco se nos dice que sea de «libre designación» por lo que, también en este supuesto, debe estar debidamente justificado.

Debe tenerse en cuenta que, como prescribe el artículo 117.3 de la Ley de la Jurisdicción Voluntaria, en relación con la convocatoria de juntas generales, «para la actuación en este expediente será preceptiva la intervención de Abogado y Procurador», lo que implica que, sin duda, se debe tratar —también para la solicitud de que se nombre Presidente y Secretario distintos de los previstos en los Estatutos— de una pretensión fundada en derecho, pues no estamos ante un expediente que pueda resolverse en equidad. De igual modo ocurre con la propia designación que ya no podrá ser efectuada «libremente», sino, como es obvio, con arreglo a derecho.

Y ello —que deba resolverse con arreglo a derecho, y no en equidad— no queda excluido por el hecho de encontrarnos en un expediente de jurisdicción voluntaria, pues, como señala la propia Exposición de Motivos de la ley, «*La jurisdicción voluntaria se vincula con la existencia de supuestos en que se justifica el establecimiento de limitaciones a la autonomía de la voluntad en el ámbito del Derecho privado, que impiden obtener un determinado efecto jurídico cuando la trascendencia de la materia afectada, la naturaleza del interés en juego o su incidencia en el estatuto de los interesados o afectados, así lo justifiquen. O también, con la imposibilidad de contar con el concurso de las voluntades individuales precisas para constituir o dar eficacia a un determinado derecho».*

Pues bien, exceptuando el supuesto de solicitud fundada en derecho interesando el nombramiento de personas distintas de las previstas estatutariamente, será de aplicación lo dispuesto en el artículo 191 de la Ley de Sociedades de Capital: «Salvo disposición contraria de los estatutos, el presidente y el secretario de la junta general serán los del consejo de administración y, en su defecto, los designados por los socios concurrentes al comienzo de la reunión».

Es innecesario decir que quién sea Presidente de la junta no resulta indiferente en estos casos de juntas convocadas «judicialmente» por no haberlo sido por los administradores, pues es el Presidente el que, en definitiva, puede decidir que se someta o no a la Junta, de no estar previsto en el orden del día, la separación de aquéllos, ya que, como indica el artículo 223.1 de la Ley de Sociedades de Capital, «los administradores podrán ser separados de su cargo en cualquier momento por la junta general aun cuando la separación no conste en el orden del día».

## 2. Forma de la convocatoria

A tenor de las Resoluciones de la Dirección General de los Registros y del Notariado de 27 de enero de 2016 *(Tol 5639605)* y de 28 de febrero de 2014 *(Tol 4154102)* deben cumplirse las previsiones que, en cuanto a la convocatoria de la junta, se contemplen en los Estatutos de la sociedad, ya que de lo contrario los acuerdos podrían no ser inscribibles en el Registro Mercantil, con las consecuencias legales que de ello se derivan.

En efecto aunque de la Resolución de 28 de febrero de 2014 resulta que procedería la inscripción, aun cuando no se hubiesen cumplido los formalismos estatutarios, si el medio de convocatoria usado por el Juzgado fue efectivo, la más reciente Resolución, esto es, la de 27 de enero de 2016, es más restrictiva, pues concluye que *«existiendo previsión estatutaria sobre la forma de llevar a cabo la convocatoria de junta, dicha forma habrá de ser estrictamente observada, sin que quepa la posibilidad de acudir válida y eficazmente a cualquier otro sistema, goce de mayor o menor publicidad, incluido el legal supletorio (cfr. Resoluciones de 13 de enero, 9 de septiembre y 21 de octubre de 2015, como más recientes) de suerte que la forma que para la convocatoria hayan establecido los* estatutos ha de prevalecer y resultará de necesaria observancia para cualquiera que la haga, incluida por tanto la judicial».

Nos sigue diciendo la Dirección General de los Registros y del Notariado, en esta Resolución, que *«estas afirmaciones se apoyan en que el hecho de que los estatutos sociales son la norma orgánica a la que debe sujetarse la vida corporativa de la sociedad durante toda su existencia, siendo pues su finalidad fundamental la de establecer las reglas necesarias para el funcionamiento corporativo de la sociedad (por todas, Resolución de 23 de septiembre de 2013)»*, añadiendo que *«ello ha de observarse incluso cuando la convocatoria provenga, en su origen, de una decisión judicial a instancia de quien a ello tenga derecho (artículos 168, 169 y 170 de la Ley de Sociedades de Capital)»*. Así lo recoge la Resolución de 28 de febrero de 2014: "4. Según la reiterada doctrina de este Centro Directivo (cfr. las Resoluciones citadas en el apartado 'Vistos' de la presente), la convocatoria judicial de la junta general tiene una singularidad respecto de la regla general tan sólo respecto de la legitimación para hacerla y la libre designación de las personas que hayan de ejercer de presidente y secretario, sin que tal singularidad alcance a la forma de trasladarla a los socios, que ha de ser la estatutaria o, en su defecto, la legalmente prevista, sin posibilidad de sustituirla por otra, goce de mayor o menor publicidad. El derecho de asistencia a la junta que a los socios reconoce el artículo 179.1 de la Ley de Sociedades de Capital ha de ser integrado con el de ser convocados para ello, y no en cualquier forma, sino a través de la específicamente prevista a tal fin, a la que habrán de prestar atención, y con el plazo previo establecido, sin que sobre tales extremos pueda reconocerse libre discrecionalidad al juez"».

## 3. Recurso contra la convocatoria efectuada

Como hemos visto, el artículo 170 de la Ley de Sociedades de Capital, a pesar de que ya no atribuye la competencia al Juez de lo Mercantil, sino al Letrado de la Administración de Justicia, sigue diciendo que «contra la resolución por la que se acuerde la convocatoria judicial de la junta no cabrá recurso alguno». Lo anterior lo reitera el artículo 119.5 de la Ley de la Jurisdicción Voluntaria al decirnos que «contra el decreto por el que se acuerde la convocatoria de la junta general no cabrá recurso alguno».

Dado que sólo menciona la resolución por la que se acuerde la convocatoria, cabría plantearse, en primer lugar, si procede recurso contra la que la deniegue, y la respuesta no puede ser más que afirmativa. En este sentido, la Audiencia Provincial de Jaén, en su —recientísimo cuando se escriben estas líneas— Auto de 26 de enero de 2017 nos dice que *«aunque el art. 119.5 LJV, prevea expresamente que contra el Decreto acordando la convocatoria no cabrá recurso alguno, dicho precepto no se puede decir (que) contemple los diversos supuestos que pudieran concurrir en el expediente de Jurisdicción Voluntaria en el que nos encontramos, ya que por ejemplo ante el silencio del legislador en el caso de que dicho Decreto sea denegatorio, la doctrina que viene interpretando la reciente LJV, entiende que sí se habrá de admitir tanto el recurso de revisión ante el Juez, como la apelación contra el auto por (el) que éste último confirmara la denegación pues el mismo pondría fin al procedimiento —art. 20—».*

En efecto, el art. 20.2 de la Ley de la Jurisdicción Voluntaria nos dice que «las resoluciones definitivas dictadas por el Juez en los expedientes de jurisdicción voluntaria podrán ser recurridas en apelación por cualquier interesado que se considere perjudicado por ella, conforme a lo dispuesto en la Ley de Enjuiciamiento Civil. Si la decisión proviene del Secretario judicial, deberá interponerse recurso de revisión ante el Juez competente, en los términos previstos en la Ley de Enjuiciamiento Civil».

Sin perjuicio de que el citado precepto legal pueda amparar el recurso contra la resolución denegatoria de la convocatoria por parte del Letrado de la Administración de Justicia, ante el silencio del artículo 119 de la Ley de la Jurisdicción Voluntaria, la cuestión a dilucidar es la de si podría ampararlo incluso contra la resolución estimatoria, a pesar de la negativa expresa que se contiene tanto en este último artículo, como en el artículo 170 de la Ley de Sociedades de Capital.

Para la solución de esta cuestión tenemos que remitirnos a la doctrina proclamada por el Tribunal Constitucional en su sentencia de 17 de marzo de 2016 *(Tol 5702136)*, en la que, y con referencia a la distribución de funciones dentro del proceso, nos dice que «*el sistema establecido por la Ley 13/2009, en desarrollo de las previsiones de la Ley Orgánica 19/2003, no elude poner de relieve el lugar preeminente que ocupa el Juez o Tribunal, como titular de la potestad jurisdiccional, con respecto al que corresponde al Letrado de la Administración de Justicia, como director de la oficina judicial, que sirve de apoyo a la actividad jurisdiccional de Jueces y Tribunales (art. 435.1 LOPJ). Son los Jueces y Magistrados quienes ejercen en exclusiva la función de juzgar y de hacer ejecutar lo juzgado (art. 117.3 CE); en última instancia, se pretende garantizar que toda resolución del Letrado de la Administración de Justicia en el proceso pueda ser sometida al control del Juez o Tribunal, lo que resulta una exigencia ineludible del derecho a la tutela judicial efectiva garantizado por el art. 24.1 CE, así como en los textos internacionales sobre derechos fundamentales y libertades ratificados por España (art. 10.2 CE)*».

Tras esto añade que «*El legislador ha plasmado esta garantía de control judicial tanto de modo directo, a través del recurso de revisión contra los decretos del Letrado de la Administración de Justicia que pongan fin al proceso o impidan su continuación (art. 454 bis.1 LEC)*», y concluye que «*El derecho fundamental ga-*

*rantizado por el art. 24.1 CE comporta que la tutela de los derechos e intereses legí-
timos de los justiciables sea dispensada por los Jueces y Tribunales, a quienes está
constitucionalmente reservada en exclusividad el ejercicio de la potestad jurisdiccional (art. 117.3 CE)».*

Refuerza el Tribunal Constitucional su razonamiento diciéndonos que
*«Entenderlo de otro modo supondría admitir la existencia de un sector de inmuni-
dad jurisdiccional, lo que no se compadece con el derecho a la tutela judicial efectiva
(así, STC 149/2000, de 1 de junio, FJ 3, para otro supuesto de exclusión de recurso
judicial) y conduce a privar al justiciable de su derecho a que la decisión procesal
del Letrado de la Administración de Justicia sea examinada y revisada por quien
está investido de jurisdicción (esto es, por el Juez o Tribunal), lo que constituiría una
patente violación del derecho a la tutela judicial efectiva (SSTC 115/1999, de 14 de
junio, FJ 4, y 208/2015, de 5 de octubre, FJ 5)».*

Basta tener en cuenta lo dispuesto en el artículo 5.1 de la Ley Orgánica
del Tribunal Constitucional («La Constitución es la norma suprema del
ordenamiento jurídico, y vincula a todos los Jueces y Tribunales, quienes
interpretarán y aplicarán las leyes y los reglamentos según los preceptos y
principios constitucionales, conforme a la interpretación de los mismos
que resulte de las resoluciones dictadas por el Tribunal Constitucional en
todo tipo de procesos»), para concluir que también la resolución del Letrado de la Administración de Justicia accediendo a la convocatoria de la
junta debe ser susceptible de recurso ante el Juez.

## V.- INTERVENCIÓN DEL NOTARIO «VERSUS» CELEBRACIÓN DE LA JUNTA CONVOCADA

Convocada la junta por el Letrado de la Administración de Justicia parecería que la misma debería celebrarse en todo caso, pues estaríamos ante la
ejecución de una resolución que, a tenor de lo dispuesto tanto en la Ley de
Sociedades de Capital, como en la Ley de la Jurisdicción Voluntaria, y sin
perjuicio de lo antes dicho, no es susceptible de recurso alguno, por lo que
parecería que la propia ley está tratando de «blindar» su eficacia.

Ahora bien, en este punto, debemos tener en cuenta la posible solicitud
de intervención notarial en la junta, pues, como indica el artículo 203.1
de la Ley de Sociedades de Capital, «los administradores podrán requerir
la presencia de notario para que levante acta de la junta general y estarán
obligados a hacerlo siempre que, con cinco días de antelación al previsto
para la celebración de la junta, lo soliciten socios que representen, al me-

nos, el uno por ciento del capital social en la sociedad anónima o el cinco por ciento en la sociedad de responsabilidad limitada. En este caso, los acuerdos sólo serán eficaces si constan en acta notarial».

Lo anterior tiene una especial trascendencia práctica pues, salvo el supuesto previsto en el artículo 171 de la Ley de Sociedades de Capital («En caso de muerte o de cese del administrador único, de todos los administradores solidarios, de alguno de los administradores mancomunados, o de la mayoría de los miembros del consejo de administración, sin que existan suplentes, cualquier socio podrá solicitar del Secretario judicial y del Registrador mercantil del domicilio social la convocatoria de junta general para el nombramiento de los administradores»), todos los demás supuestos de convocatoria «judicial» lo son cuando los administradores o bien no han convocado la junta general ordinaria o las juntas generales previstas en los Estatutos (artículo 169.1 de la Ley de Sociedades de Capital) o bien no han convocado la junta general solicitada por la minoría en los términos del artículo 168 de la citada Ley (artículo 169.2 de la Ley de Sociedades de Capital).

Siendo esto así, es evidente que en la inmensa mayoría de los casos los administradores harán uso del derecho que les concede el artículo 203.1 de la Ley de Sociedades de Capital y requerirán la presencia de Notario en la junta convocada por el Letrado de la Administración de Justicia.

Y es aquí donde adquiere todo su sentido la referencia que hicimos en su momento a Celso, a la Resolución de la Dirección General de los Registros y del Notariado de 20 de noviembre de 2015 y al Reglamento del Registro Mercantil.

El Reglamento del Registro Mercantil —aprobado por Real Decreto 1784/1996, de 19 de julio— tiene un artículo de especial trascendencia a estos efectos. Nos referimos a su artículo 101.1 que establece que: «El Notario que hubiese sido requerido por los administradores para asistir a la celebración de la Junta y levantar acta de la reunión, juzgará la capacidad del requirente y, salvo que se trate de Junta o Asamblea Universal, verificará si la reunión ha sido convocada con los requisitos legales y estatutarios, denegando en otro caso su ministerio».

A este respecto, el Tribunal Supremo, en sentencia de 12 de febrero de 2014 *(Tol 4124673)* aclara que «*el notario que asiste a la junta para levantar el acta no realiza funciones de calificación de la legalidad de la actuación de los miembros de la mesa ni de la regularidad y licitud de los acuerdos que se adoptan. Tampoco de la suficiencia de los apoderamientos de quienes comparecen en representación de socios. La normativa societaria y notarial solo le impone, al ser requerido por los administradores para asistir a la celebración de la junta y levantar acta de la reunión, juzgar la capacidad del requirente y, salvo que se trate de Junta o Asamblea Universal, verificar si la reunión ha sido convocada con los requisitos legales y estatutarios, denegando en otro caso su ministerio (art. 101.1 del Reglamento del Registro Mercantil)».*

Esto es precisamente lo ocurrido en el asunto resuelto por el Auto de la Audiencia Provincial de Jaén de 26 de enero de 2017, antes citado, pues convocada la Junta por resolución del Letrado de la Administración de Justicia, en expediente de jurisdicción voluntaria, y no admitiéndose el recurso de revisión contra dicha resolución, el Notario, al final, denegó su ministerio (se había acordado su intervención) y, por ello, la junta no se celebró. Pues bien, en recurso contra la resolución que no admitió nueva convocatoria, la Audiencia conoce que el Notario ha denegado su ministerio, sin ponerle objeción alguna a dicha decisión y, como veremos, desestima el recurso.

## 1. Efectos de la denegación de su ministerio por el Notario

Si convocada la junta, y requerida la intervención notarial, el Notario, por considerar que la convocatoria no reúne los requisitos legales y estatutarios, deniega su ministerio, y, en consecuencia, abandona la junta, la misma no podría celebrarse, a pesar de la convocatoria por el Letrado de la Administración de Justicia, pues los acuerdos sólo serían eficaces si constasen en un acta notarial que no se va a levantar. Recordemos que, cuando se requiere la presencia de notario en la junta, a tenor de lo previsto en el artículo 203.1 de la Ley de Sociedades de Capital, los acuerdos sólo serán eficaces si constan en acta notarial.

Pues bien, esta decisión del Notario —con las graves consecuencias que provoca— no es controlable judicialmente o, al menos, no tiene un medio eficaz de control, pues ni siquiera es posible volver al Juzgado de lo Mercantil para que se ejecute la resolución convocando la junta que, precisamente la actuación del Notario, ha impedido.

La Audiencia Provincial de Jaén, en el Auto de 26 de enero de 2017, antes citado, nos dice que «*el Decreto acordando la convocatoria agota el presente expediente, sin que su contenido se haya de entender (que) se extienda como se pretende, a la efectiva celebración de la Junta*», y añade que «*por ello, y sin perjuicio de que pudiera y debiera ser corregido cualquier defecto formal en que incurriera (el) propio Decreto al efectuar la convocatoria impidiendo la efectividad de la misma, cualquier otro supuesto en que la Junta no hubiera podido celebrarse como aquí ocurre, por denegar su ministerio la Sra. Notario requerida para ello, …no conlleva la pretendía continuación de actuaciones tendentes a subsanar dichos defectos extrínsecos a la citada resolución, …, para hacer efectiva aquella celebración».*

Concluye la Audiencia diciéndonos que «*la justificación de tal negativa viene dada por la propia naturaleza y única finalidad del expediente de jurisdicción voluntaria en el que nos encontramos, que no es otra que la de suplir la negativa u omisión de convocatoria por parte de los administradores sociales tras ser requeridos para ello —arts. 168 y 169 LSC—, pero nada más, debiendo acudir los solicitantes al procedimiento contencioso pertinente en ejercicio de las acciones pertinentes a fin de hacer efectiva la pretensión de que se crean asistidos*».

Por tanto, si el notario deniega su ministerio, por la razón que sea —incluso aunque se trate de una decisión improcedente en derecho—, ninguna reacción cabe contra esa decisión en sí misma, sin perjuicio de las correcciones disciplinarias que pudieran proceder, en su caso, así como de la posible aplicación de lo dispuesto en el art. 164 del Reglamento Notarial, aprobado por Decreto de 2 de junio de 1944 («el Notario responderá civilmente de los daños y perjuicios ocasionados con su actuación cuando sean debidos a dolo, culpa o ignorancia inexcusable»), pero se trataría de acciones de reparación por la no celebración de la junta, y no de «reposición» en el derecho a la celebración de la junta convocada.

## 2. *Contraste con los efectos de la calificación registral*

Vamos a referirnos brevemente a la intervención del Registrador Mercantil, no en cuanto autoridad convocante en los «expedientes desjudicializados» —por utilizar la expresión de la Dirección General de los Registros y del Notariado, en su resolución de 20 de noviembre de 2015—, sino en su función propia calificadora de los documentos sometidos a inscripción registral.

En efecto, el art. 18.2 del Código de Comercio establece que «los Registradores calificarán bajo su responsabilidad la legalidad de las formas extrínsecas de los documentos de toda clase en cuya virtud se solicita la inscripción, así como la capacidad y legitimación de los que los otorguen o suscriban y la validez de su contenido, por lo que resulta de ellos y de los asientos del Registro», pronunciándose en igual sentido el art. 6 del Reglamento del Registro Mercantil.

Pues bien, teniendo en cuenta que, a tenor de lo dispuesto en el art. 4.1 del citado Reglamento del Registro Mercantil, «la inscripción en el Registro Mercantil tendrá carácter obligatorio, salvo en los casos en que expresamente se disponga lo contrario», y la privación de la eficacia frente a terceros de los acuerdos no inscritos, la calificación del Registrador, suspendiendo y, sobre todo, denegando la inscripción, tiene indiscutibles efectos sobre los acuerdos que, en el ejercicio de su soberanía, puedan haber sido adoptadas en la junta general convocada.

Hemos hecho referencia a lo anterior para contrastar los medios de reacción frente a la decisión del Notario —denegando su ministerio— y los existentes frente a la decisión del Registrador —denegando la inscripción—, aunque ambas decisiones afecten al ejercicio de sus competencias por la Junta General, pues ambas impiden, en suma, la eficacia de sus acuerdos. Si, como hemos visto, no hay prevista legalmente reacción directa contra la citada actuación notarial, por el contrario, contra la decisión del Registrador Mercantil está prevista la interposición del recurso gubernativo a que se refieren los artículos 66 y siguientes del Reglamento del Registro Mercantil, interviniendo la Dirección General de los Registros y del Notariado, siendo recurribles las resoluciones de esta última ante los Tribunales de Justicia.

## VI. CONCLUSIÓN

El ejercicio de su soberanía por la Junta General de la Sociedad y, en todo caso, la eficacia de sus competencias, al no ser un órgano permanente, requiere, como presupuesto ineludible —salvo en el supuesto de Junta universal—, su previa convocatoria.

En caso de que el órgano de administración de la sociedad no proceda a la convocatoria de la junta, y dejando al margen los supuestos de convocatoria por el Registrador Mercantil, la competencia para la convocatoria «judicial» corresponde al Letrado de la Administración de Justicia del Juzgado de lo Mercantil que corresponda.

La resolución que adopte el Letrado de la Administración de Justicia no convocando la Junta es susceptible de recurso de revisión ante el Juez de lo Mercantil, tal y como indica la Audiencia Provincial de Jaén en Auto de 26 de enero de 2017, y la resolución que adopte convocando la Junta, a pesar de que tanto el art. 170 de la Ley de Sociedades de Capital, como el art. 119.5 de la Ley de la Jurisdicción Voluntaria, digan que contra la misma no cabrá recurso alguno, tendría que ser susceptible de recurso a tenor de la doctrina proclamada por la sentencia del Tribunal Constitucional de 17 de marzo de 2016.

Celebrada la Junta, la calificación del Registrador Mercantil suspendiendo o denegando la inscripción de los acuerdos adoptados en ella, incluso por la forma de la convocatoria en la convocada por el Letrado de la Administración de Justicia, es susceptible de recurso gubernativo, y la resolución que en vía de recurso adopte la Dirección General de los Registros y del Notariado, es impugnable ante los Tribunales de Justicia.

En cambio, si por los administradores sociales se pide la intervención de Notario en la Junta convocada por el Letrado de la Administración de Justicia, y el Notario deniega su ministerio, al amparo de lo dispuesto en el art. 101.1 del Reglamento del Registro Mercantil —lo haga con mayor o menor fundamento legal, sea, en suma, procedente o improcedente en derecho, su decisión—, la Junta no se podrá celebrar, pues los acuerdos serían ineficaces, y no existe reacción legal directa contra dicha decisión, ni siquiera en la ejecución de la resolución convocando, tal y como declara la Audiencia Provincial de Jaén en el citado Auto de 26 de enero de 2017.

Parece lógico, tras ello, que se proceda a la necesaria reforma de la legislación en esta materia, para evitar que en las convocatorias de juntas por los Letrados de la Administración de Justicia —en los casos en que se requiera la intervención de Notario en la junta convocada, que serán la mayoría—, se produzcan irresolubles conflictos entre la «autoridad» del Letrado de la Administración de Justicia y la del Notario, máxime cuando las decisiones de este último tienen difícil acceso a la jurisdicción, lo que va, en última instancia, en detrimento de la actuación soberana de la Junta General y del ejercicio de sus competencias, resultando, en suma, que la decisión con mayores cotas de «soberanía» en relación con todos los demás intervinientes, sería la del Notario —caso de solicitarse su intervención— en cuanto no sometida a ningún tipo de control revisor.

## Bibliografía

### Libros:

ÁVILA NAVARRO, P. *La sociedad limitada*. Barcelona. 2008.
CARRERA GIRAL, J. *La Ley de Sociedades Anónimas y su interpretación por el Tribunal Supremo*. Barcelona. 1983.
GARRIGUES DÍAZ-CAÑABATE, J. *Curso de Derecho Mercantil*. Madrid. 1972.
URÍA GONZÁLEZ, R. *Derecho Mercantil*. Madrid. 1990.

### Artículos:

MEGÍAS LÓPEZ, J. «Competencia de la junta general de sociedades de capital en materia de gestión: relaciones internas y externas», *Diario La Ley*, núm. 8608, 18 de septiembre de 2015.

## Sentencias y Resoluciones

Sentencia de la Sala Primera del Tribunal Supremo de 19 de diciembre de 1913.

Sentencia de la Sala Primera del Tribunal Supremo de 26 de octubre de 1979.

Sentencia de la Sala Primera del Tribunal Supremo de 12 de febrero de 2014 *(Tol 4124673)*.

Auto de la Audiencia Provincial de Jaén de 26 de enero de 2017.

Sentencia del Tribunal Constitucional de 17 de marzo de 2016 *(Tol 5702136)*.

Resolución de la DGRN de 28 de febrero de 2014 *(Tol 4154102)*.

Resolución de la DGRN de 20 de noviembre de 2015.

Resolución de la DGRN de 27 de enero de 2016 *(Tol 5639605)*.

# 30. Cuestiones prácticas en torno a la celebración de las Juntas: representación voluntaria del socio en la Junta General de S.L., representación en Junta de las comunidades hereditarias, nombramiento de Presidente de la Junta y adopción separada de acuerdos

**FERNANDO DÍAZ MARROQUÍN**
*Abogado*

**Sumario:** I. REPRESENTACIÓN VOLUNTARIA DEL SOCIO EN LA JUNTA GENERAL DE S.L. 1. Distinción entre representación orgánica y representación voluntaria. 2. Elementos exigidos para la validez de la representación voluntaria. 2.1. Elemento subjetivo. 2.2. Elemento material. 2.3. Elemento formal. 3. Regulación estatutaria del derecho de representación. II. REPRESENTACIÓN EN JUNTA GENERAL DEL SOCIO COMUNIDAD HEREDITARIA. 1. Reconocimiento de la condición de socio en supuestos de comunidad hereditaria. 2. Representación de la comunidad hereditaria. 3. Ejercicio frente a la sociedad por la comunidad hereditaria de los derechos que corresponden al socio, por medio de su representante. 4. Reglas aplicables al nombramiento del representante de la comunidad hereditaria. 5. Carácter voluntario u orgánico del representante de la comunidad hereditaria. 6. Exigencias formales en relación con el título de la representación del representante de la comunidad hereditaria. III. NOMBRAMIENTO DE PRESIDENTE DE LA JUNTA GENERAL. IV. LA VOTACIÓN SEPARADA DE ACUERDOS EN JUNTA GENERAL. Bibliografía.

Constituye el objeto de este trabajo el análisis de aspectos prácticos relativos a la celebración de las juntas generales de sociedades limitadas, a la luz de la reciente jurisprudencia, sentencias de audiencias provinciales y resoluciones de la Dirección General de los Registros y del Notariado, en relación con el derecho del socio de asistencia a la junta por medio de representante, derecho que será objeto de análisis en profundidad en cuanto a la representación en junta de las comunidades hereditarias.

Igualmente, el presente trabajo analiza cuestiones relativas al propio desarrollo de la junta general, en relación con el nombramiento de su Presidente y con la votación separada de acuerdos.

## I. REPRESENTACIÓN VOLUNTARIA DEL SOCIO EN LA JUNTA GENERAL DE S.L.

### 1. Distinción entre representación orgánica y representación voluntaria

El socio de las sociedades de capital ostenta el derecho de asistencia a la junta general, reconocido en el art 179 del Real Decreto Legislativo 1/2010, de 2 de julio, por el que se aprueba el texto refundido de la Ley de Sociedades de Capital (LSC). Tal derecho la junta se reconoce, en sede de sociedades limitadas, a todos los socios (art. 179.1 LSC), independientemente de que las participaciones sociales de las que emana no otorguen el derecho de voto, pues tal carencia no impide a su titular ejercitar otros derechos en la junta general, como el derecho de información, ni el régimen establecido en el art. 102 LSC (*otros derechos de las participaciones y acciones sin voto*) excluye de los derechos políticos reconocidos a las participaciones sin voto el derecho de asistencia a las reuniones de junta general.

El art. 183 LSC reconoce igualmente a los socios de las sociedades limitadas el derecho a hacerse representar en la junta general por una persona distinta del propio socio. Dicho derecho es calificado como de «representación voluntaria» en el título del art. 183 LSC (*Representación voluntaria en la junta general de la sociedad de responsabilidad limitada*). Es un derecho de carácter imperativo, irrenunciable y general, ya que corresponde a todos los socios con independencia del número de participaciones sociales cuya titularidad ostenten [Sentencia de la Audiencia Provincial de Barcelona de 10 de diciembre de 2012 *(Tol 3167838)*].

Frente a tal representación voluntaria, conferida por un socio que podría ejercitar por sí mismo los derechos correspondientes y que decide asistir a la junta por medio de un representante, se encuentra la representación legal y orgánica del socio en la junta, a la que no es aplicable, en nuestra opinión, el art. 183 LSC, por derivar las facultades del representante de su reconocimiento por la propia Ley.

Las sociedades, y en general las personas jurídicas con capacidad de obrar, necesitan para hacer efectiva dicha capacidad de obrar la intervención de determinadas personas que, como órganos de la sociedad y formando por tanto parte de su estructura, manifiesten la voluntad de la persona jurídica misma. Esta actuación a través de los propios órganos competentes para ello da lugar a la representación orgánica en la que, por contraposición a la voluntaria, se entiende que los actos del representante, siempre que se produzcan en el ámbito de su competencia, son actos de la propia persona jurídica [Resolución de la Dirección General de los Registros y del Notariado de 18 de octubre de 2016 *(Tol 5899178)*].

Así, el ejercicio del derecho de asistencia en la junta general del socio persona jurídica corresponderá, de forma orgánica, a aquellas personas a las que se otorgue la facultad de representar a dicha persona jurídica en la normativa aplicable a la misma (es decir, la representación orgánica de una sociedad anónima corresponde a su órgano de administración, que ejercitará dicha facultad conforme a lo expresado en los estatutos de la sociedad o, en defecto de regulación, conforme a lo dispuesto en la propia LSC). De este modo entendemos que la presencia en la junta de un socio persona jurídica, mediante la asistencia a la misma de su representante orgánico, conlleva la consideración de dicho socio como asistente de forma personal y no debidamente representado, y ello sin perjuicio de que dicha persona jurídica pueda delegar en un tercero, distinto de su representante orgánico, su representación para la junta, siendo de aplicación a tal delegación las reglas aplicables a la representación voluntaria establecidas en el art. 183 LSC.

La distinción entre representación voluntaria y orgánica del socio en la junta general es muy relevante, en la medida en que el art. 183 LSC, de aplicación únicamente a la representación voluntaria, exige para su validez el cumplimiento de requisitos subjetivos, formales y materiales que, en la práctica, constituyen trabas no siempre superables con facilidad, con el consiguiente impacto en el ejercicio por el socio de sus derechos de asistencia, voto e información en la propia junta general, en nuestra opinión de forma no siempre justificada.

## 2. Elementos exigidos para la validez de la representación voluntaria

El art. 183 LSC establece los requisitos que debe cumplir la representación voluntaria del socio en la junta general de una sociedad limitada para que pueda tenerse como válida:

> *«Artículo 183. Representación voluntaria en la junta general de la sociedad de responsabilidad limitada*
> *1. El socio sólo podrá hacerse representar en la junta general por su cónyuge, ascendiente o descendiente, por otro socio o por persona que ostente poder general conferido en documento público con facultades para administrar todo el patrimonio que el representado tuviere en territorio nacional.*
> *Los estatutos podrán autorizar la representación por medio de otras personas.*
> *2. La representación deberá conferirse por escrito. Si no constare en documento público, deberá ser especial para cada junta.*
> *3. La representación comprenderá la totalidad de las participaciones de que sea titular el socio representado.»*

Dicho artículo es únicamente aplicable a los socios que deleguen su derecho de asistencia en su condición de socios, pero si en el socio concurre además la condición de administrador de la compañía, no podrá, como administrador, delegar su asistencia a la junta haciendo uso del régimen establecido en el art. 183 LSC [Sentencia del Tribunal Supremo de 19 de abril de 2016 *(Tol 5699174)*].

La validez de la representación voluntaria en la junta de las sociedades limitadas requiere, conforme al art. 183 LSC, que concurran los tres siguientes elementos: (i) elemento subjetivo (quién puede ser representante); (ii) elemento material (alcance de la representación cuando el representante no tiene vínculo con el socio) y (iii) elemento formal.

## 2.1. Elemento subjetivo

El precepto legal prevé que la representación voluntaria se otorgue a determinadas personas que guarden cierta vinculación con el socio o con la propia sociedad, tales como otros socios o familiares directos (el cónyuge, ascendientes o descendientes del socio que delega su representación), así como a favor de personas que, careciendo de dicha vinculación con el socio o la sociedad, hagan uso de un poder general, siendo en este último caso exigible el cumplimiento del elemento material al que hace referencia el epígrafe siguiente.

Estos supuestos subjetivos limitan la representación voluntaria en el caso de ser el socio que otorga su representación una sociedad, pues ésta, si pretende asistir a la junta por medio de un tercero distinto de su representante orgánico, únicamente podrá hacerlo mediante delegación conferida a otro socio, o a un tercero que ostente un poder en el que concurra el elemento material exigido por el art. 183.1 LSC.

Finalmente, el art. 183 LSC contempla la representación por una única persona, debiendo rechazarse la posibilidad de que un socio se haga representar en la junta general por medio de dos o más representantes mancomunados o solidarios [Sentencia de la Audiencia Provincial de Pontevedra de 30 de septiembre de 2016 *(Tol 5862155)*].

## 2.2. Elemento material

Únicamente cuando el representante no ostenta la condición de socio, cónyuge, ascendiente o descendiente del socio representado, la validez de la representación se condiciona al cumplimiento de un requisito sustantivo o material, consistente en que el titular de la representación en la junta deberá hacer uso en la misma de un poder general, conferido en documento público, con facultades de gestión y administración de todo el patrimonio que el representado tenga en territorio nacional.

La norma no exige que cuando ostente la delegación un socio o un familiar de los indicados sea necesario otorgar al mismo un poder de carácter general, bastando una delegación especial para cada junta.

La norma exige que el poder tenga la consideración de «general», es decir, que comprenda todos los negocios del mandante, no bastando a estos efectos con un poder «especial», referido a uno o más negocios determinados (art. 1713 CC). En cuanto al alcance del poder, éste debe contener facultades de gestión y administración de todo el patrimonio del representado en territorio nacional, no requiriéndose facultades de disposición. Por tanto, el poder general conferido por un socio a un tercero para administrar todo el patrimonio del representado en territorio nacional es suficiente para que dicho tercero represente válidamente al poderdante en la junta general en la que participe, aunque la facultad concreta de ejercitar los derechos de asistencia y voto en junta general no esté expresamente reconocida en el poder.

Sin embargo, sorprendentemente, un poder especial otorgado por un socio a un tercero que no tenga la condición de socio, cónyuge, ascendiente o descendiente del poderdante, con el mandato expreso de actuar como representante en la junta general de una sociedad limitada en la que aquél participa no reúne el elemento material exigido por el párrafo primero del art. 183.1 LSC, y, en consecuencia, no es una delegación válida para la representación en la junta general [en este sentido, la Sentencia de la Audiencia Provincial de La Coruña de 18 de noviembre de 2011 *(Tol 2299158)*, que si bien fue revocada por la posterior Sentencia del Tribunal Supremo de 12 de febrero de 2014 *(Tol 4124673)*, tal revocación lo fue sin entrar en el fondo del razonamiento anteriormente expresado].

La exigencia del elemento material es, en casos como el descrito en el párrafo anterior, excesiva a nuestro entender; el poder de representación en junta general no deja de ser un contrato al que son de aplicación las reglas de interpretación de los contratos contenidas en los arts. 1281 y ss. CC; un poder que contenga el mandato expreso de actuar como representante de un socio en una o varias juntas generales, siendo claro su contenido y no dejando duda sobre la intención del poderdante (no nos parece irracional interpretar que si un poder contiene el mandato expreso de representar al poderdante en una junta general concreta, la voluntad del poderdante es acudir a dicha junta representado por el mandatario designado), debe ser interpretado conforme al sentido literal de sus cláusulas, pero el art. 183.1 LSC impide tener tal representación como válida por no constituir un poder general con facultades de gestión y administración de todo el patrimonio que el representado tenga en territorio nacional. Entenderíamos razonable que la norma permitiera tener tales poderes especiales como válidos, aún más considerando que los poderes no pueden ser objeto de una interpretación restrictiva (dándoles una extensión menor que la expresada en ellos), sino que deben ser interpretados de forma estricta, a lo que propiamente y sin extralimitaciones constituye su verdadero contenido, conforme a la voluntad del poderdante [Resolución de la Dirección General de los Registros y del Notariado de 7 de mayo de 2008 *(Tol 1304599)*].

Sin embargo, no podemos coincidir con la interpretación que del precepto realiza la Sentencia de la Audiencia Provincial de Barcelona de 10 de diciembre de 2012 *(Tol 3167838)*, cuando considera que el elemento material cuya concurrencia exige el art. 183.1 LSC (poder general) no es de aplicación para las delegaciones de asistencia que emitan los socios que tengan la forma jurídica de sociedad, basando su interpretación en la figura del apoderado general en una sociedad solapa las funciones del órgano de administración, y que dicho requerimiento, en el ámbito de las sociedades mercantiles, «*no resulta funcional*». Nada impide, en nuestra opinión, que en una sociedad coexistan representantes orgánicos (los administradores), conforme a la normativa correspondiente al tipo de sociedad, con representantes voluntarios, cuyo poder se regirá por los arts. 1709 y ss. CC sobre el mandato y por el 281 y ss. CCom (mandato mercantil), pudiendo dicho mandato ser general o especial.

## 2.3. Elemento formal

La delegación de asistencia a la junta general debe cumplir la formalidad imperativa, *ad solemnitaten*, exigida por la norma:

Si la delegación (art. 183.2 LSC) se confiere a otro socio, o a uno de los familiares anteriormente indicados, deberá constar «*por escrito*» bien en documento privado, en cuyo caso debe ser especial para la junta, bien en instrumento público, en cuyo caso puede ser para cualquier junta.

La expresión «por escrito» podría entenderse como carta, documento o cualquier papel manuscrito, mecanografiado o impreso, pero como acertadamente interpreta la Resolución de la Dirección General de los Registros y del Notariado de 19 de diciembre de 2012 *(Tol 3019496)*, no excluye otras formas de otorgamiento de la representación que consten en soporte electrónico, siempre que quede constancia de la misma en soporte grabado para su ulterior prueba, y sin perjuicio de la necesidad de instrumento público cuando la delegación se extienda a varias juntas.

Por el contrario, si la delegación se confiere a un tercero ajeno a la sociedad y al socio que delega, mediante un poder general conforme ha sido descrito en el epígrafe 2.2 anterior (elemento material), el art. 183.1 LSC exige que la delegación, es decir, el poder general, conste en escritura pública en todo caso, si bien no es necesario que el poder general esté inscrito para que la delegación surta efectos, toda vez que la inscripción registral no es constitutiva del poder.

Si la delegación adoleciera de un defecto formal, no concurriendo en ella los elementos subjetivos, formales o materiales analizados, no surtiría efecto, ni podría actuar el representante del socio como una suerte de mandatario verbal en la junta general, sometiéndose su actuación a la ratificación posterior del socio; aún más, si la intervención del representante con una delegación inválida tuviera como consecuencia la nulidad de la junta, la ratificación a posteriori de su actuación por el socio no sería suficiente, pues la convalidación de una junta nula solo puede ser efectuada mediante otra válidamente celebrada [Sentencia del Tribunal Supremo de 21 de febrero de 2011 *(Tol 2050940)*].

### 3. Regulación estatutaria del derecho de representación

En caso de silencio estatutario, el poder simple especial de representación para una junta sólo puede otorgarse a favor del cónyuge, ascendientes o descendientes, o de otro socio. Si el apoderado es un tercero distinto a las personas indicadas, la validez de la representación requiere la existencia de un poder general otorgado por el socio en documento público, confiriendo al representante facultades para administrar todo el patrimonio del representado en territorio nacional [Sentencia de la Audiencia Provincial de Madrid de 17 de junio de 2013 *(Tol 3884202)*].

Los estatutos pueden ampliar, pero no restringir, las representaciones posibles contempladas en el art. 183.1 LSC; la posibilidad de que los estatutos autoricen la representación por otras personas quiere decir que puede concederse la representación a alguien que sin ser otro socio ni pariente próximo, no tenga un poder general para administrar todo el patrimonio del deudor, pero en todo caso la representación debe cumplir con los requisitos exigidos en los arts. 183.2 y 183.3 LSC, es decir, que deberá conferirse por escrito, que si no constare en documento público, deberá ser especial para cada junta, y que comprenderá la totalidad de las participaciones de que sea titular el socio representado [Sentencia del Tribunal Supremo de 15 de abril de 2014 *(Tol 4259689)*].

## II. REPRESENTACIÓN EN JUNTA GENERAL DEL SOCIO COMUNIDAD HEREDITARIA

### 1. *Reconocimiento de la condición de socio en supuestos de comunidad hereditaria*

La condición de socio, y el ejercicio las facultades y derechos inherentes a la misma, está directamente ligada a la titularidad de las acciones o participaciones sociales (art. 91 LSC). El ejercicio de los derechos del socio se complica cuando la titularidad de las participaciones es ostentada conjuntamente por una pluralidad de personas. Para dichos supuestos de copropiedad o, en general, en todos los supuestos de cotitularidad de derechos sobre participaciones, el art. 126 LSC establece una regla imperativa según la cual los cotitulares «*habrán de designar una sola persona para el ejercicio de los derechos de socio, y responderán solidariamente frente a la sociedad de cuantas obligaciones se deriven de esta condición*». La finalidad de esta norma es procurar, en favor de la sociedad, obtener claridad y sencillez en el ejercicio de los derechos de socio [Resolución de la Dirección General de los Registros y del Notariado de 4 de marzo de 2015 *(Tol 4787738)*].

La comunidad hereditaria es la comunidad resultante del llamamiento de varias personas como sucesores a título universal en una herencia y de su aceptación, hasta que se haga la partición.

No obstante, la comunidad hereditaria puede integrar a otros terceros distintos de dichos herederos; así, debe reconocerse la condición de miembro de la comunidad hereditaria al cónyuge viudo titular de la cuota viudal usufructuaria (art. 834 CC), pues si bien no disfruta indirectamente de los derechos políticos de las acciones o participaciones integradas en la comunidad hereditaria, sino únicamente del derecho al dividendo (art. 127 LSC), como consecuencia de dicho usufructo, y a resultas de las operaciones particionales, podría acabar adquiriendo en el pleno dominio de acciones o participaciones, por lo que no procedería excluirle en el ejercicio de los derechos del socio [Sentencia de la Audiencia Provincial de Madrid de 18 de febrero de 2011 *(Tol 2096790)*].

En el caso de existir una la comunidad hereditaria, debemos determinar quién es el socio para, a continuación, establecer cómo ejercitará dicho socio los derechos que le reconoce el ordenamiento, en particular los relativos al derecho de asistencia a la junta general.

En caso de fallecer el titular de las acciones o participaciones, mientras no tenga lugar la partición hereditaria, las mismas formarán parte del caudal hereditario, existiendo respecto de dichas acciones o participaciones una comunidad hereditaria, integrada por los coherederos. Cada sucesor, miembro de la misma, tiene derecho al conjunto que integra el contenido de la herencia, pero no sobre los bienes hereditarios concretos; es decir, en el caso de la titularidad de acciones o participaciones por el causante, cada coheredero será titular junto con los demás coherederos del patrimonio del que forma parte el conjunto de acciones o participaciones; así, será la comunidad quien ostente la condición de socio, y no cada coheredero [Sentencia del Tribunal Supremo de 5 de noviembre de 2004 *(Tol 514277)*].

Así, el art. 110 LSC confiere al heredero o legatario la condición de socio, pero únicamente desde la adquisición de alguna participación o acción por sucesión hereditaria, por lo que debe entenderse que dicha condición se adquiere con la partición de la herencia. Hasta ese momento, la condición de socio no recae en los copropietarios, sino en la comunidad hereditaria, en tanto concurra la situación de indivisión, de modo que las participaciones pertenecen a todos los comuneros, sin asignación de cuotas. Dicho régimen se justifica en la medida en que hasta que se produzca la partición de la herencia se desconoce el número exacto de acciones o participaciones que corresponderá a cada heredero o legatario, o si le corresponde alguna. Por ello corresponde a la comunidad el ejercicio de los derechos del socio, y no a los copartícipes, por la cuota respectiva a la que pudieran tener derecho.

La comunidad hereditaria se corresponde con la comunidad germánica, que carece de personalidad jurídica pero ostenta la condición de socio; cada sucesor, miembro de la comunidad hereditaria, tiene derecho al conjunto que integra el contenido de la herencia, pero, no sobre los bienes hereditarios concretos; en caso de integrarse en una comunidad hereditaria una participación en una sociedad, cada coheredero será titular de acciones o participaciones, sino titular junto con los demás coherederos, del patrimonio del que forman parte aquéllas, ostentando la condición de socio no el coheredero, sino la comunidad, cuya naturaleza es de comunidad germánica [Sentencia del Tribunal Supremo de 12 de junio de 2015 *(Tol 5212052)*]. Esta forma de titularidad colectiva no da lugar a derechos autónomos a favor de cada comunero, sino que facilita la determinación del *quantum* abstracto de participación de cada miembro, lo que impide la disponibilidad individual de las cuotas, salvo que se disponga del patrimonio conjuntamente, como sucede, por ejemplo, en el caso de transmisión por la comunidad hereditaria de acciones o participaciones, supuesto en el que se acepta que los coherederos puedan vender los bienes con validez y eficacia antes de la partición si están todos de acuerdo [Sentencia de la Audiencia Provincial de Madrid de 21 de mayo de 2012 *(Tol 2564629)*]. La asignación abstracta de una parte del todo al comunero se concretará posteriormente en unos bienes concretos, que serán adquiridos por dicho comunero únicamente en el momento de la división de la herencia. La cuota-parte de la que es titular cada comunero no recae, por tanto, sobre un determinado número de acciones o participaciones pertenecientes a la comunidad hereditaria, sino sobre el conjunto de su patrimonio.

## 2. *Representación de la comunidad hereditaria*

Respecto a todos los supuestos de cotitularidad de acciones o participaciones, el art. 126 LSC exige la designación de una sola persona para el ejercicio de los derechos del socio:

> *«Artículo 126. Copropiedad de participaciones sociales o de acciones*
> *En caso de copropiedad sobre una o varias participaciones o acciones, los copropietarios habrán de designar una sola persona para el ejercicio de los derechos de socio, y responderán solidariamente frente a la sociedad de cuantas obligaciones se deriven de esta condición. La misma regla se aplicará a los demás supuestos de cotitularidad de derechos sobre participaciones o acciones.»*

Dicho representante común puede ser cualquier persona, física o jurídica, uno de los comuneros, un socio o incluso un tercero que carezca de vínculo alguno con la sociedad o con la comunidad, aunque la Sentencia de la Audiencia Provincial de Pontevedra de 30 de septiembre de 2016 *(Tol 5862155)* admite que los estatutos puedan imponer que el representante común sea un accionista. La norma se limita a indicar que ha de tratarse de «*una sola persona*», lo que, como veremos, tiene su fundamento en el principio de unificación objetiva de los derechos inherentes al socio, evitando así que dicha representación sea ejercitada por una pluralidad de personas.

Debe distinguirse, no obstante, entre (i) las relaciones entre comunidad hereditaria titular de acciones o participaciones de una sociedad, a través de su representante, y la propia sociedad, conforme a lo dispuesto en el art. 126 LSC; y (ii) las reglas internas de la comunidad hereditaria que son de aplicación para el nombramiento del representante al que hace referencia el art. 126 LSC.

### 3. Ejercicio frente a la sociedad por la comunidad hereditaria de los derechos que corresponden al socio, por medio de su representante

La exigencia legal contenida en el art. 126 LSC, relativa a la designación de una única persona representante del socio en los supuestos de copropiedad, aplicable a las situaciones en las que la condición de socio sea ostentada por una comunidad hereditaria, responde a los siguientes motivos:

- la indivisibilidad de las acciones y participaciones sociales que establece el art. 90 LSC; y

- el principio de unificación objetiva de los derechos inherentes al socio, cuya finalidad es la protección de la sociedad frente a las dificultades derivadas de la existencia de una pluralidad de titulares de la propiedad o de otro derecho real sobre una participación.

Si la norma prevista en el art. 126 LSC no existiera, el ejercicio por los comuneros de los derechos que se desprenden de las acciones o participaciones podría adoptar múltiples formas, todas ellas incompatibles con obvias exigencias prácticas de simplicidad y claridad en el ejercicio de tales derechos: bien ejercitar, cada comunero por su cuota, los derechos inherentes a las participaciones, si el ejercicio de los mismos fuera divisible, bien ejercitarlos todos ellos, por el todo, mancomunada o conjuntamente, bien ejercitarlos cualquiera de ellos, por el todo, en beneficio de la comunidad, de no mediar oposición de cualquiera de los demás comuneros a dicho ejercicio, bien encomendar el ejercicio de tales derechos a una pluralidad de representantes comunes, mancomunados o solidarios, incluso distribuyendo entre ellos del ejercicio de los distintos derechos de socio, o bien ejercitar en cada momento el derecho de socio de que se trate, mediante un representante común designado exclusivamente para el caso.

La finalidad de la norma es, por tanto, la protección de la sociedad frente a las dificultades y perjuicios que, por aplicación de las reglas generales, podrían derivarse para ella de la existencia de una pluralidad de titulares de la propiedad o de otro derecho real sobre una participación en la compañía.

La exigencia de designación de un representante por la comunidad titular de acciones o participaciones no pretende, por tanto, regular las relaciones de los comuneros entre sí, sino, exclusivamente, las relaciones de la comunidad en la que se integran las acciones o participaciones sociales con la propia sociedad, implantando en beneficio de ésta un sistema sencillo y claro de ejercicio por la comunidad de sus derechos a través de un representante, evitando figuras como la pluralidad de representantes (mancomunados o solidarios), o el ejercicio directo por los partícipes de los derechos del socio, ya sea por su propia cuota, o en general en beneficio de la comunidad, de no mediar oposición del resto de comuneros al acto concreto [Sentencia de la Audiencia Provincial de Pontevedra de 30 de septiembre de 2016 *(Tol 5862155)*].

Sin embargo, el albacea o representante designado por el testador puede ser un órgano mancomunado; en tal caso, deberá tenerse en cuenta lo dispuesto en el art. 895 CC, que establece que, si los albaceas fueran mancomunados, sólo valdrá lo que todos hagan de consuno, o lo que haga uno de ellos legalmente autorizado por los demás, o lo que, en caso de disidencia, acuerde el mayor número. En relación con dicho precepto, la Resolución de la Dirección General de los Registros y del Notariado de 12 de diciembre de 2016 *(Tol 5922585)* ha aceptado la válida constitución de una junta como universal aun negándose uno de los tres administradores mancomunados designados por el causante a firmar el acta de la reunión, si bien basando su decisión en constituir dicha ausencia de firma en un defecto en la formalización del acta que no tiene por qué afectar a la válida celebración de la reunión.

La designación del representante al que se refiere el art. 126 LSC es una carga de los copropietarios, no una obligación de éstos, que, pese a tener carácter de representación voluntaria, nace de una exigencia legal [Sentencia del Tribunal Supremo de 12 de junio de 2015 *(Tol 5212052)*] en beneficio de la sociedad cuyas acciones o participaciones estén integradas en la comunidad, lo que permite a dicha sociedad, a su riesgo, reconocer como válido el ejercicio de un derecho corporativo por un copropietario en beneficio de todos ellos [Sentencia de la Audiencia Provincial de Pontevedra de 30 de septiembre de 2016 *(Tol 5862155)*], u oponerse al ejercicio de los derechos por persona distinta a la designada por los copropietarios.

La naturaleza voluntaria de la representación no obsta para que cuando, en virtud de norma jurídica o de decisión judicial los cotitulares de una participación tengan un representante legal común, la sociedad deba reputar por cumplida la designación del representante a los efectos del 126

LSC [Resolución de la Dirección General de los Registros y del Notariado de 13 de junio de 2013 *(Tol 3801435)*].

Sin embargo, es problemático el supuesto en el que la comunidad ejercita sus derechos como socio no a través de un representante común designado a los efectos del art. 126 LSC, sino con la intervención conjunta de todos los comuneros integrantes de la comunidad titular de las acciones, o incluso mediante el ejercicio de dichos derechos por comuneros titulares de una participación mayoritaria —y no total— en la comunidad hereditaria. Considerando que el art. 126 LSC es una norma en beneficio de la sociedad, ésta podría permitir otros sistemas de representación; así, si no hay representante designado y concurren la mayoría o incluso todos los comuneros a la junta general, puede aceptarse su actuación en representación de ésta. Pero si hay representante designado, la sociedad debe atenerse a su actuación.

Así, la anteriormente mencionada Sentencia de la Audiencia Provincial de Pontevedra de 30 de septiembre de 2016 *(Tol 5862155)* considera que la sociedad podrá rechazar cualquier forma de ejercicio frente a ella de los derechos atribuidos por las participaciones en comunidad, distinta del ejercicio de dichos derechos por el representante común, manteniendo que el art. 126 LSC «*impide sostener que la sociedad haya de tolerar a los comuneros el ejercicio en nombre propio, ni siquiera por todos ellos conjuntamente, de los derechos de que se trate, incluso el derecho de información*». Dicha sentencia cita en apoyo de su argumentación la doctrina de la Dirección General de los Registros y del Notariado, doctrina que entendemos contraria a la sostenida por la Audiencia Provincial de Pontevedra, pues considera aquélla, en su Resolución de 4 de marzo de 2015 *(Tol 4787738)* que «*la sociedad no puede oponerse al ejercicio de los derechos cuando éstos son consentidos por la unanimidad de los cotitulares*». Por otro lado, la Sentencia de la Audiencia Provincial de Madrid de 18 de febrero de 2011 *(Tol 2096790)*, relaja aún más dicha exigencia, considerado que la asistencia a la junta de los dos hijos titulares de la mayoría de cuotas de la comunidad hereditaria titular de una participación en el capital social de una sociedad, y su actuación conjunta como representantes del socio, aún no designados, es válida incluso en ausencia de la madre integrante de la comunidad hereditaria con una participación minoritaria, al punto que declaró la junta universal como válidamente celebrada por considerar a dicha comunidad hereditaria válidamente representada, y cumplidos los requisitos para la constitución de la junta con carácter universal.

No correspondiendo a cada uno de los comuneros el ejercicio de los derechos inherentes a la condición de socio, tales derechos deben ser ejercitados por el representante designado por la propia comunidad conforme al art. 126 LSC. Dicho ejercicio se extiende a los derechos dimanantes de la condición de titular de acciones o participaciones, con la excepción correspondiente al derecho de impugnación de acuerdos sociales, que puede ser ejercitado no sólo por el representante de la comunidad, sino por cada uno de los comuneros, en ausencia de nombramiento de representante, habida cuenta de su legitimación como terceros que ostentan un interés legítimo [art. 206.1 LSC y Sentencia de la Audiencia Provincial de Pontevedra de 30 de septiembre de 2016 *(Tol 5862155)*].

La actuación de la comunidad por medio de su representante tiene también su relevancia en relación con el ejercicio de derechos que la norma reserva a los socios titulares de un porcentaje mínimo de acciones o participaciones. El comunero que ostenta una cuota del 20% de la comunidad titular de acciones o participaciones representativas del 50% del capital de una sociedad, no se convierte en titular de una participación del 10% de la sociedad, de modo que no podrá ejercitar por sí mismo los derechos que corresponden al socio, ni integrar su participación indirecta en la sociedad para hacer uso de los derechos que la ley reserva al socio titular de un porcentaje del capital social, como pueden ser los derechos a requerir la presencia de notario que levante acta de la junta general (art. 203 LSC), o a solicitar del registrador mercantil la designación de auditor de cuentas si la sociedad no estuviera obligada a someter sus cuentas a verificación (art. 265.2 LSC); dichos derechos deberán ser ejercitados por el representante de la comunidad [Resolución de la Dirección General de los Registros y del Notariado de 13 de junio de 2013 *(Tol 3801435)*].

## 4. Reglas aplicables al nombramiento del representante de la comunidad hereditaria

El art. 126 LSC regula las relaciones entre la sociedad y el socio que tiene la condición de comunidad, sin embargo, dicho artículo guarda silencio sobre las relaciones existentes entre los comuneros y las normas de aplicación a la designación del representante común de la comunidad frente a la sociedad.

En relación con la designación de representante para el ejercicio de los derechos del socio correspondientes a las acciones titularidad de un socio fallecido, pendiente la división de la herencia, la reciente sentencia del Tribunal Supremo de 6 de junio de 2016 *(Tol 5748542)* ha tenido la oportunidad de pronunciarse sobre el régimen aplicable a la designación del representante en los casos en los que exista una situación de indivisión de la herencia tras el fallecimiento de un socio titular de una participación en una sociedad anónima.

La Sala Primera del Tribunal Supremo considera que con carácter previo a la división de la herencia se suceden dos fases perfectamente diferenciadas, siendo la primera de ellas la de herencia yacente, que concluye con la aceptación de la herencia, y la de comunidad hereditaria, que se inicia una vez se produce dicha aceptación, ya sea expresa o tácitamente.

Entiende el Tribunal Supremo, siguiendo el criterio mantenido en la tramitación del proceso por el juzgador de instancia y por la Audiencia Provincial de San Sebastián, que el ejercicio del derecho de representación por los dos grupos de herederos (dos hijos del causante, por un lado, y la viuda de éste, por otro), es decir, la solicitud formulada por los llamados la herencia para que se produjera la inscripción como representantes de la comunidad hereditaria a fin de poder ejercitar los derechos que como socios les correspondan, supone una manifestación de la voluntad de aceptar la herencia pues, de no ser así, existiría el derecho a instar la citada inscripción. Dicha aceptación tácita tiene como consecuencia la superación de la fase de herencia yacente, pasándose a la situación de comunidad hereditaria.

Téngase en cuenta además la posibilidad de que los llamados a heredar puedan aceptar la herencia a beneficio de inventario; durante la formación del inventario y hasta la aceptación de la herencia, a instancia de parte, el art. 1020 CC atribuye al notario la adopción de las provisiones necesarias para la administración y custodia de los bienes hereditarios con arreglo a lo que se prescribe en el CC y en la legislación notarial. En la redacción previa a la modificación del art. 1020 CC por la Ley de Jurisdicción Voluntaria, dicho artículo atribuía al Juez, a instancia de parte, la facultad de proveer a la administración y custodia de los bienes hereditarios con arreglo a lo prescrito para el juicio de testamentaría en la Ley de Enjuiciamiento Civil (art. 795 LEC); es decir, el tribunal dispondría sobre la administración del caudal hereditario —incluidas las acciones— conforme a lo dispuesto por el testador, y, en ausencia de tal disposición, nombraría administrador al viudo o viuda y, en su defecto, al heredero o legatario de parte alícuota que tuviere mayor parte en la herencia, y a falta de éstos, podría el tribunal nombrar administrador a cualquiera de los herederos o legatarios de parte alícuota, si los hubiere, o a un tercero.

Sin embargo, el Tribunal Supremo, apreciando la existencia de una aceptación tácita de la herencia, pendiente su división, considera que los bienes comprendidos en la herencia, y más concretamente las acciones, integran una comunidad hereditaria, siendo de aplicación a la misma las siguientes reglas en lo relativo a la designación de su representante:

La designación del representante, aceptada la herencia, en aquellos casos en los que no se da administración testamentaria, convencional, ni judicial, se regirá por lo dispuesto en el CC respecto a la administración de la comunidad de bienes ordinaria (392 y ss. CC) y, en concreto, en el art. 398 CC y ello por más que dichas normas estén insertas en el CC dentro de la disciplina propia de la comunidad por cuotas o comunidad romana y que se tenga a la comunidad hereditaria por una comunidad germánica, considerando el Tribunal Supremo que el propio art. 126 LSC remite a las reglas de la comunidad ordinaria a la hora de designar una sola persona en el ejercicio de los derechos de socio en los supuestos de copropiedad de acciones o participaciones, todo ello conforme a una reiterada jurisprudencia del alto tribunal.

Ello implica el siguiente orden de prevalencia para el nombramiento de representante:

- El testador puede, en su testamento, señalar administrador o albacea, que será el representante de la comunidad hereditaria frente a la sociedad, incluso con carácter mancomunado (véase un ejemplo de la representación de una comunidad hereditaria en una junta general universal, por medio de los tres administradores mancomunados nombrados por el causante, con negativa de uno de ellos a firmar el acta de la junta, Resolución de la Dirección General de los Registros y del Notariado de 12 de diciembre de 2016 *(Tol 5922585)*. En dicho sentido la Resolución de la Dirección General de los Registros y del Notariado de 13 de junio de 2013 *(Tol 3801435)* considera que el albacea testamentario designado por el causante es el representante natural mientras subsista la situación de herencia yacente o comunidad hereditaria (arts. 892, 898, 901 y 906 CC en relación con lo dispuesto en el art. 126 LSC), otorgando al mismo la condición de representante orgánico y no voluntario. Por su parte, la Sentencia de la Audiencia Provincial de Albacete de 7 de octubre de 2013 *(Tol 3990729)*, atribuye al albacea el ejercicio del derecho de asistencia a la junta general, pero no el de voto, si asisten a la junta los herederos y si aquél tiene la condición de albacea particular y no universal; es decir, si el albacea no ha sido investido de todas las facultades precisas para cumplir la voluntad del causante.

- En defecto de tal albacea o de un administrador, habrá que estar al acuerdo alcanzado por todos los herederos sobre la designación del representante de la comunidad hereditaria;

- Finalmente, en ausencia del acuerdo referido en el párrafo anterior, el representante será designado por decisión adoptada por los integrantes de la comunidad hereditaria conforme al principio de mayorías; es decir, por mayoría simple de cuotas (entendido como el acuerdo que esté tomado por los partícipes que representen la mayor cantidad de intereses o mayor capital de la comunidad), conforme al régimen del 398 CC, que establece además que, en ausencia de tal acuerdo, o si el acuerdo fuera contrario a los interesados, el juez proveerá a instancia de parte, pudiendo incluso nombrar administrador.

Finalmente, cuando no conste testamento ni legitimarios, habrá que estar a lo dispuesto en la Ley de Enjuiciamiento Civil, pasando por la determinación judicial de las reglas de administración del patrimonio del causante (arts. 791 y siguientes).

## 5. *Carácter voluntario u orgánico del representante de la comunidad hereditaria*

La determinación de la condición de representación orgánica o voluntaria a la figura del representante de la comunidad hereditaria es relevante en la medida en que puede implicar la aplicación de los requisitos establecidos en los arts. 183 y 184 LSC, para la validez de la representación voluntaria, respectivamente aplicables a las sociedades limitadas y las sociedades anónimas.

La aplicación de dichos requisitos si el representante de la comunidad hereditaria tuviera carácter voluntario haría necesaria, por ejemplo en el caso de un socio que lo sea de una sociedad limitada, la exhibición por el representante de la comunidad hereditaria de un poder que cumpla con el elemento material exigido por el art. 183 LSC, es decir, que no ostentando el representante la condición de socio, y recayendo la representación en un tercero (siendo ya irrelevante su condición de ascendiente, descendiente o cónyuge de un socio ya fallecido), deba dicha representación constar en un poder general conferido en documento público con facultades para administrar todo el patrimonio que el representado —la comunidad hereditaria— tuviere en territorio nacional.

Nos parece adecuado el criterio sostenido por la Sentencia del Tribunal Supremo de 5 de noviembre de 2004 *(Tol 514277)*, en cuanto a la consideración del representante de la comunidad hereditaria no como representante en el sentido de representación voluntaria, no aplicándose en consecuencia las normas relativas a ésta entonces vigente (art. 106.2 del Texto Refundido de la Ley de Sociedades Anónimas), eximiendo al representante por tanto de acreditar su representación conforme a las formalidades exigidas al representante voluntario. Dicho criterio permitiría considerar, por tanto, que no es exigible al representante de una comunidad hereditaria, en el caso de sociedades limitadas, el cumplimiento del elemento material regulado en el art. 183 LSC, cuando dicho representante actúe por sí mismo, y sin perjuicio de la posibilidad de que la comunidad hereditaria, por medio de su representante orgánico, pueda delegar en un tercero el ejercicio de los derechos de asistencia y voto en la junta general, con carácter voluntario. En otras palabras, no se entendería que la delegación de dichos derechos fuera permitida a todos los socios, y prohibida en los casos de titular de la participación por una comunidad de bienes.

Sin embargo, considera la Sentencia del Tribunal Supremo de 12 de junio de 2015 *(Tol 5212052)*, que el representante de una comunidad hereditaria, nombrado a los efectos del art. 66.2 del Texto Refundido de la Ley de Sociedades Anónimas, aplicable al supuesto enjuiciado, análogo en lo que interesa a este análisis al 126 LSC, no es un administrador orgánico de la comunidad, sino que está vinculado por un mandato revocable para ejercitar los derechos de su condición de socio de la comunidad; no obstante dicha sentencia no resolvía sobre la calificación como voluntaria u orgánica de la representación de la comunidad hereditaria, a efectos de cumplir con los requisitos exigidos por el art. 183 LSC, sino sobre el alcance del mandato conferido al representante, resolviendo que dicho mandato comprende para asuntos ordinarios o de administración, pero asuntos extraordinarios, como puedan ser la modificación del tipo social o el cambio de objeto social. Por ello entendemos que tal criterio no altera las conclusiones expuestas en el párrafo anterior.

### 6. *Exigencias formales en relación con el título de la representación del representante de la comunidad hereditaria*

En cuanto a la forma que debe ostentar el título de la representación, el art. 126 LSC establece el nombramiento de un representante común por la comunidad titular de una participación en una sociedad, pero no exige una específica forma para la validez del negocio de apoderamiento de dicho representante común.

Los requisitos formales exigidos por los arts. 183 y 184 LSC, relativos a la representación en la junta general, respectivamente, de la sociedad de responsabilidad limitada y de la sociedad anónima, son aplicables sólo a la representación estrictamente voluntaria, como hemos visto, y no a la representación orgánica de la comunidad hereditaria. De este modo, y sin perjuicio de que la comunidad hereditaria tenga un representante orgánico nombrado conforme a lo dispuesto en el art. 126 LSC, los requisitos formales establecidos por los arts. 183 y 184 LSC serían únicamente exigibles si dicho representante orgánico otorgara la representación voluntaria en favor de un tercero, para la asistencia a la junta general.

Si asiste a la junta general el propio representante orgánico, y en ausencia de una exigencia legal sobre la forma que debe cumplir su nombramiento para dicho cargo, debe bastar a la sociedad con la comprobación de que quien actúa en el seno de las juntas lo hace con el respaldo de su nombramiento conforme al art. 398 CC, aunque dicho examen debe limitarse a la corrección externa del nombramiento (es decir, si el mismo ha sido acordado por «*la mayor cantidad de los intereses que constituyan el objeto de la comunidad*»), sin entrar a valorar los procedimientos internos llevados a cabo por la comunidad hereditaria, pues de otro modo podría llegar a paralizarse la actividad societaria [Sentencia de la Audiencia Provincial de Madrid de 18 de febrero de 2011 *(Tol 2096790)*].

Si bien no es exigible ningún requisito formal a la constancia de las circunstancias indicadas en el párrafo anterior, la sociedad podrá exigir que el mandato que vincula al representante con la sociedad sea elevado a escritura pública, para admitir el ejercicio de los derechos de socio por el representante común conforme a lo dispuesto en los arts. 1.280.5 in fine y 1.279 CC [Sentencia de la Audiencia Provincial de Pontevedra 30 de septiembre de 2016 *(Tol 5862155)*].

## III. NOMBRAMIENTO DE PRESIDENTE DE LA JUNTA GENERAL

El ordenamiento atribuye a la mesa de la junta la formación de la lista de asistentes (arts. 191 y 192 LSC), para lo que debe emitir una opinión a la hora de apreciar la existencia de representación de socios u otras circunstancias similares. En dicho contexto, es especialmente relevante la figura del presidente de la junta, pues es al Presidente al que corresponde realizar la declaración sobre la válida constitución de la junta, lo que implica que previamente ha decidido sobre, entre otros extremos relevantes, la validez de las representaciones presentadas por los asistentes a la reunión [arts. 191 y 192 LSC, 102.1.2ª del Reglamento del Registro Mercantil y Resoluciones de la Dirección General de los Registros y del Notariado de 4 de marzo de 2015 *(Tol 4787738)*, y 29 de noviembre de 2012].

Dicha decisión del presidente no será objeto de una revisión posterior por el Registrador Mercantil para la inscripción de los acuerdos adoptados, salvo que de los hechos resulte una situación de conflicto tal que resulte patente la falta de legalidad y acierto de la declaración del presidente de la junta (por ejemplo, en caso de existir juntas contradictorias, o dos listas de asistentes no coincidentes, o dos libros registros diferentes). Fuera de tal supuesto, y sin perjuicio de una posible impugnación de los acuerdos adoptados por circunstancias que afecten a la lista de asistentes o a la válida constitución de la junta, habrá que estar a la decisión del presidente.

El art. 191 LSC establece que la mesa de la junta general estará compuesta por el presidente y el secretario de la propia junta, que, salvo disposición contraria estatutaria, serán los del consejo de administración y, en su defecto, los designados por los socios concurrentes al comienzo de la reunión.

Por tanto, la atribución de los cargos de presidente y secretario de la junta dependerá del sistema de administración de la sociedad: en caso de tener la sociedad un consejo de administración, tendrán ostentarán dichos cargos en la junta, respectivamente, el presidente y el secretario del consejo. Pero la norma guarda silencio sobre el régimen aplicable de ser el sistema de administración de la sociedad distinto al consejo. En tal caso, serán presidente y secretario de la junta los designados por los socios concurrentes al principio de la reunión, sin que quepa atribuir tal condición de forma automática a los administradores de la sociedad, salvo que los estatutos contemplen dicho sistema de designación. Tampoco impide la norma que el presidente o el secretario de la junta sea una persona ajena a la sociedad, o incluso que recaigan en una única persona ambos cargos, si bien en dicho caso la Resolución de la Dirección General de los Registros y del Notariado de 3 de enero de 2004 exigió unanimidad en el acuerdo de la junta de dicho nombramiento.

Cabe preguntarse con qué quórum (en el caso de sociedades anónimas) y mayorías se adoptará el acuerdo de designación de presidente y secretario si aún no está formalizada la lista de asistentes, que, precisamente, debe ser elaborada por el presidente. Entendemos que, siendo la designación del presidente un acto previo a la determinación del quórum, e incluso a la declaración de la válida constitución de la junta, no es exigible quórum mínimo alguno para la designación del presidente, por un lado, y que precisamente, en caso de convocarse la junta general de una sociedad anónima para celebrarse en primera y segunda convocatoria, es el presidente, ya designado, independientemente del quórum asistente, el que debe declarar válidamente constituida la junta en primera convocatoria, o declarar la ausencia de dicho quórum para emplazar la junta a la segunda convocatoria.

En cuanto a la mayoría que requiere la votación de nombramiento de presidente, para su válida aprobación, entendemos que no hay motivos para no aplicar el régimen de mayoría ordinaria (art. 198 LSC) o mayoría simple (201.1 LSC), en caso de ser la junta de sociedad limitada o anónima, según corresponda.

Consecuencia necesaria de la existencia de la votación sobre el nombramiento del presidente es la necesidad de analizar el efecto de no alcanzar los asistentes a la reunión un acuerdo válido sobre la designación del presidente. Entendemos que en tal caso la Junta no podría celebrarse por incumplir el requisito de declaración de su válida constitución, pues la declaración del presidente de válida constitución de la junta es necesaria para su celebración, aunque sólo se exija para las juntas notariales. No obstante, no sería una causa de bloqueo de la junta que pueda dar lugar, si se repite reiteradamente, a la disolución de la sociedad por paralización de los órganos sociales, pues tal situación podrá solucionarse por la vía de la convocatoria judicial o registral de la junta general.

Acudiéndose al sistema de convocatoria judicial o registral, el juez (y el registrador mercantil, tras la modificación del art. 170 LSC por la Ley 15/2015, de 2 de julio, de la Jurisdicción Voluntaria) puede designar presidente de la junta a quien desee, sin que se apliquen las normas estatutarias (Sentencia del Tribunal Supremo de 11 de diciembre de 1976); si el presidente designado como tal dimitiera incluso antes de declararse válidamente constituida la junta, los asistentes podrían sustituirle con otro presidente designado conforme a la Ley o los estatutos, para evitar que su actitud obstruccionista paralice la junta. Pero si el juez designara con carácter personalísimo al presidente inicial, no debería permitirse dicha sustitución (Resolución de la Dirección General de los Registros y del Notariado de 3 de mayo de 2002).

## IV. LA VOTACIÓN SEPARADA DE ACUERDOS EN JUNTA GENERAL

La Ley 31/2014, de 3 de diciembre, por la que se modifica la Ley de Sociedades de Capital para la mejora del gobierno corporativo incluyo en el texto de la LSC el art. 197 bis LSC, a efectos de regular la obligación de someter a la junta general la votación separada de asuntos sustancialmente independientes, ampliando así a todo tipo de sociedades de capital, con carácter obligatorio, una medida que con carácter previo tenía únicamente el carácter de recomendación de gobierno corporativo aplicable únicamente a entidades cotizadas.

El tenor literal del art. 197 bis LSC es el que a continuación se expresa:

> «Artículo 197 bis. Votación separada por asuntos
>
> 1. En la junta general, deberán votarse separadamente aquellos asuntos que sean sustancialmente independientes.
>
> 2. En todo caso, aunque figuren en el mismo punto del orden del día, deberán votarse de forma separada:
>
> a) el nombramiento, la ratificación, la reelección o la separación de cada administrador.
>
> b) en la modificación de estatutos sociales, la de cada artículo o grupo de artículos que tengan autonomía propia.
>
> c) aquellos asuntos en los que así se disponga en los estatutos de la sociedad».

El propósito de la norma es que los socios puedan pronunciarse con sus votos respecto de cada una de las materias que se sometan a su consideración, sin que la agrupación de las votaciones pueda distorsionar el resultado de las mismas.

Es, por tanto, una medida en protección de los socios, que si bien ya podrían solicitar convocatoria de Junta por la minoría (art. 168 LSC), y, en el caso de las sociedades anónimas, la publicación de un complemento a la convocatoria (art. 172 LSC), medidas ambas que permitirían a los socios proteger sus intereses en cuanto a la configuración del orden del día propuesto por ellos, si bien la solicitud de dicha convocatoria o complemento a la convocatoria están reservadas a los socios que ostenten al menos un 5% de participación en el capital, mientras que la votación separada es una medida que beneficia a todos los socios, independientemente de su porcentaje de participación en la sociedad.

Sin embargo la separación de votaciones, que en principio protege a los socios minoritarios, puede volverse en su contra: es el caso de la Sentencia de la Audiencia Provincial de Toledo de 17 de junio de 2014 *(Tol 4438588)* (que aunque resuelve sobre unos hechos previos a la modificación del art. 197 bis LSC, entendemos interesante su análisis por las consecuencias negativas para la minoría que pueden derivarse de la votación separada de acuerdos), en la que se plantea una única votación para dispensar a tres socios administradores de la prohibición de competencia. Si se votara la aprobación de la dispensa de forma unificada para los tres socios administradores afectados, los socios minoritarios contrarios a la dispensa incrementarían las posibilidades de ganar la votación, pues los tres socios administradores a los que afecta el acuerdo tendrían la obligación de abstenerse en la votación única (arts. 190 y 230 LSC). Sin embargo, la sentencia entiende que la votación debe ser separada para cada uno de los socios administradores afectados por el acuerdo, debiendo por tanto abstenerse cada socio administrador afectado en su respectiva votación, considerando la privación conjunta del derecho de voto de la mayoría que ostentaban los socios afectados constituiría una situación de abuso incompatible con los principios que deben regir las sociedades de capital.

La necesidad de realizar votaciones separadas de acuerdos no debe limitarse a los grupos de acuerdos que enumera el art. 197 bis (nombramiento, la ratificación, la reelección o la separación de cada administrador; en la modificación de estatutos sociales, la de cada artículo o grupo de artículos que tengan autonomía propia, y aquellos asuntos en los que así se disponga en los estatutos de la sociedad), sino que debe entenderse además de aplicación a otros supuestos en los que los asuntos sean sustancialmente independientes. En este sentido, la Audiencia Provincial de Sevilla, en su Sentencia de 12 de septiembre de 2014 *(Tol 4749440)*, consideró, aplicando la normativa previa a la inclusión del art. 197 bis LSC, que la aplicación del resultado del ejercicio debe ser objeto de una votación separada de la aprobación de las cuentas del ejercicio.

Si la naturaleza de los acuerdos exigiera la emisión de informes justificativos de los mismos, por ejemplo, en el caso de modificaciones estatutarias, y dichos acuerdos requieran su votación separada por tener autonomía propia, las propuestas de modificación deberán, igualmente, justificarse de forma individualizada (sentencia del Juzgado de lo Mercantil 1 de Palma de Mallorca de 7 de junio de 2016).

Entendemos, finalmente, que el incumplimiento de la obligación de votación separada permitiría la impugnación de los acuerdos adoptados por la junta en la votación indebidamente agrupada. En cuanto a la posibilidad de que los acuerdos adoptados de forma agrupada accedan a la hoja registral de la sociedad, el registrador deberá calificar el cumplimiento de la obligación de votación separada en los supuestos establecidos en el apartado 2 del art. 197 bis LSC. Para acuerdos distintos de los enumerados en dicha relación, los registradores podrían apreciar, bajo su responsabilidad, la condición de independencia entre acuerdos que sean objeto de votaciones agrupadas, con la consecuente calificación negativa. En caso de ser inscribibles los acuerdos independientes, tanto el acta como la certificación que documenten acuerdos para los que se exija la votación separada deben dejar constancia de la misma [Resolución de la Dirección General de los Registros y del Notariado de 13 de octubre de 2015 *(Tol 5544432)*].

## Bibliografía

ALFARO ÁGUILA-REAL, J. «La representación de una comunidad hereditaria en la junta», http://derechomercantilespana.blogspot.com.es/2015/04/la-representacion-de-una-comunidad.html.

ANDRINO HERNÁNDEZ, M., «Instituciones de derecho privado» / coordinado. por Juan Francisco Delgado de Miguel, Vol. 6, Tomo 2, 2004 (Mercantil. Derecho de sociedades. Parte especial / coord. por Ana Fernández-Tresguerres García), págs. 323-438.

COUTO CALVIÑO, R., «Aspectos críticos de la regulación de la representación voluntaria del socio en la junta general de la sociedad limitada», en *Estudios de derecho mercantil: Libro homenaje al Prof. Dr. Dr.h.c. José Antonio Gómez Segade,* coord. por Ana María Tobío Rivas; Angel Fernández Albor Baltar (ed. lit.), Anxo Tato Plaza (ed. lit.), José Antonio Gómez Segade (hom.), 2013.

GARCÍA VICENTE, J. R., «Artículo 126. Copropiedad de participaciones sociales o de acciones», en *Comentario de la Ley de Sociedades de Capital,* Rojo y Beltrán (Dirs.), Aranzadi, Pamplona, 2011.

JUSTE MENCÍA, J. «Artículo 190. Mesa de la junta», en *Comentario de la Ley de Sociedades de Capital,* Rojo y Beltrán (Dirs.), Aranzadi, Pamplona, 2011.

JUSTE MENCÍA, J. «Artículo 191. Lista de asistente», en *Comentario de la Ley de Sociedades de Capital,* Rojo y Beltrán (Dirs.), Aranzadi, Pamplona, 2011.

MARIÑO PARDO, F. «La representación en las Juntas Generales de las sociedades mercantiles. La Sentencia del Tribunal Supremo de 15 de abril de 2014 y otras cuestiones.», http://www.iurisprudente.com/2014/05/la-representacion-en-las-juntas.html.

PÉREZ RAMOS, C., «La representación de las sociedades de capital (I)», *Actum Mercantil & Contable* nº 23. Abril-junio 2013.

ROJAS MARTÍNEZ DE MÁRMOL, E. «La representación voluntaria en la junta general de la sociedad limitada», http://www.notariosyregistradores.com/doctrina/ARTICULOS/2012-representacion-voluntaria-junta-general-sociedad-limitada.htm#_edn1.

ZUBIRI DE SALINAS, M., «Artículo 183. Representación voluntaria en la junta general de la sociedad de responsabilidad limitada», en *Comentario de la Ley de Sociedades de Capital,* Rojo y Beltrán (Dirs.), Aranzadi, Pamplona, 2011.

ZUBIRI DE SALINAS, M., «*El representante del socio en las sociedades de capital*», Aranzadi, Cizur Menor, 2015.

# 31. La Junta General y su nueva competencia/ obligación tras la reforma de la Ley de Sociedades de Capital

**ANTONIO F. GALACHO ABOLAFIO**

*Contratado Investigador Postdoctoral*
*Universidad de Málaga*

## I. INTRODUCCIÓN

La nueva redacción del artículo 217 de la Ley de Sociedades de Capital (LSC en adelante) ofrecida por la Ley 31/2014, de 3 de diciembre, por la que se modifica la Ley de Sociedades de Capital para la mejora del gobierno corporativo, tiene repercusiones de gran calado para la vida societaria, no solo en lo que al sistema de remuneración del órgano de administración se refiere y que de forma específica regula, sino en relación al título competencial del órgano social encargado de expresar la voluntad de la sociedad, y por ello decidir en aras del interés social, esto es, la junta general.

Comoquiera que el articulo 160 LSC encargado de determinar las competencias de la junta, no se modifica con la última reforma para incluir cuestión alguna en relación a remuneración del órgano de administración[1], sí que habrá de acudirse a su último apartado como cláusula habilitante para encontrar en el órgano soberano de la sociedad, otras competencias que se puedan hallar, bien en la propia ley (en la LSC se entiende) bien en los estatutos[2].

La retribución de los administradores es una cuestión espinosa, pues es evidente la contraposición de intereses en juego[3]. Y será precisamente en relación a este asunto que la reforma, a través de la modificación del artículo 217 LSC, establece una nueva competencia de la junta a modo de obligación[4]. Ésta, bien podría haberse incluido en el artículo 160 LSC,

---

[1]    En al apartado b) del artículo 160 sólo apreciamos tanto antes como tras la reforma a la que hacemos referencia, la competencia de la junta general para el nombramiento y separación de los administradores, de los liquidadores y, en su caso, de los auditores de cuentas, así como el ejercicio de la acción social de responsabilidad contra cualquiera de ellos, sin que nada se indique en relación a la remuneración del órgano de administración.

[2]    En efecto, el antiguo apartado i) del artículo 160 de la LSC, pasa ahora con el mismo texto a ser el apartado j), tras incluir la reforma en el apartado f) la no exenta de complejidad y controversia cuestión de la decisión de la junta general en torno a los activos esenciales de la sociedad. Pues bien, según afirmábamos el apartado j) del artículo 160 señala que la junta general será competente para decidir sobre cualesquiera otros asuntos no previstos en el propio artículo 160, que determine la ley o los estatutos.

[3]    V. SÁNCHEZ CALERO, F., *Los administradores en las sociedades de capital*, Madrid, 2007, pág. 266, quien señala que de un lado es necesario retribuir a los administradores como contrapartida por los servicios que presentan o las responsabilidades que asumen, pues en otro caso las personas capacitadas y valiosas se alejarían de los puestos de los consejos de administración; de otro, las remuneraciones excesivas gravan el funcionamiento de la sociedad, disminuyen la rentabilidad de las acciones y comprometen, en definitiva, el desarrollo de la sociedad. V. VELASCO SAN PEDRO, L. A., «Retribuciones de los consejeros y altos directivos», *RdS*, núm. 27, 2006, pág. 137, para quien de la retribución ha de esperarse que sea un acicate para el buen gobierno, que oriente las decisiones del *staff* directivo en línea con lo que más convenga al interés social y no al interés de los componentes del *staff*. Un mal diseño de esta política puede conducir, no sólo a desincentivar una actuación de los consejeros y altos directivos en esta dirección, sino también, y lo que quizás sea más grave, a crear incentivos perversos que promuevan políticas manageriales de signo totalmente contrario.

[4]    V. MELERO BOSCH, L. V., /NAVARRO FRÍAS, I., «Responsabilidad en la determinación de la retribución de los administradores y altos cargos en las sociedades

destacando la importancia que la cuestión merece, pero el legislador ha abogado por hacerlo en sede del artículo llamado a regular de manera específica el asunto de la retribución de los administradores.

Así pues, aunque sea de forma indirecta tal como acabamos de poner de manifiesto, con la participación obligada de la junta general en relación a la remuneración del órgano de administración, se cumple uno de los objetivos propuestos por la Ley 31/2014, en su apartado IV, párrafo segundo, primer inciso, esto es, reforzar el papel de la junta, así como abrir cauces para fomentar la participación accionarial.

Las principales diferencias que pueden apreciarse tras la modificación del artículo 217 de la Ley de Sociedades de Capital, atañen al sistema de remuneración, a la determinación de la competencia del procedimiento para fijar la retribución de los administradores y al principio de adecuación de la remuneración de los administradores. Y hay que recordar que estas reformas provienen de las promovidas por instancias internacionales y europeas[5], que como sabemos están dirigidas a las sociedades cotizadas, presentando las sociedades no cotizadas problemas específicos en esta materia. En efecto, en las sociedades no cotizadas, el conjunto de los socios ejerce un control efectivo sobre la gestión de la sociedad y decide sobre la remuneración de los administradores, por lo que se hace necesario un marco flexible en el que tomar las decisiones al respecto[6], y esto es lo que queda reforzado como venimos señalando a través de la nueva competencia establecida por la reforma para la junta general, al pronunciarse el artículo 217.3, primer inciso, en los siguientes términos: «*El importe máximo*

---

de capital. (Presupuestos de) la responsabilidad de los administradores de las sociedades de capital en la fijación de sus retribuciones», *RdS*, núm. 40, 2013, pág. 214, quienes antes de la reforma señalaban: «*la LSC no aclara, sin embargo, algunas cuestiones relativas a la determinación de la retribución, sobre las que se han pronunciado doctrina y jurisprudencia. Entre ellas, el órgano competente para fijar la cuantía de la retribución; qué elementos la integran (retribuciones fijas, bonus, indemnizaciones, aportaciones a planes de pensiones…) o, en fin, los límites, si es que existen, en la determinación del contenido y forma de la retribución*»

[5] V. especialmente la Recomendación de la Unión Europea 2009/3177/UE, el Libro Verde sobre La normativa de Gobierno Corporativo de la UE de 2011, así como el Plan de Acción en materia de sociedades y de gobierno corporativo de la Comisión Europea de 2012.

[6] V. LEÓN SANZ, F. J., «Artículo 217. Remuneración de los administradores», en AA.VV., JUSTE MENCÍA, J., (Coord.), *Comentario de la reforma del régimen de las sociedades de capital en materia de gobierno corporativo (Ley 31/2014). Sociedades no cotizadas.* Cizur Menor, 2015, pág. 279.

*de la remuneración anual del conjunto de los administradores en su condición de tales **deberá ser aprobado por la junta general** y permanecerá vigente en tanto no se apruebe su modificación.»* [resaltado propio].

## II. LA RESERVA ESTATUTARIA SOBRE REMUNERACIÓN DE ADMINISTRADORES

El modo en que la remuneración de los administradores ha de recogerse en los estatutos sociales ha sido una cuestión conflictiva y cambiante. Por otro lado, y ese es el aspecto sobre el que interesa incidir en este trabajo, la relación que se produce entre las posibilidades de la junta general para decidir sobre la remuneración del órgano de administración y el modo en que esta se plasma en los estatutos, ha evolucionado para llegar hasta la última reforma, tras la que puede vislumbrarse un intento de relajar la cláusula estatutaria, no para ofrecer mayor libertad a los administradores para decidir sobre su propia remuneración, sino para ofrecer a la junta general mayor margen de maniobra en este asunto, adaptándose a las circunstancias cambiantes de la situación empresarial de cada momento.

Si bien la remuneración de los administradores requiere un detenido análisis en torno al aspecto de las funciones ejecutivas de los administradores frente a los que ostentan funciones meramente deliberativas, para obtener conclusiones en torno a la más que conflictiva y desafortunada expresión del artículo 217 LSC, «...*los administradores en su condición de tales...*», no es objeto de estudio en este trabajo tan compleja como trascendental cuestión, sino más bien la de poner de manifiesto las fricciones que llegan a producirse entre la cláusula estatutaria de remuneración de administradores y la competencia de la junta general para tomar decisiones al respecto, competencia ahora explícita y convertida en obligación como ya se ha mentado anteriormente.

La fijación de la remuneración en estatutos provee de protección y seguridad jurídica para los diferentes agentes implicados en este aspecto de la vida societaria[7]. El Administrador, obtiene un importante grado de esta-

---

[7]   V. PAZ-ARES RODRÍGUEZ, J. C., «El enigma de la retribución de los consejeros ejecutivos», en *Indret: Revista para el Análisis del Derecho*, N°. 1, 2008, pág. 7, donde el autor considera que la reserva estatutaria, es una fórmula especialmente garantista de poner estas decisiones en manos del órgano de los accionistas. Por ello, la interpretación de la norma que lo recoge ha desembocado en el principio

bilidad, pues la alteración de esta cláusula implicaría una modificación de estatutos con los costes, *quorum* reforzado en caso de las Sociedades Anónimas y mayorías especialmente intensas necesarias para la aprobación del acuerdo de modificación, así como la publicidad propia de este trámite. Por su parte el socio minoritario encontraría protección frente a remuneraciones exorbitantes que puedan perjudicar su derecho de participación en los beneficios. Ahora bien, no pasan desapercibidos los problemas que conlleva una cláusula estatutaria de remuneración demasiado prolija y con extremado grado de concreción.

En efecto, una vez anclada la cláusula estatutaria, no es tarea fácil completarla para tratar de adaptar la remuneración del órgano de administración a la coyuntura de la actividad societaria. Y en otro orden de cosas, se haría imposible la diferenciación entre administradores en virtud las funciones asumidas y la diversa retribución que a ello iría aparejada. En última instancia, la Dirección General de los Registros y del Notariado (DGRN en adelante), ha considerado que no es posible inscribir una cláusula estatutaria en la que se recojan alternativos sistemas de remuneración, por lo que no es factible la diferenciación entre administradores y/o conceptos de remuneración.

Como puede inferirse de la situación descrita, la fijación estatutaria de la remuneración ha sido objeto de conflictos continuos en torno al contenido que habría de recogerse en estatutos por el laconismo con que en torno a la cuestión se ha mostrado la norma[8].

---

de soberanía que se proyecta en dos planos básicamente: el cualitativo en torno a las modalidades de remuneración y el cuantitativo en torno al importe de la misma. En el mismo sentido, LUCEÑO OLIVA, J. L/GUERRERO CAMACHO, E., en «¿pueden los estatutos prever una retribución distinta para cada consejero?», *Diario La Ley*, n° 8306, Sección Tribuna, 8 de mayo de 2014, pág. 2, quienes estiman el carácter garantista, no sólo para proteger a la sociedad sino también a los miembros del órgano de administración frente a una actuación arbitraria de la junta.

[8] Ni la propia LSC ni el Reglamento del Registro Mercantil, establecen suficientes parámetros como para permitir evitar los conflictos que surgen en torno a la negativa de inscripción de muchas de las cláusulas estatutarias de remuneración que se pretenden tengan acceso al Registro.

## III. LA CLÁUSULA ESTATUTARIA EN EL DEVENIR DE LA NORMATIVA DE DERECHO DE SOCIEDADES

Tratando la cuestión con cierta perspectiva histórica, habría que comentar en primer lugar que el Código de Comercio no establecía nada en torno a la cláusula remuneratoria, encargándose de ello la Ley de Sociedades Anónimas de 1951, donde en su art. 74, se recogía que la remuneración de los administradores debía ser fijada en los estatutos. La previsión podía ser, retribución fija de cantidad exacta o determinable a través de criterios objetivos (sin necesidad de acuerdo posterior de junta y participación en beneficios con porcentaje exacto especificado), y, en cualquier caso, sin que cupieran formas alternativas, sino cumulativas de remuneración. El Reglamento del Registro Mercantil de 14 de diciembre de 1956, art. 102 h), señalaba simplemente que la cláusula estatutaria había de precisar «la forma de retribución si la tuvieran». Con la Ley 19/1989 de Reforma parcial y adaptación de la legislación mercantil a las Directivas de la comunidad Económica Europea (CEE) en materia de Sociedades, se introdujo la actual dicción «*el sistema de retribución si lo tuvieran*». La Ley de Sociedades de Responsabilidad Limitada, Ley 2/1995, de 23 de marzo, será la que introduce la posibilidad —y esto es un hito desde el que se opera un indudable avance con la última reforma que analizamos en este trabajo— de que la junta determine anualmente el importe de remuneración cuando ésta no vaya a tomar como referencia la base de beneficios. Si se tomara ésta como base, había que señalar el tanto por ciento sin que pudiera ser en ningún caso más del 10% de los beneficios a repartir entre los socios.

Tras el Texto Refundido de la Ley de Sociedades de Capital de Julio de 2010, en el art. 217.1, la reserva estatutaria se mantiene en los términos siguientes: «*El cargo de administrador es gratuito, a menos que los estatutos sociales establezcan lo contrario determinando el sistema de retribución*». Además, el apartado 2 de dicho artículo, concede la posibilidad de que, exclusivamente para las sociedades limitadas y sólo en cuanto a la remuneración de cuantía fija, la junta general fije una cifra máxima colectiva, esto es, para el conjunto de los administradores, para cada ejercicio. En el último estadio de la cuestión se presenta la reforma legal que comentamos, donde la Ley 31/2014 modifica el artículo 217 LSC, manteniendo la reserva estatutaria, si bien mostrándose laxa en cuanto al contenido de la cláusula referente a la remuneración, en coherencia con el objetivo de ofrecer mayores posibilidades de decisión y participación a la junta general. Y es que un excesivo detalle de dicha cláusula, abocaría a una irremisible pérdida de poder de decisión de la junta, a la que el propio artículo 217 atribuye, con la reforma, la competencia obligatoria de determinar la cantidad a percibir por el órgano de administración.

## IV. ALCANCE DE LA RESERVA ESTATUTARIA: PRESUNCIÓN DE GRATUIDAD Y MENCIÓN EXPRESA EN ESTATUTOS

Lo primero que se extrae de la lectura del artículo 217 LSC, es la presunción de gratuidad del cargo de administrador si nada se expresa al respecto en los estatutos. Y en sentido contrario, si la pretensión es la de remunerar dicho cargo, habrá de recogerse este extremo de forma obligada. Si bien la mayoría de la doctrina se ha mostrado disconforme con este planteamiento[9], tras la reforma de la LSC, el legislador sigue manteniéndolo intacto, aunque no es menos cierto que es descartado de plano para el caso de las sociedades cotizadas *ex* art. 529.*sexdecies*, añadido por la reforma de la Ley 31/2014. Así el artículo 529 *sexdecies*, que lleva por título, «Carácter necesariamente remunerado», reza: *Salvo disposición contraria de los estatutos, el cargo de consejero de sociedad cotizada será necesariamente retribuido.* En cualquier caso, podría defenderse la virtud de la actual redacción desde el siguiente

---

[9]   V. SÁNCHEZ CALERO, F., *Los administradores... op. cit.*, pág. 266, ya señalaba que resultaba poco razonable mantener la presunción de gratuidad para el cargo de administrador aduciendo para ello que Ley ha querido acentuar el carácter profesional del administrador al determinar que éste desempeñará el cargo con la diligencia de un ordenado empresario [dicción que se mantiene en el actual art. 225 LSC], y agravando su responsabilidad, precisamente porque la Ley ha pretendido incrementar el grado de diligencia y de fidelidad que es exigible al administrador en el cumplimiento de sus deberes y obligaciones legales y estatutarias. Por su parte GALLEGO SÁNCHEZ, E., «Comentario al art. 217 LSC», en ROJO-BELTRÁN, *Comentario de la Ley de Sociedades de Capital*, Madrid, 2011. pág. 1546, quien considera que la presunción de gratuidad del cargo de administrador no es razonable al tratarse precisamente de una excepción en la práctica de las sociedades, en las que el cargo suele ser retribuido. Asimismo, MARTÍNEZ SANZ, F., «Comentario al artículo 130 de la Ley de Sociedades Anónimas», en *Comentarios a la Ley de Sociedades Anónimas*, (Coords. ARROYO, I.,/EMBID, J. M.), Vol. II, Madrid, 2001, pág. 1344, quien ya en relación a la misma previsión por parte de la Ley de Sociedades Anónimas considera que resulta anacrónica y excesiva la presunción del ejercicio gratuito del cargo de administrador, resultando ciertamente discutible que en la sociedad anónima actual siga partiéndose, aunque sea de forma implícita, del principio de gratuidad del cargo, que ni responde a la naturaleza del administrador ni se compagina bien con el mayor rigor que se introduce en el régimen de responsabilidad de los mismos. Se remite a su vez este autor a un numeroso elenco de autores que comparten esta apreciación.

punto de vista: si nada se pacta en torno a la remuneración, se establece algo en principio poco favorable a los intereses de los contratantes, obligándoles no sólo a pactar, sino a posicionarse sobre algo de trascendente importancia para la vida societaria[10]. Así, con la actual redacción del art. 217.1 LSC, que obliga a pactar la retribución del cargo, obtenemos el resultado favorable de un pacto previo que podría no llegar a alcanzarse en un momento posterior en el que se haya podido perder la confianza entre las partes contratantes (socios)[11].

Por tanto, como ya se ha señalado, la reserva estatutaria implica la obligación de hacer constar en los estatutos que el órgano de administración será remunerado y una vez esto, establecer el sistema y conceptos retributivos de los administradores, por lo que, ante la falta de mención al respecto, los administradores no tendrían derecho a percibir retribución alguna por el ejercicio de tal cargo[12]. Más allá de esto, alguna duda parece albergar la situación de falta de mención de algún concepto retributivo por el que posteriormente se pretenda remunerar al administrador, puesto que una de las reformas introducidas por la Ley 31/2014 en referencia al artículo 217 LSC, ha sido la de señalar a modo meramente ejemplificativo en su apartado segundo, los distintos conceptos retributivos a percibir por los administradores. Referencia obligada por tanto junto a la mención del

---

[10]   Igual circunstancia puede hallarse, entre otros ejemplos posibles, en el régimen supletorio de la responsabilidad de los bienes gananciales del empresario casado y con desfavorables consecuencias para el cónyuge no empresario ante la falta de pacto o pronunciamiento sobre el régimen de responsabilidad, según el régimen establecido por los artículos 6 al 12 del C. Com. y las presunciones que aquí pueden hallarse.

[11]   V. en este sentido FERNÁNDEZ DEL POZO, F., «El misterio de la remuneración de los administradores de las sociedades no cotizadas», *RDM*, n° 297, 2015, págs. 214-16, quien se expresa en los siguientes términos: «*La existencia de una presunción de gratuidad obliga a las partes a una convención expresa ex ante sobre la remuneración de los administradores y que se traduzca el consenso sobre este particular, una vez reveladas las preferencias. En este sentido, la reserva estatutaria tiene una función: obliga a las partes a contratar ex ante sobre este aspecto y a conciliar los riesgos de que una fijación ulterior no sea pacífica cuando quiebra la relación de confianza*».

[12]   V. POLO, E., «Comentario al artículo 130 de la Ley de Sociedades Anónimas», en *Comentario al régimen legal de las sociedades mercantiles*, (Dirs. URÍA, R., /MENÉNDEZ, A., /OLIVENCIA, M.,), Vol. VI, Madrid, 1992, pág. 192, quien considera que por muy anormal que pueda resultar en la práctica, siempre que los estatutos no hagan mención expresa de la retribución a la actuación de los administradores, ésta se presume gratuita, o más exactamente, los administradores no tienen derecho a percibir retribución alguna.

sistema de retribución. Así del literal de la norma podría concluirse la imposibilidad de remunerar con fundamento en algo diferente a lo recogido en los estatutos, cuando la norma se expresa en el sentido de: «*El sistema de remuneración establecido determinará el concepto o conceptos retributivos a percibir por los administradores*». [Resaltado propio]. Sin embargo, puesto en comparación con otros casos de imposición legal, la intensidad y rigor podrían verse modulados. En este sentido, obsérvense los casos de los artículos 219 y 249 LSC, retribución vinculada a acciones aquél, o retribución por funciones ejecutivas de los administradores del consejo en este último.

## V. FLEXIBILIZACIÓN DEL ARTÍCULO 217 FRENTE AL RIGOR DE LOS ARTÍCULOS 249 Y 219: REPERCUSIÓN EN EL PODER DE DECISIÓN DE LA JUNTA

Centramos ahora nuestra atención en los artículos 249 y 219, para tratar de obtener conclusiones en torno a las posibilidades que ofrece el artículo 217 en cuanto a la concreción del contenido de la cláusula estatutaria de remuneración de administradores y la posible flexibilización de la misma, no sólo a la luz del nuevo objetivo de la reforma de dar mayor margen de participación de la junta en este asunto, sino desde el punto de vista sistemático, al comparar la literalidad del artículo 217 LSC frente a la de los artículos 219 y 249 LSC. En el apartado 4 de este último artículo, se señala de forma expresa que el consejero no podrá percibir retribución alguna por el desempeño de funciones ejecutivas cuyas cantidades o conceptos no estén previstos en ese contrato, obligando además a consignar conceptos retributivos que forman parte de una mera expectativa más o menos posible, como pueda ser la eventual indemnización por cese anticipado en dichas funciones y las cantidades a abonar por la sociedad en concepto de primas de seguro o de contribución a sistemas de ahorro. Pues bien, la falta de rigor en la dicción del artículo 217 LSC en relación a la prohibición expresa de remuneración en caso de ausencia de mención estatutaria, puede hacer surgir la duda sobre dicha retribución, incluso para el caso en que la junta se pronunciara a favor, en el ejercicio de su nueva competencia y obligación de aprobar el importe máximo de la remuneración anual del conjunto de los administradores en su condición de tales, teniendo en cuenta que la configuración del acuerdo tomado por este órgano en relación a la remuneración de administradores habrá de adoptarse conforme a los estatutos. En el caso del artículo 219 LSC, se recoge sin ambages que cuando el sistema de remuneración de los administradores incluya la entrega de acciones o de opciones sobre acciones, o retribuciones referenciadas al valor de las acciones, deberá preverse expresamente en los estatutos sociales, tras lo cual será la junta la encargada de la aplicación tras el oportuno acuerdo.

Pues bien, de lo expuesto en torno a los artículos 219 y 249, es razonable plantearse la posibilidad de remuneración por algún concepto no previsto en los estatutos, por aplicación en contrario a estos artículos a los que incluso es posible sumarse el artículo 218 LSC sobre retribución asimilada a beneficios, sobre el que la respuesta parece no ofrecer dudas: si no se ha determinado en estatutos que el sistema de retribución incluye una participación en beneficios, no será posible retribuir por este concepto posteriormente por acuerdo de la junta, pues en otro caso, se incumpliría con el mandato expreso del artículo 218.1 LSC de fijar, bien la participación, bien un límite máximo de proporción en la participación de los beneficios[13].

## VI. CONCRECIÓN ESTATUTARIA *VS* JUNTA GENERAL: ARTÍCULOS 218 Y 219 LSC Y SU IMPORTANCIA PARA INTERPRETAR EL ARTÍCULO 217 LSC EN SU ACTUAL REDACCIÓN

Ciertamente, la LSC se encarga de deslindar los aspectos que han de constar en los estatutos y posteriormente concretados por la junta general, siendo posible destacar diferencias entre lo regulado por artículos 218 y

---

[13]   Adviértase que la necesidad de establecer una determinada participación o un porcentaje máximo de ella, es ahora, tras la reforma, extensible a todo tipo de sociedades y no solo para las sociedades limitadas como establecía el régimen anterior. Sigue siendo aplicable sólo para las sociedades de responsabilidad limitadas en cambio, el límite del porcentaje de la participación de beneficios por el que remunerar al administrador, situado en el diez por ciento. En cambio, para las sociedades anónimas el límite se recoge en apartado 3 del art. 218 LSC. Limitación que viene impuesta por la previa cobertura de las atenciones de la reserva legal y de la estatutaria, así como del reconocimiento a los accionistas de un dividendo del cuatro por ciento del valor nominal de las acciones o el tipo más alto que los estatutos hayan establecido. Se hace honor así al principio programático sentado en el artículo 217.4, según el cual, ha de evitarse la recompensa de resultados desfavorables, lo que según SÁNCHEZ RUS, H., «Las cláusulas estatutarias relativas a la retribución en los administradores en las sociedades de capital», en *La Ley Mercantil*, núm. 14, 2015, pág. 7, no es sino el reconocimiento de nuestro ordenamiento de la idea que subyace en la expresión utilizada por la literatura anglosajona especializada en esta materia, de «*no payment without performance*».

219 LSC en relación a la remuneración de administradores cuando se incluya una participación en beneficios y cuando la remuneración incluya la entrega de acciones respectivamente. Si en el caso de la participación en beneficios, la cláusula estatutaria no sólo ha de limitarse a contemplar esta circunstancia, sino que es obligada la concreción en la misma de la participación o porcentaje máximo de dicha participación, cuando de entrega de acciones se trata, es posible apreciar una leve pero importante diferencia. En el artículo 219 LSC, se establece el mandato expreso de que la cláusula estatutaria prevea la entrega de acciones si esta va a formar parte de la manera de remunerar a los administradores, pero será la junta general la encargada de concretar el número máximo de acciones que se podrá asignar en cada ejercicio a este sistema de remuneración, el precio de ejercicio o el sistema de cálculo del precio de ejercicio de las opciones sobre acciones, el valor de las acciones que, en su caso, se tome como referencia y el plazo de duración del plan. Esta diferente redacción de los artículos 218 y 219 tienen repercusiones evidentes en lo que a las funciones e importancia de la participación de la junta general se refiere, que trasladado al artículo 217 nos permite obtener algunas conclusiones según exponemos a continuación.

## VII. CLÁUSULA ESTATUTARIA Y SU RESTRICCIÓN A LA JUNTA GENERAL

En efecto, tomando como ejemplo la regulación de los artículos 217 y 218 LSC, puede señalarse en primer lugar, que el detalle excesivo de la cláusula estatutaria vendría a impedir el correcto ejercicio de la competencia otorgada a la junta general, cuyos acuerdos no reflejan sino la voluntad social[14]. Esta voluntad debiera prevalecer frente a la norma que

---

[14] V. IBÁÑEZ JIMÉNEZ, J., «La cuarta reforma del buen gobierno corporativo español: antecedentes y consecuencias para el régimen de la junta general», en *Comentarios a la reforma del régimen de la junta general de accionistas en la reforma del buen gobierno de las sociedades*, AA.VV. IBÁÑEZ JIMÉNEZ, J., (Dir.), Cizur menor, 2014, pág. 36, quien precisamente señala que en términos relativos, la junta general en tanto órgano decisorio y centro de poder de las sociedades, viene a ser potenciada por la reforma legal, respecto al consejo de administración, recuperándose en cierta medida su dimensión primigenia tradicional como órgano de control efectivo, por cuenta de los propietarios, de la labor ejecutora y gestora de los administradores. En igual sentido JIMÉNEZ SÁNCHEZ, G. I.,/ IBÁÑEZ JIMÉNEZ, J., «Las competencias de la Junta General», en *Comentarios a la reforma del régimen*

al principio ha de regir el funcionamiento de la sociedad y que se recoge en los estatutos. Afirmación que se sustenta en la facultad de aquélla de modificar estos, mediante el adecuado procedimiento (de modificación de estatutos) que establece la LSC, con las mayorías reforzadas que permiten orillar cualquier asunto al que se antepondría el interés social.

Y en este contexto centramos nuestra atención en el principal objeto de este trabajo, esto es, analizar la relación que guarda la cláusula estatutaria de remuneración de administradores con la nueva competencia que, tras la reforma, se determina para la junta general. Tras este nuevo título competencial, una excesiva concreción estatutaria sobre la remuneración, supondría una injerencia inadecuada en la capacidad decisoria del conjunto de los socios, además de restar capacidad de adecuación de la sociedad a las circunstancias por las que transita la actividad empresarial en cada momento[15]. La flexibilidad de la cláusula estatutaria se exigiría ahora de modo indirecto, tanto con el establecimiento de la nueva competencia de la junta general para decidir sobre la cantidad global de remuneración anual del órgano de administración, como del hecho de convertir al mismo tiempo esta competencia en deber de la junta, pues esto y no otra cosa se infiere de la nueva redacción del artículo 217 LSC al expresarse en términos de «...*deberá ser aprobado por la junta general*».

Dicho esto, el nivel de concreción de la cláusula de remuneración habría de circunscribirse a la indicación estatutaria sobre la gratuidad o no del cargo de administrador y en segundo lugar y para el caso en que estemos ante la segunda de las posibilidades (la del cargo remunerado), la de determinar el sistema retributivo, en el que habrá que determinar a

---

de la junta general de accionistas en la reforma del buen gobierno de las sociedades, AA.VV. IBÁÑEZ JIMÉNEZ, J.,(Dir.), Cizur menor, 2014, pág. 156, quienes señalan que con la idea de que la Junta General refuerce su papel de mandante del Órgano de Administración, y así los accionistas ganen en poder como titulares del capital social, la Comisión de Expertos ha previsto que se amplíen sus competencias.

[15]  V. SÁNCHEZ CALERO, F., *Los administradores... op. cit.*, pág. 275, en referencia a la necesidad de que los estatutos formularan de manera obligada el sistema de remuneración de los administradores provocaba, al tener que ser tan concreto, que en determinadas circunstancias que pueden acaecer en la vida de la sociedad, que se produjeran situaciones injustas, bien porque la remuneración de los administradores sea excesiva o por todo lo contrario. Por su parte y en igual sentido, TUSQUETS TRÍAS DE BES, F., *La remuneración de los administradores de las sociedades mercantiles de capital*, Madrid, 1998, pág. 52, señala que la determinación estatutaria de la remuneración presenta el inconveniente del excesivo encorsetamiento, lo que dificulta su adaptación a las circunstancias concretas de las sociedades.

su vez los conceptos a tal efecto. A partir de ahí y al igual que en el caso del artículo 219 LSC, y a diferencia del artículo 218 LSC, según quedó analizado en el apartado anterior, la concreción sobre la cantidad máxima a establecer como remuneración del órgano de la administración, es competencia, obligación y función de la junta general, que habrá adoptar los acuerdos pertinentes al respecto. Más allá incluso, al otorgarse esta competencia a la junta general de cualquier tipo de sociedad de capital y no solo para la sociedad de responsabilidad limitada tras la reforma de la LSC, queda reforzado el carácter democrático y participativo del conjunto de los socios para una adecuada expresión de la voluntad e interés social. Situación que parece ser aconsejable no solo para las sociedades cotizadas, sino igualmente para el resto de sociedades, en coherencia con el reforzamiento que para la junta general trae consigo la reforma legal en cuanto a la capacidad de decisión de este órgano en torno a la remuneración de los administradores.

## VIII. PRELACIÓN DE DISPOSICIONES REGULADORAS DE LA REMUNERACIÓN DEL ÓRGANO DE ADMINISTRACIÓN Y LUGAR QUE OCUPAN LOS ACUERDOS DE LA JUNTA GENERAL TRAS LA REFORMA

Una de las principales novedades de la Ley 31/2014, es sin duda la atribución competencial para todo tipo de sociedades de capital, como decíamos anteriormente, en referencia a la retribución de administradores. Pero es que, además, no puede dejar de traerse a primer plano, el sistema de jerarquía de fuentes que puede hallarse en la actual redacción del artículo 217 LSC para la fijación de dicha remuneración. Esta prelación de fuentes, obliga a los administradores —o consejo de administración[16] en su

---

[16]    V. como ya en su momento resaltaba SÁNCHEZ-CALERO GUILARTE, J., «La retribución de los administradores de sociedades cotizadas (La información societaria como solución)» en *RdS*, núm. 28, 2007, pág. 48, el cambio radical impulsado tanto por la Recomendación de la Comisión de 14 de diciembre de 2004 relativa a la promoción de un régimen adecuado de remuneración de los consejeros de las empresas con cotización en bolsa europea, como por el Código unificado de buen gobierno de las sociedades cotizadas, de mayo de 2006, que venían a convertir a la retribución de los administradores en objeto necesario de un pronunciamiento específico de la Junta general ordinaria. Así se pasaba de una opacidad tradicional que dejaba a la discreción de los administradores informar o no sobre las retribuciones individuales del Consejo de Administración, a una integración detallada

caso— a atenerse a lo establecido obviamente en la Ley (LSC para el caso)
y en los estatutos (en los que según la actual redacción del 217 LSC sólo
han de constar el sistema y los conceptos retributivos), pero, además, a lo
acordado por la junta general. Pero es que incluso en el grado de detalle
sobre la remuneración, hay que destacar que la junta tiene la competencia para alcanzar el nivel de concreción que estime oportuno[17], pues así
se recoge en el régimen de supletoriedad establecido en el art. 217.3 que
señala: «*Salvo que la junta general determine otra cosa, la distribución de la retribución entre los distintos administradores se establecerá por acuerdo de éstos*......»[18].
Puesto que a su vez, el acuerdo de la junta ha de respetar lo que la cláusula
estatutaria disponga al respecto, es posible que dicha cláusula alcanzara un
nivel de concreción mayor del que actualmente se le impone, lo que implicaría que la junta sólo habría de convocarse a los efectos de modificar lo
dispuesto estatutariamente, lo cual, como parece obvio, es algo poco operativo por dos razones fundamentales: 1.- congelación del rango y 2. las dificultades y costes que la modificación de estatutos conlleva. Sin embargo,
por el rumbo al que se vislumbra que nos dirigimos, hay que llegar a una
conclusión contraria a una excesiva concreción estatutaria sobre remuneración de administradores, en atención a la actual redacción del artículo
217 LSC, así como a una interpretación sistemática del mismo en relación
a los artículos 218 y 219 LSC, como la realizada anteriormente.

---

sobre la remuneración individual de cada consejero y por todos los conceptos
imaginables, en la Junta General de accionistas. Obsérvese como este autor ponía
de manifiesto su desacuerdo con el carácter meramente consultivo del acuerdo de
la junta acerca del Informe en materia Retribuciones, y como a la postre, y tras la
reforma de la Ley 31/2014, el artículo 529 *novodecies* LSC, establece que la política
de remuneraciones de los consejeros se ajustará en lo que corresponda, al sistema
de remuneración estatutariamente previsto y se aprobará por la junta general de
accionistas al menos cada tres años como punto separado del orden del día. Dicha
política de remuneraciones será motivada y además deberá acompañarse de un
informe específico de la comisión de nombramientos y retribuciones.

[17]   V. RUIZ MUÑOZ, M., «Nuevo régimen jurídico de la retribución de los administradores de las sociedades de capital», *RdS*, núm. 46, 2016, pág. 88, quien afirma
que «…es la junta general la que deberá aprobar el importe máximo de la remuneración anual del conjunto de los administradores en esta misma condición
de tales, que permanecerá vigente en tanto no se apruebe su modificación (art.
217.3). Pero también la junta está facultada expresamente para ir más allá, como
se establece en el art. 217.3LSC, y siempre sin perjuicio de lo establecido en los
estatutos.»

[18]   V. en este Sentido, la Resolución de la DGRN de 19 de febrero de 2015.

## IX. ALCANCE DE LA COMPETENCIA DE LA JUNTA GENERAL

La junta ha de determinar la cantidad máxima de retribución del órgano de administración a través del correspondiente acuerdo, de forma que este tiene carácter imperativo y no consultivo, de obligado cumplimiento y vinculante para el órgano de administración. Es posible diferenciar dos dimensiones de la remuneración, cualitativa y cuantitativa, siendo cualitativa la modalidad de la retribución, es decir, el concepto o conceptos retributivos que la integran, en tanto que la dimensión cuantitativa se refiere al importe concreto de la retribución. Por su parte y en relación a lo anterior, los estatutos han de mencionar como mínimo la faceta cualitativa de la remuneración, determinando la estructura del conjunto retributivo, pudiendo incluir varios conceptos o partidas, pero de forma cumulativa y no alternativa[19]. A partir de aquí y en coherencia con lo que se viene defendiendo a lo largo del trabajo, o al menos dejando intuir, hasta aquí debería alcanzar el nivel de concreción de la cláusula estatutaria, pues desde la reforma de la LSC por la Ley 31/2014, es competencia de la junta la determinación de la cuantía que se destinará a la remuneración de los administradores. Y es que la afirmación del art. 217.3 LSC: *El importe máximo de la remuneración anual del conjunto de los administradores en su condición de tales* ***deberá ser aprobado*** *por la junta general*, deja clara otra de las competencias de este órgano, que por ser de la importancia que puede apreciarse, no habría estado de más que hubiera sido contemplada de forma específica en uno de los apartados del artículo 160 LSC[20]. Al no haberse hecho, habrá de entenderse incluida en el apartado residual j), según el cual serán competencia de la junta cualesquiera otros asuntos determinados por la Ley o los Estatutos[21]. En cuanto al literal del «importe máximo de la remuneración anual», no ofrece dudas sobre el hecho de que no se impone

---

[19]   V. en este sentido las SSTS de 21 de septiembre de 2005 y de 12 de enero de 2007 *(Tol 1040247)*.

[20]   V. RECALDE CASTELLS, A., «Competencia de la junta general» en *Comentario de la reforma del régimen de las sociedades de capital en materia de gobierno corporativo (Ley 31/2014). Sociedades no cotizadas.* Cizur Menor, 2015, pág. 31, donde el autor señala que los supuestos que se incluyen en la lista de competencias de la junta son muy heterogéneos. Es en todo caso, una lista abierta de competencias, que no tiene carácter exhaustivo, ya que otros preceptos establecen más asuntos sobre los que debe decidir la junta. Posteriormente el autor, pág. 34, afirma que, en materia de gestión, la junta también es competente para fijar la retribución de los administradores.

[21]   V. SÁNCHEZ CALERO, F., *Los administradores... op. cit.,* pág. 46, donde el autor afirma que la competencia de los administradores es general mientras que en la

una obligación de acuerdo cada año, pues posteriormente se establece que una vez determinado dicho importe, éste continuará vigente en tanto no se produzca la modificación por otro acuerdo de la propia junta general[22].

El acuerdo viene a concretar lo establecido por los estatutos en cuanto a la remuneración, por lo que se está aligerando el contenido mínimo exigible a la cláusula estatutaria[23], pues posteriormente la propia junta general asumirá la tarea de entrar en el detalle de concretar el montante máximo del global destinado al pago del órgano de administración y finalmente, en último grado de concreción, será soberano el propio órgano de administración para decidir sobre la distribución del global entre cada uno de los miembros del mismo. Soberanía que no deja de estar supeditada a que la propia junta haya dejado de decidir al respecto[24], pues según se ha seña-

---

competencia de la junta general es una competencia específica que viene determinada por la Ley y los estatutos en tanto en cuanto aquélla lo permita.

[22] Esto, desde el punto de vista del socio minoritario, implica la necesidad de acudir a la solicitud de convocatoria en la que conste como punto dentro de la orden del día precisamente la modificación del último acuerdo de la junta en la que se establecía la cantidad máxima de remuneración para el órgano de administración. Solicitud que como bien es sabido requiere de un mínimo del 5% del capital social para vincular al administrador en su función de convocar la junta en virtud del art. 168 LSC. Pues bien, si como ocurre para las sociedades cotizadas según expreso mandato establecido en el Artículo 529 *novodecies*, se obligara a determinar por junta general la determinación de la cuantía de la retribución de forma periódica en el tiempo (si no de forma anual para cada ejercicio, lo cual no parece en modo alguno descabellado, sí al menos de forma trienal como ocurre para las sociedades cotizadas según el artículo 529.*novodecies*.1), la opción de la minoría de solicitar la convocatoria de junta de forma vinculante para el administrador, sin necesidad de mínimo de capital exigible, reforzaría de manera indudable la posición del socio minoritario quien quedaría respaldado en sus pretensiones por el art. 169 LSC.

[23] Y no solo aligera el contenido mínimo de la cláusula estatutaria, sino que es aconsejable que este mínimo sea todo el contenido de la misma, permitiendo la libertad en el ejercicio de la potestad y obligación de la junta general en la determinación del global remuneratorio.

[24] En su momento PAZ-ARES RODRÍGUEZ, J. C., «El enigma de la retribución...» *op. cit.* pág. 48, señalaba que ante los casos de escándalos en los que los administradores habían fijado cantidades astronómicas en referencia a su propia remuneración, la solución no pasaba por despojar al consejo de un aspecto esencial de su papel como órgano supervisor y a residenciar tan delicada decisión en un foro inapropiado, como son los estatutos y la junta general. Pues bien, cabe ahora resaltar como el artículo 217.3, residencia la decisión de la remuneración de los administradores en ellos mismos o en el propio consejo, de manera subsidiaria,

lado, el apartado 3 del artículo 217 en su segundo inciso, establece que la junta general puede aprobar los acuerdos que estime oportuno a los efectos de distribuir la cantidad establecida para remunerar a los miembros del órgano de administración. Y esto es lo que se infiere del comienzo del segundo inciso del apartado 3 de este artículo 217 cuando señala «*Salvo que la junta general determine otra cosa, la distribución de la retribución entre los distintos administradores se establecerá por acuerdo de éstos......*». [Resaltado propio]. Lo cual supone un trascendental cambio operado por la reforma de la LSC en cuanto a competencia y poder decisorio de la junta general en esta cuestión.

## X. LA JUNTA GENERAL Y LA DECISIÓN EN TORNO A LA DIFERENTE REMUNERACIÓN DE LOS ADMINISTRADORES

Otra de las funciones que puede asumir la junta general, y esta vez no como obligación, pero con preferencia al órgano de administración, de acuerdo con el art. 217 LSC, será la decisión en torno a la distribución de la cantidad global remuneratoria del órgano de administración entre los diferentes administradores, en el caso claro está, de que hubiera pluralidad de estos, bien porque se trate de varios administradores que actúan de forma solidaria o de forma conjunta o de un consejo de administración (artículo 210.1 LSC). Esto viene a descartar la exigibilidad requerida hasta el momento por la DGRN de indicar estatutariamente qué cargos tienen asignada una retribución diferente y qué criterio de cálculo se aplica a cada cargo objeto de remuneración, ya que, de ser así, se desvirtuaría la mención expresa del art. 217.3 LSC[25], que ninguna duda ofrece en torno a esta posibilidad de la junta general, frente al silencio que en torno a ello se guardaba antes de la reforma. Como se infiere de la actual redacción del artículo 217.3 LSC, esta importante decisión sólo y exclusivamente habrá de tomarse por los propios administradores o el consejo de administra-

---

esto es, sólo en el caso de que la propia junta general no haya tomado las decisiones al respecto.

[25]     En efecto, este apartado se expresa en los siguientes términos: «*El importe máximo de la remuneración anual del conjunto de los administradores en su condición de tales deberá ser aprobado por la junta general y permanecerá vigente en tanto no se apruebe su modificación.* **Salvo que la junta general determine otra cosa,** *la distribución de la retribución entre los distintos administradores se establecerá por acuerdo de éstos y, en el caso del consejo de administración, por decisión del mismo, que deberá tomar en consideración las funciones y responsabilidades atribuidas a cada consejero.*» [Resaltado propio].

ción, para el caso en que la junta no haya ejercido esta competencia ahora otorgada con carácter voluntario. Sin perder de vista el artículo 185.4 del Reglamento del Registro Mercantil (RRM en adelante), que determina la igualdad de remuneración entre administradores en caso de no establecer los estatutos lo contrario, procedería de forma imperativa, si esta es la pretensión, indicar en estatutos únicamente que la junta podrá establecer una remuneración distinta con base en causas objetivas, en orden a plasmar la posibilidad de dicha distinción, pero sin prefijar la diferenciación según los cargos, a fin de permitirle el ejercicio de la potestad que, si bien con obligación de sujeción a criterios objetivos, le atribuirá la ley.

Según la redacción del 217.3, para el acuerdo de la junta general habría que estar a las mayorías no reforzadas de los artículos 198 y 201 LSC, pero si ha de decidirse algo contrario a lo ya consignado en los estatutos tendríamos que acudir obviamente a las mayorías cualificadas para la preceptiva modificación estatutaria[26].

Según nuestra opinión, con la flexibilización del sistema, al incluir como competencia de la junta general la aprobación del montante máximo de remuneración, hay que considerar que se convierte en obligación, más que en posibilidad, que los estatutos se abstengan de establecer cantidades máximas o métodos para obtener tales cantidades, pues sólo cuando

---

[26]   La RDGRN de 19 de febrero de 2015 *(Tol 4769854)* arroja cierta luz a esta cuestión cuando aborda el problema de si es posible concretar en los estatutos el importe a percibir en concepto de dietas y sueldo, atendida la circunstancia de que la Ley establecía que cuando la retribución no consistiera en una participación en beneficios correspondería su determinación, para cada ejercicio, a la junta general. La DGRN da una respuesta afirmativa, argumentando que «...*atendiendo a la "ratio" de la norma, debe entenderse que se pretende atribuir a la junta general y no a los propios administradores la competencia para fijar la cantidad exacta de la remuneración, pero sólo en los casos en que la modalidad retributiva prevista en los estatutos exija esa determinación concreta, sin que por tanto pueda impedir que sean los estatutos como norma rectora de la estructura y funcionamiento de la sociedad los que establezcan un sistema retributivo consistente en una cantidad concreta determinada...*», añadiendo que «...*si para el caso de retribución que tenga como base una participación en los beneficios se exige que los estatutos determinen concretamente la participación o el porcentaje máximo de la misma, no debe verse obstáculo alguno para que, a falta de prohibición legal expresa, el sistema de retribución consista no ya en una cantidad máxima anual que deba concretar la junta general... sino en una cantidad fija determinada en los estatutos. Cabe concluir, por tanto, que una previsión estatutaria como la analizada en este expediente no sólo no es contraria a la Ley ni a los principios configuradores del tipo social escogido (art. 28 de la Ley de Sociedades de Capital), sino que garantiza una mayor certidumbre y seguridad tanto para los socios actuales o futuros de la sociedad, como para el mismo administrador...*»

esto queda a disposición del acuerdo de la junta, se está flexibilizando y haciendo posible la adecuación de la remuneración a las circunstancias reales por las que atraviese la actividad empresarial en cada ejercicio.

## XI. LA COMPETENCIA DE LA JUNTA GENERAL PERMITE LA ADAPTACIÓN A LA COYUNTURA ECONÓMICA DE LA SOCIEDAD

Según lo expresado hasta ahora, si se determinara vía cláusula estatutaria los detalles sobre la remuneración estableciendo directamente la cantidad fija con la que remunerar a los administradores, además de detraer una de las nuevas competencias establecidas para la junta general, se estaría contrariando, según nuestra opinión, uno de los principios que, a la vista de la última reforma de la LSC, debe regir en cuanto a remuneración de administradores se refiere[27] y que viene a recogerse en el artículo 217 LSC. Esto es, según reza el apartado 4 de este artículo, la retribución de los administradores ha de ser en todo caso razonablemente proporcionada no solo a la importancia de la sociedad, sino a la situación económica que esta tuviera en cada momento, además de los estándares de mercado de empresas comparables[28]. Y esto, que ha de guiar las decisiones de la junta general, investida ahora de la nueva competencia y obligación de decidir en torno a la remuneración de administradores bajo nuevos parámetros y con mayor participación de conjunto de los socios según venimos analizando.

---

[27] V. LEÓN SANZ, F. J., «Artículo 217...» *op. cit.* pág. 276, donde el autor señala que, por su propia naturaleza, los estatutos se han de limitar a establecer si el cargo de administrador es o no retribuido, y en el caso de que lo sea, los conceptos retributivos. Ahora bien, la cuantía concreta requiere de una negociación en el ámbito de los órganos sociales con el administrador y ha de ser acordado en función de los intereses sociales de cada momento.

[28] En este sentido V. la propia Exposición de Motivos de la LSC, en su apartado VI, cuando señala que: «*Una novedad especialmente relevante es la regulación de las remuneraciones de los administradores. Distintos organismos internacionales han destacado la creciente preocupación porque las remuneraciones de los administradores reflejen adecuadamente la evolución real de la empresa y estén correctamente alineadas con el interés de la sociedad y sus accionistas*». Ahora bien, como ya advertía SÁNCHEZ-CALERO GUILARTE, J., «La retribución de los administradores...» *op. cit.* pág. 42, la regla de la prudente proporcionalidad con la situación de la sociedad, aunque se formule como una norma, no deja de ser una orientación para los gestores y sus supervisores, difícil de concretar en el plano jurídico societario a la hora de determinar lo que se puede hacer o no.

A la vista de los anterior, es complicado situarnos en un escenario flexible y que se avenga de manera adecuada a la situación económica de la empresa en cada momento, para el caso en que se establezca bajo reserva estatutaria un sistema fijo de remuneración, ya sea como una cantidad determinada o bien directamente determinable, respecto de parámetros que ninguna relación mantengan con la cambiante situación económica de las empresas. Ningún sentido parece tener la imposición de una nueva obligación decisoria a la junta *ex* art. 217.3, que a su vez ha de constreñirse a unos principios programáticos dispuestos en apartado 4 del artículo 217 y que han de servir de soporte al acuerdo de la junta como son los de razonabilidad, proporcionalidad, promoción de la rentabilidad y sostenibilidad a largo plazo, etc., si después de todo existe una cláusula estatutaria que hace imposible tal acuerdo por no obedecer a su dicción.

Nos encontraríamos ante la paradójica situación de imponer una obligación al órgano encargado de manifestar la voluntad social y acto seguido vaciarla de contenido por la dificultad que implica la modificación estatutaria que conllevaría el adecuado cumplimiento de dicho deber. En conclusión, sólo estableciendo el sistema de retribución estatutariamente, y permitiendo posteriormente a la junta decidir sobre el montante máximo de dicha retribución, e incluso entrando en detalle si se deseara ejercer la potestad que le otorga el propio 217.3 en relación a la distribución de dicho montante entre los diferentes administradores, se estaría respetando el nuevo objetivo de flexibilización que subyace en la reforma operada por la Ley 31/2014.

## XII. CONFLICTOS DE INTERESES ENTRE SOCIOS MAYORITARIOS Y MINORITARIOS EN TORNO A LA REMUNERACIÓN AL ADOPTAR LOS ACUERDOS EN LA JUNTA GENERAL

Teniendo presente la enjundia de las decisiones de la junta general en torno a la remuneración de los administradores tras la reforma de la LSC, no es posible soslayar el problema del conflicto de intereses entre socio minoritario y socio mayoritario.

Incluso razonando desde la teoría según la cual la decisión del socio mayoritario equivale al interés social, es indiscutible que una mayor remuneración del órgano de administración implica la reducción de beneficios a asignar a los socios en el ejercicio del derecho al dividendo, de forma que es difícilmente justificable que un socio abogue por el incremento de la remuneración del órgano de administración en detrimento de su propio derecho, a no ser que sea el propio socio mayoritario o persona vinculada a él, o incluso administrador designado gracias a la mayoría necesaria para tal nombramiento, el que ostente la titularidad del órgano de administración.

Por otro lado, el art. 217.4 LSC, establece criterios para la valoración de las cantidades retributivas que han de ser acordadas bien por la junta, bien por el consejo de administración. Estos acuerdos, podrían ser impugnados al ser contrarios a la Ley, por muy general y por tanto ciertamente problemático, que sean las pautas de valoración que se establecen en este apartado de la norma. Sólo para el caso de las sociedades de responsabilidad limitada, y sólo para el caso de la remuneración consistente en retribución vinculada a participación en beneficios, se establece un límite objetivo a la remuneración, según señala el artículo 218.2 LSC. Es por ello que la impugnación del acuerdo por infracción legal fundamentada en la conculcación del artículo 217.4 LSC, no va a ser tarea fácil en lo que a su prueba se refiere. La falta de criterios objetivos a su vez, dejará la cuestión a expensas de la valoración que los tribunales puedan realizar[29].

Resultado de todo lo anterior —y aun considerando positivo que sea la junta general la que en definitiva ha de fijar el límite máximo de remuneración—, es que la propia junta debido al control que pueda ostentar el socio mayoritario sobre las decisiones a adoptar en este órgano, termine por fijar remuneraciones desproporcionadas que obliguen a los socios minoritarios a la impugnación del acuerdo con los problemas que esto supone según hemos señalado.

Alguna apreciación podría hacerse para finalizar, en torno a la nueva redacción del artículo 217 LSC y su relación con el artículo 190 LSC. Del

---

[29]    V. las dos STS de la Sala Tercera, de 5 de febrero de 2015 *(Tol 4740159 y Tol 4719674)*, donde se hace remisión a su vez a lo declarado por el propio TS, en su STS de 28 de diciembre de 2011 *(Tol 2450855)*, y puede apreciarse precisamente la dificultad de valorar lo que pueda considerarse razonable en cuanto a la remuneración del órgano de administración: «*...Es verdad que el artículo 1255 del Código Civil establece libertad de pactos, pero es también evidente que tal precepto establece unos límites a estos pactos: la de no ser contrarios a la moral, el orden público y el perjuicio de tercero. Cuando estos pactos excedan de los parámetros socialmente aceptables es claro que tales pagos no pueden ser considerados como retribuciones, sino como meras liberalidades, no generadoras de un gasto deducible. La determinación de cuando estos pagos exceden estos límites es un problema que ha de resolverse a la vista de las circunstancias de cada caso, primero, por la Administración, y, en último término, por los Tribunales*».

juego de carga de la prueba establecido por el artículo 190.3 LSC, se deduce que para el caso del acuerdo sobre remuneración de administradores, si el socio mayoritario se encuentra en situación de conflicto de interés, y no encontrándonos en alguna de las situaciones enumeradas por el artículo 193.1, ni tratarse de un caso de cese, revocación o exigencia de responsabilidad del administrador, ni de un acuerdo en el que el conflicto de interés traiga causa exclusivamente de la posición que ostenta el socio mayoritario en la sociedad, el socio minoritario tendrá exclusivamente que acreditar la situación de conflicto de interés (y no el perjuicio a la sociedad), mientras que el socio mayoritario tendrá la carga de la prueba de que el acuerdo es conforme al interés social. Actuaciones en principio asequibles para el socio minoritario, quien no tendrá dificultad en sacar a la luz el conflicto de interés, y especialmente problemático para el socio mayoritario, para quien revestirá suma dificultad demostrar la conformidad del acuerdo al interés social, cuando se evidencia una excesiva y/o desigual retribución de los miembros del órgano de administración. Ahora bien son obvias las razones que pueden disuadir al socio minoritario de ejercer el derecho de impugnación de este tipo de acuerdos: para empezar ha de contarse con el mínimo legal de capital social, esto es, el 1% en virtud del artículo 206.1 LSC; por otro lado el coste económico del procedimiento judicial ha de ser asumido por quien impugna, pero además, es especialmente imprevisible el resultado, puesto que no existen criterios objetivos de valoración tal como ya apuntábamos anteriormente. La reforma parece decantarse, en fin, por un sistema donde podrían perder protección los consejeros de la minoría, ya que existiría la tentación para las sociedades con mayorías en la junta o en los consejos de realizar una retribución desigual entre sus cargos, apoyándose en su mayoría de voto y no en las funciones efectivamente desempeñadas[30].

---

[30]    V. LUCEÑO OLIVA, J. L/GUERRERO CAMACHO, E., en «¿pueden los estatutos prever una retribución distinta... *op. cit.*, pág. 7. V. igualmente como ya en su momento señalaba SÁNCHEZ CALERO, F., *Los administradores... op. cit.*, pág. 275, que la cláusula estatutaria que determinara la remuneración de los administradores debe moverse dentro de unos límites demarcados por la prudencia, de forma que han de estimarse ilícitas aquellas cláusulas que puedan tener un resultado lesivo para los intereses sociales, entendidos como intereses comunes a todos los socios. Precisamente hace el autor referencia a un caso de conflicto de intereses entre socios mayoritarios y minoritarios, dilucidado por la STS de 1 de julio de 1963 *(Tol 4329742)*, en la que el Tribunal afirmaba que se venían cometiendo de forma reiterada por parte de los socios mayoritarios, excesos consistentes en absorber los puestos directivos y de administración, asignándose pingües emolu-

Pero no sólo es la prueba a la hora de impugnar un acuerdo que pueda resultar abusivo respecto de la remuneración de administradores lo complicado para el socio minoritario, sino que, tras la última reforma legal, la obtención de los pormenores del acuerdo, así como su justificación, se complica tras quedar este en un lugar ciertamente comprometido con la nueva regulación del derecho de información para el caso de las sociedades anónimas. Esto es, problemas para el socio minoritario a la hora de ejercer su derecho de información antes y durante la junta, y sobre lo que sin ser objeto de este trabajo, mencionaremos simplemente lo siguiente: si la incorrección o insuficiencia de la información solicitada antes de la junta no será causa de impugnación a no ser que conculque el artículo 204.3 LSC (artículo también modificado con la reforma), tampoco lo será la vulneración de este derecho durante la celebración de la junta, otorgando exclusivamente el derecho a quien sufra esta situación, el derecho a exigir el cumplimiento de ofrecer la información y exigir indemnización por los posibles daños irrogados. Pero lo realmente gravoso es la posibilidad de resultar responsable por los perjuicios que el abuso del ejercicio del derecho de información, pueda ocasionar a la sociedad.

## XIII. LA DIRECCIÓN GENERAL DE REGISTROS Y NOTARIADO: RESOLUCIÓN DE 19 DE FEBRERO DE 2015

Al hilo de los que se viene analizando hemos considerado interesante hacer mención a la resolución mentada en el título de este epígrafe, así como hacer alguna consideración en coherencia con lo que se ha ido defendiendo a lo largo del trabajo. En esta resolución se señala que: *«...si para el caso de retribución que tenga como base una participación en los beneficios se exige que los estatutos determinen concretamente la participación o el porcentaje máximo de la misma, no debe verse obstáculo alguno para que, a falta de prohibición legal expresa, el sistema de retribución consista no ya en una cantidad máxima anual que deba concretar la junta general... sino en una cantidad fija determinada en los estatutos. Cabe concluir, por tanto, que una previsión estatutaria como la analizada en este expediente no sólo no es contraria a la Ley ni a los principios configuradores del tipo social escogido (art. 28 de la Ley de Sociedades de Capital), sino que garantiza una mayor certidumbre y seguridad tanto para los socios actuales o futuros de*

---

mentos con cargo a los beneficios sociales en proporción desorbitada a su función, dejando para los administradores una exigua cantidad que cubra el mínimo interés legal que ellos compensan con su condición de administradores.

*la sociedad, como para el mismo administrador...*». Pues bien, según nuestra opinión, no se está teniendo en cuenta —aunque cierto es que al supuesto no era aplicable la nueva redacción del artículo— la finalidad declarada por Ley[31] tal como queda redactada al momento de tal pronunciamiento, esto es, que el objetivo es precisamente salvaguardar la capacidad de adaptación de la remuneración a las circunstancias económicas de la empresa en cada momento. Así las cosas, si bien es convincente la primera parte de lo razonado por la DGRN, cuando de una remuneración referenciada a beneficios se trata, difícil extrapolación tiene semejante razonamiento al caso de la retribución fija. Extrapolación que la DGRN realiza sin tener presente el artículo 217.4 LSC en su nueva redacción, que ya se encontraba sobre su mesa al momento de esta resolución. Pues como puede comprobarse, termina por confirmar la posibilidad de establecer estatutariamente una cantidad fija de remuneración, arguyendo la garantía de seguridad y certidumbre tanto para los socios como para el propio administrador que ello implica y de lo que no puede dudarse obviamente. La certidumbre es innegable, pero la adaptación a la situación económica de la sociedad en cada momento cuando por estatutos se llega a este extremo de determinación y detalle, queda realmente en entredicho. Precisamente la evolución histórica de la regulación de la remuneración de los administradores revela la tendencia a una menor exigencia de detalle en la cláusula estatutaria[32] a favor del margen decisorio por parte de la junta general, no para permitir la posible arbitrariedad de la junta en la decisión sobre la remuneración en cada ejercicio, pues al fin y al cabo el acuerdo habrá de ser conforme a lo recogido en los estatutos, sino para favorecer la adaptación a las siempre cambiantes circunstancias económicas por las que pueda atravesar la sociedad[33]. Si bien a la DGRN no le falta razón en cuanto a que un tipo de

---

[31]　Tanto por la propia Exposición de Motivos de la LSC, en su apartado VI, como por el apartado 4 del artículo 217 LSC.

[32]　V. SÁNCHEZ RUS, H., «Las cláusulas estatutarias...» *op. cit.* pág. 11, quien considera que con el nuevo esquema legal tras la reforma de la ley 31/2014, el grado de determinación exigible a las cláusulas estatutarias relativas a la remuneración de los administradores no puede tener el alcance que se le reconocía en nuestro Derecho histórico. Los estatutos pasarían ahora a tener una función habilitante pero la retribución final de la cuantía de la remuneración corresponde a los órganos sociales.

[33]　V. SÁNCHEZ RUS, H., «Las cláusulas estatutarias...» *op. cit.* pág. 10, quien en torno a esta idea señala que la evolución legislativa ha conducido a un modelo dinámico de determinación de retribución de los administradores, pretendiendo el legislador que la retribución quede sometida a un proceso permanente de

cláusula estatutaria que establece la determinación de la remuneración fija no contraría la Ley, lo que no está tan claro es que deje de conculcar los principios configuradores de un tipo social en el que según la propia Ley en la nueva redacción del artículo 217, se establece, no ya como potestad sino como obligación de la junta general, la aprobación del importe máximo de la remuneración de los administradores.

## XIV. CONCLUSIONES

A través de este trabajo hemos tratado de obtener conclusiones sobre el sentido de la reforma llevada a cabo por la Ley 31/2014 de 3 de diciembre, por la que se modifica la Ley de Sociedades de Capital para la mejora del gobierno corporativo, centrándonos en la que consideramos una nueva competencia de la junta general, configurada además como una obligación de este órgano social. Hemos destacado la importancia de dicha competencia otorgada por medio de la modificación del artículo 217 LSC, que en su nueva redacción ya no alberga dudas sobre la obligación de decidir sobre el montante global de remuneración anual del órgano de administración, en todo tipo de sociedades de capital, ostentando igualmente la competencia, aunque no de forma obligatoria, de decidir sobre una posible desigual remuneración entre los diferentes administradores para el caso en que este órgano de no presentara la forma de administrador único. Además, las decisiones que en torno a la remuneración del órgano de administración haya de tomar la junta, habrán de estar guiadas por criterios de razonabilidad y proporcionalidad, y adaptadas en todo momento a la coyuntura económica de la empresa.

Tras analizar la reserva estatutaria de remuneración de administradores en relación con la competencia de la junta general para decidir sobre la cantidad máxima anual para retribuir al órgano de administración, concluimos que ningún sentido parece tener la imposición de esta competencia/obligación de la junta general, estableciendo en suma, un conjunto de principios programáticos en el apartado 4 del artículo 217, que han de ser-

---

adecuación a las circunstancias de la empresa. Adecuación que se lleva a cabo a través de una actuación constante de los órganos sociales, en especial de la junta general, cumpliéndose con esta mayor atribución de competencias a ésta, con uno de los objetivos previstos por la Ley 31/2014, en su Exposición de motivos, IV, párrafo segundo, primer inciso, esto es, reforzar el papel de la junta, así como abrir cauces para fomentar la participación accionarial.

vir de soporte al acuerdo de este órgano —como son los de razonabilidad, proporcionalidad, promoción de la rentabilidad y sostenibilidad a largo plazo, etc., según acabamos de señalar— si existe una cláusula estatutaria que hace imposible tal acuerdo por no obedecer a su contenido. Se estaría imponiendo un deber al órgano encargado de manifestar la voluntad social, para acto seguido vaciarlo de contenido, impidiendo el cumplimiento de tal obligación por la dificultad que implica la modificación estatutaria que conllevaría el adecuado cumplimiento de dicho deber.

Sólo estableciendo el sistema de retribución y los conceptos retributivos estatutariamente, y permitiendo la posterior decisión de la junta sobre el montante máximo de dicha retribución, e incluso entrando en detalle si se deseara ejercer la potestad que le otorga el propio 217.3 en relación a la distribución de dicho montante entre los diferentes administradores, se estarían respetando las nuevas intenciones flexibilizadoras y de mayor participación de los socios en el devenir de la sociedad, que el legislador de forma expresa plantea como uno de los objetivos la Ley 31/2014.

La propia evolución histórica de la regulación de la remuneración de los administradores nos muestra la tendencia a una menor exigencia de detalle en la cláusula estatutaria, a favor del margen decisorio por parte de la junta general, para permitir la adaptación a la coyuntura económica en que se halle inmersa y su propia situación financiera en dichas circunstancias. Así se estaría minorando el contenido exigible de los estatutos, que pasaría ahora a tener una función habilitante, para otorgar a la junta general el poder de decisión mediante las mayorías necesarias según el tipo de acuerdos a alcanzar y ofreciendo la posibilidad de impugnación de los mismos bajo determinadas condiciones. Estos acuerdos son de especial trascendencia en lo que a remuneración de administradores se refiere, entre otras cuestiones, por el conflicto de intereses que se suscita, pues una mayor retribución del órgano de administración implicará como norma general, una minoración de la cantidad a percibir por los socios en el ejercicio de su derecho al dividendo.

### Bibliografía

FERNÁNDEZ DEL POZO, F., «El misterio de la remuneración de los administradores de las sociedades no cotizadas», *RDM*, nº 297, 2015.
GALLEGO SÁNCHEZ, E., «Comentario al art. 217 LSC», en ROJO-BELTRÁN, *Comentario de la Ley de Sociedades de Capital*, Madrid, 2011.
IBÁÑEZ JIMÉNEZ, J., «La cuarta reforma del buen gobierno corporativo español: antecedentes y consecuencias para el régimen de la junta general», en *Comentarios a la*

*reforma del régimen de la junta general de accionistas en la reforma del buen gobierno de las sociedades*, AA.VV. IBÁÑEZ JIMÉNEZ, J., (Dir.), Cizur menor, 2014.

JIMÉNEZ SÁNCHEZ, G. I., / IBÁÑEZ JIMÉNEZ, J., «Las competencias de la Junta General», en *Comentarios a la reforma del régimen de la junta general de accionistas en la reforma del buen gobierno de las sociedades*, AA.VV. IBÁÑEZ JIMÉNEZ, J.,(Dir.), Cizur menor, 2014.

LEÓN SANZ, F. J., «Artículo 217. Remuneración de los administradores», en AA.VV., JUSTE MENCÍA, J., (Coord.), *Comentario de la reforma del régimen de las sociedades de capital en materia de gobierno corporativo (Ley 31/2014). Sociedades no cotizadas*. Cizur Menor, 2015.

LUCEÑO OLIVA, J. L./GUERRERO CAMACHO, E., en «¿pueden los estatutos prever una retribución distinta para cada consejero?», *Diario La Ley*, nº 8306, Sección Tribuna, 8 de mayo de 2014.

MARTÍNEZ SANZ, F., «Comentario al artículo 130 de la Ley de Sociedades Anónimas», en *Comentarios a la Ley de Sociedades Anónimas*, (Coords. ARROYO, I., /EMBID, J. M.), Vol. II, Madrid, 2001.

MELERO BOSCH, L. V., /NAVARRO FRÍAS, I., «Responsabilidad en la determinación de la retribución de los administradores y altos cargos en las sociedades de capital. (Presupuestos de) la responsabilidad de los administradores de las sociedades de capital en la fijación de sus retribuciones», *RdS*, núm. 40, 2013.

PAZ-ARES RODRÍGUEZ, J. C., «El enigma de la retribución de los consejeros ejecutivos», en *Indret: Revista para el Análisis del Derecho*, Nº. 1, 2008.

POLO, E., «Comentario al artículo 130 de la Ley de Sociedades Anónimas, en *Comentario al régimen legal de las sociedades mercantiles*, (Dirs. URÍA, R., /MENÉNDEZ, A., / OLIVENCIA, M.,), Vol. VI, Madrid, 1992.

RECALDE CASTELLS, A., «Competencia de la junta general» en *Comentario de la reforma del régimen de las sociedades de capital en materia de gobierno corporativo (Ley 31/2014). Sociedades no cotizadas*. Cizur Menor, 2015.

RUIZ MUÑOZ, M., «Nuevo régimen jurídico de la retribución de los administradores de las sociedades de capital», *RdS*, núm. 46, 2016.

SÁNCHEZ CALERO, F., *Los administradores en las sociedades de capital*, Madrid, 2007.

SÁNCHEZ RUS, H., «Las cláusulas estatutarias relativas a la retribución en los administradores en las sociedades de capital», en *La Ley Mercantil*, núm. 14, 2015.

SÁNCHEZ-CALERO GUILARTE, J., «La retribución de los administradores de sociedades cotizadas (La información societaria como solución)» en *RdS*, núm. 28, 2007.

TUSQUETS TRÍAS DE BES, F., *La remuneración de los administradores de las sociedades mercantiles de capital*, Madrid, 1998.

VELASCO SAN PEDRO, L. A., «Retribuciones de los consejeros y altos directivos», *RdS*, núm. 27, 2006.

# 32. Competencia de la Junta de Sociedades en los asuntos de gestión (competencias generales y adicionales)

### ENRIQUE SANJUÁN Y MUÑOZ

*Magistrado especialista en mercantil por el CGPJ.*
*Profesor Asociado de Derecho Mercantil de la UMA.*

## I. INTRODUCCIÓN

La reforma que se produce con la Ley 31/2014 en la Ley de Sociedades de Capital lleva por título no solo dicha modificación sino también «la mejora del Gobierno Corporativo»[1]. Su exposición de motivos señala expresamente «...*que se pretende con carácter general reforzar su papel y abrir cauces para fomentar la participación accionarial*[2]. *A estos efectos, se extiende expresamente la posibilidad de la junta de impartir instrucciones en materias de gestión a todas las sociedades de capital, manteniendo en todo caso la previsión de que los estatutos puedan limitarla. Asimismo, se amplían las competencias de la junta general en las*

---

[1] Ley 31/2014, de 3 de diciembre, por la que se modifica la Ley de Sociedades de Capital para la mejora del gobierno corporativo.

[2] Vi en este sentido ÁLVAREZ S Y SÁNCHEZ SANTIAGO J., «*La nueva competencia de la junta general sobre activos esenciales: a vueltas con el artículo 160 f) LSC*» Diario La Ley, Nº 8546, Sección Doctrina, 25 de mayo de 2015, Ref. D-207, Editorial LA LEY.

*sociedades para reservar a su aprobación aquellas operaciones societarias que por su relevancia tienen efectos similares a las modificaciones estructurales.»*

Los antecedentes inmediatos de dicha reforma se recogen primero en la Declaración que sigue a la Cumbre de Pittsburgh de 24 y 25 septiembre de 2009[3], cuyo abordaje principal era construir fuertes cimientos para evitar que nuevos supuestos de crisis global pudieran afectar tan gravemente a las estructuras nacionales para el crecimiento. Mediante el Acta de Mercado Único de 2010[4] la Comisión Europea señalaba que «[e]s primordial *que las empresas europeas se comporten con la máxima responsabilidad, tanto frente a sus empleados y accionistas como frente a la sociedad en general»* Y esto se planteaba desde ese concepto de Gobierno Corporativo que ya delimitara el Informe Cadbury[5] y matizara la OCDE[6]: « *El gobierno corporativo se define habitualmente como el sistema por el cual las empresas son dirigidas y controladas y como una serie de relaciones entre el cuerpo directivo de una empresa, su consejo, sus accionistas y otras partes interesadas».*

Se trata entonces de configurar un sistema de Gobierno Corporativo Transparente y responsable y para ello (o por ello) la implicación —en lo que al presente tema respecta— de los accionistas en el crecimiento, protección y mejora empresarial que se persigue[7].

Desde ahí el libro verde para el Gobierno Corporativo de la Unión Europea[8] analizó diferentes cuestiones (algunas de las cuales ya había anali-

---

[3]  Vid al efecto el siguiente vínculo: http://www.ituc-csi.org/IMG/pdf/No_59_-_La_economia_mundial_en_crisis_AnexoII.pdf.

[4]  Comunicación de la Comisión al Parlamento Europeo, al Consejo, al Comité Económico y Social Europeo y al Comité de las Regiones - Hacia un Acta del Mercado Único. Por una economía social de mercado altamente competitiva - (COM(2010) 608 final/2, pág. 30).

[5]  Informe del Comité sobre los Aspectos Financieros del Gobierno Corporativo («el informe Cadbury»), 1992, pág. 15, publicado en http://www.ecgi.org/codes/documents/cadbury.pdf.

[6]  Principios de Gobierno Corporativo de la OCDE, 2004, pág. 11, publicado en http://www.oecd.org/dataoecd/47/25/37191543.pdf.

[7]  IBÁÑEZ JIMÉNEZ J., «La cuarta reforma del buen gobierno corporativo español: antecedentes y consecuencia para el régimen de la junta general», en VV.AA. (Dir. Ibáñez Jiménez, J.), Comentarios a la reforma del régimen de la junta general de accionistas en la reforma del buen gobierno de las sociedades. Examen del Informe de la Comisión de Expertos y del Proyecto de reforma de la Ley de Sociedades de Capital, Aranzadi, 2015, Cizur Menor, págs. 21 y ss.

[8]  Bruselas, 5.4.2011 COM(2011) 164 final. http://ec.europa.eu/internal_market/company/docs/modern/com2011-164_es.pdf.

zado en el Libro verde publicado en 2010) que centraban la necesidad de aplicar determinadas normas también a la generalidad de las empresas en la doble consideración de gestión del riesgo y en la implicación de los accionistas. Dicho libro verde recogía que «*la normativa de gobierno corporativo se basa en el supuesto de que los accionistas se implican en las empresas y hacen que su cuerpo directivo rinda cuentas de su actuación. Sin embargo, se ha constatado que la mayoría de los accionistas son pasivos y con frecuencia se preocupan tan solo por los beneficios a corto plazo. Por lo tanto, parece útil considerar si se puede promover que un mayor número de accionistas se interese por obtener unos dividendos sostenibles y un rendimiento a más largo plazo, y como fomentar que sean más activos en los asuntos de gobierno corporativo. Además, en estructuras de participación diferentes se plantean otras cuestiones, como la protección de los accionistas minoritarios.*»

En relación a las sociedades cotizadas, el Código Unificado para el Gobierno Corporativo presentado en junio de 2013[9] ya había advertido de determinadas modificaciones necesarias, sobre todo en materia de acuerdos similares a las modificaciones estructurales y las competencias de la Junta. En concreto recogía que «*[l]a Ley de Sociedades de Capital reserva expresamente a la Junta General la aprobación de ciertos acuerdos —tales como fusión, escisión, transformación, cambio de objeto social, disolución o cesión global de activo y pasivo— que afectan de forma sustancial a la naturaleza y estructura de la sociedad. Son las denominadas "modificaciones estructurales"*». Existen, sin embargo, otras operaciones societarias que producen efectos similares y que, sin embargo, en ocasiones son adoptadas por el Consejo de Administración, al no existir una atribución legal específica y formal de competencia a favor de la Junta General. Así ocurre, por ejemplo, cuando una sociedad acuerda "filializar" sus activos y convertirse en mera sociedad holding, lo que en la práctica puede privar a su Junta General de la facultad de decidir sobre la política de capital o la política de reparto de beneficios y transferir dichas competencias al Consejo. Por ello, el Código estima que en estos casos y, en general, en todas las modificaciones estructurales de la sociedad, la decisión ha de corresponder a la Junta General de accionistas.» La propuesta partía entones de considerar tres modificaciones importantes como atribución de competencias a la Junta de Socios:

a) La transformación de sociedades cotizadas en compañías holding, mediante «filialización» o incorporación a entidades dependientes de ac-

---

[9]    http://www.cnmv.es/docportal/publicaciones/codigogov/cubgrefundido_junio2013.pdf.

tividades esenciales desarrolladas hasta ese momento por la propia sociedad, incluso aunque ésta mantenga el pleno dominio de aquéllas;

b) La adquisición o enajenación de activos operativos esenciales, cuando entrañe una modificación efectiva del objeto social;

c) Las operaciones cuyo efecto sea equivalente al de la liquidación de la sociedad.

No obstante, advertía que «...*este principio ha de administrarse con la debida prudencia, sin extender de forma exagerada las competencias de la Junta, ni mermar las facultades naturales del Consejo para definir y poner en práctica la estrategia de la compañía. Así, por ejemplo, resultaría inapropiado someter a la decisión de la Junta la aprobación de operaciones de venta de inmuebles con reserva de arrendamiento (sale and lease-back), e incluso la venta de instalaciones de su propiedad cuando la sociedad opte por sub-contratar externamente una actividad que hasta entonces desarrollaba directamente.*»

El 14 de octubre de 2013[10] una Comisión nombrada al efecto para proponer concretas medidas presentó su informe[11] sobre determinadas modificaciones que han sido acogidas en la citada reforma 31/2014. Entre ellas se modifican los artículos 160, apartado f), 161 y 511 bis de la Ley de Sociedades de Capital[12] (LSC).

Según dicho informe el apartado 3.3.2 se refiere a la competencia de la junta en asuntos de gestión de la sociedad. Las justificaciones concretas que la misma da para dichas reformas se dividen en competencias generales y competencias adicionales. En concreto las mismas se justifican conforme a lo siguiente.

1º. En relación con las competencias de la junta general se ha examinado, también, su posible intervención en asuntos de gestión. La refundición en la LSC de normas aplicables a sociedades anónimas y a sociedades de responsabilidad limitada ha reabierto la polémica doctrinal sobre la extensión a todas las sociedades de capital de determinadas normas reservadas, en su literalidad, solo a uno de los tipos sociales. En concreto, el artículo 161 de la LSC parece limitar a las sociedades de responsabilidad limitada la posibilidad de que la junta, salvo que los estatutos establezcan otra cosa,

---

[10]   cegc_estmodif_20131014.pdf.
[11]   Acuerdo del Consejo de Ministros de 10 de mayo de 2013, por el que se crea una Comisión de expertos en materia de gobierno corporativo.
[12]   Real Decreto Legislativo 1/2010, de 2 de julio, por el que se aprueba el texto refundido de la Ley de Sociedades de Capital.

intervenga en asuntos de gestión[13]. La Comisión de Expertos considera que esta limitación no está justificada, máxime en un momento en el que se trata de reforzar la función de la junta y abrir cauces para fomentar el activismo accionarial. En este sentido, conviene recordar que la facultad de instruir del colectivo de los accionistas está llamado a cumplir un papel incluso en las sociedades cotizadas, en las que puede servir de instrumento para combatir algunos problemas de agencia entre accionistas y ejecutivos.

En el debate de gobierno corporativo más actual, esta es una posición pujante y defendida por voces muy autorizadas incluso en entornos jurídicos que tradicionalmente han consagrado el monopolio del consejo en las cuestiones de estrategia y negocio. Por ello, la Comisión de Expertos entiende conveniente extender expresamente la posibilidad de la junta de impartir instrucciones prevista ahora en el citado artículo 161 de la LSC a todas las sociedades de capital, manteniendo en todo caso la previsión de que los estatutos puedan limitarla.

2º. Entre las competencias de la junta de accionistas, el articulo 160 de la LSC incluye en su letra f) distintas modificaciones estructurales reguladas por la Ley 3/2009, de 3 de abril, sobre modificaciones estructurales de las sociedades mercantiles (en adelante, la LME). Sin embargo, como señala el Código Unificado, existen operaciones societarias con efectos similares, que, al no estar específicamente reservadas a la junta por la legislación aplicable, pueden ser válidamente adoptadas por el Consejo de Administración. La naturaleza de estas operaciones y su particular relevancia en las sociedades cotizadas aconseja que su aprobación deba ser, al menos en este tipo de sociedades, adoptada por la junta general. En este sentido fue redactada la recomendación 3.a del Código Unificado. Transcurrido el tiempo suficiente para que la experiencia haya demostrado la importancia del seguimiento de esta recomendación del Código Unificado y analizada la normativa comparada más reciente, la Comisión de Expertos considera conveniente convertirla en norma legal; se reserva a la junta general de las sociedades cotizadas la aprobación de transacciones de espe-

---

[13]  El texto anterior a la modificación era claro en cuanto a sociedades de responsabilidad limitada, pero nada decía sobre las sociedades anónimas. Esto motivó la polémica doctrinal: «*Salvo disposición contraria de los estatutos, la junta general de la sociedad de responsabilidad limitada podrá impartir instrucciones al órgano de administración o someter a autorización la adopción por dicho órgano de decisiones o acuerdos sobre determinados asuntos de gestión, sin perjuicio de lo establecido en el artículo 234.*»

cial significación cualitativa y cuantitativa[14]. En la redacción de la propuesta legislativa se ha tenido en cuenta que, al incorporar la recomendación a una norma, es conveniente la adaptación de sus conceptos y expresiones a los usados por la LSC y por la LME. Además, con la finalidad de dotar a la norma de la necesaria seguridad jurídica y atendiendo el criterio seguido en alguna de las legislaciones comparables, se incluye una presunción para delimitar el volumen de lo que se considera que constituyen «actividades o activos esenciales».

Así que con dichos antecedentes nos encontramos con la regulación contenida en los citados preceptos que habían surgido de una discusión doctrinal en la que se partía del sistema configurado en nuestro derecho y que determinaba que los administradores debían seguir o no las instrucciones de la Junta de Socios en función de una consideración estricta y limitada o amplia y posible de las competencias de ambos órganos[15]. En su día el Tribunal Supremo Alemán se refirió a ello (competencias no escritas conforme al profesor Alfaro)[16] en

---

[14]    Para una distinción cualitativa y cuantitativa vid ORBIS B, en «Aplicación práctica del artículo 160 f) de la Ley de Sociedades de Capital: criterio de la DGRN sobre la acreditación de la no esencialidad de los activos» Actualidad Civil, N° 5, mayo 2016, Editorial LA LEY. LA LEY 3168/2016.
        En dicho trabajo se señala esta distinción conforme a lo siguiente: «1. cuantitativa, conforme a la cual será esencial todo activo que supere determinado importe y, en particular, el 25% del valor de los activos recogidos en el último balance aprobado de la sociedad; y 2. cualitativa, que estaría vinculada a la función que cumple ese activo en relación con la realización del objeto social.»

[15]    García de Enterría Lorenzo-Velázquez, J., *La reforma de la Ley de Sociedades de Capital (LA LEY 14030/2010) en materia de gobierno corporativo*, Aranzadi, 2015, Cizur Menor, págs. 21 y 22.

[16]    La referencia completa del profesor Alfaro es la siguiente: «El Tribunal Supremo alemán formuló el fundamento de estas competencias "no escritas" de la Junta General de la siguiente forma: "hay decisiones tan fundamentales que aunque estén formalmente cubiertas por el poder de representación de los administradores, por sus funciones de gestión de la empresa social y por los estatutos, afectan de forma tan profunda a los derechos de participación de los socios y a sus intereses patrimoniales incorporados en sus acciones que los administradores no pueden suponer razonablemente que pueden tomarlas por su cuenta sin hacer participar en ella a la Junta General"» .En Alemania, esta doctrina fue formulada por el BGH en la Sentencia Holzmüller y se justificaría sobre la base de dos puntos de vista: el recorte de los derechos de los accionistas como consecuencia del traspaso de poderes de decisión desde la Junta a los administradores que provocan las decisiones de filialización y el peligro del aguamiento de los derechos patrimoniales de los accionistas, lo que lleva a la conclusión de que esta doctrina se aplica, sobre todo, a operaciones de reestructuración de grupos de sociedades y nos ocuparemos de

el asunto Holzmüller[17] afirmando que «*hay decisiones tan fundamentales que aunque estén formalmente cubiertas por el poder de representación de los administradores, por sus funciones de gestión de la empresa social y por los estatutos, afectan de forma tan profunda a los derechos de participación de los socios y a sus intereses patrimoniales incorporados en sus acciones que los administradores no pueden suponer razonablemente que pueden tomarlas por su cuenta sin hacer participar en ella a la Junta General*»[18]. Lo que ahora se hace es poner por escrito y con carácter imperativo la necesidad de la intervención de la Junta en estos determinados asuntos bajo tres principios esenciales y concomitantes: 1°. Libre configuración de las sociedades de capital. 2°. La necesidad de fortalecer e incentivar el activismo accionarial. Y 3°. Un mayor control en estos supuestos del management.

Cuestión que hasta ahora se había visto en nuestros tribunales a través del régimen de responsabilidad de administradores, tal y como recogió la SAP de Pontevedra de 24 de enero de 2008[19] en un asunto en donde se afirmaba que «*La actuación negligente que los socios demandantes imputan a los administradores demandados se centra en la venta de la empresa, excediéndose de lo que es su competencia ya que tal actuación consideran que sólo compete a la Junta general al equipararla a un supuesto de escisión, provocando además un daño a la sociedad al proceder a dicha venta a un precio notablemente inferior al de mercado.*» O bien a través de la impugnación de acuerdos sociales, como sucedió en la STS de 17 de abril de 2008[20] con el siguiente argumento: «*Lo atendible es, por tanto, la suficiencia de los poderes de los consejeros-Delegados para llevar a*

---

ello en detalle en la lección correspondiente al hablar de los procesos de filialización. El fundamento dogmático se modificó a través de las sentencias Macrotron y Gelatina. La sentencia Holzmüller es BGH S. 25-II-1982 (NJW 1982, pág. 1703, Holzmüller escindía el 80 % de los activos del grupo) OLG Celle, S. 7-III-2001, ZIP 2001, págs. 613 ss., págs. 615 y v., TRAPP/SCHICK, 46 (2001) pág. 385 nota 63. Una exposición clara de estos problemas puede vese en J. ROSENGARTEN, «The Holzmüller Doctrine: Still Crazy after All These Years? - The Impact of a Doctrine in the Days of Mergers of Equals», Fs. Buxbaum, Londres-La Haya-Boston, 2002, págs. 445 ss.; FLEISCHER, NJW 2004, págs. 2335 ss. y HABERSACK, AG 2005, págs. 137 ss. Vid en http://derechomercantilespana.blogspot.com.es/2014/06/competencias-de-la-junta-e.html.

[17]    *Holzmüller.* BGH S. 25-II-1982 (*NJW* 1982, pág. 1703).

[18]    LÖBBE, M., «*Corporate Groups: Competences of the shareholders*» *meeting and minority protection —The German Federal Court of Justice«s recent Gelatine and Macrotron cases redefine the Holzmüller Doctrine—.*», German Law Journal, 2004, pág. 21.

[19]    Sentencia n° 50/2008 de AP Pontevedra, Sección 1ª, 24 de enero de 2008.

[20]    Sentencia de 17 de abril del 2008 (Sala de lo civil, recurso 689/2001. Roj 1382/2008).

*cabo el otorgamiento de la escritura pública que se impugna. Estimamos que excede del tráfico normal de la empresa dejarla sin sus activos, sin autorización de la Junta General para este negocio de gestión extraordinario. El que el objeto social fuera más amplio no es argumento que lo justifique. En primer lugar, porque nada se ha demostrado en el pleito fuera de que la sociedad actora se dedicaba a la explotación del negocio de transportes, en otras palabras, de que lo fuesen otros de los enumerados en los estatutos dentro del objeto social. En segundo lugar, porque la cesión impugnada seccionaba una parte del objeto social estatutario, desde el punto de vista literal, lo que debía de ser autorizado por la Junta de Accionistas, lo mismo que estatutariamente tenía que hacerlo si la sociedad se dedicaba a otro objeto social. No tiene sentido que se exija la autorización para la ampliación y no para su mutilación práctica, precisamente el que de hecho constituía su única actividad. En tercer lugar, porque no justifica la actuación de los Consejeros-Delegados la necesidad de allegar financiación para pago de elevada deuda tributaria. Ello no es impedimento para que se expusiese a la Junta de la situación social y la medida extrema que ellos proponían.»*

## II. LA COORDINACIÓN DE LOS PRECEPTOS. SU INTERPRETACIÓN SISTEMÁTICA

El análisis de los artículos 160, 161 y 511 bis de la LSC parte de considerar, primero, si dichos preceptos son normas complementarias o se destinan a la regulación diferente de los supuestos de sociedades cotizadas, el último de ellos, y al resto de sociedades los dos primeros[21].

El artículo 511 bis LSC se intitula «*competencias adicionales*» y es aplicable a los supuestos de sociedades cotizadas. En el mismo se recoge que en las sociedades cotizadas constituyen materias reservadas a la competencia de la junta general, además de las reconocidas en el artículo 160, las que a continuación define en tres grupos:

a) La transferencia a entidades dependientes de actividades esenciales[22] desarrolladas hasta ese momento por la propia sociedad, aunque esta mantenga el pleno dominio de aquellas.

---

[21]   GUERRERO, M. J., «*La competencia de la junta general en las operaciones relativas a activos esenciales (artículo 160.f) Ley de Sociedades de Capital (LA LEY 14030/2010)*», *Revista de Derecho Mercantil*, núm. 298, Aranzadi, octubre-noviembre 2015.

[22]   El apartado segundo de dicho precepto señala que: «Se presumirá el carácter esencial de las actividades y de los activos operativos cuando el volumen de la operación supere el veinticinco por ciento del total de activos del balance.»

b) Las operaciones cuyo efecto sea equivalente al de la liquidación de la sociedad.

c) La política de remuneraciones de los consejeros en los términos establecidos en esta ley.

De conformidad a ello tendríamos un régimen complementario al establecido con carácter general en el artículo 160 LSC, al que se añadirían esas otras competencias adicionales[23] que prevé el artículo 511 bis LSC. Sin embargo, si comparamos ambos preceptos resultaría que la sociedad no cotizada tiene una limitación en el apartado f) que se aplicaría a las cotizadas pero que además es matizada en las dos primeras letras del 511 bis. De esta forma:

1º. Es aplicable con carácter general a todas las sociedades el hecho de que la junta de socios deberá aprobar la adquisición, la enajenación o la aportación a otra sociedad de activos esenciales.

2º. Pero también que hay operaciones que el legislador ha considerado no se encuentran dentro del anterior apartado, como son la transferencia a entidades dependientes de actividades esenciales desarrolladas hasta ese momento por la propia sociedad, aunque esta mantenga el pleno dominio de aquellas y las operaciones cuyo efecto sea equivalente al de la liquidación de la sociedad.

Si se trata de competencias adicionales limitativas a la capacidad de decisión del management u órgano de administración de la sociedad, que parten del régimen general del artículo 160 (en particular del apartado f), nos preguntamos si ello supone sencillamente considerar que estas dos operaciones no estarían incluidas en el régimen general para el resto de las sociedades o simplemente es una particularidad a modo de subrayado o de intensidad en las sociedades cotizadas. Recordando las palabras del Informe de la citada comisión en este sentido advertía que *«…este principio ha de administrarse con la debida prudencia, sin extender de forma exagerada las competencias de la Junta, ni mermar las facultades naturales del Consejo para definir y poner en práctica la estrategia de la compañia. Así, por ejemplo, resultaría inapropiado someter a la decisión de la Junta la aprobación de operaciones de venta de inmuebles con reserva de arrendamiento (sale and lease-back), e incluso la venta*

---

[23] Recordemos que el Informe de la Comisión de expertos se refería a esas competencias generales por un lado y a las competencias adicionales en relación al artículo 160 f introducido como nuevo.

*de instalaciones de su propiedad cuando la sociedad opte por sub-contratar externa-
mente una actividad que hasta entonces desarrollaba directamente.*»

El apartado f) del artículo 160 LSC señala que es competencia de la
junta general deliberar y acordar la adquisición, la enajenación o la aportación a otra sociedad de activos esenciales. El artículo 511 bis LSC matiza
que además de lo previsto en dicho precepto es de competencia —para
sociedades cotizadas— de la Junta General (adicionalmente), la transferencia a entidades dependientes de actividades esenciales desarrolladas
hasta ese momento por la propia sociedad, aunque esta mantenga el pleno
dominio de aquellas y las operaciones cuyo efecto sea equivalente al de la
liquidación de la sociedad. Es evidente que mediante la transmisión de
activos esenciales se puede llegar a los dos resultados posteriores, si bien la
regla general engloba supuestos de adquisición, enajenación o aportación
a otra sociedad sin distinguir que lo sea a sociedad del grupo, mientras que
la segunda (adicional) recoge que está limitada esa transmisión «también»
en estos supuestos. De esta forma sería posible considerar que la transmisión a sociedades dependientes de actividades esenciales es una matización
aplicable solo y exclusivamente a la sociedad cotizada. De esta forma la
descentralización o holding estaría permitida con carácter general en el
artículo 160 f sin necesidad de esa valoración que se realizará por volumen
como veremos. También podríamos considerar que la regla de transmisión
de activos esenciales es genérica para todos los supuestos en que así suceda
y que cuando ello conlleve la transmisión de actividad esencial (supuestos
por ejemplo que supongan la transmisión de activos esenciales pero no de
actividad esencial) entonces no estaría prevista con carácter general (por
tener en sí misma una regulación propia en la normativa de operaciones
estructurales), pero sí para los supuestos de sociedades cotizadas. Más complejo es el resultado, o cualquier resultado, que conlleve liquidación; en
este caso la competencia adicional es que se trate de operaciones que sin
ser liquidación su efecto sea equivalente al de la liquidación de la sociedad.
Por tanto, la referencia parece más situarse en el ámbito de las sociedades cotizadas, y de esta forma cuando la transmisión de activos esenciales
(competencia del artículo 160 f LSC) no tenga ese efecto en realidad estaría simplemente acogida a la regla general.

Lo anterior nos lleva entonces a las presunciones establecidas en dichas
normas. Por un lado, el artículo 160 f) LSC establece una presunción sobre
los activos (Se presume el carácter esencial del activo cuando el importe
de la operación supere el veinticinco por ciento del valor de los activos que
figuren en el último balance aprobado), mientras que el artículo 511 bis
LSC lo es, además, respecto de la actividad y respecto de activos operativos

(Se presumirá el carácter esencial de las actividades y de los activos operativos cuando el volumen de la operación supere el veinticinco por ciento del total de activos del balance.) Sin perjuicio de su análisis posterior dejamos apuntada entonces la idea de que una cosa será la regla general que afecta a activos esenciales (sean o no operativos) y otra diferente la afectación a actividades y activos operativos. Por tanto —y a sensu contrario— cuando la operación afecta a actividades y activos operativos la matización estaría hecha solo para las sociedades cotizadas en esta interpretación.

La regla general, además, para computar el porcentaje del valor del activo esencial —a efectos de presunción— lo es en relación al valor de los activos del último balance aprobado. La regla adicional en los supuestos de cotizadas es además que el volumen de la operación supere el veinticinco por ciento del total de activos del balance. Diferencia entonces entre último balance y simplemente balance en uno y otro. En el primero —regla general— se refiere al importe de la operación y el segundo al concepto «volumen» de la operación en una suerte de distinción entre la transmisión simplemente de activos y de actividades y activos operativos. El primero por lo tanto en referencia solo a activos esenciales (operativos o no) y el segundo a actividades esenciales (que incluyen los activos operativos de esas actividades que se descuelgan) como operación conjunta y por tanto como valoración diferente a estos efectos. El problema no se encontraría entonces —en supuestos de presunción— en la valoración que se da en uno y otro supuesto; así:

a) Si se trata de adquisición, enajenación o aportación a otra sociedad de activos esenciales el importe se computa de la operación y se compara con el valor de los activos que figuren en el último balance aprobado. Parece entonces una suerte de individualización de cada activo en comparación con su valor en el último balance.

b) Si se trata de transmisión de actividades esenciales es el volumen de la operación el que se compara con el total de activos del balance. Nos encontramos con una comparación global entre el valor de la transmisión y el valor de los activos en el balance. En este caso además resultarían magnitudes que solo serían comparables si todos los conceptos estuvieran recogidos en el balance[24].

---

[24]    Pensemos por ejemplo en el supuesto de fondo de comercio o Good-will de una empresa. Bien es cierto que el Real Decreto 602/2016, de 2 de diciembre, por el que se modifican el Plan General de Contabilidad aprobado por el Real Decreto 1514/2007, de 16 de noviembre; el Plan General de Contabilidad de Pequeñas y

En conjunto por lo tanto debemos concluir que la redacción de ambas normas son complementarias si bien ello significa que lo previsto en el artículo 511 bis de la LSC matiza determinados supuestos para este tipo de sociedades que no estarían incluidas en los supuestos del artículo 160 f) LCS como regla general. Se trata de supuestos adicionales previstos para este tipo de sociedades que el legislador ha querido incluir ahí y por lo tanto excluir de la regulación general.

## III. ATRIBUCIÓN DE COMPETENCIAS DEL ARTÍCULO 161 LSC

El artículo 161 LSC establece como regla general que, salvo disposición contraria de los estatutos, la junta general de las sociedades de capital podrá impartir instrucciones al órgano de administración o someter a su autorización la adopción por dicho órgano de decisiones o acuerdos sobre determinados asuntos de gestión, sin perjuicio de lo establecido en el artículo 234. Las excepciones a dicha norma son varias:

1°. Por un lado que los Estatutos podrán contener una disposición en contra de esta posibilidad dispositiva, por tanto, de la norma.

2°. En relación a sociedades unipersonales el artículo 15.2 LSC por cuanto establece que las decisiones del socio único se consignarán en acta, bajo su firma o la de su representante, pudiendo ser ejecutadas y formalizadas por el propio socio o por los administradores de la sociedad.

El ámbito de dicha norma se refiere (y hemos de diferenciar) a:

---

Medianas Empresas aprobado por el Real Decreto 1515/2007, de 16 de noviembre; las Normas para la Formulación de Cuentas Anuales Consolidadas aprobadas por el Real Decreto 1159/2010, de 17 de septiembre; y las Normas de Adaptación del Plan General de Contabilidad a las entidades sin fines lucrativos aprobadas por el Real Decreto 1491/2011, de 24 de octubre, introduce en nuestra normativa las exigencias de la Directiva 2013/34/UE, de 26 de junio de 2013 y por tanto un nuevo tratamiento contable de los inmovilizados intangibles en el articulo 12.11 y, en particular, del fondo de comercio. La trasposición de este criterio a nuestro derecho contable ha traído consigo, para los ejercicios iniciados a partir del 1 de enero de 2016, una nueva redacción del artículo 39, apartado 4, del Código de Comercio, introducida por la disposición final primera, apartado cuatro, de la Ley 22/2015: «*El fondo de comercio únicamente podrá figurar en el activo del balance cuando se haya adquirido a título oneroso. Se presumirá, salvo prueba en contrario, que la vida útil del fondo de comercio es de diez años.*»

a) Impartir instrucciones al órgano de administración en asuntos de gestión.

b) Someter a su autorización la adopción por dicho órgano de decisiones o acuerdos sobre determinados asuntos de gestión.

Es evidente que si existe la posibilidad de delegar estas funciones (249 en relación al 249 bis y 529 ter LSC) las instrucciones o la avocación de esas competencias lo serán también para aquellos o respecto de aquellos en los que se ha delegado, pues siguen siendo competencia del órgano de Administración aún a pesar de esa delegación. Una particularidad en ello sería el sistema dual de administración en la sociedad anónima europea en donde será la Dirección (y no el Comité de Control) el que tiene residenciada la gestión y por lo tanto es respecto de este en donde actúa la norma[25]. En materia de sociedades cotizadas el artículo 523 2 b) distingue entre órgano de administración y de gestión de forma diferenciada lo que nos sitúa específicamente en el régimen de las diferentes comisiones que a tal efecto deben formarse para la gestión de la sociedad.

De igual forma la referencia lo es a asuntos de gestión, lo que nos lleva a plantearnos si todos los asuntos encomendados al órgano de administración pueden ser objeto de este tipo de instrucciones. Conforme al artículo 209 LSC es competencia de los administradores la gestión y la representación de la sociedad en los términos establecidos en esta ley. De esta forma diferenciamos el régimen de funciones que se atribuyen al órgano de administración entre gestión, por un lado, y representación por otro. La literalidad de la norma nos llevaría a considerar que solo es posible que se desarrolle el precepto cuando hablamos de gestión y no en los supuestos de representación. Entonces la Junta no podrá realizar dichos actos en relación a lo previsto en el artículo 234 LSC: «*La representación se extenderá a todos los actos comprendidos en el objeto social delimitado en los estatutos. Cualquier limitación de las facultades representativas de los administradores, aunque se halle inscrita en el Registro Mercantil, será ineficaz frente a terceros. La sociedad quedará obligada frente a terceros que hayan obrado de buena fe y sin culpa grave,*

---

[25] Hemos de tener en cuenta que conforme al artículo 485 LSC, será de aplicación al consejo de control lo previsto en dicha ley para el funcionamiento del consejo de administración de las sociedades anónimas en cuanto no contradiga lo dispuesto en el Reglamento (CE) n° 2157/2001. Y que el artículo 40 de la misma expresamente recoge que el órgano de control controlará la gestión encomendada al órgano de dirección pero no podrá ejercer por sí mismo el poder de gestión de la SE.

*aun cuando se desprenda de los estatutos inscritos en el Registro Mercantil que el acto no está comprendido en el objeto social*[26].» Por lo tanto, cuando la decisión ha sido tomada en un asunto de gestión, pero este se realiza sin respetar las instrucciones dadas o la necesaria autorización avocada, la representación del administrador por ante terceros no estaría afectada, de tal forma que el tercero estaría protegido por esa representación, conozca o no esas limitaciones[27].

Se trata además de gestión de la sociedad y no de supuestos de gestión de órganos de la sociedad y por tanto en referencia al objeto social y no a la conformación de la misma. Piénsese por ejemplo en la posibilidad de realizar este tipo de instrucciones o de fijar contenidos posibles en el funcionamiento previsto en el Reglamento del Consejo de Administración; no se trataría de gestión social sino de gestión del órgano.

La norma se refiere a impartir instrucciones en asuntos de gestión, lo que nos lleva a analizar si las mismas son o pueden ser individuales (para un asunto concreto) o deben ser necesariamente genéricas. Conforme a la letra a) del artículo 160 LSC corresponde a la Junta General la aprobación de la gestión social; gestión precisamente en la que ha impartido instrucciones o a avocado para sí autorizaciones necesarias. Por otro lado, el artículo 161 LSC permite que esa posibilidad sea excluida —con carácter general y genérico— en los Estatutos. Es evidente entonces que las instrucciones a las que se refiere el precepto pueden ser generales. El problema no es entonces lo genérico sino lo individual. Es decir ¿puede la Junta general impartir instrucciones a seguir en un asunto particular y concreto? En principio quien puede lo más puede lo menos pero el tema no es ya solo una suerte de instrucciones sino una gestión misma del concreto asunto o negocio. Si se permite este tipo de instrucciones particulares lo que haría la Junta es avocar para sí la competencia misma de gestión convirtiéndose por tanto en management de la sociedad. Cuando la norma ha querido específicamente atribuir a la Junta una competencia de este calado lo ha recogido así; por ejemplo lo previsto en el artículo 173 LSC: «*Los estatutos podrán establecer mecanismos adicionales de publicidad a los previstos en la ley e*

---

[26]     Es importante esta referencia, como veremos, en la redacción del artículo 161 LSC al establecer que todo ello es sin perjuicio de lo previsto en el artículo 234 LSC.

[27]     Sobre esto, que trataremos posteriormente, existe conflicto doctrinal. No obstante ya avanzamos que la RDGRN de 11 de junio de 2015 recoge al efecto una interpretación sobre la misma en donde distingue el efecto del artículo 161 y las competencias atribuidas a la junta en los artículos 160 y 511 bis.

*imponer a la sociedad la gestión telemática de un sistema de alerta a los socios de los anuncios de convocatoria insertados en la web de la sociedad.*» No se trata de una avocación de competencia sino del dictado de líneas esenciales de gestión dirigida a quien tiene esa competencia y por lo tanto no particularizada en esas instrucciones sino generalizada en la naturaleza de las competencias de gestión de los administradores. Y es evidente que esas instrucciones tienen como límite el cumplimiento de los deberes que expresamente recogen las normas legales al respecto más allá de su incumplimiento (que ninguna duda cabe) sino de su cumplimiento; así por ejemplo el informe de gestión del artículo 262 LSC o la gestión de riesgos empresariales del artículo 529 quaterdecies.

Diferente es el tratamiento que se refiere al hecho de someter a su autorización la adopción por dicho órgano de decisiones o acuerdos sobre determinados asuntos de gestión. En este caso si que se individualiza, lo que nos lleva a diferenciar por tanto esas instrucciones respecto de esta posibilidad. Se trata entonces no de observaciones particulares o reglas singulares a seguir sino de autorizar por la junta (condicionalmente, por tanto) esas operaciones concretas. Y entendemos que esas operaciones concretas deben partir de su existencia o su planteamiento también individualizadamente consideradas de tal forma que una instrucción que estableciere generalidades sobre determinadas operaciones en abstracto atribuiría una competencia a la junta, en general, que no estaría cubierto por la norma, por tratarse de competencias exclusivas del órgano de administración y en donde la junta podrá participar limitadamente conforme a dicho precepto.

La exposición de motivos de la reforma 31/2014 ya recogía a tal efecto que con ello se pretende con carácter general reforzar el papel de los accionistas y abrir cauces para fomentar la participación accionarial. A estos efectos —señala— «*...se extiende expresamente la posibilidad de la junta de impartir instrucciones en materias de gestión a todas las sociedades de capital, manteniendo en todo caso la previsión de que los estatutos puedan limitarla. Asimismo, se amplían las competencias de la junta general en las sociedades para reservar a su aprobación aquellas operaciones societarias que por su relevancia tienen efectos similares a las modificaciones estructurales.*» De esta forma se distingue entre lo que son competencias propias de la Junta, por un lado, y aquellos supuestos que pretenden —tienen como fin y objetivo— activar la participación accionarial pero no la atribución específica de competencias. Este, por tanto, sería el límite entre lo previsto en el artículo 161 LSC y las competencias atribuidas al órgano de administración y a la junta general.

## IV. COMPETENCIA DE LA JUNTA GENERAL EN SUPUESTOS DE ACTIVOS ESENCIALES

### 1. Sujetos afectados

Una de las primeras polémicas que se han suscitado al respecto de las operaciones previstas en el artículo 160 f) LSC es la referida a los sujetos que pueden estar afectados por dicha norma. Y lo es esencialmente porque el legislador ha utilizado expresiones generalizadas como «adquisición, enajenación o aportación a otra sociedad» por un lado, y por otro no ha identificado, en los diferentes supuestos qué sociedad (adquirente, transmitente o ambas) han de adoptar dicha decisión por su junta general.

Quien adquiere, enajena o aporta un activo esencial debe hacerlo tras la deliberación y acuerdo por su Junta General. La adquisición, enajenación o aportación es la naturaleza del negocio en sí mismo y por tanto afectará tanto al que transmite como al que adquiere y al que aporta o es receptor de dicha aportación. También a estos efectos la responsabilidad que pudiera venir respecto de la nulidad del negocio por no tener ese acuerdo respecto de la transmisión aportación o adquisición sitúa a las partes del negocio en la necesidad de exigir que se haga constar la misma o la no necesidad de esta[28].

En las referidas sentencias alemana (Holzmüller) o del Tribunal Supremo (ST 689/2008, de 17 de abril del 2008), la referencia ha sido siempre a la venta y no a la adquisición. El modelo es tomado quizás[29] del *Model Business Corporation Act de 1986*[30] (MBA) en USA pero con ampliación de supuestos[31]. En este se recoge (Charpter 12.2) lo siguiente:

«*A sale, lease, exchange, or other disposition of assets, other than a disposition described in section 12.01, requires approval of the corporation's shareholders if the disposition would leave the corporation without a significant continuing business ac-*

---

[28]   Aunque la veremos posteriormente la Dirección General de Registros ya se ha venido pronunciando sobre algunos aspectos en sus Resoluciones de 2015 y 2016.

[29]   En el mismo sentido ORBIS B, «Aplicación práctica del artículo 160 f) de la Ley de Sociedades de Capital: criterio de la DGRN sobre la acreditación de la no esencialidad de los activos». *Diario La Ley. 3168/2016*, págs. 3 y 4.

[30]   http://www.unc.edu/~jfcoyle/MBCA/chapter12.htm (Chapter 12).

[31]   Para un análisis comparado de sistemas vid FERNÁNDEZ DEL POZO L, «*Aproximación a la categoría de "operaciones sobre activos esenciales", cuya decisión es competencia exclusiva de la Junta [arts. 160 f) y 511 bis LSC]*». LA LEY mercantil, Nº 11, Sección Sociedades, febrero 2015, Editorial LA LEY.

*tivity. If a corporation retains a business activity that represented at least 25 percent of total assets at the end of the most recently completed fiscal year, and 25 percent of either income from continuing operations before taxes or revenues from continuing operations for that fiscal year, in each case of the corporation and its subsidiaries on a consolidated basis, the corporation will conclusively be deemed to have retained a significant continuing business activity.»* Las operaciones que se describen en el 12.1 son:

(1) to sell, lease, exchange, or otherwise dispose of any or all of the corporation's assets in the usual and regular course of business;

(2) to mortgage, pledge, dedicate to the repayment of indebtedness (whether with or without recourse), or otherwise encumber any or all of the corporation's assets, whether or not in the usual and regular course of business;

(3) to transfer any or all of the corporation's assets to one or more corporations or other entities all of the shares or interests of which are owned by the corporation; or

(4) to distribute assets pro rata to the holders of one or more classes or series of the corporation's shares.

La posición por tanto parte de una aprobación de quien transmite o aporta y no de quien adquiere. Y ello porque la filosofía de dicha limitación o intervención parte (siguiendo la justificación dada[32] en interpretación de la normativa corporativa de Delaware)[33] de propuestas de protección para cambios fundamentales, destrucción o afectaciones sustanciales que priven de sentido a la razón de inversión inicial o a la sociedad y su objeto social[34]. Quien adquiere un activo que se convierte en esencial al objeto social que desarrolla o que permite un desarrollo diferente puede justificar también esta participación accionarial en la medida en que también se producen esos cambios. Sin embargo, la diferencia es, en relación a

---

[32]   Moore A, «The sale of all or substantially all corporate assets under section 271 of the Delaware Code» Delaware Corporate Law. 1976 Vol. 1. Pág. 55 (http://www. djcl.org/wp-content/uploads/2014/07/THE-SALE-OF-ALL-OR-SUBSTANTIA-LLY-ALL-CORPORATE-ASSETS-UNDER-SECTION-271-OF-THE-DELAWARE-CODEpdf.pdf).

[33]   General Corporation Law of the State of Delaware. 1916. DEL. C. § 271,

[34]   «The purpose of the consent statute is to protect the share-holders from fundamental change, or more specifically to protect the shareholder from the destruction of the means to accomplish the purposes or objects for which the corporation was incorporated and actually performs». A. FLETCHER, *Cyclopedia Corporations* & 2949.2, at 648 (perm. Ed. 1968 rev.).

la gestión, el mantenimiento o no de la actividad que se afectará en la que transmite, pero no en la que adquiere, aunque indirectamente puedan verse afectados derechos como el dividendo o incluso un posterior proceso de afectación en su actividad por ejemplo en su solvencia.

En relación al término aportación la cuestión se centra en la distinción entre aportaciones a sociedades controladas o parte del holding o sociedades externas por otro lado; y a la necesidad de considerar —como hemos tratado más arriba— si ello se limita en general a todas las sociedades o solo a las cotizadas. En cualquier caso —y sin perjuicio de su análisis en el objeto del negocio— en lo que se refiere al sujeto tiene notoria importancia puesto que hablamos entonces de sociedades que aportan y sociedades que reciben. Y en relación a estas últimas de sociedades vinculadas o sociedades no vinculadas o externas. De cual sea el ámbito objetivo dependerá la delimitación del sujeto y a ello nos remitimos.

La reunión de notarios-registradores realizada en 16 de marzo de 2015[35] en Granada trataron los diferentes aspectos de la nueva norma. En relación a los sujetos determinaron que «*...cabe plantearse la posibilidad de que solamente se aplique la nueva distribución de competencias en operaciones intrasocietarias. Los asistentes entienden que, en todo caso en que una sociedad intervenga, aún cuando se trate de operaciones realizadas con particulares, habrá de contemplarse la regulación del art. 160.1,f), dada su finalidad tuitiva del patrimonio y de su integridad, que de igual forma puede verse mermado en operaciones realizadas por los administradores con terceros particulares*».

Sobre si dichas competencias son atribuidas también en supuestos de liquidación societaria (sociedad en liquidación) y por tanto la necesidad de su aprobación, no parece que sea acorde con lo previsto para ello en el artículo 384 LSC en relación al 379 del mismo cuerpo legal, pues el control ya se realizará, entre otros, en los términos previstos en el artículo 381, 388 y 390 LSC y en cualquier caso es obligación de los mismos (art. 387 LSC) enajenar los bienes sociales para cumplir con su función. La mayor problemática puede surgir con este tipo de operaciones y una posible reactivación posterior de la sociedad (art. 370 LSC) aunque en este caso cierta protección de los socios está cubierto con la posibilidad de separación[36].

---

[35]   REUNIÓN NOTARIOS-REGISTRADORES DE 16 DE MARZO 2015. En el Colegio notarial de Andalucía, sede en Granada.http://registradoresandaluciaoriental.es/seminario-notarios-registradores/#1-analisis-del-art-1601-f-lsc.

[36]   Así lo ha venido a señalar también mientras se publica la presente obra, la Resolución de 29 de noviembre de 2017, de la Dirección General de los Registros y

## 2. Objeto y presunciones

### 2.1. Activo, actividad y operaciones. Conceptos jurídicos indeterminados

El concepto de activo esencial (160 F LSC) no va vinculado sintáctica-mente a nada. La expresión que utiliza el legislador es «La adquisición, la enajenación o la aportación a otra sociedad de activos esenciales». Si enten-demos que se trata de activos esenciales para la sociedad, nos encontramos con un atributo (activo esencial para la sociedad) en donde nos aparece un complemento circunstancial de finalidad (para la sociedad). Pero que sea activo esencial para la sociedad es una cosa y que sea para la actividad que viene desarrollando la sociedad (en conexión con lo que posteriormente analizaremos para la sociedad cotizada) sería otra por cuanto podríamos distinguir entre activos operativos o no vinculados a esa actividad. Si toma-mos en consideración lo previsto en competencias adicionales para socie-dades cotizadas dichos activos son entonces activos operativos vinculados a la actividad social y por lo tanto se excluirían todos los que no lo fueran.

Para los supuestos de sociedades cotizadas la referencia es «*actividades esenciales desarrolladas hasta ese momento por la propia sociedad*»[37] por un lado y a «operaciones» por otro; por lo tanto, requiere que se trate de actividades que:

a) Sean esenciales para el desarrollo de la sociedad y por lo tanto den-tro de su objeto social. No obstante, esto plantea el problema de cualquier actividad esencial para la supervivencia de la sociedad que se estuviere realizando al margen del objeto social de la misma y si

---

del Notariado (BOE de 20 de diciembre de 2017). En concreto afirma: *«Como se ha expuesto anteriormente, el artículo 160.f) somete a la competencia de la junta general los actos de enajenación de activos esenciales porque pueden tener efectos similares a las modificaciones estructurales o equivalentes al de la liquidación de la sociedad o, porque se considera que excede de la administración ordinaria de la sociedad. Por ello, tal cautela ca-rece de justificación en caso de enajenaciones que no son sino actos de realización del nuevo objeto social liquidatorio. Es la norma legal la que, con la apertura de la liquidación, no sólo faculta sino que impone al órgano de administración la enajenación de los bienes para pagar a los acreedores y repartir el activo social entre los socios (vid. el artículo 387 de la Ley de Sociedades de Capital, sin que constituya óbice alguno a esta conclusión lo dispuesto en el artículo 393 de la misma ley)».*

[37]   Las referencias se sitúan en las letras a) y b) del artículo 511 bis LSC. En el pri-mero se refiere a actividades esenciales mientras que en el segundo se refieren a operaciones. Finalmente veremos como la presunción allí establecida parece acoger la distinción.

la limitación abarca dicha extensión. La norma en realidad no lo vincula a su objeto social sino a la sociedad y lo hace considerando, como hemos visto, el interés de los accionistas a quienes se pretende movilizar en este tipo de supuestos y proteger en sus intereses. En realidad, la vinculación, en la presunción posterior, es comparativa con los activos y por lo tanto en referencia a actividades que venga realizando la sociedad. Sobre si esa referencia a actividad lo es también y necesariamente a unidad productiva parte de distinguir dos supuestos: por un lado, unidad productiva como actividad que no suponga la paralización de la sociedad porque la misma pueda sobrevivir con otro tipo de actividades. Si afecta a la única actividad que realiza la sociedad más bien se incluiría en el supuesto previsto como operaciones cuyo efecto sea equivalente al de la liquidación de la sociedad, pues, aunque se mantengan activos importantes en el seno de la sociedad es evidente que con ello se produce una paralización de la actividad y por ello la avocación a la liquidación.

b) Desarrolladas hasta ese momento. Ello nos lleva a considerar si ese desarrollo parte de una continuidad en el tiempo hasta el mismo momento de la operación o si también resultan afectados supuestos de actividades que ya hayan sido paralizadas con anterioridad (evidentemente no inmediatamente anterior) a la misma. La forma en la que está construida la frase nos lleva a considerar que se trata de actividades que se mantienen y de las que depende la sociedad. La presunción posterior lo aclara puesto que habla de activos operativos y por lo tanto vinculados al desarrollo del objeto social de la actividad en los términos que hemos expuesto en el primer apartado.

En el apartado b) se referirá a operaciones sin distinción y con una concepción finalista: operaciones que supongan de facto la liquidación de la sociedad. Por tanto y como veremos en el apartado correspondiente de supuestos que realmente son una liquidación de la sociedad, tanto se referirá a los activos como a los pasivos que no sean actividad ordinaria. De entenderlo así tendremos igualmente que hacer una matización a la presunción recogida al final del precepto.

Diferente a todo ello sería el concepto del que parten las respectivas presunciones puesto que lo que hace la norma —como concepto jurídico indeterminado— es presumir el carácter esencial del activo y el carácter esencial de las actividades y de los activos operativos, cuando superen un determinado porcentaje (25%) desde su comparación con el balance. Por tanto, habla de «carácter esencial» como concepto jurídico indeterminado que necesariamente hemos de vincular a los supuestos que hemos analizado anteriormente. La referida normativa de Delaware recoge una referencia más concreta: «*all or substantially all of its property and assets, including its good will.*» La Model Business Corporation Act 1986 recoge igualmente referencias concretas pero solo a activos. Los artículos 190 y 191 de la Companies Act 1986 UK[38] se refieren a ello aunque siempre en relación a los deberes de las posibles operaciones que la sociedad pudiera hacer con su órgano de administración o personas vinculadas con ellas o con otras personas del grupo. En lo que a este apartado se refiere siempre a activos del no circulante (*non-cash assets*) y por referencia al valor de dicho activo conforme al balance o a la parte del capital que representen en su defecto. Por tanto su valoración parte de que exceda del 10% del valor de los activos de la empresa siempre que superen los 5.000 dólares o siempre que excedan de 100.000 dólares[39]. Será en el régimen de las cotizadas donde se recoja una batería[40] de test identificativos de la proporcionalidad de la operación y la superación del 25% si bien ponderado.

Por tanto, será esencial al margen de su vinculación o no con la actividad o el objeto social en función de su valor. Este es el criterio también que siguió —considerando inocuo dicho objeto social pactado inicial y otro posterior realizado— la STS 102/2011 de 10 de marzo de 2011 que posteriormente volveremos a tratar.

## 2.2. Actividades ordinarias de la sociedad

Sobre la extensión de los términos adquisición y enajenación (Transfer or transmition) también la polémica parte de considerar este tipo de operaciones. La normativa inglesa, como hemos visto, solo se refiere a los activos del inmovilizado excluyendo los cash-assets por tratarse de operaciones propias del negocio. En la normativa USA las operaciones se refieren a la no necesidad de aprobación —salvo que lo exijan los estatutos— en supuestos del curso de operaciones ordinarias, transmisión de acciones o para supuestos de distribución entre los propietarios. De hecho, incluso en operaciones no ordinarias se excluyen de esta autorización supuestos de gravamen, garantías o para el pago de endeudamiento.

---

[38] http://www.legislation.gov.uk/ukpga/2006/46/pdfs/ukpga_20060046_en.pdf.

[39] An asset is a substantial asset in relation to a company if its value: (a) exceeds 10% of the company's asset value and is more than £5,000, or (b) exceeds £100,000.

[40] FCA Listing Rules (Ch. 10). Se refiere entonces a «*significant transactions*» con ponderación al 25%.

Como señala algún autor, «*[l]particularidad de esta norma es que las operaciones que deben ser acordadas por la junta no tienen carácter corporativo, sino negocial, por lo que, en principio, la competencia correspondería a los administradores que son los representantes y los que "negocian" por cuenta y en nombre de la sociedad. En consecuencia, la atribución de competencias a la Junta sobre "negocios" de la sociedad plantea muchos problemas*»[41]

La Dirección General de los Registros y del Notariado («DGRN») dictó resolución de fecha de 11 de junio de 2015[42] en la que recoge que el artículo 160 f se puede reconducir a determinadas operaciones: «*La finalidad de la disposición del artículo 160.f), como se desprende de la ubicación sistemática de la misma (en el mismo artículo 160, entre los supuestos de modificación estatutaria y los de modificaciones estructurales), lleva a incluir en el supuesto normativo los casos de "filialización" y ejercicio indirecto del objeto social, las operaciones que conduzcan a la disolución y liquidación de la sociedad, y las que de hecho equivalgan a una modificación sustancial del objeto social o sustitución del mismo. Pero debe tenerse en cuenta, que dada la amplitud de los términos literales empleados en el precepto ("la adquisición, la enajenación o la aportación a otra sociedad de activos esenciales"), surge la duda razonable sobre si se incluyen o no otros casos que, sin tener las consecuencias de los ya señalados, se someten también a la competencia de la junta general por considerarse que exceden de la administración ordinaria de la sociedad.*»

Parece ser entonces que al margen de las presunciones el derecho extranjero y la interpretación dada por la DGRN nos llevan siempre a supuestos de operaciones no ordinarias de la sociedad para considerar la venta de activos esenciales. Pero a partir de ahí la propia DGRN señala que «*[d]ado que el carácter esencial del activo constituye un concepto jurídico indeterminado, deben descartarse interpretaciones de la norma incompatibles no sólo con su "ratio legis" sino con la imprescindible agilidad del tráfico jurídico. Así, una interpretación de ese tipo es la que exigiera un pronunciamiento expreso de la junta general en todo caso, por entender que cualquiera que sea el importe de la operación puede que se trate de un activo esencial. Y, por las mismas razones, tampoco puede estimarse exigible esa intervención de la junta en casos en que sea aplicable la presunción legal derivada del importe de dicha operación. De seguirse*

---

[41]     ALFARO. Blog Almacén del Derecho. El nuevo artículo 160 f) LSC. 13 de febrero de 2015.
[42]     Resolución de 11 de junio de 2015, de la Dirección General de los Registros y del Notariado, en el recurso interpuesto contra la negativa de la registradora de la propiedad de Alcantarilla a inscribir una escritura de dación en pago de deudas. BOE de 10 de agosto de 2015. https://www.boe.es/boe/dias/2015/08/10/pdfs/BOE-A-2015-8957.pdf.

*esas interpretaciones se estaría sustituyendo el órgano de gestión y representación de la sociedad por la junta general, con las implicaciones que ello tendría en el tráfico jurídico».* Tiene su razón de ser si lo relacionamos con la prohibición prevista en el artículo 72 LSC en donde se establecen limitaciones a adquisiciones onerosas tras la constitución de la sociedad y en protección de la misma durante dos años. En el mismo se señala que las adquisiciones de bienes a título oneroso realizadas por una sociedad anónima desde el otorgamiento de la escritura de constitución o de transformación en este tipo social y hasta dos años de su inscripción en el Registro Mercantil habrán de ser aprobadas por la junta general de accionistas si el importe de aquéllas fuese, al menos, de la décima parte del capital social[43]. Matiza entonces que dicho régimen no será de aplicación a las adquisiciones comprendidas en las operaciones ordinarias de la sociedad ni a las que se verifiquen en mercado secundario oficial o en subasta pública[44]. Al margen del objetivo de la norma que más bien sitúa el mismo en la necesidad de transparencia e información al socio, lo cierto es que excluye operaciones ordinarias, entre otras, permitiendo con ello una interpretación coherente al sistema que impida el desarrollo de la actividad.

## 2.3. Filialización o ejercicio indirecto del objeto social

Uno de los supuestos que se recogen en el Código Unificado de 2013 como ejemplo de aquello que se pretende evitar es el supuesto de transformación de sociedades (en el caso cotizadas) mediante la «Filialización» o incorporación a entidades dependientes de actividades esenciales desarrolladas hasta ese momento por la propia sociedad, incluso aunque ésta mantenga el pleno dominio de aquellas. Esto fue llevado a la propuesta elaborada por la Comisión formada para la reforma del Gobierno Corporativo y finalmente recogido así en el apartado a) del artículo 511 bis LSC: *«La incorporación a entidades dependientes de actividades esenciales desarrolladas hasta ese momento por la propia sociedad, aunque esta mantenga el pleno dominio de aquellas».* Fue omitida, no obstante, la parte que se refiere a que la finalidad perseguida era evitar la «transformación de dichas sociedades» mediante este tipo de prácticas que se refieren a la creación de filiales para

---

[43]   Con la convocatoria de la junta deberá ponerse a disposición de los accionistas un informe elaborado por los administradores que justifique la adquisición, así como el exigido en este capítulo para la valoración de las aportaciones no dinerarias.

[44]   Quizás la gran diferencia esté en que la finalidad de la norma es la protección del patrimonio de la sociedad en el necesario equilibrio entre este y el capital social.

ello o por incorporación a las que ya tengan y sean dependientes. Si tomamos literalmente la norma resultaría que la misma es:

1º. Un supuesto adicional al previsto en el artículo 160 LSC y por lo tanto debiera entenderse no incluido en este último. Si ello es así resultaría que este tipo de operaciones si estarían permitidas para sociedades no cotizadas. Entendido de esta forma el artículo 160 f) LSC solo se referiría a aportaciones de activos esenciales a sociedades externas (a otra sociedad) y no a las dependientes ni tampoco a los supuestos derivados de modificaciones estructurales. Y ello con la matización de que el apartado g) de dicho precepto ya se refiere a los supuestos de modificaciones estructurales ordinarias (por llamarlas así).

2º. Que se refiere solo a la incorporación de actividades esenciales y no a activos esenciales. El régimen de activos esenciales se regiría por lo dispuesto en el artículo 160 f) LSC.

3º. Que lo es solo respecto de incorporación de actividades desarrolladas hasta ese momento por la sociedad y no de unidades que hayan dejado de funcionar legalmente a tal respecto, aunque constituyan actividades o unidades de la sociedad.

4º. Que se refiere a incorporación a entidades dependientes y no a los supuestos en los que se producen segregaciones o escisiones que se regirán por su propia normativa, es decir por la ley de modificaciones estructurales.

Esa debida prudencia que hemos referido y a la que se refería el Código Unificado respecto de la estrategia de la compañía y el ejemplo que igualmente se daba para los supuestos de continuidad en la actividad a través de la subcontratación respecto de la misma, aunque lo haya venido haciendo la sociedad directamente hasta ese momento, nos daría una pauta para poder mantener la literalidad y limitación de la interpretación del precepto conforme hemos señalado.

Si tomamos, por ejemplo, la STS de 17 de abril de 2008, el resultado de dichas operaciones no fue la continuidad de la actividad sino el vaciamiento patrimonial como objetivo; y con ello lo que se afecta es el objeto social y por tanto la transformación que como espíritu debe reinar en la valoración de este tipo de operaciones para entender que entra o no dentro de la necesidad de autorización que ahora determinamos. La Sentencia Holzmüller incidiría más en los derechos de participación de los socios y en sus intereses patrimoniales. Y el criterio de afectación y transformación (o sustitución) de la sociedad mediante la afectación de su objeto es el considerado por la STS de 10 de marzo de 2011.

La dirección general de registros[45] lo define de forma más amplia sin ninguna distinción y atendiendo a la finalidad de la norma pero referido al artículo 160 f) de la ley: «*La finalidad de la disposición del artículo 160.f), como se desprende de la ubicación sistemática de la misma (en el mismo artículo 160, entre los supuestos de modificación estatutaria y los de modificaciones estructurales), lleva a incluir en el supuesto normativo los casos de "filialización" y ejercicio indirecto del objeto social.*» Y por tanto incluye dentro de los supuestos de filialización la genérica del artículo 160 f LSC que se refiere a activos esenciales y en su concepto a unidades productivas y actividades sin distinción.

La explicación que al efecto da la Comisión creada para dicha reforma confirma nuestra opinión: «*Entre las competencias de la junta de accionistas, el artículo 160 de la LSC incluye en su letra f) (hoy g) distintas modificaciones estructurales reguladas por la Ley 3/2009, de 3 de abril, sobre modificaciones estructurales de las sociedades mercantiles (en adelante, la LME). Sin embargo, como señala el Código Unificado*[46]*, existen operaciones societarias con efectos similares, que, al no estar específicamente reservadas a la junta por la legislación aplicable, pueden ser válidamente adoptadas por el Consejo de Administración. La naturaleza de estas operaciones y su particular relevancia en las sociedades cotizadas aconseja que su aprobación deba ser, al menos en este tipo de sociedades, adoptada por la junta general. En este sentido fue redactada la recomendación 3.ª del Código Unificado.*» Como vemos la referencia es a «este tipo de sociedades» y por tanto incluyendo la limitación solo en las cotizadas.

---

[45]  Por todas Resolución de 10 de julio de 2015, de la Dirección General de los Registros y del Notariado, en el recurso interpuesto contra la negativa del registrador mercantil y de bienes muebles II de Málaga a inscribir una escritura de constitución de una sociedad de responsabilidad limitada.

[46]  El Código unificado se refiere a ello de la siguiente forma: «*Así ocurre, por ejemplo, cuando una sociedad acuerda "filializar" sus activos y convertirse en mera sociedad holding, lo que en la práctica puede privar a su Junta General de la facultad de decidir sobre la política de capital o la política de reparto de beneficios y transferir dichas competencias al Consejo. Por ello, el Código estima que en estos casos y, en general, en todas las modificaciones estructurales de la sociedad, la decisión ha de corresponder a la Junta General de accionistas. Naturalmente, este principio ha de administrarse con la debida prudencia, sin extender de forma exagerada las competencias de la Junta, ni mermar las facultades naturales del Consejo para definir y poner en práctica la estrategia de la compañía. Así, por ejemplo, resultaría inapropiado someter a la decisión de la Junta la aprobación de operaciones de venta de inmuebles con reserva de arrendamiento (sale and lease-back), e incluso la venta de instalaciones de su propiedad cuando la sociedad opte por sub-contratar externamente una actividad que hasta entonces desarrollaba directamente.*»

Desde esta perspectiva tendríamos que distinguir los supuestos de sociedades cotizadas de las que no lo son, por un lado, y la naturaleza de la operación en relación a la actividad (esencial sin duda) de la sociedad. Si el origen de todo ello parte del Código Unificado y este, por ejemplo, salva supuestos como transmisión de instalaciones para externalizar los servicios (continuando la actividad) o los supuestos de lease-back (continuando la actividad también), la literalidad de la norma se suaviza en relación a una posición o interpretación finalista de la operación en relación al objeto social.

### 2.4. Operaciones que equivalen a disolución o liquidación

De igual forma esta matización aparece en el artículo 511 bis pero no en la regla general del artículo 160 f) LSC. Complementando ambas resultaría que en la regla general se exige la aprobación de la Junta en los supuestos de adquisición, enajenación o aportación a otra sociedad[47] de activos esenciales y sea cual sea el resultado la cuestión se centra en el concepto de «activos esenciales». No obstante, la matización del 511 bis es que —adicionalmente— para las sociedades cotizadas se exige además para supuestos en los que esa operación nos lleve a un resultado equivalente al de la liquidación de la sociedad. Y hemos visto en el anterior apartado que el régimen se justifica por la Comisión de Expertos en la distinción entre operaciones de sociedades cotizadas de aquellas que no lo son.

La estructura de la norma no nos lleva a supuestos de disolución como impedimento sino a supuestos de liquidación de facto de la sociedad. De otra forma dicho no se justifica la intervención de la Junta por la entrada en causa de disolución (art. 360 LSC) que podrá ser salvada mediante el acuerdo correspondiente, sino porque la operación supone una operación de liquidación de facto.

Es la operación la que determina ser o no un acto de liquidación de facto acordado sin los requisitos previstos para ello en la norma para ello; y eso al margen de la presunción que se establece[48]. El efecto al que se refie-

---

[47]    Ya hemos referido la distinción entre sociedades pertenecientes al mismo grupo y otras y las posibilidades interpretativas que se nos abren con las matizaciones adicionales del artículo 511 bis LSC cuando se refiere a sociedades de su mismo grupo.

[48]    Así por ejemplo diferentes operaciones de cuantificación inferior al 25% que se vayan realizando de forma continua a lo largo del tiempo pueden suponer una liquidación de facto de la sociedad.

re la norma es un término esencial porque de él resulta la necesidad o no de intervención de la Junta cuando estos se producen en unidad de acto o de forma continua. Así el efecto se mostrará en la segunda o la tercera operación que realice la sociedad y podrá afectar igualmente al conjunto de operaciones anteriores[49].

No obstante, lo anterior la prueba de entrada en liquidación de facto tanto nos podrá venir dada por la situación de entrada en causa de disolución sin salvar la situación como por la operación misma (concreta o continua y a partir de la constancia del efecto); y lo será igualmente tanto en supuestos de operaciones sobre activos como en operaciones de pasivo.

Es por ello que hemos diferenciado supuestos de actos, actividades y operaciones anteriormente y que la norma se refiere, en este supuesto, a estas últimas. En definitiva, si la operación consiste en el pago de un crédito de tal forma que el efecto pudiera ser la pérdida de cash suficiente para la continuación de la sociedad y por tanto —concepto finalista— que la sociedad irá necesariamente a su desaparición porque con ello entra en una situación de disolución que no ha sido salvada, nos podríamos encontrar igualmente con una operación limitada al acuerdo de la Junta que, curiosamente, consiste en el pago de un crédito. Tendríamos entonces que ver si nos encontramos con un supuesto de actividad ordinaria o no de la sociedad para salvar esa necesidad de aprobación de la junta (lo que normalmente será como régimen de gestión del órgano de administración), pues en definitiva es un activo (el dinero o la cesión de un crédito) el que consideraríamos esencial.

## 2.5. Operaciones que equivalen a modificaciones esenciales del objeto social o sustitución del mismo

El apartado c) del artículo 160 LSC ya recoge como competencia de la junta la de modificación de los estatutos sociales. De lo que se trata es de considerar otras operaciones societarias que producen efectos similares pero que puedan ser adoptadas por el Consejo de Administración, con el mismo efecto, por no existir una atribución legal específica y formal de competencia a favor de la Junta General. En líneas generales esta matización se realiza tanto por el Código Unificado como por el informe de la

---

[49]   Será trascendental entonces considerar dicho apartado en relación a operaciones diferentes realizadas en el tiempo en relación al periodo de prescripción de las impugnaciones que pudieran a tal efecto plantearse.

Comisión de Expertos y la DRGN incluyéndolas en los supuestos de atribución de competencias a la junta tras la reforma 31/2014. Se trata de supuestos de «ejercicio indirecto del objeto social» y «modificación sustancial del objeto social o sustitución del mismo».

La Resolución de la DGRN de 2 de febrero de 1966, vino a recoger que debemos distinguir entre el objeto social —diferente de ese fin genérico o social que es la obtención de lucro o ganancia, o las meras ventajas desde la perspectiva del concreto objeto social—, y los actos aislados que aunque se otorguen con carácter de liberalidad pueden admitirse *«bien porque —como sucede con los regalos propagandísticos— beneficien indirectamente a la Sociedad, y podrán entrar dentro del concepto de gasto ordinario o extraordinario de la Empresa social a que hace referencia el art. 105 de la Ley de Sociedades Anónimas, bien porque se hagan con cargo a beneficios o reservas libres o porque se pretenda remunerar en cuantía no exorbitante ciertos servicios prestados por un antiguo empleado no exigibles legalmente —contemplados en el art. 619 del CC—…, bien porque en casos excepcionales y aun para cuestaciones o contribuciones regulares y por razones impuestas por un comportamiento de solidaridad social u otras igualmente atendibles deba admitirse, incluso en esferas alejadas de la Empresa, la donación pura y simple, como ya ha reconocido la jurisprudencia de algún país europeo».* Fue el Tribunal Supremo el que en la Sentencia de 29 de julio de 2010, manifestaba que *«nuestro sistema parte de la plena capacidad jurídica y de obrar de las sociedades mercantiles que, en consecuencia, sin perjuicio de las eventuales responsabilidades en las que puedan incurrir sus gestores, pueden desplegar lícitamente tanto actividades "estatutarias" (dentro del objeto social), como "neutras" (que no suponen el desarrollo inmediato del objeto fijado en los estatutos) y "extraestatutarias", incluso cuando son claramente extravagantes y ajenas al objeto social. (…) Esta capacidad en modo alguno queda mermada por las previsiones contenidas en el artículo 129 de la Ley de Sociedades Anónimas de 1989 —hoy 234 de la Ley de Sociedades de Capital—, que atribuye a los administradores societarios el poder inderogable de vincular a la sociedad con terceros, con independencia de que su actuación se desarrolle dentro de la actividad fijada como objeto estatutario inscrito en el Registro Mercantil o fuera de ella, sin perjuicio de que la transgresión del objeto estatutario pueda ser oponible frente a quienes no hayan obrado de buena fe y sin culpa grave».* De lo que se trata ahora entonces es de delimitar si esa afectación del objeto social (válida en derecho) quedará a estos efectos protegida por la norma (y por tanto necesitada de autorización de la Junta) cuando nos encontremos ante la diferente casuística.

La cuestión no es tanto en la posibilidad de la realización de esas operaciones, por tanto, sino en si las mismas suponen una modificación o sustitución del objeto social. De otra forma dicho si sustituyen completa o parcialmente el objeto social. Y en relación a ello no tanto que se trate de modificaciones estatutarias referidas al objeto social (que de por sí ya están en el ámbito de la norma) sino de la realidad confrontada con el objeto social que se fija en los estatutos. De esta forma una operación extra-estatutaria (actividad extraordinaria) no será posible sin dicha aprobación, si cualitativa o cuantitativamente supone una afectación, en los términos dichos, del objeto social[50].

El Tribunal Supremo afirmó en la ST 102/2011, de 10 de marzo[51] *«que la toma de participaciones en otras sociedades no comporta necesariamente actuación fuera del objeto ya que, deben atenderse las circunstancias del caso y, como afirma la resolución de la Dirección General de Registros y del Notariado de 16 de marzo de 1990 "Crear filiales o tomar participación en otras Sociedades que tengan el mismo objeto social constituye, cuando así se ha previsto específicamente, una modalidad indiscutible de ejercicio del objeto", (…)»*. Parte para ello de la previsión estatutaria y así[52]:

1) Si está prevista constituye un acto de ejecución del objeto social es decir simples actos de ejecución de la actividad. La STS de 9 mayo 1986 afirma que la inversión en una compañía *«que pertenece prácticamente a la demandada en su totalidad y que, según la documentación aportada tiene por objeto el comercio y distribución, entre otros, de productos alimenticios, cuales los de la ahora participada no modifica o altera el objeto social, sino que contribuye al objeto social»*; De forma diferente el artículo 2361 del Código Civil italiano, dispone que *«L'assunzione di partecipazioni in altre imprese, anche se prevista genericamente nell'atto costitutivo, non è consentita, se per la misura e per l'oggetto della partecipazione ne risulta sostanzialmente modificato l'oggetto sociale determinato dall'atto costitutivo»* (No está permitida la compra de participaciones en otras empresas, aunque esté prevista de forma genérica en el acto constitutivo, si por el volumen y el objeto se modifica sustancialmente el objeto social especificado en el acto constitutivo).

2) Cuando la previsión estatutaria es realizar una actividad de forma directa la sustitución de la explotación directa por la indirecta, supone

---

[50] La cuestión tiene incidencia directa con lo previsto en el reactivado artículo 348 bis LSC a la vista de las Resoluciones dictadas por el Juzgado de lo mercantil 9 de Barcelona de 25 de septiembre de 2013 (SJM B 379/2013 - ECLI:ES:JMB:2013:379), confirmado por la SAP de Barcelona de 26 de marzo de 2015.

[51] Roj: STS 2033/2011

[52] El criterio ha sido seguido, para un supuesto de separación de socios, por la SAP de Barcelona de 27 de julio de 2015 (SAP B 6979/2015 - ECLI: ES:APB:2015:6979).

una «sustitución de la actividad» de la sociedad aunque el negocio se des-envuelva en el mismo sector de la industria o del comercio y, a la postre, la «sustitución del objeto», con alteración de las bases determinantes en su momento de la affectio societatis, ya que al no alterarse la estructura pro-pia de la «sociedad isla», sustituir la «explotación directa» de una actividad industrial por la «explotación de acciones y participaciones» sociales, de hecho supone la pérdida de poder del socio que no participa en la gestión sin contrapartida alguna, hurtándole la posibilidad de impugnar los acuer-dos anulables de la participada por falta de legitimación, a tenor de lo que dispone el artículo 117.2 de la Ley de Sociedades Anónimas —hoy 206.2 de la Ley de Sociedades de Capital— al carecer de la condición de socio de la dominada, y comporta la sustitución de reglas del juego que afectan a condiciones esenciales determinantes de la adquisición de la condición de socio».

La Referida SAP de Barcelona de 27 de julio de 2015 llega a la siguien-te conclusión: «...conforme a la doctrina legal expuesta, no existirá sustitución o modificación sustancial del objeto social cuando la modificación, por adición o supresión, resulte intrascendente (...) y, menos, en los casos de mera concreción o especificación de las actividades descritas en los estatutos» (STS 438/2010), ni tampoco cuando «la sociedad procede a tomar participaciones o realizar simples "inversiones de participación" en sociedades del mismo sector en el que actúa la inversionista» (STS 102/2011). Podemos deducir que, en sentido contrario, habrá modificación sustancial cuando la adición de una actividad resulte cuantitativa-mente significativa y cuando consista en la toma de participaciones en sociedades que se dediquen a sectores diferentes del que estatutaria y actualmente desarrolla la sociedad»[53].

## 2.6. Operaciones consideradas no ordinarias

### a) Arrendamientos, usufructos (titulo limitado)

Ya hemos visto como la normativa de la *Model Business Corporation Act de 1986,* permite que puedan realizarse este tipo de operaciones incluso sobre activos esenciales sin necesidad de acudir a ese proceso de aprobación por los socios, si bien condiciona que ello sea respecto de activos que no sean esenciales para la actividad o que lo sean en función del porcentaje fijado.

---

[53]   Dirección General de los Registros y del Notariado —resoluciones de 17 de febre-ro y 8 de junio de 1992, 18 de agosto y 11 de noviembre de 1993.

La doctrina en nuestro país está refiriéndose a ello como títulos limitados en supuestos de arrendamientos o usufructos, por ejemplo, de estos activos esenciales de tal forma que parecen querer excluirlos de la citada norma.

La resolución de la DGRN de 11 de junio de 2016[54] vino a señalar que «...*es evidente que la dación de las fincas referidas en pago de la deuda derivada del préstamo concedido por la entidad de crédito cesionaria se incardina en el desarrollo del objeto social y no constituye un acto sobre activos esenciales de esta sociedad, por lo que ninguna competencia se atribuye legalmente a la junta general de la misma para su aprobación y debe concluirse en la procedencia tanto de la autorización de la escritura calificada como de la inscripción solicitada sin necesidad de la manifestación exigida por la registradora en la calificación impugnada.*» Desde ahí se presume que las operaciones ordinarias que desarrollan el objeto social quedarían excluidas. Esta cuestión, como vimos, se recoge en la Model Corporate Act excluyéndolas incluso en supuestos de activos esenciales: «*to mortgage, pledge, dedicate to the repayment of indebtedness (whether with or without recourse), or otherwise encumber any or all of the corporation's assets, whether or not in the usual and regular course of business*». (v. art. 12.1).

La Reunión de notarios y registradores de 2015 en Granada concluyó igualmente que en el ámbito de la norma no se incluiría la constitución de hipoteca o el arrendamiento, pero sí la constitución de un derecho de superficie en el que no se haya constituido derecho de reversión. Por lo tanto, sitúa el ámbito de discusión en la limitación y delimitación del título en que se fundamenta la operación[55].

### b) Operaciones a título gratuito

Si estarían incluidas las operaciones que supongan, por cualquier causa, la entrega completa. La RDGRN de 11 de abril de 2016[56], trata un supuesto de negativa a inscribir una escritura de poder con dicha facultad a los administradores. Recoge a tal efecto que según la Sentencia de 29 de noviembre

---

[54] Resolución de 11 de junio de 2015, de la Dirección General de los Registros y del Notariado, en el recurso interpuesto contra la negativa de la registradora de la propiedad de Alcantarilla a inscribir una escritura de dación en pago de deudas.

[55] CABANAS TREJO, R., «*Activos esenciales y competencia de la junta general de las sociedades de capital ¿Un riesgo para el tercero que contrata con la sociedad?*» Diario LA LEY, núm. 8512, abril 2015, pág. 10.

[56] Resolución de 11 de abril de 2016, de la Dirección General de los Registros y del Notariado, en el recurso interpuesto contra la negativa del registrador mercantil y de bienes muebles III de Sevilla a inscribir una escritura de poder.

de 2007 del Tribunal Supremo, dictada en un caso de donación por una sociedad anónima de su principal activo patrimonial, con disolución de la misma, en favor de determinada fundación, la jurisprudencia ha señalado «predominantemente el fin lucrativo como causa del contrato de sociedad (SSTS de 11 de marzo de 1983; 10 de noviembre de 1986; 19 de enero de 1987; 18 de noviembre de 1988; 7 de abril de 1989; 19 de febrero de 1991; 9 de octubre de 1993; 27 de enero de 1997; 18 de septiembre de 1998, entre otras muchas). De este modo, los acuerdos sociales son consecuencia y cumplimiento del contrato de sociedad, y han de respetar su causa. Ello da sentido a preceptos como el artículo 48.2.a) LSA [artículo 93.a) de la vigente Ley de Sociedades de Capital] e impide que se lleven a efecto donaciones con cargo al patrimonio social, que serían contrarias al fin lucrativo, en perjuicio de los derechos individuales del socio, salvo que se verifiquen mediante acuerdo unánime, y con cargo a reservas de libre disposición. Aunque no se impide la realización de actos que signifiquen transmisión o enajenación a título lucrativo para alcanzar determinados fines estratégicos o el cumplimiento de fines éticos, culturales, altruistas, cuando no impliquen vulneración, impedimento o obstáculo a la realización de derechos como los que reconoce el artículo 48.2.a) LSA, como ocurre cuando se verifique moderada disposición de parte de los beneficios (RRDGRN 2 de febrero de 1966, 22 de noviembre de 1991, 25 de noviembre de 1997 [sic], etc.)». Por ello concluye que no puede descartarse que no sólo entre los actos de desarrollo o ejecución del objeto social y los complementarios o auxiliares para ello, sino también entre esos actos neutros o polivalentes se encuentre la donación de determinados y concretos activos sociales, pero que estos tienen como límite «los actos contradictorios o denegatorios del objeto social»[57][58]. Y en consecuencia también los actos globales.

---

[57]   Como ejemplo determinadas decisiones empresariales que pretenden por medios indirectos resultados negociables propios del objeto social.

[58]   Como ya puso de relieve este Centro Directivo (vid., por ejemplo, la Resolución de 11 de noviembre de 1991), es muy difícil apreciar a priori si un determinado acto queda incluido o no en el ámbito de facultades conferidas a los representantes orgánicos de la sociedad (toda vez que la conexión entre aquél y el objeto social tiene en algún aspecto matices subjetivos —sólo conocidos por el administrador—, participa en muchas ocasiones del factor riesgo implícito en los negocios mercantiles, y suele precisar el conveniente sigilo para no hacer ineficaces, por públicas, determinadas decisiones empresariales que pretenden por medios indirectos resultados negociables propios del objeto social), hasta el punto de que ni siquiera puede hacerse recaer en el tercero la carga de interpretar la conexión entre el acto que va a realizar y el objeto social redactado unilateralmente por la otra

## 2.7. Negocios Complejos

La RDGRN de 22 de noviembre de 2017[59] vino a recoger un supuesto de compraventa en donde se constituía una hipoteca para ello, resultando de la certificación de la Junta que estaba autorizada la primera, pero se omitía la segunda. En este caso se acude a la doctrina de los negocios complejos: *«De las circunstancias del presente caso no resulta que por la hipoteca constituida sobre el bien comprado inmediatamente antes –con autorización de la junta general por manifestar que es un activo esencial– para garantizar precisamente el préstamo destinado a su financiación quede comprometido el objeto social ni la forma en que se desarrollan las actividades sociales. Precisamente por esa finalidad de la constitución del gravamen debe aplicarse la doctrina de los negocios complejos, de naturaleza unitaria porque los elementos heterogéneos que lo constituyen están íntimamente ligados, de suerte que la causa compleja que sirve de base absorbe las concurrentes y determina la primacía de uno de ellos como, en este caso, es la compraventa autorizada por la junta general (cfr. las Resoluciones de este Centro Directivo de 13 de mayo y 4*

---

parte contratante, siendo doctrina consagrada en la jurisprudencia y en las Resoluciones de este Centro Directivo (vid. Sentencias del Tribunal Supremo de 14 de mayo de 1984 y 24 de noviembre de 1989 y Resoluciones de 1 de julio de 1976, 2 de octubre de 1981, 31 de marzo de 1986 y 12 de mayo de 1989) la de incluir en el ámbito del poder de representación de los administradores, no sólo los actos de desarrollo o ejecución del objeto social, sea en forma directa o indirecta, y los complementarios o auxiliares para ello, sino también los neutros o polivalentes (como la constitución de garantías en seguridad de deudas ajenas), y los aparentemente no conectados con el objeto social, quedando excluidos únicamente los actos contradictorios o denegatorios del objeto social. En idéntico sentido de exclusión de los actos contrarios al objeto social debe tenerse muy presente que en la Ley 3/2009, de 3 de abril, sobre modificaciones estructurales de las sociedades mercantiles, se regula, en su artículo 71, una nueva modalidad de modificación estructural de la sociedad como es la operación de segregación. Esta modificación estructural consiste «en el traspaso en bloque por sucesión universal de una o varias partes del patrimonio de una sociedad...». Este traspaso en bloque debe sujetarse a las rígidas reglas contenidas en dicha ley que van a exigir, aparte del acuerdo en junta de todas las sociedades afectadas, otra serie de medidas dictadas para la protección de los trabajadores de la empresa y para los acreedores (cfr. artículos 39 y 44 de la Ley 3/2009 entre otros). De esta forma queda desactivada para el administrador la posibilidad, que antes se admitía, de transmisión de una rama de actividad sin sujetarse a las estrictas reglas establecidas. Ello fue ratificado por la reforma de la Ley de Sociedades de Capital por la Ley 31/2014, de 3 de diciembre, al incluir como competencia de la junta la enajenación, adquisición o aportación a otra sociedad de activos esenciales.

[59]  BOE de 14 de diciembre de 2017.

*de noviembre de 1968, 7 de julio de 1998 y 22 de mayo de 2006). Indudablemente, la presente constitución de hipoteca sobre un inmueble en el acto de la compra para financiar la adquisición misma no comporta, desde un punto de vista económico, la disposición de un activo patrimonial sino su adquisición con detracción de la deuda hipotecaria.»*

## 2.8. Presunciones

Partimos de dos concretas presunciones que se desarrollan en los dos preceptos referidos y objeto de estudio, pero de forma diferente.

Por un lado la presunción del artículo 160 f) de la LSC lo es respecto del carácter esencial del activo; por su lado la presunción del artículo 511 bis 2 LSC lo es respecto de las actividades y de los activos operativos (de dichas actividades) que son objeto del negocio jurídico. En esta última la comparativa parte del volumen de la operación mientras que en la primera lo es respecto del importe de la misma[60]. En la general del artículo 160 f) lo es respecto del valor de los activos que figuran en el último balance aprobado, mientras que el la del 511 bis lo es respecto del total de los activos del balance. Por tanto:

| 160 f | 511 BIS |
|---|---|
| Carácter esencial del Activo | Carácter esencial de la actividad y de los activos operativos de dicha actividad. |
| Importe de la operación del citado Activo | Volumen de la operación[59] |
| Valor de los Activos del Balance. | Total de los activos del balance. |
| Ultimo Balance aprobado | Simplemente Balance |

Cuando la valoración del importe de la operación —en el primer supuesto— o del volumen de la operación —en el segundo— supere (por lo tanto mayor que) el 25% del valor de los activos conforme a dicha comparativa, la norma establece la presunción del carácter esencial del activo (en el primero) o del carácter esencial de la actividad y de los activos operativos de dicha actividad.

---

[60]    Consideran ÁLVAREZ S Y SÁNCHEZ SANTIAGO J, «Comentario…» *Op. Cit.*, que *«A diferencia del carácter indeterminado del carácter esencial, la presunción es notablemente precisa, pues deriva la proporción entre dos cifras.»*

[61]    La Resolución de 22 de julio de 2016, de la Dirección General de los Registros y del Notariado, en el recurso interpuesto contra la negativa de la registradora

No significa eso que todos los activos que superen ese porcentaje sean de por sí esenciales, sino que se recoge una presunción iuris tantum de esencialidad para la sociedad de tal forma que en dichos supuestos se exigiría la aprobación por la Junta.

Ahora bien, si no se trata —aun a pesar de superar dicho valor— de un activo esencial la doctrina parece estar de acuerdo en que no será necesario que se apruebe por la junta por estar excluido el mismo como competencia de la misma. Bastaría para ello, como veremos, una simple manifestación notarial al efecto conforme a las resoluciones de la DGRN.

Asimismo, se ha planteado si ello conlleva igualmente la presunción de diligencia de un tercero (cuestión que analizaremos posteriormente) y por tanto su propia responsabilidad. Algunos[62] autores ya se han pronunciado al respecto señalando que «*Si conforme al art. 234 LSC y la Directiva 2009/101/CE (la "Primera Directiva") (25), se considera que el tercero no está afectado por la publicidad del objeto, parece totalmente incongruente que se obligue al tercero a una investigación patrimonial de la sociedad, para la comprobación de una presunción que es, además, iuris tantum.*»

### 3. Afectación de terceros

La RDGRN de 11 de junio de 2015 citada señala al efecto lo siguiente: «*Ciertamente, no es de aplicación la inoponibilidad frente a terceros de las limitaciones voluntarias al poder de representación de los administradores (artículos 234.1 de la Ley de Sociedades de Capital, al que se remite el artículo 161. Cfr., asimismo, los artículos 479.2 y 489, relativos a la sociedad anónima europea), toda vez que se trata de un supuesto de atribución legal de competencia a la junta general con la correlativa falta de poder de representación de aquéllos. Cuestión distinta es la relativa a la posible analogía que puede existir entre el supuesto normativo del artículo 160.f) y el de los actos realizados por los administradores con extralimitación respecto del objeto social inscrito frente a los que quedan protegidos los terceros de buena fe y sin culpa grave ex artículo 234.2 de la Ley de Sociedades de Capital (cfr. artículo 10.1 de la Directiva 2009/101/CE del Parlamento Europeo y del Consejo, de 16 de*

---

mercantil y de bienes muebles de Jaén a inscribir una escritura de aumento de capital de una sociedad de responsabilidad limitada, recoge al efecto la comparativa entre el volumen y características de la aportación en relación al patrimonio de la sociedad aportante.

[62]     *Op. Cit.* nota 52.

*septiembre de 2009, que se corresponde con el artículo 9.1 de la derogada Primera Directiva 68/151/CEE del Consejo, de 9 de marzo de 1968).»*

De conformidad a ello debemos distinguir el ámbito de protección de terceros que se abre desde el artículo 161 LSC y los que parten de la aplicación de los artículos 160 f) y 511 bis LSC, en donde se atribuyen concretas competencias a la junta. Es por ello que estos últimos no estarían protegidos por dicha inoponibilidad cuando son realizados por el órgano de administración puesto que no es propio de su competencia — y así lo recoge la norma— este tipo de operaciones.

Entra entonces en el ámbito de la analogía para concluir que ello es así por interpretación del propio Tribunal Supremo que en la Sentencia número 689/2008, de 17 de abril, afirma que los consejeros delegados de una sociedad anónima carecen de poderes suficientes para otorgar la escritura pública de transmisión de todo el activo de la compañía (en el caso enjuiciado, las concesiones administrativas de transportes, tarjetas de transporte y autobuses, dejando a la sociedad sin actividad social) sin el conocimiento y consentimiento de la junta. Señala que «excede del tráfico normal de la empresa dejarla sin sus activos, sin autorización de la Junta General para este negocio de gestión extraordinario». Primero, porque la sociedad no se dedicaba a nada más que a las actividades realizadas a través de esos activos. En segundo lugar, porque la enajenación equivalía a una modificación del objeto social. Y lo fundamental de esta Sentencia es que en el caso concreto no casa la sentencia recurrida por entender que prevalece «la protección de terceros de buena fe y sin culpa grave ante el abuso de exceso de poderes de los Consejeros-Delegados (art. 129.2 LSA [actual 234.2 de la Ley de Sociedades de Capital], aplicable por una clara razón de analogía)».

La Reunión de Notarios y Registradores de Granada de 2015 se plantearon la discusión sobre la base de dos cuestiones separadas:

– Los efectos frente a terceros de los actos así otorgados.

– La relación del art. 160.1.f) con el art. 234 LCS

Las posiciones no fueron, sin embargo, unánimes: En relación al primero se sostuvo que la norma no produce más efectos que los de vincular a los socios y los administradores, sin más consecuencias que la exigencia de posible responsabilidad caso de contravención. Así, la infracción de los deberes de los administradores sobre convocatoria de la junta general en caso de adopción de decisiones sobre materias reservadas a la competencia de la junta general se resuelve mediante la aplicación de las normas generales sobre responsabilidad (cfr. SAP Pontevedra de 24 de enero de 2008 sobre un acto con eficacia liquidatoria que motivó una acción individual de responsabilidad). Desde este punto de vista puede afirmarse, con carácter muy general, que la realización de estas operaciones sin el consentimiento de los socios puede suponer un incremento indebido del riesgo empresarial, de modo que el daño indemnizable pueda identificarse con la pérdida sufrida por la sociedad. En caso de competencia expresa la antijuridicidad de la conducta de los administradores podrá basarse en la infracción de esa norma legal. La segunda posición entendía que los efectos frente a terceros están claros, y que la interpretación del art. 234 LSC tiene que ser conforme con la nueva competencia de la Junta General. La atribución expresa de competencia a la junta general para la adquisición, enajenación o aportación a otra sociedad de activos esenciales afecta al ámbito del poder legal de representación de la sociedad, a diferencia de lo que ocurre con los acuerdos de instrucción o autorización («sin perjuicio de lo establecido en el artículo 234 LSC» dice el último inciso del artículo 161 LSC) Efectivamente, la infracción por los administradores del deber de someter a la junta general una determinada decisión en materia de gestión porque afecta a la posición jurídico-económica de los socios (competencias implícitas o no escritas) o porque así lo ha requerido u ordenado la junta (acuerdos de autorización o instrucción) podrá activar remedios a favor de los socios (responsabilidad, impugnación), pero la posición de los terceros de buena fe resultará inatacable. Por el contrario, la atribución de competencia expresa a la junta general sobre una materia afecta a la válida vinculación de la sociedad frente a terceros porque no quedará cubierta por el poder legal de representación de los administradores (artículo 234 LSC).

## 4. Afectación de socios. Derecho de separación

Otra cuestión polémica parte de la afectación de los socios cuando la operación que se realiza afecta a cualquiera de los supuestos que dan lugar a la posibilidad de ejercicio del derecho de separación.

Conforme al artículo 346 LSC los socios que no hubieran votado a favor del correspondiente acuerdo, incluidos los socios sin voto, tendrán derecho a separarse de la sociedad de capital en los casos siguientes:

a) Sustitución o modificación sustancial del objeto social.

b) Prórroga de la sociedad.

c) Reactivación de la sociedad.

d) Creación modificación o extinción anticipada de la obligación de realizar prestaciones accesorias, salvo disposición contraria de los estatutos.

En las sociedades de responsabilidad limitada tendrán, además, derecho a separarse de la sociedad los socios que no hubieran votado a favor del acuerdo de modificación del régimen de transmisión de las participaciones sociales. En los casos de transformación de la sociedad y de traslado de domicilio al extranjero los socios tendrán derecho de separación en los términos establecidos en la Ley 3/2009, de 3 de abril, sobre modificaciones estructurales de las sociedades mercantiles.

El Tribunal Supremo trató un supuesto de cambio de objeto por ejercicio indirecto en la STS de 10 de marzo de 2011[63]. En esta se dice que «... *cuando la previsión estatutaria es realizar "directamente, la distribución de energía eléctrica", la sustitución de la explotación directa por la indirecta, mediante la creación de un grupo de empresas con unidad de dirección, sujetando la dominada a la dirección de la dominante, supone una "sustitución de la actividad" de la sociedad aunque el negocio se desenvuelva en el mismo sector de la industria o del comercio y, a la postre, la "sustitución del objeto", con alteración de las bases determinantes en su momento de la affectio societatis, ya que al no alterarse la estructura propia la "sociedad isla", sustituir la "explotación directa" de una actividad industrial por la "explotación de acciones y participaciones" sociales, de hecho supone la pérdida de poder del socio que no participa en la gestión sin contrapartida alguna, hurtándole la posibilidad de impugnar los acuerdos anulables de la participada por falta de legitimación, a tenor de lo que dispone el artículo 117.2 de la Ley de Sociedades Anónimas —hoy 206.2 de la Ley de Sociedades de Capital— al carecer de la condición de socio de la dominada, y comporta la sustitución de reglas del juego que afectan a condiciones esenciales determinantes de la adquisición de la condición de socio.*»

El análisis del derecho de separación a partir de la sustitución o modificación del objeto social debe partir de lo previsto en la STS de 30 de junio de 2010[64] en donde se daban dos criterios de control:

1) La sustitución no debe ser calificada desde una visión absoluta —conforme a la que sólo sería admisible el derecho de separación cuando aquella fuera total, esto es, con reemplazo en el texto estatutario de una actividad por otra— sino relativa, atendiendo como razón identificadora del objeto social a la sustancia del mismo que permite definirlo como tipo, poniéndola en relación con el fin de la norma, que no es otro que respetar

---

[63]   Sentencia nº 102/2011 de TS, Sala 1ª, de lo Civil, 10 de marzo de 2011.
[64]   Sentencia 438/2010, de 30 junio

la voluntad del socio que ingresó en una sociedad que explotaba un determinado negocio, admitiendo que condicione su permanencia a la de la finalidad objetiva que fue la base de su relación con aquella.

2) No habrá sustitución cuando la modificación, por adición o supresión, resulte intrascendente desde aquel punto de vista y, menos, en los casos de mera concreción o especificación de las actividades descritas en los estatutos, pero sí cuando se produzca una mutación de los presupuestos objetivamente determinantes de la adhesión del socio a la sociedad, como consecuencia de una transformación sustancial del objeto de la misma que lo convierta en una realidad jurídica o económica distinta: caso de la eliminación de actividades esenciales, con mantenimiento de las secundarias; o de la adición de otras que, por su importancia económica, vayan a dar lugar a que una parte importante del patrimonio social tenga un destino distinto del previsto en los estatutos.

La primera de las sentencias citadas ya recogían que la toma de participaciones en otras sociedades no comporta necesariamente actuación fuera del objeto ya que, deben atenderse las circunstancias del caso y, como afirma la resolución de la Dirección General de Registros y del Notariado de 16 de marzo de 1990 «Crear filiales o tomar participación en otras Sociedades que tengan el mismo objeto social constituye, cuando así se ha previsto específicamente, una modalidad indiscutible de ejercicio del objeto», lo que no deja de concordar con la previsión contenida en el artículo 117.4 del Reglamento del Registro Mercantil vigente en dicha fecha a cuyo tenor «Si se pretendiera que las actividades integrantes del objeto social puedan ser desarrolladas por la sociedad total o parcialmente de modo indirecto, mediante la titularidad de acciones o de participaciones en sociedades con objeto idéntico o análogo, se indicará así expresamente».

Incluso aunque el acuerdo fuere posteriormente revocado debemos tomar en consideración que la resolución de la Dirección General de Registros y del Notariado de 2 de noviembre de 2010 y la sentencia de 23 de enero de 2006 ya afirmaron que la revocación del acuerdo de sustitución no desactiva el derecho de separación.

## 5. Control

### 5.1. Control Registral

El artículo 98 de la Ley 24/2001, según redacción dada por la Ley 24/2005, dispone: «*En los instrumentos públicos otorgados por representantes o apoderado, el Notario autorizante insertará una reseña identificativa del documento auténtico que se le haya aportado para acreditar la representación alegada y expresará que, a su juicio, son suficientes las facultades representativas acreditadas para el acto o contrato a que el instrumento se refiera».* La DGRN, en varias resoluciones publicadas durante el mes de agosto de 2015[65], ha expresado y reiterado su criterio de que, con carácter general, para inscribir una adquisición o transmisión social no es necesario ni acreditar, ni siquiera manifestar, que no se trate de un activo esencial. En tal sentido afirma que «[1]a norma del articulo 160.f), que atribuye a la junta general competencia para deliberar y acordar sobre "la adquisición, la enajenación o la aportación a otra sociedad de activos esenciales", fue incorporada a la Ley de Sociedades de Capital mediante la Ley 31/2014, de 3 de diciembre, por la que se modifica aquélla para la mejora del gobierno corporativo. Aun cuando no se puede afirmar que constituyan actos de gestión propia de los administradores la adquisición, enajenación o la aportación a otra sociedad de activos esenciales, debe tenerse en cuenta que el carácter esencial de tales activos escapa de la apreciación del notario o del registrador, salvo casos notorios —y aparte el juego de la presunción legal si el importe de la operación supera el veinticinco por ciento del valor de los activos que figuren en el último balance aprobado—. Por ello, es muy difícil apreciar a priori si un determinado acto queda incluido o no en el ámbito de facultades conferidas a los representantes orgánicos de la sociedad o, por referirse a activos esenciales, compete a la junta general; y no puede hacerse recaer en el tercero la carga de investigar la conexión entre el acto que va a realizar y el carácter de los activos a los que se refiere. Cabe concluir, por tanto, que aun reconociendo que, según la doctrina del Tribunal Supremo transmitir los activos esenciales excede de las competencias de los administradores, debe entenderse que con la exigencia de esa certificación del órgano de administración competente o manifestación del representante de la sociedad sobre el carácter no esencial del activo, o prevenciones análogas, según las circunstancias que concurran en el caso concreto, cumplirá el notario con su deber de diligencia en el control sobre la adecuación del negocio a legalidad que tiene encomendado; pero sin que tal manifestación pueda considerarse como requisito imprescindible para practicar la inscripción, en atención a que el tercer adquirente de buena fe y sin culpa grave debe quedar protegido también en estos casos (cfr. articulo 160.f Ley de Sociedades de Capital); todo ello sin perjuicio de la legitimación de la sociedad para exigir al administrador o apoderado la responsabilidad pro-

---

[65]     RRDGRN DE 11-6-2015, 26-6-2015, 26-6-2015. 26-6-2015, 8-7-2015, entre otras.

cedente si su actuación hubiese obviado el carácter esencial de los activos de que se trate.»

## 5.2. Impugnación de acuerdos. STS de 17 de abril de 2008[66]

Ejemplo paradigmático de la posibilidad de impugnación es la STS de 17 de abril de 2008. La ratio decidendi de la sentencia de primera instancia fue que no existía falta de consentimiento de la sociedad vendedora, pues intervino en la escritura a través de sus dos Consejeros-Delegados, quienes de conformidad con las facultades que ostentaban según los estatutos sociales, podían actuar como lo hicieron, todo ello sin perjuicio de la acción de responsabilidad contra los administradores prevista en el art. 124 LSA. La Audiencia se basó para confirmar la de primera instancia en que la cesión de las concesiones administrativas, bienes y personal laboral, relativo al transporte de viajeros, se ubica dentro del objeto social, que era: el transporte de viajeros, mercancías y correspondencia por mar y por tierra; la explotación de negocios de hostelería, salas de fiestas, cantinas y cafeterías, etc.; la construcción de edificios, el uso, arrendamiento y venta de viviendas; y cualquier objeto de comercio, industria o servicio que en el futuro pudiera emprender, previo acuerdo de la Junta General de Accionistas. Por ello la actividad de transporte no es más que una de las comprendidas en el objeto social, y que daba a la sociedad actora la posibilidad de continuarlas dentro de la amplitud con que se estableció. En consecuencia, los Consejeros-Delegados actuaron representando a la sociedad. El Tribunal Supremo terminaría diciendo que «Lo atendible es, por tanto, la suficiencia de los poderes de los Consejeros-Delegados para llevar a cabo el otorgamiento de la escritura pública que se impugna.» Y de esta forma estimaba que excede del tráfico normal de la empresa dejarla sin sus activos, sin autorización de la Junta General para este negocio de gestión extraordinario. El que el objeto social fuera más amplio no es argumento que lo justifique y ello sobre las siguientes consideraciones:

En primer lugar, porque nada se ha demostrado en el pleito fuera de que la sociedad actora se dedicaba a la explotación del negocio de transportes, en otras palabras, de que lo fuesen otros de los enumerados en los estatutos dentro del objeto social.

En segundo lugar, porque la cesión impugnada seccionaba una parte del objeto social estatutario, desde el punto de vista literal, lo que debía de

---

[66] Sentencia nº 285/2008 de TS, Sala 1ª, de lo Civil, 17 de abril de 2008.

ser autorizado por la Junta de Accionistas, lo mismo que estatutariamente tenía que hacerlo si la sociedad se dedicaba a otro objeto social. No tiene sentido que se exija la autorización para la ampliación y no para su mutilación práctica, precisamente el que de hecho constituía su única actividad.

En tercer lugar, porque no justifica la actuación de los Consejeros-Delegados la necesidad de allegar financiación para pago de elevada deuda tributaria. Ello no es impedimento para que se expusiese a la Junta de la situación social y la medida extrema que ellos proponían.

Nos hemos referido anteriormente también al supuesto de cambio de objeto por ejercicio indirecto en la STS de 10 de marzo de 2011.

### 5.3. Régimen de responsabilidad. SAP de Pontevedra de 24 de enero de 2008[67]

En este apartado debemos distinguir dos concretas acepciones del régimen de responsabilidad: por un lado la responsabilidad exigible a los administradores de la sociedad por las operaciones realizadas sin contar con la debida aprobación de la Junta de Socios cuando esta sea necesaria a la vista de lo anteriormente manifestado; y por otro lado la responsabilidad que pudiera derivarse de la gestión de la propia Junta, es decir, la posibilidad de plantear demandas de responsabilidad frente a la sociedad y su órgano (e incluso sus miembros) por la decisión cuya gestión le ha encomendado la ley.

La referida sentencia de la AP de Pontevedra trata de un supuesto de venta de empresa realizada por los administradores. En tal sentido hace un análisis de la situación que extractamos: «*Corresponde a los administradores la gestión y la representación de la sociedad. La administración social viene entendida por la generalidad de la doctrina, en un concepto muy amplio, elástico e indeterminado, que comprende un conjunto de actos de diversa naturaleza, tendentes a la consecución del objeto social. Igualmente se ha afirmado que lo que caracteriza al órgano administrativo es el hecho de que en él se forman y se llevan a ejecución las decisiones encaminadas a la consecución de los fines sociales. Todo ello lleva a considerar que la actividad de gestión y representación tiene un carácter activo favorecedor de los intereses sociales y conseguidor del objeto social establecido. Ámbito del que debe excluirse la enajenación de la empresa, como ocurre en el supuesto enjuiciado, y por lo tanto, la decisión sobre tal materia es, principalmente, competencia de la Junta*

---

[67]    SAP PO 173/2008 - ECLI: ES:APPO:2008:173

*general. Desde esta perspectiva las administradoras habrían realizado un acto que excede de sus facultades, introduciéndose en el ámbito decisorio de la Junta general, lo que puede considerarse contrario a la Ley (arts. 61 y 63 LSRL, y arts. 127 y 129 LSA, en relación con los arts. 43 y 44 LSRL).»*

Es interesante señalar también que la citada resolución hace un análisis sobre los supuestos delimitativos de las competencias de la Junta a efectos de nulidad y anulabilidad con la normativa aplicable en aquel momento y que hoy ha cambiado. A tal efecto señala que delimitar el ámbito competencial de la Junta general y de los administradores no es tarea sencilla. Las dificultades derivan, por un lado, del hecho de que aun existiendo un precepto como en el caso de la LSRL que atribuye a la Junta un elenco de facultades éste no tiene carácter exhaustivo por lo que es preciso completar el ámbito de decisión de la Junta atendiendo al resto del articulado. Pero ni la Ley ni los estatutos agotan todas las posibilidades y que, en relación con otros supuestos u operaciones expresamente contempladas en la Ley, no se determina el órgano competente. Por todo ello es inevitable que en la vida de la sociedad surjan operaciones cuya realización no haya sido asignada ni a uno ni a otro órgano. Así sucede en el supuesto de venta del patrimonio social, de la empresa, ni a lo largo de su articulado a excepción de un supuesto que puede servir de comparación como es la cesión global del activo y del pasivo a que se refiere el art. 117 LSRL como un supuesto abreviado de liquidación del patrimonio una vez acordada la disolución de la sociedad. Esto nos sitúa en líneas generales en una cuestión más controvertida con la reforma de los preceptos que estamos estudiando cómo es (al margen de otras limitaciones o delimitaciones) si la reforma supone el agotamiento —en los supuestos a los que va referido— de las diferentes casuísticas; es decir si con la regulación que se recoge desde la Ley 31/2014 los supuestos no podrán contemplarse desde una perspectiva amplia sino desde una perspectiva más concreta limitada a las atribuciones que se otorgan a la junta en esta materia. La respuesta no es fácil porque el casuismo puede ser evidentemente amplio, pero en líneas —también generales— consideramos que los tipos recogen preceptos de resultado y que por tanto es este el que modulará o limitará las posibilidades de exigencia de responsabilidad o impugnación.

Una cuestión más es la incidencia del artículo 226 LSC en este ámbito partiendo de la entrada en nuestro derecho de las llamadas *Business Judgment rules* del derecho norteamericano. El citado precepto señala que en el ámbito de las decisiones estratégicas y de negocio, sujetas a la discrecionalidad empresarial, el estándar de diligencia de un ordenado empresario se entenderá cumplido cuando el administrador haya actuado de buena fe, sin interés personal en el asunto objeto de decisión, con información suficiente y con arreglo a un procedimiento de decisión adecuado. En operaciones de transmisión de activos esenciales en donde se hayan observado (si no se observan las reglas de competencia estamos ante supuestos de responsabilidad) dichas reglas y la operación haya sido aprobada por la junta (sin que se trate de decisiones que afecten personalmente a otros administradores y personas vinculadas y, en particular, aquellas que tengan por objeto autorizar las operaciones previstas en el artículo 230) la aplicación de la citada norma nos llevará a considerar que no puede derivarse una responsabilidad para los administradores. El problema es determinar si esa responsabilidad es exigible a la propia sociedad o incluso a los socios que la hubieran aprobado por tratarse de cuestiones de gestión.

En derecho concursal la cuestión fue delimitada a partir de las reformas operadas entre los años 2014 y 2015 del artículo 165 LC como presunciones iuris tantum de culpabilidad del concurso. En su apartado segundo se recoge que «*El concurso se presume culpable, salvo prueba en contrario, cuando los socios o administradores se hubiesen negado sin causa razonable a la capitalización de créditos o una emisión de valores o instrumentos convertibles y ello hubiera frustrado la consecución de un acuerdo de refinanciación de los previstos en el artículo 71 bis.1 o en la disposición adicional cuarta o de un acuerdo extrajudicial de pagos. A estos efectos, se presumirá que la capitalización obedece a una causa razonable cuando así se declare mediante informe emitido, con anterioridad a la negativa del deudor, por experto independiente nombrado de conformidad con lo dispuesto por el artículo 71 bis.4. Si hubiere más de un informe, deberán coincidir en tal apreciación la mayoría de los informes emitidos. En todo caso, para que la negativa a su aprobación determine la culpabilidad del concurso, el acuerdo propuesto deberá reconocer en favor de los socios del deudor un derecho de adquisición preferente sobre las acciones, participaciones, valores o instrumentos convertibles suscritos por los acreedores, a resultas de la capitalización o emisión propuesta, en caso de enajenación ulterior de los mismos. No obstante, el acuerdo propuesto podrá excluir el derecho de adquisición preferente en las transmisiones realizadas por el acreedor a una sociedad de su mismo grupo o a cualquier entidad, que tenga por objeto la tenencia y administración de participaciones en el capital de otras entidades con tal de que sea de su grupo o que esté participada por el acreedor. En cualquier caso, se entenderá por enajenación la realizada en favor de un tercero por el propio acreedor o por las sociedades o entidades a que se refiere el inciso anterior.*» De conformidad a ello el artículo 172 LC recoge que en caso de persona jurídica, podrán ser considerados personas afectadas por la calificación los administradores o liquidadores, de hecho o de derecho, apoderados generales, y quienes hubieren tenido cualquiera de estas condiciones dentro de los dos años anteriores a la fecha de la declaración de concurso, así como los socios que se hubiesen negado sin causa razonable a la capitalización de créditos o una emisión de valores o instrumentos convertibles en los términos previstos en el artículo 165.2, en función de su grado de contribución a la formación de la mayoría necesaria para el rechazo del acuerdo.

La casuística puede ser interesante en supuestos concretos, aunque no como regla general en donde se tendrá la vía de impugnación en su caso. No obstante, la afectación de terceros derivada del acto de gestión o, incluso, la operación realizada entre un socio único y su filial (vía artículo 16.3 LSC) podrían dar lugar a estas exigencias desde parámetros diferentes a la visión tradicional de las competencias de la junta.

## V. APLICACIÓN DE LAS NORMAS A SUPUESTOS DE INSOLVENCIA

Diferente problemática se plantea respecto de los supuestos de insolvencia o incluso acuerdos derivados de situaciones pre-concursales, en donde la normativa se residencia y matiza en la Ley concursal 22/2003.

La misma estructura de aprobación de los acuerdos bilaterales, plurilaterales o multilaterales del artículo 71 bis, de los Acuerdos Extrajudiciales de Pago o de la Disposición Adicional cuarta de la ley concursal, por un lado, y del convenio o la liquidación en el proceso concursal, por otro, conllevan apartados concretos que obedecen a criterios que afectan a las autorizaciones para dicha venta (43 o 146 bis de la LC), determinados activos anexos a privilegios especiales (155 LC) o mayorías necesarias que limitan o delimitan esos acuerdos societarios. Esta circunstancia es tenida en cuenta (con las matizaciones hechas respecto de su ámbito objetivo) en el artículo 193 de la Companies Act 1986 en UK, para someterla al régimen de insolvencia de la *Insolvency Act*.

El artículo 100 LC recoge que entre las proposiciones para el Convenio con los acreedores, se podrán incluir las ofertas de conversión del crédito en acciones, participaciones o cuotas sociales, obligaciones convertibles, créditos subordinados, en créditos participativos, en préstamos con intereses capitalizables o en cualquier otro instrumento financiero de rango, vencimiento o características distintas de la deuda original. En caso de conversión del crédito en acciones o participaciones, el acuerdo de aumento de capital del deudor necesario para la capitalización de créditos deberá suscribirse por la mayoría prevista, respectivamente, para las sociedades de responsabilidad limitada y anónimas en los artículos 198 y 201.1 del texto refundido de la Ley de Sociedades de Capital, aprobado por Real Decreto Legislativo 1/2010, de 2 de julio. A efectos del artículo 301.1 del citado texto refundido de la Ley de Sociedades de Capital, se entenderá que los pasivos son líquidos, están vencidos y son exigibles. También podrán incluirse en la propuesta de convenio proposiciones de enajenación, bien del conjunto de bienes y derechos del concursado afectos a su actividad empresarial o profesional o de determinadas unidades productivas a favor de una persona natural o jurídica determinada, que se regirán por lo dispuesto en el artículo 146 bis. Las proposiciones incluirán necesariamente la asunción por el adquirente de la continuidad de la actividad empresarial o profesional propia de las unidades productivas a las que afecte. En estos casos, deberán ser oídos los representantes legales de los trabajadores. En ningún caso la propuesta podrá consistir en la liquidación global del patrimonio del concursado para satisfacción de sus deudas, ni en la alteración de la clasificación de créditos establecida por la Ley, ni de la cuantía de los mismos fijada en el procedimiento, sin perjuicio de las quitas que pudieran acordarse y de la posibilidad de fusión, escisión o cesión global de activo y pasivo de la persona jurídica concursada. Sólo podrá incluirse la cesión en pago de bienes o derechos a los acreedores siempre que los bienes o derechos cedidos no resulten necesarios para la continuación de la actividad profesional o empresarial y que su valor razonable, calculado conforme a lo dispuesto en el artículo 94, sea igual o inferior al crédito que se extingue. Si fuese superior, la diferencia se deberá integrar en la masa activa. Si se tratase de bienes afectos a garantía, será de aplicación lo dispuesto por el artículo 155.4. Estas referencias se irán contemplando, con matices, en todos los supuestos.

Por otro lado, el artículo 43 LC señala que hasta la aprobación judicial del convenio o la apertura de la liquidación, no se podrán enajenar o gravar los bienes y derechos que integran la masa activa sin autorización del juez. Se exceptúan de lo dispuesto en el apartado anterior:

1.º Los actos de disposición que la administración concursal considere indispensables para garantizar la viabilidad de la empresa o las necesidades de tesorería que exija la continuidad del concurso. Deberá comunicarse inmediatamente al juez del concurso los actos realizados, acompañando la justificación de su necesidad.

2.º Los actos de disposición de bienes que no sean necesarios para la continuidad de la actividad cuando se presenten ofertas que coincidan sustancialmente con el valor que se les haya dado en el inventario. Se entenderá que esa coincidencia es sustancial si en el caso de inmuebles la diferencia es inferior a un diez por ciento y en el caso de muebles de un veinte por ciento, y no constare oferta superior. La administración concursal deberá comunicar inmediatamente al juez del concurso la oferta recibida y la justificación del carácter no necesario de los bienes. La oferta presentada quedará aprobada si en plazo de diez días no se presenta una superior.

3.º Los actos de disposición inherentes a la continuación de la actividad profesional o empresarial del deudor, en los términos establecidos en el artículo siguiente.

En el caso de transmisión de unidades productivas de bienes o servicios pertenecientes al concursado se estará a lo dispuesto por los artículos 146 bis y 149. Y en estos supuestos, en caso de transmisión de unidades productivas, se cederán al adquirente los derechos y obligaciones derivados de contratos afectos a la continuidad de la actividad profesional o empresarial cuya resolución no hubiera sido solicitada. El adquirente se subrogará en la posición contractual de la concursada sin necesidad de consentimiento de la otra parte. La cesión de contratos administrativos se producirá de conformidad a lo dispuesto en la Ley 9/2017, de 8 de noviembre, de Contratos del Sector Público, por la que se transponen al ordenamiento jurídico español las Directivas del Parlamento Europeo y del Consejo 2014/23/UE y 2014/24/UE, de 26 de febrero de 2014 (anteriormente el ya derogado artículo 226 del TR de la Ley de Contratos del Sector Público 3/2011, de 14 de noviembre). También se cederán aquellas licencias o autorizaciones administrativas afectas a la continuidad de la actividad empresarial o profesional e incluidas como parte de la unidad productiva, siempre que el adquirente continuase la actividad en las mismas instalaciones. Lo dispuesto en los dos apartados anteriores no será aplicable a aquellas licencias, autorizaciones o contratos en los que el adquirente haya manifestado expresamente su intención de no subrogarse. Ello sin perjuicio, a los efectos laborales, de la aplicación de lo dispuesto en el artículo 44 del Estatuto de los Trabajadores en los supuestos de sucesión de empresa. La transmisión no llevará aparejada obligación de pago de los créditos no satisfechos por el concursado antes de la transmisión, ya sean concursales o contra la masa, salvo que el adquirente la hubiera asumido expresamente o existiese disposición legal en contrario y sin perjuicio de lo dispuesto en el artículo 149.4. La exclusión descrita en el párrafo anterior no se aplicará cuando los adquirentes de las unidades productivas sean personas especialmente relacionadas con el concursado.

En supuestos de insolvencia, por lo tanto, o de pre-insolvencia, deberemos atender a lo previsto en la ley concursal como matización de dichas transmisiones. Ello nos hará ir también al supuesto del artículo 36 LC en relación al artículo 33 de la misma en cuanto al incumplimiento de funciones atribuidas a los administradores concursales.

## Bibliografía

ALFARO. Blog Almacén del Derecho. «El nuevo artículo 160 f) LSC. 13 de febrero de 2015».

ÁLVAREZ S Y SÁNCHEZ SANTIAGO J, «La nueva competencia de la junta general sobre activos esenciales: a vueltas con el artículo 160 f) LSC» *Diario La Ley*, Nº 8546, Sección Doctrina, 25 de mayo de 2015, Ref. D-207, Editorial LA LEY.

CABANAS TREJO, R., «Activos esenciales y competencia de la junta general de las sociedades de capital ¿Un riesgo para el tercero que contrata con la sociedad?» *Diario La Ley*, núm. 8512, abril 2015, pág. 10.

FERNÁNDEZ DEL POZO L, «Aproximación a la categoría de operaciones sobre activos esenciales», cuya decisión es competencia exclusiva de la Junta [arts. 160 f) y 511 bis LSC]. *La Ley mercantil*, Nº 11, Sección Sociedades, febrero 2015, Editorial LA LEY.

FLETCHER A, *Cyclopedia Corporations* & 2949.2, at 648 (Ed. 1968 rev.)

GARCÍA DE ENTERRÍA, LORENZO VELÁZQUEZ J, *La reforma de la Ley de Sociedades de Capital (LA LEY 14030/2010) en materia de gobierno corporativo*, Aranzadi, 2015, Cizur Menor, págs. 21 y 22.

GUERRERO, M. J., «La competencia de la junta general en las operaciones relativas a activos esenciales (artículo 160.f) Ley de Sociedades de Capital (La Ley 14030/2010)», *Revista de Derecho Mercantil*, núm. 298, Aranzadi, octubre-noviembre 2015.

IBÁÑEZ JIMÉNEZ J., «La cuarta reforma del buen gobierno corporativo español: antecedentes y consecuencia para el régimen de la junta general», en VV.AA. (Dir. Ibáñez Jiménez, J.), *Comentarios a la reforma del régimen de la junta general de accionistas en la reforma del buen gobierno de las sociedades. Examen del Informe de la Comisión de Expertos y del Proyecto de reforma de la Ley de Sociedades de Capital*, Aranzadi, 2015, Cizur Menor, págs. 21 y ss.

LÖBBE, M., «Corporate Groups: Competences of the shareholders' meeting and minority protection —The German Federal Court of Justice's recent Gelatine and Macrotron cases redefine the Holzmüller Doctrine—», *German Law Journal*, 2004, pág. 21.

MOORE A, «The sale of all or substantially all corporate assets under section 271 of the Delaware Code» *Delaware Corporate Law*. 1976 Vol. 1. Pág. 55 (http://www.djcl.org/wp-content/uploads/2014/07/THE-SALE-OF-ALL-OR-SUBSTANTIALLY-ALL-CORPORATE-ASSETS-UNDER-SECTION-271-OF-THE-DELAWARE-CODEpdf.pdf)

ORBIS B, en «Aplicación práctica del artículo 160 f) de la Ley de Sociedades de Capital: criterio de la DGRN sobre la acreditación de la no esencialidad de los activos» Actualidad Civil, Nº 5, mayo 2016, Editorial LA LEY. LA LEY 3168/2016.

ROSENGARTEN J, «The Holzmüller Doctrine: Still Crazy after All These Years? - The Impact of a Doctrine in the Days of Mergers of Equals», Fs. Buxbaum, Londres-La Haya-Boston, 2002, págs. 445 ss.

# 33. Consecuencias de la falta de acuerdo de la Junta General en los actos de disposición de activos esenciales

**ISABEL RODRÍGUEZ DÍAZ**
*Profesor Titular de Derecho Mercantil\**
*Universidad de Las Palmas de Gran Canaria*

**Sumario:** I. LA COMPETENCIA DE LA JUNTA GENERAL PARA LOS ACTOS DE DISPOSICIÓN DE ACTIVOS ESENCIALES. 1. Regulación legal. 2. Antecedentes y fundamento. II. ACTIVOS ESENCIALES: CONCEPTO Y OPERACIONES. 1. Concepto de activos esenciales. 2. Operaciones sobre activos esenciales. III. EL ACUERDO DE LA JUNTA GENERAL. 1. Eficacia de los actos de disposición de activos esenciales. 2. Requisitos del acuerdo. 3. Falta de acuerdo y responsabilidad de los administradores frente a la sociedad. Bibliografía. Páginas webs.

## I. LA COMPETENCIA DE LA JUNTA GENERAL PARA LOS ACTOS DE DISPOSICIÓN DE ACTIVOS ESENCIALES

### 1. Regulación legal

La ley de Sociedades de Capital (LSC) fue reformada por la Ley 31/2014, de 3 de diciembre, por la que se modifica la Ley de Sociedades de Capital para la mejora del gobierno corporativo. Consecuencia de ello fue la reforma del artículo 160 que lleva por título *Competencia de la junta*, conforme al cual, es competencia de la junta general deliberar y acordar sobre una serie de asuntos entre los cuales se incluye, en su apartado f), el que nos ocupa y que dice así:

> «La adquisición, la enajenación o la aportación a otra sociedad de activos esenciales. Se presume el carácter esencial del activo cuando el importe de la operación supere el veinticinco por ciento del valor de los activos que figuren en el último balance aprobad».

---

\*    Departamento de Ciencias Jurídicas Básicas.

A su vez se introduce en la LSC el artículo 511 bis el cual, dentro de las competencias de la junta general y bajo el título de *Competencias adicionales*, dispone que:

> «1. En las sociedades cotizadas constituyen materias reservadas a la competencia de la junta general, además de las reconocidas en el artículo 160, las siguientes:
>
> a) La transferencia a entidades dependientes de actividades esenciales desarrolladas hasta ese momento por la propia sociedad, aunque esta mantenga el pleno dominio de aquellas.
>
> b) Las operaciones cuyo efecto sea equivalente al de la liquidación de la sociedad.
>
> [c) ...]
>
> 2. Se presumirá el carácter esencial de las actividades y de los activos operativos cuando el volumen de la operación supere el veinticinco por ciento del total de activos del balance.»

Este precepto, específico para las sociedades cotizadas, y norma especial frente al artículo 160 f) como norma general dirigida a todas las sociedades de capital, concreta algunas de las operaciones que entran de lleno en el ámbito de aplicación del artículo 160 f) primer inciso (criterio cualitativo), estableciendo además una presunción de esencialidad de actividades y activos acudiendo al mismo criterio cuantitativo.

Por lo demás, como argumenta la doctrina con buen criterio, la diferencia entre ambos preceptos es meramente aparente, dado que las operaciones enumeradas en el artículo 511 bis.1 son ejemplos típicos de operaciones sobre activos esenciales y, por lo tanto, susceptibles de ser incluidos en la cláusula general del artículo 160 f). Así, las operaciones de filialización contempladas en el apartado a) del artículo 511 bis son equivalentes a la aportación de activos a otra sociedad que menciona el artículo 160 f), y las operaciones de efectos equivalentes a la liquidación de la sociedad del apartado b) lo son con la enajenación de activos de sendos preceptos respectivamente. Las operaciones de modificación sustancial de hecho o de sustitución de hecho del objeto social estarían incluidas en el artículo 160 f). Por ello, hubiera bastado con un solo artículo y una sola regla de presunción[1].

---

[1]    Sobre esta cuestión, ver ALFARO ÁGUILA-REAL, Jesús, «Más sobre el art. 160 f LSC», http://derechomercantilespana.blogspot.com.es/2015/03/mas-sobre-el-art-160-f-lsc.html, 6 de marzo de 2015, pág. 2; FERNÁNDEZ DEL POZO, Luis, «Aproximación a la categoría de "operaciones sobre activos esenciales", cuya decisión es competencia exclusiva de la Junta [arts. 160 f) y 511 bis LSC]», *La Ley mercantil*, núm. 11, 2015, pág. 10.

El artículo 160 f) es un precepto de carácter imperativo que atribuye a la junta la mencionada facultad en exclusiva, frente a la mera potestad de intervenir en materia de gestión a que hace referencia el artículo 161 LSC. De esta manera, la finalidad de la norma no es poner un límite al poder de representación de los administradores, que no tienen esta competencia, articulando un cauce de participación de los socios en la toma de decisiones de carácter negocial con especiales efectos en la esfera patrimonial y societaria[2].

## 2. Antecedentes y fundamento

El fundamento de esta norma se halla en sus antecedentes, de ahí que los tratemos de forma conjunta[3].

El origen de esta disposición lo encontramos en la Sentencia del Tribunal Supremo (STS) alemán de 1982, también conocido como caso *Holzmüler*, donde se afirmaba que «hay decisiones amparadas en la atribución formal del poder de representación y la facultad de administración exclusiva de la dirección, así como por el texto de los estatutos, que afecta, sin embargo, de manera tan profunda a los derechos que se derivan de la condición de socio y a los intereses inherentes a la titularidad de los accionistas sobre el patrimonio de la sociedad, que la dirección no puede suponer razonablemente que pueda adoptarlas bajo sus exclusiva responsabilidad, sin que se haga participar a la junta general».

Es decir, hay operaciones que rebasan los límites de lo que se pueden considerar actos de administración ordinaria delimitados por el objeto social de la compañía, que afectan sobremanera a los intereses de los socios y que justificaría su facultad de decisión sobre aquellos.

En España tenemos que mencionar el Código Unificado de Buen Gobierno de 2006 (CUBG), el cual, en su Recomendación 3ª, afirma que aun-

---

[2]   Ver sobre esta afirmación, ALCALÁ DÍAZ, María de los Ángeles, «Ámbito de aplicación y consecuencias del incumplimiento del artículo 160 f) de la LSC», en *Junta General y Consejo de Administración en la Sociedad Anónima Cotizada*, dirigido por Rodríguez Artigas, Fernández de la Gándara, Quijano González, Alonso Ureba, Velasco San Pedro y Esteban Velasco, Navarra, 2015, págs. 278-282.

[3]   Este tema está muy bien tratado, y a él me remito, por RECALDE CASTELLS, Andrés, «Artículo 160. Competencia de la junta» en *Comentario de la reforma del régimen de las sociedades de capital en materia de gobierno corporativo (Ley 3/2014)*, coordinado por Javier Juste Mencía, Navarra, 2015, págs. 37 y ss.

que no lo exijan de forma expresa las Leyes mercantiles, deben someterse a la aprobación de la junta general las operaciones que entrañen una modificación estructural de la sociedad y, en particular, las siguientes:

> «a. La transformación de sociedades cotizadas en compañías holding, mediante "filialización" o incorporación a entidades dependientes de actividades esenciales desarrolladas hasta ese momento por la propia sociedad, incluso aunque ésta mantenga el pleno dominio de aquéllas;
> b. La adquisición o enajenación de activos operativos esenciales, cuando entrañe una modificación efectiva del objeto social;
> c. Las operaciones cuyo efecto sea equivalente al de la liquidación de la sociedad.»

Salta a la vista la similitud entre la recomendación y los artículos 160 f) y 511 bis LSC, pues habla de filialización, como operación de aportación a otra compañía, de adquisición y enajenación y de las operaciones equivalentes a la liquidación de la sociedad. Sí menciona la Recomendación y omiten los preceptos señalados, que la adquisición o enajenación de activos esenciales contemplada es aquella que entraña una modificación efectiva del objeto social, mas nadie pone en duda que este es un caso típico de competencia implícita de la junta pues, de admitir lo contrario, se estaría abriendo una puerta que permitiría vulnerar con suma facilidad el régimen jurídico aplicable a la modificación del objeto social.

Corresponde mencionar igualmente las SSTS español de 17 de abril de 2008 y 8 de febrero de 2007 [(*Tol 1297090* y *Tol 1037978*), respectivamente]. Trata la primera de un caso de nulidad de transmisión de la totalidad del activo de una compañía llevado a cabo por un consejero delegado tras el acuerdo del consejo de administración, lo que comportó una modificación efectiva del objeto social. El Tribunal afirmó que transmitir todo el activo de la empresa excedía del trafico normal de la misma, no siendo lógico que se precise el acuerdo de la junta general para ampliar, modificar o sustituir el objeto social pero no para mutilarlo. No obstante sus acertadas palabras en la línea que estudiamos, la demanda de nulidad fue desestimada invocándose la protección de los terceros de buena fe: los negocios fueron concluidos por consejeros delegados con poder de representación, lo que no permite poner en duda la validez de aquellos aunque se hubiesen excedido en sus poderes. La segunda sentencia anuló un acuerdo del consejo de administración por el que se cedían los activos de una compañía dedicados a una actividad al conllevar la cercenación del objeto social, cosa que únicamente podía efectuarse por la junta en los términos establecidos en la ley y en los estatutos.

La doctrina también ha tenido algo que decir al respecto, como tendremos ocasión de ver a lo largo de este trabajo, defendiendo que la junta general de las sociedades debía pronunciarse sobre actos de disposición de activos no contemplados por la ley de manera expresa y previstos por el órgano de administración, bajo el fundamento de que si es la junta el órgano competente para decidir sobre el objeto social, las modificaciones estructurales y la subsistencia de la sociedad, no debía sustraerse esta facultad a los socios mediante la ejecución de negocios patrimoniales de gran envergadura desde un punto de vista cuantitativo y cualitativo que, a la postre, produjeran idénticos efectos que una operación de reestructuración societaria, impidiesen la realización del objeto para el que se constituyó la compañía o comportara la disolución de hecho de la entidad.

Así las cosas, la Comisión de Expertos en materia de Gobierno Corporativo redactó un Informe, en cuyo apartado 3.2.3, propuso introducir en la LSC, en sede de sociedades cotizadas, un nuevo artículo 511 bis, ampliando las competencias de la junta general para tomar decisiones sobre los tres supuestos a que hacía referencia el CUBG ya descritos en este mismo epígrafe. Fruto de este Informe fue la Ley 31/2014, de 3 de diciembre, por la que se modifica la Ley de Sociedades de Capital para la mejora del gobierno corporativo que comentamos, que convierte la recomendación del CUBG en norma legal a través de los artículos 160 f) y 511 bis, fijando las competencias de la junta general y con ello la distribución de las competencias entre los órganos de la compañía sin que puedan alterarse las normas legales al respecto.

## II. ACTIVOS ESENCIALES: CONCEPTO Y OPERACIONES

### 1. *Concepto de activos esenciales*

No define la ley lo que se entiende por activos esenciales pero, a la luz del fundamento de la norma, hemos de decir que lo son aquellos (bienes y derechos) sin los cuales la sociedad no puede seguir desempeñando la actividad que hasta el momento venía desarrollando Su pérdida puede comportar una modificación de facto del objeto social por sustitución (otra actividad o la liquidación), ampliación o reducción, situación que puede producirse por cualquiera de las operaciones a las que hace referencia el artículo 160 f): enajenación, adquisición y aportación[4]. Todas ellas van a

---

[4]   RECALDE CASTELLS, Andrés, «Artículo 160. Competencia de la junta», *op. cit.*, pág. 41, señala que los activos esenciales serian aquellos sin los cuales la sociedad no puede seguir realizando la actividad que constituye su objeto social (modifica-

generar una alteración en la composición de los activos que integran el patrimonio social que afecta a los socios de la compañía y, con ello, a sus intereses. Por lo tanto, hay que valorar cada caso de forma individual atendiendo a la situación patrimonial de la entidad antes y después de la operación en cuestión.

Sí en cambio trata de dar la norma una indicación sobre lo que se consideraría activo esencial desde un punto de vista cuantitativo, acudiendo a una presunción *iuris tantum* conforme a la cual «se presume el carácter esencial del activo cuando el importe de la operación supere el veinticinco por ciento del valor de los activos que figuren en el último balance aprobado». Esto significa que estamos ante una presunción que puede desvirtuarse si el activo en cuestión, aún superando el importe indicado, no tiene el carácter de esencial[5]. En este caso, entendemos que no existe la obligación por parte de los administradores de convocar la junta general al efecto de autorizar la operación, pues esta facultad sólo se justifica en los casos en los que el objeto del contrato reúna el doble requisito de tratarse de un activo y, además, de que dicho activo sea esencial. Por otra parte, el porcentaje del 25% deja fuera de la presunción, y por tanto de este criterio cuantitativo de esencialidad de activos, a aquellos activos que, siendo esenciales, tengan un valor inferior al señalado. En estos casos la obligación de consultar a la junta para recabar su autorización persiste al amparo del inciso primero del artículo 160 f).

Por las razones expuestas se ha considerado[6] que el criterio cuantitativo fijado por la norma es, por un lado, muy bajo y, por otro, insuficiente para decidir sobre la esencialidad de un bien, obligando a acudir en cualquier caso al criterio cualitativo. En realidad, somos de la opinión de que no

---

ción de facto del objeto), que conducen a su disolución o que supone una modificación estructural de la sociedad; ALFARO ÁGUILA-REAL, Jesús, «El nuevo artículo 160 f) LSC», http://derechomercantilespana.blogspot.com.es/2015/02/el-nuevo-articulo-160-f-lsc.html, 13 de febrero de 2015, pág. 2, dispone que por «activos esenciales hay que entender aquellos sin los cuales la sociedad no puede desarrollar la actividad que constituye su objeto social». Por tanto, para determinar si se han enajenado o adquirido activos esenciales hay que comparar el objeto social realmente desarrollado por la sociedad antes y después del negocio.

[5] Esto pasaría, por ejemplo, en el supuesto de que el negocio de venta del activo en cuestión fuera cuantioso económicamente hablando, pero la operación formara parte del desarrollo del objeto social de la compañía.

[6] Ver en este sentido, ALFARO ÁGUILA-REAL, Jesús, «Y más sobre el art. 160 f) LSC», http://derechomercantilespana.blogspot.com.es/2015/06/y-mas-sobre-el-art-160f-lsc.html, 2 de junio de 2015, pág. 2.

está de más, pues es un freno a la discrecionalidad de los administradores, considerando por otro lado que, fuera cual fuera el porcentaje establecido, habrían negocios que, por su importe, caerían dentro de la presunción y otros que, recayendo sobre verdaderos activos esenciales, quedarían fuera por tener estos un valor inferior. A nuestro entender es más peligroso lo segundo que lo primero, de ahí que nos inclinemos por manifestar que el criterio cuantitativo establecido por el legislador parece aceptable.

## 2. *Operaciones sobre activos esenciales*

El artículo 160 f) LSC, concede a la junta general la competencia exclusiva en relación a las operaciones de enajenación, adquisición y aportación de activos esenciales, por los peligros que entrañan y que ya quedaron expuestos. La norma, como puede apreciarse, no concreta la naturaleza del negocio por el que se formaliza la adquisición, enajenación o aportación a otra sociedad de activos esenciales, abarcando cualquier negocio por el que el activo esencial entre en el ámbito patrimonial de la sociedad o salga de ella. De esta manera, se ha señalado la existencia de actuaciones que, no cayendo dentro de los denominados actos de disposición a título pleno sino limitado, también pueden llegar a comportar en el tiempo que activos esenciales escapen de la esfera de dominio de la compañía y, por lo tanto, requieren de su autorización. Tales negocios serían, a título ejemplificativo, el usufructo, la hipoteca o la transmisión del dominio en garantía de un crédito como sucede en el leasing, entre otros[7].

Esta afirmación no viene a aclarar sino a complicar más si cabe la distribución de competencias entre los órganos de la compañía, pues la realiza-

---

[7] Sobre esta afirmación, RECALDE CASTELLS, Andrés, *op. cit.*, pág. 40; GONZAGA KNÖRR GOMEZA, Luis, «Las operaciones de constitución de gravámenes sobre activos esenciales a la luz del artículo 160 f) de la ley de sociedades de capital», *La Ley*, núm. 8903, 2017, págs. 14 y ss., donde señala que, a pesar de que hay divergencia de opiniones sobre si el gravamen de un activo esencial requiere la autorización de la junta general, opinando unos abiertamente que sí es necesaria mientras que otros piensan que el artículo 160 f) debe ser objeto de una interpretación restrictiva ceñida a los negocios que allí se señalan, el autor se posiciona en esta segunda corriente, que sustenta en base a una serie de argumentos como los antecedentes y la finalidad de la norma, la literalidad del artículo 160 f), el hecho de que las operaciones de constitución de gravámenes estén incardinadas dentro del objeto social cuyo desarrollo corresponde a los administradores, las propias exigencias del tráfico jurídico y económico, la aplicación analógica del artículo 234 LSC, etc.

ción de las actividades de carácter negocial corresponde a los administrado-res en su calidad de representantes de la entidad y, con esta interpretación, se les está sustrayendo también poder de decisión en caso de celebrarse determinados negocios que puedan conllevar en el futuro la salida de acti-vos esenciales, y cuyas consecuencia impliquen una sustitución o reducción del objeto social de la entidad, e incluso, la liquidación.

Volviendo a la norma, las operaciones mencionadas son la enajenación, la adquisición y la aportación. No cabe la menor duda de que la aportación también es una enajenación. En principio pues, hablar de enajenación y de aportación puede parecer una redundancia, y en este sentido se ha dicho que la aportación a otra sociedad se singulariza en el precepto para eliminar dudas acerca de si la aportación debe de considerarse una enaje-nación, siendo la respuesta afirmativa[8]. No obstante, no podemos perder de vista, en relación con lo dicho, que no toda aportación comporta un desplazamiento de la titularidad dominical del objeto, pues caben las apor-taciones a título de uso que, por las razones ya mencionadas anteriormen-te siguiendo la línea argumentativa de algún autor, siempre que recaigan sobre un activo esencial y conlleven el peligro de una transmisión de la propiedad deberían recabar la autorización de la junta.

Se trata por otra parte de tres operaciones que pueden traer consigo una modificación sustancial del objeto social cuando la compañía pase a desempeñar una actividad principal distinta a la desarrollada hasta ese mo-mento: si se adquiere un activo esencial se puede producir una modifica-ción del objeto social por ampliación y, si se enajena, una modificación de facto del objeto social por reducción o sustitución, ya que la sociedad no va a disponer más de aquellos bienes con los que desempeñaba el objeto social que venía desarrollando. En cuanto a la liquidación *de facto* de la sociedad, sería un caso de sustitución del objeto social, pues la entidad, que antes ejercía una actividad económica, pasa a realizar las actividades propias de la liquidación.

Cuando las circunstancias descritas calificables de modificación sustan-cial del objeto social no se den, porque de alguna forma se siga desple-gando la misma actividad con otros medios nuevos (con el importe de la venta se compra una explotación más moderna) o ya existentes en el activo

---

[8]　En este sentido se expresa ALFARO ÁGUILA-REAL, Jesús, «El nuevo artículo 160 f) LSC», *op. cit.*, pág. 2.

patrimonial de la compañía, no estaríamos, conforme a lo expuesto, ante la necesidad de que la junta tuviera que autorizar la operación[9].

## III. EL ACUERDO DE LA JUNTA GENERAL

### 1. *Eficacia de los actos de disposición de activos esenciales*

El artículo 160 f) LSC reserva a la junta general la competencia para decidir sobre la enajenación, adquisición y aportación de activos esenciales, actos típicos de gestión, alterando la normal distribución de competencias entre los órganos de la compañía. No obstante, podemos afirmar que la decisión y ejecución respecto al negocio concreto corresponde a los gestores de la compañía, solo que, tratándose de activos esenciales, se impone la obligación de consultar a la junta general para que conceda o deniegue

---

[9]  En esta línea, FERNÁNDEZ DEL POZO, Luis, *op. cit.*, pág. 21; RECALDE CASTELLS, Andrés, *op. cit.*, pág. 46, donde manifiesta que la competencia de la junta debe limitarse a los actos de disposición sobre activos esenciales que comportan la modificación o la sustitución del objeto social, dado que exceden de la capacidad de los administradores, o que producirían efectos análogos a los que resultan de las modificaciones estructurales. Así, siempre debe pronunciarse la junta si se vende el activo con el que se realiza el objeto social y ello conduce *de facto* a la necesidad de liquidar la sociedad. Pero no se produce una modificación estructural ni la sustitución del objeto social ni deviene imposible, si los administradores sustituyen un activo esencial por otro homogéneo, sea cual sea el valor de uno y otro; y ALFARO ÁGUILA-REAL, Jesús, «El nuevo artículo 160 f) LSC», *op. cit.*, pág. 5, señala que solo cuando la adquisición, enajenación o aportación a otra sociedad del activo tenga como consecuencia una modificación sustancial o una sustitución del objeto social *de facto*, podrá afirmarse que resulta competente la junta para aprobar la operación. Por tanto, no será de aplicación el artículo 160 f) cuando, por ejemplo, los administradores procedan a la sustitución del activo por otro análogo. Tal sería el caso de una sociedad que vende su fábrica porque ha construido una más moderna que ha comprado mediante un contrato «llave en mano». Las dos operaciones —venta de la vieja fábrica y compra de la nueva— constituyen, en conjunto, una operación de desarrollo del objeto social. La autorización de la junta pues no es necesaria, como tampoco lo sería si la sociedad vende la patente porque puede seguir fabricando los productos con una licencia de una patente cuyo titular es un tercero, ni en el caso de que la adquisición del activo esencial sea «ejecución» del programa aprobado por los socios al constituir la sociedad o ampliar capital. Finalmente, y con relación al negocio de «aportación», no hay enajenación cuando la operación supone que la sociedad desarrollará su objeto social pero de forma indirecta, y está previsto en los estatutos la posibilidad de ejercicio indirecto del objeto social.

su autorización, pues son actos de administración que exceden con mucho los propios de la gestión ordinaria.

Cumpliéndose con los trámites legalmente previstos, el negocio de disposición surtirá todos sus efectos, pero ¿qué sucede si los administradores lo celebran sin haber contado con la autorización de la junta o a pesar de haber denegado su consentimiento? ¿Es nulo? Subyace aquí la lucha entre el principio de defensa del interés social y el de la seguridad del tráfico jurídico.

Trayendo nuevamente a colación la STS de 17 de abril de 2008 *(Tol 1297090)*, un caso de transmisión total del activo de la compañía, se dio la razón a la actora, pero la demanda de nulidad acabó desestimándose al invocarse la protección de los terceros de buena fe en consonancia con el artículo 234.2 LSC, conforme al cual «la sociedad quedará obligada frente a terceros que hayan obrado de buena fe y sin culpa grave, aún cuando se desprenda de los estatutos inscritos en el Registro Mercantil que el acto no está comprendido en el objeto social».

Concluye el Tribunal afirmando que los negocios fueron celebrados por consejeros delegados con poder de representación, lo que no permite poner en duda su validez aunque se hubiesen excedido en sus poderes. En la misma línea se posiciona la Dirección General de los Registros y del Notariado en las diversas Resoluciones en que se ha pronunciado sobre el artículo 160 f), optando por proteger a los terceros de buena fe y sin culpa grave que contratan con la sociedad[10]. A nivel doctrinal, se afirma la posible aplicación analógica del artículo 234 LSC al caso de la infracción de la reserva competencial del artículo 160 f), sobre la base de que, por un lado, abarca de forma general todos los supuestos de actuación con extralimitación del poder de representación y, por otro, ofrece una solución equilibrada al conflicto entre la protección de terceros y socios en el contexto del artículo 160 f)[11].

---

[10]   Entre otras, las Resoluciones de 10 y 26 de junio y 8 y 27 de julio de 2015.
[11]   ALCALÁ DÍAZ, María de los Ángeles, *op. cit.*, pág. 299; PORTELLANO DÍEZ, Pedro, «Más sobre el artículo 160 f) LSC», http://derechomercantilespana.blogspot.com.es/2015/03/mas-sobre-el-articulo-160-f-lsc.html, 20 de marzo de 2015; y ÁLVAREZ ROYO-VILLANOVA, Segismundo/SÁNCHEZ SANTIAGO, Jaime, «La nueva competencia de la junta general sobre activos esenciales: a vueltas con el artículo 160 f) LSC», *La Ley*, núm. 8546, 2015, págs. 15 y ss.

Esta opinión no es sostenida por todos los autores[12], pues hay quien entiende, y compartimos, que el contrato concluido por los administradores en nombre de la sociedad no la vincularía por falta de competencia de aquellos, y los socios podrían solicitar la nulidad de la operación al margen de la buena o mala fe del tercero, quien únicamente dispondría de una acción individual de responsabilidad para ir contra los administradores al haber actuado al margen del objeto social. En esta idea de no vinculación se pronuncia también el artículo 10 de la 1ª Directiva, cuando dice que «la sociedad quedará obligada frente a terceros por los actos realizados por sus órganos, incluso si estos actos no corresponden al objeto social de esta sociedad, a menos que dichos actos excedan los poderes que la ley atribuya o permita atribuir a estos órganos».

Siguiendo esta línea, podemos afirmar que, por ley, y de manera imperativa, el poder de decisión sobre los actos de disposición que recaigan sobre activos esenciales corresponde a la junta y, en consecuencia, el tercero nunca podría invocar la tutela del artículo 234.2 LSC si tales actos se concluyen sin la autorización de aquella, ni aun en el caso de que hubiese actuado de buena fe y sin culpa grave. El poder de gestionar la compañía se le atribuye a los administradores para que lo desplieguen dentro de los límites del objeto social, y no para aquellas actuaciones extrañas al mismo (y los actos de disposición de activos esenciales lo son) como así se desprende del artículo 234.1, conforme al cual «la representación se extenderá a todos los actos comprendidos en el objeto social delimitado en los estatutos», de manera que cuando los administradores actúan más allá de los mencionados límites, la sociedad no queda vinculada salvo que se den los requisitos del apartado dos, conforme al cual el tercero ha de haber actuado de buena fe y sin culpa grave, y ha de ser dudoso si el acto en cuestión está o no comprendido en el objeto social de conformidad con los estatutos[13].

---

[12] Véase dentro de esta postura a RECALDE CASTELLS, Andrés, *op. cit.*, págs. 46 y 48, donde señala que la tesis que se va imponiendo es la de que la omisión de la autorización de la junta tiene efectos externos, no produciéndose la transmisión del activo por falta de competencia de los administradores para vincular a la sociedad; Sobre la interpretación del artículo 234, véase por todos ALFARO ÁGUILA-REAL, J., «El nuevo artículo 160 f) LSC», *op. cit.*, pág. 4; MARTÍNEZ SEGOVIA, Francisco José, entrada en Blog de Alfaro, 6 de marzo de 2015.

[13] Sobre la interpretación del artículo 234, ver por todos ALFARO ÁGUILA-REAL, Jesús, «El nuevo artículo 160 f) LSC», *op. cit.*, pág. 4, donde manifiesta que los administradores tienen facultad para vincular a la sociedad con un tercero siempre que actúen dentro del objeto social. En caso contrario, la sociedad quedaría vinculada solo si el tercero no pudo apreciar que se trataba de una actuación fuera

Avanzando un poco más en esta postura de no vinculación de la sociedad, y como otro argumento aducible en la línea sostenida, procede invocar, y máxime en estos tiempos de crisis económica, el principio de conservación de la empresa. Además, y por otra parte, la destrucción de empresas y de puestos de trabajo, con el empobrecimiento general a que ello ha conducido, nos permite acudir también como instrumento de respaldo de esta opinión, y a fin de reforzar la interpretación dada del artículo 234.1 LSC, al artículo 3 del Código Civil, conforme al cual, las normas se han de interpretar con arreglo a la realidad social del tiempo en que han de ser aplicadas. De acuerdo con estas premisas, queda más que justificado que todo acto de disposición de activos esenciales sin autorización expresa de la junta que lleve a la compañía a su disolución, e incluso, nos atreveríamos a decir, que merme de una manera significativa su actividad económica, sería nulo amparándonos en el principio de conservación de la empresa. Por último, cobra por otra parte especial relevancia en este difícil período de nuestra reciente historia económica, la proclamación de la función social de la propiedad privada (art. 33.2 CE).

Muestra del protagonismo que ha adquirido en los últimos años el principio de conservación de la empresa debido a la crisis económica es la legislación concursal[14]. Si bien el objetivo principal del concurso ha sido siempre proporcionar la mayor satisfacción posible a los acreedores del

---

del objeto social tal como éste se describe en los estatutos sociales. La protección del tercero tiene como objetivo liberarle de la obligación de consultar los estatutos sociales, de interpretarlos y aplicarlos mediante la comprobación de que el negocio que celebra con los administradores cae dentro de la cláusula estatutaria que recoge el objeto social; «Y más sobre el art. 160 f) LSC», *op. cit.*, pág. 6, donde señala que la regla del artículo 234.2 LSC se justifica porque muchos de los actos realizados por los administradores con terceros que vinculan a la sociedad son actos «incoloros» respecto del objeto social descrito en los estatutos sin que los terceros puedan saber si el acto está dentro del objeto social o no, poniendo los ejemplos de la compra de material de oficina, la venta de un inmueble, la adquisición de acciones, la contratación de los servicios de un abogado o un enfermero. De ahí que sea razonable que sea la compañía la que asuma el riesgo salvo que haya culpa grave del tercero. Esta norma beneficia a la sociedad pues, de lo contrario, tendría que exhibir continuamente frente a terceros las pruebas de la vigencia del cargo del administrador y de que la operación económica de que se trate está inserta en el objeto social.

[14]    Sobre esta cuestión, ver el trabajo de JACQUET YESTE, Teodora, «La conservación de la empresa en el sistema español», en *Hacia un nuevo paradigma del derecho europeo de insolvencias*, dirigido por José Oriol Llebot Majó, Lecce, 2016, págs. 103-113.

deudor común, el legislador ha decidido proteger otros intereses diferentes a los de aquellos, como el de los trabajadores, proveedores y la sociedad en general, persiguiendo ahora otras finalidades diferentes a la originaria, entre las que se enmarca la conservación de la empresa como una cuestión de interés general. La propia Exposición de Motivos de la Ley Concursal (LC) afirma que la satisfacción de los acreedores es la finalidad esencial del concurso, lo que puede alcanzarse tanto a través del mantenimiento en funcionamiento de la explotación como mediante la realización de los bienes del deudor concursado. No obstante lo anterior, la Ley también muestra la preferencia por soluciones que garanticen la continuidad de la empresa, posición conservadora que se ha ido acentuando considerablemente en la propia LC y que ha cobrado especial protagonismo en sus diferentes reformas.

## 2. *Requisitos del acuerdo*

Otra de las cuestiones que plantea el articulo 160 f) es la de determinar, dado que la ley no lo hace, si se requieren quorums y mayorías reforzadas para la adopción del acuerdo de disposición sobre activos esenciales, pues una elección errada en esta materia podría ser causa de nulidad de la decisión.

Hay quien opina[15] que el legislador, a pesar de haber roto la normal distribución de competencias entre junta y administradores, no ha querido aplicar a los negocios de disposición de activos toda la regulación sobre modificaciones estatutarias, como el derecho de separación, mayorías reforzadas, informes, escritura pública, inscripción en el Registro Mercantil, etc., basándose en que la *ratio* de la atribución a la junta de la competencia señalada es reducir los costes de agencia de los socios respecto de los administradores, prohibiendo a estos adoptar decisiones que afectan a la posición de aquellos sin consultarles. Por lo tanto, son de aplicación las normas generales sobre adopción de acuerdos. De manera particular sobre el posible derecho de separación, se argumenta que, en la medida en que no hay una modificación formal del objeto social, es decir, aquella que se produce en un momento determinado y conforme a un procedimiento

---

[15]    En este sentido, ver ALFARO ÁGUILA-REAL, Jesús, «Más sobre el art. 160 f LSC», *op. cit.*, págs. 2-3.

preciso, no hay derecho de separación, independientemente de que se pueda aceptar un derecho de separación por justos motivos[16].

En una línea diferente, los hay que se pronuncian en el sentido de que la laguna del precepto no debe conducirnos a creer que los requisitos exigidos fueran los previstos para los acuerdos ordinarios, por el hecho de que la nueva competencia del artículo 160 f) no se incluye de manera expresa entre los acuerdos cualificados. No, esta conclusión no es aceptable, y no lo es porque, independientemente de que la junta sea soberana para establecer en los estatutos un régimen específico y más riguroso para la adopción de esta clase de acuerdos, «si la finalidad de que este tipo de operaciones se sometan al acuerdo de la junta es evitar la elusión de las normas que atribuyen a los socios la competencia en materia de modificaciones de estatutos incluido el cambio del objeto social, en relación con la aprobación de modificaciones estructurales o respecto a la disolución de la sociedad, lo lógico es que el acuerdo de la junta se someta al régimen aplicable al tipo de operación cuya elusión pretende evitarse»[17]. En esta línea, se afirma con total seguridad, que cualquier operación sobre activos esenciales requiere un acuerdo extraordinario de la junta y mayorías reforzadas, ya que solo así se respetará el fundamento y fin de la norma que consiste en proteger los derechos de los socios, básicamente los minoritarios, que pueden verse afectados por operaciones realizadas sobre esos activos, pues la composición del capital en algunas sociedades favorece la existencia de socios o grupos de socios que, no solo controlan a los administradores, sino también a la junta[18].

---

[16]   En este sentido ALFARO ÁGUILA-REAL, Jesús, «Y más sobre el art. 160 f) LSC», *op. cit.*, pág. 4; FERNÁNDEZ DEL POZO, Luis, *op. cit.*, pág. 29.

[17]   RECALDE CASTELLS, Andrés, *op. cit.*, pág. 48.

[18]   De esta opinión RODRÍGUEZ ARTIGAS, Fernando, «Operaciones sobre "activos esenciales" y acuerdo de la junta», en *Estudio sobre Derecho de Sociedades. Liber Amicorum Profesor Luis Fernández de la Gándara*, Navarra, 2016, pág. 331; sin embargo, ESTEBAN VELASCO, Gaudencio, «Distribución de competencias entre la junta general y el órgano de administración, en particular las nuevas facultades de la junta sobre activos esenciales», en *Junta General y Consejo de Administración en la Sociedad Anónima Cotizada*, dirigido por Rodríguez Artigas, Fernández de la Gándara, Quijano González, Alonso Ureba, Velasco San Pedro y Esteban Velasco, Navarra, 2015, págs. 56-57, opina que si el legislador no ha sometido estos acuerdos a quorums y mayorías reforzados como los de especial importancia, es porque considera que para la tutela de los socios es suficiente garantía sustraer esta medida del ámbito de competencias de los administradores, y que la junta decida con arreglo a los acuerdos ordinarios. No obstante lo anterior, entiende que mientras

Los casos expuestos vienen respaldados por las pertinentes disposiciones legales, en virtud de las cuales, en caso de sustitución o modificación sustancial del objeto social surge un derecho de separación de los socios que no hubiesen votado a favor del acuerdo correspondiente, incluidos los socios sin voto (art. 346.1.a LSC); y la modificación de los estatutos sociales exigirá quórum reforzado en las sociedades anónimas (art. 194 LSC) y mayorías reforzadas en el todas las sociedades de capital (arts. 199 y 201 LSC).

En una postura intermedia, se ha dicho[19] que, dado que estamos tratando de actos de disposición de activos que traen consigo una modificación sustancial del objeto social, a veces hasta la mismísima liquidación de la compañía, y que en ocasiones pueden ir acompañados de una más que necesaria reforma de estatutos, es posible que en algunos casos no baste el sistema de quorums y mayorías ordinarios, como cuando: a) se transmiten todos los activos quedando comprometida la continuidad de la sociedad [mutilación del objeto social por transmisión de todos los activos, STS de 17 de abril de 2008 *(Tol 1297090)*]; b) se adquieren activos esenciales que obligan a la sociedad que compra a desplegar una nueva actividad que no figura en el objeto social (ampliación), lo que requerirá un cambio de estatutos cumpliendo todos los requisitos legales que ello comporta; y c) se transmite o adquiere una actividad principal diferente a la desarrollada hasta el momento (ampliación o sustitución), haciéndose necesario conceder al socio el derecho de separación, lo que parece exigir el acuerdo de junta adoptado con los requisitos propios de la modificación de estatutos.

## 3. *Falta de acuerdo y responsabilidad de los administradores frente a la sociedad*

Por último nos planteamos en este apartado el tema de la responsabilidad de los administradores cuando la operación de disposición de activos esenciales se ha producido sin la imperativa autorización de la junta general, bien porque no ha sido convocada, bien porque, debidamente convocada, no ha dado su aprobación.

---

no haya una solución expresa del legislador, el cumplimiento en estos casos de los requisitos propios de los acuerdos de especial importancia, solo tiene fundamento razonable en los supuestos de acuerdos que impliquen una modificación sustancial del objeto social y de los contrarios y de efectos equivalentes a la liquidación de la sociedad.

19 Sobre esta cuestión, ver FERNÁNDEZ DEL POZO, Luis, *op. cit.*, págs. 21 y 29.

Ya hemos comentado que los actos de disposición de la compañía son operaciones que habitualmente entran dentro de la esfera competencial de los administradores, siendo la reserva del artículo 160 f) un supuesto excepcional.

Por otra parte, podemos afirmar que se trataría de actuaciones incardinables dentro de las llamadas operaciones estratégicas o de negocios, por lo que se insertan en el ámbito de protección de la discrecionalidad empresarial del artículo 226 LSC, el cual, conforme a su primer apartado, dispone que «el estándar de diligencia de un ordenado empresario se entenderá cumplido cuando el administrador haya actuado de buena fe, sin interés personal en el asunto objeto de decisión, con información suficiente y con arreglo a un procedimiento de decisión adecuado».

Satisfechos todos los requisitos mencionados en el precepto, y concluido el negocio sobre un activo esencial sin consultar a la junta en la creencia de que no es necesario, no podríamos exigir responsabilidad alguna a los administradores por actuación negligente (art. 225 LSC)[20], como tampoco por el hecho de que el resultado de la operación no hubiese sido el deseado, pues de eso se trata cuando se aplica la *business judment rule*.

En cambio, cuando se haya prescindido a sabiendas de la autorización de la junta, o se proceda a la celebración del negocio de disposición en contra del sentir de la misma, se podrá interponer la acción social de responsabilidad, en virtud de la cual los administradores responderán frente a la sociedad, los socios y los acreedores sociales del daño causado por actos u omisiones contrarios a la ley [el art. 160 f) en nuestro caso], o por los realizados incumpliendo los deberes inherentes al desempeño del cargo (el deber de diligencia, art. 225 LSC), siempre y cuando haya intervenido dolo o culpa (a sabiendas de o en contra). Además, contamos con una presunción legal de culpabilidad cuando el acto sea contrario a la ley (art.

---

[20]   De esta opinión, ALFARO ÁGUILA-REAL, Jesús., «Y más sobre el art. 160 f) LSC», *op. cit.*, pág. 4, donde manifiesta que es probable que el juicio de responsabilidad deba realizarse sobre la base del artículo 225 LSC, examinando si los administradores actuaron negligentemente al apreciar que se trataba de un activo esencial y, por tanto, que su enajenación o adquisición requería de la aprobación de la junta, en base a que el mencionado precepto obliga a los administradores a cumplir las leyes y, por tanto, el art. 160 f) LSC. Habrá que comprobar si la infracción del artículo 160 f) fue negligente. Dado que el criterio del citado precepto es poco preciso, pueden haber casos donde el carácter esencial del activo no sea evidente, operando la regla de la discrecionalidad empresarial si se dan los requisitos que esta exige.

225.2 LSC), como sería el supuesto de omisión de la consulta a la junta o la vulneración del resultado de la misma, en base a la cual corresponde a los administradores demostrar que actuaron diligentemente.

Tratándose de un acuerdo del consejo de administración, este es impugnable de conformidad con el artículo 251 LSC.

## Bibliografía

ALCALÁ DÍAZ, M.ª Á., «Ámbito de aplicación y consecuencias del incumplimiento del artículo 160.f) de la LSC», en *Junta General y Consejo de Administración en la Sociedad Anónima Cotizada*, dirigido por Rodríguez Artigas, Fernández de la Gándara, Quijano González, Alonso Ureba, Velasco San Pedro y Esteban Velasco, Navarra, 2015, págs. 275-300.

ÁLVAREZ ROYO-VILLANOVA, S./SÁNCHEZ SANTIAGO, J., «La nueva competencia de la junta general sobre activos esenciales: a vueltas con el artículo 160 f) LSC», *La Ley*, núm. 8546, 2015, págs. 1-35.

ESTEBAN VELASCO, G., «Distribución de competencias entre la junta general y el órgano de administración, en particular las nuevas facultades de la junta sobre activos esenciales», en *Junta General y Consejo de Administración en la Sociedad Anónima Cotizada*, dirigido por Rodríguez Artigas, Fernández de la Gándara, Quijano González, Alonso Ureba, Velasco San Pedro y Esteban Velasco, Navarra, 2015, págs. 29-87.

FERNÁNDEZ DEL POZO, L., «Aproximación a la categoría de "operaciones sobre activos esenciales", cuya decisión es competencia exclusiva de la Junta [arts. 160 f) y 511 bis LSC]», *La Ley mercantil*, núm 11, 2015, págs. 1-31.

GONZAGA KNÖRR GOMEZA, L., «Las operaciones de constitución de gravámenes sobre activos esenciales a la luz del artículo 160.f) de la ley de sociedades de capital», *La Ley*, núm. 8903, 2017, págs. 1-17.

JACQUET YESTE, T., «La conservación de la empresa en el sistema español», en *Hacia un nuevo paradigma del derecho europeo de insolvencias*, dirigido por José Oriol Llebot Majó, Lecce, 2016, págs. 103-113.

RECALDE CASTELLS, A., «Artículo 160. Competencia de la junta», en *Comentario de la reforma del régimen de las sociedades de capital en materia de gobierno corporativo (Ley 3/2014)*, coordinado por Javier Juste Mencía, Navarra, 2015, págs. 29-50.

RODRÍGUEZ ARTIGAS, F., «Operaciones sobre "activos esenciales" y acuerdo de la junta», en *Estudio sobre Derecho de Sociedades. Liber Amicorum Profesor Luis Fernández de la Gándara*, Navarra, 2016, págs. 301-336.

## Páginas webs

ALFARO ÁGUILA-REAL, J., «El nuevo artículo 160 f) LSC», http://derechomercantilespana.blogspot.com.es/2015/02/el-nuevo-articulo-160-f-lsc.html, 13 de febrero de 2015.

— «Más sobre el art. 160 f) LSC», http://derechomercantilespana.blogspot.com.es/2015/03/mas-sobre-el-art-160-f-lsc.html, 6 de marzo de 2015.

— «Y más sobre el art. 160 f) LSC», http://derechomercantilespana.blogspot.com.es/2015/06/y-mas-sobre-el-art-160f-lsc.html, 2 de junio de 2015.

PORTELLANO DÍEZ, P., «Más sobre el artículo 160 f) LSC», http://derechomercanti-lespana.blogspot.com.es/2015/03/mas-sobre-el-articulo-160-f-lsc.html, 20 de marzo de 2015.

# 34. Quórums y mayorías en la sociedad anónima (especial referencia a la autocartera)[*][**]

**JOSÉ LUIS MARTOS MORENO**

*Profesor de Derecho Mercantil*
*Universidad de Huelva*

**Sumario:** I. QUÓRUMS: LOS ARTÍCULOS 193 Y 194 DE LA LEY DE SOCIEDADES DE CAPITAL. 1. Consideraciones previas. 2. Base del cómputo para su determinación. 2.1. Ley de Sociedades Anónimas de 1951. 2.2. Segunda Directiva 77/91/CEE del Consejo, de 13 de diciembre de 1976. 2.3. Ley de Sociedades Anónimas de 1989 y Texto Refundido de la Ley de Sociedades de Capital. II. MAYORÍAS: EL ARTÍCULO 201 DE LA LEY DE SOCIE-DADES DE CAPITAL. 1. Consideraciones generales. 2. La mayoría simple. 3. La mayoría absoluta y la mayoría de dos tercios. 4. La prueba de resistencia. Bibliografía.

## I. QUÓRUMS: LOS ARTÍCULOS 193 Y 194 DE LA LEY DE SOCIEDADES DE CAPITAL

## 1. *Consideraciones previas*

Conforme a las disposiciones establecidas en la Ley de Sociedades de Capital[1] (en adelante LSC), el quórum en la sociedad anónima hace referencia a la cifra de capital social con derecho de voto que los accionistas que asisten a la junta general deben representar para que ésta se entienda válidamente constituida.

El quórum necesario en una sociedad anónima se recoge en los artículos 193 y 194 LSC. Además, se prevé la posibilidad de una segunda con-

---

[*]    Este trabajo se ha realizado en el marco de los Proyectos de Investigación «*Princi-pales instituciones del Derecho de la Insolvencia. La reforma concursal. Sociedades y Rein-tegración (DER 2011-29417-C02-02)*» y «*Reestructuración Empresarial. Reintegración y Gobierno Corporativo (DER 2014-55427-C2-2-P)*».

[**]   El autor agradece al Prof. Francisco José León Sanz sus aportaciones y sugerencias que sin lugar a dudas han mejorado el presente trabajo.

[1]    Real Decreto Legislativo 1/2010, de 2 de julio, por el que se aprueba el texto re-fundido de la Ley de Sociedades de Capital. BOE nº 161, de 3 de julio de 2010.

vocatoria[2] cuando no se haya alcanzado el quórum mínimo exigido en la primera.

La exigencia de un capital mínimo asistente a la junta encuentra su explicación, principalmente, en la necesidad de que los acuerdos se adopten entre socios que posean una cifra de capital social que sea mínimamente representativa. Esta exigencia se justifica de manera específica para las sociedades anónimas cotizadas, con una estructura abierta y donde se cuenta con un gran número de socios. Sin embargo, ordinariamente, esta exigencia no es tan imprescindible en sociedades anónimas con pocos socios ni en sociedades de responsabilidad limitada, porque las decisiones se toman con la participación de los socios, sin existir la problemática de garantizar una representatividad mínima.

Con la reforma de la LSC del año 2014 se modifica el régimen de las mayorías, resolviendo el problema relativo a la mayoría simple y a la mayoría absoluta, pero no resuelve todos los problemas, entre los cuales sigue encontrándose la determinación del quórum.

## 2. *Base del cómputo para su determinación*

Como ya se ha dicho, el quórum necesario para que una junta general de una sociedad anónima se entienda válidamente constituida se recoge en los artículos 193 y 194 LSC. El primero de ellos recoge el quórum para los asuntos «ordinarios» o, mejor dicho, para aquellos asuntos que el legislador no ha considerado de especial relevancia. De esta forma, será necesario, en primera convocatoria, que acudan socios, presentes o representados, que representen una cifra de capital social con derecho de voto de un veinticinco por ciento. En segunda convocatoria, sin embargo, se entenderá constituida con la asistencia de cualquier accionista que sea titular de acciones con derecho de voto, salvo que mediante cláusula estatutaria se exija un quórum determinado.

---

[2]    En esta segunda convocatoria se prevé un quórum inferior al de la primera, si bien ambos pueden aumentarse mediante cláusula estatutaria. Esta segunda convocatoria debe estar prevista en la convocatoria de la junta y debe estar separada de la primera en, al menos, veinticuatro horas. De no estar prevista en la misma convocatoria, deberán ser los administradores los que la convoquen, una vez que no ha podido celebrarse la primera, dentro de los quince días siguientes a la no celebración de ésta y con al menos diez días de antelación a la celebración de la segunda —*ex* artículo 177 de la Ley de Sociedades de Capital—.

La norma prevista en el artículo 194 LSC prevé un quórum reforzado para determinadas materias que el legislador ha considerado de especial relevancia[3].

Se distingue, a su vez, entre un quórum determinado en primera convocatoria, que deberá ser igual o superior[4] al cincuenta por ciento del capital social con derecho de voto, y el exigido en segunda convocatoria, el cual deberá ser igual o superior[5] al veinticinco por ciento del capital suscrito con derecho de voto.

Se hace necesario, en primer lugar, plantear la siguiente cuestión. Qué ocurriría si en el orden del día se recogieran asuntos que requieren el quórum del artículo 193 LSC y otros que requieren el quórum previsto en el artículo 194 LSC[6]. El problema surge cuando se alcanza el quórum necesario para tratar los asuntos previstos en el artículo 193 LSC pero no el pre-

---

[3]   Los asuntos que requieren de este quórum reforzado son los siguientes: cualquier modificación de estatutos, la emisión de obligaciones —tras la reforma del artículo 406 de la Ley de Sociedades de Capital por el artículo 45.4 de la Ley 5/2015, de 27 de abril, de fomento de la financiación empresarial, salvo disposición contraria en los estatutos, el órgano encargado de la emisión de obligaciones es el órgano de administración, salvo que se trate de emisión de obligaciones convertibles en acciones o de obligaciones que atribuyan a los accionistas una participación en las ganancias sociales, en cuyo caso será competente la junta general. Por tanto, salvo que los estatutos dispongan otra cosa, el quórum previsto en el artículo 194 será de aplicación a la emisión de obligaciones convertibles o que atribuyan una participación en las ganancias—, la supresión o limitación del derecho de adquisición preferente de nuevas acciones en casos de aumento de capital social, así como cualquier modificación estructural, esto es, la transformación, fusión, escisión y cesión global de activo y pasivo, más el traslado del domicilio social al extranjero. Además de los asuntos expresamente mencionados en el artículo 194 LSC, se establecen a lo largo del articulado diferentes materias que también requerirían de este quórum, como son la revocación de los liquidadores en caso de haber sido mencionados en los estatutos sociales (art. 380.1 LSC) o el acuerdo de disolución de la sociedad por simple voluntad de la junta general (art. 368 LSC).

[4]   El artículo 194.1 LSC establece la necesidad de «*al menos, el cincuenta por ciento del capital suscrito con derecho de voto*».

[5]   El artículo 194.2 LSC establece que «*será suficiente la concurrencia del veinticinco por ciento de dicho capital*».

[6]   La solución es sencilla si concurren a la junta accionistas que representen una cifra de capital social con derecho de voto que supere el quórum previsto para los asuntos del artículo 194 LSC, pues en ese caso la junta quedará constituida para tratar todos los asuntos. Igualmente la solución no es difícil si no se alcanza ni siquiera el quórum previsto para los asuntos del artículo 193 LSC, pues en ese caso la junta no quedará constituida.

visto para los asuntos del artículo 194 LSC. En nuestra opinión, y como ha señalado también la doctrina más autorizada[7], debido a que la junta debe celebrarse en un único acto —sin perjuicio de las posibles prórrogas que puedan acordarse conforme al artículo 195 LSC—, debemos diferenciar si el problema se ha planteado en primera o en segunda convocatoria. En el primero de los supuestos, debería esperarse a la segunda convocatoria para comprobar si pueden tratarse todos los asuntos del orden del día. Por el contrario, si el problema se plantease en segunda convocatoria, quedará constituida la junta válidamente si concurre el capital necesario para los asuntos previstos en el artículo 193 LSC, aunque, claro está, únicamente serán tratados estos.

Parece, además, que las sociedades cotizadas se decantan por esta opción. De esta manera, por ejemplo, el Reglamento de la Junta General de Telefónica, en su artículo 16, segundo párrafo, establece que «*Si para la válida constitución de la Junta General de Accionistas, Ordinaria o Extraordinaria, o para la válida adopción de determinados acuerdos, fuera necesario, de conformidad con lo establecido en la ley o en los Estatutos Sociales, la concurrencia de un determinado porcentaje mínimo del capital social y dicha concurrencia no se alcanzase en segunda convocatoria según la lista de asistentes, el Orden del Día de la Junta General de Accionistas quedará reducido al resto de los puntos que no requieran esa determinada concurrencia mínima de capital para la válida constitución de la Junta General de Accionistas o para su adopción*».

Junto a esto, se hace necesario determinar cuál es el capital susceptible de computar a efectos de constitución de la junta general. Si se ha dicho que el capital que debe asistir a la junta general para que quede válidamente constituida debe ser un porcentaje determinado sobre el capital suscrito

---

[7]   JUSTE MENCÍA, J., «Artículo 193 LSC», en ROJO. Á.,-BELTRÁN. E. (Dirs), *Comentario de la Ley de Sociedades de Capital, Tomo I*, Civitas, 2011, págs. 1369 y 1370. En este sentido se ha manifestado también la Dirección General de los Registros y del Notariado, quien en su Resolución de 11 de febrero de 1993 manifiesta que de encontrarse en el orden del día asuntos del artículo 102 y del artículo 103 de la Ley de Sociedades Anónimas (actuales 193 y 194 LSC), podrán tratarse los asuntos que requieran del quórum ordinario en segunda convocatoria si sólo alcanza para la adopción de éstos. Textualmente dice que «*impedir que esa Junta reunida en segunda convocatoria pueda tratar los asuntos ordinarios incluidos en el orden del día, por el hecho de que figuren otros, independientes de aquéllos, sobre los que no puede adoptarse ninguna decisión por razón de quórum, supondría potenciar injustificada y desproporcionadamente los derechos de los ausentes en detrimento de los presentes*».

con derecho de voto, podrían citarse algunos casos de acciones que están privadas de ese derecho, o que no lo ostentan por tenerlo suspendido[8].

En este sentido, uno de los casos problemáticos es el régimen particular que se ha establecido con respecto a las *acciones propias*. Como señala el artículo 148 a) de la Ley de Sociedades de Capital, «*quedará en suspenso el ejercicio del derecho de voto y de los demás derechos políticos incorporados a las acciones propias y a las acciones o participaciones de la sociedad dominante*». Como pude apreciarse, la finalidad perseguida por el legislador con la inclusión de este precepto consiste en evitar que las acciones propias incidan en la toma de decisiones por parte de los socios y, en ese sentido, se habla de la neutralidad de la autocartera respecto del control de la sociedad.

## 2.1. Ley de Sociedades Anónimas de 1951

Conforme a la regla que se ha mencionado, debería descontarse de la base del cómputo para la determinación del quórum la cifra de capital social que representan las acciones adquiridas en autocartera.

De esta manera lo entendía la mayor parte de la doctrina con la regulación del régimen de la autocartera en el artículo 47 de la Ley de Sociedades Anónimas de 1951[9]. Los Profs. GARRIGUES Y URÍA eran partidarios de excluir las acciones en autocartera de la base de cálculo a efectos de quórum en la junta general[10], sobre la base de que, al estar privadas de derechos, pierden su relevancia como títulos de participación y, por tanto, sólo las acciones en circulación representarían la sustancia y la realidad del capital social. Refuerzan su tesis sobre la base de que la norma excluye a las acciones sin voto del cómputo de los quórums de constitución de la

---

[8] Como es el caso de las acciones *sin voto*, las acciones que se encuentren en manos de accionistas declarados en *mora en el pago de los desembolsos pendientes* o aquellas acciones sometidas al *régimen de las participaciones recíprocas*.

[9] Disponía el artículo 47 *in fine* que «*quedará en suspenso el ejercicio de los derechos incorporados a las acciones que posea la sociedad*».

[10] GARRIGUES. J., / URÍA. R., *Comentario a la Ley de Sociedades Anónimas*, Tomo I, 3ª Edición, 1976, pág. 545. En el mismo sentido se manifiesta el Prof. BLANCO CAMPAÑA, cuando manifiesta que la autocartera debe repercutir en los quórums, entendiendo la formación de este último sólo con el capital con derecho de voto. En BLANCO CAMPAÑA. J., «La adquisición por la sociedad de sus propias acciones», en *Revista de Derecho Bancario y Bursátil*, n° 2, 1981, pág. 240. Igualmente, VELASCO SAN PEDRO. L. A., *La adquisición por la sociedad emisora de sus propias acciones*, Lex Nova, 1985, pág. 301.

junta[11]. Igualmente justifican su postura alegando que en caso de incluirse en la base del cómputo, se originaría un peligro de paralización de la vida social. Si el volumen de la autocartera fuese muy elevado, la constitución de la junta se dificultaría en exceso[12].

Por el contrario, otro sector doctrinal, sin duda minoritario, optó por entender que las acciones propias sí debían incluirse entre el capital con derecho de voto a los efectos de constitución de la junta general. En este sentido, el Prof. PAZ-ARES manifestó que *«de establecerse la solución contraria, aunque a primera vista pueda parecer más ajustada a la realidad material de las relaciones sociales, conduce inexcusablemente a atribuir derechos a minorías más pequeñas de las que el legislador estimó oportuno conferírselos y a constituir las juntas con menos presencia accionarial de la que quiso la ley. (…) Por ello, de acuerdo con esa idea de la neutralidad lo que no puede pretenderse es que el capital (dotado de derechos) que fue fijado en el contrato de sociedad y los porcentajes con que los socios contaron en el momento de otorgar su consentimiento queden a expensas del evento fortuito y "mayoritario" de que la sociedad adquiera o no sus propios títulos»*[13].

## 2.2. Segunda Directiva 77/91/CEE del Consejo, de 13 de diciembre de 1976

La Segunda Directiva del Consejo de 1976, en su artículo 22.1 a), tan solo disponía que las acciones propias deberían tener suspendido el derecho de voto. No hacía mención expresa sobre si tales acciones deberían ser computadas a los efectos de la determinación del quórum y de las mayorías.

Como se puede apreciar, se trataba de una regulación que no difería sustancialmente de lo que ya establecía la Ley de Sociedades Anónimas de 1951 en su artículo 47. En consecuencia, se podría llegar a considerar que cabría mantener la tesis mantenida por los Profs. GARRIGUES y URÍA.

---

[11]   Así lo explica el Prof. PAZ-ARES quien, sin seguir la tesis expuesta, expone los argumentos que pueden llevar a la doctrina a seguirla. En PAZ-ARES. C., «Negocios sobre las propias acciones», en ALONSO UREBA. A., CHICO ORTIZ. J. M., LUCAS FERNÁNDEZ. F., (coords), *La reforma del Derecho español de sociedades de capital*, Madrid, 1987, pág. 563.

[12]   Así lo expresa el Prof. VÁZQUEZ CUETO quien, sin seguir tampoco la tesis expuesta, menciona los argumentos de aquellos autores que sí la defienden. En VÁZQUEZ CUETO. J. C., *Régimen jurídico de la autocartera*, Marcial Pons, Madrid, 1995, págs. 535 y 536.

[13]   PAZ-ARES. C., «Negocios sobre las propias acciones», *cit.*, págs. 564 y 565.

No obstante lo anterior, algunos ordenamientos jurídicos europeos habían establecido que las acciones propias computasen en la base del cálculo a los efectos de constitución de la junta general. Este es el caso, por ejemplo, del artículo 2357 *ter* del *Codice Civile* italiano, que dispone que «*Il diritto di voto è sospeso, ma le azioni proprie sono tuttavia computate ai fini del calcolo delle maggioranze e delle quote richieste per la costituzione e per le deliberazioni dell'assemblea*».

## 2.3. Ley de Sociedades Anónimas de 1989 y Texto Refundido de la Ley de Sociedades de Capital

El legislador optó, con la incorporación del artículo 79.2 de la Ley de Sociedades Anónimas de 1989, por la tesis mantenida por el Prof. PAZ-ARES, el cual ha sido reproducido de manera exacta en la letra b) del artículo 148 LSC, de tal forma que «*las acciones propias se computarán en el capital a efectos de calcular las cuotas necesarias para la constitución y adopción de acuerdos en la junta*»[14].

Obsérvese cómo, pese a tener suspendido el derecho de voto —conforme a la letra a) del artículo 148 LSC—, el legislador ha previsto expresamente que se incluya entre el capital que constituye la base del cómputo para la determinación del quórum. En consecuencia, pese a tener suspendido el derecho de asistencia —nadie podrá asistir a la junta general representando las acciones en autocartera— y el derecho de voto, se incluirá entre el capital con este último derecho a los efectos de constitución de la junta general. La disposición incluida por el legislador tiene como fin último el mantenimiento de las cuotas de poder en la sociedad y el impedimento de que, mediante la adquisición de acciones propias, aquellas queden alteradas.

La medida adoptada por el legislador parece encontrarse justificada, al menos, en lo referente a incluirla en la base del cómputo para la determinación del quórum[15]. Nótese que, de lo contrario, un socio mayoritario

---

[14]   No ha zanjado, sin embargo, el debate en torno a si deben incluirse las acciones propias en la base del cómputo para el cálculo de los derechos de las minorías. En la actualidad se impone la tesis de incluirla. A este respecto véase VÁZQUEZ CUE-TO. J. C., *Régimen jurídico de la autocartera, cit.*, págs. 542-544 y GARCÍA-CRUCES. J. A., «Artículo 148», en ROJO. Á.,-BELTRÁN. E. (Dirs), *Comentario de la Ley de Sociedades de Capital, Tomo I.* Civitas, 2011, pág. 1133.

[15]   Cuestión diferente es su justificación a efectos de incluirla en la base del cómputo para la determinación de las mayorías, al menos, con respecto a las establecidas en la Ley de Sociedades de Capital (*infra* II.3).

con, por ejemplo, un cuarenta y cinco por ciento del capital social, mediante la adquisición en autocartera de acciones que representasen más de un diez por ciento del capital, pasaría a tener el control de la sociedad, pudiendo adoptar, sólo con sus votos, gran parte de los acuerdos. En este mismo sentido, el Prof. GARCÍA-CRUCES expresa que «*la solución contraria conduce a resultados poco satisfactorios, pues la exclusión de las acciones propias de la base de cálculo de los distintos porcentajes tiene un efecto multiplicador de la presencia del titular o titulares de una participación social mayoritaria*»[16]. Igualmente la jurisprudencia se ha manifestado en este sentido. La sentencia del Tribunal Supremo de 19 de diciembre de 2001 *(Tol 148233)*, ha dispuesto que «*No cabe ignorar, en efecto, la existencia del artículo 79.2º* (equiparable al actual art. 148 b) LSC), *con cuya inclusión en el texto vigente ha pretendido el legislador neutralizar posibles actuaciones de los grupos de poder que, tras vender parte de sus acciones a la sociedad, conservarían su cuota de control, si las mayorías se calculasen tomando solamente en consideración las acciones ajenas a la autocartera*»[17].

Además, como se desprende de la letra a) del artículo 148 LSC, no sólo quedará en suspenso el derecho de voto y el resto de los derechos políticos de las acciones propias, sino también de las acciones o participaciones de la sociedad dominante. La literalidad de la letra b) del mismo precepto parece excluir de la base del cómputo a las acciones o participaciones de la sociedad dominante que estuvieran en manos de una sociedad filial. Pese a ello, de la explicación dada en el párrafo anterior con respecto a la justificación de incluir en la base del cómputo para el quórum a las acciones propias, parece que debe justificarse que también deberán incluirse en tal base, aun teniendo suspendido el derecho de voto, las acciones de la matriz poseídas por la filial cuando se celebre una junta general de la

---

[16]  En GARCÍA-CRUCES. J. A., «Artículo 148», *cit.*, pág. 1132.

[17]  De igual forma, la sentencia de la Audiencia Provincial de Gerona de 27 de mayo de 1995 dispuso que la inclusión de la autocartera a efectos de quórum es «*un mecanismo de defensa de los socios incluidos en una sociedad y concretamente establecido para regular el efecto rodillo de las "mayorías", por lo que debe darse lugar al mismo, en el sentido que dispone la ley*».
De igual forma, la sentencia del Juzgado de Primera Instancia nº 1 de Figueres, de 11 de febrero de 1994 se mostró partidaria de excluir las acciones propias de la base del cómputo a efectos de quórum pues «*el artículo 93 LSA menciona solamente que se requiere el voto coincidente de más de la mitad del capital que, presente o representado, haya concurrido a la Junta de que se trate, entendiendo que es ésta la única interpretación posible, ante la poco afortunada redacción del artículo 79.2º, por resultar la más favorable para que la Junta quede válidamente constituida*».

primera[18]. Se pretende, con ello, mantener la neutralidad de las acciones propias y establecer medidas que no hagan viable ciertas maniobras de la sociedad dominante con el objeto de alterar los porcentajes de capital en manos de los socios a través de sociedades filiales.

## II. MAYORÍAS: EL ARTÍCULO 201 DE LA LEY DE SOCIEDADES DE CAPITAL

### 1. Consideraciones generales

El artículo 201 de la Ley de Sociedades de Capital regula el régimen de las mayorías para la adopción de acuerdos en las sociedades anónimas, el cuál ha sido objeto de modificación en el año 2014.

Desde su introducción en el año 2010, no han sido pocas las dudas que se han suscitado en torno a la forma de computarse la mayoría. El precepto, con anterioridad a la reforma, disponía que «*(…) los acuerdos sociales se adoptarán por mayoría ordinaria de los votos de los accionistas presentes o representados*». Se discutía, al igual que sucedía con la Ley de Sociedades Anónimas de 1951 y 1989[19], si se debía optar por la mayoría simple o por la absoluta, aunque el sector mayoritario tanto de la doctrina como de la jurisprudencia se decantase por la última de las opciones[20].

---

[18]  Así lo ha manifestado también el Prof. DÍAZ MORENO. En DÍAZ MORENO. A., «Artículo 201. Mayorías», en JUSTE MENCÍA. J., (coord.), *Comentario de la reforma del Régimen de las Sociedades de Capital en materia de Gobierno Corporativo (Ley 31/2014). Sociedades no cotizadas*. Thomson Reuters. 2015. Párrafo 46 de la versión electrónica.

[19]  Ya desde la Ley de Sociedades Anónimas de 1951, en su artículo 48, y, posteriormente, con la Ley de 1989, en su artículo 93.1, la cuestión era objeto de debate, pues se disponía en los mismos que «*Los accionistas, constituidos en Junta general debidamente convocada, decidirán por mayoría en los asuntos propios de la competencia de la Junta*».

[20]  En este sentido, GARRIGUES. J., / URÍA. R., *Comentario a la Ley de Sociedades Anónimas, cit.*, pág. 565; SÁNCHEZ CALERO. F., *Instituciones de Derecho Mercantil*, Mc-Graw-Hill, Madrid, 2001, pág. 364. Entre los partidarios de entender que debería interpretarse como más votos a favor que en contra, RECALDE CASTELLS. A., *Limitación estatutaria del derecho de voto en las sociedades de capital*, Civitas, Madrid, 1996, pág. 53; MIQUEL RODRÍGUEZ. J., «Artículo 93. Junta General», en ARROYO. I.,-EMBID. J. M.,-GÓRRIZ. C. (coords.), *Comentario a la Ley de Sociedades Anónimas. Volumen II*. Tecnos, 2001, pág. 954.

Con el objetivo fundamental de solucionar, entre otras, la cuestión planteada, la Comisión de Expertos en materia de Gobierno Corporativo, creada por Acuerdo del Consejo de Ministros en 2013, planteó la necesidad de reformar el régimen de las mayorías. Propuso que las mayorías necesarias para la adopción de acuerdos fuesen las mayorías relativas, esto es, comparando los votos a favor frente a los adversos, sin perjuicio de establecer la mayoría absoluta —los votos a favor deben representar más de la mitad de aquellos presentes o representados en la junta— para algunas materias determinadas de especial relevancia —aquellas que requieren del quórum reforzado—, y una mayoría de dos tercios si el capital con derecho de voto presente o representado fuese superior al veinticinco por ciento sin alcanzar el cincuenta[21]. En todos los casos, se preveía la posibilidad de que los estatutos elevasen las mayorías.

La reforma, pese a aclarar la cuestión mencionada, no resuelve todos los problemas relativos a las mayorías, como, por ejemplo, la materia relativa a la inclusión o no de la autocartera en la base del cómputo a los efectos de calcular las mayorías necesarias.

## 2. *La mayoría simple*

El apartado primero del artículo 201 establece como regla general para la adopción de acuerdos la mayoría simple, de tal forma que se entenderá adoptado un acuerdo cuando obtenga más votos a favor que en contra del capital presente o representado[22].

Nótese la importancia de determinar qué votos son a favor de una determinada propuesta y qué votos son en contra, pues es sobre esta base sobre la que se entenderá adoptado un acuerdo. Resultan indiferentes, en consecuencia, los votos nulos, las abstenciones y los votos en blanco, pues ninguno de ellos será relevante, al menos, en lo referente al cálculo de las mayorías. Basta, por tanto, con contrastar los votos a favor con los votos en contra para conocer si se entiende adoptada una propuesta[23].

---

[21]   Cuestión que se encontraba igualmente regulada en el artículo 103.2 de la Ley de Sociedades Anónimas de 1989.

[22]   En caso de empate entre el número de votos a favor y el número de votos en contra, en acuerdo no se entenderá adoptado.

[23]   Cuestión diferente son aquellos casos donde para la adopción de un acuerdo no fuera preciso el voto a favor o en contra, sino que se requiera optar entre diferentes alternativas. Si son dos las alternativas, se entenderá adoptada aquella que reciba más número de votos a favor. Y de igual forma sucederá si son más de dos

En la medida en que tras la reforma los acuerdos ordinarios se adoptan mediante mayoría simple, comparando los votos a favor y en contra, la cuestión relativa a la inclusión de las acciones propias en la base del cómputo para la determinación de las mayorías deja de ser un problema.

### 3. La mayoría absoluta y la mayoría de dos tercios

El artículo 201.2 LSC exige unas mayorías superiores a la mayoría ordinaria para determinadas materias. Para aquellos asuntos que requieren de un quórum reforzado, se exige mayoría absoluta, esto es, que los votos a favor constituyan más de la mitad del capital presente o representado con derecho de voto[24], si este último es del cincuenta por ciento o superior[25] y mayoría de dos tercios si el capital con derecho de voto presente o representado en la junta general es superior al veinticinco por ciento sin alcanzar el cincuenta[26].

A diferencia de la mayoría ordinaria, donde tan solo se deben comparar los votos a favor con aquellos emitidos en contra, en estos casos se requiere el voto a favor de más de la mitad o que representen dos tercios de una

---

las alternativas elegibles, independientemente de que la suma del resto de alternativas sea superior a la adoptada.

[24] No se entenderá adoptado el acuerdo si los votos a favor representan justo la mitad del capital social con derecho de voto presente o representado en la junta general.

[25] La Ley menciona que se requerirá mayoría absoluta cuando el capital presente o representado «*supere*» el cincuenta por ciento. Sin embargo, por su relación con el artículo 194 LSC, donde la junta queda válidamente constituida con, «*al menos*» el cincuenta por ciento del capital con derecho de voto y por su relación con la siguiente disposición del artículo 201.2 LSC donde se exige la mayoría de dos tercios si el capital con derecho de voto presente o representado en la junta es de un veinticinco por ciento o más «*sin alcanzar*» el cincuenta, parece desprenderse que de ser el capital con derecho de voto presente o representado en la junta justo del cincuenta por ciento, se requerirá mayoría absoluta.

[26] En relación con el supuesto donde los accionistas deben optar entre diferentes alternativas, cuando éstas traten materias que requieran para su adopción mayoría absoluta, se entenderá adoptada aquella que obtenga, precisamente, la mayoría absoluta —lo mismo sucederá en aquellos casos donde se requiera una mayoría de dos tercios, donde se adoptará el acuerdo si una de las alternativas alcanza esta última—.

base determinada, comprendida por el capital presente o representado en la junta con derecho de voto[27].

Mención especial, y en ellas nos volveremos a centrar, requieren las acciones propias. Al igual que manifestábamos el acierto del legislador por incluir en la base del cómputo para la determinación del quórum las acciones propias, pese a tener suspendido el derecho de voto, con el fin de ser neutrales respecto del control de la sociedad, mayores dudas se nos presentan con la inclusión de éstas en la base del cómputo para las mayorías.

La explicación parece expresarla el Prof. JIMÉNEZ SÁNCHEZ[28] quien considera que este proceder por parte del legislador se debe a una desafortunada recepción de una propuesta de reforma legislativa planteada por el Prof. PAZ-ARES, quien dispuso que debería incluirse un nuevo párrafo que estableciese que «*las acciones propias se computarían en el capital a los efectos de constitución y deliberación de la junta*».

La propuesta de reforma planteada por el Prof. PAZ-ARES parecía encontrar su justificación en aquellos casos donde la mayoría se estableciese sobre la totalidad del capital social con derecho de voto y no sobre el capital presente o representado en la junta con ese derecho.

La norma, en consecuencia, sí tendría sentido para aquellos supuestos donde los accionistas, mediante cláusula estatutaria, hubiesen previsto las mayorías con respecto a la totalidad del capital suscrito con derecho de voto, y no respecto a las acciones presentes o representadas en la junta.

Esta interpretación, sobre incluir a las acciones propias en la base de cálculo para la determinación de las mayorías, puede plantear un problema con el Derecho Comunitario. La normativa europea establece que las acciones propias no tienen derecho de voto. Sin embargo, esta manera de proceder y si a efectos del cálculo de las mayorías se incluye a la autocartera como asistentes con derecho de voto, le estaríamos reconociendo este último derecho.

---

[27]    Creemos que la base de referencia para el cómputo de las mayorías se debería corresponder con la lista de asistentes —y ello con independencia de que, por ejemplo, se ausenten posteriormente—, la cual ha servido también para determinar el porcentaje de capital con derecho de voto asistente a la junta a la hora de determinar el quórum.

[28]    En JIMÉNEZ SÁNCHEZ. G., «La adquisición por la Sociedad Anónima de sus propias acciones», en *Anales de la Academia Matritense y del Notariado*, n° 31, 1992, pág. 207, Nota a pie 43.

Sin embargo, la doctrina ha optado por considerar que deben incluirse también en la base del cómputo cuando las mayorías sean las establecidas en la propia Ley; esto es, en aquellas en las que la base de cálculo comprende sólo el capital presente o representado en la junta. El Prof. JIMÉNEZ SÁNCHEZ ha manifestado la gran dificultad que entraña adoptar un acuerdo que requiera la mayoría de dos tercios sobre el capital presente o representado más la autocartera, sin que esta última pueda votar[29].

En la práctica de las sociedades anónimas cotizadas el criterio mayoritario pasa por incluir a la autocartera en la base del cómputo para la adopción de acuerdos y ello cuando la base de referencia es el capital presente o representado en la junta con derecho de voto, y no la totalidad del capital social.

De manera ejemplificativa, las empresas TELEFÓNICA, DÍA, MAPFRE, IBERDROLA Y LOS BANCOS SANTANDER Y BBVA han optado, en sus últimas juntas generales, por incluirla en la base para la determinación del quórum. Además, la han considerado «como asistente a la junta general», incluyéndola, por tanto, en la base para la determinación de las mayorías.

Por el contrario, MEDIASET —que también incluye a la autocartera en la base para la determinación del quórum—, excluye expresamente entre el capital asistente a la autocartera, deduciéndola también de la base para la determinación de las mayorías.

## 4. *La prueba de resistencia*

Repárese, por último, en la importancia acerca de incluir a la autocartera en la base del cómputo para las mayorías. No sólo es relevante a los efectos de adopción de acuerdos, sino que es fundamental a la hora de ejercer la prueba de resistencia[30]. Es decir, el hecho de no incluir a la au-

---

[29]   En el mismo sentido se manifiesta el Prof. GARCÍA-MORENO GONZALO, quien señala que esta norma supone considerar a las acciones propias como si asistiesen a la junta general y no votasen en ningún caso a favor del acuerdo, en GARCÍA-MORENO GONZALO. J. M., «Adquisición por la Sociedad Anónima de sus propias acciones: el régimen jurídico de las acciones propias», AA.VV., *Estudios de derecho mercantil: homenaje al profesor Justino F. Duque, Volumen I,* 1998, pág. 417. Igualmente, el Prof. DÍAZ MORENO, en DÍAZ MORENO. A., «Artículo 201. Mayorías», *cit.,* Párrafo 46 de la versión electrónica.

[30]   La prueba de resistencia es expuesta de manera muy acertada por el Tribunal Supremo en su sentencia de 15 de enero de 2014 *(Tol 4390917): «se traduce en que de la cifra originariamente considerada (para el quórum de constitución o para la mayoría*

tocartera entre «el capital asistente con derecho de voto», puede suponer que, restado el porcentaje de un socio que no debería haber computado a efectos de quórum, la junta no se hubiese constituido y, en consecuencia, los acuerdos serían impugnables[31]. Y viceversa. De haberse incluido a la autocartera, aun restando el porcentaje de capital que representa ese socio, la junta sí se hubiera constituido válidamente.

Y lo mismo sucede a efectos de mayorías. El hecho de incluir o no a la autocartera entre «el capital asistente con derecho de voto», puede suponer que con el voto de un determinado accionista que, por la razón que fuera, estuviera privado de ese derecho, el acuerdo fuera impugnable[32], pues sin él no hubiera sido aprobado.

La experiencia que hemos visto en las sociedades cotizadas tiende a tratar de constituir la junta y a adoptar los acuerdos incluyendo a la autocartera en la base del cómputo tanto para la determinación del quórum como de las mayorías reforzadas. De esta manera se evitan riesgos de que se cuestione la validez del acuerdo.

En ese contexto, para garantizar que los acuerdos no podrán ser impugnados, bien por falta de quórum, o bien por no alcanzarse la mayoría suficiente, será necesario que la junta se constituya con el porcentaje de capital necesario —el previsto en la LSC o en los estatutos— sobre la base de cómputo donde se incluya a la autocartera y que los acuerdos que requieren de una mayoría reforzada se adopten con un porcentaje de capital social que supere el establecido en la ley o en los estatutos sobre la base de cómputo con las acciones propias también incluidas.

---

*se restan el porcentaje en el capital (o los votos) atribuidos irregularmente a personas que no estaban legitimadas para asistir (o para votar). Si, tras realizar esta sustracción, con el restante porcentaje de capital asistente se alcanza el quórum suficiente, la junta se entiende válidamente constituida; en caso contrario, la junta es nula (y con ella los acuerdos adoptados) por estar irregularmente constituida. Y del mismo modo en lo que respecta al cálculo de la mayoría»* a lo que añade que *«la "prueba de la resistencia" estaría implícita en el cómputo de quórums y mayorías, a los efectos de la impugnación de acuerdos».*

[31] Dispone el artículo 204.3. c) LSC que «*Tampoco procederá la impugnación de acuerdos basada en los siguientes motivos: La participación en la reunión de personas no legitimadas, salvo que esa participación hubiera sido determinante para la constitución del órgano*».

[32] Dispone el artículo 204.3. d) LSC que «*Tampoco procederá la impugnación de acuerdos basada en los siguientes motivos: La invalidez de uno o varios votos o el cómputo erróneo de los emitidos, salvo que el voto inválido o el error de cómputo hubieran sido determinantes para la consecución de la mayoría exigible*».

Como se ha visto, la reforma del año 2014 del régimen de mayorías en la adopción de acuerdos en las sociedades anónimas permite resolver el problema que se planteaba en relación con la autocartera para la aprobación de los asuntos ordinarios. En efecto, en la medida en que ahora se establece expresamente que los acuerdos se han de adoptar por mayoría simple, la autocartera no se tiene en cuenta a la hora determinar esta mayoría. En cambio, se mantienen las cuestiones relativas a la consideración de la autocartera en la base del cómputo para la determinación del quórum y las mayorías reforzadas. El reconocimiento legal de la regla de la «prueba de resistencia» puede haber dado a estas cuestiones incluso un mayor alcance. Se echa en falta que, en un tema de tanta relevancia práctica como éste, continúen sin existir reglas claras sobre los diferentes supuestos que se pueden dar y que no den lugar a incertidumbres sobre si se han alcanzado o no los quórums y las mayorías exigidas.

## Bibliografía

AA.VV., «El estudio sobre propuestas de modificaciones normativas elaborado por la comisión de expertos en materia de gobierno corporativo», *Revista de Derecho Bancario y Bursátil*, núm. 133, 2014, págs. 179-232.

BLANCO CAMPAÑA. J., «La adquisición por la sociedad de sus propias acciones», en *Revista de Derecho Bancario y Bursátil*, n° 2, 1981, págs. 221-243.

CAMPUZANO LAGUILLO. A. B., «Artículo 98. Creación o emisión de acciones sin voto», en ROJO. Á.,-BELTRÁN. E. (Dirs), *Comentario de la Ley de Sociedades de Capital, Tomo I*, Civitas, 2011, págs. 845-849.

DÍAZ MORENO. A., «Artículo 201. Mayorías», en JUSTE MENCÍA. J., (coord.), *Comentario de la reforma del Régimen de las Sociedades de Capital en materia de Gobierno Corporativo (Ley 31/2014). Sociedades no cotizadas*, Thomson Reuters, 2015, (Versión electrónica).

GARCÍA-CRUCES. J. A., «Artículo 148», en ROJO. Á.,-BELTRÁN. E. (Dirs), *Comentario de la Ley de Sociedades de Capital, Tomo I*. Civitas, 2011, págs. 1126-1138.

GARCÍA-CRUCES. J. A., «Artículo 79. Régimen de las acciones propias», en ARROYO. I.,-EMBID. J. M.,-GÓRRIZ. C. (coords.), *Comentario a la Ley de Sociedades Anónimas. Volumen II*, Tecnos, 2ª Edición, 2009, págs. 815-835.

GARCÍA-MORENO GONZALO. J. M., «Adquisición por la Sociedad Anónima de sus propias acciones: el régimen jurídico de las acciones propias», AA.VV., *Estudios de derecho mercantil: homenaje al profesor Justino F. Duque, Volumen I*, 1998, págs. 391-420.

GARRIGUES. J., / URÍA. R., *Comentario a la Ley de Sociedades Anónimas, Tomo I*, 3ª Edición, 1976, págs. 537-548.

JIMÉNEZ SÁNCHEZ. G., «La adquisición por la Sociedad Anónima de sus propias acciones», en *Anales de la Academia Matritense y del Notariado*, n° 31, 1992, págs. 183-232.

JUSTE MENCÍA. J., «Artículo 193 LSC», «Artículo 194 LSC» y «Artículo 201 LSC», en ROJO. Á.-BELTRÁN. E. (Dirs), *Comentario de la Ley de Sociedades de Capital, Tomo*, Civitas, 2011, págs. 1363-1367, 1367-1370 y 1398-1402.

— «Artículo 190. Conflicto de intereses», en JUSTE MENCÍA. J., (coord.), *Comentario de la reforma del Régimen de las Sociedades de Capital en materia de Gobierno Corporativo (Ley 31/2014)*. *Sociedades no cotizadas*, Thomson Reuters, 2015, (Versión electrónica).

MIQUEL RODRÍGUEZ. J., «Artículo 93. Junta General», en ARROYO. I.,-EMBID. J. M.,-GÓRRIZ. C. (coords.), *Comentario a la Ley de Sociedades Anónimas. Volumen II*, Tecnos, 2001, págs. 947-962.

MONGE GIL. Á. L., (revisado por ÁVILA DE LA TORRE. A.), «Artículo 83. Consecuencias de la infracción», en ARROYO. I.,-EMBID. J. M.,-GÓRRIZ. C. (coords.), *Comentario a la Ley de Sociedades Anónimas. Volumen I*, Tecnos, 2ª Edición, 2009, págs. 876-888.

MORRAL SOLDEVILA. R., «Artículo 102. Constitución de la junta» y «Artículo 103. Constitución. Supuestos especiales», en ARROYO. I.,-EMBID. J. M.,-GÓRRIZ. C. (coords.), *Comentario a la Ley de Sociedades Anónimas. Volumen II*. Tecnos, 2001, págs. 1008-1013 y 1014-1017.

PAZ-ARES. C., «Negocios sobre las propias acciones», en ALONSO UREBA. A., CHICO ORTIZ. J. M., LUCAS FERNÁNDEZ. F., (coords), *La reforma del Derecho español de sociedades de capital*, Madrid, 1987, pág. 473-630.

RECALDE CASTELLS. A., *Limitación estatutaria del derecho de voto en las sociedades de capital*, Civitas, Madrid, 1996.

ROJÍ BUQUERAS. J., «Conflictos de interés de los socios», en RECALDE CASTELLS. A., (coord.), *Comentario práctico a la nueva normativa de Gobierno Corporativo: Ley 31/2014, de reforma de la Ley de Sociedades de Capital*, Dykinson, 2015, págs. 33-43.

SAINZ MUÑOZ. G., «Normas generales sobre votación de acuerdos en sociedades anónimas; adopción separada de acuerdos y régimen de mayorías», en RECALDE CASTELLS. A., (coord.), *Comentario práctico a la nueva normativa de Gobierno Corporativo: Ley 31/2014, de reforma de la Ley de Sociedades de Capital*, Dykinson, 2015, págs. 51-56.

SÁNCHEZ CALERO. F., *La junta general en las sociedades de capital*, Thomson Civitas, 2007.

SÁNCHEZ-CALERO GUILARTE. J., «Algunos cambios en la regulación de la Junta General en el Informe de la Comisión de Expertos: (Y el anteproyecto de Ley de Modificación de la LSC)», en IBÁÑEZ JIMÉNEZ. J., (Dir.), *Comentarios a la reforma del régimen de la junta general de accionistas en la reforma del buen gobierno de las sociedades*. Thomson Reuters, 2014, págs. 63-94.

VÁZQUEZ CUETO. J. C., *Régimen jurídico de la autocartera*, Marcial Pons, Madrid, 1995.

VELASCO SAN PEDRO. L. A., *La adquisición por la sociedad emisora de sus propias acciones*, Lex Nova, 1985.

# 35. *Sobre la posibilidad de aprobar de forma conjunta el balance y el proyecto de fusión*

**ENRIQUE MELCHOR GIMÉNEZ**[1]

*Contratado predoctoral FPI*
*Universidad de Sevilla*

**Sumario:** I. PLANTEAMIENTO. II. LA INELUDIBLE APROBACIÓN DEL BALANCE DE FU-SIÓN. III. LA ADMISIÓN DE UN ÚNICO ACUERDO DE APROBACIÓN DEL BALANCE Y DEL PROYECTO DE FUSIÓN. IV. LA VOTACIÓN SEPARADA POR ASUNTOS SEGÚN EL ART. 197 BIS LSC. V. CONCLUSIONES. Bibliografía.

## I. PLANTEAMIENTO

El art. 37 de la Ley 3/2009, de 3 de abril, sobre modificaciones estruc-turales de las sociedades mercantiles (en adelante LME), establece que el balance de fusión deberá ser sometido a la aprobación de la junta de socios que resuelva sobre la fusión, debiendo figurar expresamente en el orden del día de la junta. Este precepto ha llevado a la doctrina a interpretar que es necesario diferenciar entre dos acuerdos. Por un lado, el relativo al proyecto de fusión. Por otro lado, el de aprobación del balance de fusión.

En la literatura académica no se ha discutido si ambos podrían unificar-se en un solo acuerdo, sino que el debate se ha centrado en si deben exi-girse los mismos requisitos para su aprobación, dando por sentado que la voluntad del legislador es la de exigir su adopción separada. Lo anterior no implica que el requisito de aprobación del balance haya estado exento de polémica. Todo lo contrario, ha sido uno de los aspectos más cuestionados, principalmente por aquellos que entendían que su falta de efectos sobre la contabilidad de la sociedad hacía innecesarias algunas de las garantías pre-vistas en favor del balance de fusión como la aprobación y verificación de éste. Pero la crítica se ha circunscrito a si la opción tomada por el legislador

---

[1]   Estudio realizado en el marco del Proyecto de Investigación de Excelencia DER2014-55427-C2-1-P, «Crisis empresariales: prevención, tratamiento y solución desde el Derecho concursal y el Derecho de sociedades», del Ministerio de Eco-nomía y Competitividad.

(la de exigir la aprobación del balance de fusión) era adecuada o no, sin que pareciera posible una interpretación que permitiera aprobar ambos asuntos conjuntamente[2].

Sin embargo, a raíz de un debate surgido con ocasión de la suspensión de la inscripción de una fusión, por no constar entre los certificados aportados el de aprobación del balance, nos hemos planteado si verdaderamente del contenido del art. 37 LME se desprende la necesidad de una aprobación formalmente separada de éste con respecto a la del acuerdo de fusión. Como veremos, las alegaciones del notario recurrente y las particularidades de la forma en la que se aprobó el balance de fusión, llevan a pensar lo contrario.

Si bien la DGRN no pudo pronunciarse sobre el mencionado debate, pues la registradora reformó la calificación por haber acogido la argumentación del notario, la cuestión plasmada en la resolución [RDGRN 4916/2015 de 9 de abril *(Tol 4895697)*], relativa a la posibilidad de aprobar conjuntamente el balance y el proyecto de fusión, nos parece merecedora de análisis. Por este motivo, en el presente trabajo comentaremos las alegaciones contenidas en la referida resolución, analizaremos la regulación de la aprobación del balance de fusión y si es posible, conforme a la LME y la LSC, aprobar de forma conjunta el balance y el proyecto de fusión.

---

[2]    Entre otros, FERNÁNDEZ DEL POZO, quien critica la «afición» del legislador español por exigir la aprobación separada de la documentación informativa contable respecto del acuerdo principal. Además, añade que no sólo no le parece justificada la medida, sino que puede dar lugar a problemas como en el supuesto en el que la convocatoria de la junta omita la aprobación del balance de fusión dentro del orden del día. Aunque, en la actualidad, este caso planteado por el citado autor podría ser considerado la infracción de un requisito puramente procedimental, de los recogidos en el art. 204.3 a) TLSC, por lo que no tendría que conllevar la posibilidad de impugnar el acuerdo. V. FERNÁNDEZ DEL POZO, L., *El derecho contable de fusiones y escisiones: (ajustado a las normas internacionales de información financiera)*, 2ªed, Ed Marcial Pons, Madrid, 2008, pág. 86. Por su parte, DÍAZ RUIZ, señaló el carácter redundante de la exigencia de aprobación formal del balance de fusión por la junta general, puesto que, «si aprueba la fusión, implícitamente aprobará los documentos contables que han conducido a la misma», DÍAZ RUIZ, E., «El balance de fusión en la absorción de sociedades participadas en más de un 90%», *RDM*, nº 278, 2010, pág. 1405.

## II. LA INELUDIBLE APROBACIÓN DEL BALANCE DE FUSIÓN

El art. 36.1 LME permite adoptar como balance de fusión el último balance de ejercicio aprobado, siempre que su fecha de cierre no sea anterior en más de seis meses a la fecha del proyecto de fusión. En caso de no cumplirse tal requisito, se deberá elaborar un balance de fusión *ad hoc* cerrado con posterioridad al primer día del tercer mes anterior al proyecto de fusión, pudiendo en ambos casos alterarse las valoraciones del último balance «en atención a las modificaciones importantes del valor razonable que no aparezcan en los asientos contables» (art. 36.1 párr. 2°).

Del citado precepto se desprenden cuatro posibles escenarios: a) que se adopte el último balance de ejercicio aprobado; b) que se tome el último balance de ejercicio aprobado, pero incluyendo modificaciones en sus valoraciones; c) que se formule un balance específico sin que sea preciso modificar los valores contables en función del valor razonable[3]; d) y que se

---

[3]     Es posible que no sea necesario incluir ajustes en las valoraciones por no existir diferencias importantes entre el valor contable y el razonable. Cuestión distinta es si, habiendo una disparidad significativa, resulta obligado actualizar el balance para reflejar el valor razonable. Gran parte de la doctrina ha interpretado, tanto con la actual redacción del art. 36 LME como con el derogado art. 239 LSA de 1989 (cuya única diferencia residía en el uso de «valor real» frente a «valor razonable»), que la Ley no establece una facultad discrecional, sino que resulta obligatorio. Entre ellos SANTOS MARTÍNEZ, quien consideraba que resultaba obligatorio cuando se elaborara un balance específico, para que así pudiera cumplir su función informativa, v. SANTOS MARTÍNEZ, V., «La escisión de las sociedades anónimas», en QUINTANA CARLO, I. (dir.), *El nuevo derecho de las sociedades de capital*, Trivium, Madrid, 1989, pág. 243. PÉREZ TROYA sostenía que el término *podrán* venía a establecer que a los efectos de la fusión los asientos contables *pueden alterarse*, pero no constituía una facultad que exonerara a los administradores de reflejar las modificaciones importantes del valor real, sino que estaban obligados a reflejarlas. PÉREZ TROYA, A., *La determinación del tipo de canje en la fusión de sociedades*, Marcial Pons, Madrid, 1998, pág. 120, nota 89. En el mismo sentido v. ALONSO ESPINOSA, F. J., «Fusión y escisión de sociedades», *Anales de Derecho. Universidad de Murcia*, n° 17, 1999, pág. 22. LÁZARO SÁNCHEZ, añadió que el deber de los administradores de informar a la junta sobre cualquier modificación importante del activo o pasivo, entre la fecha del proyecto de fusión y de reunión de la junta (art. 238.2 LSA de 1989), no podía entenderse sino como derivado y consecuencia del deber previo de reflejar en el balance de fusión el estado y valor real del patrimonio no registrado en los asientos contables, v. LÁZARO SÁNCHEZ, E. J., «El "balance de fusión"», *RDS*, n° 32, 2009, págs. 235-236. LARRIBA DÍAZ-ZORITA y MIR FERNÁNDEZ también sostuvieron que la modificación de los valores contables es preceptiva, pero por el motivo de que «se trata de una

elabore un balance *ad hoc*, actualizando los valores contables en atención a las modificaciones importantes del valor razonable.

En los tres últimos supuestos la postura de la doctrina en torno al tema en discusión fue clara: debían ser aprobados por tratarse de balances distintos al último aprobado. Si bien, en relación al primero de los supuestos, algunos autores manifestaron que podría no ser necesaria su aprobación por segunda vez[4]. Interpretación que en un inicio fue planteada, pero que en la actualidad es rechazada por la mayoría de la doctrina, pues, aunque el contenido de ambos balances sea el mismo, cuando los socios aprobaron el balance de ejercicio desconocían que sería empleado como balance de fusión. En consecuencia, se requiere una segunda aprobación, que es la que confiere el carácter de balance de fusión al balance de ejercicio[5]. Por tanto, el balance de fusión debe ser sometido a votación sea cual sea el balance que se adopte.

---

obligación derivada de la consecución del paradigma de imagen fiel presente en nuestras leyes», v. LARRIBA DÍAZ-ZORITA, A. y MIR FERNÁNDEZ, C., «Aspectos contables de la ley sobre modificaciones estructurales de las sociedades mercantiles», *RDS*, n° 34, 2010, pág. 181. En contra de lo defendido por los autores anteriores, SEQUEIRA MARTÍN consideró que la modificación de los valores contables para reflejar el valor real sí constituía una facultad potestativa v. SEQUEIRA MARTÍN, A., «Fusión», en SÁNCHEZ CALERO, F. (dir.), *Comentarios a la Ley de Sociedades Anónimas*, Tomo VII, EDERSA, Madrid, 1993, pág. 195.

4    PÉREZ TROYA manifestó que la eficacia meramente informativa del balance de fusión parecía abogar por que no fuera necesaria una nueva aprobación, si se empleaba el último balance anual aprobado y sus valoraciones no habían sido modificadas. No obstante, en un trabajo posterior, junto a CORTÉS DOMÍNGUEZ, defendió que pese a carecer el balance de fusión de trascendencia contable, su función informativa justifica que se requiera su aprobación específica para que los socios puedan rechazar el balance formulado por los administradores. En esta última obra además sostiene que, aunque se tome un balance de ejercicio ya aprobado, también es necesario que sea aceptado como balance de fusión mediante su aprobación en la junta general que delibere sobre la fusión, pudiendo ser rechazo o, incluso, exigir que se modifique. V. PÉREZ TROYA, A., *La determinación del tipo de canje en la fusión de sociedades*, Marcial Pons, Madrid, 1998, pág. 124, nota al pie n° 97; y CORTÉS DOMÍNGUEZ, L. J. y PÉREZ TROYA, A. «Fusión de sociedades», en URÍA, R.; MENÉNDEZ, A.; y OLIVENCIA, M. (dirs.) *Comentario al régimen legal de las sociedades mercantiles*, t. IX, vol. 2°, Civitas, 2008, págs. 269-270.

5    V. SÁNCHEZ OLIVÁN, J., *La fusión y la escisión de sociedades. Aportación de activos y canje de valores. Cesión global de activo y pasivo*, Edersa, 1998, pág. 262; LARRIBA DÍAZ-ZORITA, A., «Régimen contable de sociedades en situaciones especiales», *Partida Doble*, n° 137, 2002, pág. 51; y CORTÉS DOMÍNGUEZ, L. J. y PÉREZ TROYA, A. «Fusión de sociedades», *ob. cit.*, pág. 270.

Con la voluntad de facilitar y simplificar algunos trámites del proceso de fusión, la LME contiene excepciones aplicables a algunos de sus requisitos, bajo determinadas circunstancias que hacen innecesario mantener algunas de las garantías previstas en la Ley. Sin embargo, la exigibilidad de la formulación y aprobación del balance de fusión derivada del art. 37 LME no encuentra ninguna excepción en la regulación española sobre modificaciones estructurales[6]. Hecho que contrasta con las excepciones previstas en la LME respecto a otros documentos preparatorios del acuerdo de fusión como el informe de expertos independientes, cuyo apartado relativo al tipo de canje es renunciable por parte de los socios (art. 34.4 LME), cuando sea preceptivo por participar en la fusión una sociedad anónima o comanditaria por acciones (art. 34.1 LME). Asimismo, tampoco son exigibles la referida parte del informe de expertos independientes ni el informe de los administradores, cuando la absorbente sea titular de forma directa[7] de todas las acciones o participaciones de la absorbida (art. 49.1.2º LME), cuando la absorbente sea titular de forma directa del noventa por ciento o más de las acciones o participaciones de la absorbida[8] (art. 50.1 LME), cuando las sociedades estén íntegramente participadas y de forma directa por el mismo socio (art. 52.1) y cuando la sociedad absorbida sea titular de forma directa de todas las acciones o participaciones de la sociedad absorbente (art. 52.1)[9].

---

[6] A pesar de lo anterior, debemos mencionar, dado que la escisión se rige por el mismo régimen que las fusiones con ciertas salvedades (art. 73 LME), la existencia de una única excepción a la formulación del documento análogo al balance de fusión, el de escisión. El art. 78 bis LME permite prescindir del balance de escisión, además del informe de los administradores y del de los expertos independientes, si en la escisión por constitución de nuevas sociedades «las acciones, participaciones o cuotas de cada una de las nuevas sociedades se atribuyen a los socios de la sociedad que se escinde proporcionalmente a los derechos que tenían en el capital de ésta». Precepto que, por su carácter de excepción, sólo es aplicable al supuesto de hecho contenido en la norma.

[7] Cuando la titularidad de las acciones o participaciones sea indirecta, no será exigible el informe de los administradores, pero sí será necesario el informe de expertos independientes (art. 49.2 LME).

[8] Con la condición de que en el proyecto «se ofrezca por la sociedad absorbente a los socios de las sociedades absorbidas la adquisición de sus acciones o participaciones sociales, estimadas en su valor razonable, dentro de un plazo determinado que no podrá ser superior a un mes a contar desde la fecha de la inscripción de la absorción en el Registro Mercantil» (art. 50.1 LME).

[9] En estos dos últimos supuestos, los de la fusión de sociedades participadas por el mismo socio y la conocida como fusión inversa, si la titularidad de las acciones

Sin ánimo de profundizar en la finalidad de cada uno de los documentos mencionados, lo cual excedería el objetivo de este trabajo, podemos afirmar que la existencia o no de excepciones, en cuanto al deber de elaboración de los documentos comentados, se fundamenta en los intereses tutelados por cada uno. Cuando el legislador considera que un documento tutela exclusivamente los intereses del socio, como en el caso de la parte del informe de expertos relativa al tipo de canje, permite que los interesados renuncien a la correspondiente garantía. Del mismo modo, cuando entiende que los intereses de los socios no pueden ser lesionados, como en los supuestos de absorción de sociedad íntegramente participada o de fusión de sociedades cuyas acciones o participaciones son titularidad de un único socio, no exige la elaboración de los documentos previstos en interés de éstos (el informe de los administradores y la parte del informe de expertos independientes relativa al tipo de canje). Siguiendo el mismo razonamiento, cuando alguno de los documentos persigue la tutela tanto de socios como de acreedores u otros terceros interesados en la marcha de la sociedad, los primeros no pueden prescindir de éste y la Ley no prevé excepciones. Es el caso del balance de fusión y de la parte del informe de expertos relativa a la verificación de la realidad del patrimonio aportado, cuando eta última preceptiva por intervenir una sociedad anónima o comanditaria por acciones[10].

Ahora bien, es conveniente señalar que la irrenunciabilidad del balance de fusión no es una exigencia derivada de las directivas europeas en mate-

---

y participaciones es indirecta, no es exigible el informe de los administradores, pero sí el de los expertos independientes (art. 52.2).

[10] VIVES RUIZ y TAPIAS MONNÉ señalan que, los principales defectos técnicos de la LME derivan de la falta de coordinación normativa y de la incorrecta identificación de los intereses objeto de protección en cada caso. Por este motivo, cuando los referidos autores analiza si son coherentes las excepciones previstas en la Ley en relación al balance de fusión y el informe de expertos independientes, lo hacen partiendo de la base de la identificación de los intereses protegidos. V. VIVES, RUIZ, F. y TAPIAS MONNÉ, A., «La Ley de Modificaciones Estructurales: una norma técnicamente fallida», *InDret*, 2013, págs. 5, 16-17 y 29-31. Url: [http://www.indret.com/pdf/1015_es.pdf]. El mismo criterio, de análisis de los intereses tutelados, ha sido empleado reiteradamente por la DRGRN para resolver si alguno de los documentos eran prescindibles en operaciones de modificaciones estructurales. V., entre otras RRDGRN, la 12497/2015 de 21 de octubre de 2015 *(Tol 5555223)*, la 5068/2014 de 10 de abril de 2014 *(Tol 4277895)*, la 5683/2014 de 21 de abril de 2014 *(Tol 4357883)* y la de 2 de febrero de 2011 *(Tol 2059673)*.

ria de fusiones y escisiones. La falta de reconocimiento de excepciones en relación al balance de fusión tiene su origen en la voluntad del legislador español, quien podría haber optado por lo contrario de acuerdo con las directivas europeas vigentes.

En un principio la Directiva 78/855/CEE del Consejo, de 9 de octubre de 1978, relativa a las fusiones de las sociedades anónimas, también conocida como la Tercera Directiva, no contempló la posibilidad de que los socios pudieran renunciar a la elaboración del comentado documento. No obstante, este aspecto fue reformado por la Directiva 2009/109/CE del Parlamento Europeo y del Consejo de 16 de septiembre de 2009 por la que se modifican las Directivas 77/91/CEE, 78/855/CEE y 82/891/CEE del Consejo y la Directiva 2005/56/CE en lo que se refiere a las obligaciones de información y documentación en el caso de las fusiones y escisiones. Ésta reformó el contenido del art. 11 de la Tercera Directiva disponiendo que «los Estados miembros podrán estipular que no se exija el estado contable si así lo han acordado todos los accionistas y poseedores de otros títulos que confieran derecho a voto de todas y cada una de las sociedades que participen en la fusión». Entre los considerandos de la Directiva 2009/109/CE se identificó como uno de los motivos de la reforma la constatación de que, en este ámbito del Derecho, se imponía a las sociedades un gran número de obligaciones de información, algunas de las cuales parecían «obsoletas o excesivas». Con base en este razonamiento, se entendió que los Estados miembros debían estar facultados para establecer que no fuera necesario el cumplimiento de determinados requisitos de información, en los procesos de fusión y escisión, como la elaboración del informe de los administradores y del balance de fusión, si todos los accionistas de las sociedades afectadas lo acordaban.

A pesar de la posibilidad reconocida en el Derecho europeo de que los Estados miembros puedan fijar el carácter renunciable del balance de fusión por acuerdo de los socios, el legislador español no incorporó dicha opción a nuestro ordenamiento. Por lo que en toda fusión será exigible la adopción del balance de fusión, constituyendo un documento imprescindible tal y como lo ha configurado nuestro legislador. En cuanto a lo que a la escisión se refiere, como ya hemos comentado, sí se admite una excepción respecto al balance de escisión, la contenida en el art. 78.bis LME. Este precepto fue introducido por la Ley 1/2012, de 22 de junio, y deriva de la transposición de la Directiva 2009/109/CE. Pero, a diferencia de lo establecido con respecto al *estado contable* exigido en la fusión, donde se permitía que los Estados miembros decidieran si deseaban permitir que los socios pudieran prescindir del referido documento, la transposición de esta excepción resultaba obligada[11].

## III. LA ADMISIÓN DE UN ÚNICO ACUERDO DE APROBACIÓN DEL BALANCE Y DEL PROYECTO DE FUSIÓN

Como se desprende de lo expuesto en el apartado anterior, el legislador ha considerado que el balance de fusión constituye un documento de gran relevancia en el proceso de fusión, hasta el punto de no permitirse ni que los socios puedan prescindir de él ni contemplar excepción alguna en cuanto a su elaboración o adopción. La decisión tomada por el legislador ha sido ampliamente criticada por un sector doctrinal, al entender que la carencia de efectos contables del balance de fusión y su carácter eminentemente informativo hacen que sus requisitos de aprobación y, en su caso, verificación sean innecesarios[12]. No obstante, la exigibilidad en todo caso de los mencionados requisitos es evidente y la crítica se circunscribe a cuestiones de opción legislativa. Aun así, el hecho de que el balance de fusión necesariamente deba ser formulado y aprobado no impide que nos preguntemos si la garantía de aprobación del balance, establecida en interés de los socios, se vería mermada si en lugar de exigir la aprobación separada del balance de fusión, ésta se subsumiera en la votación de un único acuerdo de fusión que comprendiera la aprobación del proyecto y del balance.

---

[11]   El art. 3 de la Directiva 2009/109/CE, al dar una nueva redacción al art. 22.5 de la Directiva 82/891/CEE (relativa a escisiones), determinó lo siguiente: «Los Estados miembros no impondrán los requisitos establecidos en los artículos 7 [informe de administradores] y 8 [informe de expertos independientes] y en el artículo 9, apartado 1[información a los socios previa a la junta], letras c) [estado contable], d) [informe de administradores] y e) [informe de expertos independientes], cuando las acciones de cada una de las nuevas sociedades queden atribuidas a los accionistas de la sociedad escindida proporcionalmente a sus derechos en el capital de esta sociedad». Mientras que la misma Directiva, al añadir un nuevo apartado al art. 11 de la Directiva 78/855/CEE (relativa a fusiones) lo que estableció fue que los Estados miembros «podrán estipular que no se exija» el estado contable al que se refiere dicho artículo.

[12]   V. LARRIBA DÍAZ-ZORITA, A., «Responsabilidad del auditor en una auditoría innecesaria: la del balance de fusión», *Partida Doble*, nº 65, 1996, págs. 14-17; SÁNCHEZ OLIVÁN, J., La fusión y la…, *ob. cit.*, pág. 262; y FERNÁNDEZ DEL POZO, L., *El derecho contable de fusiones y de las otras modificaciones estructurales: problemática contable en la Ley de modificaciones estructurales de las sociedades mercantiles*, Ed. Marcial Pons, Madrid, 2010, págs. 121-123.

Para responder a dicha cuestión expondremos el debate surgido en relación a la posibilidad de aprobar ambos documentos en un caso concreto, contenido en la RDGRN 4916/2015 de 9 de abril de 2015 *(Tol 4895697)*.

La controversia se originó porque en las certificaciones incorporadas en la escritura presentada para la inscripción de la fusión en el RM, no constaba el acuerdo de aprobación del balance de fusión. Las sociedades intervinientes en la fusión eran dos sociedades unipersonales integradas por la misma persona como socio único, quien además era administrador único de ambas y la fusión fue acordada en junta universal y por unanimidad. La registradora suspendió la inscripción de la fusión identificando como una de las causas impeditivas el hecho de que no constaba, en las certificaciones incorporadas en la escritura, el acuerdo de aprobación como balance de fusión del balance del último ejercicio que se presentaba como tal. Ésta señaló que, aunque el balance utilizado ya hubiera sido aprobado, por ser el del último ejercicio, es necesario que sea aprobado como balance de fusión en la junta de socios que delibere sobre la fusión. Dado que, «el consentimiento que implica el acuerdo social conlleva que el balance de cierre de ejercicio sea, además, balance de fusión»[13].

Ante la calificación negativa de la escritura, el notario autorizante interpuso recurso contra ésta, alegando que la junta general no se pronuncia sobre las circunstancias concretas de la fusión, sino que la aprueba en los términos del proyecto de fusión. En el proyecto se indicó, bajo la rúbrica «Balance de fusión», que los balances incorporados como anexos serían los balances de fusión y, además, fueron incorporados a la escritura. Por lo que entendía que al aprobar la fusión en los términos del proyecto, los socios prestaron su consentimiento unánime para que los balances, en este caso los del último ejercicio aprobado, sirvieran como balances de fusión. Según alegó el notario recurrente, «no hay necesidad de un acuerdo diferenciado específico sobre tal extremo, como no lo habría para cualquier otra de las circunstancias necesarias de la fusión, cuando todas ellas resultan del proyecto que se aprueba íntegramente por los socios, e incorpora a la escritura».

Finalmente, la DGRN no tuvo que pronunciarse sobre el debate comentado, pues la registradora resolvió reformar la calificación sobre este defec-

---

[13] Para fundamentar la exigibilidad del requisito de aprobación, que motivó la suspensión de la inscripción solicitada, la registradora hizo referencia a los arts. 36, 37, 40 y 42 LME y las RRDGRN de 21 de abril *(Tol 4357883)* y de 8 de mayo de 2014 *(Tol 4422347)*.

to. Acogió la argumentación del notario y reconoció que podía considerarse prestado el consentimiento de los socios a que los balances de ejercicio sirvieran como balances de fusión al aprobar la operación en los términos del proyecto[14]. De lo que pueden extraerse dos posibles lecturas. La primera, y más difícil de sostener, es que aceptó la aprobación implícita del balance al aprobar el proyecto. A tenor de la exigencia de aprobación del balance de fusión contenida en el art. 37 LME no puede aceptarse que ésta se haga de forma implícita, ya que supondría reconocer la innecesariedad de su aprobación, en contra de lo dispuesto en el citado artículo. En otras palabras, si el legislador hubiese deseado que bastara con la aprobación del proyecto para que con éste se entendiera aprobado el balance, no habría exigido, como hace en el art. 37 LME, la aprobación del balance, por lo que entendemos que ésta debe ser expresa. La segunda, y única que vemos acertada, es que se reconoció la procedencia de su aprobación conjunta, debido a la referencia contenida en el proyecto a que los balances del último ejercicio, que figuraban incorporados al proyecto como anexos, serían los balances de fusión.

Un pronunciamiento sobre este aspecto por parte de la DGRN, habría sido verdaderamente útil para clarificar si necesariamente deben ser adoptados ambos acuerdos de forma separada o si, por el contrario, también es posible su adopción mediante una única votación. Desafortunadamente, la reforma de la calificación efectuada por la registradora impidió esta posibilidad. Sin embargo, existen otras resoluciones en las que se ha tratado el requisito de aprobación del balance de fusión que nos pueden servir para dirimir esta cuestión.

En la RDGRN 5683/2014 de 21 de abril de 2014 *(Tol 4357883)*, la Dirección afirmó que el art. 37 LME «exige que el consentimiento negocial que implica el acuerdo de fusión comprenda las bases patrimoniales sobre las que se lleva a cabo [léase balances de fusión] y que esta circunstancia se haga constar en el orden del día». Lo cual no obsta a que, en la fusión de

---

[14]   «El primero de los defectos expresados por la registradora en su calificación, por el que exige que en los acuerdos adoptados por la junta general de cada una de las sociedades participantes en la fusión conste el acuerdo de aprobación, como balance de fusión, del balance correspondiente al último ejercicio, ha sido objeto de reforma por haber acogido la argumentación del notario recurrente sobre el hecho de que, al aprobar la fusión en los términos del proyecto de fusión, los socios ya prestan su consentimiento unánime a que los balances de ejercicio valgan como balances de la fusión». Fundamento de derecho primero RDGRN 4916/2015 de 9 de abril de 2015 *(Tol 4895697)*.

sociedades íntegramente participadas por la absorbente, el acuerdo social tenga carácter de negocio unilateral, por no ser necesaria la celebración de la junta general de la sociedad absorbida (art. 49 LME); ni que el consentimiento negocial de la sociedad absorbente sea emitido por el órgano de administración cuando la sociedad absorbente sea titular del noventa por ciento o más del capital social (art. 51 LME). Lo verdaderamente relevante es que, «en cualquier caso debe existir una expresión de consentimiento negocial que comprenda el balance de la sociedad»[15].

En los supuestos mencionados, que forman parte de las catalogadas legalmente como fusiones especiales, el balance de fusión no es aprobado estrictamente como se deriva del art. 37 LME. Es decir, los correspondientes balances de fusión no son aprobados por cada una de las juntas generales de las sociedades participantes, dado que por sus características particulares resulta innecesario para la protección de los intereses tutelados. En estos casos se prescinde incluso de la propia celebración de la junta general en todas las sociedades y se reducen las formalidades prescritas con carácter general por la Ley, en aras a una mayor simplificación del proceso de fusión. Así ocurre también en las fusiones acordadas en junta universal y por unanimidad, donde no tienen que cumplirse ciertos requisitos formales como la publicación y depósito previo de los documentos exigidos legalmente, entre ellos el balance de fusión, ni se requiere el informe de los administradores (art. 42 LME). No obstante, lo que ha defendido con carácter reiterado la DGRN es que, incluso cuando la Ley exime de ciertos requisitos formales, la exención no es extensible a la aprobación del balance. Como así lo ha manifestado, entre otras, en las resoluciones de 10, 21 de abril y 8 de mayo de 2014[16].

---

[15]   Fundamento de derecho segundo de la RDGRN 5683/2014 de 21 de abril de 2014 *(Tol 4357883)*.

[16]   RDGRN 5068/2014, de 10 de abril de 2014 *(Tol 4277895)*; RDGRN 5683/2014 de 21 de abril de 2014 *(Tol 4357883)*; y RDGRN 6987/2014 de 8 de mayo de 2014 *(Tol 4422347)*. En la RDGRN 6987/2014 de 8 de mayo de 2014 *(Tol 4422347)*, fundamento de derecho segundo, se citan expresamente las resoluciones aquí recogidas y se manifiesta lo siguiente: «recientemente esta Dirección General ha tenido oportunidad de poner de relieve que en los supuestos generales de fusión o escisión, aun cuando se exima de ciertos requisitos formales, y aun cuando hayan sido aprobadas en junta universal y unanimidad, o se trate de absorción de una sociedad limitada íntegramente participada, no se exime de la obligación de aprobar el balance de fusión o escisión».

Ahora bien, no apreciamos en el art. 37 LME ningún inconveniente respecto a que el proyecto y el balance de fusión sean aprobados mediante un mismo acuerdo, siempre y cuando se constate que la aprobación abarca a ambos. Exigir su aprobación de forma independiente no sólo no añade una mayor garantía con respecto a los interesados, sino que puede ser fuente de problemas de difícil solución (como veremos en el siguiente apartado), pues no puede haber fusión sin la aprobación del balance, ni tiene sentido la aprobación del balance y el rechazo de la fusión.

## IV. LA VOTACIÓN SEPARADA POR ASUNTOS SEGÚN EL ART. 197 BIS LSC

Tras haber analizado la cuestión de la aprobación conjunta del balance y del proyecto conforme a la legislación en materia de modificaciones estructurales, debemos estudiar si esto es posible desde el prisma de la regulación general de las sociedades de capital, que interfiere transversalmente en la LME. En concreto examinaremos si el art. 197 bis LSC, relativo a la «votación separada por asuntos», obliga a votar de forma separada ambos aspectos de la operación de fusión.

El citado precepto, incluido en la LSC en virtud de la Ley 31/2014, establece en su primer apartado el deber de votar separadamente «aquellos asuntos que sean sustancialmente independientes». La regla general se completa, en el apartado segundo, con una relación expresa de asuntos que «en todo caso» deben ser votados de forma separada. Estos son, el nombramiento, ratificación, reelección o separación de cada administrador; la votación de cada artículo o grupo de artículos con autonomía propia, en la modificación de estatutos; y aquellos asuntos que así se disponga estatutariamente.

Dado que el supuesto que planteamos no se encuentra entre los expresamente señalados por el legislador, debemos analizar si el proyecto y el balance de fusión pueden ser considerados asuntos «sustancialmente independientes», en cuyo caso, quedaría vedada por la Ley su aprobación conjunta por aplicación de la LSC.

El adjetivo «independiente» implica que sea posible decidir sobre un asunto, conforme a la lógica y en función de las circunstancias, sin que sea estrictamente necesario tener en cuenta lo que se pueda disponer en relación a otro asunto en la misma asamblea. Mientras que el adverbio «sustancialmente» hace referencia a que para valorar la dependencia o independencia de los asuntos no se debe atender a cómo han sido presentados formalmente en la convocatoria, sino a la realidad material de su contenido y alcance. En caso de que los asuntos sean sustancialmente independientes, deberán ser acordados de forma separada, pero en el caso contrario, podrán ser aprobados tanto de forma conjunta como separada[17].

El balance de fusión es uno de los documentos informativos necesarios para acordar la fusión. A pesar de ser formulado conforme a los mismos métodos y criterios del balance anual (art. 36.1 LME), no tiene efectos sobre la contabilidad de la sociedad[18]. Por tanto, sólo tiene relevancia en el seno del proceso de fusión y, si el proyecto no fuera aprobado, la aprobación del balance carecería de cualquier utilidad más allá de haber servido para la formación de la voluntad de los socios. Por otro lado, la fusión no puede tener lugar si no es aprobado el balance de fusión, ya que es un documento sin el cual el derecho de información de socios y acreedores sería vulnerado (arts. 38 y 43 LME), además de no poder inscribir la fusión si no se incorporan a la escritura los balances de todas las sociedades participantes (art. 45 LME). Si se rechazara el balance de fusión, necesariamente habría de ser reformulado y debería convocarse una nueva junta general en la que los socios tendrían que manifestar su consentimiento en relación al nuevo balance y al proyecto de fusión. Debido a que, en la anterior convocatoria no podría haber sido aprobado el proyecto sin la ratificación

---

[17]    DÍAZ MORENO, A., «Artículo 197 bis. Votación separada por asuntos», en ALFARO, J.; DÍAZ MORENO, A.; JUSTE MENCÍA, J.; et alii, *Comentario de la reforma del régimen de las sociedades de capital en materia de gobierno corporativo (Ley 31/2014). Sociedades no cotizadas*, Aranzadi, Cizur Menos (Navarra), 2015, pág. 119. En el mismo sentido, YANES YANES define asunto independiente como aquel que «no depende de (o carece de conexión con) otro de los que figuran en el orden del día, de tal forma que es posible (y necesaria) una deliberación y decisión autónoma sobre él». V. YANES YANES, P., «La votación separada por asuntos», *RDM*, nº 299, 2016, págs. 46 y 47; y del mismo autor «La adopción de acuerdos por la Junta General: régimen de mayorías y votación separada por asuntos (arts 201 y 197 bis.)», en, RODRÍGUEZ ARTIGAS, F. (dir.), *Junta General y Consejo de Administración en la sociedad cotizada*, Tomo I, Aranzadi, Cizur Menor (Navarra), 2016, págs. 266-267.

[18]    La irrelevancia contable del balance de fusión se propugna desde que el ICAC elaborara el Borrador de normas de contabilidad aplicables a las fusiones y escisiones de sociedades (BOICAC 14/octubre 1993), en cuyo art. 3 se estableció que «el balance de fusión es un documento informativo y que su elaboración no tendrá efectos en los registros contables ni en la información que se ofrece en las cuentas anuales». Aunque el borrador nunca llegó a ser aprobado, se erigió como un referente interpretativo, de tal forma que el ICAC continuó esta tendencia en la resolución de las consultas que le fueron planteadas en lo sucesivo.

de un documento esencial para la formación de la voluntad de los socios y que debe incorporarse a la escritura como es el balance de fusión. Si el tipo de canje fue fijado sobre la base de las valoraciones contenidas en el balance de fusión, también tendría que volver a ser redactado el proyecto de fusión (por ser parte del contenido mínimo del proyecto según el art. 31. 2º LME), lo que equivaldría a reiniciar el proceso de fusión desde cero. Incluso si el tipo de canje no fue fijado conforme al balance de fusión tenemos dudas sobre la posibilidad de mantener el mismo proyecto de fusión. El hecho de mantener el proyecto de fusión ya suscrito por los administradores, pese a haber sido rechazado el balance, nos lleva a la cuestión de si el balance de fusión puede ser cerrado con posterioridad a la fecha del proyecto de fusión. Siguiendo la literalidad del art. 36.1, en tal caso, no podría ser considerado balance de fusión el del último ejercicio aprobado, ya que debe ser «cerrado dentro de los seis meses anteriores a la fecha del proyecto de fusión». En cuanto al balance *ad hoc*, la Ley no prohíbe expresamente la posibilidad de formularlo tras la fecha del proyecto, pues sólo exige que sea «cerrado con posterioridad al primer día del tercer mes precedente a la fecha del proyecto de fusión» (art. 36.1 párr. segundo LME). Pero consideramos que esta solución es contraria a la finalidad de la norma que parece pretender (por fijar la fecha de cierre en relación al proyecto) que el balance pueda ser tomado en consideración al elaborar el proyecto[19].

En virtud de los argumentos expuestos, consideramos que la aprobación del proyecto y del balance de fusión no constituyen asuntos «sustancialmente independientes», sino que están íntimamente relacionados, pues el devenir de la fusión depende de la aprobación de ambos, sin que

---

[19] SEQUEIRA MARTÍN, al comentar la regulación del balance de fusión bajo la LSA de 1989, ya se manifestó en este sentido. Según el referido autor, la finalidad del balance de fusión era la de servir como elemento de valoración del patrimonio de las sociedades con anterioridad a la elaboración del proyecto; y, una vez suscrito el proyecto, de documento informativo para la adopción del acuerdo de fusión. De tal modo, que sólo consideraba posible adoptar como balance de fusión aquel que hubiese sido aprobado antes del proyecto o que hubiese sido cerrado con anterioridad a éste. V. SEQUEIRA MARTÍN, A., «Fusión», *ob. cit.*, pág. 188. En contra de esta interpretación se manifestaron PÉREZ TROYA y CORTÉS DONÍNGUEZ, quienes entendían que el requisito de la fecha de cierre del balance de fusión sólo pretendía asegurar que su contenido proporcionara una información mínimamente actualizada, pero no obligaba a que fuese anterior al proyecto de fusión. V. PÉREZ TROYA, A., La determinación del..., *ob. cit.*, págs. 122-123; y CORTÉS DOMÍNGUEZ, L. J. y PÉREZ TROYA, A. «Fusión de sociedades», *ob. cit.*, pág. 261.

pueda ser válidamente acordada cuando alguno de dichos documentos es rechazado por la junta general de socios.

## V. CONCLUSIONES

En atención a los razonamientos expuestos a lo largo del presente trabajo, podemos constatar que el requisito de aprobación del balance de fusión es exigible en todo caso. Sea cual sea el balance adoptado como balance de fusión (el del último ejercicio o un balance *ad hoc*) e independientemente de si se trata de una fusión especial o de si se adopta el acuerdo de fusión en junta universal y por unanimidad, la Ley requiere su aprobación. Además, exige que la aprobación sea expresa, sin que pueda entenderse aprobado implícitamente al votar a favor del proyecto, pues de lo contrario carecerían de cualquier sentido los requisitos de aprobación en la junta que resuelva sobre la fusión e inclusión expresa en el orden del día contenidos en el art. 37 LME.

No obstante, entendemos que, siempre que se constate con claridad que el acuerdo abarca tanto al proyecto como al balance (como ocurre en el supuesto de la resolución comentada), nada impide que el proyecto y el balance de fusión sean aprobados mediante un único acuerdo. Ni apreciamos que del art. 37 LME se pueda inferir que sea necesaria su aprobación separada ni vemos que el supuesto de aprobación conjunta que planteamos pueda verse afectado por el deber contenido en el art. 197 bis. LSC de votar de forma separada los asuntos que sean sustancialmente independientes. Por lo que consideramos posible conforme a derecho tanto aprobar el proyecto y el balance de forma separada como conjunta.

### Bibliografía

ALONSO ESPINOSA, F. J., «Fusión y escisión de sociedades», *Anales de Derecho. Universidad de Murcia*, n° 17, 1999, págs. 1-17.

CORTÉS DOMÍNGUEZ, L. J. y PÉREZ TROYA, A. «Fusión de sociedades», en URÍA, R.; MENÉNDEZ, A.; y OLIVENCIA, M. (dirs.) *Comentario al régimen legal de las sociedades mercantiles*, Tomo IX, vol. 2°, Civitas, 2008.

DÍAZ MORENO, A., «Artículo 197 bis. Votación separada por asuntos», en ALFARO, J.; DÍAZ MORENO, A.; JUSTE MENCÍA, J.; et alii, *Comentario de la reforma del régimen de las sociedades de capital en materia de gobierno corporativo (Ley 31/2014). Sociedades no cotizadas*, Aranzadi, Cizur Menos (Navarra), 2015, págs. 115-130.

FERNÁNDEZ DEL POZO, L., *El derecho contable de fusiones y escisiones: (ajustado a las normas internacionales de información financiera)*, 2ªed, Ed Marcial Pons, Madrid, 2008.

— *El derecho contable de fusiones y de las otras modificaciones estructurales: problemática contable en la Ley de modificaciones estructurales de las sociedades mercantiles*, Ed. Marcial Pons, Madrid, 2010.

LARRIBA DÍAZ-ZORITA, A., «Responsabilidad del auditor en una auditoría innecesaria: la del balance de fusión», *Partida Doble*, nº 65, 1996, págs. 12-18.

— «Régimen contable de sociedades en situaciones especiales», *Partida Doble*, nº 137, 2002, págs. 46-63.

LARRIBA DÍAZ-ZORITA, A. y MIR FERNÁNDEZ, C., «Aspectos contables de la ley sobre modificaciones estructurales de las sociedades mercantiles», *RDS*, nº 34, 2010, págs. 167-199.

LÁZARO SÁNCHEZ, E. J., «El "balance de fusión"», *Revista de Derecho de Sociedades*, nº 32, 2009, págs. 231-252.

PÉREZ TROYA, A., *La determinación del tipo de canje en la fusión de sociedades*, Marcial Pons, Madrid, 1998.

SÁNCHEZ OLIVÁN, J., *La fusión y la escisión de sociedades. Aportación de activos y canje de valores. Cesión global de activo y pasivo*, Edersa, 1998.

SANTOS MARTÍNEZ, V., «La escisión de las sociedades anónimas», en QUINTANA CARLO, I. (dir.), *El nuevo derecho de las sociedades de capital*, Trivium, Madrid, 1989, págs. 218-258.

SEQUEIRA MARTÍN, A., «Fusión», en SÁNCHEZ CALERO, F. (dir.), *Comentarios a la Ley de Sociedades Anónimas*, Tomo VII, EDERSA, Madrid, 1993, págs. 79-330.

YANES YANES, P., «La votación separada por asuntos», *RDM*, nº 299, 2016.

— «La adopción de acuerdos por la Junta General: régimen de mayorías y votación separada por asuntos (arts 201 y 197 bis.)», en RODRÍGUEZ ARTIGAS, F. (dir.) et alii, *Junta General y Consejo de Administración en la sociedad cotizada*, Tomo I, Aranzadi, Cizur Menor (Navarra), 2016, págs. 241-302.

# 36. La duración del cargo de auditor en el supuesto de la auditoría de cuentas anuales de las sociedades de capital en la nueva ley de auditoría de cuentas

**MATILDE PACHECO CAÑETE**
*Profª Contratada Doctora de Derecho Mercantil*
*Universidad de Sevilla*

## I. INTRODUCCIÓN

La auditoría de cuentas de cuentas de las sociedades de capital es una materia de gran relevancia práctica, que con el devenir de los años ha ido cobrando un mayor protagonismo. En la actualidad, nadie duda de la ne-cesidad de someter a las sociedades de capital a un control contable a car-go de expertos independientes ajenos a la sociedad, para garantizar que las informaciones ofrecidas en la contabilidad social por los administradores, son fidedignas y representativas de la situación financiera de la sociedad. Este control contable se justifica en la necesidad de tutela de los diversos intereses públicos y privados que confluyen en torno a las sociedades de capital. La relevancia que reviste la auditoría de cuentas se pone de mani-fiesto con mayor intensidad en un entorno de crisis como el actual, en el que se configura como un elemento fundamental para el correcto funcio-namiento de los mercados.

En los últimos años el régimen jurídico de la auditoría de cuentas ha merecido una especial atención por parte del legislador. En el ámbito comunitario se ha llevado a cabo una polémica y ambiciosa reforma con la pretensión de fortalecer la independencia de los auditores y diversificar un mercado que está excesivamente concentrado, todo ello en aras de aumentar la confianza de los inversores en los estados financieros de las empresas comunitarias. Así, han sido objeto de publicación diversos textos legales sobre la materia: el Reglamento UE 537/2014, del Parlamento Europeo y del Consejo, de 16 de abril de 2014, sobre los requisitos específicos para la auditoría legal de las entidades de interés público y la Directiva 2006/43/CE del Parlamento Europeo y del Consejo, de 17 de mayo de 2006, relativa a la auditoría legal de las cuentas anuales y de las cuentas consolidadas, recientemente reformada por la Directiva 2014/56/UE del Parlamento Europeo y del Consejo, de 16 de abril. En el Derecho español, la Ley 19/1989, de 12 de julio, de Auditoría de Cuentas, es objeto de reforma por la Ley 12/2010, de 30 de junio y de derogación por el Texto Refundido de la Ley de Auditoría de Cuentas, aprobado por el Real Decreto Legislativo 1/2011, de 1 de julio, también derogado por la vigente Ley 22/2015, de 20 de julio, de Auditoría de Cuentas. En el ámbito reglamentario, el Reglamento de la Ley de Auditoría de cuentas aprobado por Real Decreto 1636/1990, de 20 de diciembre, fue derogado por el vigente Reglamento del Texto Refundido de la Ley de Auditoría de cuentas, aprobado por el Real Decreto 1517/2011, de 31 de octubre, y en la actualidad, está elaborándose un nuevo Reglamento de Auditoría que desarrolle la vigente Ley.

Una de las cuestiones que es objeto de reiterada atención y cambio de tendencia por parte del legislador es la duración del cargo de auditor, una temática en torno a la cual se suscitan múltiples cuestiones, que se hallan motivadas, fundamentalmente, por la pugna que en este campo se establece entre el principio de la autonomía de la voluntad, en orden a determinar libremente la duración de la relación contractual, y la necesidad de fijar un período mínimo de contratación plurianual para preservar la independencia de los auditores y rentabilizar los esfuerzos invertidos por éstos en la realización de la auditoría. Los auditores han de verificar las cuentas anuales de la sociedad cuya junta general les nombra y les retribuye, por lo que es preciso adoptar medidas que refuercen su independencia y reduzcan las relaciones contractuales excesivamente extensas, en tanto no se adopte un criterio que confiera la designación de los auditores, en el supuesto de las auditorías de cuentas anuales obligatorias, a una instancia externa a la sociedad, lo que no parece que vaya a suceder en un futuro cercano.

## II. LA DURACIÓN DEL CARGO DE AUDITOR EN EL SUPUESTO DE LA AUDITORÍA DE CUENTAS ANUALES OBLIGATORIA DE LAS SOCIEDADES DE CAPITAL

La duración del cargo de auditor es una cuestión que presenta especial relevancia en el supuesto de la auditoría obligatoria de cuentas anuales la sociedad. En este caso, la sociedad se halla sometida a la obligación de auditar las cuentas de cada ejercicio social, por lo que es una obligación periódica y, en virtud del principio de autonomía de voluntad, el tiempo de duración de la relación contractual podría oscilar entre la realización de la auditoría de cuentas de uno o varios ejercicios sociales.

El legislador pretende que los trabajos de los auditores se realicen con la mayor garantía de independencia y para lograrlo la duración del cargo se convierte en un elemento de crucial importancia, pues es necesario garantizar cierta estabilidad en el desempeño de sus funciones, que le permitan no sólo rentabilizar los esfuerzos iniciales realizados en las primeras auditorías sino, fundamentalmente, preservarlos de presiones sociales vinculadas con la duración de su contrato. Así, se adoptan diversas medidas para salvaguardar la independencia del auditor, entre las que se encuentran un régimen riguroso de incompatibilidades, de transparencia en las retribuciones, un plazo mínimo y máximo de contratación y, en el caso de las entidades de interés público, además, la rotación obligatoria. Por estas razones, desde la LAC de 1988 hasta la actualidad el régimen jurídico de la auditoría de cuentas contempla normas sobre la materia que limitan la libertad de las partes en orden a fijar la duración del contrato de auditoría, si bien, con modificaciones significativas de unos textos a otros y criterios cambiantes y poco definidos en lo que respecta a la rotación obligatoria.

### 1. *Limitaciones legales al plazo de contratación del auditor nombrado por la junta general de las sociedades sometidas obligatoriamente a auditoría*

#### 1.1. La regla general

Desde el art. 8.4 de la Ley 19/1989, de 12 de julio, de Auditoría de Cuentas pasando por el Texto Refundido de la Ley de Auditoría de Cuentas, aprobado por el Real Decreto Legislativo 1/2011, de 1 de julio (art. 19), hasta vigente la Ley 22/2015, de 20 de julio, de Auditoría de Cuentas, el legislador exige que el auditor sea contratado por un *período determinado inicial que oscilará entre los tres y nueve años* (art. 22.1)[1], que habrá de computarse desde la fecha en la que se inicie el primer ejercicio a auditar. En la práctica, la unidad temporal *año natural* y *ejercicio contable* normalmente coinciden, pero puede que en los estatutos se haya previsto una fecha distinta al 31 de diciembre para el cierre del ejercicio social (art. 125 RRM y 26 LSC) e incluso excepcionalmente, el ejercicio contable puede ser una unidad temporal inferior al año (así en el primer ejercicio de constitución de una sociedad o en los supuestos de transformación, fusión…)[2], por esta razón hubiera sido preferible que el texto legal en su dicción literal hiciera referencia a ejercicios contables a auditar[3].

La competencia primigenia en orden al nombramiento de los auditores corresponde la junta general, que ha de proceder a su designación *antes de que finalice el ejercicio a auditar,* con la pretensión de que los auditores pue-

---

[1]    El sistema de duración plurianual variable establecido por nuestros textos legales está inspirado en el art. 56 de la Propuesta Modificada de V Directiva (basada en el artículo 54 del Tratado CEE referente a la estructura de las sociedades anónimas y los poderes y obligaciones de su órganos) que establece: «las personas encargadas de la censura de cuentas serán nombradas por un período determinado no inferior a tres años ni superior a seis y serán reelegibles». El art. 56, cuya redacción se mantuvo inalterada desde la Propuesta originaria de V Directiva, de 9 de octubre de 1972, influyó también de forma decisiva en los trabajos prelegislativos de nuestro país. Así, en el art. 199 del Anteproyecto de la LSA se establecía que «las personas que deban ejercer el control de las cuentas anuales serán nombradas por la junta general por un período de tiempo determinado que no podrá ser inferior a tres años ni superior a seis» (asimismo el art. 109 del proyecto de LSA). También en el Anteproyecto de Ley de Reforma Contable y de Auditoría se señala que la designación de los auditores comprendería un período de tiempo no inferior a tres años ni superior a seis. Para GALÁN CORONA, E., («La verificación de las cuentas anuales», en ROJO, A., *La reforma de la Ley de Sociedades Anónimas,* Madrid, 1987, págs. 332 y ss.) la formulación de la duración del cargo acogida en el anteproyecto de LSA no responde al genuino sentido de la Propuesta Modificada de V Directiva (estas consideraciones son extensibles a los arts. 204.1 TRLSA, 8.4 LAC, 40 RAC). Lo que ésta pretende no es atribuir a la sociedad auditada la determinación concreta del plazo de duración del contrato de auditoría dentro de los límites señalados, sino a los Derechos nacionales de cada país miembro de la Comunidad Europea. En este mismo sentido IGLESIAS PRADA, J. L. («La duración del cargo de auditor. Consideraciones Críticas», *en Estudios Jurídicos en homenaje al profesor Aurelio Menéndez,* t. II, Madrid, 1996, págs. 1898).

[2]    Vid. al respecto las consultas núm. 6, *BOICAC* núm. 12 (1993); núm. 3, *BOICAC* núm. 30 (1997) y núm. 1, *BOICAC* núm. 108 (2016).

[3]    Vid. VELASCO FABRA, G., *Régimen jurídico de la verificación de las cuentas anuales. Propuestas de reforma,* Cizur Menor, 2011, pág. 59.

dan tener un conocimiento detallado de la situación financiera de la sociedad. Así, será la junta general la que determine cuál ha de ser la duración del contrato de auditoría, sin que quepa delegar en los administradores esta facultad, pues ello supondría una vulneración de lo establecido en el artículo 264.1 LSC[4]. En caso de que no se determine la duración del nombramiento del auditor no será posible inscribirlo en el Registro Mercantil, pues el artículo 153 del RRM exige que la inscripción del nombramiento se acompañe de la referencia al período temporal para el que los auditores han sido designados.

Para llevar a cabo el cómputo del los plazos hay que tener presente que no se entienden referidos a años, sino a ejercicios a auditar, y que la contabilización de los éstos se ha de iniciar desde el primer día del primer ejercicio a auditar, independientemente del día en que se haya realizado el nombramiento o suscrito el correspondiente contrato[5]. Ahora bien, el nombramiento del auditor no puede perder su vigencia el último día del último ejercicio que le corresponde auditar, porque no podría cumplir con sus funciones en relación con las cuentas de éste (pues el artículo 253.1 LSC dispone que los administradores deben elaborar las cuentas en los tres meses siguientes al cierre del ejercicio correspondiente), sino que conserva su vigencia hasta que verifica las cuentas anuales del último ejercicio para el que ha sido nombrados, aunque no podrán auditar documentos contables posteriores al cierre del ejercicio[6].

Tales ejercicios han de entenderse como efectivamente auditados, por lo que si una vez nombrado el auditor por un período determinado acontecen circunstancias que implican que durante uno o varios ejercicios no existe la obligación de someter las cuentas a auditoría, estos ejercicios no

---

[4]   En este sentido vid. ILLESCAS ORTIZ, R. (*Las cuentas anuales, vol. 2º, Auditoría, aprobación, depósito y publicidad,* en URÍA, R./ MENÉNDEZ, A./ OLIVENCIA, M. (dirs.), *Comentario al régimen legal de las sociedades mercantiles,* t. VIII, Madrid, 1993, pág. 47), PETIT LAVALL, M. V., *Régimen jurídico de la auditoría de cuentas anuales,* Madrid, 1994, pág. 276 y TORRENT, A., «La reelección de los auditores de cuentas», *Revista Crítica de Derecho Inmobiliario,* núm. 635, 1996, pág. 1330.

[5]   Vid. la consulta núm. 6, *BOICAC* núm. 12 (1993).

[6]   Vid. VELASCO FABRA, G. J., «La responsabilidad del auditor de cuentas en el control de las sociedades de capital», en SERRANO ACITORES, A. (dir.), *La intervención administrativa y económica en la actividad empresarial,* Barcelona, 2015, pág. 696.

han de computarse a los efectos del plazo para el que el auditor ha sido designado[7].

Dos son los rasgos que caracterizan el sistema de duración del cargo previsto en nuestro Ordenamiento Jurídico, la duración variable y la plurianualidad.

Por lo que respecta a la duración variable, el legislador, en vez de fijar de una forma imperativa la duración del cargo, confiere un margen de discrecionalidad a las partes contratantes. El resultado de esta concesión es dejar en manos de la sociedad un instrumento de presión sobre los auditores como es la duración del contrato que va a ser concertado, por lo que éstos pueden recibir presiones para flexibilizar sus posiciones a cambio de obtener una duración más extensa del contrato. En múltiples ocasiones el auditor va a ser contratado por el período más breve permitido, con la posibilidad de ulteriores prórrogas, lo que implica que la continuidad del vínculo negocial se supedita a la conformidad de la sociedad con la actuación del auditor. Todo ello podía haberse evitado estableciendo un sistema de duración plurianual fijo[8].

---

[7]    Así, ILLESCAS ORTIZ, *Las cuentas anuales, vol. 2°, Auditoría, aprobación, depósito y publicidad,* en URÍA/MENÉNDEZ/ OLIVENCIA *(dirs.), Comentario al régimen legal de las sociedades mercantiles,* t. VIII, *cit.,* pág. 48 y ss.

[8]    En la doctrina se pronuncia en este sentido IGLESIAS PRADA («La duración del cargo de auditor. Consideraciones críticas», *cit.,* págs. 1904 y ss.) que señala el escaso acierto del legislador en esta materia, porque el sistema acogido en nuestro Ordenamiento puede propiciar comportamientos estratégicos por parte de las sociedades que van a ser objeto de auditoría, llevando a cabo negociaciones con los auditores poco deseables para la objetividad e independencia de la labor verificadora de los auditores. Además, tampoco entiende el autor cuál es el sentido de las discrecionalidad de la junta en esta materia. De ahí que considere deseable la modificación del sistema de duración variable, que además de evitar todos los riesgos de comportamiento señalados con anterioridad, suponga una convergencia con el sistema predominante en Derecho comparado. A favor de un plazo fijo de duración del nombramiento del auditor PORFIRIO CARPIO, L., «El nombramiento de auditores tras la reforma del art. 204.1 LSA (A propósito de la RDGRN de 14 de noviembre de 1997)», en *Homenaje en Memoria de Joaquín Lanzas y de Luis Selva,* t. II, Centro de Estudios Registrales, Madrid, 1998, pág. 1493. Considera el autor que, por aplicación analógica de lo dispuesto en el art. 126 TRLSA, el plazo podía haber sido de cinco años. También TORRENT («La reelección de los auditores de cuentas», *cit.,* pág. 1333) considera preferible el establecimiento de un período plurianual fijo, si bien, entre los tres y los seis años, pues el plazo de tres a nueve años le parece excesivo.

Por lo que se refiere a la plurianualidad, parece más acertado que la duración del contrato de auditoría sea plurianual y no anual. El sistema de duración anual suscita ciertas reservas, pues aunque presenta como ventaja el hecho de que no compromete excesivamente a las partes, permitiéndole subsanar con rapidez los errores de elección que hayan cometido, no cabe duda de que también presenta innegables deficiencias vinculadas a una merma de la independencia y calidad de la auditoría, que pueden corregirse estableciendo un sistema de duración plurianual[9].

Mediante el establecimiento de una duración plurianual mínima se persiguen diversos objetivos. En primer lugar, reforzar la independencia del auditor pues, si la duración del contrato fuera anual, el interés por la renovación contractual les haría más vulnerables frente a las eventuales presiones de la entidad auditada[10]. En segundo lugar, la duración plurianual pretende mejorar la calidad del trabajo del auditor, que durante este período temporal logra un mejor conocimiento de la situación patrimonial de la sociedad y una disminución de costes, ya que permite que la inversión inicial de horas que los auditores realizan para conocer la contabilidad de la sociedad se rentabilice en sucesivos ejercicios económicos[11].

Por otra parte, la plurianualidad máxima del contrato parece que se establece por el legislador para evitar que la relación entre el auditor y la sociedad auditada pueda hacerse estable, pues una permanencia excesiva en el cargo ocasiona una acercamiento de posiciones entre los auditores y la sociedad que puede suponer una disminución considerable de su impar-

---

[9]   Vid. IGLESIAS PRADA, «La duración del cargo de auditor. Consideraciones críticas», *cit.*, págs. 1905 y ss.

[10]   Para GONDRA ROMERO, J. M., (*La Ley, el mercado y la independencia del auditor,* Madrid, 1997, págs. 29 y ss.) la idea de que los administradores de la sociedad demandan la auditoría en función de la amabilidad de los auditores tiene escasa base y resulta absolutamente ingenua.

[11]   Vid. GALÁN CORONA, «Las cuentas anuales y su verificación: aspectos jurídicos», en QUINTANA CARLO, I. (dir.), *El nuevo Derecho de las sociedades de capital,* Zaragoza, 1989, pág. 283; GARRETA SUCH, J. M., *Introducción al Derecho contable,* Madrid, 1994, pág. 318; HEVIA-AZA SUÁREZ, I., «Ilegalidad de cláusula incluida en el contrato de auditoría referida al tiempo de duración de la relación contractual», *Revista de Derecho Bancario y Bursátil,* núm. 42, 1991, pág. 520; ILLESCAS ORTIZ, *Las cuentas anuales,* vol. 2º, *Auditoría, aprobación, depósito y publicidad,* en URÍA/ MENÉNDEZ/ OLIVENCIA (dirs.), *Comentario al régimen legal de las sociedades mercantiles,* t. VIII, *cit.,* pág. 49 y MARINA GARCÍA-TUÑÓN, A., *Régimen jurídico de la contabilidad del empresario,* Valladolid, 1992, pág. 266.

cialidad[12]. Ahora bien, el límite máximo de contratación resulta ineficaz desde el momento en el que los auditores pueden ser prorrogados en sus cargo por períodos de hasta tres años de forma indefinida. Esta opción legislativa sólo puede interpretarse desde la perspectiva del análisis económico del Derecho, pues para las entidades que no son de interés público y están obligadas a auditar sus cuentas, lo que prima la necesidad de reducir costes en la búsqueda y selección de un nuevo auditor, y para los auditores y sociedades de auditoría de menor tamaño, que encuentran en estas entidades su cartera de clientes, las horas iniciales que tiene que invertir en el conocimiento de la situación contable de una nueva entidad conllevan un coste económico significativo que es necesario rentabilizar *a posteriori*. No obstante, las relaciones contractuales dilatadas en exceso en el tiempo suponen una amenaza significativa para la independencia del auditor, pues producen un acercamiento entre el cliente y el auditor que puede derivar en prácticas colusorias.

## 1.2. La prórroga del contrato de auditoría

Bajo la LAC de 1988 la prórroga del contrato de auditoría no estaba prevista en el texto legal sino en el reglamentario, en concreto en el artículo 40.1 RAC, por lo que la doctrina se cuestionaba acerca de la validez del citado artículo, pues el precepto legal del que traía causa, el art. 8 LAC, que en su dicción legal era casi idéntico al reglamentario, no se refería a la prórroga. Por ello, era necesario cuestionarse si el art. 40.1 RAC suponía un desarrollo de lo dispuesto en la LAC, o si por el contrario implicaba una extralimitación de sus atribuciones, especialmente si se tiene en consideración que el artículo 204 del TRLSA disponía la necesidad de observar una *vacatio* de tres años computados desde la finalización del período inicial de contratación, antes de volver a reelegir a tales auditores.

---

[12]   GARCÍA URBANO, J. M. («Competencias de la junta general en materia de auditores», *Boletín Informativo del Ministerio de Justicia*, núm. 1617, 16 noviembre 1991, pág. 5495) afirma que con el establecimiento de un plazo máximo de duración del cargo se persigue la eliminación de los riesgos derivados de una cuasi-funcionarización del auditor. Por su parte, PETIT LAVALL, *Régimen jurídico de la auditoría de cuentas anuales, cit.* pág. 279 y («La supresión de la regla de rotación obligatoria en el nombramiento de auditores de cuentas por la Ley 2/1995, de 23 de marzo, de Sociedades de Responsabilidad Limitada», *Revista General del Derecho*, núm. 609, 1995, págs. 6905 y 6910) sostiene que la duración excesiva del cargo puede conducir a una rutinización del auditor en el desarrollo de su labor, que se traduce en una merma de la calidad de su trabajo.

En este contexto legal, el ICAC sostenía que la eficacia de la norma reglamentaria, que no era sino un desarrollo de lo preceptuado en la LAC, no podía ponerse en duda y, en consecuencia, se pronunciaba a favor de la mencionada prórroga[13]. También la DGRN se mostraba favorable a admitir la prórroga[14]. No obstante, la doctrina no era pacífica en este punto, pues mientras un sector estimaba correcto el precepto reglamentario y admisible la prórroga del contrato de auditoría[15], otros autores se manifestaban contrarios a ésta, o al menos consideraban discutible su legalidad[16], arguyendo que esta práctica suponía un fraude de ley, en concreto, de lo dispuesto en el art. 204 TRLSA. Así, el nombramiento de los auditores debía tener una duración predeterminada e inmodificable y la admisibilidad de la prórroga implicaba una vulneración del principio de independencia del auditor de cuentas, que podría condicionar su actuación por el deseo de los auditores de continuar en el cargo[17].

A partir de la Ley 2/1995, de Sociedades de Responsabilidad Limitada, la situación cambia sustancialmente porque las Disposiciones Adicionales 2ª y 6ª de la citada Ley modifican la redacción de los artículos 204 TRLSA y 8.4 LAC, fruto de la cual, una vez finalizado el plazo de contratación inicial de los auditores éstos podían ser reelegidos de nuevo (si bien, anualmente) sin necesidad de observar el período de *vacatio* de tres años que el legislador obligaba a guardar bajo la legislación precedente. Con ello nuestro Derecho sigue la corriente de los Ordenamientos de los Estados

---

[13] Vid. la consulta núm. 13 del *BOICAC* núm. 4 (1991) y la consulta núm. 6, *BOICAC* núm. 12 (1993).

[14] Vid. las RRDGRN de 25 de octubre de 1993 (comentada por GARCÍA HERRERA, A. en la *Revista General del Derecho*, núm. 591, 1993, págs. 12017 y ss.) y de 13 de septiembre de 1994 (comentada por VÁZQUEZ LÉPINETTE, T., en *Revista General del Derecho*, núm. 603, diciembre de 1994, págs. 13034 y ss.).

[15] Admiten la posibilidad de prórroga del contrato de auditoría los siguientes autores: GARRETA SUCH, *Introducción al Derecho contable, cit.*, pág. 318; ILLESCAS ORTIZ, *Las cuentas anuales*, vol. 2°, *Auditoría, aprobación, depósito y publicidad*, en URÍA/ MENÉNDEZ/ OLIVENCIA (dirs.), *Comentario al régimen legal de las sociedades mercantiles*, t. VIII, *cit.*, págs. 47 y 48; MARINA GARCÍA-TUÑÓN, *Régimen jurídico de la contabilidad del empresario, cit.*, pág. 266, aunque para este autor es más correcto hablar de nuevo vínculo negocial que de prórroga.

[16] Vid. IGLESIAS PRADA, «La duración del cargo de auditor. Consideraciones críticas», *cit.*, pág. 1905; PETIT LAVALL, *Régimen jurídico de la auditoría de cuentas anuales, cit.*, pág. 277; y VICENT CHULIÁ, F. «Problemas candentes de la Sociedad Anónima», *Revista General del Derecho*, núm. 591, 1993, págs. 11924 y ss.

[17] Vid. GALÁN CORONA, E., «Las cuentas anuales y su verificación: aspectos jurídicos», *cit.*, pág. 283.

más representativos de la Europa comunitaria, que no contemplaban esta *vacatio*. Por lo que deja de existir la rotación obligatoria y los mismos auditores pueden ser reelegidos o prorrogados en su cargo sucesivamente sin que exista límite temporal alguno.

Con posterioridad, en consonancia con lo dispuesto en el Libro blanco de la auditoría de cuentas en España[18] (que consideraba aconsejable que con vistas a una futura modificación de la LAC se estableciera la reelección de los auditores por períodos máximos de tres años, suprimiéndose con ello el formalismo de la reelección anual, porque no fomentaba la independencia del auditor sino que la dificultaba), la Ley 12/2010, de 30 de junio (por la que se modifica la Ley 19/1988, de 12 de julio, de Auditoría de Cuentas, la Ley 24/1988, de 28 de julio, del Mercado de Valores y el Texto Refundido de la Ley de Sociedades Anónimas aprobado por el R.D. Legislativo 1564/1989, de 22 de diciembre, para su adaptación a la normativa comunitaria) en su apartado siete, introduce el apartado 8 quáter en la LAC de 1988, que establecía que los auditores podían ser contratados por *períodos máximos sucesivos de tres años* una vez que hubiera finalizado el período inicial. Lo que se mantiene en el artículo 19 del Real Decreto Legislativo 1/2011, de 1 de julio, por el que se aprueba el Texto Refundido de la Ley de Auditoría de Cuentas y en el artículo 22.1 de la vigente LAC con el único matiz terminológico de referirse a períodos máximos sucesivos de *hasta tres años*.

Tanto el artículo 8 *quáter*, redactado conforme a la Ley 12/2010, como el artículo 19 del TRLAC de 2011 o el artículo 22.1 de la vigente LAC de 2015, se refieren a que los auditores pueden ser *contratados* por períodos máximos sucesivos de hasta tres años una vez que hubiere finalizado el período inicial (sin embargo, seguidamente, y de forma más acertada, los citados textos legales hacen referencia de forma reiterada a la expresión «una vez que haya finalizado el periodo de contratación inicial o la prórroga del mismo» o «el período inicial o el período de prórroga del contrato inicial»). Parece que la terminología del texto legal no es acertada cuando indica que los auditores pueden ser *contratados* por períodos máximos sucesivos de hasta tres años una vez que hubiere finalizado el período inicial, pues el término hace pensar en una reelección, que requiere de un nuevo contrato que recae sobre la persona que había sido designada con anterioridad, por lo que hubiera sido más acertado referirse a la prórroga del

---

[18]    Vid. *Libro Blanco de la Auditoría de Cuentas en España*, apartado «Alcance y contenido de la reforma legislativa», págs. 255 y ss.

contrato de auditoría, término que emplea posteriormente, y que implica la extensión del período temporal para el que rige el contrato de auditoría inicialmente concertado.

En suma, parece que la dicción del vigente texto legal admite la prórroga, con el único límite de que la contratación inicial no puede ser inferior a tres ni superior a nueve y que las prórrogas podrán ser sucesivas por un año, dos o tres, una vez que finalice el período inicial de contratación. No cabe realizar una interpretación extensiva de la expresión «período inicial» y entenderla como «período inicial máximo»[19]. En consecuencia, una vez que finaliza el período por el que el auditor ha sido inicialmente contratado la prórroga debe hacerse por un plazo máximo de tres años, sin perjuicio de sucesivas reelecciones. Por lo que el límite temporal de los nueve años, pierde su importancia, salvo porque la contratación inicial no puede exceder de ese plazo, pero las sucesivas reelecciones de los auditores o prórrogas del contrato pueden tener como consecuencia períodos de vinculación contractual del auditor o la sociedad de auditoría con la entidad auditada muy extensos.

El debate en la actualidad se ha trasladado a la prórroga tácita del contrato de auditoría, que se admite en nuestro Ordenamiento Jurídico desde la Ley 12/2010, que modifica la LAC de 1988 para afirmar que «*si a la finalización del período de contratación inicial o de prórroga del mismo, ni el auditor de cuentas o la sociedad de auditoría ni la entidad auditada manifestaren su voluntad en contrario, el contrato quedará tácitamente prorrogado por un plazo de tres años*». Así pues, en el seno de la sociedad la junta general es el órgano competente para acordar la prórroga, ya sea de forma expresa o de forma tácita (art. 22.1 *in fine* LAC) y, *a contrario sensu*, le corresponde a la junta la declaración de voluntad contraria a la prórroga. No obstante, la vigente LAC de 2015, en su artículo 22.1 añade que tanto los auditores como la sociedad auditora y la entidad de auditoría han de manifestar su voluntad en contrario «*antes de la fecha de aprobación de las cuentas anuales auditadas correspondientes al último período contratado o prorrogado*».

La prórroga tácita presenta significativas ventajas para sociedad, pues disminuye las obligaciones de carácter formal y solventa la situación en la que una sociedad no ha cumplido con la exigencia legal de nombramiento del auditor a tiempo, lo que puede abocar en la designación del auditor por parte del registrador mercantil (art. 265 LSC), que puede suscitar pro-

---

[19]  Vid. Consulta núm. 1, *BOICAC* núm. 32 (1997) y consulta núm. 5, *BOICAC* núm. 35 (1998).

blemas a las entidades auditadas y a los auditores. El Reglamento que desarrolla el Texto Refundido de la Ley de Auditoría de Cuentas (aprobado por el Real Decreto Legislativo 1/2011, de 1 de julio) en su artículo 52 exige informar de ésta a la junta general de socios y comunicar tal hecho al Registro Mercantil correspondiente al domicilio social de la entidad auditada, ya sea mediante acuerdo o certificado suscrito por quien tenga competencia legal o estatutaria en la entidad auditada, en un plazo que no podrá ir más allá de *la fecha en que se presenten para su depósito las cuentas anuales auditadas correspondientes al último ejercicio del período contratado.*

Por lo que se refiere a la exigencia reglamentaria de informar a la junta, la dicción literal del texto legal nos lleva a entender que ha de realizarse en aquélla que aprueba las cuentas del último ejercicio para el que está designado el auditor. Ahora bien, es posible cuestionarse si sería válida la renovación tácita del nombramiento del auditor si no se ha informado a la junta al respecto, a lo que cabe responder afirmativamente, pues la falta de información a la junta exigida por el texto reglamentario no es óbice para afirmar la falta de validez de la prórroga, sin perjuicio de la responsabilidad en la que pudiera incurrir el órgano de administración en relación con este asunto.

Por lo que respecta a la necesidad de informar al Registro Mercantil sobre la prórroga, la norma reglamentaria no concreta cuál será el plazo para ello. No obstante, el texto legal establece que el depósito de las cuentas anuales habrá de realizarse dentro del mes siguiente a su aprobación. En consecuencia se fija un plazo mensual, y el *diez a quo* para su cómputo será el día de la adopción del acuerdo de aprobación de las cuentas, ya sea dentro o no del primer semestre del ejercicio al que se refieren (art. 164 LSC). En circunstancias normales, la sociedad dispone de un plazo que de siete meses desde el cierre del último ejercicio para informar al Registro Mercantil de la prórroga tácita del contrato (arts. 164 y 279 LSC). Ahora bien, cabe que el acuerdo de aprobación de las cuentas no se haya producido dentro de los seis meses siguientes al cierre del ejercicio social al que se refieren las cuentas (art. 164 LSC), bien porque la junta general ordinaria no se haya celebrado dentro de tal plazo, bien porque la junta no haya aprobado las cuentas anuales presentadas por los administradores, lo que conlleva su devolución al órgano de administración que habrá de rehacerlas y volver a presentarlas a la junta general. En cualquier caso, es aconsejable que la comunicación se realice a la mayor brevedad mediante certificado de la reunión del órgano de administración y que a éste se acompañe la aceptación de los auditores con las firmas notarialmente legitimadas.

## 2. Limitaciones legales al plazo de contratación del auditor nombrado por la junta general de las entidades de interés público

La Ley 12/2010, modificó la LAC de 1988, introduciendo su artículo 8 quáter, relativo a la contratación y la rotación de los auditores, en el que se establecía que en el supuesto de contratación de auditores de entidades de interés público o de sociedades cuyo importe neto de la cifra de negocios fuera superior a 50.000.000 de euros, una vez transcurridos siete años desde el contrato inicial, sería obligatoria la rotación del auditor de cuentas firmante del informe de auditoría, debiendo transcurrir en todo caso un plazo de dos años para que dicha persona pudiera volver a auditar a la entidad correspondiente. La citada Ley transpone a nuestro Ordenamiento la Directiva 2006/43/CE del Parlamento Europeo y del Consejo de 17 de mayo de 2006, relativa a la auditoría legal de las cuentas anuales y de las cuentas consolidadas, por la que se modifican las Directivas 78/660/CEE y 83/349/CEE del Consejo y se deroga la Directiva 84/253/CEE del Consejo, con la pretensión de alcanzar una mayor armonización de los requisitos en materia de auditoría en el ámbito de la Unión Europea. El legislador comunitario, y por ende el nacional, se acerca a la regulación estadounidense, que en la Sección 204 de la *Sarbanes-Oxley Act*, dispone que sólo ha de rotar el auditor firmante del informe y no la sociedad de auditoría.

El movimiento de reforma del marco normativo europeo de la auditoría de cuentas no cesa, y el 13 de octubre de 2010 se publica el Libro Verde «Política de auditoría: lecciones de crisis», en virtud del cual se inicia una consulta pública sobre la función y el alcance de la auditoría y propuestas de mejora para fortalecer la estabilidad del mercado financiero[20]. Seguidamente el 13 de septiembre de 2011, se aprueba la Resolución «Política de auditoría: lecciones de crisis» en virtud de la cual se insta a la Comisión Europea a adoptar medidas para una mayor transparencia y competencia en el mercado de la auditoría, resultado de lo cual la Comisión inicia en noviembre de 2011 la tramitación de la Propuesta de Directiva y una Propuesta de Reglamento sobre la materia, que culminarían en Directiva 2014/56/UE del Parlamento Europeo y del Consejo por la que se modifica la Directiva 2006/43/CE relativa a la auditoría legal de las cuentas anuales y de las cuentas consolidadas y el Reglamento UE 537/2014, del Parlamen-

---

[20]   Sobre esta materia vid. HUMPHREY, C./ KAUSAR, A./ LOFT, A./y WOODS, M., «Regulating audit beyond the crisis: a critical discussion of the EU Green Paper», *European Accounting Review*, núm. 20, 2011, págs. 431 y ss.

to Europeo y del Consejo, de 16 de abril de 2014, sobre los requisitos específicos para la auditoría legal de las entidades de interés público.

En materia de duración del cargo y rotación de los auditores, el citado Reglamento contempla un cambio significativo que justifica en el apartado 21 del preámbulo y que se concreta en el artículo 17, al prever que el contrato para auditar una entidad de interés público habrá de tener una duración mínima de un año y una duración máxima de diez, aunque los Estados miembros podrán alargar el plazo mínimo y acortar el máximo. Seguidamente, el apartado cuarto del citado precepto, contempla la posibilidad de extender este plazo, con ciertas condiciones —ya sea una convocatoria pública o una coauditoría— hasta veinte o veinticuatro años. Transcurrido este plazo ni el auditor ni la sociedad de auditoría (ni ninguno de los miembros de las redes de éstos dentro de la unión) podrán realizar la auditoría de cuentas de la misma entidad de interés público hasta que hayan transcurrido cuatro años.

En nuestro Ordenamiento Jurídico, la vigente LAC de 2015, en consonancia con lo dispuesto en el Reglamento Comunitario, modifica la regulación de la rotación de los auditores en el supuesto de entidades de interés público, lo que supone un cambio significativo en la materia. De un lado, porque exige la rotación de la sociedad de auditoría y no sólo de los auditores firmantes del informe, tal y como sucedía hasta el momento y, de otro lado, porque contempla una regulación que merece una valoración más positiva que el Reglamento (que concede una gran margen a los Estados miembros para permitir, aun con ciertos condicionantes, relaciones contractuales excesivamente extensas). El artículo 40 dispone que la duración mínima del período inicial de contratación de auditores de cuentas en entidades de interés público[21] no podrá ser inferior a tres años (por lo que se igualan los plazos de contratación con el supuesto de auditorías que no son de entidades de interés público), no pudiendo exceder el período total de contratación, incluidas las prórrogas, de la duración máxima de diez años establecida en el artículo 17 del Reglamento (UE) 537/2014 de 16 de abril. No obstante, el texto legal contempla la posibilidad de que los auditores o sociedades de auditoría sean prorrogados en el cargo hasta cuatro años más, una vez finalizado el período total de contratación

---

[21]   El Real Decreto 877/2015 modifica el artículo 15 del Reglamento de la Ley de Auditoría de Cuentas para concretar el concepto de entidad de interés público, a los efectos exclusivos de lo dispuesto en la normativa reguladora de la actividad de auditoría de cuentas.

máximo de diez años, pero siempre que exista una actuación conjunta con otros auditores o sociedades de auditoría. A tal fin han de contratarse de forma simultánea a otro u otros auditores o sociedades de auditoría para actuar conjuntamente en este período adicional. Mayor complejidad a estos efectos plantea la remisión que el artículo 40.1 realiza al apartado 6 del artículo 17 del Reglamento Comunitario en cuya virtud una vez transcurrido el período de duración máxima del encargo con carácter excepcional, la entidad de interés público podrá solicitar que la autoridad competente a que se refiere el artículo 20, apartado 1, otorgue una prórroga con el fin de volver a designar al auditor legal o sociedad de auditoría para un nuevo encargo, siempre que exista una convocatoria pública o una coauditoría. La duración de este encargo adicional no excederá de dos años.

Así pues, el contrato de auditoría tendrá una duración plurianual mínima de tres años y el período máximo de contratación, incluidas las posibles prórrogas con la existencia de coauditorías, se fija en 14 años. Además, de conformidad con lo establecido en el artículo 17.7.1 del Reglamento Comunitario, una vez transcurridos cinco años desde el contrato inicial, será obligatoria la rotación de los auditores principales responsables del trabajo de auditoría, debiendo transcurrir en todo caso un plazo de tres años para que dichas personas puedan volver a participar en la auditoría de la entidad auditada.

Tradicionalmente una de las materias que mayor polémica suscita en relación con la auditoría de cuentas ha sido la rotación de los auditores. En nuestro Ordenamiento el legislador ha fluctuado entre la exigencia de la sustitución periódica de los auditores obligatoria una vez alcanzado el período máximo de contratación de nueve años y con una necesaria *vacatio* de tres años (LAC de 1988) lo que fue objeto de diversas consideraciones críticas por parte de la doctrina y de los profesionales de la auditoría, la supresión absoluta de la rotación (modificación operada en su art. 8.4 por la DA 6ª de la LSRL), y establecer un régimen híbrido —desde la Ley 12/2010, en el TRLAC de 2011 y hasta la actual LAC de 2015— que contempla la rotación obligatoria sólo para las auditorías de entidades de interés público, aunque con diferencias significativas.

En la actualidad, el artículo 40 de la LAC de 2015 contempla la rotación obligatoria de los auditores o sociedades de auditoría en dos supuestos:

En primer lugar, al prever que los auditores serán contratados por un plazo máximo, incluidas las prórrogas, de diez años, una vez transcurrido el cual es obligatoria la rotación del auditor (a no ser que se prorrogue hasta cuatro años más en el supuesto antes citado de la auditoría conjunta). En tal caso, ni el auditor ni la sociedad de auditoría (ni ninguno de los miembros de las redes de éstos dentro de la unión) podrán volverá a ser contratados hasta que hayan transcurrido cuatro años (art. 17.3 Reglamento UE). No indica el legislador qué criterios han de seguirse para seleccionar al coauditor, aunque en la actualidad sólo las grandes firmas de auditoría cuentan con los requisitos técnicos para poder auditar las cuentas anuales de las entidades de interés público.

En segundo lugar, en el caso de las sociedades de auditoría, una vez transcurridos cinco años del contrato inicial, los auditores principales responsables del trabajo de auditoría deben rotar en el cargo, debiendo transcurrir un plazo de tres años para que dichas personas vuelvan a participar en la auditoría de la entidad auditada. Por lo que puede continuar auditando a la entidad la misma sociedad de auditoría, pero dentro de ella será suficiente con que cambie el auditor o auditores responsables del trabajo. A tales efectos se prevé un mecanismo de rotación gradual del personal de mayor antigüedad involucrado en la auditoría, que se aplicará de forma escalonada a los miembros del equipo (art. 17.7.3 por remisión art. 40. 2 LAC).

El sistema de la rotación obligatoria es una cuestión que tradicionalmente ha polarizado las opiniones doctrinales entre sus partidarios y detractores.

A favor de la auditoría puede aducirse que constituye un mecanismo que coadyuva de forma decisiva a preservar la independencia del auditor[22],

---

[22]   Vid en este sentido GALÁN CORONA, «Las cuentas anuales y su verificación. Aspectos jurídicos», *cit.*, pág. 283; GARCÍA URBANO, «Competencias de la junta general en materia de auditores», *cit.*, pág. 1617; GARRETA SUCH, *Introducción al Derecho contable, cit.*, pág. 318; ILLESCAS ORTÍZ, *Las cuentas anuales*, vol. 2º, *Auditoría, aprobación, depósito y publicidad*, en URÍA/ MENÉNDEZ/ OLIVENCIA (dirs.), *Comentario al régimen legal de las sociedades mercantiles*, t. VIII, *cit.*, pág. 49; MARINA GARCÍA-TUÑÓN, *Régimen jurídico de la contabilidad del empresario, cit.*, pág. 266; PETIT LAVALL, *Régimen jurídico de la auditoría de cuentas anuales, cit.*, pág. 279; Con posterioridad a la LSRL, que suprime la rotación obligatoria, siguen manifestándose a su favor: AMESTI MENDIZÁBAL, «La actuación de los auditores en la sociedad anónima: la responsabilidad de los auditores de la sociedad anónima» *Cuadernos de la Revista de Derecho Bancario y Bursátil*, núm. 3, Centro de Documentación Bancaria y Bursátil, Madrid, 1995, pág. 55; GARCÍA DELGADO, S., *La importancia relativa en la evaluación de una auditoría de cuentas: el informe de auditoría*, IACJCE, Escuela de auditoría, Madrid, 1996, págs. 88 y ss., (si bien, parece que manifiesta sus reservas con relación a la rotación total de los auditores o sociedad de auditoría por los costes que plantea, siendo preferible la rotación de los auditores responsables dentro

pues una permanencia excesiva en el cargo puede producir un acercamiento entre los auditores y la sociedad y la posibilidad de reelección implica que el auditor puede verse sometido a presiones debido a su interés por mantener el contrato de auditoría. Así, el apartado II del preámbulo de la LAC justifica la adopción de la rotación obligatoria, entre otras razones, en la necesidad de *«reducir el riesgo de posibles conflictos de intereses provocados por el actual sistema en el que el auditado selecciona y paga al auditor y por la amenaza de familiaridad derivada de relaciones prolongadas»*. En parecidos términos se expresa el apartado 21 del Preámbulo del Reglamento UE 537/2014. Además, cabe entender que la rotación obligatoria potencia la diversificación en el mercado de la auditoría que se caracteriza por su excesiva concentración en las llamadas *Big Four*.

En contra de la rotación se aduce que la permanencia de los auditores en el cargo permite un mayor grado de conocimiento de la situación contable de la sociedad auditada y de especialización del auditor, lo que mejora su competencia técnica[23]. Además, la independencia del auditor se puede preservar por otras vías, *a priori*, con un riguroso régimen de incompatibilidades, transparencia en los honorarios a percibir y la limitación de servicios relacionados con la auditoría que pueden prestar los auditores y, *a posteriori*, mediante un riguroso régimen administrativo sancionatorio y de responsabilidad civil directa y solidaria de los auditores frente a la entidad auditada y cualquier tercero perjudicado[24]. Y no puede olvidarse que el mercado por sí mismo proporciona incentivos, asociados fundamental-

---

de una misma sociedad de auditoría); PETIT LAVALL, «La supresión de la regla de la rotación obligatoria», *cit.*, págs. 6909 y ss., y TORRENT, «La reelección de los auditores de cuentas», *cit.*, págs. 1313 y 1333.

[23] Estas afirmaciones han sido objeto de crítica en la doctrina. Así, al primero de los argumentos citados se objeta que tiene un puro valor teórico, pues se supone que los auditores son expertos en contabilidad, y que no deben tener grandes problemas para conocer la contabilidad social, más aún cuando la duración mínima del cargo son tres años, un plazo que parece razonable para que el auditor obtenga un óptimo conocimiento de la situación patrimonial de la sociedad auditada. TORRENT, «La reelección de los auditores de cuentas», *cit.*, pág. 1336. Además, la duración excesiva de éste no supone necesariamente un incremento de su calidad, sino que también puede suponer una rutinización que menoscaba su calidad Vid. PETIT LAVALL, «La supresión de la regla de la rotación obligatoria», *cit.*, págs. 6909 y ss.

[24] Vid. ARRUÑADA, B./PAZ-ARES, C. en «Consecuencias económicas de la rotación obligatoria del auditor de cuentas», en seminario de Economía de la Empresa, Universidad Pompeu Fabra, 30 marzo de 1995, *Revista General del Derecho*, núm. 609, 1995, págs. 6903 y ss. e IGLESIAS PRADA, «La duración del cargo de auditor. Consideraciones críticas», *cit.*, pág. 1912 y 1916 y ss.

mente a la reputación profesional, para preservar la independencia de los auditores[25].

No cabe duda que el régimen híbrido introducido en la LAC de 2015, que contempla la rotación obligatoria de las sociedades de auditoría para las entidades de interés público, supone una mejora frente a las anteriores regulaciones legales de la materia y frente al propio texto Comunitario, que concede un margen de actuación a los Estados excesivamente amplio, en lo que se refiere a la duración mínima y máxima del contrato de auditoría, por lo que difícilmente puede lograr una armonización comunitaria en esta materia.

La duración plurianual mínima de tres años de la vigente LAC para todas las auditorías de cuentas que se realicen, sean o no de Entidades de Interés Público, parece acertada y presenta un fundamento técnico obvio, pues para realizar la auditoría de cuentas es preciso que el auditor posea una competencia profesional general que le permita la aplicación de unas normas y procedimientos de auditoría y que concluyan en la formación de un opinión técnica sobre los estados contables de la entidad auditada, pero las características particulares de cada una de estas entidades requieren un estudio inicial en profundidad, que supone un coste considerable para los auditores y que les permite adquirir el conocimiento específico que le posibilite la realización de una auditoría de cuentas anuales de calidad[26]. Por estas razones la duración plurianual mínima es mejor que la duración anual contemplada en el Reglamento Comunitario.

---

[25]   Vid. IGLESIAS PRADA, «La duración del cargo de auditor. Consideraciones críticas», *cit.*, págs. 1912 y ss. En este sentido GONDRA ROMERO, (*La Ley, el mercado y la independencia del auditor, cit.*, pág. 46) considera que las grandes empresas se ven sometidas a determinadas necesidades, y estimuladas por ciertos incentivos que garantizan de una forma espontánea la calidad del servicio a prestar. Así, una vez que se ven obligadas a auditar sus cuentas anuales, con frecuencia se ven obligadas también a contratar auditores de calidad que garanticen la independencia, pues de lo contrario, si contratasen o mantuviesen auditores sin garantía, lanzarían al mercado una señal peor que la de no contratar auditor, por lo que la reputación profesional es la única garantía de independencia que se puede tener en el auditor, pues ni la rotación obligatoria, ni la reelección indefinida aseguran la pulcritud de labor auditora, además ambos mecanismos son susceptibles de manipulación.

[26]   Vid. el estudio que desde el punto de vista económico se realiza por RUIZ BARBADILLO, E./ GÓMEZ AGUILAR, N./ CARRERA PENA N., «Derogación de la rotación obligatoria de los auditores y calidad de la auditoría», en *Revista de Economía Aplicada*, núm. 49, 2009, págs. 105 y ss.

Por otra parte, la rotación obligatoria, no sólo dentro de la firma sino de la sociedad de auditoría, presenta el beneficio de evitar relaciones contractuales excesivamente dilatadas en el tiempo, lo que puede producir un acercamiento excesivo entre los auditores y el cliente, que en el supuesto de que no pueda renovar su relación contractual indefinidamente tendrá menos incentivos para ceder a las posibles presiones de la entidad auditada por discrepancias sobre la naturaleza de la opinión. Además, no puede olvidarse que aunque los terceros (inversores, acreedores, trabajadores…) no son destinatarios *stricto sensu* o primarios del informe de auditoría, pues no contratan a los auditores ni los retribuyen, si son destinatarios secundarios, por tácita intención del legislador que requiere la publicación del informe de auditoría, y la rotación obligatoria no cabe duda que refuerza la imagen de independencia y fortalece la credibilidad y confianza de los terceros en los estados financieros auditados.

Ahora bien, aunque el nuevo régimen presenta una mejora respecto al existente con anterioridad (al prever la rotación de la firma de auditoría y no sólo de los auditores firmantes y no alcanzar la duración máxima de la relación contractual que posibilita el Reglamento UE de veinte o incluso veinticuatro años) sería preferible que contemplara un criterio más definido y no que establezca una duración máxima para seguidamente prever la posibilidad de prorrogar por cuatro años más un plazo de contratación que inicialmente se define como *período total de contratación máximo*. Además, el texto legal presenta una técnica legislativa significativamente mejorable que, en algunos extremos, concreta entre las diversas posibilidades que brinda a los Estados el Reglamento UE y, en otros casos, lo desarrolla, lo reitera o simplemente se remite a su tenor literal. Hubiera sido deseable una mayor claridad expositiva en aras de un mejor entendimiento de una materia compleja y sometida a continuos cambios.

## III. LA DURACIÓN DEL CARGO DE AUDITOR EN EL SUPUESTO DE LOS AUDITORES DESIGNADOS POR EL REGISTRADOR MERCANTIL O LA INSTANCIA JUDICIAL

El régimen de duración del cargo de auditor expuesto con anterioridad no es aplicable a todos los trabajos que realicen los auditores, ni a todos los auditores cualquiera que sea su forma de designación.

Así, cuando la auditoría de cuentas no sea obligatoria, no serán aplicables los plazos mínimos ni el máximo de duración del cargo legalmente establecidos (art. 22.3 LAC). La excepción parece acertada, pues tales límites se fijan en aras de garantizar una mayor imparcialidad y objetividad del auditor, y la teoría económica pone de relieve como a mayor voluntariedad de la auditoría existen mayores incentivos para la independencia y, por tanto, una menor necesidad de regulación[27].

En el supuesto de que el auditor haya sido designado por el registrador mercantil cabe cuestionarse si la duración del contrato se halla sometida a alguna pauta legal o reglamentaria, o por el contrario, se deja al libre arbitrio del registrador la determinación del plazo. Para contestar al referido interrogante es preciso diferenciar según la sociedad se encuentre sometida o no a la obligación de auditar sus cuentas anuales. En el primer caso, la LSC no se pronuncia sobre cuál ha de ser la duración del cargo de auditor (art. 265.1). No obstante, el RRM en su art. 360 dispone que la auditoría a realizar por el auditor de cuentas nombrado por el registrador mercantil se limitará a las cuentas anuales y al informe de gestión correspondientes al último ejercicio. Este plazo parece razonable, ya que son circunstancias excepcionales, limitadas temporalmente, las que determinan el nombramiento de los auditores, transcurridas las cuales la competencia para la designación de aquéllos reside de nuevo en la junta general[28]. En el supuesto de que las sociedades no estén obligadas a someter las cuentas anuales a verificación, según lo dispuesto en el art. 265.2 LSC, los socios que representen, al menos, el cinco por ciento del capital social podrán solicitar al registrador mercantil del domicilio social la designación de un auditor de cuentas para que efectúe la verificación de las cuentas anuales de un «determinado ejercicio» y siempre que no hubieren transcurrido tres meses desde su cierre. Con lo cual la cuestión queda solventada, pues el artículo citado dispone expresamente que los profesionales serán nombrados para verificar las cuentas anuales de un sólo ejercicio, en particular el último ejercicio. El régimen general tampoco será de aplicación en el supuesto de los auditores nombrados en virtud de lo dispuesto en el art. 40.1 C de c, cuando así lo acuerde el registrador mercantil o el letrado de la administración de justicia si acoge petición fundada de quien acredite un interés legítimo. En este caso, por identidad de razón con lo dispuesto

---

[27]   Vid. GONDRA ROMERO, *La ley, el mercado, y la independencia del auditor, cit.*, pág. 26.

[28]   En este sentido ARANA GONDRA (*Ley de Auditoría de Cuentas*, en SÁNCHEZ CALERO (dir.), *Comentario a la legislación mercantil, cit.*, pág. 337) para quien no se ven fundamentos para dotar de una larga estabilidad al auditor nombrado por el registrador, pues parece nombrado para solventar un problema concreto y limitado en el tiempo. PETIT LAVALL (*Régimen jurídico de la auditoría de cuentas anuales, cit.*, pág. 278) también se manifiesta en este sentido.

en el art. 265.2 —en tanto ambos son supuestos en los que se solicita a una instancia superior la designación de un auditor para que verifique las cuentas anuales de un concreto ejercicio de la sociedad— cabe entender que la duración del cargo será similar, es decir, un ejercicio social. Son determinadas circunstancias las que llevan a las personas legitimadas a solicitar la designación del auditor, pero éstas pueden predicarse con relación a un ejercicio social concreto, sea o no el último pero es posible que no concurran en los ejercicios sucesivos. Parece poco acertado pensar que porque se haya solicitado al registrador o al letrado de la administración de justicia por determinadas causas el nombramiento de un auditor, éste deba ser designado como mínimo por tres ejercicios, pues es posible que en los años venideros la auditoría no interese a nadie al desaparecer las razones que motivaron su solicitud, suponiendo, sin embargo, un gasto considerable[29].

Finalmente, cabe hacer referencia al supuesto previsto en el artículo 266.1 LSC (es decir, cuando mediando justa causa el registrador mercantil o el letrado de la administración de justicia del domicilio social revoque al auditor designado previamente por la junta general o por ellos y proceda al nombramiento de otro). En este caso es posible diferenciar según el auditor revocado haya sido designado por la junta general o por el registrador mercantil o la instancia judicial. En el primero de los supuestos entendemos que la duración del cargo del nuevo auditor puede extenderse como máximo a lo que resta por satisfacer de su encargo al revocado, en el segundo caso, es decir si el auditor revocado había sido nombrado por el registrador mercantil o la instancia judicial, parece lógico que, dado que el período de nombramiento del auditor en estos casos no puede ser superior a un año, el auditor que lo sustituye, previa revocación del anterior, no deba ser nombrado por un período de tiempo superior al originario[30].

---

[29]  A juicio de ARANA GONDRA (*Ley de Auditoría de Cuentas*, en SÁNCHEZ CALERO, *Comentario a la legislación mercantil, cit.*, págs. 337 y ss.) existen diversos argumentos para no seguir el régimen normal (de tres a nueve ejercicios) en el supuesto de nombramiento judicial. En primer lugar, estima que la atribución al auditor nombrado por el juez de un período de actuaciones superior al que requieren las circunstancias supondría privar a la junta de derechos que le pertenecen. En segundo lugar, considera que las razones que fundamentan la intervención judicial se encuentran más cercanas a las que determinan la intervención registral que a las que fundamentan las actuaciones de la junta general, de ahí que por analogía parezca preferible aplicar el período de tiempo previsto para el supuesto de nombramiento registral.

[30]  Vid. ILLESCAS ORTIZ, *Las cuentas anuales*, vol. 2º, *Auditoría, aprobación, depósito y publicidad*, en URÍA, MENÉNDEZ, OLIVENCIA (dirs.), *Comentario al régimen legal de*

Tales consideraciones son extensibles a los supuestos previstos en los artículos 22.2 *in fine* LAC y 266.3 *in fine* LSC.

## Bibliografía

AMESTI MENDIZÁBAL, C. *La actuación de los auditores en la sociedad anónima: la responsabilidad de los auditores de la sociedad anónima,* Cuadernos de la Revista de Derecho Bancario y Bursátil, núm. 3, Centro de Documentación Bancaria y Bursátil, Madrid, 1995.
— «Reformas del régimen de los auditores y en materia de cuentas anuales» en RODRÍGUEZ ARTIGAS, F./FARRANDO, I.,/GONZÁLEZ CASTILLA, F./ Cizur Menor, 2012, págs. 279-291.
ARANA GONDRA, F. J., *Ley de Auditoría de Cuentas,* en SÁNCHEZ CALERO (dir.), Comentarios a la legislación mercantil, Madrid, 1995.
ARRUÑADA, B./PAZ-ARES, C. en «Consecuencias económicas de la rotación obligatoria del auditor de cuentas», en Seminario de Economía de la Empresa, Universidad Pompeu Fabra, 30 marzo de 1995, *Revista General del Derecho,* núm. 609, 1995, págs. 6903-6911.
GALÁN CORONA, E., «Las cuentas anuales y su verificación: aspectos jurídicos», en QUINTANA CARLO, I. (dir.), *El nuevo Derecho de las sociedades de capital,* Zaragoza, 1989, págs. 259-286.
— «Verificación de las cuentas anuales», *Comentarios a la Ley de Sociedades Anónimas:* Real Decreto Legislativo 1564/1989, de 22 de diciembre, por el que se aprueba el texto refundido de la Ley de Sociedades Anónimas / ARRROYO MARTÍNEZ, I./ EMBID IRUJO, J. M./ GORRIZ LÓPEZ, C. (coords.), Madrid, 2009, págs. 1975-2046.
GARCÍA DELGADO, S., *La importancia relativa en la evaluación de una auditoría de cuentas: el informe de auditoría,* IACJCE, Escuela de auditoría, Madrid, 1996.
GARCÍA HERRERA, A., «Comentario a la RDGRN de 25 de octubre de 1993», *Revista General del Derecho,* núm. 591, diciembre 1993, págs. 12017-12020.
GARCÍA URBANO, J. M., «Competencias de la junta general en materia de auditores», *Boletín Informativo del Ministerio de Justicia,* núm. 1617, 16 noviembre 1991, pág. 5490-5499.
GARRETA SUCH, J. M., *Introducción al Derecho contable,* Madrid, 1994.
GONDRA ROMERO, J. M., *La Ley, el mercado y la independencia del auditor,* Madrid, 1997.
HIERRO ANIBARRO, S., «La auditoría de cuentas», en *Derecho Mercantil,* Vol. 1°, JIMÉNEZ SÁNCHEZ, G., DÍAZ MORENO, A. (coords.), Madrid-Barcelona, 2013, págs. 345-365.

---

las sociedades mercantiles, t. VIII, *cit.,* págs. 91 y ss. En contra PETIT LAVALL *(Régimen jurídico de la auditoría de cuentas anuales, cit.,* pág. 278) considera que la permanencia del auditor designado judicialmente en el cargo ha de ser de un año, tanto en el supuesto del art. 40.1 C de c como del art. 206 TRLSA.

HUMPHREY, C./ KAUSAR, A./LOFT, A./ y WOODS, M. «Regulating audit beyond the crisis: a critical discussion of the EU Green Paper», *European Accounting Review*, núm. 20, 2011, págs. 431-457.

IGLESIAS PRADA, J. L., «La duración del cargo de auditor. Consideraciones Críticas», en *Estudios Jurídicos en homenaje al profesor Aurelio Menéndez*, t. II, Madrid, 1996, págs. 1895-1924.

ILLESCAS ORTIZ, *Las cuentas anuales, vol. 2°, Auditoría, aprobación, depósito y publicidad*, en URÍA, R./MENÉNDEZ, A./ OLIVENCIA, M. *(dirs.), Comentario al régimen legal de las sociedades mercantiles*, t. VIII, Madrid, 1993.

LÓPEZ SANTANA, N., «Las cuentas anuales de las sociedades de capital», en *Derecho Mercantil*, Vol. 3°, JIMÉNEZ SÁNCHEZ, G., DÍAZ MORENO, A. (coords.), Madrid-Barcelona, 2013, págs. 577-633.

MACHADO PLAZAS, J., «Artículo 264. Nombramiento por la junta general» en *Comentario a la Ley de Sociedades de Capital*, t. II, en ROJO, A./ BELTRÁN, E., Cizur Menor, 2011, págs. 1981-1985.

— «Artículo 266. Nombramiento judicial» en *Comentario a la Ley de Sociedades de Capital*, t. II, en ROJO, A./ BELTRÁN, E., Madrid, 2011, págs. 1994-1997.

MARINA GARCÍA-TUÑÓN, A., *Régimen jurídico de la contabilidad del empresario*, Valladolid, 1992.

NÚÑEZ LOZANO, P. L., *Régimen jurídico de la auditoría de cuentas*, Sevilla, 1989.

PETIT LAVALL, M. V., *Régimen jurídico de la auditoría de cuentas anuales*, Madrid, 1994.

— «La supresión de la regla de rotación obligatoria en el nombramiento de auditores de cuentas por la Ley 2/1995, de 23 de marzo, de Sociedades de Responsabilidad Limitada», *Revista General del Derecho*, núm. 609, 1995, págs. 6903-6910.

PORFIRIO CARPIO, L., «El nombramiento de auditores tras la reforma del art. 204.1 LSA (A propósito de la RDGRN de 14 de noviembre de 1997)», en *Homenaje en Memoria de Joaquín Lanzas y de Luis Selva*, t. II, Centro de Estudios Registrales, Madrid, 1998, págs. 1487-1498.

ROJO FERNÁNDEZ-RÍO, A., «Artículo 265. Nombramiento por el registrador mercantil» en *Comentario a la Ley de Sociedades de Capital*, t. II, en ROJO, A./ BELTRÁN, E., Cizur Menor, 2011, págs. 1985-1993.

RUIZ BARBADILLO, E./ GÓMEZ AGUILAR, N./ CARRERA PENA N., «Derogación de la rotación obligatoria de los auditores y calidad de la auditoría», en *Revista de Economía Aplicada*, núm. 49, 2009, págs. 105-134.

TORRENT, A, «La reelección de los auditores de cuentas», *Revista Crítica de Derecho Inmobiliario*, núm. 635, 1996, págs. 1311-1338.

VÁZQUEZ CUETO, J. C., *Las cuentas y la documentación contable en la sociedad anónima*, *Tratado de Derecho Mercantil*, vol. 5, OLIVENCIA, M./ FERNÁNDEZ NOVOA, F./ JIMÉNEZ DE PARGA, R. (dirs.) Madrid, 2001.

— «La reforma del régimen de las cuentas anuales de la sociedad de capital en concurso», *Revista de Derecho de Sociedades*, núm. 38, 2012, págs. 19-54.

VÁZQUEZ LÉPINETTE, T., «Comentario a la RDGRN de 13 de septiembre de 1994», Revista General del Derecho núm. 603, 1994, págs. 13034-13038.

VELASCO FABRA, G. J., «La responsabilidad del auditor de cuentas en el control de las sociedades de capital», en SERRANO ACITORES, A. (dir.), *La intervención administrativa y económica en la actividad empresarial*, Barcelona, 2015, págs. 691-714.

— *Régimen jurídico de verificación de las cuentas anuales: propuestas de reforma*, Cizur Menor, 2011.

— «El nombramiento del auditor de cuentas en la verificación de las cuentas anuales», págs. 769-788.

VICENT CHULIÁ, F. «Problemas candentes de la Sociedad Anónima», *Revista General del Derecho*, núm. 591, 1993, págs. 11909-11941.

# VIII. EL ÓRGANO DE ADMINISTRACIÓN

# A) CONDICIÓN DE ADMINISTRADOR

# 37. La persona jurídica administradora en las sociedades de capital: entresijos de una relación a tres bandas

## ISABEL CONTRERAS DE LA ROSA

*Profª. Contratada Doctora de Derecho Mercantil*
*Universidad de Málaga*

## I. ADMISIBILIDAD DE LA PERSONA JURÍDICA ADMINISTRADORA EN LAS SOCIEDADES DE CAPITAL

El art. 212 de la Ley de Sociedades de Capital[1] (en adelante, LSC) reconoce la posibilidad de nombrar como administrador a una persona jurídica. Como es sabido, las funciones del órgano de administración en una sociedad exigen una actuación del sujeto nombrado para desempeñar dicho cargo que, por sus limitaciones *morfológicas*, no puede realizar una persona jurídica sino a través de personas físicas.

El cargo de administrador exige la ejecución, por parte de las personas que aceptan dicho nombramiento, de diversos actos de gestión y representación social (art. 209 de la LSC), que requieren la intervención personal y

---

[1] Real Decreto Legislativo 1/2010, de 2 de julio, por el que se aprueba el texto refundido de la Ley de Sociedades de Capital.

física del sujeto en cuestión[2], y que en caso de las personas jurídicas obliga —para la viabilidad del nombramiento— que esta designe un representante (persona natural) para que actúe, en tales casos, en su nombre (art. 212 bis de la LSC).

A día de hoy, y ante la claridad de la actual normativa que regula las sociedades de capital, la admisibilidad del nombramiento de una persona jurídica como administrador social, no se cuestiona, pero esto no siempre fue así[3]. La tibieza con la que nuestro legislador ha abordado esta cuestión históricamente, al no afrontar de forma directa esta posibilidad hasta la promulgación de la Ley de Sociedades de Capital, obligó especialmente a aquellos que entendían que el silencio legal no era prohibitivo, a justificar la admisibilidad de esta figura.

En cierto modo —como se ha puesto de manifiesto por un sector de nuestra doctrina—, todas estas cuestiones en torno a la admisibilidad del nombramiento de una persona jurídica como administrador de una sociedad, independientemente de las construcciones teóricas sobre las que se sustente, no dejan de ser, en esencia, un problema fundamentalmente de derecho positivo[4].

## 1. El Derecho español ante los administradores personas jurídicas

A pesar del inicial mutismo de nuestro legislador en materia de sociedades, nuestra doctrina de forma mayoritaria consideró no solo posible sino también deseable el reconocimiento legal del nombramiento de personas jurídicas como administradores, al entender que así lo imponía la realidad práctica y que no existían razones legales insalvables que impidieran esta

---

[2]    Firma de contratos, toma de decisiones,...

[3]    Sobre las dificultades que planteaban la viabilidad de nombrar a una persona jurídica administrador de una sociedad, véase POLO, E., «El ejercicio del cargo de administrador de una sociedad anónima por persona jurídica», en *Revista de Derecho Mercantil*, núm. 98, 1995, págs. 202 y ss.

[4]    DE PRADA GONZÁLEZ, J. M., «La persona jurídica administradora de una sociedad anónima», en *Estudios Jurídicos en Homenaje al Profesor Aurelio Menéndez*, Tomo II, 1996, pág. 2298, señala que no se trata tanto de un problema de posibilidad metafísica de ser administrador en el caso que nos ocupa, sino que esta posibilidad sea contemplada en la legislación concreta de cada país. Por ello, una vez aceptada expresamente en la ley ya no se trata de una cuestión de admisibilidad sino de las consecuencias de dicha admisión, siendo fundamental el establecimiento del régimen jurídico aplicable en tales casos que limite la figura.

opción[5]. Esta tendencia favorable a este tipo de nombramientos se acentuó con la Ley de Sociedades Anónimas de 1951, la cual aunque no permitía de forma expresa que una persona jurídica ocupara el cargo de administradora de otra sociedad, en su conjunto, en opinión de los autores[6], sí permitía justificar su admisibilidad, salvando las reticencias que al respecto pudieran haber manifestado aquellos que se oponían a la misma[7]. Sin embargo, durante bastante tiempo la admisibilidad de estos nombramientos topó en la práctica con la negativa a su inscripción por parte de los Registradores, fundada en una interpretación literal del Reglamento del Registro Mercantil de 1956[8], posición práctica que solo se flexibilizó con el tiempo[9].

---

[5]  Así, MIGOYA, J., «¿Puede desempeñar el cargo de Consejera de Administración de una Sociedad Anónima otra Sociedad?», en *Revista de Derecho Privado*, núm. 310, 1943, pág. 731, tras reconocer las posibles dificultades que estos nombramientos plantean señala que esto no acarrea la imposibilidad de los mismos. También justificaron su admisibilidad, entre otros, GARRIGUES, J. /URÍA, R., *Comentarios a la Ley de Sociedades Anónimas*, 1953, págs. 164 y ss.; y LANGLE RUBIO, E., *Manual de Derecho Mercantil Español*, Tomo I, 1950, pág. 251. En contra GIRÓN TENA, J., *Derecho de Sociedades Anónimas*, 1952, págs. 351-352.

[6]  POLO, E., «El ejercicio del cargo…», *op. cit.*, págs. 226 y ss., entre otros motivos, alega que la Ley de Sociedades Anónimas del 1956 no recogía la prohibición expresa a estos nombramientos que recogía el Anteproyecto de Ley de Sociedades Anónima que le sirvió de antecedente.

[7]  Como señala POLO, E., «El ejercicio del cargo…», *op. cit.*, págs. 202 y ss., cuestiones como *intuitus personae*, de responsabilidad, especialmente penal, variabilidad del representante de la sociedad administradora, sustentaban las posiciones en contra, si bien para el autor cualquiera de estos argumentos no eran insalvables, siendo posible a pesar de ellos admitir nombramientos de personas jurídicas como administradoras de otras sociedades.

[8]  *Op. cit.*, POLO, E., «El ejercicio del cargo…», pág. 233, cuando afirma que a pesar de la posibilidad, en nuestro Derecho, del ejercicio del cargo de administrador de la sociedad anónima por persona jurídicas, el problema seguía en pie, porque la práctica diaria demostraba que, en la realidad del derecho vivo de las sociedades, estos nombramientos no tenían acceso al Registro Mercantil.

[9]  La posibilidad de la inscripción fue finalmente ratificada en la Sentencia del Tribunal Supremo de 31 de octubre de 1984, [LA LEY 9301-JF/0000] al considerar que «no existe prohibición legal ni impedimento jurídico alguno para que las personas morales sean consejeras de las sociedades anónimas y más concretamente de las entidades bancarias, sin que la circunstancia de que respecto a tales personas no puedan consignarse en los correspondientes registros los datos relativos a circunstancias sólo predicables de las personas físicas, será obstáculo a tal conclusión, puesto que la identificación de las personas jurídicas queda cumplida con la consignación de sus elementos individualizadores y lo cierto es que tal nombramiento ha tenido acceso al Registro Mercantil (…)».

No será hasta 1989 cuando, aunque de forma tímida, nuestro legislador finalmente introduce una referencia clara a este tipo de nombramiento en la Ley de Sociedades Anónimas (en adelante, LSA) aprobada dicho año. Pese a ello, como ha señalado la doctrina[10], la LSA no contenía una regulación completa del nombramiento de personas jurídicas en calidad de administrador de estas sociedades sino que solo contemplaba de forma incidental su admisibilidad, fragmentando en distintos momentos de su regulación los indicios que lo sustentaban (en concreto, en el art. 8.f y art. 125)[11]. Conforme a ello, también el Reglamento del Registro Mercantil de 1989 introdujo en su art. 143 la especialidad que presentaba la inscripción de estos nombramientos, exigiendo que constara la identidad de la persona física designada como representante para el ejercicio de las funciones propias del cargo, completándose dicho precepto en el Reglamento del Registro Mercantil actualmente vigente[12] (en adelante, RRM), que precisa en un segundo apartado que en caso de reelección de la persona jurídica administradora, el representante seguirá desempeñando sus funciones hasta que se proceda expresamente a su sustitución[13].

---

[10]   En este sentido, MARTÍNEZ SANZ, F., «Artículo 123. Nombramiento», en *Comentarios a la Ley de Sociedades Anónimas*, Coord. ARROYO, I. / EMBID, J. M., Vol. II, 2001, pág. 1283.
       Por su parte POLO, E. en *Comentarios al régimen legal de las sociedades mercantiles*, Dir. URÍA, R. /MENÉNDEZ, A. /OLIVENCIA, M., Tomo VI, *Los administradores y el consejo de administración de la sociedad anónima (art. 123 a 143 de la Ley de Sociedades Anónimas)*, 1992, págs. 66-68, se mostró decepcionado con el tipo de reconocimiento.

[11]   El art. 8.f) al identificar a los administradores iniciales, y el art. 125 al referirse a la aceptación e inscripción de los nombramientos de los administradores, hacen referencia expresa al supuesto en el que el nombramiento recaiga sobre una persona jurídica.

[12]   Real Decreto 1784/1996, de 19 de julio, por el que se aprueba el Reglamento del Registro Mercantil.

[13]   En relación con las sociedades de responsabilidad limitada, la doctrina argumentó, fundamentándose en el silencio de la Ley de Sociedades de Responsabilidad Limitada de 1995, la posibilidad de nombrar personas jurídicas administradores, conforme al art. 143 del RRM. En este sentido, véase ESTURILLO LÓPEZ, A., *Estudio de la sociedad de responsabilidad limitada*, Madrid, 1996, pág. 311. En esta línea también se manifiesta DE PRADA GONZÁLEZ, J. M., «La persona jurídica administradora de una sociedad anónima», en *Estudios Jurídicos en Homenaje al Profesor Aurelio Menéndez*, Tomo II, 1996, pág. 2315. Si bien como aprecia GALLEGO SÁNCHEZ, E. «Comentario al art. 212. Requisitos subjetivos», en *Comentario de la Ley de Sociedades de Capital*, Tomo I, Dir. ROJO, A. /BELTRÁN, E., 2011, pág. 1505, el art. 143 también se aplica a las sociedades de responsabilidad limitada por remisión al mismo vía art. 192 del RRM.

No obstante, las incógnitas planteadas en relación con los administradores personas jurídicas no quedaban despejadas[14], por lo que fue necesaria una importante labor interpretativa para plantear soluciones a las distintas cuestiones que la mera admisión legal de estos administradores entrañaba en el ámbito societario, al carecer del adecuado desarrollo positivo que nuestra doctrina demandaba.

La normativa vigente sobre sociedades de capital ha ido progresivamente resolviendo las dudas que suscitaba el régimen jurídico aplicable al administrador persona jurídica y a su representante. Curiosamente, y aun contando con un importante apoyo teórico y práctico en nuestro país, el legislador inicialmente no aclaró esta cuestión mucho más de lo que lo hizo la LSA, aunque optó por ser más directo. Así, en su primera redacción la LSC reconoció indubitadamente la posibilidad de este tipo de nombramientos (art. 212)[15]. Pero tuvimos que esperar a sucesivas reformas de esta Ley para ir completando el régimen aplicable al administrador persona jurídica. En este sentido, la reforma de 2011[16] añadió el art. 212bis de la LSC —específicamente dedicado a este tipo de administrador— en el que se impone la obligación de designar un representante permanente que desempeñe en su nombre esta función, previendo también los efectos de su revocación para evitar que perjudique a la sociedad administrada[17]. La última, y quizá la más esperada, modificación que atañe a esta materia se produjo en 2014[18], cuando se dota de nuevo contenido al art. 236 de la LSC. Fue entonces cuando en este precepto, ahora bajo la rúbrica *presupuesto y*

---

[14]   *Op. cit.*, DE PRADA GONZÁLEZ, J. M., «La persona jurídica administradora...», pág. 2312.

[15]   Con anterioridad se recogió en el art. 115 de la Propuesta de Código de Sociedades Mercantiles de 2002 y más recientemente en los arts. 215-1.1 y 215-6 del Anteproyecto de Código mercantil de 30 de mayo de 2014. Si bien en estas normas se contemplaba la posibilidad de administradores personas jurídicas en todas las sociedades mercantiles.

[16]   Ley 25/2011, de reforma parcial de la Ley de Sociedades de Capital y de incorporación de la Directiva 2007/36/CE, del Parlamento Europeo y del Consejo, de 11 de julio, sobre el ejercicio de determinados derechos de los accionistas de sociedades cotizadas.

[17]   Como señala CASTAÑER CODINA, J. «Régimen jurídico del administrador persona jurídica (introducción del nuevo art. 212bis LSC)», en *Las reformas de la Ley de Sociedades de Capital (Real Decreto-ley 13/2010, Ley 2/2011, Ley 1/2012)*, Dir. RODRÍGUEZ ARTIGAS, F. /FERRANDO MIGUEL, I. /GONZÁLEZ CASTILLA, F., 2012, págs. 256-257.

[18]   Ley 31/2014, de 3 de diciembre, por la que se modifica la Ley de Sociedades de Capital para la mejora del gobierno corporativo.

*extensión subjetiva de la responsabilidad* de los administradores[19], se incluyó, entre otros, un apartado dedicado a la persona física representante del administrador persona jurídica, como un supuesto más de extensión de la responsabilidad de los administradores a otros sujetos que intervienen de hecho o de derecho (como sería en este caso) en la administración de la sociedad. Sin embargo, en este último apartado del art. 236 de la LSC, el legislador no se conforma solo con resolver cuestiones de responsabilidad, muy debatidas y controvertidas con anterioridad, sino que también de forma genérica somete a la persona física designada a los mismos requisitos legales y deberes previstos para los administradores. Aspectos estos últimos que, como ha señalado nuestra doctrina, deberían haberse ubicado en el art. 212 bis, lo que hubiera evitado la dispersión de la regulación básica del administrador persona jurídica y su representante[20].

Los preceptos anteriormente citados, se aplican igualmente a las sociedades cotizadas respecto de las cuales, en 2014, se hicieron dos precisiones que afectan al nombramiento de una persona jurídica como administrador y, especialmente, a su representante. Por un lado, el art. 529.7 decies de la LSC exige someter a informe de la comisión de nombramientos y retribución de la sociedad administrada la propuesta del nombramiento[21], evaluando también dicha comisión los méritos y capacidad del representante para desempeñar su función[22]; por otro lado, el art. 518 e) al referirse a la información que deberá publicarse en la página web de la sociedad, en los supuestos de nombramiento, ratificación o reelección de los miembros del consejo, establece que si alguno de ellos es una persona jurídica, deberá aportarse también la información referente al representante (identidad y currículo), así como la propuesta e informes que exige el art. 529 decies. Todo ello, implica un mayor control inicial de las sociedades administradas cotizadas sobre la elección del representante, sin perjuicio del poder de revocación de la junta frente a la persona jurídica administradora. En

---

19  Anteriormente, se circunscribía a los *presupuestos de la responsabilidad* de los administradores.

20  HERNÁNDEZ SAINZ, E., «La extensión del estatuto jurídico del administrador a la persona física representante de un administrador persona jurídica en la Ley 31/2014 para la mejora del gobierno corporativo», en *Revista de Derecho Bancario y Bursátil*, núm. 138, 2015, pág. 5.

21  Propuesta que irá acompañada del informe justificativo de idoneidad del candidato.

22  SEVERINO, D., «Capítulo 10. Nombramiento y clases de consejeros en las sociedades cotizadas», en *La reforma de la Ley de Sociedades de Capital en materia de gobierno corporativo*, Dir. GARCÍA DE ENTERRIA, J., 2015, pág. 107.

comparación, con estas sociedades, las no cotizadas solo cuentan con este último control, *a posteriori* e indirecto, sobre el representante mediante revocación del administrador.

La actual configuración de la figura del administrador persona jurídica administradora en nuestro ordenamiento, nos ha aproximado definitivamente a otros ordenamientos de nuestro entorno, como el francés y el belga, que igualmente admiten sin reparos esta figura, y que la regulan de forma muy similar a la que hoy en día establece nuestra LSC.

## 2. Admisión de la persona jurídica administradora en países de nuestro entorno: Especial referencia a la legislación francesa y belga

Francia reconoció explícitamente la figura del administrador persona jurídica en el art. 91 de la Ley de Sociedades Comerciales, de 24 de julio de 1966[23], refiriéndose a la administración de las sociedades anónimas[24]. Tras la derogación de dicho texto legal, esta norma se incluyó[25] en el art. L 225-20 del vigente Código de Comercio francés[26], artículo que se completa en la parte reglamentaria de este Código con los arts. R 225-16, 17 y 19. Conforme a ellos, se establece que una persona jurídica puede ser nom-

---

[23] *Loi n° 66-537 du 24 juillet 1966 sur les société comerciales.*

[24] En Francia hacía tiempo (antes de su reconocimiento legal en 1966) que se venía admitiendo que una persona jurídica pudiera desempeñar la función de administrador, a través de una persona física. En este sentido, véase GOURLAY, P-G, *Le conseil d'administration de la société anonyme. Organisation et fonctionnement*, 1971, pág. 99.

[25] Con algunas variaciones introducidas por la *Loi n° 2011-103 du 27 janvier 2011 relative à la représentation équilibrée des femmes et des hommes au sein des conseils d'administration et de surveillance et à l'égalité professionnelle*, consistentes en incluir al representante de la persona jurídica administradora en los porcentajes que han de respetarse, conforme el art. L 225-18-1, para lograr la paridad entre hombres y mujeres en los nombramientos de los órganos de administración de estas sociedades. En los mismos términos, se refiere también el art. L 225-76 del *Code de Commerce* al representante de una persona jurídica en el seno del consejo de vigilancia, y los arts. R 225-41 y 42 de la parte reglamentaria de dicho código que lo desarrollan.

[26] Esta posibilidad no se permite en todas las sociedades de capital. En Francia la administración de las sociedades de responsabilidad limitada solo puede recaer sobre personas físicas (art. L 223-18). Sin embargo, sí se admiten estos nombramientos con sus especialidades propias en las sociedades personalistas, así lo reconoce en el art. L 221-3 en relación a las sociedades colectivas, precepto aplicable por remisión a la sociedad comanditaria simple conforme al art. L 222-2.

brada administrador debiendo, en tal caso, designar un representante permanente (persona física) sometido a los mismos requisitos y obligaciones y régimen de responsabilidad civil y penal aplicable al administrador en nombre propio, sin perjuicio de la responsabilidad solidaria de la persona jurídica que representa, es decir, la administradora. De ello cabe destacar la amplia libertad de la entidad para elegir su representante[27] siempre que cumpla con los requisitos que se exigen a los administradores en general, sin diferenciar —el legislador francés— entre requisitos legales y los estatutarios. El nombramiento de estos representantes tendrá la misma duración que el del administrador persona jurídica que representa y, en caso de revocación, será necesario nombrar simultáneamente a su sustituto. La revocación y el nuevo nombramiento, deberán ser notificados inmediatamente mediante carta certificada a la sociedad administrada, teniendo que operar del mismo modo en caso de fallecimiento o de renuncia del representante. También se establece reglamentariamente que las formalidades de publicidad de la designación y cese del representante de la persona jurídica serán las mismas que se exigen a los administradores que desempeñan su cargo en nombre propio[28]. De todo ello, se deduce que ante la sociedad administrada el representante a efectos prácticos está al mismo nivel que el resto de los administradores que actúan en nombre propio.

Por su parte, el *Code des Sociétés* belga también contempla la figura del administrador persona jurídica, en su art. 61.2. En la línea de las normas españolas y francesas, exige el nombramiento de un representante permanente para ejercer la función de administrador en nombre y por cuenta de la persona jurídica al que, del mismo modo que la normativa francesa, se le exige que cumpla los mismos requisitos que el administrador, sometiéndolo al régimen de responsabilidad civil y penal de este, sin perjuicio de la responsabilidad solidaria de la persona jurídica representada. Siendo necesario, en caso de revocación del representante, nombrar simultáneamente

---

[27]  Como señala GOURLAY, P-G, *Le conseil d'administration...*, *op. cit.*, pág. 100, el representante puede ser un representante legal de la sociedad, un administrador, un socio de la persona jurídica administradora o un tercero. Considerando, al igual que otros autores franceses, que no es posible nombrar como representante a uno de los administradores de la propia sociedad administrada, ni que una misma persona física represente a más de una persona jurídica en el seno del consejo de administración de la sociedad administrada.

[28]  Finalmente el art. R225-19 de la parte reglamentaria del *Code de Commerce*, al admitir que los miembros del Consejo de administración puedan ser representados en alguna de sus sesiones, también termina reconociendo dicha facultad directamente al representante de administrador persona jurídica.

a su sustituto. Es obligado destacar que en este caso existe una limitación importante a la libertad de la persona jurídica administradora a la hora de designar su representante, ya que solo podrá nombrar a personas con las que tenga algún vínculo previo, social o laboral[29]. Esta restricción legal en la designación no se recoge ni en Francia ni en España.

En cualquier caso, a pesar del reconocimiento claro del nombramiento de personas jurídicas como administradoras de una sociedad de capital, son muchos los aspectos de esta relación triangular, sociedad administrada/persona jurídica administradora/ representante que quedan pendientes de aclaración, tal como sigue poniendo en evidencia la doctrina de estos países.

A continuación, trataremos de repasar algunos de los aspectos más cuestionados de esta figura en nuestro Derecho, para evaluar la situación en la que se encuentran y los avances que estos han representado en esta materia, a la vez que trataremos de realizar nuestra propia aportación a la mejora interpretativa de las normas que regulan algunos aspectos de esta peculiar relación a tres bandas que consolida la LSC.

## II. LA PERSONA JURÍDICA ADMINISTRADORA Y SU REPRESENTANTE

Como ya hemos señalado, la LSC acepta sin rodeos la posibilidad de nombrar administrador a una persona jurídica, y regula algunos aspectos de esta circunstancia, especialmente para preservar el buen funcionamiento de la sociedad administrada y el correcto desempeño del cargo de administrador, sea cual sea el tipo de persona que lo desarrolla.

Creemos oportuno puntualizar en este momento que aunque la LSC solo hace alusión directa a la posición de la persona jurídica que accede al cargo de administrador en una sociedad de capital, entendemos que también puede ser nombrada liquidador de una sociedad con las mismas especialidades previstas para ser administrador, en la medida que aquel es el órgano de gestión y representación de la sociedad tras su disolución. Esta opción viene avalada por el art. 376.1 LSC, según el cual, salvo que se establezca lo contrario en los estatutos o los nombren la junta general que acuerde la disolución, los administradores anteriores se convertirán en li-

---

[29] El *Code des Société* exige que el representante sea socio, gerente, administrador o trabajador de la persona jurídica nombrada administradora.

quidadores; dado que esos administradores pueden ser personas jurídicas debemos concluir que tanto si lo eran antes y se convierten *a posteriori*, como si son nombradas al disolverse la sociedad de capital, las personas jurídicas también podrán ocupar en ellas el cargo de liquidador.

## 1. La persona jurídica administradora

El sujeto elegido por la sociedad administrada para desempeñar el cargo de administrador debe, en general, reunir los requisitos legales y, en ocasiones, estatutarios establecidos para garantizar el adecuado cumplimiento de sus funciones, atendiendo a criterios lo más objetivos posibles.

En relación con los requisitos legales, nuestro legislador ha optado por establecerlos en la LSC de forma negativa, señalando prohibiciones que impiden a ciertas personas ser administradoras de sociedades de capital (art. 213 LSC) por encontrarse en determinadas situaciones que enumera específicamente. Pero junto a estos requisitos negativos, será necesario tener presente también la normativa especial a la que puede estar sometida una sociedad por el tipo de actividad que desarrolla y que puede afectar a estos nombramientos. En cualquier caso, el que no existan normas especiales que regulen esta circunstancia, no implica que no sean exigibles a los administradores unos requisitos que garanticen que cuentan con una preparación mínima que les permita afrontar los retos que este cargo implica. En este sentido, serán igualmente legales, aquellos requisitos que puedan inferirse de los deberes (legales) que asume cualquier administrador y conforme a los cuales deben cumplir sus funciones[30].

Junto a los requisitos anteriores, también es posible que existan otros requisitos específicos instaurados vía estatutaria para el nombramiento de los administradores.

Unos y otros requisitos, en general, tienen como finalidad garantizar la adecuación de estos sujetos al cargo, y el cumplimiento de sus funciones en beneficio de la sociedad administrada.

Conforme a ello, a continuación analizaremos hasta qué punto los requisitos apuntados se aplican a los candidatos personas jurídicas.

---

[30]   Como tendremos ocasión de apuntar, cierta preparación exigible a los administradores puede derivarse del deber de diligencia conforme al art. 225 LSC.

## 1.1. Requisitos del administrador persona jurídica

Los requisitos legales establecidos para el nombramiento de administradores no diferencia entre candidatos personas físicas y candidatos personas jurídicas. Si bien, en este sentido hay que hacer algunas observaciones atendiendo a la naturaleza de la persona propuesta para ocupar el cargo. En el supuesto que nos ocupa, si el candidato resulta ser una persona jurídica, son pocas las limitaciones que se establecen y muy amplia la tipología de personas que podrían ser nombradas. Conforme a ello, en principio, sería adecuado el nombramiento de cualquier persona jurídica a la que nuestro Ordenamiento reconozca personalidad jurídica (art. 35 del Código civil), tanto si es pública como privada, independientemente de su forma o de su objeto, sin que tampoco sea relevante que su constitución se asiente sobre un sustrato personal o patrimonial[31].

Por su parte, el art. 213 de la LSC bajo la rúbrica de *prohibiciones*, recoge los requisitos negativos que de concurrir, en general, en una persona le impediría ser administradora. En concreto la Ley señala, por un lado, la falta de capacidad de obrar (menores, menores no emancipados, incapacitados judicialmente), por otro, supuestos de inhabilitación (concursal, o por condena en ciertos delitos), y también prohibiciones que afectan a las personas por razón de su cargo impidiéndoles ejercer el comercio (determinados funcionarios, jueces, magistrados) o personas que incurren en otras incompatibilidades legales[32]. La mayoría de los requisitos anteriormente citados, solo pueden aplicarse a personas físicas —por lo que en principio no serán de aplicación directa a los administradores personas jurídicas— pero con otros no sucede lo mismo a saber: la inhabilitación concursal, condena por determinados delitos, ciertas inhabilitaciones legales que sí podrían impedir que una persona jurídica fuera administradora.

---

[31]   En este sentido, con anterioridad a la LSC, DE PRADA GONZÁLEZ, J. M., «La persona jurídica administradora...», *op. cit.* págs. 2314-2315. Ya con la LSC, también GALLEGO SÁNCHEZ, E., «Comentario al art. 212. Requisitos...», *op. cit.*, págs. 1506-1507.

[32]   Sobre cada una de ellas *in extenso* véase, GALLEGO SÁNCHEZ, E., «Comentario al art. 213. Prohibiciones», en *Comentario de la Ley de Sociedades de Capital*, Tomo I, Dir. ROJO, A. /BELTRÁN, E., 2011, págs. 1513-1518. En concreto, en la Ley 10/2014 de 26 de junio, de ordenación, supervisión y solvencia de entidades de crédito, establece en su art. 26 su propio régimen de incompatibilidades y limitaciones específicas que operan en sociedades del sector financiero.

Aunque, como acabamos de comprobar, la LSC solo establece requisitos negativos que impiden que determinadas personas puedan ser administradoras, también hemos de tener en cuenta que la regulación sectorial de algunas actividades empresariales contiene requisitos positivos que de forma específica deben cumplir los candidatos a administradores. Este es el caso, por ejemplo, de los requisitos de idoneidad[33] previstos en el art. 24 de Ley de ordenación, supervisión y solvencia de entidades de crédito[34], que afecta al sector financiero. Pero, cuando no exista una norma sectorial que contemple unos requisitos específicos que afectan a las sociedades que actúan en esos concretos sectores podría cuestionarse si el silencio legal ha de interpretarse como que los administradores no han de reunir ningún requisito, aunque sea básico, para acceder al cargo, más allá de los negativos que impone el art. 213 LSC. Creemos que la respuesta a esta cuestión ha de ser negativa. Compartimos la opinión de la doctrina, conforme a la cual la capacitación profesional y los conocimientos necesarios (técnicos y otros) adecuados a la actividad a desarrollar, así como la exigencia de experiencia y pericia razonable para desarrollar esta función en la sociedad, se puede deducir no ya de una disposición legal que directamente los imponga —como en el supuesto anterior que afecta al sector financiero— sino del deber mismo de diligencia con el que deben desempeñar su cargo los administradores. Siendo así, este deber implicaría la obligación de los candidatos de contar, con anterioridad a su nombramiento, con cierta formación profesional para poder cumplir de forma responsable con las funciones propias del cargo que aceptan en beneficio de la sociedad que los nombra. La imposibilidad de contar con la preparación requerida de forma genérica debería lleva al sujeto seleccionado a rechazar su nombramiento o a renunciar a él[35]. En el caso de las personas jurídicas nombradas administradores, entendemos, que al tener que actuar forzosamente a través de su representante, el cumplimiento de estos requisitos básicos para garantizar una actuación diligente en el desempeño de sus funciones no recae directamente en la administradora sino en su representante cuya actuación en el seno de la sociedad está sometida, como no podía ser de otro

---

[33]   En particular, deberán poseer reconocida honorabilidad comercial y profesional, tener conocimientos y experiencia adecuados para ejercer sus funciones y estar en disposición de ejercer un buen gobierno de la entidad.

[34]   Ley 10/2014, de 26 de junio, de ordenación, supervisión y solvencia de entidades de crédito.

[35]   En este sentido, GALLEGO SÁNCHEZ, E., «Comentario al art. 212. Requisitos...», *op. cit.*, págs. 1502-1505.

modo, a los mismos deberes impuestos legalmente a los administradores que actúan en nombre propio (art. 236.5 LSC).

No obstante, junto a los requisitos legales también hemos de tener presentes los requisitos establecidos vía estatutaria. Así constatamos, por ejemplo, que aunque la LSC no exija para ser administrador la condición de socio de la sociedad administrada[36], los estatutos sí podrán establecer dicha limitación a estos nombramientos. Si fuera así, la persona jurídica como cualquier otro tipo de administradores deberá cumplir inevitablemente con este requisito cuyo objetivo primordial es el de garantizar la implicación directa de los administradores en la buena marcha de la sociedad, aunque ello no necesariamente asegura que se tomen las mejores decisiones para el interés social, lo cual se asocia, hoy en día, más con la profesionalización de este órgano que con la condición de socios de sus miembros. Por este motivo, otra limitación estatutaria que suele imponerse a los nombramientos de los administradores vía estatutaria es la de acreditar alguna titulación profesional específica que la sociedad administrada crea conveniente para que los administradores cumplan satisfactoriamente con sus funciones. Sin duda, en estas circunstancias, la persona jurídica se encontraría con la dificultad de acreditar una titulación que por su naturaleza no puede obtener. Una solución sencilla a esta traba sería aceptar que dicho requisito lo cumpliera la persona física que de forma obligatoria deberá nombrar para representarla ante la sociedad administrada. Ahora bien, si se exige en una sociedad no profesional que el administrador sea algún tipo de profesional colegiado, entendemos que no bastaría con que lo fuera solo la persona jurídica nombrada administradora[37] sino que también tendría que serlo su representante aun cuando los estatutos de la sociedad administrada no se lo exija a este directamente; solo así se podrá garantizar que el administrador, a través de su representante, actúa conforme se espera de este tipo de profesional[38]. Entendemos que siendo, en estos supuestos, la condición de profesional colegiado un requisito estatutario, general, dirigido al nombramiento de administradores, la sociedad administrada podría prever expresamente que dicho requisito no se le aplique a la persona jurídica administradora siempre que su representante cumpla con él.

---

[36] Salvo en caso de nombramiento por cooptación en las sociedades anónimas no cotizadas.

[37] Constituida conforme a la Ley 2/2007, de 15 de marzo, de sociedades profesionales.

[38] Conforme al régimen deontológico y disciplinario de la actividad correspondiente.

## 1.2. Nombramiento, aceptación y cese

El nombramiento de la persona jurídica administradora, como cualquier nombramiento de administradores corresponde, en principio, a la junta general de la sociedad administrada (también a través del sistema proporcional cuando este sea posible), salvo que la estructura de dicho órgano sea consejo de administración, en cuyo caso también cabe su nombramiento por cooptación.

Estos nombramientos son posibles en cualquier momento de la vida social, ya sea en sus inicios, cuando la elección de administradores corresponde a los socios fundadores, debiendo constar su nombramiento como administrador en la escritura de constitución de la sociedad administrada (art. 22.e LSC); como, posteriormente, en los sucesivos nombramientos que se produzcan en esta sociedad. Las personas jurídicas también pueden ser designadas como administradores suplentes de conformidad con el art. 216 LSC.

En relación con la duración del cargo, la persona jurídica administradora queda sometida a los mismos límites temporales establecidos de forma genérica para los administradores, pudiendo también ser reelegida (art. 221 LSC).

Al nombrar sus administradores, es posible que la sociedad administrada les exija (vía estatutaria o por acuerdo de la junta) que presten garantías (art. 214.2 LSC), para asegurar la responsabilidad derivada del desempeño del cargo, en el supuesto que nos ocupa, será la propia persona jurídica nombrada la obligada a hacerlo al ser la que asume la condición de administrador[39].

En general, el nombramiento de administradores exige su aceptación, tanto si son persona físicas como si son jurídicas[40] (art. 214.3 LSC; art. 141 RRM), tras la cual solo restará su inscripción en el Registro Mercantil (art.

---

[39] VALPUESTA GASTAMINZA, E., *Comentarios a la Ley de Sociedades de Capital. Estudio legal y jurisprudencial*, 2015, págs. 582-583, pone de manifiesto que, en la práctica, es frecuente que los administradores concierten, o exijan a la sociedad que concierte a su favor, un seguro de responsabilidad civil que cubra posibles responsabilidades, seguros que plantean numerosos problema habida cuenta la amplia responsabilidad que asumen los administradores sociales.

[40] Aceptación que realizarán a través de sus representantes legales.

215 LSC)[41]. Respecto a este último paso, el RRM añade una exigencia más para que se produzca la inscripción como administrador de una persona jurídica; así, conforme al art. 143.1 deberá constar la identidad de la persona física designada como representante para el ejercicio de las funciones propias del cargo.

El fin de la actuación como administrador de una persona (física o jurídica) puede deberse a variadas causas. Entre ellas podemos distinguir aquellas que tienen su origen en el propio administrador; y aquellas que, en principio, se producen al margen de este. Dentro de las primeras se encuentra, la muerte y dimisión del administrador; y entre las segundas estarían comprendidas el agotamiento del plazo de duración del cargo sin reelección y la revocación o separación del administrador[42]. De todas estas quizá cabe puntualizar, en el supuesto de personas jurídicas administradoras, que el cese por muerte, propio de personas físicas, debería equipararse técnicamente con la extinción de la persona jurídica. Si bien la imposibilidad de una extinción súbita de la persona jurídica, a diferencia de lo que sucede con las personas físicas, y en la medida que las personas jurídicas en fase de liquidación tienen importantes limitaciones en el ámbito de la gestión y representación, pudiendo incluso los cambios orgánicos que se producen en la persona jurídica afectar a sus representantes en la administración de otras sociedades[43], sería lógico pensar que el límite temporal para su cese por este motivo debería anticiparse a la extinción propiamente dicha, pero en principio no existe una previsión legal que lo imponga. Por su parte, la dimisión de la persona jurídica, es una decisión que le

---

[41]    Recordamos que la aceptación es la que permite que el nombramiento produzca sus efectos (aceptación constitutiva), la inscripción registral por lo tanto no es necesaria para que el nombramiento sea válido ante la sociedad pero, frente a terceros, será necesaria su inscripción y publicación en el BORME.

[42]    En caso de revocación o separación de los administradores, es una decisión libre de la sociedad (con o sin causa que lo justifique) la que determina la destitución del administrador y por lo tanto su cese.

[43]    En concreto, aquel cuya representación en la sociedad administrada esté directamente vinculada a la representación orgánica que ostenta en la persona jurídica administradora. Pudiendo ponerse en entredicho la capacidad de los liquidadores, en tales casos, de nombrar nuevos representantes ya que, en principio, conforme al art. 379.2 LSC sus competencias se circunscriben a actuaciones encaminadas a la liquidación de la sociedad, es decir, a la resolución de las relaciones jurídicas que tiene la sociedad ahora en liquidación, y el nombramiento de un nuevo representante difícilmente podría interpretarse como un acto de liquidación sino en todo caso de continuidad.

corresponde solo a ella, en la misma medida que fue ella la que aceptó el cargo.

Todo lo hasta ahora apuntado no implica más que algunas adaptaciones, más o menos complejas, del estatuto jurídico del administrador de las sociedades de capitales, pensado, en general, para personas físicas para que encaje con la naturaleza del administrador persona jurídica. Pero las mayores incertidumbres en esta materia no las genera tanto la persona jurídica que es nombrada administrador sino el estatuto del representante y su relación con su representado y con la sociedad administrada.

## 2. El representante de la persona jurídica administradora: Requisitos para su nombramiento

Una vez nombrada una persona jurídica administradora en una sociedad de capital, el art. 212bis de la LSC le exige que designe a una sola persona natural para el ejercicio permanente de las funciones propias del cargo. Pero estos no son los únicos requisitos que han de tenerse en cuenta para el nombramiento del representante sino que, conforme al art. 236.5 de esta misma Ley, este deberá cumplir los mismos requisitos legales exigidos a los administradores; siendo oportuno, detenernos también a analizar hasta qué punto se les podrían aplicar otros requisitos vía estatutaria. En todo caso, lo que resulta evidente es la necesidad de designar a una persona que, en nombre de la entidad jurídica, pueda desempeñar por sí sola todas las funciones inherentes al cargo de administrador[44].

A continuación, analizaremos las peculiaridades de estos requisitos.

### 2.1. Requisitos legales

El administrador persona jurídica, si acepta el nombramiento, está obligado a designar a un representante en unas circunstancias determinadas. En este sentido, y siguiendo la LSC, solo podrá designar una sola persona, lo cual impide plantearnos a día de hoy la posibilidad de una pluralidad de nombramientos, tal como lo hizo algún sector de nuestra doctrina con anterioridad a la LSC[45]. Cuestión distinta sería que al nombramiento de

---

[44]    Tal como señala la DGRN en su resolución de 3 de junio de 1999.
[45]    Cuestión que planteó DE PRADA GONZÁLEZ, J. M., «La persona jurídica administradora…», *op. cit.* págs. 2320-2321. Como señala la Dirección General de los Registros y del Notariado de 18 de mayo de 2012 en relación con la figura del

un único representante por parte de la persona jurídica administradora, se acompañe la designación de un suplente por si se diera alguna situación que exija el reemplazo del representante inicial (muerte, incapacitación o renuncia por ejemplo), ya que la ley no lo prohíbe. Entendemos que en tal caso el nombramiento del suplente tendrá un efecto meramente interno (en la persona jurídica administradora), debiendo darse a conocer el nuevo representante a la sociedad administrada cuando se produzca alguna contingencia que obligue a la sustitución del anterior, procediendo solo entonces a formalizar su designación.

Además el representante de la persona jurídica lo es de forma permanente. Este rasgo del nombramiento tiene su fundamento en la necesidad de dar estabilidad a los sujetos que desempeñan la administración de una sociedad de capital[46] siendo, la continuidad en el cargo, una garantía para el buen funcionamiento del órgano en el que se integra el representante[47].

Por otro lado, la ley impone que el representante sea una persona física. Conforme a ello, el nombramiento puede recaer sobre un miembro de propio órgano de actuación externa de la persona jurídica administradora o de un tercero ajeno a él (socio o no)[48], siempre que no se trate de una persona jurídica.

Además el candidato a representante deberá cumplir los mismos requisitos legales que establece la LSC para los administradores (art. 236.5). Así tendremos que tener en cuenta para tal nombramiento, tanto los requisitos negativos que se derivan de las prohibiciones contenidas en el art. 213 de la LSC, como los positivos que se derivan de otras disposiciones legales o reglamentarias[49], especialmente las sectoriales como hemos señalado. Si bien esto es lo que se deduce de la interpretación literal del art. 236.5, manifes-

---

administrador persona jurídica, solo a la persona física designada con carácter permanente le corresponde el ejercicio de las funciones propias del cargo que aquella ostenta, por lo que debe rechazarse la intervención de cualquier otra que pretenda arrogarse el ejercicio de esas funciones sin justa causa. En este mismo sentido, RDGRN de 11 de marzo de 1991, de 3 de junio de 1999 y de 22 de septiembre de 2010.

[46] Así lo viene reconociendo la Dirección General de los Registros y del Notariado desde su resolución de 11 de marzo de 1991 (citada en nota 44).

[47] En este sentido, GOURLAY, P-G, *Le conseil d'administration...*, *op. cit.*, pág. 101.

[48] Véase en este sentido el fundamento de Derecho segundo de la RDGRN de 3 de junio de 1999.

[49] En este sentido, HERNÁNDEZ SAINZ, E., «La extensión del estatuto jurídico...», *op. cit.*, pág. 7.

tamos nuestras dudas en relación con la aplicación de ciertas limitaciones contenidas en la Ley de Sociedades Profesionales[50], a los representantes legales y permanentes que han de designar las personas jurídicas administradoras, en caso de ser nombradas por el cupo que dicha Ley reserva a socios profesionales, como ha puesto de manifiesto algún autor[51]. Efectivamente, el art. 4.3 de dicha Ley establece que un mínimo de miembros del órgano de administración sean socios profesionales; como otras peculiaridades que presenta esta Ley, esta sirve para asegurar que el control de la sociedad reside en los socios profesionales exigiendo para ello mayorías cualificadas en los elementos patrimoniales y personales de la sociedad, incluidos sus órganos de administración, de modo que el ejercicio profesional a través de una sociedad siga caracterizado por los mismos componentes deontológicos que tradicionalmente ha tenido cada profesión colegiada[52]. Esto nos lleva a pensar que en el representante permanente, que obligatoriamente deberá nombrar un socio profesional nombrado administrador que sea a su vez sociedad profesional (con la misma profesión que la administrada), lo determinante no es su condición de socio en la administrada sino la de profesional que es la que garantiza una correcta actuación de la sociedad conforme a los códigos deontológicos propios de la profesión[53]. Además entendemos que la representación a la que se refiere el art. 4.6 de la Ley de referencia, no afecta a la representación obligatoria y permanente que ha de conferir una persona jurídica nombrada administradora al amparo de los arts. 212 y 212bis de la LSC, sino que se refiere más bien a la representación voluntaria que puntualmente pueden otorgar socios y administradores si no pueden asistir a la junta general o al consejo de administración respectivamente[54].

---

[50] Ley 2/2007, de 15 de marzo, de sociedades profesionales.

[51] ALONSO ESPINOSA, F. J., «Capítulo VII. La sociedad profesional y su régimen de gobierno», en *Las sociedades profesionales. Estudios sobre la Ley 2/2007, de 15 de marzo*, Coord. SÁNCHEZ RUIZ, M., 2012, págs. 311-312, señala en contra de nuestra opinión que las sociedades profesionales nombradas administradoras de otras solo pueden hacerse representar por otro socio profesional. También considera que dichas limitaciones son aplicables HERNÁNDEZ SAINZ, E., «La extensión del estatuto jurídico...», *op. cit.*, pág. 7.

[52] Véase este propósito en la Exposición de Motivos de la Ley de Sociedades Profesionales (II).

[53] Lo más probable en estos casos es que sea un socio profesional de la sociedad administradora.

[54] ALBIEZ DOHRMANN, K. J., «*Artículo 4.* Composición», en *Comentarios a la Ley de Sociedades Profesionales. Régimen Fiscal y Corporativo*, Dir. GARCÍA PÉREZ, R. / ALBIEZ DOHRMANN, K. J., 2009, págs. 232-233, pone de manifiesto la falta de

También nos plantea ciertas dudas la utilidad que pudiera tener, extender al representante de la persona jurídica —a ultranza y sin atender las mismas a ninguna finalidad relevante en la sociedad administrada— algunos requisitos que la Ley impone al administrador. Por ejemplo, en el nombramiento por cooptación de una persona jurídica, de conformidad con el art. 236.5 de la LSC. Como sabemos las reglas que regulan este sistema de nombramiento, exigen que el elegido por el consejo de administración para cubrir la vacante en una sociedad anónima no cotizada sea accionista (art. 244)[55]. Una interpretación literal del art. 236.5 de la LSC nos llevaría a exigir también dicha condición al representante, lo cual, en nuestra opinión supondría una importante e injustificada restricción a la libertad de elección la persona jurídica. En nuestra opinión, la falta de fundamento y solidez, en estos casos, de los argumentos a favor de la extensión de este requisito legal al representante, entendemos que se encuentra en la sencilla solución de conveniencia que tiene esta cuestión para la entidad administradora, al poder solventarla mediante la venta o donación de, al menos, una de sus acciones de la sociedad administrada a la persona física que quiera nombrar como representante, sin que esto aporte las garantías a favor de la sociedad administrada que esta pretendía cuando estableció este requisito. Por lo que consideramos que en tales circunstancias sería suficiente que dicha condición la ostente únicamente la persona jurídica.

## 2.2. Requisitos estatutarios

Conforme a la literalidad del art. 236.5 de la LSC, los requisitos estatutarios impuestos a los administradores no son aplicables a sus representantes, en el caso de administrador persona jurídica, en la medida que la LSC solo se refiere a limitaciones legales. Pero ¿serían admisibles cláusulas estatutarias de la sociedad administrada en las que se impusieran determinados requisitos específicos a estos representantes o se extendieran los de los administradores?

---

flexibilidad en general de las normas que regulan la representación en los órganos sociales de las sociedades profesionales, y el excesivo celo que al respecto ha tenido el legislador.

[55] En las cotizadas existe mayor libertad para nombrar administradores por cooptación (art. 529 decies apartado 2.a) no exigiendo que el elegido sea accionista, por lo tanto no se plantea la duda respecto del representante del administrador persona jurídica, ya que conforme al apartado 7 artículo 529 decies, lo dispuesto en este artículo se aplica también a la persona física representante de un consejero persona jurídica.

Teniendo en cuenta que, como señalaremos a continuación, el sujeto competente para nombrar al representante es la persona jurídica administradora, la imposición por parte de la sociedad administrada de requisitos estatutarios a los representantes podría interpretarse como una limitación a la libertad de elección de aquella[56]. No obstante, en nuestra opinión, esto exige alguna puntualización más.

Creemos que resultarían difícilmente justificables cláusulas estatutarias, en la sociedad administrada, que contuvieran requisitos solo aplicables a los representantes de administradores personas jurídicas y no a sus administradores, ya que si realmente su cumplimiento es importante para el buen funcionamiento de la sociedad administrada esta debería preverlos en primer lugar para sus administradores[57] y, en su caso, hacerlos extensibles expresa o tácitamente a sus representantes (especialmente cuando no pueda cumplirlos la persona jurídica)[58]; teniendo presente que, si finalmente el representante no se adecua a las expectativas de la sociedad administrada, esta siempre podrá cesar a la persona jurídica administradora.

Consideramos que la previsión de requisitos específicos exclusivos para los representantes de las personas jurídicas, solo evidenciarían la imposición por parte de la sociedad administrada de trabas que dificultarían su designación, lo cual podría llevar *de facto* a excluir las personas jurídicas de la administración de las sociedades de capital contraviniendo el mandato legal. Por ello, en su caso, la extensión a los representantes de los requisitos estatutarios dispuestos para los administradores, habrá de poder justificarse en su utilidad para garantizar una homogénea preparación de todos los que de hecho administran la sociedad.

Al hilo de lo anteriormente dicho, si bien podemos entender que la exigencia estatutaria consistente en que los administradores sean socios de la administrada pueda resultar de cierto interés para la sociedad que los nombra (por creer que se implicarán más en las tareas propias de su cargo), sin embargo, en nuestra opinión, su extensión a los representantes de las personas jurídicas administradoras nos resulta menos justificable. En

---

[56]   En este sentido, CASTAÑER CODINA, J., «Régimen jurídico del administrador...», *op. cit.*, pág. 250.

[57]   Por ejemplo requisitos que garanticen un determinado nivel de competencia y dedicación del sujeto nombrado en beneficio del interés social.

[58]   Como puede ser la exigencia estatutaria de que los administradores acrediten una determinada formación académica y/o experiencia profesional o exigencias de edad (tanto máximas como mínimas).

parte porque, este es un requisito que en las sociedades anónimas se sosla-
ya fácilmente[59], mientras que cuando la administrada es una sociedad de
responsabilidad limitada, las personas jurídicas administradoras tendrían
más dificultad para nombrar a su representante al ser el régimen de transmisión de participaciones más restrictivo. Esto conllevaría diferencias en
la libre elección de representante de la persona jurídica difíciles explicar,
sin que pueda inferirse, de la exigencia de ese requisito, mayores aptitudes
para desempeñar el cargo de quien lo cumpla. Además, si lo que buscamos
son garantías de una correcta y competente actuación de los administradores y, en su caso, representantes, qué mejor que el estricto régimen de responsabilidad al que legalmente quedan sometidos estos sujetos[60], el cual,
entendemos, es mucho más eficaz que una restricción que reposa sobre la
idea, probablemente sobrevalorada, de que los socios siempre defienden
mejor los intereses de la sociedad.

## 3. El vínculo jurídico entre la administradora y su representante

### 3.1. Competencia en la designación y cese del representante

La aceptación del cargo de administrador en una sociedad de capital
por parte de una persona jurídica, implica la obligación legal de nombrar
a un representante que cumpla las condiciones legales y, en su caso, estatutarias —en la medida antes señalada— que le sean exigibles. Este nuevo
nombramiento se producirá en el seno de la persona jurídica administradora, por lo que se trata de una decisión interna de esta entidad en la que
no interviene la sociedad administrada.

Como puso de manifiesto la Resolución de la DGRN de 10 de julio de
2013[61], aunque las normas que entonces regulaban esta materia (art. 143
del RRM y art. 212bis LSC) no abordaban la cuestión de la competencia en
la designación —tampoco lo ha hecho *a posteriori* el art. 236.5 de la LSC—

---

[59]  Tal como tuvimos ocasión de ver en el caso de la cooptación.

[60]  Como señala RODRÍGUEZ DE LAS HERAS BALLELL, T., «Requisitos para ser
administrador y extensión subjetiva de la responsabilidad —El régimen contenido en los artículos 212, 236 y 237 de la Ley de Sociedades de Capital tras la reforma de la Ley de Mejora del Gobierno Corporativo—», en *Gobierno Corporativo: La
Estructura del Órgano de Gobierno y la Responsabilidad de los Administradores. Adaptado
a la Ley 31/2014, de 3 de diciembre*, Dir. MARTÍNEZ-ECHEVARRÍA Y GARCÍA DE
DUEÑAS, A., 2015, págs. 746, el riesgo de una responsabilidad solidaria estimula
al representante persona física a hacer lo conveniente para evitar el daño.

[61]  RDGRN de 10 de julio de 2013.

nuestra doctrina[62] y la propia Dirección General de los Registros y del Notariado (en adelante, DGRN), en sus resoluciones previas, han señalado que el nombramiento del representante es un acto de gestión interna de la persona jurídica, que corresponde a su órgano de administración al ser este su órgano de actuación externa, quedando subsumido en el ámbito del ejercicio de poder de representación de la persona jurídica frente a un tercero (sociedad administrada)[63]. Pese a ello —como recalcó entonces este Centro Directivo— también es posible, vía estatutaria, reservar la facultad de designar al representante a la junta general de una sociedad administradora, teniendo en cuenta que, conforme al segundo párrafo del art. 234.1 de la LSC, dicha limitación de poderes solo será eficaz a nivel interno y no frente a terceros.

En cualquier caso, la DGRN en la resolución antes citada, confirmó la validez del acuerdo social de designación de representante incluso cuando fuera adoptado por un órgano incompetente, siempre que se elimine la causa de su eventual impugnación, al entender que el administrador (que en el caso de referencia era único) ratificó la designación al elevar a público el acuerdo de la junta (*ex* art. 207.2 LSC). Esta solución es extensible a otras estructuras del órgano de administración, así la elevación a público del acuerdo de la junta podría realizarse con efecto convalidante por cualquier administrador solidario o por todos los mancomunados[64]. En caso de consejo de administración la facultad de la designación reside en el propio consejo que deberá aprobarla a través de un acuerdo mayoritario, no siendo suficiente —para la subsanación del defecto— que el secretario de este órgano eleve a público el acuerdo de la junta. Por ello podemos concluir, en general, que la elevación a pública del acuerdo de la junta por el administrador o administradores con facultades para su designación tiene efectos convalidantes.

Otra cuestión de interés en esta materia es si existen otros sujetos que puedan designar al representante en nombre del órgano de administración de la sociedad administradora. Como pone de manifiesto algún autor,

---

[62]   Entre otros, GALLEGO SÁNCHEZ, E., «Comentario al art. 212. Requisitos...», *op. cit.*, pág. 1508.

[63]   En este sentido, véase RDGRN de 18 de mayo de 2016.

[64]   ROJAS MARTÍNEZ DE MÁRMOL, E., «Los órganos competentes para la designación de la persona física que represente a la persona jurídica nombrada administrador en el ejercicio del cargo», en *Notarios y Registradores*, 2015, consultado en http://www.notariosyregistradores.com, pág. 3. Véase también RDGRN de 22 de septiembre de 2010.

todo dependerá de las facultades que tengan conferidas estos sujetos. Así, en la medida que, en particular, en el seno del consejo de administración es posible la delegación de facultades[65] para facilitar y agilizar la gestión y representación, también puede considerarse que, la facultad de designación del representante —en el ámbito que ahora nos ocupa—, al no ser de las indelegables por ley (art. 249bis LSC) y siempre que tampoco lo sea vía estatutaria (art. 249.1 LSC), podría ser delegada bien junto a todas o algunas de las demás facultades delegables[66], para que las realicen otros sujetos en nombre del consejo de administración. De forma similar, en supuestos de apoderados de una sociedad (representación voluntaria), aunque sobre otra base legal (art. 261 del C. de com.), estos podrían designar válidamente al representante siempre que estén facultados expresamente para hacerlo, u ostenten facultades para formar parte de los órganos de administración de las sociedades de las que la persona jurídica poderdante sea socia y tenga, además, la facultad de sustitución del poder[67].

A la hora de tratar el posible fin de la representación, en el caso que nos ocupa, hemos de tener en cuenta la base que sustenta la relación jurídica existente entre la persona jurídica administradora y su representante, pudiendo producirse el cese del representante tanto por cesar en el cargo que desempeña en la persona jurídica y en virtud del cual ejerce las funciones de representación en la sociedad administrada, como por revocación del poder que le fue otorgado por la persona jurídica[68].

También comportará el cese del representante cualquier causa sobrevenida que afecte directamente su capacidad para el desempeño del cargo y, en concreto, que incurra en alguna de las prohibiciones del art. 213 LSC; las cuales, si bien no son aplicables en toda su extensión al administrador persona jurídica, sí lo son respecto a su representante[69]. Igualmente de

---

[65]  En su caso, el presidente ejecutivo, el consejero delegado o la comisión ejecutiva.

[66]  Véase ROJAS MARTÍNEZ DE MÁRMOL, E., «Los órganos competentes para la designación...», *op. cit.*, pág. 3.

[67]  ROJAS MARTÍNEZ DE MÁRMOL, E., «Los órganos competentes para la designación...», *op. cit.*, págs. 3-4.

[68]  En esta línea DE PRADA GONZÁLEZ, J. M., «La persona jurídica administradora...», *op. cit.*, pág. 2333.

[69]  Incapacidad judicial, inhabilitación concursal, condena por determinados delitos, aceptación de cargos no compatibles con el ejercicio del comercio y el ejercicio de algunos cargos públicos. Estas causas afectan a los representantes conforme al art. 236.5 LSC.

forma indirecta, afectará al representante, cualquier causa que provoque el cese de la persona jurídica que representa en la sociedad administrada.

El cese del representante, sin el cese de la persona jurídica que representa, exige que se ponga en conocimiento de la sociedad administrada la identidad del sustituto[70], debiendo inscribirse también en el Registro Mercantil (art. 143.2 RRM). En general, cualquier causa de cese del representante deja a la persona jurídica administradora sin posibilidad de cumplir temporalmente con sus funciones[71], por ello, consideramos que es su deber designar al sustituto tan pronto como sea posible para seguir cumpliendo con las mismas[72]. En cualquier caso, la LSC y el RRM prevén mecanismos que, en la medida de lo posible, tratan de dar estabilidad a la representación de la persona jurídica administradora en beneficio de la sociedad administrada. Así el art. 212bis. 2 de la LSC, establece que la revocación de su representante por la persona jurídica administradora no producirá efecto en tanto no designe a la persona que le sustituya. Por su parte, el art. 143.2 del RRM, señala que en caso de reelección del administrador persona jurídica, el representante anteriormente designado continuará en el ejercicio de las funciones propias del cargo, en tanto no se proceda expresamente a su sustitución.

### 3.2. Naturaleza del vínculo jurídico entre el representante y la persona jurídica representada

Como ha puesto en evidencia nuestra doctrina[73], el nombramiento de una persona jurídica como administrador de una sociedad de capital genera importantes dudas en torno a la naturaleza jurídica del representante, su relación con la persona jurídica que lo designa, y con la sociedad administrada. Si bien la relación con esta última, a la que dedicaremos el siguiente apartado, se ha esclarecido tras la modificación de la LSC de 2014,

---

[70]   Este sustituto podría ser un suplente designado, en su momento, por la persona jurídica administradora.

[71]   Esto será menos grave si la persona jurídica forma parte de un órgano colegiado, pero la necesidad de una rápida sustitución podría ser más acuciante en caso de otras estructuras de la administración social.

[72]   Designación que no será necesaria en caso de existir suplentes.

[73]   Entre otros, DE PRADA GONZÁLEZ, J. M., «La persona jurídica administradora...», *op. cit.*, págs. 2322-2323. Dudas también manifestadas con anterioridad por el Notario recurrente en el asunto resuelto por la DGRN en su resolución de 11 de marzo de 1991.

la relación entre representante y representado plantea prácticamente hoy las mismas dudas que entonces.

Al respecto podemos constatar que la Ley sí concreta el ámbito de actuación del representante que en estos supuestos ha de nombrar la persona jurídica administradora. Así, el art. 212bis establece que el representante ejercerá las funciones propias del cargo de administrador, si bien no asume esa condición ya que esta corresponde a la persona jurídica (art. 212 LSC). En este sentido, el representante actuará en la sociedad administrada conforme lo haría un administrador, aunque no lo haga en nombre propio sino ajeno, de ahí la importancia que cumpla con las mismas exigencias de preparación técnica y profesional que aquellos. Con ello se deduce que el ámbito de la representación con la que actúa tiene un contenido mínimo inderogable coincidente con el ámbito de actuación del órgano en el que se integra, que nos permite inferir que, en su caso, cualquier limitación solo tendrá efectos internos[74] (art. 234 LSC).

Pero ¿cuál es el origen de la representación que permite a la persona física ejercer funciones propias del administrador? Como apunta nuestra doctrina[75], el origen de la representación dependerá, en gran medida, de quién se designe para ocupar el cargo en nombre de la persona jurídica y de la relación interna entre ambos sujetos. Así, podemos distinguir entre aquel representante que actuará en la sociedad administrada con una legitimación que se deriva de la propia representación orgánica que ya ostentaba en la persona jurídica que lo designa, y aquel cuya legitimación para desempeñar este cargo tiene su origen en una representación voluntaria[76].

En el primer caso, cuando la representación se deriva de una relación orgánica previa entre la persona jurídica y física, es necesario tener en cuenta la estructura del órgano de gestión y representación de la entidad administradora para determinar el origen de la representación del sujeto designado. Si la persona jurídica administradora es también una sociedad de capital, organizada a través de un administrador único o varios solida-

---

[74] En este caso será a efectos internos de la persona jurídica que la nombra y le impone las limitaciones de actuación en su nombre como administrador.

[75] HERNÁNDEZ SAINZ, E., *La administración de sociedades de capital por personas jurídicas. Régimen jurídico y responsabilidad*, 2014, pág. 191-192; CASTAÑER CODINA, J., «Régimen jurídico del administrador…», *op. cit.*, pág. 248.

[76] Tal como señala la RDGRN de 3 de junio 1999, la persona física designada para representar a la persona jurídica nombrada administradora puede ser o no miembro del órgano de actuación externa de la persona jurídica administradora.

rios, no es necesario constituir una nueva relación representativa, en la medida que la representación orgánica que este sujeto ostenta al ser administrador de la entidad administradora, le permite ejercer esas funciones en la sociedad administrada en nombre de la administradora[77]. En caso de administración mancomunada, será necesaria la decisión conjunta de todos los administradores mancomunados; y de tratarse de un consejo de administración será necesario la delegación de funciones para que uno de los administradores pueda actuar en el seno de la sociedad administrada como representante de la sociedad administradora, siendo también este un supuesto de representación orgánica[78]. Al respecto, la Resolución de 2013 de la DGRN volvió a reiterar que quien ostenta la facultad para la designación del representante puede designarse a sí mismo, siempre que sea persona física, no apreciándose problemas de autocontratación en tal circunstancia[79].

También, como hemos señalado, es posible que la persona física actúe en la sociedad administrada sobre la base de una representación voluntaria, tanto si el sujeto designado es administrador de la persona administradora[80] como si es un tercero ajeno a su órgano de administración (socio o tercero), valiéndose tanto de apoderamientos especiales que faculten exclusivamente para la representación de la sociedad en el órgano de la sociedad administrada, como de apoderamientos generales de representación de la persona jurídica administradora[81]. En estos supuestos —como

---

[77]  En este mismo sentido, HERNÁNDEZ SAINZ, E., *La administración de sociedades de capital...*, *op. cit.*, pág. 191.

[78]  En todos estos nombramientos tenemos que tener en cuenta que su continuidad como representante está vinculada a la representación orgánica que ostenta en la sociedad administradora. Por lo que, su cese como administrador en la sociedad administradora comportaría su cese como representante en la sociedad administrada.

[79]  Al ser, como señala DE PRADA GONZÁLEZ, J. M., «La persona jurídica administradora...», *op. cit.*, pág. 2318, una derivación lógica de los poderes que les corresponden en la persona jurídica administradora.

[80]  Como señala HERNÁNDEZ SAINZ, E., *La administración de sociedades de capital...*, *op. cit.*, pág. 192, si la designación consiste en una mera declaración por el administrador único o solidario de su voluntad de ejercer por sí la representación, no existirá propiamente apoderamiento alguno, al ostentar ya plenos poderes de representación. Por lo que la representación voluntaria, propiamente dicha solo se puede otorgar a administradores del órgano mancomunado.

[81]  En línea con la RDGRN de 3 de junio de 1999, y con anterioridad la de 11 de marzo de 1991, véase CASTAÑER CODINA, J. «Régimen jurídico del administrador...», *op. cit.*, pág. 249.

apunta nuestra doctrina—[82] la relación interna entre la persona jurídica administradora y su representante puede ser muy variado, cimentándose en distintos negocios jurídicos cuyo devenir condiciona dicha representación en la sociedad administrada.

Con respecto a la relación que se entabla en general entre el representante y la persona jurídica que representa, será necesario establecer y concretar las condiciones y términos en los que se desarrollará la actuación del primero en la sociedad administrada[83]. Entre otras, una de las cuestiones a convenir será la retribución por el desempeño de estas funciones en nombre de la sociedad administradora, máxime teniendo en cuenta el elevado nivel de responsabilidad que asume hoy en día este representante. Sobre esta cuestión, hay que señalar, que la retribución que abonará la sociedad administrada no corresponde al representante sino a la persona jurídica como titular de la condición de administrador. Por lo que la retribución a percibir por el representante, deberá pactarse como una parte más del acuerdo entre el representante y su representado. En tal caso, pueden plantearse dudas sobre si, en los supuestos de representantes cuya legitimación se deriva de la relación orgánica con la persona jurídica administradora, el desempeño de esta función en el seno de la sociedad administrada, es o no una prolongación de las obligaciones que asume como representante orgánico de la persona jurídica administradora; y en qué medida le afectan las normas sobre retribución de administradores previstas en la LSC. Cierto es que, si bien el origen de la representación en estas circunstancias apunta a

---

[82]   Como apunta DÍEZ-PICAZO, L., *La representación en Derecho privado*, Madrid, 1992 págs. 65-67, variados instrumentos sobre los que fundar la relación representativa: contrato de mandato, de trabajo, de servicio, de sociedad… Como precisa JUSTE MENCÍA, J., «Artículo 236. Presupuestos y extensión subjetiva de la responsabilidad», en *Comentario de la Reforma del Régimen de las Sociedades de Capital en materia de gobierno corporativo (Ley 31/2014). Sociedades no cotizadas*, 2015, pág. 462, en este caso suelen cimentarse en relaciones laborales, si fuera trabajador de la entidad administradora, en un simple mandato.

[83]   Como señala SANCHO GARGALLO, I., «La extensión subjetiva del régimen de responsabilidad a los administradores de hecho y ocultos y a la persona física representante del administrador persona jurídica (art. 236.3 y 5 LSC)», en *Junta General y Consejo de Administración en la Sociedad cotizada*, Coord. RONCERO SÁNCHEZ, A., 2016, pág. 626, la relación entre la persona jurídica y la designada para ejercer por ella el cargo de administrador era y es la propia de la representación, articulada en diferentes fórmulas contractuales, en el curso de la cual el representante está vinculado por las instrucciones de la persona jurídica, y, lógicamente, obligado a mantenerle informado.

que dicha función podría entenderse como una prolongación natural de sus funciones como administrador de la persona jurídica administradora, nada impide que por desempeñarla pueda percibir una retribución específica —integrada en su retribución como administrador— que no estaría sujeta a los límites de los arts. 217 y siguientes de la LSC, si bien deberá ser contemplada estatutariamente[84]. Esta doble retribución, por cometidos *ajenos* a la condición de administradores, está expresamente prevista cuando la representación tiene su origen en una delegación de funciones, con el respaldo legal del art. 249 (apartados 3 y 4) que, tras su reforma[85], exige que en la formalización del contrato se contemple la retribución a percibir por el consejero delegado, cuando asuma un plus de actividad distinta, y adicional, al del resto de los consejeros ordinarios[86]. Entendemos que, en el caso que nos ocupa, el grado dedicación y responsabilidad que, en general, asume el representante justificaría la retribución de esa función que, aunque en esencia puede considerarse una prolongación de sus funciones como administrador en la persona jurídica administradora, excede con creces sus deberes y responsabilidad en la sociedad del que es administrador. Por ello, cabría una retribución específica que compense, al igual que sucede en caso de delegación, la carga añadida de gestión y responsabilidad que conlleva esta representación para quien la asume. Por su parte, si la actuación del representante se articula a través de una representación voluntaria la retribución deberá acordarse por las partes sin que legalmente existan restricciones al respecto.

## 4. *Formalización de la designación del representante*

Conforme al art. 143 del RRM, el Registrador inscribirá simultáneamente, en la hoja de la sociedad administrada, el nombramiento de la persona jurídica y la identidad del representante designado.

Respecto al representante, como señala la doctrina, puede considerarse que los requisitos de inscripción previstos para los administradores son de

---

[84]    En este sentido apunta VALPUESTA GASTAMINZA, E., *Comentarios a la Ley de Sociedades…, op. cit.*, págs. 594-595.

[85]    Operada por la Ley 31/2014.

[86]    Véase LÓPEZ CUMBRE, L., «*Calificación del nuevo contrato de los consejeros delegados ejecutivos en la proyectada reforma de las sociedades de capital*», en *Análisis GA&P*, julio 2014, http://www.gomezacebo-pombo.com/media/k2/attachments/calificacion-del-nuevo-contratode-los-consejeros-delegados-ejecutivos-en-la-proyectada-reforma-de-las-sociedades-decapital.pdf, págs. 3-4.

aplicación, en la medida de lo posible, a la inscripción del representante no solo en el caso de revocación al que se refiere expresamente el art. 212bis.2 de la LSC[87].

En cualquier caso, para que la designación (inicial o sucesiva) del representante acceda al Registro, no bastará la simple aseveración del órgano certificante de la sociedad administrada, ya que tal designación —como hemos tenido ocasión de comprobar— es competencia de la persona jurídica administradora. Por ello, será esta la que deba presentar la designación en escritura pública de poder, si el representante no pertenece a su órgano de administración y, si pertenece a dicho órgano, presentará certificación del acuerdo delegatorio expedido por el órgano de la persona jurídica que sea competente al efecto[88].

## III. LA PERSONA JURÍDICA ADMINISTRADORA Y SU REPRESENTANTE ANTE LA SOCIEDAD DE CAPITAL ADMINISTRADA

El nombramiento de una persona jurídica como administradora de una sociedad de capital desencadena una serie de relaciones entre los sujetos implicados con efectos jurídicos dignos de consideración.

En primer lugar, hemos de tener presente que la condición de administrador, en estos supuestos, la ostenta la persona jurídica nombrada por la sociedad administrada, pero las funciones propias del cargo las desarrollará, de forma permanente, el representante que designe dicha persona jurídica.

En estas circunstancias, en la formación del órgano de administración de la sociedad administrada, si fuera nombrada más de una persona jurídica como administrador —como ha apuntado acertadamente nuestra doctrina— se desvirtuaría el carácter pluripersonal o colegiado del mismo si admitiéramos que una misma persona física pudiera actuar en representación de dos o más administradores personas jurídicas[89]. No obstante, esto no impide que en el ámbito interno de la persona jurídica administradora,

---

[87]    CASTAÑER CODINA, J., «Régimen jurídico del administrador…», *op. cit.*, págs. 258-259.

[88]    Al respecto, véase RDGRN de 10 de julio 2013.

[89]    CASTAÑER CODINA, J., «Régimen jurídico del administrador…», *op. cit.*, pág. 250.

en el supuesto de ser nombrada como tal en más de una sociedad, pueda designar a una única persona física para que la represente en todas ellas. Si bien en tales casos, consideramos que el riesgo de conflicto de intereses entre las sociedades administradas, la administradora y su representante podría incrementarse considerablemente.

En el ámbito de este apartado, una de las cuestiones que más ha preocupado desde que se aceptó el nombramiento de administradores personas jurídicas, es la que afecta al vínculo del representante con la sociedad administrada ya que, incluso tras su reconocimiento legal inicial, no se contempló cómo debía ser la actuación del representante en la sociedad administrada, a pesar de ser este el sujeto que realiza materialmente las funciones de administrador. Así, ante el silencio legal, se descartó cualquier posibilidad de dirigir acciones directamente contra el representante. Tras la reforma de 2014, esta cuestión ha quedado resuelta de forma explícita a través del art. 236.5 de la LSC, del que se infiere que el representante de la persona jurídica administradora queda sujeto al cumplimiento de los deberes de diligencia, lealtad, así como del régimen de conflicto de intereses (art. 226 a art. 229 de la LSC) propios del administrador en el ejercicio de sus funciones[90]. En este sentido, podríamos encontrarnos con dos niveles en el cumplimiento de los deberes propios del administrador en estos casos, ya que como ha señalado la doctrina, tanto la persona jurídica (administrador en nombre propio) como su representante están obligados a cumplir con ellos. Lo cual nos lleva a considerar la posibilidad de incumplimientos que se deriven de actos internos de la persona jurídica administradora sin la intervención del representante[91], y otros que serán consecuencia de la actuación del representante (con o sin instrucción de la persona jurídica a la que representa). En cualquier caso, la LSC deja claro

---

[90]   Con anterioridad a 2014, véase cómo en general la doctrina ya reconocía, aun sin respaldo legal, el sometimiento del representante a los mismos deberes de los administradores e importantes limitaciones en cuestiones de responsabilidad, entre otros DE PRADA GONZÁLEZ, J. M., «La persona jurídica administradora...», págs. 2325 y ss., GALLEGO SÁNCHEZ, E., «Comentario al art. 212. Requisitos...», *op. cit.*, pág. 1508.

[91]   Como a título ejemplificativo señala JUSTE MENCÍA, J., «Artículo 236. Presupuestos y extensión...», *op. cit.*, pág. 462, cabe que la entidad administradora infrinja sus deberes y cause daños a la administrada sin intervención del representante: violación del deber de secreto por miembro del consejo de administración de la administradora (secreto al que accedió legítimamente), actividades competitivas no autorizadas, aprovechamiento de oportunidades de negocio, realización de transacciones vinculadas ilícitas...

quién asume la responsabilidad ante la sociedad administrada, haciendo al representante solidariamente responsable con la persona jurídica administradora[92]. Entendemos, pues, que ante la sociedad administrada es irrelevante el origen del incumplimiento o de su motivación[93], que sería relevante solo entre representante y representado para dilucidar si es posible repetir frente al otro lo pagado, en su caso, en concepto de indemnización. No obstante hay quien considera que cuando el incumplimiento provenga de la actuación de la entidad administradora, el representante podría exonerarse por aplicación del art. 237 de la LSC[94].

En cualquier caso, conforme a las normas actuales, se deduce que nuestro legislador se decanta por facilitar la imputación de la conducta de la que se deriva la responsabilidad por los daños ocasionados en el ámbito de la administración social, reforzando las garantías de quienes los padezcan. Así, a diferencia de lo que sucedía antes de la reforma de la LSC de 2014[95], hoy es posible que la sociedad administrada, así como cualquier otro sujeto de los legitimados para ello (arts. 239 y 240 LSC), entable una acción social de responsabilidad tanto contra la persona jurídica administradora como contra su representante, no quedando este último protegido —como se entendía hasta entonces— por el escudo de la persona jurídica a la que representa[96]. Por lo tanto, el representante ejerce las facultades propias

---

[92]  Véase, sobre la responsabilidad del representante, BRENES CORTÉS, J. «La responsabilidad del representante persona física del administrador persona jurídica», en *Revista de Derecho de Sociedades*, núm. 50, 2017, págs. 7 y ss.

[93]  Como precisa JUSTE MENCÍA, J., «Artículo 236. Presupuestos y extensión…», *op. cit.*, pág. 462, que en principio el representante debe servir al interés de la entidad administradora, debiendo seguir sus instrucciones, sin embargo el régimen jurídico de estos administradores desactiva el efecto exoneratorio típico del seguimiento de las instrucciones frente a terceros, lo cual lleva a que se debilite la posición superior del mandante (administradora) y de sus intereses, ya que el mandatario se expone patrimonialmente tanto si sigue sus instrucciones como si no.

[94]  Véase JUSTE MENCÍA, J., «Artículo 236. Presupuestos y extensión…», *op. cit.*, pág. 462.

[95]  Como señala SANCHO GARGALLO, I., «La extensión subjetiva del régimen de responsabilidad…», *op. cit.*, págs. 626-627, bajo el régimen anterior, se entendía que la relación jurídica se entablaba exclusivamente entre la sociedad administrada y la persona jurídica administradora, única frente a la que podía ejercitar la acción social de responsabilidad por la actuación del representante. No existiendo, entonces, una relación jurídica directa entre la sociedad administrada y la persona física designada por el administrador persona jurídica.

[96]  En este sentido, SANCHO GARGALLO, I., «La extensión subjetiva del régimen de responsabilidad…», *op. cit.*, pág. 628, la razón de ser de esta regla de extensión

del administrador con plenitud de derecho y sin limitaciones, quedando la sociedad administrada al margen del cumplimiento o no, por parte de este, de las instrucciones dadas por la persona jurídica administradora[97]. Sin que ello sea óbice para que la persona jurídica sea la que ostente la titularidad del cargo de administrador, con todo lo que ello comporta.

Igualmente consideramos que esta extensión de la responsabilidad de los administradores a sus representantes también alcanza la responsabilidad ante socios o terceros que pudieran ejercer una acción individual de responsabilidad conforme al art. 241 LSC, entendiendo que ya no es necesario acudir a otras vías por las, que con anterioridad, era posible exigir excepcionalmente la responsabilidad directa a la persona física representante[98].

---

subjetiva de la responsabilidad radica en facilitar al perjudicado la satisfacción efectiva de la responsabilidad derivada de la conducta que haya causado daño a la sociedad, cuando sea atribuible al administrador persona jurídica pero realizada por la persona física designada por ella para el ejercicio del cargo. Como señala este autor, con ello se trata de evitar que esta circunstancia pueda ser empleada para eludir la responsabilidad efectiva de quien realmente ocasionó el daño. También considera, a nuestro juicio acertadamente, que aunque la extensión de la responsabilidad a la persona física se ubica en un precepto que regula la acción social de responsabilidad, no debería existir inconveniente en que pudiera aplicarse a otras acciones de responsabilidad de los administradores, como puede ser la responsabilidad por no haber promovido la disolución (art. 367 LSC) y la responsabilidad derivada de la calificación culpable del concurso (art. 172.2 Ley Concursal).

[97]   Véase SANCHO GARGALLO, I., «La extensión subjetiva del régimen de responsabilidad...», *op. cit.*, pág. 628.

[98]   Apunta CASTAÑER CODINA, J., «Régimen jurídico del administrador...», *op. cit.*, pág. 255, a la posibilidad de considerarles cómplices en el concurso culpable de la sociedad administrada o, también, por la vía del levantamiento del velo si se demuestra que la interposición de la persona jurídica administradora constituye un uso abusivo o fraudulento de la personalidad jurídica; o como apunta RODRÍGUEZ DE LAS HERAS BALLELL, T., «Requisitos para ser administrador y extensión subjetiva...», *op. cit.*, pág. 747, recurrir a la calificación del representante como administrador de hecho.
        Recientemente, respecto del levantamiento del velo, véase GONZÁLEZ FERNÁNDEZ, M. B., «La doctrina del levantamiento del velo societario en la jurisprudencia del Tribunal Supremo: status quaestionis», en *La Ley mercantil*, núm. 26, junio 2016.

## IV. UTILIDAD PRÁCTICA DE ESTA FIGURA

Queda claro, a la vista del análisis realizado, que la utilidad práctica del nombramiento como administrador de una persona jurídica no debe buscarse en la limitación de la responsabilidad del representante que, de forma efectiva, ejerce el cargo de administrador en nombre de la persona jurídica[99]; lo cual frecuentemente se ha venido combinando, con nombramientos de personas jurídicas de escasa solvencia, con el fin de debilitar la protección de quien sufriera daños ocasionados por la actuación de este tipo de administrador. Esto, actualmente, puede desterrarse como propósito de estos nombramientos ya que el régimen de responsabilidad, en estos casos, viene a doblar las garantías de quien sufre el daño[100].

En las actuales circunstancias, tras las sucesivas reformas de la LSC en esta materia, hemos de plantearnos qué ventajas e inconvenientes pueden tener los nombramientos de personas jurídicas administradoras.

Conforme a las actuales normas aplicables en esta materia y sus efectos, es posible dibujar dos escenarios para valorar los pros y los contras del administrador persona jurídica, los cuales se configuran dependiendo de la existencia o no de un previo vínculo social entre la entidad administradora y la sociedad administrada. Por un lado, si se elige a una persona jurídica sin vínculo previo con la sociedad administrada, entendemos que dicho nombramiento responde a sus especiales aptitudes para desempeñar la función que se le encomienda, por lo que se tratará de una persona jurídica en cuyo objeto social se encuentra la prestación de dichos servicios profesionales. Por otro lado, y distinto de lo anterior, sería el supuesto en el que una persona jurídica quiera intervenir en la administración de la sociedad de capital de la que es socia, en esta circunstancia tiene que tener claras las diferencias básicas entre proponer el nombramiento de un administrador persona física o postularse ella misma para ser elegida administradora. En el primer supuesto, la persona física una vez elegida, queda, en principio, fuera del control directo de la persona jurídica que la propuso, por lo que su cese solo podrá acordarlo la junta general que la nombró administrador, lo cual en principio podría no ser un problema —ni para su elección ni para su cese— en caso de tener una participación mayoritaria en la sociedad administrada. Por su parte, si quien es nombrado administrador es la

---

[99]  Respecto de la conveniencia de la extensión de la responsabilidad al representante, véase RODRÍGUEZ DE LAS HERAS BALLELL, T., «Requisitos para ser administrador y extensión subjetiva…», *op. cit.*, pág. 746.

[100]  JUSTE MENCÍA, J., «Artículo 236. Presupuestos y extensión…», *op. cit.*, pág. 462.

persona jurídica socia, tendrá pleno control sobre la persona física que la representa pudiendo revocar su representación con la única obligación de designar al sucesor. Pero quizá la mayor diferencia se produce a efecto de responsabilidad. Así, mientras que en el primer caso la persona jurídica quedaría al margen de la responsabilidad de los administradores al no ostentar dicha condición; en el segundo supuesto, la persona jurídica al adquirir la condición de administrador responde junto a su representante tanto ante la sociedad administrada, como ante sus socios y terceros.

Para finalizar, como ya puso de manifiesto nuestra doctrina[101], señalar que el advenimiento de la persona jurídica a la administración social, tiene especial vigor en el ámbito de los grupos de sociedades, ya que permite a las sociedades matrices controlar de forma directa a sus filiales si así lo desean, sin necesidad de garantizar de otro modo la fidelidad de una persona física que también podría hacer que se nombrara administrador en su lugar.

## Bibliografía

ALONSO ESPINOSA, F. J., «Capítulo VII. La sociedad profesional y su régimen de gobierno», en *Las sociedades profesionales. Estudios sobre la Ley 2/2007, de 15 de marzo*, Coord. SÁNCHEZ RUIZ, M., 2012, págs. 251-315.

ALBIEZ DOHRMANN, K. J., «Artículo 4. Composición», en *Comentarios a la Ley de Sociedades Profesionales. Régimen Fiscal y Corporativo*, Dir. GARCÍA PÉREZ, R. / ALBIEZ DOHRMANN, K. J., 2009, págs. 155-247.

BRENES CORTÉS, J. «La responsabilidad del representante persona física del administrador persona jurídica», en *Revista de Derecho de Sociedades*, núm. 50, 2017, págs. 1-42 (consultado en Thomson Reuters ProView).

CASTAÑER CODINA, J., «Régimen jurídico del administrador persona jurídica (introducción del nuevo art. 212bis LSC)», en *Las reformas de la Ley de Sociedades de Capital (Real Decreto-ley 13/2010, Ley 2/2011, Ley 1/2012)*, Dir. RODRÍGUEZ ARTIGAS, F. / FERRANDO MIGUEL, I. /GONZÁLEZ CASTILLA, F., 2012, págs. 237-260.

DE PRADA GONZÁLEZ, J. M., «La persona jurídica administradora de una sociedad anónima», en *Estudios Jurídicos en Homenaje al Profesor Aurelio Menéndez*, Tomo II, 1996, págs. 2295-2338.

DÍEZ-PICAZO, L., *La representación en Derecho privado*, Madrid, 1979.

ESTURILLO LÓPEZ, A., *Estudio de la sociedad de responsabilidad limitada*, Madrid, 1996.

GALLEGO SÁNCHEZ, E., «Comentario al art. 212. Requisitos subjetivos», en *Comentario de la Ley de Sociedades de Capital*, Tomo I, Dir. ROJO, A. /BELTRÁN, E., 2011, págs. 1502-1512.

---

[101]   POLO, E., «El ejercicio del cargo…», *op. cit.*, págs. 201-202.

— «Comentario al art. 213. Prohibiciones», en *Comentario de la Ley de Sociedades de Capital*, Tomo I, Dir. ROJO, A. /BELTRÁN, E., 2011, págs. 1512-1525.

GARRIGUES, J. /URÍA, R., *Comentarios a la Ley de Sociedades Anónimas*, 1953.

GIRÓN TENA, J., *Derecho de Sociedades Anónimas*, 1952.

GONZÁLEZ FERNÁNDEZ, M. B., «La doctrina del levantamiento del velo societario en la jurisprudencia del Tribunal Supremo: status quaestionis», en *La Ley mercantil*, núm. 26, junio 2016, págs. 1-9 (consultado en la Leydigital360).

GOURLAY, P-G, *Le conseil d'administration de la société anonyme. Organisation et fonctionnement*, 1971.

HERNÁNDEZ SAINZ, E., «La extensión del estatuto jurídico del administrador a la persona física representante de un administrador persona jurídica en la Ley 31/2014 para la mejora del gobierno corporativo», en *Revista de Derecho Bancario y Bursátil*, núm. 138, 2015, págs. 1-44 (consultado en Thomson Reuters ProView).

— *La administración de sociedades de capital por personas jurídicas. Régimen jurídico y responsabilidad*, 2014.

JUSTE MENCÍA, J., «Administrador persona jurídica», en *Diccionario de derecho de sociedades*, Madrid, 2006, págs. 141-144.

— «Artículo 236. Presupuestos y extensión subjetiva de la responsabilidad», en *Comentario de la Reforma del Régimen de las Sociedades de Capital en materia de gobierno corporativo (Ley 31/2014). Sociedades no cotizadas*, 2015, págs. 443-462.

LANGLE RUBIO, E., *Manual de Derecho Mercantil Español*, Tomo I, Barcelona, 1950.

LÓPEZ CUMBRE, L., «*Calificación del nuevo contrato de los consejeros delegados ejecutivos en la proyectada reforma de las sociedades de capital*», en *Análisis GA&P*, julio 2014, http://www.gomezacebo-pombo.com/media/k2/attachments/calificacion-del-nuevo-contratode-los-consejeros-delegados-ejecutivos-en-la-proyectada-reforma-de-las-sociedades-decapital.pdf, págs. 1-6.

MARTÍNEZ SANZ, F., «Artículo 123. Nombramiento», en *Comentarios a la Ley de Sociedades Anónimas*, Coord. ARROYO, I. / EMBID, J. M., Vol. II, 2001, págs. 1283-1299.

MIGOYA, J., «¿Puede desempeñar el cargo de Consejera de Administración de una Sociedad Anónima otra Sociedad?», en *Revista de Derecho Privado*, núm. 310, 1943, págs. 728-733.

PÉREZ DÍAZ, M., «La administración de la Sociedad Anónima a través de una persona jurídica», en *Estudios de Derecho Mercantil en Homenaje al Profesor Manuel Broseta Pont*, Tomo III, 1995, págs. 2945-2965.

POLO, E., «El ejercicio del cargo de administrador de una sociedad anónima por persona jurídica», en *Revista de Derecho Mercantil*, núm. 98, 1965, págs. 199-236.

— *Comentarios al régimen legal de las sociedades mercantiles*, Dir. URÍA, R. /MENÉNDEZ, A. /OLIVENCIA, M., Tomo VI *Los administradores y el consejo de administración de la sociedad anónima (art. 123 a 143 de la Ley de Sociedades Anónimas)*, 1992.

RODRÍGUEZ DE LAS HERAS BALLELL, T., «Requisitos para ser administrador y extensión subjetiva de la responsabilidad —El régimen contenido en los artículos 212, 236 y 237 de la Ley de Sociedades de Capital tras la reforma de la Ley de Mejora del Gobierno Corporativo—», en *Gobierno Corporativo: La Estructura del Órgano de Gobierno y la Responsabilidad de los Administradores. Adaptado a la Ley 31/2014, de 3 de diciembre*, Dir. MARTÍNEZ-ECHVARRIA Y GARCÍA DE DUEÑAS, A., 2015, págs. 735-766.

RODRÍGUEZ DÍAZ, I., «El representante del administrador persona jurídica», en *Revista de Derecho Bancario y Bursátil*, núm. 128, 2012, págs. 1-42 (consultado en Thomson Reuters ProView).

ROJAS MARTÍNEZ DE MÁRMOL, E., «Los órganos competentes para la designación de la persona física que represente a la persona jurídica nombrada administrador en el ejercicio del cargo», en *Notarios y Registradores*, 2015, consultado en http://www.notariosyregistradores.com, págs. 1-5.

SANCHO GARGALLO, I., «La extensión subjetiva del régimen de responsabilidad a los administradores de hecho y ocultos y a la persona física representante del administrador persona jurídica (art. 236.3 y 5 LSC)», en *Junta General y Consejo de Administración en la Sociedad cotizada. Estudio de las modificaciones de la Ley de Sociedades de Capital introducidas por las Leyes 31/2014, de 3 de diciembre, 5/2015, de 27 de abril, 9/2015, de 25 de mayo, 15/2015, de 2 de julio y 22/2015, de 20 de julio, así como de las Recomendaciones del Código de Buen Gobierno de febrero de 2015*, Coord. RONCERO SÁNCHEZ, A., Tomo II, 2016, págs. 613-632.

SEVERINO, D., «Capítulo 10. Nombramiento y clases de consejeros en las sociedades cotizadas», en *La reforma de la Ley de Sociedades de Capital en materia de gobierno corporativo*, Dir. GARCÍA DE ENTERRIA, J., 2015, págs. 103-111.

VALPUESTA GASTAMINZA, E., *Comentarios a la Ley de Sociedades de Capital. Estudio legal y jurisprudencial*, 2015.

VANDEN EYNDE, J. /WOLFF, J., «Responsabilité des employés représentants permanents d'une personne morale nommée administrateur et couverture du risque lié à la fonction», 2003, págs. 1-21 (consultado en http://www.vdelegal.com).

# 38. *El administrador* de hecho *persona jurídica*

**PAULA DEL VAL TALENS**
*Contratado Postdoctoral[1]*
*Universidad de Valencia*

**Sumario:** I. INTRODUCCIÓN Y PLANTEAMIENTO. II. LAS TESIS AFIRMATIVAS. 1. Consideraciones generales. 2. Grupos de casos. 2.1. Grupos de empresas. 2.2. Entidades financieras e inversores profesionales. 2.3. Otras relaciones contractuales. III. LAS TESIS NEGATIVAS. 1. Tesis negativas por coherencia sistemática: Alemania y Delaware. 2. Tesis restrictivas por coordinación con el Derecho de grupos: Italia. IV. CONCLUSIONES. Bibliografía.

## I. INTRODUCCIÓN Y PLANTEAMIENTO

En el contexto europeo, algunos ordenamientos jurídicos admiten la administración de sociedades de capital por personas jurídicas. Éste es el caso de España (art. 212.1 LSC), y Francia (art. 225-20 *Code de Commerce*), pero es también el criterio mayoritario en Italia, pese al silencio del *codice civile*. Por su parte, otros modelos como Alemania, prohíben expresamente esta posibilidad (76 Abs. 3 AktG, 6 Abs. 2 GmbHG). En este segundo bloque se integra hoy también la *Companies Act* de 2006, cuya sección 156A requiere que todo administrador sea una persona natural. En todos los referidos ordenamientos es conocido el expediente de la administración de hecho como remedio para imputar responsabilidad derivada de la incorrecta gestión societaria. Teniendo en cuenta que, a menudo, la actividad económica se organiza a través de personas jurídicas, el Derecho de sociedades, pero también el Derecho concursal, se encontrarán en la tesitura de corregir desviaciones en la gestión y dirección empresarial imputables a personas jurídicas.

[1]  Ayudas para contratos predoctorales para la formación de doctores del Ministerio de Economía, Industria y Competitividad/FSE (2014), Periodo de orientación postdoctoral. Proyecto DER2013-44438-P «La renovación tipológica en el Derecho de sociedades contemporáneo». Investigador Principal: Prof. José Miguel Embid Irujo.

En tal sentido, cabe pensar que el supuesto de hecho —una persona jurídica en la gestión de una compañía— pueda manifestarse aun en ausencia de título formal a cargo del ente gestor, con independencia de si el concreto ordenamiento admite o veta la posibilidad de que un ente asuma el cargo en nombre propio. En este contexto, el presente trabajo pone en conexión la orientación de política jurídica escogida por cada ordenamiento nacional con la posibilidad de que tales sujetos sean considerados administradores de hecho. Se trata de determinar, si más allá de una mera decisión de política legislativa, el reconocimiento del administrador persona jurídica posee implicaciones en el tratamiento de la responsabilidad. Procede averiguar si existen diferencias significativas entre los ordenamientos comparados y, en tal caso, si alguno de ellos se perfila como más satisfactorio, de forma que los resultados que arroje cada sistema resulten útiles a otros modelos.

## II. LAS TESIS AFIRMATIVAS

En el panorama europeo, una mayoría doctrinal se muestra favorable a imputar la condición de administrador de hecho, en sus modalidades de *de facto* y oculto, a las personas jurídicas[2]. Por lo general, aquellos ordenamientos en los que la administración por personas jurídicas es admitida expresamente, tales como Francia o España, aceptan esta posibilidad. Por su parte, en el Reino Unido, la reforma de la *Companies Act* de 2006 ha contemplado expresamente que la prohibición de los *corporate directors* no

---

[2]     Entre nosotros, PAZ-ARES RODRÍGUEZ, C., «La responsabilidad de los administradores como instrumento de gobierno corporativo», *RdS*, 20 (2003), págs. 67-109, en concreto, pág. 102. LATORRE CHINER, N., *El administrador de hecho en las sociedades de capital*, Granada, Comares, 2003, págs. 98-100. HERNANDO CEBRIÁ, L., «¿Sociedad dominante administradora de hecho? Más allá del velo corporativo», *RDM*, 280 (2011), págs. 133-168, en concreto, págs. 148-149; RODRÍGUEZ DÍAZ, I., «El administrador oculto», *RDBB*, 138 (2015), págs. 7-48, en particular, págs. 12-13 y 21. En la jurisprudencia, contrástese la STS (Sala de lo Civil, Sección 1ª) de 8 abril 2016 (núm. 224) *(Tol 5694456)* con BGH Urt. v. 24.02.1997, II ZB 11/96 = *ZIP* 23 (1997), 1027. En la doctrina alemana, EHRICKE, U., *Das abhängige Konzernunternehmen in der Insolvenz*, Tübingen, Mohr Siebeck, 1998, págs. 229-230. FLEISCHER, H., «Zur aktienrechtlichen Verantwortlichkeit faktischer Organe», *AG*, 10 (2004), págs. 517-528, en particular, pág. 528.

impide declarar administrador de hecho u oculto a una persona jurídica (sec. 156 CA 2006)[3].

## 1. Consideraciones generales

Desde el punto de vista dogmático, la noción resulta compatible con las personas jurídicas. En primer lugar, la teoría orgánica permite imputar actos de gestión empresarial al propio ente. Sin embargo, la administración *de facto* se refiere al efectivo desempeño de las tareas propias del cargo, esto es, a la ejecución material de actos positivos de gestión. En aquellos ordenamientos en los que la persona jurídica administradora debe designar a una persona física que actúe como representante (art. 212 *bis* LSC, art. 225-20 *Ccomm)* aquellos actos de gestión que posean relevancia externa competen a la persona física designada. Por lo demás, será el órgano administrativo de la persona jurídica quien desempeñe aquellas funciones con relevancia interna. Por consiguiente, cabría imputar la condición de administrador de hecho al ente siempre que la mayoría de miembros de su órgano administrativo asumiera las tareas de gestión que permiten imputar la condición de gestor efectivo o en caso de que el daño se derivara de acuerdos formalmente adoptados por la persona jurídica[4]. Más probable parece el supuesto de que una entidad no formalmente investida del cargo reciba la calificación de administrador oculto, por ser quien emita directrices que condicionen la gestión empresarial de una sociedad[5].

---

[3] De forma implícita, FRENCH, D., MAYSON, S., RYAN, C. H., *Company Law*, 3ª ed., Oxford, Oxford University Press, 2015, pág. 439.

[4] GARCÍA-CRUCES GONZÁLEZ, J. A., «Administradores sociales y administradores de hecho», SÁENZ GARCÍA DE ALBIZU, J. C., OLEO BANET, F., MARTÍNEZ FLÓREZ, A. (coords.), *Estudios de derecho mercantil: en memoria del Profesor Aníbal Sánchez Andrés*, Madrid, Civitas, 2010, págs. 527-561, en concreto, pág. 548 lo admite si la decisión lesiva ha sido adoptada siguiendo las pautas legales. Por su parte, el pleno respeto a la autonomía jurídica de cada una de las entidades, conduce a algunos autores a afirmar que sólo es posible imputar la condición de administrador oculto a un ente administrador si las directrices proceden de su Junta general, HERNANDO CEBRIÁ, L., «¿Sociedad dominante administradora de hecho? Más allá del velo corporativo», *cit.*, pág. 90.

[5] En la doctrina francesa, la aproximación es similar a partir de la distinción entre administrador de hecho y administrador fáctico por persona interpuesta, coincidiendo esta última categoría con la idea que manejamos de administrador oculto. Similar, PORACCHIA, D., «Le dirigeant de fait personne morale par l'intermédiaire d'une personne physique administrateur à titre personnel», *Rev. Soc.*, 4 (2006), págs. 900-911, en concreto, págs. 905 y 907.

## 2. *Grupos de casos*

Para indagar en la aproximación flexible a la cuestión, se propone analizar las diversas constelaciones en las que se suscita la consideración de un ente como administrador de hecho, sea en su modalidad de gestor material u oculto.

### 2.1. Grupos de empresas

En esta sede, se trata de repasar la aplicabilidad del instituto estudiado en el seno de los grupos de empresas. La finalidad no es tanto contribuir al estudio sustantivo de la cuestión, sino de extraer conclusiones sobre esta posibilidad como estrategia de política jurídica. En el marco de los esfuerzos por instituir un Derecho europeo de grupos, se ha contemplado la administración fáctica como posible solución armónica entre los Estados miembros[6]. Así, la Propuesta de Novena Directiva sobre Derecho de sociedades, relativa a la conducta de los grupos en los que figure una sociedad anónima como filial, contemplaba la extensión del régimen de responsabilidad de los administradores a aquella empresa que se comportara como si, de hecho, fuera el administrador (art. 9.1 de la Propuesta)[7]. La idea fue recuperada por el *Forum Europaeum Konzernrecht*, tomando como ejemplo una aproximación favorable tanto del Reino Unido, como de Francia. En particular, se proponía combinar la posibilidad de que la sociedad dominante fuera declarada administrador oculto en el supuesto de insolvencia de la dependiente (*wrongful trading*) con la figura del administrador oculto[8].

---

[6]     HOPT, K. J., «Konzernrecht: Die europäische Perspektive», *ZHR*, 171 (2007), págs. 199-240, en concreto, págs. 236-237. TEICHMANN, C., «Europäisches Konzernrecht: vom Schutzrecht zum Enabling Law», *AG*, 6 (2013), págs. 184-197, en concreto, pág. 193. TOMBARI, U., «Il *Diritto dei Gruppi*: primi bilanci e prospettive per il legislatore comunitario», *Riv. Dir. Comm.*, 113-1 (2015), págs. 67-91, en concreto, págs. 88-89.

[7]     Sobre el particular, EMBID IRUJO, J. M., «Los grupos de sociedades en la Comunidad Económica Europea (el proyecto de novena directiva)», *CDC*, 5 (1989), págs. 359-417, especialmente, págs. 376-377.

[8]     FORUM EUROPAEUM DERECHO DE GRUPOS, «Derecho de grupos: por un derecho de los grupos de sociedades», *RDM*, 232 (1999), págs. 445-576, en concreto, pág. 553 y, tomándose como propuesta final, pág. 559. También pueden encontrarse una referencia a la posibilidad de que el socio sea calificado como administrador de hecho en una operación vinculada en el Report of the Reflection Group on the future of Company Law, Brussels, April 5th 2011, pág. 61.

Abandonada la Propuesta de Directiva, la solución reaparece en la versión original de la Propuesta original relativa a la *Societas Unius Personae*. Su artículo 22 mencionaba la posibilidad de que se consideraran administradores quienes ejercieran las funciones propias del cargo, lo que sugiere que el socio único —generalmente, la sociedad dominante u otra entidad del grupo— merecería tal calificación[9]. En el estadio actual, el Derecho europeo de grupos se orienta hacia la construcción de una teoría de las ventajas compensatorias, a partir de la doctrina Rozenblum, sin condicionar los remedios sustantivos o procesales propios de cada Estado miembro[10]. Con todo, la administración fáctica en sede de grupos posee mejor acogida en aquellos ordenamientos que no cuentan con un Derecho legislado para esta forma de concentración empresarial. En ellos, no existe un cauce procesal específico a través del cual accionar responsabilidad frente a la matriz, lo que obliga a recurrir a las acciones ordinarias de responsabilidad (social e individual), alegando la condición de administración fáctica de la entidad.

La condición de administrador fáctico y, en particular, su modalidad de administrador oculto, es susceptible de ser aplicada sobre la entidad dominante del grupo. La doctrina española y comparada ha prestado atención a la delimitación de esta noción con respecto a la dirección unitaria. Como premisa, la mera titularidad o ejercicio de la dirección unitaria no pueden ser identificados con la condición de administrador de hecho de la dominante[11]. La primera se relaciona con la planificación o coordinación de

---

[9] BAUER, J., WELLER, P., «Europäisches Konzernrecht: vom Gläubigerschutz zur Konzernleitungsbefugnis via Societas Unius Personae», *ZeuP*, 1 (2015), págs. 6-31, en concreto, pág. 24. ESTEBAN VELASCO, G., «La Propuesta de Directiva sobre la *Societas Unius Personae* (SUP): el nuevo texto del Consejo de 28 de mayo de 2015», *AAMN*, 55 (2015), págs. 105-164, en concreto, pág. 158, censura la definición por obviar la modalidad aparente (esto es, el administrador fáctico en sentido estricto).

[10] CONAC, P-H. «Directors' Duties in Groups of Companies - Legalizing the Interest of the Group at the European Level», *ECFR*, 2 (2013), págs. 194-226, en concreto, pág. 217.

[11] EMBID IRUJO, J. M., «El buen gobierno corporativo y los grupos de sociedades», *RDM*, 249 (2003), págs. 933-979, en concreto, págs. 974-975; GARCÍA-CRUCES GONZÁLEZ, J. A., «Administradores sociales y administradores de hecho», *cit.*, págs. 558-559. HERNANDO CEBRIÁ, L.,«¿Sociedad dominante administradora de hecho? Más allá del velo corporativo», *cit.*, pág. 140. Recientemente, LATORRE CHINER, N., «Administración de hecho derivada de un plan de privatización de empresa», *RdS*, 46 (2016), págs. 293-308, en concreto, pág. 304.

la empresa de grupo[12]. En cambio, la calificación como administrador de hecho de quien ejerce la dirección unitaria se reserva para supuestos patológicos, en los que la injerencia en la gestión cercena toda autonomía del órgano administrativo de otra sociedad del grupo[13]. Un sector doctrinal propone verificar si, en cada caso, la sociedad que se encuentra en el vértice del grupo reúne la totalidad de requisitos que se exigen de cualquier sujeto para declararlo gestor fáctico[14]. Se trata de una cuestión de hecho resuelta en atención a las circunstancias del caso[15], siendo ésta una de las principales críticas que merece la solución ahora analizada[16].

En este contexto, el Reino Unido ha positivizado el riesgo de confusión entre la dirección unitaria y la administración fáctica. Así, la sección 251(3) CA 2006 establece que una persona jurídica (*body corporate*) no debe ser calificada como administradora de hecho en relación con sus dependientes, a los efectos de los capítulos segundo cuarto y sexto —referidos respectivamente, a deberes, operaciones sujetas a la Junta General y a las operaciones del socio-único administrador—, por el mero hecho de que las dependientes estén acostumbradas a actuar de acuerdo con sus directrices o instrucciones. El texto reconoce así la estrecha vinculación entre ambas

---

[12]   ALONSO UREBA, A., PULGAR EZQUERRA, J., «Relación de grupo y administrador de hecho en el concurso de sociedades integradas en un grupo», *RdS*, 29 (2007), págs. 19-37, [versión electrónica], en concreto, pág. 15/28.

[13]   EMBID IRUJO, J. M., *Grupos de sociedades y accionistas minoritarios*, Madrid, Ministerio de Justicia, 1987, pág. 250. *Ibidem*, «La responsabilidad de los administradores de la sociedad anónima tras la Ley de Transparencia», *RCDI*, 685 (2004), págs. 2379-2416, en concreto, págs. 2403-2408. FUENTES NAHARRO, M., *Grupos de sociedades y protección de acreedores (una perspectiva societaria)*, Madrid, Civitas, 2007, págs. 264-270. MARTÍNEZ MACHUCA, P., *La protección de los socios externos en los grupos de sociedades*, Bolonia, Real Colegio de España, 1999, pág. 284. DEL VAL TALENS, P., «Aspectos organizativos de los grupos de sociedades en el concurso: información y responsabilidad», *Crisi dell'impresa e ruolo dell'informazione*, PACIELLO, A. (a cura di), Milano, Giuffrè, 2016, págs. 390-408, en concreto, págs. 402-406.

[14]   ALONSO UREBA, A., PULGAR EZQUERRA, J., «Relación de grupo y administrador de hecho en el concurso de sociedades integradas en un grupo», *cit.*, pág. 18/28.

[15]   HANNIGAN, B. M., *Company Law*, 3ª ed., Oxford. Oxford Univeristy Press, 2012, pág. 148.

[16]   TEICHMANN, C., «Europäisches Konzernrecht: vom Schutzrecht zum Enabling Law», *cit.*, pág. 193. ULMER, P., «Der Gläubigerschutz im faktischen GmbH-Konzern beim Fehlen von Minderheitsgesellschaftern», *ZHR*, 148 (1984), págs. 391-427, en concreto, pág. 527. WIEDEMANN, H., *Die Unternehmensgruppe im Privatrecht*, Tübingen, Mohr Siebeck, 1988, pág. 84.

instituciones y ofrece una pauta interpretativa de acuerdo con la cual el seguimiento de las instrucciones por parte de la dependiente no equivale a que otra entidad de la que emanan instrucciones deba ser calificada como administradora oculta[17]. La excepción no se contempla en la *Insolvency Act*[18], lo que no impediría extender la solución a los supuestos de concurso[19]. En este sentido, para imputar la condición de administrador oculto a la sociedad titular del poder de impartir instrucciones se requiere un plus adicional al mero seguimiento de instrucciones[20]. Con ello, la *Companies Act* no pretende articular un Derecho sustantivo de grupos, sino evitar que la administración de hecho desincentive la integración empresarial[21].

## 2.2. Entidades financieras e inversores profesionales

En segundo lugar, cabe plantear la aplicación de la condición de administrador de hecho a sujetos que, al contratar con la sociedad, se colocan en una especial posición de fortaleza con respecto a ella, que se manifiesta sobre la gestión de la compañía. Así ocurre en relación con los acreedores financieros e inversores profesionales, generalmente en la proximidad a la insolvencia o una vez declarado el concurso de acreedores, aunque también puede verificarse durante la operativa ordinaria de la compañía. Así ocurrirá si la entidad se sitúa en una posición más favorable con respecto a los demás acreedores financieros y, en tal medida, concentra cierto poder de decisión sobre la gestión empresarial.

---

[17]   HANNIGAN, B. M., *Company Law, cit.*, pág. 148.

[18]   NOONAN, C., WATSON, S., «The Nature of Shadow Directorship: Ad Hoc Statutory Intervention or Core Company Law Principle», *J.B.L.*, 8 (2006), págs. 763-798, en particular, pág. 763.

[19]   HABERSACK, M., VERSE, D. A., «Wrongful Trading - Grundlage einer europäischen Insolvenzverschleppungshaftung?», *ZHR*, 168 (2004), págs. 174-215, en particular, pág. 209.

[20]   SCHUBERTH, E-M., *Konzernrelevante Regelungen im britischen Recht*, München, C. H. Beck, 1997, pág. 195. Seguido por FORUM EUROPAEUM DERECHO DE GRUPOS, «Derecho de grupos: por un derecho de los grupos de sociedades», *cit.*, pág. 553 y nota 359 *in fine*.

[21]   DAVIES, P. L., RICKFORD, J., «An Introduction to the New UK Companies Act», *ECFR*, 5-1 (2008), págs. 48-71, en concreto, pág. 64. TEICHMANN, C., FRÖLICH, A., «Societas Unius Personae (SUP): Facilitating Cross-Border Establishment», *Maastricht J. Eur. & Comp. L.*, 21-3 (2014), págs. 536-544, en concreto, pág. 541, proponiendo la introducción de una limitación análoga a la prevista en la sec. 251 CA 2006.

Sin embargo, por lo general, la posición de un acreedor financiero o inversor profesional en la operativa ordinaria no le concede prerrogativas propias de la titularidad orgánica, lo que aleja su calificación como gestor de hecho[22]. En cambio, iniciada la insolvencia de la sociedad, el papel del acreedor financiero puede condicionar su tratamiento como administrador de hecho. Por lo general, el acreedor mantiene una actitud activa orientada a supervisar su inversión, bien por ser él mismo acreedor en el procedimiento, bien por intervenir en las operaciones de rescate de la compañía insolvente. En tal medida, el acreedor financiero es titular de un interés legítimo en el seguimiento de la gestión de la compañía en relación con su crédito o la operación en marcha. Las medidas orientadas a proteger su interés son susceptibles de situarlo en una posición de fortaleza sobre la gestión de la que se concluya su condición de administrador.

Entre los indicios a considerar, la participación del inversor en el capital de la sociedad no constituye un elemento relevante. A pesar de ello, será necesario valorar su integración en la estructura de grupo, así como el ejercicio del poder decisorio que le confiere tal condición. En otros términos, el supuesto ahora examinado puede sugerir problemas de delimitación con respecto a la constelación anterior, por ser la entidad socio de control de la sociedad[23]. En segundo lugar, cabe atender a la presencia del propio acreedor financiero en el órgano de administración. A nuestro parecer, el modelo de propiedad y el papel de las entidades financieras en los mercados locales condiciona su presencia en los órganos de administración de las sociedades, tanto en la actividad ordinaria, como en la insolvencia. Por lo que respecta al desarrollo de la operativa gestora, constituye un indicio en este sentido la consulta de las principales decisiones empresariales[24].

Por otro lado, cabe atender a los derechos contractuales de información y control que tutelan la posición del acreedor. En ellos, cabría establecer una gradación en la influencia del acreedor financiero sobre la sociedad[25]. En un primer nivel, se situaría la influencia que ejerce el ente por razón de sus relaciones comerciales ordinarias con la sociedad. Ello

---

[22]    FLEISCHER, H., «§93 AktG», SPINDLER, G., STILZ, E. (eds.), *AktG. Kommentar zum Aktiengesetz*, 3ª ed., t. I, München, C. H. Beck, 2015, págs. 1336-1455, en concreto, pág. 1413.

[23]    La idea es sugerida en HADJINESTOROS, E., «Fear of the dark: banks as shadow directors», *Comp. Law.*, 34-6 (2013), págs. 169-179, en concreto, pág. 172.

[24]    FLEISCHER, H., «§93 AktG», *cit.*, pág. 1413.

[25]    MÜLLER-FELDHAMMER, R., «Vetragserfüllung und Haftung des Unternehmensberater», *NJW*, 25 (2008), págs. 1777-1782, en concreto, págs. 1845-1847.

incluiría aquellas tareas adecuadas para la ejecución del contrato suscrito y que, por lo general, otorgan al acreedor un derecho de información sobre la sociedad, con el fin de realizar un correcto seguimiento de la operación. Esta primera gama de conductas propias de una influencia ordenada encuentra su límite en la invasión de la esfera competencial del órgano de administración[26]. La designación de un asesor o de una persona vinculada al acreedor, especialmente dedicada al seguimiento de la operación, debe entenderse incluida en las medidas propias de este primer nivel[27].

En un estadio intermedio aparecerían aquellos supuestos en los que el seguimiento de las operaciones se intensifica mediante la adopción de medidas adicionales de control. En este nivel se situarían *covenants* corporativos que conceden al acreedor financiero un mayor grado de incidencia sobre la gestión empresarial[28]. Entre ellos se incluyen las previsiones de colocar a personas de confianza de la entidad en el órgano de administración de la sociedad[29]. Se trata de que la entidad se implique activamente en la gestión de la compañía[30]. En el tercer nivel nos situaríamos ante

---

[26] Entre nosotros, LATORRE CHINER, N., «Administración de hecho derivada de un plan de privatización de empresa», *cit.*, pág. 301 descarta la administración de hecho en las medidas cuya finalidad sea, simplemente, el seguimiento de la financiación.

[27] MÜLLER-FELDHAMMER, R., «Vetragserfüllung und Haftung des Unternehmensberater», *cit.*, pág. 1845. BORK, R., «Bankenhaftung wegen Durchsetzung eines konkreten Sanierungsberaters», *WM*, 39 (2014), págs. 1841-1852.

[28] NAVARRO LÉRIDA, Mª S., MANZANEQUE LIZANO, M., «Refinanciaciones y capitalización de deuda: una aproximación económico-jurídica», *RDCP*, 21 (2014), págs. 171-184, en concreto, pág. 177. MERCADAL VIDAL, F., «El acreedor financiero como administrador de hecho. Especial referencia a los covenants», *ADCon.*, 36 (2015), págs. 115-128, en concreto, págs. 124-127. SANDHAUS, J., *Der Kreditgeber als faktischer Geschäfsführer einer GmbH*, Baden-Baden, Nomos, 2014, págs. 95 y ss.

[29] HIMMELSBACH, J., ACHSNICK, R., «Faktische Geschätsführung durch Banken: Gefahr oder Scheinproblem?», *NZI*, 7 (2003), págs. 355-360, en especial, pág. 360. La presencia de un miembro de la organización del acreedor financiero en el órgano de administración se utiliza como elemento indiciario en el conocido como caso Worms, resuelto por la Cour de Cassation, Chambre commerciale, du 27 juin 2006, 04-15.831. PORACCHIA, D., «Le dirigeant de fait personne morale par l'intermédiaire d'une personne physique administrateur à titre personnel», *cit.*, pág. 909.

[30] HADJINESTOROS, E., «Fear of the dark: banks as shadow directors», *cit.*, pág. 173. FIDLER, P., «Banks as shadow directors», *J.I.B.L.*, 7-3 (1992), págs. 97-100, en concreto, pág. 99.

aquellos supuestos en los que la entidad toma el control de la sociedad a efectos internos o externos.

En términos generales, cuanto más intenso sea el seguimiento de su interés, mayor es el riesgo de que el acreedor financiero sea considerado administrador fáctico[31]. No obstante, esta constelación se observa con recelo ante sus posibles implicaciones para el tráfico, esencialmente, para el mercado del crédito y para las operaciones de refinanciación durante la insolvencia. La idea generalizada es que ante el riesgo de que el férreo seguimiento de las operaciones de refinanciación culmine en su declaración como administrador de hecho, el acreedor financiero encuentre un desincentivo a la intervención[32]. Tales circunstancias han sido atendidas por el legislador español, limitando el riesgo de calificación de una entidad de crédito como administrador de hecho. En concreto, el artículo 93.3.2 LC contiene dos disposiciones. En la primera se excluye de la categoría de persona especialmente relacionada con el deudor a aquellos acreedores que hayan capitalizado sus créditos en cumplimiento de un acuerdo de refinanciación, un acuerdo extrajudicial de pagos o un convenio. Seguidamente, se establece que no merecerá la condición de administrador de hecho por las obligaciones que el deudor asuma frente a él. En el primer caso, además, se especifica que la exclusión se extiende al supuesto en que el financiador haya asumido cargos en el órgano de administración.

La *ratio legis* es el favorecimiento de las operaciones de refinanciación, mediante una norma cuya virtualidad efectiva es dudosa. En realidad, la técnica legislativa es similar a la empleada por la sección 251(3) CA 2006. Se trata de instituir un pretendido *safe harbour* para ciertas personas (generalmente, personas jurídicas), indicando que la actuación enmarcada en la concreta relación que mantengan con la sociedad no las convierte en administradoras. En ambos casos y de forma implícita, la norma exige un plus adicional al mero ejercicio de las facultades contractuales. Con todo, las conductas indicativas de la injerencia no pueden cercenar la autonomía del órgano administrativo del deudor al amparo del artículo 93.3.2 LC.

---

[31]   HIMMELSBACH, J., ACHSNICK, R., «Faktische Geschätsführung durch Banken: Gefahr oder Scheinproblem?», *cit.*, pág. 358.

[32]   FERRÁN, E., *Principles of Corporate Finance Law*, Oxford, Oxford University Press, 2008, pág. 345. HADJINESTOROS, E., «Fear of the dark: banks as shadow directors», *cit.*, pág. 174.

## 2.3. Otras relaciones contractuales

Ciertas relaciones contractuales colocan a la contraparte en una especial posición de fortaleza con respecto a una sociedad. Excepcionalmente, la parte contractual con mayor poder de negociación puede intervenir en la gestión de la compañía, mereciendo la calificación de administrador de hecho. Tales circunstancias pueden manifestarse en relación con contratos de colaboración empresarial. Así, por ejemplo, una excesiva injerencia del franquiciador sobre la esfera organizativa del franquiciado ha permitido imputar al primero esta condición[33]. Por otro lado, la declaración como administrador de hecho del cuentapartícipe se ha fundado en una posición de clara fortaleza contractual, de la que esta parte se sirve para aprovechar la iliquidez del gestor y proceder a la liquidación de las cuentas en participación, así como a concluir ulteriores operaciones utilizando el haber social[34]. En sentido estricto, también se incluyen en esta categoría los apoderamientos voluntarios conferidos a personas jurídicas, lo que nos sitúa ante la figura del *director general persona jurídica*[35]. Por último, los contratos cuyo objeto es la prestación de servicios de asesoramiento profesional pueden plantear dudas en el sentido apuntado. Generalmente, el asesor profesional no asume competencias de orden gestor, lo que lo aleja del supuesto que analizamos[36].

---

[33]  Cour d'Appel Toulouse, 2e ch., 30 juin 1997, n. 357. Críticos, COZIAN, M., VIANDIER, A., DEBOISSY, F., *Droit des sociétés*, 26ª ed., Paris, LexisNexis, 2013, pág. 774.

[34]  SJM núm. 1 de Málaga, de 31 de marzo de 2014 *(Tol 4493541)*.

[35]  Institución cuya admisibilidad no plantea obstáculos entre nosotros. Véase JUSTE MENCÍA, J., *Factor de comercio, gerente de empresa, director general (Estudio Jurídico Mercantil)*, Bolonia, Publicaciones del Real Colegio de España, 2002, pág. 107. GALLEGO SÁNCHEZ, E., *El director general de las sociedades anónimas y de responsabilidad limitada*, Las Rozas (Madrid), La Ley, 2009, pág. 129.

[36]  MÜLLER-FELDHAMMER, R., «Vetragserfüllung und Haftung des Unternehmensberater», *cit.*, pág. 1782. FLEISCHER, H., «Zur aktienrechtlichen Verantwortlichkeit faktischer Organe», *cit.*, pág. 527. FLEISCHER, H., «§93 AktG», *cit.*, pág. 1413. BERTSCHINGEN, U., «Der eingeordnete Berater - ein Beitrag zur faktischen Organschaft», VON DER CRONE, C. H., WEBER, R. H., ZÄCH, R., ZOBL, D. (eds.), *Neuere Tendenzen im Gesellschaftsrecht. Festschrift für Peter Forstmoser*, Zürich/Basel/Genf, Schulthess, 2003, págs. 455-477, en concreto, pág. 458. Exige injerencia sistemática en estos supuestos, RODRÍGUEZ DÍAZ, I., «El administrador oculto», *cit.*, pág. 32.

## III. LAS TESIS NEGATIVAS

De otro lado, cabe identificar una aproximación restrictiva a la tesis analizada. En efecto, algunos ordenamientos desechan la aplicación de la doctrina de la administración de hecho a las personas jurídicas. En concreto, se han identificado dos ejemplos, según el fundamento de la restricción. Por un parte, algunos modelos rechazan esta posibilidad en atención a la propia prohibición de que los administradores sean personas jurídicas. En otro sentido, existe una corriente que desecha la administración fáctica por personas jurídicas por coherencia con su Derecho legislado en materia de grupos de empresas.

### 1. Tesis negativas por coherencia sistemática: Alemania y Delaware

En el caso alemán, aun en ausencia de régimen positivo, es conocida la figura del *faktischer Geschaftsführer* en la GmbHG, a quien se extiende analógicamente el régimen de responsabilidad previsto para los administradores titulares *ex* § 43 GmbHG. En este país, el instituto del administrador de hecho se identifica con aquél que asume las competencias propias de esta condición, de forma recognoscible para terceros[37]. Su aplicación es, en todo caso, restringida, lo que la doctrina justifica por el elevado grado de implicación de los socios en la gestión en la GmbH y la posición débil, en términos relativos, del *Geschaftsführer* en este tipo social[38]. A nuestro parecer, la tradicional preferencia de los tribunales por otros remedios de imputación de responsabilidad por dirección —en la AG, el Derecho de grupos de la *Aktiengesetz* y, en la GmbH, la doctrina del grupo fáctico cualificado, primero y, actualmente, la *Existenzvernichtungshaftung*— contribuyen a explicar el moderado éxito de la institución en este país[39].

---

[37] FLEISCHER, H., «§ 43 GmbHG», *Münchener Kommentar GmbH-Gesetz*, 1ª ed, vol. II, München, C. H. Beck, 2012, págs. 414-560, en concreto, pág. 499. La opinión mayoritaria exige que el ejercicio se desarrolle *ad extra*, HAAS, U., ZIEMONS, H., «§ 43 GmbHG», *cit.*, pág. 489. Crítico, FLEISCHER, H.,«Zur aktienrechtlichen Verantwortlichkeit faktischer Organe», *cit.*, pág. 525, al resultar éste un criterio indiferente y en atención al hecho de que otros ordenamientos incluyen en esta categoría al administrador en la sombra.

[38] HAAS, U., «Die Rechtsfigur des *faktischen GmbH-Geschäftsführers*», *NZI*, 9 (2006), págs. 494-499, en particular, pág. 497.

[39] Véase, por ejemplo, la aproximación a la cuestión de la sociedad dominante como administradora de hecho en FLEISCHER, H., «Zur aktienrechtlichen Verantwortlichkeit faktischer Organe», *cit.*, pág. 527; *Ibidem*, «§93 AktG», *cit.*, pág. 1413, po-

Sin embargo, en el caso alemán, el *Bundesgerichtshof* tiene declarada la inaplicabilidad de la doctrina del administrador de hecho a las personas jurídicas en atención a la prohibición prevista expresamente en los §§ 76 Abs. 3 AktG y 6 Abs. 2 GmbHG[40]. El fundamento de esta propuesta reside en la extensión de los requisitos subjetivos previstos, respectivamente, para los miembros del *Vorstand* en la *Aktiengesellschaft*, así como para los gestores de la GmbH. Idéntico es el posicionamiento de la *Court of Chancery* del estado de Delaware, a la luz de la prohibición contenida en el § 141 (b) *Delaware General Corporation Law*[41]. Ambas tesis restrictivas rechazan la aplicabilidad de la doctrina del administrador de hecho a las personas jurídicas como consecuencia de la prohibición que recae sobre éstas para ser designadas administradores *de iure* en sus respectivas normas societarias. En tal sentido, la prohibición normativa tendría como consecuencia la inaplicabilidad del remedio para hacer frente a la responsabilidad de personas jurídicas.

La postura acogida por el alto tribunal alemán y la *Court of Chancery* carece de fundamento dogmático suficiente. En primer lugar, la administración fáctica no presupone el cumplimiento por parte del sujeto al que se imputa tal condición de los presupuestos necesarios para ocupar formalmente el cargo. Al contrario, entre las constelaciones a las que la institución pretende hacer frente se encuentra la de aquellos sujetos que, impedidos de ostentar formalmente el cargo, lo ejercitan materialmente o se sirven de intermediarios a quienes colocan en la titularidad orgánica (expresamente, art. 236.3 LSC). Así, la doctrina alemana ha puesto de manifiesto esta incongruencia: si el mismo condicionante se trasladara a las personas físicas, rechazando considerar administradores de hecho a sujetos incursos en alguna de las incompatibilidades *ex* §§ 76 Abs. 3 AktG y 6 Abs. 2 GmbHG (por ejemplo, la minoría de edad o la inhabilitación concursal),

---

niendo de manifiesto la aplicabilidad de la *Existenzvernichtungshaftung* para declarar la responsabilidad del socio en los supuestos de sociedade anónima unipersonal, entendemos, como remedio preferente frente a la administración fáctica.

40    BGH Urt. v. 25.02.2002 - ZR 196/00 = DNotZ 2002, 472-475.

41    Stewart v. Willmington Trust SP Services, Inc., 112 A.3d 271 (2015), pág. 299. La *Court of Chancery* adopta la misma postura frente a la exigencia como administrador de hecho de una persona jurídica que había designado administrador a uno de sus empleados. El tribunal sustenta su postura en la ausencia de precedente jurisprudencial, así como en la falta de lógica persuasiva del argumento. Lo cierto es que la resolución revela un escaso esfuerzo probatorio y argumentativo al atribuir la condición de administrador de hecho a la persona jurídica.

el remedio quedaría parcialmente desprovisto de efecto[42]. En la misma línea, si el remedio aspira a tutelar a socios y acreedores, sus resultados deberían ser independientes del cumplimiento de los requisitos de aptitud para ocupar el cargo[43]. Sería éste un argumento fundado en la autonomía entre los planos de la administración *de facto* y *de iure*. Con todo, se aprecia en los autores una aproximación cautelosa, como si el posicionamiento del alto tribunal no pudiera ser definitivo[44]. Por su parte, la inaplicabilidad a las personas jurídicas no es obstáculo para imputar esta condición a las personas físicas que ocupen cargos en los entes[45].

## 2. *Tesis restrictivas por coordinación con el Derecho de grupos: Italia*

En el caso italiano, la caracterización de personas jurídicas como administradores de hecho sugiere problemas de delimitación con respecto a la *responsabilità per direzione e coordinamento ex* art. 2497 c.c., esto es, el específico régimen de responsabilidad en materia de grupos. Uno de los principios rectores de la reforma societaria por la que se introduce la consabida regulación para los grupos de sociedades es su necesaria coexistencia y, por consiguiente, su coordinación con los remedios ya disponibles[46]. Como consecuencia de lo anterior, la acción de dirección y coordinación y la administración fáctica se encuentran disponibles y, en principio, no resultan mutuamente excluyentes.

Esta cuestión se ha planteado en la sentencia del *tribunale di Milano* de 27 de febrero de 2012[47]. En ella, el liquidador de una sociedad de

---

[42]   FLEISCHER, H., «§93 AktG», *cit.*, pág. 1412. SANDHAUS, J., *Der Kreditgeber als faktischer Geschäftsführer einer GmbH*, *cit.*, pág. 148. ABRIANI, N., *Gli amministratori di fatto delle società di capitali*, Milano, Giuffrè, 1998, págs. 138-138.

[43]   FLEISCHER, H., «§93 AktG», *cit.*, pág. 1412. FLEISCHER, H.,«Zur aktienrechtlichen Verantwortlichkeit faktischer Organe», *cit.*, pág. 526. El rechazo a este argumento también está presente en la doctrina italiana, ABRIANI, N., *Gli amministratori di fatto delle società di capitali*, *cit.*, pág. 281.

[44]   Por ejemplo, afirmando que la resolución no debe entenderse incomaptible con la aplicación del remedio en sede de grupos, FLEISCHER, H., «§93 AktG», *cit.*, pág. 1412.

[45]   En la doctrina anterior a la sentencia del BGH, EHRICKE, U., *Das abhängige Konzernunternehmen in der Insolvenz*, *cit.*, pág. 229. FLEISCHER, H., «§ 43 GmbHG», *cit.*, pág. 501.

[46]   PESCATORE, G., «Prossima fermata: persona giuridica amministrarore di fatto», *Giur. Comm.*, 4 (2014), págs. 647 y ss., en concreto, nm. 3.

[47]   Tribunale Milano sez. VIII, 27.02.2012.

responsabilidad limitada dirige una reclamación frente a una sociedad, aduciendo alternativamente su condición de responsable por dirección y coordinación de la sociedad en liquidación y de administradora de hecho a través de persona interpuesta. Las sociedades mantenían una relación contractual en virtud de la cual, la demandada arrendaba vehículos de diferente clase a la insolvente y le encomendaba la ejecución de encargos de desplazamiento que, a su vez, había recibido de sus clientes. El contrato no estipulaba el carácter exclusivo de la relación contractual, pero, tras tener conocimiento de que la arrendataria recurría a otras empresas para proveerse de vehículos, puso fin a la relación, lo que ponía en peligro la viabilidad del negocio de la *s.r.l.*, ahora en liquidación.

El tribunal apoya el criterio de que sea una persona física y no una persona jurídica quien reciba la calificación de administrador de hecho, lo que situaría al ordenamiento italiano en línea con la jurisprudencia alemana[48]. En particular, considera que, si el ente ha respetado los presupuestos necesarios para ser administrador, habrá designado a una persona física para el ejercicio del cargo. Con esta afirmación, el tribunal se posiciona entre quienes extienden la exigencia de designar representante permanente a las sociedades anónimas nacionales. Por consiguiente, mantiene que los criterios de la administración deberán valorarse en relación con el representante persona física. En cambio, si el ente no hubiera designado válidamente a su representante, faltaría un elemento para admitir la administración *de iure* a cargo de personas jurídicas, que obstaculizaría también la de la administración fáctica. Como en el caso alemán, el tribunal italiano supedita la admisibilidad del «administrador de hecho persona jurídica» al cumplimiento de requisitos para ocupar el cargo de administrador. Los argumentos que han servido para rechazar esta tesis en Alemania deben ser traídos a esta sede, apoyados por un relevante sector de la doctrina italiana[49].

---

[48]   Tribunale Milano sez. VIII, 27.02.2012.

[49]   En la línea doctrinalmente marcada por ABRIANI, N., *Gli amministratori di fatto delle società di capitali, cit.*, pág. 281. En expresa referencia al supuesto ahora comentado, PESCATORE, G., «Prossima fermata: persona giuridica amministrarore di fatto», *cit.*, nm. 3-4; bien es cierto que este último autor había antes valorado los remedios como alternativos en *Ibidem, L'amministratore persona giuridica*, Milano, Giuffrè, 2012, págs. 90, nota 208 y págs. 107-119. CAGNASSO, O., «Persona giuridica amministratore di fatto di società», *Giur. It.*, 2 (2012), págs. 2588-2590, en concreto, pág. 2590 cuestiona la interpretación sobre la falta de equivalencia de ambas proposiciones.

Más convincente resulta el último argumento manejado por el tribunal, según el cual, el ordenamiento italiano habría conceptualizado la relación gestora entre sociedades de forma autónoma con respecto a la administración fáctica. Así, a partir de las nociones de control, dirección y coordinación existiría cierta preferencia por el recurso al Derecho de grupos frente al instituto ahora analizado. Puede aceptarse la idea de que el rechazo a la administración fáctica por personas jurídicas se funde en una estrategia de política jurídica del legislador italiano. Aun así, el único elemento en favor de esta tesis es el propio régimen legislado. En tales circunstancias, vale la pena ahondar en los criterios de delimitación entre ambas doctrinas.

Por lo que respecta al alcance subjetivo de la acción por *direzione e coordinamento*, la legitimación pasiva *ex* artículo 2497 c.c. corresponde a la sociedad o ente que ejercite la actividad de dirección en incumplimiento del principio de correcta gestión. El tenor literal del apartado primero del artículo 2497.1 c.c. sugiere que sólo los entes pueden serlo, lo que excluiría a las personas físicas[50]. Sin embargo, la doctrina italiana ha acogido una interpretación correctora de la norma a partir de su integración sistemática, pues, el apartado segundo del mismo precepto se refiere, simplemente, a *sujetos*[51]. Si nos fijamos en la legitimación subjetiva de las acciones societarias tradicionales y, fundamentalmente, en la acción social de responsabilidad, ésta se dirige frente a los administradores, incluidos aquí aquellos que lo sean *de iure*, de hecho y ocultos (art. 236.5 LSC). Por un lado, en tanto una persona jurídica ocupe el cargo de administrador, cabrá la posibilidad de dirigir tales acciones frente a ella. Dejando a un lado el criterio procesal y fijándonos en el alcance subjetivo de la norma, la responsabilidad por dirección alcanza no sólo a quienes participen en el acto lesivo, sino a aquéllos que hayan obtenido algún beneficio (art. 2497.2 c.c.), lo que su-

---

[50] Tempranamente, con ciertas reservas sistemáticas, GUGLIELMUCCI, L.,«La responsabilità per direzione e coordinamento di società», *Dir. Fall.*, 80-1 (2005), págs. 38-46, en concreto, pág. 41. Implícitamente, BIANCHI, A. L., «Problemi in materia di disciplina dell'attività di direzione e coordinamento», *Riv. Soc.*, 2-3 (2013), págs. 420-463, en concreto, nm. 5.2. Se posiciona en este sentido, MONTALENTI, P., «Direzione e coordinamento nei gruppi societari: principi e problemi», *Riv. Soc.*, 2-3 (2007), págs. 317-344, en concreto, nm. 5.

[51] CARANO, C., «Responsabilità per direzione e coordinamento di società», *Riv. Dir. Civ.*, 50-3 (2004), págs. 429-438, en concreto, pág. 437. DI MAJO, A., «La responsabilità per l'attività di direzione e coordinamento nei gruppi di società», *Giur. Comm.*, 3 (2009), págs. 537-552, en concreto, nm. 3 considera que la construcción se compadece mal con la literalidad del art. 2497.1 c.c.

pone una ampliación con respecto al ámbito propio de la acción social[52]. Lo anterior entronca con el debate mantenido entre los autores italianos sobre si la dirección unitaria es unipersonal, esto es, si cabe imputar responsabilidad por dirección y coordinación a una sola persona o es posible identificar a más de un titular[53].

Si nos fijamos en los presupuestos de corte objetivo, observamos que también la actividad desarrollada por el legitimado pasivo difiere. En el caso de la acción social, nos situamos ante un elenco de deberes de diligencia y lealtad que se concreta en una gama más o menos especificable de obligaciones, algunas incluso de tipo formal (piénsese en la firma de las cuentas anuales o la convocatoria de la Junta general). En cambio, la actividad con la que se relaciona la responsabilidad por dirección y coordinación se refiere a la planificación estratégica y a las políticas generales del grupo, esto es, aquéllas que diseñan la actuación de la empresa de grupo y no a la gestión cotidiana[54]. La distinción, aprehensible en abstracto, no es fácil de delimitar en la aplicación *ex casu*, ya que, en tanto las instrucciones o directrices se refieran a las líneas o políticas generales de la empresa de grupo, el régimen legislado de responsabilidad por dirección y coordinación se solapa con la noción de administrador oculto, manejada por otros ordenamientos. Finalmente, la administración fáctica representa un título de imputación, pero no prejuzga la naturaleza de la responsabilidad que se imputa, sino que será aquélla que, en cada caso, corresponda al administrador.

---

[52] PESCATORE, G., «Prossima fermata: persona giuridica amministrarore di fatto», *cit.*, nm. 2-3.

[53] MONTALENTI, P., «Direzione e coordinamento nei gruppi societari: principi e problemi», *cit.*, nm. 6-7, reconduciendo la cuestión al debate sobre el carácter unívoco de la dirección unitaria. El autor propone remitir, en todo caso, las directrices al vértice del grupo, siendo éste sujeto el legitimado pasivo de la acción; en caso de que exista cierto margen a la emisión de directrices por parte de entidades situadas en otros niveles del grupo, se debería proceder a un análisis comparativo (nm. 7). SBISÀ, G., «Sulla natura della responsabilità da direzione e coordinamento di società», *Contr. Imp.*, 4-5 (2009), págs. 807-821, en concreto, nm. 5.2.

[54] Similar, PESCATORE, G., «Prossima fermata: persona giuridica amministrarore di fatto», *cit.*, nm. 3-4. SBISÀ, G., «Sulla natura della responsabilità da direzione e coordinamento di società», *cit.*, nm. 6.6. BIANCHI, A. L., «Problemi in materia di disciplina dell'attività di direzione e coordinamento», *cit.*, nm. 4.

## IV. CONCLUSIONES

El examen refleja cierta correlación entre la prohibición de que las personas jurídicas sean administradoras y la posibilidad de atribuirles la condición de administradoras de hecho, preferentemente, en su modalidad de administración oculta. De hecho, el supuesto de hecho se cohonesta mejor con la administración oculta, de forma que el ente sea quien dirija instrucciones a la sociedad respecto de la cual se imputa esta condición. Esta posibilidad ha sido valorada en el ámbito europeo como una solución plausible para el Derecho de grupos del continente, aunque la propuesta no ha prosperado.

En el análisis por constelaciones, se observan dificultades de delimitación del supuesto con respecto a la dirección unitaria, plenamente legítima. Además, en aquellos ordenamientos que cuenten con un Derecho legislado de los grupos de empresas, la noción de instrucciones se habrá positivizado, provocando cierto solapamiento entre los remedios propios de la sociedad autónoma y el Derecho de grupos. Por lo que respecta a otras relaciones contractuales, se observa cierta cautela a la hora de atribuir esta condición a los acreedores financieros, so pena de desincentivar su intervención en los procesos de refinanciación. En este sentido se orienta el artículo 93.3.2 de la Ley Concursal. Sin embargo, la técnica legislativa es dudosa por cuanto no introduce ningún elemento valorativo sólido que permita deslindar la actuación del acreedor en el marco contractual de aquélla merecedora de la condición de administración de hecho.

Por lo que respecta a las posturas contrarias a la tesis que defendemos, el criterio del *Bundesgerichtshof* alemán y cierta corriente jurisprudencial del estado de Delaware se fundan en la prohibición de que los entes ocupen formalmente el cargo, contenida en las normas societarias de ambos modelos. Es incorrecto sustentar esta interpretación en tales normas, ya que determina un tratamiento asimétrico de la institución con respecto a las personas físicas. Mayor fundamento posee la tesis manejada por el *Tribunale di Milano*, que rechaza la hipótesis analizada en atención a la existencia de un régimen legislado en materia de grupos de sociedades. En cambio, debe rechazarse la idea de que la condición de administrador de hecho sólo será imputable al representante persona física, ya que, ni esta exigencia se encuentra prevista para los tipos nacionales italianos, ni la condición de administrador de hecho tiene como presupuesto el cumplimiento de la obligación de designar representante.

## Bibliografía

ABRIANI, N., *Gli amministratori di fatto delle società di capitali*, Milano, Giuffrè, 1998.

ALONSO UREBA, A., PULGAR EZQUERRA, J., «Relación de grupo y administrador de hecho en el concurso de sociedades integradas en un grupo», *RdS*, 29 (2007), págs. 19-37, [versión electrónica].

BAUER, J., WELLER, P., «Europäisches Konzernrecht: vom Gläubigerschutz zur Konzernleitungsbefugnis via Societas Unius Personae», *ZeuP*, 1 (2015), págs. 6-31.

BERTSCHINGEN, U., «Der eingeordnete Berater - ein Beitrag zur faktischen Organschaft», VON DER CRONE, C. H., WEBER, R. H., ZÄCH, R., ZOBL, D. (eds.), *Neuere Tendenzen im Gesellschaftsrecht. Festschrift für Peter Forstmoser*, Zürich/Basel/Genf, Schulthess, 2003, págs. 455-477.

BIANCHI, A. L., «Problemi in materia di disciplina dell'attività di direzione e coordinamento», *Riv. Soc.*, 2-3 (2013), págs. 420-463.

BORK, R., «Bankenhaftung wegen Durchsetzung eines konkreten Sanierungsberaters», *WM*, 39 (2014), págs. 1841-1852.

CAGNASSO, O., «Persona giuridica amministratore di fatto di società», *Giur. It.*, 2 (2012), págs. 2588-2590.

CARANO, C., «Responsabilità per direzione e coordinamento di società», *Riv. Dir. Civ.*, 50-3 (2004), págs. 429-438.

CONAC, P-H. «Directors' Duties in Groups of Companies - Legalizing the Interest of the Group at the European Level», *ECFR*, 2 (2013), págs. 194-226.

COZIAN, M., VIANDIER, A., DEBOISSY, F., *Droit des sociétés*, 26ª ed., Paris, LexisNexis, 2013.

DAVIES, P. L., RICKFORD, J., «An Introduction to the New UK Companies Act», *ECFR*, 5-1 (2008), págs. 48-71.

DEL VAL TALENS, P., «Aspectos organizativos de los grupos de sociedades en el concurso: información y responsabilidad», *Crisi dell'impresa e ruolo dell'informazione*, PACIELLO, A. (a cura di), Milano, Giuffrè, 2016, págs. 390-408, en concreto, págs. 402-406.

DI MAJO, A., «La responsabilità per l'attività di direzione e coordinamento nei gruppi di società», *Giur. Comm.*, 3 (2009), págs. 537-552.

EHRICKE, U., *Das abhängige Konzernunternehmen in der Insolvenz*, Tübingen, Mohr Siebeck, 1998.

EMBID IRUJO, J. M., *Grupos de sociedades y accionistas minoritarios*, Madrid, Ministerio de Justicia, 1987.

— «Los grupos de sociedades en la Comunidad Económica Europea (el proyecto de novena directiva)», *CDC*, 5 (1989), págs. 359-417.

— «El buen gobierno corporativo y los grupos de sociedades», *RDM*, 249 (2003), págs. 933-979.

— «La responsabilidad de los administradores de la sociedad anónima tras la Ley de Transparencia», *RCDI*, 685 (2004), págs. 2379-2416.

ESTEBAN VELASCO, G., «La Propuesta de Directiva sobre la *Societas Unius Personae* (SUP): el nuevo texto del Consejo de 28 de mayo de 2015», *AAMN*, 55 (2015), págs. 105-164.

FERRÁN, E., *Principles of Corporate Finance Law*, Oxford, Oxford University Press, 2008.

FIDLER, P., «Banks as shadow directors», *J.I.B.L.*, 7-3 (1992), págs. 97-100.

FLEISCHER, H., «Zur aktienrechtlichen Verantwortlichkeit faktischer Organe», *AG*, 10 (2004), págs. 517-528.

— «§ 43 GmbHG», AA.VV., *Münchener Kommentar GmbH-Gesetz*, 1ª ed, vol. II, München, C. H. Beck, 2012, págs. 414-560.

— «§93 AktG», SPINDLER, G., STILZ, E. (eds.), *AktG. Kommentar zum Aktiengesetz*, 3ª ed., t. I, München, C. H. Beck, 2015, págs. 1336-1455.

FORUM EUROPAEUM DERECHO DE GRUPOS, «Derecho de grupos: por un derecho de los grupos de sociedades», *RDM*, 232 (1999), págs. 445-576.

FRENCH, D., MAYSON, S., RYAN, C. H., *Company Law*, 3ª ed., Oxford, Oxford University Press, 2015.

FUENTES NAHARRO, M., *Grupos de sociedades y protección de acreedores (una perspectiva societaria)*, Madrid, Civitas, 2007.

GALLEGO SÁNCHEZ, E., *El director general de las sociedades anónimas y de responsabilidad limitada*, Las Rozas (Madrid), La Ley, 2009.

GARCÍA-CRUCES GONZÁLEZ, J. A., «Administradores sociales y administradores de hecho», SÁENZ GARCÍA DE ALBIZU, J. C., OLEO BANET, F., MARTÍNEZ FLÓREZ, A. (coords.), *Estudios de derecho mercantil: en memoria del Profesor Aníbal Sánchez Andrés*, Madrid, Civitas, 2010, págs. 527-561.

GUGLIELMUCCI, L.,«La responsabilità per direzione e coordinamento di società», *Dir. Fall.*, 80-1 (2005), págs. 38-46.

HAAS, U., «Die Rechtsfigur des *faktischen GmbH-Geschäftsführers*», *NZI*, 9 (2006), págs. 494-499.

HABERSACK, M., VERSE, D. A., «Wrongful Trading - Grundlage einer europäischen Insolvenzverschleppungshaftung?», *ZHR*, 168 (2004), págs. 174-215.

HADJINESTOROS, E., «Fear of the dark: banks as shadow directors», *Comp. Law.*, 34-6 (2013), págs. 169-179.

HANNIGAN, B. M., *Company Law*, 3ª ed., Oxford. Oxford Univeristy Press, 2012.

HERNANDO CEBRIÁ, L., «¿Sociedad dominante administradora de hecho? Más allá del velo corporativo», *RDM*, 280 (2011), págs. 133-168.

HIMMELSBACH, J., ACHSNICK, R., «Faktische Geschätsführung durch Banken: Gefahr oder Scheinproblem?», *NZI*, 7 (2003), págs. 355-360.

HOPT, K. J., «Konzernrecht: Die europäische Perspektive», *ZHR*, 171 (2007), págs. 199-240.

JUSTE MENCÍA, J., *Factor de comercio, gerente de empresa, director general (Estudio Jurídico Mercantil)*, Bolonia, Publicaciones del Real Colegio de España, 2002.

LATORRE CHINER, N., *El administrador de hecho en las sociedades de capital*, Granada, Comares, 2003.

LATORRE CHINER, N., «Administración de hecho derivada de un plan de privatización dc cmpresa», *RdS*, 46 (2016), págs. 293-308.

MARTÍNEZ MACHUCA, P., *La protección de los socios externos en los grupos de sociedades*, Bolonia, Real Colegio de España, 1999.

MERCADAL VIDAL, F., «El acreedor financiero como administrador de hecho. Especial referencia a los covenants», *ADCon.*, 36 (2015), págs. 115-128.

MONTALENTI, P., «Direzione e coordinamento nei gruppi societari: principi e problemi», *Riv. Soc.*, 2-3 (2007), págs. 317-344.

MÜLLER-FELDHAMMER, R., «Vetragserfüllung und Haftung des Unternehmensberater», *NJW*, 25 (2008), págs. 1777-1782.

NAVARRO LÉRIDA, Mª S., MANZANEQUE LIZANO, M., «Refinanciaciones y capitalización de deuda: una aproximación económico-jurídica», *RDCP*, 21 (2014), págs. 171-184.

NOONAN, C., WATSON, S., «The Nature of Shadow Directorship: Ad Hoc Statutory Intervention or Core Company Law Principle», *J.B.L.*, 8 (2006), págs. 763-798.

PAZ-ARES RODRÍGUEZ, C., «La responsabilidad de los administradores como instrumento de gobierno corporativo», *RdS*, 20 (2003), págs. 67-109.

PESCATORE, G, *L'amministratore persona giuridica*, Milano, Giuffrè, 2012.

PESCATORE, G., «Prossima fermata: persona giuridica amministrarore di fatto», *Giur. Comm.*, 4 (2014), págs. 647 y ss.

PORACCHIA, D., «Le dirigeant de fait personne morale par l'intermédiaire d'une personne physique administrateur à titre personnel», *Rev. Soc.*, 4 (2006), págs. 900-911.

RODRÍGUEZ DÍAZ, I., «El administrador oculto», *RDBB*, 138 (2015), págs. 7-48.

SANDHAUS, J., *Der Kreditgeber als faktischer Geschäftsführer einer GmbH*, Baden-Baden, Nomos, 2014.

SBISÀ, G., «Sulla natura della responsabilità da direzione e coordinamento di società», *Contr. Imp.*, 4-5 (2009), págs. 807-821.

SCHUBERTH, E-M., *Konzernrelevante Regelungen im britischen Recht*, München, C. H. Beck, 1997.

TEICHMANN, C., «Europäisches Konzernrecht: vom Schutzrecht zum Enabling Law», *AG*, 6 (2013), págs. 184-197.

TEICHMANN, C., FRÖLICH, A., «Societas Unius Personae (SUP): Facilitating Cross-Border Establishment», *Maastricht J. Eur. & Comp. L.*, 21-3 (2014), págs. 536-544.

TOMBARI, U., «Il *Diritto dei Gruppi*: primi bilanci e prospettive per il legislatore comunitario», *Riv. Dir. Comm.*, 113-1 (2015), págs. 67-91.

ULMER, P., «Der Gläubigerschutz im faktischen GmbH-Konzern beim Fehlen von Minderheitsgesellschaftern», *ZHR*, 148 (1984), págs. 391-427.

WIEDEMANN, H., *Die Unternehmensgruppe im Privatrecht*, Tübingen, Mohr Siebeck, 1988.

# 39. Personas vinculadas del art. 231 LSC y personas especialmente relacionadas del art. 93 LC

**ANTONIO JOSÉ ORERO CLAVERO**

*Profesor Agregado Departamento de Derecho Privado*
*Universidad Católica de Valencia «San Vicente Mártir»*

## I. ANTECEDENTES LEGISLATIVOS DEL ART. 231 LSC Y DEL ART. 93 LC

La doctrina[1] ya ha advertido de la génesis común y contemporánea de ambos artículos recogidos respectivamente en dos textos legislativos dictados en julio del año 2003; uno en la reforma de la LSA con la *«Ley de Transparencia»*[2], donde se recogía el concepto de las *«personas vinculadas»*

---

[1] VICENT CHULIÁ, F., *Introducción al Derecho Mercantil*, Vol. 1, 1ª Ed., Tirant lo Blanch, 2010, pág. 604 en relación con el texto desarrollado en págs. 1679-1681; GUASCH MARTORELL, R., «El concepto de persona especialmente relacionada con el deudor en la ley concursal», *RDM*, n.° 254, 2004, págs. 1.417 y ss.; EMBID IRUJO, J. M., «Apuntes sobre los deberes de fidelidad y lealtad de los administradores de las sociedades anónimas desde la perspectiva del Derecho Español», *Advocatus*, N°. 17, 2007, págs. 57-84; BOLDÓ RODA, C., «Deber de evitar situaciones de conflicto de interés y personas vinculadas a los administradores: artículos 229 y 231», en VV.AA. (Coord. HERNANDO CEBRIÁ, L.) *Régimen de deberes y responsabilidad de los administradores en las sociedades de capital*, Wolters Kluwer, Hospitalet de Llobregat, 2015; QUIJANO GONZÁLEZ, J.; MAMBRILLA RIVERA, V., «Los deberes fiduciarios de diligencia y lealtad. En particular, los conflictos de interés y las operaciones vinculadas», *RdS*, 2006, pág. 970.

[2] Ley 26/2003, de 17 de julio, por la que se modifican la Ley 24/1988, de 28 de julio, del Mercado de Valores, y el texto refundido de la Ley de Sociedades Anó-

inicialmente en el art. 127.ter.5 de la LSA y, actualmente en el art. 231 de la LSC; otro, mediante la inclusión en el art. 93 LC[3] del concepto de «*personas especialmente relacionadas con el concursado*».

Precisamente el art. 231 LSC ha sido uno de los pocos artículos que no se ha visto afectado por la reforma operada por la Ley 31/2014, y se mantiene en su redacción anterior, si bien dicha reforma ha ampliado las referencias al concepto de «*personas vinculadas*» con la modificación de los arts. 225 y ss. de la LSC, enmarcados dentro del Capítulo III del Título VI de dicho texto normativo, bajo el nombre de «*Los deberes de los administradores*».

Así pues, los autores ponen de relieve el carácter coetáneo[4] y el paralelismo de ambas normas tomando como punto de partida el citado año 2003, que es cuando tiene reflejo en nuestro derecho positivo por primera vez la redacción de los arts. 92 y 93 de la LC, y cuando por tanto, se establece la excepción negativa de los créditos subordinados, como nueva categoría introducida para clasificar aquellos que merecen quedar postergados tras los ordinarios. En paralelo y norma aparte, la Ley de Transparencia en el marco de los deberes de lealtad de los administradores societarios, reconoce en el art. 127.ter.5 (actualmente 231 LSC) el concepto de personas vinculadas al administrador, a través de la enumeración de un elenco de supuestos, coincidente como decimos en buena medida, con el reflejado en el art. 93 LC, con el objeto de evitar situaciones de conflicto de intereses directo o indirecto[5], haciendo extensivos estos deberes y situaciones de conflicto de interés al elenco de sujetos vinculados al administrador.

---

nimas, aprobado por el Real Decreto Legislativo 1564/1989, de 22 de diciembre, con el fin de reforzar la transparencia de las sociedades anónimas cotizadas.

[3]    Ley 22/2003, de 9 de julio, Concursal.

[4]    En GUASCH MARTORELL, R., *El concepto de persona ...*, *op. cit.*, págs. 1.417 y ss., ya se señala que el carácter casi coetáneo de la reforma concursal con la ley de la transparencia, así como de la similitud aunque notables discrepancias de criterios respecto de las personas vinculadas a los administradores. Del análisis del *iter* parlamentario de la VII Legislatura encontramos otra similitud, pues en ninguno de los dos casos se encontraba prevista la inclusión de dicha norma —con el elenco de sujetos descritos— en el texto remitido como proyecto de ley por el Gobierno al Parlamento, y fue en el seno de la respectiva Comisión —Comisión de Economía y Hacienda para el caso de la Ley de Transparencia; Comisión de Justicia e Interior para el caso de la Ley Concursal— donde se introducen ambos textos normativos.

[5]    SÁNCHEZ CALERO, F., *Los Administradores en las Sociedades de Capital*, 2ª Ed., Thomson Civitas, Navarra, 2007, pág. 184. define el conflicto de intereses entre el administrador y la sociedad como la situación que se produce en el siguiente

Creemos no obstante oportuno, hacer una breve referencia a los antecedentes remotos que tanto de una como de otra norma existen en nuestro ordenamiento, acotando su estudio —por motivos de brevedad— a las más recientes reformas legislativas.

Encontramos que pese a esa elaboración contemporánea, ambos textos tienen una génesis bien distinta, a saber: mientras el concepto de personas vinculadas del art. 127.ter.5 de la LSA tiene claros antecedentes en normas de derecho positivo ya existentes con anterioridad al año 2003, los autores coinciden en señalar que el concepto de personas especialmente vinculadas del ámbito concursal no tiene precedente normativo alguno en nuestro derecho positivo. Es en el ámbito del derecho anglosajón donde se ha elaborado la doctrina de las *related person* en el desarrollo de las normas de gobierno corporativo, que ofrece una definición en la Model Business Corporation Act de la American Bar Assotiation, y en la Companies Act británica. De la relación allí contemplada, así como de la normativa alemana —a través de la doctrina de las *nahestehende Personen*[6] del art. 138 InsO.— se ha informado nuestro legislador a la hora de elaborar nuestros actuales 231 LSC y 93 LC.

---

supuesto: «*(…) el administrador es titular de un interés propio o de un tercero, que está en contradicción al interés social, de forma que la realización del interés del que es portador el administrador implique un perjuicio para el interés social*».

[6]     CUENA CASAS, M., «Algunas deficiencias de la ley concursal ante la insolvencia de la persona física», *RAD*, N° 7/2009, Aranzadi, Pamplona, 2009: «*(…) los nahestehende personen o sujetos cercanos que son, entre otros, el cónyuge del deudor o pareja de hecho (también cuando la pareja se haya disuelto con posterioridad al acto jurídico o en el año anterior a su realización) y sus parientes o del cónyuge o pareja de hecho en línea ascendente o descendente y hermanos de doble o simple vínculo del deudor o del cónyuge*»; FERRÉ FALCÓN, J., *Los créditos subordinados*, Aranzadi, 2006, pág. 71.:«*(…) En la cuestión más destacada de la nueva figura, la subordinación de los créditos de las personas cercanas, nuestro legislador no ha adoptado ninguno de los dos sistemas expuestos. Ni ha decidido, por un lado, dejar la decisión de subordinar en manos del juez sobre criterios atinentes al perjuicio causado a los acreedores —solución americana— ni ha querido, por otro, que la subordinación se decida en función de las necesidades de financiación interna del deudor —solución alemana. Por el contrario, nuestro legislador ha adoptado un sistema de subordinación automática de este tipo de créditos, basado en el tipo de relación que mantienen unos determinados acreedores con el deudor. Para la elaboración de esta solución, a través del art. 93 LC, nuestro legislador parece haberse inspirado, esta vez de modo más claro, en la redacción contenida en la ley alemana en concreto en el art. 138 InsO, en el cual, en sede de acciones de rescisión concursal, se establece la figura de las nahestehende personen (…)*»

Por lo que se refiere al ámbito concursal y del citado art. 93 LC no existe antecedente de derecho positivo al respecto[7], mientras que en el ámbito societario, podemos afirmar que el conflicto indirecto reflejado en el art. 127.ter.5 LSA sí que tiene claros antecedentes normativos en nuestro derecho positivo. Como tales antecedentes debemos citar el Reglamento (CE) Nº 1606/2002 del Parlamento Europeo y del Consejo de 19 de julio de 2002 relativo a la aplicación de normas internacionales de contabilidad[8]. Citado a su vez como antecedente en la Orden EHA/3050/2004, de 15 de septiembre, esta normativa comunitaria[9] impone a las sociedades cotizadas la obligación de hacer público con carácter anual un informe de gobierno corporativo en cuyo contenido mínimo habrán de figurar las operaciones

---

[7]   Debemos señalar que en el Anteproyecto de la Ley Concursal de 1959 no se preveía una medida similar, aunque en el ámbito de la integración de la masa se disponía que se pudiera pedir la nulidad de los actos simulados relacionados con actuaciones llevadas a cabo por el deudor con personas vinculadas a él mismo. En el Anteproyecto de 1983 tampoco se contenían normas de esta naturaleza, a excepción de determinadas normas relacionadas con la posición de los sujetos cercanos al deudor. Por último, en la Propuesta de Anteproyecto de Ley Concursal de 1995, se habla por primera vez de *personas especialmente relacionadas con el deudor* en el artículo 127, antecedente del actual artículo 93 LC, aunque la norma vigente difiere de la anterior en ciertos casos.

[8]   Reglamento (CE) Nº 1606/2002 del Parlamento Europeo y del Consejo de 19 de julio de 2002 relativo a la aplicación de normas internacionales de contabilidad. (Diario Oficial de las Comunidades Europeas de 11-09-2002. Págs. L 243/1 a L 243/4). La producción de normativa comunitaria en esta materia es amplia y debemos citar como última referencia normativa, el Reglamento (UE) 2016/1703 de la Comisión, de 22 de septiembre de 2016, que modifica el Reglamento (CE) n.° 1126/2008, por el que se adoptan determinadas Normas Internacionales de Contabilidad de conformidad con el Reglamento (CE) n.° 1606/2002 del Parlamento Europeo y del Consejo, en lo relativo a las Normas Internacionales de Información Financiera 10 y 12 y a la Norma Internacional de Contabilidad 28. (Diario Oficial de las Comunidades Europeas de 23-09-2016. págs. L 257/1 a L 257/7).

[9]   Además de esta normativa comunitaria, en el ámbito normativo interno, es relevante el antecedente de la reforma de la ley de Sociedades Anónimas de 1989, por la que se introduce la inicial redacción del art. 127 LSA, relativo a los deberes de diligencia de un ordenado empresario y de un representante leal. Posteriormente encontramos ya en la Ley 44/2002, de 22 de noviembre, de Medidas de Reforma del Sistema Financiero, esta figura de personas vinculadas en su art. 37, que emplea el término *transparencia de las operaciones vinculadas* para establecer los supuestos en que es preceptiva dar cuenta y advertir de dichas operaciones con *partes vinculadas* a fin de lograr una adecuada comprensión de los estados financieros de la sociedad.

vinculadas de la sociedad con sus accionistas y sus administradores y cargos directivos.

La doctrina de forma unánime coincide también en la influencia de textos no normativos en la génesis del art. 127.ter.5 de la LSA, y debemos enumerar —por orden cronológico— el Informe *«El Gobierno de las Sociedades Cotizadas»* de la Comisión Especial para el Estudio de un Código Ético de los Consejos de Administración de las Sociedades, de 26 de febrero de 1998 (Informe Olivencia)[10], la Propuesta de Código de Sociedades Mercantiles[11], y el *«Informe de la Comisión Especial para el fomento de la transparencia y seguridad en los mercados y en las sociedades cotizadas»*, de 8 de enero de 2003 (conocido como Informe Aldama)[12].

De este breve análisis de los antecedentes de ambos textos normativos comprobamos, que la coincidencia de sujetos entre ambas regulaciones obedece a la análoga condición y vínculo de alguno de estos sujetos en uno y otro texto normativo —como *persona vinculada* o *especialmente relacionada*— lo que en todo caso le supone a dicho sujeto una consecuencia negativa. El elenco de supuestos de vínculos o relaciones descritas implica siempre para el sujeto afectado una suerte de *«lista negra»*[13] por cuanto se sanciona de una u otra forma al sujeto allí incluido. En el ámbito concursal conlleva la postergación o subordinación de dichos créditos para sus titulares, mientras que en el ámbito societario cumple una finalidad preventiva[14]

---

[10]   Versión disponible en el portal web de la Comisión Nacional de Mercado de Valores. http://www.cnmv.es/DocPortal/Publicaciones/CodigoGov/govsocot.pdf

[11]   Comisión General de Codificación, Sección de Derecho Mercantil, Ministerio de Justicia, Madrid, 2002. Texto que fue aprobado el 16 de mayo de 2002.

[12]   Versión disponible en el portal web de la Comisión Nacional de Mercado de Valores. http://www.cnmv.es/DocPortal/Publicaciones/CodigoGov/INFORMEFINAL.PDF

[13]   El concepto de *«lista negra»* lo ha reflejado la doctrina en relación al art. 93 LC. Vid. YZQUIERDO TOLSADA, M., «Las personas especialmente relacionadas con el concursado» en ROJO, A.; CAMPUZANO, A. B. (Coord.) *Estudios jurídicos en memoria del profesor Emilio Beltrán. Liber Amicorum*, Tomo II, Ed. Tirant lo Blanch, Valencia, 2015, pág. 1756. *«(...) basta con que el acreedor se halle incluido en la amplia lista negra del art. 93 para que el crédito que ostenta contra el concursado se subordine, sin escapatoria posible (...)»*.

[14]   VICENT CHULIÁ, F., «Grupos de sociedades y conflictos de intereses» en *Estudios de Derecho Mercantil en Homenaje al Profesor José María Muñoz Planas*, Aranzadi, 2011, págs. 891-892.

o profiláctica[15], como remedio «*a priori*» para evitar situaciones de conflictos directos o indirectos de los administradores, con la prohibición de participar o votar en las decisiones en las que estén implicados tanto ellos personalmente, como a través de estas personas vinculadas.

Ambos textos provienen de figuras distintas, pues mientras la figura de la LC proviene de la postergación de créditos, la figura societaria proviene de las prohibiciones y obligaciones derivadas de los deberes de lealtad del administrador societario. La falta de antecedentes de la norma concursal, así como el desarrollo de las normas de transparencia en los Códigos de Buen Gobierno, particularmente en los Informes Aldama y Olivencia, nos invita a pensar que la normativa concursal se ha aprovechado de la trayectoria elaborada de las personas vinculadas y de los supuestos o grupos de vínculos, que venía elaborándose durante años en el ámbito del derecho societario —reglas de gobierno corporativo— y normas contables. Identificados en la normativa societaria y de contabilidad los tres grupos o supuestos de vinculación (por razón de parentesco, societaria o análoga a la administración), se extienden al ámbito concursal estos criterios para dar solución a uno de los supuestos de créditos subordinados que se establece «*ex novo*» en nuestro ordenamiento positivo.

## II. FUNCIÓN DE AMBOS TEXTOS NORMATIVOS

El objetivo de la regulación concursal es evitar, en la medida de lo posible, la erosión de las expectativas de satisfacción de los acreedores[16] externos del deudor, que no mantienen ni han mantenido relación alguna de

---

[15]   PORTELLANO DÍEZ, P., *El deber de los administradores de evitar situaciones de conflicto de interés*, Thomson Reuters, Pamplona, 2015, pág. 46. Este autor advierte hasta tres funciones en la LSC del actual régimen o sistema de los conflictos de interés: una admonitoria, otra de garantía y otra prohibitiva. Labor admonitoria del régimen de las situaciones de conflicto de interés que se da «*(…) gracias al esponjamiento de los supuestos más sobresalientes de conflicto de interés, ya todos los administradores quedan advertidos de lo que no pueden hacer (…)*». En el mismo sentido ALFARO, J., «La función profiláctica de la prohibición para los administradores sociales de actuar en conflicto de interés», Disponible en http://almacendederecho.org/la-funcion-profilactica-las-normas-prohiben-actuar-los-administradores-sociales-cuando-sufren-conflicto-interes/

[16]   El concurso de acreedores tiene precisamente por fundamento eliminar la arbitrariedad, de tal forma que todos los acreedores vean tutelados sus derechos en la misma medida, evitando así que el deudor pueda primar los intereses de unos

afectividad, parentesco o vinculación societaria o empresarial. El principio que rige es el de la *«par conditio creditorum»*, que se protege de las *«personas especialmente vinculadas»* al deudor concursado.

En lo referente a los créditos subordinados, la propia norma en su exposición de motivos explica el sentido de las citadas excepciones negativas; bien por razón de su tardía comunicación, bien por pacto contractual, bien por su carácter accesorio (intereses), bien por su naturaleza sancionadora (multas) o, en lo que aquí nos interesa, por la condición personal de sus titulares (personas especialmente relacionadas con el concursado o partes de mala fe en actos perjudiciales para el concurso). La relación de *«personas especialmente relacionadas con el concursado»* la desarrolla la LC como decimos, en el listado de sujetos descritos en el art. 93 LC. Los titulares de estos créditos subordinados carecen de derecho de voto en la junta de acreedores y, en caso de liquidación, no podrán ser pagados hasta que hayan quedado íntegramente satisfechos los ordinarios. Además, el carácter de las *«personas especialmente relacionadas»* del ámbito concursal no sólo es relevante en el ámbito citado de los créditos privilegiados, sino que su calificación conlleva otras consecuencias jurídicas —siempre negativas— dentro del concurso[17]. En relación al art. 93 LC, se ha criticado por la doctrina su carácter de automatismo legal[18], por no tomar en considera-

---

      frente a los de otros. BELTRÁN, E., en URÍA y MENÉNDEZ, *Curso de Derecho Mercantil*, Tomo 2, 2ª Ed., Aranzadi, Cizur Menor, 2007, págs. 895 y 896.

[17]  Si bien la calificación como crédito subordinado es la consecuencia inicialmente prevista en la norma por el hecho de ser personas especialmente relacionadas con el deudor concursado, en otros apartados de la LC encontramos referencias que como decimos, en todo caso son siempre negativas, para el supuesto de ser calificado como *persona especialmente relacionada.* Así, el art. 28 LC establece dicha circunstancia como incompatibilidad para poder ser nombrado administrador concursal. De igual forma el art. 71.3.1º en el ámbito de las acciones de reintegración, prevé una presunción *iuris tantum* sobre la existencia de perjuicio patrimonial contra las personas especialmente relacionadas con el deudor concursado, siendo por tanto rescindibles dichos actos realizados por el deudor dentro de los dos años anteriores a la fecha de declaración del concurso, *aunque no hubiere existido intención fraudulenta.*

[18]  VALPUESTA GASTAMINZA, E., «Comentario al art. 93 LC» en VV.AA. (Dir. CORDÓN MORENO, F.) *Comentario a la Ley Concursal*, Aranzadi, Cizur Menor, 2004. págs. 738-739 quien expone *«(...) Compartimos básicamente la crítica al automatismo, máxime si tenemos en cuenta la enorme amplitud de las personas afectadas por el art. 93 LCon.(...)»*, y señala que *«(...) un criterio de justicia debe estar más atento a indagar cada caso en concreto que a optar por la vía fácil del automatismo (...)».* FERRÉ FALCÓN, J. *Los créditos subordinados..., op. cit.* entiende por el contrario acertada la

ción la conducta llevada a cabo por el acreedor, sino exigir simplemente la vinculación personal del deudor[19]. En cuanto al fundamento de dicha exclusión se ha pronunciado algún autor entendiendo que toma su base de la sanción por poseer información privilegiada[20] de unos frente a otros en el ámbito de una ejecución colectiva.

Por su parte, el art. 231 LSC extiende los deberes fiduciarios[21] a los actos y actividades realizadas con un círculo de sujetos enmarcados bajo la denominación de «*personas vinculadas*». La norma se redacta como una suerte de «*disposiciones comunes*»[22] a los deberes de los administradores —particu-

---

opción de automatización que se refleja en el art. 93 LC, por cuanto ofrece una mayor seguridad a los operadores jurídicos y evita la litigiosidad. FERRÉ FALCÓN, J. *Los créditos subordinados…, op. cit.*

[19] ALONSO LEDESMA, C., en VV.AA. *Comentarios a la Legislación Concursal* (Dir. PULGAR EZQUERRA, J.; ALONSO LEDESMA, C.; ALONSO UREBA, A. y ALCOVER GARAU, G.), Dykinson, Madrid, 2004, pág. 929 señala que «*(…) a diferencia de otros ordenamientos en los que la subordinación se concibe como una reparación del daño (finalidad indemnizatoria) que ocasiona a la colectividad la actuación dolosa del sujeto (…) en la LC la subordinación tiene un claro matiz sancionador al no partir del dolo, ni siquiera de la actuación culposa del sujeto (como en el derecho norteamericano) ni establecer supuestos concretos en los que puede presumirse que esa conducta existe (caso de de infracapitalización, como en el Derecho alemán), sino simplemente por el mero hecho de que los titulares de los créditos estén en esa situación de proximidad con el deudor, con tal independencia de cuál haya sido su conducta o de en qué condiciones se hayan otorgado esos créditos*».

[20] Vid. en contra GARRIDO GARCÍA, J. Mª., «Comentario al art. 93 LC» en VV.AA., *Comentario de la Ley Concursal* (Dir. ROJO, A.; BELTRÁN, E.), Tomo I, Civitas, Madrid, 2004, pág. 1674: «*(…) el fundamento de la subordinación de las persona especialmente relacionadas es la sospecha de su influencia o de su conocimiento de las actividades del concursado*». En el mismo sentido FERRÉ FALCÓN, J. *Los créditos subordinados… op. cit.*, pág. 324, que señala idéntico criterio en la legislación alemana de las *nahestende Personen* descritas en el art. 138 InsO., definidas como aquellas personas que «*(…) en el momento en el que se llevó a cabo el acto jurídico impugnable, tenían, por razones personales, societarias o análogas, una especial posibilidad de acceder a la información sobre las condiciones económicas del deudor y, a través de esta información, llevar a cabo un acto junto con el deudor en perjuicio de los acreedores de éste (…)*»; VEIGA COPO, A., «Los créditos subordinados en la ley concursal», *RDBB*, nº 102, abril-junio 2006, quien critica dicha presunción pues debe permitir prueba en contrario.

[21] PAZ-ARES, C., «La responsabilidad de los administradores como instrumento de gobierno corporativo», *In Dret*, nº 162, 2003: «*(…) el régimen de responsabilidad de los administradores ha de configurarse de modo que sea tan severo con las infracciones del deber de lealtad como indulgente con las infracciones del deber de diligencia.*»

[22] El artículo 231 LSC comienza así: «*A efectos de los artículos anteriores (…)*»

larmente al deber de lealtad—[23] señalados en los arts. 225 y ss. de la LSC. El conflicto de intereses existente entre sociedad y administrador también se debe evitar tanto si se presenta de forma directa o indirecta, esto es, entre sociedad y una persona vinculada al administrador. Existe una presunción de que el administrador podría inclinarse por favorecer el interés de las personas vinculadas por encima del interés de la sociedad, y de ahí que se les apliquen a las personas vinculadas las mismas prohibiciones y prevenciones[24] que se le exigen a los administradores[25].

De la comparación de ambos textos —el art. 231 LSC y el 93 LC— advertimos aparentemente, disciplinas y listados ajenos en cuanto al fondo y motivación[26], pero con demasiadas analogías en su forma como para despreciar, como pretendemos, un análisis comparado.

---

[23] La reforma de 2014 también introduce una nueva redacción del art. 226 LSC relativo al deber de diligencia, e introduce un segundo párrafo en el que también vincula dicho deber con las personas vinculadas al administrador del art. 231 LSC. El artículo 226 LSC acoge legalmente, por primera vez en nuestro Derecho, el denominado principio de discreción empresarial (*business judgment rule*), estableciendo determinados elementos para que las decisiones estratégicas empresariales, con independencia de su resultado final para la sociedad, se entiendan correctamente adoptadas de conformidad con la diligencia exigible a los administradores. La presunción de diligencia del art. 226 LSC exige que dichos actos no se realicen con las personas vinculadas descritas en el art. 231 LSC. Existe pues, un distinto tratamiento de la negligencia y la lealtad según la consecuencia jurídica que el incumplimiento de estos deberes produce en cada caso. GARCÍA DE ENTERRÍA, J., «Los deberes de conducta de los administradores. Deber de diligencia y deber de lealtad», *Reforma de la Ley de Sociedades de Capital en Materia de Gobierno Corporativo*, Aranzadi, Cizur Menor, 2015, pág. 63.

[24] PAZ-ARES, C., «Anatomía del deber de lealtad», *Actualidad jurídica Uría Menéndez*, Nº. 39, 2015. págs. 43-65. El conjunto de deberes de lealtad de los administradores se establecen para mejorar la calidad de nuestro sistema de gobierno corporativo, del que *no necesitamos* (tanto) *regulaciones de estructura (competencias, órganos, procedimientos, burocracia, etc.).(cuanto) Necesitamos normas de conducta*.

[25] PORTELLANO DÍEZ, P., *El deber de los administradores...*, op. cit., pág. 55.: «(...) *Lo que tiene prohibido el administrador es tanto instrumentalizar los sujetos del 231 LSC en calidad de meras personas interpuestas como dejarse utilizar por esas mismas personas para poner en práctica alguna de las conductas descritas por el artículo 229.1 LSC (...)*».

[26] FERRÉ FALCÓN, J., *Los créditos subordinados...*, op. cit., pág. 361. El autor refiere las ventajas de obtener información sobre la futura situación de insolvencia y en su caso beneficiar a los sujetos especialmente relacionados en su posición en el concurso, a fin de perjudicar a la masa de acreedores, lo que impide que concurran en situación de igualdad con el resto de acreedores externos en el reparto que se pudiera dar del patrimonio concursal.

Comprobamos pues, que el objeto de protección es distinto en uno y otro caso, pues si bien en el texto societario se persigue la defensa del interés social, y en consecuencia, serán también personas vinculadas aquéllas cuya relación con el administrador conlleva un conflicto de interés con los intereses de la sociedad, en el ámbito concursal el intereses protegido es la tutela del crédito[27], concretamente las expectativas de satisfacción de los acreedores externos del deudor concursado[28], incluyendo a las personas con especial relación por razón de la información, del control o influencia sobre la sociedad. La doctrina americana los denomina con el término *insider*[29], esto es, quien por su especial relación con el deudor, tiene o es conocedor de su situación financiera.

Por tanto, mientras la sociedad mantiene su situación de solvencia, se entiende que el interés prioritario es el social, pero una vez la empresa deviene insolvente los intereses de los socios pierden esa posición central para ser reemplazados por los intereses de los acreedores a la tutela de su crédito[30].

Sin embargo, a pesar de regular ambas normas supuestos de hechos distintos comprobamos que, en uno y otro caso, pretenden establecer un mecanismo de protección a través de presunciones para la prevención frente a la existencia de un beneficio indirecto —bien para el administrador, bien para el concursado— lo que es motivación y argumento común a ambos textos[31]. Ambas normas extienden la consecuencia jurídica —sancionado-

---

[27]  La Ley Concursal persigue otros fines, tales como el mantenimiento de la empresa en funcionamiento, la conservación del tejido industrial, o la rehabilitación del deudor persona física. MOYA BALLESTER, J., «Los deberes fiduciarios impuestos a la administración concursal», *RDCP*, Nº 24, 2016. «(...) *Sin embargo es necesario señalar que la tutela del crédito tiene un carácter principal y por ello viene a encarnar de forma principal la noción de interés concursal (...)*».

[28]  El fundamento de este supuesto, mediante el que se extiende la condición de persona especialmente vinculada al concursado parte de una premisa: la amenaza de la insolvencia del deudor, ante lo cual la persona especialmente relacionada busca sustraerse a los efectos negativos que la ley atribuye a esa condición mediante la interposición de un tercero que carezca de la condición de persona especialmente vinculada al acreedor concursado. Vid. GARRIDO GARCÍA, J. Mª., *Comentario al art. 93 LC...*, *op. cit.*, pág. 1680.

[29]  Ver art. 101.31 U.S. Code: Title 11 - BANKRUPTCY.

[30]  MOYA BALLESTER, J., *La responsabilidad de los administradores de sociedades en situación de crisis*, Madrid, 2010, pág. 287 y ss.

[31]  FERRÉ FALCÓN, J., *Los créditos subordinados...*, *op. cit.*, pág. 363.: «(...) *una de las finalidades de la norma es evitar que el deudor, a través del acto llevado a cabo con una de*

ra— a un listado de sujetos por razón del vínculo, que no sólo se basa en las relaciones de parentesco o de convivencia de hecho, sino que, en caso de persona jurídica, se extiende a socios así como a los administradores de derecho o de hecho, a los liquidadores y a las sociedades del mismo grupo. En todo caso y esto es propio de la legislación concursal, la clasificación afecta también a los cesionarios o adjudicatarios de créditos pertenecientes a personas especialmente relacionadas con el concursado si la adquisición se produce dentro de los dos años anteriores a la declaración de concurso[32].

Con la tipificación de un elenco de sujetos vinculados o relacionados se pretende en uno y otro caso, dar respuesta a una necesidad de transparencia, evitando situaciones de fraude de ley que se podrían producir mediante la interposición de estos terceros sujetos vinculados. En este sentido, se procede a identificar los supuestos de vinculación —bien por parentesco, bien por relaciones societarias, bien por analogía— para circunscribir a los mismos la eficacia sancionadora de la norma.

## III. COMPARATIVA DEL ELENCO DE SUPUESTOS CONTEMPLADOS EN LA NORMA SOCIETARIA Y LA NORMA CONCURSAL

La doctrina[33] viene agrupando en tres categorías todos los supuestos de personas vinculadas o especialmente relacionadas, por razón de vínculos familiares, societarios y finalmente, figuras equiparables al administrador como el administrador de hecho, liquidador y apoderado general. Podemos pues, establecer el siguiente paralelismo entre el art. 93 LC y 231 LSC.

---

*sus personas cercanas, pueda acabar disfrutando del bien objeto de la disposición, siquiera indirectamente (…)».*

[32]   Esta presunción *iuris tantum* o «*norma de cierre*» que se contiene en la norma concursal y no en la societaria, es la que separa a ambos conceptos. GÓRRIZ LÓPEZ, C., «El deber de lealtad de los administradores de las sociedades de capital. (arts. 226 a 231 LSC)». *Estudios de Derecho Mercantil. En memoria del Profesor Aníbal Sánchez Andrés*, Aranzadi, Cizur Menor, 2010, pág. 693.

[33]   BOLDÓ RODA, C., «*Deber de evitar situaciones…*», *op. cit.*, pág. 272.

| 231 LSC/127 ter. 5 LSA | 93 LC |
|---|---|
| 1. ADMINISTRADOR PERSONA FÍSICA | 1. ADMINISTRADOR PERSONA FÍSICA |
| *a.- situaciones de parentesco*<br>(i) El cónyuge del administrador o las personas con análoga relación de afectividad. | *a.- situaciones de parentesco*[34]<br>(i) El cónyuge del concursado o quién lo hubiera sido dentro de los dos años anteriores a la declaración de concurso, su pareja de hecho inscrita o las personas que convivan con análoga relación de afectividad o hubieran convivido habitualmente con él dentro de los dos años anteriores a la declaración de concurso. |
| (ii) Los ascendientes, descendientes y hermanos del administrador o del cónyuge del administrador. | (ii) Los ascendientes, descendientes y hermanos del concursado o de cualquiera de las personas a que se refiere el número anterior. |
| (iii) Los cónyuges de los ascendientes, de los descendientes y de los hermanos del administrador. | (iii) Los cónyuges de los ascendientes, de los descendientes y de los hermanos del concursado. |
| *b.- situación de naturaleza societaria*<br>Las sociedades en las que el administrador, por sí o por persona interpuesta, se encuentre en alguna de las situaciones contempladas en el apartado primero del artículo 42 del Código de Comercio. | *b.- situación de naturaleza societaria*<br>(i) Las personas jurídicas controladas por el concursado o por las personas citadas en los números anteriores o sus administradores de hecho o de derecho. Se presumirá que existe control cuando concurra alguna de las situaciones previstas en el artículo 42.1 del Código de Comercio.<br>(ii) Las personas jurídicas que formen parte del mismo grupo de empresas que las previstas en el número anterior.<br>(iii) Las personas jurídicas de las que las personas descritas en los números anteriores sean administradores de hecho o de derecho. |

---

[34]   En contra de la consideración de los parientes como personas especialmente relacionadas —del análisis comparativo con el art. 93 LC— vid. ALONSO LEDESMA, C., en *Comentarios a la Legislación Concursal...*, *op. cit.*, pág. 932. «*(...) resulta difícil de admitir que la sola relación de parentesco, excluyendo, quizás, el cónyuge o quien conviva habitualmente con el deudor con relación de afectividad, aún sin mediar ningún vínculo jurídico, transforme al pariente en un insider, en un enterado o conocedor de la situación financiera del deudor al que intenta favorecer en perjuicio de sus acreedores*».

| 231 LSC/127 ter. 5 LSA | 93 LC |
| --- | --- |
| 2. ADMINISTRADOR PERSONA JURÍDICA <br> (i) Los socios que se encuentren, respecto del administrador persona jurídica, en alguna de las situaciones contempladas en el apartado primero del artículo 42 del Código de Comercio. | 2. ADMINISTRADOR PERSONA JURÍDICA <br> (i) Los socios que conforme a la ley sean personal e ilimitadamente responsables de las deudas sociales[35] y aquellos otros que, en el momento del nacimiento del derecho de crédito, sean titulares directa o indirectamente de, al menos, un 5 por ciento del capital social, si la sociedad declarada en concurso tuviera valores admitidos a negociación en mercado secundario oficial, o un 10% si no los tuviera. Cuando los socios sean personas naturales, se considerarán también personas especialmente relacionadas con la persona jurídica concursada las personas que lo sean con los socios conforme a lo dispuesto en el apartado anterior. |
| *c. -Situaciones análogas a las del administrador societario.* <br> (ii) Los administradores, de derecho o de hecho, los liquidadores, y los apoderados con poderes generales del administrador persona jurídica. | *c.- Situaciones análogas a las del administrador societario.* <br> (ii) Los administradores, de derecho o de hecho, los liquidadores del concursado persona jurídica y los apoderados con poderes generales de la empresa, así como quienes lo hubieren sido dentro de los dos años anteriores a la declaración de concurso[36]. |

---

[35]    GARRIDO GARCÍA, J. Mª., *Comentario al art. 93 LC...*, *op. cit.*, pág. 1677.: «*Los socios de responsabilidad ilimitada son los socios de las sociedades civiles (art. 1689 CC) y de las sociedades colectivas (art. 127 C. de Co.), los socios colectivos de las sociedades comanditarias simples (art. 148 C. de Co.) y por acciones (art. 151 C. de Co.), y los socios de las Agrupaciones de Interés Económico (art. 5 LAIE). También habrá de incluirse a los socios de las sociedades irregulares (art. 16 LSA). Del mismo modo, quedarán comprendidos aquéllos supuestos de responsabilidad ilimitada que estén fijados, expresamente por la Ley, como por ejemplo, el del socio comanditario que incluyese su nombre en la razón social (art. 147 C. de Co.) (...)*».

[36]    Los acreedores que hayan capitalizado directa o indirectamente todo o parte de sus créditos en cumplimiento de un acuerdo de refinanciación adoptado de conformidad con el artículo 71 bis o la disposición adicional cuarta, de un acuerdo extrajudicial de pagos o de un convenio concursal, y aunque hayan asumido cargos en la administración del deudor por razón de la capitalización, no tendrán la consideración de personas especialmente relacionadas con el concursado a los efectos de la calificación de los créditos que ostenten contra el deudor como

| 231 LSC/127 ter. 5 LSA | 93 LC |
|---|---|
| (iii) Las sociedades que formen parte del mismo grupo y sus socios.<br>(iv) Las personas que respecto del representante del administrador persona jurídica tengan la consideración de personas vinculadas a los administradores de conformidad con lo que se establece en el párrafo anterior. | (iii) Las sociedades que formen parte del mismo grupo que la sociedad declarada en concurso y sus socios comunes, siempre que éstos reúnan las mismas condiciones que en el número 1.º de este apartado.<br>(iv) Salvo prueba en contrario, se presumen personas especialmente relacionadas con el concursado los cesionarios o adjudicatarios de créditos pertenecientes a cualquiera de las personas mencionadas en los apartados anteriores, siempre que la adquisición se hubiere producido dentro de los dos años anteriores a la declaración de concurso. |

De la comparación de ambos artículos —231 LSC y 93 LC— podemos extraer las siguientes personas vinculadas que no aparecen en el 231 LSC. Según el carácter con el que se entienda la redacción del citado artículo —taxativo[37] o ejemplificativo— podríamos extender o no por aplicación analógica los sujetos contemplados en la LC, a fin de ampliar o en su caso, restringir sobre el principio de seguridad jurídica, el elenco de sujetos enunciados. Siguiendo la anterior clasificación podemos señalar los siguientes:

## 1. *Supuestos por razón de parentesco*

Respecto del administrador persona física, destaca la inclusión en la LC no sólo del cónyuge actual o persona con análoga relación de afectividad, sino que también se contempla como tal en la legislación concursal a quien

---

consecuencia de la refinanciación que le hubiesen otorgado en virtud de dicho acuerdo o convenio. Tampoco tendrán la consideración de administradores de hecho los acreedores que hayan suscrito un acuerdo de refinanciación, convenio concursal o acuerdo extrajudicial de pagos por las obligaciones que asuma el deudor en relación con el plan de viabilidad salvo que se probase la existencia de alguna circunstancia que pudiera justificar esta condición.

[37] GARRIDO GARCÍA, J. Mª., *Comentario al art. 93 LC…*, *op. cit.*, pág. 1671 «*La lista está limitada a los sujetos enumerados y resulta inalterable por circunstancias ajenas. La Ley busca alcanzar un alto grado de rigor y de seguridad jurídica y por ello ha evitado los conceptos jurídicos indeterminados.*» Respecto al carácter restringido del elenco del art. 127.ter.5 LSA ver VICENT CHULIÁ, F.,«Grupos de sociedades y conflictos de intereses». *Estudios de Derecho Mercantil en Homenaje al Profesor José María Muñoz Planas*, Aranzadi, 2011, págs. 891-892.

lo fuera en los dos años anteriores a la declaración del concurso. Se añade en este sentido el componente de la mutabilidad de la condición de cónyuge del concursado, ampliándolo al que lo hubiera sido en los dos años anteriores. También las personas que hayan convivido habitualmente con el concursado —hermanos y demás familiares— en los dos años anteriores a la declaración del concurso. Si el criterio determinante fuera pues, la convivencia en un hogar común, deberían tomarse en consideración todos aquellos supuestos de separación de hecho y de cese efectivo de la convivencia[38].

Lo cierto sin embargo es, que la tendencia del legislador en este sentido ha sido la de reformar con un claro ánimo taxativo los sujetos que se contienen en el art. 93 LC.

En efecto, el artículo 93 LC ha sido modificado por la Ley 38/2011[39], de 10 de octubre, delimitando en dicha reforma el legislador aún más los supuestos de *personas especialmente relacionadas con el deudor concursado*, concretando en el supuesto del cónyuge del concursado, que también se debe entender por aquél, «*(…) su pareja de hecho inscrita o las personas que convivan con análoga relación de afectividad o hubieran convivido habitualmente con él dentro de los dos años anteriores a la declaración de concurso.(…)*». El legislador —mediante la inclusión de la pareja de hecho inscrita, que equipara en la reforma a la del matrimonio— procede a la concreción taxativa de estos supuestos, lo que llevaría necesariamente a una concepción de númerus clausus de dichos preceptos y en lo que aquí nos interesa del contraste de ambos preceptos, a extender dicho requisito —la inscripción en el registro de parejas de hecho— a los supuestos de personas vinculadas del art. 231.1.a) LSC. Esta idea de numerus clausus del art. 93 LC ya ha sido ratificada por la jurisprudencia. La polémica pues, sobre el carácter taxativo o ejemplificativo del art. 93 LC parece cerrada con los pronunciamientos jurisprudenciales del TS de fecha 2 de junio de 2015, Sentencia 290/2015

---

[38]  GUASCH MARTORELL, R., *El concepto de persona…*, *op. cit.* pág. 1421, apuesta por una concepción abierta *numerus apertus* de la relación de personas que se contienen en el art. 93 LC, y en el caso concreto del apartado primero, amplía dicha referencia no sólo a los supuestos del que hubiera sido cónyuge en los dos años anteriores, sino también a todos los otros supuestos en los que, pese a no haberse producido una ruptura del vínculo conyugal (nulidad, divorcio o defunción), se mantuviera el mismo. Interpretación que afecta pues también a las situaciones de separación de hecho o de derecho entre los miembros de la pareja.

[39]  Ley 38/2011, de 10 de octubre, de reforma de la Ley 22/2003, de 9 de julio, Concursal.

*(Tol 5190913)*[40] y Sentencia 289/2015 de 2 Jun. 2015 *(Tol 5199619)*[41], dictados en torno a la consideración del concepto de personas especialmente vinculadas del socio persona física.

## 2. *Supuestos de vínculos societarios*

En este supuesto se advierte, del contraste entre ambas normas, que la causa para establecer dicho vínculo radica en el control que una de las sociedades ostente sobre la otra, haciéndolo explícito el texto concursal. Por razón de las relaciones societarias, la LC extiende el concepto de personas vinculadas no sólo las sociedades dominantes, sino incluso sus socios cuando sean personal e ilimitadamente responsables[42] (socio colectivo) y los que al menos posean un 5% del capital social cuando fuera cotizada,

---

[40]  «(...) *Siendo el concursado, persona natural, las únicas personas especialmente relacionadas con ella son las mencionadas en el art. 93.1 LC. La LC incluye una relación de sujetos que se encuentran vinculados por una relación especial al deudor, sea éste una persona natural (art. 93.1 LC) o una persona jurídica (art. 93.2 LC). La enumeración, tanto en uno u otro supuesto, es taxativa y cerrada, introduciendo presunciones iuris et de iure, de modo que cualquier sujeto incluido en la relación tendrá la consideración de persona especialmente relacionada; pero, del mismo modo, un sujeto no incluido en la relación no tendrá esta condición de persona especialmente relacionada con el deudor, pues la lista está limitada a los sujetos allí relacionados de forma inalterable, como único recurso para alcanzar un alto grado de rigor y de seguridad jurídica, evitando conceptos jurídicos indeterminados y, dado el carácter excepcional del precepto por sus consecuencias jurídicas que entraña la subordinación de los créditos, no caben interpretaciones analógicas.(...).*

[41]  En la misma se reitera que: «(...) *Siendo el concursado persona natural, las únicas personas especialmente relacionadas con ella son las mencionadas en el art. 93.1 LC. La LC incluye una relación de sujetos que se encuentran vinculados por una relación especial al deudor, sea éste una persona natural (art. 93.1 LC) o una persona jurídica (art. 93.2 LC). La enumeración, tanto en uno u otro supuesto, es taxativa y cerrada, introduciendo presunciones iuris et de iure, de modo que cualquier sujeto incluido en la relación tendrá la consideración de persona especialmente relacionada; pero, del mismo modo, un sujeto no incluido en la relación no tendrá esta condición de persona especialmente relacionada con el deudor, pues la lista está limitada a los sujetos allí relacionados de forma inalterable, como único recurso para alcanzar un alto grado de rigor y de seguridad jurídica, evitando conceptos jurídicos indeterminados y, dado el carácter excepcional del precepto por sus consecuencias jurídicas que entraña la subordinación de los créditos, no caben interpretaciones analógicas (...)»*

[42]  En derecho comparado se cita el art. 138.II.1 de la *Insolvenzordnung* alemana, que cita a los socios personalmente responsables del deudor; o al art. 49.2, letra a), del *Código da Insolvência e da Recuperação de Empresas* en Portugal, que habla de los «*sócios, asociados ou membros que respondam legalmente pelas suas dívidas*».

o un 10% si no tuviera valores admitidos a negociación en un mercado secundario oficial. De nuevo el carácter más concreto del texto concursal nos invita a extender sus efectos para la interpretación restrictiva de la norma societaria. Ésta remite a los parámetros de los grupos de sociedades establecidos en el art. 42 del C.de Co., mientras que la norma concursal afina los supuestos de control en porcentajes concretos, refiriendo dicha condición a aquellos socios que sean titulares de, al menos un 5 % del capital social, si la sociedad fuera cotizada, o un 10% si no lo fuera. Cuando los socios sean personas naturales, se considerarán también personas especialmente relacionadas con la persona jurídica concursada las personas que lo sean con los socios conforme a lo dispuesto en el apartado primero[43] antes expuesto.

En el mismo sentido señalado en el apartado anterior, por razón de la reforma operada por la Ley 38/2011 sobre el art. 93 LC, se establece otra definición más exacta y acotada de los socios como personas especialmente relacionadas cuando el concursado se trate de una persona jurídica. Esta definición entendemos debería ser extensiva al art. 231.2.a) LSC.

### 3. Supuestos de relaciones análogas a las del administrador societario

En cuanto a las relaciones análogas a la del administrador —apoderado general, liquidador y administrador de hecho— se extiende en la legislación concursal el concepto de personas especialmente vinculadas también a todos aquéllos que lo hubieran sido en los dos años anteriores a la declaración del concurso.

Todos estos sujetos se agrupan por la doctrina[44] en la llamada calificación por inclusión, que conlleva una presunción *iuris et de iure*, frente a la llamada calificación por extensión, que admite una presunción *iuris tantum*. En este segundo grupo se consideran personas especialmente vinculadas según la LC, los cesionarios y adjudicatarios de créditos pertenecien-

---

[43]  *Sesenta y cuatro. Se modifican el número 1.º del artículo 93.1 y el número 3.º del artículo 93.2:*
*«1.º El cónyuge del concursado o quién lo hubiera sido dentro de los dos años anteriores a la declaración de concurso, su pareja de hecho inscrita o las personas que convivan con análoga relación de afectividad o hubieran convivido habitualmente con él dentro de los dos años anteriores a la declaración de concurso».*
*«3.º Las sociedades que formen parte del mismo grupo que la sociedad declarada en concurso y sus socios comunes, siempre que éstos reúnan las mismas condiciones que en el número 1.º de este apartado.»*

[44]  GARRIDO GARCÍA, J. Mª., *Comentario al art. 93 LC...*, *op. cit.*, págs. 1669-1680.

tes a cualquiera de las personas mencionadas en los apartados anteriores, siempre que la adquisición se hubiere producido dentro de los dos años anteriores a la declaración de concurso. La finalidad de esta regla es evitar que a través de la transmisión de créditos a terceros se burle la aplicación del tratamiento concursal reservado a los créditos de las personas especialmente relacionadas con el deudor. A diferencia de la relación de personas señaladas en el art. 231 LSC, vemos que en la LC se transmite la condición de persona especialmente relacionada con el concursado, al tiempo que se transmite el crédito, de modo que el adquirente queda «contaminado»[45].

De nuevo la reciente reforma de la LC operada por el RD-L 4/2014[46], da una nueva redacción al art. 93, concretando de nuevo el ámbito de las personas especialmente vinculadas al concursado, y admitiendo únicamente en un supuesto la posibilidad de establecer prueba en contrario, lo que implica que en el resto de supuestos nos encontramos ante una presunción *iuris et de iure*. En efecto, el nuevo inciso en el artículo 93.2.1°[47] de la LC permite la prueba en contrario como medida de protección de los acreedores que hayan suscrito un acuerdo de refinanciación de los previstos en el artículo 71 bis o en la disposición adicional cuarta de la norma. De manera que el solo contenido de esas obligaciones, aisladamente considerado, no puede dar lugar a que los acreedores sean considerados administradores de hecho y, por tanto, personas especialmente relacionadas con el deudor, en caso de que éste sea finalmente declarado en concurso.

Del contraste entre ambas normas comprobamos pues, que si bien la norma societaria ha mantenido su redacción originaria[48], la norma concursal ha sufrido varias modificaciones legislativas restringiendo en alguno de los casos el elenco de sujetos y el concepto de personas especialmente rela-

---

[45]   Ibídem. pág. 1672.
[46]   Real Decreto-ley 4/2014, de 7 de marzo, por el que se adoptan medidas urgentes en materia de refinanciación y reestructuración de deuda empresarial.
[47]   *Nueve. El número 2.° del apartado 2 del artículo 93 queda redactado en los siguientes términos: «2.° Los administradores, de derecho o de hecho, los liquidadores del concursado persona jurídica y los apoderados con poderes generales de la empresa, así como quienes lo hubieren sido dentro de los dos años anteriores a la declaración de concurso. Salvo prueba en contrario, no tendrán la consideración de administradores de hecho los acreedores que hayan suscrito el acuerdo de refinanciación previsto por el artículo 71 bis o la disposición adicional cuarta, por las obligaciones que asuma el deudor en relación con el plan de viabilidad.»*
[48]   Avanzamos ya aquí nuestra opinión en contra de la actual redacción del 231 LSC. No sólo por razones de forma y deficiente técnica, sino por pretensión inalcanzada de abarcar todos los supuestos de vínculos.

cionadas. La coincidencia de sujetos entre ambas regulaciones —societaria y concursal— es parcial, pero aún así podemos realizar una interpretación restrictiva de la norma societaria a partir de las reformas operadas en la normativa concursal. Dado el carácter sancionador del elenco de supuestos contemplados, sobre el principio de seguridad jurídica y mientras se mantenga la redacción del texto sobre este formato de tipos, sólo deberíamos extraer de la comparación de ambos una interpretación restrictiva sobre la norma societaria.

## IV. CONCLUSIONES

1.- Es comúnmente aceptado por la doctrina el carácter contemporáneo así como el paralelismo existente entre las normas objeto de la presente comunicación: el art. 93 de la LC y el actual art. 231 LSC (antes art. 127. ter.5 LSA). Ambas normas se introducen en nuestro ordenamiento en julio de 2003 bien por la LC, bien por la *Ley de Transparencia.*

2.- La ausencia de normas de derecho positivo previas en el ámbito del derecho concursal sobre la disciplina de las personas especialmente relacionadas con el deudor ha sido suplida gracias al desarrollo y la elaboración del concepto de las personas vinculadas que se venía realizando por normativas societarias —a través de los Principios de Gobierno Corporativo— y contables, donde se han clasificado en tres grandes grupos los supuestos de vínculos: por razón del parentesco, por razones societarias y por supuestos análogos a los del administrador societario.

3.- A su vez, nuestra normativa societaria y contable se ha informado del derecho anglosajón y alemán para elaborar el concepto de personas vinculadas o relacionadas reflejadas respectivamente, en el art. 231 LSC y 93 LC. Del derecho anglosajón destaca la doctrina de las *related person* que ofrece una definición en la Model Business Corporation Act, así como la figura del *insider.* Por otra parte, del derecho alemán destacamos la doctrina de las *nahetehende personen* de la InsO alemana.

4.- La coincidencia de sujetos entre ambas regulaciones —societaria y concursal— es parcial, y obedece sólo a la análoga condición del vínculo de estos sujetos en uno y otro texto normativo, pues ambos provienen de presupuestos distintos y cumplen finalidades dispares, siendo en todo caso común la consecuencia negativa para el sujeto relacionado o vinculado. Mientras la norma concursal trae causa de la postergación de créditos, la norma societaria es un remedio a priori en situaciones de conflicto indirecto de intereses. Misma solución jurídica: la enumeración de presunciones de vínculo de tres grupos o supuestos de sujetos, para establecer un mecanismo de protección frente a la existencia de un beneficio indirecto —bien para el administrador, bien para el concursado— lo que es motivación y argumento común a ambos textos.

5.- A pesar de que ambas normas comparten una expresión de la necesidad de respetar el principio de transparencia, la norma societaria lo contempla desde la perspectiva del interés social que decae en los supuestos de insolvencia por el interés del concurso o del conjunto de los acreedores. No existe un interés protegido común en ambos textos.

6.- Siendo ambos elencos de sujetos una relación que se ha calificado de «*tipológica*» no podemos extender, sobre la base del principio de seguridad jurídica, las figuras que surgen por contraste entre ambos textos. Las últimas tendencias legislativas de reforma de la LC, y mientras la LSC se ha mantenga en su redacción originaria, nos llevan hacia una concreción y determinación taxativa de los supuestos de personas especialmente relacionadas con el deudor concursado. Sólo cabe realizar una interpretación restrictiva de la norma societaria a partir de las reformas operadas en la normativa concursal.

## Bibliografía

ARROYO, I., EMBID, J. M., y GÓRRIZ, C., *Comentarios a la Ley de Sociedades Anónimas*, Tecnos, Vol. II., 2ª ed., 2009.

BELTRÁN, E., en *Uría-Menéndez*, *Curso de Derecho Mercantil*, Tomo 2, 2ª ed. Aranzadi, 2007.

BOLDÓ RODA, C. «Deber de evitar situaciones de conflicto de interés y personas vinculadas a los administradores: artículos 229 y 231», en VV.AA. (Coord. HERNANDO CEBRIÁ, L.) *Régimen de deberes y responsabilidad de los administradores en las sociedades de capital*, Wolters Kluwer, 2015.

CUENA CASAS, M., «Algunas deficiencias de la ley concursal ante la insolvencia de la persona física», *RAD*, Nº 7, 2009.

EMBID IRUJO, J. M., «Apuntes sobre los deberes de fidelidad y lealtad de los administradores de las sociedades anónimas desde la perspectiva del Derecho Español», *Advocatus*, Nº. 17, 2007.

FERRÉ FALCÓN, J. *Los créditos subordinados*, Aranzadi, 2006.

GALLEGO SÁNCHEZ, E., «La responsabilidad civil de los administradores de entidades bancarias», en VV.AA. (Dir. ROJO, A.; BELTRÁN, E.) *La Responsabilidad de los administradores de las sociedades mercantiles*, 5ª Ed., Tirant lo Blanch. Valencia, 2013.

GARCÍA DE ENTERRÍA, J., «Los deberes de conducta de los administradores. Deber de diligencia y deber de lealtad» en *La Reforma de la Ley de Sociedades de Capital en Materia de Gobierno Corporativo*, Aranzadi, 2015.

GARRIDO GARCÍA, J. Mª.,«Comentario al art. 93 LC» en VV.AA. *Comentario de la Ley Concursal*, (Dir. ROJO, A.; BELTRÁN, E.), Tomo I, Civitas, Madrid, 2004.

GÓRRIZ LÓPEZ, C., «El deber de lealtad de los administradores de las sociedades de capital. (arts. 226 a 231 LSC)» en VV.AA., *Estudios de Derecho Mercantil. En memoria del Profesor Aníbal Sánchez Andrés,* Aranzadi, 2010.

GUASCH MARTORELL, R., «El concepto de persona especialmente relacionada con el deudor en la ley concursal», *RDM,* n. ° 254, 2004.

MOYA BALLESTER, J., *La responsabilidad de los administradores de sociedades en situación de crisis,* Madrid, 2010.

— «Los deberes fiduciarios impuestos a la administración concursal», *RDCP,* N° 24, 2016.

PAZ-ARES, C., «La responsabilidad de los administradores como instrumento de gobierno corporativo», *In Dret,* Working paper n° 162, Barcelona, 2003.

— «Anatomía del deber de lealtad», *Actualidad jurídica Uría Menéndez,* N°. 39, 2015.

PORTELLANO DÍEZ, P., *El deber de los administradores de evitar situaciones de conflicto de interés,* Thomson Reuters, 2015.

PULGAR EZQUERRA, J., ALONSO LEDESMA, C., ALONSO UREBA, A. y ALCOVER GARAU, G., (dir.) *Comentarios a la Legislación Concursal,* Dykinson, Madrid, 2004.

QUIJANO GONZÁLEZ, J.; MAMBRILLA RIVERA, V., «Los deberes fiduciarios de diligencia y lealtad. En particular, los conflictos de interés y las operaciones vinculadas», *RdS,* Aranzadi, 2006.

SÁNCHEZ CALERO, F., *Los Administradores en las Sociedades de Capital,* 2ª ed. Thomson Civitas, Navarra, 2007.

SÁNCHEZ-CALERO GUILARTE, J., «La reforma de los deberes de los administradores y su responsabilidad» en VV.AA., *Estudios sobre el futuro Código Mercantil: libro homenaje al profesor Rafael Illescas Ortiz,* Madrid, 2015. págs. 894-917. Disponible en: http://hdl.handle.net/10016/21008.

VALPUESTA GASTAMINZA, E., «Comentario al art. 93 LC» en VV.AA. (Dir. CORDÓN MORENO, F.) *Comentario a la Ley Concursal,* Aranzadi, Cizur Menor, 2004.

VICENT CHULIÁ, F., *Introducción al Derecho Mercantil,* Vol. 1, 1ª Ed., Tirant lo Blanch, 2010.

— «Grupos de sociedades y conflictos de intereses» en *Estudios de Derecho Mercantil en Homenaje al Profesor José María Muñoz Planas,* Aranzadi, 2011.

YZQUIERDO TOLSADA, M. «Las personas especialmente relacionadas con el concursado» en VV.AA. (Coord. ROJO, A.; CAMPUZANO, A. B.) *Estudios jurídicos en memoria del profesor Emilio Beltrán. Liber Amicorum,* Tomo II, Tirant lo Blanch, Valencia, 2015.

# 40. Progresiva aproximación del régimen del órgano de administración de las sociedades cooperativas a las sociedades de capital

**TRINIDAD VÁZQUEZ RUANO**

*Prof ª Contratada Doctora. Acreditada al cuerpo de PTU*
*Área de Derecho Mercantil*
*Universidad de Jaén*

## I. INTRODUCCIÓN. LAS SOCIEDADES COOPERATIVAS

Las sociedades cooperativas son entidades calificadas en la Ley 27/1999, de 16 de julio[1], como aquéllas que se conforman por *personas que se asocian, en régimen de libre adhesión y baja voluntaria, para la realización de actividades empresariales, encaminadas a satisfacer sus necesidades y aspiraciones económicas y sociales, con estructura y funcionamiento democrático, conforme a los principios formulados por la Alianza Cooperativa Internacional, en los términos resultantes de la presente Ley*[2]. De esta definición se extraen las características esenciales de

---

[1]    Ley 27/1999, de 16 de julio, de Cooperativas (en adelante, LC. BOE núm. 170, de 17 de julio).

[2]    Art. 1 de la LC. Al respecto, puede consultarse ALFONSO, R., «Aspectos básicos de la nueva regulación de la sociedad cooperativa (Ley 27/1999 de 16 de julio)», *Cuadernos de Derecho y Comercio,* núm. 31, abril, 2000, págs. 161-202; MORILLAS JARILLO, Mª. J./ FELIÚ REY, M. I., *Curso de cooperativas,* Madrid, 2ª ed., 2002, págs. 71 a 73; PASTOR, C., «Principales novedades de la nueva Ley 27/1999, de 16 de julio, de Sociedades Cooperativas», *RdS,* núm 13, vol. II, 2000, págs. 229-251; PEINADO GRACIA, J. I., «Sociedades cooperativas. Otros tipos mutualistas. Agrupaciones de Interés Económico», en AA.VV. *Derecho de Sociedades,* (Dir. ALONSO LE-

las mismas y que se concretan en el funcionamiento y estructura democrá-
ticas y la organización participativa en ellas y en las que, a su vez, se ejerce
una actividad empresarial para satisfacer las necesidades comunes de los
miembros que las integran[3].

La cooperativa es, por tanto, una sociedad de base mutualista que forma
parte de la economía social[4]. La actividad económica desarrollada por la
entidad prioriza los intereses del socio y/o del fin social sobre el capital,
aplicando los resultados en función del trabajo aportado y del servicio o la
actividad ejercida por sus miembros; y, en su caso, siguiendo el fin social,
promoción de la solidaridad interna y con la sociedad, e independencia
respecto a los poderes públicos. La política de la sociedad cooperativa sigue el contenido de los *Principios* formulados por la *Alianza Cooperativa
Internacional* (Congreso de Manchester, 1995)[5]. A saber: la adhesión libre
y voluntaria, sin desigualdad ni discriminación social, política, religiosa, ra-
cial o de sexo; la participación económica de los socios equitativamente al
capital; la autonomía e independencia, pues se trata de entidades autónomas de autoayuda; la educación, formación e información; la cooperación
entre las sociedades cooperativas; la actuación en interés de la comunidad;
y, como se ha indicado, la gestión democrática por parte de los socios tanto si la cooperativa es de primer grado («un socio, un voto»), como en el
resto. Siendo, este último aspecto, el que nos interesa en relación con la
temática que abordamos. El socio participa en el cooperativa no sólo en

DESMA, C./ Coord. FERNÁNDEZ TORRES, I.), 2ª edic., Barcelona, 2015, págs.
464-465; URÍA, R./ MENÉNDEZ, A./ VÉRGEZ, M., «Sociedades cooperativas», en
AA.VV. *Curso de Derecho mercantil*, (Dirs. URÍA, R./ MENÉNDEZ, A.), Tomo I, 2ª
ed., Madrid, 2006, págs. 1426-1427.

[3]   *Vid.* ALFONSO, *op. cit.*, págs. 161-202; LLOBREGAT HURTADO, Mª. L., *Mutualidad y empresas cooperativas (la relación socio-sociedad en las cooperativas de trabajo asociado)*, Barcelona, 1991, págs. 20-46 y 139-148; PASTOR, *op. cit.*, págs. 229-251;
PEINADO GRACIA, *op. cit.*, págs. 464-467; URÍA, R., *Derecho Mercantil*, 26ª edic.,
Madrid, 1999, págs. 581-582; URÍA/ MENÉNDEZ/ VÉRGEZ, *Sociedades... op. cit.*,
pág. 1421.

[4]   AA.VV. *Tratado de Derecho de cooperativas*, (Dir. PEINADO GRACIA, J. I./ Coord.
VÁZQUEZ RUANO, T), Tomo I, Valencia, 2013; MORILLAS JARILLO/ FELIÚ
REY, *Curso de... op. cit.*, pág. 77; PANIAGUA ZURERA, M., «La sociedad coope-
rativa. Las sociedades mutuas de seguros y las mutualidades de previsión social»,
en AA.VV. *Tratado de Derecho mercantil*, (Dirs. OLIVENCIA, M./ FERNÁNDEZ NO-
VOA, C./ JIMÉNEZ DE PARGA, R.), vol. 1, Madrid, 2005, págs. 31-32.

[5]   PAZ CANALEJO, N., en PAZ CANALEJO, N./ VICENT CHULIÁ, F., *Ley General de
Cooperativas. Comentarios al Código de Comercio y Legislación Mercantil Especial*, Tomo
XX, vol. 1, págs. 14-16.

razón de la actividad cooperativizada, sino que también lo hace en la estructura orgánica formando parte de los órganos sociales de la entidad. Es decir, en la organización interna y en la gestión y control del poder de la sociedad cooperativa en el seno de los órganos sociales[6]. A tal fin, no es posible limitar o excluir dicha participación por disposición estatutaria, ni en el propio contrato de creación de la sociedad.

De acuerdo con lo expuesto, el principio general es que las sociedades cooperativas son gestionadas por los propios socios (*autogestión*), los cuales toman parte en el ejercicio de la actividad económica de la empresa para satisfacer sus necesidades y de manera activa en la adopción de decisiones de la sociedad y en la aprobación de las políticas que determinan el desarrollo de la misma[7]. Como consecuencia, los encargados de la representación y gestión de la cooperativa son responsables ante el resto de los socios. Esto es, los socios cooperativistas de la entidad se comprometen a aportar capital, realizar actividades económicas con la cooperativa y, en razón de ello, tienen derecho a participar democráticamente en la gestión social[8].

El régimen jurídico que es de aplicación a las sociedades cooperativas dependerá del desarrollo de la competencia por parte de la CC.AA. de que se trate[9]. Pues el Estado y las autonomías comparten la competencia legislativa en la materia. Habiéndose aprobado, casi en la totalidad de las CC.AA., normas cooperativas como tendremos ocasión de analizar más adelante[10]. La LC nacional establece el régimen general aplicable a las cooperativas de primer grado (integradas por tres socios como mínimo) y de segundo grado (compuestas por, al menos, dos cooperativas) y, asimismo, prevé la regulación específica de figuras cooperativas de carácter especial[11]. En este

---

[6] *Vid.* FAJARDO, G., «La responsabilidad del socio en la gestión de la cooperativa de viviendas desde la jurisprudencia del Tribunal Supremo», *Ciriec. Revista de Economía Pública, Social y Cooperativa*, núm. 5, noviembre, 1994, págs. 415 ss.; PAZ CANALEJO, *op. cit.*, pág. 56.

[7] Sobre ello, LLOBREGAT HURTADO, *Mutualidad... op. cit.*, pág. 26.

[8] GADEA, E/ SACRISTÁN, F/ VARGAS VASSEROT, C., *Régimen jurídico de la cooperativa del siglo XXI. Realidad actual y propuestas de reforma*, Madrid, 2009, págs. 36-39; PAZ CANALEJO, *op. cit.*, pág. 143; PEINADO GRACIA, *op. cit.*, págs. 464-467.

[9] En virtud del apartado 3° del art. 149 de la LC.

[10] *Infra B. El órgano de administración de la sociedades cooperativas en las normas autonómicas.*

[11] Art. 6 de la LC. La norma prevé una diversidad de sociedades cooperativas que se identifican por la actividad cooperativizada, de otras que por diferentes aspectos cuentan con un tratamiento jurídico particular. Entre las primeras destacan las siguientes: las cooperativas de trabajo asociado; las de consumidores y usuarios;

sentido, la norma referida va a ser de aplicación directa respeto de las sociedades cooperativas que desarrollen su actividad en el territorio de varias CC.AA. (excepto cuando en una de ellas se desarrolle con carácter principal); y a las cooperativas que realicen principalmente su actividad cooperativizada en las autonomías de Ceuta y Melilla[12]. Siendo de aplicación supletoria en las CC.AA. que no hayan ejercido la competencia legislativa en la materia y en las que, a pesar de tener su propia norma, surjan lagunas jurídicas en su contenido.

El objetivo del presente trabajo es comprobar la evolución del régimen aplicable al órgano de administración de esta modalidad societaria, por cuanto consideramos que paulatinamente se va acercando al órgano de gestión de las sociedades de capital, en particular en las legislaciones autonómicas más actuales. A tal fin, vamos a estudiar los aspectos de mayor relevancia en la norma nacional y los de las regulaciones de las CC.AA. que han desarrollado su competencia legislativa.

## II. RÉGIMEN DEL ÓRGANO DE ADMINISTRACIÓN EN LAS SOCIEDADES COOPERATIVAS

La regulación de los órganos sociales en las cooperativas se basa en un modelo de participación orgánica de los socios que es propio de las entidades de base mutualista. Los órganos sociales *necesarios* de una cooperativa, como es sabido, son la Asamblea general que reúne a todos los socios y es el órgano máximo de decisión, pues sus decisiones vinculan a la totalidad de los que la conforman[13]; y el órgano de administración (Consejo Rector o el Administrador único), teniendo cada uno de ellos delimitado su ámbito de competencia. Junto a los mencionados, se incluyen los Interventores que integran el órgano de fiscalización de las cuentas anuales y del informe de

---

las de viviendas; las cooperativas agrarias; las de explotación comunitaria de la tierra; las de servicios; las cooperativas del mar; las de transporte; las de seguros; las cooperativas sanitarias; las de enseñanza; y las de crédito. Respecto de las especiales, cabe hacer mención a las cooperativas integrales, las de iniciativa social y las cooperativas mixtas. *Vid.* AA.VV. *Tratado de Derecho de cooperativas*, (Dir. PEINADO GRACIA, J. I./ Coord. VÁZQUEZ RUANO, T), Tomo I, Valencia, 2013.

[12]     Véase el art. 2 de la LC. Al igual que en los aspectos que son de competencia estatal exclusiva según lo previsto en el art. 149.1° de la CE (como los concursales, procesales o contables) y también en las que se consideren mercantiles según lo dispuesto en el art. 124 Ccom.

[13]     Art. 21 de la LC.

gestión, salvo el supuesto en el que la sociedad cooperativa esté sometida a la auditoría externa[14].

Además, las sociedades cooperativas pueden contar con otros órganos que son de carácter *potestativo* o *no necesarios*. Éstos son, aquéllos que se van a establecer en razón de lo que determinen los Estatutos sociales, pero sin que su previsión limite las competencias de los órganos necesarios. Tales como: el Comité de Recursos que tramita y resuelve los recursos que se presenten contra las sanciones impuestas a los socios por el Consejo Rector y otras instancias de consulta o asesoramiento (Director o Gerente y el Comité Técnico, entre otros).

## 1. Previsiones normativas sobre el órgano de administración en la LC

La gestión y administración de las sociedades cooperativas ha de quedar prevista en los Estatutos sociales. En el ámbito nacional ésta se confía a un sólo órgano colegiado, el Consejo Rector o, cuando corresponda, al Administrador único. Por tanto, la administración de la sociedad cooperativa sigue un modelo monista.

Por lo general, el *Consejo Rector* va a ser el órgano colegiado y de naturaleza pluripersonal encargado de la administración de la entidad cooperativa[15]. Las facultades propias de este órgano social se centran en la gestión de la entidad, siendo sus competencias básicas: la función social de gobierno de la cooperativa, la alta gestión de la entidad, la supervisión de los directivos y la representación de la cooperativa en relación con cualquier acto propio de las actividades que integren el objeto social. Además de las indicadas, el Consejo Rector va a asumir de modo residual otras facultades que no se hubieran asignado a los órganos sociales por disposición normativa o estatutaria, en estos casos es preciso el previo acuerdo de la Asamblea general[16]. Las competencias indicadas han de ejercerse atendiendo al cumplimiento del objeto social de la cooperativa y de acuerdo con las exigencias de la Ley, los Estatutos y la política prevista por la Asamblea general de socios.

---

[14]   Arts. 19 y 62 de la LC.

[15]   Art. 32 de la LC. Véase FAJARDO, *op. cit.,* págs. 415 ss.; PEINADO GRACIA, *op. cit.,* págs. 474-476; TATO PLAZA, A., «II. La Administración», en AA.VV. *Tratado de Derecho de cooperativas,* (Dir. PEINADO GRACIA, J. I./ Coord. VÁZQUEZ RUANO, T), Tomo I, Valencia, 2013, págs. 437-440.

[16]   Art. 32. 3° de la LC.

La elección de los consejeros de entre los socios de la cooperativa corresponde a la Asamblea que los determinará por mayoría de votos y mediante votación secreta. El período de este nombramiento será de entre tres y seis años, pudiendo ser reelegidos[17]. No obstante, el simple nombramiento no es un acto completo[18], pues dicha elección sólo surtirá efectos a partir de que el cargo sea aceptado por el socio. Y, además, en el plazo de un mes ha de inscribirse en el Registro de Sociedades Cooperativas[19].

El Consejo Rector estará compuesto por el número de miembros y cargos que se hubieran indicado estatutariamente, pero la norma determina que como mínimo se conforme de tres consejeros (personas físicas o jurídicas)[20] que son los que van a administrar mancomunadamente la cooperativa (Presidente, Vicepresidente y Secretario)[21] y no pudiendo superar los quince, salvo que en la cooperativa sólo existan tres socios y se configurará por dos miembros (Presidente y Secretario, prescindiéndose del Vicepresidente). Los cargos mencionados serán elegidos, de entre los que formen parte del Consejo Rector, por el propio órgano o por la Asamblea general, y de acuerdo con lo previsto en los Estatutos sociales. Ello supone, en ocasiones, un impedimento para el adecuado funcionamiento de la sociedad. Razón por la que se entiende que la norma reconozca la posibilidad de que el Consejo confiera apoderamientos voluntarios (y también revocarlos) a cualquier persona y otorgue poderes especiales a cargos como el Gerente, el Director general o equivalentes. La concesión, modificación o revocación de los poderes de gestión o dirección permanentes se inscribirá en el Registro de Sociedades Cooperativas. Además de esta composición, estatutariamente podrá recogerse la existencia de otros cargos y de miembros suplentes, pudiendo nombrarse vocales o consejeros del Consejo Rector.

El socio que sea designado miembro del Consejo Rector no puede hallarse inmerso en ningún supuesto de incompatibilidad, incapacidad o prohibición[22]. A este respecto, cabe distinguir las prohibiciones de derecho

---

[17] Art. 35 de la LC.
[18] En este aspecto, ALONSO ESPINOSA, F. J., «Órgano de administración», en AA.VV. *La sociedad cooperativa en la Ley 27/1999, de 16 de julio, de Cooperativas*, (Coord. ALONSO ESPINOSA, F. J.), Granada, 2001, pág. 233.
[19] Art. 34 de la LC.
[20] En el caso de ser persona jurídica se deberá designar a una persona física para el ejercicio de las funciones propias del cargo.
[21] Art. 33 de la LC.
[22] Art. 41 de la LC. Para ampliar esta materia TATO PLAZA, *op. cit.*, págs. 443-444.

público y las de derecho privado. En el primer caso, no es posible que los designados sean consejeros o interventores, así como *los altos cargos y demás personas al servicio de las Administraciones públicas con funciones a su cargo que se relacionen con las actividades de las cooperativas en general o con las de la cooperativa de que se trate en particular.* En cuanto a las restricciones de derecho privado, cabe atender a *quienes desempeñen o ejerzan por cuenta propia o ajena actividades competitivas o complementarias a las de la cooperativa* (salvo autorización expresa de la Asamblea general); *quienes, como integrantes de dichos órganos, hubieran sido sancionados, al menos dos veces, por la comisión de faltas graves o muy graves por conculcar la legislación cooperativa;* y *las personas que sean inhabilitadas conforme a la Ley Concursal mientras no haya concluido el período de inhabilitación fijado en la sentencia de calificación del concurso, quienes se hallen impedidos para el ejercicio de empleo o cargo público y aquellos que por razón de su cargo no puedan ejercer actividades económicas lucrativas.* Tampoco se permite compatibilizar los cargos de miembro del Consejo Rector, Interventor e integrantes del Comité de Recursos, ni estos cargos pueden ejercerse de modo simultáneo en más de tres sociedades cooperativas de primer grado. En el supuesto de que el consejero incurra en alguna de las prohibiciones, incapacidades o incompatibilidades referidas en la norma, será destituido de manera inmediata a petición de cualquier socio, sin perjuicio de la responsabilidad en que pueda incurrir por llevar a cabo esta conducta desleal.

No obstante lo anterior, el adecuado desarrollo de las facultades que tiene atribuidas el órgano de gestión y administración de la cooperativa hace que sea posible que puedan ser nombrados consejeros personas que no ostenten la condición de socios, pero con ciertas exigencias. Así, se impone la necesidad de que se trate de personas cualificadas y expertas, limitándose cuantitativamente su presencia (su número no puede exceder de un tercio del total); y, desde la perspectiva cualitativa, no podrán ser designados Presidente ni Vicepresidente.

El régimen de los administradores y su funcionamiento se determinará en los Estatutos sociales y, en defecto de dicha previsión, será la Asamblea general la que lo establezca. Del mismo modo, compete a la Asamblea por mayoría la destitución de los administradores en cualquier momento y éstos también disponen de la facultad de renunciar al cargo cuando lo estimen, en cuyo caso su renuncia ha de aceptarla el Consejo Rector o la Asamblea general. Pero habrán de mantenerse en el cargo hasta tanto no se nombren sustitutos[23]. Los consejeros tienen la posibilidad de obtener la

---

[23]   Art. 36 de la LC.

compensación que les corresponda en razón de los gastos que les origine el cumplimiento de su función. Los que sean no socios, si así está previsto en los Estatutos sociales, también podrán ser retribuidos por los gastos derivados de su condición y ello se reflejará en la memoria anual[24].

En cuanto al funcionamiento del órgano de administración hay que añadir que los acuerdos del Consejo se adoptan por más de la mitad de los votos válidamente expresados, teniendo cada consejero un voto (el voto del Presidente salva los empates) y se levantará acta de las reuniones celebradas. Cabe la impugnación de los acuerdos adoptados que sean nulos o anulables en el plazo de dos meses o un mes, respectivamente[25].

Por último, resulta relevante respecto de la temática que abordamos, el régimen de responsabilidad de los miembros que forman parte del Consejo Rector recogido en la norma nacional. Esencialmente porque ésta hace una remisión expresa y genérica a la responsabilidad de los administradores de las sociedades anónimas[26]. En este sentido, y a pesar de que el legislador ha querido equiparar ambas formas societarias, el contenido previsto no determina si sólo se han de tener en cuenta las normas relativas a la acción social de responsabilidad o también las correspondientes a la acción individual y tampoco aspectos relacionados con el ejercicio de ambas acciones y la legitimación activa en cada caso. En igual sentido, se plantean dudas acerca del deber de diligencia exigida a los administradores de las sociedades cooperativas y sobre la extensión de la responsabilidad en relación con supuestos concretos[27].

Por su parte, la figura del *Administrador único* es el órgano no colegiado que asume la gestión de la sociedad cooperativa cuando ésta tiene una escasa dimensión. Es decir, cuando cuente con un número de socios inferior a diez (nueve o menos miembros)[28]. Por lo tanto, se trata de una modalidad de administración de carácter residual y que ha de quedar recogida

---

24    Art. 41 de la LC.
25    Art. 37 de la LC.
26    Art. 43 de la LC. Circunstancia que no ha sido bien recibida por la doctrina: TATO PLAZA, *op. cit.,* pág. 451.
27    *Vid.* MORILLAS JARILLO/ FELIÚ REY, *Curso de... op. cit.,* págs. 329-339, en cuanto a no promover la disolución de la entidad cuando sea preciso; SEQUEIRA MARTÍN, A. J./ SACRISTÁN BERGIA, F., «Una reflexión sobre la responsabilidad de los miembros del Consejo Rector de las Cooperativas», *RdS,* núm. 21, 2003, págs. 219-232; TATO PLAZA, *op. cit.,* págs. 455-459.
28    Autores como VICENT CHULIÁ, F., «El futuro de la legislación cooperativa», *Revista Jurídica de Economía Social y Cooperativa,* núm. 13, octubre, 2002, pág. 40 ma-

en los Estatutos sociales[29]. El Administrador único será una persona física que, siendo socio, asumirá las competencias y funciones que le son propias al Consejo Rector, su Presidente y Secretario. Básicamente éstas van a ser las siguientes: la alta gestión de la cooperativa, la supervisión de los directivos y la representación de la entidad en todos los actos relacionados con las actividades que integren el objeto social. Además, se le podrán atribuir facultades que no estén reservadas por la Ley o por los Estatutos a otros órganos sociales. Si bien, cabe la posibilidad de que el Administrador único confiera poderes a cualquier persona, estableciendo en la escritura de poder las facultades representativas de gestión o dirección que asume. Del mismo modo, podrá nombrar y revocar al Gerente, Director general o cargo equivalente, como apoderado principal de la cooperativa.

La elección y destitución del Administrador único corresponde a la Asamblea general en votación secreta y por mayoría de votos. La elección será por un período de tres años, pero puede ser reelegido. De forma similar al régimen previsto para el Consejo Rector, si el Administrador único decide cesar en su cargo deberá mantenerse en el mismo hasta tanto la Asamblea lo acepte y acuerde quién lo sustituya, o resuelva la disolución o liquidación de la cooperativa. Igualmente, cabe impugnar los acuerdos adoptados por el Administrador único que se consideren nulos o anulables.

## 2. El órgano de administración de la sociedades cooperativas en las normas autonómicas

En el derecho cooperativo autonómico, como se ha indicado y a diferencia del derecho de sociedades, coexisten diversas normas que son de aplicación en su propio ámbito territorial[30]. En estos casos, la LC va a re-

---

nifiestan opiniones negativas en relación con la figura del Administrador único en el ámbito cooperativo.

[29] *Vid.* ALONSO ESPINOSA, *Órgano de... op. cit.,* pág. 231.

[30] Las actuales normas autonómicas en materia cooperativa son: la Ley 14/2011, de 23 de diciembre, de Sociedades Cooperativas Andaluzas (LSCA) y el Decreto 123/2014, de 2 de septiembre, por el que se aprueba el Reglamento de la Ley 14/2011, de 23 de diciembre, de Sociedades Cooperativas Andaluzas (RSCA); Decreto Legislativo 2/2014, de 29 de agosto, del Gobierno de Aragón, por el que se aprueba el texto refundido de la Ley de Cooperativas de Aragón (LCA); la Ley 4/2002, de 11 de abril, de Cooperativas de la Comunidad de Castilla y León (LCCL); Ley 11/2010, de 4 de noviembre, de Cooperativas de Castilla-La Mancha (LCC-LM); Ley 12/2015, de 9 de julio, de Cooperativas de Cataluña (LCC); Ley 2/1998, de 26 de marzo, de Sociedades Cooperativas de Extremadura (LCE);

sultar de aplicación supletoria respecto de las posibles lagunas jurídicas de las mismas, tal es el caso de los órganos sociales en la medida en que no se haya abordado de modo completo en la totalidad de las normas aprobadas.

Atendiendo a las disposiciones de las leyes autonómicas en la materia y en lo que concierne a los órganos sociales de las cooperativas, cabe indicar que su previsión no difiere de los esenciales reconocidos en la LC (Asamblea general, órgano de administración e Intervención)[31]. Si bien, la única variación se presenta en cuanto al incremento de las funciones de los Interventores o a la previsión de algunos órganos específicos en supuestos concretos, como lo es el *letrado asesor*. Otras regulaciones, por su parte, se limitan a concretar los extremos básicos de la Asamblea general y del órgano de administración societaria[32].

En lo que se refiere al modelo de gestión, la mayor parte de las normas cooperativas aprobadas en las CC.AA., siguen el sistema monista[33]. Esto es, el Consejo Rector o, en su caso, el Administrador único[34], como órgano encargado de la gestión y representación de la cooperativa y asumiendo

---

la Ley 5/1998, de 18 de diciembre, de Cooperativas de Galicia (LCG); la Ley 8/2006, de 16 de noviembre, de Sociedades Cooperativas, de la Región de Murcia (LCRM); la Ley 4/2001, de 2 de julio, de Cooperativas de La Rioja (LCLR); la Ley 1/2003 de 20 de marzo, de cooperativas de las Islas Baleares (LCIB); la Ley 4/1999, de 30 de marzo, de Cooperativas de la Comunidad de Madrid (LCM); la Ley 4/1993, de 24 de junio, de Cooperativas de Euskadi (LCPV); la Ley 4/2010, de 29 de junio, de Cooperativas del Principado de Asturias (LCPA); Decreto Legislativo 2/2015, de 15 de mayo, del Consell, por el que aprueba el Texto Refundido de la Ley de cooperativas de la Comunidad Valenciana (LCCV); y la Ley Foral 14/2006, de 11 de diciembre, de Cooperativas de Navarra (LCN). *Vid.* AA.VV. *Tratado de Derecho de cooperativas*, (Dir. PEINADO GRACIA, J. I./ Coord. VÁZQUEZ RUANO, T), Tomo I, Valencia, 2013.

[31] Pueden consultarse: art. 25 de la LCA, el art. 29 de la LCCL, el art. 35 de la LCRM, el art. 33 de la LCLR, art. 36 de la LCIB, art. 39 de la LCM, art. 31 de la LCN (aunque añade la figura del *letrado asesor* respecto de las cooperativas que tengan un volumen anual de operaciones superior a tres millones de euros —art. 40—), art. 42 de la LCPA. Por su parte, la LCCV (art. 29) amplía los órganos necesarios incluyendo el *órgano de liquidación*. Véase TATO PLAZA, *op. cit.*, págs. 437-438.

[32] Art. 26 de la LSCA y art. 28 del RSCA, art. 40 de la LCC-LM, art. 42 de la LCC.

[33] Art. 37 de la LSCA, art. 37 de la LCA, art. 36 de la LCE, arts. 45 y 47 de la LCLR, art. 41 de la LCG, art. 48 de la LCRM, art. 40 de la LCCL, art. 53 de la LCC, arts. 39 y 40 de la LCCM, art. 48 de la LCIB, art. 39 de la LCM, art. 37 de la LCN y art. 40 de la LCPV.

[34] Las previsiones para designar al Administrador único son diversas, pues la LC indica menos de diez socios, pero normas como la vasca (art. 41) admiten que el

las siguientes funciones[35]: la administración y gobierno de la entidad; las funciones de representación de la misma; y, con carácter residual, las facultades que no estén atribuidas a otros órganos sociales. Estas competencias se han de ejercer de acuerdo con las exigencias de la Ley, los Estatutos y la política prevista por la Asamblea general.

No obstante lo anterior, es preciso reseñar ciertas especialidades detectadas en cuanto al órgano de administración en algunos de los textos autonómicos. Así, en el caso de la LSCA, a pesar de que se prevé como órgano de administración el Consejo Rector, las propias dimensiones de la entidad pueden llevar a que el encargado de la gestión y administración cooperativa sea una Administración única o una Administración solidaria[36]. Por su parte, la LCA indica que para las cooperativas de primer grado de menos de diez socios los Estatutos podrán prever la existencia de uno o dos rectores, que actuarán solidaria o mancomunadamente y que, en todo caso, deberán ser socios[37]. En las de menos de cinco socios, todos podrán formar parte del Consejo Rector, constituyéndose de manera simultánea en Asamblea general. En el caso de la LCPV, las cooperativas que cuenten con más de cien socios, habrá de tener junto al Consejo Rector, un órgano obligatorio denominado Comisión de Vigilancia[38]. En otros supuestos, sin embargo, la norma no se limita al Consejo Rector, sino que ha establecido diversas formas que puede adoptar el órgano de administración[39]. A saber: un administrador único, dos o más administradores solidarios, o dos o más administradores mancomunados.

La competencia para nombrar a los miembros del Consejo Rector corresponde a la Asamblea general por mayoría de votos y es, en este sentido, como se reconoce de modo expreso en la mayor parte de los textos norma-

---

número de socios sea diez y en la de Murcia, por su parte, se establece que ha de ser inferior a cinco (art. 48). *Vid.* TATO PLAZA, *op. cit.*, págs. 468-475.

[35] El art. 41 de la LCCV resulta más específico y preciso en cuanto a las competencias del Consejo Rector. En cuanto a las facultades de representación del Consejo, ciertas normas se las atribuyen en relación con cualquier asunto concerniente a la sociedad (art. 36 de la LCE, art. 42 de la LCG, art. 40 de la LCCM, art. 46 de la LCLR). Respecto de las competencias residuales, véase el art. 40 de la LCCL, art. 48 de la LCIB, art. 37 de la LSCA, art. 41 de la LCG, art. 39 de la LCCM, art. 45 de la LCLR.

[36] Arts. 36 y 42 de la LSCA con similar régimen que el Consejo Rector.

[37] Art. 38 de la LCA.

[38] Arts. 50 a 53.

[39] Art. 55 de la LCC-LM y art. 59 LCPA.

tivos autonómicos[40]. Dicho nombramiento se hará entre los que ostenten la condición de socios (personas físicas o jurídicas)[41] y serán los Estatutos sociales los que determinen los presupuestos del proceso electoral[42] o, en su defecto, corresponde a la Asamblea general o al Consejo Rector la fijación de los mismos.

La composición del Consejo Rector vendrá prevista en los Estatutos sociales que cuentan con un amplio margen de libertad al respecto, aunque la norma general es que su número oscile entre un mínimo de tres miembros que van a administrar mancomunadamente la cooperativa y no pudiendo superar los quince[43], salvo que en la cooperativa sólo existan tres socios y se configurará por dos miembros[44]. En algunas de las normas cooperativas autonómicas sólo se indica el número mínimo de tres[45], mientras que otras como la de la Comunidad de Madrid y la de las Islas Baleares también se prevé el máximo de miembros (once y quince, respectivamente)[46]. Conformado el Consejo, se designarán los cargos de Presidente, Vicepresidente y Secretario[47] (o Presidente y Secretario en las cooperativa de tres socios) directamente por la Asamblea general. A este respecto, algunas CC.AA. admiten de forma excepcional —y si lo prevén los Estatutos— que sea el propio Consejo Rector el que los fije[48].

---

[40]  Por su parte, los arts. 39 de la LSCA y 35 del RSCA, 57 de la LCC-LM, 42. 2.º de la LCCV, 50 de la LCIB y 50 de la LCRM hacen mención a socios y asociados.

[41]  Condición que se justifica en el principio de democracia interna proclamado por la *Alianza Cooperativa Internacional.* Si bien, el art. 61 LCPA, establece como norma general que no es precisa la condición de socio para ser nombrado administrador. *Vid.* TATO PLAZA, *op. cit.,* págs. 442-443.

[42]  Al respecto, puede consultarse el art. 37 de la LCE, el art. 44 de la LCG, art. 41 de la LCCM, el art. 48 de la LCLR, el art. 42 de la LCCL, el art. 50 de la LCIB.

[43]  Art. 41 de la LCM y art. 69 de la LCPA. Por su parte, la LCIB establece once (art. 49).

[44]  Art. 49 de la LCRM.

[45]  Art. 38 de la LCA, art. 38 de la LCCL, art. 42 de la LCCV, art. 43. 1.º de la LCG, art. 47 de la LCLR, art. 37.2.º de la LCN y el art. 37 de la LCE que señala que habrá un Presidente, un Secretario y un Tesorero.

[46]  Arts. 41 y 49.

[47]  Así, el art. 39 de la LSCA, el art. 69 de la LCPA, el art. 38 de la LCA, el art. 45 de la LCPV, los arts. 43 y 44 de la LCG, los arts. 47 y 48 de la LCLR y los arts. 41 y 42 de la LCCL. Por su parte, el art. 37 de la LCE establece la existencia de un Presidente, un Secretario y un Tesorero.

[48]  Tal y como establece el art. 41 de la LCCM.

No obstante lo anterior, la dificultad de que los socios cumplan en todo caso con los presupuestos de profesionalidad en el ejercicio del cargo referido, hace que se admita la incorporación en el Consejo de personas que no ostenten la condición de socias, pero que cuenten con un grado técnico y de experiencia determinado, y sin que su número supere una parte concreta de la composición. Estas limitaciones presentan divergencias entre las regulaciones de las CC.AA. Pues, mientras que la tendencia seguida es que se justifique dicho nombramiento en función de la cualificación de expertos, hay ciertas regulaciones que no han previsto esta exigencia[49]; mientras que otras, por el contrario, hacen mención a la cualificación profesional, experiencia técnica o empresarial[50]. Por otro lado, las limitaciones cuantitativas difieren, señalándose en algunos supuestos que su número no deberá superar un tercio, pero en otros se admite que no se exceda de la cuarta parte de los miembros del Consejo Rector[51].

Además de lo señalado, determinadas leyes autonómicas prevén salvedades a la norma general de integración del Consejo Rector, al permitir que con carácter especial se designen otros miembros en el órgano mencionado. Tal es el caso de la norma andaluza que recoge la posibilidad de que en las cooperativas en las que existan secciones éstas tengan una respresentación en el Consejo (con voz, pero sin voto)[52]; también un representante de los socios colaboradores (con voz y voto) y de las personas inversoras[53]; así como, que exista representación de los socios de trabajo cuando éstos alcancen un veinticinco por ciento de la totalidad de los mismos o sean como mínimo cincuenta[54]; y cuando la entidad cuente con un Comité de

---

[49]   Normas como la LCLR (art. 48) y la LCG (art. 44), los limitan a un tercio.

[50]   La LSCA (art. 38), LCN (art. 37.3°) y RSCA (art. 35.7°) que exige a los no socios el cumplimiento del deber de secreto sobre los asuntos de la cooperativa. Por su parte, el art. 50 de la LCRM, pese a seguir el contenido de la LC, prohibe que formen parte del Consejo Rector los socios cooperadores y los socios a prueba.

[51]   Art. 38 de la LCA y art. 55 de la LCC.

[52]   Art. 49. 2° de la LCIB.

[53]   Art. 35 del RLCA.

[54]   Art. 38. 5° de la LCA, art. 37. 3° de la LCE, art. 41.1° de la LCM, art. 37.3° de la LCN y art. 49.3° de la LCRM. El art. 47. 2° de la LCLR posibilita que en el Consejo Rector haya un representante de los trabajadores en cooperativas que cuenten con más de treinta trabajadores con contrato por tiempo indefinido, art. 49. 4° de la LCIB. Por su parte, el art. 42. 5° de la LCCV señala que las cooperativas en las que los socios y socias de trabajo alcancen un diez por ciento de la totalidad de las personas socias o un mínimo de 50, tendrán una representación estable en el Consejo Rector (y sólo podrán ser revocados por sus representados, art. 45.3°).

Empresa, uno de sus miembros formará parte del Consejo Rector como vocal. Esta última apreciación está prevista en otras normas, como las de Castilla y León, Castilla La Mancha o Galicia[1]. La elección de la persona que ha de representar a aquellos sectores interesados corresponde exclusivamente a los mismos, debiendo ser aceptado el nombramiento por el interesado e inscrito en el Registro de Cooperativas correspondiente.

Mayor relevancia tiene, respecto de la materia que nos ocupa, la referencia expresa que hacen la LCC-LM y la LCM sobre la posible previsión de consejeros independientes no socios[2], en un número no superior a la cuarta parte del total de consejeros previsto estatutariamente. Estas personas serán nombradas, en su caso, entre las que reúnan los requisitos de cualificación profesional y experiencia técnica o empresarial adecuadas en relación con las funciones del Consejo y con el objeto social de la cooperativa. Por tanto, se trata de asegurar la imparcialidad y objetividad de criterio en el desarrollo del cargo.

A ello cabe añadir la previsión que algunas de las normas autonómicas más recientes hacen en lo que se refiere a la igualdad de oportunidades de hombres y mujeres. En consecuencia, se pretende fomentar la presencia equilibrada de socios y socias en el Consejo Rector, tal es el caso de la LSCA, la LCCV y la LCG.

Junto a lo anterior, y a fin de asegurar el cumplimiento efectivo de las competencias del Consejo Rector, se justifica que el legislador posibilite la concesión de apoderamientos voluntarios a cualquier persona y que se otorguen poderes especiales respecto de los asuntos concernientes al giro o tráfico empresarial ordinario de la cooperativa al Gerente, Director general o cargo equivalente[3]. Así, algunas normas autonómicas concretan estas figuras de modo facultativo y en general, aunque su existencia requerirá de una previsión estatutaria expresa, de un acuerdo de la Asamblea general, o del propio Consejo Rector[4]. Por su parte, textos como la LCE únicamente se refieren a la figura del Gerente[5], o la LCRM y la LCIB[6] en relación con la

---

[1]    Véase el art. 41. 5° de la LCCL, art. 66 de la LCC-LM, art. 43. 2° de la LCG.
[2]    Sobre ello, el art. 66. 3° de la LCC-LM y art. 41.1° de la LCM.
[3]    Art. 40. 3° de la LCCL, art. 47 de la LSCA, art. 56. 3° y art. 65 de la LCC-LM, art. 62 de la LCC, art. 39 de la LCE, art. 48.4° de la LCRM, art. 46 de la LCLR, art. 53.4° de la LCIB, art. 56 LCLR.
[4]    Así, el art. 45 de la LCCM.
[5]    Art. 39.
[6]    Art. 55. En términos similares, el art. 45 de la LCM.

Dirección[7]; mientras que otras prevén ambos nombramientos (Dirección y Gerencia)[8].

Al margen de ello, la mayor parte de las regulaciones de las CC.AA. recogen la posibilidad de que el Consejo Rector nombre vocales o consejeros (Comisión ejecutiva o Consejeros delegados)[9] en quienes delegará de forma permanente o por un periodo determinado de tiempo las facultades que sean susceptibles de ello. Exigiéndose, a este respecto, el voto favorable de dos tercios de los componentes del Consejo.

En todo caso, es preciso que el nombramiento de los miembros del Consejo Rector (o, cuando proceda, del Administrador único) sea aceptado e inscrito en el Registro de Sociedades Cooperativas. No obstante, es diverso el plazo conferido para que se realice la inscripción. Pues, mientras que unas normas prevén dos meses[10], en otras se reduce a uno o a treinta días[11], y en otras a quince días[12] e, incluso, un plazo menor de diez días[13]. Tampoco resulta homogénea la duración exacta del cargo que ha de quedar plasmada en los Estatutos sociales, al igual que las previsiones sobre la posible reelección. La norma básica recogida en la LC opta por un período de entre tres y seis años, pudiendo ser reelegidos[14]. No obstante, ciertas normas autonómicas lo amplían de dos a seis años[15] o lo reducen de dos a

---

[7]   Art. 54.

[8]   Art. 48.4° y 5° de la LCCV. El Director/a que representará a la cooperativa en todos los asuntos relativos al giro y tráfico de esta. Si bien, en las cooperativas con una cifra anual de negocios superior a tres millones de euros, será necesaria la designación de un Gestor/a permanente. En el caso de la LCN (art. 39) se prevé el nombramiento del Director de la empresa cooperativa y el del Consejo de Directores o Gerentes para las cooperativas de segundo o ulterior grado.

[9]   Art. 42 de la LCCM, art. 48 de la LCCV, art. 40 de la LCA, arts. 56. 2° y 69 de la LCC-LM, art. 58 de la LCC, art. 41.2° de la LCG, art. 46 de la LCPV, art. 52 de la LCRM, art. 71 de la LCPA, art. 40 de la LSCA. Mientras que el art. 53 de la LCIB exige la mayoría absoluta de los componentes del Consejo para la delegación de facultades.

[10]  Art. 42. 4° de la LCCL y art. 35 del RSCA.

[11]  Art. 59 de la LCC-LM, art. 42. 2° de la LCCV, art. 56. 4° de la LCC, art. 50.4° de la LCRM, art. 62 LCPA, art. 48.4° de la LCLR con un plazo de 30 días.

[12]  Art. 37. 5° de la LCE.

[13]  Art. 50. 2° de la LCIB y art. 37.2° de la LCN.

[14]  Art. 51 de la LCRM, art. 49 de la LCLR, art. 39 de la LSCA, art. 37.2° de la LCN y art. 51 de la LCIB.

[15]  Art. 38.4° de la LCA, art. 42 de la LCCV, art. 43 de la LCCL, art. 37. 6° de la LCE, art. 45 de la LCG.

cuatro[16]; y, en otros casos, únicamente se indica la fecha máxima o la mínima de duración del cargo[17].

El régimen de los administradores y su funcionamiento se determinará estatutariamente y, en defecto de previsión, será la Asamblea general la que lo determine[18], o el Consejo ejercerá su facultad de autorregulación[19]. Respecto de la retribución de los miembros del Consejo Rector, cabe que se concrete en los Estatutos sociales o, en su caso, que la fije la Asamble general[20]. Aunque normas como la LCA o la LCE impiden que la retribución quede determinada en función de los resultados económicos del ejercicio[21]. Resulta de interés la referencia expresa que establece la LCM en relación con la posible retribución de los consejeros independientes[22], así como de los que formen parte del Consejo Rector, si se ha previsto en los Estatutos sociales o lo acuerda la Asamblea atendiendo a criterios de moderación.

En lo que concierne a los acuerdos del Consejo se van a adoptar por más de la mitad de los votos válidamente expresados, teniendo cada consejero un voto (el voto del Presidente salva los empates). Pero cabe la impugnación de los acuerdos adoptados que sean nulos o anulables, mediante un proceso similar al de impugnación de los acuerdos de la Asamblea general de socios[23]. Es decir, los que resulten contrarios a la Ley y los que contradigan los Estatutos o lesionen —en beneficio de uno o varios socios o de terceros— los intereses de la cooperativa. La calificación de los acuerdos nulos o anulables afecta a la legitimación activa para entablar las correspondientes acciones de impugnación y en cuanto a los plazos de prescripción de las mismas. Por lo general, el plazo de prescripción es más

---

[16]    Art. 41.3° de la LCM.
[17]    Arts. 61 y 66 de la LCC-LM, y los arts. 56 de la LCC y 63 de la LCPA indican cinco años y, por regla general, sólo podrá ser reelegido una vez.
[18]    Art. 38 de la LCE, art. 44 de la LCCL, art. 52 de la LCIB.
[19]    Según lo dispuesto en el art. 46 de la LCPV, art. 46 de la LCG, art. 42 de la LCCM y el art. 50 de la LCLR.
[20]    Art. 60 de la LCC-LM, art. 47 de la LCG, art. 51 de la LCLR.
[21]    Apartado 2° del art. 39 de la LCA y 6° del art. 38 de la LCE.
[22]    Art. 43.5° de la LCM.
[23]    Al respecto, TATO PLAZA, *op. cit.*, págs. 474-475. Art. 41 de la LSCA, art. 72 de la LCPA, art. 46. 5° de la LCCV, art. 45 de la LCCL, art. 68 de la LCC-LM, art. 61 de la LCC, art. 43 de la LCE, art. 52 de la LCG, art. 53 de la LCRM, art. 55 de la LCLR, art. 54 de la LCIB, art. 44 de la LCM, art. 49 de la LCPV.

amplio para la acción de impugnación de los acuerdos nulos que para los anulables[24].

Algunas de las normas autonómicas de reciente aprobación han recogido de modo expreso el supuesto de conflicto de interés de los miembros del órgano de administración con la sociedad cooperativa. En líneas generales, se considera no válida (o nula) la estipulación de contratos y la asunción de obligaciones por parte de la entidad hechas en favor de los miembros del órgano de administración[25], si no recae autorización previa o ratificación posterior de la Asamblea general. Excluyéndose la prohibición de contratar respecto de las operaciones que, en función de la actividad cooperativizada, realice el administrador o sus parientes con la cooperativa en su condición de socios. La norma general, es considerar la nulidad de los contratos que se hacen sin atender estas limitaciones, o bien entender que son anulables[26]. Algunas leyes autonómicas prevén también que aquella infracción pueda dar origen al cese o destitución del administrador[27].

Los consejeros van a cesar de su cargo cuando, pasado el plazo previsto en los Estatutos, no fueran reelegidos, así como en los supuestos en los que concurra incompatibilidad, incapacidad o alguna prohibición sobrevenida[28]; y en igual sentido, si la Asamblea los destituye en cualquier momento por mayoría, y cuando aquéllos ejerzan la facultad de renunciar al cargo,

---

[24]  Los plazos de prescripción aplicables a la acción de impugnación de los acuerdos nulos oscilan entre los dos meses y el año (art. 41 de la LSCA, art. 44 de la LCCM, art. 54 de la LCIB, art. 46 de la LCCV); el plazo de prescripción aplicable a las acciones de impugnación de los acuerdos anulables es de un mes, por lo general. Salvo algunas excepciones: LCPV (art. 49), LCE (art. 43), LCG (art. 52) y LCCL (art. 45).

[25]  Algunas leyes autonómicas la extienden hasta el segundo grado de consanguinidad o afinidad (art. 41 de la LCE, art. 43 de la LCA, art. 49 de la LCG, art. 45 de la LCLR, art. 49 de la LCCL), en otras hasta el cuarto grado de consanguinidad y el segundo de afinidad (art. 49 de la LCCV y 65 de la LCIB).

[26]  Siguiendo lo dispuesto en la LC, véanse laLCE (art. 41), LCG (art. 49), LCLR (art. 53), la LSCA (art. 52), la LCC (art. 50), la LCIB (art. 65) o la LCCL (art. 49).

[27]  *Vid.* art. 41 de la LCE, art. 49 de la LCG y art. 53 de la LCLR.

[28]  En concreto, art. 48 de la LSCA, art. 44 de la LCCV, art. 43 de la LCAR, arts. 46 y 48 de la LCC, art. 42 de la LCPV, art. 40 de la LCE, art. 48 de la LCG, art. 52 de la LCLR, art. 61 de la LCIB, art. 48 de la LCCL, art. 43 de la LCA, art. 43 LFCN, art. 57 de la LCC-LM, art. 43 de la LCN. La LCPA (art. 64. 3°) señala que, salvo autorización expresa de la Asamblea, *los administradores no podrán dedicarse por cuenta propia a administrar otra sociedad que se dedique al mismo o análogo género de actividad.*

siempre que lo acepte la Asamblea o el Consejo[29]. Lo habitual es reconocer esta última facultad de renuncia de modo libre, pero algunas normas autonómicas sólo la admiten cuando medie justa causa[30]. Circunstancia que resulta razonable si tenemos presente que el nombramiento precisa obligatoriamente que sea aceptado por el interesado.

En último término, conviene atender al régimen de responsabilidad previsto respecto de los miembros del órgano de administración de las cooperativas. Si bien, para poder analizarlo, hay que tener en cuenta las obligaciones que éstos asumen al aceptar el cargo. Así, han de desempeñar sus competencias atendiendo a los principios de lealtad y diligencia, aunque la catalogación de esta última difiere en los diversos textos legales. Por lo general, o bien se hace una referencia expresa a lo dispuesto en la norma sobre sociedades anónimas, o se alude al desempeño del cargo con la diligencia de un ordenado empresario y de un representante leal, siguiendo las previsiones de las sociedades de capital[31]. Por el contrario, otras normas cooperativas —como la de las Islas Baleares— exigen el deber de diligencia de un ordenado gestor de cooperativas y un representante leal[32]. Junto a la lealtad y diligencia, se impone a los consejeros que respeten el deber de secreto[33]. En consecuencia, el consejero que ostente la condición de socio será responsable de las acciones dolosas o culposas contrarias a la Ley, a los Estatutos o a la diligencia debida en el desempeño del cargo, del abuso de las facultades que tiene atribuidas y en los supuestos de negligencia grave.

En todo caso, se trata de una responsabilidad solidaria frente a la cooperativa, los socios y los acreedores y que se extiende a todos los miembros

---

[29]    LCA (art. 38. 6° y 7°), art. 43. 3° y 4° de la LCCL, art. 61. 3° y 5° de la LCC-LM, art. 37. 6° de la LCE, art. 45. 2° y 3° de la LCG, art. 51.3° y 4° de la LCRM, art. 49. 3° y 4° de la LCLR, arts. 43 y 51. 4° y 5° de la LCIB, art. 65 de la LCPA, art. 45 de la LCCV.

[30]    En particular, el art. 51 de la LCIB.

[31]    Arts. 43 de la LCM, 47 de la LCPV y 51 de la LCCL. Por su parte, normas como la LCA hacen referencia a la exigencia de un ordenado gestor y un representante leal (art. 42) y en iguales términos el art. 42 de la LCE.

[32]    *Vid.* MORILLAS JARILLO/ FELIÚ REY, *Curso de... op. cit.* Así como el art. 63 de la LCIB, art. 47 de la LCCV, art. 42 de la LCA, art. 47 de la LCPV, art. 50 de la LCG, art. 51 de la LCCL, art. 43 de la LCCM. Por su parte, el art. 64 de la LCPA hace referencia a una *gestión empresarial ordenada*, y a la necesidad de tener conocimiento de la entidad.

[33]    Art. 47 de la LCPV, art. 64 de la LCPA, art. 51 de la LCCL, art. 50 de la LCG, art. 42 de la LCE, art. 43 de la LCCM, art. 44 de la LCN o el art. 63 de la LCIB, entre otras.

del Consejo Rector, con independencia de su grado de participación en el acuerdo. La posible exención de responsabilidad está prevista respecto de los miembros ausentes que acrediten que desconocían el acuerdo o bien si se abstienen de cualquier intervención en su ejecución e intentan hacer lo posible para evitar el daño, o si hacen constar su oposición al acuerdo por cualquier medio fehaciente[34]; así como, de los consejeros que votaron en contra e hicieron constar su oposición en el acta[35].

En el ejercicio de las acciones de responsabilidad cabe distinguir entre la acción social que trata de reparar el perjuicio que la actuación del consejero causa en la cooperativa, y la acción individual de responsabilidad que pretende resarcir el daño causado en el patrimonio personal de los socios o de terceros. Respecto de la primera, podrá interponerla la cooperativa, previo acuerdo de la Asamblea adoptado por mayoría[36]. Además, de forma subsidiaria, van a estar legitimados para el ejercicio de la acción social de responsabilidad cada socio a título individual, o los socios que reúnan un porcentaje de votos; y, también, los acreedores de la cooperativa[37].

Por su parte, la acción individual de responsabilidad se va a interponer contra los actos de los administradores con el fin de obtener la reparación del daño causado por la actuación de éstos que lesione directamente sus propios intereses[38].

---

[34]  En este mismo sentido, art. 50 de la LSCA, art. 47 de la LCCV, art. 47 de la LCPV, art. 63 de la LCIB, art. 51 de la LCCL, art. 42 de la LCA, art. 50 de la LCG, art. 43 de la LCCM, art. 54 de la LCLR, art. 66 de la LCPA.

[35]  *Vid.* VICENT CHULIÁ, F., en PAZ CANALEJO/ VICENT CHULIÁ, *Comentarios al Código de Comercio y Legislación Mercantil especial. Tomo XX: Ley General de Cooperativas*, vol. 2º, Madrid, 1990, pág. 825 que se manifiesta en un sentido crítico sobre ello.

[36]  Arts. 51 de la LSCA, 42 de la LCA, 48 de la LCPV, 42 de la LCE, 51 de la LCG, 43 de la LCCM, 54 de la LCLR, 51 de la LCCL y 64 de la LCIB. El plazo de prescripción de la acción social de responsabilidad varía en razón de la normativa autonómica. No obstante, art. 44 de la LCN sólo prevé una acción que puede ser ejercida por la Asamblea o, en su defecto, por un diez por ciento de los socios, siendo el plazo de prescripción de la misma de cinco años.

[37]  En cuanto a cada socio a título individual (art. 51 de la LSCA, art. 48 de la LCPV, art. 42 de la LCE, art. 51 de la LCG y art. 64 de la LCIB), o los socios que reúnan un porcentaje de votos (art. 42 de la LCA, art. 45 de la LCC, art. 54 de la LCLR); y, también, los acreedores de la cooperativa (art. 48 de la LCPV, art. 67 de la LCPA).

[38]  La acción de responsabilidad individual se reconoce a favor de los socios (art. 73 de la LSCA, art. 64 de la LCIB, art. 42 de la LCA, art. 48 de la LCPV, art. 51 de la LCG, art. 54 de la LCLR, art. 51 de la LCCL, art. 68 de la LCPA, art. 47 de la LCCV). Pero es posible que la puedan interponer otros afectados. Estas acciones

## III. NOTAS SOBRE EL ÓRGANO DE ADMINISTRACIÓN EN LAS SOCIEDADES DE CAPITAL

La gestión, el gobierno y la representación permanente —en juicio y fuera de él—[39] de una sociedad de capital corresponde al órgano de administración. La representación de la sociedad comprenderá los actos propios del objeto social que está previsto en los Estatutos y cualquier limitación de las facultades representativas de los administradores, aunque se halle inscrita en el Registro Mercantil, será ineficaz frente a terceros. Por tanto, si el órgano de administración actuase extralimitándose de sus facultades, esta situación genera una responsabilidad interna, pero la sociedad quedará obligada frente a terceros.

El órgano de administración societaria se distingue de los administradores de la entidad que ostenten dicha condición. Tanto si se trata de una S.A., como si es una S.R.L., dicho órgano estará conformado bien por varios administradores o por un Consejo de Administración y, en todo caso, actuará en consonancia con la Junta general de socios. Esencialmente porque se encuentra sometido a ella, en la medida en que es la Junta general la que tiene la facultad de nombrar y destituir a sus miembros. Asimismo, le corresponde otorgar instrucciones al órgano de gestión y, en ciertos ámbitos, se precisa de su autorización para adoptar determinadas decisiones. En consecuencia, la administración de la sociedad se podrá confiar a un administrador único, o a varios administradores que van a actuar de cualquiera de estas formas: solidaria (cada uno puede actuar por sí solo);

---

tienen un plazo de prescripción concreto. Si bien, el art. 54 LCLR y el art. 51 LCG someten las acciones individuales de responsabilidad a los mismos plazos de prescripción que resultan aplicables a la acción social de responsabilidad.

[39]   Art. 233 del Real Decreto Legislativo 1/2010, de 2 de julio, por el que se aprueba el texto refundido de la Ley de Sociedades de Capital (en adelante, LSC. BOE núm. 161, de 3 julio). *Vid.* AA.VV. *Lecciones de Derecho Mercantil,* (Coords. JIMÉNEZ SÁNCHEZ, G. J./ DÍAZ MORENO, A.), 19ª edc., Madrid, 2016, 272-281; AA.VV. *Derecho de sociedades de capital: estudio de la Ley de sociedades de capital y de la legislación complementaria,* (Dir. EMBID IRUJO, J. M.), Madrid, 2016; AA.VV. *Comentario de la Ley de Sociedades de Capital,* (Coords. ROJO FERNÁNDEZ RÍO, A. J./ BELTRÁN SÁNCHEZ, E. M.), Madrid, 2011; AA.VV. *Derecho de sociedades I. Comentarios a la jurisprudencia,* (Dir. RODRÍGUEZ ARTIGAS, F.), Madrid, 2010; GUERRERO TREVIJANO, C., «Sociedades de capital V. Órganos sociales. Administradores», en AA.VV. *Derecho de Sociedades,* (Dir. ALONSO LEDESMA, C./ Coord. FERNÁNDEZ TORRES, I.), 2ª edic., Barcelona, 2015, págs. 221-254; SÁNCHEZ CALERO, F., *Los administradores en las sociedades de capital,* Pamplona, 2007.

mancomunada; o colegiada bajo la conformación del Consejo de Administración. En cuanto al poder de representación que ostenta dicho órgano social conviene precisar que en el caso del administrador único recaerá en éste; si fueran varios administradores solidarios, en cada uno de los administradores; respecto de los administradores conjuntos, el poder de representación se ejercerá mancomunadamente, al menos, por dos de ellos; y si fuera un Consejo de Administración, le corresponde al propio Consejo que actuará de modo colegiado. En este último caso, se podrá otorgar la representación a uno o varios miembros a título individual o conjunto (consejeros delegados o comisión delegada o ejecutiva), si así se ha establecido en los Estatutos sociales.

La forma que se adopte para la administración de la entidad ha de quedar reflejada en los Estatutos[40] y el acuerdo de modificación del modo de organizar la administración se elevará escritura pública y se inscribirá en el Registro Mercantil. La forma habitual de configurar la dirección de las sociedades de capital es el Consejo de Administración al que la Junta confía la dirección de la entidad. Si bien, las últimas reformas normativas en la materia se han ocupado de establecer un control más riguroso de su actuación, incrementando la responsabilidad de sus miembros y el deber de diligencia en la gestión de la entidad.

El órgano de administración estará conformado por personas físicas o jurídicas, siempre que no incurran en ninguna de las prohibiciones e incompatibilidades contenidas en la norma (ser menores de edad no emancipados; los incapacitados; inhabilitados; funcionarios al servicio de la Administración pública, entre otros). El nombramiento de los administradores, como se ha indicado, compete a la Junta general y pueden nombrarse suplentes para el caso de que surjan vacantes[41]. No obstante, junto al nombramiento, se precisa que los administradores acepten el cargo y éste se inscriba en el Registro Mercantil dentro de los diez días siguientes a la aceptación. En igual sentido, la competencia para separar a los administradores corresponde a la Junta que podrá hacerlo en cualquier momento, así como en los supuestos en los que éstos fueran a su vez administradores

---

[40]  Arts. 23 y 210 de la LSC. Las sociedades cotizadas siempre serán administradas por un Consejo de administración. En el caso de la S.R.L los estatutos sociales podrán establecer distintos modos de organizar la administración atribuyendo a la junta de socios la facultad de optar alternativamente por cualquiera de ellos sin necesidad de modificación estatutaria. Siendo esta última salvedad prevista en la norma únicamente para las sociedades indicadas (S.R.L).

[41]  Art. 216 de la LSC.

de otra sociedad competidora y las personas tengan intereses opuestos a los de la entidad.

La duración del cargo no es indefinida, sino que su limitación se determinará en los Estatutos, estableciéndose como máximo seis años y deberá ser igual para todos, pudiendo ser reelegidos, una o varias veces, por períodos de igual duración máxima. Salvo la excepción que recoge la norma para las S.R.L., en las que el cargo de administrador puede ser por tiempo indefinido.

El administrador no va a recibir remuneración por el desempeño de su cargo, salvo que se refleje su retribución estatutariamente[42]. En este último caso, se determinará el sistema de retribución y los conceptos que forman parte del objeto de la misma, optando bien por percibir una asignación fija o variable en razón de criterios de referencia; junto a otros posibles conceptos. El importe máximo de la remuneración anual tiene que ser aprobado por la Junta general teniendo una proporcionalidad razonable en base a la relevancia de la entidad, su situación económica y los estándares de mercado de empresas comparables[43].

El régimen de responsabilidad de los miembros que integran el órgano de administración de las sociedades de capital se impone en razón del incumplimiento de los deberes que ha de respetar o de las actuaciones negligentes o contrarias a las reglas de la buena fe. En este sentido, los deberes que asume el administrador se concretan en la lealtad y la actuación diligente atendiendo a las funciones y facultades asumidas[44]. La lealtad implica que el administrador ha de actuar conforme a un fiel representante. Por su parte, la diligencia exigida se corresponde con la

---

[42]    Art. 217 de la LSC, remuneraciones con criterios objetivos, explícitos y transparentes que ofrece el mercado para su asignación.

[43]    Para ampliar esta materia, GUERRERO TREVIJANO, *op. cit.*, págs. 221-254; JUSTE MENCÍA, J., «Retribución de consejeros», en AA.VV., *El gobierno de las sociedades cotizadas*, (Dir. ESTEBAN VELASCO, G.), Madrid, 1999, págs. 497-536; PALÁ LAGUNA, R., «La comisión de nombramientos y retribuciones. La política de remuneración y el informe anual sobre remuneraciones de los consejeros (arts. 529 novodecies, 529 quindecies y 541 LSC)», en AA.VV. *Junta General y Consejo de Administración de la Sociedad cotizada: Estudio de las modificaciones de la Ley de Sociedades de Capital introducidas por las Leyes 31/2014, de 3 de diciembre, 5/2015, de 27 de abril, 9/2015, de 25 de mayo, 15/2015, de 2 de julio y 22/2015, de 20 de julio, así como de las Recomendaciones,* (Dir. RONCERO SÁNCHEZ, A.), Tomo II, vol. 2, 2016, pág. 797-839.

[44]    Arts. 228-230 de la LSC.

de *un ordenado empresario y de un representante leal,* teniendo en cuenta la naturaleza del cargo y las funciones encomendadas[45]. Por tanto, las obligaciones que compete respetar a los administradores sociales se concretan en los siguientes: el deber de información, el deber de fidelidad al interés social, el deber de lealtad, actuar de buena fe y en el mejor interés de la sociedad, guardar secreto, no realizar facultades con un fin distinto; abstenerse de participar en la deliberación y votación de acuerdos o decisiones en las que él o una persona vinculada al mismo tenga un conflicto de intereses; ejercer sus funciones bajo el principio de responsabilidad personal; y adoptar las medidas para impedir situaciones en las que sus intereses puedan entrar en conflicto con el de la sociedad y con sus deberes para con ésta.

De acuerdo con las obligaciones indicadas, la norma determina el régimen de responsabilidad de los que formen parte del órgano de administración por los daños causados por el incumplimiento de los mismos[46]. En el caso del Consejo de Administración, la responsabilidad será solidaria respecto de todos los integrantes del órgano, a excepción de los que prueben que, no habiendo intervenido en la adopción del acuerdo y la ejecución del acto, no sabían de su existencia; o, en caso contrario, hicieron lo conveniente para evitarlo o se opusieron expresamente a ello. Centrándonos en la responsabilidad civil por daños, conviene indicar que los administradores responderán frente a la sociedad, frente a los socios y frente a los acreedores del daño que causen por actos u omisiones contrarios a la Ley o a los Estatutos o por los realizados incumpliendo los deberes que le son impuestos. Por lo que es una responsabilidad indemnizatoria por culpa. Si bien, hay que advertir que esta responsabilidad se extiende al administrador de hecho de la sociedad. A fin de exigir la responsabilidad de los administradores, la norma habilita el ejercicio de la acción social de responsabilidad con el objeto de restablecer el patrimonio dañado de la entidad[47]; y de la acción individual para resarcir el patrimonio perjudicado de los socios o terceros[48].

---

[45]  Arts. 225-232 de la LSC.
[46]  Arts. 237-241 de la LSC.
[47]  Art. 238 de la LSC.
[48]  Arts. 239 y 241 de la LSC.

## IV. ACERCAMIENTO DEL RÉGIMEN DEL ÓRGANO DE ADMINISTRACIÓN DE LAS COOPERATIVAS AL DE LAS SOCIEDADES DE CAPITAL

Las referencias señaladas con anterioridad respecto del régimen de las sociedades cooperativas en cuanto al órgano de administración en las normas autonómicas, permiten afirmar que algunas de las regulaciones más recientes están incluyendo aspectos propios de las sociedades de capital y, en particular, de las sociedades anónimas[49].

El gobierno y funcionamiento de las sociedades de capital atiende a la relación que existe entre la propiedad o titularidad del capital societario y el control en cuanto a la gestión y administración social. Por su parte, en las sociedades cooperativas el primer elemento de dicha relación se conforma por la actividad económica o cooperativizada que realiza el socio. Esto es, se prevé un régimen de *autogestión* por parte de los que ostentan la condición de socios en la medida en que éstos realizan la actividad cooperativizada y, en consecuencia, se van a encargar de la gestión de la sociedad. Esta divergencia implica que teóricamente se hayan planteado aspectos diferenciados entre ambas formas societarias. El régimen jurídico de las sociedades cooperativas se basa en la condición de los socios como cooperativistas que contribuyen a la consecución del fin social que le es común y responden con su patrimonio de las pérdidas que la actividad cooperativizada que lleven a cabo ocasione a la entidad cooperativa. Razón por la que en el ámbito cooperativo se reconoce el derecho de participación del socio desde una perspectiva económica en cuanto a la actividad cooperativizada, y orgánica en relación con su participación en los órganos sociales.

No obstante lo anterior, y precisamente en cuanto al órgano de administración de las sociedades cooperativas, cabe poner de manifiesto que algunas normas autonómicas que han ejercicio su competencia legislativa en la materia, están aproximando sus disposiciones al régimen de las sociedades de capital. A pesar de que, en estas últimas, no existe en sentido estricto la base mutualista que caracteriza dicha modalidad societaria.

La primera idea que al respecto cabe destacar es en cuanto a las formas en las que se puede organizar la gestión y gobierno de la sociedad. En este aspecto, algunas normas autonómicas no sólo se refieren al Consejo Rector

---

49    MORILLAS JARILLO, Mª. J., «La nueva regulación estatal de las sociedades cooperativas», *Derecho de los Negocios*, núm. 111, diciembre, págs. 4-5; PAZ CANALEJO, *op. cit.*, págs. 309 a 311; VICENT CHULIÁ, *op. cit.*, págs. 620 a 622.

o, cuando proceda, al Administrador único, sino que prevén la posibilidad de que la administración se confiera a varios administradores solidarios o a administradores que actuarán mancomunadamente. Si bien, nos detendremos en el Consejo Rector como órgano colegiado de administración de las sociedades cooperativas y cuyas funciones esenciales se centran en la gestión ordinaria de la entidad, a fin de poder establecer su aproximación al régimen del Consejo de Administración de las sociedades de capital.

El Consejo Rector, como órgano de gobierno de la cooperativa, establece las directrices de la gestión de la misma, supervisa las actuaciones de los directivos y representa a la sociedad cooperativa en todas las actividades propias del objeto social. Además de las competencias que no estén atribuidas por la norma o los Estatutos a otros órganos sociales. Contenido que resulta equivalente a las reconocidas al Consejo de Administración de las sociedades de capital. La asunción de estas facultades supone, en ciertos supuestos, una merma de las actuaciones propias de la Asamblea general[50], pero ha de advertirse que ésta mantiene en todo caso la competencia de control de la gestión que realiza el Consejo Rector y por ello le corresponde el nombramiento y destitución de sus miembros (y de los suplentes al igual que en la norma societaria), así como el examen de sus actuaciones.

El aspecto clave en cuanto a la aproximación existente entre la regulación del órgano de administración de las sociedades de capital y el Consejo Rector de las cooperativas, en nuestra opinión, cabe establecerlo en la imposición de controles que la actual regulación de aquéllas ha previsto respecto del Consejo de Administración. En este sentido, ha de hacerse referencia no sólo a la propia composición de dicho órgano; sino también, a la regulación de las situaciones de conflicto de interés; y al régimen de responsabilidad imputable a los miembros del órgano de administración, en razón de la inobservancia de los deberes que le son exigibles.

Respecto al primer planteamiento, la regla general en materia cooperativa establece el nombramiento de los miembros del Consejo Rector de entre los que ostenten la condición de socios cooperativos. Sin embargo, la dificul-

---

[50] SUSO VIDAL, J. M. «La confluencia del Derecho de sociedades mercantiles en el régimen de los órganos sociales de la Ley de cooperativas de Euskadi de 1993» en AA.VV. *Estudios Jurídicos en Homenaje a Aurelio Menéndez*, vol. II, Madrid, 1996, págs. 2511-2514; VICENT CHULIÁ, F., «El Derecho de los órganos sociales desde la perspectiva de la legislación cooperativa», *RDM*, núms. 153-154, 1979, págs. 503-504.

tad de que éstos cuenten con la cualificación necesaria para el ejercicio del cargo, hace que se prevea la posibilidad de que la Asamblea nombre también a personas no socias que cuenten con un cierto grado de profesionalidad y siempre que se hubiera previsto en los Estatutos sociales. En este supuesto, se limita su nombramiento en base a las propias cualificaciones técnicas y la experiencia empresarial; y en lo que afecta al aspecto cuantitativo, no pudiendo superar un determinado número dentro del Consejo Rector, ni ocupar cargos como el de Presidente o Vicepresidente del mismo. Estos consejeros van a asumir el mismo régimen de responsabilidad que los miembros del Consejo Rector[51]. Las exigencias requeridas en el derecho cooperativo para poder designar como miembros del Consejo a personas que no sean socias entendemos que se justifican en la aplicación del principio de democracia interna. Cabe advertir, por otro lado, que el Consejo Rector está facultado para delegar competencias susceptibles de ello en las comisiones ejecutivas o en los consejeros delegados dentro de su propio seno, sin perjuicio de los apoderamientos que pueda conferir a cualquier persona para el ejercicio de sus funciones (Director o Gerente, entre otros) para lo cual habrá de atenderse al contenido del contrato suscrito. Posibilidad que también se reconoce respecto del Consejo de Administración de las sociedades de capital.

Las apreciaciones señaladas suponen un acercamiento al ámbito general de las sociedades de capital en cuanto que, en este caso, como es sabido no se exige la condición de socio para ser nombrado administrador y, además, es posible que sea nombrado administrador una persona jurídica. A mayor abundamiento, si tenemos presente el régimen aplicable a las sociedades anónimas cotizadas, estás en todo caso van a estar administradas por el Consejo de Administración, en cuya composición no sólo se va a velar por la paridad de género, como se ha previsto en recientes normas cooperativas; sino también, se establece la diferencia entre los socios ejecutivos y los no ejecutivos (dominicales, independientes o externos). En este último caso, volvemos sobre la previsión específica en algunas normas cooperativas de los consejeros independientes que se caracterizan por la imparcialidad y objetividad de criterio en el desarrollo del cargo. La salvedad que cabe hacer en cuanto al derecho societario, es que esta modalidad de consejero en el ámbito de las sociedades cotizadas no se singulariza únicamente por su cualificación y experiencia empresarial, antes bien por la garantía de los intereses de los socios minoritarios.

---

[51]   VICENT CHULIÁ, F., «Mercado, principios cooperativos y reforma de la legislación cooperativa», *Ciriec. Revista de Economía Pública, Social y Cooperativa*, núm. 29, agosto, 1998, pág. 19.

En otros casos, las normas autonómicas han reconocido la posible representación de ciertos grupos de interés en el Consejo Rector de las cooperativas, como sucede con las secciones de la misma, los socios colaboradores, las personas inversoras, los socios de trabajo o, incluso, el Comité de Empresa.

Al igual que en las sociedades de capital, el nombramiento de los miembros del Consejo Rector necesariamente ha de ser aceptado y presentado para su inscripción en el Registro. En este aspecto, algunas normas cooperativas son coincidentes con la ley societaria en el plazo de diez días desde la aceptación. Del mismo modo, se asume la duración máxima del cargo de las S.A. prevista en seis años, pudiendo ser reelegidos; y el número mínimo de consejeros integrantes del órgano de administración (tres miembros). Las normas cooperativas siguen, el líneas generales, las previsiones en cuanto a la caducidad y cese de los administradores, así como las relativas a las prohibiciones, incompatibilidades (públicas y privadas) e incapacidad de los mismos. Similar contenido se establece respecto de la posibilidad de que estatutariamente se determine el sistema de remuneración de los administradores (y del resto de miembros que integren el órgano de administración) y los conceptos retributivos, aunque el cargo se entiende no retribuido; y el funcionamiento de dicho órgano, la adopción de acuerdos y los supuestos de impugnación de los que resulten contrarios a la Ley y los que contradigan los Estatutos o perjudiquen los intereses de la cooperativa en beneficio de uno o varios socios o de terceros (acuerdos nulos o anulables), como se ha indicado con anterioridad.

En segundo término, en cuanto a las situaciones de conflicto de los miembros del órgano de administración, algunas de las normas autonómicas aprobadas en materia cooperativa las han regulado expresamente. Pero su contenido se limita a establecer una previsión genérica respecto de la nulidad de la celebración de contratos y la asunción de obligaciones hechas en favor de los miembros del órgano de administración, si no recae autorización previa o ratificación posterior de la Asamblea general. Pese a que se trata de una previsión que guarda relación con las singularidades de las sociedades de capital, el régimen previsto en éstas en lo relativo a las situaciones de conflicto de interés es una manifestación del deber de lealtad de los administradores[52]. Es decir, el administrador ha de abstenerse de deliberar y votar acuerdos o decisiones sobre los que él o una persona con la que se vincule tenga un conflicto de interés, bien sea directo o indirec-

---

[52]    Arts. 228 y 229 de la LSC.

to. A menos que le afecten en su condición de administrador. A tal fin, la norma concreta los aspectos sobre los que el administrador de la sociedad de capital debe abstenerse, cuales son: *realizar transacciones con la sociedad, excepto que se trate de operaciones ordinarias, hechas en condiciones estándar para los clientes y de escasa relevancia; utilizar el nombre de la sociedad o invocar su condición de administrador para influir indebidamente en la realización de operaciones privadas; hacer uso de los activos sociales, incluida la información confidencial de la compañía, con fines privados; aprovecharse de las oportunidades de negocio de la sociedad; obtener ventajas o remuneraciones de terceros distintos de la sociedad y su grupo asociadas al desempeño de su cargo, salvo que se trate de atenciones de mera cortesía; desarrollar actividades por cuenta propia o cuenta ajena que entrañen una competencia efectiva, sea actual o potencial, con la sociedad o que, de cualquier otro modo, le sitúen en un conflicto permanente con los intereses de la sociedad.* Sin embargo, es posible que en ciertos casos la Asamblea autorice algunas de las actuaciones señaladas.

Por último, conviene referirse al régimen de responsabilidad de los que integran el órgano de administración, para lo cual hay que atender a los deberes que éstos han de respetar. Pues, si bien en un principio, la responsabilidad se imputaba en razón de las actuaciones dolosas, el abuso de las facultades o el comportamiento negligente grave, ahora se aproxima la responsabilidad al régimen de las sociedades de capital. Básicamente porque se permite que formen parte del Consejo Rector personas que no ostentan la condición de socios y, además, porque se prevé la posible retribución del cargo. Así, los miembros del Consejo Rector de las sociedades cooperativas tienen el deber de actuar con diligencia y la lealtad de un fiel representante, y han de guardar secreto de sus actuaciones. La determinación de la diligencia que es exigida se ha previsto en consonancia con las sociedades anónimas por remisión o, en su caso, la de un ordenado empresario y de un representante leal teniendo en cuenta la naturaleza del cargo y las funciones encomendadas. Respecto de las conductas empresariales amparadas por la discrecionalidad, se impone la necesidad de que el administrador actúe de buena fe. No obstante, en este aspecto, algunas normas cooperativas se ha decantado por la previsión de un nivel de diligencia adecuado a la forma societaria en concreto. Es decir, se impone la actuación diligente de un ordenado gestor de cooperativas y un representante leal. En todo caso, se trata de una responsabilidad solidaria frente a la cooperativa, los socios y los acreedores y que se extiende a los miembros del Consejo Rector. Aunque cabe la exención de responsabilidad en determinadas circunstancias.

Las acciones de responsabilidad que se han previsto en la norma cooperativa son similares a las de la sociedades de capital: la acción social que trata de reparar el perjuicio que la actuación del consejero causa en la cooperativa, y la acción individual de responsabilidad que pretende resarcir el daño causado en el patrimonio personal de los socios o de terceros. En términos similares a la LSC, las normas cooperativas han previsto la legitimación activa no sólo a la entidad o a los socios que representen un determinado porcentaje, sino también a los acreedores de forma subsidiaria.

Además de lo expuesto, resulta preciso hacer una última apreciación en relación con la aproximación al régimen de las sociedades de capital y la pretensión de éste de afianzar la tutela de los intereses de los socios con menor participación en la gestión de la entidad. Así, una de las recientes normas aprobadas en materia cooperativa, el Texto Refundido de la Ley de Cooperativas de la Comunidad Valenciana (Decreto Legislativo 2/2015, de 15 de mayo) recoge la necesidad de que la entidad someta a una auditoría externa las cuentas anuales y el informe de gestión del ejercicio en determinados supuestos. En los que, además, la cooperativa está obligada a designar a una persona que realice las funciones de asesoría letrada, por acuerdo del Consejo Rector. Pero, en ningún caso, podrá recaer en una persona que tenga intereses en la cooperativa, o mantenga con ella relaciones contractuales distintas a la de asesoría letrada. Aunque cabe que pueda serlo cualquier socio que reúna las condiciones legales para ejercer dicha función, pero no pudiendo participar en las votaciones. Además de la indicado, se establece la opción de que la cooperativa designe una Comisión de control de la gestión, como órgano facultativo de la misma, que se ocupa del examen de la marcha de la entidad, las directrices generales y las decisiones adoptadas por el Consejo Rector (por el consejero delegado o la comisión ejecutiva y la dirección), advertirles sobre su conformidad o no con la política fijada por la Asamblea y los criterios de una buena gestión empresarial, e informar por escrito a la Asamblea general. A tal fin, podrá recabar y examinar, en todo momento, la documentación y contabilidad de la cooperativa.

Por su parte, y a pesar de que su aprobación no es tan actual, entre otras normas destacamos la Ley de Cooperativas del País Vasco (Ley 4/1993, de 24 de junio, de Cooperativas de Euskadi), la cual ya había incluido respecto de las cooperativas con más de cien socios la creación de una Comisión de Vigilancia. Ésta va a estar integrada por socios o, si así lo recogen los Estatutos, por terceros que reúnan los requisitos de honorabilidad, cualificación profesional y experiencia técnica o empresarial adecuados, y siempre que su número no exceda de la mitad del total. Entre sus funciones destacan: la revisión de las cuentas anuales y la emisión del informe preceptivo sobre las mismas y sobre la propuesta de distribución de excedentes o de imputación de pérdidas; la revisión de los libros de la cooperativa; la supervisión y calificación de la idoneidad de los escritos de representación; la vigilancia del proceso de elección y designación de los miembros de los restantes órganos; y la suspensión de los administradores que incurran en alguna de las causas de incapacidad o prohibición. En el cumplimiento de estas facultades, la norma impone la necesidad de que los administradores le informen de forma periódica (al menos una vez al trimestre) de las actividades y evolución previsible de la cooperativa.

## V. CONCLUSIONES

Las normas generales que recoge la LC respecto del régimen de las sociedades cooperativas han hecho que en la práctica se susciten diversas cuestiones. Por ello, las CC.AA. que han desarrollado su competencia legislativa en materia cooperativa se han ocupado de concretar algunos extremos y de establecer una regulación más precisa en ciertos ámbitos. Teniendo para ello el referente de las disposiciones normativas de las sociedades de capital.

En concreto, el estudio del régimen aplicable al órgano de administración de las sociedades cooperativas y las previsiones del mismo en cuanto a las sociedades de capital, nos permite concluir que las normas autonómicas han delimitado su contenido aproximándolo a los presupuestos del Consejo de Administración de estas últimas, al entender que en esta materia es en la que menos diferencias se detectan entre ambas formas societarias.

Pese a ello, las particularidades que distinguen a las sociedades cooperativas permiten considerar que el sistema de distribución y control de las facultades de gobierno y gestión de la entidad ha de ser específico. Pues la extensión de ciertos aspectos como el régimen de responsabilidad no encaja de modo completo en las entidades que, por su propia naturaleza, se caracterizan por ser de base mutualista en una economía social. En el caso de las sociedades cooperativas, la gestión de la entidad corresponde a los socios que participan en la actividad cooperativizada de la empresa a fin de satisfacer sus necesidades y ello justifica que formen parte de la estructura orgánica de la misma como miembros integrantes de los órganos de decisión y de gestión y gobierno de la sociedad. Pues en las cooperativas rige el principio de funcionamiento democrático y participativo. Mientras que en el caso de las sociedades mercantiles, y en especial en las S.A., la gestión administrativa resulta más compleja.

En definitiva, el acercamiento de las normas autonómicas aprobadas en relación con las sociedades cooperativas al régimen jurídico de las sociedades de capital, pese a resultar positivo en ciertos casos, debe hacerse con cautela y teniendo en cuenta las singularidades de estas entidades. Por lo que no puede considerarse factible que, en todo caso, se apliquen a las sociedades cooperativas las interpretaciones que ha hecho la doctrina y la jurisprudencia sobre los aspectos del órgano de administración de las sociedades mercantiles. Aún cuando, como se ha indicado, es en este tema en el que menores diferencias presentan dichas sociedades.

## Bibliografía

AA.VV. *Junta General y Consejo de Administración de la Sociedad cotizada: Estudio de las modificaciones de la Ley de Sociedades de Capital introducidas por las Leyes 31/2014, de 3 de diciembre, 5/2015, de 27 de abril, 9/2015, de 25 de mayo, 15/2015, de 2 de julio y 22/2015, de 20 de julio, así como de las Recomendaciones,* (Dir. RONCERO SÁNCHEZ, A.), vol. 2, Tomo II, Pamplona, 2016.

AA.VV. *Lecciones de Derecho Mercantil,* (Coords. JIMÉNEZ SÁNCHEZ, G. J./ DÍAZ MORENO, A.), 19ª edc., Madrid, 2016.

AA.VV. *Derecho de sociedades de capital: estudio de la Ley de sociedades de capital y de la legislación complementaria,* (Dir. EMBID IRUJO, J. M.), Madrid, 2016.

AA.VV. *Derecho de Sociedades,* (Dir. ALONSO LEDESMA, C./ Coord. FERNÁNDEZ TORRES, I.), 2ª edic., Barcelona, 2015.

AA.VV. *Tratado de Derecho de cooperativas,* (Dir. PEINADO GRACIA, J. I./ Coord. VÁZQUEZ RUANO, T.), Tomo I, Valencia, 2013.

AA.VV. *Comentario de la Ley de Sociedades de Capital,* (Coords. ROJO FERNÁNDEZ RÍO, A. J./ BELTRÁN SÁNCHEZ, E. M.), Madrid, 2011.

AA.VV. *Derecho de sociedades I. Comentarios a la jurisprudencia,* (Dir. RODRÍGUEZ ARTIGAS, F.), Madrid, 2010.

AA.VV. *Curso de Derecho mercantil,* (Dirs. URÍA, R./ MENÉNDEZ, A.), Tomo I, 2ª ed., Madrid, 2006.

AA.VV. *Tratado de Derecho mercantil,* (Dirs. OLIVENCIA, M./ FERNÁNDEZ NOVOA, C./ JIMÉNEZ DE PARGA, R.), vol. 1, Madrid, 2005.

AA.VV. *La sociedad cooperativa en la Ley 27/1999, de 16 de julio, de Cooperativas,* (Coord. ALONSO ESPINOSA, F. J.), Granada, 2001.

AA.VV. *El gobierno de las sociedades cotizadas,* (Dir. ESTEBAN VELASCO, G.), Madrid, 1999.

AA.VV. *Estudios Jurídicos en Homenaje a Aurelio Menéndez,* vol. II, Madrid, 1996.

ALFONSO, R., «Aspectos básicos de la nueva regulación de la sociedad cooperativa (Ley 27/1999 de 16 de julio)», *Cuadernos de Derecho y Comercio,* núm. 31, abril, 2000, págs. 161-202.

ALONSO ESPINOSA, F. J., «Órgano de administración», en AA.VV. *La sociedad cooperativa en la Ley 27/1999, de 16 de julio, de Cooperativas,* (Coord. ALONSO ESPINOSA, F. J.), Granada, 2001.

FAJARDO, G., «La responsabilidad del socio en la gestión de la cooperativa de viviendas desde la jurisprudencia del Tribunal Supremo», *Ciriec. Revista de Economía Pública, Social y Cooperativa*, núm. 5, noviembre, 1994, págs. 415 ss.

GADEA, E/ SACRISTÁN, F/ VARGAS VASSEROT, C., *Régimen jurídico de la cooperativa del siglo XXI. Realidad actual y propuestas de reforma*, Madrid, 2009.

GUERRERO TREVIJANO, C., «Sociedades de capital V. Órganos sociales. Administradores», en AA.VV. *Derecho de Sociedades*, (Dir. ALONSO LEDESMA, C./ Coord. FERNÁNDEZ TORRES, I.), 2ª edic., Barcelona, 2015, págs. 221-254.

JUSTE MENCÍA, J., «Retribución de consejeros», en AA.VV. *El gobierno de las sociedades cotizadas*, (Dir. ESTEBAN VELASCO, G.), Madrid, 1999, págs. 497-536.

LLOBREGAT HURTADO, Mª. L., M. L., *Mutualidad y empresas cooperativas (la relación socio-sociedad en las cooperativas de trabajo asociado)*, Barcelona, 1991.

MORILLAS JARILLO, Mª. J., «La nueva regulación estatal de las sociedades cooperativas», *Derecho de los Negocios*, núm. 111, diciembre, págs. 1-13.

MORILLAS JARILLO, Mª. J./ FELIÚ REY, M. I., *Curso de cooperativas*, Madrid, 2ª ed., 2002.

PALÁ LAGUNA, R., «La comisión de nombramientos y retribuciones. La política de remuneración y el informe anual sobre remuneraciones de los consejeros (arts. 529 novodecies, 529 quindecies y 541 LSC)», en AA.VV. *Junta General y Consejo de Administración de la Sociedad cotizada: Estudio de las modificaciones de la Ley de Sociedades de Capital introducidas por las Leyes 31/2014, de 3 de diciembre, 5/2015, de 27 de abril, 9/2015, de 25 de mayo, 15/2015, de 2 de julio y 22/2015, de 20 de julio, así como de las Recomendaciones*, (Dir. RONCERO SÁNCHEZ, A.), vol. 2, Tomo II, Pamplona, 2016, pág. 797-839.

PANIAGUA ZURERA, M., «La sociedad cooperativa. Las sociedades mutuas de seguros y las mutualidades de previsión social», en AA.VV. *Tratado de Derecho mercantil*, (Dirs. OLIVENCIA, M./ FERNÁNDEZ NOVOA, C./ JIMÉNEZ DE PARGA, R.), vol. 1, Madrid, 2005.

PASTOR, C., «Principales novedades de la nueva Ley 27/1999, de 16 de julio, de Sociedades Cooperativas», *Revista de Derecho de Sociedades*, núm 13, vol. II, 2000, págs. 229-251.

PAZ CANALEJO, N., en PAZ CANALEJO, N./ VICENT CHULIÁ, F., *Ley General de Cooperativas. Comentarios al Código de Comercio y Legislación Mercantil Especial*, Tomo XX, vol. 1.

PEINADO GRACIA, J. I., «Sociedades cooperativas. Otros tipos mutualistas. Agrupaciones de Interés Económico», en AA.VV. *Derecho de Sociedades*, (Dir. ALONSO LEDESMA, C./ Coord. FERNÁNDEZ TORRES, I.), 2ª edic., Barcelona, 2015, págs. 463-491.

SÁNCHEZ CALERO, F., *Los administradores en las sociedades de capital*, Pamplona, 2007.

SEQUEIRA MARTÍN, A.J./ SACRISTÁN BERGIA, F., «Una reflexión sobre la responsabilidad de los miembros del Consejo Rector de las Cooperativas», *RdS*, núm. 21, 2003, págs. 219-232.

SUSO VIDAL, J. M. «La confluencia del Derecho de sociedades mercantiles en el régimen de los órganos sociales de la Ley de cooperativas de Euskadi de 1993» en AA.VV. *Estudios Jurídicos en Homenaje a Aurelio Menéndez*, vol. II, Madrid, 1996, págs. 2511 ss.

TATO PLAZA, A., «II. La Administración», en AA.VV. *Tratado de Derecho de cooperativas*, (Dir. PEINADO GRACIA, J. I./ Coord. VÁZQUEZ RUANO, T), Tomo I, Valencia, 2013, págs. 437-476.

URÍA, R., *Derecho Mercantil*, 26ª edic., Madrid, 1999.

URÍA, R./ MENÉNDEZ, A./ VÉRGEZ, M., «Sociedades cooperativas», en AA.VV. *Curso de Derecho mercantil*, (Dirs. URÍA, R./ MENÉNDEZ, A.), Tomo I, 2ª ed., Madrid, 2006, págs. 1421-1446.

VICENT CHULIÁ, F., «El futuro de la legislación cooperativa», *Revista Jurídica de Economía Social y Cooperativa*, núm. 13, octubre, 2002.

— «Mercado, principios cooperativos y reforma de la legislación cooperativa», *Ciriec. Revista de Economía Pública, Social y Cooperativa*, núm. 29, agosto, 1998.

— «El Derecho de los órganos sociales desde la perspectiva de la legislación cooperativa», *RDM*, núms. 153-154, 1979, págs. 483-592.

VICENT CHULIÁ, F., en PAZ CANALEJO/ VICENT CHULIÁ, *Comentarios al Código de Comercio y Legislación Mercantil especial. Tomo XX: Ley General de Cooperativas*, vol. 2º, Madrid, 1990.

# B) RETRIBUCIÓN DE ADMINISTRADORES

# 41. Perspectiva laboral y mercantil de la retribución de los administradores sociales. La teoría del vínculo

**AMANDA COHEN BENCHETRIT**

*Magistrada especialista Mercantil por el CGPJ*

## I. INTRODUCCIÓN

La Ley de Sociedades de Capital (en adelante, LSC), dedica a la regulación de la retribución de los administradores sociales los artículos 217 a 219, sin perjuicio de las referencias contenidas en el artículo 249.4 a la retribución de aquel o aquellos miembros del Consejo de Administración que tengan atribuida por medio de contrato (que habrá de cumplir con las exigencias del artículo 249.3 LSC) la realización de funciones ejecutivas y de las especialidades contempladas para las sociedades cotizadas en los artículos 529 sexdecies a novodecies LSC.

Estos preceptos quedaron afectados por la reforma operada por la Ley 31/2014, de 3 de diciembre (publicada en el BOE de 4 de diciembre de 2014) y con entrada en vigor a los veinte días de su publicación (Disposición Adicional Cuarta), ley que ya en su Preámbulo (apartado VI) decía que *una novedad especialmente relevante es la regulación de las remuneraciones de los administradores,* haciéndose eco de la preocupación de distintos organismos internacionales por que las remuneraciones de los administradores reflejen de manera adecuada la evolución real de la empresa y estén alineadas con el interés de la sociedad y sus accionistas. Para lograr dicho objetivo, la Ley fija la necesidad de que los estatutos sociales contemplen el sistema de remuneración de los administradores por sus funciones de gestión y decisión, con especial referencia al régimen retributivo de los consejeros que desempeñen funciones ejecutivas, siendo estas disposiciones aplicables a todas las sociedades de capital.

Como se indica en el apartado III del citado Preámbulo, el antecedente directo de dicha Ley de reforma para la mejora del gobierno corporativo, se encontraba en el Acuerdo del Consejo de Ministros de 10 de mayo de 2013, por el que se creaba una Comisión de expertos en materia de gobierno corporativo, para proponer las iniciativas y las reformas normativas que se considerasen adecuadas para garantizar el buen gobierno de las empresas, y para prestar apoyo y asesoramiento a la Comisión Nacional del Mercado de Valores en la modificación del Código Unificado de Buen Gobierno de las Sociedades Cotizadas. El objetivo final de estos trabajos era «*velar por el adecuado funcionamiento de los órganos de gobierno y administración de las empresas españolas para conducirlas a las máximas cotas de competitividad; generar confianza y transparencia para los accionistas e inversores nacionales y extranjeros; mejorar el control interno y la responsabilidad corporativa de las empresas españolas y asegurar la adecuada segregación de funciones, deberes y responsabilidades en las empresas, desde una perspectiva de máxima profesionalidad y rigor.*»

Los trabajos de dicha Comisión de Expertos fructificaron en el Informe de 14 de octubre de 2013, cuyo punto 4.10 se ocupa de la retribución de los administradores y, en particular, de la de los consejeros.

La remuneración de los administradores sociales lleva años situándose en el punto de mira del legislador, a fin de evitar los abusos de otras épocas. Y sigue siendo punto nuclear del actual Derecho de Sociedades[1], como se pone de manifiesto en la Directiva (UE) 2017/828 del Parlamento Europeo y del Consejo por la que se modifica la Directiva 2007/36/CE en lo que respecta al fomento de la implicación a largo plazo de los accionistas, de 17 de mayo de 2017 (publicada en el Diario Oficial de la Unión Europea de 20 de mayo de 2017), que vuelve a prestar atención a esta materia y que recuerda en sus considerandos que, siendo la remuneración uno de los instrumentos esenciales para garantizar que los intereses de las sociedades estén en consonancia con los de sus consejeros, resulta esencial que la política de remuneración de las sociedades esté determinada de manera adecuada.

Dicho esto a modo introductorio, analizaré los principios básicos que en materia retributiva de los administradores se recogen en el artículo 217 para, posteriormente, abordar el examen de la denominada teoría del vínculo y la remuneración desde la perspectiva social o laboral y mercantil.

---

[1]   APARICIO, M., «Sobre la proyectada Reforma de la Remuneración de los Administradores», en Estudios Jurídicos en memoria del Profesor Emilio Beltrán Liber Amicorum Tomo I, págs. 515-537, Ed. Tirant lo Blanch.

## II. DETERMINACIÓN ESTATUTARIA DE LA RETRIBUCIÓN

Principio básico de la regulación de la retribución de los administradores sociales en nuestro ordenamiento jurídico es el de la exigencia de que la misma quede reflejada en los estatutos de la sociedad (principio de determinación estatutaria de la remuneración).

La Ley de Sociedades Anónimas de 1951 (en adelante, LSA 1951) establecía, a tal efecto, que «La retribución de los administradores habrá de ser fijada en los Estatutos».

El TRLSA de 1989 reprodujo en su artículo 130 el contenido del artículo 74 de la LSA de 1951, disponiendo que «La retribución de los administradores deberá ser fijada en los estatutos. Cuando consista en una participación en las ganancias, sólo podrá ser detraída de los beneficios y después de estar cubiertas las atenciones de la reserva legal y de la estatutaria y de haberse reconocido a los accionistas un dividendo del 4 por 100, o el tipo más alto que los estatutos hayan establecido».

Por la Ley 55/1999, de 29 de diciembre de Medidas fiscales, administrativas y del orden social, se añadió al precepto un párrafo segundo, conforme al cual «La retribución consistente en la entrega de acciones, o de derechos de opción sobre las mismas o que esté referenciada al valor de las acciones, deberá preverse expresamente en los estatutos, y su aplicación requerirá un acuerdo de la junta general de accionistas. Dicho acuerdo expresará, en su caso, el número de acciones a entregar, el precio de ejercicio de los derechos de opción, el valor de las acciones que se tome como referencia y el plazo de duración de este sistema de retribución».

La Ley de Sociedades de Responsabilidad Limitada (Ley 2/1995, de 23 de marzo) exigía, asimismo, la constancia estatutaria del sistema de remuneración de los administradores, pues, caso de no figurar referencia alguna, el cargo se entendería gratuito (artículo 66).

El Texto Refundido de la Ley de Sociedades de Capital, aprobado por Real Decreto Legislativo 1/2010, de 10 de julio, sistematizó la regulación existente hasta ese momento en esta materia, dedicando a la retribución de los administradores sociales los artículos 217, 218 y 219. En lo que importa, para la cuestión objeto de análisis, el principio de determinación estatutaria de la retribución se recogió en el artículo 217, que disponía (antes de la reforma operada por la Ley 31/2014, de 3 de diciembre) que «1. El cargo de administrador es gratuito, a menos que los estatutos sociales establezcan lo contrario determinando el sistema de retribución (…)».

Este precepto quedó afectado, como se ha indicado anteriormente, por la Ley 31/2014, de 3 de diciembre, de reforma de la Ley de Sociedades de Capital para la mejora del gobierno corporativo, siendo la redacción actual la que sigue: «1. El cargo de administrador es gratuito, a menos que los estatutos sociales establezcan lo contrario determinando el sistema de remuneración.

2. El sistema de remuneración establecido determinará el concepto o conceptos retributivos a percibir por los administradores *en su condición de tales* y que podrán consistir, entre otros, en uno o varios de los siguientes: a) una asignación fija, b) dietas de asistencia, c) participación en beneficios, d) retribución variable con indicadores o parámetros generales de referencia, e) remuneración en acciones o vinculada a su evolución, f) indemnizaciones por cese, siempre y cuando el cese no estuviese motivado por el incumplimiento de las funciones de administrador y g) los sistemas de ahorro o previsión que se consideren oportunos.

3. El importe máximo de la remuneración anual del conjunto de los administradores en su condición de tales deberá ser aprobado por la junta general y permanecerá vigente en tanto no se apruebe su modificación. Salvo que la junta general determine otra cosa, la distribución de la retribución entre los distintos administradores se establecerá por acuerdo de éstos y, en el caso del consejo de administración, por decisión del mismo, que deberá tomar en consideración las funciones y responsabilidades atribuidas a cada consejero.

4. La remuneración de los administradores deberá en todo caso guardar una proporción razonable con la importancia de la sociedad, la situación económica que tuviera en cada momento y los estándares de mercado de empresas comparables. El sistema de remuneración establecido deberá estar orientado a promover la rentabilidad y sostenibilidad a largo plazo de la sociedad e incorporar las cautelas necesarias para evitar la asunción excesiva de riesgos y la recompensa de resultados desfavorables.»

Se comprueba, pues, que es una constante en la normativa reguladora de la remuneración de los administradores sociales la exigencia de su reflejo estatutario. Caso de ausencia de determinación estatutaria, el cargo se entenderá gratuito (salvo para las sociedades cotizadas —artículos 529 sexdecies a 529 novodecies LSC).

Dicho esto, ¿cuál es el fundamento del principio de determinación estatutaria de la remuneración de los administradores?

En la Sentencia de la Sala Primera del Tribunal Supremo núm. 412/2013, de 18 de junio *(Tol 3799220)*, recogiendo la doctrina expuesta en las Sentencias de la Sala Primera del Tribunal Supremo 441/2007, de 24 de abril *(Tol 1069800)*, 448/2008, de 29 de mayo, *(Tol 1336006)* y 893/2012, de 19 de diciembre de 2011 *(Tol 2480988)*, se mantiene que la exigencia de que consten en los estatutos sociales el carácter retribuido del cargo de administrador y el sistema de retribución «aunque también tutela el interés de los administradores, tiene por finalidad primordial potenciar la máxima información a los accionistas a fin de facilitar el control de la actuación de éstos en una materia especialmente sensible, dada la inicial contraposición entre los intereses particulares de los mismos en obtener la máxima retribución posible y los de la sociedad en aminorar los gastos y de los accionistas en maximizar los beneficios repartibles».

La Sentencia 441/2007, de 24 de abril, *(Tol 1069800)* afirma que su finalidad es «proteger a los accionistas de la posibilidad de que los administradores la cambien (la retribución) por propia decisión»[2].

Y la Sentencia 448/2008, de 29 de mayo, *(Tol 1336006)* indica que «se inspira en la conveniencia de hacer efectivo el control de los socios sobre la política de retribución de los administradores, mediante una imagen clara y completa de ella»[3]. Sobre esta idea incide la Sentencia posterior, núm. 893/2012, de 19 de diciembre de 2011 *(Tol 2480988)*.

Se persigue, en definitiva, que sean los socios los que, mediante acuerdo adoptado en la junta con una mayoría cualificada, fijen el régimen retributivo de los administradores sociales y que, en todo caso, como expresa la Sentencia de 17 de diciembre de 2015 *(Tol 5596229)*, «los socios, lo fueran o no al tiempo en que esta decisión fue adoptada, estén correcta y suficientemente informados sobre la entidad real de las retribuciones y compensaciones de todo tipo que percibe el administrador social».

En todo caso, a pesar de la aparente claridad de la norma en cuanto a la exigencia de determinación estatutaria de la retribución de administrado-

---

[2]  Sobre esta sentencia, véase MARÍN DE LA BÁRCENA GARCIMARTÍN, F. «Compatibilidad de la retribución de administradores y altos cargos de sociedades de capital. Comentario a la STS 1ª de 24 de abril de 2007 (RJ 2007, 2418)». En Revista de Derecho de Sociedades n.º 40. 2013, pág. 209-243).

[3]  Respecto de esta resolución, puede verse el comentario de LÓPEZ DE LA PEÑA SALDÍAS, J. F., «Retribución de los administradores y actos propios. Comentario a la sentencia del Tribunal Supremo de 29 de mayo de 2008 (RJ 2008, 3184)» en Repertorio de jurisprudencia Aranzadi, n.º 13, 2008, págs. 11-12).

res, ésta ha planteado importantes problemas de interpretación a la hora de delimitar su ámbito objetivo y subjetivo de aplicación.

Sobre el *ámbito objetivo*, en estos momentos existe consenso en la doctrina mercantil, entendiéndose que los estatutos sólo deben fijar el sistema de retribución y no la cuantía o importe exacto de la retribución, lo que provocaría una rigidez excesiva, correspondiendo su concreción a la Junta General de Accionistas. Al respecto, señalaba la Sentencia 411/2013, de 25 de junio, de la Sala Primera del Tribunal Supremo respecto del derogado artículo 130 Rdleg 1564/1989, de 22 de diciembre, Texto Refundido de la Ley de Sociedades Anónimas) que dicho precepto podía ser interpretado, en consonancia con lo dispuesto en la actualidad en el art. 217 Rdleg 1/2010, de 2 de julio, Texto Refundido de la Ley de Sociedades de Capital —antes de la reforma operada por la Ley 31/2014, de 3 de diciembre— en el sentido de exigir la constancia en los estatutos del sistema de retribución de los administradores de la sociedad, sin que sea necesaria la concreción de una cuantía determinada. Sin embargo, en dos Sentencias de la Sala Tercera, Sección 2ª, del Tribunal Supremo de 13 de noviembre de 2008 (Ponente Excmo. Sr. Aguado Avilés) [recursos 3991/2004 (NFJ030831) y 2578/2004 (NFJ030830), caso Mahou] se puso en tela de juicio esta postura mayoritaria, pues en dichas resoluciones se mantuvo que el artículo 217.1 LSC (que se corresponde, básicamente, con el derogado artículo 130 LSA) exige que la retribución esté determinada «con certeza», sin que sea suficiente que estatutariamente se prevean varios sistemas de remuneración, dejando a la junta la determinación del sistema aplicable[4].

Asimismo, desde esta perspectiva objetiva, se plantea la cuestión de *qué debe entenderse por retribución* a los efectos del artículo 217 LSC. La jurisprudencia, utilizando un criterio sistemático de interpretación y relacionando los derogados artículos 130 TRLSA y 200 del mismo cuerpo legal (actuales artículos 217 y 260 TRLSC) ha mantenido un concepto amplio de retribución, estimando que dentro del mismo deben incluirse las indemnizaciones por cese del administrador, previstas en el contrato de alta dirección, pero no en los estatutos sociales.

Recuérdese que el artículo 200 TRLSA, en su redacción anterior a la 16/2007, de 4 de julio, al regular el contenido de la memoria de las cuentas anuales, se refería al «importe de los sueldos, dietas y remuneraciones de

---

[4]   MARÍN BENÍTEZ, G., «Los consejeros ejecutivos en el ámbito del derecho tributario: efectos fiscales de la doctrina del vínculo», RC Y T, CEF, núms. 353-354, págs. 5-40).

cualquier clase devengados en el curso del ejercicio por los miembros del consejo de administración, cualquiera que sea su causa...».

Y el artículo 260 TRLSC, tras la reforma operada por la Ley 31/2014, de 3 de diciembre, dispone que «La memoria deberá contener, además de las indicaciones específicamente previstas por el Código de Comercio, por esta ley, y por los desarrollos reglamentarios de éstas, al menos, las siguientes: 9.ª El importe de los sueldos, dietas y remuneraciones de cualquier clase devengados en el curso del ejercicio por el personal de alta dirección y los miembros del órgano de administración, cualquiera que sea su causa, así como de las obligaciones contraídas en materia de pensiones o de pagos de primas de seguros de vida respecto de los miembros antiguos y actuales del órgano de administración y personal de alta dirección. Cuando los miembros del órgano de administración sean personas jurídicas, los requerimientos anteriores se referirán a las personas físicas que los representan. Estas informaciones se podrán dar de forma global por concepto retributivo».

La Sentencia 441/2007, de 24 de abril, *(Tol 1069800)* afirma (y así lo recuerda la Sentencia de 17 de diciembre de 2015 *(Tol 5596229)*, que el artículo 130 LSA (artículo 217 LSC) no se refiere sólo a la contraprestación periódica para el tiempo de ejecución de los servicios contractuales, sino a cualquier tipo de retribución y, a tal fin, se deja a los redactores de los estatutos una amplia libertad en la elección del sistema (cantidad fija a pagar al principio o al final de la relación, sueldo, dietas de asistencia, participación en ganancias, combinación de esos sistemas...). Se deben entender, en consecuencia, también incluidas las indemnizaciones por cese atendiendo, como dice la Sentencia 1147/2007, de 31 de octubre *(Tol 1174759)*, al interés de los accionistas en no verse sorprendidos por cláusulas de indemnización pactadas por los consejeros, actuando en nombre de la sociedad, con motivo de su cese.

Mayores problemas presenta la determinación del *ámbito subjetivo de aplicación de la norma*. La doctrina mayoritaria (J. Juste Mencía, F. Sánchez Calero, J. Sánchez Calero Guilarte, entre otros), durante la vigencia de la Ley de Sociedades Anónimas (LSA) estimaba que el artículo 130 TRLSA era aplicable a todos los administradores, incluidos los consejeros ejecutivos, que no podían evitar los límites retributivos estatutarios previstos en la norma a través de la firma de un nuevo contrato. Otro sector de la doctrina (C. Paz Ares), por el contrario, consideraba que mientras que para la administración personal y el consejero ordinario hay una única relación societaria de administración cuya retribución queda sometida al artículo 130 LSA, en el caso del consejero ejecutivo se superponen dos relaciones:

la relación básica de administración social que incluye exclusivamente la función deliberativa o de supervisión y otra relación de servicios —cuyo origen está en la delegación— que abarca la función ejecutiva. Y así, mientras que la retribución de la primera relación está sometida a la exigencia de cobertura estatutaria que impone el artículo 130 LSA, no lo está, sin embargo, la retribución específica que trae causa de la segunda relación, que ha de regirse por el artículo 141 LSA[5].

Bajo la vigencia de la actual regulación, sigue discutiéndose si la exigencia de la determinación estatutaria de la retribución del administrador contenida en el artículo 217 LSC es de aplicación general o si quedan fuera de tal regulación los consejeros delegados o los miembros del consejo de Administración con funciones ejecutivas. Parece que mayoritariamente se opta por excluir de la exigencia de determinación estatutaria la retribución del miembro del Consejo de Administración que sea consejero delegado o ejerza funciones de carácter ejecutivo, retribución que, sin embargo, habrá de constar en el necesario contrato que deberá celebrar dicho consejero con el Consejo de Administración, de acuerdo con lo dispuesto en el artículo 249.3 y 4 LSC (en este sentido, se ha pronunciado la Dirección General de los Registros y del Notariado en varias resoluciones: Resolución de 30 de julio de 2015 (BOE 30/09/2015)[6]; Resolución de 5 de noviembre de 2015 (BOE 24/11/2015); Resolución de 21 de enero de 2016 (BOE 11/02/2016); Resolución de 10 de mayo de 2016 (BOE 6/06/2016); Resolución de 17 de junio de 2016 (BOE 21/07/2016).

En contra de esta postura resolvió, sin embargo, la Sentencia del Juzgado de lo Mercantil 9 de Barcelona, de 27 de noviembre de 2015 *(Tol 5598223)*, recientemente revocada por la Sentencia núm. 295/2017, de 30 de junio de 2017, de la Audiencia Provincial de Barcelona (Sección 15ª), que consideró que tras la reforma operada en la Ley de Sociedades de Capital por la Ley 31/2014, el principio de reserva estatutaria que proclama en términos generales el artículo 217 TRLSC no se extiende a los consejeros con funciones ejecutivas. El órgano ad quem se hace eco de las dos posturas que se sostienen sobre el particular en la doctrina, para acabar resolviendo *que aún cuando la cuestión suscita serias dudas de derecho,*

---

[5] PAZ-ARES, C., «El enigma de la retribución de los consejeros ejecutivos», InDret enero de 2008, págs. 1-74.

[6] BRENES CORTÉS, J., El nuevo régimen de retribución de los consejeros ejecutivos tras la reforma operada por la Ley 31/2014, de 3 de diciembre, por la que se modifica la Ley de Sociedades de Capital para la mejora del Gobierno Corporativo, Revista Lex Mercatoria, RLM nº 1 | Año 2015 Artículo no 1 Páginas 1-6.

*estimamos que la Reforma de 2014 desdobla el régimen retributivo: uno, de carácter general, aplicable a los administradores «en su condición de tales», y otro específico para los consejeros ejecutivos, que se regula en el artículo 249 de la Ley. La reserva estatutaria del artículo 217 sólo es predicable a la retribución de los consejeros no ejecutivos. Sólo respecto de estos los estatutos han de establecer si el cargo es remunerado y determinar, en su caso, el sistema de remuneración (apartado primero). Y a la junta general le corresponde fijar el importe máximo de la remuneración del conjunto de administradores, permaneciendo en tanto no se apruebe su modificación (apartado tercero).*

Un sector de la doctrina (Marín de la Bárcena Garcimartín, F., Brenes Cortés, J., Fernández del Pozo, L., entre otros), sin embargo, considera que esta solución consistente en extraer del principio de reserva estatutaria la remuneración del consejero que ejerza funciones ejecutivas va en contra del principio que inspiró la reforma de 2014 de la Ley de Sociedades de Capital, que no era otro sino el de reforzar el papel de la Junta General en el discurrir de la vida societaria. En la propia SAP Barcelona (15ª), de 30 de junio de 2017, anteriormente apuntada, se llega a afirmar que «26. Somos conscientes que el cambio legal puede comprometer la transparencia en la retribución del consejero ejecutivo, sobre todo en las llamadas sociedades cerradas que pueden buscar la forma de administración mediante un órgano colegiado o consejero delegado con la finalidad de eludir los controles de la junta». Por ello, dicho sector doctrinal entiende que aunque los conceptos retributivos que componen la remuneración del consejero ejecutivo deban constar en el contrato al que se refiere el artículo 249 LSC, aprobado por el Consejo de Administración con los requisitos indicados en dicho precepto, tal retribución deberá respetar, en todo caso, el límite del importe máximo de la retribución anual del conjunto de administradores aprobado por la junta general del artículo 217.3 LSC. Comparto esta solución de lege ferenda, no de lege data pues, aún admitiendo que se reduce el papel de la junta general, lo que puede repercutir negativamente en la necesaria transparencia e independencia en una materia especialmente sensible, debe tenerse presente que, cuando el apartado 3 del artículo 217 TRLSC atribuye a la competencia de la Junta General la aprobación del límite máximo de la remuneración de los administradores, en el precepto se emplea la expresión de «administradores en su condición de tales», no siendo éstos, como se ha visto, en las formas complejas de organización de la administración de la sociedad los consejeros que ejerzan funciones ejecutivas [en el mismo sentido, Brenes Cortés, J., en «La retribución de los consejeros ejecutivos de las sociedades de capital (Comentario de la Resolución de la Dirección General de los Registros y del Notariado de 30

de julio de 2015)». Revista de Derecho Mercantil. Nº 299. 2015. págs. 455-
476]. Entiendo, por tanto, que con la situación legal vigente la reacción
frente a la fijación de una remuneración excesiva al consejero delegado
o al consejero ejecutivo tendrá que consistir, en su caso, en el ejercicio de
una acción de responsabilidad o en la impugnación del acuerdo adoptado
por el Consejo de Administración al amparo de lo dispuesto en el artículo 249.3 TRLSC, pues debe recordarse que el contrato aprobado deberá
incorporarse como anejo al acta de la sesión y, todo ello, sin perjuicio de
que, como exige el artículo 249.4 in fine TRLSC, «El contrato deberá ser
conforme con la política de retribuciones aprobada, en su caso, por la junta general».

## III. TEORÍA DEL VÍNCULO

Analizado el principio de determinación estatutaria de la retribución
de los administradores sociales, debemos hacernos las siguientes preguntas: ¿Es compatible el cargo de administrador social con el desempeño de
una relación contractual laboral especial de alta dirección? Si el artículo
217.1 LSC, en su actual redacción, exige la determinación estatutaria de
la remuneración del administrador «en su condición de tal», ¿cuáles son
los cometidos inherentes al cargo de administrador? ¿y al de consejero?
¿Puede añadirse a la retribución como administrador una remuneración
adicional —o una indemnización por cese— yuxtaponiendo a la relación
orgánica una relación contractual —civil, mercantil o laboral—? ¿Es correcto que un administrador perciba una remuneración complementaria a
la prevista en los estatutos sociales bajo el amparo de que, además del cargo
de administrador, desempeña en la sociedad funciones gerenciales o ejecutivas en virtud de un contrato laboral especial de alta dirección? ¿El cargo
de administrador de una mercantil engloba las funciones de alto directivo
y, en consecuencia, convierte en jurídicamente inviable una duplicidad de
relaciones e impide que se le retribuya específicamente por este último
concepto fuera del régimen remuneratorio con reflejo estatutario de los
administradores? ¿Cuál puede ser el objetivo que se persigue al añadir una
relación laboral de alta dirección en quien ya ocupa el cargo de administrador? ¿Se persigue sólo una finalidad fraudulenta consistente en huir de
lo dispuesto en el artículo 217.1 LSC, esto es, de la exigencia imperativa de
constancia estatutaria de la retribución del administrador?

Estas cuestiones tienen una gran trascendencia práctica y su incidencia
se deja ver en varios campos del derecho: el Derecho Mercantil —en su

vertiente del Derecho de Sociedades—; el Derecho Laboral; y el Derecho Tributario [SSTS, Sala 3ª, de 13 de noviembre de 2008 *(Tol 1424218 y Tol 1424219)* y de 5 de febrero de 2015 *(Tol 4740159)*].

En el presente trabajo, abordaré el análisis de la denominada «Teoría del Vínculo» en el ámbito laboral y la llamada «doctrina del tratamiento unitario» de la retribución de los administradores sociales propia de la esfera mercantil.

## 1. Perspectiva laboral de la retribución

La llamada «teoría del vínculo» tiene su origen en la jurisdicción social[7], jurisdicción ante la que empezaron a plantear sus reclamaciones por despido aquéllos que estando vinculados a la sociedad por un contrato de alta dirección, formaban parte del órgano de administración o entraban a formar parte posteriormente del mismo, siendo, a la postre, cesados. Se trataba de dilucidar, en definitiva si, dada la doble vinculación —orgánica-laboral— de quienes accionaban, la jurisdicción social tenía competencia para conocer de dichas pretensiones. La pregunta sobre la que pivota la doctrina del vínculo es la de si la relación del administrador con funciones ejecutivas es compatible con una relación laboral especial de alta dirección o, por el contrario, ésta última queda absorbida por aquélla y en virtud de la doctrina, que a continuación se expondrá, se considera que las funciones de dirección y gestión de la sociedad, por muy concretas y específicas que sean, integran necesariamente el cometido ordinario del administrador social, por lo que, si se desempeñan por un administrador, no pueden constituir el objeto de una relación laboral especial de alta dirección.

La teoría del vínculo comienza a construirse —desde la promulgación del Real Decreto 1382/1985, de 1 de agosto, regulador de la relación laboral especial de alta dirección— a partir de la **STS de 29 de septiembre de 1988 (caso Huarte I)** *(Tol 2356780)*. La indicada sentencia, que resuelve el recurso de casación por infracción de ley planteado por quien ejercía el cargo de director general de la sociedad y, al mismo tiempo, era consejero delegado de la misma, aborda, de acuerdo con lo dispuesto en el artículo 1.3.c) del Estatuto de los Trabajadores (en adelante, ET) cuáles son los cometidos inherentes al cargo de consejero, indicando que «no se trata

---

7    FARRANDO MIGUEL, I., «La remuneración de los administradores y la doctrina jurisprudencial del doble vínculo», en Revista de Derecho de Sociedades núm. 32/2009 1, págs. 1-55, Editorial Aranzadi S. A. U.

de establecer un catálogo de cometidos más o menos importantes, sino de que sean inherentes al cargo, e inherentes al cargo de consejero son todos los cometidos que se refieran a la administración de la sociedad». En consecuencia, «toda la actividad de los Consejeros, en cuanto administradores de la Sociedad, está excluida del ámbito de la legislación laboral (...) en función de un criterio no operacional ni económico, sino estrictamente jurídico». Se considera que las funciones de dirección, ejecución, gestión y representación corresponden al órgano de administración de la misma, cualquiera que sea su forma. Y, por ello, aunque los administradores y el personal laboral de alta dirección puedan realizar funciones análogas «la naturaleza jurídica de las relaciones que cada uno de ellos mantiene con la entidad es marcadamente diferente; son muy diversas las razones que fundan y justifican esa diferencia o disparidad, pero entre ellas cabe destacar la circunstancia de que en la relación laboral del personal de alta dirección impera y concurre de forma plena y clara la ajenidad, nota fundamental tipificadora del contrato de trabajo, mientras que la misma no existe, de ningún modo, en la relación jurídica de los miembros de los órganos de administración, ya que éstos, como se ha dicho, son parte integrante de la propia sociedad, es decir, la propia persona jurídica titular de la empresa de que se trate» (STS, Sala Cuarta, de 22 de diciembre de 1994 —Ponente Excmo. Sr. Luis Gil Suárez— asunto Talleres Vicesa *(Tol 233382)*).

Esta postura fue seguida, con algunos vaivenes, por Sentencias posteriores de la misma Sala (SSTS de 21 de enero *(Tol 5111142)*, 13 mayo *(Tol 2425188)* y 3 junio *(Tol 2424851)* y 18 junio 1991 *(Tol 2426409)*, 27-1-92 *(Tol 5157582)*, 11 de marzo de 1994 *(Tol 232923)*, 22-12-94 *(Tol 233382)*, 16-6-98 *(Tol 3311921)*, 20-11-2002 (rcud. 337/2002), 26-12-07 (rcud. 1652/2006), 9 de diciembre de 2009 *(Tol 1790508)* y 12 de marzo de 2014 (Id Cendoj 28079140012014100107), entre otras. Todas estas resoluciones parten de las notas que caracterizan una relación laboral (ajenidad, dependencia, voluntariedad y retribución) y de la interpretación del artículo 1.3.c) ET, que dispone que «*Se excluyen del ámbito de aplicación de esta Ley: c) La actividad que se limite, pura y simplemente, al mero desempeño del cargo de consejero o miembro de los órganos de administración en las empresas que revistan la forma jurídica de sociedad y siempre que su actividad en la empresa sólo comporte la realización de cometidos inherentes a tal cargo.*», así como del artículo 2.1.a) ET, que considera relación laboral especial «a) *La del personal de alta dirección no incluido en el artículo 1.3.c)*». Dicha relación laboral especial es regulada por Real Decreto 1382/1985, de 1 de agosto, que en su artículo 1.2 define a los empleados unidos por dicha relación laboral como «aquellos trabajadores que ejercitan poderes inherentes a la titularidad jurídica de la empresa, y relativos a los objetivos generales de la misma, con autonomía y plena responsabilidad solo limitadas por los criterios e instrucciones directas emanadas de la persona o de los órganos superiores de gobierno y administración de la Entidad que respectivamente ocupe aquella titularidad».

En la **STS, Sala Cuarta, de 9 de diciembre de 2009** *(Tol 1790508)* —Ponente: Samper Juan, Joaquín—, se planteaba en unificación de doctrina la cuestión de determinar si el orden social de la jurisdicción era o no competente para conocer de la reclamación que por supuesto despido planteaba el actor con ocasión de su cese como consejero de la empresa demandada. En el caso concreto suscitado, el recurrente había concertado inicialmente con la empresa «M. M. mbH' S.A» un contrato de arrendamiento de servicios el 1 de noviembre de 1997. Posteriormente (año 1998), formalizó con otra de las empresas del grupo, «M. Medical S.L.» un contrato de trabajo para prestar servicios como Director de la empresa para España y Europa. En el año 1999 fue nombrado miembro del Consejo de Administración de esta última empresa en calidad de consejero, siendo cesado en el año 2000.

En esta resolución, el Tribunal Supremo (Sala 4ª) realiza un compendio de la doctrina mantenida por dicha Sala, respecto de la interpretación del artículo 1.3.c) del Estatuto de los Trabajadores y de las funciones de los administradores, señalando que «*Como recuerda la sentencia de 22-12-94 (LA LEY 14238/1994) (rec. 2889/1993), al interpretar el art. 1.3.c) del Estatuto de los Trabajadores, "Hay que tener en cuenta que las actividades de dirección, gestión, administración y representación de la sociedad son las actividades típicas y específicas de los órganos de administración de las compañías mercantiles, cualquiera que sea la forma que éstos revistan, bien se trate de Consejo de Administración, bien de Administrador único, bien de cualquier otra forma admitida por la ley (…). Por ello es equivocado y contrario a la verdadera esencia de los órganos de administración de la sociedad entender que los mismos se han de limitar a llevar a cabo funciones meramente consultivas o de simple consejo u orientación, pues, por el contrario, les compete la actuación directa y ejecutiva, el ejercicio de la gestión, la dirección y la representación de la compañía. Por consiguiente, todas estas actuaciones comportan la realización de cometidos inherentes a la condición de administradores de la sociedad, y encajan plenamente en el desempeño del cargo de consejero o miembro de los órganos de administración en las empresas que revistan la forma jurídica de sociedad", de ahí que se incardinen en el mencionado artículo 1.3.c) del Estatuto de los Trabajadores.*

*Teniendo siempre presente el anterior argumento, esta Sala ha resuelto reiteradamente la cuestión que se plantea, en el sentido asumido por la sentencia referencial. Las sentencias de 29-9-1988, 21 de enero (LA LEY 1244-JF/0000), 13*

*mayo (LA LEY 432-JF/0000) y 3 junio (LA LEY 53975-JF/0000) y 18 junio 1991*
*(LA LEY 959-JF/0000), 27-1-92 (rcud. 1368/1991), 11 de marzo de 1994 (rcud.*
*1318/1993), 22-12-94 (LA LEY 14238/1994) (rcud. 2889 / 1993), 16-6-98 (LA*
*LEY 7500/1998) (rcud. 5062/1997), 20-11-2002 (LA LEY 2363/2003) (rcud.*
*337/2002) y 26-12-07 (LA LEY 323993/2007)(rcud. 1652/2006) han estableci-*
*do que en supuestos de desempeño simultáneo de actividades propias del Consejo de*
*administración de la Sociedad, y de alta dirección o gerencia de la empresa, lo que*
*determina la calificación de la relación como mercantil o laboral, no es el contenido*
*de las funciones que se realizan sino la naturaleza de vínculo (…); por lo que si*
*existe una relación de integración orgánica, en el campo de la administración social,*
*cuyas facultades se ejercitan directamente o mediante delegación interna, la relación*
*no es laboral, sino mercantil, lo que conlleva a que, como regla general, sólo en los*
*casos de relaciones de trabajo, en régimen de dependencia, pero no calificables de alta*
*dirección sino como comunes, cabría admitir el desempeño simultáneo de cargos de*
*administración de la Sociedad y de una relación de carácter laboral».*

Concluye esta resolución que el nacimiento del vínculo societario supuso la extinción del previo laboral, lo que entraña la incompetencia del
orden social para resolver las controversias que se susciten entre las partes
en litigio, entendiendo como orden objetivamente competente, el civil.

Sin embargo, a pesar de esta jurisprudencia reiterada que sostiene que
son propias del órgano de administración de la sociedad las actividades de
dirección, gestión, administración y representación de la sociedad, cualquiera que sea la forma que revista dicho órgano de administración, no
faltaron en la doctrina mercantilista y laboralista voces que propugnaban
una distinción, a los efectos examinados, según cuál fuera la forma de administración adoptada. Se argumentaba, en este sentido, que la afirmación
de que las actividades de dirección, gestión, administración y representación de la sociedad eran propias de los administradores en aquellos casos
en que la administración societaria adoptaba una estructura simple (un
administrador único, dos administradores mancomunados o solidarios),
pero no encajaba en los supuestos de consejo de administración, defendiéndose que la actividad propia de los miembros ordinarios del consejo
de administración era la deliberativa o de control o supervisión de la estrategia y funcionamiento de la sociedad. En esta hipótesis, el ejercicio de
las facultades ejecutivas correspondería a aquel o aquellos consejeros en
quien/es haya delegado el Consejo de Administración (consejero delegado) o que realicen funciones ejecutivas en virtud de otro título, pudiendo
tener la relación entre estos administradores ejecutivos y la sociedad carácter laboral (ya sea común o especial de alta dirección), si se tiene presente

lo que establece el artículo 1.3.c) ET y se advierte que concurren las notas de dependencia y ajenidad[89].

Debe recordarse que, conforme a lo que dispone el artículo 249.3 LSC, tras la reforma operada por la Ley 31/2014, de 3 de diciembre, «3. Cuando un miembro del consejo de administración sea nombrado consejero delegado o se le atribuyan funciones ejecutivas en virtud de otro título, será necesario que se celebre un contrato entre éste y la sociedad que deberá ser aprobado previamente por el consejo de administración con el voto favorable de las dos terceras partes de sus miembros. El consejero afectado deberá abstenerse de participar en la votación. El contrato aprobado deberá incorporarse como anejo al acta de la sesión». En esta tesitura, el consejero con funciones ejecutivas tendría un plus de dedicación que el «mero consejero» (parecen abonar esta tesis las previsiones contenidas en la actualidad, en sede de cotizadas, en los artículos 529 septendecies —Remuneración de los consejeros por su condición de tal— y octodecies —Remuneración de los consejeros por el desempeño de funciones ejecutivas—).

Por ello, no ha faltado en la doctrina y en la praxis jurídica quien se pregunta si la denominada teoría del vínculo ha quedado derogada tras la reforma llevada a cabo en la LSC por la Ley 31/2014[10], defendiéndose que con el contrato que de forma imperativa debe celebrarse entre el Consejero Delegado o que ejerza funciones ejecutivas por cualquier otro título y la sociedad queda vacía de contenido la teoría del vínculo, que nació por la necesidad de evitar que se consolidara el fraude de la autocontratación, superándose sus efectos, y que la LSC, tras la reforma de 2014, abona una interpretación del artículo 1.3.c) ET que permite distinguir, en las sociedades con una estructura compleja del órgano de administración —Consejo de Administración—, entre el «mero consejero» —excluido de la laboralidad y al que estaría refiriéndose el artículo 1.3.c) ET— y el consejero ejecutivo, que puede (debe, dada la redacción del artículo 249.3 LSC) estar vinculado a la sociedad por otra relación —que nada impide que sea

---

[8]    PAZ-ARES, C., «Ad imposibilita nemo tenetur (o por qué recelar de la novísima jurisprudencia sobre retribución de administradores», InDret, mayo 2009.

[9]    ALFARO REAL, J., «Adiós a la teoría del vínculo», publicado el 16 de diciembre de 2015 en el Blog jurídico Almacén de Derecho.

[10]   BARROS GARCÍA, M., «¿Continúa vigente la "doctrina del vínculo" tras la modificación de la Ley de Sociedades de Capital?», Actualidad Jurídica Uría Menéndez /41-2015/34-41.

laboral especial de alta dirección—, aparte de la orgánica de miembro del consejo de administración[11].

En todo caso, se observa que el legislador, en dicha ley, ha puesto especial cuidado en no calificar el contrato que debe celebrar el consejero delegado o con funciones ejecutivas.

**Últimas resoluciones sobre la materia dictadas por las Salas de lo Social de los Tribunales Superiores de Justicia.**

A pesar de las críticas que ha recibido desde determinados sectores la teoría del vínculo —que sostienen que la exclusión del artículo 1.3.c) ET de la «actividad que se limite, pura y simplemente, al mero desempeño del cargo de consejero» se identifica con las funciones deliberativas de los consejeros no ejecutivos— y de las dudas que genera la reforma de la LSC por la Ley 31/2014 en cuanto a su vigencia, lo cierto es que se aprecia en las resoluciones dictadas por las Salas de los Social de los Tribunales Superiores de Justicia en los dos últimos años que dicha tesis se encuentra especialmente enraizada.

A modo de ejemplo pueden citarse las siguientes resoluciones:

\* **Sentencia de la Sala de lo Social del Tribunal Superior de Justicia de la Comunidad Valenciana, nº 837/2015, de 8 de abril de 2015** *(Tol 5408203).* Esta resolución recuerda que *lo decisivo para la calificación de la relación como mercantil o laboral, no es el contenido de las funciones, sino la naturaleza del vínculo, de manera que si existe relación de integración orgánica en el campo de la administración social, cuyas facultades se ejercitan directamente o mediante delegación interna, la relación no será laboral, sino mercantil, pues sólo las relaciones de trabajo en régimen de dependencia permiten simultanear los cargos de administración y la relación de carácter laboral.*

\* **Sentencia de la Sala de lo Social del Tribunal Superior de Justicia del Principado de Asturias, nº 1792/2015, de 30 de septiembre de 2015 (LA LEY 145401/2015).** En esta resolución se efectúa un relato completo de la evolución seguida por la doctrina de la Sala Cuarta del Tribunal Supremo en la materia comentada, señalando que, en un principio, la jurisprudencia acogió *la denominada «teoría funcional», interpretando el Art. 1.3 c) del ET, en relación con el Art. 2.1 a) del mismo texto legal y con lo dispuesto en el RD 1.382/1985 (LA LEY 2054/1985), durante los primeros años de su vigencia,*

---

[11]    TOVAR ROCAMORA, J. J., «La teoría del vínculo tras la Ley 31/2014», Revista Española de Derecho del Trabajo núm. 184/2016. Editorial Aranzadi, S. A. U.

*en el sentido de la coexistencia de una relación laboral (como alto directivo) y otra mercantil (como consejero o administrador). El fundamento para ello residía en la consideración de las funciones desempeñadas por esa persona doblemente vinculada a la empresa. Si esas funciones excedían de las correspondientes al que la ley caracterizaba como «mero consejero» o consejero «puro y simple», pasando a ser de carácter ejecutivo y de gestión empresarial, se entendía que a la condición de consejero (relación mercantil) se superponía el vínculo laboral como directivo.*

*Sin embargo, esta construcción doctrinal experimentará un giro radical a raíz de las SSTS de 29 de septiembre de 1998 y 21 de enero de 1991 que, zanjando las posibles dudas que pudieran existir al respecto, acogen la denominada «teoría del vínculo», que descarta la laboralidad de las relaciones de servicio de los administradores societarios que ejerzan para la sociedad funciones de alta dirección, representación y gerencia o, para ser más precisos, sostiene la imposibilidad de acumular en una misma persona y respecto de la misma empresa la doble condición de administrador social (consejero delegado, administrador único) y la de alto cargo sometido a relación laboral especial.*

*Viene a decirse en esta sentencia y en otras posteriores que las actividades de gobierno de los administradores se sustentan en un título mercantil y no en un título laboral (Congreso de Magistrados del Orden Social, celebrado en Murcia los días 25, 26 y 27 de octubre de 2006).*

\* En el mismo sentido que las anteriormente citadas se pronuncian otras resoluciones dictadas por los órganos de la jurisdicción social: **Sentencia de la Sala de lo Social del Tribunal Superior de Justicia de Galicia, nº 7437/2015, de 28 de diciembre 2015 (LA LEY 213564/2015); Sentencia de la Sala de lo Social del Tribunal Superior de Justicia de Canarias de Las Palmas de Gran Canaria, nº 193/2016, de 29 de febrero de 2016 (LA LEY 126530/2016),** *conforme a la cual «(...) el Administrador Único gestiona y controla la actividad de la sociedad y, como tal, su actuación la obliga frente a terceros, por lo que desvincular el nombramiento societario del actor, de su actuación al frente de la empresa durante el mismo periodo de designación como tal, y mantener que el nombramiento estuvo vacío de contenido prevaleciendo el vínculo laboral de alta dirección sobre el societario, exige la acreditación de hechos que permitan destruir las presunciones legales que resultan de la Ley de Sociedades de Capital (LA LEY 14030/2010) (art. 217. 2 LEC (LA LEY 58/2000)). Tales hechos o circunstancias no resultan del relato fáctico de la resolución. (...) Establecido lo anterior debe recordarse que el TS en las sentencias de 9.12.09 y de 24.5.11 señaladas por el recurrente como infringidas en su doctrina por la sentencia, no entiende suspendida la relación de alta dirección preexistente al cargo societario, mientras esta vinculación permanezca, salvo aquellos casos en los que exista pacto previo, individual o colectivo,* *al respecto. Consecuentemente, no acreditado pacto en el sentido expuesto, la relación de alta dirección quedó extinguida a la fecha del nombramiento del actor como Administrador Único»*]; o la **Sentencia de la Sala de lo Social del Tribunal Superior de Justicia de Madrid, Sección 1ª, nº 814/2016, de 7 de octubre de 2016 (LA LEY 164013/2016)**, que parece sostener una posición más flexible cuando dice que *«Pese a que efectivamente desempeñó —el actor— simultáneamente actividades propias de la alta dirección con las de consejero delegado, no cabe escindir esta actuación profesional en dos, por lo que resulta competente la jurisdicción laboral pese a que en algunos momentos su vinculación fuese mercantil»*, para después dejar constancia de la doctrina mantenida por la Sala Cuarta en cuanto a las actividades que comprende la función de administración de la sociedad y a la imposibilidad de yuxtaponer una relación laboral especial de alta dirección a la orgánica de administrador, admitiendo la posible coexistencia de la relación orgánica con una laboral común.

Siendo éste el estado actual de la cuestión, y teniendo en cuenta, asimismo, la doctrina sentada por el Tribunal de Justicia de la Unión Europea en los casos Danosa (C-232/09) y Balkaya (Asunto C-229/14), en los que se planteaba si un miembro del órgano de dirección de una sociedad de capital, debía ser calificado de «trabajador» a los efectos del artículo 1, apartado 1, letra a), de la Directiva 98/59, habrá que esperar a que nuevamente se pronuncie la Sala Cuarta del Tribunal Supremo para ver si la misma mantiene la línea jurisprudencial indicada o modula o se aparta de la misma, tras las últimas reformas legales.

## 2. *Perspectiva mercantil de la retribución*

La jurisprudencia de la Sala Primera del Tribunal Supremo también ha acogido la doctrina del vínculo a los efectos de analizar la validez de las cláusulas que fijaban una retribución o indemnización por cese, al margen de los estatutos sociales, a favor de quien estando ligado a la sociedad por vínculo orgánico en su calidad de administrador, también lo estaba en virtud de un contrato laboral de alta dirección.

Advertían DESDENTADO BONETE, A. y DESDENTADO DAROCA, E[12]., que «(…) *la consulta de la jurisprudencia muestra que el margen difuso de la zona gris entre Derecho del Trabajo y Derecho de Sociedades se ha ampliado en los*

---

[12]    DESDENTADO BONETE, A. y DESDENTADO DAROCA, E.,«En los límites del contrato de trabajo: administradores y socios», Revista del Ministerio deTrabajo e Inmigración, 83, págs. 42 y 43.

*últimos años como consecuencia de que determinadas prestaciones de servicios, que se realizan y regulan en el ámbito mercantil, tratan de salir de él y llaman a la puerta del Derecho del Trabajo. En la medida en que éste se ha liberado de sus connotaciones obreristas y apunta hacia un Derecho profesional, aparece una nueva zona gris: la del trabajo en los órganos de gobierno y representación de las sociedades»*. Observaban los autores citados que la cumbre de la pirámide ocupacional —los administradores sociales— protagoniza «una espectacular huida hacia el Derecho del Trabajo» y se preguntaban qué podía explicar lo que denominaban «extraña marcha hacia un Derecho del que todos huyen», guardando esta situación una estrecha relación con los problemas de carácter interpretativo que suscitaba el artículo 130 TRLSA, concluyendo que «*En la práctica de las grandes sociedades los problemas de rigidez que plantea el art. 130 LSA se han evitado tradicionalmente mediante la conclusión de un contrato de servicios entre el consejo de administración y el consejero delegado, en virtud del cual éste percibe una retribución adicional y pacta unas indemnizaciones por cese al margen de las previsiones estatutarias y sin la aprobación previa de la junta general. La jurisprudencia del Tribunal Supremo se ha manifestado en contra de esta posibilidad, pero los contratos siguen celebrándose, en lo que se ha caracterizado expresivamente como una rebelión de la práctica frente a la teoría*» (pp 51).

En palabras de FARRANDO MIGUEL, I[13].,«*¿qué otro motivo puede tener un administrador, sea o no delegado, para intentar superponer a su cargo una relación jurídica de naturaleza laboral que nada añade a la eficacia de la gestión de la empresa social o a la tan traída maximización de valor para el accionista? En nuestra opinión, ninguno. En resumidas cuentas, y en muchas ocasiones, ya se trate de medianas o de grandes sociedades (estas últimas las más), mediante ese anómalo expediente tan sólo se busca una vía para huir de los límites estatutarios y, en la medida de lo posible, esconder a los socios el verdadero nivel de retribución satisfecho a algunos administradores*», de forma que al amparo del principio de libertad de pactos, se atribuye a los administradores ejecutivos la determinación de la cuantía de su remuneración como alto cargo, extra muros de lo dispuesto en los estatutos sociales.

La primera Sentencia de la Sala Civil del Tribunal Supremo que analizó dicha cuestión fue la **núm. 1209/1992, de 30 diciembre** *(Tol 1655100)*, — Ponente: Excmo. Sr. D. Antonio Gullón Ballesteros—.

---

[13]    FARRANDO MIGUEL, I., «Comentario a las STS de 13 de noviembre de 2008 sobre retribución de administradores. La remuneración de los administradores y la doctrina jurisprudencial del doble vínculo». RdS 32, año 2009, n.º 32/2009, págs. 99 a 132).

Dicha resolución parte del siguiente relato de hechos: El día 3-7-1985 se suscribió entre «Huarte y Cía. SA», representada por el Presidente de su Consejo de Administración, y don Faustino F. D., un contrato que denominaron «de servicios», en el que exponían que la sociedad contratante había decidido contratar «los servicios personales de don Faustino F. D. para ejercer el cargo de Director General, y una vez ratificado el presente contrato por el Consejo de Administración de la Compañía, Consejero Delegado con máximos poderes ejecutivos, dependiendo del referido órgano Administrador». En la estipulación primera del mencionado contrato se expresó que «don Faustino F. D. ejercerá el cargo de Director General de "Huarte y Cía. SA" a partir del 3 julio, y una vez ratificado el presente contrato por el Consejo de Administración de la empresa, será designado Consejero-Delegado de la misma. En todo caso, se produzca o no la referida ratificación del presente contrato, don Faustino F. D. ejercerá las funciones del cargo como primer directivo o ejecutivo de la empresa, con directa dependencia del Consejo de Administración como órgano Colegiado». En la estipulación segunda se pactó el plazo de duración del contrato en seis años, «durante el cual el señor F. D. se dedicará exclusiva y plenamente a la dirección y reorganización de la empresa, siguiendo las normas propias y habituales de un máximo directivo empresarial y conforme a las directrices del Consejo de Administración. Para ello se le delegarán los oportunos poderes y facultades con la mayor amplitud posible, a fin de que pueda efectuar los nombramientos de personal y demás actuaciones directivas y empresariales que estime convenientes». En las estipulaciones tercera, cuarta y quinta se determinaba el régimen de retribución del señor F. D. y obligaciones de la empresa en cuanto a su Seguridad Social, y en la estipulación sexta se preveía la indemnización que correspondería al mismo «en el supuesto de que "Huarte y Cía. SA" no cumpliese estrictamente el presente contrato o lo resolviese con anterioridad al vencimiento del plazo convenido». Afianzaron solidariamente con «Huarte y Cía. SA» determinadas personas físicas, afianzamiento avalado solidariamente y hasta con importe de 50 millones de pesetas por «BNP España SA». El día 1-12-1986 cesa en su cargo de Consejero Delegado D. Faustino F. D., con revocación de todos los poderes concedidos, quedando como Consejero de la sociedad, manteniendo su situación económica anterior al cese. Con fecha 13-1-1987 reclama el señor F. D. en la vía laboral la indemnización pactada por incumplimiento de contrato, que es rechazada en esa jurisdicción por Sentencia del Tribunal Supremo, Sala de lo Social, de 29-9-1988 (RJ 1988\7143), por estimarse que la relación que le unía a «Huarte y Cía. SA». al incorporarse a su Consejo de Administración, no era de naturaleza laboral.

La cuestión que se suscitaba era la de si, en el ordenamiento civil, podían estimarse como válidas las cláusulas preparadas por los propios «managers» o administradores de las sociedades, que prevén cuantiosas remuneraciones para el supuesto de que fueran removidos de sus cargos.

Al resolver el recurso, la Sala 1ª, partiendo de la previa sentencia dictada por la Sala de lo Social del Tribunal Supremo de 29 de septiembre de 1988, calificó el contrato que vinculaba a las partes como de naturaleza mercantil, al haberse integrado en el órgano de administración, y no como contrato laboral de alta dirección sujeto a lo dispuesto en el RD 1382/1985, de 1 de agosto (RCL 1985\2011, 2156 y ApNDL 3023). Se concluye en la Sentencia comentada que, en modo alguno, se puede aplicar ni por analogía a una relación entre la sociedad y un miembro del Consejo de Administración las normas que rigen los contratos de personal de alta dirección, entre ellas, por la importancia para el caso litigioso, el art. 11 del RD 1382/1985, que faculta al empresario a desistir del contrato, teniendo en estos casos derecho el alto directivo «a las indemnizaciones pactadas en el contrato», afirmándose que *«El recurrido, por voluntad propia al firmar el contrato, consintió su integración en el órgano de dirección y representación de la sociedad, por lo que ha de aplicarse necesariamente la normativa de este tipo de personas jurídicas, que no puede quedar sin efecto por la vía de pactos contractuales. Extinguida la relación entre el recurrido y la sociedad recurrente, se plantea la cuestión de hasta qué punto es lícita la cláusula contractual sexta por la que la última ha de pagar al primero la suma reclamada, a que asciende la aplicación de los parámetros recogidos en la misma. No hay duda de que tal cláusula condiciona la libre facultad de que goza el Consejo de Administración para regular su propio funcionamiento según el art. 77.1 de la Ley de Sociedades Anónimas de 1951, que se ha de extender lógicamente al nombramiento o revocación del Consejero-Delegado del mismo como señala la doctrina más autorizada. Tal libertad quedaría coaccionada si su ejercicio supusiese para la sociedad el pago de una indemnización. Ciertamente que no se impide al Consejo hacer uso de la facultad que le reconoce el precepto citado, por lo que su actuación revocando al Consejero-Delegado es válida y eficaz, pero no lo es menos la existencia de aquella coacción a la que acabamos de referirnos. Por otra parte, el pago en razón de su revocación de una indemnización fuera de las previsiones de los estatutos sobre retribución de los administradores vulnera el art. 74 de la citada Ley de Sociedades Anónimas de 1951. En consecuencia, siendo los arts. 77.1 y 74 preceptos de clara naturaleza imperativa, su falta de observancia conlleva la nulidad radical de los pactos que los contraríen, por lo que puede ser apreciada de oficio por esta Sala según ha mantenido en reiteradas ocasiones en que se apreció una nulidad de esa naturaleza»* [SS. 27-5-1949 (RJ 1949\720), 29-10-1949 (RJ 1949\1240), 23-6-1966 y 14-3-1983 (RJ 1983\1475)].

Son varias las resoluciones de la Sala Primera del Tribunal Supremo que han tratado la cuestión de la validez de las cláusulas extraestatutarias de retribución de administradores ligados, asimismo, a la sociedad por una relación laboral especial de alta dirección, partiendo todas ellas de la interpretación del mandato imperativo que contenía el artículo 130 de la Ley de Sociedades Anónimas (LSA) —que se corresponde con el contenido en el artículo 217.1 LSC).

La **Sentencia de 17 de diciembre de 2015** *(Tol 5596229)*, recuerda la doctrina extraída de tales resoluciones anteriores en materia de retribución de administradores cuando se trata de remuneraciones que no cuentan con un reflejo estatutario (en particular, las Sentencias de la Sala Primera de 28 de septiembre de 2010, 29 de mayo de 2008, 24 de abril y 31 de mayo de 2007) recogiendo los siguientes pronunciamientos de interés para la resolución del caso que aborda:

«(...) la jurisprudencia ha ido perfilando en los últimos tiempos una doctrina contraria a la posibilidad de que la retribución del administrador de las sociedades de capital se sustraiga a la transparencia exigida en los artículos 130 del Real Decreto legislativo 1.564/1989 y 66 de la Ley 2/1995, por el expediente de crear un título contractual de servicios de alta dirección con causa onerosa, en tanto no sea posible deslindar esa prestación de la debida a la sociedad por el administrador en el funcionamiento de la relación societaria».

«Para admitir la dualidad de regímenes jurídicos de la retribución, uno contractual y otro estatutario, esto es, para no aplicar el establecido en la legislación de las sociedades de capital a la retribución convenida a favor del administrador como alto cargo las sentencias de 5 de marzo de 2004 y 21 de abril de 2005 exigieron la concurrencia de un elemento objetivo de distinción entre las actividades debidas por una y otra causa».

«La sentencia de 24 de abril de 2007 precisó que, para que el régimen estatutario de la retribución de los administradores pueda ser eludido con un contrato, es necesario que las facultades y funciones atribuidas en él al administrador rebasen las propias de los administradores, ya que admitir otra cosa significaría la burla del mandato contenido en el artículo 130, mediante el rodeo propio del fraus legis».

«Lo mismo declaró la sentencia de 31 de octubre de 2007, con el argumento de que, de otro modo, el contrato de alta dirección no sería más que una forma de encubrir la remuneración como consejero, sin estar prevista en los estatutos».

«Esta doctrina, favorable al tratamiento unitario de lo que constituye un aspecto esencial de la administración social y del funcionamiento de la sociedad, se inspira en la conveniencia de hacer efectivo el control de los socios sobre la política de retribución de los administradores, mediante una imagen clara y completa de ella —incluidos los contratos de empleo suscritos por los mismos con la sociedad— y responde, además, a los términos del artículo 1.3.c) del Estatuto de los Trabajadores —Real Decreto Legislativo 1/1995, de 24 de marzo—, que excluye de su ámbito la actividad que se limite, pura y simplemente, al mero desempeño del cargo de consejero o miembro de los órganos de administración en las empresas que revistan la forma jurídica de sociedad y siempre que su actividad en la empresa sólo comporte la realización de cometidos inherentes a tal cargo».

Indica la **Sentencia del Alto Tribunal de 18 de junio de 2013** *(Tol 3799220)* (y así lo recoge la Sentencia de 17 de diciembre de 2015 antes mencionada) —con cita de la Sentencia de la Sala Primera del Tribunal Supremo de 19 de diciembre de 2011 *(Tol 2480988)*— que «Este criterio favorable a lo que la Sala ha denominado *"tratamiento unitario"* de las retribuciones percibidas por los administradores se acoge en sentencias posteriores como la 555/2010, de 28 de septiembre, recurso núm. 1905/2006, y la ya citada núm. 893/2012, de 19 de diciembre de 2011, recurso núm. 1976/2008».

Consecuencia de esta doctrina es que, para entender justificada y legítima la percepción por el administrador social de una retribución abonada por la sociedad pese a que el cargo sea gratuito según los estatutos, ha de resultar probada la concurrencia de lo que la ya citada sentencia núm. 893/2012 denomina «elemento objetivo de distinción entre actividades debidas por una y otra causa», que ha de ser preciso y cierto, sin que sirvan a tales efectos situaciones ambiguas de realización por el administrador de actividades no suficientemente precisadas que se sitúen en el ámbito de las actuaciones de gestión, administración y representación de la sociedad, porque es incompatible con el citado régimen de transparencia y claridad que exige la normativa societaria.

En el caso de que se haya concertado un contrato de alta dirección entre la sociedad y el miembro del órgano de administración, y aunque la jurisprudencia ha advertido que no puede negarse en todo caso la superposición de la relación societaria y otra de carácter mercantil, respecto de la que no operarían las exigencias contenidas en el artículo 130 TRLSA, de constancia en los estatutos de la retribución por la relación superpuesta y ajena al cargo de administrador [Sentencia 893/2011, de 19 de diciembre *(Tol 2480988)*], en la práctica es muy difícil que se dé porque la doctrina de la Sala Primera exige que concurra (como se ha apuntado más arriba) un elemento objetivo de distinción entre las actividades debidas por una y otra causa y la apreciación de este elemento objetivo de distinción tropieza con la dificultad añadida de que las funciones de los administradores prácticamente son omnicomprensivas —el artículo 79 de la Ley de Sociedades Anónimas de 1951 se refería al desempeño del cargo con la diligencia «de un ordenado comerciante y de un representante legal», el 127 del texto refundido de la Ley de Sociedades Anónimas a la «de un ordenado empresario y de un representante leal», el 225 del texto refundido de la Ley de Sociedades de Capital se refiere a la «de un ordenado empresario» y el 226 del mismo texto dispone que «[l]os administradores desempeñarán su cargo como un representante leal en defensa del interés social, entendido como interés de la sociedad, y cumplirán los deberes impuestos por las leyes y los estatutos», o, dicho de otra forma, la norma no discrimina entre las funciones políticas o deliberativas y de decisión «societarias», por un lado, y las de ejecución y gestión «empresariales»— en este sentido la sentencia 450/2007, de 27 de abril *(Tol 1072197)*, afirma que constituye un claro error «concebir al "mero consejero" como una figura puramente decorativa o simbólica, carente de actividad significativa alguna y por ello no merecedor de retribución, de tal modo que en cuanto un administrador ejerciera cualquier actividad real para la sociedad estaría desempeñando un trabajo por cuenta ajena merecedor de retribución distinta de la prevista en los estatutos para los administradores y añadidos a la misma».

Como expresa la **STS, Sala Primera, número 555/2010, de 28 de septiembre de 2010** *(Tol 1975279)*, «El cargo de administrador no tiene un carácter puramente consultivo u honorífico. Conlleva la obligación de realizar actividades para la sociedad consistentes fundamentalmente en el desempeño de funciones de gestión, dirección y representación de la sociedad».

Por otro lado, la jurisprudencia exige que cuando el administrador realice servicios para la sociedad que excedan de las funciones de gestión, dirección y representación que propiamente constituyen el objeto del cargo de administrador social y, por tanto, no entran en el régimen de exigencia de concreta previsión estatutaria prevista legalmente, tales servicios han de ser autorizados por la junta, respondiendo así a las exigencias de transparencia, claridad y conocimiento por los socios que rigen las relaciones entre administrador y sociedad, y en particular, las que supongan la percepción por el administrador de contraprestaciones abonadas por la sociedad.

Realizado este repaso de la jurisprudencia, cabe preguntarse qué ocurre en esta tesitura con las cláusulas extraestatutarias de retribución de administradores. ¿Se declara su ineficacia?

Como advierten la **SSTS (1ª) de 31 de octubre de 2007** *(Tol 1174759)* y **19 de diciembre de 2011** *(Tol 2480988)*, «la normativa societaria tampoco impide las llamadas cláusulas de blindaje o paraguas dorados por las que se estipulan indemnizaciones por cese a favor de quien por tiempo indefinido desarrolla su actividad profesional por cuenta de otro, a fin de facilitar su contratación y garantizar su estabilidad (…), aunque (…) tales cláusulas dificultan el ejercicio de la facultad de revocar ad nutum a los administradores». En todo caso, tales indemnizaciones se someten al régimen de las retribuciones, atendiendo al interés de los accionistas en no verse sorprendidos por cláusulas de indemnización pactadas por los consejeros, actuando en nombre de la sociedad, con motivo de su cese.

¿Cuál es la consecuencia de la infracción de la exigencia de previsión estatutaria de la retribución del administrador social?

El mandato contenido en el artículo 130 LSA (actual artículo 217 TRLSC) es de carácter imperativo, siendo norma de ius cogens[14].

Dispone, a tal efecto, el artículo 6.3 del Código Civil que «Los actos contrarios a las normas imperativas y a las prohibitivas son nulos de pleno derecho, salvo que en ellas se establezca un efecto distinto para el caso de contravención».

La doctrina jurisprudencial ha estimado que el acuerdo retributivo (entendida la retribución en sentido amplio, tal y como se ha expuesto) para el administrador, de origen contractual y sin reflejo estatutario, debe ser declarado ineficaz, no produciendo efecto alguno, al contrariar la norma imperativa (STS —1ª— de 21 de abril de 2005 *(Tol 638989)*, que añade que «La retribución de los administradores ha de constar en los estatutos con certeza y no ser contraria a lo dispuesto en este precepto (Resolución de la Dirección General de los Registros de 29 de noviembre de 1956 y Sentencia del Tribunal Supremo de 4 de noviembre de 1961)»).

Nuestra jurisprudencia confirma repetidamente el perfil imperativo del artículo 130 LSA, entre otras, en las sentencias del Tribunal Supremo de 29 de octubre de 1949, 23 de junio de 1966, 30 de diciembre de 1992 (caso Huarte II) —(LA LEY 13199/1992)—, 19 de febrero de 2001 (caso Pro-

---

[14]  MARTÍNEZ SANZ, F. «Comentario del artículo 130», en AA.VV. (coordinados por Ignacio ARROYO y por José Miguel EMBID IRUJO), Comentarios a la Ley de Sociedades Anónimas. Real Decreto Legislativo 1564/1989, de 22 de diciembre, por el que se aprueba el texto refundido de la Ley de Sociedades Anónimas, volumen II, Madrid).

motores de Empresas Hoteleras) —(LA LEY 3846/2001)—, 21 de abril de 2005 (caso Ocáriz) —(LA LEY 1302/2005)— y 24 de abril de 2007 (Caso Cinturón Verde de Oviedo), —(LA LEY 12506/2007)—.

Pero, ¿qué ocurre en el caso de que dicho acuerdo retributivo incluido en el contrato de alta dirección haya sido acordado y consentido por todos los socios de la mercantil o por el socio único? ¿Debería prosperar en ese caso la pretensión de ineficacia basada en la aplicación estricta del derogado artículo 130 LSA?

Esta situación ha sido abordada por varias sentencias de la Sala Primera del Tribunal Supremo, que acude a los conceptos de los actos propios y del abuso de la formalidad, para acabar reconociendo eficacia a la cláusula extraestatutaria de retribución del administrador (sentencias de 9 de mayo de 2001 (LA LEY 4280/2001), 31 de octubre de 2007 —Caso Royal Life—, *(Tol 1174759)*, 29 de mayo de 2008 —Caso Lumoan— (LA LEY 74022/2008), 19 de diciembre de 2011 —Caso Tamiral— *(Tol 2480988)*, 18 de junio de 2013 —Construcciones Dojoma, S. L.— *(Tol 3799220)*, 25 de junio de 2013 —Hispasat, S. A.— *(Tol 3845919)* y 17 de diciembre de 2015 —Caso Consultrans— *(Tol 5596229)*.

Debe recordarse cuál es el fundamento de la exigencia de previsión estatutaria de la retribución del administrador, expuesto más arriba: su finalidad primordial es la de potenciar la máxima información a los accionistas a fin de facilitar el control de la actuación de éstos en una materia especialmente sensible, dada la contraposición entre los intereses particulares de los administradores en obtener la máxima retribución posible y los de la sociedad en aminorar los gastos y de los accionistas en maximizar los beneficios repartibles.

Si todos los socios o el socio único de la sociedad tenían conocimiento de la existencia del pacto retributivo y, a pesar de ello, no hicieron nada durante largo tiempo, sólo objetando el pago de la retribución e invocando la aplicación del artículo 130 LSA en el momento de surgir las desavenencias con el administrador, tal conducta es apta para generar fundadamente en el administrador la confianza en una coherencia futura sobre tal cuestión y, por ello, en que podía percibir la remuneración por haber sido acordada por todos los socios o el socio único y en que no se le iba a reclamar la devolución de las cantidades ya abonadas o no se iba a negar la indemnización por cese en el contrato pactada. Como dice la STS 412/2013, de 18 de junio de 2013 *(Tol 3799220)*, «Tal comportamiento, en cuanto significativo, prolongado y contradictorio con la pretensión deducida en la demanda —en la que se ejercitaba la acción de responsabilidad frente al socio, impugnación del acuerdo de la junta en que se aprobaba la retribución del administrador, interesándose la reintegración por el administrador al patrimonio social de la cantidad percibida en concepto de tal retribución— convierte a éste en inadmisible, en aplicación de la doctrina de los actos propios manifestación del principio general de buena fe».

Y de forma expresiva, la **STS (1ª) de 19 de diciembre de 2011** *(Tol 2480988)* indica sobre el particular que «cuando la totalidad de los accionistas conocen y consienten el pacto» la jurisprudencia ha rechazado «la oponibilidad de la exigencia contenida en el artículo 130 LSA alejada de su finalidad de tutela y como fórmula para desvincularse de forma anómala de las obligaciones personalmente asumidas como válidas —en este sentido la sentencia 445/2001, de 9 de mayo (LA LEY 4280/2001)—, rechazó la limitación impuesta por el artículo 130 de la LSA en una sociedad unipersonal en la que el ejecutivo por razones organizativas asumió la condición formal de administrador, pese a tratarse en la realidad de un alto directivo, y la 1147/2007, de 31 de octubre *(Tol 5003616)* mantuvo la validez de la retribución "en una sociedad con accionista único, el único afectado por la eficacia de la cláusula es él, y no tiene derecho a quejarse, porque es él mantiene a los administradores en sus cargos y el que contrata" ya que "ello, que en los casos normales obedece a las razones expuestas, aquí es una mera formalidad", a lo que hay que añadir que la nulidad de un contrato ejecutado en parte no carece de consecuencias —el art. 1303 dispone la retroacción de prestaciones— y no impide valorar el desarrollo asimétrico de funciones cuando la totalidad de socios simultáneamente forma parte del órgano de administración».

En consecuencia, doctrina de los actos propios, ejercicio de los derechos con arreglo a las exigencias de buena fe y prohibición del abuso de la formalidad son los argumentos que emplea la jurisprudencia de la Sala Primera para mitigar la rigidez de la exigencia de la previsión estatutaria de la remuneración del administrador y reconocer, así, excepcionalmente, eficacia a los pactos retributivos extraestatutarios.

No ha faltado en la doctrina quien ha criticado esta solución. RONCERO SÁNCHEZ, A.[15], señala que dicha previsión estatutaria constituye una medida de publicidad y transparencia cuya finalidad es facilitar a los

---

[15] RONCERO SÁNCHEZ, A.,«Comentario a las SSTS de 13 de noviembre de 2008 sobre retribución de administradores. Grado de concreción del sistema retributivo de los administradores en los estatutos sociales de una sociedad anónima». RdS, 32/2009, págs. 79-98.

socios y terceros el conocimiento de la retribución de los administradores, indicando MONTERO GARCÍA-NOBLEJAS, M. P.[16], que es una fuente de información para accionistas y terceros. Por ello, GARCÍA SANZ, A.[17], entiende que esta solución jurisprudencial es errónea por no tener en cuenta que la norma que impone que las retribuciones de los administradores figuren en los estatutos sociales también está destinada a tutelar los intereses de terceros (acreedores sociales). Y así defiende que, a pesar de las circunstancias concurrentes de conocimiento y consentimiento por todos los socios de la entidad o por el socio único del pacto retributivo extra muros de los límites de los estatutos, estando ante una norma imperativa, la consecuencia de la infracción del mandato contenido en aquel artículo 130 LSA debería haber sido, en su opinión, la declaración de nulidad de pleno derecho del contrato en virtud del cual se reclaman las retribuciones.

Caso ciertamente peculiar se resuelve por la STS (1ª) de 17 de diciembre de 2015 (Asunto Consultrans) *(Tol 5596229)*. La cuestión que se plantea es si, a pesar de la doctrina general que defiende la ineficacia de los contratos de alta dirección (u otro tipo) en los que se incluyen pactos sobre retribución del administrador que no tuvieran el adecuado reflejo en los estatutos sociales, cabe considerar que la actuación de la sociedad al invocar la aplicación del artículo (hoy derogado) 130 LSA es contraria a los actos propios, por tratarse de una sociedad de socio único, que además tuvo conocimiento de la existencia del pacto retributivo al administrador al tiempo de la adquisición de la totalidad de las participaciones de la sociedad, habiéndose tenido en cuenta dicha circunstancia al fijarse el precio de la compraventa de acciones.

En el supuesto analizado por la sentencia comentada es cierto que tras la celebración del contrato de alta dirección con la demandante, quien era socio único de la sociedad Consultrans, S. A. U., vendió la totalidad de sus acciones a otra mercantil, la sociedad Imathia. Ese cambio de titularidad en el accionariado ¿puede justificar la ineficacia sobrevenida del pacto sobre retribuciones extraestatutario? ¿Cabe aplicar la doctrina excepcional

---

[16]   MONTERO GARCÍA-NOBLEJAS, M. P., «Procedencia y alcance de la constancia estatutaria de la retribución de los administradores de sociedades cotizadas consistente en programas de opciones sobre acciones y sistemas similares» RdS, nº 30/ 2008. Págs. 163-194.

[17]   GARCÍA SANZ, A.,«Sentencia de 19 de diciembre de 2011: La constancia estatutaria de la retribución de los administradores sociales: interés de los socios e interés de los terceros». En: Revista Cuadernos Civitas de Jurisprudencia Civil núm. 90/2012 parte Sentencias. Editorial Civitas, S. A. Pamplona 2012, págs. 117-136.

contenida en la Sentencia de 31 de octubre de 2007 *(Tol 1174759)* cuando quien actualmente es socio único de la sociedad no era aquel que celebró con el administrador el contrato de alta dirección en el que se incluía el pacto de retribución e indemnización por cese? ¿Se puede hablar en ese caso de actos propios? ¿Es posible apreciar abuso de la formalidad en quien no siendo socio al tiempo de la celebración de aquel contrato invoca la aplicación del artículo 130 TRLSA?

El Alto Tribunal concluye que, en atención de las circunstancias concurrentes, debe aplicarse al caso de autos, la misma doctrina de la STS (1ª) de 31 de octubre de 2007 *(Tol 1174759)*, reconociendo eficacia al contrato que incluye el pacto retributivo sin reflejo estatutario.

En dicha hipótesis, no puede hablarse de existencia de actos propios del socio único en cuanto a la celebración del contrato que incluía el pacto retributivo, puesto que el actual socio único de Consultrans no era el mismo que aquél que celebró el contrato. Tampoco se puede hablar de actos propios respecto de la sociedad, en tanto que actuación que se considera vinculante hasta el punto de ser contraria a la buena fe la pretensión de desconocerla o contrariarla, puesto que se trata de un acto personalísimo.

La sentencia de la Sala Primera del Tribunal Supremo núm. 201/2015, de 9 de abril, *(Tol 5003616)*, resume la jurisprudencia recaída sobre la doctrina de los actos propios y declara que:

*«La doctrina de los propios actos, como dice la sentencia de esta Sala núm. 936/2006 de 6 octubre (LA LEY 114894/2006), tiene su fundamento en la protección de la confianza y en el principio de la buena fe (Sentencias de 25 de octubre y 28 de noviembre de 2000) pues se falta a la buena fe en sentido objetivo, es decir, como exigencia de lealtad y honestidad en los tratos y en el ejercicio de los derechos (artículo 7.1 Código Civil) cuando se va contra la resultancia de los propios actos (Sentencias de 16 de julio y 21 de septiembre de 1987, 6 de junio de 1992, etc.), pero ello exige que los actos propios sean inequívocos, en el sentido de crear, definir, fijar, esclarecer, modificar o extinguir una determinada situación que afecta jurídicamente a su autor, para lo cual es insoslayable el carácter concluyente e indubitado, con plena significación inequívoca, de modo que entre la conducta anterior y la pretensión actual exista una incompatibilidad o contradicción, con el sentido que, de buena fe, hubiera de atribuirse a la conducta anterior (Sentencias de 9 de mayo de 2000, 27 de febrero, 16 de abril y 24 de mayo de 2001, 25 de enero de 2002 entre otras muchas), por lo que no es de aplicación cuando los precedentes fácticos que se invocan tienen carácter ambiguo o inconcreto (Sentencias de 23 de julio de 1997 y 9 de julio de 1999) o carecen de trascendencia para producir el cambio jurídico (Sentencias de 28*

*de enero de 2000, 7 de mayo de 2001, 25 de enero de 2002) y, aún menos, cuando
el cambio de actitud obedece a una reacción ante nuevos hechos o actos».*

Dicho esto, sí cabe entender que la conducta del actual socio único de Consultrans, S. A., va en contra de los actos propios cuando, aún habiendo conocido la existencia del contrato de alta dirección suscrito por el anterior socio único con la demandante, con sus consecuencias retributivas, y a pesar de haber influido dicha circunstancia en la determinación de las condiciones de compra de las acciones de la mercantil (como resulta de los hechos probados contenidos en el fundamento de derecho primero de la resolución comentada), se sirve, empleando el manto de la sociedad, de la rigidez del artículo 130 TRLSA, pretendiendo la ineficacia del contrato que incluye la indemnización por cese del administrador.

Y, en este sentido, se aprecia identidad de razón entre este caso y el resuelto por la STS de 31 de octubre de 2007 *(Tol 1174759)*, lo que justifica una misma solución.

Por ello, se afirma en la Sentencia de 17 de diciembre de 2015 *(Tol 5596229)* que la función del artículo 130 TRLSA «(...) *pierde su sentido cuando se trata de una sociedad de socio único, que ha tenido por tanto perfecto conocimiento del régimen retributivo, aunque haya sido fijado en contrato, y que además es quien ha decidido dicho régimen (...)».* «*Y cuando quien deviene nuevo socio único ha conocido este régimen retributivo pactado y lo ha aceptado al adquirir las acciones con una cláusula que libera al vendedor del pago de la indemnización prevista como parte de dicho régimen retributivo, oponerse al pago de tal indemnización constituye un abuso de la formalidad por parte del socio único que no puede ser estimado».*

Toda situación de conflicto exige una prudente valoración de los intereses en juego. Aún siendo el artículo 130 LSA norma imperativa (VELA TORRES, P. J., «Criterios Judiciales sobre Retribución de Administradores Sociales». En: I Foro de encuentro de jueces y profesores de Derecho Mercantil (1º. 2008. Barcelona). Tirant lo Blanch, 2010, pág. 33-46), debe tenerse presente la finalidad perseguida por la exigencia de previsión estatutaria de la retribución del administrador que, conforme a la doctrina y reiterada jurisprudencia, no es otra (con carácter principal) que la protección de los intereses de los socios para que no se vean sorprendidos por cláusulas de blindaje que no tengan reflejo estatutario.

Si este es el fin primordial de la norma, cuando el socio único o todos los socios han conocido y consentido el contrato mercantil o laboral que incluye el acuerdo de retribución extra muros de los estatutos sociales, pretender la aplicación de la severa consecuencia del artículo 130 TRLSA resulta contrario a principios esenciales que informan nuestro Derecho: buena fe, actos propios, interdicción del abuso de derecho[18].

**Vigencia de la Teoría del Vínculo tras la reforma operada por la Ley 31/2014, de 3 de diciembre. El caso de los consejeros con funciones ejecutivas.**

Con anterioridad ya se ha indicado la incidencia de la reforma operada en esta materia por la Ley 31/2014, de 3 de diciembre, que expresamente en el artículo 249.3 LSC se refiere a la necesidad de celebrar un contrato entre el miembro del consejo de administración que sea nombrado consejero delegado o se le atribuyan funciones ejecutivas en virtud de otro título y la sociedad, contrato que deberá ser aprobado previamente por el consejo de administración con el voto favorable de las dos terceras partes de sus miembros, debiéndose abstener de asistir a la deliberación y de participar en la votación el consejero afectado. Es, como se ha indicado, en ese contrato (artículo 249.4 LSC) en el que se detallarán todos los conceptos por los que pueda obtener una retribución dicho consejero por el desempeño de funciones ejecutivas, incluyendo, en su caso, la eventual indemnización por cese anticipado en dichas funciones, sin que pueda percibir retribución alguna por el desempeño de funciones ejecutivas cuyas cantidades o conceptos no estén previstos en ese contrato.

De la expresada reforma de la LSC parece desprenderse que el Legislador ha optado por la postura doctrinal, antes minoritaria, que abogaba por la necesidad de que se tuvieran en cuenta las distintas funciones desarrolladas por los administradores dependiendo que cuál fuera la forma de organización del órgano de administración de la sociedad, de manera que, si bien en las formas simples (único administrador, dos administradores solidarios o mancomunados) todas las actividades, tanto deliberativas como ejecutivas, se concentran en la persona del administrador, por lo que será difícil que el mismo pueda desarrollar al margen de tal función, una relación laboral de alta dirección que rebase las actividades que comporta la administración de la sociedad, en las formas complejas de administración (consejo de administración), debe distinguirse entre los consejeros ordinarios o dominicales, cuya función es deliberativa o consultiva e intermitente, y aquellos que, por delegación del Consejo y previa celebración

---

[18]  COHEN BENCHETRIT, A., «Retribución de administradores no prevista en los estatutos sociales. Sentencia de 17 de diciembre de 2015» (RJ 2015, 307642), Cuadernos Civitas de Jurisprudencia Civil, págs. 161-168 (2016/nº 102).

del contrato al que se ha aludido más arriba, desempeñan tareas ejecutivas, encargándose de forma permanente de la gestión diaria de la sociedad.

Ese plus de actividad que realizan los consejeros ejecutivos debe merecer una retribución adicional. Y esa retribución debe tener su reflejo, no en los estatutos (por tanto, no se le aplica el mandato del artículo 217.1 LSC), sino en el contrato que se habrá celebrado entre el consejero y la sociedad (artículo 249.4 LSC).

La LSC no califica, como se ha dicho, este contrato, pero nada impide en la letra de la ley, a mi entender, que pueda tratarse de un contrato laboral especial de alta dirección. No es, sin embargo, la opinión unánime. Así, por ejemplo, García-Perrote Escartin, I[19]., afirma que «*No creo que el problema del contrato que regulan los arts. 249. 3 y 4 y 529 octodecies LSC sea el de su naturaleza jurídica. Los laboralistas sabemos bien que los contratos son lo que son y que no prevalece el nomen iuris sobre la real naturaleza del contrato. Dicho esto, y asumiendo que el debate terminológico y nominalista para mí no es lo más importante, ¿la Ley de Sociedades de Capital qué quiere? Quiere que haya un único contrato en donde este todo, absolutamente todo lo que percibe el consejero delegado o el consejero al que se atribuyan funciones ejecutivas "en virtud de otro título", que nada haya fuera de ese contrato, y este es el principio esencial, como también es esencial que ese contrato sea aprobado por el consejo de administración, con abstención del interesado y respetando el sistema de remuneración previsto en los estatutos y la política de remuneraciones establecida por la junta general. Esto es lo esencial, esto es lo capital del régimen jurídico del contrato del consejero delegado o del consejero ejecutivo, y es el régimen jurídico que hay que respetar. Ahora bien, dicho eso, y teniendo en cuenta la finalidad a la que atendió la construcción jurisprudencial de la teoría del vínculo, no creo que la idea más feliz sea considerar que ése es un contrato laboral. La LSC no identifica su naturaleza, no califica el contrato, pero no podemos desconocer la existencia de una práctica de mercado —que no creo que haya motivo alguno para romper— que en las más importantes sociedades cotizadas denomina al contrato del consejero delegado "de prestación de servicios interno" y que, con independencia de su denominación y calificación —que no se define— se entiende que no es un contrato laboral. Lo importante, como digo, es que el contrato sea aprobado por el consejo de administración con el voto favorable de las dos terceras partes de sus miembros, respetando el sistema de remuneración estatutario y la política de remuneraciones, muy detallada en el caso de las sociedades cotizadas, aprobada por la junta*

---

[19]    GARCÍA-PERROTE ESCARTÍN, I., en «La asunción legal de la teoría del vínculo: un único contrato transparente de los consejeros ejecutivos con "omnicomprensividad retributiva"» (EDC 2015/1004360).

*general, y que en ese contrato estén todas las condiciones, que en su aprobación por el consejo de administración se abstenga en la deliberación y votación el afectado, y que se añada como anejo al acta del consejo de ese día (art. 249.3 LSC). Esto es lo verdaderamente importante, lo verdaderamente determinante, en mi opinión.»*

A pesar de tales autorizadas opiniones en sentido contrario y de que la Ley no califique la naturaleza del contrato, considero que es posible que el mismo pueda tener naturaleza laboral, e incluso tratarse de un contrato laboral especial de alta dirección (aunque no necesariamente deba tener esta índole). Además, la referencia que el artículo 249.4 LSC hace a «la eventual indemnización por cese anticipado» en las funciones ejecutivas, como parte de la retribución, parece concordar con lo que dispone el artículo 11 RD 1382/1985, de 1 de agosto, que regula la indemnización del alto directivo en caso de cese por desistimiento del empresario.

Habrá que estar a la espera de las nuevas sentencias que se dicten por los juzgados y tribunales mercantiles para ver la línea que siguen y si se apartan de la tradicional doctrina y de la interpretación judicial que hasta ahora se venía haciendo del mandato contenido en el derogado artículo 130 LSA, que recogía el principio de determinación estatutaria de la retribución (actual artículo 217 LSC), de la posibilidad de compatibilizar el cargo de administrador con el contractual de alto directivo y si es eficaz el pacto retributivo por dicho vínculo contractual extra muros de los estatutos.

### 3. Teoría del vínculo y Dirección General de los Registros y del Notariado

La Dirección General de los Registros y del Notariado ha tenido ocasión de pronunciarse, asimismo, sobre la cuestión que venimos analizando, esto es, sobre si el administrador puede recibir alguna retribución extraestatutaria, cuyo origen derive de la celebración con la sociedad de un contrato —civil, mercantil o laboral—, al margen de la relación orgánica que le une con la entidad.

Con anterioridad a la reforma de 2014 de la LSC, en la **Resolución de 3 de abril de 2013 (BOE 23/04/2013)**, el Centro Directivo se planteaba si era posible inscribir una modificación del artículo 16 de los estatutos de una sociedad de responsabilidad limitada, siendo el tenor literal de la cláusula modificada el siguiente: «...*La remuneración del órgano de administración de la sociedad consistirá en una asignación fija en concepto de suelo que determinará para cada ejercicio la junta general de socios de la compañía. La retribución de los administradores se establece sin perjuicio del pago de los honorarios profesionales o de los salarios que pudieran acreditarse frente a la sociedad, en razón de la prestación* *de servicios profesionales o de la vinculación laboral del administrador con la compañía para el desarrollo de otras actividades en la misma...».*

Presentada dicha modificación estatutaria para su inscripción en el Registro Mercantil de Valencia, la Registradora extendió nota de calificación negativa, acordando no practicar la inscripción por «*Infringir el artículo 16 de los estatutos sociales, respecto a la remuneración del cargo de administrador lo dispuesto en el art 217 de la LSC y aplicación de la doctrina sentada por la Sentencia de 21 de abril de 2005, 30 de diciembre de 1992 y 26 de marzo de 1996, y especialmente por la de la Sala Cuarta de lo Social de 9 de diciembre de 2009 (LA LEY 278291/2009) (rec. 1156/2009) según la cual los contratos de alta dirección (desempeño de funciones ejecutivas dentro de la sociedad) suscritos por los que ocupan cargos de administración societaria quedan englobados en la relación mercantil y por tanto sólo podrá percibir remuneraciones por este último concepto (...)».* La Registradora estimó que el defecto era insubsanable.

Interpuesto recurso frente a dicha nota de calificación, la Dirección General, partiendo del examen de la cuestión debatida (que no era otra si la de si era conforme a derecho un precepto estatutario que preveía, junto a la remuneración del órgano de administración, la existencia de otras posibles relaciones remuneradas), estimó dicho recurso concluyendo que el administrador remunerado no puede recibir ninguna otra retribución extraestatutaria por llevar a cabo la tarea de gestión y representación derivada de su nombramiento, por lo que «no sería inscribible una cláusula estatutaria de una sociedad limitada que estableciese que los administradores o consejeros disfrutarán, por sus servicios como tales, además de la retribución cuyo sistema se describa en estatutos, de sueldos u honorarios a percibir, en virtud de cualesquiera contratos, laborales, civiles o mercantiles, la celebración de los cuales se contempla en estatutos». No se aparta, por tanto, de la doctrina del vínculo expuesta. Sin embargo, paradójicamente, la DGRN admite, en el recurso que resuelve, la validez de una cláusula que no menciona los límites, legales y jurisprudenciales, que afectan a la configuración de dichos vínculos con los administradores («El doble vínculo y la retribución estatutaria de los servicios de los administradores sociales (comentario a la resolución de la Dirección General de los Registros y del Notariado de 3 de abril de 2013», Paula DEL VAL TALENS. Cuadernos de Derecho y Comercio 2014, núm. 60, págs. 161-186).

Con posterioridad a la reforma operada en la LSC por la Ley 31/2014, de 3 de diciembre, la Dirección General de los Registros y del Notariado ha tenido oportunidad, nuevamente, de pronunciarse sobre este punto objeto de discusión en la **Resolución de 10 de mayo de 2016 (LA LEY 57166/2016)**.

En este caso, se pretendía la inscripción de un acuerdo de modificación estatutaria que afectaba al artículo 15, relativo a la remuneración del cargo de administrador, siendo el tenor literal del precepto, tras la modificación, el siguiente: «El cargo de Administrador no será retribuido. No obstante lo anterior, desde el 24 de marzo de 2015 se acuerda retribuir a la administradora doña AA., por los trabajos dependientes que realiza para la empresa».

Se daba la circunstancia, en el supuesto planteado, de que la administradora de la sociedad (a la sazón, una agencia de viajes), mantenía con la mercantil, además de la relación orgánica derivada del cargo, una relación laboral común de prestación de servicios, distinta de la de gerencia o de la especial de alta dirección, consistente en la realización de la función de recepcionista.

La Dirección General, después de recordar el principio básico en materia de retribución de administradores consistente en la determinación estatutaria de la remuneración del administrador, así como el fundamento de dicho principio (que responde, primordialmente, a la idea de potenciar la máxima información a los accionistas a fin de facilitar el control de la actuación de los administradores en una materia especialmente sensible), indica que resulta esencial, a los efectos de resolver, distinguir dos supuestos: el de la retribución de funciones inherentes al cargo de administrador y el de la retribución de funciones extrañas a dicho cargo. Y añade, que no puede desconocerse la modificación introducida en la LSC por la Ley 31/2014, de 3 de diciembre, que distingue entre la retribución del administrador en cuanto a tal, sujeto al principio de determinación estatutaria, y la retribución del miembro del consejo de administración que sea consejero delegado o ejerza funciones ejecutivas de otro tipo, siendo que esta retribución no nace de los estatutos, sino del contrato al que refiere el artículo 249.3 y 4 LSC.

Insiste el centro directivo en la idea de que las funciones inherentes al cargo de administrador no son siempre idénticas, sino que varían según el modo de organizar la administración. En las formas simples de organización de la administración (un administrador único, dos administradores mancomunados o solidarios), las funciones inherentes al cargo de administrador incluyen tanto las deliberativas o de supervisión y control, como las ejecutivas. Por tanto, en ese caso, no sería posible que el administrador recibiera una retribución extraestatutaria por la realización de funciones de gerencia o de alta dirección, pues dichas tareas serían inherentes al cargo. Sí sería, sin embargo, posible, que recibiera una remuneración adicional por la realización de funciones extrañas al cargo de administrador (como ocurría en el caso objeto de examen, en que la administradora realizaba tareas de recepcionista, en virtud de una relación laboral común).

Por el contrario, en las formas complejas de organización de la administración (el consejo de administración), la función que es propia de los miembros del consejo es la denominada deliberativa, esto es, la función de estrategia y control que se desarrolla como miembro deliberante del colegio de administradores. Siendo ello así, cabría percibir una retribución extraestatutaria en el caso de que se encomendara a un miembro del consejo, en virtud del contrato al que se refiere el art. 249.3 y 4 LSC, la realización de la función ejecutiva. Es en dicho contrato en el que se habrían de especificar «todos los conceptos por los que pueda obtener una retribución por el desempeño de funciones ejecutivas, incluyendo, en su caso, la eventual indemnización por cese anticipado en dichas funciones y las cantidades a abonar por la sociedad en concepto de primas de seguro o de contribución a sistemas de ahorro. El consejero no podrá percibir retribución alguna por el desempeño de funciones ejecutivas cuyas cantidades o conceptos no estén previstos en este contrato» (artículo 249.4 LSC).

En mi opinión, la nueva doctrina de la Dirección General de los Registros en materia de retribución de administradores se ajusta al espíritu de la Ley de Sociedades de Capital, tras la reforma de la Ley 31/2014, de 3 de diciembre, y modula los efectos de la rígida teoría del vínculo.

## IV. CONCLUSIÓN

A la vista de lo examinado en este capítulo, ¿puede concluirse que la reforma operada en la LSC por la Ley 31/2014, de 3 de diciembre, supone el fin de la teoría del vínculo o del argumento origen de dicha teoría?

Desde luego, la reforma de 2014 ha reavivado el viejo debate sobre la corrección de la teoría del vínculo y, a mi juicio, atenúa la rigidez de la que adolecía dicha doctrina. No es ésta, sin embargo, una opinión unánime. Según indica CASAS BAAMONDE, E[20]., haciéndose eco de las opiniones de Salvador del Rey, Catedrático de Derecho del Trabajo y de la Seguridad Social (ESADE Law School) Socio y Presidente del Instituto Internacional Cuatrecasas de Estrategia Legal en Recursos Humanos, y de Ignacio García-Perrote, Catedrático de Derecho del Trabajo y de la Seguridad Social (UNED) y Socio Responsable del Área Laboral de Uria Menéndez, en

---

[20] CASAS BAAMONDE, E., en «Consejeros Ejecutivos y Directivos Laborales. ¿Qué ha cambiado la reforma de la ley de sociedades de capital? Mas allá de la teoría del vínculo» (EDC 2015/1004362).

la sesión celebrada en la Fundación para la Investigación sobre el Derecho y la Empresa (FIDE) el pasado 23 de abril, a iniciativa de Derecho de las Relaciones Laborales, «*ambos autores coinciden en señalar el mantenimiento, o incluso el acogimiento, de la teoría del vínculo por la Ley 31/2014*», destacando Ignacio García-Perrote «*la común finalidad de la teoría del vínculo y de la nueva regulación legal de asegurar la existencia de un único contrato transparente, señaladamente de los consejeros delegados y de otros consejeros ejecutivos principales (art. 249 LSC); no de otros consejeros vinculados con la sociedad por un título jurídico laboral ordinario y carentes de una posición de prevalencia o dominio en el consejo de administración. Y, en los casos de promoción al consejo, subraya la necesidad ineludible de un pacto específico de preservación de la anterior relación laboral común y especial de alta dirección*».

En sede de sociedades no cotizadas, el artículo 249.3 LSC, al contemplar la necesidad de que el consejero en el que se delegue la realización de las funciones ejecutivas o las lleve a cabo en virtud de otro título celebre con la sociedad un contrato, viene a admitir que dicho administrador, miembro del consejo, esté vinculado a la sociedad no sólo por el lazo orgánico, sino por otro contractual, cuya naturaleza laboral, civil o mercantil no se aclara.

La reforma supone distinguir, a los efectos examinados, según sea la forma de organización de la administración de la sociedad, permitiendo que en las sociedades que adopten una fórmula compleja de administración —consejo de administración—, pueda diferenciarse entre la posición del mero consejero y de aquel, que además de las funciones deliberativas, se ocupa de la gestión diaria de la sociedad. Y este plus de actividad del consejero ejecutivo justifica que pueda recibir una retribución no sujeta a la exigencia de constancia estatutaria, sino a su regulación en el imperativo contrato que el consejero habrá celebrado con la sociedad (ello concuerda con las recomendaciones de la Comisión de Expertos que se contienen en el Informe de 14 de octubre de 2013, así como con la redacción del artículo 231.100 del Anteproyecto de Código Mercantil).

Esta interpretación entiendo que permite una coordinación armónica entre la LSC y el artículo 1.3 c) del Estatuto de los Trabajadores, excluyéndose de la laboralidad al «mero consejero», pero no necesariamente al consejero ejecutivo ligado a la sociedad por el doble vínculo orgánico y contractual[21].

---

[21]     (sobre el particular, DURÁN-SINDREU BUXADÉ, A., «Fiscalidad de la retribución de administradores y socios profesionales. Teoría del vínculo», en Claves Prácticas Francis Léfèbvre (págs. 65 a 73).

## Bibliografía

ALFARO REAL, J., «Adiós a la teoría del vínculo», publicado el 16 de diciembre de 2015 en el *Blog jurídico Almacén de Derecho*.

APARICIO, M., «Sobre la proyectada Reforma de la Remuneración de los Administradores», en *Estudios Jurídicos en memoria del Profesor Emilio Beltrán Liber Amicorum* Tomo I, págs. 515-537, Ed. Tirant lo Blanch.

BARROS GARCÍA, M., «¿Continúa vigente la "doctrina del vínculo" tras la modificación de la Ley de Sociedades de Capital?», *Actualidad Jurídica Uría Menéndez* /41-2015/34-41.

BRENES CORTÉS, J., «El nuevo régimen de retribución de los consejeros ejecutivos tras la reforma operada por la Ley 31/2014, de 3 de diciembre, por la que se modifica la Ley de Sociedades de Capital para la mejora del Gobierno Corporativo», *Revista Lex Mercatoria*, RLM n° 1 | Año 2015 Artículo no 1 Páginas 1-6.

— «La retribución de los consejeros ejecutivos de las sociedades de capital (Comentario de la Resolución de la Dirección General de los Registros y del Notariado de 30 de julio de 2015), *Revista de Derecho Mercantil*. N° 299. 2015, págs. 455-476.

CASAS BAAMONDE, E., en *Consejeros Ejecutivos y Directivos Laborales. ¿Qué ha cambiado la reforma de la ley de sociedades de capital? Mas allá de la teoría del vínculo* (EDC 2015/1004362).

COHEN BENCHETRIT, A., «Retribución de administradores no prevista en los estatutos sociales. Sentencia de 17 de diciembre de 2015» (RJ 2015, 307642) *Cuadernos Civitas de Jurisprudencia Civil*, págs. 161-168 (2016/n° 102).

DESDENTADO BONETE, A. y DESDENTADO DAROCA, E.,«En los límites del contrato de trabajo: administradores y socios», *Revista del Ministerio de Trabajo e Inmigración*, 83, págs. 42 y 43.

DURÁN-SINDREU BUXADÉ, A., «Fiscalidad de la retribución de administradores y socios profesionales. Teoría del vínculo», en *Claves Prácticas Francis Léfebvre* (págs. 65 a 73)

FARRANDO MIGUEL, I., «La remuneración de los administradores y la doctrina jurisprudencial del doble vínculo», en *Revista de Derecho de Sociedades* núm. 32/2009 1, págs. 1-55, Editorial Aranzadi S. A. U.

— «Comentario a las STS de 13 de noviembre de 2008 sobre retribución de administradores. La remuneración de los administradores y la doctrina jurisprudencial del doble vínculo». *RdS* 32, año 2009, n.° 32/2009, págs. 99 a 132)

FERNÁNDEZ DEL POZO, L., «El misterio de la remuneración de los administradores de las sociedades no cotizadas», *Revista de Derecho Mercantil*, n° 297, julio-septiembre, 2015.

— «Acerca de la supuesta autonomía del contrato remuneratorio de los consejeros ejecutivos en relación con los estatutos y con el acuerdo de junta del art. 217 LSC (lo que no dice la Resolución DGR de 30 de julio de 2015)», *Diario La Ley*, n° 8634, 27 de octubre de 2015.

GARCÍA-PERROTE ESCARTÍN, I., *La asunción legal de la teoría del vínculo: un único contrato transparente de los consejeros ejecutivos con «omnicomprensividad retributiva»* (EDC 2015/1004360).

GARCÍA SANZ, A.,«Sentencia de 19 de diciembre de 2011: La constancia estatutaria de la retribución de los administradores sociales: interés de los socios e interés de los terceros». En: *Revista Cuadernos Civitas de Jurisprudencia Civil* núm. 90/2012 parte Sentencias. Editorial Civitas, S. A. Pamplona 2012, págs. 117-136.

LÓPEZ DE LA PEÑA SALDÍAS, J. F., «Retribución de los administradores y actos propios. Comentario a la sentencia del Tribunal Supremo de 29 de mayo de 2008 (RJ 2008, 3184)» en *Repertorio de jurisprudencia Aranzadi*, n.° 13, 2008, págs. 11-12).

MARÍN BENÍTEZ, G., «Los consejeros ejecutivos en el ámbito del derecho tributario: efectos fiscales de la doctrina del vínculo», *RC Y T*, CEF, núms. 353-354, págs. 5-40).

MARÍN DE LA BÁRCENA GARCIMARTÍN, F. «Compatibilidad de la retribución de administradores y altos cargos de sociedades de capital. Comentario a la STS 1ª de 24 de abril de 2007 (RJ 2007, 2418)». En *Revista de Derecho de Sociedades* n.° 40. 2013, pág. 209-243).

MARTÍNEZ SANZ, F. «Comentario del artículo 130», en AA.VV. (coordinados por Ignacio ARROYO y por José Miguel EMBID IRUJO), *Comentarios a la Ley de Sociedades Anónimas. Real Decreto Legislativo 1564/1989, de 22 de diciembre, por el que se aprueba el texto refundido de la Ley de Sociedades Anónimas*, volumen II, Madrid).

MONTERO GARCÍA-NOBLEJAS, M. P., «Procedencia y alcance de la constancia estatutaria de la retribución de los administradores de sociedades cotizadas consistente en programas de opciones sobre acciones y sistemas similares» *RdS*, n° 30/ 2008. Págs. 163-194.

PAZ-ARES, C., «El enigma de la retribución de los consejeros ejecutivos», *InDret* enero de 2008, págs. 1-74.

— «Ad imposibilita nemo tenetur (o por qué recelar de la novísima jurisprudencia sobre retribución de administradores»), *InDret*, mayo 2009.

RONCERO SÁNCHEZ, A.,«Comentario a las SSTS de 13 de noviembre de 2008 sobre retribución de administradores. Grado de concreción del sistema retributivo de los administradores en los estatutos sociales de una sociedad anónima». *RdS*, 32/2009, págs. 79-98.

— «La retribución variable de los consejeros ejecutivos tras la reforma del régimen legal sobre retribución de los administradores de las sociedades de capital». *Revista de Derecho Social y Empresa*, n° 5, 2016, págs. 121 a 149.

RUIZ MUÑOZ, M., «La retribución de los administradores y altos ejecutivos de las sociedades de capital: libertad, transparencia y control (la modificación de la LSC por la Ley 31/2014 y el ALCM)», en: *Estudios sobre el futuro Código Mercantil: libro homenaje al profesor Rafael Illescas Ortiz*. Getafe: Universidad Carlos III de Madrid, 2015, págs. 860-893.

TOVAR ROCAMORA, J. J., «La teoría del vínculo tras la Ley 31/2014», *Revista Española de Derecho del Trabajo* núm. 184/2016. Editorial Aranzadi, S. A. U.

# 42. Retribución de los Consejeros Ejecutivos. Adecuación de la retribución y deberes de actuación de los administradores[1]

**ANTONIO RONCERO SÁNCHEZ**

*Catedrático de Derecho Mercantil*
*Universidad de Castilla-La Mancha*

## I. LA REFORMA DEL RÉGIMEN SOBRE RETRIBUCIÓN DE LOS ADMINISTRADORES

### 1. Aspectos generales de la reforma

Como hemos tenido oportunidad de destacar en otras ocasiones, no parece cuestionable que el régimen aplicable a la retribución de los admi-nistradores de las sociedades de capital era una de las materias relativas al tratamiento normativo de las sociedades de capital más necesitadas de una reforma seria, rigurosa y profunda[2]. Cuestión distinta es que la reforma

---

[1]   Este trabajo se inserta en el Proyecto de Investigación nacional, financiado por el Ministerio de Economía y Competitividad, dentro del Programa Estatal de Investi-gación, Desarrollo e Innovación (subprograma Retos de la Sociedad) con el título «La reforma del Derecho de sociedades desde la perspectiva de la protección del inversor y de los mercados» (Dir. ALCALÁ DÍAZ, M.A.), ref. DER2014/56741-R (2015-2017).

[2]   Nos hemos ocupado de analizar la necesidad de la reforma del régimen aplicable a la retribución de los administradores en trabajos anteriores como «La refor-ma del régimen legal sobre retribución de administradores de sociedades coti-zadas: el informe anual de retribuciones de los consejeros y altos directivos», en *Investigación y Publicación del Centro de Gobierno Corporativo del Instituto de Empresa*, 2012, II o en o «Principales deficiencias de técnica y política jurídica del nuevo régimen sobre retribución de los administradores de sociedades de capital», en

finalmente realizada a través de la Ley 31/2014, de 3 de diciembre, de reforma de la Ley de sociedades de capital para la mejora del gobierno corporativo, haya sido la que se necesitaba y que la misma venga a resolver los problemas que se planteaban con la situación anterior.

La reforma parte de la diferenciación entre el régimen general aplicable a todas las sociedades de capital y las especialidades previstas en exclusiva para las sociedades cotizadas si bien, la clave del nuevo tratamiento normativo de la retribución de los administradores es la distinción entre retribución de los administradores «*en su condición de tales*» (expresamente mencionada en el art. 217, apartados 2 y 3, y en el art. 529 septdecies de la Ley de sociedades de capital —LSC—) y la retribución «*por el desarrollo de funciones ejecutivas*» (contemplada en los arts. 249 y 529 octodecies LSC), aplicable únicamente en el supuesto de que el órgano de administración se organice bajo la forma de consejo de administración y cuyo alcance está resultando especialmente controvertido.

El análisis del nuevo régimen pone de manifiesto que ha sido diseñado tomando como modelo de regulación a las sociedades cotizadas y, por tanto, a los supuestos en los que el órgano de administración se estructura como consejo de administración y fundamentalmente con el objetivo de diferenciar el tratamiento de la retribución correspondiente al desarrollo de las funciones de mera supervisión o vigilancia de los miembros del consejo de administración respecto de la correspondiente a las funciones que desarrollan los consejeros que tienen delegadas tareas propias del órgano, en la perspectiva de flexibilizar y reforzar la autonomía de decisión de las sociedades en orden a la fijación de la retribución por el desarrollo de funciones ejecutivas. Esa preocupación ha tenido como resultado, sin embargo, un régimen legal que no se adecúa a los casos en los que la administración se estructure bajo otra forma de organización distinta a la de consejo de administración y, en general, en las sociedades de capital no cotizadas y, a su vez, probablemente ha impedido que se haya aprovechado la ocasión de la reforma para incorporar a nuestro ordenamiento jurídico medidas ya previstas en otros países tales como, entre otras, límites a la retribución, reforzamiento de la responsabilidad por la fijación de la retribución, medidas de transparencia de la retribución en sociedades no cotizadas, medidas para incrementar el control por parte de los socios, fijación de limitaciones

RODRÍGUEZ ARTIGAS, F., ESTEBAN VELASCO, G. y SÁNCHEZ ÁLVAREZ, M. (Coords.), *Estudios de Derecho de Sociedades. Liber Amicorum Profesor Luis Fernández de la Gándara*, Navarra, 2016, págs. 399 a 431.

y criterios sustantivos para la determinación y aplicación de los distintos sistemas de retribución, etc.

Las diferencias entre el régimen aplicable con carácter general a las sociedades de capital y las especialidades previstas para las sociedades cotizadas son notables y comienzan con el propio punto de partida del régimen sobre retribución que sigue siendo el principio de gratuidad para las sociedades de capital en general (art. 217.1 LSC)[3] pero que, en cambio, para las sociedades cotizadas viene constituido por el carácter retribuido del cargo de consejero (art. 529 *sexdecies* LSC), aplicable salvo previsión estatutaria expresa en sentido contrario[4]. A partir de ello, en el régimen general aplicable a todas las sociedades de capital, ahora en su mayor parte común a las sociedades anónimas y de responsabilidad limitada[5], se ha mante-

---

[3]    Con carácter general, la doctrina ha entendido que este principio no se corresponde con el carácter profesional con el que se configura el cargo de administrador en la LSC y el riguroso régimen de responsabilidad previsto (vid., entre otros, TUSQUETS TRÍAS DE BES, F., *La remuneración de los administradores de las sociedades mercantiles de capital*, Madrid, 1998, págs. 29 y 119 y ss.; JUSTE MENCÍA, J., «Retribución de consejeros», en ESTEBAN VELASCO, G. (coord.), *El gobierno de las sociedades cotizadas*, Madrid-Barcelona, 1999, págs. 497 a 536, en particular, pág. 499; MARTÍNEZ SANZ, F., «Artículo 130. Retribución», en ARROYO, I. y EMBID IRUJO (dirs.), *Comentarios a la Ley de Sociedades Anónimas*, Madrid, 2001, II, págs. 1283 y ss., en particular, pág. 1344, SÁNCHEZ CALERO, F., *Los administradores en las sociedades de capital*, Madrid, 2007, pág. 248), sin perjuicio de quienes entienden que la opción por el principio de gratuidad quizás sea menos gravosa e imprevisible que la contraria (así FARRANDO MIGUEL, I., «La retribución de los administradores de las sociedades cotizadas y el mercado de los ejecutivos», en *RdS*, 27, 2006, págs. 355 a 435, en particular, pág. 379). Siendo el principio de gratuidad el punto de partida, no debe haber inconveniente en admitir cláusulas estatutarias que determinen el carácter gratuito del cargo para unos administradores y retribuido para otros, en atención a las funciones desempeñadas (así también SÁNCHEZ RUS, H., «Las cláusulas estatutarias…», *cit.*, pág. 11).

[4]    Ello determina que, en sociedades cotizadas, sea necesaria la incorporación a los estatutos sociales de la cláusula relativa a la retribución de los administradores bien para establecer el carácter gratuito del cargo o bien para establecer el concreto sistema retributivo (vid. SÁNCHEZ RUS, H., «Las cláusulas estatutarias…», *cit.*, pág. 6). El tenor literal del precepto refuerza dicho carácter del cargo a falta de disposición estatutaria al señalar que, en ese caso, será «*necesariamente*» retribuido lo que excluye que, sin una cláusula estatutaria que expresamente así lo prevea, quepa interpretar que el cargo es gratuito.

[5]    La reforma ha suprimido algunas de las diferencias de régimen en materia de retribución de administradores existentes entre sociedades anónimas y de responsabilidad limitada que eran muy significativas. Así, por ejemplo, en materia

nido la exigencia de constancia estatutaria del sistema de remuneración aunque, como veremos posteriormente, se discuta si esta exigencia alcanza únicamente a los conceptos retributivos a través de los cuales se satisfaga la retribución a los administradores «*por su condición de tales*» o si también resulta aplicable en relación con la retribución «*por el desarrollo de funciones ejecutivas*». A su vez, se establece la competencia de la junta general para determinar el límite máximo de la remuneración anual del conjunto de los administradores, medida ésta sí referida expresamente a la retribución de los administradores «*en su condición de tales*», y se fijan unos parámetros o criterios generales de orientación del sistema de retribución[6], aun cuando sea cuestionable el alcance de esta previsión y los medios para el control de su cumplimiento[7].

El nuevo régimen se complementa con dos normas relativas a dos conceptos retributivos, la participación en beneficios y la remuneración vinculada a las acciones de la sociedad, en cuya regulación se han introducido ciertas modificaciones que, en general, han permitido resolver algunas de las cuestiones que estos mecanismos de retribución planteaban bajo el régimen anterior mejorando su aplicación[8], y con una medida de transpa-

---

de determinación del órgano competente para la fijación de la retribución, el art. 217.2 LSC, en su versión anterior a la reforma, atribuía dicha competencia a la junta general en sociedades de responsabilidad limitada lo cual, obviamente, no obedecía a la existencia de diferencias tipológicas entre SA y SRL que justificasen esa atribución competencial sino a la distinta génesis de estas normas. Se mantienen, no obstante, las diferencias en relación con la regulación de la retribución consistente en una participación en los beneficios de la sociedad (art. 218 LSC).

[6]     A este respecto, el art. 217.4 LSC determina que la remuneración de los administradores «*deberá en todo caso guardar una proporción razonable con la importancia de la sociedad, la situación económica que tuviera en cada momento y los estándares de mercado de empresas comparables*», a lo que se añade que el sistema de retribución «*deberá estar orientado a promover la rentabilidad y sostenibilidad a largo plazo de la sociedad e incorporar las cautelas necesarias para evitar la asunción excesiva de riesgos y la recompensa de resultados desfavorables*».

[7]     Sobre esta cuestión véase infra apartado II.

[8]     En este sentido, en caso de retribución consistente en una participación en beneficios, se exige ahora que los estatutos concreten la participación o el porcentaje máximo de la misma (y en este último caso, será la junta general la que determine el porcentaje a aplicar dentro del máximo establecido en los estatutos sociales) y se ha concretado que, en sociedades anónimas, el dividendo mínimo que debe reconocerse a los accionistas se ha de calcular sobre el valor nominal de las acciones (véase art. 218 LSC). Por su parte, en relación con la remuneración vinculada a las acciones de la sociedad, se ha especificado con más detalle el contenido del

rencia que se limita a las indicaciones que deben contenerse en la memoria que forma parte de las cuentas anuales (art. 260 LSC). Adicionalmente, no en sede del régimen sobre retribución de administradores sino en el marco de la regulación de la facultad de delegación del Consejo de administración, se impone la exigencia de celebración de un contrato entre la sociedad y el consejero a quien se deleguen competencias del Consejo «*o se le atribuyan funciones ejecutivas en virtud de otro título*», contrato que deberá detallar los conceptos retributivos para satisfacer la retribución por el desarrollo de dichas funciones y que deberá ser aprobado por el Consejo de administración según el procedimiento previsto en el propio art. 249 LSC.

A partir de este régimen general, los aspectos más destacados en los que se materializa el régimen especial para sociedades cotizadas se refieren a la transparencia sobre las retribuciones y a la implicación de los accionistas en la fijación de la retribución de los consejeros. Por lo que respecta al primer aspecto, tras la reforma se ha incorporado a la LSC el régimen sobre elaboración y publicación de un informe anual sobre retribuciones que anteriormente se contenía en la Ley del Mercado de Valores (art. 541 LSC). Por su parte, respecto a la mayor implicación de los accionistas en la determinación de la retribución de los administradores, como principal novedad en el régimen especial aplicable a sociedades cotizadas, se establece el deber legal de elaborar una política de retribuciones que se impone al Consejo de Administración de las sociedades cotizadas y la obligación de someter dicha política a la aprobación de la Junta General con una periodicidad máxima de 3 años (art. 529 novodecies LSC). La Ley también determina el contenido mínimo que ha de contener dicha política en el que se incluye el importe máximo de la remuneración a satisfacer al conjunto de los administradores «*por su condición de tales*» y, por lo que respecta a la retribución que la sociedad satisfaga a sus consejeros «*por el desarrollo de funciones ejecutivas*», la cuantía de la retribución fija anual y su variación, los parámetros para la fijación de la retribución variable y las condiciones principales de los contratos celebrados entre la sociedad y los consejeros que desarrollen dichas funciones.

---

acuerdo que preceptivamente debe adoptar la junta general (cfr. art. 219 LSC). En ambos casos, la nueva regulación constituye un avance y una mejora respecto al régimen anterior al permitir resolver algunas de las cuestiones que su aplicación planteaba, sin perjuicio de que se mantengan todavía algunas carencias o lagunas particularmente en relación con los sistemas de retribución referenciados al valor de las acciones de la sociedad.

En cualquier caso, la diferencia clave entre el régimen previsto con carácter general para las sociedades de capital y el régimen especial para las sociedades cotizadas radica en las medidas de transparencia de las retribuciones. Frente al riguroso régimen de transparencia para sociedades cotizadas representado por el informe de retribuciones que anualmente han de elaborar y publicar estas sociedades[9], en el ámbito de las sociedades de capital en general las medidas de transparencia se limitan a la indicación que ha de incluirse en la memoria que forma parte de las cuentas anuales y que se concreta únicamente en la mención del «*importe de los sueldos, dietas y remuneraciones de cualquier clase devengados en el curso del ejercicio por el personal de alta dirección y los miembros del órgano de administración, cualquiera que sea su causa, así como de las obligaciones contraídas en materia de pensiones o de pago de primas de seguros de vida respecto de los miembros antiguos y actuales del órgano de administración y personal de alta dirección*» que, además, ha de realizarse «*de forma global por concepto retributivo*» (art. 260, mención undécima, LSC) lo que no permite conocer la retribución percibida individualmente por cada uno de los miembros del órgano de administración y de la alta dirección. A su vez, se trata de una mención prescindible en las sociedades que pueden formular balance abreviado en tanto no forma parte de las indicaciones que necesariamente han de incluirse en la memoria en estos casos (art. 161 LSC).

Si a estas diferencias unimos también la previsión de otras medidas de control de la retribución en sociedades cotizadas ya referidas (aprobación periódica por los socios de la política de retribuciones y determinación del contenido de ésta) que tampoco se aplican en caso de sociedades no cotizadas, la conclusión que se alcanza es irremediablemente que el nuevo régimen conlleva un alarmante déficit de protección de los socios en relación con la fijación de la retribución de los administradores en sociedades no cotizadas[10], lo cual explica algunos esfuerzos interpretativos en relación con la distinción entre retribuciones percibidas por el desarrollo de funciones ejecutivas y por su condición de administradores que se orientan, precisamente, a limitar la distancia que en materia de transparencia y pro-

---

[9]   Con un contenido muy detallado y concreto, sin perjuicio de algunas omisiones e imprecisiones; cfr. la Orden del Ministerio de Economía y Competitividad 416/2013, de 20 de marzo y la Circular CNMV 4/2013, de 12 de junio.

[10]   En este sentido, FERNÁNDEZ DEL POZO, L., «El misterio de la remuneración…», *cit.*, págs. 212 y 226 y ss., habla de un «notable malbaratamiento del régimen tuitivo de la minoría» o directamente de un «envilecimiento de la posición del socio minoritario» en las sociedades no cotizadas; véase también RUIZ MUÑOZ, M., «La retribución de los administradores…», *cit.*, págs. 888 y 889.

tección de la minoría separa a las sociedades cotizadas de las no cotizadas tras la reforma de la LSC[11].

## 2. *En particular, el nuevo régimen de la retribución de los consejeros ejecutivos*

Sin perjuicio de la distinción entre el régimen aplicable a las sociedades de capital en general y el especial previsto para las sociedades cotizadas, la clave del nuevo tratamiento normativo de la retribución de los administradores viene constituida por la diferenciación entre la retribución de los administradores «*en su condición de tales*» y la retribución «*por el desarrollo de funciones ejecutivas*», una distinción que únicamente opera en el supuesto de que el órgano de administración se organice bajo la forma de consejo de administración. Con esta diferenciación se ha pretendido establecer un régimen específico para la retribución de los consejeros ejecutivos o con facultades delegadas, tratando de superar así los problemas que se habían planteado en el pasado. Como es conocido, la exigencia de previa constancia estatutaria de la retribución de los administradores, aplicable según la interpretación dominante en la doctrina y jurisprudencia a toda clase de remuneración satisfecha a cualquiera de los administradores por el desarrollo de las funciones propias del órgano de administración y, por tanto, específicamente también a las retribuciones percibidas por los consejeros ejecutivos, se había juzgado en la práctica como excesivamente rígida[12] lo que había propiciado, al margen de actuaciones abiertamente contrarias al régimen legal[13], interpretaciones que trataban de fundamentar la inapli-

---

[11] Nos ocupamos con más detalle de esta cuestión en nuestro anterior trabajo «Principales deficiencias de técnica y política jurídica...», *cit.*, págs. 411 y ss.

[12] En realidad, esa rigidez no provenía tanto de la exigencia de constancia estatutaria de los conceptos retributivos como, sobre todo, de la estricta interpretación que de esta exigencia se ha venido consagrando en la Resoluciones de la DGRN y en las sentencias de nuestros Tribunales (nos ocupamos de ello en «Grado de concreción del sistema retributivo de los administradores en los estatutos sociales de una sociedad anónima», *RdS*, 32, 2009, págs. 79 y ss.).

[13] Para una referencia a la conclusión de un contrato de servicios entre sociedad y consejero delegado como medio para eludir los problemas de rigidez del régimen legal que, a pesar de que el Tribunal Supremo se manifestó en contra, continuaban celebrándose en lo que expresivamente se denominó «una rebelión de la práctica frente a la teoría», vid., por todos, PAZ-ARES RODRÍGUEZ, J. C., «El enigma de la retribución de los consejeros ejecutivos», *Indret*, 1, 2008, pág. 3.

cación de dicha exigencia en estos casos[14] que, sin embargo, no fueron aceptadas con carácter general por nuestros Tribunales[15].

Sin embargo, la nueva regulación plantea importantes problemas de interpretación entre los que destacan, de un lado, la propia delimitación exacta de qué ha de entenderse por el *«desempeño de funciones ejecutivas»* y, en consecuencia, por la fijación de su ámbito subjetivo de aplicación, y, de otro, la consideración de la retribución satisfecha a los administradores por el desempeño de estas funciones como retribución de administradores en sentido estricto y, en relación con ello, el alcance del principio de gratuidad del cargo o el ámbito de aplicación de los criterios o parámetros para la fijación de la retribución previstos en el art. 217.4 LSC y de las reglas especiales para la retribución mediante participación en beneficios (art. 218 LSC) o de la vinculada a las acciones de la sociedad (art. 219 LSC). De entre ellas, la cuestión que mayor controversia ha generado es la relativa al ámbito de aplicación de la exigencia de constancia estatutaria que, a tenor del régimen vigente tras la reforma, se impone expresamente para la retribución de los administradores *«en su condición de tales»* (art. 217, apartado 2, LSC), lo cual se ha interpretado por un

---

[14]    Para un resumen de las principales posiciones doctrinales vid., por todos, LEÓN SANZ, F., «La previsión en los estatutos de la retribución de los administradores de las sociedades anónimas. El Estado de la cuestión en la doctrina española», en VVAA, *I Foro de encuentro de jueces y profesores de Derecho mercantil*, Valencia, 2010, págs. 13 a 32, quien también recoge la tendencia en la praxis a ignorar la aplicación de este principio en relación con la retribución de consejeros ejecutivos.

[15]    La cuestión que se planteó en numerosos litigios, no sólo ante la Sala de lo Civil del Tribunal Supremo sino también en las Salas de lo Contencioso-Administrativo y de lo Social de nuestro alto Tribunal, se refería a la percepción de retribuciones por el desarrollo de funciones de alta dirección sin que previamente constase en los estatutos sociales el carácter retribuido del cargo o, en caso de existir dicha previsión, sin que la retribución percibida quedase enmarcada en el sistema retributivo previsto en los estatutos sociales que, en general y salvo en supuestos de fijación de la retribución extraestatutaria de manera unánime por todos los socios, se resolvió a favor de la ilicitud de tales retribuciones (véase un resumen de los principales pronunciamientos judiciales en VELA TORRES, P. J., «Criterios judiciales sobre retribución de administradores sociales», en VVAA, *I Foro de encuentro de profesores de Derecho mercantil*, Valencia, 2010, págs. 33 a 46 y, últimamente, las consideraciones que se hacen a este respecto en la STS, Sala 2ª, de 17 de diciembre de 2015 *(Tol 5596229)*, con cita de otras muchas resoluciones anteriores —para un comentario a esta sentencia puede verse COHEN BENCHETRIT, A., «Retribución de administradores no prevista en los estatutos sociales (Sentencia de 17 de diciembre de 2015)», *CCJC*, 102, septiembre-diciembre 2016—).

sector de la doctrina en el sentido de que esta exigencia no alcanza a los conceptos retributivos que se utilicen para satisfacer la retribución a los administradores por el «*desempeño de funciones ejecutivas*»[16]. Frente a ello, para otros autores no cabe exonerar a estas retribuciones del régimen previsto en el art. 217 LSC y, en consecuencia, no cabrá satisfacer retribución en caso de que el cargo sea gratuito e, igualmente, tampoco por conceptos retributivos que no figuren previamente en los estatutos sociales[17]. Esta misma controversia ha comenzado a reproducirse en las

---

[16]  Para estos autores la retribución que perciben los administradores «*por el desarrollo de funciones ejecutivas*» no queda sometida a las previsiones contenidas en el art. 217 LSC en lo relativo a la gratuidad del cargo (por tanto, los administradores podrían percibir retribución por dichas funciones aunque el cargo fuese gratuito) y a la constancia estatutaria de los conceptos retributivos (de modo que los conceptos retributivos mediante los cuales se satisfaga la retribución a los administradores por el desarrollo de funciones ejecutivas no deben figurar en los estatutos sociales sino únicamente en los contratos que celebren los administradores con la sociedad en virtud de lo previsto en el art. 249 LSC); al respecto pueden verse, entre otros, RUIZ MUÑOZ, M., «La retribución de los administradores...», *cit.*, pág. 889, LEÓN SANZ, F., «Artículo 217...», *cit.*, págs. 279 y 280, CAMPINS VARGAS, A., «Dudas interpretativas del nuevo régimen de retribución de los administradores en la Ley 31/2014», en *Almacén de Derecho*, entrada de 9 de marzo de 2015, ALFARO ÁGUILA-REAL, J., «Adiós a la teoría del vínculo» en *Almacén de Derecho*, entrada de 16 de diciembre de 2015, MIQUEL RODRÍGUEZ, J., «Constancia estatutaria de la retribución de los consejeros ejecutivos (Comentario a la RDGRN de 17 de junio de 2016)», *RdS*, 47, 2016, págs. 315 a 325), BRENES CORTÉS, J., «La retribución de los consejeros ejecutivos de las sociedades de capital», *RDM*, 299, 2016 y, sobre todo, JUSTE MENCÍA, J. y CAMPINS VARGAS, A., «La retribución de los consejeros delegados o de los consejeros con funciones ejecutivas. El contrato entre el consejero ejecutivo y la sociedad (arts. 249.3 y 4 y 529 octodecies LSC)», en RODRÍGUEZ ARTIGAS/FERNÁNDEZ DE LA GÁNDARA/QUIJANO GONZÁLEZ/ALONSO UREBA/VELASCO SAN PEDRO/ESTEBAN VELASCO (Dirs.), *Junta General y Consejo de Administración en la sociedad cotizada*, Cizur Menor, 2016, Tomo II, págs. 757 a 796; últimamente también COHEN BENCHETRIT, A., «¿Supone la nueva doctrina de la DGRN en materia de retribución de administradores la derogación o modulación de la denominada "teoría del vínculo"?», *La Ley Mercantil*, 32, enero 2017 y «Doctrina consolidada de la Dirección General de los Registros y del Notariado en materia de retribución del consejero ejecutivo y del consejero delegado», *Lex Mercatoria*, 4, 2017, págs. 29 a 34, en particular, pág. 34.

[17]  En relación con la retribución por el desarrollo de funciones ejecutivas en caso de que la administración se organice bajo la forma de consejo de administración, resultaría aplicable tanto el régimen contenido en los arts. 217 a 219 como en el art. 249 LSC. Al respecto vid., entre otros autores, FERNÁN-

distintas decisiones de los órganos administrativos y judiciales adoptadas en relación con la aplicación de la reforma del régimen sobre retribución de administradores, entre las que la Dirección General de los Registros y del Notariado se ha inclinado por la primera posición considerando que los conceptos retributivos correspondientes al desempeño de funciones ejecutivas no han de constar expresamente en los estatutos sociales[18], mientras que unas primeras resoluciones judiciales a este respecto se pronuncian en sentido contrario[19].

La cuestión está todavía lejos de ser resuelta definitivamente. En nuestra opinión, no resulta dudoso que, conociendo el fundamento y el proceso de elaboración del nuevo régimen legal, la finalidad de quienes han impulsado la reforma en este aspecto era precisamente posibilitar que los conceptos retributivos correspondientes al desarrollo de funciones ejecutivas no constasen expresamente en los estatutos sociales, por muy cuestionable

---

DEZ DEL POZO, L., «El misterio de la remuneración...», *cit.*, págs. 240 y ss., y «Acerca de la supuesta autonomía del contrato remuneratorio de los consejeros ejecutivos en relación con los estatutos y con el acuerdo de la junta del artículo 217 LSC», *La Ley Mercantil*, 18, octubre 2015, DE ALARCÓN ELORRIETA, Mª L., «Otra vuelta de tuerca...», *cit.*, SÁNCHEZ RUS, H., «Las cláusulas estatutarias...», *cit.*, págs. 21 y 22, DE LORENZO GIL, A., «Entre el enigma y el misterio: ¿hay administradores que no lo sean en su condición de tales?», *RdS*, 48, 2016, págs. 317 a 337, y GALACHO ABOLAFIO, A., «La reforma de la Ley de sociedades de capital: los administradores "en su condición de tales" y sus repercusiones en la retribución del órgano de administración», *RdS*, 48, 2016, págs. 171 a 211.

[18] Vid. la Resolución de la DGRN de 30 de julio de 2015, en la que se afirma que «*de la literalidad del artículo 249 LSC se deduce que es necesario que se celebre un contrato entre el administrador ejecutivo y la sociedad, que debe ser aprobado previamente por el consejo de administración con los requisitos que establece dicho precepto. Es en este contrato en el que se detallarán todos los conceptos por los que pueda obtener una retribución por el desempeño de funciones ejecutivas*», por lo que «*consecuentemente el recurso ha de ser estimado, pues es en este específico contrato en el que deberá detallarse la retribución del administrador ejecutivo*». Esta misma posición se ha mantenido en las RRDGRN de 5 de noviembre de 2015, 10 de mayo de 2016 y 17 de junio de 2016 (para la exposición de la doctrina de la DGRN sobre esta cuestión vid., por todos, MIQUEL RODRÍGUEZ, J., «Constancia estatutaria de la retribución...», *cit.*, págs. 315 y ss.).

[19] En este sentido, la Sentencia del Juzgado de lo Mercantil número 9, de Barcelona, de 27 de noviembre de 2015 (sentencia número 241/2015). No obstante, esta decisión ha sido revocada por la Sentencia de la Audiencia Provincial de Barcelona, Sección 15ª, de 14 de julio de 2017, en la que el Tribunal ha asumido la interpretación acogida por la DGRN.

que pueda resultar esta opción[20]. El problema es si el texto de las normas vigentes resulta acorde con dicha finalidad[21].

Ante todo, conviene advertir que la satisfacción de retribución a los administradores por alguno de los conceptos retributivos que tienen un régimen especial (participación en beneficios —art. 218 LSC— y vinculada a las acciones de la sociedad —art. 219 LSC—) exige el previo cumplimiento de dicho régimen, incluso cuando se trate de retribuir por el desarrollo de funciones ejecutivas. Y en ambos casos se exige la previa constancia estatutaria de estos concretos conceptos retributivos[22]. Se trata de una exigencia que en estos casos se impone por razón de la propia naturaleza del concepto retributivo y, por tanto, con independencia de cuáles sean las funciones que se vayan a retribuir, siempre que estemos ante retribución de administradores. Por tanto, para satisfacer retribución a los consejeros ejecutivos mediante participación en beneficios o, en sociedades anónimas, mediante entrega de acciones o de otro modo vinculada a las acciones de la sociedad, será necesaria la previa constancia estatutaria incluso aunque entendamos que el principio de determinación estatutaria contenido en el

---

[20] De la lectura del Informe elaborado por la Comisión de Expertos que ha inspirado (o directamente ha determinado) el contenido de la Ley 31/2014, se deduce que también constituía finalidad de la propuesta de reforma del régimen sobre retribución de administradores atribuir expresamente al propio consejo de administración la competencia para determinar la retribución de los consejeros ejecutivos.

[21] Incluso es discutible si el legislador que ha elaborado la reforma era realmente consciente de dicha finalidad dado que en el apartado VI de la Exposición de motivos de la Ley 31/2014, en relación con la retribución de los administradores, se dice expresamente que «*la Ley obliga a que los estatutos sociales establezcan el sistema de remuneración de los administradores en sus funciones de gestión y decisión, con especial referencia al régimen retributivo de los consejeros que desempeñen funciones ejecutivas*», añadiendo que «*estas disposiciones son aplicables a todas las sociedades de capital*», lo que ha constituido un argumento favorable a entender aplicable la exigencia de constancia estatutaria también en relación con los conceptos retributivos a través de los cuales se remunere a los consejeros ejecutivos.

[22] En caso de remuneración vinculada a las acciones así se determina expresamente en el art. 219.1 LSC a cuyo tenor «*en la sociedad anónima, cuando el sistema de remuneración de los administradores incluya la entrega de acciones o de opciones sobre acciones, o retribuciones referenciadas al valor de las acciones deberá preverse expresamente en los estatutos sociales y su aplicación requerirá un acuerdo de la junta general de accionistas*». Por su parte, en relación con la retribución consistente en una participación en beneficios, dicha exigencia se impone implícitamente en el art. 218 LSC al establecer que «*los estatutos sociales determinarán concretamente la participación o el porcentaje máximo de la misma*» e imponer ciertas limitaciones.

art. 217.2 LSC no es aplicable a conceptos retributivos por el desarrollo de funciones ejecutivas[23].

A su vez, aun cuando se entienda que los conceptos retributivos a través de los cuales se satisfaga la retribución a los consejeros ejecutivos no deben constar en los estatutos sociales (con excepción de la participación en beneficios y la retribución vinculada a las acciones de la sociedad), en nuestra opinión sí resulta exigible que, para satisfacer retribución a los consejeros ejecutivos, en los estatutos sociales conste expresamente el carácter retribuido del cargo[24] referido, al menos, específicamente al desarrollo de funciones ejecutivas[25].

---

[23]   En parecido sentido, LEÓN SANZ, F., «Artículo 249…», *cit.*, págs. 514 y 515, con el argumento de que, al no vincularse expresamente con la retribución de los administradores en su condición de tales, ha de entenderse también aplicable a la retribución de los consejeros ejecutivos; vid. también la opinión GARCÍA-VILLARRUBIA BERNABÉ, M., en el Foro coordinado por PÉREZ BENÍTEZ, J. J., «El control por los socios de la retribución de los consejeros ejecutivos», en *Boletín de Mercantil El Derecho*, 39, marzo 2016, quien pone de manifiesto dudas derivadas de la separación sistemática de la regulación de la retribución de los consejeros ejecutivos y su tratamiento específico (y exclusivo) en el art. 249 LSC.

[24]   Si como parece pacífico en la doctrina podemos seguir manteniendo que la retribución que perciben los administradores por el desarrollo de funciones ejecutivas es retribución de administradores, le resultarán aplicables todas las disposiciones que se refieran en general a ésta. En este sentido, así como el apartado 2 del art. 217 impone la constancia en los estatutos sociales del «*concepto o conceptos retributivos a percibir por los administradores en su condición de tales*», lo que podría hacer discutible su aplicación en caso de retribución por el desarrollo de funciones ejecutivas, sin embargo, el apartado 1 del mismo art. 217 LSC, relativo a la presunción de gratuidad, se refiere con carácter general al «*cargo de administrador*», cualquiera que sea por tanto las funciones que en concreto desarrolle el administrador (a salvo quedará en todo caso el supuesto de sociedades cotizadas en las que el principio general del que parte el régimen legal es el contrario al presumir el carácter retribuido del cargo —cfr. art. 529 sexdecies LSC—). En consecuencia, en nuestra opinión no cabría fijar retribución a los consejeros ejecutivos por el desarrollo de funciones ejecutivas en sociedad no cotizadas si previamente no consta en los estatutos sociales, al menos, el carácter retribuido del cargo (vid. nuestro trabajo «Principales deficiencias de técnica y política jurídica…», *cit.*, págs. 417 y ss.; en contra, por todos, LEÓN SANZ, F., «Artículo 217…», *cit.*, pág. 280 y RUIZ MUÑOZ, M., «Nuevo régimen jurídico…», *cit.*, pág. 115).

[25]   En este sentido, entendemos admisible que en los estatutos sociales pueda establecerse que únicamente tendrán derecho a percibir una retribución los administradores que desarrollen funciones ejecutivas en tanto el régimen legal, de un lado, autoriza a que el ejercicio de las funciones de administrador sea gratuito o retribuido y, de otro, admite diferencias en materia de retribución entre los

El problema se reduce, por tanto, a determinar si, partiendo de que el cargo tenga carácter retribuido bien porque no se establezca el carácter gratuito (caso de sociedades cotizadas) bien porque se haya previsto expresamente dicho carácter retribuido (caso de sociedades no cotizadas), para retribuir a los consejeros ejecutivos mediante otros conceptos retributivos distintos de la participación en beneficios y de aquellos vinculados a las acciones de la sociedad (entrega de acciones o de opciones sobre acciones, retribución referenciada al valor de las acciones) que deben constar en todo caso en los estatutos sociales, sería necesaria también su previa constancia en los estatutos sociales. Entendemos que lo que pretendían quienes han impulsado la reforma es que no fuera necesaria dicha determinación estatutaria pero el tenor literal de las normas plantea importantes dudas[26]. Si efectivamente la intención era evitar que los conceptos retributivos a través de los cuales se ha de satisfacer la retribución a los consejeros ejecutivos constasen previamente en los estatutos sociales, debería haberse previsto de manera más clara, directa y precisa[27], sin dejar lugar a interpretaciones

---

administradores (lo que también comprenderá el supuesto de que unos perciban retribución y otros no); en el mismo sentido, GALACHO ABOLAFIO, A., «La reforma de la Ley de sociedades de capital...», *cit.*, págs. 186 y 187.

[26]  En este sentido, debe señalarse que la utilización de la expresión «*en su condición de tales*» no es afortunada, particularmente si se quiere contraponer al «*desarrollo de funciones ejecutivas*» y ello porque, en todos los casos, el ejercicio de las funciones propias del cargo se desarrolla por los administradores en dicha condición: en los supuestos en los que el órgano de administración no se estructure bajo la forma de consejo de administración, porque las funciones ejecutivas son también inherentes al cargo de administrador; y en el supuesto de consejo de administración, porque el consejero delegado desarrolla sus funciones ejecutivas también en su condición de tal, es decir, en su condición de administrador delegado (y no simplemente en su «*condición de delegado o apoderado*»). A su vez, tampoco puede apreciarse una aplicación homogénea y coherente de dicha diferenciación. Estas deficiencias han llevado a un sector de la doctrina a interpretar que la retribución percibida «en su condición de tales» debe contraponerse, no a la remuneración recibida por el desarrollo de funciones ejecutivas que estaría también comprendida en aquélla, sino a la retribución por el desarrollo en la sociedad de otras funciones ajenas a las propias del cargo de administrador (véanse, por todos, GALACHO ABOLAFIO, A., «La reforma de la Ley de sociedades de capital...», *cit.*, págs. 192 y ss. y DE LORENZO GIL, A., «Entre el enigma...», *cit.*, págs. 325 y ss.).

[27]  Lamentando también la falta de claridad de la reforma en la delimitación en general del régimen de retribución de los administradores vid. SÁNCHEZ RUS, H., «Las cláusulas estatutarias...», *cit.*, pág. 6, y LEÓN SANZ, F., «Artículo 217...», *cit.*, pág. 279; también se refiere DE LORENZO GIL, A., «Entre el enigma...», *cit.*, págs. 321 y 322, a que hubiese sido mucho más sencillo y directo haber esta-

que, no sólo están justificadas desde una perspectiva de política jurídica y *lege ferenda*, sino que tienen también cierta base de *lege data* y, además, estableciendo medidas complementarias de supervisión y control de dichas retribuciones. No obstante, en nuestra opinión, la interpretación de las normas legales conforme a su finalidad conduce a considerar que no es exigible la previa constancia estatutaria de los conceptos retributivos correspondientes al desarrollo de funciones ejecutivas, con los matices y salvedades señalados anteriormente y también con los problemas que su aplicación podrá plantear en la praxis[28].

En suma, por tratar de resolver el problema que se había planteado en relación con la retribución de los consejeros ejecutivos en sociedades cotizadas, se ha generado un problema de mayor magnitud en sociedades no cotizadas a través de la previsión de un régimen que plantea, no sólo sustantivas dudas de interpretación y aplicación normativa, sino también relevantes problemas de política jurídica (protección de los socios minoritarios) y jurídico-conceptuales (delimitación de la posición jurídica de miembro del órgano de administración, configuración de la relación

---

blecido las excepciones que se hubiesen considerado pertinentes del mandato normativo contenido en el art. 217 LSC a una parte de la retribución percibida por los miembros del consejo de administración en lugar de acudir a la confusa y discutible vía de diferenciar entre dos tipos de retribución.

[28]   Algunos de los cuales ya se están planteando y no se refieren únicamente a la constancia estatuaria de los conceptos retributivos. Así, por ejemplo, en la distribución por el propio consejo de administración de la retribución atribuida al conjunto de los miembros del órgano, que en atención a lo previsto en el art. 217.3 LSC deberá realizarse tomando en consideración «*las funciones y responsabilidad atribuidas a cada órgano*», será difícil tener en cuenta el desarrollo de funciones ejecutivas como criterio para el reconocimiento de una mayor retribución dado que, en tanto el pago de una retribución por el desarrollo de funciones ejecutivas no constituye retribución de los administradores «*en su condición de tales*» y ha de venir precedido de un contrato celebrado entre la sociedad y el consejero con facultades ejecutivas, no cabrá el pago de retribución por este concepto (desarrollo de funciones ejecutivas) si previamente no se ha celebrado dicho contrato [vid. la SAP La Rioja, de 30 de diciembre de 2016 *(Tol 5947723)*]. Ello al margen de las cuestiones que plantea la interpretación de dicho precepto (vid., entre otros, RUIZ MUÑOZ, M., «Nuevo régimen jurídico de la retribución de los administradores de las sociedades de capital», *RdS*, 46, 2016, págs. 53 a 130, en particular, págs. 92 y ss. y NAVARRO FRÍAS, I., «Retribuciones proporcionadas y retribuciones abusivas de los administradores sociales: control judicial», *RdS*, 49, 2017).

jurídica establecida entre sociedad y administrador,...)[29]. En relación con los consejeros ejecutivos, para no constreñir la libertad en el diseño de sistemas de retribución que permitan atraer a los profesionales más competentes, se suprime la exigencia de constancia estatutaria, cuya función principal es ofrecer una protección indirecta a los socios minoritarios al someter la alteración del sistema de retribución al cumplimiento de las exigencias formales y sustantivas propias de la modificación de estatutos[30]. Por ello, si se considera que la constancia en los estatutos sociales del sistema de retribución genera una rigidez excesiva en sociedades cotizadas, podemos exonerar de esta exigencia pero deberán preverse mecanismos alternativos para conocer cuáles son los conceptos retributivos que se van a utilizar (*ex ante*) y que han sido utilizados (*ex post*) pues, sólo conociendo dichos conceptos, podrán los socios ejercer su función de control y verificar si las retribuciones satisfechas se corresponden con las previstas. A este respecto, en el caso de sociedades cotizadas se prevé algún mecanismo que podría suplir dicha exigencia, aunque solo sea a posteriori (constancia de los aspectos básicos del contenido de los contratos en la política de retribuciones que ha de someterse a la aprobación de la junta general y sometimiento anual de un informe de retribuciones a la votación consultiva de los socios). Pero ni estos mecanismos ni ningún otro alternativo se prevé en caso de sociedades de capital no cotizadas en las que se pone de manifiesto, por tanto, un déficit de protección que,

---

[29]  Sobre las deficiencias de técnica y política jurídicas de la opción finalmente asumida por el legislador, vid. nuestro anterior trabajo «Principales deficiencias de técnica y política jurídica...», *cit.*, págs. 417 y ss.

[30]  Sobre esta cuestión vid., entre otros, GIRÓN TENA, J., *Derecho de sociedades anónimas*, Valladolid, 1952, pág. 372; BLANQUER UBEROS, R., «La retribución de los administradores, su constancia estatutaria y la atribución de facultades de corrección a la Junta general», en AA VV, *Estudios de Derecho Mercantil en homenaje al profesor Manuel Broseta Pont*, Madrid, 1995, I, págs. 397 a 452, en particular, págs. 397 y ss., TUSQUETS TRÍAS DE BES, F., *La remuneración...*, *cit.*, págs. 131 y ss., JUSTE MENCÍA, J., *cit.*, págs. 502 y ss., SÁNCHEZ CALERO, F., *Los administradores...*, *cit.*, págs. 247 y ss., FARRANDO MIGUEL, I., «La retribución...», *cit.*, pág. 377; MONTERO GARCÍA-NOBLEJAS, P., «Procedencia y alcance de la constancia estatutaria de la retribución de los administradores de sociedades cotizadas consistente en programas de opciones sobre acciones y sistemas similares», *RdS*, 30, 2008, págs. 163 a 194, en particular, págs. 166 y ss. y nuestro anterior trabajo «Grado de concreción...», *cit.*, pág. 83; últimamente vid. también GALACHO ABOLAFIO, A., «La reforma de la Ley de sociedades de capital...», *cit.*, págs. 176 y ss. En la jurisprudencia, puede verse la STS de 18 de junio de 2013 *(Tol 3799220)*.

como decíamos anteriormente, explica los esfuerzos de algunos autores por buscar una interpretación alternativa que permita superar esa importante disfunción. Este régimen más flexible en relación con la constancia estatutaria de los conceptos retributivos, cuando menos, debería haberse circunscrito en exclusiva a las sociedades cotizadas.

## II. ADECUACIÓN DE LA RETRIBUCIÓN Y DEBERES DE ACTUACIÓN DE LOS ADMINISTRADORES

Partiendo de las consideraciones realizadas en el apartado anterior, nos proponemos examinar específicamente en qué medida la determinación o ejecución de los sistemas de retribución aplicables a los consejeros con facultades ejecutivas puede venir limitada por el juego de los deberes de actuación de los administradores, así como la suficiencia de los mecanismos legales actualmente existentes para conseguir que la remuneración sea adecuada al interés social. A este respecto, la reforma de 2014 ha supuesto la introducción de criterios o parámetros programáticos, recogidos en el apartado 4 del art. 217 LSC, relativos, de un lado, a la adecuación de la retribución (la remuneración de los administradores «*deberá en todo caso guardar una proporción razonable con la importancia de la sociedad, la situación económica que tuviera en cada momento y los estándares de mercado de empresas comparables*») y, de otro, a la orientación del sistema de retribución (que «*deberá estar orientado a promover la rentabilidad y sostenibilidad a largo plazo de la sociedad e incorporar las cautelas necesarias para evitar la asunción excesiva de riesgos y la recompensa de resultados desfavorables*»).

Ante todo conviene advertir que, a pesar de la falta de precisión técnico-jurídica de la reforma legal[31], no es discutible que los mencionados criterios son aplicables también a la retribución que se satisfaga a los consejeros

---

[31]  Al margen de otras imprecisiones a las que hemos aludido en el apartado anterior, la propia separación sistemática, particularmente en el ámbito de las sociedades no cotizadas, de la regulación de la retribución de los consejeros por el desarrollo de funciones ejecutivas (que se recoge específicamente en el art. 249 LSC) respecto a la retribución de administradores (cuyo régimen se contiene fundamentalmente en los arts. 217 a 219 LSC) puede servir de base a interpretaciones radicales que incluso defiendan que no cabe considerar que aquélla constituya en sentido estricto «retribución de administradores». En el ámbito de las sociedades cotizadas, en cambio, las normas relativas a la retribución de los administradores en su condición de tales (art. 529 septdecies LSC) y a la retribución por el desempeño de funciones ejecutivas (art. 529 octodecies LSC), se recogen sistemática-

por el desarrollo de funciones ejecutivas[32]. A su vez, tampoco es dudoso que estos criterios, como en general el conjunto de la reforma del régimen legal de la retribución de los administradores, han sido formulados tomando en consideración un modelo concreto de sociedad de capital, la sociedad cotizada[33], lo que determina que su aplicación resulte más difícil en el ámbito de otros modelos de sociedades de capital[34].

---

mente en una misma sección del Capítulo VII del Título XIV de la LSC, relativo a las sociedades anónimas cotizadas.

[32] Así lo entiende la generalidad de la doctrina, también quienes consideran que algunas de las medidas contenidas en el art. 217 LSC no son aplicables a la retribución por el desarrollo de funciones ejecutivas (vid., por todos, LEÓN SANZ, F., «Artículo 217...», *cit.*, pág. 280). Deben por ello matizarse afirmaciones como la que realizan JUSTE MENCÍA/CAMPINS VARGAS, pág. 765, para quienes «la ley parece excluir definitivamente a los consejeros ejecutivos de todas las sociedades, sean éstas cotizadas o no, de la sujeción a la regulación del art. 217 LSC», aunque por el contexto en el que se realiza deba entenderse referida particularmente a la exigencia de constancia estatutaria de la retribución, así como a la fijación de los límites a ésta por acuerdo de la junta general. Como señalábamos anteriormente, el art. 217 LSC contiene normas aplicables a la retribución de los administradores *«en su condición de tales»* pero también otras aplicables con carácter general a la retribución de los administradores (como es el caso de los criterios contenidos en el apartado 4) que, en la medida en que la retribución por el desarrollo de funciones ejecutivas también ha de considerarse retribución de administradores, resultarán igualmente aplicables a esta parte de su retribución.

[33] En este sentido, las medidas programáticas a las que debe orientarse el sistema de retribución (*«promover la rentabilidad y sostenibilidad a largo plazo de la sociedad»*) se fundamentan en una determinada concepción del interés social que es la que, con carácter general, se acoge para las sociedades cotizadas (cfr. la Recomendación 12 del Código Unificado de Gobierno Corporativo en la que se identifica el interés social en este modelo de sociedad con la *«consecución de un negocio rentable y sostenible a largo plazo, que promueva su continuidad y la maximización del valor económico de la empresa»*). Un criterio similar se prevé en Derecho alemán en el § 87, apartado 1, de la AktG pero en este caso específicamente vinculado a las sociedades cotizadas (*«la estructura de la retribución en las sociedades cotizadas debe dirigirse a un desarrollo sostenible de la empresa»*).

[34] Frente a lo que sucede en caso de sociedades cotizadas, en relación con las que como consecuencia de la imposición de detallados deberes de transparencia e información pueden elaborarse fácilmente tablas comparativas, en relación con las sociedades de capital no cotizadas, en particular, con las pequeñas sociedades, será sino imposible al menos sí muy difícil aplicar los criterios previstos en el art. 217.4 LSC para determinar la adecuación de la retribución de los administradores (¿cómo se determinará en estos casos la *«importancia de la sociedad»*? ¿cuáles son los *«estándares de mercado de empresas comparables»* y cómo se obtendrán éstos?); tratando de ofrecer algunos criterios para dar contenido a estos parámetros, pero

Se trata por lo demás de criterios flexibles, aunque quizás y aun reconociendo la dificultad de su concreción, también excesivamente genéricos[35]. A este respecto el régimen legal podría y debería haber sido más concreto obligando, por ejemplo, a que el sistema retributivo prevea, de manera directa o indirecta, límites a la retribución, particularmente de la correspondiente al desarrollo de funciones ejecutivas, mediante la incorporación de cláusulas de devolución de incentivos (*claw-back*) o de reducción de la retribución cuando cambie la situación financiera o patrimonial de la sociedad[36]. En su formulación vigente, los criterios legales dejan un amplio margen para la determinación del sistema retributivo, particularmente el

---

señalando igualmente la dificultad de su aplicación en ciertos modelos de sociedades de capital, véanse la SAP de las Islas Baleares, de 30 de diciembre de 2015 *(Tol 5635089)*, o la Sentencia del Juzgado Mercantil de Palma de Mallorca de 21 de octubre de 2016. Para un análisis de los diferentes criterios o parámetros para la aplicación del principio de proporcionalidad vid., por todos, RUIZ MUÑOZ, M., «Nuevo régimen jurídico...», *cit.*, págs. 93 y ss. y NAVARRO FRÍAS, I., «Retribuciones proporcionadas...», *cit.*).

[35] En otros ordenamientos jurídicos se utilizan criterios, también genéricos, pero más ajustados y por tanto más fácilmente aplicables en relación con cualquier modelo de sociedad (así, por ejemplo, el § 87, apartado 1, de la AktG alemana determina que, en la fijación de la retribución de los miembros de la Dirección —*Vorstand*—, el Consejo de Vigilancia —*Aufsichtsrat*— debe preocuparse de que el conjunto de las remuneraciones sean proporcionalmente adecuadas a las tareas y servicios prestados por los miembros de la Dirección y a la situación de la sociedad así como que no exceda la retribución habitual sin motivos especiales que lo justifiquen —«*in einem angemessenen Verhältnis zu den Aufgaben und Leistungen des Vorstandsmitglieds sowie zur Lage der Gesellschaft stehen und die übliche Vergütung nicht ohne besondere Gründe übersteigen*»—).

[36] Nada que por otra parte no se prevea ya en otros ordenamientos jurídicos (al respecto volvemos a referirnos al Derecho alemán, en tanto el § 87, apartado 2, de la AktG determina que, en el supuesto de empeoramiento de la situación de la sociedad de modo que se determine que continuar pagando la retribución de los miembros de la Dirección sería inequitativo para la sociedad, el Consejo de Vigilancia deberá, bajo su responsabilidad, reducir la retribución de los miembros de la Dirección a una cuantía adecuada) o en nuestro propio ordenamiento en relación con la determinación de la retribución de los administradores y altos directivos de las entidades de crédito (así, el art. 34, apartado 1, letra n, de la Ley 10/2014, de 26 de junio, de ordenación, supervisión y solvencia de entidades de crédito, entre normas muy detalladas sobre la determinación de la retribución, incluye el mandato de que «*hasta el cien por cien de la remuneración variable total estará sometida a cláusulas de reducción de la remuneración o de recuperación de las remuneraciones ya satisfechas*»).

correspondiente al desarrollo de funciones ejecutivas[37], sin imponer límites o deberes concretos[38], lo que no plantearía mayores objeciones si hubiese venido acompañado de la previsión de medidas de control eficaces de las que, sin embargo, adolece el régimen legal, sobre todo el aplicable con carácter general a las sociedades no cotizadas.

A partir de ello, debemos plantearnos el alcance y significado de la previsión de dichos criterios. Ante todo, la incorporación de estos criterios al régimen legal supone la consagración legal del principio de proporcionalidad o razonabilidad de la retribución de los administradores que, hasta el momento de la reforma, no venía expresamente recogido en la Ley, a pesar de lo cual había sido invocado y aplicado por nuestros Tribunales en

---

[37] En esta cuestión se plantea también una (otra) falta de precisión técnica del régimen legal, referida a la distinción entre sistema de remuneración y conceptos retributivos. A tenor del art. 217.1 LSC en los estatutos debe figurar «*el sistema de remuneración*» que vendrá integrado por el concepto o conceptos retributivos (a este respecto, el apartado 2 del propio art. 217 LSC establece que el sistema de remuneración «*determinará*» el concepto o conceptos retributivos); a su vez, se exige que el sistema de remuneración se oriente «*a promover la rentabilidad y sostenibilidad a largo plazo de la sociedad*» e incorpore «*las cautelas necesarias para evitar la asunción excesiva de riesgos y la recompensa de resultados desfavorables*» (art. 217.4 LSC). Por su parte, en la regulación de la retribución por el desempeño de funciones ejecutivas, se hace referencia a la constancia en los contratos de «*todos los conceptos por los que se pueda obtener una retribución*» (art. 249.4 LSC), que no parece que formen parte del «*sistema de remuneración de los administradores*». Sin embargo, los criterios previstos en el art. 217.4 LSC para el diseño del sistema de remuneración se entienden también aplicables a la retribución por el desarrollo de funciones ejecutivas (de hecho, parecen estar diseñados especialmente para ésta), si bien el concepto o conceptos retributivos a través de los que se satisfaga dicha retribución no parecen formar parte del sistema de remuneración. Para resolver esta paradoja ha de entenderse bien que los conceptos retributivos por el desarrollo de funciones ejecutivas forman parte del sistema de remuneración (con la conclusión entonces de que deberían constar en los estatutos sociales: vid. en este sentido, entre otros, GALACHO ABOLAFIO, A., «La reforma de la ley de sociedades de capital...», *cit.*, págs. 173 y ss.), o bien que el concepto o conceptos retributivos por el desarrollo de funciones ejecutivas integran el sistema de remuneración de los consejeros ejecutivos que, aunque no debiese constar en los estatutos sociales, quedaría sometido a los criterios previstos en el art. 217.4 LSC.

[38] Ni siquiera la introducción de cautelas para evitar la asunción excesiva de riesgos o la recompensa de resultados desfavorables parece imprescindible; a este respecto, no es lo mismo exigir que «*se incorporen las cautelas necesarias*», que determinar que «*necesariamente se incorporen cautelas*» con esa finalidad.

la valoración de la regularidad de las retribuciones[39]. Ello constituye, sin duda, un avance significativo en la medida en que proporciona una base legal para que los socios, terceros y, en último extremo, los Tribunales puedan ponderar la adecuación de las retribuciones acordadas con el interés social en el marco, por ejemplo, de un proceso de impugnación del acuerdo de fijación o de distribución de la retribución de los administradores sociales o de exigencia de responsabilidad por la fijación de retribuciones desproporcionadas[40].

Partiendo de la autonomía de decisión de la sociedad para la fijación de las retribuciones de sus administradores, el principio de proporcionalidad o razonabilidad ha de entenderse en el sentido de adecuación al interés social[41]. Por ello, en nuestra opinión, la formulación legal de los criterios o parámetros sobre los que se asienta dicho principio como orientaciones generales construidas sobre la base de conceptos jurídicos indeterminados, no permite prescindir de la valoración de la conformidad de una retribución con el interés social atendiendo a las circunstancias concurrentes en el caso concreto; es decir, entendemos que, en el supuesto de que se plantee un proceso de impugnación del acuerdo de fijación de la retribución de los administradores o de exigencia de responsabilidad a los administradores sociales, el juez deberá valorar la adecuación de la retribución conforme al interés social de la compañía y a las circunstancias de ésta en el caso concreto, más allá de los criterios genéricos establecidos que constituyen orientaciones para facilitar dicha valoración pero que no acotan el

---

[39] Véanse, entre otras, las SSTS de 5 de marzo de 2004 *(Tol 356773)*, 24 de octubre de 2006 *(Tol 1006919)* y, 29 de marzo de 2007 *(Tol 1059045)* y, sobre todo, 25 de junio de 2012 *(Tol 264583)*; en la doctrina, por todos, NAVARRO FRÍAS, I., «Retribuciones proporcionadas...», *cit.*, apartado 2.2

[40] En parecido sentido se manifiesta FERNÁNDEZ DEL POZO, L., «El misterio de la remuneración...», *cit.*, pág. 226, para quien la introducción de estos criterios supone proporcionar un título de intervención judicial sobre la legalidad de la remuneración de los administradores; así se señala también expresamente en la Sentencia del Juzgado de lo Mercantil de Palma de Mallorca, de 21 de octubre de 2016.

[41] Así se pone también de manifiesto en el apartado VI de la Exposición de Motivos de la Ley 31/2014, de 3 de diciembre, en el que, como introducción a las medidas de reforma de la LSC en materia de retribución de administradores, se afirma que «*distintos organismos internacionales han destacado la creciente preocupación por que las remuneraciones de los administradores reflejen adecuadamente la evolución real de la empresa y estén correctamente alineadas con el interés de la sociedad y sus accionistas*».

alcance del control de legalidad de las retribuciones[42]. Lo verdaderamente sustantivo de la reforma en este aspecto es la consagración legal del principio de proporcionalidad o razonabilidad de la retribución entendido en el sentido de adecuación al interés social y no tanto los criterios o parámetros ofrecidos por el legislador para su aplicación, en la medida en que, al margen de su indeterminación, están diseñados especialmente para un modelo de sociedad de capital (la sociedad cotizada) y, sobre todo, no contemplan todas las circunstancias que podrían ser relevantes para determinar la adecuación de la retribución con el interés social en el caso concreto.

Ello permite resolver en alguna medida los problemas que se plantean cuando descendemos a examinar la operatividad de los criterios establecidos como causa para la impugnación de los acuerdos sociales o como parámetros para valorar la antijuridicidad de la conducta de los administradores en orden a la exigencia de responsabilidad por la fijación o distribución de la retribución. Así, en relación con lo primero, habrá que determinar si un acuerdo de fijación de una retribución manifiestamente desproporcionada (que no cumpla los parámetros de adecuación previstos en la norma) ha de considerarse impugnable por ser contrario a la Ley (art. 217.4 LSC) o por lesionar el interés social en beneficio de socios o terceros, incluyendo el abuso de mayoría[43]. En estos momentos y en atención al objeto del presente trabajo, nos centraremos sin embargo en la cuestión relativa a la funcionalidad de los criterios o parámetros establecidos legalmente para determinar la antijuridicidad de la conducta de los administradores en la fijación de la retribución.

---

[42]    De este modo, podrá calificarse a una retribución como desproporcionada aplicando criterios distintos a los previstos en el art. 217.4 LSC (incluso aunque pueda cumplir todos o algunos de ellos) y, a su vez, podrá calificarse de proporcionada o razonable una retribución que incumpla alguno de dichos requisitos (por ejemplo, que no guarde relación con los estándares de mercado de empresas comparables, suponiendo que esto pueda acreditarse, lo que no será fácil en muchos casos) si, en atención a las circunstancias concurrentes en el caso concreto, puede o no considerarse adecuada al interés social de la compañía (vid. ejemplos concretos en NAVARRO FRÍAS, I., «Retribuciones proporcionadas…», *cit.*).

[43]    Al respecto vid. LEÓN SANZ, F., «Art. 217…», *cit.*, pág. 288, para quien el principio de una adecuada remuneración contenido en el art. 217.4 LSC no se ha de considerar como ley a los efectos de la impugnación de acuerdos sociales. Para un análisis riguroso de la funcionalidad de la previsión de dichos criterios en relación con la impugnación de acuerdos sociales puede verse, por todos, RUIZ MUÑOZ, M., «Nuevo régimen jurídico…», *cit.*, pág. 46 y, especialmente, NAVARRO FRÍAS, I., «Retribuciones proporcionadas…», *cit.*

A este respecto, el punto de partida debe ser delimitar las competencias de los administradores en relación con la fijación de la retribución de los administradores para, a partir de ello, concretar los criterios de actuación en el ejercicio de dichas funciones que derivan del régimen legal y, en general, de los deberes genéricos de conducta con los que han de desempeñar su cargo (diligencia y lealtad). En relación con la retribución, el régimen legal prevé la intervención de los administradores en orden, de un lado, a la distribución de la retribución determinada de manera conjunta para todos los miembros del órgano de administración por la junta general (art. 217.3 y art. 529 septdecies, apartado 2, LSC) y, de otro, a la fijación de los conceptos retributivos por el desempeño de funciones ejecutivas que han de formar parte del contrato que, en caso de que el órgano de administración se organice bajo la forma de consejo de administración y se acuerde la delegación de competencias, la sociedad debe celebrar con el consejero o consejeros a los que se atribuya el ejercicio de dichas funciones (art. 249, apartados 3 y 4, y art. 529 octodecies, apartado 2, LSC).

En relación con la determinación de las reglas de conducta que los administradores han de observar en el ejercicio de estas funciones se ha considerado que los criterios de adecuación (217.4 LSC) constituyen un mandato normativo que se impone a los administradores como concreción de su deber de diligencia[44]. A este respecto, no es discutible que, en el ejercicio de sus funciones relacionadas con la fijación o distribución de la retribución, los administradores deberán respetar el principio de razonabilidad o proporcionalidad que ahora se ha positivado. Cuestión distinta es que, de criterios tan genéricos e indeterminados cuyo seguimiento admite múltiples posibilidades y matices[45], pueda considerarse que derivan deberes concretos de actuación cuya infracción pueda determinar por sí sola la antijuridicidad de la conducta de los administradores. Y ello sin perjuicio de que entendamos que lo correcto habría sido combinar criterios genéricos con la imposición de deberes concretos de actuación configurados efectivamente como concreción del deber de diligencia con el que los administradores han de desempeñar su cargo[46].

---

[44]    En este sentido vid. LEÓN SANZ, F., «Art. 217...», *cit.*, pág. 288.

[45]    Vid. al respecto RUIZ MUÑOZ, M., «Nuevo régimen jurídico...», *cit.*, págs. 93 y 94.

[46]    Como, por ejemplo, la previsión en los contratos de cláusulas de reembolso de los componentes variables de la remuneración en aquellos casos en los que se hubieran satisfecho en consideración de datos cuya inexactitud quede demostrada después de forma manifiesta (tal y como se prevé en la Recomendación 2009/3117/

En el ejercicio de sus funciones en relación con la fijación o distribución de la retribución, los administradores disfrutan por tanto de un margen de discrecionalidad acotada o limitada por el principio de proporcionalidad o razonabilidad. Es decir, lo que constituye un mandato normativo que concreta el deber de diligencia de los administradores es el deber de respetar el principio de proporcionalidad o razonabilidad de la retribución entendida como adecuación al interés social, y no tanto los criterios o parámetros ofrecidos por el legislador para facilitar la verificación del cumplimiento de dicha regla. Con todo, en orden a la aplicación del régimen sobre responsabilidad de los administradores, debe concretarse si la fijación de una retribución que pueda calificarse como desproporcionada constituye una conducta contraria a la ley (infracción del art. 217.4 LSC) o al deber de diligencia con el que los administradores han de desempeñar su cargo[47]. En la medida en que entendamos que la consagración del principio de proporcionalidad concreta y limita la actuación de los administradores conforme a su deber de diligencia en relación con la adopción de decisiones relativas a la retribución de los administradores, habrá que considerar que la fijación de una retribución desproporcionada constituye una conducta antijurídica por contravención de su deber de diligencia, infracción que puede producirse tanto en relación con la distribución de la retribución entre los miembros del órgano como en relación con la fijación de los conceptos retributivos de los consejeros ejecutivos en los contratos que han de celebrar con la sociedad (art. 249.4 LSC).

---

UE) o de reducción de la retribución cuando cambie la situación financiera o patrimonial de la sociedad (como se establece en Derecho alemán).

[47] La precisión es necesaria pues, aun cuando en ambos casos (actuación contraria a la ley o actuación contraria al deber de diligencia) la conducta de los administradores será antijurídica, las reglas sobre prueba de la culpa parecen no coincidir en uno y otro caso (así, el art. 236.1 LSC determina que la «*culpabilidad se presumirá, salvo prueba en contrario, cuando el acto sea contrario a la ley o a los estatutos sociales*»), sin perjuicio del alcance que quepa atribuir a dicha diferencia (nos ocupamos de esta materia en nuestro anterior trabajo «Protección de la discrecionalidad empresarial y cumplimiento del deber de diligencia», en RODRÍGUEZ ARTIGAS, F., FERNÁNDEZ DE LA GÁNDARA, L., QUIJANO GONZÁLEZ, J., ALONSO UREBA, A., VELASCO SAN PEDRO, L. y ESTEBAN VELASCO, G. (Dirs.), *Junta General y Consejo de Administración en la sociedad cotizada*, Tomo II, Cizur Menor (Navarra), 2016, págs. 403 y ss.).

Se trataría en ambos casos de una infracción del deber de diligencia y no, en cambio, del deber de lealtad[48] en tanto en la adopción de dichas decisiones no se plantea en rigor una situación de conflicto entre el interés particular del administrador que participa en su adopción y el interés social ni tampoco entre el interés social y el interés de un tercero frente al cual haya asumido deberes de actuación el administrador que participa en la adopción de la decisión[49] sino un conflicto, bien entre el interés particular de cada uno de los administradores, bien entre el interés social y el interés de los administradores que no participan en la adopción de la decisión que, en todo caso, deberá resolver conforme a los parámetros de actuación de los administradores en esta materia, que se concretan en la fijación de una retribución conforme al principio de proporcionalidad o razonabilidad referido tanto a la determinación de la retribución[50] como

---

[48] Esta diferencia es importante tras la reforma de la LSC en 2014 dado que, en el régimen vigente y al margen de otras diferencias en el tratamiento del deber de lealtad frente al deber de diligencia, se han suavizado los requisitos para el ejercicio de la acción de responsabilidad en supuestos de infracción del deber de lealtad; en concreto, a tenor del art. 239.1 LSC, el socio o socios que individual o conjuntamente ostenten un porcentaje de capital que les permita instar la convocatoria de la junta general, «*podrán ejercitar directamente la acción social de responsabilidad cuando se fundamente en la infracción del deber de lealtad sin necesidad de someter la decisión a la junta general*».

[49] Supuestos de conflicto en los que se plantea el riesgo de apropiación que trata de conjurarse con la imposición del deber de lealtad (vid., por todos, PAZ-ARES RODRÍGUEZ, J. C., «Anatomía del deber de lealtad» en RODRÍGUEZ ARTIGAS, F., FERNÁNDEZ DE LA GÁNDARA, L., QUIJANO GONZÁLEZ, J., ALONSO UREBA, A., VELASCO SAN PEDRO, L. y ESTEBAN VELASCO, G. (Dirs.), *Junta General y Consejo de Administración en la sociedad cotizada*, Tomo II, Cizur Menor (Navarra), 2016, en particular, págs. 423 y 435 a 437).

[50] En relación con la adopción del acuerdo de aprobación del contrato a celebrar entre la sociedad y el consejero ejecutivo, en la que no puede intervenir el consejero afectado (art. 249.3 LSC), no se plantea una situación de conflicto de interés entre la sociedad y los consejeros que participan en su adopción sino entre interés social y el interés del consejero afectado que no participa en el proceso de adopción. Por ello, dicha actuación no ha de contemplarse desde la perspectiva del deber de lealtad de los administradores sino del llamado «deber de independencia» de los administradores que forma parte de su deber de diligencia (por todos, LLEBOT MAJÓ, J. O., «El deber general de diligencia» (art. 225.1 LSC), en RODRÍGUEZ ARTIGAS, F., FERNÁNDEZ DE LA GÁNDARA, L., QUIJANO GONZÁLEZ, J., ALONSO UREBA, A., VELASCO SAN PEDRO, L. y ESTEBAN VELASCO, G. (Dirs.), *Junta General y Consejo de Administración en la sociedad cotizada*, Tomo II, Cizur Menor (Navarra), 2016, pág. 330).

a la distribución entre los administradores de la retribución previamente determinada por la junta general[51].

Debe advertirse no obstante que, dentro del margen de discrecionalidad de que disponen los administradores para la fijación de la retribución, no entra en juego la aplicación de la regla de protección de la discrecionalidad empresarial recogida en el art. 226 LSC[52]. Y ello no porque no pueda considerarse que las decisiones en materia de retribución sean decisiones estratégicas y de negocio ni tampoco porque en abstracto no pueda entenderse que estas decisiones presentan un margen de incertidumbre y

---

[51] A este respecto, el art. 217.3 LSC determina que, en caso de consejo de administración, la distribución de la retribución fijada por la junta general se realizará, salvo que el acuerdo de la junta haya previsto otra cosa, por acuerdo del propio consejo «*que deberá tomar en consideración las funciones y responsabilidades atribuidas a cada consejero*» (el criterio no es exactamente el mismo en relación con las sociedades cotizadas en tanto el art. 529 septdecies, apartado 2, LSC, establece que la distribución ha de hacerse en este caso teniendo en cuenta la funciones y responsabilidades atribuidas a cada consejero, la pertenencia a comisiones del consejo y «*las demás circunstancias objetivas que considere relevantes*»); no obstante, entre las funciones que han de tomarse en consideración parece que no deberá contemplarse el desarrollo de funciones ejecutivas dado que la retribución por este concepto requerirá de la previa suscripción de un contrato entre la sociedad y el consejero ejecutivo [vid. *supra* y la SAP La Rioja, de 30 de diciembre de 2016 *(Tol 5947723)*]. En cualquier caso, la adopción de esa decisión no se plantea una situación de conflicto entre el interés de los administradores a percibir la retribución que les corresponda y el interés social, dado que se trata de distribuir una retribución ya fijada por la junta general, sino un conflicto entre los intereses particulares de cada uno de los miembros del consejo de administración que ha de resolverse aplicando el criterio previsto en la norma, es decir, sobre la base de las funciones y responsabilidades atribuidas a cada consejero. La distribución arbitraria de la retribución (primando a unos administradores respecto a otros sin que existan diferencias en cuanto a las funciones efectivamente desempeñadas por todos ellos) constituirá una actuación contraria al deber de diligencia con el que ha de ejercer su cargo que incluye también una distribución razonable, conforme a criterios objetivos, de la retribución entre los miembros del órgano.

[52] Así también FERNÁNDEZ DEL POZO, L., «El misterio de la remuneración...», *cit.*, págs. 226 y 238, RUIZ MUÑOZ, M., «Nuevo régimen jurídico...», *cit.*, págs. 98 y 99 y NAVARRO FRÍAS, I., «Retribuciones proporcionadas...», *cit.*, pág.; en contra, no obstante, LEÓN, F., «Art. 217...», *cit.*, pág. 288. En otros ordenamientos jurídicos como el alemán, estas decisiones sí quedan protegidas por la regla de protección de la discrecionalidad empresarial o *business judgment rule* (vid. nuestro anterior trabajo «Protección de la discrecionalidad empresarial...», *cit.*, pág. 411 y también RUIZ MUÑOZ, M., *op. y loc. ult. cit.*).

por ello de discrecionalidad[53], sino porque la propia delimitación legal del supuesto de hecho al que se aplica la citada regla excluye expresamente del ámbito de la discrecionalidad empresarial que se protege a «*aquellas decisiones que afecten personalmente a otros administradores y personas vinculadas*» (art. 226, apartado 2, LSC)[54].

Por otra parte, desde la perspectiva de la actuación de los administradores conforme a su deber de lealtad, la reforma del régimen sobre retribución también ha introducido novedades que se refieren, en particular, a la conducta de los administradores en relación con la celebración del contrato de administración entre la sociedad y el consejero al que se atribuya el ejercicio de funciones ejecutivas en caso de que el órgano de administración se estructure como consejo de administración. A este respecto, el art. 249.3 LSC determina que el consejero afectado «*deberá abstenerse de asistir a la deliberación y de participar en la votación*» del acuerdo relativo a la aprobación del contrato que ha de celebrarse entre la sociedad y dicho consejero[55]. Se trata de un supuesto concreto de aplicación del deber de abstención por conflicto de interés contemplado en el art. 228, letra c,

---

[53] Como puede ocurrir también con infracciones al deber de lealtad (vid., por todos, RECALDE CASTELLS, A., «Modificaciones en el deber de diligencia de los administradores; la *business judgment rule*», en ROJO/CAMPUZANO (Coords.), *Estudios jurídicos en memoria del Profesor Emilio Beltrán*, Valencia, 2015, Tomo I, págs. 629 y ss.).

[54] No parece discutible que la decisión sobre fijación de la retribución (de los conceptos retributivos) de los consejeros ejecutivos «*afecta personalmente*» a éstos y en consecuencia cae dentro del ámbito de la excepción a la aplicación de la regla de protección de la discrecionalidad empresarial (en este sentido nos manifestamos en nuestro anterior trabajo «Protección de la discrecionalidad empresarial...», *cit.*, pág. 411; vid. también RUIZ MUÑOZ, M., «Nuevo régimen jurídico...», *cit.*, pág. 99 y NAVARRO FRÍAS, I., «Retribuciones proporcionadas...», *cit.*, pág.), que se refiere a los supuestos en los que entra en juego el llamado «deber de independencia» de los administradores en supuestos de conflicto entre el interés social y el interés particular de los administradores que no intervienen en la adopción de la decisión (vid., por todos, DÍAZ MORENO, A., «La *business judgment rule* en el Proyecto de Ley de modificación de la Ley de Sociedades de Capital», en *Análisis Gómez Acebo & Pombo*, julio 2014, pág. 7 y LLEBOT MAJO, J. O., «El deber de diligencia...», *cit.*, pág. 330).

[55] Cuestión distinta es si el cumplimiento de esos requisitos garantiza suficientemente que los consejeros que sí pueden participar en la determinación del contenido y condiciones de dichos contratos, lo hagan con independencia y autonomía de criterio frente a los consejeros beneficiarios de las retribuciones que se fijan en dichos contratos, particularmente si pensamos en sociedades no cotizadas.

LSC, como obligación básica derivada del deber de lealtad, cuya previsión expresa evita cualquier duda en relación con la interpretación y aplicación en este caso de ese deber general de abstención[56].

En cualquier caso, acreditar la concurrencia de los presupuestos de la responsabilidad por fijación de retribuciones desproporcionadas no será cuestión sencilla. Primero porque la apreciación del carácter desproporcionado o no razonable de una retribución y, en suma, su inadecuación al interés social, exige un esfuerzo de valoración con aplicación de criterios genéricos que admiten muchas posibilidades y matices que resultará por ello complejo, especialmente en sociedades no cotizadas, y que probablemente permitirá frenar únicamente las situaciones más escandalosas y reprobables[57]. Esta dificultad podría haberse reducido si se hubiese optado, en los términos indicados anteriormente, por combinar o complementar la necesaria previsión de criterios genéricos o indeterminados con la imposición de deberes concretos de actuación cuya infracción habría facilitado la exigencia de responsabilidad[58]. Junto a ello, debe tenerse en cuenta que, en el caso de que se determine que la retribución prevista en el contrato celebrado con un consejero ejecutivo es desproporcionada o, en general, inadecuada en relación con el interés social, cabría en su caso (es decir, de concurrir la totalidad de presupuestos) exigir responsabilidad a los ad-

---

[56] La previsión expresa de un deber de abstención en relación con el acuerdo de aprobación del contrato evita la duda sobre si dicho supuesto debería entenderse comprendido en la excepción prevista en el propio art. 228, letra c, LSC, a cuyo tenor, «*se excluirán de la anterior obligación de abstención los acuerdos o decisiones que le afecten en su condición de administrador, tales como la designación o revocación para cargos en el órgano de administración u otros de análogo significado*»; sobre el alcance de esta excepción vid., entre otros, JUSTE MENCÍA, J., «Artículo 228. Obligaciones básicas derivadas del deber de lealtad», en JUSTE MENCÍA, J. (Coord.), *Comentario de la reforma del régimen de las sociedades de capital en materia de gobierno corporativo (Ley 31/2014). Sociedades no cotizadas*, Cizur Menor, 2015, págs. 377 a 393, en particular, págs. 389 y s.

[57] Sobre las dificultades para la aplicación del principio de proporcionalidad de las retribuciones como mecanismo de control de las decisiones adoptadas por los administradores vid., por todos, NAVARRO FRÍAS, I., «Retribuciones proporcionadas...», *cit.*, apartado IV.

[58] En este sentido, por ejemplo, la imposición de un deber de previsión en el contrato celebrado con un consejero ejecutivo de una cláusula sobre modificación de la retribución ante el cambio de la situación económica de la sociedad, permitiría exigir responsabilidad a los administradores en el supuesto de que, ante un cambio de dicha situación, no fuese posible reducir la retribución del consejero delegado por la falta de previsión de dicha cláusula.

ministradores que participaron en el acuerdo de aprobación del contrato, pero ello no implicaría por sí mismo la nulidad del contrato celebrado con el consejero ejecutivo ni, por tanto, el deber de devolución por parte del consejero ejecutivo de las retribuciones percibidas salvo que ello se hubiese previsto expresamente en el propio contrato[59].

Pero la exigencia de responsabilidad a los administradores por esta causa será difícil, sobre todo, porque acreditar el carácter desproporcionado o no razonable exigiría ante todo conocer las retribuciones satisfechas a cada uno de los miembros del órgano de administración y, en particular, a los consejeros ejecutivos lo que, según señalábamos anteriormente, en sociedades no cotizadas no se conseguirá fácilmente ante la ausencia de mecanismos de información y transparencia adecuados y suficientes. Desde esta perspectiva, por tanto, se llega a la misma conclusión que alcanzábamos anteriormente en el sentido que el fin perseguido no justifica los medios a través de los cuales se ha pretendido obtenerlo. La finalidad de proporcionar mayor flexibilidad a la determinación de la retribución de los consejeros ejecutivos y atribuir plena competencia para su fijación al consejo de administración, podría haberse alcanzado, de manera más directa y eficaz y sin mayores implicaciones dogmáticas o político-jurídicas, exonerando del cumplimiento de ciertos requisitos del régimen legal a la retribución de los consejeros ejecutivos. La convicción en la bondad del fin perseguido probablemente ha arrinconado el análisis tanto del mecanismo más idóneo y eficiente para alcanzarlo, como de la forma en la que el mecanismo elegido se ha construido legalmente, lo que ha dado lugar a un régimen que genera sustantivas dudas interpretativas con posiciones no ya distintas, sino diametralmente opuestas, y relevantes problemas de aplicación, así como un importante déficit de protección de los socios minoritarios en las sociedades de capital no cotizadas carente por completo de cualquier justificación.

---

[59]   Para ello sería necesario que, además de la acción de responsabilidad, se impugnase la validez del contrato de administración celebrado entre la sociedad y el consejero ejecutivo por causa ilícita. La conclusión sería distinta en el caso de que se acreditase una infracción del deber de lealtad por haber participado el consejero afectado en la adopción del acuerdo de aprobación del contrato (infringiendo el deber de abstención previsto en el art. 249.3 LSC), en cuyo caso resultarán de aplicación las especialidades previstas legalmente para los casos de infracción del deber de lealtad, como la posibilidad de ejercicio directo de la acción social de responsabilidad sin previo sometimiento a la junta general (art. 239.1 LSC) o la acción de devolución del enriquecimiento injusto obtenido por el administrador (art. 227.2 LSC).

## Bibliografía

ALFARO ÁGUILA-REAL, J., «Adiós a la teoría del vínculo» en *Almacén de Derecho*, 16 de diciembre de 2015.

BARROS GARCÍA, M., «¿Continúa vigente la "doctrina del vínculo" tras la modificación de la Ley de sociedades de capital?», *Actualidad Jurídica Uría/Menéndez*, 41, 2015, págs. 34 a 41.

BERGES ANGÓS, I., «Retribución de los administradores: ¿mera liberalidad o gastos deducibles?», *Actualidad jurídica Aranzadi*, 916, 2016.

BLANQUER UBEROS, R., «La retribución de los administradores, su constancia estatutaria y la atribución de facultades de corrección a la Junta general», en AA VV, *Estudios de Derecho Mercantil en homenaje al profesor Manuel Broseta Pont*, Madrid, 1995, I, págs. 397 a 452.

BRENES CORTÉS, J., «El nuevo régimen de retribución de los consejeros ejecutivos tras la reforma operada por la Ley 31/2014, de 3 de diciembre, por la que se modifica la Ley de sociedades de capital para la mejora del gobierno corporativo», *Lex Mercatoria*, 1, 2015, págs. 1 a 6.

— «La retribución de los consejeros ejecutivos de las sociedades de capital», *RDM*, 299, 2016.

CABANAS TREJO, R., «La retribución del consejero delegado y la celebración de un contrato con la sociedad», *Diario La Ley*, 5 de marzo de 2015.

CALBACHO LOSADA, F., *El ejercicio de las acciones de responsabilidad contra los administradores de la sociedad anónima*, Valencia, 1999.

CAMPINS VARGAS, A., «Dudas interpretativas del nuevo régimen de retribución de los administradores en la Ley 31/2014», en *Almacén de Derecho*, entrada de 9 de marzo de 2015.

COHEN BENCHETRIT, A., «Retribución de administradores no prevista en los estatutos sociales (Sentencia de 17 de diciembre de 2015)», *CCJC*, 102, septiembre-diciembre 2016.

— «Doctrina consolidada de la Dirección General de los Registros y del Notariado en materia de retribución del consejero ejecutivo y del consejero delegado», *Lex Mercatoria*, 4, 2017, págs. 29 a 34.

— «¿Supone la nueva doctrina de la DGRN en materia de retribución de administradores la derogación o modulación de la denominada "teoría del vínculo"?», *La Ley Mercantil*, 32, enero 2017.

DE ALARCÓN ELORRIETA, Mª L., «Otra vuelta de tuerca a la retribución de los consejeros por funciones ejecutivas en sociedades no cotizadas», *La Ley Mercantil*, 14, mayo 2015.

DE LORENZO GIL, A., «Entre el enigma y el misterio: ¿hay administradores que no lo sean en su condición de tales?», *RdS*, 48, 2016, págs. 317 a 337.

DÍAZ MORENO, A., «La *business judgment rule* en el Proyecto de Ley de modificación de la Ley de Sociedades de Capital», en *Análisis Gómez Acebo & Pombo*, julio 2014.

DÍEZ ESCLAPEZ, R., «Remuneración de administradores en formas personales de administración social», *Lex Mercatoria*, 1, 2015, págs. 21 a 24.

FARRANDO MIGUEL, I., «La retribución de los administradores de las sociedades cotizadas y el merçado de los ejecutivos», en *RdS*, 27, 2006, págs. 355 a 435.

— «La retribución de administradores y la doctrina jurisprudencial del doble vínculo», *RdS*, 32, 2009, págs. 97 y ss.

FERNÁNDEZ DEL POZO, L., «El misterio de la remuneración de los administradores de las sociedades no cotizadas. Las carencias regulatorias de la reforma», en *RDM*, 297, julio-septiembre 2015, págs. 199 a 248.

— «Acerca de la supuesta autonomía del contrato remuneratorio de los consejeros ejecutivos en relación con los estatutos y con el acuerdo de la junta del artículo 217 LSC», *La Ley Mercantil*, 18, octubre 2015.

FERNÁNDEZ VIDAL, F. J., «El principio de reserva estatutaria frente a la retribución del Consejero ejecutivo en sociedades no cotizadas: la DGRN se pronuncia, pero ¿zanja la cuestión?», *La Ley*, 18 de diciembre de 2105.

GALACHO ABOLAFIO, A., «La reforma de la Ley de sociedades de capital: los administradores "en su condición de tales" y sus repercusiones en la retribución del órgano de administración», *RdS*, 48, 2016, págs. 171 a 211.

GARCÍA ÁLVAREZ, B., «Posibles límites a la remuneración de los administradores en un contexto de crisis económica», en ABRIANI/EMBID IRUJO (Dirs.), *Crisis económica y responsabilidad en la empresa*, Granada, 2013, pág. 179 y ss.

GIRBAU PEDREGOSA, R., «Restricciones a la remuneración de administradores y directivos de entidades de crédito: modos, intervención y gobierno corporativo», *RDBB*, 129, 2013, págs. 173 y ss.

GIRÓN TENA, J., *Derecho de sociedades anónimas*, Valladolid, 1952.

JUSTE MENCÍA, J., «Retribución de consejeros», en ESTEBAN VELASCO, G. (coord.), *El gobierno de las sociedades cotizadas*, Madrid-Barcelona, 1999, págs. 497 a 536.

— «Artículo 228. Obligaciones básicas derivadas del deber de lealtad», en JUSTE MENCÍA, J. (Coord.), *Comentario de la reforma del régimen de las sociedades de capital en materia de gobierno corporativo (Ley 31/2014). Sociedades no cotizadas*, Cizur Menor, 2015, págs. 377 a 393.

JUSTE MENCÍA, J. y CAMPINS VARGAS, A., «La retribución de los consejeros delegados o de los consejeros con funciones ejecutivas. El contrato entre el consejero ejecutivo y la sociedad (arts. 249.3 y 4 y 529 octodecies LSC)», en RODRÍGUEZ ARTIGAS/FERNÁNDEZ DE LA GÁNDARA/QUIJANO GONZÁLEZ/ALONSO UREBA/VELASCO SAN PEDRO/ESTEBAN VELASCO (Dirs.), *Junta General y Consejo de Administración en la sociedad cotizada*, Cizur Menor, 2016, Tomo II, págs. 757 a 796.

LEÓN SANZ, F., «La previsión en los estatutos de la retribución de los administradores de las sociedades anónimas. El Estado de la cuestión en la doctrina española», en VVAA, *I Foro de encuentro de jueces y profesores de Derecho mercantil*, Valencia, 2010, págs. 13 a 32.

— «Artículo 217. Remuneración de los administradores» y «Artículo 249. Delegación de facultades del consejo de administración», en JUSTE MENCÍA, J. (Coord.), *Comentario de la reforma del régimen de las sociedades de capital en materia de gobierno corporativo (Ley 31/2014). Sociedades no cotizadas*, Cizur Menor, 2015, págs. 273 a 291 y 497 a 520, respectivamente.

LLEBOT MAJÓ, J. O., «El deber general de diligencia» (art. 225.1 LSC), en RODRÍGUEZ ARTIGAS, F., FERNÁNDEZ DE LA GÁNDARA, L., QUIJANO GONZÁLEZ, J., ALONSO UREBA, A., VELASCO SAN PEDRO, L. y ESTEBAN VELASCO, G. (Dirs.), *Junta General y Consejo de Administración en la sociedad cotizada*, Tomo II, Cizur Menor (Navarra), 2016, págs. 315 a 341.

MARTÍNEZ SANZ, F., «Artículo 130. Retribución», en ARROYO, I. y EMBID IRUJO (dirs.), *Comentarios a la Ley de Sociedades Anónimas*, Madrid, 2001, II, págs. 1283 y ss.

MERCADER UGUINA, J. R., «¿Subsiste la teoría del vínculo tras la Ley 31/2014?: la retribución de los administradores sociales y el nuevo "contrato de administración" de los consejeros ejecutivos», *Trabajo y Derecho*, 4, abril 2015.

MIQUEL RODRÍGUEZ, J., «Constancia estatutaria de la retribución de los consejeros ejecutivos (Comentario a la RDGRN de 17 de junio de 2016)», *RdS*, 47, 2016, págs. 315 a 325.

MONTERO GARCÍA-NOBLEJAS, P., «Procedencia y alcance de la constancia estatutaria de la retribución de los administradores de sociedades cotizadas consistente en programas de opciones sobre acciones y sistemas similares», *RdS*, 30, 2008, págs. 163 a 194.

NAVARRO FRÍAS, I., «Retribuciones proporcionadas y retribuciones abusivas de los administradores sociales: control judicial», *RdS*, 49, 2017.

ORTIZ DE JUAN, J. M., «La retribución de la alta dirección de las entidades financieras: de los nuevos principios a las normas de obligado cumplimiento», *RDBB*, 123, julio-septiembre 2011, págs. 203 a 228.

PAZ-ARES RODRÍGUEZ, J. C., «El enigma de la retribución de los consejeros ejecutivos», *Indret*, 1, 2008.

— «Retribución de administradores: *ad imposibilia nemo tenetur*! (A propósito de dos sentencias recientes)», *Indret*, 2, 2009.

— «Anatomía del deber de lealtad», en RODRÍGUEZ ARTIGAS, F., FERNÁNDEZ DE LA GÁNDARA, L., QUIJANO GONZÁLEZ, J., ALONSO UREBA, A., VELASCO SAN PEDRO, L. y ESTEBAN VELASCO, G. (Dirs.), *Junta General y Consejo de Administración en la sociedad cotizada*, Tomo II, Cizur Menor (Navarra), 2016, págs. 421 a 454.

QUIJANO GONZÁLEZ, J., «Retribución de consejeros y directivos: la reciente evolución en el Derecho español», en AA.VV., *Estudios de Derecho mercantil en homenaje al Profesor José Mª. Muñoz Planas*, Cizur Menor, 2011.

PÉREZ BENÍTEZ, J. J. (coord.), «El control por los socios de la retribución de los consejeros ejecutivos», en *Boletín de Mercantil El Derecho*, 39, marzo 2016.

RECALDE CASTELLS, A., «Modificaciones en el deber de diligencia de los administradores; la *business judgment rule*», en ROJO/CAMPUZANO (Coords.), *Estudios jurídicos en memoria del Profesor Emilio Beltrán*, Valencia, 2015, Tomo I, págs. 629 y ss.

RONCERO SÁNCHEZ, A., «Grado de concreción del sistema retributivo de los administradores en los estatutos sociales de una sociedad anónima», *RdS*, 32, 2009, págs. 79 y ss.

— «La reforma del régimen legal sobre retribución de administradores de sociedades cotizadas: el informe anual de retribuciones de los consejeros y altos directivos», en *Investigación y Publicación del Centro de Gobierno Corporativo del Instituto de Empresa*, 2012, II.

— «Principales deficiencias de técnica y política jurídica del nuevo régimen sobre retribución de los administradores de sociedades de capital», en RODRÍGUEZ ARTIGAS, F., ESTEBAN VELASCO, G. y SÁNCHEZ ÁLVAREZ, M. (Coords.), *Estudios de Derecho de Sociedades. Liber Amicorum Profesor Luis Fernández de la Gándara*, Navarra, 2016, págs. 399 a 431.

— «La retribución variable de los consejeros ejecutivos tras la reforma del régimen legal sobre retribución de los administradores de las sociedades de capital», en *Revista Derecho Social y Empresa*, núm. 5, julio 2016, págs. 121 a 149.

— «Protección de la discrecionalidad empresarial y cumplimiento del deber de diligencia», en RODRÍGUEZ ARTIGAS, F., FERNÁNDEZ DE LA GÁNDARA, L., QUIJANO GONZÁLEZ, J., ALONSO UREBA, A., VELASCO SAN PEDRO, L. y ESTEBAN VELASCO, G. (Dirs.), *Junta General y Consejo de Administración en la sociedad cotizada*, Tomo II, Cizur Menor (Navarra), 2016, págs. 383 a 423.

RUIZ MUÑOZ, M., «La retribución de los administradores y altos ejecutivos de las sociedades de capital: libertad, transparencia y control (la modificación de la LSC por la Ley 31/2014 y el ALCM)», en VVAA, *Estudios sobre el futuro Código Mercantil. Libro homenaje al Profesor Rafael Illescas Ortiz*, Madrid, 2015, págs. 860 a 893.

— «Nuevo régimen jurídico de la retribución de los administradores de las sociedades de capital», *RdS*, 46, 2016, págs. 53 a 130.

SÁNCHEZ CALERO, F., *Los administradores en las sociedades de capital*, Madrid, 2007.

SÁNCHEZ-CALERO GUILARTE, J., «La retribución de los administradores de sociedades cotizadas (La información societaria como solución)», *RdS*, 28, 2007, págs. 19 a 58.

SÁNCHEZ RUS, H., «Las cláusulas estatutarias relativas a la retribución de los administradores en las sociedades de capital», *La Ley Mercantil*, 14, mayo 2015.

TUSQUETS TRÍAS DE BES, F., *La remuneración de los administradores de las sociedades mercantiles de capital*, Madrid, 1998.

VELA TORRES, P. J., «Criterios judiciales sobre retribución de administradores sociales», en VVAA, *I Foro de encuentro de profesores de Derecho mercantil*, Valencia, 2010, págs. 33 a 46.

# 43. Exclusión de la remuneración de los consejeros ejecutivos al principio de reserva estatutaria: una cuestión polémica[*]

**JOSEFA BRENES CORTÉS**

*Profesora Titular de Derecho Mercantil*
*Universidad de Sevilla*

## I. INTRODUCCIÓN

Con el presente trabajo pretendo abordar un tema de especial interés y relevancia, no sólo por su actualidad sino también por su dificultad: el relativo a la autonomía o no del contrato remuneratorio de los consejeros ejecutivos en relación con los estatutos y con el acuerdo de junta previsto en el artículo 217 del Real Decreto Legislativo 1/2010, de 2 de julio por el que se aprueba el Texto Refundido de la Ley de Sociedades de Capital[1] —en adelante LSC—. Como sabemos, el régimen jurídico aplicable a la retribución de los administradores ha sufrido una profunda modificación tras la reforma operada por la Ley 31/2014, de 3 de diciembre por la que se modifica la Ley de Sociedades de Capital para la reforma del Gobierno

[*] Este trabajo se encuadra en el Proyecto I+D titulado *«Crisis empresariales: prevención, tratamiento y solución desde el Derecho concursal y el Derecho de sociedades»* (referencia DER2014-55427-C2-1-P), financiado por el Ministerio de Economía y Competitividad en el marco del Plan Estatal de Investigación Científica y Técnica y de Innovación 2013-2016.
[1] BOE núm. 161 de 3 de julio de 2010.

Corporativo[2] —en adelante Ley 31/2014—. Con anterioridad a la entrada en vigor de esta reforma existía una importante controversia doctrinal sobre el necesario reflejo estatutario de la remuneración que los consejeros delegados o con funciones ejecutivas percibiesen por tales funciones, distintas de las deliberativas. No obstante, tanto la jurisprudencia como la doctrina de la Dirección General de los Registros y del Notariado —en adelante DGRN— mantenían hasta ahora que los consejeros ejecutivos no podían percibir por el desempeño de sus funciones ejecutivas en la sociedad ninguna remuneración contractual que no estuviese incluida expresamente en los estatutos sociales, siendo necesario, en consecuencia, que los sistemas de remuneración por el ejercicio de tales funciones tuviesen la correspondiente cobertura estatutaria, aprobada por la junta general.

La reforma del régimen de retribución de los administradores operada por la Ley 31/2014 lejos de ofrecer una solución definitiva a los problemas que se habían planteado con relación a esta cuestión, antes de su entrada en vigor, suscita importantes dudas interpretativas motivadas por la indefinición e imprecisión de su regulación, lo que, a su vez, provoca importantes disfunciones del texto legal. Al respecto, resulta cuanto menos dudoso el alcance de la expresión «*en su condición de tales*», qué funciones quedan englobadas estrictamente en las «funciones de dirección o funciones ejecutivas», la naturaleza del contrato, quiénes tienen obligación de suscribirlo, cómo se computa la mayoría de los dos tercios del consejo a efectos de la aprobación del contrato, etc.

Con carácter general, el cambio más relevante es la separación y reconocimiento de forma expresa de dos clases de remuneraciones para los administradores: una remuneración «*en su condición de tales*» prevista en el artículo 217 LSC y otra remuneración para los consejeros ejecutivos regulada en el artículo 249 LSC. Para la primera, se exige constancia estatutaria y aprobación por la junta general y para la segunda se establece la necesidad de fijarla en un contrato aprobado por el consejo; contrato en el que se detallarán todos los conceptos por los que el consejero puede obtener una retribución por sus funciones ejecutivas, de tal forma que aquel no podrá percibir remuneración alguna por el desempeño de estas funciones cuyas cantidades o conceptos no estén previstos en este contrato. Por tanto, de la literalidad de los artículos 217 y 249 LSC se desprende que corresponde al consejo de administración la competencia para establecer la remuneración de los consejeros ejecutivos al margen de cualquier previsión estatu-

---

[2]    BOE núm. 293, de 4 de diciembre de 2014.

taria. De esta forma, parece quedar superada la «teoría del vínculo» en el caso de que el órgano de administración quede estructurado como consejo de administración, no así para las formas de organización simples.

Desde un punto de vista positivo, la reserva estatutaria parece quedar circunscrita, por tanto, a la función deliberativa o de control puesto que la función ejecutiva no pertenece al cometido inherente al cargo de consejero y, en consecuencia, su retribución no está sujeta a la exigencia de cobertura estatutaria establecida en el artículo 217 LSC.

Por su parte, la doctrina de la DGRN en diversas Resoluciones (de 30 de julio[3] y de 5 de noviembre de 2015[4], 16 de mayo de 2016[5], 17 de junio de 2016)[6], partiendo de esta dualidad de funciones y retribuciones, admite que la remuneración de los consejeros delegados o con funciones ejecutivas no conste necesariamente en los estatutos sociales al considerar que no existe reserva estatutaria alguna para la retribución de tales funciones ejecutivas. Concretamente, en el caso que motivó la primera de las Resoluciones citadas, el Registrador mercantil denegó la inscripción de una cláusula estatutaria relativa a la retribución de los administradores porque en relación al consejero delegado *«no prevé la celebración del contrato entre este y la sociedad en los términos establecidos en el art. 249.3 LSC».* La DGRN estimó el recurso y revocó la calificación del Registrador con base en la siguiente argumentación: «...*de la literalidad del artículo 249 de la Ley de Sociedades de Capital se deduce que es necesario que se celebre un contrato entre el administrador ejecutivo y la sociedad, que debe ser aprobado previamente por el consejo de administración con los requisitos que establece dicho precepto. Es en este contrato en el que se detallarán todos los conceptos por los que pueda obtener una retribución por el desempeño de funciones ejecutivas, incluyendo, en su caso, la eventual indemnización por cese anticipado en dichas funciones y las cantidades a abonar por la sociedad en concepto de primas de seguro o de contribución a sistemas de ahorro. Y, dicho contrato, de acuerdo con el último inciso del artículo 249.4 "...deberá ser conforme con la política de retribuciones aprobadas, en su caso, por la junta general".*

*Consecuentemente, el recurso ha de ser estimado, pues es en este específico contrato en el que deberá detallarse la retribución del administrador ejecutivo, y el artículo 249.4 exige que la política de retribuciones sea aprobada, en su caso, por la junta*

---

[3]   BOE núm. 234, de 30 de septiembre de 2015 *(Tol 5506969).*
[4]   BOE núm. 281, de 24 de noviembre de 2015 *(Tol 5567619).*
[5]   BOE núm. 136, de 6 de junio de 2016.
[6]   BOE núm. 175, de 21 de julio de 2016 *(Tol 5786399).*

*general, pero la referencia a ese contrato y esa política de retribuciones no necesaria-
mente deben constar en los estatutos. Son cuestiones sobre las que no existe reserva
estatutaria alguna».*

Esta doctrina se ha visto reiterada en la citada Resolución de la DGRN
de 5 de noviembre de 2015, en la que se aborda el tema de la retribución
del consejero delegado y la necesidad o no de previsión estatutaria tras la
reforma operada por la Ley 31/2014. En los hechos que fundamentan esta
Resolución el Registrador mercantil denegó la inscripción de una cláusula
estatutaria relativa a la retribución de los administradores porque en relación al consejero delegado *«no prevé la celebración del contrato entre este y la
sociedad en los términos establecidos en el art. 249.3 LSC».*

En las Resoluciones posteriores de 10 de mayo y 17 de junio de 2016
abunda en esta doctrina. Para la Dirección General no existe reserva estatutaria alguna para la retribución de las funciones ejecutivas. Distingue,
como se ha destacado, entre la necesidad de incluir en los estatutos la remuneración de los administradores o consejeros *«en su condición de tales»*
y la necesidad de suscribir un contrato, que deberá ser aprobado por los
dos tercios de los miembros del consejo de administración, de tal forma
que el consejero no podrá percibir retribución alguna por el desempeño
de estas funciones cuyas cantidades o conceptos no estén previstos en
ese contrato, sin necesidad de que la retribución tenga que figurar en
los estatutos y, por tanto, bajo el control de la junta. La misma interpretación se defiende para las sociedades cotizadas, con base en los artículos
529 *septdecies* y 529 *octodecies* LSC, que regulan la remuneración de los
consejeros *«en su condición de tales»*, de un lado, y la de los consejeros con
funciones ejecutivas, de otro.

En contra, existe un pronunciamiento del Juzgado de lo Mercantil n° 9
de Barcelona contrario a esta tesis, concretamente, la Sentencia 241/2015,
de 27 de noviembre[7]. En dicha Resolución se establece que tanto la exis-

---

[7]    Rec. N° 746/2015. En esta sentencia se examina lo dispuesto en el artículo 19 Bis
de los Estatutos Sociales de una compañía, que fija la no retribución del cargo
de administrador, aunque sí permite al consejo de administración establecer una
remuneración para los consejeros ejecutivos en el ejercicio de sus funciones; y sin
necesidad de acuerdo de junta ni precisión estatutaria. El titular del juzgado en su
resolución entiende que *«Atendiendo al tenor literal de dicho precepto, se observa cómo
vulnera el principio de reserva estatutaria de la retribución, en la medida en que tanto la
existencia de remuneración, como el concreto sistema de retribución de los administradores
son circunstancias que necesariamente deben constar en los estatutos sociales, ya sea en el
momento de su constitución o con posterioridad en las respectivas modificaciones; sin olvidar*

tencia de remuneración, como el sistema que concreta la retribución de los administradores sociales son circunstancias que necesariamente deben constar en los estatutos sociales, ya sea en su constitución o en las modificaciones, sin olvidar que ello es competencia de la junta general. La referida Sentencia da la razón al Registrador mercantil y suspende una cláusula de modificación de estatutos sociales en la que se pretendía elevar a público el acuerdo de modificación de los administradores y aprobar que el cargo de administrador no fuera retribuido. Pese a lo cual, se regulaba que el consejo podría aprobar la remuneración que tuviese por conveniente a los consejeros ejecutivos por el ejercicio de sus funciones ejecutivas, sin acuerdo de junta ni necesidad de precisión estatutaria del concepto o conceptos remuneratorios, todo ello en aplicación de lo que se establece en el artículo 249.2 LSC. El citado juzgado confirma lo siguiente: 1) La necesidad de que la retribución de los consejeros con funciones ejecutivas sea aprobada en junta y conste en los estatutos sociales; y 2) la imposibilidad de aplicar por analogía lo dispuesto para las sociedades cotizadas de conformidad con el artículo 529 septdecies y 529 octodecies de la LSC, según los cuales sólo la remuneración de los administradores *«en su condición de tales»* está sujeta a la reserva estatutaria ex art. 217 LSC, habida cuenta que se trata de un régimen especial cuya aplicación no puede extenderse a las sociedades no cotizadas.

Así pues, aún después de la reforma de la Ley 31/2014 las retribuciones del consejero delegado y de los consejeros ejecutivos en las sociedades de capital sigue siendo un tema polémico, la cuestión que se suscita es si se encuentran sujetas al principio de reserva estatutaria establecido en el artículo 217 LSC, es decir, si es o no preciso establecer en los estatutos los conceptos retributivos que los consejeros con funciones ejecutivas pudieran percibir.

En el juicio verbal que motivó esta Sentencia, el Registrador señaló que el único argumento a favor de la tesis defendida por el reclamante se basa en *«una lectura del tenor literal y en una locución tramposa: en el empleo de la locución en concepto de tales que figura tanto en los artículos 217.2 como en el artículo 217.3 de la LSC frente a la otra remuneración por el desempeño de funciones ejecutivas de que trata en el artículo 249».*

---

*que ello es competencia de la junta de socios, y no como pretenden los actores, del consejo de administración. Artículos 217, 218 y 219 LSC en relación con los artículos 285 y siguientes del citado texto legal».*

Para fundamentar esa distinción se recurre al régimen legal previsto para las sociedades cotizadas. Al respecto, el artículo 529 *septdecies* LSC trata de la remuneración de los consejeros por su condición de tal, frente a lo dispuesto en el artículo 529 *octodecies,* en relación a la otra remuneración de los consejeros por el desempeño de funciones ejecutivas. A partir de esta distinción el Registrador extrae como conclusión que «*solamente la remuneración de los administradores en su condición de tales está sujeta a la reserva estatutaria*» *ex* art. 217 LSC y que la remuneración por el desempeño de funciones ejecutivas —que no es en concepto de tales— se funda y regula, en exclusividad, por un contrato autónomo, el del artículo 249 LSC, que no requiere de habilitación estatutaria alguna.

El Registrador puso de manifiesto que el demandante había eludido un dato normativo como es que, por primera vez en nuestro Derecho de sociedades existe una doble regulación sustantiva distinta, según se trate de sociedades no cotizadas —sujetas a régimen común y sin herramientas de buen gobierno o acuerdo de junta sobre política de remuneraciones— y sociedades cotizadas —sujetas a régimen común más régimen especial—. A este argumento añade que no cabe una interpretación analógica del régimen de cotizadas a un supuesto de hecho diferente como es el de las no cotizadas. El Registrador afirma expresamente que «*no es plausible o esperable que quede tutelado el minoritario cuando los otros consejeros que no dejan de ser puestos por el mayoritario deciden ritualmente, eso sí en contrato incorporado como anejo al acta de la reunión por la mayoría imprescindible, cualquier remuneración que tenga a bien establecerse*». Además, destaca que es apreciable un déficit relativo de transparencia: en las no cotizadas no existe ese mecanismo preventivo de abusos que se apoya en el cálculo reputacional y que pasa por la transparencia obligatoria de contenidos relevantes para el mercado mediante la forzada divulgación del contenido estandarizado de un informe anual de remuneraciones como forma de autorregulación obligatoria y bajo la supervisión de la CNMV —que puede sancionar faltas u omisiones—. Finalmente, añade que «*tampoco puede decirse que la inexistencia del mecanismo defensivo de la intervención de los independientes de la comisión y del informe —que cumplen una función preventiva de control ex ante en interés del minoritario— quede compensada por la mejora de la estrategia regulatoria de la nueva tutela ex post que se abre para las no cotizadas con el nuevo artículo 217.4 de la LSC y que permite impugnar fijaciones extravagantes*».

La Sentencia de 27 de noviembre de 2015 del Juzgado de lo Mercantil nº 9 de Barcelona desestima la pretensión de la parte actora y mantiene íntegra la calificación negativa efectuada por el Registrador en todos sus términos.

## II. LA RETRIBUCIÓN DE LOS CONSEJEROS EJECUTIVOS

### 1. *Consideraciones generales*

Antes de la entrada en vigor de la 31/2014, tal y como ya hemos destacado, el régimen jurídico contenido en nuestra regulación societaria tradicional en materia de retribución de los administradores ha partido del principio de determinación estatutaria, de conformidad con el cual en el supuesto de que se prevea la retribución del cargo, el sistema o sistemas de retribución deben aparecer identificados en los estatutos con la suficiente determinación y concreción. La dicción literal del artículo 217 LSC hacía necesario el reflejo estatutario de la remuneración de los administradores «*en su condición de tales*», expresión bajo la que se venían entendiendo subsumidas las dos funciones inherentes a su cargo, esto es, la función deliberativa y la ejecutiva, resultando totalmente indiferente si el órgano de administración estaba estructurado como administrador único, varios administradores solidarios o mancomunados, o un consejo de administración[8].

A nuestro juicio, y con independencia de su justificación, la reforma operada por la Ley 31/2014 parece que ha pretendido dar un tratamiento diferenciado en la línea de algunos precedentes, a la retribución de los administradores por el desempeño del cargo de administrador y a la remuneración de los consejeros con funciones ejecutivas. El primer supuesto, es decir, el de los administradores en su condición de tales, quedaría sujeto a lo dispuesto en el artículo 217, mientras que, la retribución de los consejeros delegados se encontraría regulada en el artículo 249 LSC. La cuestión que se plantea es si, a pesar de este reconocimiento de la dualidad de funciones se ha puesto fin a la necesaria reserva estatutaria de la remuneración de los consejeros por sus funciones ejecutivas. Para llegar a una conclusión, analizaremos a continuación las diversas posturas doctrinales y jurisprudenciales que sobre este tema se han defendido a fin de comprobar si el legislador y la doctrina registral[9] se han decantado de forma contundente por alguna de ellas.

---

[8]   Tanto la LSA de 1951 (art. 74) como la LSA de 1989 (art. 130) establecían de forma contundente que «*La retribución de los administradores deberá ser fijada en los estatutos*». Por su parte, el art. 217.1 LSC exige que los estatutos «*determinen el sistema de retribución*».

[9]   Al respecto, el registrador cita para justificar su denegación de inscripción las Resoluciones de la DGRN de 12 de noviembre de 2003 *(Tol 376526)*; 16 de febrero de 2013 *(Tol 3244101)*, 7 de marzo de 2013 *(Tol 3401147)* y 17 de junio de

## 2. Doctrina tradicional en materia de retribución de los administradores ejecutivos

Con anterioridad a la entrada en vigor de la Ley 31/2014, se entendía que en los supuestos de existencia de un consejo de administración, los estatutos debían incluir también el sistema de retribución de los consejeros ejecutivos, normalmente muy superior al de los restantes consejeros (*ex* arts. 124.3 y 185.4 RRM)[10]. En este sentido, la tesis de la mayoría de la literatura jurídica[11] y de la doctrina de la DGRN[12] era que los consejeros ejecutivos no podían percibir por el desempeño de sus funciones ejecutivas nin-

---

2014 (RJ 2014, 4181) que han establecido de forma contundente que el régimen legal de retribución de los administradores exige que se prevea en los estatutos la determinación de uno o más sistemas de retribución, de manera que en ningún caso quede a la voluntad de la junta general su elección o la opción entre los distintos sistemas retributivos, que pueden ser cumulativos pero no alternativos. Lo contrario supone una falta de seguridad tanto para los socios actuales o futuros de la sociedad, como para el mismo administrador cuya retribución dependía de las concretas mayorías que se formen en el seno de la junta general.

10   Estos preceptos reglamentarios establecían un sistema según el cual, en caso de pluralidad de administradores, existía una presunción de retribución igual para todos ellos. Para destruir esta presunción, se exigía por el RRM una previsión estatutaria expresa en contra. De este modo, a falta de habilitación estatutaria de una remuneración diferente, los administradores estaban privados de toda facultad de reparto en atención «*a las funciones y responsabilidades*» asignadas a cada uno de ellos como ahora se establece en el inciso final del art. 217.3 *in fine* de la Ley de Sociedades de Capital.

11   *Vid.*, entre otros, GARRIGUES, J. en GARRIGUES, J./URÍA, R., *Comentario a la Ley de Sociedades Anónimas,* 3ª ed., Madrid, 1976, vol. II, pág. 92; POLO, E., «Los administradores y el consejo de administración de la sociedad anónima», en *Comentario al régimen legal de las sociedades mercantiles,* (dirs.) URÍA/MENÉNDEZ/OLIVENCIA, vol. IV, Madrid, 1992, pág. 194; SÁNCHEZ CALERO, F., *Los administradores de las sociedades de capital,* Madrid, 2005, págs. 253 a 259; BLANQUER, R., «*La retribución de los administradores, su constancia estatutaria y la atribución de las facultades de concreción a la junta general*», *Revista de Derecho Mercantil (RDM),* núm. 211-212, 1994, págs. 42 y ss.

12   Este Centro Directivo ha proclamado en multitud de ocasiones el principio según el cual el paquete retributivo del administrador ha de quedar enteramente predeterminado en la regulación estatutaria [(*vid.* RDGRN de 15 de octubre de 1998 *(Tol 132508)*; 26 de mayo de 1989 (RJ 1989, 3407); 18 de febrero de 1991 (RJ 1991, 1686); 20 de marzo de 1991 (RJ 1991, 2626); 25 de marzo de 1991 (RJ 1991, 2628); 26 de julio de 1991 (RJ 1991, 5448); 4 de octubre de 1991 (RJ 1991, 7492); 23 de febrero de 1993 *(Tol 274037)*; 15 de abril de 2000 *(Tol 119991)*; 12 de abril de 2002 *(Tol 156958)*; 12 de noviembre de 2003 *(Tol 376526)* y 16 de febrero de 2013 *(Tol 3244101)*. En la jurisprudencia del Tribunal Supremo *vid,* entre otras, STS (Civ.) 21 de abril de 2005 *(Tol 638989)*].

guna remuneración contractual que no estuviese incluida expresamente en los estatutos sociales, de modo que resultaba necesario que los sistemas de retribución por el ejercicio de funciones ejecutivas tuviesen la correspondiente cobertura estatutaria. Se entendía que los consejeros ejecutivos no podían percibir por las funciones ejecutivas de dirección y gestión de la sociedad ninguna remuneración «contractual» (civil o laboral) añadida y distinta de la remuneración «societaria» pactada en los estatutos sociales. De ahí que la retribución que recibieran los administradores tenía que ser conforme con lo dispuesto en los estatutos de la sociedad[13].

Las retribuciones percibidas en contravención del principio de determinación estatutaria tenían consecuencias no sólo en el ámbito del Derecho societario sino también en el fiscal y laboral. Desde el punto de vista mercantil, el acuerdo de la junta otorgando una retribución al margen de los estatutos podría impugnarse, declararse ineficaz (*ex* arts. 217.1 y 204 y ss. LSC) y el administrador obligado a reintegrar las remuneraciones recibidas de forma irregular[14]. Además, era posible que, de conformidad con lo que establecían los artículos 238 y 240 LSC, pudiera interponerse una acción social de responsabilidad contra el consejero que le obligue a devolver a la sociedad las denominadas «retribuciones tóxicas» en la terminología adoptada por los tribunales[15]. Desde el punto de vista fiscal, se corría el riego de que las retribuciones satisfechas al margen de los estatutos no resultaran fiscalmente deducibles[16]. Es más, en el caso de que la retribu-

---

[13]   En la práctica registral resulta paradigmática la RDGRN de 12 de abril de 2002 *(Tol 156958)* y en la jurisprudencia pueden citarse, entre otras, las STS (Civ.) 21 de abril de 2005 *(Tol 638989)*; 24 de octubre de 2006 (RJ 2006, 6170); 24 de abril de 2007 *(Tol 1069800)* y 31 de octubre de 2007 *(Tol 1174759)*. Al respecto, el Tribunal Supremo confirma la tesis de la incompatibilidad indicando que no cabe solapar a la «relación societaria» de administrador una «relación contractual» de servicios que reconozca partidas retributivas adicionales a las estatutariamente autorizadas. Concretamente, la Sentencia del Tribunal Supremo de 21 de abril de 2005 *(Tol 638989)* señala que «*la relación establecida carece de eficacia y no puede ser tenida en cuenta a los efectos de las reclamaciones de cantidad formuladas por el demandante, pues infringe la previsión de carácter imperativo del art. 130 LSA: "la retribución de los administradores deberá ser fijada en los estatutos"*». La Sentencia del Tribunal Supremo de 24 de abril de 2007 *(Tol 1069800)* precisa que «*Admitir otra cosa significaría tolerar la burla del mandato contenido en el art. 130.*»

[14]   *Vid.*, entre otras, la STS 10 de febrero de 2012 *(Tol 2503563)*.

[15]   *Vid.* SSTS 13 y 25 de junio de 2012 [*(Tol 2571781 y Tol 2645832)*, respectivamente].

[16]   Al respecto, pueden citarse, entre otras, las SSTS Sala 3ª de 26 de septiembre de 2013 *(Tol 3971899)*, 30 de octubre de 2013 *(Tol 4023834)* y 2 de enero de 2014 *(Tol 4095213)*.

ción del consejero ejecutivo se hubiera pactado en un contrato laboral de alta dirección sin la oportuna cobertura estatutaria el riesgo que se ha evidenciado ante los tribunales era que esa retribución contractual no fuese reconocida en el orden social por entender que no podía considerarse laboral al ir referida a un administrador social («doctrina del vínculo»)[17] pero tampoco lo fuese en el orden civil en la medida en que esa remuneración no apareciera prevista en los estatutos en los términos que exige el artículo 217.1 LSC[18].

---

[17]   Esta doctrina establece con claridad la exclusión de la concurrencia de regulaciones. Se basa en el entendimiento de que una relación no puede ser a la vez mercantil de administración social y laboral de alta dirección. Si se desarrollan funciones de administración social en virtud de un nombramiento de esta clase, la relación no puede ser laboral, porque juega la exclusión del artículo 1.3.*f*c) del Estatuto de los Trabajadores —en adelante ET— y ello es así aunque se intente superponer a esta relación otra laboral de alta dirección, por acuerdo de las partes o por vías de hecho, como la inclusión en la nómina o el alta en la Seguridad Social. Esta conclusión se impone, porque la misma relación no puede tener a la vez dos naturalezas y estar sometida a dos regulaciones que además son contradictorias, y porque la regla del artículo 1.3 c) ET resuelve esta concurrencia a favor de una regulación única de carácter mercantil. PAZ-ARES, C., [(«Ad imposibilia nemo tenetur (o por qué recelar de la novísima jurisprudencia sobre retribución de administradores»)], *InDret, Revista para el análisis del Derecho,* mayo de 2009, págs. 10 y 11) defiende que la doctrina del vínculo descansa en un error que es juzgar por el mismo rasero las formas simples de organizar la administración y las formas complejas. En las primeras, la función ejecutiva pertenece al cometido inherente al cargo de administrador, de ahí que no se admita la tesis de la doble relación ni de la doble retribución, pero no ocurre lo mismo en las formas complejas donde la función ejecutiva es atribuida a delegados que además desempeñan una función deliberativa.

[18]   Al respecto la SSTS de 9 de diciembre de 2009 *(Tol 1790508)* examinó la situación que se produce cuando un trabajador unido a la empresa por una relación especial de alta dirección, pasa a desempeñar un cargo societario, como miembro del consejo de administración. En la sentencia se dispone que «*Hay que tener en cuenta que las actividades de dirección, gestión, administración y representación de la sociedad son las actividades típicas y específicas de los órganos de administración de las compañías mercantiles, cualquiera que sea la forma que éstos revistan, bien se trate de Consejo de Administración, bien de administrador único, bien de cualquiera otra forma admitida por la ley (…). Por ello es equivocado y contrario a la verdadera esencia de los órganos de administración de la sociedad entender que los mismos se han de limitar a llevar a cabo funciones meramente consultivas o de simple consejo u orientación, pues, por el contrario, les compete la actuación directa y ejecutiva, el ejercicio de la gestión, la dirección y la representación de la compañía. Por consiguiente, todas estas actuaciones comportan la realización de cometidos inherentes a la condición de administradores de la sociedad y encajan plenamente en el desempeño del*

El problema que presentaba el principio de reserva estatutaria ha sido el excesivo rigor de la exigencia legal de determinación precisa del sistema de retribución de los administradores en los estatutos así como la rigurosidad con que la doctrina tradicional la ha interpretado. Todo ello convertía a la regulación positiva de esta materia en manifiestamente inidónea para afrontar la disciplina convencional en términos de eficiencia económica[19] y provocaba un evidente divorcio entre la regulación sustantiva de la legislación de sociedades de capital y la práctica[20], fundamentalmente en el

---

*cargo de consejero o miembro de los órganos de administración en las empresas que revistan la forma jurídica de sociedad, de ahí que se incardinen en el mencionado artículo 1.3, c) del Estatuto de los Trabajadores».* Teniendo presente los anteriores argumentos esta sala ha resuelto de forma reiterada [*vid.* SSTS de 29 de septiembre de 1988 *(Tol 2356780)*; 21 de enero de 1991 *(Tol 2426639)*; 18 de marzo de 1991 *(Tol 2425044)*; 29 de abril de 1991 *(Tol 2426308)*; 9 de mayo de 1991 *(Tol 2424005)*; 3 de junio de 1991 *(Tol 2424851)*; 27 de enero de 1992 *(Tol 5157582)*; 22 de diciembre de 1994 *(Tol 233382)*; 16 de junio de 1998 *(Tol 46731)*; 17 de julio de 2003 *(Tol 484361)*; 9 de diciembre de 2009 *(Tol 1781227)*; 24 de mayo de 2011 *(Tol 2175051)*;...] que en supuestos de desempeño simultáneo de actividades propias del Consejo de Administración de la Sociedad, y de alta dirección o gerencia de la empresa, lo que determina la calificación de la relación como mercantil o laboral, no es el contenido de las funciones que se realizan sino la naturaleza del vínculo, por lo que si existe una relación de integración orgánica, en el campo de la administración social, cuyas facultades se ejercitan directamente o mediante delegación interna, la relación no es laboral, sino mercantil, lo que conlleva a que, como regla general, sólo en los casos de relaciones de trabajo, en régimen de dependencia, pero no calificables de alta dirección sino como comunes, cabría admitir el desempeño simultáneo de cargos de administración de la sociedad y de una relación de carácter laboral.

[19]   *Vid.* FERNÁNDEZ DEL POZO, L., «Acerca de la supuesta autonomía del contrato remuneratorio de los consejeros ejecutivos en relación con los estatutos y con el acuerdo de junta del art. 217 LSC (Lo que no dice la Resolución DGRN de 30 de julio de 2015)», *Diario La Ley*, n° 8634, 28 de octubre de 2015, pág. 3.

[20]   Así lo advertía, PAZ-ARES, C., «El enigma de la retribución de los consejeros ejecutivos», *InDret, Revista para el análisis del Derecho*, enero de 2008, pág. 5. La flagrante contradicción de la teoría estándar con la realidad era recordada por la propia DGRN en su Resolución de 12 de abril de 2002 *(Tol 156958)*, en la que se señalaba expresamente que *«la práctica suele discurrir en este terreno al margen de toda previsión estatutaria»*, estableciéndose las retribuciones de los consejeros ejecutivos en *«contratos especiales simplemente aprobados por el consejo»*. Esta práctica era calificada como *contra legem, vid.* DOMÍNGUEZ, M. A., «Retribución de los administradores de las sociedades cotizadas. La Comisión de retribuciones», en RODRÍGUEZ ARTIGAS, F., y otros (dirs.), *Derecho de Sociedades Anónimas cotizadas*, vol. II, Madrid, 2005, pág. 1077.

ámbito de las sociedades cotizadas, en lo referente a la remuneración de los consejeros ejecutivos y altos directivos en virtud de contratos sin suficiente cobertura estatutaria.

Efectivamente, la necesidad de completar exhaustivamente, a través de las correspondientes cláusulas estatutarias, toda la disciplina referente a la remuneración de los administradores, dificultaba la adecuación del mecanismo retributivo a la situación de la sociedad en cada momento e impedía diferenciar entre administradores individualmente considerados en atención a las distintas funciones desempeñadas y los diferentes servicios prestados por cada uno de ellos. *Item* más, la doctrina de la DGRN tenía reiteradamente sentado que el principio de reserva estatutaria era incompatible con un mecanismo de fijación de varios sistemas alternativos de remuneración[21] lo que hacía prácticamente imposible adecuar el reparto de la retribución, en conjunto y por cada administrador, entre los diferentes conceptos o fuentes de remuneración.

No obstante, no debe obviarse que el principio de reserva estatutaria en las sociedades cerradas resultaba enormemente tuitivo de la posición del socio minoritario, posición que quedaba reforzada en el ámbito de las sociedades limitadas por aplicación de lo dispuesto en el artículo 220 LSC[22]. De conformidad con lo establecido en dicho precepto que continúa vigente y que no ha sido modificado, el contrato que regula la retribución por el desempeño de funciones ejecutivas, deberá contar con el acuerdo de la junta de socios.

---

[21]    Se entendía que de existir varios sistemas previstos en los estatutos, su aplicación debía hacerse siempre de forma cumulativa *cfr.* RDGRN de 20 de febrero, 26 de julio y 4 de octubre de 1991 (RJ 1991, 1690, 5448, 7492, respectivamente); 23 de febrero de 1993 *(Tol 274037)*; 15 de octubre de 1998 *(Tol 132508)*; 15, 18 y 21 de septiembre de 1999 (RJ 1999, 6470, 6897 y 6473, respectivamente); 15 de abril de 2000 *(Tol 119991)*; 30 de mayo de 2001 *(Tol 73532)*; 12 de abril de 2002 *(Tol 156958)*; 16 de febrero de 2013 *(Tol 3244101)*; 7 de marzo de 2013 *(Tol 3401148)*, 17 de junio de 2014 (RJ 2014, 4181) y 26 de septiembre de 2014 *(Tol 4535156)*. Diferente criterio defiende BLANQUER, R., «La retribución de los administradores, su constancia estatutaria y la atribución de facultades de concreción a la junta general», *cit.*, págs. 59 y ss.

[22]    FERNÁNDEZ DEL POZO, L., «El misterio de la remuneración de los administradores de las sociedades no cotizadas», *Revista de Derecho Mercantil (RDM)*, nº 297, julio-septiembre, 2015, págs. 199 y 200.

## 3. Tesis de Paz-Ares

Frente a esta postura mayoritaria, un autorizado sector de la doctrina española[23], ha venido defendiendo con argumentos bastantes convincentes, sobre todo, en el ámbito de las sociedades cotizadas, la tesis que, al parecer, ha inspirado la reforma operada por la Ley 31/2014. De conformidad con ella, las normas relativas a la retribución de los administradores previstas en los artículos 217 a 219 LSC y, de forma particular, el principio de determinación estatutaria contemplado en el apartado primero, del primero de los preceptos mencionados no se aplica a los consejeros ejecutivos resultando competente el consejo de administración y no la junta general para fijar la remuneración de tales consejeros. La premisa básica de la que parte esta postura es que «*el cometido inherente al cargo de administrador*» (lo que en la Ley 31/2014 se expresa con la función que realizan el administrador «*en su condición de tal*») no tiene un contenido único sino variable. Mientras que en las formas de administración simples (administrador único, mancomunados y solidarios) la realización de funciones ejecutivas resultan inherentes al propio cargo de administrador y, en consecuencia, deben quedar sometidas a la regla establecida en el artículo 217.1 LSC. Sin embargo, en las formas de administración complejas, en particular, en un consejo de administración, las únicas funciones que se consideran inherentes al cargo de consejero son las de supervisión y control (tales funciones aparecen tipificadas en el nuevo artículo 249 bis LSC como indelegables). De conformidad con esta postura, el desempeño de la función ejecutiva debe vincularse a la delegación de funciones establecida en el artículo 249 LSC, esto es, a que se atribuya expresamente esa competencia (ya sea vía delegación orgánica o por cualquier otro título ejecutivo). De esta forma, el consejero ejecutivo quedará unido a la sociedad por una doble relación. Una básica como consejero (relación de administración ordinaria) y otra adicional como delegado (relación de administración derivada). Esa doble vinculación obligará a reconocer a tales consejeros dos tipos de remuneraciones; a saber, la retribución de la función deliberativa, de control y supervisión que resultaría inherente al cargo de consejero y, en consecuencia, sometida a lo previsto en el artículo 217 LSC y la remuneración de la función ejecutiva como consejero delegado que, en tanto no es inherente al cargo de consejero, no debe quedar sometida a la exigencia de cobertura estatutaria. La regulación de esta retribución debe ubicarse en el artículo 249 LSC.

---

[23]   PAZ-ARES, C., «El enigma de la retribución de los consejeros ejecutivos», *cit.*, *passim*.

Entiende este sector doctrinal que la competencia para la fijación de la remuneración de los consejeros ejecutivos debe recaer en el consejo de administración ya que debe existir una correlación entre la potestad de nombramiento y la de fijación de la retribución. En consecuencia, la facultad del consejo para delegar funciones debe corresponderse con la potestad para negociar sus condiciones, entre las cuales se encuentra su remuneración. A través de estos planteamientos se extraen las siguientes conclusiones: 1) El principio de determinación estatutaria sólo resulta aplicable a aquellas actividades que resulten inherentes al cargo de administrador que en el caso de que el órgano de administración se estructure como un consejo sólo serán las de deliberación y control y, en consecuencia; 2) niega que las funciones ejecutivas que desempeñan los consejeros delegados o ejecutivos deban constar en los estatutos de la sociedad ni que tengan que ser aprobadas por la junta general; 3) correspondiendo al consejo de administración la fijación de la remuneración de los consejeros ejecutivos[24].

Esta postura es la que parece acoger la DGRN en las Resoluciones citadas.

## 4. El nuevo régimen de retribución de los consejeros delegados tras la reforma operada en la Ley de Sociedades de Capital por la Ley 31/2014

La nueva regulación introducida en la reforma de la Ley 31/2014 parece que ha venido a consagrar positivamente la tesis de Paz-Ares. El nuevo texto legal, acoge, de forma casi literal, la propuesta de modificaciones normativas del Informe de la Comisión de Expertos designada por arbitrio gubernativo, publicada el 14 de octubre de 2013[25] que abogaba claramente por la necesidad de reconocer «una regulación específica» para aquellos consejeros que, formando parte de un consejo de administración, desempeñan funciones ejecutivas, remuneración que en el Informe se concibe como adicional y sometida a una regulación distinta a la que puedan percibir por su mera pertenencia al consejo de administración (como consejeros «en su condición de tales»), cuya sede material debe buscarse en el scno de la delegación de funciones (art. 249.3 y 4 LSC y 529 *octodecies* LSC).

---

[24]   PAZ-ARES, C., «El enigma de la retribución de los consejeros ejecutivos», *cit.*, *passim*, especialmente págs. 22 a 31.

[25]   Este Informe se titula «Estudio sobre propuestas de modificaciones normativas», elaborado por la Comisión de Expertos en materia de Gobierno Corporativo (creada por Acuerdo del Consejo de Ministros, de 10 de mayo de 2013, publicado por Orden ECC/895/2013, de 21 de mayo), Madrid, 14 de octubre de 2013.

Esta Comisión también recogió entre sus propuestas la facultad del consejo de administración para fijar la retribución de los consejeros ejecutivos aclarando que en el caso del sistema de retribución de los consejeros que desempeñen funciones ejecutivas «*la fijación de su retribución corresponde al Consejo de Administración si bien, dada su trascendencia y los posibles conflictos de interés a los que puede dar lugar, resulta conveniente una regulación específica en la que se introduzcan las cautelas apropiadas, como la exigencia de mayoría reforzada o la abstención de los consejeros interesados y la previsión de que el consejo se circunscriba necesariamente en su actuación a las decisiones que, en su caso —ya que su intervención no es obligatoria en sociedades no cotizadas— adopte la junta*». Con base en esta regulación y apoyándose en la tesis de Paz-Ares[26] se defiende expresamente que «*estas retribuciones por el ejercicio de funciones ejecutivas son distintas o añadidas a las remuneraciones que corresponden a* los administradores "*en su condición de tales*"» cuyo importe máximo debe ser aprobado por la junta general (art. 217.3 LSC). De esta forma, el legislador ha querido mantener cierta autonomía del órgano de administración para establecer la retribución de las funciones ejecutivas, dejando fuera de esta decisión directa a los socios.

La Comisión de Expertos decidió no sólo abordar el problema de la remuneración de los administradores en las sociedades cotizadas sino, también modificar las normas aplicables a todas las sociedades de capital[27].

---

[26]    PAZ-ARES, C., «El enigma de la retribución de los consejeros ejecutivos», *cit.*, págs. 29 a 31.

[27]    Según la Comisión, «*es evidente la importancia de la política de remuneraciones de los consejeros en el sistema de gobierno corporativo de las sociedades de capital en general y de las sociedades cotizadas en particular. La preocupación por esta cuestión, generalizada en los países comparables y manifestada con claridad por la Unión Europea entre otros documentos, en su Libro Verde de 2011, se extiende a los siguientes aspectos: (i) su transparencia; (ii) su adecuación a las prácticas y cuantías de mercado y (iii) el procedimiento para su aprobación*». En consecuencia, «*se considera conveniente que la regulación legal incorpore especialidades en el régimen de remuneración de los consejeros; se debe distinguir entre aquellas que afectan a todo tipo de sociedades de capital, y, por tanto, tanto a cotizadas como no cotizadas, como a aquellas que resultan específicamente aplicables a las sociedades cotizadas*». Por su parte, «*también resulta necesario clarificar, con carácter general, el régimen de retribución de los administradores que, formando parte de un consejo de administración, desempeñen funciones ejecutivas (en virtud de un nuevo título, sea este de delegación orgánica, o contractual de facultades). La fijación de su retribución corresponde al Consejo de Administración si bien, dada su trascendencia y los posibles conflictos de interés a los que puede dar lugar, resulta conveniente una regulación específica en la que se introduzcan las cautelas apropiadas, como la exigencia de mayoría reforzada o la abstención de los consejeros interesados y la previsión de que el consejo se circunscriba necesariamente en su actuación*

En esta línea, la Ley 31/2014, no solamente ha modificado el régimen societario de la remuneración de los administradores de las sociedades cotizadas sino que ha dado una nueva redacción al artículo 217 LSC, precepto que resulta de aplicación general a todo tipo de sociedades. A este respecto, la nueva regulación contenida en el artículo 217 flexibiliza el rigor del principio de reserva estatutaria y la competencia de la junta queda limitada al papel de fijar una cantidad remunerativa máxima anual, correspondiendo al consejo la competencia para distribuirla. Además, no parece que existan argumentos para prohibir la fijación en los estatutos de un sistema que consista en la previsión de varios conceptos de aplicación no solo cumulativa sino, también, incluso, alternativa. Tampoco se deduce de la Ley la existencia de un *numerus clausus* de sistemas retributivos, aunque aparezca una enumeración de sistemas típicos en el artículo 217.2 LSC.

Parece inferirse de lo establecido en la nueva regulación que la previsión estatutaria que se exige para poder cumplir con el requisito de la determinación en los estatutos del sistema de remuneración *ex* artículos 23 e) *in fine* LSC y 217.1 y 2 LSC ya no es necesario que sea completa o exhaustivamente descriptiva de la remuneración individual. En lo no previsto en estatutos en cuanto a la remuneración de sus administradores, el órgano de administración es competente para el reparto o distribución de lo que corresponda a cada uno de ellos (*vid.* art. 217. 3 LSC inciso final) con respecto a lo previsto en esos mismos estatutos y en el correspondiente acuerdo de junta de fijación del importe máximo de la remuneración anual (art. 217.3 LSC inciso final).

Ahora bien, las partes pueden decidir establecer una regulación estatutaria minuciosa y completa[28].

---

*a las decisiones que, en su caso —ya que su intervención no es obligatoria en sociedades no cotizadas— adopte la junta. Para ello se propone, siguiendo el artículo 231.97.3 de la PCM, introducir un nuevo apartado 3 en el artículo 249 de la Ley de Sociedades de Capital que regule el régimen de aprobación y documentación de la retribución de consejeros por el desempeño adicional de funciones ejecutivas».*

[28]  Esto es lo que ocurre con la cláusula estatutaria cuya validez se discutía en el caso que motivó la Resolución de 30 de julio de 2015 *(Tol 5506969)*. Al respecto, lo recurrentes indican que la *«sociedad ha optado por incluir en los estatutos, en aras de una mayor transparencia, los sistemas de remuneración de los consejeros ejecutivos en el presente supuesto, a pesar de que la retribución de los consejeros ejecutivos ya no está sujeta al principio de reserva estatutaria, la Sociedad, voluntariamente, para proporcionar un mayor grado de transparencia y seguridad…».* No obstante, el Registrador reprocha la ilegalidad de la cláusula indicando en su nota que resulta imprecisa en la medida en que cinco eventuales conceptos retributivos de consejeros ejecutivos a percibir

Finalmente, y por lo que respecta, a las novedades previstas en el artículo 217 LSC, el apartado cuarto establece una cláusula de cierre en la que se consagra que la remuneración de los administradores debe ser adecuada. A diferencia de lo dispuesto en los apartados segundo y tercero, el cuarto no alude a los administradores en su condición de tales sino que hace referencia a los administradores de forma genérica. Por tanto, los acuerdos de la junta o del consejo que infrinjan el parámetro fijado en el artículo 217.4 LSC son impugnables por contrarios a la Ley y al interés social por abusiva. Se establece, por tanto, un mecanismo de tutela *ex post*.

En sede de cotizadas y en la misma línea que sus precedentes, el legislador reconoce expresamente la existencia de dos clases de remuneraciones separadas, una para los consejeros «*en su condición de tales*» (art. 529 *septdecies* LSC) y otra para los consejeros que desempeñen funciones ejecutivas (art. 529 *octodecies* LSC).

Ese mismo tratamiento diferenciado de la retribución de los administradores parece haberse incluido en el régimen general de su remuneración (arts. 217.2.3. LSC para los administradores «en su condición de tales» y art. 249.3 y 4 LSC para la remuneración de los consejeros ejecutivos). De acuerdo con esta regulación y con la interpretación que de ella se ha realizado, lo dispuesto en el artículo 217 LSC en relación con la previsión estatutaria sobre el carácter gratuito o remunerado del cargo, el concepto o los conceptos retributivos que integren el sistema de remuneración contenido en los estatutos y el acuerdo de la junta general que fije el importe máximo de la remuneración anual del conjunto de los administradores se aplica, como regla, a los administradores en su condición de tales (función deliberativa) pero no a la función ejecutiva. En relación a los consejeros

---

en «compensación» por esas funciones ejecutivas quedan discrecionalmente sujetos a que se den ciertas circunstancias expresadas en términos vagos y a la discreción en definitiva del correspondiente órgano social. Es decir, que no determina suficientemente el sistema de remuneración en atención a la rigurosa doctrina tradicional de la DGRN. Pues bien, entendemos, que incluso si se defiende que la reserva estatutaria alcanza o se extiende a los conceptos retributivos devengados por contrato y por el ejercicio de funciones ejecutivas (art. 249.3 LSC), el detalle de la cláusula era suficiente resultando excesiva la interpretación seguida por el Registrador en el caso que motiva el comentario. Así lo ha entendido también FERNÁNDEZ DEL POZO, L., «Acerca de la supuesta autonomía del contrato remuneratorio de los consejeros ejecutivos en relación con los estatutos y con el acuerdo de junta del art. 217 LSC (Lo que no dice la Resolución DGRN de 30 de julio de 2015)», *cit.*, págs. 2 y 5.

delegados, la sociedad está obligada a suscribir un contrato en el que se fije su remuneración y al que resulta de aplicación lo establecido en el artículo 249 LSC[29].

Esta regulación plantea la duda de si las razones que han conducido al legislador a establecer este sistema normativo sobre la base de las cuestiones dogmáticas que venían suscitándose en el ámbito de las sociedades cotizadas resultan trasladables a las no cotizadas, sobre todo si tenemos en cuenta que la reforma no ha previsto, como sí lo ha hecho cuando se trata de sociedades cotizadas, para la generalidad de las sociedades de capital mecanismos legales obligatorios que garanticen una adecuada transparencia y fiscalización por los socios de las remuneraciones de los consejeros ejecutivos[30].

En esta línea, para tutelar al socio minoritario de la sociedad cotizada, después de establecerse que la política de retribuciones de los consejeros determinará la remuneración de los consejeros «*en su condición de tales*», dentro del sistema previsto estatutariamente y que deberá incluir necesariamente el importe máximo de la remuneración anual a satisfacer al conjunto de los consejeros en aquella condición (art. 529 *septdecies*, apartado 1, de la LSC y art. 217.3 LSC), se añade que corresponde al consejo de administración fijar la retribución de los consejeros por el desempeño de funciones ejecutivas y los términos y condiciones de sus contratos con la sociedad de conformidad con lo dispuesto en el artículo 249.3 LSC y con la política de remuneraciones de los consejeros aprobada por la junta general (art. 529 *octodecies*, apartado 2). La política de retribuciones, ajustada al sistema de remuneración estatutario, «*se aprobará por la junta general de accionistas al menos cada tres años como punto separado del orden del día*» (art.

---

[29]   *Vid.* LEÓN SANZ, F. J., «Remuneración de los administradores (Artículo 217)» en *Comentario de la Reforma del Régimen de las Sociedades de Capital en materia de Gobierno Corporativo (Ley 31/2014) Sociedades no cotizadas,* (coord.) Juste Mencía, [Civitas], Pamplona, 2015, pág. 280.

[30]   CAMPINS, A., «Dudas interpretativas del nuevo régimen de remuneración de administradores en la Ley 31/2014», http://derechomercantilespana.blogspot.com.es., 9 de marzo de 2015. Al respecto, LEÓN SANZ, F. J., «Remuneración de los administradores (Artículo 217)», *cit.,* pág. 279, destaca que «*la opción seguida por el legislador español plantea incertidumbres en la interpretación del régimen de remuneración de los administradores en las sociedades no cotizadas. La reforma promovida por las instancias internacionales y europeas está dirigida a las sociedades cotizadas. Las sociedades cerradas presentan problemas específicos en esta materia… La problemática de los conflictos de socios que se dan en las sociedades cerradas y que, con frecuencia, resultan determinantes en la remuneración de los administradores son específicos de las sociedades cerradas*».

529 *novodecies*, apartado 1). La propuesta sobre la política de remuneraciones *«será motivada y deberá acompañarse de un informe específico de la comisión de nombramientos y retribuciones»*, estableciéndose que *«Ambos documentos se pondrán a disposición de los accionistas en la página web de la sociedad desde la convocatoria de la junta general, quienes podrán solicitar además su entrega o envío gratuito. El anuncio de la convocatoria de la junta general hará mención de este derecho»* (art. 529 *novodecies*, apartado 2). Además, cualquier modificación o sustitución de la política de remuneraciones durante el referido plazo de vigencia de tres años requerirá la previa aprobación de la junta general de accionistas conforme al procedimiento establecido para su aprobación (art. 529 *novodecies*, apartado 3). Por su parte, el consejo de administración de las sociedades anónimas cotizadas deberá elaborar y publicar anualmente un informe sobre remuneraciones de los consejeros, incluyendo las que perciban o deban percibir en su condición de tales y, en su caso, por el desempeño de funciones ejecutivas; este informe debe incluir información completa, clara y comprensible sobre la política de retribuciones de los consejeros aplicable al ejercicio en curso, e incluirá también, entre otros extremos, el detalle de las remuneraciones individuales devengadas por todos los conceptos por cada uno de los consejeros en dicho ejercicio; se difundirá como hecho relevante por la sociedad de forma simultánea al informe anual de gobierno corporativo, y se someterá a votación, con carácter consultivo y como punto separado del orden del día, a la junta ordinaria de accionistas (art. 541 LSC).

Pues bien, todo este sistema de tutela del minoritario que pretende prevenir el abuso del mayoritario de su posición de control en perjuicio del interés social, está ausente en la regulación de las no cotizadas, con lo cual su posición resulta debilitada[31]. En la nueva regulación su tutela se sus-

---

[31]    En este sentido, FERNÁNDEZ DEL POZO, L., «El misterio de la remuneración de los administradores…», *cit.*, págs. 211 y 212, ha destacado que con la reforma introducida por la Ley 31/2014, para tratar de poner remedio a la regulación anterior que permitía constatar un palmario divorcio, muy notable en sociedades cotizadas entre la práctica de los negocios y el Derecho sustantivo o material contenido en la legislación de sociedades, el legislador «ha venido en desnudar un santo (las no cotizadas) para vestir otro (las cotizadas)». Explica este autor que *«Para acomodar al Derecho de sociedades las prácticas contractuales digamos ("alegales") que eran habituales en cotizadas, se ha reformado la Ley de Sociedades de Capital para todas ellas, cotizadas y no cotizadas, con la consecuencia de que, al no ser aplicables a las que no son cotizadas, las "cautelas fuertes" para conjurar los abusos y extralimitaciones de la mayoría, se produce un notable malbaratamiento del régimen tuitivo de la mayoría».* A este respecto, este autor en la pág. 233 del trabajo citado, señala expresamente que

tancia *ex post* mediante la impugnación de fijaciones extravagantes —art. 217.4— y el contenido legal mínimo del acuerdo de junta *ex* artículo 217.3 LSC no está bien diseñado.

Al respecto, se ha destacado que existe una cierta laguna regulatoria en el ámbito de las sociedades no cotizadas ya que en las cotizadas, la junta sí se pronuncia sobre la remuneración de los administradores *«por el desempeño de funciones ejecutivas»*, pero la cuestión no está tan clara en sociedades no cotizadas: el artículo 529 *septdecies* LSC, sí exige un pronunciamiento sobre esos aspectos remuneratorios de los consejeros ejecutivos, pero no es aplicable a las no cotizadas[32]. Se entiende, a nuestro juicio con razón, que hubiese sido más lógico en este tipo de sociedades, exigir por la Ley un pronunciamiento expreso anual y no trianual, normalmente en la junta ordinaria del ejercicio, sobre la política de remuneraciones aplicable al ejercicio siguiente, con un contenido legal mínimo equivalente al previsto para el acuerdo de aprobación de la política de remuneraciones de cotizadas[33]. Se podría, incluso, haber extendido las previsiones contempladas en los artículos 529 *octodecies* y *novodecies* al resto de las sociedades de capital. Además, dado que con la nueva regulación se deja fuera del acuerdo de junta *ex* artículo 217.3 LSC todo lo relativo a la remuneración por la vía del artículo 249 LSC, resultará no solo que la transparencia y la intervención del socio quedan sustancialmente mermadas en sociedades no cotizadas, en sus aspectos cualitativo y cuantitativo (la más cuantiosa dentro del paquete global de la remuneración), sino que son variables en función de la estructura y diseño del órgano de administración[34].

---

*«Por desgracia, bajo el nuevo régimen legal de la Ley 31/2014, su posición jurídica, la del socio minoritario, es severamente peor que bajo el régimen precedente: (i) La incorrección o insuficiencia de la información facilitada por la sociedad en respuesta al ejercicio del derecho de información con anterioridad a la junta no constituye por regla general motivo para impugnar el correspondiente acuerdo a menos que pase el "filtro de relevancia" ex artículo 204.3 b) Ley de Sociedades de Capital; (ii) La vulneración del derecho de información instado durante la celebración de la junta solo faculta para exigir el cumplimiento de la obligación de la información y a exigir perjuicios ex artículo 197.4 Ley de Sociedades de Capital; (iii) El socio minoritario puede, según la Ley, ser tenido por responsables de los perjuicios irrogados a la sociedad si hace utilización abusiva de la información.»*

[32]  FERNÁNDEZ DEL POZO, L., «El misterio de la remuneración de los administradores...», *cit.*, págs. 230 y 231.

[33]  *Vid.* FERNÁNDEZ DEL POZO, L., «El misterio de la remuneración de los administradores...», *cit.*, pág. 233.

[34]  FERNÁNDEZ DEL POZO, L., «El misterio de la remuneración de los administradores...», *cit.*, págs. 244 a 246.

Este régimen conduce a una severa incoherencia valorativa del sistema de protección legal de la tutela de la posición del minoritario y que se aprecia muy bien en el ámbito de las sociedades limitadas (arts. 190 y 220 LSC), razón por la cual se ha propuesto una interpretación cumulativa de lo establecido en el artículo 249 y de lo previsto en el 217.3 LSC. De conformidad con ella, los consejeros que aprueban el contrato del artículo 249 LSC deben tener en cuenta las cantidades acordadas por la junta para toda la remuneración anual en globo de los administradores. De forma que ellos no puedan atribuirse una retribución excedentaria a menos que exista cobertura suficiente en el acuerdo de la junta[35].

## III. ¿FIN DEL REFLEJO ESTATUTARIO DE LA REMUNERACIÓN DE LOS CONSEJEROS DELEGADOS O CON FUNCIONES EJECUTIVAS? CONCLUSIONES

Es cierto, que la nueva regulación provoca importantes disfunciones, dudas interpretativas y que, en algunos aspectos, como el señalado (protección del minoritario) resulta bastante criticable. También puede censurarse, desde un punto de vista dogmático, por carente de lógica, que se haya sustraído la retribución de los consejeros ejecutivos al principio de reserva estatutaria (*ex* art. 217. 1 y 2 LSC) y al límite del importe máximo anual fijado por la junta contemplado en el art. 217.3 LSC. Algo que, como acabamos de analizar, resulta especialmente grave en las sociedades no cotizadas, pero es lo que se deduce de la interpretación literal y sistemática de la nueva regulación. De conformidad con ella, la remuneración de los administradores «*en su condición de tales*» a que se refieren los párrafos dos y tres del artículo 217 LSC no se extiende a la posible remuneración que acaso perciban los consejeros ejecutivos y que nace en virtud del contrato a

---

[35]    *Vid.* en este sentido, FERNÁNDEZ DEL POZO, L., «Acerca de la supuesta autonomía del contrato remuneratorio de los consejeros ejecutivos...», *cit.*, págs. 10 y 11, quien defiende que el contrato del artículo 249 de la Ley de Sociedades de Capital debe contar con la suficiente habilitación estatutaria y respetar el techo del gasto fijado por la junta en aplicación de lo dispuesto en el artículo 217.3 de la Ley de Sociedades de Capital. Curiosamente la DGRN en la Resolución comentada parece dar por supuesto que una sociedad no cotizada (como la del caso) debe reunir a la junta para aprobar la «política de remuneraciones» olvidando que el artículo 529.1 *novodecies* no se aplica a estas sociedades. La junta de una sociedad no cotizada no tiene *ex* artículo 217.3 LSC ningún título legal para controlar la remuneración por el desempeño de funciones ejecutivas.

que se refiere el artículo 249.3 LSC. Es lo que dice la Ley y aunque resulte discutible, puesto que tanto la transparencia como la protección del minoritario resultan sustancialmente mermadas en las sociedades no cotizadas no podemos realizar una interpretación que vaya en contra del tenor legal por muchas disfunciones que pueda provocar. No cabe duda, tal y como ha destacado algún autor[36], que la interpretación propuesta resulta contraria a la propia finalidad de la reforma según el propósito declarado por el propio legislador según el cual, «*(con) las modificaciones relativas a la junta general de accionistas, se pretende con carácter general reforzar su papel y abrir cauces para fomentar la participación accionarial*»[37] puesto que pasar de un sistema en el que existía congelación de rango y rigor estatutario en la concreción de la remuneración de administradores a otro en el que los socios no tienen nada que decir sobre remuneraciones extra estatutarias por funciones ejecutivas no es un buen ejemplo del propósito del legislador. Incluso más, desde la perspectiva de la tutela del socio minoritario, esta tesis, conduce a una gran incoherencia valorativa del sistema de protección legal de los intereses en juego.

El problema que se plantea con la nueva regulación incorporada por la Ley 31/2014, para las sociedades no cotizadas, es la ausencia de mecanismos legales obligatorios que garanticen un adecuado control y transparencia por parte de los socios respecto de las retribuciones de sus consejeros ejecutivos. Mecanismos que como ya hemos analizado sí se prevén para el caso de sociedades cotizadas. De la literalidad de los artículos 217 y 249 LSC se desprende que ante la ausencia de una cláusula estatutaria de retribución o incluso ante la previsión de la gratuidad del cargo de administrador, los socios podrían encontrarse con desconocidas y cuantiosas remuneraciones pactadas en los contratos de los consejeros ejecutivos[38].

---

[36]    FERNÁNDEZ DEL POZO, L., «Acerca de la supuesta autonomía del contrato remuneratorio…», *cit.*, pág. 9.

[37]    Apartado IV del Preámbulo de la Ley 31/2014, de 3 de diciembre.

[38]    Así lo ha señalado acertadamente CAMPINS, A., «Dudas interpretativas del nuevo régimen de remuneración de administradores en la Ley 31/2014», *cit.*, pág. 2, quien, además destaca que «*los socios pueden solucionar el problema adoptando medidas dirigidas a garantizar el conocimiento de sus socios y accionistas de las remuneraciones que perciban sus consejeros. Los arts. 160 j) y 161 LSC ofrecen dos buenas herramientas para ello. Así, por ejemplo, podría establecerse en los estatutos la obligación de someter a ratificación de la junta general los contratos aprobados y firmados por el consejo de administración (ex art. 160 j) LSC) o la junta podría impartir instrucciones al órgano de administración que se concretarán en la fijación de una "política de remuneraciones", parecida a las de las cotizadas, que limitara la discrecionalidad del consejo en esta materia (arg. ex art. 249.4 i.f.*

No resulta lógico que el montante principal de la remuneración de los administradores quede estatutariamente oculto. Por esa razón, propone que el contrato del artículo 249 LSC debe contar con suficiente habilitación estatutaria y respetar el techo de gasto fijado por la junta en aplicación de lo previsto en el artículo 217.3 LSC. Si el límite fijado no es suficiente para cubrir las remuneraciones contractuales pactadas en el contrato, deberá convocarse junta general y que se den razones[39]. Puede carecer de lógica la solución legalmente prevista porque el grueso de la retribución de los administradores resulta estatutariamente opaca, carente de la necesaria transparencia en las sociedades no cotizadas pero es lo que resulta del texto legal. Ante tal regulación los socios siempre tienen la posibilidad de solicitar en la junta que se exhiba el contrato firmado con el consejero delegado y su protección frente a las remuneraciones excesivas podrá articularse a través de la responsabilidad del consejo que, en caso de que proceda, deberá reintegrar a la sociedad las cantidades excesivas.

El nuevo sistema, sobre todo en el ámbito de las sociedades no cotizadas, es cuando menos discutible y reprobable, pero eso no autoriza para realizar una interpretación de la ley ignorando lo que establece expresamente.

Con la reforma operada es posible afirmar que el principio de reserva estatutaria no alcanza a los conceptos retributivos devengados en virtud del desempeño de funciones ejecutivas y en aplicación del contrato contemplado en el artículo 249.3 LSC y que, incluso, queda superada la doctrina del vínculo[40]. Sin embargo, entendemos que dado el encuadramiento laboral de dicha doctrina, habrá que esperar para que el orden jurisdiccional social se pronuncie al respecto.

La DGRN en la Resolución de 30 de julio de 2015 ha intentado aclarar, como hemos visto, que tan solo es exigible la constancia estatutaria de la remuneración de los consejeros por sus funciones deliberativas y de control, no resultando necesario el reflejo estatutario de la remuneración de los consejeros delegados o que ejerzan funciones ejecutivas por el desempeño

---

*LSC). Pero la cuestión es que estas son decisiones que competen a la mayoría de los socios y es probable que esa mayoría, que es la que está representada en el órgano de administración que nombra a los consejeros ejecutivos no esté dispuesta a utilizar estas herramientas para proporcionar al resto de socios el detalle de la remuneración de sus consejeros ejecutivos».*

[39]   FERNÁNDEZ DEL POZO, L., «Acerca de la supuesta autonomía del contrato remuneratorio…», *cit.*, pág. 11.

[40]   Así lo ha entendido CAMPINS, E., «Dudas interpretativas del nuevo régimen de remuneración de administradores en la Ley 31/2014», *cit.*, pág. 3.

de las mismas. De esta forma, y sin profundizar demasiado, parece que ha pretendido eliminar la reserva estatutaria para la remuneración de las funciones ejecutivas[41].

Se ha destacado, a nuestro juicio acertadamente, que tanto en el recurso que estima la DGRN como del discurso de la propia Dirección General en la citada Resolución puede verse que se está soslayando un dato fundamental: que la sociedad en cuestión objeto del recurso no era una sociedad cotizada. Sin embargo, da por supuesto que una sociedad no cotizada debe reunir a su junta para aprobar la «política de remuneraciones» cuando el artículo 529.1 *novodecies* no se aplica a aquéllas[42].

---

[41]    Este Centro Directivo señala expresamente que «*de la literalidad del artículo 249 de la Ley de Sociedades de capital se deduce que es necesario que se celebre un contrato entre el administrador ejecutivo y la sociedad, que debe ser aprobado previamente por el consejo de administración con los requisitos que establece dicho precepto. Es en este contrato en el que se detallarán todos los conceptos por los que pueda obtener una retribución por el desempeño de funciones ejecutivas, incluyendo, en su caso, la eventual indemnización por cese anticipado en dichas funciones y las cantidades a abonar por la sociedad en concepto de primas de seguro o de contribución a sistemas de ahorro. Y, dicho contrato, de acuerdo con el último inciso del artículo 249.4 "…deberá ser conforme con la política de retribuciones aprobada, en su caso, por la junta general".*
*Consecuentemente el recurso ha de ser estimado, pues es en este específico contrato en el que deberá detallarse la retribución del administrador ejecutivo. El artículo 249.4 exige que la política de retribuciones sea aprobada, en su caso, por la junta general, pero esa política de retribuciones detallada, como exige el registrador, no necesariamente debe constar en los estatutos.*»
De este párrafo, FERNÁNDEZ DEL POZO, L., «Acerca de la supuesta autonomía del contrato remuneratorio…», *cit.*, pág. 5, destaca que la DGRN parece describir un cierto sistema de fuentes regulatorias de la remuneración de los consejeros ejecutivos por el desempeño de funciones ejecutivas. Según este autor el Centro Directivo establece claramente que no debe constar en estatutos «la política de retribuciones». Pero no dice que el paquete retributivo que remunera la prestación de funciones ejecutivas pueda ser completamente extra estatutaria; que la junta, en su caso, aprueba «la política de retribuciones» ¡en una no cotizada!; que en el contrato aprobado por el consejo con los consejeros ejecutivos y regulado en el artículo 249.2 LSC «se detallarán todos los conceptos por los que pueda obtener una retribución por el desempeño de funciones ejecutivas» Dicho detalle se ajusta a lo que apruebe la junta en relación con «la política de retribuciones» (lo que sí dice) y, suponemos, lo que se establezca en estatutos (lo que no se dice).

[42]    FERNÁNDEZ DEL POZO, L., «Acerca de la supuesta autonomía del contrato remuneratorio de los consejeros ejecutivos…», *cit.*, pág. 3. Este autor advierte que el despiste no es trivial puesto que de conformidad con el artículo 529 *octodecies* de la Ley de Sociedades de Capital se obliga a la junta de una cotizada a resolver sobre «todo el paquete retributivo de los consejeros ejecutivos» mientras que en no cotizadas la

La DGRN no acoge expresamente los argumentos del recurrente ni los hace propio. No obstante, creemos que el verdadero motivo por el que este Centro Directivo termina por estimar el recurso es porque entiende que no existe reserva estatutaria en cuanto a las remuneraciones por el desempeño de funciones ejecutivas. Frente a la controversia suscitada sobre el necesario reflejo estatutario de la remuneración que los consejeros delegados o con funciones ejecutivas percibiesen por el desempeño de tales funciones ejecutivas, distintas de las deliberativas, la Dirección General mediante la Resolución comentada ha admitido la dualidad de funciones y de retribuciones, permitiendo que la remuneración de los consejeros delegados o con funciones ejecutivas no conste en los estatutos sociales.

No obstante, y como ya hemos destacado, puede resultar criticable la opción seguida por el legislador, sobre todo en el ámbito de las sociedades no cotizadas pero es la regla que se deduce de la interpretación literal, sistemática y teleológica de la Ley, ahora reforzada por la doctrina sentada por la DGRN. Existen de *lege data* importantes disfunciones provocadas por la nueva regulación pero eso no nos legitima para realizar una interpretación que se aparte de lo dispuesto en el tenor normativo. Cuestión distinta es que pueda proponerse su modificación como propuesta de *lege ferenda*. Es cierto que en las sociedades cerradas, el conjunto de los socios ejerce un control efectivo de la gestión social y decide sobre las remuneraciones de los administradores que pueden motivar una importante desprotección del socio minoritario. Por eso, podría considerarse adecuado incluir el marco retributivo de los consejeros delegados por sus funciones ejecutivas en los estatutos para que la junta pueda ejercer un mayor control en relación con el sistema de retribución de los consejeros ejecutivos. Lo cierto es que resulta evidente que a la complejidad de la regulación y aplicación práctica del tema de la retribución de los administradores hay que añadir una cierta inseguridad jurídica en la aplicación de la nueva normativa.

---

junta anual del artículo 217.3 de la Ley de Sociedades de Capital se pronuncia sobre las remuneraciones de los administradores «en concepto de tales» no existiendo según la doctrina ningún título legal que permita controlar la remuneración por el desempeño de funciones ejecutivas, lo cual le resulta un disparate.

## Bibliografía

BLANQUER, R., *«La retribución de los administradores, su constancia estatutaria y la atribución de las facultades de concreción a la junta general»*, Revista de Derecho Mercantil (RDM), núm. 211-212, 1994.

DOMÍNGUEZ, M. A., «Retribución de los administradores de las sociedades cotizadas. La Comisión de retribuciones», en RODRÍGUEZ ARTIGAS, F., y otros (dirs.), *Derecho de Sociedades Anónimas cotizadas*, vol. II, Madrid, 2005.

FERNÁNDEZ DEL POZO, L.,«El misterio de la remuneración de los administradores de las sociedades no cotizadas», *Revista de Derecho Mercantil (RDM)*, n° 297, julio-septiembre, 2015.

— «Acerca de la supuesta autonomía del contrato remuneratorio de los consejeros ejecutivos en relación con los estatutos y con el acuerdo de junta del art. 217 LSC (Lo que no dice la Resolución DGRN de 30 de julio de 2015)», *Diario La Ley*, n° 8634, 28 de octubre de 2015.

GARRIGUES, J./URÍA, R., *Comentario a la Ley de Sociedades Anónimas*, vol. II, 3ª ed., Madrid, 1976.

LEÓN SANZ, F. J., «Remuneración de los administradores (Artículo 217)» en *Comentario de la Reforma del Régimen de las Sociedades de Capital en materia de Gobierno Corporativo (Ley 31/2014) Sociedades no cotizadas*, (coord.) Juste Mencía, [Civitas], Pamplona, 2015.

PAZ-ARES, C., «El enigma de la retribución de los consejeros ejecutivos», *InDret, Revista para el análisis del Derecho*, enero de 2008.

— [(«Ad impossibilia nemo tenetur (o por qué recelar de la novísima jurisprudencia sobre retribución de administradores»)], *InDret, Revista para el análisis del Derecho*, mayo de 2009.

POLO, E., «Los administradores y el consejo de administración de la sociedad anónima», en *Comentario al régimen legal de las sociedades mercantiles*, (dirs.) URÍA/MENÉNDEZ/OLIVENCIA, vol. IV, Madrid, 1992.

SÁNCHEZ CALERO, F., *Los administradores de las sociedades de capital*, Madrid, 2005.

## Webgrafía

CAMPINS, A., «Dudas interpretativas del nuevo régimen de remuneración de administradores en la Ley 31/2014», http://derechomercantilespana.blogspot.com.es., 9 de marzo de 2015.

# 44. Retribución del órgano de administración fijada en sede de pactos parasociales: validez; exigibilidad, impugnación de acuerdos sociales contrarios a los pactos por retribuciones tóxicas y responsabilidad

ANTONIO IBARRA LÓPEZ

*Socio Director AIA Abogados&Asesores*

**Sumario:** I. CONTENIDO PACTOS PARASOCIALES FIRMADOS. 1. Introducción. 2. Retribución contractual pactada y acontecimiento. II. VALIDEZ, VIGENCIA Y EFICACIA DE LOS PACTOS FIRMADOS. 1. Naturaleza jurídica. 2. Pactos omnilaterales. 3. Fecha efectos de los pactos. III. ATACABILIDAD DE LA RETRIBUCIÓN. 1. Retribución contraria a los pactos: toxicidad. 2. Nulidad acuerdos: impugnación art. 217.4 LSC. 3. Nulidad acuerdos: impugnación art. 190 LSC. 4. Nulidad acuerdos por incumplimiento de los pactos. 5. Responsabilidad de los administradores.

## I. CONTENIDO PACTOS PARASOCIALES FIRMADOS

### 1. Introducción

En la presente comunicación se analiza un supuesto práctico y real relacionado con la eficacia y validez de la retribución del órgano de administración fijada en sede de pactos parasociales, sin que se haya producido la modificación de estatutos fruto de los acuerdos establecidos en dichos pactos. A continuación analizamos la validez de los acuerdos posteriores adoptados en Junta de Accionistas en contra de los acuerdos de retribución fijados en los pactos, y máxime cuando estas nuevas retribuciones están por encima del mercado, pudiendo ser excesiva o «toxicas».

Pasando a analizar los requisitos de esa «toxicidad» y las vías procesales para hacer valer la retribución pactada por la impugnación de los acuerdos sociales contrarios a los pactos y la exigencia de responsabilidades. Por lo que no espere el lector encontrar disquisiciones o reflexiones jurídicas abstractas, sino más bien la aplicación de la normativa y jurisprudencia a una caso práctico complejo y real.

Todo lo anterior llevará un desarrollo de la remuneración fijada al administrador y su proporción con la importancia de la sociedad y empresas comparables a efectos del artículo 217 LSC y Sentencias del Tribunal Supremo.

Asimismo en relación con la retribución se analizará la fuerza de los pactos y su vinculación para con los socios y la sociedad, así como la vulneración de los mismos y sus consecuencias.

Para terminar con la impugnación de los acuerdos sociales que fijan una retribución en contra de los pactos, analizando la responsabilidad del órgano de administración, así como el abuso o no de mayorías con el que se adoptan esos acuerdos, lesionando el interés social.

## 2. *Retribución contractual pactada y acontecimiento*

En una empresa familiar, en adelante la empresa, los dos hermanos y las dos hermanas (minoritarias con un 40%), que representaban el 100% del accionariado y además todos ellos miembros del Consejo de Administración, y sin que hubiera otros miembros terceros que formasen parte del consejo, firman en documento privado de pactos parasociales en las que se fija entre otros acuerdos diversos (un nuevo reparto de porcentajes de % del accionariado entre hermanos, derechos de trabajo en la empresa de los hermanos y de sus hijos, refuerzo de mayorías para determinados aspectos) y el siguiente que es objeto de la presente:

*«La remuneración de los miembros del Consejo de Administración de la sociedad del que deberán formar parte, necesariamente, los cuatro hermanos (o la persona que cada uno de ellos o sus herederos designen), y que será de 36.000 euros anuales, cantidad que, cada año, se incrementará en el IPC del ejercicio anterior. La retribución se abonara como dieta por asistencia, de modo que ello será requisito indispensable para su cobro».*

Estos pactos se firman en documento privado el 25 de octubre de 2005. Fueron protocolizados mediante acta notarial otorgada Murcia el día 7 de enero de 2006. En la que expresamente en el acta se añade que todos *«ratifican en el contenido de los acuerdos y se obligan a su inmediato cumplimiento para lo cual prestan en la presente su conformidad. Esta conformidad implica los pactos de sindicación precisos para que en los acuerdos de Junta a adoptar en las diversas sociedades se de cumplimiento exacto al contenido del convenio protocolizado».*

El tiempo pasaba, y los dos hermanos con el poder que les daba su mayoría, daban excusas y siempre había un pretexto para que no se aplicaran los pactos parasociales. Por lo que después de varios requerimientos por burofax y actas notariales en 2007 y 2008, se presentó demanda en el juzgado nº 13 de 1ª instancia de Murcia en el año 2010, resuelto por Sentencia de 23 de junio de 2011. Dicha Sentencia señala que «*Debo declarar y declaro la plena validez, vigencia y eficacia de los pactos parasociales suscritos…*»

Sentencia que es recurrida por los dos hermanos en apelación y el 11 de junio de 2012 se dicta Sentencia por la Audiencia Provincial de Murcia, nº 292/2012: «*Debo declarar y declaro la plena validez, vigencia y eficacia de los pactos parasociales suscritos*» en 2005 y elevados a público mediante acta notarial en 2006.

Sentencia que a su vez es recurrida en casación por los dos hermanos ante el Tribunal Supremo y que es resuelto la Sala de lo Civil, la Sentencia nº 306/2014 de 16 de junio de 2014.

Entre tanto, y mientras transcurre el procedimiento, incluso con los pronunciamientos en contra de las hermanas minoritarias, los dos hermanos con la fuerza que le dan la mayoría siguen sin darle validez a los pactos y adoptan los siguientes acuerdos:

a. **Cese del Consejo:** En Junta General Ordinaria de 15 de junio de 2010, una vez presentada la demanda de instancia, se acordó cesar la totalidad de los miembros del Consejo de Administración formado por los cuatro hermanos y, a continuación, en contra de los pactos, nombrar como administrador único a uno de los hermanos todo ello con el voto en contra de las dos hermanas quienes hicieron constar en el acta su oposición por vulneración del contenido de los pactos.

b. **Retribución del órgano de administracion 2011:** En Junta General Extraordinaria el 13 de diciembre de 2011, después ya de la Sentencia de instancia de 23 de junio de 2011 favorable a las hermanas, se acuerda la modificación de los estatutos sociales con el fin de reformar el sistema de retribución de los miembros del órgano de administración y asimismo se acuerda la remuneración del administrador único en relación con el presente ejercicio social (2011) por más de 780.000 euros anuales, **cuando apenas si faltaban 17 días para terminar dicho año.** Acuerdos que se aprueba, con la oposición expresa de las dos hermanas.

c. **Retribución del órgano de administración 2012 y siguientes:** Después de la Sentencia de la AP de Murcia de 2012, en Junta Generales se aprobó para el ejercicio 2012, la retribución del administrador único en 930.005 euros; para el 2013 en la cantidad de 975.390 €; para el ejercicio 2014 la cantidad de 975.444,68 €; para el ejercicio 2015 de 980.231,50€ y para el 2016 de 985.692,45€. En todos los casos, con la oposición expresa de las hermanas.

Las hermanas en la confianza de que los hermanos cumplirían los acuerdos, y que los padres fundadores de la empresa vivían ambos, deciden por prudencia y por cautela, esperar a tener Sentencia firme del Supremo para recurrir y ejercer sus derechos, ante estos acuerdos posiblemente adoptados con abusivo de las mayorías de los hermanos y sin duda con mala fe.

## II. VALIDEZ, VIGENCIA Y EFICACIA DE LOS PACTOS FIRMADOS

Desde el 23 de junio de 2011, fecha en la que se dicta la Sentencia de instancia hasta julio de 2014 en la que se dicta la del TS, pasando en 2012 por la de la AP de Murcia, se ha mantenido incuestionablemente la plena validez, vigencia y eficacia de los pactos, por lo que los efectos y consecuencias de esa plena validez, vigencia y eficacia serían:

### 1. Naturaleza jurídica

En cuanto a **la naturaleza jurídica de los pactos parasociales,** señalar que en nuestro ordenamiento no hay una normativa específica aplicable a este tipo de pactos; por ello y, puesto que la naturaleza de los mismos es contractual, se debe acudir a la regulación general de los contratos prevista en el Código Civil, en particular al incardinarse en el Derecho Civil de obligaciones son aplicables todos los mecanismos del Derecho Común en orden a la eficacia y cumplimiento.

Por tanto, son de aplicación a nuestro caso, los artículos 1091 CC, que dispone: «*Las obligaciones que nacen de los contratos tienen fuerza de ley entre las partes contratantes*» y artículo 1113 CC, el cual en su párrafo primero dice: «*Serán exigibles desde luego toda obligación cuyo cumplimiento no dependa de un suceso futuro o incierto, o de un suceso pasado, que los interesados ignoren*».

Lo cual determina que las obligaciones que derivan de un pacto parasocial, de naturaleza contractual, **desde que concurre el consentimiento que produce la perfección de aquel (ex artículos 1261, 1254 y 1258 CC) son plenamente exigibles,** salvo la existencia de vínculo condicional suspensivo, que no es el caso en el contenido de nuestros pactos. Recordemos que en el acta notarial de protocolización de los pactos en el año 2006 se firmó, literalmente: «*ratifican en el contenido de los acuerdos y se obligan a su* *inmediato cumplimiento para lo cual prestan en la presente su conformidad. Esta conformidad implica los pactos de sindicación precisos para que en los acuerdos de Junta a adoptar en las diversas sociedades se de cumplimiento exacto al contenido del convenio protocolizado».*

En este sentido se pronunció la Sentencia del Juzgado de lo Mercantil número 3 de Madrid, número 246/2013, de 30 de octubre: *«...Eficacia contractual de los pactos parasociales.- Los acuerdos parasociales son válidos en cuanto contrato entre socios y, como tales, protegidos por el reconocimiento constitucional y legal de la autonomía privada» (arts. 10 CE y 1255 CC).*

## 2. Pactos omnilaterales

**Consideración sobre el carácter de «pacto omnilateral»:** Entendemos relevante, hacer una distinción entre los pactos extra estatutarios o parasociales acordados por algunos socios y los otorgados **por todos los socios y administradores** (cuál es nuestro caso), a los que se vienen llamado *«pactos omnilaterales».* Sobre estos últimos se ha dicho que conforman, junto con los estatutos, el ordenamiento de la persona jurídica y por tanto tal carácter «omnilateral» determina que el pacto cuya ejecución se pretende, tenga además de la indiscutida eficacia inter partes, también plenos efectos en la propia Sociedad, y, por tanto, en sus órganos legales y estatutarios como son la junta general y el administrador o administradores.

El Catedrático Cándido Paz-Ares concluye que los pactos parasociales son **oponibles a la sociedad cuando todos los socios forman parte de los mismos.** Convirtiéndose de este modo en ley entre las partes. Nosotros añadimos que nuestros pactos no sólo están firmados por todos los socios, sino por todos los administradores y en el seno de la familia en una empresa cerrada con acciones nominativas.

Asimismo el artículo «Los pactos parasociales de todos los socios en derecho español» de la profesora Sáez Lacave señala que *«los acuerdos de todos los accionistas son un complemento del contrato social, de forma que estatutos y pactos juntos, conforman un contrato más completo de sociedad...».*

Para Justino Duque Domínguez las consecuencias de las normas contractuales de los negocios parasociales pueden modificar la aplicación de las normas estatutarias cuando los acuerdos extrasocietarios han sido celebrados por todos los socios.

En la jurisprudencia, la STS de 6 de marzo de 2009 (nº 138/2009), citando la de 2 de marzo de 2009, recuerda que *«los pactos parasociales, me-*

*diante los cuales los socios pretenden regular, con la fuerza del vínculo obligatorio entre ellos, aspectos de la relación jurídica societaria sin utilizar los cauces especí-ficamente previstos en la ley y los estatutos, son válidos siempre que no superen los límites impuestos a la autonomía de la voluntad, **y la jurisprudencia los ha tomado en consideración como negocios jurídicos válidos** (entre otras, en las Sentencias de 27 de septiembre de 1961, 10 de noviembre de 1962, 28 de septiembre de 1965, 24 de septiembre de 1987, 26 de febrero de 1991, 10 de febrero de 1992, 18 de marzo de 2002, 19 de diciembre de 2007 y 10 de diciembre de 2008)...».*

Así pues, visto lo anterior, nuestros pactos que han sido firmados por todos los socios y administradores son «pactos omnilaterales» por lo que nuestra doctrina y nuestra jurisprudencia mantiene que conforman, junto con los estatutos, el ordenamiento de la persona jurídica y por tanto tal carácter «omnilateral» determina que el pacto, **tenga además de la indiscu-tida eficacia inter partes, también plenos efectos en la propia Sociedad, y, por tanto, en sus órganos legales y estatutarios como son la junta general y el administrador o administradores.**

Se pueden alegar muchas cosas contra los pactos parasociales, pero frente a nuestro caso concreto, no cabe que solo surten efectos entre las partes que los otorgan (1.257 CC), se no se puede alegar que son reserva-dos y que por lo tanto no surten efecto frente a la sociedad (art. 29 de la Ley Sociedades de Capital); no se podría alegar que los pactos no surten efectos frente a los consejeros (Sentencia 246/2013 del Mercantil nº 3 de Madrid) y muchas más sentencias pero ninguna de ellas adaptada a nues-tro caso particular, y olvidándose que nuestros pactos reúnen las siguientes características:

a. La primera y más importante: ya han sido declarados válidos, vigen-tes y eficaces con los matices que además se han señalado en las Sen-tencias de instancia, apelación y casación.

b. Los firman todos los socios.

c. Los firman todos los administradores de la sociedad.

d. Además todos son familia (hermanos).

e. y por último, que se trata de una sociedad anónima cerrada con ac-ciones nominativas.

Estos hechos, son conocidos y notorios, para los miembros de la familia.

## 3. Fecha efectos de los pactos

Por lo que una primera conclusión sería que la fecha de efectos, validez y eficacia debe ser desde de la firma en el año 2005 o a lo sumo en la fecha de protocolización notarial de los mismos en el año 2006. Dado que el Tribunal Supremo no se manifestó sobre la fecha de efectos, hubo que ejecutar la Sentencia firme y se dictó auto firme en 2015 ETJ 1891/2014 del Juzgado de Primera Instancia n° 13 de Murcia por la que se declara que la fecha de efecto de los pactos es la de su firma, esto es 2005.

El propio «Fundamento de Derecho 20», en su párrafo 2° de nuestra STS de julio de 2104 nos dice *«Declarada la validez de estos acuerdos,* **no cabe contradecir su eficacia vinculante** *entre las partes... no existe ningún error manifiesto, porque resulta inequívoco el compromiso asumido por quienes fueron parte en los acuerdos».* Remitiéndose a su vez a sentencias del propio TS *n° 329/2009, de 28 de mayo; 1149/2008, de 16 de diciembre y 388/2012 de 26 de junio.*

No obstante, también hubiera sido acertado la fecha de efectos el día de la elevación a público, ya que al elevar los pactos privados a públicos por la vía notarial según Sentencia de la Audiencia Provincial de Barcelona, Sección Decimonovena, Sentencia n° 15/2013 de fecha 30 de enero de 2013 **«el momento tomó corporeidad»**

La determinación de la fecha de efectos, trae consigo junto al objeto principal determinar frutos y accesorios. La Sentencia de la Audiencia Provincial de Sección 14ª, número 609/2011 de 23 de enero y posterior Sentencia del Tribunal Supremo número 208/2014, de 25 de abril, en el sentido de entender que:

1°.- Son de aplicación los artículos 1095 CC: *«El acreedor tiene derecho a los* **frutos de la cosa desde que nace la obligación de entregarla.** *Sin embargo, no adquirirá derecho real sobre ella hasta que le haya sido entregada»*), 1097 CC (*«La obligación de dar cosa determinada* **comprende la de entregar todos sus accesorios,** *aunque no hayan sido mencionados»*) y 1468 del CC (*«El vendedor deberá* **entregar la cosa vendida en el estado en que se hallaba** *al perfeccionarse el contrato»*).

2°.- Igualmente, como indica el TS en esta Sentencia de 25 de abril de 2014 ha de ponderarse la buena o mala fe, conforme a los artículos 451, 452 y 453 del CC; habida cuenta que en el caso objeto de tales sentencias existía un previo incumplimiento y mala fe por parte de los ahora ejecutados; y una posición diligente, de confianza familiar y de buena fe por parte las hermanas: elevación y publico de los pactos, con la manifestación expresa de inmediato cumplimiento y posteriores requerimientos notariales y burofax de cumplimiento posteriores, siendo la interposición de la demanda del año 2010 momento en el cual los demandados ya no pueden poner excusas de ningún tipo; considerándose su mala fe desde el principio pero palpable y palmaria con documentos públicos y fehacientes desde el 2006.

3º.- La consideración **de «frutos civiles»** según la norma del párrafo segundo del artículo 1468 CC en relación con el artículo 1095 y 1097 del CC, según añade el TS *«correspondían a la compradora desde el momento en que había nacido para ella el derecho a las acciones… y, desde ese momento, Alycesa tiene derecho a los frutos de las acciones»,* por cuanto *«**el artículo 1095 del Código Civil anticipa el nacimiento del derecho de crédito sobre los frutos, haciéndolo coetáneo con el nacimiento de la obligación de entregar la cosa —el momento de perfección de la compraventa— no desde que sea exigible y ello porque, como hemos dicho, perfecto el contrato los beneficios y riesgos de la cosa fructífera corren a cargo o en beneficio del adquirente».***

## III. ATACABILIDAD DE LA RETRIBUCIÓN

### 1. *Retribución contraria a los pactos: toxicidad*

Vistos las condiciones, contenido y características de estos pactos y su periplo judicial, pasamos a analizar la validez de los acuerdos adoptados en Junta General referente a la nueva retribución del nuevo órgano de administración.

Partiendo de los pactos parasociales, firmados en documento privado y posteriormente elevados a público, y que han sido declarados son validos, vigentes y eficaces por la STS de 16 de junio 2014, la retribución del órgano de Administración fijada por la Junta General en contra de los mismos sería es atacable por vía de impugnación de los acuerdos para las acciones no caducadas y asimismo, por la vía de la responsabilidad de los administradores artículos 236 y siguiente Ley Sociedades de Capital (LSC); y todo ello porque los hermanos, no solo se han negado a su concreción, cumplimiento y materialización, sino que además han adoptados acuerdos y los han ejecutado contrarios a los mismos, abusando de sus mayorías, a pesar de la cláusula notarial expresa en la que todos los socios y administradores ratificaban los pactos, se «obligan a su inmediato y exacta cumplimiento», e incluso a firmar «pactos de sindicación» para proteger el cumplimiento.

Si además, las retribuciones son excesivas o «toxicas» pueden vulnerar el reciente apartado 4 del artículo 217 LSC por exceder de lo razonable atendiendo a la importancia de la sociedad, su situación económica y los estándares de mercado de empresas comparables y todo ello teniendo presente la STS 893/2012 de 19 de diciembre según la cual existen intereses contrapuestos entre los administradores (maximizar su retribución), la sociedad (en reducir gastos) y los accionistas (en obtener el máximo beneficio repartible).

Cuando además estas retribuciones hayan sido fijadas en ejercicios en los que ya existían sentencias favorables se entra, sin lugar a dudas, en la existencia de **mala fe,** por trasgresión de la confianza empresarial y familiar (STS número 208/2014, de 25 de abril).

Hecha esta introducción, el asunto continua de la siguiente forma: antes de interponer las demandas impugnación y de responsabilidad, y después de la STS de 2014 se solicitó mediante Acta Notarial en agosto de 2014 la convocatoria de Junta para cumplir los acuerdos reflejados en los pactos sociales de 2005 y así adaptar los estatutos, siendo obviamente el resultado de la celebración de Junta la no aprobación fruto del voto en contra de los dos hermanos mayoritarios (60%), es evidente que los intereses del voto puede ser, entre otros, debido a que:

a. El Administrador Único dejaría de serlo, (recordemos que lo es porque con el voto favorable de su hermano en la junta 2010 suprimieron el consejo de Administración (en contra de los pactos) y se nombraron administrador único, y administrador suplente.

b. Dejarían de cobrar su sueldo millonario como administrador de casi 1.000.000 euros, y su hermano vería reducido el sueldo como empleado de más de 600.000 euros.

c. Al mismo tiempo que permitirían al resto de socias, sus hermanas, acceder al consejo de administración y por lo tanto a la dirección de la empresa.

## 2. Nulidad acuerdos: impugnación art. 217.4 LSC

Visto lo anterior, procede la interposición de demanda de juicio ordinario ante los Juzgados de lo Mercantil en el ejercicio de la acción de impugnación de acuerdos sociales adoptados en la junta general de junio de 2016, para obtener la nulidad del acuerdo que fija como importe máximo de remuneración anual del administrador único y como concreto importe de retribución para el ejercicio la siguiente cantidad: 985.692,45€ euros.

El acuerdo es contrario a lo dispuesto en el reciente párrafo 4 del artículo 217 de la Ley de Sociedades de Capital, puesto que expresamente nos dice: «*La remuneración de los administradores deberá en todo caso guardar una proporción razonable con la importancia de la sociedad, la situación económica que tuviera en cada momento y los estándares de mercado de empresas comparables. El sistema de remuneración establecido deberá estar orientado a promover la rentabilidad y sostenibilidad a largo plazo de la sociedad e incorporar las cautelas necesarias para evitar la asunción excesiva de riesgos y la recompensa de resultados desfavorables.*»

Este apartado ha sido introducido, por la Ley 31/2014, de 3 de diciembre, por la que se modifica la Ley de Sociedades de Capital para la mejora del gobierno corporativo y, que, como se expresa en el Preámbulo de dicha Ley, en su apartado VI, obedece a «*la creciente preocupación por la que las remuneraciones de los administradores reflejen adecuadamente la evolución real de la empresa y estén correctamente alineadas con el interés de la sociedad y de sus accionistas. Para ello y en primer lugar, la Ley obliga a que los estatutos sociales establezcan el sistema de remuneración de los administradores por sus funciones de gestión y decisión, con especial referencia al régimen retributivo de los consejeros que desempeñen funciones ejecutivas*».

Esta modificación del artículo 217 de la Ley de Sociedades de Capital, entró en vigor el 1 de enero de 2015, debió tenerse en cuenta en la primera Junta General celebrada con posterioridad a esa fecha. Sin embargo, en la Juntas Generales de 2015 y de 2016, habrá que probar que no se tuvo en cuenta lo dispuesto en el artículo 217.4, sino al contrario, que se ha incumplido flagrantemente, que se ha fijado una retribución para el administrador totalmente desproporcionada con la importancia de la sociedad, que las retribuciones están alejadas de las retribuciones fijadas por las empresas del sector a sus órganos de administración, y que se pone innecesariamente en peligro la rentabilidad y sostenibilidad de la sociedad y que perjudican el derecho de los socios a un mayor reparto de dividendos.

*En primer lugar, hay que justificar que la remuneración fijada al administrador no guarda proporción con la importancia de la sociedad ni con la fijada por empresas comparables del sector de Murcia ni Nacionales, así como tampoco con otras de con mayor facturación y beneficios.*

Retribución del administrador en proporción con la importancia de la sociedad ha supuesto en este ejercicio el 18,55% de los beneficios, sin contar que en ejercicios pasados 2013 además la empresa tuvo pérdidas aún no recuperadas (documentación extraída de las cuentas anules depositadas). A título enunciativo, penalmente podríamos estar ante una administración desleal, apropiación indebida; y fiscalmente más que una retribución podrían ser dividendos encubiertos, en su caso no deducibles como gasto para la sociedad e incluso llegar a suponer una defraudación que según los límites cuantitativos podrían entrar en la esfera penal.

En segundo lugar, habría que acreditar que la retribución del administrador excede a la fijada por otras empresas del sector con un dictamen pericial comparativo de las cuentas anuales de otras empresas y la nuestra utilizando las magnitudes de importe neto de la cifra de negocios, total activo, total pasivo, los gastos de personal, el Ebitda, y por supuesto el organigrama directivo de la empresa y con su estructura y necesidades financieras. Por lo que necesitaríamos una pericial multidisciplinar.

En tercer lugar, en cuanto a la situación económica de la sociedad, la rentabilidad y sostenibilidad de la sociedad a largo plazo.

En nuestro caso concreto, en el **ejercicio 2013 hubo 716.287,63 euros de pérdidas,** por lo que no sólo la retribución del año 2013 puso en peligro la empresa, sino que hasta el día de la fecha estas pérdidas no se han podido compensar del balance. Esta retribución del órgano de administración por encima de la pactada en los pactos, podría estar haciendo que todos los años la empresa tenga más de 800.000 euros de gastos, o lo que es lo mismo menos beneficios.

Y habría que preguntarse si ¿es sostenible esta retribución, que además va creciendo en el tiempo y que parece desorbitada, máxime si la empresa está creciendo y necesitada de financiación externa?

En este sentido, la Sentencia del Tribunal Supremo nº 893/2012 de 19 de diciembre de la Sala de lo Civil, Sección 1ª señala en su Fundamento de Derecho Segundo apartado 3.2 referente a la constancia estatutaria del sistema de retribución y su finalidad señala que:

«*tal exigencia, aunque también tutela el interés de los administradores, tiene por finalidad primordial potencia la máxima información a los accionistas a fin de facilitar el control de la actuaciones de estos en una materia especialmente sensible, dada la inicial contraposición entre los intereses particulares de los mismos en obtener la máxima retribución posible y los de la sociedad en minorar los gastos y de los accionistas en maximizar los beneficios repartibles*»

Sentencia que dicho sea de paso, es de las pocas que usa el concepto de «retribuciones tóxicas».

En cuarto lugar, la retribución además perjudica a la sociedad, ya que carga a la misma con excesos de gastos innecesarios, cuando no duplicado, que hacen que tenga unos menores fondos propios y una necesidades de financiación adicionales para invertir.

La retribución del hermano, administrador único, no lo es por la doble condición, permitida, de pertenencia al órgano de administración y además como personal de alta dirección (gerencia o similar), situación perfectamente compatible, sino solamente como administrador único. Esta empresa, consta con la siguiente estructura directiva un director general, un director financiero, otro de recurso humanos, un director comercial, otro de operación y otro de informática, que cobran en su conjunto 900.000 euros. Y además el administrador suplemente, que no cobra como tal, sino un sueldo el solo de más de 600.000 euros, tal y como consta en la memoria de la empresa en la parte de operaciones con partes vinculadas.

¿Qué funciones realizará exactamente el administrador único para retribuirse lo que se retribuye, así como su hermano?

Visto este motivo de impugnación, en la defensa de los derechos de las accionistas minoritarias habría que esgrimir otro motivos de nulidad, para poder aportar ideas al juzgador.

## 3.  Nulidad acuerdos: impugnación art. 190 LSC

El acuerdo podría ser contrario al artículo 190.3 de la Ley de Sociedades de Capital, puesto que es evidente que existe un conflicto de intereses, que si bien no priva del derecho al voto al socio-administrador único por no ser uno de los supuestos del artículo 190.1, si que habilita para la impugnación del acuerdo, porque afecta al interés social.

En este sentido, el artículo 190.3 de la LSC nos dice: «*3. En los casos de conflicto de interés distintos de los previstos en el apartado 1, los socios no estarán privados de su derecho de voto. No obstante, cuando el voto del socio o socios incursos en conflicto haya sido decisivo para la adopción del acuerdo, corresponderá, en caso de impugnación, a la sociedad y, en su caso, al socio o socios afectados por el conflicto, la carga de la prueba de la conformidad del acuerdo al interés social. Al socio o socios que impugnen les corresponderá la acreditación del conflicto de interés. De esta regla se exceptúan los acuerdos relativos al nombramiento, el cese, la revocación y la exigencia de responsabilidad de los administradores y cualesquiera otros de análogo significado en los que el conflicto de interés se refiera exclusivamente a la posición que ostenta el socio en la sociedad. En estos casos, corresponderá a los que impugnen la acreditación del perjuicio al interés social.*»

Según la exposición de hechos que hemos narrado desde el principio, es evidente el conflicto de intereses que existe en la persona del socio-administrador único, ya que los hermanos-accionistas están inmersos en una contienda judicial desde hace años, cuya primera batalla acabó con el reconocimiento de validez, vigencia y obligatoria de los pactos en 2014.

Las retribuciones analizadas de todos los directivos evidencian que la retribución que percibe el administrador único junto con la que percibe su hermano no responden, únicamente a su función de dirección de la mercantil y de administrador y administrador suplente respectivamente, sino que, parece obedecer a su condición de dueños de la sociedad concepto que no debe ser objeto de retribución, porque causa un perjuicio al interés de la sociedad y al resto de socias, que también son dueñas.

En definitiva, existe un conflicto de intereses entre los hermanos y un perjuicio al interés social, que suponen vulneración del artículo 190.3 de la Ley de Sociedades de Capital, por lo que el acuerdo podría ser anulado y quedaría sin efecto.

La cláusula de proporcionalidad, ya sea con la formulación alemana o con otra similar (por ejemplo, la de la *fairness* de la tradición anglosajona), ya está incluida en nuestra cláusula del interés social, es el clásico *quantum meruit*.

No hace falta ningún argumento sofisticado para advertir, en efecto, que una retribución no proporcional es contraria al interés social y a los deberes fiduciarios de los administradores.

La jurisprudencia lo viene pregonando desde antiguo: la vieja Sentencia del TS (Sala de lo Civil) del 1 de julio de 1963: «*la jurisprudencia de esta sala viene cortando los excesos que reiteradamente se vienen cometiendo por los socios mayoritarios que abusando de su fuerza numérica y de capital absorben los puestos directivos y de administración para asignarse pingües emolumentos con cargo a los beneficios sociales en proporción desorbitada a su función*».

La lesión del interés social, es manifiesta, concurriendo los requisitos del artículo 204.1 de la LSC, cuando nos dice que «La lesión de interés social se produce también cuando el acuerdo, aun no causando daño al patrimonio social, se impone de manera abusiva por la mayoría. Se entiende que el acuerdo se impone de forma abusiva cuando, sin responder a una necesidad razonable de la sociedad, se adopta por la mayoría en interés propio y en detrimento injustificado de los demás socios».

## 4. Nulidad acuerdos por incumplimiento de los pactos

Otro motivo de impugnación que debe prosperar desde la firmeza de la STS de 2014, es que el acuerdo aprobado en la junta de 2016 es contrario a los pactos parasociales, son validos y obligatorios para todos los firmantes y que extienden sus efectos a la mercantil por tratarse de un pacto que se firmó por la totalidad de los socios, que, a su vez, representaban la totalidad de los miembros del órgano de administración, y que son públicos. A su justificación nos remitimos a los puntos anteriores.

## 5. *Responsabilidad de los administradores*

Para terminar, una breve pincelada, al el ejercicio de la acción social de responsabilidad contra los administradores por las retribuciones de 2011 a 2015. En este caso, nos valen los motivos enunciados en los puntos 3.2, 3.3 y 3.4 ya que todos los años, concurren «parecidas» circunstancias y son igualmente reprochables, solo que al no ser viable la acción de impugnación por el transcurso del plazo de caducidad establecido en el artículo 205 de la Ley de sociedades de capital, hay que utilizar la vía del artículo 236 y siguientes de la Ley de Sociedades de Capital.

Habría que hacer especial incapie en la demanda que si no se impugnaron las juntas en las que se aprobó la retribución del administrador en los ejercicios 2011 a 2015, fue por la confianza que tenían las hermanas, en que sus hermanos cumplirían el fallo judicial, en el que se reconocía el carácter obligatorio y vinculantes de los pactos parasociales firmados y protocolizados; que no hubo un consentimiento tácito y que de hecho se votó en contra en todas las juntas tal y como se ha manifestado.

Añadir a lo dicho que, por su claridad, lo dispuesto, en el artículo 217 de la Ley de Sociedades de Capital, si bien entro en vigor, en diciembre de 2014, con posterioridad a parte de los ejercicios en los que exigimos la responsabilidad, los presupuestos que recoge, para determinar si una retribución es proporcionada o desproporcionada, son el resultado de la condensación de la jurisprudencia que a lo largo de los años se ha elaborado a este respecto. En este sentido, la Sentencia del Tribunal Supremo 893/2012, de 19 de diciembre, nos dice:

*«3.4. El tratamiento unitario de la retribución. 34. A lo expuesto, se añade la necesidad de potenciar el control por los socios de lo que los administradores perciben de la sociedad y evitar que, mediante fórmulas excesivamente flexibles se dificulte el control de la regularidad de las retribuciones y, a la postre, se potencie el fraude a la sociedad dando lugar a las llamadas "remuneraciones tóxicas" contrarias a los intereses sociales y a los límites que impone la conjunción del deber de lealtad societaria y la moral —en este sentido, la sentencia 165/2004, de 5 de marzo».*

Y en último lugar, habría que hacer una especial reflexión sobre la lesión del interés social, justificando que concurre los requisitos del artículo 204.1 de la LSC, cuando nos dice que «La lesión de interés social se produce también cuando el acuerdo, aun no causando daño al patrimonio social, se impone de manera abusiva por la mayoría. Se entiende que el acuerdo se impone de forma abusiva cuando, sin responder a una necesidad razonable de la sociedad, se adopta por la mayoría en interés propio y en detrimento injustificado de los demás socios». Tal y como hemos expuesto anteriormente.

Para finalizar, señalar que esta comunicación, en un futuro no muy lejano, tendrá su segunda parte, una vez hayan recaído sentencias firmes en el Tribunal Supremo referentes a las retribuciones, por lo que mientras tanto, estaremos con la intriga.

# 45. La retribución del administrador y el pacto de socios

**DIEGO EUSEBIO NAVARRO LÓPEZ**

*Abogado*
*Doctor en Derecho. Universidad de Alcalá*

**Sumario:** I. LA RETRIBUCIÓN DEL CARGO Y EL PACTO PARASOCIAL. 1. Introducción. Conflictos entre sociedad y administradores. 2. Alcance y aplicación del Pacto de Socios. 3. Los cambios de circunstancias económicas de la sociedad. II. LA IMPUGNACIÓN DE ACUERDOS CONTRARIOS AL PACTO DE SOCIOS. 1. La impugnación de acuerdos contrarios al pacto de socios y los efectos de la declaración de nulidad del acuerdo. 2. El interés social. III. LA RETRIBUCIÓN DEL CARGO Y EL PROCEDIMIENTO CONCURSAL. 1. La rescisión de los acuerdos retributivos. 2. Los deberes de diligencia y lealtad. 3. La responsabilidad de los administradores. IV. CONCLUSIONES. Bibliografía.

## I. LA RETRIBUCIÓN DEL CARGO Y EL PACTO PARASOCIAL

### 1. Introducción. Conflictos entre sociedad y administradores

Los conflictos que pueden surgir entre socios y administradores por la retribución del cargo y las previsiones estatutarias y acuerdos parasociales son de gran actualidad, puesto que los pactos de socios se confeccionaron en una época de bonanza y, debido a la crisis financiera sufrida desde hace años, los acuerdos sobre retribuciones de administradores, respecto a su exigibilidad, cuantía y conveniencia para el interés social, han devenido inaplicables. Es usual que, en los años previos a la crisis financiera e inmobiliaria del año 2008, las sociedades que habían experimentado un fuerte crecimiento económico quisieran regular el futuro de la sociedad mediante la suscripción de un Pacto de Socios que versaba, entre otras cuestiones, sobre la transmisión de acciones, órganos de gobierno, sucesión de la dirección de la empresa y retribución del órgano de administración. Sin embargo, a partir de la disminución de beneficios o la más común aparición de graves pérdidas, los órganos de administración dejaron de proponer a los socios en sede de Junta General ningún tipo de propuesta de acuerdo de retribución, debiendo proceder a modificar los estatutos sociales para su adaptación a la nueva situación de gratuidad del cargo impuesta por la ausencia de liquidez para ello.

Pues bien, pensemos en el supuesto de retribución anual fijada y acordada en un Pacto de socios entre todos los socios de una sociedad limitada pero que, durante determinados ejercicios, no ha sido fijada y aprobada por la Junta General de socios, según exigen los estatutos, para cada ejercicio, ni se ha acordado la modificación estatutaria necesaria para eliminar la previsión de retribución del cargo. En nuestro caso, los estatutos disponen que «el cargo de consejero será retribuido, consistiendo la remuneración en una cantidad fija anual, determinada para cada ejercicio por acuerdo de la Junta General».

La remuneración de los administradores se regula en los artículos 217 y siguientes de la del Real Decreto Legislativo 1/2010, de 2 de julio, por el que se aprueba el Texto Refundido de la Ley de Sociedades de Capital (TRLSC). El régimen de transparencia de la retribución de los administradores se compone de la medida contemplada en el artículo 260 de la misma norma que, tras la entrada en vigor de la Ley 22/2015 de 22 de julio de auditoría de cuentas, se completa con la inclusión en la memoria del pago por la sociedad de la prima del seguro de responsabilidad civil de administradores sociales. El régimen de transparencia de las retribuciones establecido para las sociedades cotizadas exige la elaboración de un informe anual sobre retribuciones[1]. Según la recomendación 56 del Código de buen gobierno de las sociedades cotizadas de febrero de 2015, «la remuneración de los consejeros sea la necesaria para atraer y retener a los consejeros del perfil deseado y para retribuir la dedicación, cualificación y responsabilidad que el cargo exija, pero no tan elevada como para comprometer la independencia de criterio de los consejeros no ejecutivos».

El artículo 217 del TRLSC establece que la retribución puede consistir en uno o varios conceptos, como son una asignación fija, dietas de asistencia a los consejos de administración, una participación en beneficios, retribución variable, remuneración en acciones, indemnizaciones por cese, siempre y cuando el cese no estuviese motivado por el incumplimiento de las funciones de administrador y los sistemas de ahorro o previsión que se consideren oportunos. La Ley 31/2014, de 3 de diciembre, por la que se modifica la Ley de Sociedades de Capital para la mejora del gobierno corporativo introdujo modificaciones de relevancia, como el deber de apro-

---

[1]    RONCERO SÁNCHEZ, ANTONIO, «*Principales deficiencias de técnica y política jurídica del nuevo régimen sobre retribución de los administradores de sociedades de capital*» en AA.VV. «Liber Amicorum Profesor Luis Fernández de la Gándara». Editorial Aranzadi, 2016, págs. 411 a 413.

bar la junta general el importe máximo de la remuneración anual del conjunto de los administradores en su condición de tales. Del mismo modo, se indica por el legislador algo que hasta entonces era evidente y exigible por los deberes de lealtad y diligencia de los administradores, pero para evitar tentaciones contrarias al interés social, se indica expresamente en el artículo 217.4 del TRLSC que «la remuneración de los administradores deberá en todo caso guardar una proporción razonable con la importancia de la sociedad, la situación económica que tuviera en cada momento y los estándares de mercado de empresas comparables. El sistema de remuneración establecido deberá estar orientado a promover la rentabilidad y sostenibilidad a largo plazo de la sociedad e incorporar las cautelas necesarias para evitar la asunción excesiva de riesgos y la recompensa de resultados desfavorables», lo que debe llevar a la nulidad de aquellas retribuciones que sean contrarias a la rentabilidad de la sociedad y menos aún, en situaciones de déficit financiero y económico.

Tal y como pone de manifiesto el Profesor León Sanz[2], «La retribución de los administradores es uno de los instrumentos que se dirigen a lograr que la gestión de la actividad de la sociedad por el órgano de administración se haga de la mejor forma para la consecución de los intereses sociales» y, lógicamente, no se obtiene el fin social si se elimina tesorería a través de una retribución que no puede atender la sociedad por el mero hecho de contener el Pacto de socios ese derecho a favor de los administradores.

La retribución de los administradores, su cuantía, forma y devengo se puede regular en un pacto de socios. Incluso es usual fijar la cuantía para determinados ejercicios futuros, aunque los estatutos no prevean lo mismo. La doctrina define los pactos parasociales como convenios celebrados entre los socios de una sociedad anónima o limitada con el fin de completar, concretar o modificar, en sus relaciones internas, las reglas estatutarias y legales que las rigen, siendo característico que no se integran en el ordenamiento de la persona jurídica a que se refieren, sino que permanecen en el recinto de las relaciones obligatorias de quienes los suscriben[3]. Por lo tanto, el pacto para-

---

2    LEÓN SANZ, FRANCISCO JOSÉ, *«La previsión en los Estatutos de la Retribución de los Administradores de las Sociedades Anónimas. El Estado de la cuestión en la Doctrina Española»*. I Foro de encuentro de jueces y profesores de derecho mercantil, Ed. Tirant lo Blanch, Valencia, 2010. págs. 13 a 32.

3    PAZ-ARES, CÁNDIDO, *«La denuncia ad nutum de los contratos de duración indeterminada: Entre el derecho dispositivo y el derecho imperativo. (Reflexiones a propósito de joint ventures y pactos parasociales»* en AA.VV. «Liber Amicorum Juan Luís Iglesias». Editorial Aranzadi, 2014, pág. 841.

social podemos definirlo como los acuerdos con efectos entre los socios de la sociedad de capital que los suscriben y que tienen como objeto regular distintas cuestiones del funcionamiento de la sociedad como el sentido del voto a emitir en junta general, el acceso al capital, al órgano de administración, transmisión de participaciones (cláusulas de derecho de arrastre o *drag-along* y de acompañamiento o *tag-along*), desinversión, exclusión de socios, reparto de dividendos y retribución del cargo de administrador.

Las Sentencias del Tribunal Supremo, Sala 1ª, nº 128 *(Tol 1466716)* y nº 138 *(Tol 1466715)*, ambas de 6 de marzo de 2009, definieron los pactos parasociales como aquellos pactos mediante los cuales los socios pretenden regular, con la fuerza del vínculo obligatorio, aspectos de la relación jurídica societaria sin utilizar los cauces específicamente previstos para ello en la ley y los estatutos. Así, son acuerdos con el único límite del artículo 1255 del Código civil, que afectan a la sociedad, pero no están sometidos a las directrices del derecho societario y a su calificación por el Registrador Mercantil para su inscripción, como ocurre a los acuerdos sociales y estatutos.

No hay una regulación sobre los pactos de socios prohibidos, pero el Artículo 284-6 del Anteproyecto de Ley del Código Mercantil (C. M. 30/05/2014) dispone que, están prohibidos los pactos parasociales de sindicación de voto en el consejo de administración, ya sea de forma directa o indirecta. En la práctica norteamericana, los pactos concluidos entre los miembros de una familia en relación con su sociedad encuentran adecuado tratamiento jurídico en el marco de los llamados «shareholders» «agreements»[4], trasladados a nuestro derecho para sociedades familiares denominados como protocolo familiar, que se caracteriza por regular las relaciones entre la empresa y la familia y prevenir y resolver los conflictos de intereses existentes dentro del grupo familiar y entre éste último y la propia sociedad[5]. La diferencia más relevante es que en los protocolos familiares se regula de forma más pormenorizada la sucesión empresarial, acceso al capital por miembros de la familia (hijos, cuñados, nietos...) y a los órganos de administración y, sin embargo, en los pactos parasociales de distintas familias se tiene más celo en regular la práctica diaria, transmisión

---

4    FERNÁNDEZ DEL POZO, LUÍS, *«El "enforcement" societario y registral de los pactos parasociales. La oponibilidad de lo pactado en protocolo familiar publicado»*. BIB 2007\2027. Revista de Derecho de Sociedades núm. 29/2007 2 parte Estudio. Editorial Aranzadi, S.A.U., Cizur Menor. 2007. pág. 2.

5    FERNÁNDEZ DE LA GÁNDARA, LUÍS, *«Derecho de Sociedades»*, Tirant lo Blanch, Valencia, 2010, pág. 1616.

de participaciones, salida y acceso al capital por terceros, repartos de dividendos y plan de negocio.

Así, el artículo 28 TRLSC, en relación con los artículos 1091 y 1255 del Código civil, recoge la posibilidad de que la escritura o los estatutos incluyan pactos entre los socios fundadores, siempre que respeten las leyes y principios del tipo social de la compañía objeto del pacto. Es posible dar publicidad al pacto de socios para que sea oponible frente a terceros, sobre todo, en los supuestos de permisión de entrada de socios inversores a la sociedad, tal y como prevén los artículos 114.2 y 175.2 del Reglamento del Registro Mercantil, para sociedades anónimas y limitadas, respectivamente. Por su parte, el artículo 29 del TRLSC dispone que «los pactos que se mantengan reservados entre los socios no serán oponibles a la sociedad». El artículo 6 de la Ley de Sociedades Anónimas de 17 de julio de 1951 declaraba la nulidad de este tipo de pactos. Este régimen legal cambió con el Texto Refundido de la Ley de Sociedades Anónimas aprobado por el Real Decreto Legislativo 1564/1989, de 22 de diciembre, y con la Ley 2/1995, de 23 de marzo, de Sociedades de Responsabilidad Limitada que, al igual que el Texto Refundido de la Ley de Sociedades de Capital, no prevé su nulidad sino su inoponibilidad a la sociedad.

Tanto la doctrina[6] como el Tribunal Supremo, ha reconocido reiteradamente la eficacia y validez de los pactos de socios, como en la Sentencia de la Sala 1ª, nº 589/2014, de 3 de noviembre de 2014 *(Tol 4550745)*, exponiendo que «La eficacia de los pactos reservados, propia de todo contrato, son vinculantes y afectan a quienes lo suscribieron, pero no a las personas ajenas a los mismos, entre ellas, la sociedad, para quien dichos pactos son "res inter alios acta" y no puede quedar afectada por los mismos» y menos aún incumplir normas imperativas en base al cumplimiento de un pacto

---

[6]  PAZ-ARES, CÁNDIDO, *«El enforcement de los pactos parasociales»*. Actualidad Jurídica Uría & Menéndez, Nº 5/2003; Morales Barceló, Judith, *«Pactos parasociales vs estatutos sociales: eficacia jurídica e impugnación de acuerdos sociales por su infracción»* Revista de Derecho de Sociedades núm. 42/2014. Editorial Aranzadi, SA, Pamplona. 2014; SÁEZ LACAVE, MARÍA ISABEL, *«Los pactos parasociales de todos los socios en Derecho español. Una materia en manos de los jueces»*. InDret 3/2009; PÉREZ MILLÁN, DAVID, *«Pactos parasociales con terceros»*. Comunicación presentada al IX Seminario HarvardComplutense, Transatlantic View on Corporate and Financial Law Issues, celebrado entre los días 7 y 10 de noviembre de 2011 en la Harvard Law School, Cambridge (MA), EE. UU. con el patrocinio de Allen & Overy, Banco Santander, J & A Garrigues, Colegio de Registradores de España e Ilustre Colegio Notarial de Madrid. Universidad Complutense, diciembre 2011.

parasocial. Sin embargo, en sede de Consejo de administración, deben ser declarados inválidos o ineficaces los pactos relativos al sentido del voto, pues no se encuentran bajo la teoría contractual de las organizaciones y el principio de relatividad de los contratos, todo ello en base a la regla de la inoponibilidad a la sociedad de los pactos parasociales[7].

## 2.  Alcance y aplicación del Pacto de Socios

Entendemos que el pacto de socios sólo establece obligaciones para las personas que asumieron dicho acuerdo, según el artículo 1257 del Código civil, pero no vincula a la sociedad al no ser parte contratante del mismo así como en virtud de lo dispuesto en el artículo 29 del TRLSC, ni puede calificarse como un acuerdo de Junta general, que es lo que se precisa, normalmente, para fijar la retribución a percibir por los administradores para cada ejercicio.

Pueden existir distintos tipos de pactos de socios, como los pactos de relación, que son aquellos cuyo objeto es la regulación de las relaciones internas de los socios, sin la intervención de la sociedad; los pactos de atribución, que son aquellos que, además de regular la relación interna de los socios, implican algún tipo de ventaja a la sociedad —que se enmarcan dentro de los contratos a favor de tercero del artículo 1257.II del Código civil, pudiendo ser rescindible la renuncia de la prestación en caso de concurso de la sociedad—[8]; y los pactos de organización y funcionamiento son aquellos cuyo objeto es establecer las reglas de los órganos de la sociedad.

Para determinar el alcance, aplicación y eficacia de los pactos parasociales, además de por los sujetos intervinientes habrá que estar al objeto del acuerdo. Así, si el pacto está suscrito por todos los socios, el pacto puede ser oponible a la sociedad porque la sociedad deja de ser un tercero ajeno e independiente a ese pacto. Los pactos de atribución y los pactos de organización y funcionamiento despliegan sus efectos más allá de los socios firmantes, pudiendo la sociedad reclamar su cumplimiento sobre la base del artículo 1257 del Código civil[9]. Para algunos autores, cuando el pac-

---

[7]    PAZ-ARES, CÁNDIDO, «Fundamento de la prohibición de los pactos de voto para el consejo». InDret 4/2010.

[8]    FLORES, MARTA, «Los pactos parasociales a favor de la sociedad» (AA.VV.), Rojo, Ángel y Campuzano, Ana Belén (Coordinadores), «Estudios Jurídicos en Memoria del Profesor Emilio Beltrán Liber Amicorum». Tirant lo Blanch, 2015, pág. 313.

[9]    MORALES BARCELÓ, JUDITH, «Pactos parasociales vs estatutos sociales: eficacia jurídica e impugnación de acuerdos sociales por su infracción». BIB 2014\1037. Revista de

to lo suscriben todos los socios, la sociedad está vinculada por el mismo, porque no es tercero, entendiendo que la vinculación de la sociedad a un pacto parasocial de organización sólo puede provenir de no ser tercero[10].

Es posible denunciar un pacto parasocial *ad nutum* si contienen prestaciones continuadas por los socios a favor de la sociedad o de terceros, por infringir la prohibición de orden público de las vinculaciones perpetuas o excesivas[11]. Fuera de estos casos, parece que no es posible desvincularse de un pacto de socios de forma unilateral. Cabe plantearnos la posibilidad de la separación del socio por el mismo medio, a causa de abuso reiterado de la mayoría y la adopción de acuerdos que llevan al socio minoritario a perder todo el interés en su permanencia en la sociedad, además de ver impotente cómo todos los acuerdos y gestión de la sociedad benefician únicamente al socio mayoritario.

### 3. Los cambios de circunstancias económicas de la sociedad

El Tribunal Supremo, a la luz de la crisis económica, ha renovado la comprensión de la cláusula *rebus sic stantibus*, fundada en el artículo 1258 del Código Civil, mediante un conjunto de resoluciones judiciales como las Sentencias del Tribunal Supremo, Sala 1ª, nº 64/2015, de 24 de febrero *(Tol 4918026)*, nº 591/2014, de 15 de octubre *(Tol 4579218)* y nº 333/2014, de 30 de junio *(Tol 4437952)*. El Tribunal Supremo ha reconocido como hecho notorio la crisis económica, indicando en la Sentencia, Sala 1ª, nº 64/2015, de 24 de febrero *(Tol 4918026)* que la: «recesión económica, puede ser considerada abiertamente como un fenómeno de la economía capaz de generar un grave trastorno o mutación de las circunstancias y, por tanto, alterar las bases sobre las cuales la iniciación y el desarrollo de las relaciones contractuales se habían establecido». Por lo tanto, el Tribunal Supremo ha declarado que la crisis económica activa la cláusula *rebus sic stantibus* cuando se justifique una alteración objetiva o subjetiva de la base

---

Derecho de Sociedades núm. 42/2014 parte Varia. Editorial Aranzadi, SA, Pamplona. 2014, págs. 6 y 7.

[10] PERDICES, ANTONIO en *«Pactos parasociales omnilaterales y los grandes expresos europeos».* 11 de marzo de 2016. http://almacendederecho.org/pactos-parasociales-omnilaterales-y-los-grandes-expresos-europeos/.

[11] PAZ-ARES, CÁNDIDO, *«La denuncia ad nutum de los contratos de duración indeterminada: Entre el derecho dispositivo y el derecho imperativo. (Reflexiones a propósito de joint ventures y pactos parasociales»* en AA.VV. «Liber Amicorum Juan Luís Iglesias». Editorial Aranzadi, 2014, págs. 863 y 864.

del negocio, esto es de su fin, así como el mantenimiento de la proporción en las contraprestaciones debidas, todo ello a la luz de la buena fe.

Por otra parte, la Sentencia de la Audiencia Provincial de Valencia, n° 150/2016, de 16 de febrero de 2016 *(Tol 5764046)*, que recoge la protección de las decisiones empresariales y los cambios de circunstancias económicas, concluye que el hecho notorio de la eclosión de la crisis económica en 2008 y 2009 no puede justificar una modificación de las obligaciones contractuales de forma retroactiva ni imputar al administrador negligencia por imprevisión de un hecho que ahora conocemos.

En el supuesto de pacto de socios que prevé la retribución del órgano de administración con una cuantía desproporcionada para la situación económica actual de la sociedad y, sin embargo, un administrador exige el pago en cumplimiento del pacto de socios, entendemos que, aunque no exista acuerdo estatutario que haya removido la retribución del cargo, es posible aducir la cláusula *rebus sic stantibus* para que la sociedad pueda eludir la reclamación del administrador que no acepta la imposibilidad de pago de la retribución pactada en otro momento en el que había beneficios y disponibilidad de tesorería de la sociedad.

## II. LA IMPUGNACIÓN DE ACUERDOS CONTRARIOS AL PACTO DE SOCIOS

### 1. La impugnación de acuerdos contrarios al pacto de socios y los efectos de la declaración de nulidad del acuerdo

Si varios socios se han comprometido a votar en un determinado sentido en junta, pero, en el momento de su celebración, cualquiera de ellos vota en sentido contrario, su voto será válido frente a la sociedad, la cual no podrá rechazarlo. La eficacia *inter partes* del pacto de socios —de determinados socios— imposibilita la impugnación de los acuerdos contrarios al pacto de socios. Por ello, en casos de acuerdos parasociales en los que intervienen todos los socios —también conocidos como «pactos omnilaterales»—[12], a pesar de lo dispuesto en el artículo 29 del TRLSC,

---

[12]   PÉREZ MORIONES, ARÁNZAZU, *«Una vez más sobre la eficacia de los pactos parasociales tras la STS de 25 de febrero de 2016»*. BIB 2016\21189. Revista Doctrinal Aranzadi Civil-Mercantil núm. 5/2016 parte Comentario. Editorial Aranzadi, S.A.U., Cizur Menor. 2016, págs. 3 y 4.

podría impugnarse un acuerdo con base en la lesión del interés social en beneficio de uno o varios socios, todo ello en la consideración de que el pacto parasocial omnilateral es como un acuerdo de junta universal, el cual vincularía a la sociedad por ser un acuerdo societario. Es cierto que podría pensarse en que el pacto de socios suscrito por todos los socios debe tener la misma fuerza que los estatutos sociales y, por tanto, la misma protección, aunque no tenga la publicidad y efectos frente a terceros si no está inscrito en el Registro Mercantil, sí frente a los socios y la sociedad. Sin embargo, la infracción de una norma u obligación contenida en un acuerdo parasocial, salvo que sea contrario al interés social, carece del amparo legal que ostentan los estatutos.

Para otros autores, la impugnación de los acuerdos sociales se debe basar en alguna de las causas previstas en la ley, con independencia de que suponga una infracción de los pactos parasociales, aunque sería una actuación contraria a los propios actos que todos los socios hayan suscrito un pacto parasocial y que, por tanto, han convenido ciertos acuerdos, adopten una decisión en junta que sea contraria a ese pacto parasocial, puesto que el ámbito subjetivo y objetivo sería el mismo. Por esta razón, entiende que se debería admitir la impugnación de los acuerdos sociales que sean contrarios a un pacto parasocial omnilateral[13].

Por lo tanto, la acción de impugnación debe plantearse bajo los requisitos previstos en los artículos 205 y 206 del TRLSC. La doctrina jurisprudencial contenida en las Sentencias del Tribunal Supremo, Sala 1ª, nº 1136/2008, de 10 de diciembre de 2008 *(Tol 1413638)*; nº 127/2009, de 5 de marzo de 2009 *(Tol 1463055)*; y nº 128/2009, de 6 de marzo de 2009 *(Tol 1466716)* rechazan la posibilidad de anular un acuerdo social con base en la mera alegación del incumplimiento de un pacto parasocial, indicando que debe impugnarse el acuerdo por aplicación del artículo 204 del TRLSC por lesionar el interés social en beneficio de uno o varios socios o de terceros, impuesto de manera abusiva por la mayoría sin responder a una necesidad razonable y justificada de la sociedad.

La buena fe debe presidir la actuación del socio y la eficacia de los pactos de socios ha sido acogida en la Sentencia del Tribunal Supremo, Sala 1ª, nº 103/2016, de 25 de febrero de 2016 *(Tol 5658004)* ante supuestos de contradicción entre su contenido y el previsto en estatutos o en acuerdos societarios por ser los actos del socio contrarios a la buena fe. Del mis-

---

[13]   MORALES BARCELÓ, JUDITH, *op. cit.*, págs. 9 y 10.

mo modo, reciente doctrina jurisprudencial prevé que los pactos de socios sean oponibles cuando todos los socios sean sus firmantes, como recoge la reciente Sentencia de la Audiencia Provincial de Barcelona nº 76/2016, de 31 de marzo de 2016 *(Tol 5747059)*, en relación a la posible impugnación de acuerdos contrarios al interés social cuando el acuerdo social contraviene un pacto parasocial en beneficio de unos socios y en perjuicio de otros, lo que «está en la propia naturaleza de las cosas (in re ipsa)». Pero entendemos que siempre debe estar por encima de la retribución de los consejeros, el interés social y el cumplimiento del objeto y fin social.

Además de lo anterior, si se trata de un consejero que no realiza funciones ejecutivas, que no trabaja en la empresa, la jurisprudencia ha repudiado el pago de retribuciones que no coadyuvan a la mejora y continuidad de la actividad empresarial. Así se pone de manifiesto en la Sentencia del Tribunal Supremo, Sala 1ª, nº 391/2012, de fecha 25 de junio de 2012 *(Tol 2645832)* al indicar que «(...) los administradores societarios deban responder frente a la sociedad, los socios y los acreedores sociales de las cantidades percibidas cuando se trate de las llamadas "remuneraciones tóxicas" contrarias a los intereses sociales». Si el cargo se presume gratuito, como señala el artículo 217 del TRLSC, en el supuesto en el que la Junta no ha establecido la concreta cuantía de la retribución a la vista de la situación económica, la gratuidad debe imponerse al texto del artículo de los estatutos que dispone que el cargo es remunerado con la cantidad fija que determine la junta para cada ejercicio, pues no lo ha determinado.

Es posible que, pese a estar prevista la retribución del cargo por los estatutos, ante la falta de acuerdo de la Junta General que fije la retribución, no exista exigibilidad a ella por parte de los administradores, tal y como recoge la Sentencia del Tribunal Supremo, Sala 1ª, nº 229/2005, de 7 de abril de 2005 *(Tol 622908)* al indicar que «(...) la pasividad del hoy recurrente cuando, como miembro del Consejo de Administración, nada objetó a la formulación de las cuentas anuales de 1993 que prescindían de la retribución de los administradores; y por último, del hecho probado de que la falta de retribución de los administradores fue algo pacífico a lo largo de la vida social». En el mismo sentido se pronuncian, entre otras muchas, la Sentencia de la Audiencia Provincial de Navarra de 17 de enero de 2000 (Recurso nº 108/1999), la Audiencia Provincial de Madrid (Sección 19ª) en Sentencia núm. 242/2007 de 27 abril, la Audiencia Provincial de Sevilla, Sección 5ª, en Sentencia nº 517/2013, de 6 de noviembre de 2013 *(Tol 4106722)* y la Audiencia Provincial de Ciudad Real (Sección 2ª) núm. 291/2000 de 9 octubre, en la que en indica que: «(...) teniendo en cuenta la presunción de gratuidad del cargo de administrador, según señala el propio artículo 66 de la LRSL, y dado que la Junta no ha establecido esa concreta cuantía de la retribución, obviamente la gratuidad ha de imperar porque los estatutos condicionan la retribución a lo que diga la Junta General».

Así, en los supuestos en los que, pese a estar prevista la remuneración del cargo de administrador en Estatutos, no hay acuerdo que fije la retribución por la Junta, la gratuidad debe imperar, máxime en los supuestos en los que la omisión del acuerdo es consecuencia de la falta de tesorería y de las pérdidas sufridas durante años que mantienen a la sociedad en una situación de insolvencia. Sin embargo, la Sentencia del Tribunal Supremo, Sala, 1ª, nº 180/2015, de 9 de abril de 2015 *(Tol 5003616)* acepta la modificación de estatutos y aprobación por la junta de la retribución del órgano de ejercicios pasados en los que no se preveía retribución alguna.

Obtenida resolución judicial que determine la nulidad del acuerdo de retribución por ser contrario al interés social y haberse llevado a cabo por la mayoría —que es administrador— en perjuicio de la minoría que no lo era, el artículo 208 del TRLSC se refiere únicamente a los efectos de dicha sentencia en el ámbito registral, indicando que determinará la cancelación de la inscripción del acuerdo en cuestión, entendiendo que los efectos son *ex nunc* (a partir del dictado de la sentencia), tal y como viene sosteniendo la doctrina, pues no es aplicable al ámbito mercantil la regla general de los efectos *ex tunc* prevista civilmente, lo que lleva al administrador a no poder cobrar la retribución acordada y declarada nula, siendo necesario que contenga la condena de pago a devolver lo cobrado indebidamente, como efectos claros de la remoción del acuerdo[14].

## 2. *El interés social*

El interés social viene regulado en los artículos 196.2 y 197.3 de la Ley de Sociedades de Capital, en cuanto al derecho de información, en el artículo 204.1 de la misma norma respecto a los acuerdos impugnables y en el artículo 226 del TRLSC como interés de la sociedad. El Principio 9 del Código de buen gobierno de las sociedades cotizadas de febrero de 2015 recoge que «el consejo de administración asumirá, colectiva y unitariamen-

---

[14] PERDICES, ANTONIO, *«La impugnabilidad de los acuerdos de la junta de socios»* (AA. VV.), Rojo, Ángel y Campuzano, Ana Belén (Coordinadores), «Estudios Jurídicos en Memoria del Profesor Emilio Beltrán Liber Amicorum». Tirant lo Blanch, 2015, pág. 464.

te, la responsabilidad directa sobre la administración social y la supervisión de la dirección de la sociedad, con el propósito común de promover el interés social».

En las sociedades cerradas, la determinación del interés social se reserva a la voluntad de los socios reflejada en los estatutos y pactos parasociales es el respeto, mantenimiento y crecimiento del patrimonio de la sociedad como consecuencia de la actividad empresarial y cumplir con el mandato de los socios de repartir dividendos. Algunos autores definen el interés social como la pauta de delimitación del actuar societario, siendo su vulneración causa de impugnación o de invalidación de acuerdos perfectamente legales, pero que están vedados a una concreta sociedad porque se desvían de la finalidad constitutiva de la entidad. El interés social es, igualmente, la pauta o criterio de evaluación de la actuación de los Administradores, pues todas sus actuaciones y sus obligaciones o deberes formalizados (de diligencia, de lealtad) se miden por él. Se ha equiparado a la buena fe del artículo 7 del Código civil (STS 06/03/1992)[15].

Algunos autores indican que la satisfacción del interés social o de la sociedad puede ser contraria a los otros intereses vinculados con la marcha de la sociedad como ocurre en la búsqueda de la rentabilidad por medio de decisiones con incidencia sobre los trabajadores o generando resultados extraordinarios a través de las denominadas desinversiones enlaza con el interés de los accionistas como referencia prioritaria de una adecuada gestión social[16].

La Sentencia del Tribunal Supremo, Sala 1ª, n° 159/2014, de 3 de abril de 2014 *(Tol 4245214)*, indicaba que: «La formulación de los presupuestos para la apreciación del abuso de derecho, prácticamente no han cambiado desde aquella Sentencia de 14 de febrero de 1944. Así, recientemente y con cita de otras anteriores, en la Sentencia 690/2012, de 21 de noviembre, recordamos que para apreciar el abuso del derecho es precisa la concurrencia de los siguientes requisitos: a) el uso de un derecho objetivo y externamente legal; b) daño a un interés, no protegido por una específica prerrogativa jurídica, y c) la inmoralidad o antisocialidad de ese daño, ma-

---

[15]     CORTÉS DOMÍNGUEZ, LUÍS JAVIER, *«El interés social y el sistema de Gobierno Corporativo»* en AA.VV. «Liber Amicorum Juan Luís Iglesias». Editorial Aranzadi, 2014, págs. 159, 160 y 164 a 166.

[16]     SÁNCHEZ-CALERO GUILARTE, JUAN, *«Apuntes sobre las obligaciones preconcursales de los administradores»* en AA.VV. «Liber Amicorum Juan Luís Iglesias». Editorial Aranzadi, 2014, pág. 983.

nifestada en forma subjetiva (ejercicio del derecho con intención de dañar, con "animus nocendi"), o en forma objetiva (ejercicio anormal del derecho, de modo contrario a los fines económico-sociales del mismo) [Sentencias 455/2001, de 16 de mayo, y 722/2010, de 10 de noviembre], ya que, en otro caso, rige la regla "qui iure suo utitur neminem laedit" (quien ejercita su derecho no daña a nadie)».

Por ello, en defensa y protección del interés privado del socio minoritario, que no forma parte del órgano de administración, en el supuesto en el cual el socio mayoritario, que sí es administrador, acuerde una retribución elevada y que no es acorde con la situación económica de la sociedad, ni con las empresas de su tamaño, podrá impugnar y anular el acuerdo adoptado en abuso de la mayoría y por lesión del interés social, el derecho a ver retribuido el capital y a la generación de beneficio. Hay autores que entienden que los acuerdos impuestos abusivamente por la mayoría no incurren en abuso por lesionar el interés social, sino porque pretenden causar daño a los socios minoritarios, no siendo necesario que exista un concreto beneficio de la mayoría[17].

## III. LA RETRIBUCIÓN DEL CARGO Y EL PROCEDIMIENTO CONCURSAL

### 1. La rescisión de los acuerdos retributivos

La naturaleza jurídica de la acción de reintegración del artículo 71 de la Ley Concursal pertenece a la familia de las acciones rescisorias y, como consecuencia del resultado lesivo o injusto de los actos jurídicos celebrados de forma válida, se persigue la ineficacia funcional por perjuicio patrimonial para la masa del concurso, siendo necesario que el acto se haya celebrado en los dos años anteriores a la declaración del concurso[18]. Siendo la acción pauliana del artículo 1111 del Código civil subsidiaria y para un

---

[17] MARTÍNEZ MARTÍNEZ, MAITE, «El nuevo régimen de impugnación de los acuerdos de las Juntas Generales en las Sociedades de Capital: las causas de invalidez y los motivos de inimpugnabilidad». BIB 2015\614. *Revista de Derecho Bancario y Bursátil núm. 137/2015 parte Art. Doctrinal.* Editorial Aranzadi, S.A.U., Cizur Menor. 2015, págs. 27 y 28.

[18] GARCÍA-CRUCES, JOSÉ ANTONIO, *«Presupuestos y finalidad de la acción de reintegración en el concurso de acreedores. La noción de "perjuicio"»* en AA.VV. «La reintegración en el concurso de acreedores», GARCÍA-CRUCES, JOSÉ ANTONIO (Director), 2ª Edición. Editorial Aranzadi, S.A.U., Cizur Menor. 2014, pág. 40.

acreedor perjudicado, a diferencia de la acción rescisoria que es para la colectividad de los acreedores, exigiendo fraude en el momento de ejecución del acto a rescindir[19].

La idea tradicional de gratuidad del cargo no encaja bien con la profesionalización de los órganos de administración de las sociedades y, menos aún, con el régimen de responsabilidad tan extraordinariamente agravado[20] que desincentiva, de forma casi absoluta, que cualquier persona ejerza el cargo de administrador sin retribuir, aunque sólo sea por dietas de asistencia. Es cierto que hay sociedades familiares en las que el poder de decisión, gestión y trabajo se realiza mediante la retribución por prestación de servicios de los consejeros. Sea como fuere, debe retribuirse el cargo o el trabajo desempeñado para evitar la tentación de querer eludir la responsabilidad por acción u omisión como consecuencia de la gratuidad del mismo.

La Sentencia de la Audiencia Provincial de Pontevedra nº 3/2013, de 8 de enero de 2013 *(Tol 3013817)* recoge claramente que la retribución al administrador en situación de pérdidas de la sociedad es contrario al interés social «es llano que lesionará el interés social un acuerdo que fije una retribución para el administrador claramente desproporcionada en relación con los beneficios de la empresa, de suerte que dicha partida absorba en su mayor parte aquella cifra, o resulte injustificada en relación con la evolución económica de la sociedad, como sucedería, por ejemplo, si en una situación de pérdidas, o en una evolución claramente desfavorable de las magnitudes que se integran en la cuenta de resultados, se produjera un aumento excesivo de la retribución a percibir por el administrador», entendiendo que debe prevalecer, en todo caso, el interés social al de los socios, ya esté contenido en un pacto parasocial o sea objeto de un acuerdo de Junta General.

Si finalmente la sociedad es declarada en concurso de acreedores, el hipotético procedimiento iniciado por el consejero frente a la sociedad solicitando el pago de la retribución contenida en el pacto de socios, tendrá la consideración de un crédito litigioso, en virtud del artículo 87.3 de la Ley Concursal, con vocación, en su caso, de crédito subordinado del artículo 92.5º, en relación con el artículo 93.2.2º, ambos de la Ley Concursal.

---

[19]   MUÑOZ PAREDES, ALFONSO, «*Protocolo Concursal*». Editorial Aranzadi, 2013, pág. 332.
[20]   FERNÁNDEZ DE LA GÁNDARA, LUÍS, «*Derecho de Sociedades*», Tirant lo Blanch, Valencia, 2010, pág. 717.

Además, en caso de que se produjera el pago de una retribución en base al pacto extraestatutario, sin tener en cuenta la situación de pérdidas de la sociedad, el acuerdo y la salida de tesorería de la masa activa podría ser rescindible, como ha declarado el Tribunal Supremo en supuestos de remuneración supeditados estatutariamente a la existencia de beneficios en Sentencia del Tribunal Supremo, Sala 1ª, nº 428/2014, de 24 de julio de 2014 *(Tol 4513843)*, declarando que el pago de la retribución no es un acto ordinario o normal, tal y como se recogía previamente en la Sentencia del Tribunal Supremo, Sala 1ª, nº 629/2012, de 26 de octubre *(Tol 2686811)*. El interés lo tendrán los acreedores o la administración concursal, más que el socio, que sí será el que solicite la nulidad del acuerdo en una situación extraconcursal, pero en concurso, ningún interés tendrá al ser un acreedor subordinado, titular de un interés residual[21] con escasa probabilidad de cobro de sus créditos.

Es cierto que siempre cabrá la prueba por parte del administrador de la posible existencia de labores que puedan ser calificadas como ajenas a propias del órgano de administración social, es decir, que el administrador efectivamente acredite que desempeña un trabajo en la empresa por el que se le retribuye. El artículo 249 de dicha norma regula la remuneración de los consejeros ejecutivos y la necesidad de formalizar un contrato que regule los conceptos por los que pueda obtener una retribución, siendo los supuestos de doble vínculo de gran importancia, como reflejó el Dictamen del Consejo de Estado de 21 de junio de 2014 sobre el Anteproyecto de ley de Código Mercantil[22]. Esta es la denominada doctrina del vínculo sobre la que el Tribunal Supremo (SSTS 26 diciembre 2007, 20 de julio de 2010 y 25 de junio de 2013, entre otras muchas) ha venido admitiendo que un administrador pueda tener al mismo tiempo una relación laboral con su empresa, pero sólo para realizar trabajos comunes u ordinarios, no de alta dirección como gerente o director general, pues el «cargo de administrador o consejero comprende por sí mismo las funciones propias de alta dirección». En caso de acreditar el trabajo común efectivo, podrá eludirse

---

21  GARRIDO, JOSÉ MARÍA, *«Los derechos de los accionistas en el concurso»* (AA.VV.), Rojo, Ángel y Campuzano, Ana Belén (Coordinadores), «Estudios Jurídicos en Memoria del Profesor Emilio Beltrán Liber Amicorum». Tirant lo Blanch, 2015, pág. 2371.

22  APARICIO, MARISA, *«Sobre la proyectada Reforma de la Remuneración de los Administradores»* (AA.VV.), Rojo, Ángel y Campuzano, Ana Belén (Coordinadores), «Estudios Jurídicos en Memoria del Profesor Emilio Beltrán Liber Amicorum». Tirant lo Blanch, 2015, pág. 530.

la reintegración. Otra cuestión distinta será el carácter deducible o no del gasto en el Impuesto sobre Sociedades.

Como recoge la Sentencia del Tribunal Supremo, Sala 1ª, nº 682/2016, de 21 de noviembre de 2016 *(Tol 5899777)*: «la acción de reintegración propiamente concursal introducida en el art. 71.1 LC, la rescisión concursal, tiene naturaleza rescisoria». Es interesante la Sentencia de la Audiencia Provincial de Asturias, Sección 1 Oviedo, nº 124/2016, de 19 de abril de 2016 *(Tol 5733289)* que, en un supuesto de cargo gratuito según estatutos y sin contratos laborales o mercantiles, declara objeto de reintegración la retribución percibida por un administrador que, sin acreditar que desempeñara tareas propias de una relación laboral común, ha venido percibiendo una retribución incumpliendo además los deberes de diligente administración, pues no existía prueba de presencia regular del administrador en la sede social para mantenerse debidamente informado acerca de la marcha de la empresa «procediendo consecuentemente declarar que tales pagos carecen de justificación».

El Tribunal Supremo, Sala 1ª, en Sentencia nº 471/2015, de 11 de septiembre de 2015 *(Tol 5430165)* afirma que es legal la retribución de administrador acordada en junta general, aunque no se hayan modificado los estatutos eliminando el carácter gratuito, todo ello «atendido el carácter cerrado de la sociedad, el escaso número de socios, el tratamiento de retribuciones en la citada Junta de marzo de 2008, pudo generar fundadamente en el administrador la confianza en que, a partir de entonces, podía percibir la remuneración y en que no se le iba a reclamar la devolución de tales cantidades, en aplicación de la doctrina de los actos propios como manifestación del principio general de buena fe (STS núm. 412/2013, de 18 de junio)». Sin embargo, ese acuerdo no convalida las retribuciones percibidas en años anteriores en los que se preveía igualmente el cargo gratuito y no había acuerdo expreso de Junta en contra, indicando dicha sentencia que «esta confianza y creencia del administrador en modo alguno puede predicarse de las percepciones anteriores a la Junta de marzo de 2008 al no existir acuerdo o deliberación entre socios sobre esta materia que justificara esta confianza o creencia», en contra de lo recogido en la STS nº 180/2015, de 9 de abril de 2015 *(Tol 5003616)* comentada anteriormente, por lo que habrá que estar al caso concreto para valorar la posibilidad de regularizar la percepción de retribuciones pasadas.

Por lo tanto, es posible ejercitar una acción de reintegración ligada a una impugnación de acuerdo social, con objeto de intentar resarcir el menoscabo que se produce en el activo de la sociedad concursada tras años de retribuciones tóxicas, que, según las denomina la Sentencia del Tribunal

Supremo, Sala 1ª, nº 391/2012, de 25 de junio de 2012 *(Tol 2645832)*, son aquellas «contrarias a los intereses sociales y a los límites que impone la conjunción del deber de lealtad societaria y la ética social (…) para determinar la ilicitud de la retribución fijada en favor de los administradores sociales, además de su importe, la situación económica de la sociedad, la necesidad o no de la actuación de varios administradores retribuidos y las funciones a desempeñar, así como la finalidad o propósito perseguido, y la posibilidad o no de ser el impugnante administrador social».

En el mismo sentido, en situaciones financieras delicadas de las sociedades, la Sentencia de la Audiencia Provincial de Navarra, Sección 1ª, de 17 de enero de 2000 acoge el criterio de nulidad de acuerdos que fijan retribuciones de administradores: «Queda por tanto acreditado el mal estado económico de la sociedad, a ello debe añadirse que se han realizado obras de rehabilitación del hotel, lo cual supone que no es el momento adecuado para establecer una retribución a dos administradores solidarios, máxime teniendo en cuenta que con anterioridad el único administrador de la sociedad no percibía cantidad alguna en este concepto, y que tras la prueba practicada no consta cuáles son las funciones que han de realizar en concreto dichos administradores (…) Por todo lo expuesto a juicio de esta Sala debe mantenerse el pronunciamiento contenido en la sentencia impugnada, y por tanto anular y dejar sin efecto el acuerdo adoptado por la Junta General Extraordinaria por el que se decidió fijar una retribución anual de 1.500.000 en favor de los administradores solidarios».

Así, el socio minoritario, que no forma parte del órgano de administración, puede impugnar el acuerdo de la Junta General que aprueba la retribución tóxica de los administradores, pese a estar regulado también en el pacto de socios, debiendo éstos proceder a devolver a la masa las retribuciones cobradas en caso de anulación judicial del acuerdo.

## 2. Los deberes de diligencia y lealtad

El deber de diligencia es uno de los deberes fiduciarios generales tipificado en el artículo 225.1 del TRLSC, al que los administradores están obligados a satisfacer frente a la sociedad[23]. Esta obligación de desempeño

---

[23] ORIOL LLEBOT, JOSÉ, *«Los deberes y la responsabilidad de los administradores»* en «La responsabilidad de los administradores de las sociedades mercantiles», ROJO, ÁNGEL y BELTRÁN, EMILIO (Dirección) y CAMPUZANO, ANA BELÉN (Coordinación). Tirant lo Blanch, 4ª edición, Valencia, 2011, pág. 31.

del cargo con la diligencia de un ordenado empresario es antigua, pero la reforma de 2014 amplía la misma, además de con la información que debe tener el administrador de la marcha de la sociedad con el deber de tener una dedicación adecuada y adopción de medidas precisas para la buena dirección y el control de la sociedad, junto con el deber de exigir y el derecho de recabar de la sociedad la información adecuada y necesaria que le sirva para el cumplimiento de sus obligaciones.

Por su parte, para rebajar la responsabilidad de los administradores en decisiones de negocio, el artículo 226 del TRLSC protege las decisiones empresariales, siempre que se realicen bajo el estándar de diligencia de un ordenado empresario, esto es, cuando el administrador haya actuado de buena fe, sin interés personal en el asunto objeto de decisión, con información suficiente y con arreglo a un procedimiento de decisión adecuado. Esta es la regla del *business judgement rule* de la jurisprudencia estadounidense que consolida la necesidad de que el administrador dirija la empresa con libertad de criterio e independencia[24].

Llegados a este punto, debemos analizar la responsabilidad de los administradores por infracción de los deberes de lealtad al haber percibido retribuciones estando la sociedad en una situación económica desfavorable. Los artículos 227 a 232 del TRLSC se refieren al deber de lealtad, regulando que los administradores deben realizar sus funciones con lealtad, buena fe y «en el mejor interés de la sociedad», por lo que es claro que debe respetarse por encima de todo el interés social antes que el particular de socios o administradores. El deber de lealtad del administrador está encaminado a cumplir con los objetivos de los *insiders* y los intereses de los *outsiders,* gestionando adecuadamente los recursos de la sociedad y distribuyendo equitativamente los rendimientos que generan[25].

En caso de que se infrinja este deber, el administrador deberá indemnizar el daño causado al patrimonio social y devolver a la sociedad el enriquecimiento injusto obtenido. Los administradores deben abstenerse de realizar transacciones con la sociedad, siendo evidente un claro ejemplo

---

[24]   RECALDE, ANDRÉS, *«Modificaciones en el régimen del deber de diligencia de los administradores; la Business Judgement Rule»* (AA.VV.), Rojo, Ángel y Campuzano, Ana Belén (Coordinadores), «Estudios Jurídicos en Memoria del Profesor Emilio Beltrán Liber Amicorum». Tirant lo Blanch, 2015, pág. 644.

[25]   PAZ-ARES, CÁNDIDO, *«Anatomía del deber de lealtad»* (AA.VV.), Rojo, Ángel y Campuzano, Ana Belén (Coordinadores), «Estudios Jurídicos en Memoria del Profesor Emilio Beltrán Liber Amicorum». Tirant lo Blanch, 2015, pág. 570.

de incumplimiento del deber de lealtad la práctica antes de la crisis inmobiliaria en sociedades promotoras de adquirir los socios terrenos rústicos con préstamos de la sociedad o dinero propio para, una vez convertidos en urbanos —con medios materiales y personales de la sociedad— vender los suelos a la sociedad y aprovechar la plusvalía generada. Esta prohibición entronca con las de hacer uso de los activos sociales con fines privados y aprovecharse de las oportunidades de negocio de la sociedad. Estas actuaciones han sido denominadas por la mejor doctrina anglosajona como *tunneling,* para describir gráficamente el problema (el túnel subterráneo por el que determinados socios obtenían ventajas patrimoniales privadas)[26].

Para reforzar la eficacia del deber de lealtad, hay autores que proponen como medidas detallar las principales obligaciones derivadas del principio general, como sugería ya el Informe Olivencia y el Informe Aldama, con objeto de obtener la eficacia preventiva de la responsabilidad por deslealtad ya que, si las normas de comportamiento están especificadas o concretadas, se incrementa el respeto de las conductas indebidas, se orienta la conducta de los administradores y contribuye a la creación de una cultura corporativa adecuada que, en última instancia, es el aspecto crucial[27].

### 3. La responsabilidad de los administradores

Además de la responsabilidad por las acciones recogidas en el TRLSC, debemos tener presente la responsabilidad concursal de los administradores en caso de percibir retribuciones en supuestos de insolvencia inminente, según se recoge en el artículo 172 bis (anterior 172.3) de la Ley Concursal, dando una amplia extensión al arbitrio judicial[28]. Dicho Artículo ha sido reformado por el Real Decreto-ley 4/2014, que entró en vigor el pasado 9 de marzo de 2014, introduciendo una nueva causa 4ª en el Artículo 165 de la Ley Concursal, así como a indicar expresamente que se conde-

---

[26] VIVES RUIZ, FERNANDO, «*Los conflictos de intereses de los socios con la sociedad en la reforma de la Legislación Mercantil*». BIB 2015\613. Revista de Derecho Bancario y Bursátil núm. 137/2015 parte Art. Doctrinal. Editorial Aranzadi, S.A.U., Cizur Menor. 2015, pág. 6.

[27] PAZ-ARES, CÁNDIDO, «*La responsabilidad de los administradores como instrumento de gobierno corporativo*». InDret 4/2003, pág. 13.

[28] GARCÍA-CRUCES, JOSÉ ANTONIO, «*La responsabilidad concursal*» en «La responsabilidad de los administradores de las sociedades mercantiles», ROJO, ÁNGEL y BELTRÁN, EMILIO (Dirección) y CAMPUZANO, ANA BELÉN (Coordinación). Tirant lo Blanch, 4ª edición, Valencia, 2011, pág. 315.

nará a los afectados por la calificación «en la medida que la conducta que ha determinado la calificación culpable haya generado o agravado la insolvencia», no quedando sometida la reforma a norma transitoria alguna.

Así, según el artículo 163 de la Ley Concursal, el concurso, respecto de su calificación, puede distinguirse entre fortuito o culpable, según se origine o no responsabilidad civil. El concurso culpable se regula en los artículos 164 y 165 de la Ley Concursal, estableciendo una serie de ilícitos concursales y presunciones que admiten o no prueba en contra. Estas presunciones se analizan, entre otras, en la Sentencia del Tribunal Supremo, Sala 1ª, nº 349/2014, de 3 de julio de 2014 *(Tol 4437966)*, aclarando, por tanto, que las presunciones del artículo 165 de la Ley Concursal, no se contraen únicamente a tener por acreditado el elemento objetivo de la calificación culpable, debiendo la Administración Concursal acreditar el elemento subjetivo, esto la actuación dolosa o gravemente negligente, sino que se extiende a ambos elementos, objetivo y subjetivo.

También pueden ser declarados responsables los administradores de hecho, más aún desde la reforma de la Ley Concursal mediante el Real Decreto Ley 4/2014 que modifica el Artículo 93.2.2º de la Ley Concursal incorporando una precisión acerca del concepto de «administrador de hecho» y de quién puede merecer tal consideración como consecuencia de los pactos habidos en un acuerdo de refinanciación. Podemos definir el administrador de hecho como aquella persona que se presenta frente a terceros como administrador de la sociedad y que, pese a carecer de un nombramiento formal, mediante sus poderes generales o por indicaciones de socios y administradores, ejerce de forma directa, continuada e independiente una actividad de gestión equivalente a la del administrador de la sociedad. Desde hace años, la jurisprudencia (SSTS de 23 de febrero de 2011, de 12 de septiembre de 2011 y de 6 de octubre de 2011) recogió la posible responsabilidad concursal del administrador de hecho, a los efectos de imputarle la calificación de culpabilidad del concurso. La Sentencia del Tribunal Supremo, Sala 1ª, nº 421/2015, de 22 de julio de 2015 *(Tol 5390982)* ha determinado la responsabilidad del administrador de hecho en un supuesto de retraso en la solicitud de concurso. La jurisprudencia menor, como la Sentencia de la Audiencia Provincial de Barcelona, Sección 15ª, nº 42/2015, de 16 de febrero de 2015 *(Tol 4822034)*, distingue entre la figura de apoderado y la de administrador de hecho, indicando que «la característica del administrador de hecho no es la realización material de determinadas funciones, sino la actuación en la condición de administrador sin observar las formalidades esenciales que la Ley o los estatutos exigen para adquirir tal condición». Sin embargo, en nuestro supuesto, entendemos que no cabe o será muy dificultoso, el supuesto de administrador de hecho con remuneración en contra del interés social.

Según las recomendaciones 255 y 256 de la Guía Legislativa de la CNUD-MI sobre el Régimen de la Insolvencia. Cuarta parte: Obligaciones de los directores en el período cercano a la insolvencia, éstos deben «evaluar la situación financiera de la empresa y asegurar que las cuentas se lleven debidamente y estén actualizadas; informarse de manera independiente acerca de la situación financiera en que se encuentra la empresa y su situación general; celebrar reuniones periódicas del consejo de administración para vigilar la situación; obtener asesoramiento profesional, incluido asesoramiento jurídico o relativo a la insolvencia; mantener conversaciones con los auditores; convocar una asamblea de accionistas; modificar las prácticas de gestión para tener en cuenta los intereses de los acreedores y otras partes interesadas; proteger los activos de la empresa para obtener el máximo valor y evitar la pérdida de activos fundamentales; estudiar la estructura y las funciones de la empresa para examinar la viabilidad y reducir los gastos; no permitir que la empresa se comprometa a los tipos de operaciones que podrían ser anuladas a no ser que ello se justifique debidamente desde el punto de vista empresarial; seguir comerciando en las circunstancias en que resulte apropiado hacerlo, para obtener el máximo valor del negocio en marcha; mantener negociaciones con los acreedores o iniciar otros procedimientos oficiosos, como negociaciones para una reestructuración de carácter voluntario», por lo que no cabe que se escuden en la falta de información o supuesta opacidad de los directivos en cuanto a la situación financiera de la sociedad si no se han hecho las gestiones indicadas y los consejeros se limitan a exonerar su culpa por la profesionalización del equipo directivo, la ausencia de conocimiento y entendimiento de cuestiones económicas y la información errónea recibida.

El régimen de responsabilidad concursal ha sufrido numerosos cambios doctrinales, siendo pacífico desde las Sentencias del Tribunal Supremo previas a las últimas reformas de la Ley Concursal que siguieron la doctrina apuntada en el voto particular concurrente que formularon el Excmo. Sr. D. Ignacio Sancho Gargallo y el Excmo. Sr. D. Sebastián Sastre Papiol a la Sentencia de Pleno, Sala 1ª, nº 772/2014, de 12 de enero de 2015 *(Tol 4717418)*. Con posterioridad, la Sentencia del Tribunal Supremo, Sala 1ª, nº 275/2015, de 7 de mayo de 2015 *(Tol 5010145)* indica que: «la naturaleza de la responsabilidad concursal (…) no se trata de un régimen "automático" de responsabilidad, sino que es precisa esa "justificación añadida"». En el mismo sentido, la Sentencia del Tribunal Supremo, Sala 1ª, nº 421/2015, de 22 julio de 2015 *(Tol 5390982)*.

Por todo ello, será determinante para declarar la responsabilidad de los administradores acreditar que, en el momento de percibir las retribuciones la inminencia de la insolvencia afectó a los fundamentos de su actividad. Dentro de esos fundamentos se encuentra la determinación del propósito o fin de su actividad[29], lo que es evidente en los casos de impago a terceros, imposibilidad de mantener la actividad ordinaria y, sin embargo, atender retribuciones de administradores como una huida hacia delante exprimiendo la caja social antes de que se declare judicialmente la insolvencia de la sociedad.

## IV. CONCLUSIONES

Los pactos de socios son válidos y vinculan a los firmantes de los mismos y, en determinados casos, a la sociedad, con efectos también frente a terceros si constan inscritos en el Registro Mercantil. A pesar de ello, entendemos que no es exigible la retribución por el administrador a la sociedad, pese a estar reconocido el derecho y cuantificado en el Pacto de socios, si la Junta General de cada ejercicio no ha aprobado la retribución, máxime si la situación financiera de la compañía es sensiblemente más desfavorable que la existente en el momento de suscribir el acuerdo parasocial (aplicación de la cláusula *rebus sic stantibus*) y por lo dispuesto en el artículo 29 del TRLSC. El consejero que no ostenta funciones ejecutivas y pretende percibir la retribución acordada, no en sede de Junta General, sino en un Pacto de socios, podría exigir su cumplimiento al resto de socios —aunque con escasas perspectivas de éxito— en aplicación del artículo 1257 del Código civil, pero, en ningún caso a la sociedad, que únicamente puede ejecutar y llevar a cabo los acuerdos adoptados en el seno de los órganos de gobierno y de gestión de la sociedad.

Del mismo modo, entendemos que no sería impugnable un acuerdo contrario a lo recogido en el pacto parasocial, sino que las causas de impugnación deben ir más allá, motivando la acción por lo dispuesto en el artículo 204 del TRLSC, esto es, por lesionar el interés social en beneficio de uno o varios socios o de terceros, impuesto de manera abusiva por la mayoría sin responder a una necesidad razonable y justificada de la sociedad, debiendo primar siempre el interés social y el cumplimiento del

---

29    SÁNCHEZ-CALERO GUILARTE, JUAN, *«Apuntes sobre las obligaciones preconcursales de los administradores»* en AA.VV. «Liber Amicorum Juan Luís Iglesias». Editorial Aranzadi, 2014, pág. 982.

objeto y fin social por encima de acuerdos beneficiosos para los administradores. Por todo ello, podemos afirmar que es posible impugnar acuerdos sociales por infracción de pactos parasociales, siempre y cuando se admita la ejecución de las obligaciones asumidas en virtud del pacto[30] y exista, por sí sola, causa de impugnación, siendo evidente cuando todos los socios son parte del pacto parasocial al lesionar el interés social, todo ello a pesar de que el Anteproyecto de Código Mercantil, en su artículo 213-21, declara la inoponibilidad de los pactos celebrados entre todos o algunos socios, o entre uno o varios socios y uno o varios administradores al margen de la escritura social o de los estatutos, estén o no depositados en el Registro mercantil y que los acuerdos sociales adoptados en contra de lo previsto en los pactos serán válidos.

En los casos de administradores que no realizan funciones ejecutivas, el cobro de retribuciones denominadas jurisprudencialmente como «tóxicas», con infracción de los deberes de diligencia y lealtad, puede llevar a declarar la responsabilidad del administrador y la condena a su devolución, con indemnización de daños y perjuicios a la sociedad por ser contrarias a los intereses sociales y a los límites que impone la conjunción del deber de lealtad societaria y la ética social por ser absolutamente perjudicial para la sociedad, en beneficio exclusivo del administrador.

## Bibliografía

APARICIO, M., «Sobre la proyectada Reforma de la Remuneración de los Administradores» (AA.VV.), Rojo, Ángel y Campuzano, Ana Belén (Coordinadores), *Estudios Jurídicos en Memoria del Profesor Emilio Beltrán Liber Amicorum*. Tirant lo Blanch, 2015, pág. 530.

CORTÉS DOMÍNGUEZ, L. J., «El interés social y el sistema de Gobierno Corporativo» en AA.VV. *Liber Amicorum Juan Luís Iglesias*. Editorial Aranzadi, 2014, págs. 159, 160 y 164 a 166.

FERNÁNDEZ DE LA GÁNDARA, L., *Derecho de Sociedades*, Tirant lo Blanch, Valencia, 2010.

---

[30]   PÉREZ MILLÁN, DAVID, *«De la posible impugnación de acuerdos sociales por infracción de pactos parasociales»*. Comunicación presentada a la Jornada Internacional «Reflexiones sobre la Junta General de las sociedades de capital», organizada en el marco del proyecto de investigación SEJ 2007-63752/JURI «Estudio de la función de la Junta General en las sociedades de capital: problemas y propuestas de solución», cuyo investigador principal es el Prof. RODRÍGUEZ ARTIGAS. Madrid, 20 de abril de 2009, pág. 4.

FERNÁNDEZ DEL POZO, L., «El "enforcement" societario y registral de los pactos parasociales. La oponibilidad de lo pactado en protocolo familiar publicado». BIB 2007\2027. *Revista de Derecho de Sociedades núm. 29/2007 2 parte Estudio.* Editorial Aranzadi, S.A.U., Cizur Menor. 2007.

FLORES, M., «Los pactos parasociales a favor de la sociedad» (AA.VV.), Rojo, Ángel y Campuzano, Ana Belén (Coordinadores), *«Estudios Jurídicos en Memoria del Profesor Emilio Beltrán Liber Amicorum».* Tirant lo Blanch, 2015, pág. 313.

GARCÍA-CRUCES, J. A., «La responsabilidad concursal» en *«La responsabilidad de los administradores de las sociedades mercantiles»,* ROJO, A. y BELTRÁN, E. (Dirección) y CAMPUZANO, A. B. (Coordinación). Tirant lo Blanch, 4ª edición, Valencia, 2011, — «Presupuestos y finalidad de la acción de reintegración en el concurso de acreedores. La noción de "perjuicio"» en AA.VV. *«La reintegración en el concurso de acreedores»,* GARCÍA-CRUCES, J. A. (Director), 2ª Edición. Editorial Aranzadi, S.A.U., Cizur Menor. 2014, pág. 40.

GARRIDO, J. M., «Los derechos de los accionistas en el concurso» (AA.VV.), Rojo, Ángel y Campuzano, Ana Belén (Coordinadores), *«Estudios Jurídicos en Memoria del Profesor Emilio Beltrán Liber Amicorum».* Tirant lo Blanch, 2015, pág. 2371.

LEÓN SANZ, F. J. «La previsión en los Estatutos de la Retribución de los Administradores de las Sociedades Anónimas. El Estado de la cuestión en la Doctrina Española». *I Foro de encuentro de jueces y profesores de derecho mercantil,* Ed. Tirant lo Blanch, Valencia, 2010. págs. 13 a 32.

MARTÍNEZ MARTÍNEZ, M., «El nuevo régimen de impugnación de los acuerdos de las Juntas Generales en las Sociedades de Capital: las causas de invalidez y los motivos de inimpugnabilidad». BIB 2015\614. *Revista de Derecho Bancario y Bursátil núm. 137/2015 parte Art. Doctrinal.* Editorial Aranzadi, S.A.U., Cizur Menor. 2015, págs. 27 y 28.

MORALES BARCELÓ, J., «Pactos parasociales vs estatutos sociales: eficacia jurídica e impugnación de acuerdos sociales por su infracción» *Revista de Derecho de Sociedades* núm. 42/2014. Editorial Aranzadi, SA, Pamplona. 2014.

MUÑOZ PAREDES, A., *«Protocolo Concursal».* Editorial Aranzadi, 2013.

ORIOL LLEBOT, J., «Los deberes y la responsabilidad de los administradores» en *«La responsabilidad de los administradores de las sociedades mercantiles»,* ROJO, A. y BELTRÁN, E. (Dirección) y CAMPUZANO, A. B. (Coordinación). Tirant lo Blanch, 4ª edición, Valencia, 2011, pág. 31.

PAZ-ARES, C., «Anatomía del deber de lealtad» (AA.VV.), Rojo, Ángel y Campuzano, Ana Belén (Coordinadores), *«Estudios Jurídicos en Memoria del Profesor Emilio Beltrán Liber Amicorum».* Tirant lo Blanch, 2015, pág. 570.

— «El enforcement de los pactos parasociales». *Actualidad Jurídica Uría & Menéndez, Nº 5/2003.*

— «Fundamento de la prohibición de los pactos de voto para el consejo». *InDret 4/2010.*

— *«La denuncia ad nutum de los contratos de duración indeterminada: Entre el derecho dispositivo y el derecho imperativo. (Reflexiones a propósito de joint ventures y pactos parasociales»* en AA.VV. «Liber Amicorum Juan Luís Iglesias». Editorial Aranzadi, 2014, pág. 841.

— «La responsabilidad de los administradores como instrumento de gobierno corporativo». *InDret 4/2003,* pág. 13.

PERDICES, A., «La impugnabilidad de los acuerdos de la junta de socios» (AA.VV.), Rojo, Ángel y Campuzano, Ana Belén (Coordinadores), *«Estudios Jurídicos en Memoria del Profesor Emilio Beltrán Liber Amicorum».* Tirant lo Blanch, 2015, pág. 464.

— en «Pactos parasociales omnilaterales y los grandes expresos europeos». 11 de marzo de 2016. http://almacendederecho.org/pactos-parasociales-omnilaterales-y-los-grandes-expresos-europeos/.

PÉREZ MILLÁN, D., «De la posible impugnación de acuerdos sociales por infracción de pactos parasociales». Comunicación presentada a la Jornada Internacional «Reflexiones sobre la Junta General de las sociedades de capital», organizada en el marco del proyecto de investigación SEJ 2007-63752/JURI «Estudio de la función de la Junta General en las sociedades de capital: problemas y propuestas de solución», cuyo investigador principal es el Prof. RODRÍGUEZ ARTIGAS. Madrid, 20 de abril de 2009, pág. 4.

— «Pactos parasociales con terceros». Comunicación presentada al IX Seminario HarvardComplutense, Transatlantic View on Corporate and Financial Law Issues, celebrado entre los días 7 y 10 de noviembre de 2011 en la Harvard Law School, Cambridge (MA), EE. UU. con el patrocinio de Allen & Overy, Banco Santander, J & A Garrigues, Colegio de Registradores de España e Ilustre Colegio Notarial de Madrid. Universidad Complutense, diciembre 2011.

PÉREZ MORIONES, A., «Una vez más sobre la eficacia de los pactos parasociales tras la STS de 25 de febrero de 2016». BIB 2016\21189. *Revista Doctrinal Aranzadi Civil-Mercantil núm. 5/2016 parte Comentario.* Editorial Aranzadi, S.A.U., Cizur Menor. 2016.

RECALDE, A., «Modificaciones en el régimen del deber de diligencia de los administradores; la Business Judgement Rule» (AA.VV.), Rojo, Ángel y Campuzano, Ana Belén (Coordinadores), *«Estudios Jurídicos en Memoria del Profesor Emilio Beltrán Liber Amicorum».* Tirant lo Blanch, 2015, pág. 644.

RONCERO SÁNCHEZ, A., «Principales deficiencias de técnica y política jurídica del nuevo régimen sobre retribución de los administradores de sociedades de capital» en AA.VV. *«Liber Amicorum Profesor Luis Fernández de la Gándara».* Editorial Aranzadi, 2016, págs. 411 a 413.

SÁEZ LACAVE, M.ª I., «Los pactos parasociales de todos los socios en Derecho español. Una materia en manos de los jueces». *InDret 3/2009.*

SÁNCHEZ-CALERO GUILARTE, J., «Apuntes sobre las obligaciones preconcursales de los administradores» en AA.VV. *«Liber Amicorum Juan Luís Iglesias».* Editorial Aranzadi, 2014.

VIVES RUIZ, F., «Los conflictos de intereses de los socios con la sociedad en la reforma de la Legislación Mercantil». BIB 2015\613. *Revista de Derecho Bancario y Bursátil núm. 137/2015 parte Art. Doctrinal.* Editorial Aranzadi, S.A.U., Cizur Menor. 2015.

# 46. Posicionamiento de la Dirección General de los Registros y el Notariado en materia de retribución de administradores tras la reforma de la Ley 31/2014, de 3 de diciembre

**RAFAEL JORDA GARCÍA**

*Abogado. Profesor Asociado de Derecho Mercantil*
*Universidad de Murcia*

## I. RETRIBUCIÓN DE ADMINISTRADORES: ACTUALIDAD DE LA CUESTIÓN

Tras la Ley 31/2014, de 3 de diciembre, para la mejora del gobierno corporativo, la retribución de los administradores se ha convertido en un tema de actualidad en el ámbito del derecho societario, no exento de polémica, por la posibilidad de retribuir a los consejeros ejecutivos sin previsión estatutaria[1].

El gobierno corporativo, del que trae causa la reforma, trata de controlar y regular el poder de los altos directivos y del órgano de administra-

---

[1] Polémica que referiremos *infra* al analizar el alcance, tras la reforma, del principio de reserva estatutaria para la retribución de administradores, tradicionalmente previsto en nuestro derecho de sociedades.

ción en la sociedad cotizada ante la dispersión del accionariado[2], fomenta una mayor transparencia e información a los inversores[3], previene de la asunción excesiva de riesgos por los administradores (en su pretensión de maximizar el beneficio del que en ocasiones depende su retribución)[4] y busca solucionar los conflictos de intereses entre socios y entre socios y administradores[5].

La realidad es que las propuestas de gobierno corporativo basadas inicialmente en principios y recomendaciones voluntarias no habían surtido todos los efectos esperados, por lo que se venía reclamando un desarrollo normativo y preceptivo claro, entre otras, en materia de retribuciones[6].

---

[2]    PASCUAL FUSTER, B., GALVE GÓRRIZ, C., CRESPÍ CLADERA, R., «Prácticas de gobierno corporativo y modelos de control: una aplicación a las sociedades cotizadas», *Papeles de Economía Española*, n° 132, 2012, págs. 289-300). Para HIERRO ANIBARRO, S., «Gobierno Corporativo sin mercado de valores», en AA.VV. *Gobierno Corporativo en sociedades no cotizadas*, Dir. HIERRO ANIBARRO, S., Marcial Pons, Madrid, 2014, págs. 17-35, no obstante la extensión que ha alcanzado el gobierno corporativo en Europa y el interés de extender sus principios fuera del mercado de valores, el gobierno corporativo ha sido y sigue siendo patrimonio casi exclusivo de la sociedad cotizada.

[3]    El buen gobierno corporativo es un factor esencial para crear valor en las empresas, aumentar la eficiencia económica y reforzar la confianza de los inversores (ARROYO, E., «Cómo mejorar el gobierno corporativo de las empresas», *Escritura Pública*, julio-agosto 2014, págs. 36-39).

[4]    El buen gobierno corporativo va unido a la responsabilidad social corporativa que no se constriñe a la maximización del beneficio para el accionista y amplía el espectro de sus beneficiarios a los distintos grupos de interés, los stakeholders (vid. LIZCANO, J. L., «Buen gobierno y responsabilidad social corporativa», *Partida doble*, n° 182, noviembre 2006, págs. 20-35).

[5]    El conflicto entre accionistas y directivos o riesgo de agencia surge de un contrato bajo el cual una persona (el principal) encarga a otra (el agente) desempeñar algunos servicios en su nombre, delegando en el agente para que tome ciertas decisiones en nombre del principal, por lo que se trata de determinar en el contrato como minimizar los costes de la transacción en la relación principal-agente; si bien debido a una alta concentración de la propiedad, se generan también conflictos entre los accionistas controladores y los minoritarios, el cual ha sido denominado como el conflicto entre principal-principal (BRIANO TURRENT, G. C., RODRÍGUEZ, L., AZUARA, V., *Gobierno Corporativo en Latinoamérica y España*, Saarbrücken, 2013.

[6]    Sin menospreciar el valor de las recomendaciones y del modelo de «cumplir o explicar», que tratan de concienciar a las sociedades de la necesidad de actuar con corrección en el mercado, se considera necesario proponer cambios normativos relativos al gobierno de las empresas; Cuestión que algunos autores vinculan a la crisis económica (vid. BARCIELA, F., «Gobierno corporativo: Menos autorregu-

Las recomendaciones de gobierno corporativo han acabado siendo de aplicación general para todas las sociedades, cotizadas o no[7], y una de las materias afectadas es la retribución de los administradores, al considerarse necesario su control para evitar abusos por parte de los mismos[8]. Si, además, el accionista mayoritario es quien designa a los administradores puede promover su retribución en perjuicio del socio minoritario, obviando o minimizando el reparto de dividendos[9].

---

lación, más leyes», *Consejeros,* junio 2014, págs. 48-51, o LÓPEZ QUESADA MARTÍN, E. y CAMACHO MIÑANO, M. M., «Códigos de Gobierno ¿suficientes para afrontar la crisis?», *Contabilidad*, n° 237, noviembre de 2011, págs. 46-55). Para FERRANDO VILLALBA, M. L., «Gobierno corporativo y crisis económica: La delimitación de los nuevos intereses sociales», en AA.VV. *Crisis económica y responsabilidad en la empresa*, Dirs. ABRIANI, N. y EMBID IRUJO, J. M., Granada, 2013, págs. 95-109, «dejar a la autonomía de la voluntad la inclusión, al menos, de algunas de las recomendaciones, sometiendo su inobservancia a una sanción extrajurídica, bien económica o bien social o "reputacional", ha permitido el incumplimiento, en nuestro país, de las recomendaciones más relevantes de nuestro Código de buen gobierno, como las relativas a la información sobre la retribución de los consejeros».

[7] VIVES RUIZ, F., «Propuesta de reforma legislativa en el Estudio de la Comisión de expertos en materia de gobierno corporativo (I)», *El notario del siglo XXI*, noviembre-diciembre 2013, n° 52, págs. 1-5, remarca respecto al ámbito subjetivo del estudio realizado por la Comisión de expertos, de la que trae causa la reforma que «si bien el estudio se dirige principalmente a las sociedades cotizadas como paradigma de sociedad abierta y en la que con mayor intensidad se plantean los problemas de gobierno corporativo (…) no se excluye del mandato del Consejo de Ministros a las sociedades no cotizadas». En el mismo sentido, PIÑEL, E., «Proyecto de ley de sociedades de capital corporativo», *Escritura Pública*, julio-agosto 2014, págs. 38-39.

[8] Entre las recomendaciones menos cumplidas figura el régimen de aprobación y transparencia de las retribuciones de los consejeros (LÓPEZ QUESADA MARTÍN, E. y CAMACHO MIÑANO, M. M., «Códigos de Gobierno…», *est. cit.*, pág. 52). Si pueden incrementar su retribución en función del beneficio anual de la sociedad, los administradores no se van a preocupar de políticas a medio o largo plazo, sino de maximizar el beneficio de cada año en curso, desconociendo si seguirán en el cargo mucho tiempo más (JORDA GARCÍA, R. «Aplicabilidad de los principios de gobierno corporativo a las sociedades no cotizadas y la reforma de la ley de sociedades de capital basada en la mejora del gobierno corporativo», en AA.VV. *Mejora del gobierno corporativo de sociedades no cotizadas (A propósito de la Ley 31/2014, de 3 de diciembre)*, Dirs. JORDA GARCÍA, R. y NAVARRO MATAMOROS, L., Madrid, 2014, págs. 21-40.

[9] Y ello, justificado en la necesidad de capitalizar la sociedad dotando continuamente reservas al no existir un derecho a un dividendo sino el derecho a la parte proporcional del dividendo cuando éste se haya acordado (por todas, STS de

La actualidad de la retribución de administradores también se ha producido en los ámbitos fiscal y laboral, en el primer caso por la no deducibilidad, como gasto, de la retribución si la misma no estaba prevista en los estatutos[10] y, en el segundo, por la teoría del vínculo que venía sirviendo para diferenciar la relación laboral o mercantil de los administradores[11].

---

7 de diciembre de 2011 *(Tol 2441098)*, que confirmó la nulidad del acuerdo de aprobación de cuentas y de aplicación a reservas del resultado considerando el acuerdo lesivo para la minoría por abusivo al privar al socio minoritario de dividendos sin causa acreditada alguna. Esta cuestión se podría paliar con el derecho de separación del socio en caso de no reparto de un dividendo mínimo, siempre que se cumplan determinados requisitos, introducido en el art. 348 bis LSC, por la Ley 25/2011, de 1 de agosto, pero que ha estado suspendido hasta el pasado 31 de diciembre de 2016.

[10] Por todos, DE MIGUEL ARIAS, S., «De nuevo sobre la calificación tributaria de las retribuciones de los socios administradores de entidades», *Revista Quincena Fiscal*, nº 12, junio 2015, págs. 143 a 148, que analiza las sentencias de la AN de lo contencioso de 8 de octubre de 2014 (JT/2014/1665 y JUR 2014/261140), conforme a la normativa anterior, Texto Refundido de la Ley del Impuesto sobre Sociedades, aprobado por el Real Decreto Legislativo 4/2004, de 5 de marzo, sobre la calificación tributaria de las rentas pagadas a un socio administrador con contrato de alta dirección y sin ser el cargo retribuido en los estatutos sociales, concluyendo que las rentas satisfechas son en realidad una retribución de fondos propios no deducible en el Impuesto sobre Sociedades, antes de su reforma. Cuestión superada por la vigente Ley 27/2014, de 27 de noviembre, del Impuesto sobre Sociedades (LIS), pero que ha incluido que no son deducibles los gastos que incumplan cualquier norma del ordenamiento jurídico (art. 15 f. LIS), por ello, para FERNÁNDEZ VIDAL, F. J., «El principio de reserva estatutaria frente a la retribución del Consejero ejecutivo en sociedades no cotizadas», *Diario la Ley*, 18 de diciembre de 2015, págs. 11-13, probablemente muchas sociedades opten por seguir incluyendo en sus estatutos sociales la previsión de la retribución de los consejeros ejecutivos, no solo desde la perspectiva del derecho de transparencia, sino incluso para tratar de minimizar potenciales riesgos de deducibilidad que se pudieran derivar en materia tributaria que, si bien parecen haberse diluido en cierta medida tras la entrada en vigor de la LIS, no pueden descartarse por el momento.

[11] La teoría del vínculo sigue siendo de aplicación tras la reforma para la mejora del gobierno corporativo, en cuanto, como se referirá *infra*, es compatible la realización de funciones extrañas al cargo de administrador siempre que no se formalice mediante un contrato de alta dirección Vid. TOVAR ROCAMORA, J. J., «La teoría del vínculo tras la Ley 31/2014» *Revista Española de Derecho del Trabajo*, nº 184, febrero 2016, págs. 215 a 236, y las recientes resoluciones de la DGRN, entre otras, la de 17 de junio de 2016 *(Tol 5786399)*.

## II. RÉGIMEN JURÍDICO DE LA RETRIBUCIÓN DE ADMINISTRADORES TRAS LA LEY 31/2014, DE 3 DE DICIEMBRE

La Ley de Sociedades de Capital (LSC) refundió la redacción del régimen jurídico aplicable a la retribución de administradores para SA y SL en el art. 217 LSC, confirmando el principio de reserva estatutaria[12], haciendo prevalecer la dicción del art. 66.3 LSRL sobre el art. 130 LSA[13], refiriendo claramente el carácter gratuito del cargo de administrador a menos que los estatutos establezcan lo contrario determinando el sistema de retribución[14]. Además, la LSC mantuvo la mención, para las SL, de que cuando la retribución no tuviera como base una participación en los beneficios, la remuneración de los administradores será fijada para cada ejercicio por acuerdo de la Junta General[15].

---

[12]   En virtud del principio de reserva estatutaria, si los estatutos no hacen mención alguna a la retribución de los administradores estos no pueden ser retribuidos. La STS de 12 de enero de 2007 *(Tol 1040247)* señala que la junta no es competente para establecer la retribución de los administradores si los estatutos no establecen nada al respecto, siendo necesaria la previa modificación de los estatutos. No es preciso que los estatutos precisen la cifra exacta de la retribución, solo del sistema o sistemas de retribución, pero sin dejar a la junta la determinación de cuál de ellos ha de aplicarse en cada momento [STS de 21 de abril de 2005 *(Tol 638989)*]. Para, FERNÁNDEZ DEL POZO, L., «El misterio de la remuneración de los administradores de las sociedades no cotizadas. Las carencias regulatorias de la reforma», *Revista de Derecho Mercantil,* 297, julio-septiembre 2015, págs. 199 a 248, pág. 209, desde la perspectiva de la tutela de la posición del socio minoritario, la reserva estatutaria funciona como un mecanismo de prevención de conflictos (…) y protege tanto a los administradores, presentes y futuros, como a los socios minoritarios, presentes y futuros.

[13]   El art. 130 LSA ya había reproducido la redacción de la LSA de 1951, añadiendo la mención del art. 102 h) del Reglamento del Registro Mercantil de 14 de diciembre de 1956 respecto a los que los estatutos debían precisar «la forma de su retribución si la tuvieran», en el art. 9 h LSA (contenido de los estatutos).

[14]   Para LORA-TAMAYO VILLACIEROS, M., «La retribución de los administradores en las pequeñas sociedades», *Cuadernos de Derecho y Comercio,* 2013, n° 59, págs. 255-276, dicha gratuidad no dejaba de extrañar sobre todo en sociedades unipersonales o pequeñas sociedades familiares en las que el medio de vida del o de los socios precisamente lo constituye el desarrollo de una actividad profesional o empresarial a través de esa sociedad.

[15]   Criterio aplicado, entre otras, en las RRDGRN de 15 de abril de 2000 *(Tol 119991)* y 12 de noviembre de 2003 *(Tol 376526).* La RDGRN de 19 de marzo de 2001 *(Tol 138543)* admite que siendo determinada la cuantía por la junta general se podía establecer en estatutos un límite, fijando en ese caso que el importe de la retribución no podrá exceder del 5 por ciento de la cifra de negocios del ejercicio inme-

La Ley 31/2014, de 3 de diciembre, para la mejora del gobierno corporativo, modificó diferentes aspectos en materia de retribución de administradores que han obligado a una reflexión sobre el régimen aplicable y la necesidad de adaptar o modificar las previsiones estatutarias preexistentes, en su caso[16].

## 1. Alcance del principio de reserva estatutaria respecto a los consejeros ejecutivos

Tras la reforma, el art. 217 LSC mantiene el principio de reserva estatutaria[17], y se enumeran diferentes sistemas de remuneración a percibir por los administradores, especificando que la misma lo es *«en su condición de tales»*, y que podrán consistir, entre otros[18], en uno o varios de los siguien-

---

diatamente precedente. La RDGRN de 30 de mayo de 2001 *(Tol 73532)* exigía que se precisara si la cuantía a fijar por la junta general será fija, alzada o con cargo a una participación en beneficios (ya que en otro caso en cada ejercicio la junta general podría determinar sistemas de año en año diferentes).

[16] Las modificaciones legislativas por razones de gobierno corporativo en materia de retribuciones no se limitan a la última reforma de la LSC. Debemos destacar la Ley 2/2011, de 4 de marzo, de Economía Sostenible, respecto al Informe anual de retribuciones de los administradores establece la obligatoriedad de consultar, de forma no vinculante, a la junta general sobre dichas remuneraciones Y la Orden ECC/461/2013, de 20 de marzo, del Ministerio de Economía y Competitividad, por la que se determinan el contenido y estructura del informe anual de gobierno corporativo, del informe anual sobre remuneraciones y de otros instrumentos de información de las sociedades cotizadas (Vid. GONZÁLEZ GALÁN, S., «Nuevas obligaciones de gobierno corporativo», *Iuris&Lex*, 2013, pág. 20).

[17] No es válida la cláusula que deja al arbitrio de la junta el concreto sistema de retribución al establecer el artículo estatutario simplemente el carácter retribuido del cargo y que la cuantía la fijará la junta general (RDGRN de 16 de febrero de 2013 *(Tol 3244101)*, criterio reiterado después de la reforma por la RDGRN de 21 de enero de 2016 *(Tol 5641530)*. También permite la DGRN que el cargo pueda ser gratuito durante el ejercicio del cargo pero que exista un derecho de retribución compensatoria cuando se dejase el cargo por causa de jubilación [RDGRN 5 de abril de 2013 *(Tol 3671025)*]. Se sigue permitiendo que los estatutos concreten la cuantía de la retribución [vid. RDGRN de 19 de febrero de 2015 *(Tol 4769854)*].

[18] Enumeración con carácter enunciativo y no limitativo, pudiendo preverse otros conceptos retributivos (retribución en especie, seguros de vida, de responsabilidad civil, etc.). Respecto a la posibilidad de establecer una pensión vitalicia a favor de los administradores que alcancen la jubilación en el ejercicio de su cargo, vid. RDGRN de 5 de abril de 2013 *(Tol 3671025)*.

tes[19]: «*a) una asignación fija, b) dietas de asistencia, c) participación en beneficios, d) retribución variable con indicadores o parámetros generales de referencia, e) remuneración en acciones o vinculada a su evolución, f) indemnizaciones por cese, siempre y cuando el cese no estuviese motivado por el incumplimiento de las funciones de administrador y g) los sistemas de ahorro o previsión que se consideren oportunos*».

Por su parte el art. 249.3 LSC, respecto a las funciones ejecutivas de los consejeros ha establecido, como novedad, que cuando un miembro del consejo de administración sea nombrado consejero delegado o se le atribuyan funciones ejecutivas en virtud de otro título[20], será necesario que se celebre un contrato entre éste y la sociedad que deberá ser aprobado previamente por el consejo de administración con el voto favorable de las dos terceras partes de sus miembros junto a otros requisitos[21]. Y, en el referido contrato se deben detallar todos los conceptos por los que pueda obtener

---

[19]   No se aceptan retribuciones alternativas pero si cumulativas [por todas, RDGRN de 19 de febrero de 2015 *(Tol 4769854)*]. Aunque la DGRN no acepte retribuciones alternativas sí que acepta las combinadas en el sentido de que pueda ser determinada sin intervención de la junta, como por ejemplo cuando consista en la cantidad mayor de las dos contempladas en estatutos [RDGRN de 12 de marzo de 2015 *(Tol 4830537)*]. Pese a lo anterior, para SÁNCHEZ RUS, H., «Las cláusulas estatutarias relativas a la retribución de los administradores en las sociedades de capital», *La Ley Mercantil*, n° 14, 1 de mayo de 2015, págs. 1-23, la dicción del artículo 217.2 (uno o varios sistemas de retribución) modificaría dicha doctrina que rechaza la posibilidad de establecer varios sistemas alternativos de retribución ya que, a su juicio, la reforma trata de lograr una adecuación continuada de la remuneración de los administradores a las circunstancias de la sociedad, lo que puede conseguirse ejecutando en cada ejercicio solo alguno de los esquemas de remuneración previstos en estatutos.

[20]   En la medida que un consejero sea al mismo tiempo alto directivo y/u ostente determinados poderes amplios pasaría a ser un consejero ejecutivo, sin necesidad de ser consejero delegado. La única referencia al concepto de consejero ejecutivo la encontramos en el art. 529 duodecies LSC: «*Son consejeros ejecutivos aquellos que desempeñen funciones de dirección en la sociedad o su grupo, cualquiera que sea el vínculo jurídico que mantengan con ella. [...]. Cuando un consejero desempeñe funciones de dirección y, al mismo tiempo, sea o represente a un accionista significativo o que esté representado en el consejo de administración, se considerará como ejecutivo. 2. Son consejeros no ejecutivos todos los restantes consejeros de la sociedad, pudiendo ser dominicales, independientes u otros externos*».

[21]   El consejero afectado deberá abstenerse de asistir a la deliberación y de participar en la votación. El contrato aprobado deberá incorporarse como anejo al acta de la sesión.

una retribución por el desempeño de funciones ejecutivas[22], de forma que el consejero no podrá percibir retribución alguna por el desempeño de funciones ejecutivas cuyas cantidades o conceptos no estén previstos en dicho contrato que deberá ser conforme con la política de retribuciones aprobada, en su caso, por la junta general (art. 249.4 LSC).

El debate se centra solo respecto a la retribución de los consejeros ejecutivos y no afecta, como veremos, a los restantes sistemas de organizar la administración.

## 1.1. Retribución de los administradores en su condición de tales

La expresión relativa a la retribución de los administradores en su condición de tales se reitera en el art. 217.3 LSC al establecer, como novedad, que deberá ser aprobado por la junta general el importe máximo de la remuneración anual del conjunto de los administradores, *en su condición de tales*, importe que permanecerá vigente en tanto no se apruebe su modificación[23].

La necesidad de reflejo estatutario queda limitada a la retribución de los administradores en su condición de tales, es decir, respecto de las funciones inherentes al cargo de administrador, que no son las mismas en todos los modos de organizar la administración. En el caso de consejo de administración a estas funciones también se le llaman deliberativas entendidas como las consistentes en participar en la gestión y en la toma de decisiones mediante el ejercicio de su derecho de información, intervención en los debates y el ejercicio de su derecho de voto. Frente a dichas funciones deliberativas, las funciones ejecutivas, corresponden, en el caso de consejo de

---

[22]  Incluyendo, en su caso, la eventual indemnización por cese anticipado en dichas funciones y las cantidades a abonar por la sociedad en concepto de primas de seguro o de contribución a sistemas de ahorro.

[23]  Expresión que también se recoge expresamente en sede de cotizadas, en concreto en los arts. 529 septdecies LSC («Remuneración de los consejeros por su condición de tal»), y 541 LSC (*Informe anual sobre remuneraciones de los consejeros*). En este último se señala que el consejo de las sociedades cotizadas deberá elaborar y publicar anualmente un informe sobre remuneraciones de los consejeros, incluyendo las que perciban o deban percibir en su condición de tales y, en su caso, por el desempeño de funciones ejecutivas.

administración, no a todos los consejeros sino a aquel o aquellos que sean facultados expresamente por los restantes[24].

En el resto de los sistemas de administración, distintos al consejo, o «formas de administración simple» (administrador único, dos administradores mancomunados o administradores solidarios), las funciones inherentes al cargo incluyen todas las funciones anteriores y, también, las funciones ejecutivas, y por ello, en estos casos, el carácter retribuido del cargo de administrador y el sistema de retribución deben constar siempre en estatutos[25].

## 1.2. Retribución de los consejeros ejecutivos

Conforme al art. 249 LSC no se exige que la retribución de los consejeros ejecutivos figure en los estatutos sociales sino en el contrato que adquiere carácter obligatorio[26]. Tampoco le es de aplicación la retribución máxima aprobada por la junta general[27] y pueden convivir la retribución

---

[24]   La función ejecutiva «es una función adicional que nace de una relación jurídica añadida a la que surge del nombramiento como consejero por la junta general; que nace de la relación jurídica que surge del nombramiento por el consejo de un consejero como consejero delegado, director general, gerente u otro» [RDGRN 17 de junio de 2016 *(Tol 5786399)*].

[25]   Entre otras, RRDGRN 10 de mayo y 17 de junio de 2016 [*(Tol 5745174 y Tol 5786399)*; RJ/2016/4008], que añaden que «hay cuatro modos de organizar la administración, una compleja y las demás simples. La compleja es la colegiada, cuando la administración se organiza como consejo y en este caso las funciones inherentes al cargo de consejero se reducen a la llamada función deliberativa (función de estrategia y control que se desarrolla como miembro deliberante del colegio de administradores); el sistema de retribución de esta función o actividad es lo que debe regularse en estatutos. Por el contrario, la función ejecutiva (la función de gestión ordinaria que se desarrolla individualmente mediante la delegación orgánica o en su caso contractual de facultades ejecutivas) no es una función inherente al cargo de "consejero" como tal. (…) La retribución debida por la prestación de esta función ejecutiva no es propio que conste en los estatutos, sino en el contrato de administración que ha de suscribir el pleno del consejo con el consejero».

[26]   No se excluye en el art. 249 la obligatoriedad del contrato en el caso de que el consejero delegado o ejecutivo no sea remunerado. No lo entiende así, ORTIZ DEL VALLE, M. C., «Estado actual de la delegación de facultades en las sociedades de capital», Cuadernos de Derecho y Comercio, nº 65, junio 2016, págs. 143-172.

[27]   Sólo prevista para los administradores en su condición de tales (art. 217.3 LSC). También, vid. RODRÍGUEZ CALZADO, A. y SEGURA DE LASSALETTA, R., «La regulación mercantil de la retribución de los administradores sociales», *Fiscal & Laboral*, julio-agosto 2016, págs. 70-79.

de los consejeros en su condición de tales y la retribución contractual para el consejero delegado del art. 249 LSC[28], o existir únicamente ésta última retribución para el consejero ejecutivo en los casos de que los estatutos prevean el carácter gratuito del cargo en su condición de tal[29].

El nuevo régimen retributivo de los consejeros ejecutivos ha generado polémica en la doctrina[30], alentada por la exposición de motivos de la Ley

---

[28]    Vid. RDGRN de 30 de julio de 2015 *(Tol 5506969)*, en el que se debate una cláusula estatutaria que incluye, por un lado, un retribución (consistente en la participación en beneficios) y que añade que «*adicionalmente*» los miembros del consejo de administración que desempeñen funciones ejecutivas percibirán determinados conceptos retributivos. Aunque el Registrador solo discute éste último apartado la estimación del recurso avala el carácter adicional de la retribución de los consejeros ejecutivos con la estatutaria en su condición de tales.

[29]    La referida resolución de 17 de junio de 2016 *(Tol 5786399)*, en concreto, permite la retribución del consejero delegado pese a ser el cargo gratuito en estatutos, y que sea remunerado mediante la formalización de un contrato de trabajo y causando alta en la Seguridad Social y que el importe de dicha retribución se acuerde anualmente en Junta General Ordinaria de Socios, y concluye que respecto «a esta remuneración por el ejercicio de funciones que, al ser añadidas a las deliberativas, constituyen un plus respecto de las inherentes al cargo de administrador "como tal" no es aplicable la norma del artículo 217.2 de la Ley de Sociedades de Capital que impone la reserva estatutaria del sistema de retribución de los administradores en cuanto tales».

[30]    RONCERO SÁNCHEZ, A. «Principales deficiencias de técnica y política jurídica del nuevo régimen sobre retribución de los administradores de sociedades de capital», en AA.VV. *Estudios sobre Derecho de Sociedades*, Dir. FERNÁNDEZ DE LA GÁNDARA, L., Dykinson, Madrid, 2016, págs. 31. 399-431, señala que la reforma introducida en 2014 ha acabado por generar un problema muy grave en las sociedades no cotizadas relativo al control de las retribuciones y a la protección del socio minoritario. Para FERNÁNDEZ DEL POZO, L., «El misterio de la remuneración de los administradores de las sociedades no cotizadas…», *est. cit.*, pág. 245, lo más coherente es entender que el art. 249 LSC es una derogación singular del rigor del art. 220 LSC pero en el bien entendido que siempre existe control de junta ex art. 217 LSC. Para RUIZ MUÑOZ, M. «Nuevo régimen jurídico de la retribución de los administradores de las sociedades de capital», *RdS*, enero-abril 2016, págs. 53 a 130, el nuevo diseño del art. 249 deja una situación de cierta opacidad al margen de la reserva estatutaria y del control de la junta. Para DE ALARCÓN ELORRIETA, M. L., «Otra vuelta de tuerca a la retribución de los consejeros por funciones ejecutivas en sociedades no cotizadas», *La Ley Mercantil*, 1 de mayo de 2015, págs. 1-16, con anterioridad a las resoluciones de la DGRN posteriores a la reforma reclamaba que el contrato a otorgar con los consejeros ejecutivos debe estar siempre dentro de los límites estatutarios y de los límites máximos de retribución que la Junta haya asignado para todos los consejeros. Para VELA TORRES,

31/2014, de 3 de diciembre, que vendría a contradecir el tenor literal de la reforma[31]. Pese a ello, la DGRN no ha dudado en concluir que para la retribución de los consejeros ejecutivos no es necesaria una previsión estatutaria, siendo suficiente el acuerdo con mayoría reforzada del consejo de administración[32]. La RDGRN de 30 de julio de 2015 *(Tol 5506969)*, primera resolución que interpretó las nuevas reglas vigentes en materia de retribución de administradores, no estima el criterio del registrador de que la cláusula estatutaria, por la que se establece que los miembros del consejo de administración que desempeñen funciones ejecutivas percibirán por este concepto ciertas retribuciones, no es inscribible porque no se determina estatutariamente dicha retribución[33], concluyendo la DGRN que «de la

---

P. J., «La reforma de las sociedades de capital: una visión jurisprudencial», *Revista jurídica de Catalunya*, n° 2, 2016, págs. 319 a 341, resulta paradójico que los socios de las sociedades cerradas carezcan de capacidad de decisión sobre la fijación de la retribución de sus consejeros ejecutivos, lo que, a su juicio, no ocurre con las sociedades cotizadas.

[31]   «Una novedad especialmente relevante es la regulación de las remuneraciones de los administradores. (…) la Ley obliga a que los estatutos sociales establezcan el sistema de remuneración de los administradores por sus funciones de gestión y decisión, con especial referencia al régimen retributivo de los consejeros que desempeñen funciones ejecutivas»

[32]   RDGRN de 30 de julio de 2015 *(Tol 5506969)*, primera resolución que interpretó las nuevas reglas vigentes en materia de retribución de administradores, y en la que se analiza la concreta retribución de los consejeros ejecutivos haciendo referencia a lo que sobre la cuestión indicaba la Comisión de Expertos: «La fijación de su retribución corresponde al Consejo de Administración si bien, dada su trascendencia y los posibles conflictos de interés a los que puede dar lugar, resulta conveniente una regulación específica en la que se introduzcan las cautelas apropiadas, como la exigencia de mayoría reforzada o la abstención de los consejeros interesados y la previsión de que el consejo se circunscriba necesariamente en su actuación a las decisiones que, en su caso —ya que su intervención no es obligatoria en sociedades no cotizadas— adopte la junta». Termina expresando la Comisión que para ello propuso, siguiendo el artículo 231.97.3 de la Propuesta de Código Mercantil, introducir un nuevo apartado 3 en el artículo 249 de la LSC que regule el régimen de aprobación y documentación de la retribución de consejeros por el desempeño adicional de funciones ejecutivas. Explicación que se reitera en las RR.D.G.R.N de 10 de mayo de 2016 *(Tol 5745174)* y 17 de junio de 2016 *(Tol 5786399)*, ya referidas.

[33]   En concreto la cláusula estatutaria denegada por el registrador es la siguiente: «*Adicionalmente, y con independencia de la retribución arriba señalada, los miembros del Consejo de Administración que desempeñen funciones ejecutivas percibirán por este concepto: (i) una cantidad fija y (ii) una cantidad variable en función de cumplimiento de objetivos de acuerdo con lo que figure en sus respectivos contratos, los cuales preverán asimismo las*

literalidad del artículo 249 LSC se deduce que es necesario que se celebre un contrato entre el administrador ejecutivo y la sociedad, que debe ser aprobado previamente por el consejo de administración con los requisitos que establece dicho precepto. Es en este contrato en el que se detallarán todos los conceptos por los que pueda obtener una retribución por el desempeño de funciones ejecutivas, (…)». Y, dicho contrato, de acuerdo con el último inciso del artículo 249.4 «…deberá ser conforme con la política de retribuciones aprobada, en su caso, por la junta general»[34].

En resoluciones posteriores la DGRN ha seguido manteniendo el referido criterio y, entre otras, la RDGRN de 5 de noviembre de 2015 *(Tol 5567619)* hace referencia expresa a que en el contrato del art. 249.3 LSC es en el que deberá detallarse la retribución como administrador ejecutivo, y que el artículo 249.4 LSC exige que la política de retribuciones sea aprobada, en su caso, por la junta general, pero «la referencia a ese contrato y esa política de retribuciones no necesariamente deben constar en los estatutos. Son cuestiones sobre las que no existe reserva estatutaria alguna». Hay pocos antecedentes jurisprudenciales en esta materia y habrá que esperar a que se confirmen las primeras resoluciones[35].

Termina el art. 294.4 LSC indicando que el contrato deberá ser conforme con la política de retribuciones aprobada, en su caso, por la junta general, si bien ello no supone para la DGRN la necesidad de aprobación por la Junta de la retribución de los consejeros ejecutivos, sin perjuicio de poder fijarse voluntariamente como señala la RDGRN de 17 de junio de 2016 *(Tol 5786399)*, al indicar que «ninguna objeción puede oponerse a la disposición estatutaria que exige que el importe de dicha remuneración

---

*oportunas indemnizaciones para el caso de cese en tales funciones o resolución de su relación con la Sociedad. Adicionalmente, en la medida en que resulte adecuado para garantizar una adecuada compensación por sus funciones, su retribución se verá complementada con: (i) aportaciones a un plan de pensiones, (ii) póliza de seguro por fallecimiento e invalidez y (iii) seguro médico personal y para los familiares a su cargo que convivan con ellos».*

34    A dicha conclusión llega refiriendo expresamente como antecedente lo manifestado por la Comisión de Expertos en materia de gobierno corporativo, en cuyo informe de 14 de octubre de 2013 así se proponía en el apartado 4.10.1 («Normas aplicables a todas las sociedades de capital»).

35    El juzgado de lo mercantil n° 9 de Barcelona en sentencia de 27 de noviembre de 2015 respecto a una cláusula estatutaria en la que el cargo de administrador no es retribuido pero se prevé que de existir consejo éste podrá acordar la retribución de los consejeros ejecutivos, por aplicación del art. 249.2 LSC, entiende que vulnera el principio de reserva estatutaria de la retribución siendo competencia exclusiva de la junta de socios.

(de los consejeros ejecutivos) se acuerde anualmente en junta general de socios previsión que, por lo demás, se ajusta a la exigencia legal de que el referido contrato sea conforme con la política de retribuciones aprobada, en su caso, por la junta general».

### 1.3. Contexto de las modificaciones introducidas en la retribución de los consejeros ejecutivos

El régimen especial de remuneración de los consejeros ejecutivos debe analizarse en el contexto de la reforma para la mejora del gobierno corporativo de la que forma parte. El consejo de administración se considera como el sistema de administración más complejo, frente al resto que se pueden calificar de «simples». Es indudable que el legislador ha tratado de activar el papel de los consejos de administración y la labor de todos sus miembros disponiendo, entre otras cuestiones, más reuniones obligatorias[36], numerosas competencias indelegables por el consejo de administración de forma que este se implique más en la dirección y gestión de las cuestiones más relevantes (art. 249 bis LSC)[37], además de la exigencia de consejo de administración en las sociedades cotizadas, remunerado salvo disposición contraria de los estatutos (arts. 529 bis y sexdecies LSC).

Dicho objetivo partía del funcionamiento real en la práctica de muchos consejos de administración, en sociedades no cotizadas, en nuestro país. Muchas de ellas, venían y vienen implantando dichos consejos, como sistema de administración, pero los mismos en la práctica apenas celebran una sesión al año para formular las cuentas anuales[38] y toda la dirección y gestión de la sociedad se viene realizando por un consejero delegado[39].

---

[36] Cuatro reuniones mínimas anuales (art. 245.3 LSC), frente al régimen anterior en el que se podía realizar una sola reunión al año, la de formulación de cuentas.

[37] Entre otras cuestiones, son indelegables la determinación de las políticas y estrategias generales de la sociedad, el nombramiento y destitución de los directivos con dependencia directa del consejo o de alguno de sus miembros, la dispensa del deber de lealtad cuando corresponda, etc.

[38] Incluso, en ocasiones, dichas sesiones solo se documentan mediante la celebración de un consejo universal por escrito y sin sesión y por tanto sin debate entre los consejeros, a los efectos de la referida formulación obligatoria de las cuentas anuales.

[39] Sirvan de ejemplo las empresas familiares en las que muchas veces se ha considerado oportuno establecer un consejo de administración para la integración de la segunda o ulteriores generaciones, pero en las que el socio fundador termina continuando con la dirección de la empresa, como consejero delegado, ejercien-

Frente a dichos supuestos, no faltan sociedades no cotizadas en las que los consejos de administración se celebran periódicamente y que adoptan las decisiones más relevantes de la compañía, y ello por las características de la misma (v.gr. existencia de socios inversores públicos o privados, etc.).

En estos últimos supuestos, se pueden paliar los efectos de una retribución excesiva aprobada por el propio consejo para los consejeros ejecutivos, mediante la inclusión de una disposición estatutaria que exija que el importe de dicha remuneración se acuerde anualmente en junta general[40] que como hemos visto son interpretadas como modalidad de determinación de la política de retribuciones.

En definitiva, parece invitarse a las sociedades no cotizadas a no decantarse por el consejo de administración, optando por administrador único o administradores solidarios o mancomunados, para los que hemos visto que se mantiene una reserva estatutaria absoluta en materia de su retribución y en los que no se diferencian funciones deliberativas y ejecutivas que, al contrario, se confunden.

Pero, el problema de los posibles abusos de los mayoritarios radica en las sociedades en las que la mayoría pueda imponer un consejo de administración sin consensuar la redacción de los estatutos en materia de retribución, en las que se puede relegar al socio minoritario, en caso de disconformidad con la misma, a su impugnación a posteriori. Pese al revuelo, de los posibles abusos, no hacía falta esperar a la reforma para la mejora del gobierno corporativo para criticar la inexistencia de control de la junta respecto a la retribución de los consejeros ejecutivos, cuando desde antes de la misma era y es aún posible retribuir a cualquier administrador por funciones extrañas al cargo sin necesidad de reflejo estatutario ni acuerdo de la junta, lo que puede dar lugar a los mismos abusos[41].

Retribuir a los administradores de una sociedad es razonable si observamos la creciente profesionalización de los mismos con el incremento de sus obligaciones, riesgos y responsabilidades. Pero dicha posibilidad puede ser indebidamente aprovechada si la mayoría impone el consejo de administración y éste adopta decisiones retributivas en sede de consejo en perjuicio de la minoría y sin intervención de la junta. Resultaría insuficiente

---

do casi de administrador único y retrasando el objetivo de facilitar la sucesión en la empresa familiar.

[40]   Vid. RDGRN de 17 de junio de 2016 *(Tol 5786399)*.

[41]   Vid. infra epígrafe 4. Retribuciones a los administradores por funciones extrañas al cargo.

la nueva obligación de los consejeros de «*desempeñar sus funciones bajo el principio de responsabilidad personal con libertad de criterio o juicio e independencia respecto de instrucciones y vinculaciones de terceros*» (art. 228 d. LSC) como podrían ser las que recibieran de los socios mayoritarios los consejeros por ellos designados respecto a las retribuciones del consejo.

Por último, en las SL, el art. 220 LSC exige acuerdo de la junta para la celebración de los contratos que establezcan o modifiquen relaciones de prestación de servicios o de obra entre la sociedad y uno o varios de sus administradores, de lo que se ha deducido que también lo exige el contrato que deba firmarse con el consejero ejecutivo correspondiente, lo que permitirá un conocimiento por parte de los socios de la retribución propuesta en el mismo[42]. Además, habría que tener en cuenta que al regular el derecho de voto y los supuestos de existencia de conflicto de interés, se establece que el socio no podrá ejercer el derecho de voto correspondiente a sus participaciones cuando se trate de adoptar, entre otros, un acuerdo que le conceda un derecho o cuando siendo administrador el acuerdo se refiera al establecimiento con la sociedad de una relación de prestación de cualquier tipo de obras o servicios (art. 190 LSC), y aunque no se refiere, expresamente, el conflicto en la aprobación de la retribución, sin duda, ésta le concede un derecho.

## 2. Aprobación por la junta general del importe de remuneración máxima anual a los administradores. Retribución proporcionada

La Ley 31/2014, de 3 de diciembre, introduce la obligación de que el importe máximo de la remuneración anual del conjunto de los administradores, *en su condición de tales*, deba ser aprobado por la junta general, permaneciendo vigente en tanto no se apruebe su modificación. Está obligación supone un plus a lo anteriormente previsto en el art. 217 LSC que, para las SL, refería que cuando la retribución no tuviera como base una participación en los beneficios, la remuneración de los administradores debía ser fijada para cada ejercicio por acuerdo de la junta general de conformidad con lo previsto en los estatutos. Ahora, se obliga a los administradores, tanto en las SA como en las SL, a convocar una junta general en la que se someta a deliberación y votación el importe máximo anual de su retribución. Es cierto que el socio mayoritario podrá imponer su posición

---

[42]  FERNÁNDEZ DEL POZO, L., «El misterio de la remuneración de los administradores de las sociedades no cotizadas...», *est. cit.*, pág. 246.

pero al menos deberá explicar y justificar al resto de los socios las razones de su propuesta. Dicho importe, además, debe adecuarse a lo establecido en el nuevo apartado 4 del art. 217 LSC relativo a la proporcionalidad y principios orientadores de la remuneración de los administradores[43].

Pese a dichas exigencias, si las retribuciones son aprobadas por la junta, el socio minoritario no tendrá otra alternativa que iniciar el lento proceso de la impugnación judicial del acuerdo si considera abusiva la retribución, con la ventaja para el socio mayoritario de que si le acomoda la retribución del ejercicio anterior no necesitará someterlo de nuevo a la junta[44].

El límite máximo de retribución fijado por la Junta no afecta a la retribución de los consejeros ejecutivos, sin perjuicio de poder pactarse voluntariamente en estatutos que el importe de la remuneración de los consejeros ejecutivos se acuerde anualmente en junta general, como referimos *supra*.

### 3. Nuevas reglas para la distribución de la retribución entre los distintos administradores

Hasta la Ley 31/2014, de 3 de diciembre, no se permitía una discriminación en el reparto de la retribución entre los administradores, salvo pacto estatutario y siempre que existiera un factor de distinción solo aceptado en caso de consejo de administración[45].

---

[43]   «*La remuneración de los administradores deberá en todo caso guardar una proporción razonable con la importancia de la sociedad, la situación económica que tuviera en cada momento y los estándares de mercado de empresas comparables. El sistema de remuneración establecido deberá estar orientado a promover la rentabilidad y sostenibilidad a largo plazo de la sociedad e incorporar las cautelas necesarias para evitar la asunción excesiva de riesgos y la recompensa de resultados desfavorables*».

[44]   FERNÁNDEZ DEL POZO, L., «El misterio de la remuneración de los administradores de las sociedades no cotizadas…», *est. cit.*, pág. 231, critica, en tal sentido, que no haya un plazo recurrente como en cotizadas (cada tres años) y se termine obligando al socio minoritario a pedir convocatoria de la junta con ese pronunciamiento expreso.

[45]   En base a los arts. 124.3 y 185.4 RRM y confirmado por, entre otras, la RDGRN de 3 de mayo de 2013 *(Tol 3743978)* que interpretaba que cabía prever en los estatutos que unos administradores fueran remunerados y otros no, pero siempre que existiera un factor de distinción que sólo consideraba posible en órganos de administración compleja y no en el supuesto de administradores solidarios o mancomunados. Cuestión reiterada en el RDGRN de 25 de febrero de 2014 *(Tol 4154106)*.

Tras la modificación del art. 217 LSC la distribución queda en manos de la junta general siempre que se pronuncie sobre el correspondiente reparto, y en su defecto, la distribución de la retribución entre los distintos administradores se establecerá por acuerdo de éstos y, en el caso del consejo de administración, por decisión del mismo, que deberá tomar en consideración las funciones y responsabilidades atribuidas a cada consejero.

Las facultad otorgada a la junta general deja sin efecto la anterior doctrina de la DGRN que prohibía que la misma fuera quien determinara cuando los administradores estaban realizando funciones que justifican su remuneración, «pues ello equivaldría a dejar en sus manos no solo la cuantía de la retribución, cuando así se haya dispuesto, sino el hecho mismo de la existencia de retribución»[46].

La posibilidad de que a falta de reparto por la junta, sean los administradores los que realicen la referida distribución, teniendo en consideración las funciones y responsabilidades de cada consejero, y el hecho de establecerlo en el artículo que regula la retribución de los administradores en su condición de tales, podría ser un argumento favorable a la tesis de que la retribución de los consejeros ejecutivos debe figurar en estatutos. Dicho razonamiento se diluye si se considera que el consejo puede optar por no aprobar una retribución para el consejero con funciones ejecutivas por lo que será lógico que, en dichos supuestos, las funciones ejecutivas se tengan en cuenta para la distribución de la retribución como tales, fijada en estatutos.

Con el tenor literal transcrito del art. 217.3 LSC no se estaría modificando el criterio de la DGRN que establecía que podía preverse en los estatutos que unos consejeros fueran retribuidos y otros no al poder distinguirse funciones entre ellos, y que ello no cabe en el supuesto de administradores mancomunados o solidarios[47], criterio que entendemos sigue siendo aplicable, aunque no falta quien considera que el reparto entre los administradores mancomunados y solidarios podrá ser desigual siempre

---

[46]  RDGRN de 3 de mayo de 2013 *(Tol 3743978)*, referida *supra*.

[47]  Resoluciones de 3 y 7 de mayo de 2013 (RJ/2013/5169 y RJ/2013/4162), que establecen que en los supuestos de administración solidaria o mancomunada en los que la igualdad entre los miembros del órgano deriva de la propia aplicación de las previsiones legales carece de justificación alguna prever un trato desigual en el hecho de la existencia de remuneración, y consideró un supuesto distinto el de aquellas sociedades que están dotadas de un órgano de administración de estructura compleja en los que es perfectamente posible distinguir funciones distintas a llevar a cabo por los administradores en función del cargo que ostenten.

que, sin alterar el régimen externo de representación, se adopten acuerdos de la junta sobre distribución de facultades aunque las mismas tengan un alcance meramente interno[48].

## 4. Retribuciones a los administradores por funciones extrañas al cargo

Con anterioridad a la Ley 31/2014, de 3 de diciembre, la DGRN tuvo que revisar su doctrina sobre la posibilidad de que los administradores fueran retribuidos por funciones «extrañas» al cargo, concluyendo que sus interpretaciones previas habían estado condicionadas por el Derecho positivo entonces vigente[49], y que aceptado que el cargo de administrador es gratuito e inscrita dicha circunstancia, nada obsta a que en el ámbito de «prestación de servicios de los administradores» a que se refiere el art. 220 LSC, los estatutos establezcan determinadas condiciones para el ejercicio de la facultad que el mismo precepto atribuye a la junta de socios[50]. Y entiende que ello no cuestiona la competencia de la junta para el «establecimiento o la modificación de cualquier clase de relaciones de prestación de servicios o de obra» con los administradores, que expresamente viene a reconocer, y no es contraria a la Ley ni a los principios configuradores de la forma social escogida[51].

---

[48]   SÁNCHEZ RUS, H., «Las cláusulas estatutarias relativas a la retribución…», est. cit., pág. 14. Sin embargo, para DEL RÍO GALEOTE, A., «Régimen general de remuneración de administradores», en AA.VV. *Comentario práctico a la nueva normativa de Gobierno Corporativo. Ley 31/2014, de reforma de la Ley de Sociedades de Capital*, Dir. RECALDE CASTELLS, A., Dykinson, 2016, págs. 105-112, no queda claro si el legislador ha querido superar la tesis de la DGRN respecto a la retribución asimétrica de administradores solidarios y mancomunados.

[49]   Por todas, RDGRN de 10 de mayo de 2016 *(Tol 5745174)* donde, con cita de la RDGRN de 3 de abril de 2013 *(Tol 3530280)*, afirma que la cuestión sobre la licitud de un mecanismo retributivo dual, estatutario y contractual se planteaba a falta entre nosotros de una normativa en Derecho positivo de sociedades como la francesa en al que se regula la cuestión con algún detalle regulatorio.

[50]   RDGRN de 12 de mayo de 2014 *(Tol 4429188)*. Con carácter previo, la RDGRN de 25 de febrero de 2014 *(Tol 4154106)*, admitía que el cargo fuera gratuito y se retribuyera al consejero delegado al existir un factor de distinción, si bien el administrador remunerado no podía recibir ninguna otra retribución por sus tareas de gestión y representación, aspecto este que no se exige tras la reforma.

[51]   En base al art. 28 LSC y la RDGRN de 5 de abril de 2013 *(Tol 3671025)*, entiende que, al contrario, garantiza al titular del contrato de arrendamiento de servicios o de la relación laboral ordinaria que salvo acuerdo en contrario de la junta de socios su remuneración se adecuará anualmente a la del sector de que forme parte.

Y dicha retribución extraña al cargo podía existir aunque el cargo fuera gratuito, como recoge la STS de 17 de diciembre de 2015[52], respecto a la legislación anterior a la reforma, remarcando que ha de resultar probado que la retribución contractual rebase las funciones propias del administrador[53]. Con posterioridad a la Ley 31/2014, de 3 de diciembre, se mantiene el criterio y se admite una cláusula estatutaria que, a la vez que establece el carácter gratuito del cargo de administrador —con la consecuencia de que no perciba retribución alguna por sus servicios como tal— añada que se le retribuirá por la prestación de otros servicios o por su vinculación laboral para el desarrollo de otras actividades ajenas al ejercicio de las facultades de gestión y representación inherentes a aquel cargo, sin exigir tampoco que figuren en estatutos sino simplemente en los contratos que correspondan[54].

Cabe por tanto que un administrador sea retribuido por los servicios laborales o profesionales que preste a la sociedad y que no traigan causa de sus funciones como consejero o administrador, si bien, en el ámbito laboral, y por aplicación de la teoría del vínculo no es posible la celebración de un contrato de alta dirección con un consejero en cuanto dicho contrato supone ostentar determinados poderes de representación de la sociedad estrechamente relacionados con las funciones de un consejero ejecutivo[55].

---

Vid. Resolución de 3 de abril de 2013 *(Tol 3530280)* en relación a la doctrina del vínculo.

[52] Sentencia n° 708/2015 *(Tol 5596229)*.

[53] En el caso enjuiciado se consideró que existiendo socio único el mismo conocía el contrato y no podía alegar la formalidad de que el cargo era gratuito cuando dependía de él su posible modificación.

[54] RDGRN de 10 de mayo de 2016 *(Tol 5745174)*, que diferencia tres tipos de funciones deliberativas, ejecutivas y otras funciones distintas a las dos anteriores, susceptibles por tanto de retribución por otros conceptos y añade que estas funciones extrañas al cargo —es decir, las que nada tienen que ver con la gestión y dirección de la empresa— tampoco es necesario que consten en estatutos, sino simplemente en los contratos que correspondan (contrato de arrendamiento de servicios para regular las prestaciones profesionales que presta un administrador a la sociedad, contrato laboral común, etc., en función de las labores o tareas de que se trate).

[55] En la RDGRN de 10 de mayo de 2016 *(Tol 5745174)*, referida *supra*, se establece que «lo único que no cabría es un contrato laboral de alta dirección, porque en ese caso las funciones propias del contrato de alta dirección se solapan o coinciden con las funciones inherentes al cargo de administrador en estas formas de organizar la administración». La RDGRN de 17 de junio de 2016 *(Tol 5786399)*, pese a no ser el objeto del recurso, hace referencia a la incompatibilidad del contrato

Cabe incluso una cláusula estatutaria por la que se retribuya a uno sólo de los administradores solidarios por la prestación de esos otros servicios o por su vinculación laboral para el desarrollo de otras actividades ajenas al ejercicio de las facultades de gestión y representación inherentes a aquel cargo, y ello a la vez que establece el carácter gratuito del cargo de administrador —con la consecuencia de que no perciba retribución alguna por sus servicios como tal—[56].

Los mismos riesgos, de abusos por la mayoría, que se refieren por el hecho de que las retribuciones de los consejeros ejecutivos no figuren en los estatutos, podían darse, antes de la reforma y también con ella, por la vía de las retribuciones extrañas a cualquier administrador, al no exigirse su constancia estatutaria[57].

---

de alta dirección con un consejero para percibir retribuciones extrañas al cargo —es decir, las que nada tienen que ver con la gestión y dirección de la empresa— que reitera que tampoco es necesario que consten en estatutos, sino simplemente en los contratos que correspondan; y remarca que lo único que no cabría es un contrato laboral de alta dirección, porque en ese caso las funciones propias del contrato de alta dirección se solapan o coinciden con las funciones inherentes al cargo de administrador en estas formas de organizar la administración refiriendo la resolución anterior.

[56] La reiterada RDGRN de 10 de mayo de 2016 *(Tol 5745174)*, que en concreto considera inscribible esta cláusula: «El cargo de Administrador no será retribuido. No obstante, lo anterior, desde el 24 de marzo de 2015 se acuerda retribuir a la administradora doña L.E.M.G. por los trabajos dependientes que realiza para la empresa». La referida señora era administradora solidaria y ello «porque resulta indubitado que el cargo de administrador es gratuito para todos los administradores solidarios, sin perjuicio de la retribución que se reconoce a determinada administradora, cuyo nombre y apellidos se detalla en la misma disposición estatutaria, por "los trabajos dependientes" que se reconoce está realizando para la sociedad, que no cabe sino entender que se trata de una relación laboral en régimen de dependencia y, por ende, ajena a las facultades inherentes al cargo de administrador, sin que nada se exprese que conduzca a concluir, como hace la registradora en su calificación, que esos trabajos son derivados de su condición de administradora».

[57] De hecho, en las sociedades limitadas de formación sucesiva, introducidas en el art. 4 bis LSC por la Ley de Emprendedores, si bien prohíbe que las retribuciones satisfechas a los administradores por el desempeño de sus cargos (durante esos ejercicios) no podrá exceder del veinte por ciento del patrimonio neto del correspondiente ejercicio, ello no es de aplicación a «*la retribución que les pueda corresponder como trabajador por cuenta ajena de la sociedad o a través de la prestación de servicios profesionales que la propia sociedad concierte con dichos socios y administradores*», alineándose el legislador con la doctrina de la DGRN con su carácter extraestatutario y

## Bibliografía

ARROYO, E., «Cómo mejorar el gobierno corporativo de las empresas», *Escritura Pública*, julio-agosto 2014, págs. 36-39.

BARCIELA, F., «Gobierno corporativo: Menos autorregulación, más leyes», *Consejeros*, junio 2014, págs. 48-51.

BRIANO TURRENT, G. C., RODRÍGUEZ, L., AZUARA, V., *Gobierno Corporativo en Latinoamérica y España*, Saarbrücken, 2013.

DE ALARCÓN ELORRIETA, M. L., «Otra vuelta de tuerca a la retribución de los consejeros por funciones ejecutivas en sociedades no cotizadas», *La Ley Mercantil*, 1 de mayo de 2015, págs. 1-16.

DE MIGUEL ARIAS, S., «De nuevo sobre la calificación tributaria de las retribuciones de los socios administradores de entidades», *Revista Quincena Fiscal*, n° 12, junio 2015, págs. 143-148.

DEL RÍO GALEOTE, A., «Régimen general de remuneración de administradores», en AA.VV. *Comentario práctico a la nueva normativa de Gobierno Corporativo. Ley 31/2014, de reforma de la Ley de Sociedades de Capital*, Dir. RECALDE CASTELLS, A., Dykinson, 2016, págs. 105-112.

FERNÁNDEZ DEL POZO, L., «El misterio de la remuneración de los administradores de las sociedades no cotizadas. Las carencias regulatorias de la reforma», *Revista de Derecho Mercantil*, 297, julio-septiembre 2015, págs. 199 a 248.

FERNÁNDEZ VIDAL, F. J., «El principio de reserva estatutaria frente a la retribución del Consejero ejecutivo en sociedades no cotizadas», *Diario la Ley*, 18 de diciembre de 2015, págs. 11-13.

FERRANDO VILLALBA, M. L., «Gobierno corporativo y crisis económica: La delimitación de los nuevos intereses sociales», en AA.VV. *Crisis económica y responsabilidad en la empresa*, Dirs. ABRIANI, N. y EMBID IRUJO, J. M., Granada, 2013, págs. 95-109.

GONZÁLEZ GALÁN, S., «Nuevas obligaciones de gobierno corporativo», *Iuris&Lex*, 2013, pág. 20.

HIERRO ANIBARRO, S., «Gobierno Corporativo sin mercado de valores», en AA.VV. *Gobierno Corporativo en sociedades no cotizadas*, Dir. HIERRO ANIBARRO, S., Madrid, 2014, págs. 17-35.

JORDA GARCÍA, R. «Aplicabilidad de los principios de gobierno corporativo a las sociedades no cotizadas y la reforma de la ley de sociedades de capital basada en la mejora del gobierno corporativo», en AA.VV. *Mejora del gobierno corporativo de sociedades no cotizadas (A propósito de la Ley 31/2014, de 3 de diciembre)*, Dirs. JORDA GARCÍA, R. y NAVARRO MATAMOROS, L., Madrid, 2014, págs. 21-40.

LIZCANO, J. L., «Buen gobierno y responsabilidad social corporativa», *Partida doble*, n° 182, noviembre 2006, págs. 20-35.

LÓPEZ QUESADA MARTÍN, E. y CAMACHO MIÑANO, M. M., «Códigos de Gobierno ¿suficientes para afrontar la crisis?», *Contabilidad*, n° 237, noviembre de 2011, págs. 46-55.

---

permitiendo que quede sin efecto la limitación del veinte por ciento referida para la retribución de administradores.

LORA-TAMAYO VILLACIEROS, M., «La retribución de los administradores en las pequeñas sociedades», *Cuadernos de Derecho y Comercio*, 2013, n° 59, págs. 255-276.

ORTIZ DEL VALLE, M. C., «Estado actual de la delegación de facultades en las sociedades de capital», *Cuadernos de Derecho y Comercio*, n° 65, junio 2016, págs. 143-172.

PASCUAL FUSTER, B., GALVE GÓRRIZ, C., CRESPÍ CLADERA, R., «Prácticas de gobierno corporativo y modelos de control: una aplicación a las sociedades cotizadas», *Papeles de Economía Española*, n° 132, 2012, págs. 289-300.

PIÑEL, E., «Proyecto de ley de sociedades de capital corporativo», *Escritura Pública*, julio-agosto 2014, págs. 38-39.

RODRÍGUEZ CALZADO, A. y SEGURA DE LASSALETTA, R., «La regulación mercantil de la retribución de los administradores sociales», *Rev. Fiscal & Laboral*, julio-agosto 2016, págs. 70-79.

RONCERO SÁNCHEZ, A. «Principales deficiencias de técnica y política jurídica del nuevo régimen sobre retribución de los administradores de sociedades de capital», en AA.VV. *Estudios sobre Derecho de Sociedades*, Dir. FERNÁNDEZ DE LA GÁNDARA, L., Dykinson, Madrid, 2016, pág. 399-431.

RUIZ MUÑOZ, M. «Nuevo régimen jurídico de la retribución de los administradores de las sociedades de capital», *RdS*, enero-abril 2016, págs. 53 a 130.

SÁNCHEZ RUS, H., «Las cláusulas estatutarias relativas a la retribución de los administradores en las sociedades de capital», *La Ley Mercantil*, n° 14, 1 de mayo de 2015, págs. 1-23.

TOVAR ROCAMORA, J. J., «La teoría del vínculo tras la Ley 31/2014», *Revista Española de Derecho del Trabajo*, n° 184, febrero 2016, págs. 215 a 236.

VELA TORRES, P. J., «La reforma de las sociedades de capital: una visión jurisprudencial», *Revista jurídica de Catalunya*, n° 2, 2016, págs. 319 a 341.

VIVES RUIZ, F., «Propuesta de reforma legislativa en el Estudio de la Comisión de expertos en materia de gobierno corporativo (I)», *El notario del siglo XXI*, noviembre-diciembre 2013, n° 52, págs. 1-5.

# C) DEBERES DE LOS ADMINISTRADORES

# 47. La prueba en la regla de la discrecionalidad empresarial (business judgement rule)

**ANDRÉS RECALDE CASTELLS**
*Catedrático de Derecho Mercantil*
*Universidad Autónoma de Madrid*[*]

**Sumario:** I. LOS DEBERES DE LOS ADMINISTRADORES. II. EL DEBER DE DILIGENCIA. 1. Contenido. 2. La necesaria discrecionalidad en la gestión de la empresa. 3. Manifestaciones concretas del deber de diligencia. III. LA REGLA DE LA DISCRECIONALIDAD EMPRESARIAL. 1. Los orígenes de la regla y la experiencia comparada. 2. La incorporación de la regla de la discrecionalidad al Derecho español y su ámbito. 3. Los presupuestos de la regla de la discrecionalidad empresarial. 4. La regla de la discrecionalidad como una regla procesal referida a la carga y l contenido de la prueba.

## I. LOS DEBERES DE LOS ADMINISTRADORES

El régimen de los deberes de los administradores y la responsabilidad por su incumplimiento buscan restablecer la confianza en el gobierno de las sociedades[1]. La ley, reformada con ocasión de la Ley 31/2014, se sustenta en la distinción entre los deberes de lealtad y de diligencia[2]. Para los primeros se detallan las actuaciones debidas, en especial ante conflictos de interés, y se impone un novedoso modelo en cuanto a los efectos de la infracción, que incluye la entrega a la sociedad de lo que el administrador obtuvo ilícitamente. El rigor del deber de lealtad pretende sancionar las conductas más graves y evitar que un administrador anteponga su propio

---

[*] Proyecto de Investigación «Organización y reestructuración de grandes empresas» (DER2014-52014) dir. Aurora Martínez Flórez y Mª Luisa Aparicio.

[1] Sobre la responsabilidad como herramienta de disuasión QUIJANO, *La Responsabilidad Civil de los Administradores de la Sociedad Anónima. Aspectos sustantivos*, Valladolid 1985, 28; PAZ-ARES, «La responsabilidad de los administradores como instrumento de gobierno corporativo», *indret* 2003, 15 y 16; LLEBOT, «El deber de diligencia (art. 225.1 LSC)», en Roncero coord., *Junta general y Consejo de administración*, 2016, 317, 322.

[2] PAZ-ARES, «La responsabilidad de los administradores como instrumento de gobierno corporativo», *RdS*, 2002, nº 29, 67 y ss. y en *indret* 2003, de donde se cita.

interés a los de la sociedad[3]. Esto explica que se prevea expresamente que el régimen de los deberes de lealtad y la responsabilidad son imperativos, previsión poco habitual en la ley. Sin embargo, se admite la dispensa se admite, pero «*en casos singlares*» y de acuerdo con el procedimiento establecido en la ley (art. 230.2 párr. 2º LSC), lo que parece excluir un diseño estatutario propio[4].

El régimen del deber de diligencia es menos riguroso[5]. Por un lado, el criterio para valorar el cumplimiento se encuentra en una cláusula general: los administradores deben gestionar con la diligencia de un ordenado empresario (art. 225 LSC), aunque la ley y el conjunto del sistema concretan algunas conductas debidas en cumplimiento del deber de diligencia. Por otro lado, la diligencia de las decisiones empresariales adoptadas en ejercicio de la discrecionalidad que se concede a los administradores se presume, si estos siguen un protocolo de actuación que refleja una estructura organizativa adecuada (art. 226 LSC).

Desde la entrada en vigor de la reforma han surgido dudas que sobre todo se refieren a la regla de la discrecionalidad, sobre todo en el ámbito de la carga de la prueba y de su contenido. En concreto no es claro si el

---

[3]    Para el marco general de los deberes de lealtad v. JUSTE, Comentarios al art. 228 y ss., en Juste coord., *Comentario de la reforma del régimen de las sociedades de capital en materia de gobierno corporativo*, Madrid 2015, 277 y ss.; PORTELLANO, «El deber de evitar situaciones de conflicto de interés: entre la imperatividad y la dispensa», en Roncero coord., *Junta general y consejo de administración en la sociedad cotizada*, 2016, 459 y ss.; EMPARANZA, «El deber de lealtad de los administradores y de evitar situaciones de conflicto», en *Estudios jurídicos en memoria del prof. E. Beltrán Sánchez*, Valencia 2015, 613 y ss., y en Emparanza coord., *Las nuevas obligaciones de los administradores en el gobierno de las sociedades de capital*, 2016, 137, y ss. (de donde se cita).

[4]    El propósito de la reforma se alcanzaría si la imperatividad se refiriera a la responsabilidad civil, lo que quizá no era necesario en el régimen del deber de lealtad y la dispensa; pero no parece que la ley admita una regulación estatutaria diferente (JUSTE, «Art. 230. Régimen de imperatividad y dispensa», 415; EMPARANZA, «El deber de lealtad de los administradores y de evitar situaciones de conflicto», 141; PORTELLANO, «El deber de evitar situaciones de conflicto de interés», 468; PAZ-ARES, «Anatomía de los deberes de lealtad», en Roncero coord., *Junta general y consejo de administración*, 2016, 425, 430, rechaza soluciones formales e imperativas propias de un «derecho mecánico», aunque luego defiende que los deberes de lealtad se regulen en normas imperativas (p. 446).

[5]    Para el deber de diligencia en el proceso del gobierno corporativo RODRÍGUEZ ARTIGAS, «El deber de diligencia», en Esteban coord., *El gobierno de la sociedad cotizada*, Madrid, 1999, 419 y ss.

protocolo en el que se sustenta la regla agota el contenido de la actuación debida o si solo permite presumir que se obró con diligencia, sin impedir la prueba (en contrario) de un actuar negligente (*infra* III). A ello nos dedicaremos, sin perjuicio de partir con alguna breve aclaración sobre el nuevo régimen del deber de diligencia (*infra* II).

## II. EL DEBER DE DILIGENCIA

### 1. Contenido

El parámetro de conducta que se exige al administrador tiene un carácter profesional: la gestión que desempeñará es la de un empresario que administra sus negocios con orden (art. 225 LSC); el objetivo de la gestión es actuar en «*el mejor interés de la sociedad*» (art. 227.1 LSC).

La tesis mayoritaria sostiene que el interés de la sociedad es el común al conjunto de socios[6]. Pero el interés social presupone continuidad y sostenibilidad de la empresa y se identifica, por ello, con la maximización del valor a largo plazo. Esto no priva a los administradores de libertad para atender los intereses de acreedores, trabajadores y otros *stakeholders,* o incluso para desarrollar políticas de responsabilidad social corporativa. Pero solo instrumentalmente se justifican estas, si a largo plazo pudieran producir ventajas a los socios. En otro caso, los administradores no pueden defender intereses ajenos[7], ni pueden guiar su gestión en aras de un interés de la empresa ni de una eventual responsabilidad social corporativa.

---

[6]    ALFARO, *Interés social y derecho de suscripción preferente,* Madrid 1996, 51 y ss.; en contra de un concepto de interés social basado en la maximización del valor y con criterios financieros SÁNCHEZ-CALERO GUILARTE, «Creación de valor, interés social y responsabilidad social corporativa», Rodríguez Artigas dir., *Derecho de sociedades anónimas cotizadas,* II, Madrid 2006, 851, 904 y s.; ESTEBAN VELASCO, «Responsabilidad social corporativa: delimitación, relevancia jurídica e incidencia en el derecho de sociedades y en el Gobierno Corporativo», *Liber amicorum Iglesias Prada,* 2013, 271, 300 nt. 52; se alinea con estas posiciones STS 17.1.2012.

[7]    En cambio, la visión pluralista del interés social defiende la existencia de un interés de la empresa (v. ESTEBAN VELASCO, *El poder de decisión en la sociedad anónima,* Madrid 1982, 584, 590 y s.). ESTEBAN VELASCO («Responsabilidad social corporativa: delimitación, relevancia jurídica e incidencia en el derecho de sociedades y en el Gobierno Corporativo», 273) advierte de la «*posición institucional de los administradores, que requieren cierta autonomía en su función mediadora de intereses*». Los planteamientos pluralistas renacen al hilo de la llamada responsabilidad social corporativa (EMBID, «La Responsabilidad Social Corporativa ante el Derecho

Las dudas son mayores respecto de los deberes de los administradores en la gestión de una empresa que se encuentra con dificultades económicas o en la proximidad de la insolvencia. No se discute que, una vez declarado el concurso, los administradores deben gestionar la masa activa en interés del concurso, maximizando el valor de la masa en beneficio de los acreedores (art. 43 LC). Se produce un cambio en el parámetro conforme al cual los administradores deben administrar la sociedad (*duty shifting*). Menos claro es lo que sucede si, antes del concurso, la empresa entra en crisis y se prevé que la situación desemboque en insolvencia, incluso aunque ésta no se haya producido y podría evitarse. Algunos textos legislativos internacionales no vinculantes[8] e incluso el Derecho comparado alteran el parámetro conforme al cual se enjuicia la actuación de los administradores, ya que se entiende que la gestión debe encaminarse a evitar la insolvencia (*wrongful trading*)[9], lo que supone la primacía de la tutela de los acreedores frente a los intereses de los socios.

---

Mercantil», *CDC*, n° 42, 2004, 11, 26); para sus detractores existe el riesgo de que se invoque la responsabilidad social corporativa para camuflar actos de propaganda o la promoción de intereses particulares de los administradores (ALFARO, «Art. 226. Protección de la discrecionalidad empresarial», en Juste coord., *Comentario de la reforma del régimen de las sociedades de capital en materia de gobierno corporativo (Ley 31/2014)*, 2015, 358 y s.; una visión positiva de la responsabilidad social corporativa en EMBID/DEL VAL, *La responsabilidad social corporativa y el Derecho de sociedades de capital: entre la regulación legislativa y el* soft law, 2016, 32 «*estrategia integral de gestión de la empresa (que) lleva en sí misma el propósito de incorporar a su contenido una perspectiva no estrictamente particular*»; SÁNCHEZ-CALERO GUILARTE, «Creación de valor, interés social y responsabilidad social corporativa», 904; SAP Madrid 11.11.2011 invoca la responsabilidad social corporativa para absolver a administradores por actos en beneficio de terceros, aunque perjudicaran a la sociedad).

8    V. la cuarta parte («Obligaciones de los directores en el período cercano a la insolvencia») de la *Guía Legislativa de la CNUDMI sobre el Régimen de la Insolvencia*, publicada por CNUDMI/UNCITRAL, en 2013 (SÁNCHEZ-CALERO GUILARTE, http://jsanchezcalero.com/uncitral-y-el-regimen-de-la-insolvencia-ii-insolvencia-grupos-y-administradores/).

9    SPINDLER, «Trading in the Vicinity of Insolvency», *EBOR*, n° 7, 2006, 340, 348; DAVIES, «Director's Creditor-Regarding Duties in Respect of Trading Decisions Taken in the Vecinity of Insolvency», *EBOR*, n° 7, 2006, 304, 311, 315 y 320; en España MARÍN DE LA BÁRCENA, «Deberes y responsabilidad de los administradores ante la insolvencia de las sociedades de capital», *RdS*, n° 24, 2005, 91, 118; id., «Responsabilidad concursal», *ADCo*, n° 28, 2013, 104, 127; RECAMÁN, *Los deberes y la responsabilidad de los administradores de sociedades de capital en crisis*, 2016,

Este modelo ya estaba latente en las normas que hacían a los administradores responsables del déficit de la sociedad insolvente incluso, según la interpretación más rigurosa, cuando no se consideraba necesario de demostrar la relación de causa a efecto entre las conductas tipificadas (arts. 165 y 172 bis LC) y la insolvencia. La ley 17/2014 (antes RDL 4/2014) matizó esta postura extrema, al establecer que los administradores responderían de actuaciones si efectivamente causaron o agravaron la incapacidad de la sociedad para afrontar sus obligaciones, de acuerdo con criterios tradicionales en relación con la imputación de responsabilidad indemnizatoria por daños. Este tipo de planteamientos también está presente en la presunción de culpabilidad de los administradores (e incluso de los socios) si no facilitan soluciones que eviten la insolvencia o atenúan sus efectos (art. 165 LC).

Últimamente se consolidan la tesis que obliga a gestionar la sociedad atendiendo los intereses de sus acreedores. La Propuesta de Directiva de reestructuración y segunda oportunidad se corresponde, precisamente con estos planteamientos que defienden un cambio en la dirección de la gestión que los administradores deben seguir, según una concepción en la que el interés de la sociedad se subordina al de los acreedores[10].

Aunque el deber de actuar con diligencia sea una obligación de medios[11], la prueba del cumplimiento no se agota acreditando el mero hacer diligente. El deber de diligencia es fuente de obligaciones que a veces con-

---

119 y ss.; y VIZCAINO GARRIDO, *El interés social como fin de la actividad gestora de los administradores de las sociedades en crisis*, 2015, 382 y ss.

[10]    Propuesta Directiva 2012/30/EU (COM 2016 723) de 22 de noviembre de 2017, Cndo. 36: «*En caso de que la empresa experimente dificultades financieras, los directivos deben, entre otras cosas, (…) proteger el patrimonio de la sociedad a fin de incrementar al máximo su valor y evitar la pérdida de activos clave; (…) celebrar negociaciones con los acreedores e introducir procedimientos de reestructuración preventiva. En caso de que el deudor se enfrente a la inminencia de una insolvencia, es importante también proteger los intereses legítimos de los acreedores frente a las decisiones de los gestores que podrían tener un impacto sobre la constitución de la masa del deudor, en particular cuando tales decisiones pueden tener el efecto de disminuir el valor del patrimonio disponible para los esfuerzos de reestructuración o para su distribución a los acreedores*» (v. art. 18).

[11]    SAP Madrid 13.9.2007; ALFARO, «Art. 226 Protección de la discrecionalidad empresarial», 325; RECAMAN, *Los deberes y la responsabilidad de los administradores de sociedades de capital en crisis*, 135.

cretan la ley o los estatutos[12]. En tal caso la prueba debe ser del cumplimiento de estas obligaciones.

La diligencia se impone en atención a la actividad a la que se dedica la sociedad, a la composición subjetiva de la sociedad y, desde la reforma, a la naturaleza y funciones de cada administrador (art. 225 LSC). El deber de diligencia depende de la función asignada a cada administrador y de la estructura del órgano de la administración. Si son varios los administradores, todos responden solidariamente si intervinieron en la adopción del acuerdo o en la realización del acto lesivo (art. 237 LSC). La solidaridad y la presunción de culpa colectiva solo desaparecen con condiciones y causas tasadas: si el administrador no intervino en la decisión y se opuso o, al menos, desconoció el acuerdo lesivo. Pero la colegialidad presupone que los cometidos de cada uno son homogéneos. Esto permite imputar colectivamente la responsabilidad a todos los consejeros. En caso de delegación de facultades, no existía tal homogeneidad. Por ello, Los consejeros que carecen de facultades delegadas no deberían responder por actos que solo serían imputables a los consejeros que tienen funciones ejecutivas y en quienes se delegaron las facultades inherentes a tales funciones. Para exonerarse de responsabilidad el administrador sin facultades delegadas no necesita probar que no participó en el acto y se opuso a él. Con la reforma, la distribución de funciones se generaliza en el consejo, incidiendo en la responsabilidad de cada consejero[13].

---

[12]   LLEBOT MAJÓ, «El deber general de diligencia», 320; en la línea de entender el *«resultado como realización de la prestación debida»*, RECAMAN, *Los deberes y la responsabilidad de los administradores de sociedades de capital en crisis* 135 y s., nt. 13.

[13]   Antes de la reforma algunos autores y proponían modular el juicio de diligencia en atención a la función de cada consejero (QUIJANO, *La responsabilidad civil de los administradores en la sociedad anónima*, 298 y s.; ESTEBAN VELASCO, «Responsabilidad de los Administradores», *Enciclopedia Jurídica Básica*, Madrid 1995, vol. IV, 5914; PAZ-ARES, est. *cit.* 35). Una visión más rigurosa partía de la regla de la solidaridad, para imputar a todos los vocales del consejo de administración las faltas de los órganos delegados o, al menos, la carga de probar que no actuaron con negligencia (RODRÍGUEZ ARTIGAS, *Consejeros delegados, comisiones ejecutivas y consejos de administración*, Madrid 1971, 358 y ss.; IGLESIAS PRADA, *La delegación de facultades en la sociedad anónima*, Madrid 1972, 359). ALONSO UREBA («Presupuestos de la responsabilidad social de una sociedad anónima»; *RDM*, n°, 198 1990, 695 y s., y 719 y ss.) advertía que los consejeros no pueden desvincularse de la gestión social, pues conservan la facultad de ejercer las funciones delegadas (modificó su opinión rectificó en ALONSO UREBA, «Diferenciación de funciones (supervisión y dirección) y tipología de consejeros (ejecutivos y no ejecutivos) en la perspectiva de los arts. 133.3 (responsabilidad de

La delegación de facultades tiene eficacia *ad extra,* como consecuencia del carácter constitutivo de la inscripción en el Registro Mercantil (art. 249.2 *in fine* LSC)[14]. En este sentido, la inscripción es necesaria para exonerarse de responsabilidad. En cambio la distribución de funciones entre los consejeros se sitúa en el ámbito de la organización interna del consejo; no es objeto de publicidad y, por tanto, no se puede oponer a los terceros (art. 245 LSC). Por ello no rompería la solidaridad ante el ejercicio de acciones de responsabilidad. El administrador que no intervino en el acto enjuiciado y luego fue condenado sólo podría reclamar en vía de regreso contra quien personalmente causó el daño[15].

Sin embargo, en consonancia con lo que es habitual en las sociedades cotizadas, la reforma ley establece ahora que se pueden fijar las funciones de los diferentes administradores al ser nombrados o al contratar con la sociedad (art. 249.*bis* LSC): esas funciones pueden consistir en la dirección de la empresa (funciones ejecutivas) o limitarse a la mera vigilancia o control de la gestión que desarrollen los ejecutivos[16]. Ya que el deber de diligencia se modula en función de la naturaleza del cargo y las facultades asumidas, le bastaría demostrar que el acto es ajeno al ámbito de sus funciones para liberarse.

En todo caso, la responsabilidad de los consejeros revive si el daño puede imputarse a la falta de diligencia en la elección de la persona en quien se delegaron facultades del consejo o a la falta de vigilancia. Aunque los administradores respondan por los actos propios y los daños sólo deban imputarse a los consejeros delegados, los demás consejeros responden por

---

administradores) y 141-1 (autoorganización del Consejo)», *RdS*, n° 25, 2005, 19, 57).

[14]   El carácter constitutivo de la inscripción resulta, sin embargo, contrario a los fines de protección de los terceros que se buscaba satisfacer (LEÓN SANZ, «Art. 249. Delegación de facultades del consejo de administración», en Juste coord., *Comentario de la reforma del régimen de las sociedades de capital en materia de gobierno corporativo,* 2015, 504).

[15]   Contra LLEBOT, «El deber general de diligencia», 334, 339.

[16]   *De lege ferenda* ESTEBAN VELASCO, «La renovación de la estructura de la administración en el marco del debate sobre el gobierno corporativo», en Esteban coord., *El gobierno de las sociedades* cotiza das, 1999, 183; después de la Ley 31/2014 LEÓN, «Art. 249 *bis.* Facultades indelegables», en Juste coord., *Comentario de la reforma del régimen de las sociedades de capital en materia de gobierno corporativo,* 2015, 520; JUSTE/CAMPINS, «La retribución de los consejeros delegados o de los consejeros con funciones ejecutivas. El contrato entre el consejero ejecutivo y la sociedad», en Roncero coord., *Junta general y consejo de administración,* 2016, 757 y ss.

culpa *in eligendo, in vigilando* o *in instruendo,* y por daños causados en ejercicio de facultades indelegables que se delegaron (art. 249.bis LSC).

## 2. La necesaria discrecionalidad en la gestión de la empresa

La gestión de una sociedad requiere discrecionalidad. En una economía de mercado la facultad de dirigir la empresa con libertad e independencia de criterio es condición del éxito, que encuentra su marco en la libertad de iniciativa económica y la libertad de empresa[17]. Pero la discrecionalidad en la toma de decisiones también viene exigida por las dificultades existentes para fijar *a priori* cuál es la decisión correcta y los efectos que de ella derivarán.

La discrecionalidad con la que los administradores pueden actuar en la gestión de la empresa obliga a limitar la revisión judicial de decisiones tomadas en ese marco de incertidumbre en el que se mueven los administradores, sobre todo si su decisión tuvo que adoptarse, como a menudo ocurre, con celeridad y bajo presión o no podían conocerse datos relevantes[18].

En particular, debe evitarse el riesgo de que el juicio pudiera verse afectado por un sesgo retrospectivo, en la medida en la valoración se sustente en que la decisión se demostró errónea con el conocimiento de datos acaecidos luego, pero que en el momento en que se adoptó no se conocían ni se podía predecir el resultado[19].

## 3. Manifestaciones concretas del deber de diligencia

A veces la ley identifica con claridad las actuaciones debidas por los administradores en una gestión diligente: llevar la contabilidad (art. 34 y ss. Ccom y 253 y ss. LSC) y seguir su estado[20], formular cuentas (art. 253 LSC), organizar el funcionamiento de la sociedad en los términos que establece la ley o los estatutos (convocar juntas, reducir o disolver la sociedad si vie-

---

[17]  IMMENGA, «Ordenación económica y Derecho de sociedades», *RDM,* n° 276, 2010, 541, 546 y ss. entre nosotros VIZCAINO GARRIDO, *El interés social como fin de la actividad gestora,* 414.

[18]  ALFARO, «Art. 226. Protección de la discrecionalidad empresarial», 326; SAP Madrid 13.9.2007: El «*incumplimiento o cumplimiento defectuoso* (de la obligación de administrar no puede determinarse) *en función de los resultados*».

[19]  STS 732/2014, de 26 de diciembre de 2014, Ponente Sancho Gargallo.

[20]  RECAMÁN, *Los deberes y responsabilidades de los administradores,* 147 y ss.

nen obligadas, etc.), asistir a las juntas (art. 180 LSC), celebrar periódicamente las reuniones del consejo (art. 243 LSC), ejecutar las instrucciones y acuerdos lícitos de la junta, informar a los socios, atender los derechos de la minoría, etc.

Pero incluso cuando la ley precisa a qué están obligados los administradores[21], no se excluye cierto margen, sobre todo cuando la actuación debida se define con conceptos abiertos. Así sucede con el deber de prestar una dedicación adecuada a la sociedad (art. 225.2 LSC) o de informarse (art. 225.3 LSC). Aunque la norma legal (o la estatutaria) contenga un mandato específico, las decisiones de los administradores deben adoptarse dentro de la discrecionalidad que se les concede[22].

Especial interés tiene en este ámbito el deber de informarse, que es correlativo al amplísimo derecho de información del administrador. Incluso para el administrador que no tiene facultades ejecutivas, el conocimiento del estado financiero o de la organización de la sociedad es condición para que pueda cumplir sus obligaciones generales y las que son particulares o específicas ante una situación de crisis previa a la insolvencia. Por esa razón, no se puede limitar el derecho a de un administrador a informarse, pues ello impediría un ejercicio diligente de sus funciones, que al menos comprenden la supervisión y control de los ejecutivos[23].

Aunque el régimen del deber de diligencia y el de lealtad sean diferentes, la frontera entre uno y otro no siempre es nítida. Hay obligaciones que la Ley sitúa en el ámbito del deber de lealtad, que no se sustraen a un juicio discrecional. El deber de secreto es una manifestación del deber de lealtad (art. 228.a LSC); pero su cumplimiento se puede y debe modular en función de las circunstancias; en concreto la decisión de comunicar a terceros datos de la sociedad durante los tratos preliminares en las operaciones de transmisión de empresas, depende del juicio del administrador que no se excluye su discrecionalidad, y cuyo régimen debería ser el del deber de diligencia.

---

[21]  MAMBRILLA, «Las concretas manifestaciones del deber de diligencia», en Roncero, coord., *Junta general y consejo de administración*, II, 2015, 345 y ss., especialmente 360 y ss.

[22]  ALFARO, «Art. 226. Protección de la discrecionalidad empresarial», 330; GUERRERO TREVIJANO, «La protección de la discrecionalidad empresarial en la Ley 31/2013 de 3 de diciembre», *RDM* 298, 2015, 165.

[23]  RECAMÁN, *Los deberes y responsabilidades de los administradores*, 141.

A diferencia de la normativa imperativa que regula el deber de lealtad, la responsabilidad por infringir el deber de diligencia es dispositiva. Son, por tanto, lícitas las cláusulas estatutarias que modifican lo previsto en la ley, liberando a los administradores de responsabilidad por una actuación con culpa (no por dolo) o en los supuestos que fijen los estatutos. El carácter dispositivo del régimen se justificó en la licitud general del pacto que libera de responsabilidad por un incumplimiento negligente (art. 1103 Cc). Estas previsiones estatuarias deben admitirse también dada la posibilidad de que la sociedad pueda transigir o renunciar a la acción social de responsabilidad (art. 238.2 LSC)[24] o que se pueda asegurar la responsabilidad civil por los daños que los administradores causaran a la sociedad[25].

Sin embargo, las previsiones de los estatutos en materia de responsabilidad no se pueden establecer en perjuicio de terceros[26]. Por eso la eficacia de las cláusulas estatutarias se reduce a exonerar de la responsabilidad (con el límite del dolo ex arts. 1102 y 1107 Cc)[27], mientras que es cuestionable que el deber general de diligencia se pueda modificar en los estatutos. Por otro lado, la exoneración convencional no se puede aplicar a todas las obligaciones; en particular no opera respecto del núcleo principal, ya que no puede dejarse al arbitrio del administrador el cumplimiento de sus obligaciones (art. 1256 Cc). Aunque se pueda liberar a los administradores de

---

[24] GANDÍA, *La renuncia a la acción social de responsabilidad*, 2017, *passim*.

[25] JUSTE, «Art. 236. Presupuestos y extensión subjetiva de la responsabilidad», en Juste coord., *Comentario a la reforma del gobierno corporativo*, 2015, 447; GUERRERO TREVIJANO, *RDM*, n° 289, 2015, 147, 178.

[26] Por ello los administradores no están vinculados por las instrucciones de la junta impartidas a los administradores que causen daño a terceros o a la minoría (art. 161 LSC); la ejecución por los administradores del acuerdo lesivo o la autorización o ratificación por los administradores de la decisión previa de la junta, no exonera a aquellos de responsabilidad (art. 236.2 LSC) (RECALDE, «Art. 161. Intervención de la junta general en asuntos de gestión», 59 y ss.).

[27] ALFARO, «Art. 225. Deber general de diligencia», 315; en la misma línea la sección 102(b) (7) de la *Delaware General Corporation Law* (*cit.* en GUERRERO TREVIJANO, *El deber de diligencia de los administradores en el gobierno de las sociedades de capital. La incorporación de los principios de la* business judgement rule *al ordenamiento español*, Madrid 2014, 50) admite que en los estatutos se garantice la inmunidad de los administradores frene a la exigencia de responsabilidad por vulnerar el deber de diligencia, si en su actuación no concurrieran mala fe, ilegalidad o actuación interesada del administrador; LLEBOT, «El deber general de diligencia», 340, sin embargo, sostiene que sobre la base del art. 1103 Cc serían válidos los pactos que establecieran la impunidad por las infracciones del deber de diligencia en relación con el cumplimiento «*de toda clase de obligaciones*».

responder por su falta de diligencia, no se excluye que la sociedad pueda negarse a pagarles la indemnización por cese que se hubiera pactado, si ese cese fue por justa causa, lo que incluye la falta de diligencia en la gestión.

## III. LA REGLA DE LA DISCRECIONALIDAD EMPRESARIAL

### 1. Los orígenes de la regla y la experiencia comparada

El origen de la regla de la discrecionalidad empresarial (*business judgement rule*) se sitúa en la jurisprudencia americana de donde se trasplanta a otros ordenamientos. Los tribunales de los EEUU la vienen aplicando hace más de 250 años para evitar enjuiciar decisiones empresariales de gestión (*Charitable Corp.v. Sutton* 1742), sobre todo respecto de la obligación general de actuar con el «*debido cuidado y diligencia*» (*Percy v. Miullaudon*) (1829)[28]. La imputación de la responsabilidad no depende del resultado, sino de que las decisiones se tomaran honesta y desinteresadamente.

Los presupuestos que definen la regla se establecen en *Aronson v. Lewis* (Delaware 1984) y en *Smith v. Van Gorkom* o *Tran Union* (Delaware 1985). En las decisiones empresariales los administradores deben actuar con información, de buena fe y bajo el sincero convencimiento de que sus decisiones son en interés de la sociedad. Si es así, los tribunales deben respetar la decisión tomada, salvo que se demuestre la infracción del deber de diligencia.

Se discutió si procede acoger la regla en el Derecho positivo[29], la articulación técnica con la que, en su caso, debería regularse o que tendrían

---

[28]   «(A)*nte la concurrencia de dificultades que ofrecen una única solución posible, la adopción de una decisión de la que sobrevenga pérdidas no podrá determinar la responsabilidad del administrador si dicho error fue tal que cualquier hombre prudente hubiera incurrido en él* (…). *el examen de la responsabilidad, por tanto, se debe fundamentar no en la sabiduría de los administradores, sino en la tenencia de un conocimiento ordinario y la demostración de que el error del administrador fue tan grave que un hombre con sentido común y atención ordinaria no habría caído en él*» (GUERRERO TREVIJANO, *El deber de diligencia de los administradores*, 44 y ss.; RONCERO, «Protección de la discrecionalidad empresarial y cumplimiento del deber de diligencia» en Roncero coord., *Junta general y consejo de administración en la sociedad cotizada*, 2016, 385, 391).

[29]   P. ej., la *Model Business Corporation Act* de la *American Bar Foundation* rechazó incluir en la ley la *business judgement rule* para no difuminar los rasgos abiertos con los que la caracterizó la jurisprudencia (GUERRERO TREVIJANO, *El deber de diligencia de los administradores*, 57).

que aplicarla los tribunales y, en fin, los efectos de la regla. Se aprecian dos tesis: i) la primera considera que la regla es un estándar de conducta, por lo que, con ocasión de la revisión de las decisiones tomadas, se parte de la presunción de un actuar diligente[30]. Los Tribunales de Delaware o el *Model Business Corporation Act* consideraron que la regla ofrece un criterio seguro para valorar la conducta debida por los administradores y si estos infringieron sus deberes. Aunque se presume que los administradores actuaron de forma informada, de buena fe y con la creencia subjetiva de obrar en interés de la sociedad, puede demostrarse que no concurrieron esos presupuestos o que la decisión tomada no era razonable (*Aronson v. Lewis*, Delaware 1984). Por tanto, la regla no excluye la revisión judicial del contenido de las decisiones, aunque lo limita a supuestos excepcionales de decisiones ajenas a toda racionalidad.

ii) Hay, sin embargo, otra tesis que sostiene que la regla contiene y agota la diligencia debida, impidiendo todo escrutinio posterior. El estándar exigido se debe entender satisfecho cuando los presupuestos procedimentales se cumplen[31], y en tal caso los tribunales no pueden juzgar la decisión. El proceso que concreta cómo los administradores tomarán sus decisiones crea un espacio seguro (*safe harbour*) de responsabilidad. La primera prueba de que se dieron los citados presupuestos recae sobre los administradores. El único caso en el que los tribunales podrían juzgar una decisión sería demostrando que realmente no concurrieron los presupuestos de la regla. Si estos se cumplieron, se presume una gestión diligente, impidiéndose la valoración judicial de la decisión tomada.

Aunque la aplicación de la regla no fuese cuestionada en los tribunales, pocos países la acogieron en el Derecho positivo. Sucedió en Portugal (Decreto-Ley 76-A/2006, de 29 de marzo que modifica el art. 72.2 *Codigo*

---

[30]    La distinción en GUERRERO TREVIJANO, *El deber de diligencia de los administradores*, 237; RONCERO, «Protección de la discrecionalidad empresarial», 393. Sin embargo, la regla termina por perder valor en Delaware para armonizar el control de las decisiones causantes de daños y el reconocimiento de la libertad de los administradores en la gestión empresarial, cuando se admite que por vía estatutaria pueda eximirse a los administradores de cualquier responsabilidad (salvo dolo).

[31]    Es la opción por la que se inclinan los *Principles of Corporate Law* (sección 4.01.c) del *American Law Institute*. Este proyecto de regulación es, sin embargo, polémico (v. GUERRERO TREVIJANO, *El deber de diligencia de los administradores*, 60).

*das sociedades comerciais)*[32], en Grecia (art. 22.a Ley 2190/1920)[33] y antes en Alemania[34], donde la doctrina y la jurisprudencia reconocían la discrecionalidad en la gestión de la empresa[35]. Pero a principios del siglo XXI varias propuestas propusieron incorporar la regla al Derecho positivo. Destaca la que presentó el prof. Ulmer en 2000, que admitía la cobertura de decisiones de los administradores, siempre que no se sobrepasaran de forma clara (*deutlich*) los límites de la diligencia razonable. Aunque hubo voces que advirtieron de las dificultades en el ajuste de los requisitos de subsunción, en 2005 la UMAG (*Gesetz zur Unternehmensintegrität und Modernisierung des Anfechtungsrechts)* la incluye en la ley de sociedades por acciones[36]. Pero se separa de la propuesta del prof. ULMER, porque, si se cumplen los presupuestos en que se sustenta la regla, se entiende satisfecho el deber de diligencia y se evita la responsabilidad. Eso sí, el administrador soporta la carga de probar tales presupuestos. El constante recurso a cláusulas generales y conceptos indeterminados (razonable, información adecuada, interés de la sociedad) generó dudas, que están en el origen del debate sobre si conviene reformarla o incluso derogarla[37].

---

[32]   «*A responsabilidade é excluída se alguma das pessoas referidas no número anterior provar que actuou em termos informados, livre de qualquer interesse pessoal e segundo critérios de racionalidade empresarial*». El cumplimiento de la regla es, por tanto, actuación diligente y excluye toda responsabilidad.

[33]   Más referencias en GUERRERO TREVIJANO, *El deber de diligencia de los administradores,* 66.

[34]   GUERRERO TREVIJANO, *El deber de diligencia de los administradores,* 67 y ss.

[35]   BGH de 21.4.1979, *ARAG/Garmenbeck;* BGH 23.6.1997, Siemens/Nold, impidió una revisión retrospectiva de las decisiones del Directorio y consideró necesario conceder un amplio margen de discreción a los administradores sin el que no puede imaginarse la actividad empresarial y el mercado; por ello, los administradores sólo deberían responder «*si las fronteras en las que opera la actuación conscientemente responsable se dirige exclusivamente al interés de la empresa, con medios razonables*».

[36]   El §93.1.2ª frase AktG dice: «*Eine Pflichtverletzung liegt nicht vor, wenn das Vorstandsmitglied bei einer unternehmerischen Entscheidung vernünftigerweise annehmen durfte, auf der Grundlage angemessener Information zum Wohle der Gesellschaft zu handel*». La recepción de la regla en la *Aktiengesetz está* en relación con la ampliación de la legitimación de los socios para el ejercicio de las acciones de responsabilidad y de las acciones por infracción del deber de diligencia (*Begründung* del *Gesetezesentwurf* UMAG; v. RONCERO, «Protección de la discrecionalidad empresarial», 696).

[37]   BACHMANN, «Reformbedarf der Business Judgement Rule», *ZHR,* 177, 2013, 1 y ss., quien fue ponente en el informe presentado en septiembre de 2014 al Congreso alemán de Juristas relativo a la reforma de los órganos de sociedades, uno de cuyos temas fue el ámbito de la *business judgement rule* (BACHMANN, *Reform der Organhaftung? - Materielles Haftungsrecht und seine Durchsetzung in privaten und*

## 2. La incorporación de la regla de la discrecionalidad al Derecho español y su ámbito

La Ley 31/2014 incorporó la regla de la discrecionalidad empresarial al derecho positivo (art. 226 LSC). Su objetivo era garantizar a los administradores un amplio margen de libertad en la gestión y evitar hacerles responsables del riesgo de la empresa, cuando no pudieran predecir las consecuencias de sus decisiones.

La regla presume que las decisiones empresariales de los administradores entran dentro del ámbito de la discrecionalidad. Pero esta no existe si la ley fija en todos sus términos la conducta debida (p. ej. cuando establece el plazo máximo para convocar la junta ordinaria, formular cuentas, promover la disolución de la sociedad existiendo causa legal o solicitar el concurso en caso de insolvencia). Tampoco responden si los estatutos imponen el mandato de actuar en un sentido o si la obligación deriva de instrucciones impartidas por la junta, en cuyo caso esta es la que asume la gestión de la empresa (art. 161 LSC). En efecto, si la junta da indicaciones sobre cómo actuar y estas son lícitas y vinculantes, los administradores deben ejecutarlas, porque en otro caso infringirían sus obligaciones legales para con los socios[38].

---

öffentlichen Unternehmen, Verhandlungen des 70. DJT, Bd. 2014, 38 y ss.; PÄFGEN, «Organhaftung: Bestandaufnahme und Zukunftperspecktiven», *AG*, 16/2014, 554 y ss.).

[38]   ESTEBAN VELASCO, en Rojo-Beltrán dirs., *Comentarios LSC*, 1215; RECALDE, «Art. 161 Intervención de la junta general en asuntos de gestión», 59 y ss. Al ejecutar las instrucciones, los administradores deben verificar si son lícitas, lo que no ocurre cuando son contrarias al orden público o perjudican a terceros o a la minoría. Fuera de estos casos, los administradores no responden porque cumplieran un acuerdo que lesiona el interés social, ya que los socios determinan el interés de la sociedad y los administradores deben atenerse a ello (GANDÍA, *La renuncia a la acción social de responsabilidad*, 215 y ss.). En virtud del art. 236.2 LSC, la ratificación o autorización de la junta no permite a los administradores exonerarse de responsabilidad si ejecutan acuerdos manifiestamente dañinos del patrimonio de la sociedad (ESTEBAN VELASCO, «Acuerdos de la junta general de socios de la sociedad limitada en asuntos de gestión y la responsabilidad de los administradores», *RdS*, n° 18, 2002, 217, 227). Pero GANDÍA (*La renuncia a la acción social de responsabilidad*, 220 y s.) entiende el *quitus* o acuerdo de descargo es una declaración de ciencia de los socios afirmando que los administradores no dañaron a la sociedad y no incurrieron en responsabilidad; el ejercicio de una acción de responsabilidad sería contraria a los propios actos de los socios y, por

Pero no es cierto que la regla no se aplique cuando existe un mandato de actuar en un determinado sentido ni afecte a decisiones que suponen el cumplimiento del contrato de sociedad (estatutos). Algunas obligaciones legales no se concretan en todos sus términos y, por ello, no se excluye la regla de la discrecionalidad[39]. Basta pensar en las dudas que pueden surgir en relación con las consecuencias fiscales o regulatorias de decisiones en las que es habitual recabar el asesoramiento de expertos para conocer cuál es el contenido de la obligación que impone la ley. En estos casos existe un margen de incertidumbre que obliga a los administradores a la ponderación. Pueden ser decisiones estratégicas discrecionales el impulso de cambiar estatutos (p. ej. un aumento de capital), la elección entre varias alternativas previstas en la ley (p. ej. entre una operación acordeón o la reducción de capital con transformación), la promoción de una u otra modificación estructural o, dentro de estas, la elección entre las decisiones que no están regladas en todos sus términos (p. ej. el tipo de emisión de las nuevas acciones, la relación de canje en una fusión o el modo de ejecutarla).

Parece razonable que la regla de la discrecionalidad se aplique incluso respecto de algunos deberes de lealtad, como el de secreto o el de evitar y abstenerse de tomar decisiones en las que se dieran conflictos de interés. En estos casos, antes de aplicar la ley, existe cierto un margen para valorar si concurría el supuesto de hecho que la ley previó[40]. Lo mismo cabe decir de decisiones de carácter mixto, cuyo origen está en la ley y afectan a la gestión del contrato de sociedad, pero que también tienen un carácter empresarial. P. ej., en la fijación de la retribución de los administradores, se impone, por un lado, el deber de actuar con imparcialidad y respetando el límite de la proporcionalidad (ex art. 217.4 LSC); pero, a la vez, respecto de la fijación de la cuantía de la remuneración existe un ámbito de discre-

---

tanto, estos estarían obrando de mala fe (GANDÍA, *La renuncia a la acción social de responsabilidad*, 178 y ss.).

[39] ALFARO, «Art. 226 Protección de la discrecionalidad empresarial», 330, si existe discrecionalidad en el cumplimiento del contrato de sociedad; DÍAZ MORENO, «La business judgement rule», en AA.VV., *Las reformas de la Ley de Sociedades de capital*, Gómez Acebo&Pombo, 52, rechazando el juego de la regla en la gestión corporativa de la sociedad.

[40] Una exhaustiva exposición del régimen italiano de operaciones vinculadas con afirmaciones muy útiles para nuestro Derecho, que muestran las dificultades para identificar el supuesto de hecho en LATORRE, «Las operaciones con partes vinculadas en la s.p.a. "aperta" (art. 2391 *bis* c.c. y Reglamento Consob)», *RdS*, nº 49, 2017.

cionalidad empresarial. La decisión de los administradores en estos casos debe venir presidida por rasgos propios de la gestión empresarial, en los que no se debería privar de libertad y tampoco debería reducirse la posibilidad de valorar la diligencia desplegada.

Sin embargo, la literalidad de la norma parece contradecir esta conclusión. En efecto, la determinación de la remuneración de los administradores (o la valoración de si se cumplen los deberes de lealtad) son decisiones que afectan a otros administradores y, por tanto, entrarían de lleno en la exclusión del ámbito de la regla que la ley establece para estos casos (art. 226.2 LSC)[41]. Se debe reconocer, no obstante, que no siempre resultan claras las consecuencias que resultan de mantener que aquí no se debe aplicar la regla, pues mientras el deber de abstención en los conflictos de interés que afectan a los administradores, y en particular el régimen de la dispensa de la prohibición de competencia (art. 230 LSC) son decisiones regladas, hay supuestos en los que no puede predeterminarse simplemente si se da el supuesto en que se infringe el deber de lealtad. Por ello, estaría justificado aplicar la regla[42].

## 3. Los presupuestos de la regla de la discrecionalidad empresarial

En la línea de lo propuesto en otros países[43] y de lo que ya estableció nuestra jurisprudencia[44], la reforma fija los presupuestos a cuya presencia se condiciona la regla: los administradores deben tomar su decisión o realizar el acto enjuiciado de acuerdo con un procedimiento adecuado, con

---

[41]   RONCERO, «Protección de la discrecionalidad empresarial», 413, advirtiendo, sin embargo, que en el Derecho alemán la *business judgement rule* cubre estas decisiones.

[42]   También GUERRERO TREVIJANO, *RDM*, n° 298, 2015, 167.

[43]   American Law Institute, *Corporate Governance Principles*, 2004, § 4.01 (c). BAINBRIDGE, *The New Corporate Governance in Theory and Practice*, Oxford, 2008, 106 y ss. También en Alemania se siguen estos presupuestos (SPINDLER *Münch. Komm AktG*, 3. Aufl. 2008, § 93 Rdn. 36 y ss.; PÄFGEN, *AG*, 16/2014, 555 y ss.). Se ha dicho correctamente que las divergencias están en la prueba, pues la *business judgement rule* afecta a la carga de esta prueba y de la argumentación: en los EEUU se presume el comportamiento diligente de los administradores salvo que el demandante demuestre la infracción del deber de lealtad o que la decisión era disparatada; en Alemania la *business judgement rule* y sus presupuestos concretan el deber de diligencia, liberándose el administrador que demuestre esos presupuestos (ALFARO, «Art. 226. Protección de la discrecionalidad empresarial», 327 y ss.).

[44]   STS 732/2014, de 26 de diciembre de 2014, Ponente Sancho Gargallo.

información suficiente, de buena fe (confiando en actuar favoreciendo a la sociedad) y sin interés personal en el asunto. Además la regla no ampara decisiones o actos que afectan a otros administradores o a personas vinculadas con ellos.

De alguna forma, el primer presupuesto subsume los demás[45]. La *business judgement rule* objetiviza los procesos de toma de decisiones empresariales. Estas se deben aprobar y ejecutar en el marco de un procedimiento orgánico que *ex ante* se estima apropiado a sus características y al tipo de sociedad. Aunque no puede determinarse la corrección de lo actuado, sí cabe exigir a los administradores que establezcan protocolos adecuados aptos para aprobar y ejecutar decisiones empresariales.

Tales protocolos tienen pleno sentido en empresas de un tamaño mediano o grande, en las que es razonable que la administración se organice en forma de consejo de administración; también la delegación de facultades en profesionales de reconocida capacidad, dada la dificultad para gestionar la empresa desde un órgano colegiado que a menudo se limita a ser cauce de representación de los intereses de los diversos grupos de socios[46]; la decisión se debe tomar en un número proporcionado de reuniones del consejo, con participación directa de quienes la adoptan y, en su caso, del conjunto de vocales del consejo, si este debe ser consultado o si la decisión se refiere a competencias indelegables[47]. La regla tampoco cubre actos de gestión que, por su trascendencia, deben decidirse por los socios. El procedimiento supone respetar las normas sobre distribución de competencias, remitiendo a la junta la decisión en operaciones de disposición sobre activos esenciales (art.

---

[45] RECALDE, «Modificaciones en el régimen de diligencia de los administradores; la *business judgement rule*», en *Estudios jurídicos en memoria del prof. E. Beltrán Sánchez*, Valencia 2015, 629 y ss., 651, también en Emparanza coord., *Las nuevas obligaciones de los administradores en el gobierno de las sociedades de capital*, 2016, 245, 264 (de donde se cita).

[46] SÁNCHEZ CALERO, *Los administradores en las sociedades de capital*, 172.

[47] En *Smith v. Van Gorkom* 488 A.2d 858 (Del. 1985) (*cit.* en COX/HAZEN, *Corporations*, 190) se imputaba la responsabilidad a los administradores por una adquisición empresarial de gran importancia, adoptada en una única reunión del consejo de dos horas mediante la mera presentación oral del acuerdo, sin mayores explicaciones. En cambio en *Unocal Corp v. Mesa Petroleum Co.* (493, A.2d 946, Del. 1985), en la reunión del consejo de administración se realizaron consultas a los asesores legales y financieros durante más de 11 horas, lo que avaló su actuación, aunque en la convocatoria no constaba el asunto, ni se hubieran presentado por escrito información previa.

160.f LSC)[48]. El procedimiento adecuado presupone también el cumplimiento de las normas («*cumplir los deberes impuestos por las leyes y los estatutos*», art. 225.1 LSC) y de los deberes impuestos por contratos que comprometen a la sociedad. La organización diligente de la empresa de ciertas dimensiones exige también crear sistemas que permitan verificar el cumplimiento normativo (*compliance*) y sistemas de detección y control de riesgos que la ley prevé expresamente para las sociedades cotizadas (art. 529.1.b LSC) o en relación con empresas dedicadas a actividades de especial trascendencia (p. ej. para entidades de crédito ex arts. 38.1 LOSSEC). El deber se conecta, por tanto, con la dimensión de la empresa, el tipo de actividad y otras circunstancias que concurren[49]. La diligencia en la organización puede reclamar también establecer sistemas de denuncia (*whistle blowing),* que permitan detectar y controlar irregularidades. Si la sociedad no establece este tipo de sistemas cuando la ley (como ocurre para las sociedades cotizadas) o

---

[48]   TOMBARI, *Diritto dei grupp di impresse,* Milano 2010, 99 y s. Después de la reforma de 2014 la competencia de la junta para los actos de disposición sobre activos esenciales (art. 160.f LSC) ha causado grandes dificultades prácticas (ESTEBAN VELASCO, «Distribución de competencias entre la Junta General y el Órgano de administración a partir de la nueva atribución de competencias a la Junta, en particular respecto de los asuntos de gestión (arts. 160 y 161 LSC)», en Roncero coord., *Junta general y consejo de administración en la sociedad cotizada,* I, 2016, 29, 42 y ss.; ÁLVAREZ ROYO-VILLANUEVA/SÁNCHEZ SANTIAGO, «La nueva competencia de la junta general sobre activos esenciales: a vueltas con el artículo 160 f) LSC», *La Ley* 25.5.2015; FERNÁNDEZ DEL POZO, «Aproximación a la categoría de "operaciones sobre activos esenciales", cuya decisión es competencia exclusiva de la Junta», *La Ley Mercantil,* n° 11, febrero 2015; FERNÁNDEZ DEL POZO, «Otra vez sobre el acto extralimitado sobre "activos esenciales" del malhadado art. 160 f) LSC: Crítica de la doctrina de la DGRN sobre el tema», *La Ley Mercantil,* n° 27, julio-agosto 2016, 1 y ss.; GUERRERO LEBRÓN, «La competencia de la junta general en las operaciones relativas a activos esenciales. Artículo 160-f Ley de sociedades de Capital», *RDM,* n° 298, 2015, 183 y ss.; RODRÍGUEZ ARTIGAS, «Operaciones sobre "activos esenciales" y acuerdo de la junta», *Liber amicorum Fdez. de la Gándara,* 2016, 301 y ss.; ALCALÁ, «Ámbito de aplicación y consecuencias del incumplimiento del art. 160.f de la LSC», *Liber amicorum Fdez de la Gándara,* 2016, 275 y ss.; RECALDE, «Art. 160. Competencia de la junta», en Juste coord., *Comentario de la reforma del régimen de las sociedades de capital en materia de gobierno corporativo,* 2015, 38; RECALDE, «La competencia de la Junta General en relación con los actos de disposición sobre "activos esenciales"», AA.VV., *Principales reformas del derecho mercantil,* 2016, 99 y ss.).

[49]   SALELLES, «La incidencia de la crisis financiera sobre el buen gobierno de las sociedades», en Arenas/Górriz/Miquel coord., *Autonomía de la voluntad y exigencias imperativas en el derecho internacional de sociedades y otras personas jurídicas,* Barcelona 2014, 15, 37 y ss.

los estatutos obligan a ello, o cuando resultan exigibles en función de otros datos, no cabrá aplicar la regla de la discrecionalidad ni se podrá presumir un cumplimiento diligente[50]. Pero por sí solo esta falta no basta para que los administradores respondan; será necesario demostrar el daño causado y los demás presupuestos de una responsabilidad indemnizatoria.

La decisión debe adoptarse con información y asesoramiento. A menudo no se puede determinar cuánta información es exigible. Siempre cabe cuestionar si es suficiente, ya que los administradores podrían recabar más de la que obtuvieron[51]. Pero si no se quiere llegar al absurdo, debe concluirse que la determinación de la información necesaria entra dentro de la discrecionalidad, lo que obliga a los administradores a valorar los costes de generarla y los beneficios que pueden obtener de ella.

En adquisiciones de empresas o en inversiones de especial importancia, la diligencia obliga a realizar una *due diligence,* pues sólo una auditoría financiera y legal ofrece información para calcular razonablemente los efectos de la decisión[52]. Pero esto no basta; se debe determinar también el sentido y la justificación de la adquisición de la empresa, a la luz de la actividad de la adquirente y de la política general del grupo.

El deber de informarse se complementa con el de asesorarse sobre los elementos relevantes para tomar la decisión, sobre las consecuencias de la decisión e, incluso, sobre la probabilidad de que se produzcan daños. El deber de asesorarse por expertos es un requisito para tomar decisiones de

---

[50]   CASPER, «Corporate Governance and Corporate Compliance», en du Plessis, Großfeld *et al, German Corporate Governance in International and European Context,* 2ⁿᵈ ed., 2012, 370 y ss. La cultura del riesgo no garantiza que se eviten errores en la toma de decisiones; ningún sistema de *compliance* es del todo eficaz para detectar decisiones equivocadas. Pero la falta de sistemas muestra una organización no diligente (COX/HAZEN, *Corporations,* 198).

[51]   HERNANDO CEBRIÁ, *El deber de diligente administración,* 148. La actividad de empresa supone a menudo la adopción de decisiones con información imperfecta o insuficiente (COX/HAZEN, *Corporations,* 185). La doctrina alemana fue crítica con una sentencia del BGH, dictada poco después de aprobarse la UMAG, que obligaba a los administradores a que, para invocar su discrecionalidad, demostraran que agotaron «*todas*» las posibles o imaginables fuentes de información jurídicas o fácticas (BGH, *NJW* 2008, 3361) (SPINDLER, *Münch. Komm AktG,* § 93 Rdn. 75). Decisiones posteriores renunciaron a exigir una disponibilidad de información exhaustiva y completa, y rechazaron que la información no había sido suficiente (BACHMANN, *ZHR,* 2013, 2 y s.).

[52]   ALFARO   http://derechomercantilespana.blogspot.com.es/2014/10/la-obligacion-de-hacer-una-due.html.

especial complejidad. Pero plantea diversas cuestiones de interés: en primer lugar, se debe garantizar la independencia de los informes aportados y, en caso de una «guerra de dictámenes» contradictorios presentados por otros asesores (p. ej. en el caso en que contra los informes aportados por los administradores demandados, quienes ejercen la acción de responsabilidad presentan otros en sentido contrario) la presunción de diligencia de aquellos podría verse limitada[53]. Por otro lado, el asesoramiento de expertos no aporta un puerto seguro, si se limita a ofrecer a los administradores el discurso que estos querían. La mera existencia de informes y dictámenes favorables no permite que los administradores se liberen de responsabilidad por falta de negligencia; de igual manera que los informes negativos o contrarios a una decisión que se cuestiona no vinculan, aunque obligan a los administradores a una carga probatoria de particular complejidad. En fin, frente a la costumbre tan extendida en el ámbito de la gran empresa de acopiar rutinariamente informes y dictámenes (de abogados, académicos, consultores externos) con los que los consejeros pretenden cubrirse del riesgo de incurrir en responsabilidad, puede cuestionarse si incurrir en el importante coste de este tipo de prácticas es diligente, o si la actuación corporativa se burocratiza en exceso, restando espontaneidad y reduciendo el juicio personal de los administradores. Confiar plenamente en la eficacia de estas herramientas (por más que «agrade» a los potenciales destinatarios de la petición) abre la puerta a revisar la adecuación de los dictámenes emitidos o de sus autores.

Los administradores deben tomar su decisión sin un interés personal. La norma consagra el deber de independencia en la toma de decisiones, que no es sino una manifestación del deber de lealtad. La pérdida de independencia puede ser directa o indirecta; la decisión tomada no se beneficia de los efectos de la regla si afecta personalmente al administrador (art. 226.2 LSC). La regla no opera si la decisión beneficia a otro administrador o a personas vinculadas con él, ya que se parte de las estrechas relaciones de confianza que se dan habitualmente entre administradores

---

[53]    En SAP Madrid 18.11.2016 se rechaza comparar los informes en que los administradores basaron sus decisiones y los emitidos años después, en los que se apoyó la demanda de la sociedad. El rechazo se basa en que incluso los primeros son ineficaces si la decisión resultó irrazonable. Si el *tribunal alcanzase la conclusión de que son más acertadas las valoraciones de (unos informes que las de otros), esta... conclusión carecería del menor interés para la resolución del litigio si, al propio tiempo, no contásemos con razones fundadas que nos permitieran deducir con solvencia que los demandados, quienes por obvias razones no tuvieron a la vista los informes IBERTASA/FOREST y sí únicamente los informes DIRECCION000 / DIRECCION001, sabían o debían saber que los valores que arrojaban estos últimos se encontraban alejados de la realidad».

Pero la inaplicación de la regla en las decisiones que afectan a otros administradores plantea dudas. En primer lugar, no resuelve si supone someter a un régimen distinto esas decisiones, aunque mantengan un carácter empresarial (p. ej. la fijación de la remuneración); por otro lado, si no se aplica la regla, cabe cuestionarse si procedería la revisión judicial de estas decisiones, lo que parece excesivo. Lo que se debería asegurar es la ausencia de interés personal y la no cobertura de decisiones en las que existe un conflicto de interés. Pero si se garantiza que la decisión se tomó sin interés personal y libre de la influencia del afectado por el conflicto, debería seguir limitándose la posibilidad de un escrutinio de estas decisiones[54].

Por otro lado, los términos tan amplios con que se redacta la norma y la remisión al régimen de autorización de competencia o de dispensa en el conflicto de interés cuestiona la vigencia de la regla de la discrecionalidad en los casos de beneficio indirecto, cuando el beneficiario no es el administrador sino una sociedad de la que es socio. Por esta vía podría sostenerse incluso la falta de discrecionalidad en las decisiones de administradores que ejecutan instrucciones de la junta. La negación de la regla de la discrecionalidad en estos casos incrementaría el riesgo de que los administradores de las filiales respondieran por cumplir acuerdos tomados en la junta con el impulso de la dirección del grupo[55], lo que reduce en gran medida el ámbito de la norma que permite que la junta avoque para sí las decisiones de empresa (art. 161 LSC) y su eficacia a los efectos de liberar de responsabilidad a los administradores.

La decisión de los administradores debe adoptarse de buena fe. Esta se interpreta en sentido subjetivo como convicción de que la medida que se adoptó favorece a la sociedad[56]. La presunción de buena fe bastaría para ofrecer cobertura a cualquier acto o decisión que el administrador indicase que tomó para favorecer a la sociedad, incluso los que manifiestamente contradicen o se desvían de lo que debería esperarse de un ordenado empresario. Sin embargo, una interpretación más rigurosa de este requisito podría no alterar las bases sobre las que se construya el estándar general de

---

[54]    GUERRERO TREVIJANO, *RDM*, n° 298, 2015, 167; ALFARO, «Ar. 226. Protección de la discrecionalidad empresarial», 338.

[55]    En esta línea ALFARO, «Ar. 226. Protección de la discrecionalidad empresarial», 336 y s.

[56]    Du PLESSIS/SAENGER, «The General Meeting and the Management Board as Company Organs», en du Plessis, Großfeld *et al*, *German Corporate Governance in International and European Context*, 2nd. Ed., 2012, 83.

diligencia[57]. Es necesaria la buena fe (entendida como búsqueda de lo que es mejor para la sociedad); pero esta no basta. El administrador que objetivamente incumple de forma notoria el estándar de conducta que cabe esperar del ordenado empresario en la gestión de sus negocios, respondería de los daños.

El alcance que se conceda a este requisito conduce al núcleo central de la discusión en torno a la regla de la discrecionalidad empresarial, la que se refiere al contenido y a los efectos que se deban atribuir a la regla.

## 4. *La regla de la discrecionalidad como una regla procesal referida a la carga y l contenido de la prueba*

El problema fundamental de la regla de la discrecionalidad es determinar los efectos que deben reconocerse al cumplimiento de los presupuestos que resumen la regla de la discrecionalidad. En nuestro país mayoritariamente se entiende que si se cumplen esos presupuestos no cabe ningún juicio sobre la diligencia y los administradores se eximen de cualquier responsabilidad. La regla crearía un puerto seguro, pues supone un *estándar de conducta* que concreta y agota el deber de diligencia exigible. La regla establecería un privilegio que determina la inmunidad o, así se ha llegado a decir, la impunidad de las decisiones tomadas por los administradores[58]. Si cumplen los presupuestos de la regla, los administradores quedan amparados, toda vez que se establece una presunción *iuris et de iure* de diligencia[59]. Los jueces se deberían limitar a valorar si, realmente, concurrían los presupuestos de la regla. Pero no más. De acuerdo con esta concepción, quien ejerce la acción de responsabilidad sólo podrá discutir que concurrieran

---

[57]  HERNANDO CEBRIÀ, *El deber de diligente administración*, 143.

[58]  FLEISCHER, *RDM*, n° 246, 2002, 1732; PAZ-ARES, est. *cit.*, 33 y s. contrario a que la inmunidad se entienda como impunidad; ALFARO, «Art. 226. Protección de la discrecionalidad empresarial», 328; GUERRERO TREVIJANO, *RDM*, n° 298, 2015, 161.

[59]  EMBID, «La protección de la discrecionalidad empresarial en el proyecto de ley para la mejora del gobierno corporativo», http://www.commenda.es/rincon-de-commenda/la-proteccion-de-la-discrecionalidad-empresarial-en-el-proyecto-de-ley-para-la-mejora-del-gobierno-corporativo/; DÍAZ MORENO, 2014, 5; GUERRERO TREVIJANO, *RDM*, n° 298, 2015, 147 y ss.; ALFARO, «Art. 226. La protección de la discrecionalidad empresarial», 327; ALFARO, «Roncero sobre la *business judgement rule*» *http://derechomercantilespana.blogspot.com.es/2017/03/roncero-sobre-la-business-judgment-rule.html*.

los presupuestos de la regla; pero, si se dan, no pueden poner en cuestión la diligencia de los administradores.

La propuesta muestra el recelo hacia la valoración judicial de la actuación de los administradores, dado que podría impulsarles a una gestión excesivamente prudente y adversa al riesgo, en contra de lo que es esencial a una buena administración de la empresa[60]. Conviene analizar los argumentos sobre los que se apoya esta tesis.

La imposibilidad de valorar el contenido de las decisiones de los administradores se sustenta, a menudo, en la pretendida falta de competencia cognitiva de los jueces para valorar la gestión de una empresa[61]. Pero no deja de ser discutible la afirmación de que los jueces no pueden valorar la diligencia de la administración, porque no son intelectualmente competentes para conocer si las decisiones son correctas desde el parámetro del ordenado empresario. Es claro que la discrecionalidad y la habitual imprevisibilidad de los efectos de las decisiones empresariales exigen restringir la revisión de los jueces. También lo es que el juicio sobre la diligencia de los jueces no debe sustituir al de los administradores[62], cuya libertad debe quedar preservada. En fin, es igualmente razonable presumir que la decisión tomada con los presupuestos de la regla es diligente.

Pero no se comprende bien por qué la inexistencia de una *lex artis* del ordenado empresario o la necesidad de discreción determinan que nunca puedan enjuiciarse las decisiones del administrador. Nadie discute que es posible revisar las decisiones discrecionales de médicos, de arquitectos,

---

[60]    Esa desconfianza en PAZ-ARES, *indret* 2003, 30; para una valoración crítica sustentada en la experiencia en datos de la RONCERO, «Protección de la discrecionalidad empresarial», 398 y s.

[61]    PAZ-ARES, *indret* 2003, 3. Aunque originariamente ALFARO no utiliza este argumento («Art. 226. La protección de la discrecionalidad empresarial»), lo convierte en el fundamento central de la regla en http://derechomercantilespana. blogspot.com.es/2017/03/roncero-sobre-la-business-judgment-rule.html *«los jueces carecen de los conocimientos necesarios para enjuiciar las decisiones de carácter empresarial y no hay disponible una* lex artis *a la que puedan recurrir (con ayuda de expertos en dicha* lex artis*) para enjuiciar dichas decisiones en términos de diligencia / negligencia».*

[62]    Se ha dicho que entre las finalidades de la regla de la discrecionalidad estaría el evitar que los jueces se vean «enredados» en complejas decisiones empresariales para lo que los administradores se encuentran en mejores condiciones (GUERRERO TREVIJANO, *RDM*, n° 289, 2015, 151), aunque este argumento es poco consistente con la indiscutida posibilidad de que esos mismos jueces valoren decisiones médicas, para las que, igualmente, están en peores condiciones que los médicos.

abogados, jueces, guías de montaña, socorristas de playa o monitores de campamentos juveniles. Una cláusula más general que la del ordenado empresario —como es la del buen padre de familia— en la que aún resulta más difícil concretar la conducta debida (¡que se lo pregunten a quienes son padres de adolescentes!) es el parámetro general de conducta al que recurren jueces y tribunales para juzgar si la actuación de cualquier persona es o no adecuada. Establecer que el administrador de una sociedad de capitales es la única persona o profesional, cuyas decisiones deben quedar exentas de control responde a una pretensión por instaurar un ámbito de impunidad, que hoy es difícil de defender y que, de hecho, los mismos sostenedores de esta tesis no dudan en rechazar[63].

La regla trataría de ahorrar los costes de incertidumbre inherentes a la eventualidad de una valoración judicial que reduce la discrecionalidad de los administradores. Así lo señalaba el «*Estudio sobre propuesta de modificaciones normativas*», elaborado por la Comisión de Expertos de la que trajo causa la norma. Su objetivo sería «*proteger la discrecionalidad empresarial en el ámbito estratégico y en las decisiones de negocio*», que es «*una exigencia necesaria para fomentar una cultura de innovación y facilitar la sana asunción de gestión de riesgos*» (apartado 4.2.1).

Pero si se trata de evitar el riesgo de una imprudente injerencia en la gestión por parte de los jueces, el punto de partida sería reconocer que la cuestión no era un problema en nuestro país. Los jueces y tribunales españoles siempre han mostrado una actitud extremadamente sensata en los juicios sobre responsabilidad por gestión negligente. El número de demandas es muy reducido y aún menor es el de las sentencias condenatorias. En la mayoría de los casos se refirieron a conductas de grave negligencia o dolosas, que son aquellas que los jueces podían valorar durante la vigencia de la LSA de 1951 o en que se infringían también deberes de lealtad[64].

---

[63]   ALFARO, «Art. 226 Protección de la discrecionalidad empresarial», 332: «*Dado que los administradores están sometidos a un estándar de diligencia más exigente que el de el buen padre de familia o el de aquel que gestiona sus propios asuntos (quam in suis), el administrador de una sociedad no podrá ampararse en la* business judgment rule *si, aunque afirme que creyó que la decisión era "buena" para la sociedad, ésta resulta disparatada o claramente inadecuada para preservar o aumentar el valor de la compañía o, si la conducta del administrador contradecía de tal modo su creencia subjetiva que ésta última no puede considerarse sincera... Las decisiones disparatadas no pueden considerarse adoptadas "de buena fe"*» (también en 340).

[64]   LLEBOT MAJO, «El deber general de diligencia (art. 225.1 LSC)», 329 y s. menciona tres STSs de 13.2.1990, 11.5.1991 (negligencia grave y discriminación en

En realidad, los tribunales habían reconocido, ya antes de la reforma, la regla de la discrecionalidad. Interesa especialmente lo que estableció la SAP Madrid 13.9.2007 (Ponente R. Saraza), que resume los fundamentos de la doctrina[65], que luego desarrollaron varias sentencias del Tribunal Supremo[66].

---

el pago a acreedores), y de 5.11.1997 (no liquidación de la sociedad de acuerdo con el régimen vigente); o supuestos de dolo en STS 4.2.1999 (desvío de fondos) o negligencia muy grave SSTS 30.3.2001, 10.3.2003 (sobreendeudamiento de la sociedad), 26.5.2003, o falta de imparcialidad 14.10.2011 (condonación de deuda de la sociedad para que el administrador adquiriera las participaciones para sí). También rechaza la condena SAP Madrid 18.11.2016.

[65]　SAP Madrid 13.9.2007: «*no se observa negligencia ni deslealtad alguna en la actuación de los administradores demandados. Los mismos adoptaron el acuerdo reputado por la recurrente como determinante de su responsabilidad habiéndose informado adecuadamente, pues habían solicitado la elaboración de diversos informes y la realización de revisiones del plan de negocio inicialmente previsto a la vista de las nuevas circunstancias concurrentes (fundamentalmente, construcción de una nueva terminal en el aeropuerto de Barajas que restaría pasajeros a las otras terminales en cuyas inmediaciones se ubicaría el centro de servicios objeto de la concesión, y secundariamente, la disminución del tráfico aéreo consecuencia de los atentados del 11-S y la posibilidad, publicada en la prensa, del traslado del aeropuerto a otra ubicación distinta), sin hacer dejación alguna de sus obligaciones de gestión, hasta el punto de que el consejo de administración se reunió con frecuencia y se respetaron los cauces y modos de funcionamiento propios de las sociedades mercantiles, informando a los diversos componentes del consejo de administración y sometiendo las principales decisiones a la junta de accionistas, sin que se hubiera producido ocultación alguna a los consejeros y accionistas, concretamente a la actora.// Es evidente que la decisión empresarial adoptada es discutible, como toda decisión de esta naturaleza, puesto que la administración y dirección de empresas no es una ciencia exacta, y más aún cuando, pasado cierto tiempo, es posible ahora conocer las consecuencias de la decisión empresarial adoptada por el órgano de administración, mientras que en el momento en que los administradores adoptaron el acuerdo esto no era posible, teniendo además los administradores un margen de tiempo limitado para adoptar la decisión empresarial. Pero la prueba obrante en autos muestra que se trató de un acuerdo, …, adoptado tras el acopio y análisis de información rigurosa, a la vista de circunstancias que generaban serias dudas sobre la rentabilidad del negocio a acometer, con criterios de racionalidad y encaminado a la protección del interés social. La obligación de administrar que concierne a los administradores sociales es una obligación de medios, por lo que no puede determinarse su incumplimiento o cumplimiento defectuoso en función de los resultados*». Otras sentencias acogen esta regla (SAP Alicante 15.7.2010: «*Cuando el juez se enfrenta a este tipo de alegaciones debe ser cuidadoso, pues ello no le debe conducir a interferir en la adopción de las particulares decisiones estratégicas del empresario. El juez no es un órgano fiscalizador "del desacierto económico" de las decisiones empresariales ni un órgano dictaminador de lo que en cada momento haya de resultar conveniente para la sociedad […] Es el órgano social y no el juez quien tiene que valorar la oportunidad empresarial de la decisión, y no puede exigirse una prueba que justifique la adopción de dicha decisión em-*

Por otro lado, el entendimiento de la regla como cumplimiento de la diligencia parecería ajustarse a la literalidad de la norma, cuando se dice que «*el estándar de diligencia de un ordenado empresario se entenderá cumplido*» si los presupuestos de la regla se satisfacen. Pero en materia de presunciones, estas permiten siempre la prueba en contrario salvo que la ley previera otra cosa (art. 385.3 LEC). En este sentido, mostramos en su momento nuestro desacuerdo con esta tesis y sostuvimos que la regla de la discrecionalidad sólo ofrecería a los administradores una presunción *iuris tantum* de haber actuado diligentemente[67].

Las diferencias entre una y otra tesis se sitúan en la carga y en el contenido de la prueba que debe aportar quien presenta la demanda de responsabilidad[68]. La regla establece una presunción de diligencia, siempre que, como en Alemania, los administradores demuestren la concurrencia

---

*presarial, que supone un ámbito de libertad de la sociedad en el que el juez no puede entrar*» (más citas en RONCERO, «Protección de la discrecionalidad empresarial», 399).

[66] STS 17.1.12: «*Corresponde a los empresarios la adopción de las decisiones empresariales, acertadas o no, sin que el examen del acierto intrínseco en sus aspectos económicos pueda ser fiscalizado por los Tribunales ya que, como señala la sentencia de 12 de julio de 1983 (…), aquel "escapa por entero al control de la Jurisdicción". Pese a lo cual, como sostuvimos en la sentencia 569/2010, de 6 de octubre (…), la trascendencia económica que en las sociedades capitalistas tiene el correcto desarrollo de la vida interna, justifica que dentro de ciertos límites el Estado se inmiscuya, lo que permite el control sobre la lesividad de los acuerdos de sus órganos colegiados, pero como precisa la 377/2007, de 29 de marzo, siempre con cautela y ponderación, para no interferir en la voluntad social y en la esfera de acción reservada por la Ley y los estatutos a los órganos sociales*¡».

[67] RECALDE, «Modificaciones en el régimen de diligencia de los administradores»; la *business judgement rule*, 269 y ss.; RONCERO, «Protección de la discrecionalidad empresarial» 408, dice que esta tesis está «*mejor fundamentada desde un punto de vista de política jurídica*», pero piensa que con la letra del art. 226 LSC se consolidará en la doctrina y jurisprudencia una interpretación más rigurosa.

[68] Como recientemente se dijo «*La discrepancia se limita… a si el art. 226 LSC sólo "facilita" o además, "asegura" a los administradores la prueba de su diligencia. Es decir, si el "se entenderá cumplido" admite prueba en contrario por parte del demandante de la responsabilidad. Roncero parece (sólo parece) decantarse por la consideración del art. 226 LSC como una regla que sólo facilita a los administradores la prueba de que actuaron diligentemente …(T)ambién los que creen que la BJR es un puerto seguro y asegura a los administradores la prueba de su diligencia consideran que, no obstante, no cubre las actuaciones disparatadas de los administradores. La única diferencia se encuentra en que, según esta opinión, la BJR no cubre estas actuaciones "desprovistas de toda racionalidad" porque actuaciones desprovistas de cualquier racionalidad no pueden considerarse como producto de un juicio discrecional*» (ALFARO, http://derechomercantilespana.blogspot.com.es/2017/03/roncero-sobre-la-business-judgment-rule.html).

de los presupuestos en los que se basa[69]. La prueba consiste en acreditar la adecuada protocolización de la toma de decisiones y que se acopó información y asesoramiento suficientes, lo que es razonable en las grandes corporaciones. Pero por sus costes estos protocolos no resultan eficaces en sociedades que gestionan de forma personalizada las pequeñas y medianas empresas.

En la concepción originaria con la que se entendió la regla (tal y como se interpretó por los tribunales de Delaware), esta no impide revisar conductas o decisiones de los administradores[70]. Sin necesidad de determinar si concurrieron los presupuestos de la regla (el protocolo de actuación), siempre podría demostrarse que la decisión de los administradores era manifiestamente irrazonable y contraria al estándar objetivo de conducta exigible en la gestión ordenada de los negocios. Si se quiere evitar el puerto seguro no puede situarse a los demandantes en la tesitura de probar que no se dieron los presupuestos de la regla, porque *de facto* se crearía una situación de impunidad.

En consonancia con las normas en materia de disposición probatoria (art. 217.7 LEC), esa prueba no puede reducirse a cuestionar si existieron o si eran suficientes los procedimientos, prueba que puede ser extraordinariamente difícil o no asequible a quien ejercita acciones de responsabilidad. Exigir que el demandante desmonte algunos de los requisitos procedimentales en los que se sustenta la regla complica cualquier posibilidad de forzar al cumplimiento del deber de diligencia. Si en general resulta difícil acceder a datos de la gestión en los que podría demostrarse la falta de diligencia, la prueba puede devenir imposible cuando lo único que cabe demostrar es que no se dio un proceso adecuado en la toma de decisiones. Es fácil demostrar que el protocolo es insuficiente si los administradores no pidieron ninguna información; pero cuestionar si la información que recabaron era suficiente resulta una tarea muy compleja.

---

[69]   ALFARO, «Art. 226. La regla de la discrecionalidad», 327 y ss. Sin embargo se advierte que la redacción del art. 236 LSC, conduce a concluir que los demandantes deben demostrar los presupuestos de la acción de responsabilidad y, por tanto, que no concurren los presupuestos de la *business judgement rule* GUERRERO TREVIJANO, *RDM*, 298, 20015, 170 y ss.

[70]   RONCERO, «Protección de la discrecionalidad empresarial», 408, considera que esta tesis está mejor fundamentada en clave política jurídica, entiende que *de lege lata*, la que considera a la regla como una concreción del contenido del deber de lealtad se adecúa mejor a la letra de la norma.

La falta de diligencia conforme al parámetro general que impone la ley se debe poder acreditar si la decisión tomada es, simplemente, irracional o no se corresponde con lo que adoptaría un empresario ordenado en circunstancias similares. Esto se acredita si el resultado resulta disparatado. Para reclamar los daños no es necesario cuestionar que el procedimiento seguido en la toma de la decisión no fue el correcto, ni que la información recabada era insuficiente o el asesoramiento obtenido no era imparcial ni profesionalmente adecuado[71], ni, por supuesto, tampoco que se infringieron los deberes de lealtad o que la decisión se tomó en conflicto de interés, pruebas que aún pueden resultar más difíciles. Más razonable y ajustado a las reglas sobre atribución de la carga de la prueba es concluir que la demanda se puede sustentar, simplemente, en que la decisión se desvió de forma palmaria o claramente (*deutlich*, como decía el proyecto del prof. Ulmer) de los estándares comúnmente aceptados. Se demostraría la falta de diligencia, por tanto, si la decisión tomada carecía de toda racionalidad.

Es aquí donde parece que la tesis para la que la regla de la discrecionalidad concreta el contenido del deber de diligencia se separa de quienes la entendemos como una regla que permite presumir la diligencia. La regla se limitaría a facilitar la prueba de la actuación diligente, en correspondencia con la discrecionalidad que deben disfrutar los administradores, aunque no comprende conductas que no se ajustan a un criterio de razonabilidad[72]. En todo caso, la posibilidad de demostrar que la decisión tomada no es acorde con la diligencia exigible al ordenado empresario no merma su libertad. Pero sí permite, como ocurre con cualquier juicio de diligencia, cuestionar los actos que provocaron daños. Incluso aunque los administradores alegaran que se cumplieron los presupuestos razonables para la toma de sus decisiones, si estas decisiones finalmente no encuen-

---

[71] Cualquiera sabe que la remuneración de los informes que se solicitan a consultores financieros, despachos o a académicos puede conducir a que su imparcialidad se vea reducida. Pero también es claro que resulta tremendamente difícil para el demandante demostrar que el dictamen de un reputado catedrático (y el «mercado del prestigio» no es especialmente eficaz) no es «suficiente» a los efectos de sustentar la presunción de diligencia.

[72] En esto coincide ALFARO, «Art. 226. protección de la discrecionalidad empresarial», 332 ( *«Las decisiones disparatadas no pueden considerarse adoptadas "de buena fe"»* (también en 340), aunque en su trabajo no es claro si es suficiente con probar la irrazonabilidad de la actuación de lo que, por indicios, debe deducirse que no concurrieron los presupuestos para aplicar la regla, o si la prueba debe afectar a los presupuestos de la regla y sólo a partir de ello negar la diligencia.

tren justificación racional alguna de acuerdo con lo que es usual en el tráfico, deberían responder por falta de diligencia[73].

En todo caso, personalmente no creo que los jueces obliguen a los demandantes a probar que no se dieron los presupuestos de la regla una vez que han constatado, sin margen de duda, la absoluta falta de razonabilidad de las decisiones dañinas que están juzgando.

---

[73] La interesante propuesta de GUERRERO TREVIJANO, *RDM*, n° 289, 2015, 173, es que, una vez probado en un juicio previo la falta de razonabilidad de la decisión tomada, se invierta la carga de la prueba para que los administradores deban probar que, pese a ello, la decisión fue diligente y cumplía con los requisitos de la regla de la discrecionalidad empresarial. Sin embargo, si se demostró que la decisión causante del daño no era razonable, tampoco, parece que pueda probarse que fuera diligente.

# 48. *El nuevo deber de reunión trimestral del Consejo de Administración de las Sociedades de Capital no cotizadas*

FRANCISCO JESÚS MORENO BUENDÍA[1]

*Contratado predoctoral FPU*
*Universidad de Sevilla*

**Sumario:** I. PLANTEAMIENTO. II. ART. 245.3 LSC: DEBER O NORMA DE ORGANIZACIÓN Y FUNCIONAMIENTO. III. EL DEBER DE REUNIÓN TRIMESTRAL COMO LIMITACIÓN A LA FACULTAD DE AUTORREGULACIÓN DEL CONSEJO DE ADMINISTRACIÓN. IV. FORMA Y TIEMPO DE LA REUNIÓN TRIMESTRAL. V. INCUMPLIMIENTO DEL DEBER DE REUNIÓN TRIMESTRAL. ¿A QUIÉN SE DEBE IMPUTAR?. VI. CONCLUSIONES. Bibliografía.

## I. PLANTEAMIENTO

Actualmente vivimos un momento de cambio y evolución del derecho de sociedades, especialmente en lo que respecta a responsabilidad y funcionamiento de los órganos societarios. La experiencia adquirida en este contexto cambiante ha demostrado la importancia que un consejo de administración bien gestionado tiene para las sociedades. Tanto la Ley 25/2011, de 1 de agosto, de reforma parcial de la Ley de Sociedades de Capital, como la Ley 31/2014, de 3 diciembre, por la que se modifica la Ley de Sociedades de Capital para la mejora del gobierno corporativo, ponen de manifiesto que las cuestiones jurídicas destacadas de los últimos años son las que apuntan a la transparencia en los órganos de gobierno de la

---

[1] El presente trabajo ha sido realizado en el marco del Proyecto I+D+i titulado «Crisis empresariales: prevención, tratamiento y solución desde el Derecho Concursal y el Derecho de Sociedades» (Código DER2014-55427-C2-1-P), financiado por el Ministerio de Economía y Competitividad dentro de la convocatoria de 2014 correspondiente al Subprograma estatal de generación del conocimiento perteneciente al Programa estatal de fomento de la investigación científica y técnica de excelencia.

sociedad, a la gestión de los riesgos de la actividad empresarial y a mejorar la participación y profesionalización de los administradores[2].

En la situación que nos encontrábamos antes de la reforma llevada a cabo por la Ley 31/2014, el consejo de administración estaba siendo prácticamente apartado de la gestión societaria en favor de los consejeros delegados (o comisión ejecutiva)[3], ya que se había convertido en práctica habitual delegar casi la totalidad de las facultades de administración. Además, esta reducción de competencias de que adolecía el consejo se veía agravada por no estar sometido a ninguna obligación legal expresa sobre la frecuencia de sus reuniones, teóricamente sólo debía reunirse una vez al año dentro de los tres primeros meses desde el cierre del ejercicio social para formular las cuentas anuales[4]; y en ocasiones ni siquiera se llevaba a cabo una reunión como tal, puesto que los administradores se limitaban a circularizar el acta y las cuentas para su firma sirviéndose del mecanismo de aprobación de acuerdos por escrito y sin sesión[5].

---

[2]   Destaca la importancia de la Ley 31/2014 y el papel protagonista del órgano de administración en la misma: ALBIÑANA CILVETI, C., «Líneas generales de la reforma de la Ley de Sociedades de Capital» en ARIAS VARONA, F. J., RECALDE CASTELLS, A., (coords.) *Comentario práctico a la nueva normativa de gobierno corporativo, Ley 31/2014, de reforma de la Ley de Sociedades de Capital*, Dykinson, Madrid, 2015, págs. 17-22.

[3]   Nuestra doctrina ha atribuido a esta forma de administración y representación de las sociedades la denominación de sistema monista revisado, por todos ALONSO UREBA, A., «Hacia un modelo monista revisado de administración de la SA cotizada como opción al modelo dualista», en ALONSO LEDESMA, C., ALONSO UREBA, A., ESTABAN VELASCO. G., (dirs.), *La modernización del derecho de sociedades de capital en España: Cuestiones pendientes de reforma*, vol. 1, Aranzadi-Thomson Reuters, Pamplona, 2011, págs. 567-639.

[4]   Al supuesto de formulación de cuentas anuales, se sumaban otros en los que el presidente del consejo de administración debía, y sigue debiendo, convocar el consejo: 1° Con la periodicidad que establezcan los estatutos sociales; 2° Cuando el propio consejo lo hubiese previsto en su reglamento de régimen interno, en un programa de sesiones o en un acuerdo previo; 3° Cuando lo aconsejen los intereses sociales. En cualquier caso, estos supuestos no pueden considerarse reuniones imperativas pues en la práctica podían no darse nunca.

[5]   JORDÁ GARCÍA, R., «Aplicabilidad de los principios de gobierno corporativo a las sociedades no cotizadas y la reforma de la ley de sociedades de capital basada en la mejora del gobierno corporativo» en NAVARRO MATAMOROS, L., JORDÁ GARCÍA, R., (dirs.) *Mejora del gobierno corporativo de sociedades no cotizadas (A propósito de la Ley 31/2014 de 3 de diciembre)*, Dykinson, Madrid, 2015, pág. 33. Ya lo apuntaba el Informe Olivencia en 1998, los consejos de administración están lejos de cumplir con la «regla de las cien horas anuales» de dedicación al cargo sugeri-

El legislador, teniendo en cuenta la realidad que acabamos de describir, y siguiendo las recomendaciones sobre organización y funcionamiento de órganos societarios previstas en el *Estudio sobre propuestas de modificaciones normativas* de 14 de octubre de 2013[6], ha introducido una serie de reformas en el articulado de la LSC por medio de la Ley 31/2014 con las que trata de dotar al consejo de administración de mayor presencia en la gestión social. A pesar de que la mayoría de las disposiciones incorporadas están destinadas a las sociedades cotizadas[7], no por ello dejan de tener importancia las que afectan a todas las sociedades de capital, como por ejemplo el nuevo deber de reunión trimestral del consejo de administración previsto en el art. 245.3 LSC.

Si bien el precepto que acabamos de mencionar no ha captado la atención de nuestra doctrina, a diferencia de las reformas sobre los deberes de los administradores o las nuevas competencias de la junta, nos encontramos ante un avance significativo en el funcionamiento y organización del consejo de administración que merece ser estudiado con el debido detenimiento. Por medio de este trabajo trataremos de analizar y valorar desde

---

da por algunos estudiosos de la materia, e incluso con el más modesto objetivo de reunión mensual.

[6] Dicho informe fue elaborado por una Comisión de expertos en materia de gobierno corporativo, creada por Acuerdo del Consejo de Ministros de 10 de mayo de 2013 para proponer las reformas normativas que se consideren adecuadas para garantizar el buen gobierno de las empresas, y para prestar apoyo y asesoramiento a la Comisión Nacional del Mercado de Valores en la modificación del Código Unificado de Buen Gobierno de las Sociedades Cotizadas. La Comisión considera que el consejo de administración debe mantener una presencia constante en la vida de la sociedad y reunirse con la frecuencia necesaria para desempeñar con eficacia sus funciones de administración y supervisión. En base a estos argumentos y al contenido del art. 231-93 de la Propuesta de Código Mercantil de 2013, propuso la introducción del art. 245.3 LSC en los mismos términos en que finalmente apareció en la Ley 31/2014. El contenido del Artículo 231-93 «Periodicidad de las sesiones», es el siguiente: «El consejo de administración deberá reunirse, al menos, una vez al trimestre». Por su parte, el Anteproyecto de Ley del Código Mercantil mantiene en el art. 231-94 «Organización y funcionamiento del consejo de administración», la misma redacción que la Propuesta de Código Mercantil, si bien añade la siguiente especificación: «En el informe de gestión se especificarán las fechas de cada una de las sesiones del consejo».

[7] Las modificaciones sobre el régimen del consejo de administración aplicables a todo tipo de sociedades de capital se limitan a cambiar la redacción del art. 249 y a crear el apartado 3º del art. 245 y el art. 249 bis, mientras que las modificaciones específicas de las sociedades cotizadas consisten en la introducción de los arts. 529 bis a 529 quindecies.

un punto de vista crítico, tanto el contenido como las consecuencias que la obligación de reunirse trimestralmente comporta para los miembros del consejo de administración de las sociedades de capital no cotizadas. Dedicaremos especial atención al régimen de su infracción por ser el aspecto que mayor interés suscita y, a la vez, el que mayores problemas plantea.

## II. ART. 245.3 LSC: DEBER O NORMA DE ORGANIZACIÓN Y FUNCIONAMIENTO

El consejo de administración es un órgano societario que por su naturaleza colegiada requiere de unas normas mínimas de organización y funcionamiento[8]. A las disposiciones previstas en la LSC debemos sumar las que contengan los estatutos y las que pudiera crear el propio consejo en uso de su facultad de autorregulación. El deber de reunión trimestral se ha incorporado al art. 245 cuya rúbrica es *Organización y funcionamiento del consejo de administración*. Por ello, debemos precisar si nos encontramos ante una norma de organización o una norma de funcionamiento, pues ambos aspectos están especialmente relacionados, pero no son coincidentes.

Por un lado, las normas (legales y estatutarias) que regulan la composición del consejo y la creación de comisiones o la estructura del órgano se consideran reglas de organización. Por otro lado, mediante las reglas de convocatoria, de constitución del órgano y sobre requisitos para la válida adopción de acuerdos se regula el procedimiento que debe seguir el consejo para tomar decisiones. A ésta última categoría pertenecen las normas, entre las que se incluye el art. 245.3, que regulan la frecuencia con la que el consejo debe reunirse, pues constituyen manifestaciones del modo en que funciona el consejo[9].

Catalogar el art. 245.3 LSC como una norma de funcionamiento del consejo de administración no agota totalmente su significado, pues el deber de reunión trimestral que incorpora debe ponerse en relación con el sistema general de deberes de los administradores de las sociedades de

---

[8] Sobre la naturaleza colegiada del consejo de administración, por todos SALELLES CLIMENT, J. R., «Artículo 245. Organización y funcionamiento del consejo de administración», en ROJO FERNÁNDEZ-RÍO, A., BELTRÁN SÁNCHEZ, E. M., (coords.), *Comentario de la Ley de Sociedades de capital*, Tomo I, Thomson-Reuters, Cizur-Menor (Navarra), 2011, pág. 1766.

[9] Ibídem, pág. 1767.

capital. En este sentido, la Ley 31/2014 ha introducido un conjunto de disposiciones tendentes a una tipificación más precisa de los deberes de diligencia y lealtad[10], por lo que ahora son más las normas que se encargan expresamente de concretar el contenido de los deberes fiduciarios, como es el caso del precepto que estamos comentando. El deber de reunirse trimestralmente constituye una norma de funcionamiento del consejo de administración de la que indudablemente deriva un deber para los miembros del órgano, el cual supone una concreción del deber de diligencia[11].

Previamente a la reforma, el deber general de diligente administración que corresponde a todos los miembros del consejo les obligaba a reunirse con la periodicidad que exigiese el interés social. Tras la reforma esta situación tendrá que cambiar, pues el art. 245.3 LSC lleva a cabo una concreción positiva de la frecuencia con la que el consejo debe reunirse. Los consejeros están obligados a celebrar una reunión trimestral independientemente de que lo aconseje el interés social. Sin embargo, debemos tener en cuenta que la reunión trimestral celebrada por el órgano de administración en base al art. 245.3 LSC no exime a sus miembros de celebrar otras reuniones, ya que el deber de desempeño diligente continúa imponiéndoles las reuniones que aconseje el interés social.

---

[10]   GARCÍA MANDALONIZ, M., sostiene que el legislador no ha aprovechado las sucesivas reformas para desglosar con más precisión el deber general de diligencia («Inconcreción del deber de diligente administración, disposición del régimen de responsabilidad e inclusión de la regla de la discrecionalidad empresarial [Artículos 225 y 226 de la Ley de Sociedades de Capital]», en MARTÍNEZ-ECHEVARRÍAY GARCÍA DUEÑAS, A., [dir.], *Gobierno Corporativo: la Estructura del Órgano de Gobierno y la Responsabilidad de los Administradores*, Aranzadi, Cizur Menor [Navarra], 2015, pág. 375).

[11]   DÍAZ MORENO, A., JUSTE MENCÍA J., «Artículo 245. Organización y funcionamiento del consejo de administración», en JUSTE MENCÍA, J., (coord.), *Comentario de la reforma del régimen de las sociedades de capital en materia de gobierno corporativo (Ley 31/2014). Sociedades no cotizadas*, Aranzadi, Cizur-Menor (Navarra), 2015, pág. 493, consideran que el precepto ha venido a precisar y concretar un contenido mínimo del deber de diligencia. Previamente a la reforma FONT GALÁN consideraba que los denominados deberes impuestos por las leyes y los estatutos no son sino mandatos particulares relativos a concretas actuaciones, gestiones, que haceres o, incluso, abstenciones en las que se regula un contenido concreto de una actuación o abstención exigidas al administrador, en FONT GALÁN, J. I., «El deber de diligente administración en el nuevo sistema de deberes de los administradores sociales», *Revista de Derecho de Sociedades*, n° 25, Aranzadi, Cizur Menor (Navarra), 2005, págs. 86 y 87.

## III. EL DEBER DE REUNIÓN TRIMESTRAL COMO LIMITACIÓN A LA FACULTAD DE AUTORREGULACIÓN DEL CONSEJO DE ADMINISTRACIÓN

La naturaleza colegiada del consejo de administración hace recomendable que algunas parcelas de su régimen jurídico sean adaptables a las circunstancias particulares de cada sociedad. La LSC, teniendo en cuenta esta necesidad, diseña un sistema caracterizado por atribuir al consejo la capacidad de regular su propia organización y funcionamiento dentro del ámbito marcado por la ley[12] y por los estatutos sociales[13]. En base a ello podrá elaborar un reglamento de régimen interno así como las normas que estime oportunas, las cuales completarán el régimen jurídico previsto en la ley y los estatutos.

Sobre la base de ese respeto debido a la ley, la entrada en vigor del art. 245.3 LSC obligará a las sociedades de capital a adaptar sus normas internas de funcionamiento a las nuevas previsiones normativas. Para ello, deberán modificar sus estatutos sociales así como su reglamento del consejo de administración, en la medida en que sea necesario, si alguno de estos textos contiene reglas contrarias o incompatibles con el deber de reunión trimestral[14].

Es indudable que el deber de reunión trimestral supone una limitación a la facultad de organización autónoma que la ley concede al consejo, pues a partir de ahora, el legislador impone una agenda mínima de trabajo al ór-

---

[12]  El régimen del consejo de administración está regulado en el Capítulo VI (artículos 242 a 251) correspondiente al Título VI de la LSC. Estas normas deben completase con las disposiciones aplicables del Reglamento del Registro Mercantil (RRM).

[13]  Según el art. 23-f LSC los estatutos de las sociedades de capital deben contener el modo en que deliberan y adoptan acuerdos sus órganos colegiados, y por ende del consejo de administración. Además, los estatutos de las SL deben incluir las reglas de convocatoria y constitución del consejo de administración, así como el modo de deliberar y adoptar acuerdos por mayoría (art. 245.1 LSC), lo que supone reducir su capacidad de autorregulación, en comparación al consejo de administración de una SA. La necesidad de que los estatutos de las SL establezcan una disciplina mínima de organización y funcionamiento mayor que los de la SA ha sido confirmada por la doctrina de la DGRN, como demuestra su Resolución de 30 de abril de 1999 *(Tol 132713)* y de 4 de abril de 2016 *(Tol 5744335)*.

[14]  ALCALÁ DÍAZ, M. A., «La incidencia de la reforma de la normativa societaria en los estatutos y reglamentos internos de las sociedades de capital», *Diario La Ley*, n° 8352, 2014, disponible en www.aranzadidigital.es.

gano administrativo. En cualquier caso, el deber de dedicación que recae sobre los administradores continua exigiendo, como lo hacía antes de la reforma, que el consejo se reúna cada vez que sea necesario para la buena dirección y el control de la sociedad, independientemente de que se haya cumplido con la reunión trimestral[15].

## IV. FORMA Y TIEMPO DE LA REUNIÓN TRIMESTRAL

La convocatoria es un acto clave para la válida constitución del consejo de administración mediante la que se llama a sus miembros a la reunión que pretende efectuarse. Esta afirmación no nos puede llevar a la conclusión de que es un acto imprescindible para el funcionamiento del órgano, pues no siempre es necesaria. En efecto, cuando estén presentes todos los miembros del consejo de administración y acuerden constituirse en consejo universal[16], el órgano podrá reunirse válidamente y cumplir con sus deberes legales, entre los que se incluye el previsto en el art. 245.3 LSC[17].

Según el art. 245.3 LSC la frecuencia con la que debe reunirse el consejo es trimestral, pero la formulación del precepto puede resultar dudosa en ciertos aspectos que seguidamente vamos a pasar a analizar. La primera cuestión que surge es si entre la reunión de un trimestre y la del siguiente deben mediar tres meses exactos, es decir, si entre la reunión que el órgano debe celebrar en cada uno de los trimestres debe mediar un periodo exacto de tres meses. Una interpretación del precepto en el sentido indicado

---

[15]   De esta opinión DÍAZ MORENO, A., JUSTE MENCÍA J., *op. cit.*, pág. 493.

[16]   La doctrina está dividida entre quienes entienden que a la necesaria presencia de todos los miembros del consejo se debe sumar el acuerdo unánime sobre la celebración, y los que entienden que es suficiente el acuerdo mayoritario. SÁNCHEZ CALERO, F., *Los administradores en las sociedades de capital*, Civitas, Madrid, 2007, pág. 644, entiende que la convocatoria es innecesaria cuando estando reunidos todos los miembros del consejo de administración, acuerdan por unanimidad constituir el órgano. En contra SALELLES CLIMENT, J. R., *El funcionamiento del Consejo de administración*, Civitas, Madrid, 1995, pág. 131, quien defiende que no es necesario el acuerdo unánime sobre la celebración, sino que bastará el de la mayoría siempre que estén presentes todos los miembros.

[17]   Según SÁNCHEZ CALERO, F., *op. cit.*, pág. 644, tampoco es necesaria la convocatoria por el presidente, cuando el propio consejo, estando presentes todos sus miembros, acuerde la celebración de una nueva sesión en una determinada fecha y lugar, advirtiéndose por los consejeros que no será precisa una nueva convocatoria.

obligaría al consejo a llevar a cabo la reunión en unos días muy concretos, lo que dotaría a la norma de una rigidez innecesaria en cuanto a su cumplimiento. Por el contrario, entendemos que lo que el legislador persigue es fomentar la participación del consejo en las tareas de gestión social, y por ello la frecuencia «trimestral» debe interpretarse en el sentido de que la norma exige al menos una reunión dentro de cada uno de los cuatro trimestres que constituyen el año. El consejo podrá cumplir con su obligación independientemente de que entre la reunión de un trimestre y la del siguiente medien intervalos más o menos grandes de tiempo, siempre que dentro del trimestre de referencia haya celebrado una reunión. Entendemos que esta última es la interpretación lógica del precepto, pues el órgano de administración debe tener cierto margen para celebrar la reunión.

Para la mayoría de los consejos de administración cumplir con este deber no supondrá ningún tipo de modificación de su programa de sesiones, por cuanto que la mayoría de los trimestres efectuarán alguna reunión. En cambio, los consejos de administración de sociedades de capital de menor actividad es probable que no necesiten realmente llevar a cabo una reunión todos los trimestres, por ello la obligación que establece el precepto debe interpretarse con la mayor flexibilidad posible. En cualquier caso, debemos tener presente que tanto los estatutos como el propio reglamento del consejo de administración pueden reforzar la norma legal estableciendo una periodicidad de las reuniones más corta o, incluso, determinar los días exactos de cada uno de los trimestres en que se llevará a cabo la reunión del consejo.

En cuanto a la forma en que debe reunirse el consejo, el término «reunirse» no debe ser interpretado en el sentido de exigir la presencia física de los consejeros, sino en el de requerir una constitución válida del órgano, esto es, que haya sido convocado por el presidente o quien haga sus veces (salvo la facultad de convocatoria subsidiaria prevista en el art. 246.2 LSC), respetando el quórum de constitución[18] y el resto de normas lega-

---

[18]    La doctrina ha discutido si en el cómputo del quórum de constitución del órgano se debe tener en cuenta el número total de vocales determinado en los estatutos o por la junta (denominado colegio legal), o solamente el número de vocales que efectivamente en ese momento determinado componen el consejo (denominado colegio real). A favor del colegio legal: SÁNCHEZ CALERO, F., *op. cit.*, págs. 658-659; SALELLES CLIMENT, J. R., *op. cit.*, pág. 145. A favor del colegio real: RODRÍGUEZ RUIZ DE VILLA, D., «Quorum de constitución del Consejo de Administración de la S.A.: Efectos jurídicos de la existencia de vacantes (el Consejo deficitario). Ideas y propuestas para una futura reforma», *Revista de Derecho*

les, estatutarias y reglamentarias que configuran el régimen del consejo de administración. Por ello, en los casos en que esté prevista la celebración de reuniones del consejo mediante medios de comunicación a distancia, como pudieran ser la videollamada, siempre que se respete el principio de deliberación, entendemos que quedará debidamente cumplida la norma[19].

Mayores problemas plantea determinar si la adopción de un acuerdo por escrito y sin sesión es suficiente para cumplir la norma[20]. Para responder a esta cuestión debemos partir de la función que cumple este mecanismo de aprobación de acuerdos en el régimen de funcionamiento del consejo. Pues bien, la LSC permite al consejo de administración de las Sociedades Anónimas[21], bajo determinadas exigencias (que se facilite a todos los administradores la información que precisen sobre el acuerdo proyectado, o que el acta cumpla con los requisitos que prevé el art. 100 RRM), adoptar decisiones mediante votación sin celebrar una sesión presencial. La finalidad principal de este procedimiento es favorecer la culminación mediante acuerdo de un proceso previo de deliberación, y suele usarse

---

*de Sociedades*, n° 42, Aranzadi, Cizur Menor (Navarra), 2014, disponible en: www.aranzadigitial.es. La RDGRN de 15 de octubre de 2012 *(Tol 2669153)* se decanta por el colegio legal, apoya esta interpretación en el art. 171 LSC que para el caso de cese de la mayoría de miembros del consejo de administración habilita a cualquier socio para instar la convocatoria judicial de junta confirmando que el consejo no puede constituirse válidamente.

[19] De esta opinión DÍAZ MORENO, A., JUSTE MENCÍA J., *op. cit.*, pág. 494. Con respecto a la posibilidad de constitución telemática del órgano se pronunció SALELLES CLIMENT, J. R., *op. cit.*, págs. 127-128, para quien la reunión física de los consejeros no es esencial ni al consejo ni a su funcionamiento colegiado. Esta acción de reunirse no exige que los vocales se encuentren físicamente presentes en unas mismas coordenadas espacio-temporales. Lo decisivo en la sesión es la comunicación simultánea de sus componentes, por lo que debe ser admitida la constitución del consejo a través de un circuito cerrado de televisión o por cualquier otro medio que haga posible la intercomunicación simultanea de sus miembros.

[20] DÍAZ MORENO, A., JUSTE MENCÍA J., *op. cit.*, pág. 494 sostienen que si todos los administradores consienten sin oposición la adopción de un determinado acuerdo por este método, no debe entenderse que la ley les obliga en el mismo trimestre en que tenga lugar la votación a celebrar una reunión física o por medios a distancia.

[21] La doctrina extiende la posibilidad de adoptar acuerdos por escrito y sin sesión a las SL, por todos SALELLES CLIMENT, J. R., «Artículo 248. Adopción de acuerdos por el consejo de administración de la sociedad anónima», *op. cit.*, pág. 1794.

para votar algún asunto previamente debatido o para conceder a los consejeros más tiempo para reflexionar[22].

El segundo aspecto que debemos tener en cuenta es el propósito del
art. 245.3 LSC, que no es otro que la celebración de una sesión en la que
los miembros del consejo discutan los diferentes problemas de administración, intercambien puntos de vista, soliciten información y aclaraciones,
en definitiva, que se lleva a cabo una deliberación a través de una reunión
del órgano de administración de la sociedad[23]. Este objetivo difícilmente se
podrá cumplir mediante la adopción de un acuerdo por un procedimiento
que podemos calificar de excepcional[24], cuya característica más destacada
es precisamente la ausencia de deliberación sobre el tema que se somete
a votación.

Hechas estas consideraciones, entendemos que el deber de reunión trimestral debe cumplirse a través de una reunión propiamente dicha, sea
con presencia física o por medios de comunicación a distancia, pues permitir que un acuerdo por escrito y sin sesión satisfaga el deber vulneraría
el propósito de la norma.

Por otro lado, el precepto que estamos analizando no hace ninguna referencia ni al tipo ni a la cantidad de asuntos que hayan de ser tratados en
la reunión trimestral, por ello, siguiendo una interpretación flexible, entendemos que bastará con una reunión válida del consejo en la que se lleve

---

[22]   Según SALELLES CLIMENT, J. R., *El funcionamiento del Consejo de administración*,
       *op. cit.*, pág. 129, normalmente se acudirá a este procedimiento cuando se trate de
       asuntos que ya han sido deliberados o son suficientemente conocidos por los vo-
       cales del consejo. La previsión del voto sin sesión es adecuada, por ello, cuando las
       circunstancias hagan conveniente decidir cuestiones de manera urgente evitando
       su discusión y debate reiterados.
[23]   Según el apartado V de la Exposición de Motivos de la Ley 31/2014, la reforma
       pretende dotar al consejo de una presencia constante en la vida de la sociedad.
       Por otro lado, el Apartado III.3.3.2 del *Código de buen gobierno de las sociedades cotiza-
       das* de 2015 (elaborado por la misma Comisión que realizó el *Estudio sobre propues-
       tas de modificaciones normativas*, de 14 de octubre de 2013) afirma que el consejo de
       administración debe mantener una presencia constante en la vida de la sociedad
       y para ello tiene que reunirse con la frecuencia necesaria para desempeñar con
       eficacia sus funciones de administración, de supervisión y de control del equipo
       directivo, de las distintas comisiones y de, en caso de existir, la comisión ejecutiva.
[24]   SÁNCHEZ CALERO, F., *op. cit.*, pág. 673, atribuye carácter excepcional a este
       procedimiento de adopción de acuerdos, de forma que su régimen habría que
       interpretarlo de forma restrictiva por ir contra la naturaleza del consejo como
       órgano colegiado y deliberante.

a cabo una mínima actividad de vigilancia sobre los negocios sociales para entender cumplido el precepto. Ésta será la forma en que los consejos de administración de sociedades de escasa actividad cumplan la obligación, pues es improbable que todos los trimestres sea necesario tratar algún tipo de asunto.

## V. INCUMPLIMIENTO DEL DEBER DE REUNIÓN TRIMESTRAL. ¿A QUIÉN SE DEBE IMPUTAR?

No resulta sencillo determinar el régimen de responsabilidad que deriva del incumplimiento del deber de reunión trimestral, ya que el mero incumplimiento objetivo es difícil que se pueda imputar a todos los consejeros de la misma forma[25].

En caso de que el presidente no convoque el consejo en los momentos en los que debe hacerlo, como ocurre en el supuesto del art. 245.3 LSC, se le imputará el incumplimiento del deber de reunión si el consejo no llega a constituirse, además, se le podrá exigir responsabilidad por el daño que cause su conducta. Debemos tener en cuenta que la eventual responsabilidad del presidente por no convocar el consejo, no excluye la de los demás miembros, ya que la inactividad de aquel tiene que ser suplida por la convocatoria del resto de consejeros (con los requisitos del art. 246.2 LSC)[26], pues el deber de reunión incumbe tanto al presidente como al resto de miembros del órgano. Por tanto, a los consejeros que no lleven a cabo un comportamiento activo en orden a la celebración de la reunión, ya sea requiriendo al presidente que convoque el órgano[27] o efectuando la convocatoria por ellos mismos, habrá de imputárseles el incumplimiento

---

[25] Según DÍAZ MORENO, A., JUSTE MENCÍA, J., *op. cit.* pág. 492 lo que parece exigible es que se intente que la reunión se lleve a cabo.

[26] El art. 246.2 LSC establece una facultad de convocatoria subsidiaria que habilita a los consejeros que constituyan al menos un tercio de los miembros del consejo a convocarlo, si, previa petición al presidente, éste sin causa justificada no hubiera hecho la convocatoria en el plazo de un mes.

[27] Según QUIJANO GONZÁLEZ, J., *La responsabilidad civil de los administradores de la sociedad anónima*, Valladolid, 1985, pág. 341, la solicitud de convocatoria al presidente debería realizarse por un procedimiento fehaciente para que sirva, llegado el caso, como medio de exoneración de responsabilidad por los administradores que hayan tomado la iniciativa.

del deber de reunión trimestral si la reunión no llega a celebrarse[28]. Entendemos que esta misma consecuencia se debe aplicar a los consejeros que se ausenten de forma injustificada[29] si dicha inasistencia impide la constitución del órgano.

A diferencia de la situación descrita en el párrafo anterior, el incumplimiento del deber de reunión no sería imputable a los consejeros que tuvieron un comportamiento favorable a la celebración de la reunión, y no pudieron llevarla a cabo por no cumplir los requisitos para realizar la convocatoria o por no alcanzar el quórum para constituir el consejo. Éstos podrán exonerar su responsabilidad, siempre que puedan probar su conducta, pues la ausencia de reunión sería imputable sólo a los consejeros que no adoptaron ese comportamiento[30].

En aquellos casos en que el consejo no pueda reunir el quórum mínimo para constituirse válidamente, es decir, se encuentre en situación deficitaria (por ejemplo por fallecimiento o inhabilitación de sus miembros), resulta más complicado determinar quiénes son los consejeros responsables si el consejo no llega a reunirse al menos una vez en el trimestre[31]. Otra

---

[28]    Ibídem, la eventual responsabilidad del presidente no excluye la de los demás consejeros en el caso en que hayan permanecido pasivos.

[29]    La RDGRN nº 11658/2013 de 7 de octubre de 2013 *(Tol 3999068)*, sostiene que el administrador tiene la obligación de asistir a las reuniones del consejo, por lo que la inasistencia injustificada a una reunión puede constituir una grave infracción de los deberes del administrador y es susceptible de generar la correspondiente responsabilidad. Para SÁNCHEZ CALERO, F., *op. cit.*, pág. 184, la ausencia injustificada a las reuniones del consejo, en especial si con ello se impide la constitución regular del órgano en los momentos en que debe hacerlo, ha de estimarse como un incumplimiento del deber de diligencia del administrador. Según QUIJANO GONZÁLEZ, J., «Responsabilidad de los consejeros», en ESTEBAN VELASCO, G., (coord.) *El gobierno de las sociedades cotizadas*, Marcial Pons, Madrid, 1999, pág. 571, el hecho de que un consejero deje de asistir a una reunión no tiene por qué ser causa del daño pero si la causa que determine su no exoneración llegado el momento de exigir responsabilidad solidaria a todos los administradores.

[30]    Según SÁNCHEZ CALERO, F., *op. cit.*, págs. 642-643, la falta de celebración de reuniones cuando esté prevista en la ley o en los estatutos supondrá la responsabilidad solidaria de todos los miembros del órgano administrativo, si bien podrán exonerarse aquellos que prueben que hicieron todo lo conveniente para evitar el daño o se opusieron expresamente a la pasividad del consejo.

[31]    DÍAZ MORENO, A., JUSTE MENCÍA, J., *op. cit.*, pág. 492 entienden que en este caso no podrá hablarse de incumplimiento del deber de diligencia, sin perjuicio de los deberes que pesan sobre los administradores en orden a la convocatoria de la junta para superar la situación de acefalía.

cuestión que plantea la infracción del deber de reunión trimestral es determinar la validez de los acuerdos adoptados en reuniones posteriores al incumplimiento. En este supuesto, entendemos que los acuerdos que tome el consejo serán válidos, siempre que cumpla con los requisitos de constitución del órgano y adopción de acuerdos previstos en la ley y los estatutos[32].

En definitiva, los administradores han de actuar con diligencia en el desempeño de su función, y por tanto han de responder por el daño que causen sus acuerdos, acciones u omisiones incumpliendo cualquier deber inherente a su cargo, entre los que se encuentra el deber de diligencia y como concreción de éste el de reunirse trimestralmente. Para concluir estas reflexiones sobre el incumplimiento del deber de reunión trimestral es preciso señalar que la exigencia de responsabilidad que pudiera derivarse no se apoya únicamente en la infracción de la norma. Es necesario que dicha infracción haya producido un daño probado y que entre ambos medie una relación de causalidad. La conculcación del deber de reunión trimestral sólo generará responsabilidad de los administradores si provoca un daño en el patrimonio social o individual de los socios o terceros, los cuales podrán ejercer las acciones que les concede la LSC (acción social y acción individual de responsabilidad).

En cualquier caso, no todas las infracciones de los deberes que conciernen a los administradores tienen la misma capacidad para producir daños patrimoniales. La mayoría de las infracciones del deber de reunión trimestral no ocasionarán ningún menoscabo patrimonial y por tanto no generarán responsabilidad en los miembros del consejo, lo que no quiere decir que quede exenta de consecuencias[33]. El desenlace habitual para este tipo de infracciones será la separación del consejero por la vía prevista en el art. 223 LSC. Además, la infracción puede ser valorada como un indicio de que el consejo no ha actuado conforme a un procedimiento adecuado de decisión y los consejeros incumplidores no podrán alegar el desconocimiento no culpable de las circunstancias por las que atraviesa la sociedad[34].

---

[32]  Ibídem, pág. 495.

[33]  Sobre el conjunto de consecuencias que pueden derivarse del incumplimiento de los deberes inherentes al cargo de administrador, véase LLEBOT MAJÓ, J. O., «Deberes y responsabilidad de los administradores», en ROJO FERNÁNDEZ-RÍO, A., BELTRÁN SÁNCHEZ, E. M., (dirs.) *La responsabilidad de los administradores de las sociedades mercantiles*, 5ª ed., Tirant lo Blanch, Valencia, 2012, págs. 23-54.

[34]  DÍAZ MORENO, A., JUSTE MENCÍA, J., *op. cit.*, pág. 495.

# VI. CONCLUSIONES

Uno de los propósitos de la Ley 31/2014 ha sido acabar con los consejos de administración denominados «a tiempo parcial». Para ello ha implantado, junto a la obligación de dedicación de sus miembros y la limitación de las facultades delegables, la obligatoriedad de una reunión trimestral.

El art. 245.3 LSC incorpora una nueva norma de funcionamiento del consejo que limita su facultad de autorregulación y supone una concreción del deber de diligencia que incumbe a los administradores de la sociedad. Los miembros del consejo de administración tendrán que celebrar una reunión válida, con o sin presencia física, respetando las normas sobre constitución y quórum al menos una vez en cada trimestre. El incumplimiento de reunión trimestral habrá de imputarse a aquellos consejeros que no tengan un comportamiento favorable a la reunión del órgano. Sin embargo, en la mayoría de los casos, los consejeros incumplidores serán simplemente cesados si la junta lo estima oportuno, pues sólo será posible el ejercicio contra ellos de acciones de responsabilidad cuando su conducta cause algún daño a la sociedad, a sus socios o a terceros.

El nuevo deber de reunión, sin ser todo lo preciso que se hubiera deseado, es un buen mecanismo para otorgar al consejo el papel de máximo responsable de la administración de la sociedad y así convertirlo en un órgano activo que ejerza sus competencias de dirección y control, tanto de la marcha de la sociedad como de sus directivos y consejeros delegados.

## Bibliografía

ALBIÑANA CILVETI, C., «Líneas generales de la reforma de la Ley de Sociedades de Capital» en ARIAS VARONA, F. J., RECALDE CASTELLS, A., (coords.) *Comentario práctico a la nueva normativa de gobierno corporativo, Ley 31/2014, de reforma de la Ley de Sociedades de Capital*, Dykinson, Madrid, 2015, págs. 17-22.

ALCALÁ DÍAZ, M. A., «La incidencia de la reforma de la normativa societaria en los estatutos y reglamentos internos de las sociedades de capital», *Diario La Ley*, nº 8352, 2014, disponible en www.aranzadidigital.es.

ALONSO UREBA, A., «Hacia un modelo monista revisado de administración de la SA cotizada como opción al modelo dualista», en ALONSO LEDESMA, C., ALONSO UREBA, A., ESTABAN VELASCO. G., (dirs.), *La modernización del derecho de sociedades de capital en España: Cuestiones pendientes de reforma*, vol. 1, Aranzadi-Thomson Reuters, Pamplona, 2011, págs. 567-639.

CRUZ RIVERO, D., «La administración de la sociedad», en JIMÉNEZ SÁNCHEZ, G., DÍAZ MORENO, A., (coords.), *Derecho Mercantil*, vol 3, 15ª ed., Marcial Pons, Madrid, 2013, págs. 521-575.

DÍAZ MORENO, A., JUSTE MENCÍA J., «Artículo 245. Organización y funcionamiento del consejo de administración», en JUSTE MENCÍA, J., (coord.), *Comentario de la reforma del régimen de las sociedades de capital en materia de gobierno corporativo (Ley 31/2014). Sociedades no cotizadas*, Aranzadi, Cizur-Menor (Navarra), 2015, págs. 491-495.

FONT GALÁN, J. I., «El deber de diligente administración en el nuevo sistema de deberes de los administradores sociales», *Revista de Derecho de Sociedades*, n° 25, Aranzadi, Cizur Menor (Navarra), 2005, págs. 71-107.

GONZÁLEZ NAVARRO, B. A., «CAPÍTULO I. El Consejo de Administración: concepto y estructura», en GIMENO-BAYÓN COBOS, R., GARRIDO ESPA, L., (dirs.), *Órganos de las sociedades de capital, Consejo de Administración. auditores y liquidadores*, Tomo II, Tirant lo Blanch, Valencia, 2008, págs. 1253-1334.

GARCÍA GARCÍA, E., «CAPÍTULO II. El Consejo de Administración: funcionamiento», en GIMENO-BAYÓN COBOS, R., GARRIDO ESPA, L., (dirs.), *Órganos de las sociedades de capital, Consejo de Administración. auditores y liquidadores*, Tomo II, Tirant lo Blanch, Valencia, 2008, págs. 1335-1376.

GARCÍA MANDALONIZ, M., «Inconcreción del deber de diligente administración, disposición del régimen de responsabilidad e inclusión de la regla de la discrecionalidad empresarial (Artículos 225 y 226 de la Ley de Sociedades de Capital)», en MARTÍNEZ-ECHEVARRÍA Y GARCÍA DUEÑAS, A., (dir.), *Gobierno Corporativo: la Estructura del Órgano de Gobierno y la Responsabilidad de los Administradores*, Aranzadi, Cizur Menor (Navarra), 2015, pág. 375.

JORDÁ GARCÍA, R., «Aplicabilidad de los principios de gobierno corporativo a las sociedades no cotizadas y la reforma de la ley de sociedades de capital basada en la mejora del gobierno corporativo» en NAVARRO MATAMOROS, L., JORDÁ GARCÍA, R., (dirs.) *Mejora del gobierno corporativo de sociedades no cotizadas (A propósito de la Ley 31/2014 de 3 de diciembre)*, Dykinson, Madrid, 2015, pág. 33.

LLEBOT MAJÓ, J. O., «Deberes y responsabilidad de los administradores», en ROJO FERNÁNDEZ-RÍO, A., BELTRÁN SÁNCHEZ, E. M., (dirs.) *La responsabilidad de los administradores de las sociedades mercantiles*, 5ª ed., Tirant lo Blanch, Valencia, 2012, págs. 23-54.

QUIJANO GONZÁLEZ, J., *La responsabilidad civil de los administradores de la sociedad anónima*, Valladolid, 1985.

— «Responsabilidad de los consejeros», en ESTEBAN VELASCO, G., (coord.) *El gobierno de las sociedades cotizadas*, Marcial Pons, Madrid, 1999, pág. 571.

RODRÍGUEZ RUIZ DE VILLA, D., «"Quorum" de constitución del Consejo de Administración de la S.A: Efectos jurídicos de la existencia de vacantes (el Consejo deficitario). Ideas y propuestas para una futura reforma», *Revista de Derecho de Sociedades*, n° 42, Aranzadi, Cizur Menor (Navarra), 2014, disponible en www.aranzadidigital.es.

RIBAS FERRER, V., «Artículo 225. Deber de diligente administración», en ROJO FERNÁNDEZ-RÍO, A., BELTRÁN SÁNCHEZ, E. M., (coords.), *Comentario de la Ley de Sociedades de capital*, Tomo I, Thomson-Reuters, Cizur-Menor (Navarra), 2011, págs. 1608-1620.

SALELLES CLIMENT, J. R., *El funcionamiento del Consejo de administración*, Civitas, Madrid, 1995.

— «Artículo 245. Organización y funcionamiento del consejo de administración», en ROJO FERNÁNDEZ-RÍO, A., BELTRÁN SÁNCHEZ, E. M., (coords.), *Comentario de la Ley de Sociedades de capital,* Tomo I, Thomson-Reuters, Cizur-Menor (Navarra), 2011, págs. 1765-1775.

— «Artículo 246. Convocatoria del consejo de administración», en ROJO FERNÁNDEZ-RÍO, A., BELTRÁN SÁNCHEZ, E. M., (coords.), *Comentario de la Ley de Sociedades de capital,* Tomo I, Thomson-Reuters, Cizur-Menor (Navarra), 2011, págs. 1776-1781.

— «Artículo 247. Constitución del consejo de administración», en ROJO FERNÁNDEZ-RÍO, A., BELTRÁN SÁNCHEZ, E. M., (coords.), *Comentario de la Ley de Sociedades de capital,* Tomo I, Thomson-Reuters, Cizur-Menor (Navarra), 2011, págs. 1782-1787.

— «Artículo 248. Adopción de acuerdos por el consejo de administración de la sociedad anónima», en ROJO FERNÁNDEZ-RÍO, A., BELTRÁN SÁNCHEZ, E. M., (coords.), *Comentario de la Ley de Sociedades de capital,* Tomo I, Thomson-Reuters, Cizur-Menor (Navarra), 2011, págs. 1787-1794.

SÁNCHEZ CALERO, F., *Los administradores en las sociedades de capital,* Civitas, Madrid, 2007.

# 49. El informe de gestión como instrumento de transparencia de los administradores sociales en la pequeña y mediana empresa*

**LUIS HERNANDO CEBRIÁ**

*Profesor Ayudante de Derecho Mercantil (acreditado a Profesor Titular)*
*Universidad de Valencia*

**Sumario:** I. EL INFORME DE GESTIÓN COMO PARTE INTEGRANTE DE LA INFORMA-CIÓN EN LAS SOCIEDADES DE CAPITAL. 1. Evolución normativa. 2. Panorama actual y críticas al informe de gestión. II. EL INFORME DE GESTIÓN EN LAS SOCIEDADES DE PE-QUEÑA Y MEDIANA DIMENSIÓN. 1. Caracterización tipológica de las PYMES: la media-na y la pequeña empresa para el Derecho contable. 2. El informe de gestión en la PYME. III. LAS RECOMENDACIONES DE LA COMISIÓN NACIONAL DEL MERCADO DE VALO-RES PARA LA ELABORACIÓN DE INFORMES DE GESTIÓN EN LAS PYMECS («PEQUE-ÑAS Y MEDIANAS EMPRESAS COTIZADAS»). IV. SIMPLIFICACIÓN DEL CONTENIDO DEL INFORME DE GESTIÓN EN CONSIDERACIÓN AL TAMAÑO Y LA COMPLEJIDAD DE LA ENTIDAD Y SU INCIDENCIA EN LAS PYMES. V. CONCLUSIONES: EL INFORME DE GESTIÓN COMO INSTRUMENTO DE TRANSPARENCIA Y DE FAVORECIMIENTO DE LA INTERNACIONALIZACIÓN DE LAS PYMES. Bibliografía.

## I. EL INFORME DE GESTIÓN COMO PARTE INTEGRANTE DE LA INFORMACIÓN EN LAS SOCIEDADES DE CAPITAL

### 1. Evolución normativa

El informe de gestión es un documento narrativo, que se incorpora a las cuentas anuales con el objetivo primario de contextualizar la posición financiera de la entidad, al paso que permite a los administradores dar una

---

*     Trabajo integrado en el proyecto de investigación de excelencia «La renovación tipológica en el Derecho de sociedades contemporáneo» (DER2013-44438P), concedido por el Ministerio de Economía y Competitividad, del que es investiga-dor principal el Prof. Dr. D. José Miguel Embid Irujo; y en el proyecto estatal de retos de la investigación «Nuevos instrumentos jurídicos para la financiación de la PYME» (DER2015-65639-R), del que es investigadora principal la Pfra. Dr. Dª. Carmen Boldó Roda.

explicación justificada de las políticas y estrategias generales de la sociedad para alcanzar sus objetivos (cfr., art. 249 bis. 1 letra b. del Real Decreto Legislativo 1/2010, de 2 de julio, por el que se aprueba el texto refundido de la Ley de Sociedades de Capital —LSC—)[1]. El informe de gestión, por lo tanto, complementa la información reflejada en las cuentas anuales y debe dar razón de que aquellos hechos acaecidos y de los actos relevantes realizados por los administradores dentro de la labor de gestión que les es encomendada (en tal sentido, el apartado quinto del artículo 262 LSC aclara que la información contenida en ningún caso justificará la ausencia de las informaciones que deban figurar en las cuentas anuales). Junto a la gestión llevada a cabo en el ejercicio precedente y los resultados, principalmente de corte financiero, de su actuación, en relación con las causas que han llevado a que las cuentas anuales, de preminente carácter numérico, reflejen tales resultados, el informe de gestión también ha de mostrar, con un perfil más subjetivo, según una previsión de los administradores, las proyecciones futuras o la imagen prospectiva de la sociedad[2].

En España los orígenes del informe de gestión se remontan a la Ley de Sociedades Anónimas de 1951, que incorporara a las cuentas una «memoria explicativa», sin que, sin embargo, quedara especificado ni su contenido, ni su función. Fue la Cuarta Directiva 78/660/CEE del Consejo, de 25 de julio de 1978, relativa a las cuentas anuales de determinadas formas de sociedad, la que dio autonomía a este documento y la que llevó a su plasmación en la normativa interna bajo la denominación de «informe de gestión». De forma semejante al *rapport de gestion* francés o a la *relazione sulla gestione* italiana, dentro de los ordenamientos continentales de raigambre latina, la redacción original de la Ley 19/1989, de 25 de julio, de reforma parcial y adaptación de la legislación mercantil a las Directivas de la Comunidad Económica Europea (CEE) en materia de Sociedades, incorporó el informe de gestión en el artículo 108 en el texto refundido de la ley de

---

[1]     Con carácter general, para una aproximación a la figura, puede verse el *Practice Statement. Management Commentary. A framework for presentation*, de la *International Financial Reporting Standards Foundation*, Londres, 2010, págs. 5 y 17.

[2]     Sobre el carácter causalista del informe, que ha de resultar de los datos de las cuentas anuales, y contextual, en atención a las causas internas y externas, GONZALO ANGULO, J. A., «¿Estandarizar el informe de gestión?», *AECA. Revista de la Asociación Española de Contabilidad y Administración de Empresas*, (Ejemplar dedicado a: XV Encuentro AECA: «Nuevos Caminos para Europa: El papel de las empresas y los gobiernos»), núm. 99, 2012, págs. 34-36, págs. 34-5.

sociedades anónimas[3]. Mientras, en el plano internacional, el informe de gestión adoptó diferentes denominaciones en otros ordenamientos, como *Management Discussion and Analysis* en los Estados Unidos o en Canadá, o como *Operating Financial Review* en el Reino Unido o Australia[4]; en un punto intermedio, en Alemania se presenta como un informe de situación o del estado de la gestión (*Lagebericht*), con particular significación dentro de la amplia tradición del Derecho alemán en la regulación de los grupos de sociedades[5].

Se pasa así de una sección en las cuentas que recoge ciertas «notas a los estados financieros» o «informaciones contables no formalizadas» a un documento separado de apoyo interpretativo a las cuentas anuales. Según la Directiva, el informe de gestión, junto al desarrollo de aspectos sensibles en la actuación de los administradores, unos de carácter material, como el control de las acciones en autocartera y las actividades de investigación y desarrollo, y otros temporales, como la mención de los hechos relevantes posteriores al cierre del ejercicio, tiene como objetivo fundamental la «exposición fiel de la evolución de los negocios y situación de la entidad». Posteriormente, en el plano internacional, también la NIC 1 sobre Presentación de Estados Financieros de 1997 apuntó la oportunidad de incorporar un «informe financiero de los administradores».

---

[3]  Como una mera transcripción del artículo 46 de la IV Directiva, el artículo 108 señalaba que: «1. El informe de gestión habrá de contener, al menos, la exposición fiel sobre la evolución de los negocios y la situación de la sociedad. 2. El informe debe incluir igualmente indicaciones sobre los acontecimientos importantes para la sociedad, ocurridos después del cierre del ejercicio, la evolución previsible de aquélla, las actividades en materia de investigación y desarrollo y, en los términos establecidos en esta Ley, las adquisiciones de acciones propias».

[4]  Se ha de tener en cuenta que si bien en el Reino Unido el *Operating Financial Review* tiene carácter voluntario, todavía las sociedades tienen la obligación, salvo las de reducida dimensión, de confeccionar el *Business Review* dentro del *Director's Report* (cfr., apartado BC30 del *Practice Statement. Management Commentary, cit.*, pág. 24). Más ampliamente, con remisión al artículo 417 de la *Companies Act* de 2006, que anuda al artículo 172, referido al deber de los administradores de promover el interés social, VILLIERS C. L., «A global framework for management commentary disclosure?», *Northern Ireland Legal Quarterly*, núm. 60, 2009, págs. 63-84, págs. 70-71. En Australia puede verse la *Regulatory Guide 247: Effective disclosure in an operating and financial review*, de la *Australian Securities and Investments Commission*, de marzo de 2013.

[5]  Dentro de la escasa doctrina mercantilista que se ocupado del informe de gestión de forma monográfica, constituye una referencia obligada la obra de LARA GONZÁLEZ, R., *El informe de gestión de los administradores*, ed. Aranzadi, Navarra, 1999.

Pero el primer salto cualitativo respecto del contenido informativo lo produjo la regulación de la SEC norteamericana de 2002 sobre los aspectos financieros a considerar en los resultados de las operaciones llevadas a cabo por los administradores (*Management's Discussion and Analysis of Financial Condition and Results of Operations*), que puso el acento sobre los recursos líquidos y la estructura de capital de las entidades cotizadas. En correspondencia, la Organización Internacional de Comisiones de Valores (IOSCO), también emitió en 2003 los principios generales que debían regir la información financiera que el documento debía dispensar (*General Principles Regarding Disclosure of Management's Discussion and Analysis of Financial Condition and Results of Operations*). En el ámbito comunitario, y como respuesta al movimiento del *Corporate governance*, la necesidad de una mayor transparencia en el marco de la información financiera se plasmó primero en la Directiva 2001/65/CE, que modificó la Directiva 78/660/CEE, en lo que se refiere a las normas de valoración, a cuyo objeto introdujo la obligación de describir la exposición a los riesgos financieros, en atención al precio, crédito, liquidez y flujos de efectivo de la entidad y a la utilización de instrumentos financieros.

La Directiva 2003/51/CE dio un paso más y, de un lado, requirió un mayor rigor de su contenido respecto de la ponderación de los riesgos e incertidumbres y de la exhaustividad de la información relevante, mientas que, de otro, añadió la inclusión de aspectos no financieros tales como la información relativa al personal y al medio ambiente. En su trasposición a los Estados miembros supuso, en nuestro caso, que la Ley 62/2003, de 30 de diciembre, de medidas fiscales, administrativas y del orden social, ampliara el contenido del informe de gestión tanto desde la perspectiva de la gestión del riesgo financiero, como de la incorporación, en su caso, de otra información no financiera, pero de evidente calado en la llevanza de los asuntos sociales. De esta forma, la regulación trató de restringir la discrecionalidad con la que hasta entonces los administradores redactaban el informe de gestión y modelaban su contenido.

Tras el paso del informe de gestión del artículo 108 al artículo 202 de la Ley de sociedades anónimas, y la posterior incorporación por la Ley 16/2007, de 4 de julio, del informe de gobierno corporativo para las sociedades cotizadas, el contenido del informe de gestión, con motivo de la refundición del régimen de las sociedades capitalistas, pasó, sin cambios, al actual artículo 262 de la Ley de Sociedades de Capital. En estas mismas fechas, de nuevo en el plano internacional, el Comité de Normas Internacionales de Contabilidad (IASB) diseñó un marco de referencia donde figuran las recomendaciones prácticas, según una serie de principios y contenidos, para la presentación uniforme del informe de gestión, finalmente denominado *Management Commentary*. Por último, esta breve evolución normativa, que ha de servir para introducir al lector sobre las cuestiones que afectan a la elaboración del informe de gestión, sin pretensiones de exhaustividad ni de concreción de su contenido, se completa con la Directiva Contable 2013/34/UE, de 26 de junio de 2013, sobre los estados financieros anuales, los estados financieros consolidados y otros informes afines de ciertos tipos de empresas, que ha sido modificada por la Directiva 2014/95/UE, de 22 de octubre de 2014, respecto de la divulgación de información no financiera e información sobre diversidad por parte de determinadas grandes empresas y grupos.

## 2. *Panorama actual y críticas al informe de gestión*

En este contexto de continua ampliación del contenido del informe de gestión y de imposición de un mayor formalismo en su confección, parece también conveniente que la información que ha de dispensar el informe, en buena medida compresivo de informaciones «extracontables», no se solape con otros documentos puramente contables[6]. Se ha hecho ya referencia a su inicial consideración como «memoria social», vinculada en cierta forma a las notas que pueda incorporar la memoria dentro del marco de las cuentas anuales. Se puede observar, en tal sentido, que el apartado tercero del artículo 262, a falta de informe de gestión, obliga a que la memoria deje constancia de las menciones relativas a la adquisición de acciones propias o de su sociedad dominante[7]. Asimismo, respecto de sus objetivos, el informe de gestión ha de quedar suficientemente diferenciado del esta-

---

[6]  En torno la contenido de los informes de gestión ante la introducción de específicos formularios para su redacción, ampliamente, FELDMAN, R./ GOVINDA-RAJ, S./ LIVNAT, J./ SEGAL, B., «The Incremental Information Content of Tone Change in Management Discussion and Analysis», *SSRN.1126962*, 2008, págs. 1-51. Desde otro perfil, respecto del carácter de información «no formalizada» y, en su mayor parte, «extracontable» contenida en el informe de gestión, MACHADO PLAZAS, J., «Artículo 262. Contenido del informe de gestión», *Comentario de la Ley de Sociedades de Capital* (dirs. A. Rojo/ E. Beltrán), t. II, ed. Civitas Thomson Reuters, Cizur Menor, 2011, págs. 1969-1973, pág. 1970.

[7]  Además, también la Orden JUS/206/2009, de 28 de enero, por la que se aprueban nuevos modelos para la presentación en el Registro mercantil de las cuentas anuales de los sujetos obligados a su publicación, mantiene la necesidad de depositar un ejemplar del documento relativo a la información sobre acciones o participaciones propias (cfr., art. 366.1.6º RRM).

do de cambios del patrimonio neto y del estado de flujos de efectivo, como documentos que se integran en las cuentas, o incluso del informe de gobierno corporativo. Por consiguiente, las concretas menciones al régimen de acciones propias, a las actividades de investigación y desarrollo o a la utilización de instrumentos financieros han de aportar un plus informativo, tanto en su justificación como en la medida que sirvan para expresar las políticas y los objetivos de la entidad[8].

En evitación de reiteraciones innecesarias, el objetivo general del informe de gestión de ofrecer una exposición fiel sobre la situación y la evolución previsible de la sociedad debe completar, que no sustituir ni maquillar, las informaciones que resulten de las cuentas anuales. Solo así se puede dar un adecuado entendimiento a la función del informe de gestión, que no será tanto descriptivo, como analítico de aquellas decisiones adoptadas para cumplir con los objetivos y estrategias de la entidad, así como de aquellas otras que se pretendan emprender; y todo ello sin merma de las informaciones que, por su carácter, deban mantenerse confidenciales cuando su publicidad pueda perjudicar el interés social (cfr., art. 196 y 197 LSC, en relación con el art. 228.b LSC)[9].

Lo anterior se ha de enmarcar dentro de las críticas que tradicionalmente ha recibido el informe de gestión como el documento obligatorio,

---

[8]   Véase en este punto, además del contenido mínimo acogido para cada modelo, que la memoria ha de incluir cualquier otra información necesaria para una adecuada comprensión de las cuentas, en particular respecto de aquellas operaciones «significativas». De esta manera, el artículo 38.c del Código de comercio incluye todos los riesgos con origen en el ejercicio o en otro anterior, incluso si se conocieran entre la fecha de cierre del balance y la fecha en que éste se formule, y el artículo 155 de la Ley de sociedades de capital contempla la mención de las adquisiciones significativas en otras sociedades, a lo que hay que añadir, cuando la sociedad no esté obligada a elaborar el informe de gestión, las menciones relativas a la adquisición de acciones propias o de su sociedad dominante. En esta línea, critican el solapamiento de informaciones entre los distintos documentos, GONZALO ANGULO, J. A./ GARVEY, A. M., «El informe de gestión: validez y perspectivas», *Revista de Contabilidad y Dirección*, vol. 20, 2015, págs. 21-63, pág. 45-7.

[9]   Distingue así LARA GONZÁLEZ, R., «La sucesiva ampliación del contenido del informe de gestión y el pertinaz formalismo del documento contable», *La Ley mercantil*, núm. 29, octubre 2016, págs. 1-8, pág. 6, entre los mensajes de tipo textual o narrativo del informe de gestión, que se han de caracterizar por la cualidad de la información, de los documentos eminentemente sintéticos o de naturaleza cuantitativa que conforman las cuentas anuales.

sujeto a una menor estandarización dentro del conjunto de la información periódica que han de confeccionar los administradores[10]. Es cierto que no puede darse igual categoría de veracidad a las distintas informaciones que ha de contener el informe, lo cual necesariamente ha de incidir en el plano de la responsabilidad de los administradores, por otro lado, no suficientemente concretado en la regulación[11]. Las informaciones referidas a decisiones pasadas, como la exposición fiel sobre la evolución de los negocios y la situación de la sociedad, aun de carácter genérico, y las específicas referidas a los acontecimientos importantes acaecidos después del cierre del ejercicio, las actividades en materia de investigación y desarrollo y las adquisiciones de acciones propias, se someten a una revisión de carácter objetivo[12]. No obstante, otras informaciones de carácter prospectivo, en relación a la evolución previsible de la sociedad, que puede depender de diferentes factores o escenarios, asumen un perfil preminentemente subjetivo, por lo que no debieran queda al albur de una revisión posterior[13].

Pues bien, por diferentes vías, como meras recomendaciones o principios de opcional acogida, diferentes organismos han tratado de atajar algu-

---

[10] Acerca de esta necesidad, en el camino emprendido en otras jurisdicciones, GONZALO ANGULO, J. A., «¿Estandarizar el informe de gestión?», *cit.*, pág. 35.

[11] Al respecto, MACHADO PLAZAS, J., «Artículo 262», *cit.*, págs. 1971-2, destaca la mayor discrecionalidad de la que disponen los administradores para configurar el contenido de este documento, que no se rige por las normas de la contabilidad. Ahora bien, mantiene que en todo caso se trata de una declaración de ciencia, aun cuando la opinión deba ser relativizada por depender de la evolución de los mercados, y no de una declaración de voluntad, LARA GONZÁLEZ, R., «La sucesiva ampliación», *cit.*, pág. 4.

[12] En este punto téngase en cuenta que la letra d del apartado 2 del artículo 19 de la Directiva 2013/34/UE obliga a que el informe de gestión incluya la existencia de sucursales de la empresa, mención que, sin embargo, no aparece incluida entre las que refleja nuestro artículo 262 de la Ley de sociedades de capital. Cfr., art. 289.2. número cuarto, del *Handelsgesetzbuch* alemán y art. L232-1 número dos, final, del *Code de commerce* francés.

[13] Acerca de esta distinción, LARA GONZÁLEZ, R., «La sucesiva ampliación», *cit.*, pág. 3. Véase, en este punto, la regla de la discrecionalidad empresarial introducida en el artículo 226 de la Ley de sociedades de capital, que podría ponerse en relación con el contenido informativo que verbigracia introduce el artículo 5.2. c, Ley 10/2014, de 26 de junio, de ordenación, supervisión y solvencia de entidades de crédito, respecto de la información a dispensar al cliente de las entidades de crédito respecto de diferentes escenarios de evolución de los tipos en los préstamos a interés variable y las posibilidades de cobertura frente a tales variaciones, teniendo en cuenta el uso o no de índices oficiales de referencia.

nas de las principales críticas vertidas sobre el contenido de los informes de gestión. Así, la inclusión de menciones intrascendentes o reiterativas parece ser superada por la necesidad de incorporar solo las informaciones que sean relevantes (según un principio de *materiality*) de modo que el informe sea de utilidad, en atención a la calidad de la información que contenga, para sus destinatarios. Otro aspecto sujeto a la crítica ha sido la utilización de este documento para servir de propaganda (en el llamado *window dressing*) de la gestión llevada a cabo por los administradores. Tal deficiencia ha de ser integrada con la nota de coherencia que ha de mantener le informe de gestión con los documentos que conforman las cuentas[14].

En todo caso, el artículo 262 de la Ley de sociedades de capital exige que la exposición consista en un análisis equilibrado y exhaustivo de la evolución y de los resultados de los negocios y de la situación de la sociedad, que se habrá de acomodar a la magnitud de su actividad y a su complejidad estructural. Esto tiene una particular manifestación en relación con la utilización de instrumentos financieros cuando tengan relevancia para la valoración de sus activos, pasivos, situación financiera y resultados. Por ello el informe de gestión, en caso de su utilización, ha de hacer referencia expresa a las políticas de gestión y de cobertura del riesgo financiero de la sociedad, así como a los riesgos de precio, de crédito, de liquidez y de flujo de efectivo.

A este efecto, la Directiva 2013/34/UE ha incorporado el informe de gestión al elenco de documentos contables que han de quedar sometidos a la verificación del auditor de cuentas[15]. La relajación de la exigencia de su depósito en el Registro mercantil, según recoge el apartado primero del artículo 30, cuando el informe pueda obtenerse por otros mecanismos sin costes adicionales para el interesado, sin embargo ha quedado compensada por su sometimiento a revisión técnica[16]. De esta forma el informe de gestión ha de mantener una concordancia con las cuentas anuales. Por lo tanto, el auditor ha de emitir una opinión al respecto y sobre si su contenido y presentación se ajustan a las exigencias legales, así como acerca de las incorrecciones materiales que hallare (cfr., art. 4.1. y 5.1.f. de la

---

[14] Con referencia a estas críticas, LARA GONZÁLEZ, R., «La sucesiva ampliación», *cit.*, pág. 3.

[15] Sobre la influencia del Derecho alemán en este punto, ARGÜELLES MONTES, R., «Información más allá de las cuentas anuales: del informe de gestión al Management Commentary», *Partida Doble*, núm. 184, 2007, págs. 46-61, pág. 59.

[16] Sobre el gran avance que esta medida supone, GONZALO ANGULO, J. A./ GARVEY, A. M., «El informe de gestión», *cit.*, pág. 38.

Ley 22/2015, de 20 de julio, de Auditoría de Cuentas, a la luz del artículo 34 de la Directiva 2013/34/UE[17]. Con todo, en buena lógica, la opinión no se podrá pronunciar sobre las proyecciones realizadas por los administradores acerca de la evolución previsible, salvo que partan de datos incorrectos[18].

La nueva regulación en torno a la verificación del informe de gestión introduce mayores garantías a su contenido e impone que la responsabilidad que dimana de sus declaraciones no pueda ser desplazada a otros documentos de carácter voluntario o publicista de la labor desarrollada por los administradores y no sujetos a su subscripción, tales como las denominadas memorias de sostenibilidad o los informes integrados o de gerencia (sobre la asunción de la responsabilidad «colectiva» de los miembros de los órganos de administración respecto del contenido del informe de gestión *vide* art. 33 letra a. de la Directiva 2013/34/UE[19]. Los interesados, por lo tanto, disponen de un nuevo instrumento sobre cuya base tomar posición en consideración a la actividad desempeñada hasta la fecha por los administradores y, asimismo, para alumbrar la orientación futura de la política

---

[17] Con todo, la exigencia de la presentación de un informe de auditoría mantiene sus propios parámetros numéricos, separados de los anteriores, excepción hecha de la solicitud por los socios que representen, al menos, el cinco por ciento del capital social para su designación por el registrador mercantil del domicilio social (cfr., art. 265.2 LSC). En todo caso, el deber de auditar y el deber de redactar el informe de gestión son independientes, de modo que el primero no conlleva el segundo, tal y como apunta, a la luz de la RDGRN de 30 de enero de 2014 (BOE núm. 43), LARA GONZÁLEZ, R., «Verificación de cuentas anuales y elaboración del informe de gestión: nueva doctrina de la DGRN», *Aranzadi civil-mercantil. Revista doctrinal*, vol. 2, núm. 1, 2014, págs. 69-76. Ya antes, ALONSO PÉREZ, A./ POUSA SOTO, R., «Informe gestión caso empresas elaboran cuentas abreviadas (BOICAC 96, diciembre 2013. Consulta 7)», *Revista Contable*, núm. 21, Sección Espacio ICAC, abril 2014, versión digital, págs. 1-5.

[18] Sobre las cláusulas de exclusión de la responsabilidad (*safe harbour*) en caso de informaciones prospectivas, pueden verse los apartados BC16 y BC38 del *Practice Statement. Management Commentary*, *cit.*, págs. 21 y 26, y el punto 9 del *Financial Reporting Manual* (SEC, 2015) de la *Securities and Exchange Commission* norteamericana (SEC) al tratar sobre el documento de discusión y análisis de la posición financiera y de los resultados de las operaciones.

[19] Acerca de la tendencia al desplazamiento de ciertas informaciones a estos documentos, a fin de evitar la responsabilidad que deriva de la suscripción del informe de gestión para los administradores, GONZALO ANGULO, J. A./ GARVEY, A. M., «El informe de gestión», *cit.*, pág. 50, y ARGÜELLES MONTES, R., «Información más allá de las cuentas anuales», *cit.*, pág. 48.

empresarial. Ahora bien, el rigor formalista exigido no puede desplazar la necesidad de que el informe de gestión incorpore aquellos otros aspectos sustantivos relevantes y que su omisión evite una eventual responsabilidad que quepa imputar, por esta causa, a los administradores sociales (cfr., art. 236.1 LSC, respecto de las omisiones contrarias a la ley o a los estatutos y respecto de las omisiones dolosas o culposas que supongan un incumplimiento de los deberes inherentes al desempeño del cargo).

## II. EL INFORME DE GESTIÓN EN LAS SOCIEDADES DE PEQUEÑA Y MEDIANA DIMENSIÓN

### 1. Caracterización tipológica de las PYMES: la mediana y la pequeña empresa para el Derecho contable

Desde hace tiempo, merced a la influencia de la economía de la empresa, ha tomado cuerpo el criterio que distingue a las empresas entre grandes, medianas y pequeñas. Empero, todavía cabe mantener una *summa divisio* entre las grandes y aquellas otras que, bajo el acrónimo PYMES, gozan de un cierto tratamiento unitario, tanto en el ámbito supranacional, como en la Unión europea[20]. Para su consideración, el legislador toma como requisitos la cifra anual de ventas, el valor de los activos o el número de trabajadores. Todos ellos atienden a criterios cuantitativos que, no obstante, varían en cada momento o regulación, dificultando así una visión unitaria y causando una cierta aleatoriedad. Sea como fuere, se ha de reconocer la relevancia de estos criterios, nacidos al calor de un todavía hoy incompleto «Derecho de la empresa», sobre el Derecho de sociedades, en particular respecto de aquellas sociedades de carácter capitalista y, más en concreto, en el Derecho contable[21].

Es también cierto que el desarrollo alcanzado en esta sede ha dado lugar a la aparición de subgrupos dentro de la amplia categoría de las PYMES, y no ya tanto por la distinción entre la mediana o pequeña empresa, sino por el reconocimiento expreso de la microempresa, en la cual se concentra la aplicación estricta o el «mínimo común denominador» del estatuto

---

[20]    Véase EMBID IRUJO, J. M., «Concepto, delimitación y tipología de las PYMES», *La compraventa y otras formas de transmisión de pequeñas y medianas empresas*, (coord. L. Hernando Cebriá), ed. Bosch, Barcelona, 2014, págs. 29-70, esp. págs. 36 ss.

[21]    Cfr., el llamado «Retrato PYME» que elabora la Subdirección General de apoyo a la PYME.

jurídico del empresario[22]. En el otro lado de la balanza, el tratamiento de la gran empresa se mantiene más armónico, en consideración básicamente a que los problemas que plantea la multiplicidad de intereses que concurren en ella. Sin embargo, al estado de la cuestión se pueden añadir otros perfiles, no tanto en el plano cuantitativo como en el organizativo. Así, la asunción de la condición de sociedad cotizada, cuyas acciones se sujeten a negociación en un mercado secundario oficial de valores, comporta una serie de obligaciones, entre otras de carácter informativo, que merecen un atención separada respecto de aquellas otras grandes sociedades que no asuman tal condición.

En un punto intermedio, y quizás excesivamente amplio, la PYME recibe un tratamiento contable más gravoso que la microempresa, pero más simplificado, si bien puede ser considerado la regla general por su presencia en el mercado, respecto del previsto para la gran empresa. En la actualidad, los artículos 257 y 258 de la Ley de sociedades de capital barajan diversos criterios cuantitativos en relación con el valor del activo, la cifra de negocios y el número de trabajadores, que inciden, en última instancia, en las obligaciones contables de la sociedad[23]. Tras la

---

[22]    La Ley 16/2007, de 4 de julio, de reforma y adaptación de la legislación mercantil en materia contable para su armonización internacional con base en la normativa de la Unión Europea, autorizó al Gobierno la aprobación, que tuvo lugar por Real Decreto 1514/2007, de 16 de noviembre, del Plan General de Contabilidad y del Plan General de Contabilidad para Pequeñas y Medianas Empresas, adoptándose, asimismo, por Real Decreto 1515/2007, de 16 de noviembre, los criterios contables específicos para las microempresas.

[23]    Así, salvo las sociedades cotizadas (véase art. 536 LSC), las sociedades de capital podrán presentar balance abreviado cuando durante dos años consecutivos a la fecha de cierre del ejercicio concurran, por lo menos, dos de las condiciones siguientes: una cifra total de activos de cuatro millones de euros; una cifra anual de negocios de ocho millones de euros (entendida como la cifra de ventas y servicios prestados menos las bonificaciones y reducciones y la aplicación de los impuestos repercutidos, según art. 35.2 CCo.); y un número medio de trabajadores no superior a cincuenta (véase art. 257 LSC). Concuerda en este punto con el artículo 3 de la Directiva 2013/34/UE. Sin embargo, este criterio no resulta coincidente con la Recomendación de la Comisión, de 6 de mayo de 2003, sobre la definición de microempresas, pequeñas y medianas empresas, que define la pequeña empresa como una empresa que ocupa a menos de cincuenta personas y cuyo volumen de negocios anual o cuyo balance general anual no supera los diez millones de euros. Cfr., sin embargo, por su especialidad, con la Resolución no legislativa del Parlamento Europeo, de 18 de diciembre de 2008, sobre requisitos contables de las pequeñas y medianas empresas, en particular, de las microempresas.

modificación introducida en el artículo 257 por la Ley 14/2013, de 27 de septiembre, de apoyo a los emprendedores y su internacionalización, las cifras para la calificación de la pequeña empresa coinciden con las de la Directiva 2013/34/UE. Si bien esta reforma elevó los umbrales para la formulación del balance abreviado, a fin de aproximarlos a los de la Directiva comunitaria, no ocurre otro tanto con la atribución de la condición de medianas empresas. Esto, desde la perspectiva de nuestro Derecho, incide, de modo reflejo o por exclusión, en la delimitación tipológica, a estos efectos, de las grandes empresas[24].

Con todo ello se advierten las dificultades de encontrar un estatuto homogéneo dentro del amplio marco de las PYMES, en el que cabe incluir tanto a la pequeña como a la mediana empresa, y de una percepción unitaria por parte de las distintas disciplinas del Derecho, en buena parte propiciada por la variedad de sus subtipos[25]. A ello se añade la aparición, dentro del marco del fomento de la financiación de la PYME, de las llamadas PYMEC, como sociedades de pequeña y mediana dimensión que se asientan dentro del llamado mercado alternativo bursátil (MAB). Pues bien, sobre la base de todo lo anterior se ha de plantear la obligatoriedad del informe de gestión en las PYMES. A ello dedicaremos las siguientes líneas.

---

[24]    Para la presentación de la cuenta de pérdidas y ganancias abreviada, las cifras anteriores se mantienen en once millones cuatrocientos mil euros de activo, veintidós millones ochocientos mil euros de cifra de negocios y doscientos cincuenta trabajadores (art. 258 LSC), cantidades todavía inferiores a la calificación europea de la mediana empresa. El apartado tercero del artículo 3 la Directiva 2013/34/UE entiende por empresa mediana aquella que no cumpla los requisitos para ser considerada microempresa o empresa pequeña y que, en la fecha de cierre del balance, no rebase los límites numéricos, por lo menos dos, de un total del balance de veinte millones de euros, un volumen de negocios neto de cuarenta millones de euros y un número medio de empleados durante el ejercicio de doscientos cincuenta.

[25]    El artículo segundo de la Recomendación de la Comisión, de 6 de mayo de 2003, sobre la definición de microempresas, pequeñas y medianas empresas distingue así entre la microempresa *«que ocupa a menos de 10 personas y cuyo volumen de negocios anual o cuyo balance general anual no supera los 2 millones de euros»*, la pequeña empresa *«que ocupa a menos de 50 personas y cuyo volumen de negocios anual o cuyo balance general anual no supera los 10 millones de euros»* y, por exclusión, las medianas empresas *«que ocupan a menos de 250 personas y cuyo volumen de negocios anual no excede de 50 millones de euros o cuyo balance general anual no excede de 43 millones de euros»*.

## 2. El informe de gestión en la PYME

En las sociedades de capital que hayan de presentar balance normal, las cuentas anuales deben acompañarse del informe de gestión de los administradores (véase art. 262.3 LSC). *Sensu contrario*, la opción de formulación de un balance abreviado permite que la cuenta de pérdidas y ganancias y la memoria también sean abreviadas (véase arts. 257.1, 258 y 261 LSC), y excluye la exigencia del estado de cambios en el patrimonio neto, del estado de flujos de efectivo y del informe de gestión (véanse arts. 262.3 y 257.3 LSC). Se advierte, a estos efectos, una ambigüedad en la PYME según sea una mediana o una pequeña empresa la que adopte la forma subjetiva de sociedad de capital.

Con todo, algunos aspectos quedan excluidos de información, con carácter general, en las medianas empresas, esto es, para aquellas que puedan presentar cuenta de pérdidas y ganancias abreviada. En tal caso el informe solo habrá de incluir los indicadores financieros y podrá excluir, por lo tanto, aquellos otros indicadores no financieros relativos a materias de personal y de medio ambiente (cfr., Directiva 2014/95/UE, de 22 de octubre de 2014, que modifica la Directiva 2013/34/UE en lo que respecta a la divulgación de información no financiera e información sobre diversidad por parte de determinadas grandes empresas y determinados grupos, en referencia a las grandes empresas que sean entidades de interés público y que, en la fecha de cierre de su balance, superen durante el ejercicio un número medio de empleados superior a quinientos). A ello se une, tras la reforma llevada a cabo por la Ley 31/2014, de 3 de diciembre, por la que se modifica la Ley de sociedades de capital para de mejora del gobierno corporativo, que las sociedades medianas tampoco habrán de indicar el periodo medio de pago a sus proveedores cuando sea superior al máximo establecido en la normativa de morosidad, así como las medidas a aplicar en el siguiente ejercicio para su reducción, al menos, hasta el límite legal.

En cualquier caso, la Directiva 2013/34/UE permite que los Estados miembros puedan optar por eximir tanto a las pequeñas y como a las medianas empresas de la obligación de proporcionar información no financiera en su informe de gestión. Sin embargo, la regulación patria no equipara la categoría de la mediana empresa a la de la Directiva, que mantiene un concepto más amplio, y somete a esta información a sociedades que desde la norma comunitaria podrían haber quedado fuera de su ámbito de aplicación. Parece considerar el legislador nacional, en consecuencia, que la magnitud de la actividad de las grandes empresas imponga la necesidad de incorporar las informaciones no financieras, en particular las relativas al medio ambiente y al personal, dentro del marco más amplio de la política de la «responsabilidad social corporativa». No ocurre así, sin embargo, respecto de la exención para las pequeñas empresas de la obligación de elaborar un informe de gestión, siempre y cuando las notas explicativas de los estados financieros dejen oportuna constancia de los datos relativos a la adquisición de las acciones propias. Esta opción sí que es acogida por la regulación nacional, al igual que ocurre en otras de nuestro entorno (cfr., art. 19. 3. y 4. y art. 36 letra c, para las microempresas, de la Directiva 2013/34/UE)[26].

Por otra parte, fuera del criterio meramente numérico que permite la formulación de cuentas anuales abreviadas, la consideración de la entidad como de «interés público» respecto determinados sectores de actividad impone determinadas informaciones en el informe de gestión. Aclara en este punto el artículo 40 de la Directiva 2013/34/UE que, salvo en ella se contenga lo contrario, los Estados miembros no pueden permitir que las entidades de interés público se acojan a las simplificaciones o las exenciones en ella previstas. De este modo, deben recibir el mismo trato que las grandes empresas, independientemente de su volumen de negocios neto, del total del balance o del número medio de empleados durante el ejercicio. Y otro tanto se puede decir de las sociedades cotizadas, que además, en virtud de los artículos 540 y 541 LSC, añadidos por la Ley 31/2014, de 3 de diciembre, han de presentar, como documentos separados, un informe anual de gobierno corporativo y un informe anual sobre las remuneraciones de los consejeros (cfr., art. 536 LSC sobre la prohibición de cuentas abreviadas a las sociedades cuyos valores estén admitidos a negociación en un mercado regulado de cualquier Estado miembro de la Unión Europea)[27].

---

[26] Ya la Ley 2/1995, de 23 de marzo, de Sociedades de Responsabilidad Limitada, en su Disposición Adicional segunda, entre las modificaciones al texto refundido de la Ley de Sociedades Anónimas, aprobado por Real Decreto legislativo 1564/1989, de 22 de diciembre, introdujo un apartado 3 en el artículo 202 de modo que «3. Las sociedades que formulen balance abreviado no estarán obligadas a elaborar el informe de gestión. En ese caso, si la sociedad hubiera adquirido acciones propias o de su sociedad dominante, deberá incluir en la memoria, como mínimo, las menciones exigidas por la norma 4.ª del artículo 79». Sobre el discutible propósito de simplificar o dulcificar las cargas documentales de las pequeñas sociedades, en estos casos, MACHADO PLAZAS, J., «Artículo 262», *cit.*, pág. 1973.

[27] De otro lado, el artículo 37 de la Directiva 2013/34/UE permite que, con cumplimiento de determinadas condiciones, las empresas filiales puedan quedar exentas, entre otras obligaciones contables, de la presentación del informe de gestión (cfr., art. 19 bis tras la Directiva 2014/95/UE). Esta cuestión, con todo, confronta

## III. LAS RECOMENDACIONES DE LA COMISIÓN NACIONAL DEL MERCADO DE VALORES PARA LA ELABORACIÓN DE INFORMES DE GESTIÓN EN LAS PYMECS («PEQUEÑAS Y MEDIANAS EMPRESAS COTIZADAS»)

Dentro de los distintos documentos que se han de presentar a la Junta general ordinaria de las sociedades de capital, el informe de gestión se presenta, todavía hoy, como el menos estandarizado. Seguramente la distinta perspectiva acerca de ese documento en los países que recogen su elaboración, de diversa tradición en la justificación de la actividad de la empresa en el mercado hacia intereses puramente económicos o financieros o hacia intereses de otros grupos de personas afectadas por la actividad, justifique esta falta de uniformidad[28]. También juega un papel relevante, en este aspecto, el tratamiento autónomo que su regulación dispense al fenómeno de los grupos de sociedades, con particular significación en el caso alemán[29].

Pero, como en otros ámbitos del Derecho de sociedades, ha sido en las sociedades cotizadas, por su relevancia en el mercado y por los diversos intereses colectivos a los que afecta, el sector donde primero se ha instalado la necesidad de normalizar este documento. Al igual que otrora ocurriera respecto de las recomendaciones sobre buen gobierno, el *soft law*, mediante la introducción de simples recomendaciones, ha sido la vía escogida para tratar de homogeneizar el contenido y los distintos epígrafes e indicadores que han de contener sus informes de gestión. Pero, a diferencia de otros documentos complementarios, como el informe anual de gobierno

---

con la falta de una regulación sistemática en torno a los grupos de sociedades en nuestro Derecho. En tal sentido, el apartado dos artículo 42 del Código de comercio establece que la obligación de formular las cuentas anuales y el informe de gestión consolidados no exime a las sociedades integrantes del grupo de formular sus propias cuentas anuales y el informe de gestión correspondiente, conforme a su régimen específico.

[28]    Destacan SEAH, S./ TARCA, A., «An Investigation of the International Comparability of Management Commentary Reports (August 20, 2013)», *SSRN. 962628*, págs. 1-54, pág. 24, que en los Estados Unidos y en Canadá el informe de gestión da mayor importancia a los aspectos financieros y cuantitativos, mientas que en el Reino Unido se toman en consideración otros aspectos fuera del marco financiero. Sobre estas limitaciones también VILLIERS C. L., «A global framework», *cit.*, págs. 82-83.

[29]    Así puede verse en el DRS 20 sobre el informe del grupo (*Konzernlagebericht*) del *Deutsche Rechnungslegungs Standards Committee*.

corporativo, en el que se mantiene el criterio de «cumplir o explicar», el cumplimiento de las recomendaciones para la confección del informe de gestión, según la estructura fijada por la Guía, faculta que los administradores puedan incluir, a su inicio, una declaración acerca de tal adecuación.

Este movimiento parte en principio de la necesidad de atemperar la discrecionalidad de los administradores y de dar al informe una virtualidad de la que en algunos casos carecía, sobre la base de los principios de relevancia, fidelidad, comparabilidad, verificabilidad, oportunidad y claridad. Entidades supranacionales como la IOSCO y IASB[30], junto con otros países, tanto dentro del ámbito del *Common Law*, como continentales, han utilizado la técnica de la enumeración de principios y de recomendaciones para la elaboración del informe de gestión de las entidades cotizadas[31]. En lo que a nosotros atañe, este movimiento ha dado lugar a la emisión por la Comisión Nacional del Mercado de Valores de la Guía para la elaboración del informe de gestión de las entidades cotizadas de 2013. La Guía adiciona al marco normativo y de referencia y a las recomendaciones para las sociedades cotizadas, específicas recomendaciones para el sector bancario y para las llamadas PYMECS. Si para las entidades de crédito estas recomendaciones pretenden complementar la información y los indicadores en determinados aspectos críticos de su gestión, respecto de las pequeñas y medianas empresas cotizadas se trata, en suma, de una simplificación para que las recomendaciones puedan ser aplicadas sin que ello suponga un esfuerzo y un coste excesivos.

Ya se ha hecho mención a que el sometimiento a cotización excluye la exención del deber de preparar el informe de gestión y, por lo tanto, de su sometimiento a la Junta general para su aprobación y de su publicidad. En este punto, la Guía de la Comisión Nacional, que no excluye a la pequeña empresa, sigue el criterio fijado para el artículo 262 de la Ley de sociedades capital y toma en cuenta «la magnitud y la complejidad» de la entidad para adecuar el contenido del informe al tamaño de la PYMEC. Trata así de resumir o de abreviar el contenido de las recomendaciones, con fin de evitar los costes que implica la correcta elaboración de sus contenidos. Como una suerte de «informe de gestión abreviado», en atención a la compleji-

---

[30]   IASB: «Marco conceptual para la preparación y presentación de los estados financieros» (modificado en 2010), incluido en las Normas Internacionales de Información Financiera NIIF (Londres, 2012).

[31]   Sobre el particular puede verse, más extensamente, el Apéndice D de la Guía para la elaboración del informe de gestión de las entidades cotizadas de la Comisión Nacional del Mercado de Valores de 2013.

dad organizativa de la entidad y de sus operaciones, y en relación con la distinta tipología de riesgos a los que se someta por razón de su actividad, ofrece a estos operadores económicos y a sus administradores un modelo simplificado de informe.

Con todo, su ámbito de aplicación no sigue el criterio de mediana empresa fijado en el apartado tercero del artículo 3 de la Directiva 2013/34/UE (20-40-250). Tampoco al establecido en el artículo 258 de la Ley de sociedades de capital para la presentación de cuentas abreviadas (11,4-22,5-250). Toma, sin embargo, en cuenta el artículo 27 de la Cuarta Directiva del Consejo de 25 de julio de 1978, en su versión actualizada, para establecer su adopción cuando, no siendo una entidad de crédito, la actividad económica no supere durante dos ejercicios consecutivos un importe neto de la cifra de negocios de 35 millones de euros, un total activo de 17,5 millones, y una plantilla media durante el ejercicio de doscientos cincuenta empleados. Se ha de volver aquí nuevamente a la crítica en torno a la necesidad de encontrar una base numérica estable, desde los diferentes ámbitos del ordenamiento, para la identificación de la PYME como una realidad normativa autónoma[32].

De otro lado, las recomendaciones únicamente identifican las rúbricas que han de ser tratadas, en su caso, en el informe de gestión, y ello aun cuando las PYMECS puedan acogerse a este modelo simplificado. Pero la estandarización no excluye que en todo caso los administradores deban, en la elaboración del informe, anteponer los principios de relevancia y

---

[32]  A diferencia del caso español y siguiendo los parámetros de las medianas empresas fijados por la Recomendación de la Comisión de 6 de mayo de 2003 sobre la definición de microempresas, pequeñas y medianas empresas, el informe sobre *La relazione sulla gestione. art. 2428 Codice Civile. La relazione sulla gestione dei bilanci d'esercizio alla luce delle novità introdotte dal DLGS 32/2007* del *Consiglio Nazionale dei Dottori Commercialisti e degli Esperti Contabili*, Roma, 2009, págs. 3-4, reconoce que las empresas con mayor relevancia económica y complejidad empresarial deben proporcionar mayor información al mercado, por lo que diferencia entre unas obligaciones informativas de primer nivel, que impone a todas las sociedades obligadas a la presentación del informe de gestión, y unas obligaciones facultativas, de segundo nivel, para las sociedades de menor dimensión, en relación con los indicadores financieros y la política socio-laboral y medioambiental (p. 15 ss.). Más ampliamente, MENICUCCI, E., *La relazione sulla gestione nel reporting delle imprese. Un percorso di lettura e di indagine ispirato dai Principi IAS/IFRS*, ed. Franco Angeli, Milán, 2012. También sobre la necesaria adaptación del informe a las particulares circunstancias y dimensión de la entidad, el *Practice Statement. Management Commentary, cit.*, pág. 6.

utilidad, de modo que los destinatarios puedan conocer otros aspectos de la gestión que deban constar. También se ha de destacar que la adaptación y simplificación de los nueve puntos de la Guía general no comporta la exclusión de ninguno de estos epígrafes, como acontece en el resto de medianas empresas no cotizadas, en particular, respecto de las cuestiones relativas al medio ambiente o al personal.

## IV. SIMPLIFICACIÓN DEL CONTENIDO DEL INFORME DE GESTIÓN EN CONSIDERACIÓN AL TAMAÑO Y LA COMPLEJIDAD DE LA ENTIDAD Y SU INCIDENCIA EN LAS PYMES

Se ha de tener presente que, en relación con el requisito de relevancia, el artículo 262 de la Ley de sociedades de capital, en la línea de la regulación comunitaria, solo exige la inclusión de «indicadores clave» cuando sean necesarios para la comprensión de la evolución, los resultados o la situación de la sociedad. Tal referencia es extensible tanto a los indicadores financieros como, en los supuestos a los que se ha hecho alusión, a los no financieros, para lo cual habría que acudir a los estándares de responsabilidad social internacionalmente aceptados[33]. Esto a su vez se ha relacionar, cuando proceda, con las referencias y explicaciones complementarias sobre los importes detallados en los estados financieros anuales.

Esta misma consideración sobre la incorporación al informe de «indicadores clave» es extensible al uso de instrumentos financieros, que los administradores habrán de tratar solo cuando resulten de relevancia para la valoración de los activos, pasivos, situación financiera y resultados de la sociedad[34]. Entre los indicadores a considerar, cuando proceda dentro de las políticas de gestión del riesgo financiero y de su cobertura, los administradores habrán de hacer constar los riesgos de precio, de crédito, de liquidez y de flujo de efectivo. Ahora bien, las remisiones a los conceptos abstractos de «necesidad» y «relevancia» requieren algunas concreciones para no dejar a la arbitrariedad de los administradores aquellas menciones

---

[33]   Al respecto pueden verse los factores considerados en la *Global Reporting Inicitative*.
[34]   Asimismo, considera LARA GONZÁLEZ, R., «La sucesiva ampliación», *cit.*, pág. 5, que no constituye una información obligatoria o esencial del informe de gestión, pues solo ha de aparecer cuando sea relevante.

que puedan afectar a los intereses de terceros interesados en el contenido del informe[35].

Desde un perfil diferente, conviene tener presente, asimismo, a los destinatarios del informe de gestión a efectos de su redacción y de la información que ha de proporcionar. En un principio, la imposición a las empresas grandes y medianas bien pudiera parecer que justifica su redacción ante la existencia de los llamados «proveedores de capital», sea propio o ajeno. De otra parte, junto las consideraciones en torno a la responsabilidad social corporativa y a los indicadores no financieros de los que solo las grandes empresas han de dar cuenta, bien pareciera que el informe de gestión, al menos en su contenido más extenso, además de los «proveedores de capital», también haya de servir para atender a las necesidades informativas de inversores potenciales en torno a factores relevantes para sus decisiones de inversión o a las políticas de dividendos; o, incluso, en el marco de la labor realizada por las entidades de calificación crediticia, para evaluar la capacidad de la entidad para satisfacer sus compromisos financieros o de otro tipo.

Sin embargo, no parece que la obligación de formular y presentar el informe de gestión obedezca al carácter cerrado o abierto de la sociedad, en la que también otros aspectos informativos, en confrontación con el régimen de las sociedades cotizadas, han de ser objeto de consideración[36]. En el otro lado de la balanza, aunque se pretendiera una correspondencia entre la pequeña empresa y la sociedad de carácter cerrado que autorizara la exclusión de esta obligación, donde los conflictos se ubican en mayor medida en las relaciones entre los socios, conviene enfocar la cuestión no ya solo desde la labor informadora en favor de los accionistas e inversores reales y potenciales, sino de la idéntica concurrencia de otros intereses afectados[37]. El contenido del informe de gestión ha de servir igualmente

---

[35] Sobre la necesidad de una valoración ponderada y exhaustiva y de evitar, en todo caso, valoraciones arbitrarias, fantasiosas o proféticas, asimismo, MACHADO PLAZAS, J., «Artículo 262.», *cit.*, pág. 1972.

[36] Con todo, el *Marco conceptual para la preparación y presentación de los estados financieros* de la *Financial Accounting Foundation*, págs. 13-4, apunta la necesidad de considerar, entre otros factores, si se trata de una entidad grande o pequeña, si es una entidad cotizada, si utiliza instrumentos financieros, o si se trata de una sociedad cerrada o con un capital disperso entre una multitud de inversores.

[37] Un caso singular se presenta en la regulación francesa, que, en el apartado cuarto del artículo L232-1 de su *Code de commerce,* solo excluye a las sociedades de responsabilidad limitada y a las sociedades por acciones simplificadas en las que el socio

a los acreedores y a otros contratantes —sean proveedores, sean clientes o trabajadores, actuales o potenciales— para tomar un mejor conocimiento, desde la visión dinámica proporcionada por los administradores, acerca de la situación actual y futura de la empresa social[38]. Por otro lado, determinados acreedores, singularmente las entidades de crédito financiadoras, pero también otros analistas de inversión, dada su importancia para el desarrollo de la actividad empresarial, pueden tener otros mecanismos de acceso, incluso por su relación personal con los administradores, a la información que el contenido obligatorio del informe de gestión, en principio, pretende cubrir[39].

## V. CONCLUSIONES: EL INFORME DE GESTIÓN COMO INSTRUMENTO DE TRANSPARENCIA Y DE FAVORECIMIENTO DE LA INTERNACIONALIZACIÓN DE LAS PYMES

Así las cosas, el carácter publicista del informe se ha de poner en conexión con la posición asumida por la entidad en el mercado. Las relaciones que resultan de los mercados de capitales pueden incentivar que los administradores desarrollen programas de información y sistemas de control de riesgos que puedan sustentar el posterior contenido del informe de gestión. Desde el punto de vista economicista de la gestión empresarial se puede decir, entonces, que el informe permitiría reducir los problemas de

---

único, persona física, sea a su vez el director o administrador presidente, siempre que, por imposición de la regulación comunitaria, mantengan la condición de pequeña empresa, tal y como describe LIENHARD, A., «Sociétés unipersonnelles: dispense du rapport de gestion», *Recueil Dalloz*, 2009, pág. 2213.

[38]    Sobre los destinatarios de la información, con carácter general, en la *Practice Statement. Management Commentary*, *cit.*, pág. 8, y sobre los inversores, prestamistas y otros acreedores como «usuarios primarios» (*primary users*) de la información, en el *Marco conceptual*, *cit.*, pág. 9. Acerca de la heterogénea necesidad de información, según la posición de los diferentes destinatarios, LARA GONZÁLEZ, R., «La sucesiva ampliación», *cit.*, pág. 2.

[39]    Fenómeno apuntado por GINESTI, G./ MACCHIONI, R./ SANNINO, G./ DRAGO, C., «Firms' Disclosure Compliance with IASB's Management Commentary Framework: An Empirical Investigation», *Rivista Italiana di Ragioneria ed Economia Aziendale*, 2013, págs. 1-23, pág. 18. Sobre las reuniones con analistas y expertos en determinados supuestos, como forma para lograr una mayor confianza a través de una comunicación directa, también, GONZALO ANGULO, J. A., «¿Estandarizar el informe de gestión?», *cit.*, págs. 34-36.

agencia que se presentan entre los administradores y los inversores[40]. De este modo, la diversificación del capital, junto con las relaciones con las diferentes fuentes de financiación, evidenciarían que los informes de gestión no requieren, dentro de la dinámica propia de estas relaciones y de una competencia y de una transparencia efectiva en el mercado, una imposición normativa[41]. En consecuencia, el recurso a un «derecho blando» para el tratamiento de la figura a través de principios o recomendaciones podría reputarse como acertado[42].

Los administradores de las medianas empresas, sin embargo, parece que carezcan de la anterior motivación, por lo que las recomendaciones, por otra parte dirigidas a las sociedades cotizadas, pueden resultar inefectivas[43]. Para las pequeñas empresas, por el contrario, parece ser que el coste que impone la realización de estos informes en principio excluye la necesidad de su realización, y esto aun cuando quepa distinguir, dentro de este grupo, a las llamadas microempresas[44]. Con todo, determinados aspectos

---

[40]   Con remisiones a la doctrina económica anglosajona, sobre la reducción de los «costes de agencia» y la influencia de los *stakeholders*, GINESTI, G./ MACCHIONI, R./ SANNINO, G./ DRAGO, C., «Firms' Disclosure Compliance», *cit.*, pág. 9.

[41]   Con todo, advierten LAKSMANA, I./ TIETZ, W./ YANG, Y. W., «Compensation discussion and analysis (CD&A): Readability and management obfuscation», *Accounting Public Policy*, núm. 31, 2012, págs. 185-203, pág. 201, que tanto la elevación del escrutinio público como el control regulatorio han propiciado una mejor comprensibilidad de los contenidos de los informes de gestión. Entre nosotros, también ARGÜELLES MONTES, R., «Información más allá de las cuentas anuales», *cit.*, pág. 60.

[42]   A favor de una técnica regulatoria basada en principios, SAITUA IRIBAR, A./ ANDICOECHEA ARONDO, L./ ZUBIAURRE ARTOLA, M. A., «El informe de gestión ¿una agenda activa en el IASB?», *Revista de la Asociación Española de Contabilidad y Administración de Empresas*, núm. 77, 2006, págs. 16-20, pág. 20. Sobre la asunción voluntaria de otros contenidos, más allá de los legales, GONZALO ANGULO, J. A./ GARVEY, A. M., «El informe de gestión», *cit.*, pág. 27.

[43]   GINESTI, G./ MACCHIONI, R./ SANNINO, G./ DRAGO, C., «Firms' Disclosure Compliance», *cit.*, pág. 11, consideran la dimensión de la empresa y la diversificación del capital como los dos factores relevantes que incentivan la redacción de estos informes de gestión por parte de los administradores sociales.

[44]   El artículo 3 de la Directiva Contable 2013/34/UE coloca los umbrales, a estos efectos, en un total del balance de 350.000 euros, un volumen de negocios neto de 700.000 euros, y un número medio de empleados durante el ejercicio de diez. Sin embargo, el artículo 4 del Real Decreto 1515/2007, de 16 de noviembre, por el que se aprueba el Plan General de Contabilidad de Pequeñas y Medianas Empresas y los criterios contables específicos para microempresas, fija el total de las partidas del activo en el millón de euros, el importe neto de la cifra anual de ne-

pueden favorecer su acogida. La internacionalización de la actividad de las pequeñas y medianas empresas nacionales, así como la aparición de modelos abreviados o simplificados de informes de gestión pueden patrocinar su adopción dentro de los estándares que sean generalmente aceptados. A este fin, el modelo dispensado por la Guía de la CNMV para la PYMEC puede resultar especialmente útil[45].

Desde el perfil normativo, el informe de gestión puede ser además un mecanismo tuitivo de los derechos de los socios, dentro de las competencias asignadas a la Junta general ordinaria para la aprobación de la gestión social, a la luz de la información documental que el informe pueda dispensar[46]. Pero esta situación, que se puede dar tanto en las sociedades grandes como en las medianas, como expresión de las medidas normativas que promueven el activismo de los socios, también puede tener lugar en las empresas pequeñas, en particular cuando existan socios de minoría[47]. Quizás esto vede, en cierta forma, su adopción voluntaria por los administradores de las pequeñas empresas, debido a la responsabilidad que sus contenidos pueden comportar frente a otros documentos de carácter informal. Y ello aun cuando pueda favorecer la imagen de la sociedad en el mercado, pues permite que los administradores, con una vocación de transparencia, muestren no solo los problemas y riesgos que aborda la sociedad, sino también las oportunidades que se le presentan y las políticas empresariales que rigen su «modelo de negocio».

En este contexto, ante las exigencias de cada vez mayor información y transparencia en la gestión de las sociedades y de la mejora de su crédito frente a terceros, no parece que, fuera del restringido ámbito de las microempresas, el coste sea razón suficiente para tal exclusión. De una par-

---

gocios en los dos millones y el número medio de trabajadores empleados durante el ejercicio, igualmente, en diez.

[45]  Asimismo, sobre su extensión a las sociedades no cotizadas, LARA GONZÁLEZ, R., «La sucesiva ampliación», *cit.*, pág. 7.

[46]  Incluso sobre la posibilidad de que los socios puedan demandar al ampliación de las informaciones contenidas en el informe, en particular cuando sean vagas e imprecisas, LARA GONZÁLEZ, R., «La sucesiva ampliación», *cit.*, pág. 7.

[47]  GINESTI, G./ MACCHIONI, R./ SANNINO, G./ DRAGO, C., «Firms' Disclosure Compliance», *cit.*, pág. 18, también atienden, de un lado, a la internacionalización de las empresas y, de otro, a la protección que la regulación ofrece a los socios minoritarios, en particular tras algunos escándalos corporativos como el de Parmalat, como factores que inciden en la creciente ampliación del contenido del informe de gestión.

te, la existencia de modelos abreviados estandarizados facilita la labor de los administradores. De otra, en consideración a su dimensión y actividad, determinados aspectos pueden quedar fuera de su contenido: unos por tratarse de materias limitadas a las grandes empresas, como las relativas a la responsabilidad social corporativa; otros por mantener un carácter facultativo, como los específicos indicadores financieros; y otros por solo requerir su constancia cuando sean utilizados y tengan cierta relevancia, como en el caso del uso de instrumentos financieros. Por todo ello convendría reflexionar sobre la conveniencia de la extensión de esta versión reducida del informe a las pequeñas sociedades, con excepción de las que tengan la condición de microempresas.

## Bibliografía

ALONSO PÉREZ, A./ POUSA SOTO, R., «Informe gestión caso empresas elaboran cuentas abreviadas (BOICAC 96, diciembre 2013. Consulta 7)», *Revista Contable*, núm. 21, Sección Espacio ICAC, abril 2014, versión digital, págs. 1-5.

ARGÜELLES MONTES, R., «Información más allá de las cuentas anuales: del informe de gestión al *Management Commentary*», *Partida Doble*, núm. 184, 2007, págs. 46-61.

AUSTRALIAN SECURITIES AND INVESTMENTS COMMISSION, *Regulatory Guide 247: Effective disclosure in an operating and financial review*, marzo 2013.

COMISIÓN NACIONAL DEL MERCADO DE VALORES, *Guía para la elaboración del informe de gestión de las entidades cotizadas*, Madrid, 2013.

CONSIGLIO NAZIONALE DEI DOTTORI COMMERCIALISTI E DEGLI ESPERTI CONTABILI, *La relazione sulla gestione. art. 2428 Codice Civile. La relazione sulla gestione dei bilanci d'esercizio alla luce delle novità introdotte dal DLGS 32/2007*, Roma, 2009.

EMBID IRUJO, J. M., «Concepto, delimitación y tipología de las PYMES», *La compraventa y otras formas de transmisión de pequeñas y medianas empresas*, (coord. L. Hernando Cebriá), ed. Bosch, Barcelona, 2014, págs. 29-70.

FELDMAN, R./ GOVINDARAJ, S./ LIVNAT, J./ SEGAL, B., «The Incremental Information Content of Tone Change in Management Discussion and Analysis», *SSRN.1126962*, 2008, págs. 1-51.

FINANCIAL ACCOUNTING FOUNDATION, «Conceptual Framework for Financial Reporting», *Statement of Financial Accounting Concepts No. 8*, 2010.

GINESTI, G./ MACCHIONI, R./ SANNINO, G./ DRAGO, C., «Firms' Disclosure Compliance with IASB's Management Commentary Framework: An Empirical Investigation», *Rivista Italiana di Ragioneria ed Economia Aziendale*, julio-agosto-septiembre 2013, págs. 1-23.

GONZALO ANGULO, J. A., «¿Estandarizar el informe de gestión?», *AECA. Revista de la Asociación Española de Contabilidad y Administración de Empresas*, (Ejemplar dedicado a: XV Encuentro AECA: Nuevos Caminos para Europa: El papel de las empresas y los gobiernos), núm. 99, 2012, págs. 34-36.

GONZALO ANGULO, J. A./ GARVEY, A. M., «El informe de gestión: validez y perspectivas», *Revista de Contabilidad y Dirección*, vol. 20, 2015, págs. 21-63.

IFRS FOUNDATION, *Practice Statement. Management Commentary. A framework for presentation*, ed. IFRS Foundation Publications Department, Londres, 2010.

INTERNATIONAL ORGANIZATION OF SECURITIES COMMISSIONS, *General Principles Regarding Disclosure of Management's Discussion and Analysis of Financial Condition and Results of Operations*, Report of the Technical Committee, febrero 2003.

JORET, B., «Nouvelles informations environnementales exigées pour le rapport de gestion des sociétés anonymes», *Dalloz actualité*, 22 septiembre 2016, núm. 1138.

LAKSMANA, I./ TIETZ, W./ YANG, Y. W., «Compensation discussion and analysis (CD&A): Readability and management obfuscation», *Accounting Public Policy*, núm. 31, 2012, págs. 185-203.

LARA GONZÁLEZ, R., *El informe de gestión de los administradores*, ed. Aranzadi, Navarra, 1999.

— «Verificación de cuentas anuales y elaboración del informe de gestión: nueva doctrina de la DGRN», *Aranzadi civil-mercantil. Revista doctrinal*, vol. 2, núm. 1, 2014, págs. 69-76.

— «La sucesiva ampliación del contenido del informe de gestión y el pertinaz formalismo del documento contable», núm. 29, octubre 2016, *La Ley mercantil*, págs. 1-8.

LIENHARD, A., «Sociétés unipersonnelles: dispense du rapport de gestión», *Recueil Dalloz*, 2009, pág. 2213.

MACHADO PLAZAS, J., «Artículo 262. Contenido del informe de gestión», *Comentario de la Ley de Sociedades de Capital* (dirs. A. Rojo/ E. Beltrán), t. II, ed. Civitas Thomson Reuters, Cizur Menor, 2011, págs. 1969-1973.

MENICUCCI, E., *La relazione sulla gestione nel reporting delle imprese. Un percorso di lettura e di indagine ispirato dai Principi IAS/IFRS*, ed. Franco Angeli, Milán, 2012.

SAITUA IRIBAR, A./ ANDICOECHEA ARONDO, L./ ZUBIAURRE ARTOLA, M. A., «El informe de gestión ¿una agenda activa en el IASB?», *Revista de la Asociación Española de Contabilidad y Administración de Empresas*, núm. 77, 2006, págs. 16-20.

SEAH, S./ TARCA, A., «An Investigation of the International Comparability of Management Commentary Reports (August 20, 2013)», *SSRN. 962628*, págs. 1-54.

VILLIERS C. L., «A global framework for management commentary disclosure?», *Northern Ireland Legal Quarterly*, núm. 60, 2009, págs. 63-84.

# 50. Administradores sociales, deber de diligencia y programas de cumplimiento penal (una perspectiva mercantil del cumplimiento normativo)

**LUIS CAZORLA GONZÁLEZ-SERRANO**

*Prof. Contratado Doctor de Derecho Mercantil de la URJC*

**Sumario:** I. PLANTEAMIENTO. II. BREVE REFERENCIA A LA REFORMA DEL CÓDIGO PENAL EN MATERIA DE RESPONSABILIDAD PENAL DE LAS PERSONAS JURÍDICAS. III. ADMINISTRADORES SOCIALES Y REFORMA DE LA LEY DE SOCIEDADES DE CAPITAL. IV. EL PAPEL DE LOS ADMINISTRADORES SOCIALES EN EL MARCO DE LOS PROGRAMAS DE *COMPLIANCE PENAL*. V. A MODO DE CONSIDERACIONES CONCLUSIVAS. Bibliografía.

## I. PLANTEAMIENTO

Una de las grandes reformas acontecidas en nuestro Derecho en los últimos años, por su alcance, contenido y trascendencia teórica y práctica, es la relativa a la atribución de responsabilidad penal a las personas jurídicas. Así, las reformas del Código Penal efectuadas por las Leyes Orgánicas 5/2010, de 22 de junio (Ley 5/2010) y 1/2015, de 30 de marzo (Ley 1/2015) incorporan a aquél una de las grandes novedades en nuestro Derecho en los últimos años, en concreto, la responsabilidad penal de las personas jurídicas y la posibilidad de exonerar o atenuar la potencial pena impuesta a aquéllas, como consecuencia de la implementación de programas de cumplimiento penal o de *compliance penal*[1].

Desde una perspectiva estrictamente penal, la reforma del Código Penal introdujo de forma novedosa en nuestro ordenamiento jurídico de corte napoleónico la figura de la responsabilidad penal de las personas jurídicas

---

[1] Referidos por el propio artículo 31 bis del CP como *«modelos de organización y gestión que incluyen las medidas de vigilancia y control idóneas para prevenir delitos de la misma naturaleza o para reducir de forma significativa el riesgo de su comisión»*.

(característica de la tradición anglosajona), de modo que determinados tipos penales podían ser directamente cometidos por personas jurídicas, que por ello podían ser condenadas y sancionadas penalmente, derogando, por ende, la vigencia general en nuestro Derecho del principio *societas delinquere non potest*.

Dicha reforma del Código Penal, incorpora también como novedad, una causa eximente o, en su caso, atenuante de la responsabilidad penal de la persona jurídica, los sistemas de prevención de delitos o mecanismos de *compliance penal*, cuya articulación en el seno de la estructura de la persona jurídica y su efectiva aplicación podían servir para acreditar unos estándares de diligencia que permitiesen al juez, en su caso, exonerar o atemperar la responsabilidad penal de aquélla.

La citada reforma ha dado lugar a multitud de análisis y estudios desde un punto de vista estrictamente penal y de análisis de riesgos, obviando en muchas ocasiones el necesario enfoque interdisciplinar, y muy en particular, el mercantil que la materia requiere, especialmente, cuando de la diligencia en la organización de la propia estructura de la persona jurídica societaria (mercantil), se trata. Así las cosas, en un marco general de concreción y reducción del deber de diligencia del administrador social al respecto y cumplimiento de los procesos de toma de decisiones internamente establecidos, incluidos los relativos a la gestión de riesgos, los planes de cumplimiento penal del artículo 31bis del CP, gozan de una importancia que desborda la estrictamente penal, referida esta última, en el caso de los administradores sociales, al papel que hayan de desempeñar en relación con la supervisión del sistema y su potencial infracción; polémica que el artículo 31 bis resultante de la Ley 1/2015 resuelve en el sentido de admitir dicha posibilidad.

Esa importancia reside en la vinculación de los programas de cumplimiento penal con el deber de diligencia del ordenado empresario propio del administrador social, cuya infracción, por no adoptarse aquéllos por ejemplo, podría dar lugar, en el caso de concurrir los elementos objetivos, subjetivos y procesales recogidos en los artículos 236 y ss. de la LSC, a una acción social o individual de responsabilidad frente a los administradores sociales.

No es objeto del presente trabajo un estudio jurídico-penal del artículo 31 bis del Código Penal, pero es preciso partir siquiera sucintamente del fundamento de la atribución de responsabilidad penal a las personas jurídicas, que de forma mayoritaria ha sido considerado como la autorresponsabilidad[2]. Se atribuye responsabilidad penal a la organización como consecuencia de sus propios defectos organizativos internos en al control, supervisión y prevención de comportamientos que pueden concluir en responsabilidad penal, por parte de aquéllos sujetos que actúan en su nombre y de cuya actuación pueden obtener un beneficio.

En esa labor de organización interna que permita prevenir, identificar y reparar las potenciales consecuencias de la actividad de riesgo penal, ha de ser impulsada y liderada por los administradores sociales en el caso de sociedades mercantiles, todo ello en el marco de los programas y procesos de cumplimiento penal, que no son sino concreciones del deber de diligencia de administradores sociales, manifestado en el adecuado control y supervisión de la organización societaria en su conjunto, en la búsqueda de procesos, cuyo cumplimiento suponga un «puerto seguro» para aquéllos.

Se plantea, de este modo, el papel de los administradores sociales de una mercantil capitalista en el impulso, aprobación, ejecución y supervisión de los programas internos de cumplimiento, tanto desde la perspectiva del adecuado cumplimiento de sus deberes como administradores sociales, en particular, el deber de diligencia tras la reforma de la Ley de Sociedades de Capital por la Ley 31/2014, de 3 de diciembre, de reforma de la Ley de Sociedades de Capital para la mejora del Gobierno Corporativo (Ley 31/2014) y junto a ello, la posibilidad de que los propios administradores sociales sean los sujetos que atribuyan responsabilidad penal a la mercantil por sus actuaciones, y que puedan, en su caso, beneficiarse de la exención derivada de la existencia de un programa de cumplimiento penal en los términos derivados del artículo 31 bis del CP. En estas dos cuestiones nos detendremos de forma particular.

---

[2]    La Sentencia del Tribunal Supremo de 29 de febrero de 2016 *(Tol 5651211)*, subraya al respecto, lo siguiente: *«El sistema de responsabilidad penal de la persona jurídica se basa, sobre la previa constatación de la comisión del delito por parte de la persona integrante de la organización como presupuesto inicial de la referida responsabilidad, en la exigencia del establecimiento y correcta aplicación de medidas de control eficaces que prevengan e intenten evitar, en lo posible, la comisión de infracciones delictivas por quienes integran la organización.»*

## II. BREVE REFERENCIA A LA REFORMA DEL CÓDIGO PENAL EN MATERIA DE RESPONSABILIDAD PENAL DE LAS PERSONAS JURÍDICAS

Como hemos avanzado, la reforma del Código Penal llevada a cabo por la Ley Orgánica 5/2010, introdujo de forma novedosa en nuestro ordenamiento jurídica la responsabilidad penal de las personas jurídicas (artículo 31 bis del Código Penal).

En este sentido, las personas jurídicas serán penalmente responsables de los delitos cometidos:

- En nombre o por cuenta de las mismas, y en su beneficio directo o indirecto, por sus representantes legales o por aquellos que actuando individualmente o como integrantes de un órgano de la persona jurídica, están autorizados para tomar decisiones en nombre de la persona jurídica u ostentan facultades de organización y control dentro de la misma.

- En el ejercicio de actividades sociales y por cuenta y en beneficio directo o indirecto de las mismas, por quienes, estando sometidos a la autoridad de las personas físicas mencionadas en el párrafo anterior, han podido realizar los hechos por haberse incumplido gravemente por aquéllos los deberes de supervisión, vigilancia y control de su actividad atendidas las concretas circunstancias del caso.

Por su parte, la Ley Orgánica 1/2015, incorporó, entre otras, las siguientes novedades en materia de responsabilidad penal de las personas jurídicas: (i) el reconocimiento expreso de la posibilidad de que los programas de *compliance penal* tengan virtualidad como causa de exención de la responsabilidad penal de la persona jurídica, (ii) la exigencia de crear un órgano de supervisión (Comité de Compliance o Compliance *Officer*), y *(iii) la enumeración por la propia norma de los requisitos y caracte*rísticas que deben reunir dichos programas de *compliance penal* para permitir a la persona jurídica exonerarse de responsabilidad penal.

Entre dichos requisitos, se subrayan los siguientes:

- Identificarán las actividades en cuyo ámbito puedan ser cometidos los delitos que deben ser prevenidos.

- Establecerán los protocolos o procedimientos que concreten el proceso de formación de la voluntad de la persona jurídica, de adopción de decisiones y de ejecución de las mismas con relación a aquéllos.

- Dispondrán de modelos de gestión de los recursos financieros adecuados para impedir la comisión de los delitos que deben ser prevenidos.

- Impondrán la obligación de informar de posibles riesgos e incumplimientos al organismo encargado de vigilar el funcionamiento y observancia del modelo de prevención.

- Establecerán un sistema disciplinario que sancione adecuadamente el incumplimiento de las medidas que establezca el modelo.

- Realizarán una verificación periódica del modelo y de su eventual modificación cuando se pongan de manifiesto infracciones relevantes de sus disposiciones, o cuando se produzcan cambios en la organización, en la estructura de control o en la actividad desarrollada que los hagan necesarios.

El modelo delimitado por el articulo 31 bis del CP ha sido ya interpretado y analizado tanto por la Fiscalía General del Estado, a través de la Circular 1/2016, como por la Sala de lo Penal del Tribunal Supremo en recientes Sentencias, en concreto, la de 29 de febrero de 2016 *(Tol 5651211)*, y la de 16 de marzo de 2016 *(Tol 5665961)*[3].

## III. ADMINISTRADORES SOCIALES Y REFORMA DE LA LEY DE SOCIEDADES DE CAPITAL

La reforma operada por la Ley 31/2014 en la LSC, en el ámbito del órgano de administración y, en particular, en el estatuto de los administradores sociales, introduce importantes novedades[4], que afectan al alcance y

---

[3]   Las referidas Sentencias que han contado con votos particulares analizan en profundidad el sistema delimitado por el artículo 31 bis del CP, destacando, entre otras afirmaciones, las siguientes: *«La Sala rechaza que pueda interpretarse que una vez acreditado la comisión de un delito por una persona física de las del art. 31 bis, exista una presunción iuris tantum de que concurre responsabilidad corporativa. En la medida en la que el defecto estructural en los modelos de gestión, vigilancia y supervisión orientados a la prevención en la comisión de delitos constituyen el fundamento de la responsabilidad por delito corporativo, la vigencia del principio de presunción de inocencia impone al Fiscal la obligación de acreditar la concurrencia de un incumplimiento grave de los deberes de supervisión.»*

[4]   Un análisis detenido de los diferentes aspectos de la reforma puede encontrarse, por ejemplo, en *Junta General y Consejo de Administración en la Sociedad Cotizada*, tomos I y II, RODRÍGUEZ ARTIGAS, FERNÁNDEZ DE LA GÁNDARA, QUIJANO

contenido de sus deberes como tales. De esta forma, tras la reforma, y de manera muy sucinta, la tradicional distinción entre deber de diligencia, deber de lealtad y deber de secreto, se sustituye por el doble deber de diligencia y de lealtad con el interés social, de forma que el deber de secreto se configura como una consecuencia del deber de lealtad[5]. Adicionalmente, se refuerza la posición central del deber de lealtad con el interés social en el estatuto del administrador social, al limitarse los rigores del deber de diligencia y, en consecuencia, su potencial infracción, mediante el reconocimiento expreso de la *business judgement rule* o la protección de la discrecionalidad empresarial (artículo 226 de la LSC), a modo de *safe harbour* o puerto seguro.

El deber de diligencia, elemento central y esencial en el estatuto del administrador social en nuestra tradición societaria, parece perder protagonismo por la admisión del la regla de la discrecionalidad empresarial, ámbito en el que el de deber de diligencia se entenderá satisfecho con el cumplimiento de una serie de elementos objetivos, más allá de del acierto o error de la decisión tomada y, en consecuencia, los beneficios y pérdidas obtenidas.

No nos detendremos en el análisis detenido de la reforma por exceder de los limitados propósitos del trabajo, y simplemente advertiremos alguno de los aspectos esenciales de la regla de la discrecionalidad empresarial, en la medida en la que, a nuestro juicio, puede relacionarse con el fundamento y finalidad perseguidas por la reforma del artículo 31 bis del CP en la previsión de los programas internos de cumplimiento penal.

En este sentido conviene recodar que el artículo 226.1 de la LSC, establece que «*En el ámbito de las decisiones estratégicas y de negocio, sujetas a la discrecionalidad empresarial, el estándar de diligencia de un ordenado empresario se entenderá cumplido cuando el administrador haya actuado de buena fe, sin interés*

---

GONZÁLEZ, ALONSO UREBA, VELASCO SAN PEDRO y ESTEBAN VELASCO (Dirs.), RdS, Thomson Reuters Aranzadi, 2016, en *Comentario de la reforma del régimen de las sociedades de capital en materia de gobierno corporativo (Ley 31/2014),* JUSTE MENCÍA (Coord.), Thomson Reuters Aranzadi, 2015, y en *Reforma de las sociedades de capital y mejora del gobierno corporativo,* VÁZQUEZ ALBERT y CALAVIA MOLINERO (Dirs.), Revista Jurídica de Cataluña, Thomson Reuters Aranzadi, 2015.

5    Se configura como una de las obligaciones básicas derivadas del deber de lealtad en el artículo 228 b) De la LSC.

*personal en el asunto objeto de decisión, con información suficiente y con arreglo a un procedimiento de decisión adecuado.»*[6]

De este modo, todas las decisiones que puedan ser consideradas como estratégicas o de negocio, se encuentran sujetas a la discrecionalidad y el estándar de diligencia del ordenado empresario a la que el artículo 225 de la LSC se refiere se entenderá debidamente satisfecho en aquéllos casos en los que el administrador cumpla con cuatro requisitos, a saber, (i) actuar de buena fe, (ii) sin infringir la lealtad con el interés social, (iii) con información suficiente, y finalmente, (iv) con arreglo a un procedimiento de toma de decisión adecuado.

Así las cosas, en el ámbito de las decisiones discrecionales y de negocio, siempre que no se vulnere el deber de lealtad, el deber de diligencia de los administradores sociales quedará salvaguardado siempre que se adopte la decisión con adecuada información y con arreglo a procesos internos de tomas de decisión, esto es, programas, procesos y protocolos. Es en este punto, como expondremos en epígrafes posteriores, dónde se puede encontrar una conexión entre el artículo 31 bis del CP y el fundamento de la reforma del CP en esta materia, y la evolución del deber de diligencia de los administradores sociales, hacia un escenario de objetivación de su cumplimiento mediante procesos, programas y protocolos que garanticen que la decisión estratégica adoptada satisfaga el deber de diligencia.

## IV. EL PAPEL DE LOS ADMINISTRADORES SOCIALES EN EL MARCO DE LOS PROGRAMAS DE *COMPLIANCE PENAL*

De lo expuesto hasta este punto, puede deducirse con facilidad que el papel de administradores sociales en el ámbito de los programas de cumplimiento penal es doble, o puede ser analizado desde una doble perspectiva. En primer término, atendiendo a la posibilidad que sus actuaciones puedan atribuir responsabilidad penal a la sociedad mercantil y que, en consecuencia, la existencia de un programa de cumplimiento penal pueda suponer una exención o eximente en este caso, cuestión que es admitida en ambos casos por el artículo 31 bis del CP y en la que no nos detendre-

---

[6]     Un análisis detallado del contenido y alcance de la *business judgement rule* puede consultarse en ALFARO ÁGUILA-REAL, J., «Artículo 226. Protección de la discrecionalidad empresarial», Comentario a la reforma…, *op. cit.*, págs. 325 y ss.

mos[7]. En segundo lugar, los administradores sociales, como máximo órgano de gestión y representación de la compañía, son los encargados de impulsar, aprobar, y supervisar el funcionamiento del plan de cumplimiento penal, colocándose, además, en la cúspide del sistema de prevención penal interno, aun cuando existiendo órgano específico de cumplimiento penal por aplicación del artículo 31 bis éste actúe con independencia funcional y presupuestaria en su caso.

En este segundo escenario, la no adopción e implantación de un programa de cumplimiento penal, desde un punto de vista estrictamente penal, solo supone la pérdida de la posibilidad de acceder a una eximente o atenuante de la responsabilidad penal de la persona jurídica, al no haber recogido en la reforma el delito previsto en el anteproyecto consistente en la no adopción y no implementación de estos programas. Sin embargo, desde una perspectiva estrictamente mercantil, la no aprobación e implementación de estas medidas podría, en su caso, llegar a comprometer el deber de diligencia de los administradores sociales afectados.

Así, la aprobación e implementación por los administradores sociales de los planes de cumplimiento penal podría integrarse en el adecuado cumplimiento del deber de diligencia del ordenado empresario que el administrador social debe satisfacer, y cuya infracción, en su caso, podría dar lugar a acciones de responsabilidad social o individual frente a administradores sociales[8].

Pues bien, en aquéllos supuestos en los que la falta de aprobación de dichos planes, genere algún tipo de daño acreditable y evaluable económicamente (pérdida de contratos, daños reputaciones, multas, pérdida de negocio, etc), podría cuestionarse el adecuado cumplimiento del deber de diligencia del ordenado empresario (artículo 225 LSC), y en consecuencia plantearse el ejercicio de acción social o individual de responsabilidad frente a administradores sociales.

En este sentido, y sin perjuicio de lo anterior, parece posible relacionar el artículo 31 bis del CP con la protección de la discrecionalidad empresarial o *business judgement* rule a la que el artículo 226 de la LSC hace referencia, como garantía del adecuado cumplimiento del deber de diligencia

---

[7]      Así lo prevé el artículo 31.1 a), en relación con el 31.2 del CP.

[8]      Véase en el mismo sentido la opinión de NIETO MARTÍN, A., y PÉREZ FERNÁNDEZ, P., en (http://almacendederecho.org/accion-social-de-responsabilidad-y-cumplimiento-normativo/)

del ordenado empresario. En dicho precepto en el marco de las decisiones estratégicas o de negocio, se protege la actuación de los administradores sociales cuando actúan de buena fe, informados, sin interés particular, y con sujeción a un procedimiento de toma de decisiones. Este proceso o procedimiento de toma de decisiones puede ser el vínculo entre la necesaria adopción e implementación del programa de cumplimiento penal como eximente o atenuante de la responsabilidad penal de la persona jurídica, y el deber de diligencia del administrador social en el plano normativo, más allá, de su lógica conexión teórica. De este modo, los planes de cumplimiento penal, que entre otros elementos integran procesos generales y concretos para la toma de decisiones y la evaluación de los riesgos penales que implican las mismas, pueden constituir los procesos de toma de decisión a los que el artículo 226 de la LSC se refiere, como elementos a los que el administrador social debe adecuar su actuación, con el fin de verse a salvo frente a cualquier reclamación de responsabilidad por incumplimiento de su deber de diligencia por resultar de aplicación en tal caso la regla de la discrecionalidad empresarial.

Así las cosas, en un marco general de concreción y objetivación del contenido y alcance del deber de diligencia del administrador social, cuya satisfacción en el ámbito de las decisiones estratégicas se concreta en el respeto y cumplimiento de los procesos de toma de decisiones internamente establecidos, incluidos los relativos a la gestión de riesgos, los planes de cumplimiento penal del artículo 31 bis del CP, gozan de una importancia que desborda la estrictamente penal.

Esa importancia reside en la vinculación de los programas de cumplimiento penal con el adecuado cumplimiento y respeto del deber de diligencia del ordenado empresario propio del administrador social, cuya infracción[9] podría dar lugar, en el caso de concurrir los elementos objetivos, subjetivos y procesales recogidos en los artículos 236 y ss. de la LSC, a una acción social o individual de responsabilidad frente a los administradores sociales.

---

[9]  La infracción del deber de diligencia podría provenir de no adoptarse aquéllos por ejemplo, (i) cuando la diligencia media del sector lo exija, o (ii) por impedir dicha falta de adopción el juego de la regla de la discrecionalidad empresarial al no existir procesos de toma de decisión desde la perspectiva penal.

## V. A MODO DE CONSIDERACIONES CONCLUSIVAS

La reforma del CP en materia del responsabilidad penal de las personas jurídicas y los correspondientes planes de cumplimiento penal, cuando de personas jurídicas societarias se trata, exige su tratamiento y estudio desde una necesaria perspectiva mercantil. Dicho enfoque se concreta no sólo en el estudio de los sistemas de organización interna de la corporación que se concretan en programas de cumplimiento, sino en el papel que los administradores sociales, en la cúspide de la organización corporativa han de desempeñar.

En este marco general, y más allá de otras cuestiones referidas en el trabajo, conviene subrayar la vinculación de la reciente reforma de los deberes de los administradores sociales por la ley 31/2014 y la nueva configuración del deber de diligencia y la *business judgement rule*, con la implementación de planes de cumplimiento penal, cuya omisión, podría plantearse, en su caso y dependiendo del concreto sector, como una infracción del deber de diligencia que amparase el ejercicio de acciones de responsabilidad social o individual frente a administradores (i) teniendo en cuenta el estándar de diligencia medio del sector, o (ii) por imposibilidad de aplicar la *business judgement rule* o la regla de la discrecionalidad empresarial al no existir procesos de toma de decisión adecuados desde la perspectiva, cuando de decisiones estratégicas o de negocio se trate.

### Bibliografía

ALFARO ÁGUILA-REAL, J., «Artículo 226. Protección de la discrecionalidad empresarial», *Comentario de la reforma del régimen de las sociedades de capital en materia de gobierno corporativo (Ley 31/2014)*, JUSTE MENCÍA (Coord.), Thomson Reuters Aranzadi, 2015, págs. 325 y ss.

AA.VV., *Junta General y Consejo de Administración en la Sociedad Cotizada*, tomos I y II, RODRÍGUEZ ARTIGAS, FERNÁNDEZ DE LA GÁNDARA, QUIJANO GONZÁLAEZ, ALONSO UREBA, VELASCO SAN PEDRO y ESTEBAN VELASCO (Dirs.), RdS, Thomson Reuters Aranzadi, 2016.

AA.VV., *Comentario de la reforma del régimen de las sociedades de capital en materia de gobierno corporativo (Ley 31/2014)*, JUSTE MENCÍA (Coord.), Thomson Reuters Aranzadi, 2015.

AA.VV., *Reforma de las sociedades de capital y mejora del gobierno corporativo*, VÁZQUEZ ALBERT y CALAVIA MOLINERO (Dirs.), Revista Jurídica de Cataluña, Thomson Reuters Aranzadi, 2015.

NIETO MARTÍN, A., y PÉREZ FERNÁNDEZ, P., en (http://almacendederecho.org/accion-social-de-responsabilidad-y-cumplimiento-normativo/

# 51. El deber de diligencia y responsabilidad de los administradores de las sociedades no cotizadas a la luz del artículo 31 bis del Código Penal o la obligación de implementar programas de compliance penal

**DOLORES FUENSANTA MARTÍNEZ MARTÍNEZ**
*Prof. Asociada Derecho Mercantil*
*Ex-Abogado Fiscal sustituta TSJRM*
*Universidad de Murcia*

**JOSÉ RAMÓN SÁEZ NICOLÁS**
*Abogado-Economista*
*Consultor GRC en Complianza SL*

## I. INTRODUCCIÓN

La reforma del Código Penal por LO 1/2015, de 30 de marzo pretende, en términos de su propio Preámbulo (III), «*una mejora técnica en la regulación de la responsabilidad penal de las personas jurídicas (…) con la finalidad de delimitar adecuadamente el contenido del debido control, cuyo quebrantamiento permite fundamentar su responsabilidad penal. Con ello se pone fin a las dudas interpretativas que había planteado la anterior regulación, que desde algunos sectores había sido interpretada como un régimen de responsabilidad vicarial (…)*». La reforma incide en el modelo de responsabilidad penal autónoma de la persona jurídica con criterios de imputación propios que fundamentan su responsabilidad en «la culpabilidad por defecto de organización»[1] o «hecho delictivo de tipo estructural»[2], reforzada por las particulares reglas de aplicación de sus propias penas (art. 33.7 CP) y circunstancias modificativas de la responsabilidad (art. 31 quater y 66 bis CP) además del novedoso y específico régimen de exención de responsabilidad penal de las personas jurídicas previsto en los apartados 2, 3, 4 y 5 del artículo 31bis CP condicionado a que el órgano de administración haya adoptado y ejecutado «con eficacia» un modelo de organización y gestión adecuado para prevenir delitos (conocidos como programas de cumplimiento penal o «*compliance penal*»). La FGE sostiene que el objeto de los modelos de organización y gestión no es evitar la sanción penal sino promover una «cultura ética corporativa», una cultura de cumplimiento que se revela verdaderamente eficaz cuando éstos influyen en la toma de decisiones de los dirigentes y empleados. La responsabilidad penal de las personas jurídicas se vincula así al modelo de empresa como «buen ciudadano corporativo» y su responsabilidad con lo público o colectivo que exige un *management* de mayor contenido ético[3] en relación a sus costes externos. En este sentido podemos considerar que la tradicional «responsabilidad social corporativa ha dejado de ser puro marketing»[4] y el Derecho penal coadyuva a que los elementos estructurales y organizativos de las empresas se conviertan en garantes de los in-

---

[1]    La Circular de la Fiscalía General Estado 1/2016, de 22 de enero, sobre la responsabilidad de las personas jurídicas conforme a la reforma del Código Penal efectuada por Ley Orgánica 1/2015, sostiene que pese a los cambios estructurales y sustantivos de la reforma, el modelo de atribución de responsabilidad penal a la persona jurídica no ha cambiado, reconociendo en los dos supuestos del art. 31.1 bis CP redactado «...*las personas jurídicas serán penalmente responsables: a) de los delitos cometidos...; b) de los delitos cometidos...*» un mecanismo de atribución de responsabilidad por transferencia o vicarial, siempre que se evidencien los criterios de transferencia de la responsabilidad penal (hecho de conexión) de la actuación delictiva de las concretas personas físicas (representantes legales o personas sometidas a la autoridad de éstas) a la persona jurídica. No obstante aprecia atenuantes a este modelo de heterorresponsailidad empresarial toda vez que la no identificación del autor del delito o la imposibilidad de dirigir el procedimiento contra él no excluye la responsabilidad de la persona jurídica (art. 31 ter CP) o el valor de eximente reconocido a los programas de organización y gestión adecuados para prevenir los delitos. págs. 5-10.

[2]    FEIJOO SÁNCHEZ, B. *El delito corporativo en el Código Penal Español. Cumplimiento normativo y fundamento de la responsabilidad penal de las empresas,* Cizur Menor, 2015, pág. 14.

[3]    *Ob. cit.* FEIJOO SÁNCHEZ, B., El delito..., pág. 23.

[4]    NIETO MARTÍN, A. *La responsabilidad penal de las personas jurídicas: un modelo legislativo.* Madrid. 2008. pág. 218.

tereses públicos como lo es el cumplimiento normativo y la adecuación al Derecho.

Paralela a la reforma penal, la Ley 31/2014, de 3 de diciembre por la que se modifica la Ley de Sociedades de Capital para la mejora del Gobierno Corporativo evidencia el creciente interés por el buen gobierno corporativo. Este interés se fundamenta primero, en el reconocimiento por parte de los agentes económicos y sociales del valor que una gestión adecuada y transparente de la sociedad proporciona a la empresa mejorando su eficiencia económica y reforzando la confianza de los inversores (- el Libro Verde la Comisión Europea sobre la normativa de gobierno corporativo de la Unión Europea[5] reconoce que «*el gobierno corporativo y la responsabilidad social de las empresas son elementos claves para cimentar la confianza de las personas en el mercado único*»); y segundo, porque los líderes europeos y del G-20 coinciden en señalar que «*la complejidad en la estructura de gobierno corporativo de determinadas entidades, así como su falta de transparencia y **la incapacidad para determinar eficazmente la cadena de responsabilidades dentro de la organización,** se encuentran entre las causas indirectas y subyacentes de la reciente crisis (...) tanto entidades financieras como empresas (...) se han visto afectadas por la **asunción imprudente de riesgos,** por el diseño de sistemas de retribución inapropiados, así como la deficiente composición de los órganos de dirección y administración*»[6]. La reforma, siguiendo el Estudio de la Comisión de Expertos de 14 de octubre de 2013[7], se centra en los dos órganos de gobierno de la estructura corporativa de las sociedades de capital (junta general de accionistas y órgano de administración), especialmente en el subtipo de las sociedades cotizadas (el objeto del presente trabajo se limita a las sociedades capitalistas no cotizadas). Las modificaciones que afectan a la junta general y a los derechos de los accionistas pretender reforzar su papel y «abrir cauces para fomentar la participación accionarial» mientras que, las referidas al órgano de administración afectan de manera especial a ciertos aspectos del consejo de administración de las sociedades cotizadas como la elevación a rango de norma de las recomendaciones del Código Unificado de buen gobierno de las sociedades cotizadas de (Arts. 529 bis a 529 novodecies LSC) y a los efectos de las cuestiones que abordamos, la delimitación del contenido de los deberes de los administradores —dili-

---

[5]   COM (2011), 164 final. Bruselas 5.04.2011, pág. 2.
[6]   Apartado I Preámbulo Ley 31/2014, de 3 diciembre.
[7]   Comisión de expertos en materia de gobierno corporativo, creada por Acuerdo del Consejo de Ministros de 10 de mayo de 2013 (Orden ECC/895/2013, de 21 de mayo).

gencia y lealtad— y la incorporación a nuestro Ordenamiento de la regla de la protección de la discrecionalidad empresarial (art. 226 LSC).

En esta comunicación se abordan someramente, dado el alcance y finalidad limitada de la misma, algunas cuestiones que una visión de conjunto de ambas reformas legislativas sugieren relacionadas esencialmente con la implementación de los *programas de compliance* penal en el marco del gobierno corporativo de las sociedades de capital no cotizadas.

## II. POLÍTICAS DE CONTROL Y GESTIÓN DE RIESGOS EN LA DIRECCIÓN ESTRATÉGICA

La vertiente práctica económica de las normas reguladoras del gobierno corporativo se concreta en la «dirección estratégica» definida como, el proceso que llevan a cabo los directivos de una compañía para formular, implantar y controlar la estrategia empresarial. La «planificación estratégica» integrada en la dirección estratégica, es el proceso por el que, a su vez, se definen los objetivos perseguidos por la organización y las políticas para poder lograrlos. Entre los objetivos estratégicos de las organizaciones, que ayudan a determinar su rumbo y razón de ser, destacan los conceptos de «visión» (destino futuro que persigue la organización) y misión (razón de ser de la empresa que determina su identidad y personalidad). La implantación de la estrategia empresarial requiere concretarla en los distintos niveles de la organización, que a su vez la formularán e implantarán en sus respectivos ámbitos de responsabilidad. Así, pueden considerarse tres niveles estratégicos que están relacionados con distintos niveles de responsabilidad de la organización: la estrategia corporativa o empresarial, la competitiva o de negocio y la funcional u operativa. Cada uno de estos tres niveles son responsabilidad de distintos directivos/ejecutivos y ámbitos que abarcan desde la empresa en su conjunto hasta los distintos negocios de la organización o sus diferentes áreas funcionales.

Para la empresa moderna el objetivo estratégico fundamental lo constituye la creación de valor, pero no solo para los accionistas —*shareholders*—, conforme a la teoría clásica de la empresa, sino también para el conjunto de *stakeholders* o grupos de interés. Así, el proceso de dirección estratégica incluye la necesidad de identificar y priorizar los grupos de interés clave, así como la integración de sus necesidades en la formulación de los objetivos estratégicos.

En las últimas décadas hemos conocido distintos modelos de gestión muy diferenciados entre sí, desde las cinco fuerzas de PORTER, pasando por el modelo de las competencias de HAMEL y PRAHALAD, hasta las teorías sobre el caos y la incertidumbre desarrolladas por las profesoras BROWN y EINSENHARDT. Ésta últimas sugieren que las empresas tendrán que aceptar que sus competencias centrales distintivas de hoy, pueden tener poco valor en los mercados de mañana todo ello bajo un entorno en el que las reglas de juego cambian constantemente y la formulación de estrategias en un contexto actual de caos tiene que ser más flexible que en épocas anteriores. Este estilo de dirección es conocido como «competir al borde del caos».

Desde que se crearon las primeras organizaciones, el control interno siempre ha existido y puede definirse de muchas maneras. En lo que aquí nos concierne, relativo a gestión de organizaciones, la definición proporcionada por el manual de control interno «Internal Control-Integrated Framework» publicado en 1992 por COSO es la siguiente:

«Proceso efectuado por el consejo de administración, la dirección y el resto del personal de una entidad, diseñado con el objeto de proporcionar un grado de seguridad razonable en cuanto a la consecución de los objetivos dentro de las siguientes categorías:

– Eficacia y eficiencia de las operaciones.

– Fiabilidad de la información financiera.

– Cumplimiento de las leyes y normas aplicables (compliance)».

El informe de COSO de 1992 y sus actualizaciones posteriores estructuran el control interno en cinco componentes que se representan gráficamente en el denominado «cubo de COSO». Dentro de esos cinco componentes del control interno destaca la evaluación y gestión de riesgos. Para que los activos que les han sido confiados estén debidamente protegidos, para que los registros contables sean fidedignos y para que la actividad se desarrolle eficazmente según las propias directrices de la dirección, ésta tiene que analizar qué riesgos pueden afectar a la organización, documentarlos, evaluarlos y, finalmente, establecer estrategias para afrontarlos. Una vez analizados los riesgos, se debe tomar una decisión sobre cómo gestionarlos, lo que, a su vez, conlleva alguna de estas opciones:

– aceptar el riesgo y no emprender acciones para mitigarlo,

– evitar el riesgo, evitando las acciones que lo generan,

– reducirlo, a partir de controles y herramientas disponibles.

– compartirlo, contratando seguros, buscando socios, etc.

Y en este punto, de cara a la exigencia de responsabilidades, resulta fundamental analizar cómo cada organización documenta su posición respecto de cada uno de esos riesgos, como parte del proceso de gestión de los mismos, contando siempre con el pertinente nivel de autorización.

El «risk assesment» o evaluación de riesgos se configura así como elemento clave de la gestión empresarial más propio de las grandes corporaciones pero lo cierto y verdad es que los mapas de riesgos son herramientas usadas cada vez con más frecuencia en la gestión de las empresas cuando éstas adquieren cierto tamaño.

Si no hay manera de evitar los riesgos y si éstos no se pueden transferir, no queda otra que establecer actividades de control que, entre las muchas clasificaciones existentes, se pueden dividir entre «preventivas» (diseñadas para evitar que se produzca la conducta o el hecho prohibido) y «detectivas» (diseñadas para actuar a posteriori, una vez que ha fallado el control preventivo y se considera que se está a tiempo de aplicar algún tipo de corrección).

La decisión de qué tipo de controles se establecen dependerá siempre de la dirección, atendidos los recursos disponibles y la proporcionalidad entre el impacto que se quiere evitar y el coste de establecerlos.

## III. DELIMITACIÓN COMPETENCIAL DE LOS ORGANOS DE GOBIERNO

La reciente reforma de la Ley de sociedades de capital para mejora del gobierno corporativo (Ley 31/2014) incide directamente sobre el sistema tradicional de distribución de competencias orgánico reforzando de una parte, el papel de la junta general al incrementar su ámbito competencial sobre operaciones relativas a activos esenciales (art. 160 f) LSC), las posibilidades de controlar a los administradores a través de las medidas de transparencia y aprobación de las políticas remuneratorias (art. 217. 3LSC), de la autorización o dispensa en los supuestos de conflicto de interés de los administradores con el interés social (art. 230.2 y 3 LSC) y la posibilidad de intervención de la junta en los asuntos de gestión (art. 161 LSC). De otra parte, la reforma delimita las competencias básicas e indelegables del consejo de administración (249 bis y 529 ter LSC), aplicable exclusivamente en las sociedades que hubieran optado por esta modalidad de administración y en todo caso, de carácter obligatorio para la sociedades cotizadas. La doctrina reconoce en este punto la tendencia del legislador por implantar el modelo de administración monista renovado o «*monitoring model*», o modelo monista de supervisión[8] con separación funcional entre los miembros del consejo de administración encargados de labores de gestión diaria y los encargados de la supervisión, vigilancia y control. Precisamente el incumplimiento muy grave de estos deberes de supervisión, vigilancia y control por parte de los administradores/ejecutivos de hecho o de derecho, que evidencien defectos en la organización de carácter estructural y de tal entidad que los empleados o subordinados pueden cometer un delito por cuenta y en beneficio de la entidad, es el punto de conexión necesario para que se convierta en un «hecho de empresa» y desencadenar una responsabilidad penal de la sociedad/persona jurídica (art. 31.1 b) bis CP). «*El delito corporativo exige que los empleados o subordinados hayan podido realizar el delito por incumplimiento grave de los deberes de vigilancia y control por parte de los gestores/administradores de las entidad*»[9].

La voluntad social se forma a partir de las decisiones o acuerdos adoptados por cada uno de los órganos sociales conforme a las competencias atribuidas por la ley de manera explícita o implícita, por los estatutos o reglamentariamente dentro de los límites fijados por la propia ley y los principios configuradores de cada tipo social[10].

Con carácter general quedan reservadas como competencia de la junta las facultades de organización económica y jurídica de sociedad-empresa a las que se añaden todas aquellas operaciones que supongan una modificación estructural o relevantes como aumentos y reducción del capital, modificaciones del objeto social y sobre activos esenciales; las facultades relacionadas con las cuentas anuales, el resultado económico y la selección y

---

[8]   FERNÁNDEZ DE LA GÁNDARA, L. «Políticas/decisiones relevantes en materia de gestión/dirección: prohibición de delegación de facultades, reserva de decisiones estratégicas. Y relaciones al respecto entre Consejo y Dirección», AA.VV. *Junta General y Consejo de Administración en la Sociedad cotizada. Tomo II*, Cizur Menor. 2016, págs. 195-221.

[9]   FEIJOO SÁNCHEZ, B. *ob. Cit.*, pág. 86.

[10]   ALONSO UREBA, A., «El modelo del Consejo de Administración de la sociedad cotizada tras la reforma legal de 2014 y CBG de 2015», en AA.VV. *Junta General y Consejo de Administración en la Sociedad cotizada. Tomo II*, Cizur Menor. 2016, pág. 44-46; ESTEBAN VELASCO, G. «Distribución de competencias entre la Junta general y el Órgano de administración, en particular las nuevas facultades de la junta sobre activos esenciales», en AA.VV. *Junta General y Consejo de Administración en la Sociedad cotizada. Tomo I*, Cizur Menor. 2016, págs. 32-36.

control de los administradores; y por último la intervención en los asuntos de gestión (cfr. arts. 160 y 161 LSC).

Al órgano de administración le compete con carácter general la gestión y la representación de la sociedad en los términos establecidos en la ley (art. 209 LSC), reconociéndoles un poder de dirección de todas aquellas actuaciones necesarias y que convengan a la consecución del fin social, si bien este poder de dirección no es absoluto, pues cede ante las instrucciones directas por parte de la junta general mientras que, el poder o facultades de representación de la sociedad frente a terceros es exclusiva de los administradores (art. 233 y 234 LSC). La gestión social[11] comprende los actos de gestión ordinaria referidos a la dirección corriente y permanente de la empresa; los actos de planificación y control de la actividad empresarial; y la gestión extraordinaria o actos de alta administración que comprende los actos de especial incidencia en la estructura económica u organizativa de la sociedad.

### 1. *La competencia para implementar los programas de compliance penal*

La reforma del Código Penal por LO 1/2015 incorpora en los apartados 2, 3, 4 y 5 del Art. 31 bis CP la que podríamos considerar el aspecto más novedoso y la «piedra angular» del sistema de imputación de responsabilidad penal autónoma de las personas jurídicas (sociedades), esto es, al régimen de exención de responsabilidad penal de las personas jurídicas que proporcionan la adopción de modelos de organización y gestión empresarial, programas de cumplimiento normativo penal o *compliance guides* bajo determinadas condiciones legales y atendiendo a las concretas circunstancias del caso. Sin entrar a valorar los requisitos y contenido de estos programas (apartado 5 Art 31 bis) CP) y la idoneidad de su regulación en el Código penal, cuando su sede natural por la materia que regula hubiera sido la legislación mercantil, nos cuestionamos qué órgano societario es competente para decidir sobre la necesidad o no de implementar un programa de *compliance penal.* El apartado 2 del artículo 31 bis CP establece que «*Si el delito fuera cometido por la personas jurídicas indicadas en la letra a) del apartado anterior, la persona jurídica quedará exenta de responsabilidad si se cumplen las siguientes condiciones: 1ª) El órgano de administración ha adoptado y ejecutado con eficacia antes de la comisión del delito, modelos de organización y gestión (…)*», la ley en este caso es clara respecto a la adopción y ejecución de los progra-

---

[11]     Vid. GIRÓN TENA, J. *Derecho de Sociedades, Tomo* I, 1976, págs. 330.

mas de cumplimiento penal que corresponde a los órganos de administración en el ámbito propio de sus funciones, esto es la gestión ordinaria de puesta en marcha y ejecución de una decisión empresarial adoptada por el órgano competente. Los administradores sociales son los encargados de cumplir con esta obligación con la diligencia debida de un ordenado empresario (art. 225.1 LSC). De la literalidad del artículo 31 bis CP en ningún momento se entiende que la implementación de los programas de *compliance penal* sea una obligación legal, «*quedará exenta... si...*». La cuestión que se plantea es valorar a quien corresponde, qué órgano societario es competente para tomar la decisión de implementar en la organización un programa de *compliance penal* en las sociedades de capital no cotizadas (para las sociedades cotizadas nos remitimos al contenido del artículo 529 ter LSC relativo a las facultades indelegables del consejo de administración apartados a) y b) que incluye además del plan estratégico, las políticas de RSC, la política de control y gestión de riesgos.). En este punto, la dimensión, la estructura de la composición del capital social, el tipo de sociedad e incluso el sector de actividad desarrollado por el objeto social son factores que influye en el modelo de gestión/administración/dirección de la empresa y en la confusión o interrelación de la competencias/funciones orgánicas (pensemos en las empresas familiares, las unipersonales, o aquellas en las que todos o la mayoría de los socios se encargan de gestionar y administrar la sociedad/empresa), pero en todo caso, es necesario atender a la naturaleza jurídica del programa *compliance penal* y valorar las consecuencias jurídicas de implementar o no el programa para poder determinar el órgano social al que corresponde tomar la decisión empresarial discrecional de implementar un concreto modelo de organización y control de riesgos penales. Entendemos que es una decisión discrecional toda vez, que a diferencia de otra normativa como la prevención de blanqueo de capitales o las leyes sobre prevención de riesgos laborales obligan a establecer mecanismos de control específicos, mientras que la implementación de los programas de *compliance penal* no es una obligación impuesta por el código penal. Prueba de ello son las previsiones contenidas en el apartado 3 del artículo 31 bis CP «*En las personas jurídicas de pequeñas dimensiones, las funciones de supervisión a que se refiere la condición 2ª del apartado 2 podrán ser asumidas ...*» para los programas de compliance respecto de las pequeñas empresas que son las que estén autorizadas a presentar cuentas de pérdidas y ganancias abreviadas.

Al analizar la naturaleza jurídica de los programas *de compliance penal* entendemos que es un acto empresarial de gestión/administración que a priori compete al órgano de administración, si bien no puede ser entendida como de mera gestión ordinaria, de cumplimiento de los deberes generales del administrador como consecuencia del contrato social, ni siquiera en el ámbito del deber general de diligencia del artículo 225 LSC, puesto que ninguna norma legal nos obliga a tener que implementar un modelo concreto de organizar la empresa. En principio, la decisión empresarial sobre implementar un *programa de compliance penal* se pude considerar incluida en la esfera de competencias y funciones de los administradores como acto/decisión de planificación y control de la actividad empresarial.

Respecto de las consecuencias jurídicas que pudieran derivarse para la empresa/organización, en los supuestos de imputación a la sociedad/empresa de un delito corporativo por defectos en la organización de carácter estructural (asumiendo que concurren el elemento de conexión personal y condiciones de imputabilidad del artículo 31.1 bis CP, en cualquiera de las modalidades previstas por el apartado «*a) Delitos cometidos en nombre o por cuenta de las mismas, y en su beneficio directo o indirecto, por sus representantes legales o por aquellos que actuando individualmente o como integrantes de un órgano de la persona jurídica, están autorizados para tomar decisiones en nombre de la persona jurídica u ostentan facultades de organización y control dentro de la misma. b) De los delitos cometidos, en el ejercicio de actividades sociales y por cuenta y en beneficio directo o indirecto de las mismas, por quienes, estando sometidos a la autoridad de las personas físicas mencionadas en el párrafo anterior, han podido realizar los hechos por haberse incumplido gravemente por aquellos los deberes de supervisión, vigilancia y control de su actividad atendidas las concretas circunstancias del caso*»), hay que acudir al artículo 33.7 CP que establece el catálogo de penas aplicables a las personas jurídicas[12] que tienen todas ellas la consideración de penas graves como son: la pena de multa por cuotas o proporcional, la disolución de la persona jurídica, la suspensión de actividades empresariales, la clausura de locales o establecimientos, la prohibición de realizar en el futuro actividades, la inhabilitación para la obtención de subvenciones y ayudas públicas y la intervención judicial, hasta el daño reputacional implícito en la mera imputación de responsabilidad penal a la sociedad sin necesidad de una condena posterior. Todas las consecuencias jurídicas que se pueden derivar para la empresa/sociedad ante una posible condena penal al no concurrir una causa de exención o atenuante (art. 31 quater CP) de la responsabilidad penal (esto es, «*haber adoptado y ejecutado con eficacia un modelo de organización y gestión para prevenir delitos —compliance penal*»—)

---

[12]     RODRÍGUEZ FERRÁNDEZ, S. «Las penas aplicables a las personas jurídicas tras la reforma legislativa de 2010», en *Cuadernos de política criminal*, núm. 105, diciembre 2011, págs. 173-182.

inciden directa o indirectamente sobre la estructura patrimonial de la empresa y en todo caso, sobre la imagen reputación de la empresa en el mercado. En el caso de la pena de la disolución de la persona jurídica es clara su afectación a los intereses económicos de los socios, que va más allá de unas meras pérdidas en la cuenta de resultados de la empresa que pudieran ocasionar otras penas como la multa, la suspensión de actividades, la inhabilitación para la obtención de ayudas... En todo caso, la repercusión sobre la estructura económica y jurídica de la sociedad de la imposición de una sanción penal depende del tipo de empresa, del sector de actividad en el que se desenvuelva y de las condiciones del mercado (p. ejemplo, *mutatis mutandi*, en el caso *Enron Corporation*, la implicación de empresa de auditoría Arthur Andersen en el escándalo supuso la desaparición de la misma aunque no mediara condena para ella). Desde esta perspectiva, las decisiones sobre implementación de un programa de *compliance* exceden de la esfera de la mera planificación y control de la actividad societaria y podría encuadrarse entre las competencias y funciones propias de los actos de administración y gestión extraordinarios o de alta dirección.

## 2. *La intervención de la Junta General en asuntos de gestión de riesgos empresariales-penales*

La reforma de 2014 generaliza para las sociedades anónimas el esquema legal de distribución de competencias contemplado para las SL y sociedades de capital cerradas, fortaleciendo la polivalencia funcional de la SA como tipo societario que responde a las necesidades de estructuras societarias diversas (sociedades unipersonales, familiares, sociedades de cartera, holdings, sociedades cerradas o abiertas sin acudir al mercado de capitales, más cerrada o especiales, pactos entre socios, posiciones especiales de los socios). El Informe de la Comisión de expertos en gobierno corporativo justifica la inmixtión de la junta en los asuntos de gestión como mecanismo para fortalecer la posición de la junta fomentando el activismo del accionariado y su actividad de control.

El reformado artículo 161 LSC[13] supera el planteamiento tradicional de la autonomía estatutaria, añadiendo la iniciativa de la junta para intervenir en los asuntos de gestión sin necesidad de cobertura estatutaria, bien

---

[13]    ALOSO UREBA, A., *ob. cit.* pág. 132., RECALDE CASTELLS, A, «Artículo 161. Intervención de la junta general en asuntos de gestión» EN JUSTE MENCÍA, J (COORD). *Comentario a la reforma del régimen de las sociedades de capital en materia de*

mediante instrucciones o sometiendo determinadas decisiones a la autorización previa de la junta. La doctrina más generalizada establecía límites a la autonomía estatutaria (art. 160 i) LSC ahora 160 j) LSC) y a la iniciativa de la junta art. 161 LSC para los supuestos de SL y su intervención en asuntos de gestión, sosteniendo que la competencia de la junta general en materia de gestión no puede ampliarse hasta llegar a vaciar absolutamente de contenido la posición y función legal de los administradores, de forma que éstos se conviertan en meros ejecutores de los actos decididos por los socios de tal manera que los poderes de intervención solo podrán referirse a asuntos concretos de especial importancia: actos o categoría de actos que se refieran a la estructura u organización financiera de la empresa o pertenezcan a la gestión extraordinaria. Estas mismas consideraciones deberían aplicarse a los supuestos que ahora se contemplan de la SA.

Las facultades de intervención de la Junta en las actividades de gestión social, de conformidad con las previsiones del artículo 161 LSC exigen de una parte, la iniciativa del órgano de administración que incluya en el orden del día un punto correspondiente a la instrucción o sometimiento a autorización previa, condicionado todo ello a que los socios dispongan de información previa suficiente y adecuada sobre los asuntos que la junta deba decidir o autorizar, siempre que los estatutos no excluyan expresamente esta posibilidad.

La intervención de la junta general en los asuntos de gestión debería limitarse a aquellas cuestiones que sean de interés general para los socios, o aquellas actividades, decisiones o actos jurídicos extraordinarios que transciendan la actividad gestora ordinaria de la sociedad. La intervención de la junta en las competencias del órgano de administración solo se justifica por el carácter y contenido extraordinario del acto o negocio, por la finalidad del acto, por el riesgo o circunstancias particulares que justifiquen la intervención, pues en otro caso la finalidad de la distribución de competencias entre órganos sociales quedaría frustrada. En términos del maestro Girón Tena[14] «La prohibición de inmiscuirse o delimitación competencial de los órganos societarios: se trata de evitar confusiones por descoordinación no de negar a los socios el derecho correspondiente a su interés en la marcha de los negocios».

---

*gobierno corporativo (Ley 31/2014) sociedades no cotizadas*, Cizur Menor, 2015, págs. 52-63.

[14]    *Ob. Cit.* 1976, pág. 436.

Respecto de la gestión de los riesgos empresariales de carácter penales, en nuestra opinión y en relación a la toma de decisión de implantación de un modelo de *compliance penal*, entendemos que estaría suficientemente justificada la intervención de la junta al amparo del artículo 161 LSC, y especialmente para las sociedades de capital no cotizadas o eminentemente cerradas por varias razones:

1.- En atención al riesgo de una sanción penal como consecuencia de una posible imputación de la persona jurídica, se debe considerar la decisión de implementar un programa de *compliance penal* como una decisión/ acto de gestión extraordinaria, de alta dirección, que afecta a los intereses económicos de los socios en primer lugar por la inversión inicial que supone su implementación y porque incide directamente en la cultura de la empresa y en el modelo de empresa que los propietarios tienen derecho a conocer y decidir.

2.- La junta de socios en los supuestos de sociedades en las que no exista un consejo de administración como forma de administración social, pueden desempeñar las funciones de *control y supervisión de la gestión* más de allá de la prevista legalmente (art. 160 a) LSC) mediante la aprobación de las cuentas anuales, aplicación del resultado y aprobación de la gestión social.

3.- La intervención de la junta en la gestión de los riesgos penales puede ser por cualquiera de las modalidades previstas por el artículo 161 LSC, mediante la impartición de instrucciones, autorización o adoptar directamente la decisión.

## IV. EL DEBER DE DILIGENCIA DE LOS ADMINISTRADORES

Los administradores en el ejercicio de sus competencias propias están obligados a dirigir y gestionar la empresa desempeñando sus cargos con la diligencia de un ordenado empresario (art. 225 LSC) y la lealtad de un fiel representante obrando de buena fe y en el mejor interés de la sociedad (art. 226). La reforma de gobierno corporativo de 2014 profundiza en el contenido de estos concretos deberes. El deber de diligencia es un «estándar de conducta»[15] que establece el modo en el que los administra-

---

[15]   ALFARO, J. «Artículo 225», en AA.VV. COORD. JUSTE MENCÍA, *Comentario de la reforma del régimen de las sociedades de capital en materia de gobierno corporativo (Ley 31/2014) sociedades no cotizadas*, Cizur Menor, 2015, págs. 320-321.

dores deben desempeñar sus funciones (como un ordenado empresario), la forma en la que se espera que actúe teniendo en cuenta la naturaleza del cargo y las funciones atribuidas a cada uno de ellos.

La fuente de los deberes concretos derivados del deber de diligencia se encuentra en la Ley, en los estatutos y en el contrato de administración y que han de integrarse con los usos y costumbres en función del sector en el que la empresa desarrolla su actividad (códigos de buen gobierno generales o particulares). El cumplimiento normativo como prestación propia del deber de diligencia general exigible al administrador, se incorpora como prestación específica del contrato de administración celebrado entre los administradores y la sociedad, es una manifestación específica del deber de diligencia de un ordenado empresario del art. 225.1 LSC (*«Los administradores deberán desempeñar el cargo y cumplir los deberes impuestos por las leyes y los estatutos con la diligencia de un ordenado empresario...»*). Tras la reforma de la LSC operada por la Ley 31/2014, la cláusula general del deber de diligencia del apartado 1 del artículo 225 LSC se convierte además en fuente de deberes concretos que el legislador desarrolla en los nuevos apartados 2 y 3 art. 225 LSC. El apartado 2 dispone que los administradores deberán tener la dedicación «adecuada» y deberán adoptar las medidas precisas para la buena dirección y control de la sociedad. El deber de diligencia entendido como «dedicación adecuada» prevista en este apartado implica un juicio de valor sobre el comportamiento de los administradores que pueden realizar comisiones creadas ad hoc, o el control que la propia junta puede realizar sobre la dedicación de los administradores (aprobación de cuentas anuales, nombramientos y destituciones de administradores art. 160 LSC). Para una parte de la doctrina[16] la referencia legal a que el consejero debe adoptar medidas precisas para *«la buena dirección y control de la sociedad»*, la consideran innecesaria, toda vez que el desempeño del cargo de administrador como un ordenado empresario, conlleva la necesidad de que cualquier tipo de actuación de los administradores en el ámbito de la gestión de la sociedad deba ser realizada a los fines de una buena dirección y control. Siendo cierta esta consideración, de conformidad con el apartado b) del art. 31.1bis CP la imputación de responsabilidad a la persona jurídica se produce precisamente *«por haber incumplido gravemente por aquellos (los administradores) los deberes de supervisión, vigilancia y control...»*, entendiendo pues que los administradores responderán frente a la socie-

---

[16]     MAMBRILLA RIVERA, V. «Las concretas manifestaciones del deber general de diligencia de los administradores», en AA.VV. *Junta general y consejo de administración en la sociedad cotizada, Tomo II*, Cizur Menor, 2016, pág. 362.

dad (acción social de responsabilidad del art. 236 LSC) en los supuestos de negligencia leve en el cumplimiento de su deber de control y supervisión del cumplimiento de las leyes por la empresa y sus empleados; mientras que en los supuestos de grave incumplimiento del deber del administrador de supervisar, vigilar y controlar el cumplimiento de la legalidad en el seno de la sociedad desencadena la responsabilidad penal de la persona jurídica. El deber de control y supervisión del cumplimiento de la legalidad por parte de los administradores transciende la esfera interna de la sociedad y desde la dimensión institucional de la sociedad, este deber de control se convierta en garante del cumplimiento de los intereses públicos, esto es, «un buen ciudadano corporativo».

En los supuestos del infracción del deber de diligencia por incumplimiento de las normas, corresponde a la sociedad que ejercita la acción de responsabilidad social probar el daño y la relación de causalidad, y a los administradores le corresponde probar que actuó sin culpa, es decir que el daño no proviene de una actuación antijurídica por su parte que le sea imputable, o en su caso, que se trata de una actuación amparada por la protección de la discrecionalidad empresarial o *business judgement rule* del art. 226 LSC.

## 1. La aplicación de la discrecionalidad empresarial en las decisiones del órgano de administración en relación a los modelos de organización y gestión de riesgos penales

La nueva redacción del artículo 226 LSC tras la reforma llevada a cabo a través de la Ley 31/2014, configura la regla de protección de la discrecionalidad empresarial definiendo el alcance del deber general de diligencia (art. 225 LSC) de los administradores en relación con la adopción de decisiones estratégicas y de negocio («...*el estándar de diligencia de un ordenado empresario se entenderá cumplido...*»). La incorporación a nuestro Ordenamiento de la regla jurisprudencial de origen anglosajón conocida como «*business judgement rule*» o del buen juicio empresarial se ha justificado en el Informe de Comisión de Expertos en materia de Gobierno Corporativo por la necesidad de evolucionar con los países de nuestro entorno y la necesidad de «*fomentar una cultura de innovación y facilitar la sana asunción y gestión de los riesgos*» si bien, una parte de la doctrina cuestiona tanto su articulación técnico jurídica como la necesidad y oportunidad de su incorporación a nuestro ordenamiento. La jurisprudencia y la doctrina en nuestro país ha sido siempre pacífica, hasta ahora, respecto de la concreción del deber de diligencia de los administradores como una obligación de medios (decisiones empresariales adoptadas por los administradores con la información debida, ajustada al procedimiento establecido, en interés de la sociedad…) y no de resultados (desfavorables, erróneos o daños para la sociedad) de tal manera que los denominados «riesgos empresariales» no son asumidos por los administradores sino por la sociedad y sus socios que son en definitiva los que asumen la incertidumbre y los riesgos inherentes a la actividad empresarial desarrollada de conformidad con su objeto social. Con carácter general la *«business judgement rule»* tiene por objeto limitar la responsabilidad de los administradores y el control judicial (inmunidad judicial) de sus decisiones empresariales. La aplicación de la regla de la protección de la discrecionalidad empresarial en los términos del artículo 226 LSC exige la previa delimitación del ámbito y de las condiciones exigidas para su aplicación. Respecto del primero, solo afecta a las *«decisiones estratégicas y de negocio sujetas a la discrecionalidad empresarial»* es decir, todas aquellas decisiones relativas a la gestión de la empresa adoptadas por los administradores (ejecutivos y no ejecutivos) dentro de sus competencias propias y que gocen de discrecionalidad empresarial, entendida ésta como decisiones que no venga impuestas u obligadas por el cumplimiento de una norma legal, estatutaria o un mandato específico de la Junta general (art. 161 LSC). Las decisiones discrecionales de gestión u organización social son todas aquellas a través de las cuales se canalizan la asunción de riesgos propia de una actividad empresarial (inversiones, nuevos productos o servicios…) si bien, la caracterización legal de decisiones «estratégicas y de negocio» puede interpretarse como una limitación al ámbito de aplicación de la protección de la discrecionalidad empresarial pues no todas las decisiones empresariales pueden ser consideradas simultáneamente como «estratégicas y de negocio» por lo que, habrá que estar a cada caso concreto teniendo en cuenta el sector de actividad empresarial o/y el objeto social, el tamaño de la empresa e incluso la estructura y composición del capital social. En todo caso, quedan excluidas de la aplicación de la regla las decisiones contenidas en el art. 226.2 LSC, es decir, las que *«afecten personalmente a otros administradores y persona vinculadas y, en particular, aquellas que tengan por objeto autorizar las operaciones previstas en el art 230 LSC».*

El segundo aspecto, relativo a las condiciones exigidas para la aplicación de la regla de la protección de la discrecionalidad empresarial son cuatro (art. 226.1 LSC): el administrador debe haber actuado con información suficiente y adecuada para tomar una decisión razonada (la obtención de la información no es solo un derecho, sino un auténtico deber comprendido en los estándares de la diligencia debida de un ordenado empresario —art. 225.3 LSC—); el administrador actúa en el marco «un procedimiento de decisión adecuado», de conformidad con las reglas societarias que regulen el proceso de toma de decisiones; debe actuar además de buena fe y sin interés personal en el asunto objeto de decisión (estos dos últimos condicionantes son de carácter subjetivo y están más vinculados al deber de lealtad del art. 227 LSC que al deber de diligencia). Así pues, acreditado el cumplimiento de los presupuestos de aplicación de la regla de protección de la discrecionalidad empresarial, no cabrá exigir responsabilidad al administrador por los resultados adversos de sus decisiones y actos de gestión, configurándose así la regla como una suerte de «puerto seguro» para el administrador protegido de la acción social de responsabilidad por infracción de sus deberes de diligencia y lealtad.

A la vista de lo expuesto, el deber de asegurar que la sociedad actúa de acuerdo a Derecho no es una obligación de resultado sino una obligación de medios, de manera que el enjuiciamiento de la responsabilidad de los administradores por las infracciones materiales cometida por la sociedad o sus empleados (no las cometidas personalmente por los administradores) debe estar amparado por el juicio de la discrecionalidad empresarial del art. 226 LSC.

Desde la perspectiva del deber de diligencia general de los administradores (art. 225 LSC) nos cuestionamos si la decisión empresarial de implementar *un programa de compliance penal* del artículo 31 bis CP es una decisión estratégica y de negocio sujeta a la regla de protección de la discrecionalidad empresarial (art. 226 LSC). En principio, los administradores y atendiendo a la finalidad misma de los programas de *compliance penal* como instrumentos idóneos para prevenir la comisión de delitos en el seno de las organizaciones, se sirven precisamente de éstos para descargar sus deberes de organizar la empresa social y ésta actúe de acuerdo a la legalidad[17]. La regla de la protección de la discrecionalidad empresarial del artículo 226 LSC no ampara a los administradores que decidan no implantar un programa de *compliance penal*, pero si se aplica sobre la decisión de *cómo organizarlo,* aunque este *programa de compliance penal* se revele posteriormente como defectuoso e ineficaz para evitar ilícitos penales en el seno de la organización. Los administradores son responsables en todo caso del funcionamiento del programa de compliance de conformidad con los principios y contenido mínimo establecidos en el apartado 5 del art. 31 bis CP.

---

[17]   ALFARO, J. «Art. 226 LSC.» *ob. cit.* pág. 349.

Los modelos de organización y gestión adecuados para prevenir delitos, *compliance penal,* se convierten en la piedra angular del sistema de exención de la responsabilidad penal de la persona jurídica o en su caso, de atenuación de la responsabilidad penal, pero además son «un puerto seguro» del deber general de diligencia de los administradores.

## Bibliografía

ALFARO, J. «Artículo 225. Deber general de diligencia» y «Artículo 226. Protección de la discrecionalidad empresarial», en JUSTE MENCÍA, J. COORD. *Comentario a la reforma del régimen de las sociedades de capital en materia de gobierno corporativo (Ley 31/2014) sociedades no cotizadas,* Cizur Menor, 2015.

ALONSO UREBA, A., ESTEBAN VELASCO, G., FERNÁNDEZ DE LA GÁNDARA, L., QUIJANO GONZÁLEZ, J., RODRÍGUEZ ARTÍGAS, F., VELASCO SAN PEDRO, L. A. (dirs), *Junta General y Consejo de Administración en la Sociedad Cotizada (Dúo),* Cizur Menor. 2016.

AGÚNDEZ, M. A. Y MARTÍNEZ SIMANCAS SÁNCHEZ, J. (DIRS), *Cuadernos de Derecho para ingenieros. Cuaderno 14. Cumplimiento normativo. Compliance,* Cizur Menor. 2012.

AMAT, J. M., *Control 2.0. Una perspectiva de control de gestión menos financiera y más cualitativa.* Barcelona. 2013.

AMAT, O. Y CAMPA, F. COORD., *Manual del Controller.* Barcelona. 2013.

BARQUERO, M., *Manual práctico de control interno.* Barcelona. 2013.

BRWON, S. Y EINSENHARDT, K. *Competir al borde del caos,* Barcelona. 2002.

FEIJOO SÁNCHEZ, B. J, *El delito corporativo en el Código Penal español* 2ª Ed, Cizur Menor. 2016.

GIMENO BEVIÁ, J., *Compliance y proceso penal. El proceso penal de las personas jurídicas. Adaptada a las reformas del CP y LECrim de 2015, Circular FGE 1/2016 y jurisprudencia del TS,* Cizur Menor. 2016.

GIRÓN TENA. J., *Derecho de Sociedades,* Tomo I, Madrid, 1976.

GUERRERO TREVIJANO, C., *El deber de diligencia de los administradores en el gobierno de sociedades de capital* (Dúo), Cizur Menor. 2014.

HERNANDO CEBRIÁN, L. «El deber de vigilancia de los administradores en el marco de su régimen de responsabilidad y las relaciones de confianza entre consejeros y directivos de la empresa social», en *Revista de Derecho de Sociedades, núm. 46,* 2016. págs. 131-165.

KAPLAN, R., *El cuadro de mando integral,* Barcelona. 2002.

LLEBOT MAJO, J. O., «El deber general de diligencia (art. 225.1 LSC)», en AA.VV. *Junta General y Consejo de Administración en la Sociedad Cotizada, TomoII,* Cizur Menor. 2016, págs. 317-343.

OLMEDO PERALTA, E. «La comisión de auditoría de las sociedades cotizadas tras la reforma para la mejora del gobierno corporativo y la nueva ley de auditoría: ¿avanzando hacia un verdadero órgano de control?», *Revista de Derecho de Sociedades,* núm. 46.2016. págs. 167-192.

RODRÍGUEZ FERNÁNDEZ, S., «Las penas aplicables a las personas jurídicas tras la reforma legislativa de 2010», en *Cuadernos de Política Criminal, núm. 105,* diciembre 2011, págs. 159-198.

SAURA ALBERDI, B., VELASCO NUÑEZ, E., *Cuestiones prácticas sobre responsabilidad penal de la persona jurídica y compliance* (Dúo), Aranzadi, Cizur Menor, 2016.

VV.AA. JUSTE MENCÍA, J. (COORD), *Comentario de la Reforma del Régimen de las Sociedades de Capital en materia de gobierno corporativo (Ley 31/2014). Sociedades no cotizadas,* Cizur Menor. 2015.

Emisores Españoles. Grupo de trabajo sobre responsabilidad penal de las personas jurídicas. Informe final. 12 de diciembre de 2012. Disponible http://emisoresespanoles.es/wp-content/uploads/2013/04/Responsabilidad-Penal-Personas-Juridicas-Informe-final.pdf.

# D) RESPONSABILIDAD DE ADMINISTRADORES Y RESPONSABILIDAD DE LA SOCIEDAD

# 52. Las acciones de responsabilidad en el ámbito mercantil. Enriquecimiento injusto del administrador. Novedades tras la reforma y última jurisprudencia

JOSÉ Mª FERNÁNDEZ SEIJO

*Magistrado*

Sumario: I. LAS ACCIONES DE RESPONSABILIDAD EN EL ÁMBITO MERCANTIL. EN-
RIQUECIMIENTO INJUSTO DEL ADMINISTRADOR. NOVEDADES TRAS LA REFORMA
Y ÚLTIMA JURISPRUDENCIA. II. CUANDO LA ACCIÓN INDIVIDUAL QUIERE SUPLIR
LAS CARENCIAS DE LA ACCIÓN POR DEUDAS. 1. Perspectiva procesal.- Nexo causal y
carga de la prueba. 2. Consecuencias materiales. 3. Conclusión. III. EL ENRIQUECIMIEN-
TO INJUSTO DEL ADMINISTRADOR POR ADMINISTRACIÓN DESLEAL.

## I. LAS ACCIONES DE RESPONSABILIDAD EN EL ÁMBITO MERCANTIL. ENRIQUECIMIENTO INJUSTO DEL ADMINISTRADOR. NOVEDADES TRAS LA REFORMA Y ÚLTIMA JURISPRUDENCIA

El objeto de esta intervención es analizar cuál es el estado actual de la jurisprudencia que abordar las acciones de responsabilidad de los administradores de las sociedades mercantiles. Conviene adelantar que la convivencia entre las diferentes acciones es complicada, tensa, parecida a la de esas familias desestructuradas en las que a veces se confunden los papeles.

El profesor Paz-Ares en el libro homenaje al profesor Beltrán[1] hacía una distinción clara entre el llamado *derecho mecánico* y el *derecho reflexivo*. El primero se destinaba a la búsqueda de *soluciones formales, doctrinales e imperativas*; el segundo optaba por *soluciones sustanciales, funcionales y liberales*. Siguiendo esa sugerente propuesta, el objetivo de estas páginas no se reduce a analizar desde un punto de vista teórico el régimen legal y la

---

[1] Estudios Jurídicos en memoria del profesor Emilio Beltrán, Liber Amicorum, Editorial Tirant lo Blanch, Valencia 2015.

jurisprudencia reciente en materia de responsabilidad de administradores, sino de apuntar o indicar que la normativa sobre sociedades mercantiles va abandonando el viejo esquema de responsabilidad de administradores basado en el dolo o culpa del administrador, en el nexo causal imprescindible entre esas acción u omisión y el daño producido.

El marco de la responsabilidad de los administradores de una sociedad de capital viaja en rumbo de nuevas fronteras, de nuevos instrumentos de responsabilidad que protejan al tráfico económico.

Los datos del Registro Mercantil[2] en 2015 indicaban que la duración media en España de una sociedad de capital apenas era de 9 meses, por lo tanto puede afirmarse que la mayoría de las sociedades de capital en España no se constituyen con el fin de realizar una actividad empresarial estable con un patrimonio independiente, sino que se constituyen como un instrumento para la actuación empresarial que en muchas ocasiones tiene como objetivo eludir responsabilidades fiscales o personales de los empresarios frente a terceros públicos o privados.

Tradicionalmente la responsabilidad de administradores partía de los elementos de la acción individual, que exigía dolo o culpa del administrador social y la existencia de un nexo causal entre ese comportamiento, activo u omisivo, y el daño causado a la sociedad, al socio o a un tercero. Esa configuración tradicional es la que aparece en el artículo 241 de la Ley de Sociedades de Capital (LSC).

Esta estructura de responsabilidad se perturbó en el Texto Refundido de la Ley de Anónimas cuando se introduce el artículo 262.5 el criterio de responsabilidad por deudas en caso de que concurriera causa de disolución no abordada correctamente por el administrador. Aquella norma, ya asentada en nuestra práctica judicial, supuso un primer terremoto en el esquema de responsabilidad que generó ríos de tinta.

Han tenido que realizarse varios ajustes legislativos para modular un estándar de responsabilidad de los administradores determinando supuestos concretos de negligencia vinculados al incumplimiento de los deberes propios del administrador, deberes que se han precisado esos deberes de diligencia y de lealtad. También ha tenido que introducirse formalmente la responsabilidad del administrador de hecho para dar respuesta a actuaciones claramente fraudulentas.

---

[2]    http://www.registradores.org/wp-content/estadisticas/mercantil/estadistica%20mercantil/Estadistica_Mercantil_2016.pdf.

La entrada en vigor de la Ley Concursal (LC) en 2004 supone una nueva sacudida del sistema al introducir una nueva institución de responsabilidad de los administradores para supuestos de insolvencia. El actual artículo 172 bis de la LC y su desarrollo jurisprudencial ha planteado algunas dudas sobre la convivencia entre las acciones de la LSC y la responsabilidad concursal, hasta el punto de que la declaración de concurso determina la suspensión de las acciones de reclamación de obligaciones sociales contra los administradores de las sociedades de capital concursadas que hubieran incumplido los deberes impuestos en caso de concurrencia de causa de disolución (artículo 51 bis LC).

Hay un interesante debate planteado sobre la convivencia de la responsabilidad concursal del artículo 172 bis y la responsabilidad por deudas del artículo 367 de la LSC, planteándose la posibilidad de derogar uno u otro precepto. Este debate se ve enturbiado por una realidad contundente: el acreedor difícilmente verá satisfechos sus créditos en un procedimiento concursal, la práctica judicial hace que las expectativas de los acreedores ordinarios difícilmente sean satisfechas incluso cuando el concurso ha sido declarado culpable, de ahí que, en último término haya de acudir a la acción del artículo 367 LSC para conseguir un resultado que no siempre se produce en el ámbito concursal.

Son muchos los factores que inciden en las disfunciones de la responsabilidad concursal: los problemas en cuanto a la legitimación y participación en la pieza de calificación, la tardanza en la apertura de la pieza de calificación, las dificultades en la adopción de medidas cautelares, la insolvencia real o ficticia de los administradores una vez inmersos en el procedimiento de insolvencia, los diferentes criterios de interpretación del artículo 172 bis en la práctica judicial, la desidia o falta de pericial de la administración concursal en la ejecución de las sentencias de calificación … Todos estos factores tienen relevancia para comprender las razones por las que los acreedores prefieren las acciones del artículo 367 de la LSC en vez de personarse en las secciones de calificación concursales.

El Tribunal Supremo español, aunque ha ido construyendo una jurisprudencia destinada a deslindar los requisitos de la responsabilidad de los administradores en los distintos supuestos legales, lo cierto es que durante el año 2016 ha diluido las diferencias entre la acción individual del artículo 241 y la acción por deudas del artículo 367, hasta el punto de alternar las reglas sobre la carga de la prueba en cuanto al nexo causal para poder condenar al amparo del artículo 241 de la LSC a los administradores que han procedido al cierre de hecho de la sociedad administrada (Sentencia de 13 de julio de 2016).

Estamos en un período de transición, la crisis económica ha dejado un reguero de sociedades insolventes o de sociedades que simplemente han decidido desaparecer del tráfico sin dar una solución ordenada a su situación, la crisis ha intensificado los problemas de infracapitalización de una parte importante de las sociedades mercantiles españolas. La crisis ha inundado los juzgados de reclamaciones contra administradores por deudas de la sociedad con los acreedores, las estadísticas y la práctica judicial así lo indican, y se observa cierta tensión entre las exigencias de cierta pulcritud a la hora de establecer los requisitos y exigencias de cada una de las acciones, y la necesidad de dar una respuesta adecuada a las exigencias de los acreedores.

Como todo período de transición, las afirmaciones que puedan realizarse deben someterse prevención ya que pueden cambiar.

## II. CUANDO LA ACCIÓN INDIVIDUAL QUIERE SUPLIR LAS CARENCIAS DE LA ACCIÓN POR DEUDAS

El Tribunal Supremo en sentencia de 18 de abril de 2016 apuntaba ya una interpretación del artículo 241 de la LSC que permitiera condenar a los administradores sociales en caso de cierre de hecho cuando no concurren los requisitos para poder activar la responsabilidad por deudas del artículo 367 LSC. Ese apunte se confirma en la sentencia de 13 de julio de 2016.

En el procedimiento que da lugar a la sentencia de 13 de julio se partía del siguiente relato de hechos probados:

– La deuda (109.000 euros) se genera en 2009. La sociedad demandada había presentado cuentas hasta el año 2008 aunque, en la primera instancia, se consideró que las cuentas no eran fiables.

– La sociedad está desaparecida de hecho, no es posible localizarla en el domicilio social.

– Los administradores están desaparecidos, claro ejemplo de ello es que estaban pendientes de notificar varias resoluciones del juzgado relativas a los procedimientos monitorio y cambiario interpuestos previamente.

– No se han podido encontrar bienes susceptibles de embargo.

– En vez de proceder a su disolución en la forma establecida legalmente, entregó varios pagarés para el pago de los servicios prestados, sabiendo o debiendo conocer (que) su importe no se haría efectivo, en beneficio de la sociedad y en detrimento de mi representada cuyo crédito no sería satisfecho.

– En la sentencia se introduce, además, el hecho probado de que administrador de la sociedad ha seguido operando por medio de otras empresas paralelas.

En primera instancia se estimó la demanda, en segunda instancia se revocó la sentencia y se absolvió al administrador demandado.

Con estos mimbres el Tribunal Supremo enfoca el problema primero desde una perspectiva procesal, fijando reglas sobre la carga de la prueba, y culmina con una perspectiva material, al nexo causal.

## 1. *Perspectiva procesal.- Nexo causal y carga de la prueba*

El Tribunal Supremo parte de una reflexión general sobre carga probatoria y su efecto en el proceso: *«las reglas de distribución de la carga de prueba sólo se infringen cuando, no estimándose probados unos hechos, se atribuyen las consecuencias de la falta de prueba a quién según las reglas generales o específicas, legales o jurisprudenciales, no le incumbía probar, y, por tanto, no le corresponde que se le impute la laguna o deficiencia probatoria»* (Sentencia 333/2012, de 18 de mayo).

El Supremo analiza cuales han sido las razones por las que la audiencia provincial consideró que no se había probado el nexo causal entre la actuación negligente (el cierre) y el impago de la deuda:

*«La Audiencia niega que haya quedado acreditada la existencia de un enlace directo y preciso entre el hecho de cerrar sin proceder a formular ninguna clase de liquidación social y el daño (impago de la deuda social). Esta relación de causalidad constituye un requisito de la acción, cuya acreditación, en principio, le corresponde a quien ejercita la acción.*

*Los hechos concretos que la Audiencia entiende que no han sido acreditados por el demandante son: i) que el demandado negoció y vendió los activos sociales de Cepys a Comercial Grummi, por lo que percibió "determinado precio"; ii) que a la desaparición de hecho precedió un incremento de deudas de la sociedad administrada por el demandado; iii) que el administrador demandado libró los pagarés a sabiendas de que no los iba a hacer efectivos».*

El Supremo considera que, si la parte demandante en su escrito de demanda ha hecho un esfuerzo argumentativo previo para justificar la acción individual, se invierte la carga de la prueba y se traslada al administrador la prueba de que ese nexo causal no ha existido. Así, el Supremo considera que: «*si existe ese esfuerzo argumentativo y, al margen de la acreditación de los hechos en que se funda, resulta lógica, caso de quedar acreditados, la responsabilidad del administrador, debe atribuirse a dicho administrador la carga de la prueba de aquellos hechos respecto de los que tiene mayor facilidad probatoria. Por ejemplo, y en relación con el presente caso, la demandante razona que el administrador de la sociedad deudora no sólo cerró de hecho la empresa, sino que liquidó los activos sin que conste a dónde fue a parar lo obtenido con ello. Este hecho podría ser relevante, como veremos más adelante al explicar cómo se aplican al presente caso los presupuestos de la acción individual de responsabilidad, pues constituye un relato razonable de la responsabilidad: con el cierre de hecho se han liquidado activos de la sociedad que no se han destinado al pago de las deudas sociales. El ilícito orgánico que supone el cierre de hecho ha podido impedir el cobro del crédito de quien ejercita la acción individual. En este contexto, la prueba de la inexistencia de bienes y derechos o el destino de lo adquirido con la liquidación de los existentes, corresponde al administrador y no puede imputarse al acreedor demandante, en aplicación de la regla contenida en el apartado 7 del art. 217 LEC. Frente a la dificultad del acreedor demandante de probar lo contrario (que había bienes y que fueron distraídos o liquidados sin que se destinara lo obtenido al pago de las deudas), dificultad agravada por el incumplimiento del administrador de sus deberes legales de llevar a cabo una correcta liquidación, con la información correspondiente sobre las operaciones de liquidación, el administrador tiene facilidad para probar lo ocurrido, pues se refiere a su ámbito de actuación.*

*Por eso en el presente caso, el tribunal de apelación aplicó incorrectamente las reglas de la carga de la prueba, y esta infracción resultó relevante, pues sobre esta falta de prueba fundó la valoración jurídica de que no existió nexo de causalidad entre el incumplimiento de los deberes legales de disolución y liquidación de una sociedad de capital y el impago del crédito de la demandante*».

## 2. *Consecuencias materiales*

El TS parte de una afirmación clásica en su jurisprudencia: «*Con carácter general, debemos reiterar, como hicimos en la Sentencia 253/2016, de 18 de abril, que no puede recurrirse indiscriminadamente a la vía de la responsabilidad individual de los administradores por cualquier incumplimiento contractual. De otro modo supondría contrariar los principios fundamentales de las sociedades de capital, como son la personalidad jurídica de las mismas, su autonomía patrimonial y su exclusiva responsabilidad por las deudas sociales, u olvidar el principio de que los contratos sólo producen efecto entre las partes que los otorgan, como proclama el art. 1257 CC*

*(Sentencias 242/2014, de 23 de mayo, con cita de la anterior sentencia de 30 de mayo de 2008)»*.

Y remarca: *«De acuerdo con la reseñada distinción lógica, para que el ilícito orgánico que supone el cierre de hecho (incumplimiento de los deberes de disolución y liquidación de la sociedad) pueda dar lugar a una acción individual es preciso que el daño ocasionado sea directo al acreedor que la ejercita. Esto es: es necesario que el ilícito orgánico incida directamente en la insatisfacción del crédito»*.

Sin embargo, continúa afirmando que para se pueda tenerse por acreditado ese nexo causal se: *«Exige del acreedor social que ejercite la acción individual frente al administrador un mínimo esfuerzo argumentativo, sin perjuicio de trasladarle a los administradores las consecuencias de la carga de la prueba de la situación patrimonial de la sociedad en cada momento (sentencia 253/2016, de 18 de abril)»*.

Ese esfuerzo argumentativo lo identifica el Tribunal Supremo al valorar que en la demanda se: *«Aduce que el cierre de hecho iba ligado a una demora en la exigibilidad de los créditos de la demandante, mediante la emisión de unos pagarés, y la desaparición de los activos de la sociedad, que ha impedido la satisfacción de los créditos del demandante»*.

Concluye el Supremo que: *«El administrador demandado no ha procedido a la disolución de la sociedad ni a la consiguiente liquidación de sus activos. Y el propio administrador, en su contestación, reconoce que la sociedad tenía cuatro vehículos susceptibles de ser embargados. Por lo que, cuando menos estos bienes debían haber sido liquidados, para hacer pago de las deudas sociales.*

*Frente a la alegación contenida en la demanda de que el administrador no ha procedido a la liquidación ordenada de los activos de la sociedad y que ello ha impedido el cobro de los créditos de la demandante, máxime cuando se demoró su exigibilidad mediante la emisión de unos pagarés que resultaron finalmente impagados, correspondía al administrador justificar que la disolución y liquidación ordenada de la sociedad no hubiera servido para pagar los créditos de la demandante, ordinariamente por la insuficiencia de activo.*

*Si partimos de la base de que el administrador venía obligado a practicar una liquidación ordenada de los activos de la sociedad y al pago de las deudas sociales pendientes con el resultado de la liquidación, y consta que existían algunos activos que hubieran permito pagar por lo menos una parte de los créditos, mientras el administrador no demuestre lo contrario, debemos concluir que el incumplimiento de aquel deber legal ha contribuido al impago de los créditos del demandante.*

*En consecuencia, resulta procedente la estimación la acción de responsabilidad y condenar al administrador demandado al pago del perjuicio sufrido por la demandada como consecuencia del cierre de hecho de la sociedad deudora, que ha supuesto el incumplimiento de los deberes de liquidación ordenada de la sociedad. Perjuicio que, en este caso, a falta de prueba en contrario, viene representado por el importe de los créditos que, como consecuencia de aquel ilícito orgánico, la demandante no pudo cobrar».*

### 3. Conclusión

Para alterar la carga de la prueba sobre el nexo causal y trasladárselo al administrador es necesario:

1) Que el acreedor haga un esfuerzo argumentativo en la demanda.

2) Que quede acreditado el cierre de hecho y desaparición de la sociedad.

3) Que se haya demorado indebidamente el pago de la deuda en el plazo ordinario.

4) Que en ese plazo hayan desaparecido activos del patrimonio de la sociedad que hubieran permitido el pago de la deuda (concretamente unos vehículos).

5) Que, además, el administrador demandado haya seguido realizando su actividad profesional por medio de otra sociedad.

## III. EL ENRIQUECIMIENTO INJUSTO DEL ADMINISTRADOR POR ADMINISTRACIÓN DESLEAL

En el artículo 227.2 de la LSC identificamos otro de los supuestos legales en los que la responsabilidad del administrador abandona la exigencia de nexo causal entre el comportamiento negligente del administrador y la producción del daño.

El artículo 227.2 advierte que la infracción del deber de lealtad determinará no solo la obligación de indemnizar el daño causado al patrimonio social, sino también la de devolver a la sociedad el enriquecimiento injusto obtenido por el administrador.

Este precepto, introducido en la Ley 31/2014, de 3 de diciembre, por la que se modifica la Ley de Sociedades de Capital para la mejora del gobierno corporativo, parece incardinarse, en principio, como un supuesto especial de la acción social del artículo 238 de la Ley ya que el artículo 227.2 hace referencia al daño causado al patrimonio social, no al daño que se pudiera haber causado a un socio o a un tercero. Esta acción por enriquecimiento injusto se había apuntado ya por la jurisprudencia desde la doctrina de la responsabilidad.

Antes de entrar a analizar en profundidad esta acción tal vez convenga advertir el cambio radical que ha sufrido el estatuto del administrador societario en 50 años. Queda muy lejos la definición del ámbito de actuación del administrador en el desempeño de su cargo con la diligencia de un ordenado empresario y un representante leal (TRLSA de 1989).

El deber de lealtad ha estado presente como criterio para medir el grado de diligencia del administrador social, pero lo cierto es que, en el año 2003, con las exigencias de la ley de trasparencia en las sociedades cotizadas, se define con mayor precisión el alcance del deber de lealtad para poder fiscalizar algunas actuaciones que pudiera realizar el administrador en interés propio o de personas vinculadas (artículo 127 ter TRLSA).

Ese deber de lealtad pasa la Ley de Sociedades de Capital al artículo 227 y siguientes, aunque el régimen específico de responsabilidad no introduce hasta la Ley 31/2014.

La doctrina saludó la reforma ya que se consolidaba una acción que ya aparecía apuntada en algunas resoluciones aisladas (STS de 16 de junio de 1992, STS de 8 de abril de 2013 y 23 de septiembre de 2014)[3]. El lucro cesante es independiente del daño causado, no es compensable con la determinación del daño.

Es importante advertir que se trata de una acción de carácter social, enmarcada dentro de las acciones que la sociedad puede dirigir contra los administradores que hayan causado un daño a la sociedad por un comportamiento doloso o negligente, por el incumplimiento de sus deberes básicos frente a la sociedad.

Como acción social está sujeta a los requisitos generales del artículo 238 de la LSC, lo que permite defender que, si la sociedad no ejercita estas acciones, podrán hacerlo los socios o acreedores en los términos que prevé el artículo 239 y 240 de la LSC.

Se trata de una acción sujeta a los términos y plazos de ejercicio comunes de la acción social.

---

[3]	Sentencias citadas por el profesor Paz-Ares en el trabajo de referencia, titulado *Anatomía del deber de lealtad*.

A quien inste le demanda le corresponde la carga de probar el lucro cesante causado a la sociedad, prueba del lucro cesante que aboga al demandante al complicado ámbito de las cargas probatorias.

La acción del artículo 227.2 de la LSC no es una acción de competencia desleal encriptada en la normativa societaria, es una acción de claro perfil societario vinculada a los parámetros y deberes de los administradores frente a la sociedad. La normativa de competencia desleal (Ley de Competencia Desleal de 1991) fija unos estándares de deslealtad mucho más rigurosos que los derivados de la normativa de las sociedades de capital.

En el marco de la Ley de Competencia Desleal la sociedad podría ejercitar acciones contra el administrador y contra las personas físicas o jurídicas que se hayan enriquecido con esa deslealtad, pero sujeta a unas normas procesales y materiales más estrictas vinculadas a los tipos de deslealtad (artículos 4 a 31 LCD) y al régimen procesal específico (artículo 32 y ss.), incluido un plazo de ejercicio más breve.

En el marco del artículo 227.2 LSC la demanda sólo puede dirigirse contra el administrador social, no frente a terceros (que podrían incorporarse al procedimiento al amparo del artículo 13 de la LEC) y los criterios para apreciar la deslealtad conectan con las relaciones entre la sociedad y sus órganos de gestión, no tienen relación con las reglas de funcionamiento de los mercados.

La acción ejercitada, caso de prosperar, revertirá en el patrimonio de la sociedad, no genera derechos económicos directos ni frente a los socios, ni frente a los acreedores.

La trascendencia de esta acción es la de permitir en este caso a la sociedad ir más allá del daño sufrido y proyectar su reclamación al beneficio que ha dejado de percibir por la actuación del administrador de la compañía.

# 53. La acción individual de responsabilidad contra los administradores de las sociedades de capital. Por fin una solución legislativa sobre su régimen jurídico

**MARÍA ISABEL GRIMALDOS GARCÍA**

*Profesora titular interina (acreditada a titular) de Derecho Mercantil*
*Universidad de Murcia*

## I. INTRODUCCIÓN

La LSC regula el régimen de responsabilidad civil de los administradores de las sociedades de capital en sus artículos 236 a 241 bis. Este régimen distingue la acción social de responsabilidad civil y la acción individual de responsabilidad civil.

La primera permite a la sociedad, a los accionistas y a los acreedores de la misma, demandar a los administradores cuando causen daños al patrimonio social por actos que sean contrarios a la Ley o a los estatutos o por los realizados incumpliendo los deberes inherentes al desempeño del cargo. El requisito necesario para el ejercicio de la acción social de responsabilidad consiste en que el perjuicio causado recaiga sobre el patrimonio social. La eventual obligación resarcitoria nacida de esta acción tiene por finalidad indemnizar el daño social provocado por los administradores. La legitimación subsidiaria concedida a los accionistas y acreedores se justifica en atención al interés «reflejo» de estos sujetos en la reintegración del patrimonio social, ya que su menoscabo puede reflejarse de forma indirecta en el valor de sus acciones o en la insatisfacción de sus créditos.

La segunda, por el contrario, tiene por finalidad restaurar el patrimonio individual de los socios y terceros cuyos intereses han sido lesionados directamente por la actuación de los administradores. El presupuesto necesario para el ejercicio de la acción individual de responsabilidad civil es que la lesión causada por los administradores se produzca de forma directa sobre el patrimonio de un socio o un tercero, excluyéndose de su ámbito los perjuicios causados a estos sujetos de modo mediato o reflejo como consecuencia del perjuicio sufrido por el patrimonio social[1].

El art. 236 de la LSC introducido por la Ley 31/2014, bajo el título «Presupuestos y extensión subjetiva de la responsabilidad», comienza prescribiendo que «Los administradores responderán *frente a la sociedad, frente a los socios y frente a los acreedores sociales...*». Del mismo modo que en su redacción original, y antes de ella los arts. 79 de la LSA de 1951 y 133 del TRLSA de 1989, señala a la sociedad, a los socios y a los acreedores como legitimados para accionar contra los administradores sociales, sin hacer referencia expresa a cualesquiera otros terceros.

Por tal razón, tanto en su antigua como en su nueva redacción, una primera lectura del art. 236 LSC, junto al repaso de los artículos 238 a 240 LSC, podría llevar a la impresión de que el régimen previsto legalmente por los arts. 236 y 237 LSC sólo resulta de aplicación en el supuesto en que la sociedad, o de forma vicaria, en su lugar y como mecanismo de restitución del patrimonio social dañado, los socios o acreedores sociales ejercitaran contra los administradores de la entidad la acción social de res-

---

[1]    El presupuesto del *daño directo* como elemento delimitador de la acción individual frente a la social constituye cuestión común y obligada para todos los autores que han estudiado el régimen de responsabilidad civil de los administradores, véase, entre otros, SÁNCHEZ CALERO, F., *Administradores*, AA.VV. (Dirigido por SÁNCHEZ CALERO), *Comentarios a la Ley de Sociedades Anónimas*, t. IV, Madrid (Edersa), 1994, págs. 322 y ss.; POLO SÁNCHEZ, E., *Los administradores y el Consejo de Administración de la Sociedad Anónima (Artículos 123 a 143 de la Ley de Sociedades Anónimas)*, AA.VV. (Dirigido por URÍA/MENÉNDEZ/OLIVENCIA), *Comentario al Régimen Legal de las Sociedades Mercantiles*, t. VI, Madrid (Civitas), 1992, págs. 370 y ss.; ALONSO UREBA, A., «Presupuestos de la responsabilidad social de los administradores de una sociedad anónima», *Revista de Derecho Mercantil*, nº 198, 1991, págs. 657 y ss.; ESTEBAN VELASCO, G., «Algunas reflexiones sobre la responsabilidad de los administradores frente a los socios y terceros: acción individual y acción por no promoción o remoción de la disolución», *Revista de Derecho de Sociedades*, nº 5, 1995, págs. 62 y ss.; FERNÁNDEZ DE LA GÁNDARA, L./ GARCÍA-PITA PEMÁN, D./ FERNÁNDEZ RODRÍGUEZ, A., «Responsabilidad de los administradores de sociedades de capital en la esfera jurídico-societaria» en AA.VV. (Coordinado por FERNÁNDEZ DE LA GÁNDARA), *Responsabilidad de consejeros y altos cargos de sociedades de capital*, Madrid (Mc Graw Hill), 1996, pág. 26.

ponsabilidad. Pero resulta dudoso si tal régimen es aplicable a la acción individual o, por el contrario, lo es el común del art. 1902 C.C. La elección de una u otra tesis es relevante para la protección del potencial demandante: conforme al régimen previsto por el art. 1902 C.C., aquél debería probar todos los presupuestos constitutivos de la responsabilidad civil respecto de cada uno de los administradores: acción u omisión ilícita, culpa, daño y nexo causal. Por el contrario, el art. 237 LSC, y antes su predecesor, art. 133.2 TRLSA de 1989, instituye la responsabilidad solidaria de todos los miembros del órgano de administración y las causas de exoneración de la misma. Asimismo, la nueva redacción del art. 236 *ex* Ley 31/2014, establece la inversión de la carga de la prueba de la culpabilidad a favor de los terceros perjudicados, así como la extensión del régimen a los «administradores de hecho» (ya lo hacía en su texto original, y antes el art. 133 TRLSA en la redacción introducida por la Ley 26/2003, de 17 de julio), y, de forma novedosa, a otras personas asimiladas a los administradores en esta materia (cfr. art. 236. 3 y 4 LSC).

## II. EL DEBATE DOCTRINAL ACERCA DEL ÁMBITO DE APLICACIÓN DE LA ACCIÓN INDIVIDUAL

### 1. *La acción individual como acción extrasocietaria*

El art. 81 de la LSA de 1951 establecía que «No obstante lo dispuesto en los artículos precedentes quedan a salvo las acciones de indemnización que puedan corresponder a los socios y a los terceros por actos de los administradores que lesionen directamente los intereses de aquellos». El vigente art. 241 LSC, con apenas variaciones, preceptúa que «Quedan a salvo las acciones de indemnización que puedan corresponder a los socios y a los terceros por actos de administradores que lesionen directamente los intereses de aquellos».

La oscura literalidad del precepto citado ha provocado un largo debate doctrinal acerca de su ámbito de aplicación. Porque la posibilidad de demandar a los administradores de una sociedad anónima por actos realizados en el ejercicio de sus funciones no armoniza en absoluto con la teoría orgánica que se introdujo en nuestro Ordenamiento con la LSA de 1951[2],

---

2   En el Código de Comercio de 1885 en su redacción original, el administrador era considerado un simple mandatario. Así, su art. 156 disponía, a efectos de responsabilidad civil de los mismos por su actuación, que «Los administradores de

a fin de superar la insuficiencia del concepto de representación referida a los administradores de la sociedad anónima. Conforme a esta teoría[3], la sociedad anónima no tiene más que una voluntad, pero dada la imposibilidad física de que ésta se manifieste, se instituye un órgano al que se le conceden facultades de representación de la misma. De ahí que cuando actúa el órgano de administración, sea la persona jurídica misma la que actúa: tan sólo a ella son imputables las actuaciones de su órgano de administración y, en consecuencia, únicamente la sociedad será responsable de los daños que aquéllas generaren. En su caso, la sociedad podrá resarcirse de los daños causados por los actos de los administradores en el patrimonio social a través de la acción social de responsabilidad pero, en principio, la sociedad es la responsable directa frente a terceros, contractual o extracontractualmente, según los supuestos, de la actividad de sus administradores en el ejercicio de sus funciones y competencias orgánicas. Puesto que aquella no expresa su voluntad sino a través de sus órganos sociales, debe responder de los ilícitos civiles que aquéllos causen, ya se produzcan en la fase negocial, ya en la prenegocial[4]. Incluso si la responsabilidad de aquella se subsumiera dentro del régimen aquiliano, la sociedad debe responder por hecho propio de los daños extracontractuales producidos por el administrador en el ejercicio de su cargo (art. 1902 C.C.)[5].

Un entendimiento rígido de esta teoría llevó a parte de nuestra doctrina a afirmar que el ámbito de aplicación de la acción *ex* art. 135 TRLSA, en la actualidad 241 LSC, se reducía a aquellas ocasiones en que los administradores causaban daño actuando en nombre propio, y no en su condición de órgano social. Sólo en esos supuestos podría ser ejercitada la acción individual de responsabilidad civil. Los administradores responderían entonces personalmente, excluyéndose la responsabilidad de la sociedad frente a los terceros dañados por los actos de sus administradores, ya que el daño

---

las compañías anónimas son sus mandatarios, y, mientras observen las reglas del mandato, no estarán sujetos a responsabilidad personal ni solidaria por las operaciones sociales; y si, por la infracción de las Leyes y estatutos de la compañía, o por la contravención a los acuerdos legítimos de sus juntas generales, irrogaren perjuicio y fueren varios los responsables, cada uno de ellos responderá a prorrata».

[3]   Sobre la teoría orgánica de las personas jurídicas y el concepto jurídico de órgano, véase GIRÓN, J., *Derecho de Sociedades Anónimas*, t. I, Valladolid (Publicaciones de la Universidad de Valladolid), 1952, págs. 267 y ss.

[4]   Véase ESTEBAN VELASCO, G., «Algunas reflexiones», *cit.*, págs. 52.

[5]   Véase ESTEBAN VELASCO, G., «Algunas reflexiones», *cit.*, págs. 52 y 53.

se había producido en ejercicio de actividades ajenas a las propias de la condición de órgano social[6].

En coherencia con lo señalado, la llamada «acción individual» no era considerada una acción especial del Derecho societario, sino una mera advertencia de que el administrador podía ser declarado civilmente responsable en su actuación extrasocietaria, por lo que el régimen de la acción social, esta sí una acción societaria, le era, naturalmente, del todo ajeno.

Asimismo, se ha sostenido que el art. 135 TRLSA (ahora 241 LSC) es un precepto declarativo cuyo sentido no es otro que el de aclarar que la existencia de la acción social no deroga norma alguna que establezca un supuesto de hecho de responsabilidad del administrador frente a cualquier tercero. Se trata, pues, de una norma de mera remisión a lo establecido en el art. 1902 C.C.[7], argumento que desterraría la posibilidad de considerar a esta norma como un instrumento específicamente societario de salvaguardia de los perjuicios sufridos por los terceros como consecuencia de la actuación de los administradores en ejercicio de sus funciones.

## 2. *La acción individual como acción societaria*

Frente a la tesis anterior, se mantiene la de aquellos, con los que coincidimos, que opinan que no parece lógico sostener que el art. 135 LSA (antes de él art. 81 LSA 1951; ahora 241 LSC) es una mera remisión a los arts. 1101 y 1902 C.C. para los supuestos en que el administrador causa daños al margen de su condición de miembro del órgano social, en la esfera de su actividad personal y extraorgánica. Si fuera ésta su función habría que calificar aquella norma de superflua e innecesaria y, cómo acertadamente se ha afirmado, «no puede pensarse que el legislador… ha pretendido incorporar al sistema de la Ley un precepto… con el exclusivo propósito de

---

[6]    En este sentido, GARRIGUES, J./URÍA, R., *Comentario a la Ley de Sociedades Anónimas*, 3ª edición, Madrid (Imprenta Aguirre), 1976, pág. 196; URÍA, R., *Derecho Mercantil*, 24ª edición, Madrid (Marcial Pons), 1997, pág. 339; aunque con matices, GARRETA SUCH, J. M., *La responsabilidad civil, fiscal y penal de los administradores de las Sociedades Anónimas*, Madrid (Marcial Pons), 1991, págs. 129 y ss.; del mismo autor, «La responsabilidad de los administradores de la sociedad anónima», *Revista Jurídica de Cataluña*, 1981, págs. 626 y 627; MARTÍN VILLA, P./ GONZÁLEZ PRIETO, R., «Sobre la acción individual de responsabilidad de los administradores societarios», *Revista de Derecho Privado*, 1994, pág. 763.

[7]    ALFARO ÁGUILA-REAL, «La acción individual de responsabilidad contra los administradores sociales», *InDret*, Barcelona, 2007, págs. 4 y 5.

dejar sentado algo que por lo demás es evidente: que la persona física que reúna la condición jurídica de administrador de una Sociedad Anónima no por eso viene sustraída a la aplicación de la norma contenida en el art. 1902 C.C.»[8]. En el caso de que el administrador cause perjuicios realizando

---

[8]     SUÁREZ-LLANOS GÓMEZ, «Responsabilidad de los administradores de sociedad anónima», *Anuario de Derecho Civil*, 1962, pág. 923, nota 3: «A mi juicio» —razona este autor— «el relegar plenamente la normativa del art. 81 al campo del derecho común, deriva como consecuencia lógica de un vicio de interpretación del citado precepto, cometido bajo la influencia fantasmagórica de la concepción orgánica de los administradores...». En el mismo sentido CAMPOBASSO, *Diritto Commerciale. 2. Diritto delle società*, Turín, 2002, pág. 401, nota 1 «...se così fosse l'art. 2395 (idéntico al 135 LSA) sarebbe del tutto superfluo, dato che, al pari di qualsiasi altro soggetto, gli amministratori sono tenuti in base alla disciplina generale dell'illecito civile (art. 2043) a risarcire i danni derivanti da illeciti comessi al di fuori della loro funzione». En la misma dirección apunta SALDAÑA VILLOLDO, «La acción individual de responsabilidad. Su significación en el sistema de responsabilidad de los administradores sociales. Estudio jurisprudencial», Valencia, 2009, pág. 209: «no existiendo en la Ley de anónimas norma que haga sospechar que se priva a los socios y terceros de la acción común de resarcimiento del art. 1902 Cc, tampoco existiría razón para reiterar que los socios y terceros poseen tal acción, pues en ningún lugar se les priva de la misma».
        A favor de entender que la acción del art. 135 LSA comprende los supuestos en que los administradores causen daño directo al patrimonio de socios o terceros en el ejercicio de sus funciones de administrador, es decir, con ocasión de su actividad como órgano de la sociedad, tanto en sus funciones representativas como de gestión, véase, entre otros (la doctrina sobre responsabilidad de administradores es abundantísima), ALONSO UREBA, «Presupuestos de la responsabilidad», pág. 658; ALCALÁ DÍAZ, «Acción individual de responsabilidad frente a los administradores», *Revista de Derecho de Sociedades*, n° 1, 1993, pág. 169; SUÁREZ-LLANOS GÓMEZ, «Responsabilidad de los administradores de sociedad anónima», *cit.*, pág. 923, nota 3; ESTEBAN VELASCO, «Algunas reflexiones», *cit.*, pág. 51; CALBACHO LOSADA, *El ejercicio de las acciones de responsabilidad contra los administradores de la sociedad anónima*, Valencia (Tirant lo Blanch), 1999, págs. 358 y ss. Otros autores admiten el ejercicio de la acción *ex* art. 135 LSA frente a los administradores que hayan causado daños en ejercicio de sus funciones, pero no de todas ellas, sino que distinguen entre unas u otras; así, POLO SÁNCHEZ, E., *Los administradores y el Consejo, cit.*, págs. 372 y ss., distingue entre actos personales, actos orgánicos no representativos, actos orgánicos representativos y actos investidos de la cualidad de administrador pero que no pertenecen en sentido estricto a la esfera de competencias orgánicas, y entiende que cuando se trata de una actuación representativa frente a terceros, la responsabilidad sólo es imputable a la sociedad. Por su parte, DÍAZ ECHEGARAY, J. L., *La responsabilidad civil de los administradores de la sociedad anónima*, Madrid (Montecorvo), 1995, pág. 489 sostiene, entendemos que sin acierto, que la acción individual sólo podrá ejercerse cuando los adminis-

actividades ajenas a su cargo, parece elemental señalar que le serán directamente aplicables los dos regímenes generales de responsabilidad civil existentes en nuestro Derecho: contractual, si el daño lo causa en el marco de una relación obligatoria de la que es parte, y extracontractual, si vulnera el deber *neminen laedere*. Obviamente, este daño no resultará imputable a la sociedad porque la responsabilidad civil del administrador se mantiene en tal hipótesis en el campo de sus actividades personales, independientes de su posición orgánica dentro de aquélla.

### 3. La naturaleza contractual o extracontractual de la «acción individual»

Por otra parte, también el régimen aplicable a la acción individual ha sido objeto de controvertido debate por la doctrina.

Un sector minoritario consideró que aquélla posee, en todo caso, carácter contractual[9]. Esta tesis entiende que el daño causado por los ad-

---

tradores no actúen en representación de la sociedad. La misma tesis en MARTÍN VILLA, P./ GONZÁLEZ PRIETO, R., «Sobre la acción individual», *cit.*, pág. 765.

[9] En la doctrina italiana véase BONELLI, F., *La responsabilità degli amministratori di società per azioni*, Milán (Quaderni di *GIUR. COM. n° 135*), Milán (Giuffrè), 1992, págs. 208 y 209. Este autor prefiere hablar de responsabilidad contractual por incumplimiento de obligaciones preexistentes impuestas a los administradores para el correcto ejercicio de sus funciones, tanto si el daño se causa a terceros como a socios (parece que rectificando la tesis sostenida en su anterior obra *Gli amministratori di società per azioni*, Milán (Giuffrè), 1985, pág. 321), no obstante, manifiesta dudas al respecto porque «se puede encontrar un obstáculo insuperable en la falta de relación contractual entre administradores y socio o tercero», por lo que señala que puede también entenderse que es una responsabilidad por violación de deberes de protección que incumben a los administradores encuadrable en la responsabilidad por hecho ilícito, es decir, extracontractual. Este autor cita a su vez (véase *opus cit.*, pág. 208, nota 108, último párrafo), como autor favorable a la naturaleza contractual de esta responsabilidad, a FRÈ, G., *Società per azioni*, 5ª edición, Bolonia (Zanichelli Editore), 1982. pág. 530. Sin embargo, el apoyo buscado en este último autor no es correcto ya que, aunque defiende la naturaleza contractual en caso de daño a los socios por violación de obligaciones preexistentes, se inclina por la naturaleza aquiliana del ilícito en el supuesto de daño a terceros, véase FRÈ, G., *Società per azioni, cit.*, pág. 531, nota 8. En la doctrina española LLEBOT MAJÓ, J. O., «El sistema de la responsabilidad de los administradores», *Revista de Derecho de Sociedades*, n° 7, 1996, pág. 60 entiende que los deberes impuestos por la Ley a los administradores en protección de los terceros establece entre estos y aquellos una relación obligacional, a cuyo incumplimiento serían aplicables las normas de la responsabilidad contractual.

ministradores deriva del incumplimiento de las obligaciones previamente constituidas por la Ley o los estatutos. Puesto que el régimen disciplinado por los arts. 1101 y ss. C.C. resulta aplicable a la violación de toda clase de obligaciones, aun cuando su fuente no sea un contrato, la responsabilidad civil de los administradores *ex* art. 135 LSA, ya frente a los socios, ya frente a los terceros, habrá de calificarse siempre como contractual[10].

Otros autores estimaban la existencia de una naturaleza dual de la responsabilidad civil *ex* art. 135. La distinción giraba básicamente en torno a si el daño se ha producido a los accionistas como consecuencia de la violación de los derechos societarios que le son propios —la responsabilidad de los administradores se califica entonces de contractual—, o si el daño ha sido causado a terceros con los que la sociedad se relaciona —responsabilidad extracontractual—. POLO SÁNCHEZ, y GARRETA SUCH sostienen que la responsabilidad frente a los terceros es siempre extracontractual mientras que frente a los socios, la naturaleza de la acción será contractual cuando los actos lesivos pertenezcan a la esfera competencial de los administradores, y extracontractual cuando los actos de los administradores no pertenezcan al ejercicio de las facultades atribuidas en su competencia orgánica. GIRÓN TENA y RODRÍGUEZ ARTIGAS consideran que la acción individual es una acción de Derecho común que puede ser tanto de natu-

---

[10] La responsabilidad civil del administrador nace, ciertamente, como consecuencia de la violación de deberes impuestos por la Ley o los estatutos. Cuando se afirma una preexistente obligación del administrador establecida por la Ley o los estatutos y cuya violación determina una responsabilidad contractual se parte de un presupuesto correcto: la responsabilidad contractual nace por la violación de obligaciones preexistentes aun cuando estas no nazcan de un contrato. Esta tesis asume, no obstante, un presupuesto incorrecto: confunde los términos obligación en sentido amplio, como deber jurídico, y obligación en sentido estricto o técnico. La existencia de una obligación en sentido estricto implica un sujeto deudor, sobre quien pesa el deber jurídico de realizar una prestación, y otro acreedor, que es la persona titular del poder jurídico de exigir aquélla (acerca de la distinción entre deber jurídico y obligación véase DE LOS MOZOS, J. L., «Concepto de obligación», *Revista de Derecho Privado*, 1980, págs. 981 y ss.; DÍEZ-PICAZO, L., «El contenido de la relación obligatoria», *Anuario de Derecho Civil*, 1964-2, págs. 361 y ss.). Pero entre el administrador y cualquier tercero no hay relación obligatoria en sentido estricto. Las «obligaciones» que competen a los administradores en virtud de la Ley y de los estatutos frente a los terceros no son obligaciones en sentido técnico. Entre el administrador y el tercero no existirá relación obligatoria alguna a menos que aquél, como consecuencia de la violación de sus deberes, cause daño a éste; en tal caso nacerá la obligación, en sentido estricto, de indemnizar (véase ESTEBAN VELASCO, G., «Algunas reflexiones», *cit.*, pág. 56).

raleza contractual como extracontractual. GARRIGUES y URÍA, califican de contractual la responsabilidad de los administradores cuando violan un derecho del accionista, por existir una obligación preconstituida en la Ley o los estatutos y de extracontractual cuando se cause el daño por hechos ilícitos en el patrimonio de terceros. Finalmente, SÁNCHEZ CALERO, afirma la naturaleza extracontractual de la acción si se ejercita por los terceros, y su naturaleza contractual, aun con dudas, si se ejercita por los socios, por producirse el daño de los administradores como consecuencia del incumplimiento de deberes incardinados en las relaciones jurídicas internas de la organización societaria[11].

La doctrina mayoritaria entiende que la responsabilidad civil disciplinada por el art. 135 LSA (ahora 241 LSC) ha de ser calificada unitariamente como extracontractual, ya ejercite la acción un socio, ya un tercero. La razón es la falta de vínculo contractual entre estos últimos y los administradores que justificara calificar su daño como contractual[12].

---

[11]    POLO SÁNCHEZ, E., *Los administradores y el Consejo, cit.*, pág. 375; y GARRETA SUCH, J. M., *La responsabilidad civil, fiscal y penal, cit.*, págs. 134 y ss.; GIRÓN TENA, J., «La responsabilidad de los administradores de la Sociedad Anónima en el Derecho Español», *Anuario de Derecho Civil*, XII, 1959, pág. 445; y RODRÍGUEZ ARTIGAS, F., *Consejeros Delegados, Comisiones Ejecutivas y Consejos de Administración*, Madrid (Montecorvo), 1971, págs. 406 y 407; GARRIGUES, J./URÍA, R., *Comentarios a la Ley, cit.*, pág. 197; y FRÈ, G., *Società per azioni*, 5ª edición, Bolonia (Zanichelli Editore), 1982, págs. 530 y 531; SÁNCHEZ CALERO, F., *Administradores, cit.*, págs. 330 y ss.

[12]    En la doctrina italiana, GALGANO, F., *Le società per azioni*, en AA.VV. (Dirigido por GALGANO, F.), *Tratatto di Diritto Commerciale e di Diritto Pubblico dell'economía*, vol. VII, Padua (Cedam), 1984, págs. 277 y 278; COTTINO, G., *Diritto Commerciale*, vol. 1°, t. 2°, 3ª edición, Padua (Cedam), 1994, pág. 553; CAMPOBASSO, G. F., *Diritto Commerciale. 2. Diritto della società.* 2ª edición, Turín (Utet), 1992, pág. 355; MASUCCI, C., «Sulla responsabilità degli amministratori *ex* 2395», *Giurisprudenza Commerciale*, 1984, pág. 591; FERRI, F., Le società, 3ª edición, Turín (Utet), 1987, pág. 726; RAGUSA MAGGIORE, G., *La responsabilità individuale degli amministratori (art. 2.395 c.c.)*, Milán (Giuffrè), 1969, pág. 93; BONELLI, F., *Gli amministratori di società per azioni*, Milán (Giuffrè), 1985, págs. 320 y 321. En la doctrina española, MORA MATEO, J. E., «Responsabilidad civil del administrador de la sociedad anónima», *Revista General de Derecho*, n° 591, dic-1993, pág. 11854; ALCALÁ DÍAZ, M. A., «Acción individual», *cit.*, pág. 166; ESTEBAN VELASCO, G., «Algunas reflexiones», *cit.*, pág. 56; RUBIO, J., *Curso de Derecho de Sociedades Anónimas*, 3ª edición, Madrid (Editorial de Derecho Financiero), 1974, pág. 307; VICENT CHULIÁ, F., *Compendio Crítico de Derecho Mercantil*, t. 1, vol. 1, 3ª edición, Barcelona (Bosch), 1991, pág. 660; FERNÁNDEZ DE LA GÁNDARA, L./ GARCÍA-PITA PEMÁN, D./

No se soluciona, sin embargo, la cuestión de qué régimen resulta aplicable a la acción individual, si los propios del Derecho societario para la acción social o los propios del 1902 C.C. Porque parte de la doctrina ha insistido en el carácter adversativo de las palabras que daban inicio al art. 133 LSA («*No obstante* lo dispuesto en los artículos precedentes...»), que implican, según se afirma, que los presupuestos de la acción individual eran totalmente independientes de los previstos *ex* art. 133 LSA para la acción de responsabilidad social[13].

Se retomaban así los argumentos de la doctrina tradicional que negaba la aplicación de los presupuestos del art. 79 LSA 1951 para el ejercicio de la acción individual. Aún vigente la LSA de 1951, se debatió acerca de si el privilegio de los administradores previsto para la acción social, consistente en la exoneración de responsabilidad por la infracción de sus deberes salvo cuando mediara dolo o culpa lata (arts. 79 y 80), era o no aplicable a los casos de acción individual (art. 81). En la interpretación de estos artículos se mantuvieron dos tesis enfrentadas: de un lado, la de quienes sostenían que para el ejercicio de la acción individual también era necesario demostrar la culpa lata del administrador, al entender que los presupuestos de responsabilidad del administrador debían ser los mismos tanto si se dañaba el patrimonio social como el patrimonio individual[14]; de otro lado, la de quienes mantenían que fuera del ámbito de la acción de responsabilidad social no tenían cabida ni la restricción de la culpa ni la especial técnica de legitimación del art. 79, al entender que la acción del art. 81 era totalmente independiente de la acción social[15]. Los autores que negaban la aplicación de los presupuestos *ex* art. 79 LSA 1951 a la acción individual

---

FERNÁNDEZ RODRÍGUEZ, A., «Responsabilidad de los administradores», *cit.*, pág. 26; CALBACHO LOSADA, F., *El ejercicio de las acciones, cit.*, pág. 338.

[13] Véase DÍAZ ECHEGARAY, J. L., *La responsabilidad civil, cit.*, pág. 496; POLO SÁNCHEZ, E., *Los administradores y el Consejo, cit.*, pág. 376 y ss.

[14] Véase GARRIGUES, J./URÍA, R., *Comentario a la Ley, cit.*, pág. 198; GARRETA SUCH, J. M., *La responsabilidad civil, cit.*, pág. 627.

[15] Véase QUIJANO GONZÁLEZ, J., *La responsabilidad civil de los administradores de la sociedad anónima*, Valladolid (Universidad de Valladolid), 1985. pág. 137; GIRÓN TENA, J., *Derecho de Sociedades Anónimas*, II, Valladolid (Publicaciones de la Universidad de Valladolid), 1952, pág. 383; RUBIO, J., *Curso de Derecho, cit.*, pág. 307). Nuestra jurisprudencia optó por la primera de las tesis, exigiendo en todo caso la negligencia grave de los administradores para exigirles responsabilidad en el ejercicio de la acción individual (véase las sentencias citadas por MORA MATEO, J., «Responsabilidad civil», *cit.*, pág. 11851 que dan cuenta de esta posición jurisprudencial).

*ex* art. 81 de aquella Ley, realizaban esta interpretación con la finalidad de facilitar el ejercicio de la acción individual, pues no se entendía que la franquicia en la responsabilidad del art. 79 (culpa lata) debiera extenderse a los terceros, ya que los discriminaba con relación a otros acreedores de derecho común.

Por otro lado, se ha sostenido que el adversativo, «no obstante» con el que comenzaba el art. 135 LSA y el modo subjuntivo empleado tras él «quedan a salvo las acciones que puedan corresponder...» indicaban la intención del legislador de no derogar las normas que otorgan otras acciones de responsabilidad civil a los socios o terceros contra los administradores de la sociedad, abogándose así, al parecer, por la aplicación del régimen del art. 1902 C.C. (al menos frente a terceros)[16].

## III. NUESTRA POSICIÓN

En nuestra opinión la acción individual es una acción estrictamente societaria cuyo régimen comparte con la acción social[17].

En primer lugar, el argumento estrictamente literal recién apuntado no debe sobrevalorarse. La redacción del art. 135 LSA parece ser fruto del mal hacer del legislador español al «copiar» la norma italiana de la que aquel trae origen como la propia doctrina italiana indica: «El legislador español añade el adverbio "no obstante", que parece debe entenderse en el siguiente sentido: es verdad que la sociedad puede actuar contra los administradores por los daños causados a su patrimonio y que también los acreedores pueden actuar contra los administradores, pero ello no obstante, donde subsista un daño directo de los socios o de los terceros, éstos podrán demandar personalmente... Probablemente debe considerarse que

---

[16]   ALFARO ÁGUILA-REAL, «La acción individual de responsabilidad contra los administradores sociales», *cit.*

[17]   El TS acoge la tesis de que «la acción individual de responsabilidad supone una especial aplicación de responsabilidad extracontractual integrada en un marco societario, que cuenta con una regulación propia (art. 135 LSA-241 LSC), que la especializa respecto de la genérica prevista en el art. 1902 Cc» [STS 23 de mayo de 2014 *(Tol 4357153)*, entre las más recientes en el mismo sentido véase STS de 3 de marzo de 2016 *(Tol 5664444)*]. Sin embargo, aplica los requisitos del art. 1902 CC que ha excluido previamente, lo que señala y critica ALFARO ÁGUILA-REAL, J., derechomercantilespana.blogspot.com.es/2014/06/accion-individual-de-responsabilidad.html.

en España, en la traducción casi literal de nuestro art. 2395[18] se ha añadido aquel "no obstante", que no tiene un significado adversativo, sino que viene (mal) adoptado como unión entre los artículos que preceden al art. 81 y este último…»[19].

En segundo lugar, aun admitiendo que fuera oscuro el fin de protección de la norma en el tenor literal del precepto, no lo es la intención del legislador.

La acción individual de responsabilidad contra los administradores cumple con la función de asegurar el desarrollo de la diligencia debida en el ejercicio de su gestión[20] frente a los sujetos que pueden haberse visto ilegítimamente dañados por su actuación, aun cuando ninguna relación negocial les una a ellos[21]. El deber de cuidado —el deber de diligencia ex art. 225 LSC— exige que los administradores inviertan una determinada cantidad de tiempo y esfuerzo y desplieguen la pericia exigible conforme al cargo que ocupan en la gestión o supervisión de la empresa a fin de maximizar la producción de valor, esto es, en protección de los intereses de los accionistas[22]. Pero este mismo deber de cuidado, esta misma pericia les es

---

[18]    Art. 2395 del Codice Civile italiano, origen de nuestro artículo 135 LSA. Esta norma se introdujo en el Ordenamiento de aquel país con el fin de poder imputar responsabilidad directa a los administradores que hubieran inducido a los socios o a los terceros a la adquisición o suscripción de acciones u obligaciones mediante la utilización de un balance falso u otras informaciones engañosas, véase BORGIOLI, «La responsabilità degli amministratori per danno diretto ex art. 2395 c.c.», *Giurisprudenza Commerciale*, II, 1981, pág. 704; RAGUSA MAGGIORE, *La responsabilità individuale, cit.*, pág. 12, nota 7; BONELLI, *Gli amministratori di società per azioni, cit.*, pág. 314, nota 335.

[19]    RAGUSA MAGGIORE, *La responsabilità individuale, cit.*, pág. 16, nota 10.

[20]    Véase RODRÍGUEZ ARTIGAS, «El deber de diligencia», en AA.VV. (Coordinado por ESTEBAN VELASCO), *El gobierno de las sociedades cotizadas*, Barcelona (Marcial Pons), 1999, pág. 420; GARRIGUES/FERNÁNDEZ DE LA GÁNDARA, «El gobierno de las sociedades: un punto de vista jurídico», Círculo de Empresarios, Bol. núm. 62, 1997, pág. 246.

[21]    «No parece que deban los administradores tener una posición privilegiada cuando en el desempeño de su cargo infrinjan normas establecidas en protección de socios o terceros o cuando omitan los deberes de prevención y evitación de daños a socios o terceros que pertenecen a su ámbito de competencia» ESTEBAN VELASCO, «La acción individual de responsabilidad» en en AA.VV. (Ddo. por ROJO/BELTRÁN), *La responsabilidad de los administradores de las sociedades mercantiles*, 3ª edición, Valencia, 2009, pág. 164).

[22]    Véase PAZ-ARES, «La responsabilidad de los administradores como instrumento de gobierno corporativo», *InDret*, working paper nº 162, Barcelona, 2003, pág. 5.

exigible para evitar que en su actuación como administradores produzcan a los terceros daños que estos no deban legalmente soportar[23], protegiéndose así a los «otros interesados» en la actividad de la empresa[24].

La *mens legislatoris* no deja dudas a la vista de los textos prelegislativos de 1989.

En la Presentación del Proyecto de Ley que dio lugar a la redacción de la Ley de Sociedades Anónimas fruto de la Ley de reforma parcial y adaptación de la legislación mercantil a las directivas de la CEE en materia de sociedades de 1989 realizado por el Ministro de Justicia —en aquel momento Ledesma Bartret— se informa a la Cámara de los motivos de la reforma y se arguye[25]:

«...otras muchas normas del proyecto, tutelan intereses generales y no sencillamente ordenan relaciones jurídicas «interprivatos». Pienso, señorías, que, a punto de terminar el siglo XX, no puede sostenerse una filosofía individualista en este terreno. Los terceros ya no son solamente quienes contratan o quienes van a contratar con la sociedad mercantil, sino que *terceros somos todos, es la sociedad en su conjunto, que puede verse relacionada por medio de mecanismos de responsabilidad extracontractual con el empresario social...* (*el proyecto de ley) persigue, en fin, proteger todos los legítimos intereses* de los accionistas, sin excluir, por supuesto a los minoritarios, todos los legítimos intereses de los acreedores de las sociedades, todos los legítimos intereses *de las personas que se relacionan con ellas,* todos los legítimos intereses de quienes trabajan en ellas.»

---

[23]  De gran interés la STS de 23 de mayo de 2014 (ya citada): «El art 241 LSC permite una acción individual contra los administradores, cuando en el ejercicio de sus funciones, incumplen normas específicas que se imponen a su actividad social y tienden a proteger al más débil, en este caso, al comprador de una vivienda que anticipa su precio antes de serle entregada, y sufre directamente el daño como consecuencia del incumplimiento de sus obligaciones».

[24]  En contra, ALFARO ÁGUILA-REAL, J., «La llamada acción individual», 2007, *cit.*, pág. 6: «...el incumplimiento de sus deberes como administrador (deber de diligencia y lealtad) no es relevante para afirmar la responsabilidad directa de los administradores por los daños sufridos por el tercero en su relación con la sociedad. La razón no se escapa: el administrador no debe a los terceros el cumplimiento de sus deberes de gestión diligente y honrada de la sociedad. Esos deberes forman parte de su contrato con la sociedad y los "debe" a la sociedad. No a los terceros.»

[25]  Diario de Sesiones del Congreso de Los Diputados. Año 1988. III Legislatura. Núm. 120, págs. 7218 y 7219.

En los Dictámenes de Comisión sobre el Proyecto de ley citado[26], en la defensa que la Minoría Catalana realiza de sus enmiendas al régimen de responsabilidad de los administradores se lee:

«Finalmente, hay un grupo también de enmiendas que se mantiene, relativas a la responsabilidad de los administradores… los administradores han de responder frente a accionistas, frente a acreedores, por aquellas actividades en que realmente ellos hayan actuado con, a nuestro juicio, negligencia grave. Todo ello se modifica. No es solamente la responsabilidad frente a accionistas, frente a acreedores, *sino frente a terceros, "erga omnes"*[27], y además, por simple negligencia, o, mejor dicho, por falta de diligencia, o, mejor dicho, por falta de diligencia en algunos casos… A nuestro juicio esto es absolutamente excesivo…»[28]. Como resulta evidente, no había duda del significado de la redacción propuesta por el Gobierno.

Más recientemente, en el trámite de enmiendas en el Congreso de los Diputados de la Ley de Transparencia, el Grupo Mixto propuso una nueva redacción para esta norma en los términos que siguen[29]: «Artículo 135. Acción individual de responsabilidad. Los socios y acreedores sociales podrán entablar las correspondientes acciones de responsabilidad contra los administradores que, en el ejercicio de su cargo, hayan causado daño en el patrimonio individual de cada uno de aquéllos». Y lo hizo con la siguiente justificación: «La actual redacción del artículo 135 data de la Ley de Sociedades Anónimas de 1951 y fue mantenida en la reforma de 1989, a pesar de que se modificaron los presupuestos de la responsabilidad de los administradores. Con la nueva redacción que se propone *queda claro… que la legitimación activa corresponde a los socios o a los acreedores, conforme con*

---

[26]   Diario de Sesiones del Congreso de los Diputados. Año 1989, III Legislatura, núm. 185, pág. 10697.

[27]   La cursiva es nuestra.

[28]   Y no es extraño que se concibiera así la responsabilidad frente a los administradores —frente a terceros, «erga omnes»—, porque el Tribunal Supremo ya se había pronunciado en la sentencia de 21 mayo 1985 *(Tol 1735941)* en el sentido de que: «…el artículo ochenta y uno de la citada Ley de Sociedades Anónimas reconoce una acción individual a favor de los socios y de los terceros, distinta de la acción social que regula en su artículo ochenta, y tendente no a la indemnización por los administradores del daño causado al patrimonio social y ordenada a obtener la reconstitución del mismo, como garantía indirecta para el cobro por los demandantes de sus créditos, sino a indemnizarles de los daños directamente sufridos en su patrimonio,…».

[29]   Boletín Oficial de las Cortes Generales. Congreso de los Diputados. VII Legislatura. Serie A. 12 de mayo de 2003. Núm. 137-5, págs. 16 y 17.

*el artículo 133 y no extendiéndola a cualquier tercero que no sea acreedor social*[30] *como se indica en la redacción actual del precepto,* cuyos respectivos patrimonios hayan sido directamente lesionados; que la responsabilidad de los administradores nace como consecuencia de actos realizados en el ejercicio de su cargo». A pesar de «la advertencia», la ley se aprobó tal como había sido redactada inicialmente, lo que no indica sino la determinación del legislador de otorgarle a aquella el sentido expresado por el Grupo Mixto: que la responsabilidad ex art. 135 nace para los administradores por actos realizados en ejercicio del cargo frente a cualquier tercero directamente dañado por su actuación.

Como con muy acertadas palabras se ha expresado[31], «El fundamento teórico de la responsabilidad frente a socios o terceros hay que situarlo en la *protección de las expectativas sociales generadas en el tráfico de que desempeñarán sus funciones y competencias manteniendo una relación socialmente adecuada con la esfera de aquéllos. El medio ad hoc para proteger esa confianza es reconocer a favor de los posibles perjudicados una acción para exigir la indemnización (art. 135 LSA), cuya propia existencia genera la confianza»*[32].

Por otra parte, la racionalidad del sistema exige que la acción individual de responsabilidad civil sea subsumida en el mismo régimen especial previsto para la acción social (arts. 236, 237 LSC). Los sujetos legitimados para ejercitar la acción y el patrimonio dañado son, ciertamente, distintos; no obstante, la eventual responsabilidad civil de los administradores se funda en uno y en otro caso en idéntica razón: en la infracción de las obligaciones impuestas por el Ordenamiento en su condición de órgano de administración de la sociedad de capital, bien en protección de los intereses de la sociedad o de los socios, bien en protección de los intereses de los acreedores o de otros terceros que entran en contacto con la sociedad. En este sentido, tan especial del Derecho societario es la acción social como la acción individual[33].

---

[30]  La cursiva es nuestra.
[31]  MARÍN DE LA BÁRCENA GARCIMARTÍN, *La acción individual de responsabilidad frente a los administradores de sociedades de capital (art. 135 LSA),* Madrid/Barcelona, 2005, pág. 131.
[32]  La cursiva es del propio autor.
[33]  Véase SUÁREZ LLANOS, L., «Responsabilidad de los administradores», *cit.,* págs. 923 y 924; LLEBOT MAJÓ, J. O., «El sistema de la responsabilidad», *cit.,* pág. 60; RAGUSA MAGGIORE, G.: *La responsabilità individuale, cit.,* pág. 209. En nuestra doctrina se pronuncian a favor de aplicar el régimen dispuesto por el 133 LSA a la acción individual: SÁNCHEZ CALERO, F., *Administradores, cit.,* pág. 334;

Y esta tesis ha venido a ser confirmada definitivamente por la Ley 31/2014. Entre los artículos relativos a la responsabilidad de los administradores ha venido a sancionar el nuevo *artículo 241 bis* «Prescripción de las acciones de responsabilidad», conforme al cual, «La acción de responsabilidad contra los administradores, sea social o individual, prescribirá a los cuatro años a contar desde el día en que hubiera podido ejercitarse». Parece evidente que el legislador concibe un estatuto jurídico único para ambas acciones: en primer lugar, se refiere a la «acción de responsabilidad», en singular; distingue entre acción social y acción individual como subtipos sometidos a idénticas reglas; y decide aplicarles igual plazo de prescripción, esto es, el mismo régimen[34]. El debate quizás quede, a partir de ahora, zanjado[35].

---

PRENDES CARRIL, P., «Pérdidas y responsabilidad civil de los administradores en las sociedades de capital», *Aranzadi Civil,* n° 10, 1998, pág. 25; SANTOS BRIZ, J., «Responsabilidad civil de los administradores y representantes de empresas y sociedades mercantiles», *Revista de Derecho Privado,* 1995, pág. 322; ARROYO MARTÍNEZ, I., «La responsabilidad de los administradores en la sociedad de responsabilidad limitada (Comentario del artículo 69 LSRL)» en AA.VV., *Estudios de Derecho Mercantil. Homenaje al Profesor Justino F. Duque,* vol. I, Valladolid (Publicaciones Universidad de Valladolid), 1998, págs. 163 y ss.; CALBACHO LOSADA, F., *El ejercicio de las acciones, cit.,* pág. 328; parcialmente, sólo en el supuesto de acción individual ejercida por un socio, POLO SÁNCHEZ, E., *Los administradores y el Consejo, cit.,* págs. 377 y 378; ARROYO MARTÍNEZ, I./BOET SERRA, E., «Artículo 135», en AA.VV. (Coord. Arroyo/Embid/Górriz), Comentarios a la Ley de Sociedades Anónimas, v. II, 2° edición, Tecnos, Madrid, 2009, pág. 1572.

[34] A partir de la entrada en vigor de la Ley de Sociedades Anónimas, la jurisprudencia no mantuvo una solución uniforme acerca de la aplicación a estas acciones de los plazos de prescripción. El TS osciló en este ámbito en función de la naturaleza extracontractual o contractual de la relación jurídica causante de la reclamación (véase MASSAGUER FUENTES, J., «Art. 241 bis», en AA.VV. *Comentario de la reforma del régimen de las sociedades de capital en materia de Gobierno Corporativo,* Civitas-Thomson Reuters, Cizur Menor, 2015, pág. 478). No obstante, la sentencia de 20 de julio de 2001 *(Tol 2369139)* recogió ya, con un propósito unificador, el criterio que finalmente prevaleció: que el plazo de prescripción de las acciones de responsabilidad civil de los administradores es de cuatro años del artículo 949 del Código de Comercio. No ha sido esta la solución recogida por la Ley 31/2014. En efecto, establece un plazo de prescripción de cuatro años pero no desde el cese en el cargo de administrador como preceptúa el artículo citado, sino «desde el día en que hubiera podido ejercitarse».

El art. 241 bis tiene su origen en el artículo único, apartado vigésimo segundo, del Proyecto de Ley por la que se modifica la Ley de Sociedades de Capital para la mejora del Gobierno Corporativo. Coincide en su redacción con la del artículo 241 bis del *Estudio sobre propuestas de modificaciones normativas,* de 14 de octubre de

## Bibliografía

ALCALÁ DÍAZ, «Acción individual de responsabilidad frente a los administradores», *Revista de Derecho de Sociedades*, nº 1, 1993.

ALFARO ÁGUILA-REAL, «La acción individual de responsabilidad contra los administradores sociales», *InDret*, Barcelona, 2007.

ALONSO UREBA, A., «Presupuestos de la responsabilidad social de los administradores de una sociedad anónima», *Revista de Derecho Mercantil*, nº 198, 1991.

ARROYO MARTÍNEZ, I., «La responsabilidad de los administradores en la sociedad de responsabilidad limitada (Comentario del artículo 69 LSRL)» en AA.VV., *Estudios de Derecho Mercantil. Homenaje al Profesor Justino F. Duque*, vol. I, Valladolid (Publicaciones Universidad de Valladolid), 1998.

ARROYO MARTÍNEZ, I./BOET SERRA, E., «Artículo 135», en AA.VV. (Coord. Arroyo/Embid/Górriz), *Comentarios a la Ley de Sociedades Anónimas*, v. II, 2º edición, Tecnos, Madrid, 2009.

BONELLI, F., *Gli amministratori di società per azioni*, Milán (Giuffrè), 1985.

— *La responsabilità degli amministratori di società per azioni*, Milán (Quaderni di *GIUR. COM. nº 135*), Milán (Giuffrè), 1992.

---

2013, elaborado por la Comisión de Expertos en materia de Gobierno Corporativo. Este justifica la nueva disposición en el incremento de la eficacia de las normas sobre gobierno corporativo. A su vez, la redacción propuesta en el Estudio reproduce el articulo 215-20 de la Propuesta de Código Mercantil de 17 de junio de 2013, que señalaba en su Exposición de Motivos que con esta nueva regulación «se ha clarificado el viejo asunto de la prescripción de acciones por medio de un plazo único de cuatro años, idéntico para la social y la individual, que habrá de contar desde el día en que puedan ejercitarse y sin tener en cuenta el cese de los afectados» (véase MASSAGUER FUENTES, J., «Art. 241 bis», *cit.*, pág. 479.

35    Véase SALDAÑA VILLOLDO, B., «Acciones de responsabilidad: artículos 239 a 241 bis», en AA.VV. (Coord. HERNANDO CEBRIÁ), *Régimen de deberes y responsabilidad de los administradores en las sociedades de capital*, Bosch, Barcelona, 2015, pág. 406: «…parece asentada la opinión de que se trata de una acción de carácter especial propia del Derecho de sociedades… ostenta un régimen material específico… siendo su ámbito de aplicación la actuación de los administradores dentro de las pautas de comportamiento y obligaciones que a éstos les vienen impuestas como órgano de la sociedad. El fundamento jurídico-material de la acción individual está integrado por los artículos 225 y siguientes de la Ley de Sociedades de Capital… Esta construcción dogmática de la acción individual… ha quedado reforzada con la Ley 31/2014 a través del art. 241 bis, que otorga un tratamiento unitario a esta acción junto con la acción social en relación con el régimen de prescripción. La rúbrica del art. 241 bis LSC "prescripción de las acciones de responsabilidad" denota la clara configuración de ambas acciones como acciones de una misma naturaleza y con un mismo objetivo: la reparación del daño irrogado por los administradores por acciones u omisiones derivadas de su función orgánica en la sociedad»

BORGIOLI, «La responsabilità degli amministratori per danno diretto ex art. 2395 c.c.», *Giurisprudenza Commerciale*, II, 1981.

CALBACHO LOSADA, *El ejercicio de las acciones de responsabilidad contra los administradores de la sociedad anónima*, Valencia (Tirant lo Blanch), 1999.

CAMPOBASSO, G. F., *Diritto Commerciale. 2. Diritto delle società*, Turín, 2002.

— *Diritto Commerciale. 2. Diritto della società*. 2ª edición, Turín (Utet), 1992.

COTTINO, G., *Diritto Commerciale*, vol. 1°, t. 2°, 3ª edición, Padua (Cedam), 1994.

DE LOS MOZOS, J. L., «Concepto de obligación», *Revista de Derecho Privado*, 1980.

DÍAZ ECHEGARAY, J. L., *La responsabilidad civil de los administradores de la sociedad anónima*, Madrid (Montecorvo), 1995.

DÍEZ-PICAZO, L., «El contenido de la relación obligatoria», *Anuario de Derecho Civil*, 1964-2.

ESTEBAN VELASCO, G., «La acción individual de responsabilidad» en AA.VV. (Ddo. por ROJO/BELTRÁN), *La responsabilidad de los administradores de las sociedades mercantiles*, 3ª edición, Valencia, 2009.

— «Algunas reflexiones sobre la responsabilidad de los administradores frente a los socios y terceros: acción individual y acción por no promoción o remoción de la disolución», *Revista de Derecho de Sociedades*, n° 5, 1995.

FERNÁNDEZ DE LA GÁNDARA, L./ GARCÍA-PITA PEMÁN, D./ FERNÁNDEZ RODRÍGUEZ, A., «Responsabilidad de los administradores de sociedades de capital en la esfera jurídico-societaria» en AA.VV. (Coordinado por FERNÁNDEZ DE LA GÁNDARA), *Responsabilidad de consejeros y altos cargos de sociedades de capital*, Madrid (Mc Graw Hill), 1996.

FERRI, F., *Le società*, 3ª edición, Turín (Utet), 1987.

FRÈ, G., *Società per azioni*, 5ª edición, Bolonia (Zanichelli Editore), 1982.

GALGANO, F., *Le società per azioni*, en AA.VV. (Dirigido por GALGANO, F.), *Tratatto di Diritto Commerciale e di Diritto Pubblico dell'economía*, vol. VII, Padua (Cedam), 1984.

GARRETA SUCH, J. M., *La responsabilidad civil, fiscal y penal de los administradores de las Sociedades Anónimas*, Madrid (Marcial Pons), 1991.

— «La responsabilidad de los administradores de la sociedad anónima», *Revista Jurídica de Cataluña*, 1981.

GARRIGUES, J./URÍA, R., *Comentario a la Ley de Sociedades Anónimas*, 3ª edición, Madrid (Imprenta Aguirre), 1976.

GARRIGUES/FERNÁNDEZ DE LA GÁNDARA, «El gobierno de las sociedades: un punto de vista jurídico», *Círculo de Empresarios*, Bol. núm. 62, 1997, pág. 246.

GIRÓN TENA, J., «La responsabilidad de los administradores de la Sociedad Anónima en el Derecho Español», *Anuario de Derecho Civil*, XII, 1959.

— *Derecho de Sociedades Anónimas*, II, Valladolid (Publicaciones de la Universidad de Valladolid), 1952, pág. 383.

LLEBOT MAJÓ, J. O., «El sistema de responsabilidad de los administradores», *Revista de Derecho de Sociedades*, n° 7, 1996.

MARÍN DE LA BÁRCENA GARCIMARTÍN, *La acción individual de responsabilidad frente a los administradores de sociedades de capital (art. 135 LSA)*, Madrid/Barcelona, 2005.

MARTÍN VILLA, P./ GONZÁLEZ PRIETO, R., «Sobre la acción individual de responsabilidad de los administradores societarios», *Revista de Derecho Privado*, 1994.

MASSAGUER FUENTES, J., «Art. 241 bis», en AA.VV. *Comentario de la reforma del régimen de las sociedades de capital en materia de Gobierno Corporativo*, Civitas-Thomson Reuters, Cizur Menor, 2015.

MASUCCI, C., «Sulla responsabilità degli amministratori *ex* 2395», *Giurisprudenza Commerciale.*, 1984.

MORA MATEO, J. E., «Responsabilidad civil del administrador de la sociedad anónima», *Revista General de Derecho*, n° 591, dic-1993.

PAZ-ARES, «La responsabilidad de los administradores como instrumento de gobierno corporativo», *InDret*, working paper n° 162, Barcelona, 2003, pág. 5.

POLO SÁNCHEZ, E., *Los administradores y el Consejo de Administración de la Sociedad Anónima (Artículos 123 a 143 de la Ley de Sociedades Anónimas)*, AA.VV. (Dirigido por URÍA/MENÉNDEZ/OLIVENCIA), *Comentario al Régimen Legal de las Sociedades Mercantiles*, t. VI, Madrid (Civitas), 1992.

PRENDES CARRIL, P., «Pérdidas y responsabilidad civil de los administradores en las sociedades de capital», *Aranzadi Civil*, n° 10, 1998.

QUIJANO GONZÁLEZ, J., *La responsabilidad civil de los administradores de la sociedad anónima*, Valladolid (Universidad de Valladolid), 1985.

RAGUSA MAGGIORE, G., *La responsabilità individuale degli amministratori (art. 2.395 c.c.)*, Milán (Giuffrè), 1969.

RODRÍGUEZ ARTIGAS, F., «El deber de diligencia», en AA.VV. (Coordinado por ESTEBAN VELASCO), *El gobierno de las sociedades cotizadas*, Barcelona (Marcial Pons), 1999.

— *Consejeros Delegados, Comisiones Ejecutivas y Consejos de Administración*, Madrid (Montecorvo), 1971.

RUBIO, J., *Curso de Derecho de Sociedades Anónimas*, 3ª edición, Madrid (Editorial de Derecho Financiero), 1974.

SALDAÑA VILLOLDO, B., «La acción individual de responsabilidad. Su significación en el sistema de responsabilidad de los administradores sociales. Estudio jurisprudencial», Valencia, 2009.

— «Acciones de responsabilidad: artículos 239 a 241 bis», en AA.VV. (Coord. HERNANDO CEBRIÁ), *Régimen de deberes y responsabilidad de los administradores en las sociedades de capital*, Bosch, Barcelona, 2015.

SÁNCHEZ CALERO, F., *Administradores*, AA.VV. (Dirigido por SÁNCHEZ CALERO), *Comentarios a la Ley de Sociedades Anónimas*, t. IV, Madrid (Edersa), 1994.

SANTOS BRIZ, J., «Responsabilidad civil de los administradores y representantes de empresas y sociedades mercantiles», *Revista de Derecho Privado*, 1995.

SUÁREZ-LLANOS GÓMEZ, «Responsabilidad de los administradores de sociedad anónima», *Anuario de Derecho Civil*, 1962.

URÍA, R., *Derecho Mercantil*, 24ª edición, Madrid (Marcial Pons), 1997.

VICENT CHULIÁ, F., *Compendio Crítico de Derecho Mercantil*, t. 1, vol. 1, 3ª edición, Barcelona (Bosch), 1991.

# 54. La acción individual de responsabilidad de los administradores y la carga de la prueba[1]

## PATRICIA CIFREDO ORTIZ
*Contratada Predoctoral PIF*
*Universidad de Sevilla*

**Sumario:** I. LA ACCIÓN INDIVIDUAL DE RESPONSABILIDAD DE LOS ADMINISTRADO-RES. 1. Ámbito de aplicación y naturaleza. 2. Presupuestos de la responsabilidad de los administradores frente a socios o terceros. II. CONSIDERACIONES SOBRE LA RELACIÓN DE CAUSALIDAD Y LA CARGA DE LA PRUEBA EN EL EJERCICIO DE LA ACCIÓN INDI-VIDUAL. III. CONCLUSIONES. Bibliografía.

## I. LA ACCIÓN INDIVIDUAL DE RESPONSABILIDAD DE LOS ADMINISTRADORES

### 1. Ámbito de aplicación y naturaleza

Los administradores sociales se encargan de la gestión interna y de la representación de la sociedad, en los términos establecidos en la LSC y con el cumplimiento de los deberes impuestos por las leyes, sea cual sea su naturaleza, y los estatutos sociales[2]. Si estas estipulaciones se incumplen y de ese incumplimiento resultan daños que les son jurídicamente imputables, los administradores pueden ser declarados responsables, debiendo asumir los perjuicios causados.

---

[1] Este trabajo ha sido financiado por el V Plan Propio de Investigación de la Universidad de Sevilla y se encuentra dentro del Proyecto I+D+I «Crisis empresariales: prevención, tratamiento y solución desde el Derecho Concursal y el Derecho de Sociedades (DER2014-55427-C2-1-P).

[2] Recuerda Jesús Quijano que Ley es toda norma escrita imperativa, sea su naturaleza general, especial, societaria, contable, administrativa, sectorial, etc. Según opinión del citado autor, a la Ley y los estatutos sociales deben añadirse otras que generan obligaciones para los administradores: así, los reglamentos internos, las condiciones particulares de nombramiento en cuanto integran una relación bilateral y orgánica de administración, las previsiones concretas de una prestación accesoria de administración con base estatutaria, o los acuerdos válidos en Junta. QUIJANO GONZÁLEZ, J., «Artículo 236. Presupuestos de la responsabilidad», *Comentario de la Ley de Sociedades de Capital*, Madrid, 2011, págs. 1691-1700, pág. 1697.

La denominada «responsabilidad societaria» (artículos 236-241 bis LSC) se trata de una responsabilidad legal o imperativa. Es una variante especial de la responsabilidad civil que persigue la indemnización de los daños causados por los administradores, sea en el patrimonio social, sea en el patrimonio individual de socios o terceros.

En tanto responsabilidad civil, se diferencia de otros ámbitos de responsabilidad en que pueden incurrir los administradores en el ejercicio de su cargo (responsabilidad penal, administrativa, tributaria, laboral etc.); en tanto responsabilidad por daños, se distingue de otros supuestos de responsabilidad societaria de los administradores (hablamos de la llamada responsabilidad por deudas regulada en el artículo 367 LSC) en que no se persigue la indemnización de un daño en sentido estricto, sino la imputación de deudas de la sociedad al patrimonio personal de los administradores, en beneficio de los acreedores sociales, como «sanción»[3] por el incumplimiento de determinadas obligaciones, como son la de promoción de la liquidación de una sociedad incursa en una causa de disolución o la de solicitar el concurso en caso de insolvencia actual. Como responsabilidad societaria, se diferencia de la responsabilidad concursal prevista en el artículo 172 bis de la Ley Concursal, que declara que el juez podrá condenar, entre otros, a los administradores de la persona jurídica concursada que hubieren sido declarados personas afectadas por la calificación del concurso como culpable, a la cobertura, total o parcial, del déficit[4].

Como hemos indicado más arriba, los administradores responden de los daños causados al patrimonio de la sociedad y de los daños causados directamente al patrimonio de socios o terceros. Si el daño es causado al patrimonio de la sociedad, la exigencia de responsabilidad de los administradores se hace a través de la acción social (art. 238 LSC). Dicha acción puede ser ejercitada por la sociedad, previo acuerdo de la Junta General; por los socios, si se cumplen los requisitos establecidos en el artículo 239 LSC; y subsidiariamente por los acreedores de la sociedad, en el caso de que el patrimonio social resulte insuficiente para la satisfacción de sus créditos.

---

[3]    La expresión «sanción» es entendida por la jurisprudencia no para referirse a la idea de «pena» sino a «reacción del ordenamiento» ante una conducta omisiva considerada antijurídica que se traduce en una medida aflictiva para su autor. *Vid.* STS 30 de junio de 2010, recurso núm. 1337/2006, *(Tol 1920592)* y STS de 26 de septiembre de 2007, recurso núm. 3528/2000, *(Tol 1150980)*.

[4]    Dichas diferencias las destaca QUIJANO GONZÁLEZ, J., en *Comentario de la Ley de Sociedades...*, *cit.*, pág. 1692.

Cuando el daño es causado *directamente* al patrimonio de socios o terceros, la exigencia de responsabilidad de los administradores se hace a través de la acción individual (artículo 241 LSC).

Como podemos observar, el criterio que determina el ámbito de aplicación de una u otra acción es identificar cual es el patrimonio perjudicado por la conducta de los administradores, tarea que no siempre resulta fácil. Mientras que el objeto de la acción social es restablecer el patrimonio de la sociedad, mediante la acción individual se trata de reparar el perjuicio en el patrimonio de los socios o terceros. Es decir, en el plano de los intereses económicos en juego la distinción conlleva que en el caso de la acción social la indemnización se dirige a compensar el patrimonio de la sociedad, cualquiera que sea el legitimado actuante, mientras que en el caso de la acción individual la indemnización se destina a reintegrar el patrimonio del concreto socio o acreedor demandante[5].

En el caso en que los daños al patrimonio social repercutan indirectamente en el patrimonio de socios y acreedores, debería instarse la acción social de responsabilidad. Así lo entiende de manera unánime doctrina y jurisprudencia, ya que la redacción del artículo que regula la acción individual (241 LSC) destaca el carácter directo del daño. Como indica algún autor[6], ciertamente los daños al patrimonio social repercuten indirectamente en el patrimonio de socios y terceros en cuanto disminuyen el valor de sus acciones, las expectativas de ganancias o las garantías de satisfacción de sus créditos, pero esos daños indirectos están cubiertos por la acción social de responsabilidad, con el complejo sistema de legitimación subsidiaria.

Por tanto, para que pueda aplicarse la acción individual se requiere la existencia de un daño directo al patrimonio de los socios o terceros. Si el daño es reflejo del daño al patrimonio social solo podrá ejercitarse la acción social de responsabilidad. En tal caso, la indemnización que se obtenga reparará el patrimonio social y, de reflejo, el individual de socios o terceros[7].

---

[5]   ESTEBAN VELASCO, G., «La acción individual de responsabilidad», *La responsabilidad de los Administradores de las Sociedades Mercantiles,* Valencia, 2016, págs. 189-299, pág. 190.

[6]   ESTEBAN VELASCO, G., «Algunas reflexiones sobre la responsabilidad de los administradores frente a los socios y terceros: acción individual y acción por no promoción o remoción de la disolución», *Revista de Derecho de Sociedades,* núm. 5, 1995, págs. 47-78, pág. 62.

[7]   Parte del contenido de la STS de 20 de junio de 2013, recurso núm. 1421/2011, *(Tol 3842321),* que explica los criterios de distinción de la acción social y la acción individual.

Centrándonos en el contenido del presente trabajo, la acción individual, y en cuanto a lo concerniente a su naturaleza, la jurisprudencia ha determinado que «*la acción individual supone una especial aplicación de responsabilidad extracontractual integrada en un marco societario que cuenta con una regulación propia (artículo 241 LSC) que la especializa respecto de la genérica prevista en el artículo 1902 del Código Civil. Se trata de una responsabilidad por ilícito orgánico, entendida como la contraída en el desempeño de sus funciones del cargo*»[8].

En consecuencia, queda claro que la acción individual es *extracontractual,* pues permite al socio o tercero dirigirse *directamente* contra el administrador, permitiendo romper el esquema formal de responsabilidad de la sociedad por los actos de sus órganos en el ejercicio de sus funciones (art. 38 y 1902 Código Civil)[9].

Por tanto, la acción individual es una vía para superar la «inmunidad» reconocida a los administradores si se realizara una aplicación estricta de la teoría orgánica, en el sentido de que sólo debe responder la sociedad y no el miembro del órgano de administración y representación, trasladándose toda la responsabilidad frente a socios y terceros a la persona jurídica administrada[10]. Una aplicación estricta de esta teoría conllevaría a una protección privilegiada de los administradores como sujetos eximidos de responsabilidad, efecto no querido por el legislador, al posibilitar la reclamación directa de responsabilidad por actuaciones de aquellos.

Como destaca algún autor[11], no parece que los administradores deban tener una posición privilegiada cuando en el desempeño de su cargo infrinjan normas establecidas en protección de socios o terceros o en el caso de que omitan los deberes de prevención y evitación de daños a socios o terceros que pertenecen a su ámbito de competencia. El fundamento de su responsabilidad personal frente a sujetos distintos de la sociedad reside en que los administradores, como cualquier otra persona, están obligados a respetar las normas y a comportarse conforme al estándar correspondiente al sector de la actividad que realizan, en relación con el cumplimiento de

---

[8]    STS de 23 de mayo de 2014, recurso núm. 1423/2012, *(Tol 4357153)/* STS de 18 de abril de 2016, recurso núm. 2754/2013, *(Tol 5694644)/* STS de 22 de diciembre de 2014, recurso núm. 1261/2013, *(Tol 4708581).*

[9]    ESTEBAN VELASCO, G., «La acción individual...», *cit.,* pág. 202.

[10]   ESTEBAN VELASCO, G., «Artículo 241. Acción individual de responsabilidad», *Comentario de la Ley de Sociedades de Capital,* Madrid, 2011, págs. 1728-1736, pág. 1729.

[11]   ESTEBAN VELASCO, G., «La acción individual...», *cit.,* pág. 202.

un deber objetivo de cuidado que consiste en no dañar a los demás y omitir lo que les dañe en el ámbito de la propia posición de garantía[12].

En virtud de lo expuesto, podemos calificar la acción individual como un instrumento de control de los administradores. Sin embargo, no debe entenderse la acción individual como un mecanismo de extensión sistemática o automática a los administradores de una especie de responsabilidad subsidiaria para las deudas de la sociedad, atribuyendo al administrador las deudas sociales como si fueran propias[13]. No puede recurrirse indiscriminadamente a esta vía por cualquier incumplimiento contractual o en todo caso de lesión directa por actos de los administradores en el ejercicio de sus funciones. De otro modo supondría contrariar los principios fundamentales de las sociedades de capital, como son la personalidad jurídica de las mismas, su autonomía patrimonial y su exclusiva responsabilidad por las deudas sociales, u olvidar el principio de que los contratos solo producen efecto entre las partes que los otorgan, establecido en el artículo 1257 del Código Civil[14].

Es por ello que el Tribunal Supremo para la apreciación de la acción individual requiere el cumplimiento de unos determinados requisitos, que se desarrollarán en el siguiente apartado. Insiste en que debe existir un daño directo y un enlace causal entre la acción del administrador y el perjuicio ocasionado al socio o tercero.

## 2. Presupuestos de la responsabilidad de los administradores frente a socios o terceros

Ha establecido el Tribunal Supremo en numerosas sentencias[15], que se requiere para la apreciación de la acción individual la acumulación de los siguientes requisitos:

---

[12]  MARÍN DE LA BÁRCENA GARCIMARTÍN, F., *La acción individual de responsabilidad frente a los administradores de las sociedades de capital (art. 135 LSA)*, Madrid, 2005, pág. 104.

[13]  Apreciaciones de JESÚS QUIJANO GONZÁLEZ, recogidas en ESTEBAN VELASCO, G., «Algunas reflexiones sobre la responsabilidad...», *cit.*, pág. 64.

[14]  STS de 18 de abril de 2016, recurso núm. 2754/2013, *(Tol 5694644)*.

[15]  STS de 3 de marzo de 2016, recurso núm. 2320/2013, *(Tol 5664444)*; STS de 20 de junio de 2013, recurso núm. 1421/2011, *(Tol 3842321)*; STS de 18 de junio de 2012, recurso núm. 1852/2009, *(Tol 2655129)*; STS de 1 de junio de 2010, recurso núm. 2173/2003, *(Tol 1900832)*; entre otras.

a) Un comportamiento activo o pasivo de los administradores;

b) Que tal comportamiento sea imputable al órgano de administración en cuanto tal;

c) Que la conducta del administrador sea antijurídica por infringir la Ley, los estatutos o no ajustarse al estándar o patrón de diligencia exigible a un ordenado empresario y a un representante leal;

d) Que la conducta antijurídica, culposa o negligente, sea susceptible de producir un daño;

e) El daño que se infiere debe de ser directo al tercero que contrata, sin necesidad de lesionar los intereses de la sociedad;

f) La relación de causalidad entre la conducta antijurídica del administrador y el daño directo ocasionado al tercero.

Debemos resaltar que en la LSC (artículo 241) se eliminó la locución «*no obstante los artículos anteriores...*» que encabezaba el artículo 135 de la Ley de Sociedades Anónimas (LSA en adelante), el cual regulaba la acción individual. Ello tuvo como finalidad aclarar que lo establecido en el artículo 236 LSC (presupuestos y extensión subjetiva de la responsabilidad) se aplica tanto a la acción social como a la acción individual[16].

Parece que esta aclaración se debe a que existía doctrina[17] que consideraba, estando vigente la LSA, que su artículo 133 (que contenía los presupuestos de la responsabilidad y que ha sido reemplazado por el 236 LSC) no se refería a la acción individual y que se aplicaba únicamente a la acción social, rechazando que ambas tuviesen un régimen común como afirmaba la doctrina mayoritaria. Puede decirse que esta opinión doctrinal era consecuencia de la desafortunada redacción que tenía el referido artículo 135 LSA (actual 241 LSC) y porque el 133 LSA (actual 236 LSC) mencionaba a la sociedad, a los accionistas y a los acreedores sociales como sujetos frente a los que respondían los administradores. Con respecto a esto último destaco que en el artículo 236 LSC se sigue la misma fórmula, en el sentido de que se vuelve a mencionar a la sociedad, los socios y los acreedores sociales. Tal fórmula está claramente pensada en clave de la acción social de respon-

---

[16]   Así lo establece ESTEBAN VELASCO, G., «La acción individual...», *cit.*, pág. 210.
[17]   Destacamos las opiniones de Alfaro en ALFARO ÁGUILA-REAL, J., «La llamada acción individual de responsabilidad o responsabilidad "externa" de los administradores sociales», *InDret: Revista para el Análisis del Derecho*, núm. 1, 2007, págs. 1-18, pág. 6.

sabilidad, ya que nombra de manera sucesiva a los sujetos que tienen legitimación para interponer dicha acción, pues todos ellos están interesados en la reparación del patrimonio social perjudicado y frente a ellos contraen obligaciones, más o menos directas, los administradores, sin perjuicio de la interposición de la persona jurídica sociedad[18]. No menciona el 236 LSC a «terceros en general», refiriéndonos a los que no están en previa relación jurídica con la sociedad (terceros extracontractuales), que pueden interponer la acción individual si existe un daño directo en sus intereses causado por los administradores sociales. Sin embargo, *el artículo 236 LSC no debe entenderse con el alcance literal que parece tener*, sino en el contexto de las reglas propias de tal legitimación, pues una cosa es frente a quien asumen obligaciones y contraen responsabilidades los administradores y otra muy distinta es quien puede ejercer la acción en concreto[19].

Volviendo a los requisitos que establece el Tribunal Supremo para apreciar la acción individual, en relación con el comportamiento activo o pasivo de los administradores, se requiere que tal comportamiento sea imputable al órgano de administración en cuanto tal. Ello excluye los actos de su esfera personal y extraorgánica, que se someten al artículo 1902 del Código Civil[20].

Se exige que la conducta del administrador sea antijurídica por incumplimiento de la ley, los estatutos o por no haber actuado conforme a los deberes de diligencia y lealtad (artículos 225-232 LSC). Además, la infracción de los deberes del cargo debe ser subjetivamente imputable al administrador. A estos efectos, doctrina y jurisprudencia consideran que funcionan como criterios de imputación el dolo y la culpa[21]. Estos criterios aparecen en el actual artículo 236.1 LSC, tras su última actualización (diciembre de 2014).

La conducta del administrador en el ejercicio de sus funciones, antijurídica y en la que ha intervenido dolo o culpa, debe producir un daño directo a los socios o terceros, sin necesidad de lesionar los intereses de la

---

[18]   QUIJANO GONZÁLEZ, J., «Artículo 236. Presupuestos de la...», *cit.*, pág. 1693.

[19]   *Ibidem.*

[20]   El Tribunal Supremo en STS 24 de marzo de 2004, recurso núm. 700/1998, *(Tol 365382)* establece que nada impide que junto con la acción del artículo 241 de la Ley de Sociedades de Capital, por la conducta ilícita del administrador en su actividad orgánica, coexista la acción genérica del artículo 1.902 del Código Civil por los daños que el administrador hubiera podido causar a socios o terceros al margen de esa actividad.

[21]   ESTEBAN VELASCO, G., «La acción individual...», *cit.*, pág. 218.

sociedad. Es destacable que, en algunos casos, el patrimonio social no solo no sufre ningún prejuicio por los actos ilícitos de los administradores sino que puede presentar alguna ventaja como consecuencia del perjuicio al socio o al tercero[22].

Por último, se requiere la existencia del nexo causal entre el acto ilícito imputable al administrador y el daño directo ocasionado al socio o tercero. Esto es, se exige que el daño sea consecuencia de la conducta ilícita del administrador. La acreditación de esta circunstancia suele tener dificultad en la práctica.

## II. CONSIDERACIONES SOBRE LA RELACIÓN DE CAUSALIDAD Y LA CARGA DE LA PRUEBA EN EL EJERCICIO DE LA ACCIÓN INDIVIDUAL

Como se ha destacado en el apartado anterior, acreditar adecuadamente el daño directo en nexo causal con la conducta ilícita es tarea complicada en la práctica. Si aplicamos las reglas generales de la carga de la prueba, la acreditación de cada uno de los requisitos que exige el Tribunal Supremo para la apreciación de la acción individual (indicados más arriba), y en concreto, la relación de causalidad entre la conducta ilícita del administrador y el daño causado, le corresponde, en principio, a la parte actora (socio o tercero que ha sufrido el daño y que ejercita la acción individual), según lo establecido en el artículo 217.2 de la Ley de Enjuiciamiento Civil (LEC en adelante).

En determinadas ocasiones, ese nexo causal puede acreditarse con más facilidad, como es el caso de las Sentencias del Tribunal Supremo de 23 de mayo de 2014 y de 3 de marzo de 2016, en las que se estima la acción individual de responsabilidad de los administradores de una promotora inmobiliaria por falta de constitución de garantías de las cantidades entregadas por los compradores anticipadamente, exigencia de la Ley 57/1968, de 27 de julio[23], y que la Disposición Adicional Primera de la Ley 38/1999, de 5 dc noviembre[24] declara vigente. Dicha normativa pretende proteger a los

---

[22]  *Ibid.*, pág. 195.
[23]  Ley 57/1968, de 27 de julio, sobre percibo de cantidades anticipadas en la construcción y venta de viviendas (BOE núm. 181, de 29 de julio de 1968).
[24]  Ley 38/1999, de 8 de noviembre, de ordenación de la edificación (BOE núm. 266, de 6 de noviembre de 1999).

compradores de viviendas por las cantidades que anticipan, garantizando su devolución en caso de que la construcción de la vivienda no se lleve a efecto en el plazo convenido. Si en ese plazo no se ha hecho entrega de la vivienda, el artículo tercero de la referida Ley 57/1968 concede un derecho de opción al comprador entre solicitar la devolución de las cantidades entregadas con sus intereses o conceder un nuevo plazo al promotor.

En los supuestos que tratan las sentencias indicadas, establece el Alto Tribunal que se dan todos los presupuestos para que deba prosperar la acción individual de responsabilidad. Refiriéndonos en concreto al nexo causal, se indica en ambas que «*existe relación de causalidad entre la conducta contraria a la ley y el daño directo ocasionado al tercero, pues sin duda, el incumplimiento de la obligación de garantizar la devolución de las cantidades ha producido un daño al comprador que, al optar, de acuerdo con el artículo 3 de la Ley 57/1968, entre la prórroga del contrato o el de la resolución con la devolución de las cantidades anticipadas, no puede obtener la satisfacción de esta última pretensión, al no hallarse garantizadas las sumas entregadas*».

Por tanto, se percibe claramente como el comportamiento ilícito del administrador (incumplimiento de una norma específica) causa un daño al tercero comprador (la falta de restitución de las cantidades anticipadas a la sociedad).

Sin embargo, existen otras situaciones en las que es más complejo acreditar la relación de causalidad entre la conducta ilícita del administrador y el daño causado. Esto sucede en los casos en que se ejercita la acción individual por el acreedor para reclamar del administrador la responsabilidad por el impago de sus créditos frente a la sociedad.

En este sentido, destacamos la Sentencia del Tribunal Supremo de 13 de julio de 2016[25], que reproduce la doctrina establecida en la Sentencia de 18 de abril de 2016[26], y en la que se ejercita por parte de un acreedor la acción individual de responsabilidad del administrador de la sociedad deudora, basada en el cierre de hecho de ésta, que ha impedido el cobro de su crédito. Manifiesta la Sentencia que para imputarle a un administrador el impago de una deuda social como daño ocasionado directamente a un acreedor debe existir un incumplimiento más nítido de un deber legal al que pueda *anudarse de forma directa* el impago de la deuda social, resaltando que si los tribunales no afinan en esta exigencia, corremos el riesgo

---

[25]   STS de 13 de julio de 2016, recurso núm. 2307/2013, *(Tol 5779610)*.
[26]   STS de 18 de abril de 2016, recurso núm. 2754/2013, *(Tol 5694644)*.

de atribuir a los administradores la responsabilidad por el impago de las deudas sociales en caso de insolvencia de la compañía cuando no es esta la *mens legis*.

Aclara la Sentencia que la Ley, cuando ha querido imputar a los administradores la responsabilidad solidaria por el impago de las deudas sociales en caso de incumplimiento del deber de promover la disolución de la sociedad, ha restringido esta responsabilidad a los créditos posteriores a la aparición de la causa de resolución (artículo 367 LSC). Si fuera de estos casos se pretende reclamar del administrador la responsabilidad por el impago de un crédito que ostenta el acreedor frente a la sociedad debe hacerse un *esfuerzo argumentativo* por mostrar la *incidencia directa* del incumplimiento de un deber legal cualificado en la falta de cobro de aquellos créditos.

En el caso que ocupa la sentencia «*se está imputando al administrador el impago de las deudas sociales con la demanda, sin que tal impago sea directamente imputable, con carácter general, al administrador. Ni siquiera cuando la sociedad deviene en causa de disolución por pérdidas y no es formalmente disuelta, a no ser que conste que en caso de haberlo sido, sí hubiera sido posible al acreedor hacerse cobro de su crédito. Para ello hay que hacer un esfuerzo, cuanto menos argumentativo (sin perjuicio de trasladarle a los administradores las consecuencia de la carga de la prueba de la situación patrimonial de la sociedad en cada momento)*».

Por tanto, de acuerdo con esta doctrina, el Tribunal explica que «*si existe ese esfuerzo argumentativo por parte del actor y al margen de la acreditación de los hechos en que se funda, resulta lógica, caso de quedar acreditados, la responsabilidad del administrador, debe atribuirse a dicho administrador la carga de la prueba de aquellos hechos de los que tiene mayor facilidad probatoria*».

Así pues, el incumplimiento de los deberes legales relativos a la disolución de la sociedad y a su liquidación no provoca por sí mismo el perjuicio directo en el acreedor. Para que prospere la acción individual en estos casos debe constar que la sociedad contaba con cierto patrimonio en el momento del cierre de facto, de modo que si el administrador hubiera procedido conforme a la Ley el acreedor habría podido cobrar la totalidad o parte de su crédito. Dicho de otro modo más general, que el cierre de hecho impidió el pago del crédito.

Debido a la dificultad del acreedor para probar la existencia de bienes y que fueron distraídos o liquidados sin que se destinara lo obtenido al pago de las deudas, el Tribunal Supremo determina que si el acreedor realiza un esfuerzo argumentativo por mostrar la *incidencia directa* del incumplimiento por parte del administrador de los deberes legales relativos a la disolución de la sociedad y la falta de cobro de su crédito, se atribuye al administrador la carga de la prueba, en aplicación del artículo 217.7 LEC.

Por tanto, si existe ese esfuerzo argumentativo, correspondería al administrador probar la inexistencia de bienes y derechos o el destino de lo adquirido con la liquidación de los existentes, en virtud del artículo 217.7 LEC, debido a la dificultad del acreedor de probar lo contrario, y considerando que el administrador tiene facilidad de probar lo ocurrido porque se refiere a su ámbito de actuación.

El artículo 217.7 LEC impone a los órganos judiciales la necesidad de aplicar las reglas generales y especiales sobre carga probatoria (contenidas en el artículo 217 LEC) teniendo siempre presente la disponibilidad y facilidad de prueba que corresponde a cada una de las partes del litigio[27]. Ante la enorme dificultad a la que debe enfrentarse la parte a quien conforme a las reglas generales corresponde la carga de la prueba (en este caso, al acreedor actuante) para acreditar los hechos jurídicamente relevantes en orden al éxito de su pretensión, el 217.7 LEC incorpora una nueva regla de juicio conforme a la cual cada parte debe soportar la carga de la prueba conforme a las reglas generales, excepto cuando el levantamiento de la carga de la prueba de un hecho determinado resulte un extremo dificultoso para aquella parte a quien legalmente corresponde su acreditación pero muy sencillo, fundamentalmente por su proximidad con las fuentes de prueba, para la parte contraria (en este caso, el administrador)[28].

Resaltamos en este sentido la doctrina derivada de la jurisprudencia del Tribunal Constitucional[29], que determina que cuando las fuentes de una prueba se encuentran en poder de una de las partes del litigio, la obligación constitucional de colaborar con los Tribunales de Justicia conlleva que dicha parte es quien debe aportar los datos requeridos, a fin de que el órgano judicial pueda descubrir la verdad.

En definitiva, de lo que trata el último apartado del artículo 217 LEC es que la ausencia de la prueba de un hecho no perjudique a aquella parte que tenía la carga de acreditarlo conforme a las reglas generales pero que,

---

[27]   GARBERÍ LLOBREGAT, J., «Carga de la prueba (art. 217)», *Los procesos civiles: comentarios a la Ley de Enjuiciamiento Civil (Tomo II)*, Barcelona, 2001, pág. 447.

[28]   *Ibidem.*

[29]   STC 28 de noviembre de 1991, recurso núm. 1742/1988, *(Tol 80614)*/ STC 9 de mayo de 1994, recurso núm. 376/1992, *(Tol 82546)*/ STC 20 de septiembre de 2004, recurso núm. 6411/2002 *(Tol 500193)*.

a diferencia de su parte contraria, no tenía la disponibilidad o facilidad probatoria para hacerlo[30].

Con la doctrina establecida por el Tribunal Supremo, en los supuestos de ejercicio de la acción individual por el acreedor para reclamar del administrador la responsabilidad por el impago de sus créditos frente a la sociedad, si existe un esfuerzo argumentativo del acreedor actuante por mostrar la conexión entre la conducta ilícita del administrador y el daño realizado a su patrimonio, al administrador no le bastará con alegar que no se cumplen los requisitos para que se estime la acción individual por no existir un nexo de causalidad entre su conducta y el daño, sino que, en función de la regla del artículo 217.7 LEC, debe demostrarlo si dispone de más facilidad para probar lo ocurrido.

En la referida STS de 13 de julio de 2016 se estima la acción individual y se condena al administrador demandado. En este caso, el acreedor demandante realiza un esfuerzo argumentativo por mostrar que la insatisfacción de su crédito es consecuencia del incumplimiento por parte del administrador del deber de disolución de la sociedad. Razona que el administrador no sólo cerró de hecho la empresa, sino que liquidó activos sin que conste dónde fue a parar lo obtenido con ello. Debido a que el administrador no demostró lo contrario, se concluyó que existía relación de causalidad entre el cierre de facto y el impago del crédito al acreedor, por lo que se condenó al administrador demandado al pago del perjuicio sufrido por la parte actora, siendo en este caso el crédito que, como consecuencia de aquel ilícito orgánico, la demandante no pudo cobrar.

## III. CONCLUSIONES

La acción individual de responsabilidad persigue la indemnización de los daños causados por los administradores directamente en el patrimonio de socios o terceros.

Es una acción extracontractual, directa y principal, no subsidiaria. Permite a los socios y terceros (ya sean acreedores sociales, que están en previa relación jurídica con la sociedad, como terceros extracontractuales, que carecen de esa previa relación jurídica) dirigirse directamente contra los administradores que con sus actos han causado daño en su patrimonio.

---

[30]   GARBERÍ LLOBREGAT, J., «Carga de la prueba...», *cit.*, pág. 448.

Entre los requisitos que exige el Tribunal Supremo para la apreciación de la acción individual el más complejo de acreditar por la parte actora (socio o tercero) es la *relación de causalidad* entre la conducta antijurídica del administrador y el daño directo ocasionado, sobre todo en el supuesto en que se ejercita la acción individual por un acreedor para reclamar del administrador la responsabilidad por el impago de un crédito que ostenta frente a la sociedad. La doctrina establecida por el Tribunal Supremo en las sentencias de 13 de julio de 2016 y de 18 de abril de 2016 es de gran importancia, pues establece una regla con respecto a la carga probatoria aplicable a este supuesto. Debido a la dificultad con la que se encuentra en esta situación el acreedor-actor para acreditar la relación de causalidad, el Alto Tribunal determina que es aplicable el artículo 217.7 LEC si existe por parte del acreedor un esfuerzo argumentativo adecuado para mostrar la conexión entre el comportamiento antijurídico del administrador y el daño ocasionado a su patrimonio.

Por tanto, caso de que exista ese esfuerzo argumentativo por parte del acreedor, se atribuirá al administrador la carga de la prueba de aquellos hechos respecto de los que tenga mayor facilidad de probar. La falta de actividad probatoria por parte del administrador tiene como consecuencia la existencia del nexo causal y por tanto, la estimación de la acción individual de responsabilidad, con la correspondiente condena.

## Bibliografía

ALFARO ÁGUILA-REAL, J., «La acción individual de responsabilidad contra los administradores sociales», *InDret: Revista para el Análisis del Derecho,* núm. 3, 2002, págs. 1-13.
— «La llamada acción individual de responsabilidad o responsabilidad "externa" de los administradores sociales», *InDret: Revista para el Análisis del Derecho,* núm. 1, 2007, págs. 1-18.
ESTEBAN VELASCO, G., «Algunas reflexiones sobre la responsabilidad de los administradores frente a socios y terceros: acción individual y acción por no promoción o remoción de la disolución», *Revista de Derecho de Sociedades,* núm. 5, 1995, págs. 47-78.
— «La acción individual de responsabilidad» en Rojo Fernández Río y Beltrán Sánchez (directores), *La responsabilidad de los Administradores de las Sociedades Mercantiles.* Valencia. 2016.
— «Artículo 241. Acción individual de responsabilidad» en Rojo Fernández Río y Beltrán Sánchez (directores), *Comentario de la Ley de Sociedades de Capital.* Madrid. 2011.
FERNÁNDEZ FERNÁNDEZ, R., «La acción individual de responsabilidad contra los administradores sociales», *Revista Jurídica de Catalunya,* núm. 3, 2013, págs. 709-723.

GALLEGO CÓRCOLES, A., «Comentario a la Sentencia del Tribunal Supremo de 23 de mayo de 2014», *Revista Cuadernos Civitas de Jurisprudencia Civil*, núm. 97, 2015, págs. 219-237.

GARBERÍ LLOBREGAT, J., «Carga de la prueba (art. 217)» en Garberí Llobregat (director), *Los procesos civiles: comentarios a la Ley de Enjuiciamiento Civil (Tomo II)*. Barcelona. 2001.

QUIJANO GONZÁLEZ, J., «Artículo 236. Presupuestos de la responsabilidad», en Rojo Fernández Río y Beltrán Sánchez (directores), *Comentario de la Ley de Sociedades de Capital*. Madrid. 2011.

MARÍN DE LA BÁRCENA GARCIMARTÍN, F., *La acción individual de responsabilidad frente a los administradores de las sociedades de capital (art. 135 LSA)*. Madrid. 2005.

TAPIA FERNÁNDEZ, I., «Comentario al artículo 217 de la Ley de Enjuiciamiento Civil. Carga de la Prueba» en Cordón Moreno (director), *Comentarios a la Ley de Enjuiciamiento Civil (Volumen I)*. Navarra. 2001.

# 55. La responsabilidad de la sociedad matriz como administrador de hecho

**ENRIQUE MORENO SERRANO**
*Prof. Dr. Derecho Mercantil*
*Universidad Rey Juan Carlos*

**Sumario:** I. INTRODUCCIÓN. II. LA INCLUSIÓN DEL CONCEPTO LEGAL DE ADMINIS-TRADOR DE HECHO EN EL DERECHO DE SOCIEDADES. III. LA SOCIEDAD MATRIZ O DOMINANTE COMO ADMINISTRADOR DE HECHO. IV. CONCLUSIONES. Bibliografía.

## I. INTRODUCCIÓN

El objeto de la presente comunicación consiste en analizar si los administradores de la sociedad matriz o dominante de grupo pueden llegar a responder como administradores de hecho en el marco de una acción social o individual de responsabilidad. En efecto, la reforma de la Ley de Sociedades de Capital efectuada por *la Ley 31/2014, de 3 de diciembre, por la que se modifica la Ley de Sociedades de Capital para la mejora del gobierno corporativo*, ha modificado en amplitud y profundidad diversos aspectos relativos a la organización y funcionamiento del órgano de administración de las sociedades de capital, especialmente, cuando éste adopta la forma de consejo.

Entre las distintas modificaciones realizadas, nos vamos a centrar aquí en lo que respecta al régimen de responsabilidad, y más en concreto, al establecimiento legal en el Derecho societario español de un concepto «amplio» de administrador de hecho, de acuerdo a las distintas interpretaciones que de él ha realizado la doctrina. Esta inclusión del concepto amplio de administrador de hecho hemos de ponerla en relación con el funcionamiento de los grupos de sociedades por cuanto debemos plantearnos si, la determinación legal de ese concepto amplio, implica que las sociedades matrices o dominantes puedan llegar a responder como administradores de hecho en virtud del art. 236 LSC.

## II. LA INCLUSIÓN DEL CONCEPTO LEGAL DE ADMINISTRADOR DE HECHO EN EL DERECHO DE SOCIEDADES

El régimen de responsabilidad de administradores se ha visto modificado en profundidad con la Ley 31/2014 afectando a siete aspectos: *i)* establecimiento de dolo o culpa como presupuesto de responsabilidad, y establecimiento de una presunción de culpabilidad, salvo prueba en contrario, cuando el acto sea contrario a la ley o a los estatutos (art. 236.1 LSC)[1].; *ii)* delimitación de la figura del administrador de hecho (art. 236.3 LSC); *iii)* extensión del régimen de responsabilidad de los administradores a los altos cargos (art. 236.4 LSC)[2]; *iv)* se establece que la persona física designada para el ejercicio permanente de las funciones propias del cargo de administrador persona jurídica deberá reunir los requisitos legales establecidos para los administradores, estará sometida a los mismos deberes y responderá solidariamente con la persona jurídica administrador (art. 236.5 LSC)[3]; *v)* ejercicio de la acción social por la minoría de forma directa cuando se fundamente en la infracción del deber de lealtad sin necesidad de someter la decisión a la junta general (art. 239.1, párrafo segundo LSC); *vi)* reembolso de gastos por estimación de la demanda total o parcial por la que se ejercita la acción social por la minoría (art. 239.2 LSC); y *vii)* se

---

[1]  No obstante, lo cierto es que nada añade la redacción vigente, ya que la responsabilidad de los administradores aquí regulada es una responsabilidad subjetiva, que exige la existencia de dolo o culpa, como así ha sido mayoritariamente admitido por la doctrina y jurisprudencia. Por todos, véase, ALONSO UREBA, A., «Presupuestos de la responsabilidad social de los administradores de una sociedad anónima», *RDM*, núm. 198, Madrid, 1991, págs. 645 y ss.

[2]  Si bien es una novedad en el texto legal, ya nuestra doctrina había considerado que los altos cargos podían quedar sujetos al régimen de responsabilidad de los administradores, aunque no exactamente por ser altos cargos, sino cuando éstos pudieran ser calificados administradores de hecho. Vid., SÁNCHEZ CALERO, F., *Los administradores en las sociedades de capital*, 2.ª ed., Thomson Civitas, Cizur Menor, 2007, pág. 313.

[3]  Se trata así de otra novedad introducida con la Ley 31/2014, como había sido considerada por algunos autores (así, QUIJANO, J., «Art. 136», en ROJO, A. - BELTRÁN, E. [Dirs.], *Comentario de la Ley de sociedades de capital*, Civitas, Madrid, 2011, t. I, pág. 1694: «...la relación interna entre ambas, que permite presumir que el representante ejerce el cargo en interés, y bajo las instrucciones, del representado, debe atraer y añadir la responsabilidad solidaria de éste, sin desplazar la de aquél...»), por cuanto con anterioridad a su entrada en vigor el representante persona física no respondía como administrador, sino la persona jurídica administradora, sin perjuicio de la posible acción de regreso de ésta frente al representante.

regula un nuevo art. 241 bis LSC relativo al establecimiento de un plazo de prescripción para ejercitar las acciones sociales e individuales de responsabilidad, que se fija en cuatro años a contar desde el día en que hubiera podido ejercitarse. Este plazo es el que prevé el art. 949 CCom, que era el aplicable con anterioridad al nuevo art. 241 bis LSC, mientras que el día del cómputo del plazo de prescripción que se ha seguido es el señalado en el art. 1969 CC.

En lo que respecta al administrador de hecho, el art. 236 LSC ha incluido en su tercer apartado una referencia expresa a él determinando, no sólo que puede responder como el administrador de derecho —tal y como preveía el antiguo art. 236.1 LSC: «*Los administradores de derecho o de hecho como tales, responderán frente a la sociedad, frente a los socios y frente a los acreedores sociales, del daño que causen por actos u omisiones contrarios a la ley o a los estatutos o por los realizados incumpliendo los deberes inherentes al desempeño del cargo*»—, sino que se estipula que se considera como tales: (i) a la persona que en la realidad del tráfico desempeñe sin título, con un título nulo o extinguido, o con otro título, las funciones propias de administrador, esto es, al que actúa públicamente como administrador en el tráfico jurídico teniendo su mandato caducado o siendo nulo su nombramiento (administrador aparente); (ii) a la persona bajo cuyas instrucciones actúen los administradores de la sociedad, esto es, la que actúa internamente ejerciendo el poder de decisión de los administradores (administrador oculto).

Antes de esta reforma no existía en nuestro Derecho mercantil ningún concepto legal de la figura del administrador de hecho, sin perjuicio de varias referencias tanto en las normativas societarias como en la Ley Concursal. En efecto, como es sabido, la primera referencia legislativa a los administradores de hecho se realizó en el Código Penal de 1995 (tanto en la cláusula general del art. 31 CP, como en varios artículos reguladores de delitos societarios), mientras que en el ámbito del Derecho mercantil no se hizo referencia legal a ellos hasta 2003, si bien por partida doble: en la Ley 26/2003, de 17 de julio, conocida como «Ley de transparencia», se incluyó al administrador de hecho como persona vinculada en lo que se refiere al administrador persona jurídica, a efectos del deber de lealtad (art. 127 ter LSA); y en el art. 133.2 LSA como sujeto que podía responder «*personalmente frente a la sociedad, frente a los accionistas y frente a los acreedores del daño que cause por actos contrarios a la ley o a los estatutos o por los realizados incumpliendo los deberes que esta ley impone a quienes formalmente ostente con arreglo a ésta la condición de administrador*».

En la Ley Concursal, las referencias eran y son aún mayores, entre otros aspectos: *i)* porque se puede acordar, como medida cautelar, el embargo de bienes y derechos (art. 48 ter LC); *ii)* porque se pueden acumular de oficio al concurso los juicios contra ellos por reclamación de daños y perjuicios a la persona jurídica concursada (art. 51.1 LC); *iii)* porque se les considera personas especialmente relacionadas con el concursado (art. 93 LC); *iv)* porque pueden ser considerados cómplices quienes cooperen con ellos en la realización de actos que hayan fundado la calificación del concurso como culpable (art. 166 LC); *v)* porque pueden ser personas afectadas por la calificación del concurso como culpable (art. 172.2.1.° LC); y *vi)* porque pueden responder concursalmente (art. 172 bis LC).

No obstante, ni en estas normas, ni posteriormente en la LSC se ha incluido un concepto de administrador de hecho, sino que éste ha sido construido por la doctrina y la jurisprudencia. En efecto, la figura del administrador de hecho fue dando respuesta en un primer momento a situaciones en las que la sociedad carecía de administradores de derecho, así como a aquellos administradores que seguían actuando como tales con el consentimiento de la sociedad pero su cargo estaba caducado, o bien no estaba caducado pero su nombramiento tenía algún vicio o defecto invalidante. De aquí se pasó a la consideración de administrador de hecho como toda aquella persona que gestiona efectivamente la sociedad sin tener un título válido[4], así como a quienes influyen en la gestión de los administradores de derecho, dando lugar así a los administradores de hecho ocultos[5].

La inclusión en 2003 en la LSA de la figura del administrador de hecho a efectos de responsabilidad permitía dar respuesta a esa necesidad de hacer responsable a quien había ocasionado el daño, pero continuaba abierta la cuestión de cuándo se trataba realmente de un administrador de hecho. En efecto, el art. 133.2 LSA hacía aplicable el régimen de responsabilidad de los administradores de derecho a los administradores de hecho, y de este modo quedaban sin efecto las doctrinas anteriores que para extender el régimen de aplicación de responsabilidad a los administradores de hecho hablaban de la posibilidad de aplicar, para las relaciones externas, «el

---

[4]    SÁNCHEZ CALERO, F., *Los administradores...*, *cit.*, pág. 314.

[5]    En este sentido, QUIJANO GONZÁLEZ, J., *La responsabilidad de los administradores de la sociedad anónima*, Ed. Universidad de Valladolid Secretariado de Publicaciones, Valladolid, 1989, pág. 351, distinguía dos grandes categorías que podemos resumir en aquellos que formalmente ocupan el cargo de administrador pero su nombramiento no cumple los requisitos exigidos legalmente; y aquellos que no ocupan formalmente el cargo pero ejercen las funciones de administrador de derecho, bien sustituyendo a éstos, o bien, influyendo en ellos de forma decisiva (lo que sería un administrador indirecto u oculto).

régimen propio del *factor notorio*»[6], o bien, aplicar los artículos 1888 a 1894 CC relativos a las normas del cuasicontrato de gestión de negocios ajenos sin mandato[7], sin perjuicio de otros autores que efectivamente propugnaban la extensión del régimen del administrador de derecho al administrador de hecho[8].

Pero, si bien tras la reforma de 2003 se sometía a los administradores de hecho al régimen de responsabilidad de los administradores de derecho, faltaba determinar quiénes podrían ser calificados como administradores de hecho. En este sentido, se ha entendido que para que se produzca la administración de hecho es necesario que el sujeto (i) realice directamente las tareas propias del administrador de derecho, tanto las legales como las estatutarias; (ii) de forma continuada, incidiendo así de un modo directo en la marcha de la sociedad, quedando al margen aquellos que meramente aconsejan, sugieren o recomiendan, o que realizan actos de administración de forma puntual u ocasional; (iii) independiente, en el sentido de que tome sus propias decisiones y así influya en la gestión social, con conocimiento y consentimiento de la propia sociedad; y, (iv) que actúe de cara al exterior como administrador, con independencia de que lo haga por tener su cargo caducado o si nunca fue designado como administrador. Por tanto, en base a esta interpretación basada en la seguridad jurídica, se

---

[6]    RODRÍGUEZ ARTIGAS F. y ESTEBAN VELASCO, G. «Los órganos de la sociedad anónima», en *Jornadas sobre el nuevo régimen jurídico de la sociedad anónima*, Ed. Centro de Publicaciones del Ministerio de Justicia, Madrid, 1991, pág. 122, así como VICENT CHULIÁ, F., *Compendio Crítico de Derecho Mercantil*, 3ª ed., Ed. Bosch, Barcelona, 1990, t. II, pág. 652.

[7]    SANTOS BRIZ, J., «La responsabilidad civil, fiscal y penal de directivos, apoderados, administradores de hecho y liquidadores», en AA.VV., *La responsabilidad de los administradores de sociedades de capital*, Ed. Estudios de Derecho Judicial (CGPJ y Consejo General del Notariado), Madrid, 2000, pág. 346. Igualmente, LATORRE CHINER, N., «El concepto de administrador de hecho en el nuevo artículo 133.2 LSA», *RDM*, núm. 253, julio-septiembre 2004, pág. 892, veía como única alternativa posible el someter al administrador de hecho al régimen general de responsabilidad civil.

[8]    En este sentido, QUIJANO GONZÁLEZ, J., *La responsabilidad de los administradores...*, *cit.*, pág. 353; y DÍAZ ECHEGARAY, J. L., *La responsabilidad civil de los administradores de la Sociedad Anónima*, Ed. Montecorvo, Madrid, 1995, pág. 397, que afirmaba: «...parece lógico que quién ejerce ese poder, aunque sea de hecho, debe quedar sometido a los mecanismos de responsabilidad previstos específicamente para el titular del mismo. De otra parte, eximir a los administradores de hecho de la responsabilidad que corresponde a los administradores en general, supondría un trato de favor para el que no se encuentra justificación alguna».

abogaba por un concepto de administrador delimitado, no concibiendo la posibilidad de administradores de hecho ocultos[9].

Ahora bien, cuando la jurisprudencia más reciente ha analizado la figura del administrador de hecho, ha obviado esta última característica de la actuación externa admitiendo así que también el llamado administrador oculto, el que no actúa en la realidad del tráfico como administrador, pudiera ser considerado administrador de hecho si concurrían en él el resto de requisitos[10].

---

[9]   Vid. LATORRE CHINER, N., «El concepto de administrador de hecho...», *cit.*, págs. 868-872. SANCHO GARGALLO, I., «La extensión subjetiva del régimen de responsabilidad a los administradores de hecho y ocultos y a la persona física representante del administrador persona jurídica (art. 236.3 y 5 LSC)», en RODRÍGUEZ ARTIGAS, F. y otros (dirs.), *Junta general y consejo de administración en la sociedad cotizada*, Thomson Reuters Aranzadi, Cizur Menor, 2016, t. II, págs. 619-621. E igualmente, ALONSO UREBA, A., «Algunas cuestiones en relación con el ámbito subjetivo de la responsabilidad de los administradores (administrador de hecho, administrador oculto y grupo de sociedades)», en GUERRA MARTÍN, G. (coord.), *La responsabilidad de los administradores de sociedades de capital*, La Ley, Madrid, 2011, págs. 92 y 93, que afirma: «...puede concluirse, en consenso con la doctrina que se ha venido ocupando del tema, que no toda injerencia en la gestión de una sociedad se traduciría en la automática atribución de la condición de administrador de hecho. Esta figura exige, como elementos definidores, de un lado, la existencia de una actividad ejercida de modo continuado y estable, de otro, con independencia o autonomía y, además, con conocimiento de los socios y por tanto de la propia sociedad, consistiendo dicha actividad en la efectiva administración, dirección o gestión de la sociedad, recayendo por tanto la misma sobre materias reservadas a los administradores de derecho de la sociedad. Por último, se señala también como elemento definidor del administrador de hecho, el requisito de la actuación directa o personal, es decir, el desarrollo frente a terceros de la referida actividad de administración, aspecto este último particularmente debatido en el ámbito doctrinal».

[10]  Vid. SANCHO GARGALLO, I., «La extensión subjetiva...», *cit.*, pág. 619. En concreto, véase por todas lo señalado en la reciente STS, Sala Primera, núm. 224/2016, de 8 de abril de 2016 que afirma lo siguiente: «La sentencia de esta Sala núm. 421/2015, de 22 de julio, con remisión a la sentencia 721/2012, de 4 de diciembre, resume la jurisprudencia en la materia, al decir: "esta Sala ha declarado que lo son [administradores de hecho]" quienes, sin ostentar formalmente el nombramiento de administrador y demás requisitos exigibles, ejercen la función como si estuviesen legitimados prescindiendo de tales formalidades, pero no a quienes actúan regularmente por mandato de los administradores o como gestores de éstos, pues la característica del administrador de hecho no es la realización material de determinadas funciones, sino la actuación en la condición de administrador con inobservancia de las formalidades mínimas

La redacción del art. 236.3 LSC ha seguido esta interpretación amplia, incluyendo no sólo al administrador de hecho aparente («la persona que, en la realidad del tráfico, desempeñe sin título, con un título nulo o extinguido, o con otro título, las funciones propias de administrador»), sino también al oculto («la persona bajo cuyas instrucciones actúen los administradores de la sociedad»). No obstante, la inclusión del administrador oculto en los términos en que lo hace no deja de ser problemática ya que puede dar lugar a interpretaciones demasiado amplias implicando así, como tratamos a continuación, que los administradores de la sociedad matriz fuesen también considerados como administradores de hecho y, por tanto, que pudiera ejercitarse una acción de responsabilidad contra ellos, ya que sus instrucciones o decisiones podrían condicionar o dirigir la actuación de los administradores de las sociedades filiales o dominadas.

## III. LA SOCIEDAD MATRIZ O DOMINANTE COMO ADMINISTRADOR DE HECHO

Así como no ha habido un concepto legal de administrador de hecho en nuestro Derecho de sociedades hasta la reforma de diciembre de 2014, también es una cuestión pacífica en nuestra doctrina la necesidad de regular el tema de los grupos de sociedades desde un punto de vista sustantivo, materia respecto la cual el principal referente sigue siendo el concepto establecido en el art. 42 CCom, que afirma que existe grupo cuando una sociedad ostente o pueda ostentar, directa o indirectamente, el control de otra u otras. En particular, continúa diciendo este precepto, se presume

---

que la Ley o los estatutos exigen para adquirir tal condición "sentencias 261/2007, de 14 de marzo; 55/2008, de 8 de febrero; 79/2009, de 4 de febrero; 240/2009, de 14 de abril y 261/2007, de 14 de marzo. Es decir, cuando la actuación supone el ejercicio efectivo de funciones propias del órgano de administración de forma continuada y sin sujeción a otras directrices que las que derivan de su configuración como órgano de ejecución de los acuerdos adoptados por la junta general". Conforme a esta jurisprudencia, la noción de administrador de hecho presupone un elemento negativo (carecer de la designación formal de administrador, con independencia de que lo hubiera sido antes, o de que lo fuera después), y se configura en torno a tres elementos caracterizadores: i) debe desarrollar una actividad de gestión sobre materias propias del administrador de la sociedad; ii) esta actividad tiene que haberse realizado de forma sistemática y continuada, esto es, el ejercicio de la gestión ha de tener una intensidad cualitativa y cuantitativa; y iii) se ha de prestar de forma independiente, con poder autónomo de decisión, y con respaldo de la sociedad».

que existe control cuando una sociedad, que se calificará como dominante, se encuentre en relación con otra sociedad, que se calificará como dependiente, en alguna de las siguientes situaciones: posea la mayoría de los derechos de voto, o pueda disponer de la mayoría de esos derechos de voto en virtud de acuerdos celebrados con terceros, tenga la facultad de nombrar o destituir a la mayoría de los miembros del órgano de administración, o haya designado con sus votos a la mayoría de los miembros del órgano de administración, que desempeñen su cargo en el momento en que deban formularse las cuentas consolidadas y durante los dos ejercicios inmediatamente anteriores.

La redacción del art. 42 CCom se centra, por tanto, en la figura de los grupos jerárquicos, donde una sociedad dominante tiene el control de otra u otras sociedades dependientes, ya sea por poseer la mayoría de los derechos de voto, o por la posibilidad de determinar la composición de los órganos de administración, tras lo cual se encuentra la característica de la unidad de dirección o actuación coordinada, entendiéndose por tal «la planificación o coordinación conjunta de las actividades de las sociedades agrupadas conforme a unas determinadas directrices orientadas en función del interés del grupo»[11].

No obstante, la unidad de dirección no sólo acontece en los grupos jerárquicos o centralizados a los que se refiere el art. 42 CCom, sino también en los grupos descentralizados, esto es, los grupos paritarios o por coordinación, donde una sociedad ejerce de forma unitaria un conjunto de facultades empresariales que le han sido transferidas por las demás sociedades integrantes del grupo, recayendo los efectos sobre todas las sociedades[12].

Con independencia de las situaciones de grupos centralizados o descentralizados, interesa a efectos de nuestro trabajo la delimitación entre la administración del grupo de sociedades y la administración de las sociedades integradas en el grupo, ya que ello tiene una gran importancia a efectos del ejercicio de las acciones de responsabilidad. Así, mientras la administración del grupo de sociedades consiste en la impartición de directrices estratégicas y organizativas a las sociedades integradas en el grupo para intentar conseguir la unidad de dirección que caracteriza al grupo de so-

---

[11]   ALONSO UREBA, A., «Algunas cuestiones...», *cit.*, pág. 97.
[12]   PULGAR EZQUERRA, J., *El concurso de acreedores. La declaración*, La Ley, Madrid, 2009, pág. 286.

ciedades[13], la administración de las sociedades que conforman el grupo se centra precisamente en la administración efectiva de la concreta sociedad, ejercitando el conjunto de competencias que integran su objeto social[14].

Esta diferencia debe ser puesta en conexión con el art. 236.3 LSC, que extiende el régimen de responsabilidad de los administradores de derecho a los administradores de hecho, y más en concreto, a los llamados «administradores ocultos», esto es, aquellos «bajo cuyas instrucciones actúen los administradores de la sociedad», por cuanto podría dar lugar a calificar como administrador de hecho a la sociedad dominante.

En efecto, antes de la reforma de diciembre de 2014, la sociedad matriz podía ser considerada administrador de hecho cuando actuaba como administrador, siendo esa actuación conocida externamente, excluyendo por tanto los supuestos de administrador oculto. No obstante, en aquellos casos en los que pudiera considerarse que la sociedad matriz era causante del acto lesivo actuando de forma oculta suplantando o determinando la actuación de los administradores, se les aplicaría «el régimen de responsabilidad civil general o el específico, según los casos (v. gr., como consecuencia de fabricación de productos defectuosos, daños al medio ambiente, etc.)»[15]. En cambio, no habría actuación de la matriz como administrador de hecho, ni aparente ni oculto, cuando se administra o gobierna el grupo, «impartiendo directrices estratégicas de gestión que persiguen la coordinación de las respectivas actividades gestoras de las sociedades filiales cuyo desarrollo sigue correspondiendo a sus administradores de derecho»[16].

Sin embargo, con la vigente redacción del art. 236.3 LSC que establece que es administrador de hecho también quien da instrucciones bajo las cuales actúan los administradores de la sociedad, procede delimitar ese amplio concepto, por cuanto en una interpretación literal daría lugar en todo caso a la responsabilidad de la sociedad matriz, ya sea por señalar

---

[13]    Se afirma por FUENTES NAHARRO, M., *Grupos de sociedades y protección de acreedores (una perspectiva societaria)*, Thomson Civitas, Madrid, 2007, pág. 117, que «desde una perspectiva económica, la dirección unitaria consiste en (i) planificar la actividad empresarial de las sociedades que componen el grupo, (ii) mandar ejecutar lo planificado —impartiendo instrucciones— y, (iii) finalmente, controlar que lo ejecutado se ajusta a lo planificado».

[14]    ALONSO UREBA, A., «Algunas cuestiones...», *cit.*, págs. 97 y 98; PULGAR EZ-QUERRA, J., *El concurso de acreedores...*, *op. cit.*, pág. 293.

[15]    SÁNCHEZ CALERO, F., *Los administradores...*, *cit.*, pág. 316.

[16]    ALONSO UREBA, A., «Algunas cuestiones...», *cit.*, págs. 97 y 98.

unas líneas generales de actuación, como por establecer unas líneas concretas de actuación.

En este sentido consideramos que cuando la sociedad matriz o dominante establece unas líneas generales de actuación, que serán posteriormente concretadas por los administradores de la sociedad filial o dominada dentro de un marco de libre decisión, no puede haber una calificación de la sociedad matriz como administrador de hecho oculto ni aparente, por cuanto la idea de grupo de sociedades implica en sí misma que haya una sociedad matriz o dominante que establezca determinadas políticas comunes para las sociedades que integran el grupo, afectando a los aspectos estratégicos, organizativos o económicos, entre otros, en atención al interés del grupo.

Sí habría actuación como administrador de hecho, en cambio, cuando realmente el acto hubiera sido causado por los administradores de la matriz, o cuando pudiera imputarse a ellos la participación en el acto lesivo junto con los administradores de la filial o dominada. En efecto, la identificación de la sociedad dominante o matriz como administrador de hecho debe situarse en un marco concreto que implica la superación de la actividad de gestión, planificación y control de la política del grupo, para llegar a suplantar la voluntad de los administradores de las filiales de manera continuada mediante instrucciones permanentes, reiteradas, y con conocimiento y consentimiento de la filial, ya que de este modo se podría imputar los actos del administrador de hecho a la propia sociedad[17].

No obstante, para encajar esa actuación como administrador de hecho oculto debe tratarse precisamente de una actuación interna, por cuanto el administrador oculto no actúa como administrador frente a terceros sino que lo hace a través de los administradores de derecho, ya que en caso contrario no sería administrador oculto sino administrador de hecho aparente.

Además, a pesar de que el texto del art. 236.3 LSC no haga referencia a la habitualidad no debe entenderse por ello que la misma está ausente en la concepción del administrador oculto, por cuanto la administración de hecho implica una actuación continuada o habitual. Si no fuera así, esto es, si cualquier sujeto que imparta unas concretas instrucciones de forma

---

[17]    ALONSO UREBA, A., «Algunas cuestiones...», *cit.*, págs. 99 y 100.

puntual pudiese ser considerado administrador de hecho, se estaría vulnerando el propio concepto de administración[18].

Esta conclusión que impide considerar como administrador de hecho oculto a la sociedad matriz o dominante por impartir instrucciones a las filiales o dominadas se ve corroborada con la posible responsabilidad a la que aquélla podría hacer frente porque, en el marco de la gestión estratégica, adopte determinadas decisiones que puedan perjudicar a una o varias concretas filiales pero puedan beneficiar a otras sociedades del grupo o a éste entendido en conjunto. Aquí, al no haber una suplantación continuada de los administradores de derecho, que serían los de la filial, por los administradores de la matriz, ni ocultarse ningún tipo de relación de dependencia, no puede hablarse de administradores de hecho, sino que nos encontramos ante actos realizados en el marco de la gestión de grupos[19].

En este sentido, tenía un especial interés la regulación de los artículos 291-9 a 291-12 del Anteproyecto de Ley del Código Mercantil (ALCM), que se centraba precisamente en el perjuicio que podrían sufrir las dependientes por la ejecución de instrucciones por parte de los administradores de la sociedad dominante. Así, se establecía que la existencia del perjuicio debería determinarse teniendo en cuenta el conjunto de las ventajas y desventajas que tuviese «para la sociedad dependiente la pertenencia al grupo» (art. 291-10 ALCM); que en caso de causarse algún perjuicio habría que compensar adecuadamente a la sociedad dependiente (art. 291-11 ALCM); y en caso de falta de compensación responderían solidariamente la sociedad dominante y sus administradores por el perjuicio (art. 291-12 ALCM). Junto a estos artículos, hemos de tener en cuenta la redacción del art. 215-4.4 ALCM que establecía el concepto de administrador de hecho, cuya redacción era la misma que tiene el vigente art. 236.3 LSC, diferenciando entre administrador de hecho aparente y oculto.

En definitiva, como puede observarse, la redacción de estos preceptos del ALCM resulta esencial a efectos de nuestro trabajo por cuanto resaltan la diferenciación entre lo que es la actuación de la sociedad matriz como administrador de hecho y las conductas de la sociedad matriz que causen un daño a la filial en el marco de la política de gestión estratégica del

---

[18]    JUSTE MENCÍA, J., «Artículo 236. Presupuestos y extensión subjetiva de la responsabilidad», en JUSTE MENCÍA, J. (Coord.), *Comentario de la reforma del régimen de las sociedades de capital en materia de gobierno corporativo (Ley 31/2014). Sociedades no cotizadas*, Civitas Thomson Reuters, Cizur Menor, 2015, pág. 456.

[19]    ALONSO UREBA, A., «Algunas cuestiones…», *cit.*, pág. 101.

grupo, que podrían dar lugar a compensación económica y en su defecto a responsabilidad subsidiaria, pero que no podrían quedar encuadrados como actos realizados por un administrador de hecho «oculto», aun cuando se tratase de impartición de instrucciones bajo las cuales actúen los administradores.

# IV. CONCLUSIONES

1. Nuestro Derecho ha carecido de un concepto legal de administrador de hecho hasta la reforma de la LSC llevada a cabo por la Ley 31/2014. No obstante, con anterioridad, la doctrina y la jurisprudencia han ido perfilando cuándo nos podemos encontrar ante un administrador de hecho aparente u oculto.

2. El concepto de administrador de hecho se centra en tres requisitos: (i) realización de las tareas propias del administrador de derecho; (ii) de forma continuada, incidiendo así de un modo directo en la marcha de la sociedad, quedando al margen aquellos que meramente aconsejan, sugieren o recomiendan, o que realizan actos de administración de forma puntual u ocasional; (iii) independiente, en el sentido de que tome sus propias decisiones y así influya en la gestión social, con conocimiento y consentimiento de la propia sociedad. Un cuarto requisito, como sería la actuación externa, no es esencial para el concepto de administrador de hecho, según la jurisprudencia.

3. La referencia al administrador de hecho «oculto» en el art. 236.3 LSC no es la más adecuada la persona bajo cuyas instrucciones actúen los administradores de la sociedad, ya que puede dar lugar a interpretaciones demasiado amplias implicando así, por ejemplo, que los administradores de la sociedad matriz fuesen también considerados como administradores de hecho.

4. Esta redacción del art. 236.3 LSC obliga a diferenciar lo que es la administración de la sociedad de la administración del grupo. Así, habría administración de grupo y no de las sociedades filiales o dominadas cuando cuando la sociedad matriz o dominante establece unas líneas generales de actuación (sobre aspectos estratégicos, organizativos o económicos, entre otros, en atención al interés del grupo), que serán posteriormente concretadas por los administradores de la sociedad filial o dominada dentro de un marco de libre decisión.

5. Habría administración de hecho por parte de la sociedad matriz o dominante cuando se supera la actividad de gestión, planificación y control de la política del grupo, para llegar a suplantar la voluntad de los administradores de las filiales de manera continuada mediante instrucciones permanentes, reiteradas, y con conocimiento y consentimiento de la filial, ya que de este modo se podría imputar los actos del administrador de hecho a la propia sociedad. En este caso, será administrador de hecho oculto, cuando esa actividad se realiza de manera interna actuando a través de los administradores de derecho de la filial o dominada; en caso contrario, será administrador de hecho aparente.

## Bibliografía

ALONSO UREBA, A., «Algunas cuestiones en relación con el ámbito subjetivo de la responsabilidad de los administradores (administrador de hecho, administrador oculto y grupo de sociedades)», en GUERRA MARTÍN, G. (coord.), *La responsabilidad de los administradores de sociedades de capital*, La Ley, Madrid, 2011.

ALONSO UREBA, A., «Presupuestos de la responsabilidad social de los administradores de una sociedad anónima», *RDM*, núm. 198, Madrid, 1991.

DÍAZ ECHEGARAY, J. L., *La responsabilidad civil de los administradores de la Sociedad Anónima*, Ed. Montecorvo, Madrid, 1995.

FUENTES NAHARRO, M., *Grupos de sociedades y protección de acreedores (una perspectiva societaria)*, Thomson Civitas, Madrid, 2007.

JUSTE MENCÍA, J., «Artículo 236. Presupuestos y extensión subjetiva de la responsabilidad», en JUSTE MENCÍA, J. (Coord.), *Comentario de la reforma del régimen de las sociedades de capital en materia de gobierno corporativo (Ley 31/2014). Sociedades no cotizadas*, Civitas Thomson Reuters, Cizur Menor, 2015.

LATORRE CHINER, N., «El concepto de administrador de hecho en el nuevo artículo 133.2 LSA», *RDM*, n° 253, Madrid, julio-septiembre 2004.

PULGAR EZQUERRA, J., *El concurso de acreedores. La declaración*, La Ley, Madrid, 2009.

QUIJANO GONZÁLEZ, J., *La responsabilidad de los administradores de la sociedad anónima*, Ed. Universidad de Valladolid Secretariado de Publicaciones, Valladolid, 1989.

QUIJANO, J., «Art. 136», en ROJO, A. - BELTRÁN, E. [Dirs.], *Comentario de la Ley de sociedades de capital*, Civitas, Madrid, 2011, t. I.

RODRÍGUEZ ARTIGAS F. y ESTEBAN VELASCO, G. «Los órganos de la sociedad anónima», en *Jornadas sobre el nuevo régimen jurídico de la sociedad anónima*, Ed. Centro de Publicaciones del Ministerio de Justicia, Madrid, 1991.

SÁNCHEZ CALERO, F., *Los administradores en las sociedades de capital*, 2.ª ed., Thomson Civitas, Cizur Menor, 2007.

SANCHO GARGALLO, I., «La extensión subjetiva del régimen de responsabilidad a los administradores de hecho y ocultos y a la persona física representante del administrador persona jurídica (art. 236.3 y 5 LSC)», en RODRÍGUEZ ARTIGAS, F. y otros (dirs.), *Junta general y consejo de administración en la sociedad cotizada*, Thomson Reuters Aranzadi, Cizur Menor, 2016, t. II.

SANTOS BRIZ, J., «La responsabilidad civil, fiscal y penal de directivos, apoderados, administradores de hecho y liquidadores», en AA.VV., *La responsabilidad de los administradores de sociedades de capital,* Ed. Estudios de Derecho Judicial (CGPJ y Consejo General del Notariado), Madrid, 2000.

VICENT CHULIÁ, F., *Compendio Crítico de Derecho Mercantil,* 3ª ed., Ed. Bosch, Barcelona, 1990, t. II.

# 56. La responsabilidad del administrador que autocontrata en conflicto en las sociedades de capital y su equivalencia con la respuesta normativa a la autoentrada en un negocio en conflicto del patrono en las fundaciones

**ELENA LEIÑENA MENDIZÁBAL**

*Profesora Agregada de Derecho Mercantil. Doctora en Derecho*
*Universidad del País Vasco/Euskal Herriko Unibertsitatea*

**Sumario:** I. INTRODUCCIÓN. II. LA AUTOCONTRATACIÓN Y LA TEORÍA DEL CONFLICTO DE INTERÉS. III. HABILITACIÓN NORMATIVA Y CAUTELAS DE LA AUTO-CONTRATACIÓN EN LAS SOCIEDADES MERCANTILES Y EN LAS FUNDACIONES. 1. Articulación de la autocontratación en las sociedades de capital. 2. Formulación de la autocontratación en las fundaciones. 2.1. Requisitos de licitud de la autorización para la autocontratación. 2.2. La autocontratación de los patronos en relación a su actividad gestora. 2.3. El autocontrato como instrumento negocial en las fundaciones. IV. INEFICACIA DEL NEGOCIO JURÍDICO REALIZADO POR EL ADMINISTRADOR Y EL PATRONO AL AUTOCONTRATAR SIN AUTORIZACIÓN. V. RESPONSABILIDAD DEL ADMINISTRADOR Y DEL PATRONO QUE AUTOCONTRATAN EN CONFLICTO: ACCIONES DE RESPONSABILIDAD. VI. REFLEXIONES FINALES. Bibliografía. Enlaces de interés.

## I. INTRODUCCIÓN

Uno de los conflictos de interés que se suscitan en el funcionamiento del órgano de administración de las sociedades mercantiles y de las entidades sin ánimo de lucro, entre las que incluimos a las fundaciones, es el fenómeno del autocontrato, circunstancia en la que el administrador representante de estas entidades entra en nombre propio en el negocio jurídico que en puridad debería de celebrarse entre la sociedad o entidad y un tercero.

La propia singularidad del fenómeno de la autocontratación ha derivado en que el legislador siempre le haya prestado atención y se le hayan impuesto cautelas en el ordenamiento jurídico. No obstante las reservas hacia la figura, el tratamiento jurídico normativo del instituto ha sufrido una importante evolución. Así, de ser categóricamente rechazado ha pasado, conforme a la doctrina de la reglamentación de intereses[1], a admitirse en aquellos supuestos en que la autoentrada del representante favorezca también al representado o éste se muestre conforme recurriendo a la autorización o ratificación del negocio.

Con el devenir de los nuevos tiempos, también la jurisprudencia, no sin recelos, ha admitido la autocontratación identificándola a un instrumento jurídico que simplifica el negocio, siempre que la actuación del autocontratante no adolezca de parcialidad o genere abuso en relación al mandante o representado[2].

Ahora bien, esta autoentrada del representante, en ocasiones en conflicto, genera un perjuicio al representado y, desde la perspectiva societaria, se traduce en un daño a la sociedad o, en el caso que nos ocupa, a la entidad sin ánimo de lucro representada. Esta deriva es la que nos interesa desarrollar en este trabajo, de ahí que una vez focalizado el tratamiento que se da a la figura desde el Derecho de sociedades (Ley de Sociedades de Capital) y el Derecho fundacional (Ley de Fundaciones), se analizarán conjuntamente los criterios utilizados en ambos ámbitos para dar respuesta a la responsabilidad de administradores y patronos que practican un autocontrato en conflicto, procurando diseñar un protocolo conjunto de actuación que contribuya a objetivar el perjuicio y a evaluar el grado de responsabilidad de aquéllos.

## II. LA AUTOCONTRATACIÓN Y LA TEORÍA DEL CONFLICTO DE INTERÉS

El denominado «contrato consigo mismo» o autocontratación es una figura tradicionalmente integrada en el marco de la representación voluntaria. Institución necesaria bien para ejecutar un mandato (arts. 1709 ss. CC y 267 ss. CCom), bien para estipular una relación de agencia (Ley 12/1992, de 27 de mayo, sobre contrato de agencia), o bien fundamental en otro

---

[1]   DÍAZ DE ENTRESOTOS FORNS, M. *El autocontrato.* Madrid. 1990, págs. 102-103; RODRÍGUEZ PINTO, M. S. *Autocontratación y conflictos de intereses en el Derecho privado español.* Madrid. 2005, pág. 75.

[2]   SSTS 5-11-1956 *(Tol 4379463)* ECLI:ES:TS:1956:343]; 21-2-1968 *(Tol 4292511)* ECLI:ES:TS:1968:2958]; 31-1-1991 *(Tol 1728348)*; 31-1-1991 *(Tol 1728358)*[RJ 1991\521]; 29-10-1991 *(Tol 1728120)* [RJ 1991\7244].

tipo de relaciones que requieren igualmente del instituto representativo (contrato de administración incluida la administración de valores, gestión de negocios ajenos).

La doctrina civilista tradicional y actual han identificado la autocontratación en el marco de la representación voluntaria con «aquellos supuestos en los que una persona con su sola voluntad pueda vincular a dos o más patrimonios o centros de intereses diversos, que se encuentran en una situación económica de confrontación o colisión, de tal manera que necesariamente el beneficio de uno se tenga que obtener a costa o en detrimento del otro»[3]. Desde esta perspectiva, la contraposición de intereses surge, como hemos señalado, en el marco de la representación voluntaria.

Sin perjuicio de ese enfoque y de la articulación normativa de la representación voluntaria en la regulación del contrato de mandato (art. 1709 ss. CC), el instituto representativo fundamenta igualmente el funcionamiento del órgano de administración en el ámbito de las sociedades mercantiles. Así, el mencionado órgano, encargado de la administración y representación de la sociedad, se erige como necesario para el funcionamiento y la existencia de la propia sociedad, configurándose la representación orgánica en una situación intermedia entre la representación voluntaria y la legal (art. 209 ss. LSC)[4].

A pesar de que en el Derecho de sociedades moderno se ha superado la concepción de los administradores como simples mandatarios, tal como la recogía el Código de comercio, y en la actualidad es pacífico en la doctrina que la relación entre la sociedad y los administradores es en puridad de naturaleza orgánica o institucional[5], un sector de la doctrina, aconseja no alejarse completamente del ámbito de la representación (voluntaria). En este sentido, se defiende la conveniencia de permanecer en una posición intermedia y se fundamenta esta perspectiva en la circunstancia de que la relación entre las personas que constituyen el órgano de administración

---

[3]   DE CASTRO Y BRAVO, F. «El autocontrato en el Derecho privado español. Ensayo de construcción jurídica», *Revista General de Legislación y Jurisprudencia*, Madrid, 1927, págs. 334-455, 337 ss.; DÍEZ-PICAZO, L. *La representación en el Derecho privado.* Madrid, (1ª ed. 1979), 1992, págs. 200-201; ESTRUCH ESTRUCH, J. «Eficacia e ineficacia del autocontrato», *Anuario de Derecho Civil*, LXVI-III, julio, 2013, pág. 1.

[4]   Artículos 127 y 128 CCom para la sociedad colectiva; artículo 148 CCom para las sociedades comanditarias simples y artículos 233 y 234 LSC para las sociedades capitalistas.

[5]   SÁNCHEZ CALERO, F. *Los administradores en las sociedades de capital.* Madrid. 2005, pág. 208.

y la persona jurídica, que configura su aspecto externo, tiene naturaleza próxima al mandato, por lo que la disciplina que regula la representación voluntaria adquiere un carácter complementario[6].

Si bien en toda relación representativa se ha de tener en cuenta *stricto sensu* la articulación de los derechos y obligaciones entre los intereses del representado, representante y tercero, de manera que el ordenamiento module la exigencia de responsabilidad al representante por la falta de cumplimiento o por el cumplimiento defectuoso de sus obligaciones, esa exigencia se canalizará por vías diferentes según sea la naturaleza de la relación representativa voluntaria u orgánica. Así, en el caso de la representación orgánica, el Derecho de sociedades interviene drásticamente en la relación representativa del órgano de administración e implementa unos estrictos estándares de diligencia y lealtad en su actuación, diseñando medidas normativas que permiten revelar las situaciones de conflictos de interés (*disclosure*)[7], impidiendo que los administradores antepongan sus intereses propios y personales al interés social (artículos. 226 y 229 LSC). En este sentido, el autocontrato en las sociedades no es más que una de las manifestaciones de los potenciales conflictos de interés que se suscitan en el órgano de administración societario, derivados del ejercicio representativo[8].

Como se ha adelantado, los efectos de la autocontratación y los conflictos que genera el actuar representativo alcanzan[9], incluso, a aquellas entidades que, carentes de ánimo de lucro, requieren de órganos de administración y gestión con objeto de lograr el interés general o bien común, esto es, alcanzan al patronato de las fundaciones. El fin último de estas

---

[6]   DÍEZ-PICAZO, L., *La representación en el Derecho privado*, págs. 70-71. SÁNCHEZ CALERO, F., *Los administradores en las sociedades de capital*, págs. 212-213, 580-581; TRÍAS SAGNIER, M., «El consejo de administración como órgano garante del buen gobierno en la sociedad cotizada», *Revista de Derecho de Sociedades*, núm. 21, 2003, págs. 165-190, 166.

[7]   ZUBIRI DE SALINAS, M., «La relación de representación en las sociedades de capital», *El representante del socio en las sociedades de capital*, Cizur Menor (Navarra), 2015, [BIB 2015\9860], págs. 1-15, 1.

[8]   RUIZ-RICO RUIZ, C., *Autocontrato societario*, Marcial Pons, Madrid, 2002, págs. 25 y 76; RODRÍGUEZ PINTO, M. S., *Autocontratación y conflictos de intereses en el Derecho privado español*, pág. 114 ss.; RIBAS FERRER, V., «Deberes de los administradores en la Ley de Sociedades de Capital», *Revista de Derecho de Sociedades*, núm. 38. Parte Estudio, [BIB 2012\685], págs. 1-97, 7.

[9]   RIBAS FERRER, V., «Deberes de los administradores en la Ley de Sociedades de Capital», pág. 49.

entidades (interés general o común) (art. 2 LF) así como los rasgos característicos del órgano gestor de las fundaciones (ausencia de remuneración de los patronos) (art. 15 LF) han tenido una incidencia significativa en la permisividad con la que ha sido regulado el fenómeno de la autocontratación en la Ley de Fundaciones[10], no prohibiéndolo sino admitiéndolo bajo una serie de condiciones (art. 28 LF).

La singular problemática expuesta ha suscitado nuestro interés y, estimamos oportuno revisar, desde un punto de vista más actual, la figura de la autocontratación en el marco de la teoría de los conflictos de interés en el ámbito societario y en las fundaciones, confiando en que ambas regulaciones procuren útiles instrumentos jurídicos que coadyuven a superar el habitual rechazo hacia la figura. Atendiendo a este objetivo, en el siguiente parágrafo se realizará un análisis de la regulación de la figura de la autocontratación en la Ley de Sociedades de Capital y en la Ley de Fundaciones de ámbito estatal, tratando de focalizar las medidas preventivas que se han adoptado en relación a esta forma de realizar un negocio jurídico que tradicionalmente ha suscitado un fuerte recelo en el Derecho[11], empero poco a poco se ha ido admitiendo en aquellas oportunidades en que la autoentrada del representante en el negocio ha generado ventajas al representado, a la sociedad o a la fundación.

## III. HABILITACIÓN NORMATIVA Y CAUTELAS DE LA AUTOCONTRATACIÓN EN LAS SOCIEDADES MERCANTILES Y EN LAS FUNDACIONES

### 1. *Articulación de la autocontratación en las sociedades de capital*

En el Derecho de Sociedades, la Ley de Sociedades de Capital, modificada por la Ley 31/2014, regula las obligaciones que derivan del deber de lealtad de los administradores sociales en su artículo 227. Una de las exigencias del deber de lealtad es la de evitar situaciones de conflicto entre el propio interés del administrador o administradores y los intereses de la sociedad (art. 228.e LSC), previendo entre ellas la que se refiere a la prohibición de que los administradores utilicen su nombre o el de la sociedad

---

[10]  Ley 50/2002, de 26 de diciembre, de Fundaciones (BOE núm. 310, de 27 de diciembre de 2002).

[11]  *No man can served two masters.*

para influir de forma indebida en la realización de operaciones privadas (art. 229.1.b LSC)[12].

Conforme a esa articulación, la cautela normativa estipula límites a la actuación entre el administrador y la sociedad, cuando el administrador realiza sus funciones de representación, así como a los supuestos de contratación entre la sociedad y terceros, estando estos terceros vinculados con el administrador (art. 229.2 LSC)[13].

El contenido de la previsión exige a los administradores sociales que comuniquen a los demás administradores y, en su caso, al consejo de administración, o, tratándose de un administrador único, a la junta general, cualquier situación en conflicto, directo o indirecto que, tanto ellos como las personas vinculadas (art. 231 LSC), pudieran tener con el interés de la sociedad. Las potenciales situaciones de conflicto de los administradores deberán figurar además inexorablemente en la memoria de la sociedad (art. 229.3 y 229 *in fine* LSC)[14].

Se ha apuntado más arriba, que el inicial rechazo del Derecho hacia la autocontratación ha evolucionado hacia un tratamiento más tolerante con la figura. Esta circunstancia se manifiesta normativamente en el régimen de dispensa previsto en la Ley de Sociedades de Capital[15]. En este sentido, la sociedad puede permitir la transacción autorizando la realización del autocontrato por parte del administrador o de la persona vinculada. Ahora bien, a pesar de que la autorización puede otorgarse por el órgano de administración, el permiso deberá de ser necesariamente acordado por la

---

[12] EMPARANZA SOBEJANO, A., «Los conflictos de interés de los administradores en la gestión de las sociedades de capital», *Revista de Derecho Mercantil*, núm. 281, [BIB 2011\16005], págs. 1-21, 9-10; RAMOS HERRANZ, I., «El deber de abstenerse de usar el nombre de la sociedad o la condición de administrador para influir indebidamente en la realización de operaciones privadas», *Revista de Derecho de Sociedades*, núm. 44, [BIB 2015\1607], págs. 1-23, 4 y 8.

[13] HERNANDO CEBRIÁ, L., «¿Sociedad dominante administradora de hecho? Más allá del velo corporativo», *Revista de Derecho Mercantil*, núm. 280/2011. Parte Estudios. [BIB 2011\16004], págs. 1-31, 22; RAMOS HERRANZ, I., «El deber de abstenerse de usar el nombre de la sociedad o la condición de administrador para influir indebidamente en la realización de operaciones privadas», págs. 5 y 8.

[14] EMPARANZA SOBEJANO, A., «Los conflictos de interés de los administradores en la gestión de las sociedades de capital», pág. 10.

[15] RAMOS HERRANZ, I., «El deber de abstenerse de usar el nombre de la sociedad o la condición de administrador para influir indebidamente en la realización de operaciones privadas», págs. 4-5.

junta general, en los supuestos que tengan por objeto la obtención por parte del administrador de una ventaja o remuneración de terceros, o el valor de la transacción sea superior al diez por ciento de los activos sociales (art. 230.2 LSC). De esta manera el texto vigente de la Ley de Sociedades de Capital, ha soslayado la polémica en la atribución a la junta general o al órgano de administración de la competencia para autorizar. En este sentido, la autorización la otorgarán en función de la materias objeto de asignación.

Por otra parte, el texto legal incorpora un tratamiento diferenciado para las sociedades de responsabilidad limitada, otorgando a la junta general la facultad de autorizar la operación siempre que ésta incorpore una prestación de cualquier naturaleza de asistencia financiera, incluyendo las garantías de la sociedad de las que sea beneficiario el administrador, así como para el caso de que se establezca una relación de servicios o de obra con la sociedad.

El órgano de administración será el competente para otorgar la autorización en todos los demás casos. Ahora bien, para que esa competencia pueda recaer sobre el órgano de administración, se exige que pueda garantizarse la independencia de los miembros que la conceden respecto del administrador beneficiado, así como la inocuidad de la transacción autorizada para el patrimonio social, de manera que en su caso se instará a que se realice en condiciones de mercado, así como a la acreditación de la transparencia del proceso (230.2 *in fine* LSC)[16].

En cualquier caso, la autorización no libera a los administradores de la responsabilidad en los supuestos de negocios lesivos para la sociedad (art. 236 ss. LSC)[17].

---

[16]　RAMOS HERRANZ, I., «El deber de abstenerse de usar el nombre de la sociedad o la condición de administrador para influir indebidamente en la realización de operaciones privadas», pág. 11.

[17]　ALFARO ÁGUILA-REAL, J., «La prohibición de autocontratación de los administradores de sociedades anónimas y limitadas», *Documento de trabajo del Área de Derecho Mercantil de la Facultad de Derecho de la Universidad Autónoma de Madrid*, págs. 16-22, 29.
(Disponible en: http://www.uam.es/centros/derecho/privado/mercantil/investigación).
EMBID IRUJO, J. M., «Los deberes de los administradores de las sociedades cotizadas. (El artículo 114 de la Ley del Mercado de Valores)», *Revista de Derecho Bancario y Bursátil*, núm. 96, octubre-diciembre, 2004, págs. 7-34, 15-16, 21; TRÍAS SAGNIER, M., «El consejo de administración como órgano garante del buen gobierno en la sociedad cotizada», pág. 167.

En virtud de la articulación normativa de la autorización de los negocios que un administrador puede realizar con la sociedad por cuenta propia, cabe entender que corresponde al órgano de administración la autorización de la autocontratación en los supuestos en que la operación no contravenga las reservas estipulados por la Ley (art. 230.2 LSC)[18]. Igualmente, cabe interpretar de que en el caso de que no se otorgue la autorización previa, es posible la autorización posterior o ratificación del negocio jurídico objeto del autocontrato entre el administrador beneficiado y la sociedad[19].

## 2. *Formulación de la autocontratación en las fundaciones*

En el ámbito fundacional la regulación del autocontrato coincide fundamentalmente con la previsión que el Derecho societario hace del *self dealing* de un administrador o de los administradores sociales, aunque probablemente la razón de esa articulación sea distinta. Y es que la naturaleza jurídica de las fundaciones, cuyo objeto final es el interés general o los fines fundacionales, condiciona decisivamente su gestión. Este objeto de interés general confluye en la circunstancia de que los miembros del patronato no pueden ser retribuidos por el desempeño de la función de patrono, sin perjuicio de que la Ley autorice a que perciban el reembolso de los gastos que ese cargo les ocasione (art. 15.4 en relación al art. 27.2 LF)[20].

La Ley intuye la rigurosidad de la interdicción a la retribución del cargo, y contrarresta la prohibición mostrándose tolerante al procurar la autocontratación de los patronos[21]. Y es que el artículo 28 de la Ley 50/2002, faculta a los patronos a contratar con la fundación, ya sea en nombre propio o de un tercero, previa autorización del protectorado, extendiéndose la

---

[18]   Correspondería a la junta general autorizar las operaciones que supusieran la obtención por parte del administrador de una ventaja o remuneración de terceros, o el valor de la transacción sea superior al diez por ciento de los activos sociales.

[19]   RAMOS HERRANZ, I., «El deber de abstenerse de usar el nombre de la sociedad o la condición de administrador para influir indebidamente en la realización de operaciones privadas», págs. 14-15.

[20]   GARCÍA ÁLVAREZ, B., «Los Códigos de buen gobierno corporativo en las fundaciones», *El gobierno y la gestión de las entidades no lucrativas público-privadas* [(Dirs.) EMBID IRUJO, J. M. - EMPARANZA SOBEJANO, A.], Madrid, 2012, págs. 185-214, pág. 208.

[21]   EMPARANZA SOBEJANO, A., «El gobierno de las entidades público-privadas: las reglas de buen gobierno como mecanismo de transparencia», *El gobierno y la gestión de las entidades no lucrativas público-privadas* [(Dirs.) EMBID IRUJO, J. M. - EMPARANZA SOBEJANO, A.], Madrid, 2012, págs. 163-183, 172.

habilitación al supuesto de personas físicas que actúen como representantes de los patronos[22]. La dispensa alcanza, asimismo, a los administradores de la fundación, sean éstos apoderados generales o especiales en el ámbito de su apoderamiento, así como a los miembros de los órganos colegiados creados al amparo del artículo 16.2 de la Ley[23].

Reserva equivalente a la estipulada en la Ley de Sociedades de Capital en relación a la contratación indirecta del administrador a través de un familiar se ha integrado en la Ley de Fundaciones. Así, se recoge el supuesto de autocontrato de los patronos y administradores en el que se intente obligar a la fundación con los parientes, hasta el cuarto grado inclusive, o con los cónyuges o personas ligadas con análoga relación de afectividad, según lo dispuesto en los artículos 3.2 y 3 de la Ley 50/2002.

Algunos autores encuadran la autocontratación de los patronos también en el ámbito de los conflictos de intereses que se generan entre aquéllos que gestionan intereses ajenos y que, por razón del cargo, pueden tener la tentación de obtener una remuneración indirecta y personal por la labor que están prestando a la fundación y que no les está generando beneficio directo patrimonial alguno. Sin embargo, según se desprende del texto legal, la perspectiva del legislador difiere, ya que da carta de naturaleza a este negocio jurídico dando cabida a este instituto en el marco de la actividad gestora de los patronos (art. 28 LF)[24]. Esta oportunidad de autocontratar equivaldría, de alguna manera, a la posibilidad de obtener un provecho

---

[22]　DE CASTRO Y BRAVO, F., «El autocontrato en el Derecho privado español. Ensayo de construcción jurídica», pág. 396; DÍEZ-PICAZO, L. *La representación en el Derecho privado*, págs. 224, 226 y 227; DÍAZ DE ENTRE-SOTOS FORNS, M. *El autocontrato*, pág. 100; LEIÑENA MENDIZÁBAL, E. *Conflicto de intereses y comisión mercantil.* Madrid. 2009, págs. 283-284; CARBALLEIRA RIVERA, Mª T. *Fundaciones y Administración pública.* Barcelona. 2009, pág. 135.

[23]　SANTOS MORÓN, Mª. J. «El patrimonio de la fundación. Régimen de gestión patrimonial (artículos 19 a 22 y 28)», *Comentarios a las Leyes de Fundaciones y Mecenazgo*, AA.VV. [(Dirs.) MUÑOZ MACHADO, S. - CRUZ AMORÓS, M. - DE LORENZO GARCÍA, R.], Madrid, 2005, págs. 336-354; BALLARÍN HERNÁNDEZ, R., «La autocontratación», AA.VV., *Comentarios a la Ley de Fundaciones*, Valencia, 2008, págs. 726-771; PÉREZ ESCOLAR, M. - CABRA DE LUNA, M. A. - DE LORENZO GARCÍA, R., «Patrimonio, régimen económico y funcionamiento», *Tratado de Fundaciones* [(Dirs) DE LORENZO R. - SANJURJO, T], Cizur Menor (Navarra), 2010, págs. 253-328, 318.

[24]　EMPARANZA SOBEJANO, A., «La transparencia en la gestión del patronato de las fundaciones con actividad empresarial», *Nuevas orientaciones en la organización y estructuración jurídica de las fundaciones*, Madrid, 2014, págs. 49-71, 63.

que compensaría la ausencia de «remuneración económica» por razón del cargo. Esto es, no se considera un ilícito sino que equivaldría a la recompensa económica por la dedicación, el tiempo y los servicios prestados a la fundación[25].

Conforme a lo expuesto en los párrafos precedentes, el procedimiento a seguir en la resolución o minimización del potencial conflicto de interés que genera una autocontratación entre el órgano gestor de una entidad mercantil y la fundación es similar, si bien la articulación del instituto en esta última es más laxa. En relación a esa laxitud es de interés destacar la defensa que determinados autores realizan a favor de que la resolución de los conflictos de interés que integran el deber de lealtad (*duty of loyalty*) en las entidades sin finalidad de lucro, se realice de manera análoga a los conflictos que se generan en las entidades lucrativas, cuyos criterios son más precisos[26]. En cualquier caso, la habilitación de la autocontratación de los patronos se refuerza con la articulación de un régimen procedimental reglado relativo a la solicitud, autorización o denegación de la autocontratación por parte del protectorado (arts. 34.2 RF y art. 42 Ley del Régimen Jurídico de las Administraciones Públicas y Procedimiento Administrativo Común).

Sobre esta cuestión interesa hacer una breve reflexión en torno a la denegación de la solicitud de autocontratación. Y es que la norma fundacional contempla exclusivamente dos supuestos de negación de la autorización (art. 34.3 RF). Por una parte, el supuesto en que el negocio encubra una remuneración por el ejercicio del cargo de patrono. Y por otra, cuando el valor de la contraprestación que deba recibir la fundación no resulte equilibrado. A nuestro juicio, en este segundo supuesto cabría complementar la norma fundacional integrando criterios similares a los que la Ley de Sociedades de Capital estipula para determinar si la operación en conflicto es susceptible de perjudicar realmente el interés de la entidad (art. 230.2 LSC)[27].

---

[25]  EMPARANZA SOBEJANO, A., «El gobierno de las entidades público-privadas: las reglas de buen gobierno como mecanismo de transparencia», pág. 172.

[26]  TYLER, J., «Negating the legal problem of having "two masters": a framework for L3C fiduciary duties and accountability», *Vermont Law Revue*, Vol. 25, págs. 117-161, 142-143.

[27]  EMPARANZA SOBEJANO, A., «Los conflictos de interés de los administradores en la gestión de las sociedades de capital», pág. 28.

Igualmente, si nos atenemos al tenor estricto de la norma, cabría deducir que, en el resto de los casos, el protectorado ha de admitir la autocontratación, sin perjuicio de la atención que merece la circunstancia de que el legislador, respondiendo a los principios garantistas del régimen jurídico administrativo, articuló la oportunidad de impugnar la decisión del protectorado, en aquellos casos de disconformidad con la resolución negatoria de la autocontratación ante la jurisdicción contencioso-administrativa (art. 43.1 LF).

Prevenir los potenciales abusos que la autocontratación de los patronos puede generar respecto a la fundación, es el sentido de la prohibición que la Propuesta de Reglamento del Consejo del Estatuto de la Fundación Europea, de 8 de febrero de 2012, COM (2012), recoge expresamente. Así, la Propuesta impide que los fundadores o miembros del patronato que tengan relación comercial con la fundación, tengan mayoría en el patronato (art. 32). La mencionada restricción, desde el punto de vista de la autocontratación, tiene mucho interés. Esto es, con la incorporación de esa limitación a la participación mayoritaria en el patronato, se está habilitando un marco para la estipulación de relaciones comerciales entre patronos y fundación, que sin prohibir la posibilidad de que el patrono tenga vínculos comerciales con la fundación, articula la forma de materializarlas evitando potenciales prácticas de abuso[28].

## 2.1. Requisitos de licitud de la autorización para la autocontratación

Siguiendo la estela aperturista de la Unión, la gradual aceptación doctrinal, así como el indulgente tratamiento jurisprudencial, la oportunidad de la autocontratación de los patronos en nuestro ordenamiento es a todas luces coherente y razonable. No obstante la habilitación normativa, la Ley 50/2002 instituye un procedimiento a seguir en estos casos, exigiendo que la solicitud de remuneración o de autocontratación de los patronos se realice por parte del patronato al protectorado, agregando a la solicitud determinados documentos, en concreto, la copia del documento en que se pretende formalizar el negocio jurídico entre el patrono y la fundación y la certificación del acuerdo del patronato por el que se decide la realización del negocio jurídico, su coste máximo y la memoria explicativa de las circunstancias concurrentes. La memoria explicativa incluirá, en todo

---

[28] EMPARANZA SOBEJANO, A., «El gobierno de las entidades público-privadas: las reglas de buen gobierno como mecanismo de transparencia», pág. 172.

caso, las ventajas que supondrá para la fundación efectuar el negocio jurídico con el patrono o patronos (art. 34.1 RF), en lugar de perfeccionarlo con terceros. Esta perspectiva coincide con la interpretación doctrinal y jurisprudencial en el sentido de admitir la autocontratación, incluso en los supuestos de ausencia de autorización o licencia del mandante, siempre que el negocio haya resultado favorable a este último.

La tutela preventiva contra los fraudes hizo que la Ley de Fundaciones extendiera la exigencia de autorización a los supuestos en que intervienen personas físicas, representantes de los patronos (art. 28 *in fine* LF).

Dado que el ámbito de representación de los patronos, así como de los gestores en las fundaciones, se articula en orden a la representación voluntaria, los principios que resuelven la autocontratación en ese marco fundamentarán su admisión[29]. Sin perjuicio de esta aseveración, se ha expuesto que el Derecho fundacional estipula con precisión la autocontratación de los patronos en el artículo 28 de la norma y, tomando en consideración su articulación y formulación, no cabe sino concluir que la disposición fundacional sigue la estela del Derecho de sociedades con ánimo de articular el procedimiento para resolver los problemas generados por la autocontratación o el conflicto derivado de esta práctica por alguno de sus patronos[30].

## 2.2. La autocontratación de los patronos en relación a su actividad gestora

En el estudio nos hemos referido a la acertada opción del legislador en relación a la facultad gestora de los patronos, quienes pueden prestar esta clase de servicios a la fundación, siempre que no se haya opuesto el fundador, lo haya autorizado el protectorado y en la medida que esa actividad no se identifique con las funciones que le competen en su condición de patrono (art. 15.4 *in fine* LF). La mencionada actividad es susceptible de ser retribuida adecuadamente. Esa retribución, sin embargo, se diferencia del derecho a ser reembolsados de los gastos debidamente justificados que el cargo les ocasione en el ejercicio de su función de patrono (art. 15.4 LF)[31].

---

[29] RODRÍGUEZ PINTO, M. S., *Autocontratación y conflictos de interés*, págs. 327-334 y 364; GOLLAN, A. K. *Vorstandshaftung in der Stiftung. Eine Untersuchung zur Anwendung der Business Judgment Rule.* Köln-München. 2009, págs. 95 y 129.

[30] RUIZ-RICO RUIZ, C., *Autocontrato societario*, pág. 76, señala que en el marco societario (añadimos por similitud el fundacional) el conflicto de intereses generado por un autocontrato rebasa la estricta esfera civil.

[31] En este sentido, la STS de 16 de febrero de 2004, Sala de lo Contencioso-Administrativo Sección 7ª [RJ 2004/1882]. En esta oportunidad el alto tribunal desestimó

## 2.3. El autocontrato como instrumento negocial en las fundaciones

La articulación de la autocontratación en las fundaciones ha sido valorada favorablemente por la doctrina, apreciación a la cual nos adherimos, en particular por la atención prestada por el legislador en torno a la recepción de la moderna concepción de este negocio jurídico en el ámbito fundacional. A nuestro juicio, esta formulación permite reforzar a la autocontratación como un instrumento susceptible de reportar innumerables ventajas patrimoniales y económicas a la fundación principalmente, empero, también a los patronos, tanto en cuanto el negocio jurídico se realice conforme a los parámetros previstos en la teoría de la reglamentación de intereses[32], y siguiendo las pautas procedimentales estipuladas en la Ley de Fundaciones que fundamenta la transparencia del negocio, así como la supervisión y valoración objetiva del protectorado, sin que sea admisible que el órgano de vigilancia impida, sin justa causa, la autocontratación. *A contrario sensu*, el protectorado denegará el autocontrato cuando el negocio jurídico encubra una remuneración por el ejercicio del cargo de patrono, y cuando el valor de la contraprestación que deba recibir la fundación no resulte equilibrado (art. 34.3 RF)[33].

Siguiendo el tenor de la Ley, la norma fundacional contempla la contratación de los patronos con la fundación, en nombre propio o de un tercero (art. 28 *in fine* LF), siempre que la contraprestación sea razonable y equili-

---

el recurso interpuesto por el Abogado del Estado, contra la sentencia dictada el 15 de julio de 1998, por la Sección Cuarta de la Sala de lo Contencioso-Administrativo de la Audiencia Nacional, y declaró lícita la autocontratación de Don Raúl, en calidad de Director Gerente de la Fundación *César Manrique*, sin que ello supusiera la pérdida de su condición de patrono, rechazando, en cambio, la solicitud de indemnización de daños y perjuicios expresada en la demanda por Don Raúl. La razón descansó en que el nombramiento de un patrono como director gerente de la fundación se había realizado por voluntad expresa del causante (FJ 1º y 2ª). Así, el Tribunal de casación confirmó la licitud de la retribución a los patronos, por los gastos de sus labores de gestión y dirección, así como la posibilidad de autocontratar, previa autorización del protectorado, autoridad que puede rechazar la autocontratación del patrono con la fundación exclusivamente en los supuestos en que ésta no sea le sea favorable y, en consecuencia, le cause un perjuicio efectivo (FJ 3º).

[32] DÍAZ DE ENTRE-SOTOS FORNS, M., *El autocontrato*, pág. 55; LEIÑENA MENDIZÁBAL, E., *Conflicto de intereses y comisión mercantil*, pág. 214.

[33] PÉREZ ESCOLAR, M. - CABRA DE LUNA, M. A. - DE LORENZO GARCÍA, R., «Patrimonio, régimen económico y funcionamiento», [(Dirs) DE LORENZO R. - SANJURJO, T.], *Tratado de Fundaciones*, pág. 320.

brada. De ahí que la oportunidad jurídica de la autocontratación alcanza, además de a la celebración de negocios jurídicos de diversa índole entre patrono y fundación (compraventas, arrendamiento de bienes, etc.), a la propia contratación del patrono, como parte de un contrato de arrendamiento de servicios, siempre que se haya otorgado autorización para ello. La autorización del protectorado es una condición necesaria de licitud en ambos supuestos y corresponde a este último valorar el potencial conflicto de intereses que un negocio de esta naturaleza genera (art. 34.3 RF). En caso de denegación expresa de la autorización, la entrada en el negocio adolecería de nulidad y entraría en juego la responsabilidad del patrono (arts. 17, 18.2 y 35.2 y 3 LF)[34].

## IV. INEFICACIA DEL NEGOCIO JURÍDICO REALIZADO POR EL ADMINISTRADOR Y EL PATRONO AL AUTOCONTRATAR SIN AUTORIZACIÓN

Como corolario de esta cuestión, desde la perspectiva *ius privatista* se impone hacer mención a la circunstancia de la celebración de la autocontratación en el caso de que administrador o patrono lo haya comunicado a la sociedad o al protectorado respectivamente y éstos le hayan denegado la autorización. Resolver el problema que genera esta circunstancia obligaría, en el marco de la representación voluntaria, a considerar el autocontrato así realizado como un negocio jurídico nulo, dado que existiría abuso de poder (art. 6.3 CC). Sin embargo, también se podría atender a la solución propuesta por la teoría general de los conflictos de interés tratando de validar el negocio así realizado conforme a una reglamentación de intereses previamente estipulada o recurriendo a la técnica de la minimización de los conflictos, por otra parte habituales en la gestión de negocios ajenos. Y es que salvar el negocio puede ser la solución más razonable para la sociedad o fundación representada[35].

Además de la dispensa del negocio a ejecutar mediante una autocontratación, es de interés tomar en consideración aquellos supuestos en que el

---

[34]   GONZÁLEZ CUETO, T. *Comentarios a la Ley de Fundaciones. Ley 50/2002, de 26 de diciembre.* Cizur Menor (Navarra), 2003, pág. 228; PÉREZ ESCOLAR, M. - CABRA DE LUNA, M. A. - DE LORENZO GARCÍA, R., «Patrimonio, régimen económico y funcionamiento», pág. 320.

[35]   LEIÑENA MENDIZÁBAL, E., *Conflicto de intereses y comisión mercantil,* págs. 214, 224 y 292.

administrador o patrono práctica la autoentrada en la operación sin autorización, en particular debido a la ausencia de comunicación a la sociedad o a la fundación. En este supuesto sería oportuno calificar al negocio así realizado de «incompleto o inacabado», esto es, se trataría de un negocio ineficaz (ineficacia relativa), susceptible de ratificación posterior (art. 1259 CC), en función de las ventajas o beneficios que obtuviese la sociedad o entidad a resultas del negocio así celebrado. En caso de darse esa ratificación *a posteriori*, el negocio devendría eficaz y los efectos serían *ex tunc*[36].

En las sociedades de capital, por el contrario, el tratamiento de la eficacia o ineficacia del negocio jurídico estipulado incumpliendo los requisitos legales de validez de la autocontratación ha de realizarse además desde la perspectiva del objeto social. Así, en caso de que el autocontrato no autorizado sea contrario al objeto social, el negocio no será eficaz para la sociedad ni para los terceros, esto es, estaría afectado de nulidad.

Ahora bien, podría ocurrir que el acto no fuera genuinamente contrario al objeto social, sino que se tratase de un negocio realizado fuera del marco articulado por las competencias representativas legales del administrador. Es decir, que se tratase de un acto de exceso de poder o ausencia de poder suficiente del representante. Este supuesto derivaría en un acto ineficaz *inter partes* y frente a terceros del negocio jurídico realizado entre la sociedad de capital representada por el administrador y el propio administrador beneficiado[37].

El planteamiento precedente se corresponde con la respuesta *ius privatista* que el ordenamiento articula en el Derecho civil. En este sentido, se trataría de una respuesta común al autocontrato que incumple los requisitos de licitud para que el negocio jurídico sea válido. Así, ante la circunstancia de que un patrono celebre una autocontratación sin la autorización del protectorado, cabría atender a la solución propuesta por la teoría general de los conflictos de interés, marco en el que se integra este supuesto y tratarlo como un acto de exceso o ausencia de poder.

---

[36] LEIÑENA MENDIZÁBAL, E., *Conflicto de intereses y comisión mercantil*, pág. 284.

[37] RAMOS HERRANZ, I., «El deber de abstenerse de usar el nombre de la sociedad o la condición de administrador para influir indebidamente en la realización de operaciones privadas» pág. 20.

## V. RESPONSABILIDAD DEL ADMINISTRADOR Y DEL PATRONO QUE AUTOCONTRATAN EN CONFLICTO: ACCIONES DE RESPONSABILIDAD

Conforme al artículo 229.1 b) de la Ley de Sociedades de Capital, para que el autocontrato realizado por el administrador sea lícito se requiere de la autorización del órgano social competente, dependiendo del caso. En este sentido y ante la oportunidad de la incorporación de la autorización para autocontratar en la escritura de constitución de la sociedad (art. 230.1 LSC), cabe afirmar que una cláusula de este tenor no sería válida, dado que conculca la disposición legal en el sentido de que la autorización ha de ser emitida por parte del órgano social correspondiente y ha de ser específica para cada acto de autocontratación. El régimen, por lo tanto, es de naturaleza imperativa[38].

En cualquier caso, para resolver un autocontrato realizado en conflicto por el órgano administrador o representante de la sociedad, se deberá atender a la previsión del Derecho de sociedades a este respecto. Así, un autocontrato en conflicto (sin solicitar su autorización o ésta fuese denegada) derivaría en la oportunidad de que el administrador o administradores pudieran ser cesados (art. 229 *in fine* LSC) por conculcar los deberes y las obligaciones de lealtad. En definitiva, serían cesados por la pérdida de confianza en ellos depositada. Asimismo, conforme al régimen general aplicable previsto en los artículos 236 y siguientes de la Ley de Sociedades de Capital, la responsabilidad alcanzaría a su patrimonio personal, si bien la norma exige en todo caso que la actuación del administrador o administradores haya ocasionado un perjuicio real y mensurable a la sociedad. Esto es, quien alega el perjuicio al ejercitar la acción de responsabilidad contra el administrador infractor deberá probar el daño causado atendiendo al nexo causal y la culpa o negligencia o dolo (art. 236.1 LSC)[39]. Tratándose de un incumplimiento del deber de lealtad, conforme al artículo 239.1 de la Ley, el socio o los socios podrán interponer la acción social de responsabilidad vía judicial sin necesidad de que se convoque previamente la junta general.

---

[38] En este sentido, la RDGRN de 13 de febrero de 2012 (BOE n° 58, de 8 de marzo de 2012) *(Tol 2479413)*.

[39] EMPARANZA SOBEJANO, A., «Los conflictos de interés de los administradores en la gestión de las sociedades de capital», pág. 28.

Es de interés destacar al respecto que la responsabilidad de los miembros del órgano de administración es de carácter solidaria (art. 227 LSC). De ahí que cabría extender la responsabilidad a todos los miembros del órgano de administración, salvo que puedan exonerarse de su responsabilidad acreditando que desconocían el comportamiento desleal del administrador infractor y que no incurrieron en omisión de su obligación *in vigilando*. Igualmente, como se ha señalado más arriba, la responsabilidad alcanzará a los administradores de hecho y a los de Derecho, así como a las personas físicas que representan al administrador persona jurídica.

El artículo 241 de la Ley prevé asimismo la oportunidad de entablar la acción individual contra administradores por parte de socios y terceros, para el caso de que esa actuación desleal del administrador haya lesionado directamente sus intereses. La naturaleza de la acción es en este supuesto fundamentalmente indemnizatoria.

En el ámbito de las sociedades de capital, sin perjuicio del ejercicio de la acción social e individual de responsabilidad contra los administradores, se pueden ejercitar igualmente acciones de impugnación, cesación, remoción de efectos y anulación de los actos y contratos llevados a cabo por los administradores que supongan una violación del deber de lealtad (art. 232 LSC)[40].

El resarcimiento que contempla el Derecho positivo abarca, mediante la acción social de responsabilidad, el abono del daño emergente que ha podido afectar a la sociedad y el lucro cesante exigible por socios y/o terceros en la acción individual. La compensación se ve además complementada con la oportunidad de la devolución del enriquecimiento injusto que ha experimentado el díscolo administrador al incumplir el deber de lealtad y practicar una autocontratación, aun habiendo sido ésta denegada (art. 227.2 LSC)[41].

Con una articulación similar al Derecho de Sociedades si bien no idéntica[42], la Ley de Fundaciones formula como condición necesaria de licitud

---

[40]   RAMOS HERRANZ, I., «El deber de abstenerse de usar el nombre de la sociedad o la condición de administrador para influir indebidamente en la realización de operaciones privadas», págs. 21-22.

[41]   RAMOS HERRANZ, I., «El deber de abstenerse de usar el nombre de la sociedad o la condición de administrador para influir indebidamente en la realización de operaciones privadas», pág. 22.

[42]   El Derecho de Sociedades no prevé la autorización expresa de la sociedad como condición de licitud del autocontrato a realizar por el administrador. Recoge ex-

del autocontrato entre un patrono y la entidad, la comunicación y la autorización del protectorado. De esta manera y sin perjuicio de que corresponde a este último órgano valorar el potencial conflicto de intereses que un negocio de esta naturaleza genera (art. 34.3 RF), en caso de denegación expresa de la autorización, la entrada en el negocio adolecería de nulidad y entraría en juego la responsabilidad del patrono (arts. 17, 18.2 y 35.2 y 3 LF). Se interpretaría que el patrono ha conculcado su obligación de actuar como un representante leal (art. 17.1 LF) y le correspondería responder frente a la fundación de los daños y perjuicios que su acto contrario a la Ley o a los estatutos haya generado[43].

Ahora bien, la articulación de la responsabilidad de los patronos en las fundaciones está ligada a una de las características más importantes de la figura del patrono. En este sentido, la ausencia de remuneración del cargo deriva en que no se considere al patrono como administrador, según la formulación de las sociedades de capital en las que el administrador es habitualmente remunerado. Desde esa perspectiva, nos encontramos con una ausencia significativa en la Ley de Fundaciones. Habría sido deseable una regulación de la responsabilidad del patrono, atendiendo a sus circunstancias especiales y a sus distintas facetas de actuación. La ley, aunque exige que el patrono actúe como un «representante leal», se limita a establecer una responsabilidad solidaria frente a la fundación y frente a terceros que suscita diversas cuestiones.

En primer lugar, la relativa a la responsabilidad del patrono frente a la fundación por los actos contrarios a la ley y a los estatutos, así como por los actos contrarios a la diligencia debida (art. 17.1 LF). En esta oportunidad la mayoría de la doctrina se inclina por considerar que estamos ante un supuesto de responsabilidad contractual, fundamentado en base a que es un cargo que ha de ser aceptado y cabe calificarlo como un acto o convenio negocial del patrono con la fundación. De esta suerte su inobservancia generará la responsabilidad por incumplimiento de la obligación contractual (artículos 1256 y 1258 CC).

---

clusivamente la obligación de comunicar el conflicto. Por lo tanto, de no haber una manifestación en sentido contrario, cabe interpretar la admisión tácita del negocio consigo mismo.

[43]   GONZÁLEZ CUETO, T. *Comentarios a la Ley de Fundaciones. Ley 50/2002, de 26 de diciembre*, pág. 228; PÉREZ ESCOLAR, M. - CABRA DE LUNA, M. A. - DE LORENZO GARCÍA, R., «Patrimonio, régimen económico y funcionamiento», pág. 320.

En segundo lugar, la cuestión relativa a que el patrono también responde por los daños y perjuicios producidos a ciertas personas ajenas a la fundación, esto es, a los terceros. Se ha adelantado que la actuación individual del patrono puede afectar a la fundación pero también a un tercero relacionado con la entidad, a la cual representa el patrono. Así, en el ámbito de la representación, si la fundación ha causado daño a un tercero, deberá de responder ante él, sin perjuicio de la legitimación para exigir responsabilidad al patrono que ha actuado en contra de las indicaciones emanadas de la fundación. En este supuesto, la responsabilidad de los patronos en el ejercicio de la administración y gestión, se basa en el *nominen laedere*. El principio general de «no causar daño a nadie» se integra en nuestro sistema jurídico en el marco de la responsabilidad extracontractual (*ex* art. 1902 CC), siempre que haya sido una conducta derivada de un actuar doloso o negligente, en este caso del patrono.

Corresponderá al propio patronato, al protectorado o a los patronos disidentes o ausentes entablar la acción de responsabilidad en sede judicial. La interposición de la acción de responsabilidad permitirá que el juez pueda acordar la suspensión cautelar del patrono, y exigirá la inscripción de la suspensión y sustitución en el correspondiente Registro de Fundaciones (art. 18.3 y 4 LF)[44].

## VI. REFLEXIONES FINALES

Siguiendo el eje integrador que a este respecto hemos tratado de seguir en este trabajo en relación a la normativa societaria y fundacional, planteamos la incorporación de los criterios y el protocolo de actuación del artículo 230 de la Ley de Sociedades de Capital en la norma fundacional, con objeto de facilitar la determinación del efectivo perjuicio causado por el patrono a la entidad, así como para determinar el grado de incumplimiento del deber de lealtad que ha derivado del autocontrato en conflicto[45].

---

[44] JIMÉNEZ RUIZ, J. - TEJEDOR MUÑOZ, L., «El gobierno de la fundación. El patronato. Organización y funcionamiento. Relación con el protectorado», *Las fundaciones. Aspectos jurídicos y fiscales. Planificación de actividades y comunicación*, Madrid, 2006, págs. 33-47, 44-47.

[45] EMPARANZA SOBEJANO, A., «Los conflictos de interés de los administradores en la gestión de las sociedades de capital», pág. 28; «El gobierno de las entidades público-privadas: las reglas de buen gobierno como mecanismo de transparencia», pág. 171 y 175. Recomendaciones del estudio de 2011 realizado por la asociación

Otro de los instrumentos de interés que puede articular con acierto la cuestión de los conflictos de interés entre el órgano de administración y la sociedad o entre los patronos y la fundación son los códigos de buen gobierno, reglas de *soft law* que integran las conductas que deben de cumplir los administradores de las sociedades y los patronos de las fundaciones. Estas reglas, debido a su carácter voluntario, permiten establecer en las organizaciones corporativas un modelo de transparencia dirigido a conseguir un equilibrio entre la estructura de gestión de la entidad, con objeto de evitar los potenciales abusos derivados de la concurrencia de intereses personales y generales de estas entidades[46].

## Bibliografía

ALFARO ÁGUILA-REAL, J., «La prohibición de autocontratación de los administradores de sociedades anónimas y limitadas». *Documento de trabajo del Área de Derecho Mercantil de la Facultad de Derecho de la Universidad Autónoma de Madrid*, págs. 1-29.

BALLARÍN HERNÁNDEZ, R., «La autocontratación», AA.VV., *Comentarios a la Ley de Fundaciones*, Valencia, 2008, págs. 726-771.

CARBALLEIRA RIVERA, Mª T. *Fundaciones y Administración pública*, Barcelona, 2009.

DE CASTRO Y BRAVO, F., «El autocontrato en el Derecho privado español. Ensayo de construcción jurídica», *Revista General de Legislación y Jurisprudencia*, Madrid, 1927, págs. 334-455.

DÍAZ DE ENTRE-SOTOS FORNS, M. *El autocontrato*. Madrid. 1990.

DÍEZ-PICAZO, L. *La representación en el Derecho privado*. Madrid, (1ª ed. 1979), 1992.

EMBID IRUJO, J. M., «Los deberes de los administradores de las sociedades cotizadas. (El artículo 114 de la Ley del Mercado de Valores)», *Revista de Derecho Bancario y Bursátil*, núm. 96, octubre-diciembre, 2004, págs. 7-34.

— «La inserción de una fundación en un grupo de empresas: Problemas jurídicos», *Revista de Derecho Mercantil*, núm. 278/2010. Parte Estudios [BIB 2010\7475], págs. 1-21.

EMPARANZA SOBEJANO, A., «Los conflictos de interés de los administradores en la gestión de las sociedades de capital», *Revista de Derecho Mercantil*, núm. 281, [BIB 2011\16005], págs. 1-21.

---

[46] de fundaciones europeas en colaboración con la red de fundaciones y donantes europeas disponible en www.efc.be y www.dafne-online.eu, *Exploring transparency and accountability. Regulation of public-benefit. Foundations in Europe*, págs. 41-42.
EMPARANZA SOBEJANO, A., «El gobierno de las entidades público-privadas: las reglas de buen gobierno como mecanismo de transparencia», pág. 175; MATEU de ROS CEREZO, R., «Buen gobierno corporativo y fundaciones», *Fundaciones. Problemas actuales y reforma legal* (AA.VV.), Cizur Menor (Navarra), 2011, págs. 315-338, 317 y 319.

— «El gobierno de las entidades público-privadas: las reglas de buen gobierno como mecanismo de transparencia», *El gobierno y la gestión de las entidades no lucrativas público-privadas* [(Dirs.) EMBID IRUJO, J. M. - EMPARANZA SOBEJANO, A.], Madrid, 2012, págs. 163-183.

— «La transparencia en la gestión del patronato de las fundaciones con actividad empresarial», *Nuevas orientaciones en la organización y estructuración jurídica de las fundaciones*, Madrid. 2014, págs. 49-71.

ESTRUCH ESTRUCH, J., «Eficacia e ineficacia del autocontrato», *Anuario de Derecho Civil*, LXVI-III, julio, 2013.

GARCÍA ÁLVAREZ, B., «Los Códigos de buen gobierno corporativo en las fundaciones», *El gobierno y la gestión de las entidades no lucrativas público-privadas* [(Dirs.) EMBID IRUJO, J. M. - EMPARANZA SOBEJANO, A.], Madrid, 2012, págs. 185-214.

GOLLAN, A. K. *Vorstandshaftung in der Stiftung. Eine Untersuchung zur Anwendung der Business Judgment Rule.* Köln-München. 2009.

GONZÁLEZ CUETO, T. *Comentarios a la Ley de Fundaciones. Ley 50/2002, de 26 de diciembre.* Cizur Menor (Navarra). 2003.

HERNANDO CEBRIÁ, L., «¿Sociedad dominante administradora de hecho? Más allá del velo corporativo», *Revista de Derecho Mercantil*, núm. 280/2011. Parte Estudios. [BIB 2011\16004], págs. 1-31.

JIMÉNEZ RUIZ, J. - TEJEDOR MUÑOZ, L., «El gobierno de la fundación. El patronato. Organización y funcionamiento. Relación con el protectorado», *Las fundaciones. Aspectos jurídicos y fiscales. Planificación de actividades y comunicación*, Madrid, 2006.

LEIÑENA MENDIZÁBAL, E. *Conflicto de intereses y comisión mercantil.* Madrid. 2009.

MATEU de ROS CEREZO, R., «Buen gobierno corporativo y fundaciones», *Fundaciones. Problema actuales y reforma legal* (AA.VV.), Cizur Menor (Navarra), 2011, págs. 315-338.

PÉREZ ESCOLAR, M. - CABRA DE LUNA, M. A. - DE LORENZO GARCÍA, R., «Patrimonio, régimen económico y funcionamiento», *Tratado de Fundaciones* [(Dirs) DE LORENZO R. - SANJURJO, T], Cizur Menor (Navarra), 2010, págs. 253-328.

RAMOS HERRANZ, I., «El deber de abstenerse de usar el nombre de la sociedad o la condición de administrador para influir indebidamente en la realización de operaciones privadas», *Revista de Derecho de Sociedades*, núm. 44, [BIB 2015\1607], págs. 1-23.

RIBAS FERRER, V., «Deberes de los administradores en la Ley de Sociedades de Capital», *Revista de Derecho de Sociedades*, núm. 38. Parte Estudio, [BIB 2012\685], págs. 1-97.

RODRÍGUEZ PINTO, M. S. *Autocontratación y conflictos de interés en el Derecho Privado español.* Madrid. 2005.

RUIZ-RICO RUIZ, C. *Autocontrato societario.* Madrid. 2002.

SÁNCHEZ CALERO, F. *Los administradores en las sociedades de capital.* Madrid. 2005.

SANTOS MORÓN, Mª. J., «El patrimonio de la fundación. Régimen de gestión patrimonial (artículos 19 a 22 y 28)», *Comentarios a las Leyes de Fundaciones y Mecenazgo*, AA.VV. [(Dirs.) MUÑOZ MACHADO, S. - CRUZ AMORÓS, M. - DE LORENZO GARCÍA, R.], Madrid, 2005.

TRÍAS SAGNIER, M., «El consejo de administración como órgano garante del buen gobierno en la sociedad cotizada», *Revista de Derecho de Sociedades*, núm. 21, 2003, págs. 165-190.

TYLER, J., «Negating the legal problem of having "two masters": a framework for L3C fiduciary duties and accountability», *Vermont Law Revue*, Vol. 25, págs. 117-161.

ZUBIRI DE SALINAS, M., «La relación de representación en las sociedades de capital», *El representante del socio en las sociedades de capital*, Cizur Menor (Navarra), 2015, [BIB 2015\9860], págs. 1-15.

**Enlaces de interés**

www.efc.be
www.dafne-online.eu

# 57. Administración desleal y otros delitos societarios: incidencia de la reforma del Código Penal operada por la LO 1/2015

**PABLO RAFAEL RUZ GUTIÉRREZ**
*Magistrado*
*Juzgado de Instrucción n° 4 de Móstoles (Madrid)*

**Sumario:** I. CONSIDERACIONES GENERALES SOBRE LA REFORMA DEL CÓDIGO PENAL Y LOS DELITOS DE ADMINISTRACIÓN DESLEAL Y APROPIACIÓN INDEBIDA. II. DISTINCIÓN ENTRE LA ADMINISTRACIÓN DESLEAL Y LA APROPIACIÓN INDEBIDA: REFLEXIONES A PARTIR DE LA SENTENCIA DEL TRIBUNAL SUPREMO DE 9 DE SEPTIEMBRE DE 2016 (CASO «NOVACAIXAGALICIA»). 1. Planteamiento del caso. 2. Doctrina del Tribunal Supremo anterior a la reforma del Código Penal de 2015. 3. Doctrina del Tribunal Supremo posterior a la reforma del Código Penal de 2015. 4. Conclusiones y Reflexiones finales. Bibliografía.

## I. CONSIDERACIONES GENERALES SOBRE LA REFORMA DEL CÓDIGO PENAL Y LOS DELITOS DE ADMINISTRACIÓN DESLEAL Y APROPIACIÓN INDEBIDA

La relación de los delitos societarios regulados en el Código Penal, dentro del Capítulo XIII —artículos 290 a 297— del Título XIII («Delitos contra el patrimonio y contra el orden socioeconómico») del Libro II, excepción hecha del delito de administración desleal, se mantiene invariable tras la reforma operada por Ley Orgánica 1/2015, de 30 de marzo, de modificación del Código Penal, de manera que siguen sancionándose las conductas constitutivas del delito de falseamiento de las cuentas o documentos sociales (art. 290 CP), de los delitos de imposición de acuerdos abusivos y lesivos (arts. 291 y 292 CP), del delito de obstaculización del ejercicio de los derechos de los socios (art. 293 CP) y del delito de obstaculización de las tareas de inspección o supervisión (art. 294 CP). De igual manera se mantiene su naturaleza como delitos semipúblicos, resultando sólo perseguibles previa denuncia de la persona agraviada o de su representante legal, o del Ministerio Fiscal en los casos que tengan por agraviado a persona menor, discapacitada o desvalida, salvo cuando la comisión del delito afecte a los intereses generales o a una pluralidad de personas.

La gran novedad de la reforma penal de 2015 en este ámbito radica, pues, en la nueva configuración que el legislador otorga al delito de administración desleal, al resultar evidente, como destaca nuestro Tribunal Supremo (TS), que la reforma operada por la LO 1/2015 ha reformulado el entendimiento histórico del delito de apropiación indebida y de su relación con el de administración desleal, dejando sin contenido el artículo 295 CP, y dando una nueva redacción a los artículos 252 y 253, diversificando así la tipicidad en dos preceptos de nueva redacción.

Así, como se ha destacado por la doctrina, contamos desde el 1 de julio de 2015 con un nuevo delito de administración desleal de patrimonio ajeno, sancionado en el art. 252 CP (que anteriormente recogía el delito de apropiación indebida), que absorbe el contenido del derogado art. 295 CP, con la finalidad de comprender la sanción de la administración desleal llevada a cabo no sólo en el ámbito de las sociedades mercantiles o personas jurídicas, sino también en el patrimonio de un tercero persona física, revisándose al mismo tiempo el delito de apropiación indebida, distinguiendo los supuestos de apropiación con quebrantamiento del deber o relación de confianza con el propietario de la cosa (que se regulan ahora en el art. 253 CP) de los acaecidos sin este quebrantamiento (penados en el art. 254 CP), con la correspondiente calificación como delito leve cuando la cuantía del perjuicio al patrimonio administrado o la cuantía de lo apropiado, según los casos, no excediere de 400 euros (arts. 252.2, 253.2 y 254.2 CP).

Sin perjuicio de que esta nueva regulación ha deparado ríos de tinta, así como las más variadas interpretaciones, como se verá, bajo mi criterio, el estado de cosas sigue siendo, en esencia, el mismo que antes de abordarse la reforma, fundamentalmente atendida la consolidada línea jurisprudencial en la materia y la distinción que se venía haciendo entre ambos tipos delictivos.

En cualquier caso, como ha precisado la jurisprudencia [STS 700/2016, de 9 de septiembre *(Tol 5813597)*], la nueva delimitación de las figuras delictivas de la administración desleal de patrimonios ajenos y de la apropiación indebida es coherente con la más reciente doctrina jurisprudencial, que establece como criterio diferenciador la disposición de los bienes — incluido el dinero— con carácter definitivo en perjuicio de su titular (caso de la apropiación indebida, art. 253 CP, donde la sanción penal se centra en la ejecución de actos apropiatorios) y el mero abuso en la gestión o administración de aquellos bienes en perjuicio de su titular pero sin pérdida definitiva de los mismos (caso de la administración desleal, art. 252 CP, donde la conducta nuclear tipificada consiste en infringir las facultades de administración excediéndose en el ejercicio de las mismas), en este mismo sentido SSTS 476/2015 de 13 de julio *(Tol 5391008)* y 163/2016 de 2 de marzo *(Tol 5662289)*.

Interesa en este foro abordar la problemática generada en los supuestos de administración desleal en los que el patrimonio ajeno privado sea de índole social o societaria, a la vista del estatus legal propio al que se encuentran sujetos los administradores sociales (arts. 209 a 252 del Texto Refundido de la Ley de Sociedades de Capital —TRLSC—), y de la concreción que tal regulación legal contiene de sus deberes y obligaciones, así como por el interés general existente en el correcto funcionamiento de las sociedades mercantiles y su importancia en el tráfico jurídico y económico.

Bajo esta perspectiva, desde determinados sectores doctrinales se aboga por la necesidad de permanencia del delito de administración desleal como delito societario agravado, criticándose la derogación del art. 295 CP, por entender que, al potenciarse en el nuevo art. 252 CP su configuración como delito meramente patrimonial, quedaría desnaturalizada la vertiente de su afectación al orden socioeconómico, como bien jurídico colectivo necesitado de protección, como también lo estarían los supuestos, no ya de abuso, sino de infidelidad en el ejercicio de las facultades de administración.

Ello obliga a revisar la problemática que, bajo la nueva regulación legal, pudieren ofrecer los supuestos delictivos de administración desleal protagonizados por quienes ejercen funciones como administradores sociales, bien desde la perspectiva de los sujetos activos del delito (donde ha sido cuestionada la posible comisión por los administradores de hecho de la sociedad, por sus socios o por los administradores colegiados), bien desde la perspectiva de los sujetos pasivos (que aparentemente se reducen en la nueva regulación frente a la relación anteriormente contenida en el extinto art. 295 CP), o bien en lo referente a la propia conducta típica, en su doble vertiente objetiva y subjetiva. Todo ello permitirá además deslindar los supuestos de responsabilidad penal de los administradores sociales de aquellos otros que, por infracción de los inexcusables deberes de diligencia propios del cargo —art. 225 TRLSC—, hayan de generar exigencia de responsabilidad en el ámbito mercantil al amparo de lo dispuesto en los arts. 236 y siguientes del TRLSC.

## II. DISTINCIÓN ENTRE LA ADMINISTRACIÓN DESLEAL Y LA APROPIACIÓN INDEBIDA: REFLEXIONES A PARTIR DE LA SENTENCIA DEL TRIBUNAL SUPREMO DE 9 DE SEPTIEMBRE DE 2016 (CASO «NOVACAIXAGALICIA»)

### 1. Planteamiento del caso

La revisión de los principales aspectos fácticos y jurídicos vinculados al conocido en la opinión pública como caso «Novacaixagalicia»[1], recogidos en pronunciamientos judiciales recientes tanto de la Sala de lo Penal de la Audiencia Nacional, como fundamentalmente de la Sala Segunda del Tribunal Supremo, permite alcanzar la debida comprensión acerca de la compatibilidad y distinción de las conductas delictivas objeto de nuestro análisis.

Como recordará el lector, nos encontramos ante el enjuiciamiento de varios directivos de una entidad bancaria que, ante la previsión de que no siguieran en sus puestos como consecuencia del proceso de fusión que afectaba a la entidad financiera para la que trabajaban, modifican sus contratos de alta dirección y amplían sus indemnizaciones por desistimiento o despido hasta repartirse 22 millones de euros, ello en un momento en que ya se habían reclamado 1.162 millones de euros al fondo público de rescate para superar la situación de inviabilidad de las dos Cajas afectadas por la fusión. La Audiencia Nacional calificó los hechos como constitutivos de un delito de apropiación indebida, imponiendo penas de hasta dos años de prisión a los encausados, que en enero de 2017 acabaría ejecutando en su integridad al rechazar la petición de suspensión de condena que llegarían a realizar los responsables, ante el grave quebranto económico ocasionado a los contribuyentes, que el Tribunal cifraría en 8.269 millones de euros, además de los 511 millones defraudados a las entidades bancarias a través del Fondo de Garantía de Depósitos[2].

---

[1]   «Cinco directivos de Novagalicia, a prisión por apropiación indebida», El País, 16 de enero de 2017.

[2]   El periodista Manuel Jabois, en un artículo publicado en El País el 21 de enero de 2017, describe con minuciosidad, no exenta de dramatismo, los efectos de una decisión judicial tan grave como excepcional en casos de esta naturaleza: «*El lunes, Julio Fernández Gayoso (Vigo, 1931), entró en la prisión de A Lama (Pontevedra) acompañado de sus dos hombres de confianza, José Luis Pego y Óscar Rodríguez Estrada. Según información de funcionarios, Gayoso fue recibido por el director de la cárcel, la subdirectora de la junta de Tratamiento y el responsable de Seguridad (…). De ser cierto, la escena no sería chocante para Gayoso: desde hace 51 años es siempre recibido por las autoridades como gesto*

En el recurso de casación interpuesto ante la Sala Segunda del Tribunal Supremo, esgrimen los recurrentes, al amparo del art. 849.1 LECrim, entre otros argumentos, la infracción de los arts. 252 y 295 CP en su redacción vigente al tiempo de los hechos, y de los arts. 252 y 253 CP en la redacción introducida por la LO 1/2015, de 30 de marzo, al no concurrir en los hechos probados sus respectivos presupuestos típicos.

La tesis de la defensa es clara: aducen que la Audiencia Nacional no tuvo suficientemente en cuenta todas las implicaciones que tiene la reforma introducida, en relación con los delitos de apropiación indebida y de administración desleal, por la LO 1/2015, de 30 de marzo, en vigor desde el pasado 1 de julio. Y para ello, con cita de lo que la defensa considera «la mejor doctrina» —como con cierta ironía recoge la Sentencia del TS—, se argumenta que a partir de la profunda modificación del delito de administración desleal llevada a cabo por la LO 1/2015, se puede concluir que la voluntad del legislador de 2015 —explicitada en el Preámbulo de la referida ley orgánica— fue clara: las conductas de administración desleal realizadas en el ámbito societario que hasta la reforma de 2015 se castigaban con arreglo al antiguo art. 295, han pasado a quedar incluidas en el tipo genérico de administración desleal del nuevo art. 252, que se inspira inequívocamente en la figura delictiva tipificada en el § 266 StGB alemán (que se denomina de «infidelidad patrimonial» o Untreue).

Y sigue argumentándose por las defensas en esta línea, aludiendo a que la eliminación en el renovado art. 253 de la referencia a la administración como título jurídico de la obligación de entrega o devolución, evidencia la voluntad legislativa, corroborada en la Exposición de Motivos, de reconducir al nuevo delito de administración desleal todas la conductas desleales (incluyendo, pues, las apropiaciones definitivas) cometidas por un administrador que actúa en el ejercicio de las funciones propias de su cargo; de

---

*de respeto. Es el eterno jefe de Caixavigo primero, Caixanova después; el virrey del dinero gallego. En esta ocasión, sin embargo, Gayoso no asistía a ninguna inauguración ni iba a anunciar una programación cultural. De hecho, había llegado en chándal y se encontraba en el área de Ingresos de la cárcel. Al día siguiente hicieron entrada efectiva en prisión, en el módulo de convivencia número 9. Lo primero que hicieron los exdirectivos de Novacaixagalicia, primero banqueros españoles que entran en la cárcel por la gesión de las cajas, fue invitar a los 80 presos a café (…). El último movimiento para dirigir a perpetuidad el destino de la caja gallega, con más de 80 años, lo terminó condenando a la cárcel. No por apropiación indebida, como Pego, Estrada y Gorriarán, sino por cooperación necesaria. Cuando la caja estaba a punto de ser rescatada y ellos tenían que cesar, se provisionaron 29,97 millones de euros para repartir entre indemnizaciones y pensiones. Gayoso miró para otro lado».*

forma que quedarían únicamente contenidos en el delito de apropiación indebida los denominados supuestos de apropiaciones fácticas, en los que el administrador actúa completamente al margen de sus funciones. En la misma línea, concluyen las defensas, vendría a apuntar la supresión de la distracción en la descripción típica de la apropiación indebida.

## 2. Doctrina del Tribunal Supremo anterior a la reforma del Código Penal de 2015

Como ya se ha señalado anteriormente, antes de la reforma de 2015 el Código Penal recogía, entre los delitos societarios, el delito de administración desleal, sancionándose en el ya extinto artículo 295, con penas de prisión de 6 meses a 4 años y multa a «*los administradores de hecho o de derecho o los socios de cualquier sociedad constituida o en formación, que en beneficio propio o de un tercero, con abuso de las funciones propias de su cargo, dispongan fraudulentamente de los bienes de la sociedad o contraigan obligaciones a cargo de ésta causando directamente un perjuicio económicamente evaluable a sus socios, depositarios, cuentapartícipes o titulares de los bienes, valores o capital que administren*».

Con respecto a los administradores de sociedades, la jurisprudencia había venido consensuando que no podía confundirse la apropiación indebida con la administración desleal, tipificado en el catálogo de delitos societarios, superando la solución o tesis del aparente concurso de normas a resolver por la vía del principio de alternatividad consagrado en el art. 8.4 CP, sancionando el delito que ofrecía mayor pena, para centrarse en diferenciar la clase de exceso cometido, pudiendo ser éste intensivo o extensivo, como veremos. En definitiva, concluía el Tribunal Supremo, nos encontramos ante preceptos que no implicaban una doble valoración de un mismo hecho típico, sino por el contrario abarcaban un espacio típico autónomo y diferenciado.

Así, siguiendo la doctrina expuesta en la STS 700/2016, de 9 de septiembre *(Tol 5813597)*, el delito de administración desleal venía referido a los administradores (de hecho o de derecho o a los socios de cualquier sociedad constituida o en formación) que realicen una serie de conductas causantes de perjuicios, con abuso de las funciones propias de su cargo. Esta última exigencia supone que el administrador desleal del artículo 295 actúa en todo momento como tal administrador, y que lo hace dentro de los límites que procedimentalmente se señalan a sus funciones, aunque al hacerlo de modo desleal en beneficio propio o de tercero, disponiendo fraudulentamente de los bienes sociales o contrayendo obligaciones a cargo de la sociedad, venga a causar un perjuicio típico. El exceso que comete, señala el Alto Tribunal, es intensivo, en el sentido de que su actuación se mantiene dentro de sus facultades, aunque indebidamente ejercidas.

Por el contrario, sigue razonando la citada sentencia, el delito de apropiación indebida suponía una disposición de los bienes cuya administración ha sido encomendada que supera las facultades del administrador, causando también un perjuicio a un tercero. Se trata, por lo tanto, concluía el Tribunal Supremo, de conductas diferentes, y aunque ambas sean desleales desde el punto de vista de la defraudación de la confianza, en la apropiación indebida la deslealtad supone una actuación fuera de lo que el título de recepción permite, superando los límites propios del cargo de administrador [en el mismo sentido SSTS 841/2006, 17 de julio *(Tol 1002336)*, y 565/2007, 21 de junio *(Tol 1106878)*].

Otros argumentos adicionales ofrecidos en el ámbito doctrinal, y recogidos también en la jurisprudencia, a la hora de diferenciar entre uno y otro delito y argumentar en rechazo del concurso de normas, hacían referencia tanto al objeto, como a la acción típica y penalidad asociada, y al bien jurídico protegido [supuestos todos ellos recogidos en la citada STS 700/2016, de 9 de septiembre *(Tol 5813597)*].

Así, se destacaba en primer término que mientras el antiguo delito de apropiación indebida se refería a un supuesto de administración de dinero, sancionando la disposición de dinero o sobre activos patrimoniales en forma contraria al deber de lealtad, el delito de administración desleal sancionaba dos supuestos diferentes: la disposición de bienes de una sociedad mediante el abuso de la función del administrador, y la causación de un perjuicio económicamente evaluable a la sociedad administrada mediante la celebración de negocios jurídicos, también con abuso de la condición de administrador.

Desde la perspectiva de la acción típica, se sostenía que mientras en el art. 295 del CP las conductas descritas reflejan actos dispositivos de carácter abusivo de los bienes sociales pero que no implican apropiación, es decir, ejecutados sin incumplimiento definitivo de la obligación de entregar o devolver, ya se realizaren en beneficio propio o a favor de un tercero, en el art. 252 del CP se recogían actos apropiativos y por ello de mayor gravedad que los meros actos de administración desleal, siendo en consecuencia sancionados con pena más elevada.

Finalmente, si se atendía al bien jurídico protegido, mientras que en la apropiación indebida sería la propiedad, el patrimonio entendido en sentido estático, en la administración desleal, más que la propiedad propiamente dicha, se estaría atacando el interés económico derivado de la explotación de los recursos de los que la sociedad es titular; presentando en consecuencia ese bien jurídico una dimensión dinámica, orientada hacia el futuro, a la búsqueda de una ganancia comercial que quedaría absolutamente defraudada con el acto abusivo del administrador.

## 3. Doctrina del Tribunal Supremo posterior a la reforma del Código Penal de 2015

Tras la reforma del Código Penal, el artículo 295 —que sancionaba anteriormente la administración desleal como modalidad de delito societario— ha quedado sin contenido, confiriéndose una nueva redacción a los artículos 252 y 253, de forma que la tipicidad queda deslindada en dos preceptos de nueva redacción.

Así, atendiendo a la nueva sistemática, el CP castiga en el art. 252 —bajo la rúbrica «De la administración desleal»— a «*los que teniendo facultades para administrar un patrimonio ajeno, emandas de la ley, encomendadas por la autoridad o asumidas mediante un negocio jurídico, las infrinjan, excediéndose en el ejercicio de las mismas y, de esa manera, causen un perjuicio al patrimonio administrado*». Y en el art. 253 —bajo la rúbrica «De la apropiación indebida»—, se castiga con idénticas penas a «*los que, en perjuicio de otro, se apropiaren para sí o para un tercero, de dinero, efectos, valores o cualquier otra cosa mueble, que hubieran recibido en depósito, comisión o custodia o que les hubieren sido confiados en virtud de cualquier otro título que produzca la obligación de entregarlos o devolverlos o negaren haberlos recibido*».

Señala el Preámbulo de la LO 1/2105, de 30 de marzo de modificación del Código Penal, que «*la reforma se aprovecha asimismo para delimitar con mayor claridad los tipos penales de administración desleal y apropiación indebida. Quien incorpora a su patrimonio, o de cualquier modo ejerce facultades dominicales sobre una cosa mueble que ha recibido con obligación de restituirla, comete un delito de apropiación indebida. Pero quien recibe como administrador facultades de disposición sobre dinero, valores u otras cosas genéricas fungibles, no viene obligado a devolver las mismas cosas recibidas, sino otro tanto de la misma calidad y especie; por ello, quien recibe de otro dinero o valores con facultades para administrarlos, y realiza actuaciones para las que no había sido autorizado, perjudicando de este modo el patrimonio administrado, comete un delito de administración desleal*».

Desde la doctrina[3] se ha defendido, de forma mayoritaria, la decisión del legislador de desplazar el delito de administración desleal desde los delitos societarios a los delitos patrimoniales, por exigirlo así razones sistemáticas, precisando que a través de aquel delito se intenta proteger el patrimonio en general, tanto sea de una persona individual o de una sociedad, que confiere a otro la administración de su patrimonio, o de aquel cuyo patrimonio ha sido puesto bajo la administración de otro, por decisión legal o de la autoridad, sancionándose las extralimitaciones en el ejercicio de las facultades de disposición sobre ese patrimonio ajeno, salvaguardando así que el administrador desempeñe su cargo con la diligencia de un ordenado empresario y con la lealtad de un fiel representante, en interés de su administrado.

Es pues obligado, en este punto, recordar cómo, desde la perspectiva de la administración del patrimonio societario, el artículo 225 TRLSC se refiere al deber de diligencia del administrador, precisando que deberá desempeñar su cargo y cumplir sus deberes con la diligencia de un ordenado empresario, teniendo en cuenta la naturaleza del cargo y las funciones atribuidas, debiendo además tener la dedicación adecuada y adoptar las medidas precisas para la buena dirección y el control de la sociedad, teniendo por último el deber de exigir y el derecho de recabar de la sociedad la información adecuada y necesaria que le sirva para el cumplimiento de sus obligaciones. Por su parte el art. 227 TRLSC señala que los administradores deberán desempeñar el cargo con la lealtad de un fiel representante, obrando de buena fe y en el mejor interés de la sociedad, concretando el art. 228 TRLSC cuáles son esas obligaciones básicas derivadas del deber de lealtad. Y asimismo, a efectos de aclarar la estructura subjetiva activa del delito, no podemos olvidar que, en interpretación conforme al art. 209 TRLSC, deben ser considerados administradores quienes tienen competencia o facultad para la gestión y representación del patrimonio ajeno.

Autoras como FARALDO[4], no obstante, se han cuestionado si la eliminación del delito societario de administración desleal era una consecuencia necesaria de la previsión de un delito común de administración desleal de patrimonio ajeno, destacando que la tipificación expresa de un delito

---

3    SÁNCHEZ MELGAR, J. A., «Apropiación indebida y administración desleal», *Últimas reformas penales (2016)*, Consejo General del Poder Judicial, Formación a Distancia 2-2016, págs. 281 y 282.

4    FARALDO CABANA, P., *Los delitos societarios. Adaptada a la reforma del Código Penal de 2015*, Tirant lo Blanch, Valencia, 2ª edición, 2015, pág. 420.

societario de administración fraudulenta, como un tipo especial y más grave de administración desleal de patrimonio ajeno, estaría justificada sea
por el interés general en el correcto funcionamiento de las sociedades
mercantiles, dada su importancia en el tráfico jurídico económico actual,
sea por la existencia de una amplia regulación de los deberes y obligaciones de los administradores de sociedades en la legislación sectorial (arts
209 a 252 TRLSC), que establecen un nivel de responsabilidad y exigencia
a estos gestores en modo alguno comparable a la escueta regulación que
ofrece el Código civil en torno a la administración de bienes ajenos (*v. gr.*
contrato de sociedad, arts. 1692 y ss.; mandato, arts. 1709 a 1739; gestión
de negocios ajenos, arts. 1888 a 1901). Y en la misma línea señala DOLZ
LAGO[5] que con la desafortunada derogación del delito societario de administración desleal del art. 295 del Código Penal de 1995, se oscurece
todavía más la norma penal del «nuevo» delito de administración desleal
del patrimonios ajenos privados del art. 252 del Código vigente, llegando
a afirmar que sobre esta reforma verificada bajo la excusa de argumentos
dogmáticos, en el fondo, puede pensarse que sólo encubre un propósito
de política criminal inconfesable: la impunidad de los poderosos administradores sociales privados infractores penales.

Por ello, cuando se trate de conductas atribuidas a los administradores
sociales, habrá que estar a las circunstancias en cada caso concurrentes, y
en definitiva a las evidencias o indicios recabados en la investigación que
se lleve a cabo, para valorar la intensidad y características que presenten
aquéllas, en lo que pueda suponer de quiebra o exceso en el ejercicio de
las facultades de administración, para determinar la exigencia de responsabilidad conforme a lo dispuesto en el art. 236 TRLSC, por la vía del art. 238
del mismo Texto legal, con el ejercicio de la acción social por la sociedad
y los perjudicados, bien por la individual cuando los perjudicados vean lesionados directamente sus intereses, o bien, en última instancia, por la vía
penal al amparo del delito del art. 252 CP.

Ha sido también destacado por la doctrina que no aparece recogido en
el tipo de la administración desleal, como elemento subjetivo, el ánimo de
lucro[6], ni la intención de defraudar o la causación de defraudación, sino

---

5    DOLZ LAGO, M. J., «Aspectos sobre la reforma del los delitos de administración
     desleal de patrimonios ajenos privados y de apropiación indebida, tras la LO
     1/2015», *La reforma de la parte especial del Código Penal derivada de la Ley Orgánica
     1/2015*, Revista del Ministerio Fiscal, año 2016, número 1.
6    Sí se recogía en el Anteproyecto de Ley Orgánica de modificación del Código
     Penal un apartado adicional que sancionaba con la pena en su mitad superior si

la causación de perjuicio, que ha de ser interpretado, como nos recuerda SÁNCHEZ MELGAR[7], en los términos dispuestos en la STS 719/2015, de 10 de noviembre *(Tol 5574695)*, que viene a señalar lo siguiente: «en el delito de administración desleal el perjuicio no se origina a un tercero, sino a la sociedad administrada, o bien el perjuicio se genera a algunos de sus socios; en palabras del nuevo art. 252 del Código Penal (LO 1/2015, de 30 de marzo) "al patrimonio administrado", y tal perjuicio se traslada a los socios como es natural. En realidad, el concepto de patrimonio administrado es similar al del art. 295 que, en cierto modo, sustituye, en tanto que en éste el perjuicio había de originarse a "sus socios, depositarios, cuentapartícipes o titulares de los bienes, valores o capital que administren" que es una descripción más detallada pero que responde al propio concepto, pues todos esos elementos se corresponden, sin duda, con el concepto de patrimonio administrado. No puede entenderse que el patrimonio administrado se lesione y a los socios tal perjuicio no les afecte. Económicamente la correspondencia es un hecho innegable».

En cuanto a la distinción entre los delitos objeto de nuestro análisis, en su nueva configuración legal, parte de la doctrina ha puesto el acento en función de que se tenga una concreta obligación sobre el bien, en cuyo caso estaríamos ante un supuesto de apropiación indebida, o en cambio, un margen de gestión con validez jurídica sobre él, en cuyo caso estaríamos ante un supuesto de administración desleal. Y en la misma línea del Preámbulo de la LO 1/2015, se ha destacado cómo el primer delito (apropiación indebida) se estructura sobre la infracción de un concreto deber de entrega o devolución, sin alternativas de decisión, mientras el segundo (administración desleal) lo hace sobre la base de los deberes de velar por los intereses ajenos, ante varias posibilidades de actuación[8].

Surge no obstante ante la reforma legal una primera pregunta, especialmente sugestiva desde posiciones enmarcadas en el ejercicio del derecho de defensa: ¿quiere ello decir que ha dejado de ser típica la apropiación indebida de dinero? O dicho en otros términos: ¿puede resultar un efecto indeseado de la reforma del legislador penal —ante la supresión de la conducta de la distracción de la redacción actual del delito de apropiación

---

el autor hubiere actuado con ánimo de lucro, mención finalmente desaparecida del texto legal aprobado, si bien no puede olvidarse que el dolo del autor debe abarcar el conocimiento de que con su acción se causa un perjuicio al patrimonio administrado.

[7]     *Op. cit.*, pág. 289.

[8]     Opiniones recogidas por SÁNCHEZ MELGAR, J. A., *op. cit.*, págs. 285 y 286.

indebida, y al exceder del contenido de la descripción típica de la administración desleal— la generación de injustificados espacios de impunidad?

La respuesta ofrecida por la jurisprudencia es, sin embargo, igual de clara que de contundente, sirviendo para despejar definitivamente las dudas introducidas por ciertos sectores doctrinales, tradicionalmente contrarios a admitir la posibilidad de supuestos de apropiación indebida de dinero, atendida su naturaleza fungible, calificándolos en todo caso como una modalidad o supuesto de administración desleal.

Así, como concluyen las SSTS 163/2016, de 2 de marzo *(Tol 5662289)*, y 700/2016, de 9 de septiembre *(Tol 5813597)*, la reforma excluye del ámbito de la apropiación indebida la administración desleal por distracción de dinero, pero mantiene en el ámbito del tipo de apropiación indebida la apropiación de dinero —y así se menciona expresamente en la nueva redacción del art. 253—, en los supuestos en que el acusado se apropiare para sí o para otros del dinero que hubiera recibido en depósito, comisión, o custodia, o que le hubiere sido confiado en virtud de cualquier otro título que produzca la obligación de entregarlo o devolverlo, o negare haberlos recibido.

Se mencionan así los siguientes supuestos en los que la Sala Segunda ha mantenido la sanción por delito de apropiación indebida de dinero tras la entrada en vigor de la reforma penal, el 1 de julio de 2015:

– STS 430/2015, de 2 de julio *(Tol 5214844)* (apropiación indebida de dinero por el Consejero Delegado de una empresa que realizó actos de expropiación definitiva, que exceden de la administración desleal).

– STS 414/2015, de 6 de julio *(Tol 5219708)* (apropiación indebida por la tutora de dinero de sus pupilos).

– STS 431/2015, de 7 de julio *(Tol 5205877)* (apropiación indebida por comisionista de dinero de su empresa).

– STS 485/2015, de 16 de julio *(Tol 5390971)* (apropiación indebida de dinero entregado para la cancelación de un gravamen sobre una vivienda).

– STS 592/2015, de 5 de octubre *(Tol 5512793)* (apropiación indebida de dinero por Director General de una empresa).

– STS 615/2015, de 15 de octubre *(Tol 5536835)* (apropiación indebida de dinero por administrador de fincas urbanas).

- STS 678/2015, de 30 de octubre *(Tol 5567271)* (apropiación de dinero por apoderado).

- STS 732/2015, de 23 de noviembre *(Tol 5587442)* (apropiación indebida de dinero por mediador en un contrato de compraventa de inmuebles).

- STS 792/2015, de 1 de diciembre *(Tol 5596332)* (apropiación indebida de dinero por un gestor).

- STS 798/2015, de 10 de diciembre *(Tol 5605796)* (apropiación indebida de dinero por intermediario).

- STS 65/2016, de 8 de febrero *(Tol 5645436)* (apropiación indebida de dinero por agente de viajes).

- STS 80/2016, de 10 de febrero *(Tol 5642683)* (apropiación indebida de dinero por el patrono de una fundación).

- STS 89/2016, de 12 de febrero *(Tol 5645433)* (apropiación indebida de dinero entregado como anticipo de la compra de viviendas).

Por todo ello concluye SÁNCHEZ MELGAR[9] que la jurisprudencia siempre ha considerado posible la apropiación indebida de dinero, a pesar de que algunos títulos hábiles para la comisión del delito de apropiación indebida transmitan la propiedad del dinero, pues se entiende que lo que caracteriza en este supuesto el delito es conformar una deuda de valor, en los casos de obligación de devolución o entrega de dinero. Nada se ha alterado, pues, desde esta perspectiva, con la reforma operada en el CP por la Ley Orgánica 1/2015.

## 4. Conclusiones y Reflexiones finales

Comenzaba este trabajo con la cita jurisprudencial [por todas SSTS 476/2015, de 13 de julio *(Tol 5391008)* y 700/16, de 9 de septiembre *(Tol 5813597)*] según la cual, «en realidad la reforma es coherente con la más reciente doctrina jurisprudencial», al sentar como pauta o criterio delimitador entre los delitos objeto de nuestro estudio el mero hecho abusivo de los bienes administrados en perjuicio de su titular pero sin pérdida definitiva de los mismos —delito de administración desleal—, o bien la pérdida o expropiación definitiva de los bienes administrados, incluido el dinero, en

---

[9]   *Op. cit.*, págs. 283 y 284.

perjuicio de su titular y con incorporación al patrimonio del administrador —delito de apropiación indebida—.

Pudiendo pues concluirse, con el TS, que «lo que exige la doctrina jurisprudencial para apreciar el delito de apropiación indebida de dinero es que se haya superado lo que se denomina el "punto sin retorno", es decir que se constate que se ha alcanzado un momento en que se aprecie una voluntad definitiva de no entregarlo o devolverlo o la imposibilidad de entrega o devolución» [STS 513/2007 de 19 de junio *(Tol 1106861)*, STS 938/98, de 8 de julio *(Tol 5133921)*, STS 374/2008, de 24 de junio *(Tol 1343759)*, y STS 228/2012, de 28 de marzo *(Tol 2498412)*].

Ahondando en el mismo concepto, también se destaca en la STS 244/2016, de 30 de marzo *(Tol 5681072)*, que así como en la apropiación de cosas no fungibles la incorporación al patrimonio ajeno es instantánea la exteriorización del «animus rem sibi habendi», en la distracción de dinero se requiere que se dé un destino distinto y definitivo, de suerte que hasta que ese destino no se ha objetivado cabría la existencia de un mero uso indebido del dinero, que no supusiera el despojo definitivo del mismo por parte del infractor hasta que no se haya superado el denominado «punto de no retorno», que distingue el mero uso indebido situado extramuros del sistema penal, de la apropiación en sentido estricto.

En lo que se refiere al caso analizado en el presente estudio, examinada la conducta de los directivos encausados vinculada a la gestión de la entidad fusionada en las circunstancias antes mencionadas, concluye la Sala [STS 700/2016, de 9 de septiembre *(Tol 5813597)*] que lejos de haber quedado despenalizada la conducta enjuiciada, encuentra adecuado encaje en el nuevo art. 253 del CP, al entender que las respectivas acciones atribuidas a los directivos enjuiciados no pueden ser interpretadas como el resultado de actos de deslealtad con el patrimonio administrado o como el fruto de decisiones equivocadas en el ámbito de la administración que les incumbía. Señalando que, antes al contrario, los acusados «hicieron suyas esas cantidades a través de un mecanismo expropiatorio que va mucho más allá de la adopción de actos erróneos en el ejercicio de sus facultades de administración».

Continúa la Sala subrayando que la acción que tipifica el nuevo art. 253 del C. Penal se centra en la ejecución de actos apropiatorios («se apropiaren para sí o para un tercero») de dinero, efectos, valores o cualquier otra cosa mueble; mientras que la conducta nuclear que se tipifica en el art. 252 consiste en infringir las facultades de administración excediéndose en el ejercicio de las mismas. Para, a partir de ahí, concluir que en este caso, «dado que los acusados ejecutaron en el presente caso inequívocos actos apropiatorios con fines de lucro personal con respecto al dinero de la entidad que administraban, no puede afirmarse que incurrieran en meros excesos de sus facultades de administración ni en meros abusos en el ejercicio de sus competencias, pues en la sentencia recurrida se afirma que los condenados urdieron un plan para beneficiarse con cuantiosas sumas de dinero correspondientes a la sociedad que gestionaban, formalizando para ello unos nuevos contratos de alta dirección a pesar de conocer la situación de práctica insolvencia de las dos entidades que se fusionaron en Nova Caixa Galicia. Esta conducta ha de ser calificada por tanto como de apropiación indebida y no como de administración desleal».

Como reflexión final, trascendiendo al análisis del supuesto examinado, si bien se ha de valorar como razonable, y necesaria, la clarificación de conceptos intentada por la reforma penal de 2015 en esta materia, a la vista de la tradicional problemática concursal planteada entre los artículos 252 y 295 del CP en su versión anterior, puede compartirse, nuevamente con SÁNCHEZ MELGAR[10], que una vez producida la distinción de las conductas típicas, no parece correcta la solución de asignarles idéntica pena, al parecer un comportamiento mucho más grave el enriquecimiento personal de los bienes muebles que custodia el agente, haciéndolos propios, que la errónea gestión de los intereses ajenos.

## Bibliografía

DOLZ LAGO, M. J., «Aspectos sobre la reforma del los delitos de administración desleal de patrimonios ajenos privados y de apropiación indebida, tras la LO 1/2015», *La reforma de la parte especial del Código Penal derivada de la Ley Orgánica 1/2015*, Revista del Ministerio Fiscal, año 2016, número 1.

FARALDO CABANA, P., *Los delitos societarios. Adaptada a la reforma del Código Penal de 2015*, Tirant lo Blanch, Valencia, 2ª edición, 2015.

SÁNCHEZ MELGAR, J. A., «Apropiación indebida y administración desleal», *Últimas reformas penales (2016)*, Consejo General del Poder Judicial, Formación a Distancia 2-2016.

---

[10] *Op. cit.*, pág. 302.

# 58. La responsabilidad penal de la persona jurídica

**JUAN ORTIZ-ÚRCULO**

*Ex Fiscal de Sala del Tribunal Supremo y Fiscal General del Estado.*
*Socio de Cremades&Calvo-Sotelo. Abogados.*

## I. ANTECEDENTES Y SOLUCIONES SUCESIVAS TOMADAS POR EL LEGISLADOR HASTA LLEGAR A LA LO 1/2015

Antes de reformarse el Código Penal (CP) por LO 8/1983, ya era una cuestión debatida la responsabilidad penal de los administradores, directivos o representantes de una sociedad, por hechos cometidos, en nombre o en beneficio de la persona jurídica, aunque se aceptaba pacíficamente que *«societas delinquere, non potest»*.

El Código Penal anterior a 1983 decía (Art. 499 bis) que: «*cuando los hechos previstos —delictivos— "fueren realizados por personas jurídicas", se impondrá la pena señalada a los administradores que los hubieren cometido, o que conociéndolos no los hubieran impedido pudiendo hacerlo*».

Sorprendía esta redacción del precepto, porque si se consideraba que la persona jurídica (PJ) era una ficción (*societas delinquere non potest*), difícilmente *podría realizar los hechos delictivos*. Más bien los realizaban sus administradores.

La LO 8/1983, de 25 de junio, de reforma del Código Penal, —introdujo el artículo 15 bis (de inspiración alemana)— para dar solución a los problemas de la comisión de los «delitos especiales propios» cometidos por los administradores: «*el que actúa como administrador de una persona jurídica, o en nombre o representación legal o voluntaria de otro, responde personalmente del delito o falta cometidos, aunque no concurran en él las condiciones, cualidades o relaciones exigidas para ser sujeto activo de aquellos*».

La LO 10/1995, de 23 de noviembre, mantuvo el contenido del art. 15 bis, aunque numerado como artículo 31, y añadió, por primera vez, en un artículo, el 129, unas «*consecuencias accesorias*» *a la condena impuesta al autor del delito* (Titulo VI), que no eran penas (Título III), y que, «en los supuestos previstos en este Código», podría el Juez o Tribunal imponer a la persona jurídica.

Se trataba de consecuencias muy graves, como la clausura o disolución de la empresa, pero para ello *debía existir una previa condena penal de los administradores o representantes*, pues eran *consecuencias accesorias a la condena impuesta a los autores de determinados delitos*.

La LO 15/2003, al modificar el Código Penal, conservó la misma fórmula en el art. 31, aunque añadiendo en su apartado 2 que, «En estos supuestos, *si se impusiere en sentencia una pena de multa al autor del delito, será responsable del pago de la misma de manera directa y solidaria la persona jurídica en cuyo nombre o por cuya cuenta actuó*».

También modificó un poco «las consecuencias accesorias» del artículo 129 CP, manteniendo, entre otras, la clausura de la empresa, la disolución de la sociedad, asociación o fundación, o la suspensión de sus actividades.

No obstante, la persecución de los delitos cometidos a la sombra de las sociedades (PJ), y su constante crecimiento en número y complejidad, seguía siendo una preocupación para los reformadores, porque, a pesar de la introducción de las «consecuencias accesorias» en el Código Penal, su imposición —decían— requería necesariamente identificar y condenar al autor del delito (persona física) para imponer aquellas «consecuencias» a la persona jurídica, lo que favorecería la impunidad de ésta, habida cuenta de la dificultad frecuente de identificar al autor físico en los delitos cometidos por cuenta o en beneficio de sociedades multinacionales o de gran tamaño.

La LO 5/2010, de 22 de junio (en vigor desde el 23-12-2010) fue la que creó la responsabilidad penal directa y autónoma de la persona jurídica, suprimiendo el párrafo 2 del art. 31, e introduciendo un nuevo artículo: el 31 bis, antecedente inmediato de la actual regulación de 2015.

Finalmente, la LO 1/2015, de 30 de marzo (en vigor desde el 1 de julio de 2015), ha querido mejorar y completar la regulación introducida en el año 2010, regulando una responsabilidad penal de la persona jurídica por «*defecto de organización*» (a modo de una «nueva culpabilidad»), con intención de sustituir a la vicarial, o por representación, muy señalada y criticada por la doctrina, y permitir la exención de la responsabilidad penal de la persona jurídica mediante «programas de prevención del delito» (de cumplimiento normativo y de control y gestión estructural interno) que los ingleses denominan *Compliance*. Algo parecido y ampliado —salvando las distancias— a lo que, para el delito de Blanqueo de capitales, contiene la Ley y el Reglamento de Prevención del Blanqueo de Capitales.

Con ello, el Legislador ha introducido en el Código Penal la responsabilidad penal directa y autónoma de la persona jurídica, y un sistema preventivo para esta clase de responsabilidad. Cosa distinta es que lo haya conseguido en la ciencia penal y en la práctica.

## II. ARGUMENTOS PARA PENALIZAR A LA PERSONA JURÍDICA

### 1. *Aumento de la corrupción —actividad delictiva— en torno a las sociedades y a sus responsables*

Desde hace mucho tiempo —me remonto a los años ochenta— se viene denunciando con alarma el incremento de acciones delictivas relacionadas con el manejo de altas cantidades de dinero, y realizadas en forma organizada o por medio de sociedades o empresas. Unas veces, procedentes del tráfico de droga o de otro origen criminal, cuyos delincuentes actúan en grupos jerarquizados, dedicados especialmente a cometer delitos (criminalidad organizada) y que trastornan la libre circulación de capitales y el tráfico mercantil (vg; blanqueo de capitales; grupos criminales).

En otras ocasiones, los administradores de sociedades lícitas, en el ejercicio de su cargo, realizan actuaciones, en perjuicio de la sociedad, de los socios o de un tercero; y, a veces, también en beneficio de ellos mismos (delitos societarios).

Asimismo, el incremento de la criminalidad se aprecia en delitos cometidos en nombre o por cuenta de una sociedad, y en su beneficio, por los que la administran, representan legalmente, o dirigen con poder de decisión, o por los empleados sometidos a la autoridad de aquellos, (responsabilidad penal de tales sujetos y, además, de la persona jurídica).

## 2. *Dificultad de perseguir los delitos*

La actuación de organizaciones —de cualquier naturaleza— «para cometer delitos» no ofrece —por lo general— demasiada dificultad para calificarlas jurídicamente, porque se trata de instrumentos delincuenciales que, una vez condenados los autores, pueden ser decomisados o destruidos[1], como lo es un arma o un local utilizado con esos fines.

Sin embargo, las infracciones legales realizadas en el seno de empresas o sociedades, aunque pertenecen en principio a la complejidad del mundo mercantil, administrativo o de otro orden, y deban regirse por esas normas, cuando se incrementan notablemente y no son prevenidas ni reprimidas con eficacia desde sus correspondientes jurisdicciones, —aunque pudieron y debieron serlo—, los responsables y asesores de mantener el orden (fundamentalmente el Legislador) caen en la tentación fácil y vendible de mirar hacia otras armas jurídicas más potentes, aunque hayan sido diseñadas para situaciones distintas y más graves, y así acuden frecuentemente y cada vez más, al Derecho penal, donde el Legislador encuentra su rápido acomodo.

De esta manera, el Derecho penal pierde lamentablemente su naturaleza de *última ratio*, se distancia del principio de «intervención mínima», que lo justifica cuando los demás resortes jurídicos no son suficientes, y se convierte en un arma fácil pero desproporcionada e innecesaria. Innecesaria, sí, porque con unas *consecuencias accesorias*, que no son penas ni requieren condena penal, se hubiera resuelto mucho mejor la cuestión, y también por otras vías, como diré luego.

---

[1]    REVISTA DEL MINISTERIO FISCAL, n° 0-2015, pág. 94 y ss.: el decomiso de instrumentos del delito, aunque no se haya podido dictar sentencia de condena.

Esto último es lo que, en mi opinión, el Legislador no ha hecho, al introducir abruptamente y con *forces,* en nuestro ordenamiento jurídico y, en concreto, en nuestro Código Penal, la responsabilidad penal de la persona jurídica.

### 3. Recomendaciones internacionales. Soluciones adoptadas. Otras propuestas fuera del derecho penal

El nerviosismo legislativo que impera —propio más de un Estado de Leyes que de Derecho—, y el cada vez mayor desconocimiento de la procedencia de los proyectos legislativos, ha introducido esta nueva responsabilidad sucesivamente, como las olas del mar cuando llegan a la playa, de forma que la regulación de 2010 ya ha sido superada por la que entró en vigor el 1 de julio de 2015, y esta, a su vez, por interpretaciones posteriores, que yo llamaría trasformadoras o complementarias, como es la incipiente jurisprudencia de la Sala Segunda del Tribunal Supremo (STS 514/2015; y, particularmente, las SSTS 154/2016, 29 de febrero, dictada por el Pleno de la Sala Segunda, y la 221/2016, de 16 de marzo).

La introducción en el Código Penal de la responsabilidad penal de las personas jurídicas, por LO 5/2010, lo fue contra el criterio de nuestros Tribunales Supremo (SSTS 612/2002 y 774/2005) (*societas delinquere non potest*) y Tribunal Constitucional (STC 70/2012, de 16-4, FJ 3)[2], que siempre consideraron los principios de culpabilidad, de personalidad de las penas y de responsabilidad individual como un obstáculo para que una persona jurídica pudiera ser autora de un delito[3].

---

[2]    «En el ámbito penal, hasta la reforma del Código Penal llevada a cabo por la Ley Orgánica 5/2010, de 22 de junio, ha regido en nuestro ordenamiento el principio *societas delinquere non potest*».

[3]    Según la STC 60/2010, de 7-10, FL. 4, «El principio de personalidad de las penas, que forma parte del de legalidad penal y se encuentra, por tanto, comprendido en el derecho reconocido en el art. 25.1 CE, implica que sólo se puede responder penalmente por los actos propios y no por los ajenos (STC 125/2001, de 4 de junio, FJ 6, y todas las que cita). Sin embargo, conforme a nuestra doctrina los postulados del art. 25.1 CE únicamente resultan aplicables a aquellas medidas que sean auténtica manifestación del ejercicio del *ius puniendi*, siendo improcedente su aplicación a supuestos distintos o a actos, aunque sean restrictivos de derechos, si no representan el efectivo ejercicio del *ius puniendi* del Estado o no tienen un verdadero carácter sancionador».

Esta nueva responsabilidad penal de la persona jurídica se ha insertado en un sistema legal ya establecido, consagrado en el propio Código exclusivamente para las personas físicas, y no modificado en sus básicos principios, enraizados incluso con la Constitución (arts. 24 y 25, entre otros).

El Código Penal vigente sigue manteniendo el principio de responsabilidad subjetiva (art. 5), cuando dice que «no hay pena sin dolo o imprudencia»; Y lo recalca y amplifica en otros preceptos, como el 10: definición legal de delito: «Son delitos las acciones y omisiones dolosas o imprudentes penadas por la Ley»; el art. 14: el error invencible, como causa de exención de responsabilidad criminal; el art. 20. 1, 2 y 3: causas de exención por no imputabilidad; en el art. 60: capacidad de conocer el sentido de la pena; etc.

Pero en el año 2010 no se atendió a ninguno de ellos. Incluso alguien ha estado dispuesto a prescindir de la teoría jurídica del delito para encontrar camino a esta nueva responsabilidad penal, sin percatarse —o sí— de que eso no era dar la espalda a una teoría jurídica sino a las importantes garantías acuñadas, después de tantos años de esfuerzo, en el propio Código Penal, frente a las medidas más graves limitadoras de los derechos de la persona, propias del *ius puniendi* del Estado.

Así, esta nueva responsabilidad penal convierte al Código en una Ley contradictoria, arbitraria y de dudosa constitucionalidad. Después me detendré más en esto.

Y, por si fuera poco, esta nueva forma de responsabilidad penal no ha sido impuesta por las directrices de la Unión Europea (UE), cuyos mandatos se han limitado a respetar los distintos ordenamientos jurídicos para plantear la persecución de ciertos delitos «atribuidos» a la persona jurídica. Como recuerda el catedrático Rodríguez Mourullo[4], la Exposición de Motivos de la Reforma de 2010 dice que *son numerosos los instrumentos jurídicos internacionales que demandan una respuesta penal clara para las personas jurídicas*, pero no especifica cuáles son, sencillamente porque ninguno de ellos exigía que esa responsabilidad fuera *penal*. Las Decisiones Marco (DM) 2005/667, 2005/ 222, 2004/757 y 2004/68, sugerían —de manera opcional— introducir sanciones penales o administrativas; y en esa misma línea, las Circulares de la FGE 1/2011 y 1/2015 proponen «*otras opciones posibles, como la imposición de sanciones administrativas, medidas de seguridad u*

---

[4]    REVISTA OTROSÏ; ICAM número 6 de abril-junio 2011, ampliado en el Libro Homenaje al profesor Luis Rodríguez Ramos, 2012.

*otras consecuencias jurídico penales diferentes a las penas»*. Las mismas «conse-cuencias accesorias» del art. 129 podrían, como he dicho, haber servido, pues ya existían, eran de contundente gravedad, y no tenían la considera-ción de penas (Título III), ni el Código Penal las incluye entre ellas (Título VI). O incluso hubiera sido más razonable establecer sanciones mercanti-les severas para las sociedades que carezcan de actividad, o se beneficien de las decisiones ilícitas de sus administradores, etc., o que ya en su constitu-ción no cumplan los mínimos requisitos mercantiles establecidos, aunque los administradores o autores de la infracción, como personas físicas, no pudieran haber sido identificados.

Pero parece que la Sala de lo Penal del Tribunal Supremo no se ha enfrentado, al menos de momento, a esta nueva regulación sino más bien ha tratado de justificarla «para que se quede». Incluso ya dicen algunos que «este debate está superado» y que «pertenece al pasado». Y así, la STS 514/2015, de 2 de septiembre, sin venir al caso y sin mayor explicación, an-ticipó dos afirmaciones de especial interés en su FJ 3, después trasladadas a las SSTS 154/2016, F. J. 8, y 221/2016, FJ 5:

«Esta Sala todavía no ha tenido ocasión de pronunciarse —decía— acer-ca del fundamento de la responsabilidad de los entes colectivos declarable al amparo del art. 31 bis CP. Sin embargo, ya se opte por un modelo de res-ponsabilidad por el hecho propio, ya por una fórmula de hetero-responsa-bilidad, parece evidente que cualquier pronunciamiento condenatorio de las personas jurídicas habrá de estar basado en los principios irrenuncia-bles que informan el derecho penal».

Sin embargo, lo curioso es que el propio Tribunal Supremo —Sala Se-gunda— no consigue, unos meses después, comprender semejante nove-dad legislativa, o busca otros intrincados caminos sin salida para sostenerla; la STS 154/2016 divide a la Sala entre ocho y siete magistrados al tratar los problemas esenciales, aunque ninguno de los magistrados se muestra partidario de oponerse completamente a ella ni de analizar su constitucio-nalidad; y la última STS 221/2016, de 16 de marzo, comienza su estudio, entre otros, con el siguiente párrafo:

«la sentencia núm. 154/2016, 29 de febrero, dictada por el Pleno de la Sala Segunda, ha abordado algunos de los problemas más relevantes ligados a la interpretación del art. 31 bis del CP. La existencia de un voto particular que acoge la opinión de siete Magistrados que, pese a la coin-cidencia en el desenlace del recurso, difieren de algunos de los núcleos argumentales del criterio mayoritario, es bien expresiva de la complejidad del tema abordado. Ese voto particular también refleja la conveniencia de aceptar la existencia de puntos controvertidos que aconsejan no interpretar algunas de las soluciones proclamadas como respuestas cerradas, ajenas a un proceso ulterior de matización. En pocas materias como la que ahora nos ocupa las soluciones dogmáticas son tan variadas. *El debate parece inacabable* y el hecho de que algunos de los autores que han abanderado las propuestas más audaces a la hora de explicar la responsabilidad de las personas jurídicas, hayan rectificado sus planteamientos iniciales, es indicativo de que a un catálogo tan abierto de problemas no se puede responder con un repertorio cerrado y excluyente de soluciones. El cuerpo de doctrina jurisprudencial sobre una novedad tan radical referida a los sujetos de la imputación penal, sólo podrá considerarse plenamente asentado conforme transcurra el tiempo y la realidad práctica vaya sometiendo a nuestra consideración uno u otro problema».

Yo creo que el debate no es tanto «inacabable» como inabordable e insoluble, de esta manera. Cuando algo no es posible resulta que es imposible, y lo mejor es reconocerlo y desecharlo. No. El debate no ha concluido.

También hay alguna voz autorizada que justifica esta clase de responsabilidad penal argumentando que como no pueden aplicarse a la persona jurídica penas de privación de libertad, su inclusión en el Código Penal no vulnera ningún derecho fundamental porque las multas o medidas que se imponen a la persona jurídica también pueden establecerse en los ámbitos administrativos o mercantiles. Es pues una cuestión —dicen— nominalista.

No pienso yo lo mismo. Si fuera así, muchos de los delitos hoy tipificados en el Código Penal podrían existir sin sujetarse a los principios penales (personalidad, imputabilidad, culpabilidad, etc.) simplemente porque solo se sancionan con multa u otras penas que no son privativas de libertad. Vg.; lesiones del n.º 2 y 3 del art. 147; amenazas del 171. 7; daños del art. 263. 1 CP; o caza prohibida de determinadas especies: 335 CP, abandono de servicio público: art. 409 CP, etc.

Si el penal se justifica es —como antes dije— porque ser la *última ratio* del Derecho y regirse por el principio de «mínima intervención»; y así, al aplicarse a los hechos más graves sus exigencias y garantías son especiales, tales como una determinada clase de acción personal, de imputabilidad y de culpabilidad, que forman parte y son elementos esenciales del delito. Pero, además, en el Derecho es fundamental la seguridad jurídica, y no puede establecerse en el Código Penal como principio básico, entre otros, que «no hay delito sin dolo o culpa» (art. 5) y, a continuación, incluir en el Código a la persona jurídica que, como ficción jurídica que es, carece de capacidad para la acción personal (acción), para conocer lo que hace (imputabilidad) y para quererlo o no (culpabilidad). La diferencia del derecho penal con las otras ramas del derecho (administrativo, mercantil, etc) no se encuentran en las distintas clases de sanciones —que sin duda deberían ser las más graves, cuando son penas, aunque fueran multas— sino en los elementos esenciales, que son las garantías que configuran su naturaleza, y en los fines y consecuencias personales que las penas pretenden y producen, como son la represión, la prevención general y especial, el daño reputacional, los antecedentes penales, etc. Y también el horizonte de la rehabilitación. No es lo mismo una multa administrativa que una multa penal, porque tampoco se exige lo mismo para la imposición de aquella o de esta.

Hasta mis oídos han llegado a escuchar, también procedente de voz relevante que, *si las personas jurídicas pueden actuar en el ámbito civil, mercantil o administrativo, por qué no lo van a poder hacer en el penal. O si una persona jurídica puede cometer una infracción tributaria, por qué no una penal.* ¡Ante semejante afirmación es fácil preguntarse si la aceptación de la responsabilidad *penal* objetiva, o cuasi objetiva, comienza a poder plantearse con naturalidad en círculos jurídicos ..., al igual que la responsabilidad civil, o la administrativa!

Si. Hay que reconocer que nuestro ordenamiento, desde su origen, ha pensado en el derecho penal para las personas físicas, y que ello no impide, de manera razonable, que se establezcan sanciones o limitaciones para las sociedades —personas jurídicas— desde otras ramas del derecho, y que sean tan eficaces como las necesidades exijan.

Soy consciente y conozco *la abundante delincuencia* que en estos tiempos se comete a través de grandes empresas (personas jurídicas) y la dificultad, en ocasiones, de identificar a las personas físicas responsables de los delitos, pues las decisiones originarias se toman por órganos colegiados y antes de ejecutarse pasan por multitud de personas físicas y en ocasiones desde distintos Estados. Es verdad que la investigación de la delincuencia se ha complicado (globalización), pero también lo es que existen mecanismos de persecución y defensa de las buenas prácticas corporativas sin necesidad de introducir abruptamente en el Código Penal vigente la responsabilidad penal de las personas jurídicas; y de hecho, aquellos Estados cuyas tradiciones son incompatibles con esa clase de responsabilidad, poseen otras formas de sanción para las personas jurídicas (vg.; Alemania, Italia, etc).

Con estos antecedentes legales, nacionales e internacionales, es hora de abordar la legislación vigente nuestra, la interpretación que de ella han hecho, hasta el momento, los Tribunales, y las razones que, a mi juicio, existen para discrepar de esta nueva responsabilidad penal y buscar otros caminos. Pero también —como *no hay mal que por bien no venga*—, es un buen momento para aprovechar esta situación, y dotar a las personas jurídicas (sociedades, empresas) de una mayor transparencia y cultura corporativa de respeto al Derecho, como fuente de inspiración para quienes las administran o dirigen, con establecimiento de limitaciones sociales ahora permitidas, y con responsabilidades claras, firmes y posibles *en la rama del derecho que corresponda.*

Me atrevo a sugerir que se revisen las leyes mercantiles con especial atención en la constitución, administración y control corporativo de las sociedades, y en las sanciones que correspondan a quienes infrinjan esa ley, sean personas físicas como jurídicas. No puedo extenderme aquí más sobre esta cuestión, pero la considero fundamental. No se trata de algo conveniente sino creo que hoy día es indispensable este replanteamiento, habida cuenta del lamentable incremento del número de acciones ilícitas, muchas delictivas, surgidas en el entorno de sociedades mercantiles.

## III. ANÁLISIS DEL DERECHO VIGENTE SEGÚN LA LO 1/2015 SOBRE LA RESPONSABILIDAD PENAL DE LA PERSONA JURÍDICA (LEY ORGÁNICA 1/2015, DE 30 DE MARZO. ENTRADA EN VIGOR EL 1 DE JULIO DE 2015)

### 1. *Responsabilidad penal de las personas físicas, cuando actúan por cuenta de una persona jurídica, o de otro (art. 31 Código Penal)*

«El que actúe como administrador de hecho o de derecho de una persona jurídica, o en nombre o representación legal o voluntaria de otro, responderá personalmente, aunque no concurran en él las condiciones, cualidades o relaciones que la correspondiente figura de delito requiera para poder ser sujeto activo del mismo, si tales circunstancias se dan en la entidad o persona en cuyo nombre o representación obre».

Este precepto —que transcribe sustancialmente, pero no en todo, lo que decía el art. 15 bis del CP de 1983, ya citado— trata de evitar la impunidad de los delitos cometidos bajo el manto de una persona jurídica por miembros de la misma perfectamente identificados cuando, por tratarse de un delito «especial propio» o de «propia mano», es decir, de un delito cuya autoría exige necesariamente la presencia de ciertas características en el sujeto activo, estas concurrieren solamente en la persona jurídica y no en las personas físicas que cometieron el delito.

El art. 31 ha creado pues una excepción a la regla general que rige para los demás delitos; una figura nueva de imputación, pero siempre respecto de personas físicas cuya culpabilidad resulte probada (presunción de inocencia).

Ahora, sin embargo, vamos a analizar la responsabilidad penal de la persona jurídica, pero debe quedar claro que ello no excluye la que corresponda a las personas físicas cuando se pruebe que han cometido un delito por cuenta de la persona jurídica. Ambas responsabilidades son compatibles y concurrentes.

## 2. Responsabilidad penal de la persona jurídica: legislación, Jurisprudencia y doctrina al respecto (art. 31 bis Código Penal)

### 2.1. Delitos que puede cometer la persona jurídica: 31 bis 1

«1. En los supuestos previstos en este Código, las personas jurídicas serán penalmente responsables ...».

Las personas jurídicas no pueden cometer todos los delitos, sino únicamente los que señala de manera expresa el Código Penal. Tipificación que, por estar esparcida a lo largo de dicha ley, es necesario buscarla, lo cual entorpece la labor de los programas de cumplimiento y en ocasiones crea inseguridad jurídica; además de resultar sorprendente que se excluyan determinados delitos, como el de administración desleal o el de apropiación indebida.

Los delitos previstos son: Tráfico y trasplante ilegal de órganos humanos (156 bis. 3). –Trata de seres humanos (177 bis. 7). –Prostitución y corrupción de menores (189 bis). –Descubrimiento y revelación de secretos (Artículo 197 quinquies). –Delitos de estafa (251 bis); (No los de administración desleal (252) ni la apropiación indebida (253 y 254). –La Frustración de la ejecución. (Artículo 258 ter). –Insolvencia punible (261 bis). –Daños a datos y programas informáticos, a documentos electrónicos ajenos, o alteración del funcionamiento de un sistema informático (264 quáter). –De los delitos relativos a la propiedad intelectual e industrial, al mercado y a los consumidores y corrupción en los negocios (Artículo 288). –Blanqueo de capitales (art. 302 CP). –Delitos de financiación ilegal de los partidos políticos (Artículo 304 bis. 5). –Fraudes a la Hacienda Pública, a la Seguridad Social, a los presupuestos de la CCEE, fraude de subvenciones (Artículo 310 bis). –Delitos contra los derechos de los ciudadanos extranjeros (Artículo 318 bis. 5). –Delitos sobre la ordenación del territorio y el Urbanismo (319.

4). –Delitos contra los recursos naturales y el medio ambiente (Artículo 328). –Vertidos, emisiones o radiaciones ionizantes (343. 3). –Los riesgos provocados por explosivos y otros agentes (348. 3). –Delitos contra la salud pública. (Artículo 366). –Tráfico de drogas (369 bis). –De la falsificación de moneda y efectos timbrados (Artículo 386). –Falsificación de tarjetas de crédito y débito y cheques de viaje (399 bis. 1 párrafo 2º). –El cohecho (Artículo 427 bis). –Tráfico de influencias. (Artículo 430). –Delitos cometidos con ocasión del ejercicio de los derechos fundamentales y de las libertades públicas garantizados por la Constitución: incitación al odio, etc (Artículo 510 bis). –Delitos de financiación del terrorismo (Artículo 576. 5).

## 2.2. Concepto de persona jurídica a efectos de su responsabilidad penal (PJ): 31 bis. 1 y 129 CP

Falta una definición de *«persona jurídica» a los efectos penales* (31 bis y 129 CP), al modo que lo hacen, por ejemplo, los artículos 24, 25 y 26 sobre el concepto de autoridad o funcionario público; o el art. 297 CP respecto de la «sociedad», en los delitos societarios.

Porque la descripción negativa (art. 129) de *empresas, organizaciones, grupos o cualquier otra clase de entidades o agrupaciones de personas que carecen de personalidad jurídica,* no permite atisbar con seguridad que entiende el legislador por persona jurídica a efectos penales (31 bis). Máxime cuando el art. 35 del Código Civil hace referencia a las asociaciones de interés particular, «a las que la Ley conceda personalidad propia» y que en este caso la ley (Código Penal) no ha definido.

Véase por ejemplo lo referido a empresas u organizaciones que no se dedican a fines lícitos, sino que se han constituido exclusivamente como instrumentos para la comisión de delitos (Vg.: sociedades pantalla o de fachada), porque para ellas lo que procedería sería el decomiso y la disolución —*consecuencia accesoria* del art. 129 CP—, y no *la pena* del citado artículo 66 bis citado, con toda la trascendencia que ello tiene, al quedar tales entes propiamente al margen del derecho penal, de los derechos procesales de defensa y de la nueva «imputación empresarial» que el Tribunal Supremo ha introducido como novedad, distinguiendo entre «personas jurídicas imputables y no imputables». Quedarían sin embargo dentro del concepto de persona jurídica imputable y, por tanto, dentro del art. 31 bis, tanto las que operan con normalidad en el mercado como aquellas cuya actividad legal sea menos relevante que la ilegal (art. 66 bis CP). Así lo han contemplado la STS 154/2016, de 29 de febrero, FJ 11 y la Circular FGE 1/2016, pág. 27 y ss.

## 2.3. Personas físicas que han de cometer los delitos —los hechos delictivos— para involucrar penalmente a la persona jurídica: 31 bis. 1, a) y b)

«1. En los supuestos previstos en este Código, las personas jurídicas serán penalmente responsables:

a) *De los delitos cometidos* en nombre o por cuenta de las mismas, y en su beneficio directo o indirecto, *por sus representantes legales* o *por aquellos que* actuando individualmente o como integrantes de un órgano de la persona jurídica, están autorizados para tomar decisiones en nombre de la persona jurídica u ostentan facultades de organización y control dentro de la misma.

b) *De los delitos cometidos,* en el ejercicio de actividades sociales y por cuenta y en beneficio directo o indirecto de las mismas, *por quienes,* estando sometidos a la autoridad de las personas físicas mencionadas en el párrafo anterior, han podido realizar los hechos por haberse incumplido gravemente *por aquéllos* los deberes de supervisión, vigilancia y control de su actividad atendidas las concretas circunstancias del caso».

Una primera cuestión es el sentido haya de darse a las distintas frases: «delitos cometidos en nombre o por cuenta de las personas jurídicas, y en su beneficio directo o indirecto» (31 bis 1. a). y «delitos cometidos, en el ejercicio de actividades sociales y por cuenta y en beneficio directo o indirecto de las mismas» (31 bis 1. b).

Estamos, en todo caso, ante «actuaciones realizadas en nombre de otro», es decir comportamientos cometidos por el órgano de la persona jurídica —administradores o directivos—, por cuenta y en beneficio de ella; o por los «empleados» de la misma y con la misma finalidad, que no fueron vigilados o sometidos al control de aquellos directivos.

Además, se exige que esas actuaciones se realicen «en beneficio directo o indirecto» de la persona jurídica, frase indefinida cuyo contenido y alcance es dudoso y puede permitir unas interpretaciones variables e inseguras.

La terminología de los artículos 31 y del 31 bis a) CP plantea ciertas dudas. El art. 31 utiliza la terminología de «*Administradores de hecho o de derecho*» *de una persona jurídica,* y sin embargo el 31 bis a), cuando se refiere a los delitos cometidos en nombre o por cuenta de las personas jurídicas, y en su beneficio directo o indirecto, usa las palabras «*por los representantes legales o por aquellos que actuando individualmente o como integrantes de un órgano de la persona jurídica, están autorizados para tomar decisiones en nombre de la persona jurídica u ostentan facultades de organización y control dentro de la misma*».

Aunque no parece adecuado que el Código Penal se haya alejado de los términos ya consolidados en el derecho mercantil, como son «los administradores de derecho» (LSC, art.) y «los administradores de hecho», que define la LSC en sus artículos 157. 3 y 236. 3, respectivamente, sí creo que el Legislador ha querido ampliar el número de partícipes, de modo que el art. 31 bis. 1 a) incluya, no solo a los administradores y al Consejo de Administración, y al consejero delegado (que forma parte del Consejo), sino también el director general y los demás directores (financiero, recursos humanos, etc), a no ser que la dependencia final de esos directores al órgano de administración impida esa extensión, cuando carezcan de los poderes suficientes para tomar decisiones finales (que es lo que yo creo).

Algo similar ocurre en el 1. b) del art. 31 bis, cuando se refiere a los delitos cometidos «*por quienes, estando sometidos a las personas físicas mencionas en el párrafo anterior*»; lo que permite entender que alcanza tanto a los empleados incorporados a la empresa como a los externos, si en su particular condición dependen de los directores de la empresa. Y si fuera así, los programas preventivos y controles internos de la persona jurídica (*Compliance*, en inglés) deberían contemplarse y alcanzar también a ellos.

La importancia e influencia de la acción delictiva de las personas físicas en la responsabilidad penal de las personas jurídicas, es aún más confusa cuando leemos el art. 31 ter:

«1. La responsabilidad penal de las personas jurídicas será exigible siempre que se constate la comisión de un delito que haya tenido que cometerse por quien ostente los cargos o funciones aludidas en el artículo anterior, aun cuando la concreta persona física responsable no haya sido individualizada o no haya sido posible dirigir el procedimiento contra ella. Cuando como consecuencia de los mismos hechos se impusiere a ambas la pena de multa, los jueces o tribunales modularán las respectivas cuantías, de modo que la suma resultante no sea desproporcionada en relación con la gravedad de aquéllos.

2. La concurrencia, en las personas que materialmente hayan realizado los hechos o en las que los hubiesen hecho posibles por no haber ejercido el debido control, de circunstancias que afecten a la culpabilidad del acusado o agraven su responsabilidad, o el hecho de que dichas personas hayan fallecido o se hubieren sustraído a la acción de la justicia, no excluirá ni modificará la responsabilidad penal de las personas jurídicas, sin perjuicio de lo que se dispone en el artículo siguiente».

La jurisprudencia había apuntado, antes de aparecer este precepto, «que no se puede pretender llegar a la responsabilidad objetiva de hechos cometidos al amparo de una persona jurídica cuando no sea posible averiguar quién de sus miembros fue el autor, porque ello sería contrario a la presunción de inocencia» (SSTC 253/1993, de 20-7 y 150/1989). Después de analizar la modificación operada en 2015 con el art. 31 ter, es difícil que la jurisprudencia siga por el mismo camino.

Según el artículo transcrito, lo que pretende ahora el Legislador es obtener una condena de la persona jurídica, *cuando se acredite que el delito* «*haya tenido que cometerse*» —suposición que, imagino, tendrá que rayar en la evidencia o ser probada— por quien ostente los cargos y funciones aludidas en el artículo 31 bis: *aun cuando la concreta persona física responsable no haya sido individualizada, o no sea posible dirigir el procedimiento contra ella, o, aunque en las personas físicas que han realizado los hechos concurran circunstancias que afecten a su culpabilidad o agraven su responsabilidad, o aunque dichas personas hayan fallecido o se hubieren sustraído a la acción de la justicia.*

Se quiere separar —de manera poco afortunada— la responsabilidad de *quienes cometen el delito* por cuenta o en beneficio de la persona jurídica, de la que corresponde a la persona jurídica una vez que se ha acreditado que el hecho delictivo *se debió cometer* por alguno de sus miembros u órganos. Ya ni siquiera se exige la identificación del delincuente ni la comisión del delito —puesto que no pudo condenarse por él— sino que los hechos tipificados en el CP como delito debieron realizarse («hayan tenido que cometerse») por persona física que no fue condenada ni pudo serlo.

Como he dejado dicho, la dificultad que existe en ocasiones para probar quien cometió el delito ha llevado al Legislador a simplificar la garantía de la presunción de inocencia, o a olvidar la necesaria congruencia de las leyes. Se relajan así las garantías del proceso, olvidando quizá la frase del Tribunal Constitucional pronunciada al tratar de la prueba ilícita y de la presunción de inocencia: «no se debe condenar a cualquier precio».

A la frase de la STS 221/2016 (pág. 33) «no hay responsabilidad penal sin delito precedente» habría que añadir: «ni sin sujeto que lo cometa». Y ahí se encuentra el problema: porque si, según el art. 31 ter, el delito no se cometió por la persona física, parece evidente que falta el primer requisito que el Supremo ha exigido para fundar la responsabilidad penal de la persona jurídica. A no ser que, finalmente, se esté admitiendo que al llamado «delito corporativo» le basta el «defecto de organización», y que es ese delito el que se imputa a la persona jurídica, aunque no se haya podido cometer el delito originario. Algo difícil —por decirlo moderadamente— de entender.

Esta peligrosa tendencia a objetivar la acción delictiva —ya anunciada de futuro por prestigiosos penalistas como Rodríguez Mourullo, al tratar de esta temática—[5], puede tomar inercia en nuestro Código Penal, y ya hay algún peligroso ejemplo de ello, como cuando en el delito de blanqueo de capitales, se sustituyó «delito» por «actividad delictiva». ¿Se llegará también a efectuar el mismo cambio de palabras para fundar la responsabilidad penal de la persona jurídica?

Y es así como llegamos a la médula de la cuestión, cuando nos preguntamos cual es realmente el fundamento de la responsabilidad por delito de la persona jurídica.

Pues bien; volviendo al art. 31 bis 1. a) y b), basta leer estos dos párrafos para darse cuenta, con absoluta claridad que, tanto en los sujetos del apartado a) como en los del apartado b), son las personas físicas las que cometen el delito: bien cuando actúan en nombre o por cuenta de la persona jurídica y en su beneficio, como cuando no establecen medidas de control y no vigilan a los empleados relacionados con la persona jurídica para evitar que aquellos cometan el delito. El delito no lo comete pues la persona jurídica, en ningún caso.

De esa manera, cuando responde penalmente, la persona jurídica lo hace vicarialmente, por representación de la persona física que cometió el delito, o sencillamente asume una responsabilidad penal objetiva.

Y es que, tras la lectura del art. 31 ter, todavía resulta más enigmática la responsabilidad penal de la persona jurídica, porque si para ello no es necesaria la condena de la persona física, no se podrá decir que la persona jurídica responde por representación. Y, entonces, la pregunta es: ¿de dónde nace su responsabilidad penal? ¿Cómo se explica «la nueva culpabilidad» o la nueva «imputación de la persona jurídica», que ha creado el Tribunal Supremo en sus sentencias 154 y 221 de 2016? ¿Cómo se puede justificar que para responder la persona jurídica sea necesario, como primer requisito, que cometa el delito la persona física si, según el art. 31 ter, ésta puede no ser identificada, o no poder ser perseguida y, por lo tanto, imposible de condenar?

Y otra cuestión derivada: cómo puede aplicarse a la persona jurídica el derecho a la presunción de inocencia (SSTS 514/2015, 154 y 221 /2016) cuando por ser una ficción jurídica carece de acción personal, de imputabilidad y de culpabilidad. Cómo aplicar a ella el concepto de presunción de

---

[5]    OTROSI-ICAM-OP citada.

inocencia (24. 2 CE) completamente consolidado por nuestra jurisprudencia, según el cual «*nadie pueda ser declarado penalmente responsable de un delito sin pruebas de cargo válidas, que han de estar referidas a los elementos esenciales del delito (…)*». Y que «*la presunción de inocencia opera "como el derecho del acusado a no sufrir una condena a menos que la culpabilidad haya quedado establecida más allá de toda duda razonable" (SSTC 81/1998, de 2 de abril, FJ 3; 124/2001, de 4 de junio, FJ 9; 17/2002, de 28 de enero, FJ 2)*»[6].

Las únicas sentencias del Tribunal Supremo con las que contamos, se percatan sin duda de lo que dice la Ley, y de las consecuencias inadmisibles a las que conduce. Pero, en lugar de reconocerlo, buscan una supuesta solución, a mi juicio inviable. Hablan de una «nueva culpa», de «una responsabilidad por el hecho propio», de un delito corporativo, etc. Así, la STS 514/2016, que trata de un asunto en el que la sociedad condenada lo ha sido como instrumento para la comisión del delito y por lo tanto ajena al art. 31 bis CP, se adentra, no obstante, más allá del caso que ha de resolver, y analizando este precepto, en su FJ 8 viene a decir que según la literalidad del art. 31 bis, para que la persona jurídica fuera «culpable», bastaría con que: se cometiera uno de los delitos que el Código Penal prevé para las personas jurídicas y, que las personas físicas que lo cometieron fueran integrantes de la organización de la persona jurídica (como administradores de derecho o de hecho). Hasta aquí se entiende.

Pero la Sala sabe que no puede quedarse ahí, porque para saltar de los actos delictivos de la persona física a la responsabilidad penal de la persona jurídica, solo hay dos caminos: o el de la responsabilidad vicarial o por representación, o el de la responsabilidad directa y objetiva; y ni uno ni otro es posible, y así lo expresa la sentencia: reconocer que la responsabilidad penal de la persona jurídica es vicarial o por representación de la persona física, *ha sido rechazado por el Legislador* (Exposición de Motivos), y admitir que la responsabilidad penal de la persona jurídica se produce de manera automática u objetiva, *en nuestro sistema no tiene cabida.*

Ante tal tesitura, el Tribunal Supremo incluye un nuevo requisito para fundamentar la responsabilidad penal de la persona jurídica, cuando dice (STS 514/2016) que «*el sistema de responsabilidad penal de la persona jurídica se basa,* —sobre la previa constatación de la comisión del delito por parte de la persona física integrante de la organización como presupuesto inicial de la referida responsabilidad—, *en la exigencia del establecimiento y co-*

---

[6]  REVISTA DEL MINISTERIO FISCAL, ya citada, pág. 113.

rrecta aplicación de medidas de control eficaces que prevengan e intenten evitar, en lo posible, la comisión de infracciones delictivas por quienes integran la organización».

Y la STS 221/2016, en la misma línea, añade: «La responsabilidad de la persona jurídica ha de hacerse descansar en un delito corporativo construido a partir de la comisión de un previo delito por la persona física, pero que exige algo más, la proclamación de un hecho propio con arreglo a criterios de imputación diferenciados y adaptados a la especificidad de la persona colectiva. De lo que se trata, en fin, es de aceptar que sólo a partir de una indagación por el Juez instructor de la efectiva operatividad de los elementos estructurales y organizativos asociados a los modelos de prevención, podrá construirse un sistema respetuoso con el principio de culpabilidad».

Quiere así basar la responsabilidad penal de la persona jurídica en «el hecho propio», o «defecto de organización» o «delito corporativo», separándolo de las acciones de las personas físicas que previamente cometieron el delito, entre otras cosas también, porque solo así se podrá mantener aquella responsabilidad *cuando la persona física no haya sido individualizada, no haya sido posible dirigir el procedimiento contra ella*, y todo lo demás que afirma el art. 31 ter del Código Penal.

Y la misma STS 221/2016, al continuar sobre el análisis probatorio del delito, dice en su FJ 5) B: «Que la persona jurídica es titular del derecho a la presunción de inocencia está fuera de dudas —dice—. Así lo hemos proclamado en la STS 154/2016, 29 de febrero. Afirmación —añade— que no es sino consecuencia del *nuevo estatuto de la persona jurídica en el proceso penal.* Es importante, además, destacar que *el conjunto de derechos invocables por la persona jurídica, derivado de su estatuto procesal de parte pasiva, eso sí, con las obligadas modulaciones*, no puede ser distinto del que ostenta la persona física a la que se imputa la comisión de un hecho delictivo. Y es que la posición de los entes colectivos en el proceso, cuando son llamados a soportar la imputación penal, *no debería hacerse depender del previo planteamiento dogmático* que el intérprete suscriba acerca del fundamento de esa responsabilidad. En efecto, desde la perspectiva del derecho a la presunción de inocencia a la que se refiere el motivo, el juicio de autoría de la persona jurídica exigirá a la acusación probar la comisión de un hecho delictivo por alguna de las personas físicas a que se refiere el apartado primero del art. 31 bis del CP, pero el desafío probatorio del Fiscal no puede detenerse ahí. Lo impide nuestro sistema constitucional. Habrá de acreditar además que ese delito cometido por la persona física y fundamento de su responsabilidad individual, ha sido realidad por la concurrencia de un *delito corporativo,* por un defecto estructural en los mecanismos de prevención exigibles a toda persona jurídica, de forma mucho más precisa, a partir de la reforma de 2015».

La lectura de estos párrafos me conduce —con todo respeto, por supuesto— a pensar que el Tribunal Supremo ha querido olvidar lo que sigue vigente en el Código Penal (arts. 5, 10, etc.), para así poder aplicar a la persona jurídica las condiciones necesarias que justifiquen y fundamente su responsabilidad penal. O, dicho de otra forma; la Sala, separándose incluso del texto legislativo (art. 31 bis 1. a y b) en el que claramente el delito lo cometen personas físicas, crea a su manera una particular responsabilidad penal de la persona jurídica, consiguiendo así su objetivo. Convierte una circunstancia de exclusión de la responsabilidad penal (art. 31 bis 2, 4 y 5) en el fundamento de esta.

Lo lamentable es que, en mi opinión, no lo consigue.

De un lado porque, se trate del 1 a) o del 1 b) del art. 31 bis, los delitos los cometen según el Código Penal, únicamente las personas físicas, sea directamente (a) o por incumplimiento de los deberes de vigilancia (b). Los modelos previos de organización y gestión, y los controles que establecen los demás números del citado artículo, hacen referencia a una forma de evitar la responsabilidad penal de la persona jurídica («quedará exenta»), pero no los señala la ley como condiciones que sirvan para fundamentar dicha responsabilidad. La legítima defensa no fundamenta la responsabilidad penal del homicida —que se sustenta en la acción voluntaria de privar de la vida a otro— sino que puede alegarse para eximirle de su responsabilidad penal.

Además, esos modelos de control no se adoptan ni se ejecutan *con eficacia* «por nadie», por una ficción jurídica, sino siempre dependen y derivan de las personas físicas que administran o dirigen a la persona jurídica.

Por la misma razón, tampoco coincido con las SSTS 154 y 221/2016 en que la acusación (o el MF) debe probar, tanto el delito cometido por la persona física como su conexión con la falta de controles y modelos de organización que la persona jurídica debió mantener, y no lo hizo, para impedir aquel delito: que gracias a los defectos de control en la persona jurídica se cometió el delito por la persona física. Creo, por el contrario, que si los modelos de control preventivos han de servir como eximentes, quien deberá probar que existían y que eran eficaces será quien alegue la eximente, esto es, la persona jurídica acusada. Una prueba negativa no es admisible. Cosa distinta es que, alegada la existencia de los modelos preventivos por la persona jurídica acusada, sea la acusación quien intervenga, argumente y acredite que el control no existía o era deficiente o ineficaz.

## 2.4. Programas de prevención de delitos para las personas jurídicas (sociedades, empresas). Modo de buscar la exención de responsabilidad penal de la persona jurídica. Cumplimiento normativo: Compliance. Condiciones y requisitos de organización y gestión: el «Oficial de cumplimiento»: art. 31 bis 2, 4 y 5. Especial tratamiento de las personas jurídicas de pequeñas dimensiones: art. 31 bis 3

Apartado 2:

*«2. Si el delito fuere cometido por las personas indicadas en la letra a) del apartado anterior, la persona jurídica quedará exenta de responsabilidad si se cumplen las siguientes condiciones:*

*1.ª el órgano de administración ha adoptado y ejecutado con eficacia, antes de la comisión del delito, modelos de organización y gestión que incluyen las medidas de vigilancia y control idóneas para prevenir delitos de la misma naturaleza o para reducir de forma significativa el riesgo de su comisión;*

*2.ª la supervisión del funcionamiento y del cumplimiento del modelo de prevención implantado ha sido confiada a un órgano de la persona jurídica con poderes autónomos de iniciativa y de control o que tenga encomendada legalmente la función de supervisar la eficacia de los controles internos de la persona jurídica;*

*3.ª los autores individuales han cometido el delito eludiendo fraudulentamente los modelos de organización y de prevención, y*

*4.ª no se ha producido una omisión o un ejercicio insuficiente de sus funciones de supervisión, vigilancia y control por parte del órgano al que se refiere la condición 2ª.*

*En los casos en los que las anteriores circunstancias solamente puedan ser objeto de acreditación parcial, esta circunstancia será valorada a los efectos de atenuación de la pena».*

Es pues el órgano de administración, y el que éste ha dispuesto con autonomía (personas físicas), quienes deben haber cumplido las condiciones 1ª y 2ª de este precepto para exonerar o atenuar la responsabilidad penal de la persona jurídica.

Claro que asimismo puede ocurrir que alguno de los administradores sea también persona jurídica, en cuyo caso, dice el art. 212 bis de la LSC, «será necesario que esta designe a una sola persona natural para el ejercicio permanente de las funciones propias del cargo». Sus decisiones deberán analizarse en función de la representación otorgada, tanto para la persona física como para la jurídica.

Apartado 4.

*«4. Si el delito fuera cometido por las personas indicadas en la letra b) del apartado 1, la persona jurídica quedará exenta de responsabilidad si, antes de la comisión del delito, ha adoptado y ejecutado eficazmente un modelo de organización y gestión que resulte adecuado para prevenir delitos de la naturaleza del que fue cometido o para reducir de forma significativa el riesgo de su comisión.*

*En este caso resultará igualmente aplicable la atenuación prevista en el párrafo segundo del apartado 2 de este artículo».*

La STS 154/2016, FJ octavo, al referirse a la eximente prevista en el art. 31 bis. 2, justificada cuando existan modelos de gestión y organización preventivos en la persona jurídica que impidan o dificulten la comisión del delito, atribuye a esta eximente una naturaleza relacionada con el tipo objetivo (ausencia de controles eficaces: elemento objetivo del tipo), y no con la exclusión de la culpabilidad ni con la concurrencia de una causa de justificación:

«(…) más bien, con el tipo objetivo, lo que sería quizá lo más adecuado puesto que la exoneración se basa en la prueba de la existencia de herramientas de control idóneas y eficaces cuya ausencia integraría, por el contrario, el núcleo típico de la responsabilidad penal de la persona jurídica, complementario de la comisión del ilícito por la persona física».

Dicho así, parece —según la sentencia— que esta eximente surge ante la ausencia de controles adecuados, ausencia que no será imputable a los autores físicos del delito cometido *sino como algo propio de esa ausencia o defecto de aquellos controles*; como un elemento objetivo del tipo; lo cual, en mi opinión, es muy difícil de comprender porque es evidente que alguna persona física habrá dejado de implantar los controles o los habrá introducido defectuosamente en la persona jurídica, pero ésta no lo podrá haber hecho, a los efectos penales, porque es incapaz de actuar o de omitir por sí sola, de conocer y de querer. Es una ficción jurídica.

Este Apartado 2 establece unas condiciones preventivas de control interno de la *persona jurídica* que no existen ni figuran en la Ley de Sociedades de Capital (LSC). Tampoco se sabe con claridad quién ha de nombrar esos órganos independientes de control interno —aunque parece que deberá hacerlo el consejo de administración—, ni *si han de pertenecer o no la empresa*, y que vinculaciones y responsabilidades han de tener con el consejo de administración y con el resultado de su actuación al tratarse de un órgano autónomo. Me estoy refiriendo al órgano supervisor autónomo que establece la condición 2ª del Apartado 2 del art. 31 bis que comento.

Quizá hubiera sido mejor y más sencillo que el control de la sociedad recayera sobre los administradores, quienes, por acción, o en forma de comisión por omisión (tienen la condición de garantes), son los responsables de las actuaciones realizadas en nombre o por cuenta, y en beneficio de la persona jurídica, tanto por los directivos, como por los empleados que deben ser controlados por aquellos, y que fueran esos administradores los que tuvieran la obligación de establecer las condiciones para prevenir delitos y se preocuparan de su cumplimiento eficaz. No era necesario crear nuevos órganos, sino que seguramente bastaba con aplicar a todas las sociedades lo que se estable para «las personas jurídicas de pequeñas dimensiones» (31 bis. 3).

Pero, eso sí; lejos de «inhibir o despreocupar» a la persona jurídica, creo que estos conceptos legales tan confusos y ambiguos, y estas iniciales interpretaciones del Supremo, no solo deberán servir para establecer severas organizaciones y controles preventivos en las personas jurídicas, sino que exigirán una ejecución eficaz y demostrable, de manera que en su día puedan valer para la eventual defensa de una acusación contra la persona jurídica. Porque aquí no hay cumplimientos objetivos y exenciones automáticas sino la prueba, en cada caso, de que se cometió o no el delito y de que la *persona jurídica* trató razonablemente de evitarlo con medidas *suficientes* y *adecuadas*, ya implantadas en la empresa y ejecutadas con *eficacia*. Y ello, con independencia de las dificultades que conlleva el mismo fundamento de la responsabilidad penal de la persona jurídica, que ya he resaltado más arriba, y las muchas razones que existen para la defensa de esta.

Entre ellas, téngase en cuenta que también el Legislador puede lesionar el derecho a la tutela judicial efectiva cuando promulga leyes arbitrarias o contradictorias en sí mismas. Incluso, aunque soy consciente de que podría rechazarse la presunción de inocencia respecto de un inimputable (vg.; un menor de 12 años), y con más razón en defensa de una ficción jurídica, quizá fuera posible preguntarse, por ejemplo, en qué condición de defensa se encontrarán los accionistas de una sociedad cuando se acuse, o se haya condenado a esta penalmente.

Apartado 5.

*«5. Los modelos de organización y gestión a que se refieren la condición 1.ª del apartado 2 y el apartado anterior deberán cumplir los siguientes requisitos:*

*1.º Identificarán las actividades en cuyo ámbito puedan ser cometidos los delitos que deben ser prevenidos.*

*2.º Establecerán los protocolos o procedimientos que concreten el proceso de formación de la voluntad de la persona jurídica, de adopción de decisiones y de ejecución de las mismas con relación a aquéllos.*

*3.º Dispondrán de modelos de gestión de los recursos financieros adecuados para impedir la comisión de los delitos que deben ser prevenidos.*

*4.º Impondrán la obligación de informar de posibles riesgos e incumplimientos al organismo encargado de vigilar el funcionamiento y observancia del modelo de prevención.*

*5.º Establecerán un sistema disciplinario que sancione adecuadamente el incumplimiento de las medidas que establezca el modelo.*

*6.º Realizarán una verificación periódica del modelo y de su eventual modificación cuando se pongan de manifiesto infracciones relevantes de sus disposiciones, o cuando se produzcan cambios en la organización, en la estructura de control o en la actividad desarrollada que los hagan necesarios».*

Los programas de prevención del delito (*compliance*) no están regulados legalmente, ni siquiera en las leyes mercantiles, por lo que solo contamos con las pautas generales que indica el art. 31 bis. 2, 4 y 5 del CP. Esto es otra fuente de inseguridad, y ya los interesados buscan normas ajenas. Se mira hacia la Norma española de calidad UNE 1960[7], con el objetivo de alinear-

---

[7]   NORMA UNE 19601: es una norma española, certificable, que permite demostrar a terceras partes, que la empresa tiene un sistema de gestión para prevenir malas praxis de gestión y prevenir el incumplimiento legal, pero nunca certifica el cumplimiento legal. La norma UNE 19601 se integra en esta estructura, pero a diferencia de la ISO 19600, no es una norma internacional reconocida, solo es de ámbito español. Esta norma nace como respuesta a los modelos de prevención penal o compliance penal establecidos en el artículo 31 bis. 5 del Código Penal español, que no han sido debidamente definidos, al haberse asentado sobre conceptos jurídicos indeterminados, sin tampoco existir una referencia o llamada a otro cuerpo normativo o haberse dispuesto su desarrollo reglamentario —y es por ello que al profesional del Derecho le surgen interrogantes acerca de qué es y cómo debe realizarse un protocolo, un procedimiento, un modelo de gestión—. Esta norma intenta dar respuesta a esta situación, como una herramienta de certificación voluntaria que determina que se tiene un sistema de gestión con un programa de compliance desarrollado en la empresa, y validado independientemente. Tanto la UNE 196001 (ámbito español) como la ISO 19600 (ámbito internacional) son certificables (a pesar de que hayan partes interesadas que in-

se con la ya existente ISO 19600[8]. O se acude a la organización AENOR para certificar la calidad de los modelos implantados para prevenir delitos, teniendo en cuenta las normas internacionales 1.600 y 37.000.

Estas certificaciones —a falta de regulación legal— serán sin duda una mayor garantía y ofrecerá a las sociedades mejor seguridad en su funcionamiento dentro de la legalidad. Pero debe saberse también, que no constituirán una certeza. Por mucho que se creen en las empresas programas de *compliance*, y se certifiquen, al final la exención de responsabilidad penal no estará asegurada porque siempre habrá de ser el Juez quien diga la última palabra acerca de si esos programas «son suficientes», y si se han adoptado y ejecutado «con eficacia», para que pueda aplicarse o no la exención de la responsabilidad, o solo una atenuación de la misma, o ninguna.

Así lo expresan las SSTS (154/2016, FJ octavo, y 221/2016, FJ 5), cuando subrayan, al referirse a los programas de organización y gestión que indica el art. 31 bis. 2, 4 y 5 CP, que «núcleo de la responsabilidad de la persona jurídica, no es otro que el de la ausencia de las medidas de control adecuadas para la evitación de la comisión de delitos, que evidencien una voluntad seria de reforzar la virtualidad de la norma, *independientemente de aquellos requisitos, más concretados legalmente en forma de las denominadas "compliance" o "modelos de cumplimiento", exigidos para la aplicación de la eximente que, además, ciertas personas jurídicas, por su pequeño tamaño o menor capacidad económica, no pudieran cumplidamente implementar*». Lo que importa —añaden las sentencias— es demostrar que «el delito cometido por la persona física en el seno de aquella ha sido posible, o facilitado, *por la ausencia de* una *cultura de respeto al Derecho,* como fuente de inspiración de la actuación de su estructura organizativa e independiente de la de cada una de las personas físicas que la integran, *que habría de manifestarse en alguna clase de formas concretas de vigilancia y control del comportamiento de sus directivos y subordinados jerárquicos, tendentes a la evitación de la comisión por éstos de los delitos enumerados*».

Por lo demás, parece que han de cumplirse todas las condiciones que establece el precepto. Pero quedan las valoraciones casuísticas corres-

---

dican que no), y sus ámbitos de reconocimientos son diferentes (local para UNE, Internacional para ISO). Mediante el proyecto de norma UNE 19601 Sistemas de gestión de compliance penal, se pretende crear un estándar español específico en materia penal que basado en los entornos internacionales ISO antes referidos, aspira a convertirse —como así sostiene en su introducción— en una referencia para los tribunales de justicia y demás operadores jurídicos.

[8]   Norma internacional reconocida como sistema anticorrupción.

pondientes y su comprensión: que el órgano de administración ha adoptado y ejecutado *con eficacia,* antes de la comisión del delito, modelos de organización y gestión que incluyen las medidas de vigilancia y control *idóneas* para prevenir delitos de la misma naturaleza o para reducir *de forma significativa* el riesgo de su comisión. Y sobre todo (2. 2ª): que la supervisión del funcionamiento y del cumplimiento del modelo de prevención implantado ha sido confiada *a un órgano de la persona jurídica* con poderes autónomos de iniciativa y de control o que tenga encomendada legalmente la función de supervisarla eficacia de los controles internos de la persona jurídica. Aquí, la dificultad se acrecienta, como antes dije, porque este *órgano de la persona jurídica* no está regulado legalmente. No se sabe quién lo nombra, quien lo mantiene, de quien depende y cómo se asegurará su independencia dado que, quien lo nombra —al parecer—, es el consejo de administración, que representa a la persona jurídica (art. 233 y ss. LS), pero lo hace *con poderes autónomos de iniciativa y control;* aunque cabe preguntar: ¿qué garantías de independencia o autonomía ofrece un órgano *de la persona jurídica designado por ella misma?* Aquí el legislador debía esmerarse en el futuro.

Especial tratamiento de las personas jurídicas de pequeñas dimensiones: art. 31 bis.

Apartado 3.

Según el Art. 31 bis, apartado 3, «En las personas jurídicas de pequeñas dimensiones, las funciones de supervisión a que se refiere la condición 2.ª del apartado 2 podrán ser asumidas directamente por el órgano de administración. A estos efectos, son personas jurídicas de pequeñas dimensiones aquéllas que, según la legislación aplicable, estén autorizadas a presentar cuenta de pérdidas y ganancias abreviada».

Parece evidente la necesidad de acudir a los arts. 257 y 258 de la LSC, y aplicar al órgano de administración todas las medidas que recomiendan los apartados 2 y 5 del 31 bis CP.

Como ya he anticipado, seguramente la asunción por el órgano de administración de las funciones de supervisión, gestión y administración, para todas las personas jurídicas, sería más sencillo y eficaz, que los programas creados en los apartados 2, 4 y 5 del art. 31 bis CP, y mejor todavía sí tales funciones estuvieran establecidas y reglamentadas en las leyes civiles, mercantiles o administrativas correspondientes.

## 2.5. Circunstancias modificativas de la responsabilidad penal de la persona jurídica: atenuantes, (art. 31 Quater) y (31 bis 7, párrafo 2); agravantes (reincidencia art. 66 bis párrafo 2)

«1. Sólo podrán considerarse circunstancias atenuantes de la responsabilidad penal de las personas jurídicas haber realizado, con posterioridad a la comisión del delito y a través de sus representantes legales, las siguientes actividades:

a) Haber procedido, antes de conocer que el procedimiento judicial se dirige contra ella, a confesar la infracción a las autoridades.

b) Haber colaborado en la investigación del hecho aportando pruebas, en cualquier momento del proceso, que fueran nuevas y decisivas para esclarecer las responsabilidades penales dimanantes de los hechos.

c) Haber procedido en cualquier momento del procedimiento y con anterioridad al juicio oral a reparar o disminuir el daño causado por el delito.

d) Haber establecido, antes del comienzo del juicio oral, medidas eficaces para prevenir y descubrir los delitos que en el futuro pudieran cometerse con los medios o bajo la cobertura de la persona jurídica».

También será atenuante la acreditación parcial de las condiciones que impone el art. 31 bis 2, párrafo 2: «En los casos en los que las anteriores circunstancias solo puedan ser objeto de acreditación parcial, esta circunstancia será valorada a los efectos de atenuación de la pena».

De las agravantes que podrán aplicarse a la persona jurídica no se dice nada expresamente, pero desde luego lo será la reincidencia (art. 66 bis CP).

De la única eximente que trata la ley (31 bis 2 CP), ya me he ocupado más arriba.

## 2.6. Personas jurídicas públicas, responsables y no responsables penalmente: art. 31 quinquies

1. «Las disposiciones relativas a la responsabilidad penal de las personas jurídicas no serán aplicables al Estado, a las Administraciones públicas territoriales e institucionales, a los Organismos Reguladores, las Agencias y Entidades públicas Empresariales, a las organizaciones internacionales de derecho público, ni a aquellas otras que ejerzan potestades públicas de soberanía o administrativas».

2. «En el caso de las Sociedades mercantiles públicas que ejecuten políticas públicas o presten servicios de interés económico general, solamente

les podrán ser impuestas las penas previstas en las letras a) y g) del apartado 7 del artículo 33 (multa o intervención judicial). Esta limitación — parece referirse a la limitación de las clases de penas— no será aplicable cuando el juez o tribunal aprecie que se trata de una forma jurídica creada por sus promotores, fundadores, administradores o representantes con el propósito de eludir una eventual responsabilidad penal».

### 3. Las penas para las personas jurídicas (Art. 33. 7 CP)

Todas las penas que establece el art. 33. 7 CP para las personas jurídicas responsables, tienen la consideración de *graves,* y entre ellas figuran: a) Multa; b) Disolución de la persona jurídica. c) Suspensión de sus actividades. d) Clausura de sus locales y establecimientos. e) Prohibición de realizar en el futuro las actividades en cuyo ejercicio se haya cometido, favorecido o encubierto el delito. f) Inhabilitación para obtener subvenciones y ayudas públicas, para contratar con el sector público y para gozar de beneficios e incentivos fiscales o de la Seguridad Social. g) Intervención judicial para salvaguardar los derechos de los trabajadores o de los acreedores, con las precisiones que el mismo artículo señala.

También, la clausura temporal de los locales o establecimientos, la suspensión de las actividades sociales y la intervención judicial podrán ser acordadas por el Juez Instructor como medida cautelar durante la instrucción de la causa.

El artículo 66 bis 2ª CP señala unas reglas para la aplicación de las penas, que sirven para limitarlas o agravarlas; aludiendo para esto último, a la reincidencia, a la reincidencia múltiple, y al empleo de la persona jurídica como instrumento para la comisión de ilícitos penales. Estas sociedades instrumentales han de ser aquellas cuya actividad legal sea menos relevante que su actividad legal, porque las sociedades exclusivamente dedicadas al delito —instrumentos del delito— son, según STS 154/2006, FJ 11, «personas jurídicas inimputables», no incluibles en el art. 31 bis, y solo susceptibles de decomiso según art. 129 CP.

### 4. El decomiso como consecuencia accesoria distinta de la pena, con o sin condena penal previa. (Art. 127, 127 ter). Especial referencia al art. 129 CP

El Código Penal dedica el artículo 129 a «los delitos cometidos en el seno, con la colaboración, a través o por medio de empresas, organizaciones, grupos o cualquier otra clase de entidades o agrupaciones de personas que, *por carecer de personalidad jurídica,* no estén comprendidas en el artículo 31 bis».

Y añade en su apartado 1: «El juez o tribunal podrá imponer motivadamente a dichas empresas, organizaciones, grupos, entidades o agrupaciones una o varias *consecuencias accesorias a la pena que corresponda al autor del delito,* con el contenido previsto en las letras c) a g) del apartado 7 del artículo 33 (es decir, el mismo contenido que tienen las *penas graves* que dicho precepto señala para las personas jurídicas, si cometen delito). Podrá también acordar la prohibición definitiva de llevar a cabo cualquier actividad, aunque sea lícita», lo que equivale a la disolución (33. 7 b).

En su apartado 2, dice el mismo artículo «Las consecuencias accesorias a las que se refiere en el apartado anterior sólo podrán aplicarse a las empresas, organizaciones, grupos o entidades o agrupaciones en él mencionados cuando este Código lo prevea expresamente, o cuando se trate de alguno de los delitos por los que el mismo permite exigir responsabilidad penal a las personas jurídicas».

Y en el apartado 3 termina autorizando una medida cautelar: «La clausura temporal de los locales o establecimientos, la suspensión de las actividades sociales y la intervención judicial podrán ser acordadas también por el Juez Instructor como medida cautelar durante la instrucción de la causa a los efectos establecidos en este artículo y con los límites señalados en el artículo 33.7».

Teniendo en cuenta el F. J. 11 de la STS 154/2016, solo quedarían fuera del art. 31 bis las que llama «personas jurídicas inimputables», —esto es, las que son meros instrumentos para la comisión de delitos, sin otra actividad salvo la meramente residual y aparente para el propósito delictivo—; solo a estas empresas u organizaciones, por lo tanto, parece que les serán aplicables *las consecuencias accesorias* del art. 129 CP.

Ello es acorde con los dispuesto en el art. 66 bis, que se refiere a las *personas jurídicas* que pueden sufrir *las penas* de disolución y otras con carácter permanente (2ª, b) siempre que (…) «la persona jurídica se utilice instrumentalmente para la comisión de ilícitos penales», aclarando que lo son «siempre que la actividad legal de la persona jurídica sea menos relevante que su actividad ilegal». Porque el art. 66 bis se está refiriendo a «personas jurídicas imputables», según la STS 154/2016, o sea, las que no se dedican preferentemente a la «actividad ilegal» y, consiguiente responsables penales y susceptibles de penas, según el art. 31 bis CP.

Respecto a los delitos por los que cabe imponer las *consecuencias accesorias* del art. 129, se incluyen (129. 2): no solo aquellos por los que pueden responder las personas jurídicas (31 bis), sino también, los delitos para los que *lo prevea expresamente* el Código Penal. Estos últimos son:

Relativos a la manipulación genética (162 CP).

Alteración de precios en concursos y subastas públicas (262 CP).

Negar o impedir actuaciones inspectoras o supervisoras (294 CP).

Delitos contra los derechos de los trabajadores (318 CP).

Falsificación de moneda (386. 4 CP).

Asociación ilícita (520 CP).

Organizaciones o grupos criminales y terroristas (570 quater).

Con la particularidad de que en estos delitos no se establece de la misma manera la imposición de las consecuencias accesorias: mientras en los artículos 162, 262. 2 y 386. 4 procede imponerlas «si el culpable perteneciere a alguna sociedad, organización o asociación, incluso de carácter transitorio, que se dedicare a la realización de tales actividades» (sociedades dedicadas al delito); en los artículos 294 y 318 el Legislador autoriza estas medidas «además de las penas previstas» para los autores físicos del delito; y en los artículos 520 y 570 quater, «acordarán los jueces la disolución de la asociación ilícita o del grupo criminal, y, además, en su caso, cualquier otra de las consecuencias de los artículos 33. 7 y 129 CP».

Y aunque el Código Penal autoriza a los jueces a que puedan imponer a dichas entidades unas denominadas *consecuencias accesorias a la pena impuesta a las personas físicas,* ha de entenderse que, aunque la pena no se haya impuesto al autor físico del delito, cabe la consecuencia accesoria para la empresa u organización, porque «el juez o Tribunal podrá acordar el decomiso (…) aunque no medie sentencia de condena» (art. 127 ter).

A este respecto conviene subrayar el Apartado VII de la Exposición de Motivos de la LO 1/2015, cuando dice: «…se había afirmado que un decomiso sin condena es necesariamente contrario al derecho a la presunción de inocencia. (…). Sin embargo, tal interpretación solamente viene determinada por un análisis del decomiso apegado a la regulación tradicional del mismo, y desconoce que, como ha afirmado el Tribunal Europeo de Derechos Humanos, el decomiso sin condena no tiene una naturaleza propiamente penal, pues no tiene como fundamento la imposición de una sanción ajustada a la culpabilidad por el hecho, sino que "es más comparable a la restitución del enriquecimiento injusto que a una multa impuesta bajo la ley penal". El decomiso sin sentencia ya estaba regulado en el apartado 4 del vigente artículo 127».

Este párrafo del Legislador me recuerda inevitablemente el art. 31 ter, cuando exige la responsabilidad penal de la persona jurídica, *aun cuando la persona física responsable no haya sido individualizada, no haya sido posible dirigir el procedimiento contra ella (…), concurra alguna causa de inculpabilidad, hubiere fallecido o se hubiera sustraído a la acción de la justicia*. Lo traigo a colación, no solo por la similitud de separar a la persona física de la jurídica, sino sobre todo porque aquí no valen los mismos argumentos de la Exposición de Motivos, ya que se está tratando de *penas*, de *responsabilidad penal*, y no de *consecuencias accesorias*, por lo que no servirán las razones esgrimidas que se dieron para estas con el fin de excluir de ellas la aplicación del principio de presunción de inocencia. Esto, ya lo expliqué, lo veo incomprensible, porque conduce a la condena de la persona jurídica de manera objetiva, ni siquiera vicarial.

Por lo demás, en la aplicación de las consecuencias accesorias habrán de tenerse en cuenta los criterios de proporcionalidad que para el comiso establece la ley.

## IV. EXTINCIÓN DE LA RESPONSABILIDAD PENAL

El Artículo 130. 2 CP, dice:

*«La transformación, fusión, absorción o escisión de una persona jurídica no extingue su responsabilidad penal, que se trasladará a la entidad o entidades en que se transforme, quede fusionada o absorbida y se extenderá a la entidad o entidades que resulten de la escisión. El Juez o Tribunal podrá moderar el traslado de la pena a la persona jurídica en función de la proporción que la persona jurídica originariamente responsable del delito guarde con ella.*

*No extingue la responsabilidad penal la disolución encubierta o meramente aparente de la persona jurídica. Se considerará en todo caso que existe disolución encubierta o meramente aparente de la persona jurídica cuando se continúe su actividad económica y se mantenga la identidad sustancial de clientes, proveedores y empleados, o de la parte más relevante de todos ellos».*

Este precepto 130. 2 CP parece de redacción y contenido poco afortunado porque, por un lado, no queda claro si la sociedad absorbida, etc., ha sido ya condenada o está siendo juzgada cuando se produce la absorción, y de otro, si se trata de un traslado de la pena, su utilización automática y literal desconocería cualquier exigencia de participación en el delito, que exige el derecho a la presunción de inocencia, incluida «la nueva forma de culpabilidad» que se ha creado para las personas jurídicas por la Sala Segunda del TS. Supondría la condena o cumplimiento de una pena de la persona jurídica, trasformada por razones objetivas y proscrita actualmente por el Código Penal. Para ese traslado sería necesario, previamente, que las acusaciones probaran que la sociedad que resulte de la fusión, absorción, etc., ha incumplido los elementos típicos que ya hemos descrito antes para incurrir en delito (comisión del delito en beneficio de la nueva sociedad y defectos por ésta de control interno), porque, sin ello, la responsabilidad penal sería inviable. La responsabilidad penal es intransferible.

Cosa distinta es que la sociedad absorbida, etc., no extinga su responsabilidad penal por el hecho de la absorción y que, mantenga su individualidad desde el punto de vista penal, dentro de la sociedad resultante de la trasformación, fusión, etc., hasta que cumpla las penas impuestas; o que quede suspendida la absorción, fusión etc., o se prohíba su realización hasta que, la responsable que va a ser absorbida, haya cumplido su pena.

No obstante, la Ley dice lo que dice, y habrá que estar a su incierta aplicación, de momento que yo sepa, inexistente.

Los conceptos y regulación de las trasformaciones, fusiones, etc., son puramente mercantiles y están en la LSC, a la que me remito.

## V. CANCELACIÓN DE ANTECEDENTES PENALES

Según el Artículo 136. 3 CP, «Las penas impuestas a las personas jurídicas y las consecuencias accesorias del artículo 129 se cancelarán en el plazo que corresponda, de acuerdo con la regla prevista en el apartado 1 del artículo 136 CP (de seis meses a diez años), salvo que se hubiese acordado la disolución o la prohibición definitiva de actividades. En estos casos, se cancelarán las anotaciones transcurridos cincuenta años computados desde el día siguiente a la firmeza de la sentencia.»

## VI. CUESTIONES PROCESALES SOBRE LA RESPONSABILIDAD PENAL DE LA PERSONA JURÍDICA

La ley 37/2011, sobre medidas de agilización procesal, introdujo unas normas en el proceso penal cuando se imputa responsabilidad penal a la persona jurídica. En particular, regula cuestiones relativas al *régimen de la competencia de los tribunales, derecho de defensa de las personas jurídicas, intervención en el juicio oral y conformidad, así como su rebeldía.*

Para ello, se añaden o modifican los siguientes artículos o apartados: Artículo 14 bis (determinación del proceso por la pena que corresponde a la persona física). Artículo 119 (forma de imputar procesalmente a la persona jurídica). Artículo 120 (representación de la entidad en el proceso, nombramiento de abogado y procurador y las funciones de éstos). Artículo 409 bis (derechos de la persona jurídica cuando declara en el proceso como imputada). Artículo 544 quáter (medidas cautelares que pueden imponerse a la persona jurídica). Artículo 554. Apartado 4º (que define, a los efectos de la entrada y registro, lo que se reputa domicilio de la persona jurídica). Artículo 746 (suspensión del juicio oral). Artículo 786 bis (declaración en juicio oral de la persona jurídica). Artículo 787, apartado 8 (forma de prestar la persona jurídica su conformidad). Artículo 839 bis (rebeldía de la persona jurídica).

La STS 154/2016, en su FJ octavo, 5º, y la 221/2016, FJ 5 C), estudian el derecho de defensa de la persona jurídica, particularmente en lo que hace a la posible incompatibilidad, por existir intereses contrapuestos en el proceso, entre el representante legal de la persona jurídica *especialmente designado por la entidad*, y la propia persona jurídica o incluso los terceros (trabajadores, accionistas minoritarios, acreedores, etc). Subraya la sentencia una ausencia de regulación legal en la determinación del representante de la persona jurídica, cuando se produzca la colisión en el proceso de aquellos intereses contrapuestos y la necesidad de que sean los Jueces quienes eviten en esos casos, con nuevos nombramientos compatibles, la vulneración del derecho de defensa de la persona jurídica. Efectivamente, el tratamiento pormenorizado de esta cuestión no se encuentra ni en la LECr, cuyo art. 409 bis no explica nada, ni en la Ley de Sociedades de Capital (LSC), si bien la representación de la sociedad, que regulan los artículos 233 y concordantes, deberá resolver también, de momento, estos problemas procesales en defensa de la persona jurídica a la que representa.

También la STS 221/2016, FJ 5 D), aborda la posible indefensión procesal de la persona jurídica cuando no ha sido imputada en el procedimiento, ni ha declarado en la instrucción su representante legal. No acepta la tesis del MF que descartó la indefensión por estimar que siendo vicarial la responsabilidad penal de la persona jurídica bastaba con la imputación de la persona física para considerar imputada a la jurídica, habida cuenta de que aquella persona física era la misma que representaba también, en ese caso, a la jurídica. Sin embargo, el Supremo, basándose en el art. 33 ter. 1 y en la Exposición de Motivos de la LO 1/2015 que quiere desterrar la interpretación vicarial, dice *que son dos los sujetos de la imputación, cada uno responsable de su propio injusto y cada uno llamado a defenderse;* y por ello, deben mantenerse todas las garantías del proceso para legitimar la actuación del *ius puniendi* del Estado.

# 59. Tendencias recientes de la responsabilidad penal de las sociedades mercantiles en la jurisprudencia francesa

**JUAN CRUZ**

*Profesor Asociado de Derecho Mercantil*
*Universidad de Complutense de Madrid*

**Sumario:** I. LA RESPONSABILIDAD PENAL DE LA PERSONA JURÍDICA. 1. El Código penal de 1994. 2. La reforma Perben de 2004. 3. El Estado y los entes públicos como responsables penales. II. LA RESPONSABILIDAD PENAL DEL ÓRGANO DE LA PERSONA JURÍDICA. 1. La delimitación del sujeto activo del ilícito penal. 2. La delegación de funciones dentro de la organización

## I. LA RESPONSABILIDAD PENAL DE LA PERSONA JURÍDICA

### 1. El Código penal de 1994

Tras su aprobación en 1992, el primero de marzo de 1994 entró en vigor el nuevo Código penal francés que sustituye al primer Código penal de Napoleón de 1810. Su artículo 121-2 estableció por primera vez en Francia la responsabilidad penal de algunas personas jurídicas sólo por algunos actos y en los casos que así lo previera expresamente una Ley o un Reglamento[1] empleando una técnica tipológica penal de un tipo en blanco por remisión a otras normas. La problemática que se suscitó desde un primer momento fue que el cuerpo legal de este nuevo plano de responsabilidad penal era bastante insuficiente para una regulación comprensiva de una serie muy diferente de todo tipo de personas morales públicas y privadas. Siendo la primera vez que se daba en derecho positivo tal regulación penal aplicable a una generalidad de cuerpos jurídicos que no fueran personas físicas, el nuevo artículo 121 del Código penal se mostraba claramente insuficiente. Así desde un primer momento ha tenido que ser la Jurisprudencia la que

---

[1] En el derecho penal francés no toda infracción penal tiene reserva de Ley como ocurre con las contravenciones que tienen reserva normativa para ser regulados por Reglamentos y en concreto por Decretos del Consejo de Estado.

ha tenido que ir perfilando la tipología de entes y de tipos de regímenes jurídicos, a veces mixtos que quedaban incluidos o excluidos y sus circunstancias especiales. Desde la primera redacción del artículo 121-2 CP quedaron de modo expreso excluidos de tal responsabilidad el propio Estado y el supuesto de la sociedad en formación en cuyo caso los responsables penales serían los fundadores y en tercer lugar este criterio fue ampliado por medio de la jurisprudencia[2] al ampliarlo a los casos de las fusiones de sociedades por absorción cuando hay disolución sin liquidación en que la sociedad absorbente no es responsable por los ilícitos penales cometidos por la sociedad absorbida. El propio razonamiento de esta sentencia parece dejar fuera de su pronunciamiento el supuesto de transformación de la sociedad mercantil. El ámbito de aplicación de este nuevo tipo estaba esencialmente orientado a las entidades de derecho privado en su sentido más amplio con o sin ánimo de lucro (incluyendo asociaciones, fundaciones, organizaciones políticas, sindicales, organizaciones profesionales, entre otros) y en segundo lugar a entidades de derecho público como los organismos de la estructura territorial y los organismos públicos en el ejercicio de la prestación de servicios públicos por si mismos o por delegación en terceros.

Desde un primer momento se ha puesto de manifiesto que para poder condenar por un delito doloso a un persona moral es un requisito previo también condenar a la persona física que ha cometido el acto doloso en concreto pero este criterio no es igualmente aplicable a los delitos por imprudencia en los cuales se admite que no sean parejas las condenas penales a la persona moral y la persona jurídica[3] siendo posible que la persona jurídica sea condenada por negligencia *in vigilando* por el dolo del órgano social o de la persona dolosa autora del hecho.

## 2. La reforma Perben de 2004

Posteriormente la llamada Ley Perben II de 9 de marzo de 2004 ha ampliado el originalmente reducido espectro de ilícitos penales potencialmente atribuibles a estas personas morales. Así desde su entrada en aplicación el 31 de diciembre de 2005 ese límite legal ha decaído y desde entonces es posible atribuir a una persona jurídica cualquier tipo de ilícito penal que haya cometido, ampliando el campo de aplicación más

---

[2]     Sentencia de la Sala de lo Penal del Tribunal Supremo de 20 de junio de 2000.
[3]     Sentencia de la Sala de lo Penal del Tribunal Supremo de 24 de octubre de 2000.

allá de los básicos delitos societarios o delitos contra el patrimonio como por ejemplo todo el ámbito del derecho penal de protección de los trabajadores, medioambiental o seguridad alimentaria, entre otros. Se llega a adoptar la Ley de 12 de junio de 2001 sobre organizaciones sectarias y que luego sería aplicada para a la organización de la cienciología iniciándose en 2009 su proceso por un delito de estafa organizada y terminando siendo firme por el Tribunal Supremo el 16 de octubre de 2013 con una multa a la persona jurídica. La doctrina jurisprudencial francesa ha desarrollado en el período 2006 a 2009 tres tipos de responsabilidades penales en la ámbito de la sociedad mercantil, una primera de la persona jurídica como tal, un segundo nivel de responsabilidad atribuible a un órgano social o de sus representantes y un tercer nivel sobre la responsabilidad individualizada en la persona física concreta a la cual se le puede imputar la responsabilidad penal del acto.

Desde 2012 la doctrina jurisprudencial ha evolucionado para hacer compatibles ambos planos, es decir atribuir una responsabilidad penal a la sociedad mercantil y además continuar una investigación para identificar en la medida de lo posible el órgano social autor o su representante o bien la persona física responsable del acto penal. Así hay sentencias que alternan este plano dual en materia de lesiones por accidentes laborales medio ambiente, en relaciones con los consumidores o en la seguridad e higiene en el trabajo en las que no es posible asignar directamente la responsabilidad penal de toda la sociedad mercantil sin haber antes investigado si el órgano de control o de gestión hizo todo lo posible por evitar tal resultado abriendo con ello el nuevo criterio de discernir la eficiencia real de los sistemas internos de funcionamiento y control interno de las sociedades mercantiles. En la tipología societaria francesa cabe remarcar el destacado papel del Directorio como modalidad de sistema dual de órganos de control y en un segundo lugar el problema de la responsabilidad interna de las Comisiones de Auditoría interna en las sociedades de un órgano único permanente. Otra de las dificultades está en la aplicación práctica de la responsabilidad penal en los grupos de sociedades, en las uniones temporales de empresas y en las agrupaciones de interés económico, en las cuales se producen continuos equilibrios internos mediante delegaciones, contrapoderes, y de administraciones de hecho en sus relaciones internas.

Otro de los problemas claves de este sistema escalonado de atribución de responsabilidades es evitar que las personas físicas transfieran de modo programado los elementos identificadores de un tipo penal a la persona jurídica o con ello evadir su responsabilidad personal penal. La compatibilidad de las otras esferas de responsabilidad es perfectamente compatible desde que el artículo 121-2.3 del Código penal establece que la responsabilidad de las personas morales no excluye la de las personas físicas autoras o cómplices de esos mismo hechos y ello por motivo de evitar que los actos incriminatorios de los autores sean primeramente conducidos a atribuir la responsabilidad a la empresa y con ello mediante un fraude de Ley liberar a la persona física autora material del delito. Por lo tanto es posible que un mismo hecho conlleve la condena de la persona jurídica, así como de un órgano social e incluso de una persona física como colaborador necesario o en un deber in vigilando de prevenir y perseguir delitos dentro de la sociedad. Los Códigos Viennot 1 (1995), Viennot 2 (1999), el Informe Bouton (2002), y el Código Sapin II (2016) sobre el principio *say on pay* han marcado nuevos deberes de buen gobierno corporativo. El nuevo sistema de los códigos sectoriales de buen gobierno corporativo en Francia elaborados por la organizaciones empresariales más representativas han acogido el principio de «aplicar o explicar» previstos en los artículos 225-37-6, 225-68 y 226-10-1 del Código de comercio.

La importancia de los Códigos de bueno gobierno no es tanto que sean la base regulatoria para aplicar sanciones efectivas por su incumplimiento sino que tras su incumplimiento los encargados de darles efectividad dentro de la organización no pueden alegar desconocimiento o falta de medios lo cual aproxima su grado de responsabilidad de la negligencia grave al dolo eventual a los efectos de una posible aplicación por parte del Juez penal de la regla *business jugdment rule* sobre el deber de lealtad y de diligencia de los encargados de dar cumplimiento a estos cuerpos autonormativos.

## 3. El Estado y los entes públicos como responsables penales

La responsabilidad penal de las personas jurídicas tiene su mayor casuística en el ámbito de la responsabilidad del derecho de sociedades mercantiles privadas pero también tiene su proyección en el derecho público sobre los entes públicos económicos o de prestación de servicios de la economía francesa en sus diferentes niveles municipal, regional o nacional. Esta materia no interfiere con el ya establecido cuerpo normativo y doctrinal sobre la responsabilidad civil del Estado con ocasión de su actividad y de la prestación de servicios públicos. No obstante los criterios para establecer estas responsabilidades no están trabados con los mismos parámetros que para el ámbito del derecho privado. Así desde el derecho público la responsabilidad penal de los empresas públicas del Estado en el ejercicio de su actividad económica queda excluida de entrada ya que el siendo Estado el único titular del *ius puniendi* no podría autosancionarse por no poder promover acciones penales contra sí mismo. Sin embargo sí queda abierta esta consideración respecto a las empresas públicas de ámbito nacional o territorial en el ejercicio de la prestación de servicios públicos de naturaleza comercial, industrial o administrativa salvo que ésta haya sido una actividad delegada para su ejercicio por un tercero o que fue ejercida por un tercero siendo una competencia no delegable a terceros. Una primera sentencia sobre la trascendencia penal de la delegación administrativa data de 9 de noviembre de 1999 por la cual se establece la responsabilidad penal de una empresa de economía mixta concesionaria de una explotación de actividades de deporte de invierno. En la sentencia del 12 de diciembre de 2000, Asunto Drac, se establece que quedan excluidos del ámbito responsabilidad penal los servicios prestados por los entes territoriales por cuenta y en nombre del Estado tales por como ejemplo los servicios educativos o las actividades educativas complementarias a la educación misma como era el caso de la vigilancia de una actividad educativa al aire libre. En el curso de los últimos años no ha habido un criterio jurisprudencial sólido para establecer cuando la prestación de un servicio público estaría incluido o no en la responsabilidad penal, así la propia jurisprudencia en su Sala de lo Penal establece positivamente la responsabilidad en el caso de la explotación de un teatro público, y también en otros casos como son servicios de transportes (STS de 18 de junio de 2000 sobre la compañía nacional de ferrocarril), recogida de basuras, pero todo ello sin establecer un criterio decisorio claro. El concepto legal de servicio público delegable ha sido concretado por la posterior sentencia de la Sala de lo penal del Tribunal Supremo de 3 de abril de 2002 para afirmar que lo son aquellos que por su propia naturaleza y por en ausencia de disposiciones legales o reglamentarias pueden ser delgadas a un tercero público o privado con una parte de retribución en función de los resultados de la prestación del servicio.

## II. LA RESPONSABILIDAD PENAL DEL ÓRGANO DE LA PERSONA JURÍDICA

### 1. *La delimitación del sujeto activo del ilícito penal*

La redacción legal del artículo 121 del Código penal no ofrecía herramientas para establecer los criterios de responsabilidad, por lo que ha tenido que ser el Tribunal Supremo en su sentencia de 2 de diciembre de 1997 y luego reiterada doctrina en sucesivas sentencias que el criterio de responsabilidad es indirecto por lo cual para poder imputar a una persona física primeramente en necesario haber imputado a alguna persona física u órgano social con poderes de representación que ha realizado un acto punible en el marco de la organización a la que pertenece. Queda excluido de este campo la responsabilidad del empleador por los daños dolosos, negligentes graves o negligentes leves con habitualidad causados por sus empleados en el sentido más amplio pues estaría ello regulado por el artículo 18 de la Ley de 3 de julio de 1978 sobre los contratos de trabajo en el marco de una relación laboral común.

Por lo tanto la jurisprudencia va a exigir que una persona física o bien un órgano (de gestión o de control, unipersonales o colegiados, de hecho o de derecho) o comisión interna de la organización (desde el Presidente, el Directorio, el órgano de administración, también los Directores Generales), ya sea identificado o no[4], haya cometido un ilícito penal por poder abrir la fase de imputación a la persona moral a la que pertenece. No se trata de poner de relieve el carácter defectuoso de una parte de una organización sino de tener la constancia de que alguien o algo ha cometido un ilícito porque en las organizaciones muy complejas no es fácil identificar el origen exacto del ilícito, por otra parte siendo este un criterio de responsabilidad indirecta cuasi objetiva bastante consolidado en la jurisprudencia en materia de responsabilidad civil por daños sanitarios. Incluso la sentencia de 1 de diciembre de 1998 afirma que no es imprescindible que la persona física o el órgano social haya sido ya objeto de una previa condena penal en firme para proceder contra la persona moral ni tampoco que haya sido identificada sino que basta con que la constancia por el instructor que de que alguien o alguna entidad de la organización sí ha cometido todos los elementos constitutivos del tipo penal. Por lo tanto la tendencia del criterio jurisprudencial es flexibilizar los criterios de imputabilidad de la persona jurídica a falta de marco legal con rango de Ley. Es por lo tanto posible decir que la tan novedosa aportación del artículo 121 al nuevo Código penal de 1994 ha sido defectuosa al punto de que ha tenido que

---

4    La Jurisprudencia hasta 2012 permitía una condena de una persona moral sin haber identificado al órgano o a la persona física autora del hecho, pero en la actualidad este criterio ha sido objeto de un importante cambio por parte del Tribunal Supremo al casar sentencias de las Audiencias provinciales que en segunda instancia condenaban a la persona moral sin haber identificado en los hechos probados las personas físicas autoras de los daños. Así se pronuncia la sentencia del Tribunal Supremo de 11 de abril de 2012 y la de 6 de mayo de 2014. Y aún todavía más en materia de protección del consumidor según la sentencia de 22 de marzo de 2016 para explicitar que es preciso agotar las vías de investigación en la instrucción para llegar a conocer el origen de la autoría del daño.

ser realmente la jurisprudencia mayor quien ha tenido que establecer unos criterios más o menos sólidos sobre esta materia a lo largo de los últimos años.

## 2. *La delegación de funciones dentro de la organización*

El problema que se suscita en las grandes organizaciones es el tipo de consecuencias que puede llegar a tener la delegación de funciones la cual incorpora también una delegación de la representación. El órgano de administración y el órgano de control de la sociedad mercantil tienen sus competencias indelegables claramente tasadas, pero hay otras de segundo orden que pueden ser objeto de transferencias en algunas ocasiones e incluso de segundas delegaciones. Por lo tanto la delegación de facultades no puede ir *contra legem*, debe ser precisas y claras, una misma función no puede ser objeto delegación a varias personas (Sentencia de la Sala de lo Penal de 19 de marzo de 1996), y su existencia debe probarla quien la alegue.

Para resolver este tipo de casuística el Tribunal Supremo ha establecido mediante su sentencia de 26 de junio de 2001 que el delegado también representa a la autoridad otorgante y que también ello es aplicable para el caso de la subdelegación dando tal razonamiento como resultado que en todos los casos va a ser responsable penal la persona moral que lo ha autorizado. Además podría ocurrir que ambas responsabilidades penales (persona moral y persona física) fueran compatibles sin incurrir en el principio *non bis in ídem* pues la primera redacción de 1994 fue establecido claramente que debía ser así para impedir que las responsabilidades personales acabaran asignadas a la organización. Así desde 1994 para la persona moral basta un acto negligente que cause un daño para que ésta quede con responsabilidad penal en tanto que para la persona física desde la Ley de 10 de julio de 2000 se le exige un nivel de requisito de imputabilidad menos elevado, al exigirse que concurra una negligencia grave por su acto al no ser suficiente una negligencia leve. Dando ello como resultado que pueda ocurrir que la persona moral es condenada por un delito imprudente en tanto que la persona física al frente de la misma es absuelta por incurrir sólo en una negligencia leve.

En materia de responsabilidad penal de las personas morales la legislación positiva actual es insuficiente para dar seguridad jurídica al poder judicial al punto de que ha tenido que ser el propio Tribunal Supremo francés quien ha tenido que ir aportando criterios jurisprudenciales al estilo de la jurisprudencia británica sobre un número importante de elementos básicos constitutivos del mismo, y las últimas tendencias se orientan a que en primer lugar los criterios de imputabilidad son más estrictos para las personas morales que para las personas físicas o al órgano al que pertenecen y que las representan y en segundo lugar que estas últimas tienen que quedar identificadas para poder condenar a la persona jurídica.

# IX. IMPUGNACIÓN DE ACUERDOS SOCIALES

# 60. Impugnación de acuerdos sociales por abuso de mayoría e infracción de pactos parasociales omnilaterales tras la Ley 31/2014, de 3 de diciembre[1]

ASCENSIÓN GALLEGO CÓRCOLES

*Profesora Contratada Doctor de Derecho Mercantil*

*Universidad de Castilla-La Mancha*

**Sumario:** I. LA NUEVA CAUSA DE IMPUGNACIÓN DE ACUERDOS POR ABUSO DE MA-YORÍA COMO *LESIVOS* DEL INTERÉS SOCIAL. II. LA IMPUGNACIÓN DE ACUERDOS SOCIALES ADOPTADOS EN CONTRAVENCIÓN DE PACTOS PARASOCIALES OMNILA-TERALES. 1. Situación previa a la Ley 31/2014, de 3 de diciembre. 2. De la posible impugnación de acuerdos sociales por infracción de pactos parasociales onmilaterales tras la reforma de la LSC. III. PRESUPUESTOS PARA LA IMPUGNACIÓN POR ABUSIVOS DE ACUERDOS CONTRARIOS A PACTOS PARASOCIALES OMNILATERALES. Bibliografía.

## I. LA NUEVA CAUSA DE IMPUGNACIÓN DE ACUERDOS POR ABUSO DE MAYORÍA COMO *LESIVOS* DEL INTERÉS SOCIAL

La SAP de Barcelona, núm. 76/2016, de 31 de marzo *(Tol 5747059)*, ha permitido reavivar en nuestro país el debate en torno a la posible impugnación de acuerdos sociales adoptados en contravención de pactos parasociales omnilaterales al amparo de la nueva configuración de causas de impugnación que ha resultado de la reforma de la LSC por la Ley 31/2014, de 3 de diciembre. A través de esta resolución, la AP de Barcelona se pronuncia en apelación sobre la impugnación, como lesivo del interés social, de un acuerdo societario contrario a un supuesto pacto parasocial verbal onminaleral y a tal efecto alude a la nueva causa de impugnación de acuerdos por abuso de mayoría.

---

[1]    Este trabajo se enmarca en el Proyecto de Investigación «La reforma del Derecho de sociedades desde la perspectiva de la protección de los inversores y del mercado» (DER2014-56741-R), financiado por el Ministerio de Economía y Competitividad. Investigador Principal: Mª Ángeles Alcalá Díaz.

En efecto, la reforma de la LSC del año 2014 ha supuesto la tipificación en el párrafo segundo del art. 204.1 LSC de una nueva causa de impugnación de los acuerdos de la junta general. La misma ha sido configurada, no como una causa autónoma y distinta de las enumeradas en el art. 204 LSC, sino como una subcategoría de acuerdos lesivos para el interés social. Así, después de declarar impugnables los acuerdos que lesionen el interés social en beneficio de uno o varios socios o de terceros, el segundo párrafo del art. 204.1 LSC puntualiza que «*la lesión del interés social se produce también cuando el acuerdo, aun no causando daño al patrimonio social, se impone de manera abusiva por la mayoría*».

La incorporación de esta causa a la LSC es una muestra de la particular preocupación de nuestro legislador por la regulación del conflicto entre mayorías y minorías en el seno de la sociedad, que no encontraba una solución satisfactoria bajo la anterior regulación. Particularmente cuando la lesión de la minoría no era consecuencia directa de la lesión del interés social, la eventual impugnación del acuerdo pasaba por su consideración como nulo por contrario a la ley y, en concreto, al art. 7.2 CC, que prohíbe el abuso de derecho. Ello exigía, ante todo, acreditar la existencia de abuso de derecho, el cual, por ser un remedio excepcional, venía siendo interpretado de manera muy restrictiva por nuestros Tribunales, de forma que la impugnación de acuerdos por abuso de mayorías sólo tenía éxito en aquellos casos en los que se infería que los mismos se dirigían *exclusivamente* a dañar a la minoría. Ejemplos paradigmáticos de este tipo de acuerdos son los adoptados por la junta general para aumentar el capital, no necesarios desde el punto de vista del desarrollo de la actividad empresarial, o los acuerdos de atesoramiento de beneficios teniendo la sociedad un volumen suficiente e incluso significativo de reservas.

Sin discutir la conveniencia de que tales acuerdos puedan ser impugnables, resulta al menos llamativo que los mismos se hayan conceptuado como *lesivos para el interés social* cuando algunos de ellos puede que, en cierto modo, acaben beneficiando a la sociedad, reduciendo por ejemplo su dependencia a la financiación ajena o incrementando el valor de la empresa de la que es titular, lo que *a priori* siempre se revela positivo para el interés social. En ese sentido, no deja de resultar paradójico que, por la comisión de expertos que propuso su introducción, estos acuerdos se presentaran como *lesivos del interés social* cuando en la descripción de los grupos de casos que constituyen los abusos societarios frente a los que se pretendía luchar, se destacaba particularmente de ellos que «*no afectan negativamente al interés social*»[2]. De ahí que, como en Derecho alemán (§ 243.2 *AktG*) o portugués (art. 58.1 b *Codigo das Sociedades Comerciais*), desde nuestro punto de vista, lo correcto hubiese sido *ampliar* el catálogo de las causas de impugnación y no proceder, como se ha optado en Derecho español, a *ampliar* el concepto de interés social. Ello resulta completamente innecesario toda vez que esta causa de impugnación tiene su propia justificación en un deber de fidelidad del socio, no ya hacia la sociedad, sino más concretamente, frente a sus consocios, partícipes de esa comunidad de intereses que aquélla constituye, como concreción del principio general de buena fe que, de conformidad con el art. 7.1 CC, rige todo el ordenamiento jurídico-privado.

## II. LA IMPUGNACIÓN DE ACUERDOS SOCIALES ADOPTADOS EN CONTRAVENCIÓN DE PACTOS PARASOCIALES OMNILATERALES

### 1. Situación previa a la Ley 31/2014, de 3 de diciembre

Vinculada con la lesión del interés social como causa de impugnación de acuerdos sociales según ha sido planteada por parte de nuestra doctrina[3] (y recientemente por nuestra jurisprudencia menor —SAP de Barcelona núm. 76/2016, de 31 de marzo *(Tol 5747059)*—), surge la cuestión relativa a la posible impugnación de un acuerdo societario que incumpla o desatienda lo acordado en un pacto parasocial omnilateral.

De hecho, uno de los aspectos de los pactos parasociales suscritos por todos los socios que más debates ha suscitado es, a la vista del tenor del art. 29 LSC, el relativo a su oponibilidad a la sociedad y, con ello, a la posibilidad de emplear cauces societarios (en concreto, la impugnación de los acuerdos sociales) para lograr su *enforcement* en caso de incumplimiento de

---

[2]    Vid., el informe de la Comisión de Expertos en materia gobierno corporativo, «Estudio sobre propuestas de modificaciones normativas», de 14 de octubre de 2013, pág. 30, explicación de la medida (iii).

[3]    Vid., entre otros, PAZ-ARES, C., «El *enforcement* de los pactos parasociales», *Actualidad Jurídica Uria & Menéndez*, núm. 5, mayo-agosto de 2003, pág. 41; SÁEZ LACAVE, M. I., «Los pactos parasociales de todos los socios en Derecho español. Una materia en manos de los jueces», *InDret*, núm. 3, 2009, pág. 21; NOVAL PATO, J. *Los pactos omnilaterales: su oponibilidad a la sociedad. Diferencias y similitudes con los estatutos y los pactos parasociales*. Estudios de Derecho Mercantil. Thomson Reuters. 2012, págs. 98 a 100; PÉREZ MORIONES, A., «La necesaria revisión de la eficacia de los pactos parasociales omnilaterales o de todos los socios», *Estudios Deusto*, vol. 61/2, Bilbao, julio-diciembre 2013, págs. 291 a 296.

un socio a través de la emisión de un voto en la junta general en sentido contrario a lo acordado con el resto de socios. Ello particularmente cuando se trata de pactos de organización[4], en los que se centra la presente comunicación.

La posición que se identifica como clásica a este respecto se basa en negar la eficacia societaria del pacto parasocial suscrito por todos los socios. Habiendo pasado los pactos que se mantuvieran reservados entre los socios de ser considerados nulos (art. 6 LSA de 1951) a ser reconocidos como válidos, aunque no oponibles a la sociedad (arts. 7 LSA de 1989 y art. 11 LSRL, y ahora, art. 29 LSC), la doctrina clásica defendió esta inoponiblidad por no encontrar la infracción de dichos pactos encaje en ninguna de las causas de impugnación de acuerdos sociales previstas en la normativa y por considerar que, el haberse pactado *parasocialmente*, suponía la renuncia de los socios a la vía societaria[5]. Y esta misma posición refleja la propuesta de Código Mercantil, en cuyo proyectado art. 213.21 se especifica claramente que, si bien los pactos suscritos ya sea por algunos o *por todos los socios* no son nulos, serán válidos los acuerdos sociales que los contradigan, hasta el punto de que ante su contravención los partícipes afectados no podrán más que exigir la correspondiente indemnización por daños y perjuicios.

Frente a esta posición, otro sector ha defendido la eficacia societaria del pacto parasocial suscrito por todos los socios frente a la sociedad como consecuencia de la superación del principio de inoponibilidad, derivado del de relatividad contractual[6]. Ello en atención a que, de conformidad con el art. 29 LSC, los pactos que se mantengan reservados entre los socios no son oponibles a la sociedad y a la vista, en este tipo de pactos, de lo que se califica como identidad subjetiva (coincidencia de partícipes en el contrato de sociedad y en el pacto parasocial) e identidad objetiva (identidad o equivalencia de resultados que proporciona el ordenamiento societario respecto a los del ordenamiento contractual). Sin perjuicio de que posteriormente nos ocupemos de esta posición, quienes la proponen plantearon, ya con anterioridad a la reforma de la LSC de 2014, que la impugnación de un acuerdo societario respecto del que uno o varios socios

---

[4]     Sobre la tipología de pactos parasociales, vid., entre otros, PAZ-ARES, C., «El *enforcement* de los pactos…», *op. cit.,* págs. 19 y 20 y PÉREZ RAMOS, C., «Problemas que plantean los pactos parasociales», *Actum Mercantil & Contable,* núm. 20, julio-septiembre, 2012, págs. 2 y 3 (consultada versión electrónica).

[5]     Así lo considera, SÁNCHEZ ÁLVAREZ, M., «Comentario a la Sentencia de 5 de marzo de 2009», *CCJC,* núm. 81, 2009, págs. 1376 y 1379.

[6]     Vid., PAZ-ARES, C., «El *enforcement* de los pactos…», *op. cit.,* págs. 36 a 41.

han votado en sentido contrario a lo que se había acordado en el pacto omnilateral podría encajar en distintas causas de impugnación. De entre ellas, destaca la de que el acuerdo era impugnable por ser contrario al interés social. Ello se basa en su consideración como infracción fiduciaria, por ser contrario al interés común reflejado en el pacto. Pero, en la medida en que la infracción al interés social requiere de la concurrencia de una serie de requisitos, adicionalmente se argüía que en este tipo de infracciones se experimentaba por sí mismo un beneficio de la mayoría incumplidora y un perjuicio de la minoría restante como contraparte del pacto parasocial[7] (que no de la sociedad, conforme viene requiriéndose en materia de impugnación de acuerdos lesivos del interés social). Dado que esta posición fue formulada bajo la anterior configuración de causas de impugnación en nuestro Derecho, en el siguiente apartado reflexionaremos sobre si la aparición de los acuerdos abusivos como subcategoría de acuerdos lesivos para el interés social permite introducir alguna matización al respecto.

Sea como fuere, si se atiende a la posición que defendemos sobre la conveniencia de haber configurado la abusividad del acuerdo como una causa de impugnación distinta de la lesión del interés social, y no como una subcategoría de ésta, resulta que en esa explicación a la que acabamos de aludir aparecen como entremezclados argumentos propios de la consideración del acuerdo como contrario al interés social, en tanto que infracción por la mayoría del deber de fidelidad *hacia* la sociedad (lesión del interés social) y argumentos propios de la consideración de la infracción del deber de fidelidad, no hacia la sociedad, sino *hacia* el resto de socios (lesión de los intereses de la minoría). De ahí que, con estos precedentes, no sorprenda que por parte de la comisión de expertos se considerara que las infracciones del deber de fidelidad de la mayoría hacia la minoría se conceptuaran como subcategorías de la infracción del deber de fidelidad hacia el interés social. Precisamente por ello tras la reforma se discute con estos mismos argumentos, particularmente al hilo de la SAP de Barcelona núm. 76/2016, de 31 de marzo *(Tol 5747059)*, si el supuesto que tratamos es el de un acuerdo impugnable por ser contrario al interés social, en su modalidad de acuerdo abusivo, contemplado ahora expresamente en el art. 204.1 LSC. De ello nos ocupamos en el siguiente apartado.

Al margen de la conveniencia de tratar separadamente una y otra causa de impugnación, no nos parece que el supuesto que tomamos en consideración encaje, por sí mismo, ni en una ni en otra vía. A su consideración

---

7    PAZ-ARES, C., «El *enforcement* de los pactos...», *op. cit.,* pág. 41.

como acuerdo lesivo, en sentido estricto, para el interés social, habría que objetar que, si bien el pacto parasocial puede reflejar la voluntad común de los socios en un determinado momento en relación con los aspectos organizativos que en él se regulan, el interés social no es algo fijo de forma que, determinado en abstracto como elemento causal del contrato de sociedad e identificado normalmente con la obtención de ganancias, su concreción corresponde a la mayoría a través de la junta general[8] y así debe ser aceptado por la minoría. En este sentido, de forma muy gráfica se ha señalado que nada impide a la junta general revocar o adoptar un acuerdo en sentido contrario a otro acuerdo adoptado *por unanimidad* en la propia junta general[9], para lo cual no es preciso que el segundo acuerdo sea aprobado *materialmente* con las mismas mayorías con las que se adoptó el primero. Y ello no implica que el segundo acuerdo sea contrario al interés social por contradecir el primero, que podría considerarse como concreción del interés común. Por ello se ha afirmado que, en cualquier caso, de poder considerase lesivo para el interés social, éste habría de valorarse al tiempo de la adopción del acuerdo y no del pacto parasocial[10].

En nuestra opinión, en la medida en que no sea contrario al interés común que, en abstracto, constituye el elemento causal del contrato de sociedad, no consideramos que el acuerdo adoptado con infracción del pacto parasocial onmilateral pueda entenderse lesivo para el interés social. En cualquier caso, la eventual impugnación del acuerdo por esta causa requiere de unos requisitos, entre ellos, el daño a la sociedad, cuya concurrencia en este caso también es necesaria.

En este sentido, es cierto que resulta reprochable el comportamiento de quien se escuda en el ámbito societario para incumplir un contrato. Por ello, se ha afirmado que otra posibilidad de impugnación sería la de considerar que a dichos acuerdos subyace una actuación contraria a la buena fe, al deber de lealtad de los socios o a la prohibición de abuso de derecho, lo que permitiría concebirlos como infracciones de ley. Al margen de que, en última instancia, esa argumentación también sería predicable respecto

---

[8]    En una línea similar, SÁNCHEZ ÁLVAREZ, M., «Comentario a la Sentencia de 5...», *op. cit.,* pág. 1376.

[9]    PÉREZ RAMOS, C., «Problemas que plantean los...», *op. cit.,* pág. 13. También lo advierte PAZ-ARES., C., «El *enforcement* de los...», *op. cit.,* pág. 33, nota 54, para poner de manifiesto la debilidad del argumento de recurrir a la ficción de la celebración de una junta universal en el que se basó la decisión del caso *Munaka.*

[10]   HIJAS CID, E., «Pactos parasociales: ¿pueden ser eficaces vía acción de impugnación de acuerdos sociales?», *El notario del siglo XXI,* núm. 68, 3, 2016, pág. 153.

de cualquier pacto parasocial, no necesariamente omnilateral[11], tratándose el abuso de derecho o la buena fe de cláusulas generales, su apelación constituye un remedio excepcional al que sólo cabría acudir en ausencia de desamparo jurídico[12], lo que no parece que pueda sostenerse en el caso que planteamos, en la medida en que el sujeto perjudicado puede acudir a mecanismos del Derecho de los contratos para hacer valer la existencia del pacto frente a la contraparte incumplidora. Sea como fuere, se ha de advertir que la principal objeción a esta posición era la de que, atendiendo a la distinción entre acuerdos nulos y anulables anterior a la reforma de la LSC, resultaba desproporcionado que la infracción de un pacto parasocial condujera a la nulidad del acuerdo y la de los estatutos sociales a su mera anulabilidad[13].

Finalmente, otra de las posibilidades planteadas por la doctrina ha sido la de considerar que el acuerdo societario que infrinja lo acordado en un pacto parasocial vulnera los estatutos y, por tanto, puede ser impugnado, no por su consideración como lesivo del interés social o abusivo de la minoría, sino como infracción estatutaria. Ello porque se *equiparan* los pactos parasociales a los estatutos[14], al entender que, o bien son reglas interpretativas de los estatutos o bien son complemento o actualización del contrato social[15].

Pero, al igual que podría suceder respecto a la anterior interpretación que considera que el pacto parasocial representa el interés común, llevada a sus últimas consecuencias se podría concluir que, en la medida en que la voluntad social en el seno de una sociedad de capital se forma por mayorías y en tanto que la concreción del interés social corresponde a la ma-

---

[11] También lo señala, PÉREZ RAMOS, C., «Problemas que plantean…», *op. cit.*, pág. 11.

[12] Así lo ha recordado también, en el ámbito de la impugnación de acuerdos por abuso de mayorías, GINÉS CASTELLET, N., «Impugnación de acuerdos sociales y abuso de derecho: algunas reflexiones para el ordenamiento jurídico español a la luz de la experiencia francesa», *RdS*, núm. 40, 2013, pág. 288.

[13] PAZ-AREZ., C., «El *enforcement* de los…», *op. cit.*, pág. 33.

[14] Por esta interpretación se inclina PERDICES, A., en la entrada «Lecciones: validez, eficacia y oponibilidad de los pactos parasociales, en una cáscara de nuez», del día 25 de febrero de 2016, en *almacendederecho.org* (último acceso: 7 de marzo de 2017), en particular, comentario núm. 13, para quien se englobarían en lo que se denomina «pacto social».

[15] Así lo consideran, entre otros, SÁEZ LACAVE, M. I., «Los pactos parasociales de todos los socios…», *op. cit.*, pág. 24; NOVAL PATO, J. *Los pactos omnilaterales: su oponibilidad …*, *op. cit.*, pág. 125.

yoría, podría predicarse igual *equiparación* respecto de los pactos suscritos, no por todos los socios, sino por una mayoría del capital social: que son normas de organización a las que se somete la persona jurídica o que constituyen concreción del interés social. En cualquier caso, faltarían en los pactos parasociales los requisitos de forma y publicidad para concebirlos como estatutos sociales[16]. Además, a diferencia de los estatutos, que pueden ser modificados por la junta general de conformidad con el régimen de mayorías previsto para la adopción del correspondiente acuerdo, un pacto parasocial, en tanto que contrato, no puede ser modificado más que por unanimidad.

Por lo que respecta al tratamiento de la cuestión en la doctrina jurisprudencial, tras una primera etapa en la que el TS admitió la posibilidad de impugnar los acuerdos sociales contrarios a pactos parasociales omnilaterales[17], a través de la ficción de considerarlos acuerdos emanados de una junta universal [Sentencias de 26 de febrero de 1991 *(Tol 1728201)* y núm. 97/1992, de 10 de febrero *(Tol 1654698)*, del caso *Munaka*]; o de la doctrina del levantamiento del velo (STS de 24 de septiembre de 1987, en el caso *Hotel Atlantis Playa (Tol 1737589)*, no obstante lo cual la impugnación se basó en infracción estatutaria y no del pacto)[18], en su jurisprudencia más reciente [a partir de la STS núm. 1136/2008, de 10 de diciembre *(Tol 1413638)*, lo que se consolidó con la STS núm. 131/2009, de 5 de marzo *(Tol 1485178)* y con las dos SSTS de 6 de marzo de 2009, núm. 138/2009 *(Tol 1466715)* y núm. 128/2009 *(Tol 1466716)*], el TS sólo admite la impugnación de acuerdos adoptados con infracción de pactos parasociales omnilaterales si es posible subsumir el acuerdo en alguna de las causas de impugnación que contempla la normativa societaria.

Precisamente, de forma paralela a la cuestión relativa a la oponibilidad del pacto a la sociedad, surge la relativa a los límites a los que han de sujetarse los pactos parasociales, en concreto, si a los generales de todo contra-

---

16  PAZ-AREZ., C., «El *enforcement* de los...», *op. cit.*, pág. 37, nota 60, que califica esa equiparación como de «*abiertamente inadmisible*».

17  Vid., al respecto, SÁNCHEZ ÁLVAREZ, M., «Comentario a la Sentencia de 5 de marzo...», *op. cit.*, en particular, págs. 1368 a 1370 y pág. 1380. También la DGRN recurrió a la buena fe y a la prohibición del abuso de derecho para hacer oponible a la sociedad un pacto parasocial omnilateral en la Resolución del caso *Promociones Keops*, de 26 de octubre de 1989 *(Tol 5725956)*.

18  PÉREZ MILLÁN, D., «De la posible impugnación de acuerdos sociales por infracción de pactos parasociales», en AA.VV., *La junta general de las sociedades de capital. Cuestiones actuales*, Academia Matritense del Notariado, 2009, pág. 438.

to (art. 1255 CC) o a los propios de los instrumentos societarios genéricos o particulares de cada tipo societario (escritura de constitución y normas societarias de conformidad con el art. 28 LSC). Entre los partidarios de su oponibilidad a la sociedad, se destaca que los pactos parasociales no se someten a las limitaciones que derivan del art. 28 LSC (particularmente a las normas que regulan el contenido estatutario y a los principios configuradores del tipo), sino a los generales de todo contrato, esto es, según el art. 1255 CC, a la ley —entre la que no se incluyen las normas societarias, más que las que vayan dirigidas a la protección de terceros—[19], a la moral y al orden público. A este efecto, se afirma que pueden ser objeto de impugnación acuerdos societarios que no respeten pactos parasociales omnilaterales en los que, a modo de ejemplo, se haya acordado la imposibilidad de destituir a un administrador sin su consentimiento, o se considera que se puede hacer valer lo acordado *parasocialmente* si lo que se ha pactado es la unanimidad para la toma de determinadas decisiones por la junta general, contenidos todos estos que, de conformidad con la LSC, no pueden acceder a los estatutos. De ahí que no sorprenda que por parte de otro sector se haya destacado que resulta paradójico considerar, de un lado, que los pactos parasociales suscritos por todos los socios se impongan como normas de organización a las que, al igual que los estatutos, se somete la persona jurídica (lo que significa reconocerles eficacia societaria que lleva a la posibilidad de impugnar los acuerdos sociales que los contradigan), pero que por otro lado se afirme que los mismos no se sometan a las limitaciones de aquéllos, que vendrían definidas en el art. 28 LSC[20].

A este respecto, el TS ha considerado [SSTS núm. 371/2010, de 4 de junio *(Tol 1908314)* y núm. 616/2012, de 23 de octubre *(Tol 2667024)*] que los pactos parasociales no están constreñidos por los límites que a los acuerdos sociales y a los estatutos imponen las reglas societarias, sino a los límites previstos en el art. 1255 CC y de ahí parte de su utilidad, si bien esta afirmación se ha acompañado de la consideración de que los pactos parasociales onmilaterales carecen de eficacia societaria [STS núm. 1136/2008, de 10 de diciembre *(Tol 1413638)*, núm. 131/2009, de 5 de marzo *(Tol 1485178)*, y núm. 138/2009 y núm. 128/2009, de 6 de marzo *(Tol 1466715 y Tol 1466716)*]. Esto es, de conformidad con la doctrina que deriva de estas resoluciones, los pactos parasociales omnilaterales no se so-

---

[19] Así lo señala, PÉREZ MILLÁN, D., «Sobre los pactos parasociales. Comentario a la STS 1ª de 19 de diciembre de 2007, *RdS*, núm. 31, 2008, pág. 389 y 390, que recoge las distintas posturas al respecto.

[20] PÉREZ RAMOS, C., «Problemas que plantean…», *op. cit.*, pág. 12.

meten a los límites societarios, pero tampoco son oponibles a la sociedad, de ahí que su incumplimiento no constituya *per se* causa de impuganción de acuerdos sociales, sino sólo cuando el mismo es incardinable en alguna de las causas que enumera del art. 204 LSC, a la que ahora habría que añadir la nueva causa de impugnación de acuerdos por abuso de mayoría. Se ha de advertir, no obstante, que más recientemente el TS ha afirmado que los pactos parasociales suscritos por todos los socios no pueden considerarse reservados ni, por tanto, desconocidos por la sociedad, si bien respecto a unos hechos de los que se destaca que lo acordado en el contrato «*bien pudo convenirse directamente*» con la sociedad, lo cual no se hizo por motivos fiscales [STS núm. 589/2014, de 3 de noviembre *(Tol 455074)*]. De forma reciente, en su sentencia núm. 103/2016, de 25 de febrero *(Tol 5658004)*, el TS ha introducido cierta flexibilidad a la eficacia frente a la sociedad del pacto parasocial omnilateral, si bien respecto de un caso *inverso* a la hipótesis a la que nos referimos, en tanto que no se trata de impugnar un acuerdo societario contrario a un pacto parasocial omnilateral, sino de pretender impugnar por infracción de estatutos un acuerdo que es conforme a un pacto parasocial omnilateral.

## 2. *De la posible impugnación de acuerdos sociales por infracción de pactos parasociales onmilaterales tras la reforma de la LSC*

Una vez descritas de esta forma tan somera las diferentes posiciones doctrinales y jurisprudenciales en torno a la posible impugnación de acuerdos sociales adoptados en contravención de pactos parasociales onmilateriales con anterioridad a la reforma de la LSC en 2014, nos corresponde ahora reflexionar sobre hasta qué punto la modificación de la normativa sobre sociedades aporta nuevos elementos al debate suscitado y, más concretamente, sobre si la nueva configuración de causas de impugnación permite incidir directamente en él. Concretamente, la SAP de Barcelona, núm. 76/2016, de 31 de marzo *(Tol 5747059)*, suscita la duda sobre si la infracción de un pacto parasocial omnilateral con ocasión de la votación y aprobación de un acuerdo social hace que éste sea impugnable, ya no sólo por contravención al interés social, sino por abusivo, a la vista de la nueva causa de impugnación que incorpora ahora el segundo párrafo art. 204.1 LSC.

A este respecto, los —por el momento— escasos pronunciamientos jurisprudenciales sobre este particular han partido de argumentos empleados por nuestra doctrina bajo la anterior normativa, que han sido trasladados sin más al nuevo escenario de causas de impugnación. A través de esta resolución, la AP de Barcelona concluye que el acuerdo de modificación del órgano de administración contrario a un supuesto pacto parasocial verbal por el que los tres socios de una sociedad de responsabilidad limitada habían acordado que serían administradores y que, siendo así, recibirían sus *dividendos* a través de la retribución como tales, es lesivo para el interés social, siguiendo literalmente al sector doctrinal que defiende que la contravención de un pacto parasocial supone una lesión del interés social en tanto que lo pactado es expresión y reflejo de éste. En efecto, considera la AP de Barcelona que la finalidad del pacto es velar por el interés social, de forma que su contravención constituye una infracción fiduciaria ya que, en última instancia, el acuerdo contrario a un pacto parasocial siempre se adopta en beneficio de la mayoría incumplidora y en perjuicio de la minoría restante. Ello se refuerza aludiendo a la nueva causa de impugnación de acuerdos abusivos, entre otros motivos, a la vista de las dudas suscitadas sobre si realmente existía un pacto parasocial verbal entre los socios o una mera práctica de más de veinte años.

Ya hemos destacado que no nos parece que la adopción de acuerdos contrarios a pactos parasociales onmilaterales sea por sí sola contraria al interés social y, adicionalmente, tampoco consideramos que la conducta de una mayoría de socios que votan en sentido contrario a lo que han acordado con los demás en un pacto parasocial permita *per se* impugnar dicho acuerdo por abusivo al amparo de la nueva causa de impugnación, pues, como pondremos de manifiesto en el siguiente apartado, para ello es precisa la concurrencia de los requisitos a que se refiere el segundo párrafo del art. 204.1 LSC. Ello exige analizar caso por caso el comportamiento en cuestión para constatar si la actuación de la mayoría da lugar a que el acuerdo societario controvertido refleje una manifestación *desviada* de la voluntad social que es preciso corregir. En este sentido, lo determinante no es tanto que por parte de la mayoría se haya infringido el pacto parasocial, sino si dicho comportamiento es incardinable en la causa de impugnación que estudiamos. Precisamente, sin perjuicio de que en ella la AP de Barcelona concluya que el acuerdo es lesivo del interés social, en su sentencia núm. 76/2016, de 31 de marzo *(Tol 5747059)*, se emplea una argumentación similar a ésta. Así, en la citada resolución se afirma que, en cualquier caso, de no considerar que existiera un pacto parasocial verbal entre todos los socios, sino una mera práctica, el mismo sería igualmente impugnable por abusivo por no responder a una necesidad razonable de la sociedad y por adoptarse por la mayoría con la finalidad exclusiva de favorecer el interés propio, en detrimento injustificado de la minoría. Ello se circunscribe por la AP de Barcelona a la hipótesis de que no hubiera pacto parasocial porque, de existir, para la AP el acuerdo sería lesivo del interés social, como finalmente se concluye en la citada resolución. Yendo más allá, estimamos que, en realidad, ello estaría poniendo de manifiesto que de la infracción del pacto parasocial, si es que lo hubiera, no deriva, en sí misma, la abusividad del acuerdo, sino solo cuando el voto mayoritario infringiendo el pacto parasocial fuera el instrumento para materializar una conducta abusiva *en los términos* del art. 204.1 LSC.

Sentado lo anterior y aunque las limitaciones de la presente comunicación nos impidan detenernos en ello de forma exhaustiva, no nos resistimos a dejar señalado que una interpretación posiblemente conciliadora e intermedia de todas las posiciones apuntadas con anterioridad en relación con los límites de los pactos omnilaterales y con su oponibilidad a la sociedad, es la de considerar que, al menos tratándose de pactos parasociales de organización, los mismos han de poder ser oponibles a la sociedad si su contenido podría haber sido incorporado a los estatutos sociales[21] (así, podría suceder que, por motivos de ahorro de costes de otorgamiento de escritura pública e inscripción registral, los socios prefieran no incorporar tales pactos de organización a los estatutos), o si, en general, no se oponen a la aplicación del Derecho de sociedades, como derecho regulador de la persona jurídica. Esto es, si lo acordado *parasocial y omnilateralmente* no contradice el Derecho de sociedades ni impide las consecuencias en él previstas, habría que entender que el mismo es oponible a la sociedad, pudiendo ser hecho valer frente a ésta tanto contractual (lo que, no obstante, exige explicaciones adicionales en tanto que, pese a la identidad subjetiva entre las partes del pacto y las del contrato de sociedad, en rigor, la sociedad, como sujeto de derecho distinto, no es *formalmente* parte de un pacto parasocial suscrito por todos los socios) como societariamente (impugnación de acuerdos sociales en relación con la que, no obstante, aun sería necesario dar encaje al supuesto que tratamos en alguna de las causas de impugnación que contempla nuestro Derecho).

Lo anterior implica que, siendo, como ha afirmado el TS, los pactos parasociales omnilaterales convenios sujetos a los limites generales del art. 1255 CC, la oponibilidad de lo pactado a la sociedad sólo sería posible en la medida en que lo acordado en el pacto respetara los límites que el art. 28

---

21    En contra, RUIZ-CÁMARA, J. /TORREGROSA, E., «Nuevamente a vueltas con la eficacia societaria de los pactos parasociales (a propósito de las SSTS de 6 de marzo de 2009)» en *Actualidad jurídica Uría Menéndez*, núm. 24, 2009, págs. 69 y 70. En una línea similar se sitúa SÁNCHEZ ÁLVAREZ, M., «Comentario a la Sentencia de 5 de marzo...», *op. cit.*, pág. 1376.

LSC prevé en relación con la escritura de constitución y las cláusulas estatutarias, esto es, en relación con la autonomía de la voluntad en el ámbito societario. De lo contrario, si el contenido pactado excede de lo que podría convenirse estatutariamente o de lo que sería admisible bajo el Derecho de sociedades, el pacto parasocial no podría oponerse a la sociedad (ni contractual ni societariamente), quedando no obstante como un convenio entre socios con eficacia puramente obligacional sujeto a las sanciones por incumplimiento derivadas de la teoría general de los contratos. Ello con las dudas que podría generar el ejercicio de la acción de cumplimiento forzoso o la de remoción, lo que requiere un estudio más detenido, pues resulta un contrasentido negar la oponibilidad del pacto a la sociedad y admitir el cumplimiento forzoso mediante la sustitución judicial del voto del socio o la acción de remoción, lo que en última instancia *obligaría* a la sociedad a volver a celebrar una junta general en la que el socio incumplidor votara conforme a lo acordado[22]. Quizás por ello podría llegar a considerarse que, en la medida en que el pacto *obliga al socio* a comportarse de una determinada forma con ocasión de la junta general que decida sobre una concreta cuestión, pero no a la sociedad a *celebrar* una reunión de junta general, mientras el pacto no sea oponible a la sociedad, la ejecución específica no es posible, al haber tenido ya lugar la junta general en cuestión y haberse perdido por tanto la oportunidad de emitir el voto en el sentido acordado, no quedando más posibilidad que la de pretender una indemnización de daños y perjuicios[23] y/o hacer valer las cláusulas penales (art. 1152 CC) o similares pactadas para el caso de contravención. Evidentemente, si por el contrario se afirmara que la ejecución específica de lo pactado es posible por ser el acuerdo oponible a la sociedad, no resulta lógico impedir que el mismo pudiera hacerse valer societariamente.

Ello pone de manifiesto cómo, en realidad, la problemática central de lo que planteamos gira en torno a la superación la barrera de la inoponibilidad y de los efectos que de dicha superación se derivan en el ámbito contractual y en el ámbito societario. Y entendemos que ello viene determinado por la aplicación del Derecho de sociedades y conecta con los límites de la propia personalidad jurídica, que hace de la sociedad un sujeto de derecho distinto e independiente de sus socios que, en relación con los pactos parasociales que le son oponibles, ocupa sin embargo una posición

---

[22]  PAZ-ARES, C. «El *enforcement* de los pactos parasociales…», *op. cit.*, pág. 37.
[23]  PÉREZ MILLÁN, D., «De la posible impugnación de acuerdos sociales…», *op. cit.*, pág. 433.

que podríamos calificar como de *tertium genus* entre las posiciones de tercero y de parte contractual contempladas en Derecho de los contratos.

Por la doctrina que se ha mostrado más enérgicamente partidaria de la
oponibilidad de los pactos parasociales omnilaterales a la sociedad, se ha
destacado que la ruptura del principio de inoponiblidad, a su vez derivado
del principio de relatividad de los contratos[24], se basa cumulativamente en
la existencia de una identidad subjetiva y de una identidad objetiva. Se afirma así que no basta con que las partes del contrato de sociedad coincidan
con las partes del pacto omnilateral, sino que desde el punto de vista de la
identidad objetiva los resultados de la aplicación del Derecho de sociedades han de ser equivalentes o iguales a los del Derecho de los contratos[25].
A tal efecto, se reconoce además que no es posible conseguir por la vía
societaria más de lo que se puede alcanzar por la vía obligacional y que no
tiene sentido sostener la imposibilidad de satisfacción por la vía societaria
de lo que puede conseguirse posteriormente por la vía contractual. Pero,
a continuación, esta equivalencia de resultados se identifica por este sector
con la impugnación del acuerdo societario y, dando por supuesta la posibilidad de ejecución específica del pacto, se entiende por ello quebrado el
principio de relatividad objetiva.

En nuestra opinión, el empleo de similares argumentos nos ha de llevar
a una solución no exactamente coincidente con la anterior, de forma tal
que el requisito de la identidad objetiva, que también entendemos necesariamente concurrente en este ámbito, reviste un alcance y contenido distinto al atribuido por la doctrina que lo ha propuesto. De un lado, es cierto
que no puede conseguirse por la vía societaria lo que no es posible obtener
por la vía contractual. Pero desde nuestro punto de vista, ello supone que,
si el pacto no fuera oponible a la sociedad, no cabría ejecución específica
por la vía contractual, ni tampoco podría procederse a la impugnación de
acuerdos por el cauce societario. Precisamente, el hecho de que pueda
procederse a dicha ejecución específica, que afecta irremediablemente a
la sociedad, requiere que previamente el contrato le sea *oponible*, con las
consecuencias que a continuación señalamos. De no ser así, no es que el

---

[24]   De hecho, la doctrina civilista extrae del art. 1257 CC tanto la eficacia directa del
       contrato entre las partes (relatividad) como la indirecta frente a terceros que no
       pueden desconocerlo (oponibilidad). Vid., DÍEZ-PICAZO, L., «Art. 1257 CC», en
       AA.VV., *Comentario del Código Civil*, t. II, Ministerio de Justicia, Centro de Publi-
       caciones, Madrid, 1991, pág. 434; DÍEZ-PICAZO, L. / GUILLÓN, A., *Sistema de
       Derecho civil*, vol. II, Tecnos, Madrid, 2005, 9ª edición, 5ª reimpresión, pág. 86.
[25]   PAZ-ARES, C., «El *enforcement* de los pactos...», *op. cit.*, pág. 37.

pacto no pudiera hacerse valer frente a la sociedad por la vía societaria, sino que tampoco podría serlo por la vía contractual. De otro lado, el Derecho de sociedades determina qué es lo que puede *exigirse* a la sociedad *contractualmente*, de manera que no es posible exigir *a la sociedad* por la vía contractual más de lo que permite el Derecho de sociedades. Y es así cómo concebimos el requisito de la identidad objetiva, en el entendimiento de que no es el Derecho contractual el que determina hasta qué punto puede hacerse valer societariamente el pacto, sino que, a la inversa, es el Derecho de sociedades el que determina si el pacto es o no oponible a la sociedad. De esta forma, si el contenido del pacto no contradice la aplicación del Derecho de sociedades, el mismo será oponible a la sociedad (como consecuencia de la ruptura del principio de inoponibilidad fruto de la identidad subjetiva y objetiva en los términos descritos), frente a la que podrá hacerse valer tanto por la vía contractual como por la vía societaria.

Adicionalmente, hemos de destacar que, por la particular posición de la sociedad frente a sus socios que pactan *parasocialmente*, los efectos en el plano contractual de la oponibilidad del pacto parasocial difieren de cómo se viene entendiendo la oponibilidad en Derecho contractual. Ello porque, de un lado, la sociedad como un sujeto de Derecho distinto de sus socios, no es evidentemente parte del contrato pero, de otro lado, una vez que éste le es oponible (lo que, como hemos destacado, no se produce siempre que haya identidad subjetiva, pues ello depende de si el contenido de lo pactado tiene cabida en Derecho de sociedades), tampoco ocupa una posición exactamente coincidente con la de cualquier tercero ajeno al contrato, frente al que no cabría más que exigir responsabilidad extra-contractual[26]. Por ello, si bien la sociedad sería *tercero* al que el pacto le sería oponible, consecuencia de la identidad subjetiva a la que antes hemos aludido es que los efectos de la oponibilidad en este caso vayan más allá de los de la mera oponiblidad tal y como se concibe en Derecho contractual, hasta prácticamente identificarse con los de la eficacia directa del contrato, *como si fuera parte* del mismo. De ahí que, si se defiende, respecto de un pacto parasocial omnilateral que es oponible a la sociedad por no contrariar el Derecho de sociedades, que el mismo puede hacerse valer frente a ésta desde el punto de vista contractual a través de una acción de cumplimiento específico *como si fuera parte del contrato, aunque sin serlo formalmente*, ello es porque la sociedad constituye respecto de este tipo de pactos un *tertium genus* entre un sujeto que es formalmente parte del contracto (respecto

---

[26]    DÍEZ-PICAZO, L., «Art. 1257 CC», *op. cit.*, pág. 434.

del que opera la eficacia directa o relativa del contrato) y un tercero ajeno al mismo (en relación con el que se predica la oponibilidad hecha valer extracontractualmente).

Se ha de llamar la atención sobre la circunstancia de que la personalidad jurídica es un artificio que permite a las sociedades actuar en el tráfico jurídico, al implicar, al menos, el reconocimiento de capacidad de obrar y la posibilidad de ser titular de un patrimonio. Pero, en aquellos casos en los que existe coincidencia entre quienes son parte del contrato de sociedad y del pacto parasocial (identidad subjetiva) *y además* lo pactado se mueve dentro del ámbito de la autonomía de la voluntad que el propio Derecho regulador de la sociedad permite (identidad objetiva), no tiene sentido seguir manteniendo la ficción o el artificio de la persona jurídica como sujeto de Derecho autónomo y separado de sus socios que impida que lo pactado parasocialmente por todos ellos no le sea oponible[27]. Ello en la medida en que lo pactado venga amparado por el Derecho de sociedades porque, entre otros motivos, no sería admisible emplear el cauce contractual para hacer valer frente a la sociedad algo que no está permitido por el Derecho de sociedades. De hecho, podría constituir incluso fraude de ley el empleo del cauce contractual para pactar algo *con eficacia frente a la sociedad* que, a modo de ejemplo, el propio Derecho de sociedades no tolera pactar estatutariamente[28].

De esta forma, el art. 29 LSC podría interpretarse no en el sentido de que, a *sensu contrario*, todos los pactos que no sean reservados —por ser omnilaterales— son oponibles a la sociedad, sino de que lo serán sólo si, al menos los de organización suscritos por todos los socios, respetan los límites impuestos por el Derecho regulador de cada tipo societario, que en Derecho de sociedades de capital se identifican con los dispuestos en el art. 28 LSC, y en concreto, las leyes y los principios configuradores del tipo social elegido. En este sentido, no parece existir ningún inconveniente en considerar que, de no respetarse los límites que impone el Derecho de sociedades, pueda sostenerse la validez de un pacto parasocial suscrito entre las partes al amparo de su autonomía de la voluntad (art. 1255 CC), aunque en este caso sin eficacia frente a la sociedad. Esto es, sólo como un

---

[27]   En una línea similar, que no obstante matizamos conforme apuntamos en el texto, PERDICES, A., en la entrada «Lecciones: validez...», *op. cit.*, plantea que la sociedad no puede considerarse tercero cuando se trata de un pacto universal (último acceso: 7 de marzo de 2017).

[28]   Plantea el fraude de ley, PÉREZ MILLÁN, D., «Sobre los pactos parasociales...», *op. cit.*, pág. 390.

mero convenio entre los socios no oponible a la sociedad, lo que impediría su ejecución forzosa y la impugnación de lo acordado en contravención. De ahí que, en nuestra opinión, sea el propio Derecho regulador de la persona jurídica el que imponga los límites a la oponibilidad del pacto parasocial desde el punto de vista contractual y societario.

Esta posición no aparece desmentida por nuestra jurisprudencia, que en algunas resoluciones ha destacado que «*la eficacia del pacto frente a la sociedad deberá determinarse por aplicación o al menos teniendo en cuenta la normativa societaria*» [Auto núm. 17/2011, de la AP de Barcelona, de 9 de febrero *(Tol 3595051)*] y en otras ha concluido que la existencia de un pacto suscrito por todos los socios no puede impedir la aplicación del Derecho de sociedades ni que, por tanto, operen las consecuencias previstas en el mismo, cuando, a modo de ejemplo, concurren los presupuestos legales para la disolución de la sociedad [SAP de Madrid núm. 314/2013, de 12 de noviembre *(Tol 4112743)*], ni tampoco puede suponer una renuncia a los cauces societarios ni a sus consecuencias, cuando se trata de ejercitar de forma no abusiva acción social de responsabilidad contra un administrador, de donde resulta su cese automático [SAP de Navarra, núm. 261/2014, de 21 de octubre *(Tol 4806012)*]. Por lo que respecta a la posición del TS, la tesis que proponemos matiza su doctrina previa, que niega la oponibilidad frente a la sociedad de los pactos parasociales omnilaterales (lo que de conformidad con la posición intermedia que sugerimos, depende del contenido de lo pactado a la luz del Derecho de sociedades), pero realmente no contradice la doctrina de éste en la medida en que de forma reciente, en sentencia núm. 103/2016, de 25 de febrero *(Tol 5658004)*, ha introducido cierta flexibilidad a la eficacia frente a la sociedad del pacto parasocial omnilateral, como ya hemos señalado.

En cualquier caso, como ha reiterado el TS y también se desprende de la SAP de Barcelona que ha motivado la presente comunicación, en última instancia, no basta con la mera infracción del pacto entre socios, sino que es preciso que la vulneración del pacto resulte incardinable en las concretas causas que permiten fundar la impugnación de los acuerdos sociales. Siendo así, un acuerdo social que infrinja lo acordado en un pacto parasocial omnilateral *que es oponible a la sociedad* (por haberse podido incorporar su contenido a los estatutos o por no ser contrario a la aplicación del Derecho regulador de la persona jurídica), podría ser considerado como contrario a la ley y, en concreto, al art. 1257 CC, de donde se deriva el principio de eficacia relativa del contrato, junto con el que la doctrina identifica la oponibilidad o eficacia indirecta del contrato frente a terceros. Bajo la anterior regulación, uno de los motivos por los que la doctrina había descartado la infracción de ley como causa en la que fundamentar la impugnación del acuerdo era que, en tal caso, el mismo sería nulo, resultando entonces desproporcionado que la infracción de un pacto parasocial condujera a la nulidad del acuerdo y la de los estatutos sociales a su mera anulabilidad. Dichos impedimentos han desaparecido tras la reforma de la LSC de 2014, toda vez que las diferencias notables, entre otros aspectos, en materia de legitimación y plazos para el ejercicio de la acción de impugnación de acuerdos nulos y anulables han desaparecido al haberse prescindido de esta distinción.

## III. PRESUPUESTOS PARA LA IMPUGNACIÓN POR ABUSIVOS DE ACUERDOS CONTRARIOS A PACTOS PARASOCIALES OMNILATERALES

A tenor del segundo párrafo del art. 204.1 LSC, son acuerdos abusivos los que *sin responder a una necesidad razonable* de la sociedad *se adoptan* por la mayoría *en interés propio* y *en detrimento injustificado* de los demás socios. Siendo así, de los términos legales resulta entonces que no sería abusivo, a *sensu contrario*, el acuerdo que no obedezca a una necesidad razonable de la sociedad, que se adopte por la mayoría en prevalente interés propio y que cause o sea susceptible de causar un daño *justificado* a los demás socios.

Poniendo en relación la ausencia de una necesidad razonable con el detrimento injustificado de la minoría, resulta entonces que de la literalidad del segundo párrafo del art. 204.1 LSC se desprende que por parte del juzgador que conozca de la impugnación del acuerdo por abusivo se ha de efectuar un doble juicio. En primer lugar, habrá de efectuar un *juicio de necesidad*, que se identifica en el precepto con la «*ausencia de una necesidad razonable de la sociedad*». Pero, en segundo lugar, vinculado en este caso con el carácter *injustificado del detrimento*, parece que se contempla en el precepto la realización de un segundo *juicio de conveniencia*.

El primer juicio, que hemos identificado como *de necesidad*, reviste carácter previo y, por tanto, puede excluir el segundo juicio de conveniencia, pues si de él se deriva que el acuerdo responde a una *necesidad razonable de la sociedad*, ya no será preciso realizar éste. Aquél se descompone en dos fases o elementos: la existencia de una *necesidad* de la sociedad y el carácter *razonable* del *acuerdo* como respuesta a esa necesidad (pese a que literalmente parece desprenderse que lo *razonable* debería ser la necesidad y no el acuerdo en sí). Teniendo en cuenta estas matizaciones, podría afirmarse que el acuerdo abusivo *no responde razonablemente a una necesidad* de la sociedad o que no es *razonablemente necesario* para la sociedad, lo que abre paso a un segundo juicio de conveniencia. En sentido contrario, para escapar de la impugnación, el acuerdo ha de concebirse como respuesta razonable ante una necesidad de la sociedad, lo que supone, en primer lugar, concebirlo como *reacción* ante una *carencia* de la sociedad, en el sentido de *venir objetivamente justificado* en una necesidad detectada de la sociedad, cuya satisfacción es precisa para el desarrollo del objeto social, según el plan empresarial y de inversiones que han sido proyectados y, de esta forma, para la satisfacción del fin común. Es por ello que, una vez considerado que existe *una necesidad* de la sociedad, en segundo lugar, habrá que valorar si el acuerdo, como respuesta a esa necesidad, es adecuada y proporcionada (es decir, existe un control de *proporcionalidad* dentro del juicio de necesidad).

De igual forma, en relación con el *juicio de conveniencia*, es preciso realizar un doble control: un control de la *conveniencia* en sentido estricto (para verificar si el acuerdo, aun no estrictamente necesario, es al menos conveniente para el interés social) y un control de la adecuación y proporcionalidad en el contexto de dicha conveniencia. Precisamente por este motivo, si, tras constatar (en el primer control del juicio de necesidad) que existe una *necesidad*, se advierte (en el segundo control dentro del juicio de necesidad) que la medida no es razonable en términos de proporcionalidad, ya no será necesario constatar, en relación con el segundo elemento al que hemos aludido y se refiere la norma, al carácter *injustificado* del detrimento pues, si existe detrimento, su falta de justificación ya se desprenderá de la valoración efectuada en relación con la necesidad. Nótese que no será así si no se constata la existencia de necesidad, pues el requisito de que el detrimento sea justificado para mantener la validez del acuerdo requerirá de un nuevo control en atención a las circunstancias que lo motivan, que pasaría por la valoración de su conveniencia y proporcionalidad.

Ahora bien, a pesar de que de la literalidad del precepto parezca desprenderse la necesidad de efectuar ese doble juicio, dividido cada uno de ellos en dos fases, consideramos que probablemente éste no sea realmente el modo de proceder por parte del juzgador en la apreciación de esta causa de impugnación querido por el legislador. En ese sentido, quizás simplemente se buscaba acabar con la situación anterior en la que cualquier justificación, por peregrina que fuera, era suficiente para mantener la validez de un acuerdo que se tachaba de abusivo. Para ello bastaría con realizar un solo juicio que aglutinara las anteriores consideraciones mediante un único análisis de la justificación razonable o proporcionada del acuerdo, pero ello no ha sido lo que se ha reflejado en la fórmula legal.

Sea como fuere, atendiendo a la cuestión que nos ocupa, entendemos que para la aplicación de la nueva causa de impugnación prevista en el art. 204.1 LSC no es precisa la propia existencia de un pacto parasocial. Es más, concurriendo los requisitos para entender que un acuerdo es abusivo, de existir pacto parasocial, resulta indiferente si el mismo es o no oponible a la sociedad. Ello, particularmente, porque la causa de impugnación que tratamos ha sido introducida en nuestro ordenamiento como respuesta a otras situaciones distintas de la contravención de pactos omnilaterales. Y ello también a pesar de que por parte de un sector de nuestra doctrina se afirmara que, *per se*, la infracción de un pacto parasocial por medio de la adopción de un acuerdo social supone un *beneficio* para la mayoría que lo adopta y *un perjuicio* para la minoría restante. Si bien *a priori* este resultado tiene cabida en la formulación de la causa de impugnación que tratamos, lo cierto es que no basta con ello, en la medida en que el éxito de la impugnación requiere, entre otros requisitos, que ese detrimento de la minoría no esté basado ni en la *necesidad* ni en la *conveniencia* del acuerdo para el interés social y que, de encontrar su justificación en ello, resulte desproporcionado. Así, de la misma forma que, configurado como deber frente a la sociedad, el deber de fidelidad obliga a los socios a omitir comportamientos que se consideren lesivos para el interés social, trasladado hacia los consocios este deber les obliga a abstenerse de realizar comportamientos que lesionen de manera *injustificada y desproporcionada* el interés de éstos[29]. Mientras que la primera manifestación del deber de fidelidad está detrás de la impugnación de los acuerdos lesivos para el interés social, precisamente esto último es lo que subyace tras la causa que permite la impugnación de los acuerdos impuestos por la mayoría en interés propio y en detrimento *injustificado* de los demás. Por tanto, la aplicación de esta causa a la hipótesis de infracción de pactos parasociales onminalerales requerirá, como en los demás acuerdos a los que la misma sea aplicable, de la concurrencia de una serie de requisitos que, entendemos, no han de darse necesariamente por supuestos como consecuencia de la adopción de un acuerdo en contravención de un pacto parasocial.

De ahí que, incluso si hubiera pacto parasocial omnilateral y éste no fuera oponible a la sociedad, el acuerdo a través del que se cristalizara su contravención podría llegar a ser impugnable por abusivo, en la medida

---

[29]   RECALDE CASTELLS, A., «Deberes de fidelidad y exclusión del socio incumplidor en la sociedad civil (Comentario a la STS de 6 de marzo de 1992)», *La Ley*, 1993, I, pág. 308; SÁNCHEZ RUIZ, M., *Conflictos de intereses entre socios en sociedades de capital*, asociada a la *RdS*, Aranzadi, núm. 15, 2000, pág. 236.

en que concurrieran los requisitos a los que el art. 204.1 LSC liga la abusividad del acuerdo. En tal caso, la impugnación no se podría fundamentar en la infracción de un pacto, que además no es oponible a la sociedad, pero sí en la concurrencia de las circunstancias tipificadoras del abuso de mayoría, para lo cual la existencia de un pacto parasocial no resulta necesario. Es más, a la vista de la STS núm. 103/2016, de 25 de febrero *(Tol 5658004)* que, como hemos señalado, se refiere a la situación *inversa* de impugnación de acuerdos conformes a pactos parasociales, puede que la existencia del pacto omnilateral restrinja las posibilidades de impugnación del acuerdo por abusivo, en la medida en que la minoría probablemente ya no podría alegar detrimento injustificado, dado que el acuerdo sería conforme al consentimiento que en su día prestó al suscribir el pacto, e incluso podría considerase que lo abusivo es el ejercicio del derecho de impugnación.

## Bibliografía

DÍEZ-PICAZO, L. / GUILLÓN, A., *Sistema de Derecho civil*, vol. II, Tecnos, Madrid, 2005, 9ª edición, 5ª reimpresión.

DÍEZ-PICAZO, L., «Art. 1257 CC», en AA.VV., *Comentario del Código Civil*, t. II, Ministerio de Justicia, Centro de Publicaciones, Madrid, 1991, págs. 432-436.

GINÉS CASTELLET, N., «Impugnación de acuerdos sociales y abuso de derecho: algunas reflexiones para el ordenamiento jurídico español a la luz de la experiencia francesa», *RdS*, núm. 40, 2013, págs. 273-315.

HIJAS CID, E., «Pactos parasociales: ¿pueden ser eficaces vía acción de impugnación de acuerdos sociales?», *El notario del siglo XXI*, núm. 68, 3, 2016, págs. 150-153.

NOVAL PATO, J. *Los pactos omnilaterales: su oponibilidad a la sociedad. Diferencias y similitudes con los estatutos y los pactos parasociales.* Estudios de Derecho Mercantil. Thomson Reuters. 2012.

PAZ-ARES, C., «El *enforcement* de los pactos parasociales», *Actualidad Jurídica Uría & Menéndez*, núm. 5, 2003, mayo-agosto de 2003, págs. 19-43.

PERDICES, A., en la entrada «Lecciones: validez, eficacia y oponibilidad de los pactos parasociales, en una cáscara de nuez», del día 25 de febrero de 2016, en *almacendederecho.org* (último acceso: 7 de marzo de 2017).

PÉREZ MORIONES, A., «La necesaria revisión de la eficacia de los pactos parasociales omnilaterales o de todos los socios», *Estudios Deusto,* vol. 61/2, Bilbao, julio-diciembre 2013, págs. 261-296.

PÉREZ MILLÁN, D., «Sobre los pactos parasociales. Comentario a la STS 1ª de 19 de diciembre de 2007», *RdS*, núm. 31, 2008, págs. 383-396.

— «De la posible impugnación de acuerdos sociales por infracción de pactos parasociales», en AA.VV., *La junta general de las sociedades de capital. Cuestiones actuales,* Academia Matritense del Notariado, 2009, págs. 428-439.

PÉREZ RAMOS, C., «Problemas que plantean los pactos parasociales», *Actum Mercantil & Contable,* núm. 20, julio-septiembre, 2012 (versión electrónica).

RECALDE CASTELLS, A., «Deberes de fidelidad y exclusión del socio incumplidor en la sociedad civil (Comentario a la STS de 6 de marzo de 1992)», *La Ley*, 1993, I, págs. 304-316.

RUIZ-CÁMARA, J. /TORREGROSA, E., «Nuevamente a vueltas con la eficacia societaria de los pactos parasociales (a propósito de las SSTS de 6 de marzo de 2009)» en *Actualidad jurídica Uría Menéndez*, núm. 24, 2009, págs. 65-70.

SÁEZ LACAVE, M. I., «Los pactos parasociales de todos los socios en Derecho español. Una materia en manos de los jueces», *InDret*, núm. 3, 2009.

SÁNCHEZ ÁLVAREZ, M., «Comentario a la Sentencia de 5 de marzo de 2009», *CCJC*, núm. 81, 2009, págs. 1361-1380.

SÁNCHEZ RUIZ, M., *Conflictos de intereses entre socios en sociedades de capital*, Monografía asociada a la *RdS*, Aranzadi, núm. 15, 2000.

# 61. Impugnación de acuerdos y revocación o sustitución de los mismos. Buena fe e impugnación de acuerdos conformes con un pacto parasocial

**PEDRO JOSÉ VELA TORRES**

*Magistrado Sala de lo Civil Tribunal Supremo*

## I. IMPUGNACIÓN DE ACUERDOS Y REVOCACIÓN O SUSTITUCIÓN DE LOS MISMOS

### 1. Regulación legal

Aunque el primer párrafo del artículo 204.2 de la Ley de Sociedades de Capital no fue modificado por la Ley 31/2014, por lo que continua vigente la improcedencia de la impugnación de un acuerdo social cuando haya sido dejado sin efecto o sustituido válidamente por otro, sí se introdujo un importante matiz en el párrafo segundo, porque se distingue según que el nuevo acuerdo haya sido adoptado válidamente antes o después de que se hubiera interpuesto la demanda de impugnación del primer acuerdo, y se establece un diferente tratamiento procesal en función de dicha circunstancia cronológica.

Ello, como recuerda Cordón Moreno[1], sin perjuicio de que, como indica la jurisprudencia (por todas, Sentencia de la Sala Primera del Tribunal

---

[1] Cordón Moreno, F.: *«La exclusión de la impugnación de determinados acuerdos sociales y su tratamiento procesal (art. 204. 2 y 3 LSC)»*. En VVAA: «Las reformas del régimen de las sociedades de capital según la Ley 31/2014». Gómez Acebo & Pombo. 2015.

Supremo 589/2012, de 18 de octubre y las que en ella se citan), no existe un «derecho al arrepentimiento» con proyección sobre derechos adquiridos por terceros e incluso por socios a raíz del acuerdo revocado, «máxime si se tiene en cuenta que la propia evolución del mercado puede convertir en lesivos acuerdos inicialmente beneficiosos que los administradores deberían ejecutar de no ser revocados».

Esta es la razón por la que el nuevo párrafo segundo del artículo 204.2 LSC establece que lo dispuesto en dicho apartado «se entiende sin perjuicio del derecho del que impugne a instar la eliminación de los efectos o la reparación de los daños que el acuerdo le hubiera ocasionado mientras estuvo en vigor».

### 2. Acuerdo posterior adoptado antes del inicio del proceso de impugnación

En este caso, la impugnación «no será procedente». Tras esta declaración de improcedencia, nada dice la Ley sobre el mecanismo procesal para hacer tal pronunciamiento.

Por un lado, no parece lógico que pueda ser una causa inicial de inadmisión de la demanda (art. 404.2 LEC), salvo en el más que improbable caso de que el demandante ya reconociera en su demanda que había un acuerdo posterior. De lo contrario, el órgano judicial no tendrá conocimiento de la existencia del acuerdo ulterior y tendrá que admitir la demanda si la misma no incurre en ninguno de los supuestos legales de inadmisión previstos en la Ley (art. 403 LEC), que además, son de interpretación restrictiva, puesto que como ha dicho el Tribunal Constitucional (por ejemplo, sentencias 39/1999, de 22 de marzo, y 11/2005, de 31 de enero), los supuestos expresos de inadmisión deben interpretarse a la luz del derecho fundamental a la tutela judicial efectiva del artículo 24 de la Constitución y del principio general de la subsanabilidad de los defectos procesales.

En consecuencia, lo más razonable es que sea la parte demandada quien ponga de manifiesto este hecho, bien mediante recurso contra el decreto de admisión de la demanda, bien en su contestación a la demanda, o a través de la alegación en la audiencia previa, dados los amplios términos de regulación de este trámite procesal. Incluso podría suscitarse un pronunciamiento de carencia sobrevenida de objeto a tenor de lo previsto en el art. 22 LEC, aunque lo cierto es que tiene el inconveniente de que la causa invocada es anterior a la demanda y no posterior, por lo que lo parece más adecuado acudir a las otras vías.

En cualquiera de las modalidades expuestas, habrá de alegarse la existencia del nuevo acuerdo adoptado con anterioridad a la interposición de la demanda, y en todos ellos la consecuencia habrá de ser la misma: el juez acordará la conclusión del proceso por extinción de su objeto.

Debemos tener presente que, en puridad de conceptos, en el caso tratado nos encontraríamos en un supuesto de falta de acción y la jurisprudencia ha reconocido que, aun siendo la legitimación una cuestión de fondo, es posible su tratamiento procesal y preliminar en los casos en que la norma exija determinadas condiciones para el ejercicio de la acción, cuyo análisis puede realizarse previamente al examen de la cuestión de fondo (por ejemplo, SSTS 764/2012, de 12 de diciembre; 78/2013, de 26 de febrero; o 193/2017, de 16 de marzo). Lo que podría ser aplicable al supuesto que ahora nos ocupa.

### 3. Acuerdo posterior adoptado, estando pendiente el proceso de impugnación

Según el precepto comentado, cuando la revocación o sustitución hubiere tenido lugar después de la interposición de la demanda, «el juez dictará auto de terminación del procedimiento por desaparición sobrevenida del objeto».

Esta nueva previsión legal se contrapone al anterior criterio de la jurisprudencia del Tribunal Supremo, que no daba lugar a la terminación del proceso por la adopción de un acuerdo posterior, en aplicación del principio *ut lite pendente nihil innovetur*, conforme al cual carecen de eficacia las innovaciones introducidas después de iniciado el juicio en el estado de los hechos, de las personas o de las cosas que hubieren dado origen a la demanda (sentencias 13/1993, de 26 de enero; 844/1998, de 20 de octubre; 533/2002, de 21 de mayo; y 32/2006, de 23 de enero). Si bien es cierto que esta jurisprudencia había sido matizada por las sentencias 914/2008, de 3 de octubre; 760/2011, de 4 de noviembre; y 589/2012, de 18 de octubre.

La nueva previsión legal es acorde con la posibilidad de subsanación, cuando sea posible, que ya estaba prevista en el art. 115.3-2 de la Ley de Sociedades Anónimas y que sigue manteniendo el actual artículo 207.2 de la Ley de Sociedades de Capital.

La LSC considera el supuesto de la subsanación diferente al de la sustitución del acuerdo impugnado por otro (art. 204.2). En efecto, se trata de supuestos diferentes, porque la subsanación no supone necesariamente la desaparición del acto impugnado, sino de la causa de impugnación;

aunque el efecto será el mismo: subsanada la causa de impugnación (por ejemplo, un requisito de forma), el proceso termina[2].

En todo caso, como observa Cordón[3], habrá que tener presente que la jurisprudencia constitucional exige que para que la decisión judicial de cierre del proceso por pérdida sobrevenida del objeto resulte respetuosa con el derecho fundamental a la tutela judicial efectiva, es necesario que la pérdida del interés legítimo sea completa (verbigracia, STC 102/2009, de 27 abril).

## II. IMPUGNACIÓN DE ACUERDOS Y PACTOS PARASOCIALES. RESEÑA DE LA STS 103/2016, DE 25 DE FEBRERO[4]

Como escribe Paz Ares, la expresión «pactos parasociales» fue acuñada doctrinalmente para designar los convenios celebrados entre algunos o todos los socios de una sociedad anónima o limitada con el fin de completar, concretar o modificar, en sus relaciones internas, las reglas legales y estatutarias que la rigen[5].

Las sentencias de la Sala 1ª del Tribunal Supremo 128/2009 y 138/2009, ambas de 6 de marzo, definieron los pactos parasociales como aquellos pactos mediante los cuales los socios pretenden regular, con la fuerza del vínculo obligatorio, aspectos de la relación jurídica societaria sin utilizar los cauces específicamente previstos para ello en la ley y los estatutos.

La sentencia 589/2014, de 3 noviembre, los definía como los acuerdos celebrados por los socios que no son recogidos en los estatutos, destinados a regular cuestiones relacionadas con el funcionamiento u operativa de la sociedad, tales como pactos de sindicación de voto, de recompra de las participaciones, criterios para el nombramiento de administradores, etc.,

---

[2]     CORDÓN MORENO: *Ob. cit.*
[3]     CORDÓN MORENO: *Ob. cit.*
[4]     Lo expuesto a continuación toma, como referencia fundamental, la conferencia pronunciada por D. Rafael Sarazá Jimena en el Colegio de Abogados de Córdoba el 2 de diciembre de 2016, sin publicar, y cuyo texto me ha facilitado amablemente su autor. Como es lógico, las imprecisiones o incorrecciones que pueda haber, únicamente son achacables a mi reelaboración.
[5]     PAZ-ARES, C.: *«El enforcement de los pactos parasociales»*. http://www.uria.com/documentos/publicaciones/1052/documento/03Candido.pdf.

generalmente acompañados de cláusulas indemnizatorias en caso de incumplimiento, y de uso frecuente en los llamados «Protocolos familiares».

El art. 6 de la Ley de Sociedades Anónimas de 17 de julio de 1951 consideraba nulos este tipo de pactos. Sin embargo, este régimen legal cambió con el Texto Refundido de la Ley de Sociedades Anónimas aprobado por el Real Decreto Legislativo 1564/1989, de 22 de diciembre, y con la Ley 2/1995, de 23 de marzo, de Sociedades de 21 Responsabilidad Limitada que, al igual que hace el actual Texto Refundido de la Ley de Sociedades de Capital TRLSC, en adelante LSC), no prevé su nulidad, sino su inoponibilidad a la sociedad (art. 29).

La jurisprudencia ha reconocido con carácter general la validez de tales pactos. Así, la sentencia 616/2012, de 23 de octubre, afirma que estos pactos, en lo referente a su validez, «no están constreñidos por los límites que a los acuerdos sociales y a los estatutos imponen las reglas societarias —de ahí gran parte de su utilidad— sino a los límites previstos en el artículo 1255 del Código Civil».

No obstante, el problema que se plantea con más frecuencia ante los tribunales no es el de su validez, sino el de su eficacia. El conflicto surge por la existencia de dos regulaciones contradictorias: (i) la contenida en los estatutos o en la regulación legal supletoria; y (ii) la establecida en los pactos parasociales, no incorporada a los estatutos. Las cuales son válidas y eficaces en sus respectivos planos. A su vez, cuando el pacto parasocial ha sido adoptado por todos los socios (los llamados «pactos omnilaterales»), la problemática derivada de su incumplimiento resulta todavía más acentuada.

Generalmente, en los casos resueltos por la jurisprudencia se impugna un acuerdo social por ser contrario a lo establecido en un pacto parasocial.

En los casos más recientes, la impugnación fue desestimada. Las sentencias 1136/2008, de 10 de diciembre, 128/2009, de 6 de marzo, 131/2009, de 5 de marzo, y 138/2009, de 6 de marzo, declararon que en el régimen del art. 115 TRLSA la mera infracción de un convenio parasocial no bastaba, por sí sola, para la anulación de un acuerdo social. Para estimar la impugnación del acuerdo social, era preciso justificar que infringía, además del pacto parasocial, la ley o los estatutos, o que el acuerdo lesionaba, en beneficio de uno o varios socios o de terceros, el interés social. Otro tanto cabría decir con la actual redacción del art. 204.1 TRLSC.

No obstante, había alguna excepción. Por ejemplo, la sentencia de 24 de septiembre de 1987 (ROJ: STS 5822/1987 - ECLI:ES:TS:1987:5822), tuvo en cuenta las particularidades que presentaba el caso enjuiciado para aplicar alguna de las cláusulas generales que sirven para evitar que la mera aplicación de ciertas reglas concretas del ordenamiento pueda llevar a un resultado que repugne al más elemental sentido jurídico, tales como la buena fe, en sus distintas manifestaciones (actos propios, levantamiento del velo) y el ejercicio antisocial del derecho. Otras, como la sentencia de 26 de febrero de 1991 (ROJ: STS 13109/1991 - ECLI: ES: TS: 1991:13109) y la sentencia 97/1992, de 10 de febrero, además de utilizar alguno de los argumentos relativos a la buena fe y el abuso del derecho, consideraron el pacto parasocial adoptado por todos los socios como una especie de acuerdo adoptado en una junta universal.

A diferencia de los casos anteriores, el supuesto que fue objeto de la sentencia 103/2016, de 25 de febrero, aquí reseñada, no fue la impugnación de un acuerdo social por ser contrario a un pacto parasocial, sino que se trató del caso inverso: en la adopción de los acuerdos sociales se dio cumplimiento al acuerdo parasocial omnilateral, pero no se dio cumplimiento a lo previsto en los estatutos sociales.

El caso, resumidamente, era el siguiente: En una sociedad anónima y en una sociedad limitada de carácter familiar, los dos hijos eran titulares de acciones y participaciones, respectivamente, que suponían casi la mitad del capital social para cada uno de ellos. El padre, titular del resto del capital social (y que por tanto tenía un papel dirimente en los posibles conflictos entre sus hijos) vendió a sus hijos la nuda propiedad de las acciones y participaciones, por partes iguales (en la sociedad anónima, al ser impar el número de sus acciones, un hijo recibía un acción más que el otro). El contrato de compraventa contenía el siguiente pacto:

«El Sr. Mariano como transmitente de la nuda propiedad de las acciones descritas se reserva el derecho de usufructo vitalicio de las mismas y tendrá todos los derechos inherentes a la condición de socio, especialmente derecho al voto, derecho a beneficios y los demás reconocidos por la Ley».

Los estatutos de la sociedad anónima no contenían ninguna previsión sobre atribución del ejercicio de los derechos políticos al usufructuario de las acciones en lugar de al nudo propietario. Los estatutos de la sociedad limitada contenían una cláusula que disponía justamente lo contrario de lo acordado en el contrato de compraventa, pues se preveía: «En caso de usufructo de participaciones, la cualidad de socio reside en el nudo propietario, pero el usufructuario tendrá derecho en todo caso a los dividendos acordados por la Sociedad durante el usufructo».

Los estatutos no fueron modificados, por lo que el pacto concertado entre los tres (padre e hijos) sobre el ejercicio del derecho de voto por el usufructuario no se llevó a los estatutos de la sociedad (de ahí que fuera un pacto parasocial y no estatutario). Por tanto, en el caso de la sociedad anónima, los estatutos no contenían previsión alguna al respecto y sería aplicable el entonces vigente art. 67.1 TRLSA (actualmente, art. 127.1 TRLSC), conforme al cual, en estos casos de ausencia de previsión estatutaria, el ejercicio del derecho de voto corresponde al nudo propietario. Y en el caso de la sociedad limitada, los propios estatutos recogían el criterio legal establecido en el 36 LSRL y atribuían los derechos del socio, entre ellos el de asistencia a la junta y voto, al nudo propietario.

Pasados unos años, surgió un enfrentamiento entre los dos hijos sobre la gestión de las sociedades. Se celebraron las juntas generales de las dos sociedades en las que el padre votó, haciendo uso de lo previsto en el pacto parasocial, alineándose con uno de los hijos frente al otro. El hijo que quedó en minoría interpuso demanda contra las sociedades en la que impugnó los acuerdos adoptados en las juntas generales de una y otra, por haberse adoptado gracias al voto favorable del usufructuario. No cuestionó la validez y eficacia de tales pactos parasociales, en los que fueron parte todos los que entonces y en el momento de la demanda detentaban la propiedad, plena o nuda, de las acciones y participaciones sociales, y el usufructo sobre parte de ellas. Pero impugnó los acuerdos sociales que se adoptaron dando cumplimiento a tales pactos porque estos pactos no se traspusieron a los estatutos sociales.

Según el demandante, se vulneraron el artículo 67 TRLSA y el artículo 36 LSRL, aplicables por razón de la fecha en que se adoptaron los acuerdos (actual art. 127.1 TRLSC), conforme a los cuales, en caso de usufructo de las acciones o de las participaciones sociales, y salvo disposición contraria de los estatutos, el ejercicio del derecho de voto corresponde al nudo propietario.

La Audiencia Provincial había desestimado la demanda al considerar que el demandante ejercitó la acción de impugnación de forma contraria a las exigencias de la buena fe (arts. 7 del Código Civil, 11 de la Ley Orgánica del Poder Judicial y 247 de la Ley de Enjuiciamiento Civil) e incurrió en abuso de derecho (artículo 7.2 del Código Civil). Afirmó que las cláusulas de los contratos están destinadas a producir efectos, no a crear apariencias falsas o situaciones absurdas. La Audiencia rechazó, por contrariar la economía procesal y las exigencias de eficacia, la solución propuesta por el demandante, según la cual, terminado el juicio con la anulación de los acuerdos por haber hecho uso del derecho de voto el usufructuario y no los nudos propietarios, debía acudirse a un nuevo juicio en que se impusiera al demandante el deber de respetar el derecho de voto del usufructuario, de modo que la eficacia del pacto parasocial se vehiculara a través de una reclamación entre los contratantes basada en la vinculación negocial existente entre los firmantes del pacto, pues este no tendría efectos frente a la sociedad ni, por tanto, en un litigio de naturaleza societaria como es el de impugnación de acuerdos sociales.

El recurso de casación interpuesto por el socio que quedó en minoría fue desestimado. El demandante, como el resto de las personas que como propietarios, plenos o nudos, y como usufructuarios ostentaban derechos sobre las acciones y participaciones de una y otra sociedad, fue parte en los contratos en los que obtuvo un beneficio, la transmisión de la nuda propiedad de determinadas acciones y participaciones sociales que hasta ese momento eran propiedad de su padre, a cambio de una contraprestación, el pago del precio, y fijando ciertas condiciones relativas a la relación jurídico-societaria: mientras su padre viviera, el demandante solo ostentaría la nuda propiedad y su padre ostentaría el usufructo, con la particularidad de que este se reservaba el derecho de voto. Tal previsión se revelaba de especial interés puesto que como consecuencia de la transmisión, los dos hijos resultaban titulares de la mitad de las acciones y de las participaciones sociales de una y otra sociedad, por lo que el derecho de voto reservado al padre sobre las acciones y participaciones cuya nuda propiedad transmitía le permitiría solucionar situaciones de bloqueo como la que efectivamente se produjo.

En esas circunstancias, el Tribunal Supremo entendió que la impugnación formulada por el demandante era efectivamente contraria a la buena fe (art. 7.1 del Código Civil) y, como tal, no podía ser estimada. La conducta del socio que ha prestado su consentimiento en unos negocios jurídicos, de los que resultó una determinada distribución de las acciones y participaciones sociales, en los que obtuvo ventajas (la adquisición de la nuda propiedad de determinadas acciones y participaciones sociales) y en los que se acordó un determinado régimen para los derechos de voto asociados a esas acciones y participaciones (atribución al usufructuario de las acciones y participaciones sociales transmitidas), infringía las exigencias derivadas de la buena fe cuando impugnaba los acuerdos sociales aprobados en la junta en que se hizo uso de esos derechos de voto conforme a lo convenido.

Quienes, junto con el demandante, fueron parte este pacto parasocial omnilateral y constituían el único sustrato personal de las sociedades, podían confiar legítimamente en que la conducta del demandante se ajustara a la reglamentación establecida en el pacto parasocial.

Podría cuestionarse que quien impugna un acuerdo social, alegando contrariedad a los estatutos, y con ello vulnera el pacto parasocial en que fue parte, no actúa contra la buena fe, sino que simplemente infringe la obligación contractual contraída[6]. El Tribunal Supremo entendió que, al existir una duplicidad de planos (el estatutario y el contractual), no podía resolverse la cuestión exclusivamente desde uno de ellos, declarando que se ha infringido el contrato, puesto que ha de darse respuesta al conflicto planteado en el plano orgánico societario, y es ahí donde la infracción de la obligación derivada del pacto parasocial puede articularse a través de la infracción de la buena fe. Es importante la distinción entre los supuestos en que el acuerdo adoptado por la sociedad es conforme a los estatutos y un socio solicita que se anule el acuerdo por infringir el pacto parasocial, y los supuestos en que, como el que fue objeto de esta sentencia, la junta de socios dio cumplimiento al pacto parasocial adoptado por todos los socios y uno de ellos accionaba frente a la sociedad por infracción de los estatutos.

En el primero de los supuestos, el Tribunal Supremo ha declarado que es preciso que el supuesto pueda encuadrarse en alguno de los supuestos previstos en el actual art. 204 TRLSC (que los acuerdos sociales sean contrarios a la Ley, se opongan a los estatutos o al reglamento de la junta de la sociedad o lesionen el interés social en beneficio de uno o varios socios o de terceros), porque la simple contrariedad del acuerdo al pacto parasocial no puede ser opuesta frente a la sociedad. El problema que quedaría por resolver es hasta qué punto, en los casos en que se impugna el acuerdo adoptado por la junta de socios o el consejo de administración desconociendo lo estipulado en el pacto parasocial adoptado por todos los socios, el «interés social» puede jugar para obtener la anulación del acuerdo, o, incluso, hasta qué punto podría jugar la buena fe o el abuso de derecho, que por naturaleza exige la concurrencia de circunstancias excepcionales.

En el otro supuesto (acuerdo social que da cumplimiento al pacto parasocial pero es contrario a la regulación estatutaria), ha de tomarse en consideración que la previsión del art. 29 TRLSC («[l]os pactos que se mantengan reservados entre los socios no serán oponibles a la sociedad») es una norma de defensa de la sociedad, de modo que si esta actúa de un modo distinto al estipulado en el pacto parasocial, este pacto no puede oponerse a la sociedad. Pero si la sociedad actúa conforme al pacto para-

---

[6]     PERDICES, A.: *«Pactos parasociales omnilaterales y los grandes expresos europeos».* http://almacendederecho.org/pactos-parasociales-omnilaterales-y-los-grandes-expresos-europeos/

social adoptado por todos los socios, el precepto no puede ser utilizado en perjuicio de la sociedad y en beneficio del socio que pretende incumplir el pacto que suscribió.

## Bibliografía

ALONSO LEDESMA, C.: «Pactos parasociales». En *Diccionario de Derecho de Sociedades*. Madrid. 2006.

CARDENAL URDAMPILLETA, J: «La eficacia de los pactos privados de socios». *Revista El Derecho*, 8 de noviembre de 2010.

CORDÓN MORENO, F.: «La exclusión de la impugnación de determinados acuerdos sociales y su tratamiento procesal (art. 204. 2 y 3 LSC)». En VVAA: *Las reformas del régimen de las sociedades de capital según la Ley 31/2014*. Gómez Acebo & Pombo. 2015.

PAZ-ARES, C: «El enforcement de los pactos parasociales», *Actualidad Jurídica Uría & Menéndez*, 5/2003, págs. 19 y ss.

PÉREZ MILLÁN, D.: «De la posible impugnación de acuerdos sociales por infracción de pactos parasociales». *UCM*. 2009.

QUIJANO GONZÁLEZ, J: «La reforma del régimen de impugnación de los acuerdos sociales: aproximación a las principales novedades». En *Estudios sobre el futuro Código Mercantil. Libro Homenaje al Profesor Rafael Illescas Ortiz*. Madrid. 2015.

RUIZ CÁMARA, J. y TORREGROSA, E.: «A vueltas con la eficacia del pacto parasocial». *Actualidad Jurídica Uría-Menéndez* 24/2009.

# 62. La vulneración del derecho de información del socio como causa de impugnación de los acuerdos sociales. El derecho de información del accionista y sus límites

**VIRGINIA VEGA CLEMENTE**
*Doctora en Derecho. Abogada*

**MARCIAL HERRERO JIMÉNEZ**
*Doctor en Derecho. Abogado*
*Profesor Asociado de Derecho Mercantil de la Universidad De Extremadura*

**Sumario:** I. INTRODUCCIÓN. II. EL DERECHO DE INFORMACIÓN DEL SOCIO. 1. Configuración del derecho de información del socio. 2. Obligaciones de los administradores ante la solicitud de información por el socio. 3. Limitaciones al derecho de información. III. LA VULNERACIÓN DEL DERECHO DE INFORMACIÓN DEL SOCIO COMO CAUSA DE IMPUGNACIÓN DE LOS ACUERDOS SOCIALES. IV. CONCLUSIÓN. Bibliografía.

## I. INTRODUCCIÓN

El derecho de información de los socios de una sociedad mercantil aparece reconocido, de forma genérica, en el artículo 93, apartado d), del Real Decreto Legislativo 1/2010, de 2 de julio, por el que se aprueba el texto refundido de la *Ley* de *Sociedades de Capital*.

El socio tiene derecho, en los términos legalmente establecidos, a recibir información sobre la marcha de los asuntos de la sociedad y los principales acontecimientos sociales. Es un derecho de naturaleza pública, pero de naturaleza individual, que corresponde a cada socio, por el mero hecho de serlo, y que puede ser ejercitado por cada socio, independientemente de la participación que ostente en el capital social.

Se considera un derecho básico para formar la voluntad del socio a la hora de poder emitir un voto razonado en los asuntos debatidos y que se someten a decisión en las juntas generales, aunque tampoco podemos concebir este derecho como un derecho limitado, exclusivamente, a la información relativa a los asuntos tratados en la junta general. No obstante, es precisamente en el desarrollo de la junta general, como órgano máximo soberano de la sociedad mercantil, donde adquiere, este derecho, una especial trascendencia, a través del derecho del voto del socio, que determinará la voluntad social.

La importancia y trascendencia de este derecho determina que la vulneración del mismo sea causa de impugnación de los acuerdos adoptados en junta general, cuando se haya celebrado la misma sin respeto del derecho de información del socio, ejercitado en tiempo y forma, y conforme a los requisitos establecidos en la ley.

Por ello, resulta interesante analizar, en primer lugar, la naturaleza y extensión de este derecho de información, para, a continuación, estudiar la vulneración del mismo como causa de impugnación de los acuerdos sociales, examinando la jurisprudencia de nuestros tribunales, en esta materia.

## II. EL DERECHO DE INFORMACIÓN DEL SOCIO

### 1. *Configuración del derecho de información del socio*

La Ley de Sociedades de Capital reconoce el derecho de todo accionista a recibir información sobre la marcha de los asuntos sociales y sobre los principales acontecimientos relativos a la sociedad. Este derecho de información es un derecho de carácter individual que puede ejercer cada socio sin necesidad de ejercitarlo de forma colectiva o conjuntamente con otros socios.

El derecho de información del socio aparece recogido, principalmente, en el artículo 197 de la Ley de Sociedades de Capital[1], como uno de los derechos básicos del accionista, que resulta indispensable para que los accionistas puedan estar debidamente informados acerca de todos los asuntos que serán tratados en la sesión de junta general para poder opinar con conocimiento de causa y, de ser el caso, emitir un voto consciente.

El derecho de información del accionista es un derecho esencial, irrenunciable e inderogable, ya que no puede ser renunciado por el socio (su renuncia sería considerada nula de pleno derecho), y tampoco pueden los estatutos sociales mermar la extensión del mismo, debiendo respetar,

---

[1]    Real Decreto Legislativo 1/2010, de 2 de julio, por el que se aprueba el texto refundido de la Ley de Sociedades de Capital.

en todo caso, los requisitos mínimos fijados por la ley. Su carácter de derecho consustancial e irrevocable aparece reconocido por la jurisprudencia, y así lo declara, entre otras, la Sentencia de la Sala Primera del Tribunal Supremo de 3 de mayo de 1956, o la más reciente de la Sala 1ª del Tribunal Supremo núm. 652/2011 de 5 octubre.

El derecho de información se configura como un derecho que asiste a cada accionista integrante de la sociedad mercantil, con independencia del porcentaje de participación que ostente dentro de la sociedad. Y tal derecho le asiste para conocer los asuntos comprendidos en el orden del día de la Junta General, con carácter previo a su celebración, y también durante la celebración de la misma. También le permite exigir información específica sobre determinadas informaciones documentales preparatorias de la Junta General como podrían ser los documentos contables preparados por los administradores sociales, o el informe de los auditores de cuentas (DGRN, Resolución 19 de agosto de 1993).

El derecho de información del socio reconocido en la Ley de Sociedades de Capital no puede ser restringido o limitado por los estatutos sociales ni por normas de régimen interno[2], dado que dicha regulación legal tiene carácter imperativo. Los estatutos deben respetar la configuración legal de dicho derecho como un mínimo a respetar que no podrán restringir. Sí podrán contener una regulación de dicho derecho más favorable para el socio, pero nunca restringir sus derechos[3]. Asimismo, podrán regular la forma de ejercicio del derecho para que el socio conozca los cauces a través de los que puede formular la solicitud de información, siempre respetando la configuración y la extensión legal del derecho.

Los artículos de la Ley de Sociedades de Capital que regulan el derecho de información (artículos 197 y 520, principalmente), han sido modificados *por el apartado cuatro del artículo único de la Ley 31/2014, de 3 de diciembre, por la que se modifica la Ley de Sociedades de Capital para la mejora del gobierno*

---

[2]    Como pudiera ser el reglamento de la junta general.

[3]    Sentencia del Tribunal Supremo, Sala Primera, de lo Civil, Sentencia 608/2014 de 12 Nov. 2014, Rec. 664/2013: «*3.- No es admisible que los estatutos sociales restrinjan el ámbito legalmente reconocido al derecho de información del socio. Tal restricción se produce cuando se prevén causas de denegación de la información que van más allá de las que resultan de la regulación legal del derecho, o cuando se otorga a los administradores o al presidente de la junta una excesiva discrecionalidad para denegar la información solicitada por el socio, mediante la inclusión en los estatutos de cláusulas generales muy amplias para definir los supuestos de rechazo de una solicitud de información*».

*corporativo*[4], *que señala en su Exposición de Motivos que un* aspecto fundamental para el buen funcionamiento de las empresas y para el adecuado equilibrio entre sus órganos de gobierno es la regulación del derecho de información de los accionistas, no obstante se considera conveniente diferenciar entre las consecuencias jurídicas de las distintas modalidades de este derecho, así como modular su ejercicio atendiendo al marco de la buena fe[5].

Como señala Broseta[6], el derecho de información se concede por la Ley con el fin de que los accionistas puedan emitir convenientemente su voto sobre los asuntos mencionados en la convocatoria de la Junta General. Y este derecho tiene dos vertientes, una con carácter previo a la Junta General, y otra durante la celebración de ésta.

a.- Con carácter previo a la celebración de la Junta General, los accionistas podrán solicitar por escrito las informaciones y aclaraciones que estimen preciso acerca de los asuntos comprendidos en el orden del día de la Junta General. También podrán formular por escrito las preguntas que estimen pertinentes, en relación, también, a los puntos consignados en el orden del día. Esta petición de información podrá hacerse hasta el séptimo día anterior a la celebración de la Junta General.

En el caso de las sociedades anónimas cotizadas este derecho de información se puede ejercer presentando la solicitud de información por escrito hasta el quinto día anterior al previsto para la celebración de la junta. En este tipo de sociedades, el accionista también podrá solicitar las aclaraciones que estime precisas acerca de la información accesible al público que la sociedad hubiera facilitado a la Comisión Nacional del Mercado de Valores desde la celebración de la última junta general y acerca del informe del auditor.

b.- Durante la celebración de la Junta General, cualquier socio, de forma verbal, puede solicitar idéntica información, esto es, puede solicitar las informaciones o aclaraciones que considere convenientes acerca de los asuntos que conforman el orden del día de la junta. En la sociedad anónima cotizada también se podrá solicitar aclaraciones sobre la información facilitada a la Comisión Nacional del Mercado de Valores desde la última junta general y que sea accesible al público, así como sobre el informe del

---

4    *«BOE» 4 diciembre de 2014.*
5    Además, y para el caso de las sociedades cotizadas, se extiende el plazo en el que los accionistas pueden ejercitar el derecho de información previo a la junta general hasta cinco días antes de su celebración.
6    BROSETA PONT, M., *Manual de Derecho Mercantil.* Madrid, Tecnos. 13ª ed. 2014.

auditor. Se incluirán, en la página web de la sociedad, las solicitudes de informaciones, aclaraciones y preguntas realizadas por escrito en tiempo y forma.

## 2. Obligaciones de los administradores ante la solicitud de información por el socio

Ante la solicitud efectuada por el accionista, los administradores deben responder entregando la información requerida, aunque debemos diferenciar los siguientes supuestos:

a.- Cuando se ha solicitado la información con la antelación de siete días a la celebración de la junta. En este supuesto los informes o aclaraciones deberán ser proporcionados por los administradores al socio que la solicitó hasta el día de celebración de la junta.

En las sociedades anónimas cotizadas los administradores podrán remitirse a la información que aparezca disponible en la página web, si coincide con la información solicitada, y ésta se encuentra disponible en dicha página web de forma clara, expresa y directa para todos los accionistas. También se incluirán en la página web de la sociedad todas las contestaciones facilitadas por escrito por los administradores.

b.- Cuando se ha solicitado la información durante la celebración de la junta. En este caso también los administradores están obligados a proporcionar dicha información al socio, pero en forma distinta al supuesto anterior, ya que deberán entregarla en el mismo momento, si disponen de ella, pero si no pudieran entregar dicha información en ese momento, deberán entregársela al socio solicitante en el plazo de siete días desde la terminación de la junta.

Los administradores deben proporcionar al socio que solicitó la información de forma suficiente para que pueda examinar directamente y de forma suficiente los documentos proporcionados, en forma oral o escrito, de acuerdo con el momento y la naturaleza de la información solicitada[7].

---

[7]     Consideramos interesante citar la Sentencia del Tribunal Supremo de 13 de octubre de 1962 (RJ 1962, 3661), donde se considera incumplida la obligación de los administradores, por no permitir el examen de dicha documentación con el tiempo suficiente: «...*Habida cuenta que la sentencia impugnada asienta como hecho cierto que las seis horas de antelación con que fueron facilitados los informes y aclaraciones solicitadas, son insuficientes para su examen, dada la complejidad de la materia y su exten-*

### 3. Limitaciones al derecho de información

No podemos concebir el derecho de información del socio como un derecho absoluto e ilimitado, sino que el mismo ha de ser ponderado y limitado teniendo en cuenta el interés de la sociedad, pudiendo ser, bajo ciertas condiciones, puede ser denegada la información solicitada. El derecho de información, como todo derecho, está sujeto al límite genérico o inmanente de su ejercicio de forma no abusiva objetiva y subjetivamente. Y por ello, la obligación de transparencia que incumbe a los administradores sólo estará limitada cuando concurran los requisitos legales que restringen dicho derecho de información.

1°.- En primer lugar, hemos de fijar cómo límite del derecho de información la conexión de dicha solicitud con el propio orden del día. Esto es, si el derecho de información se configura como el derecho a solicitar información sobre los asuntos que conforman el orden del día de la junta general convocada, es palmario que la solicitud de información ha de circunscribirse a dicha materia, y podrá, por lo tanto, ser denegada si excede el ámbito de los asuntos que deban debatirse en la junta general, según el orden del día que aparece en la convocatoria.

En cuanto a los documentos que podría solicitar el socio, el texto legal tiene una redacción genérica (*«los informes o aclaraciones que estimen precisos»*) que necesitará ser interpretada en cada caso concreto.

Así, por ejemplo, en el caso de que se haya de tratar en la junta general ordinaria la aprobación de las cuentas anuales, es obvio que ha de proporcionarse a los socios las cuentas anuales, el informe de gestión (y, en su caso, de los auditores de cuentas) y la propuesta de aplicación del resultado[8]; sin embargo, pudiera resultar que dicha información fuese insuficiente para que el socio pudiera tener un conocimiento completo y correcto del devenir social que le permitiese decidir el sentido de su voto y necesitase información complementaria. Por ello, entendemos que el derecho de información del socio, ejercido por escrito y con antelación a la celebración de la junta, en los plazos previstos en la ley, no queda limitado

---

*sión, es indudable que no se cumplió el precepto legal, puesto que si bien no señala plazo para exhibir los datos y antecedentes y hasta autoriza para verificarlo verbalmente, claramente se comprende que la información habrá de verificarse en forma y con tiempo suficiente para ser estudiada y comprobada en relación al volumen e importancia de los puntos oscuros, que en este caso la Sala de instancia reputa insuficiente, …»*

[8] Además, este derecho del socio ha de ser mencionado expresamente en la convocatoria de la junta.

a obtener estos documentos. Puede ser que el socio necesite acceder a determinados datos contables, y que sin ese examen documental no le sea posible valorar la corrección de los datos globales recogidos en las cuentas anuales sometidas a aprobación, por lo que estaría legitimado para solicitar información sobre los documentos contables, en un sentido amplio, que incluye documentos bancarios y fiscales que soportan los datos globales y que informan sobre aspectos relevantes de la marcha de la sociedad y la gestión de los administradores.

Resulta interesante citar la línea jurisprudencial sentada por el Tribunal Supremo, y como ejemplo de la misma, la Sentencia del Tribunal Supremo, Sala Primera, de lo Civil, Sentencia 531/2013 de 19 de septiembre de 2013[9], donde se dice lo siguiente:

> *«El conocimiento de determinados documentos de la sociedad puede ser necesario para decidir sobre la aprobación de las cuentas anuales, sobre la censura de la gestión social y para que el accionista adopte otras decisiones relevantes relativas a su condición de socio. Por eso el Tribunal Supremo, no sólo en las sentencias de los años 2011 y 2012 citadas, sino también en otras anteriores (sentencias núm. 1193/1998, de 15 de diciembre, recurso núm. 2264/1994, y núm. 664/2005, de 26 de septiembre, recurso núm. 1121/1999), ha apreciado con flexibilidad que existen situaciones en las que debe permitirse al socio el examen de documentos contables distintos de los previstos en el art. 212 de la Ley de Sociedades Anónimas, a la vez que parte de un amplio criterio de conexión de la información solicitada con el orden del día, al subrayar que la ley permite recabar la información que se estime, por los propios accionistas, como pertinente.»*

No podemos concebir el derecho de información del accionista como un derecho ilimitado, por lo que, para decir sobre la configuración de este derecho, el primer requisito que ha de cumplir dicha solicitud es la conexión con el objeto de la junta, teniendo en cuenta que el derecho de información puede ser instrumental del derecho de voto. Como ha señalado el Tribunal Supremo en su Sentencia núm. 204/2011, de 21 de marzo de 2011[10] (recurso núm. 2173/2007), no es precisa una relación *«directa y estrecha»* entre la documentación solicitada y los asuntos del orden del día, debiendo estarse al juicio de pertinencia en el caso concreto.

Tampoco podrá utilizarse este derecho de información de forma abusiva o fraudulenta, por lo que habrá de valorarse si la solicitud de informa-

---

[9]     Rec. 1643/2010.

[10]    La Ley 21943/2011.

ción puede suponer una perturbación para el desarrollo de la actividad de los administradores o para el propio funcionamiento de la sociedad. Para valorar esta circunstancia habrá que atender, tanto al volumen de la información solicitada y la necesidad de la misma para formar la voluntad del socio, como a las posibilidades de gestión de la documentación proporcionadas por las nuevas tecnologías.

El Tribunal Supremo se ha pronunciado en numerosas sentencias sobre el ejercicio abusivo (o no) del derecho de información de los socios. Así, en la Sentencia del Tribunal Supremo de 5 de mayo de 1966[11], señala lo siguiente: «*...la ley especial, tendente a tutelar los derechos de las minorías, evitando que sean privadas de ellos por las mayorías, a cuyo régimen en suma está sometida la vida social, no autoriza tampoco que aquéllas sobrepasen los límites de la protección, perturbando la marcha normal del funcionamiento de las sociedades ...*»; y en su Sentencia de 26 de diciembre de 1969[12] donde dice: «*...no puede servir como medio para obstruir y paralizar la actividad social sobreponiendo a los interés sociales el particular del accionista que solicita la impugnación, máxime cuando al presente litigio han precedido otros con parecida finalidad, suscitados por el mismo socio y en los cuales recayeron sentencias desfavorables para las pretensiones del actor*».

El mero hecho de que la documentación solicitada sea voluminosa no debe considerarse un ejercicio abusivo del derecho, tal y como ha señalado el Tribunal Supremo en numerosas sentencias, entre las que citamos la Sentencia de la Sala 1ª del Tribunal Supremo núm. 766/2010 de 1 de diciembre de 2010[13], en la que se señala lo siguiente: «*esta Sala ha afirmado con anterioridad que el ejercicio abusivo del derecho de información del socio no puede vincularse sin más al volumen de información requerida sino a la concurrencia de los requisitos precisos para el abuso del derecho, esto es, que el derecho se ejercite con la extralimitación, por causas objetiva o subjetiva en que se asienta dicho concepto, lo que no puede afirmarse ocurra sin tener en cuenta las circunstancias de cada caso.*»

2º.- En segundo lugar, aun refiriéndose la solicitud de información que formule el accionista a asuntos propios del orden del día, el artículo 197 de la Ley de Sociedades de Capital prevé tres excepciones a la obligación general de los administradores de entregar al socio la información solicitada:

a.- Cuando la información solicitada no sea necesaria para la tutela de los derechos del socio.

---

[11]  RJ 1966, 2291.
[12]  RJ 1970, 496.
[13]  Recurso núm. 932/2007.

b.- Cuando existan razones objetivas para considerar que la información solicitada podría utilizarse para fines extra sociales.

c.- Cuando proporcionar la información pueda producir un perjuicio a la sociedad o a las sociedades vinculadas.

Sin embargo, en ningún caso podrá denegarse la información cuando haya sido solicitada por socios que representen, al menos, el veinticinco por ciento del capital social[14].

## III. LA VULNERACIÓN DEL DERECHO DE INFORMACIÓN DEL SOCIO COMO CAUSA DE IMPUGNACIÓN DE LOS ACUERDOS SOCIALES

Como hemos dicho anteriormente, el derecho de información del socio se configura como uno de sus derechos básicos, de naturaleza pública y carácter individual, inderogable e irrenunciable. A través del ejercicio del derecho de información, el socio podrá formar su voluntad de voto que, a su vez, en el ejercicio conjunto del derecho de voto en la junta general, determinará la voluntad social.

Por ese motivo, la vulneración del derecho de información del accionista se configura como causa de impugnación de los acuerdos sociales, en los términos señalados en el artículo 204.3 de la Ley de Sociedades de Capital[15].

Con carácter previo hemos de significar que no toda vulneración del derecho de información será causa legítima de impugnación de los acuerdos

---

[14] Los estatutos podrán fijar un porcentaje menor, siempre que sea superior al cinco por ciento del capital social.

[15] Como dice Manuel García-Villarubia, *«Derecho de información e impugnación de acuerdos sociales son, en efecto, integrantes de un binomio que se ha hecho inseparable en la práctica de nuestros tribunales a lo largo de los años. La experiencia enseña que raro es (o al menos así ha sido hasta ahora) el proceso de impugnación de acuerdos sociales en el que el demandante no invoca como uno de los motivos de impugnación la lesión de su derecho de información. Ello, unido a la elevada litigiosidad que han generado las relaciones societarias, ha dado lugar a una rica y abundante jurisprudencia, amén de la doctrina mercantilista que desde la Ley de Sociedades Anónimas de 1951 ha prestado atención a esta materia.».* GARCÍA VILLARUBIA, M.: «El derecho de información del socio como fundamento de la impugnación de los acuerdos sociales. Cuestiones sustantivas y procesales», en El Derecho. Revista de Derecho Mercantil, n.º 29, 2015.

sociales. Así, el artículo 197.5 de la Ley de Sociedades de Capital establece que si la vulneración se refiere a la información solicitada por el socio durante la celebración de la junta general, la misma no facultará para el ejercicio de la acción de impugnación del acuerdo social, sino que facultará al accionista para *«exigir el cumplimiento de la obligación de información y los daños y perjuicios que se le hayan podido causar»*[16].

Por ello, hemos de acudir al artículo 204 de la Ley de Sociedades de Capital para determinar qué tipo de infracción del derecho de información del accionista legitima a éste para impugnar los acuerdos sociales. Y conforme al tenor de dicho artículo sólo será causa de impugnación del acuerdo social cuando haya habido una incorrección o insuficiencia de la información facilitada por la sociedad en respuesta al ejercicio del derecho de información con anterioridad a la junta, que fuera esencial para el ejercicio razonable por parte del accionista o socio medio, del derecho de voto o de cualquiera de los demás derechos de participación.

Por lo tanto, la cuestión sobre el carácter esencial de la incorrección o la insuficiencia de la información es lo que debe determinar la posibilidad o no de legitimación para el ejercicio de la acción de impugnación del acuerdo social basado en la vulneración del derecho de información del socio, pudiendo plantearse la misma como cuestión incidental de previo pronunciamiento.

Siendo reciente la reforma operada de la Ley de Sociedades de Capital, carecemos de jurisprudencia reseñable al efecto de nuestro Tribunal Supremo. Si bien, las Audiencias Provinciales y Juzgados de lo Mercantil, y de Primera Instancia, comienzan a aplicar dicho precepto. En este sentido citamos la reciente sentencia del Juzgado de Primera Instancia, JPI de Vitoria (Provincia de Álava) Sentencia núm. 209/2015 de 16 septiembre, JUR\2016\20113, que en aplicación de tal precepto, considera infringido el derecho de información del socio acordada la nulidad del acuerdo por no facilitar determinada documentación: *«Es concretamente el art. 197.1 LSC*

---

[16]    Esta revisión normativa llevada a cabo por *la Ley 31/2014, de 3 de diciembre, por la que se modifica la Ley de Sociedades de Capital para la mejora del gobierno corporativo («BOE» 4 diciembre), con vigencia desde 24 diciembre 2014,* viene a contradecir la doctrina de nuestro Tribunal Supremo anterior a dicha redacción que en Sentencias como la núm. 436\2013 de 3 julio. RJ 2013\4989, (Sala de lo Civil, Sección 1ª), considera infringido el derecho del socio a ser informado sobre los puntos sometidos a la decisión de la junta y, en particular, sobre la ampliación del capital social, al haberse solicitado en la junta general determinada información que no fue facilitada.

*el infringido al negarse el órgano de administración a facilitar el desglose o detalle de los grupos globales que constan en el Balance y Cuenta de Pérdidas y Ganancias, documentación fiscal y detalle de operaciones con partes vinculadas. Y lo hace aduciendo que el solicitante es socio y no miembro del órgano de administración ni auditor, cuando, como hemos visto, se trata un derecho autónomo e irrenunciable (por tanto, con independencia de que se haya ejercitado en otras Juntas anteriores o no), que no se ve excluido porque la formulación de las cuentas o su control o auditoría esté encomendada a otros órganos o profesionales. Es la Junta la que aprueba las cuentas y son los socios, minoritarios o no, quienes disponen del derecho que les confiere el art. 272.2 y art. 197 (con independencia de su participación en el capital; otra cosa es que si no supera el 25 % no pueda alegarse perjuicio para la sociedad o sus asociadas, pero aunque el porcentaje sea menor tendrá que existir verdadero peligro de perjuicio).»*

## IV. CONCLUSIÓN

La *Ley 31/2014* para la mejora del gobierno corporativo introdujo una importante reforma del derecho de información en el texto de la Ley de Sociedades de Capital. Dicha reforma incidió en la regulación del déficit de información como causa de impugnación de los acuerdos sociales con modificación de los artículos 197.5 y 204.3 b TRLSC y siguió configurando el derecho de información como un instrumento fundamental del funcionamiento de las sociedades de capital para conseguir el adecuado equilibrio entre sus órganos de gobierno, aunque modificó sus modalidades de ejercicio y lo moduló en atención a las exigencias de la buena fe.

Al tiempo de la promulgación de la citada reforma, la jurisprudencia[17] había ido evolucionando desde un concepto tradicional del derecho de información como derecho instrumental hasta un concepto más amplio como derecho autónomo, aunque vinculado al derecho de voto, y desde 2011 diferentes sentencias de la Sala 1ª del Tribunal Supremo, entre las

---

[17]   Más que consolidada era la doctrina del Tribunal Supremo que ampliaba notablemente la concepción tradicional del derecho de información del socio, hasta el punto de que la STS de fecha de 12 de noviembre de 2004 declaraba que el derecho de información se justifica por la pertinencia de que quien está integrado en una sociedad y ha invertido parte de su patrimonio en el capital social pueda tener conocimiento de cómo se gestiona y administra la sociedad para adoptar de modo fundado las decisiones pertinentes (voto, exigencia de responsabilidad administradores, venta de su participación, etc.).

que destaca la STS Pleno de 19 de septiembre de 2013, confirmaban dicha configuración amplia del derecho de información.

En esta sentencia expresamente se indica que «*la Sala ha afirmado que el derecho de información es un derecho reconocido como mínimo e irrenunciable en el estatuto del accionista de una sociedad anónima, conforme al citado precepto legal, y que es un derecho autónomo sin perjuicio de que pueda cumplir una finalidad instrumental del derecho de voto. Atribuye al socio la facultad de dirigirse a la sociedad en la forma prevista en el artículo 112 de la Ley de Sociedades Anónimas (actual art. 197 del texto refundido de la Ley de Sociedades de Capital, con pocas modificaciones) solicitando de los administradores las informaciones o aclaraciones que estime precisas o formulando por escrito las preguntas que estime pertinentes acerca de los asuntos comprendidos en el orden del día.*»

Es meridiano que el derecho de información del socio se configura como uno de sus derechos básicos, de naturaleza pública y carácter individual, inderogable e irrenunciable, y a través del ejercicio del derecho de información, el socio podrá formar su voluntad de voto que, a su vez, en el ejercicio conjunto del derecho de voto en la junta general, determinará la voluntad social.

El derecho a la información se configura más allá de un derecho de pregunta, comprendiendo la posibilidad de solicitar documentación, siempre que guarde relación con los asuntos comprendidos en el orden del día, motivo por el cual la vulneración del derecho de información del accionista se configura como causa de impugnación de los acuerdos sociales, en los términos señalados en el artículo 204.3 de la Ley de Sociedades de Capital, siendo causa de impugnación del acuerdo social cuando haya habido una incorrección o insuficiencia de la información facilitada por la sociedad en respuesta al ejercicio del derecho de información con anterioridad a la junta, que fuera esencial para el ejercicio razonable por parte del accionista o socio medio, del derecho de voto o de cualquiera de los demás derechos de participación.

## Bibliografía

AA.VV.: *Accionistas minoritarios* (Dir. M. A. Agúndez y J. Martínez-Simancas), Ed. La Ley, Madrid, 2011.

AA.VV.: *Comentario a la Ley de Sociedades de Capital* (Dirs. A. Rojo y E Beltrán), Ed. Aranzadi, Cizur Menor, 2011.

AA.VV.: *Comentarios a la Ley de Sociedades Anónimas* (Coords. I. Arroyo, J. M. Embidy C. Górriz), 3 tomos, Ed. Tecnos, Madrid, 2009.

AA.VV.: *Comentarios a la Ley de Sociedades de Responsabilidad Limitada* (Coords. I. Arroyo, J. M. Embid y C. Górriz), Tecnos, Madrid, 2009.

AA.VV.: *Derecho de Sociedades. Libro Homenaje al profesor Fernando Sánchez Calero*, I-V, Madrid, 2002.

AA.VV.: *Derecho de Sociedades Anónimas* (Coords. A. AlonsoUreba, J. Duque Domínguez, G. Esteban Velasco, R. García Villaverde y F. Sánchez Calero), I, Madrid, 1991.

AA.VV.: *Estudios sobre la sociedad anónima* (Dirs. Garrido de Palma y Sánchez González), Madrid, 1991.

ABRIANI, N./EMBID IRUJO, J. M. (Dirs.): *Los derechos de los accionistas en las sociedades cotizadas*, Ed. Tirant lo Blanch, Valencia, 2011.

ANDREU MARTÍN, M. M./MARTÍ MOYA, V.: *Derecho de sociedades*, Ed. Aranzadi, Cizur Menor, 2011.

BERCOVITZ RODRÍGUEZ-CANO, A: «Los acuerdos impugnables en la sociedad anónima», en *Estudios Broseta*, I, 1995, págs. 373 ss.

BROSETA PONT, M. Manual de Derecho Mercantil. Madrid, Tecnos. 13ª ed. 2014.

CALAZA LÓPEZ, M. S.: El proceso de impugnación de acuerdos de las sociedades anónimas y cooperativas, Madrid, 2003.

ESPINOSA ANTA, J. L.: «Los derechos esenciales y la protección a la minoría en la sociedad anónima», en *Revista Derecho Privado*, 1976, págs. 22 ss.

FERNÁNDEZ DE LA GÁNDARA, L.: *Derecho de sociedades*, Ed. Tirant lo Blanch, Valencia, 2010.

GALÁN CORONA, E.: «Sociedad anónima: Impugnación de acuerdos sociales. Cómputo del plazo para impugnar», en *Cuadernos Civitas de Jurisprudencia Civil*, núm. 5 (1984), págs. 1549-1560.

GARCÍA DE ENTERRÍA, J.: «La Junta general ordinaria. Su competencia y celebración fuera de plazo», en *RDM*, 1985, págs. 227 ss.

GARCÍA VILLARUBIA, M.: «El derecho de información del socio como fundamento de la impugnación de los acuerdos sociales. Cuestiones sustantivas y procesales», en El Derecho. Revista de Derecho Mercantil, n.º 29, 2015.

GARCÍA VILLAVERDE, R.: «Exclusión de socios», en *Derecho de Sociedades de Responsabilidad Limitada* (Dir.: F. Rodríguez Artigas et. alt.), II, McGraw-Hill, Madrid, 1996, págs. 1023-1049.

GARCÍA-CRUCES GONZÁLEZ, J. A.: «Impugnación de acuerdos del Consejo de Administración. Carácter no impugnable de la formulación de las cuentas anuales. Legitimación del accionista a estos efectos», en *Cuadernos Civitas de Jurisprudencia Civil*, núm. 60 (2002), págs. 1185-1203.

— *Derecho de sociedades mercantiles*, Tirant lo Blanch, Valencia, 2016.

GARRIGUES, J.: «Teoría General de las Sociedades Mercantiles», *RDM*, 1974, págs. 181-253.

HERNÁNDEZ MARTÍ, J.: «La Junta General de la sociedad anónima», en *RGD*, núm. 584 (1993), págs. 4766-4767.

JUSTE MENCÍA, J.: *Los derechos de las minorías en la sociedad anónima*, en *RDS*, núm. 5 (1995), págs. 393 ss.

MARTÍN ARESTI, P.: *La participación de los socios en los aumentos nominales de capital*, Ed. Aranzadi, Cizur Menor, 2006.

MARTÍNEZ MULERO, V.: «Las causas de impugnación de acuerdos de los órganos colegiados de administración», en *DN*, núm. 185 (2006), págs. 5 ss.

MONTALENTI, P./BALZOLA, S.: *La società per azioni quotata*, Zanichelli, Bologna, 2010.

NIETO CAROL, U.: *Derecho de sociedades*, Ed. Aranzadi, 2ª ed., Cizur Menor, 2011.

OTERO LASTRES, J. M.: «Acerca de la junta general de accionistas en la S.A.», en *Estudios sobre la Sociedad Anónima*, II, Madrid, 1993, págs. 47 ss.

PÉREZ MORIONES, A.: «El voto en el derecho societario español», *RGD*, 1996, págs. 8495 ss.

SÁNCHEZ ANDRÉS, A.: *El derecho de información del accionista: objeto, límites y forma de ejercicio*, Ed. Marcial Pons, Madrid, 2001.

SÁNCHEZ CALERO, F.: *La junta general en las sociedades de capital*, Ed. Aranzadi, Cizur Menor, 2007.

SÁNCHEZ LINDE, M.: *El principio de mayoría en la adopción de acuerdos de la junta general de la sociedad anónima*, Ed. Aranzadi, Cizur Menor, 2009.

SÁNCHEZ RICO, M. S.: «Impugnación de acuerdos sociales adoptados en la Junta General de una sociedad anónima (art. 115 LSA). Acción derivada de la reclamación de parte de los beneficios [art. 48.2.a) LSA]. Legitimación para ejercitar la acción de nulidad de los acuerdos sociales (art. 117 LSA)»., en *CCJC*, núm. 59 (2002), págs. 725-740.

VALENZUELA GARACH, F.: La información en la sociedad anónima y el Mercado de Valores, Madrid, 1993.

VEGA VEGA, J. A.: Sociedades de capital, 2ª ed., UEx, Cáceres, 2014

# 63. Test de resistencia, test de relevancia, medidas cautelares e incidente de previo pronunciamiento

## NURIA AUXILIADORA ORELLANA CANO

*Magistrada especialista en asuntos propios de lo Mercantil*
*Audiencia Provincial de Málaga, Sección 6ª*

## I. TEST DE RESISTENCIA Y TEST DE RELEVANCIA EN LA IMPUGNACIÓN DE ACUERDOS SOCIALES

### 1. Introducción

La reforma operada en el Real Decreto Legislativo 1/2010, de 2 de julio, por el que se aprueba el texto refundido de la Ley de Sociedades de Capital (LSC) por la Ley 31/2014, de 3 de diciembre, por la que se modifica la Ley de Sociedades de Capital para la mejora del gobierno corporativo, al regular en el art. 204.3 la inimpugnabilidad de determinados acuerdos sociales, viene a introducir en nuestra legislación positiva el llamado test o prueba de resistencia y el llamado test de relevancia.

El art. 204 LSC, tras establecer en el apartado 1º que son impugnables los acuerdos sociales que sean contrarios a la Ley, se opongan a los estatutos o al reglamento de la junta de la sociedad o lesionen el interés social en beneficio de uno o varios socios o de terceros, aclarando que la lesión del interés social se produce también cuando el acuerdo, aun no causando daño al patrimonio social, se impone de manera abusiva por la mayoría; y en el apartado 2°, que no será procedente la impugnación de un acuerdo social cuando haya sido dejado sin efecto o sustituido válidamente, por otro dedica el apartado 3° a la exclusión de la impugnación de otros acuerdos, o más bien como señala la doctrina (GONZÁLEZ PAJUELO)[1], más que a acuerdos excluidos se refiere a la exclusión de motivos de impugnación.

El citado art. 204.3 LSC preceptúa:

«3. Tampoco procederá la impugnación de acuerdos basada en los siguientes motivos:

a) La infracción de requisitos meramente procedimentales establecidos por la Ley, los estatutos o los reglamentos de la junta y del consejo, para la convocatoria o la constitución del órgano o para la adopción del acuerdo, salvo que se trate de una infracción relativa a la forma y plazo previo de la convocatoria, a las reglas esenciales de constitución del órgano o a las mayorías necesarias para la adopción de los acuerdos, así como cualquier otra que tenga carácter relevante.

b) La incorrección o insuficiencia de la información facilitada por la sociedad en respuesta al ejercicio del derecho de información con anterioridad a la junta, salvo que la información incorrecta o no facilitada hubiera sido esencial para el ejercicio razonable por parte del accionista o socio medio, del derecho de voto o de cualquiera de los demás derechos de participación.

c) La participación en la reunión de personas no legitimadas, salvo que esa participación hubiera sido determinante para la constitución del órgano.

d) La invalidez de uno o varios votos o el cómputo erróneo de los emitidos, salvo que el voto inválido o el error de cómputo hubieran sido determinantes para la consecución de la mayoría exigible.

---

[1]    GONZÁLEZ PAJUELO, M.: Impugnación de acuerdos sociales, en «Mejora del Gobierno Corporativo de sociedades no cotizadas. A propósito de la Ley 31/2014, de 3 de diciembre» (Jordá García, R. y Navarro Matamoros, L., direc.), Ed. Dykinson, 1ª es. 2015, pág. 108.

Presentada la demanda, la cuestión sobre el carácter esencial o determinante de los motivos de impugnación previstos en este apartado se planteará como cuestión incidental de previo pronunciamiento.»[2]

---

[2]  Sobre la justificación del precepto, SÁNCHEZ-CALERO, J., «La impugnación de acuerdos sociales 17 diciembre, 2014», en su Blog (www.jsanchezcalero.blogspot.com.es), expone los que presume como presupuestos que han terminado justificando la solución adoptada: «El primero, que el régimen de la impugnación nos sitúa (mejor, a las partes y al juez) ante un complejo equilibrio entre el abuso de la mayoría (concretado en un acuerdo injusto), el de la minoría [a través de un uso igualmente injusto del derecho de impugnar que reconoce el art. 93, c) LSC] y el interés de la sociedad (que conecta sobre todo con los intereses comunes de los demás accionistas, ajenos a una pugna, que sin embargo, parece perjudicar de una manera seria sus intereses). Estas ideas las recogía el Estudio de la Comisión de Expertos que, con buen criterio, tomó en consideración dos hechos: la extraordinaria dilación de los procedimientos seguidos ante nuestros Juzgados y Tribunales y las soluciones comparadas. Se trataba de respetar el derecho de impugnación, privándolo de su frecuente manipulación táctica en conflictos societarios y fortaleciendo su eficacia como medio necesario de control de la legalidad de acuerdos amparados en el mero juego del principio mayoritario. La solución adoptada puede parecer paradójica: el refuerzo del derecho de impugnación pasa por su limitación. Ésta se concreta en la determinación normativa de situaciones que, aunque pudieran haber supuesto que un acuerdo (o todos los adoptados en una misma junta) se adoptó infringiendo alguna disposición legal o societaria (prevista en los estatutos o reglamentos orgánicos), hacían improcedente la impugnación. Esas excepciones a la regla general (la fijada por el artículo 204.1 LSC) son acertadas puesto que descartan que infracciones legales u otros vicios de la celebración de la junta sean suficiente fundamento para tramitar un proceso de impugnación cuando no afectaron de forma material a los derechos del socio, a la correcta constitución de la junta general o a la formación de la voluntad social. Como ya indiqué, esta precisión (mejor habría que distinguir distintas precisiones de cada uno de los apartados del artículo 204.3 LSC) emula la solución de otras legislaciones europeas o incorpora la doctrina jurisprudencial que pretende que la impugnación sólo se justifique cuando la infracción o el vicio alegados son "esenciales" o "determinantes". Que se trata, en definitiva, de una infracción material y que afecta a la propia adopción del acuerdo. Así, por ejemplo, no toda lesión de un derecho tan amplio en su alcance y modalidades de ejercicio como es el de información justifica que se permita la declaración de su nulidad por medio de la acción de impugnación. Hace falta que la información errónea que se facilita, o la que es incompleta, o la que se deniega, hubiera sido esencial para el ejercicio del derecho de voto, no ya por el demandante, "sino por parte del accionista o socio medio" [art. 204.3.b) LSC]. O es igualmente necesario que cuando el defecto que se advierte apunta a la participación de determinadas personas o al ejercicio o conjunto de los votos, esa participación o esos votos fueron determinantes para la adopción del acuerdo impugnado. Es la "prueba de resistencia" convalidada

El *test o prueba de resistencia* nos lleva a analizar si el acuerdo habría sido aprobado incluso descontando los votos indebidamente computados, en cuyo caso la validez del acuerdo se mantiene, y no cabe oponer dicho motivo de impugnación, y lo mismo para la constitución de la junta, es decir, si se hubiera igualmente constituido descontando el capital indebidamente computado. El llamado test de resistencia impone analizar si la participación en la reunión de personas no legitimadas, o la invalidez de uno o varios votos o el cómputo erróneo de los emitidos, han sido o no determinantes para la constitución del órgano o para la consecución de la mayoría exigible, respectivamente (art. 204.3 c) y d).

El llamado *test de relevancia* está presente en los casos de «infracción de requisitos meramente procedimentales» a que se refiere el apartado a) del artículo 204.3 LSC.

Y respecto del *derecho de información*, el apartado b) exige un análisis previo sobre la incorrección o insuficiencia de la información facilitada y sobre su carácter esencial para el ejercicio del derecho de voto u otro derecho de participación. Podemos considerar por ello que en este apartado b) parece acogerse asimismo la prueba de la relevancia, a fin de examinar si la incorrección ha tenido la suficiente relevancia (si ha sido o no esencial) como para afectar a la formación de la voluntad del socio, y quizás también la prueba de la resistencia, esto es, si el acuerdo habría sido aprobado aun teniendo en cuenta la infracción producida.

Al excluir estos motivos de impugnación se estarán depurando los motivos para el acceso a los tribunales de la impugnación de acuerdos sociales, excluyendo aquellos que carecen de relevancia, o bien, que no han sido determinantes para la constitución del órgano o adopción de acuerdos, sin que se menoscaben los derechos materiales del socio[3].

---

por el Tribunal Supremo: los vicios en el reconocimiento del derecho de voto de un accionista no determinan la nulidad del acuerdo si descontados esos votos subsiste la mayoría legalmente requerida. Orientación que se insertaba en una interpretación flexible por los Tribunales de esos y otros defectos similares [v. la jurisprudencia recogida en Sánchez Calero, F. /Sánchez-Calero Guilarte, J. Instituciones de Derecho Mercantil 36, (Cizur Menor 2013), págs. 503-504].»

[3]    Como señala SÁNCHEZ, C. en «Derecho de información de los socios» (https:// sands.legal/blog/el-derecho-de-informacion-de-los-socios/), lo que se ha buscado con este régimen es una disminución de la litigiosidad y dotar a los acuerdos sociales de una mayor fuerza, reduciendo la facilidad de impugnar en base a un motivo que, en muchas ocasiones, no respondía a un perjuicio real y efectivo para el socio.

El art. 204.3 LSC procede de los trabajos de la Comisión de Expertos en materia de Gobierno Corporativo creada por Acuerdo del Consejo de Ministros de 10 de mayo de 2013, que dedica a la impugnación de acuerdos sociales, el apartado 3.9 del Estudio sobre propuestas de modificaciones normativas de 14 de octubre de 2013[4]. Como se señala en el mismo, la propuesta de reforma, que pretende simplificar el tratamiento de la impugnación, persigue como objetivos, por un lado, ampliar la tutela del interés social y de la protección de los derechos de las minorías, y de restringir, por otro lado, aquellos aspectos formales o procesales que se prestan al abuso del derecho de impugnación en detrimento de la seguridad del tráfico y la eficiencia de la organización societaria. Con ello se pretende «maximizar la protección material de los accionistas minoritarios y de minimizar los riesgos de uso oportunista o táctico del derecho de impugnación».

Para maximizar la protección material del interés social y la defensa de los derechos de los accionistas minoritarios, en el Estudio la Comisión propone: (i) ampliar el plazo temporal para poder impugnar los acuerdos contrarios a los estatutos y al interés social; (ii) crear una nueva causa de impugnación, consistente en la infracción de los reglamentos de junta o, en el caso del consejo, del reglamento del consejo; (iii) la ampliación del

---

[4] En dicho apartado 3.9 del Informe se señala: «El régimen de impugnación de los acuerdos de la junta general es esencial para la correcta configuración del gobierno de las sociedades. Su regulación es, por un lado, instrumento básico para preservar el interés social y la protección de las minorías y, por otro, aspecto esencial para la seguridad del tráfico jurídico y la eficiencia empresarial. Estas son las coordenadas en que se ha movido la Comisión de Expertos a la hora de reflexionar sobre esta materia.»

Se critica igualmente en el Estudio la escasa atención que el legislador ha dedicado a este capítulo crucial del derecho de las sociedades de capital, siendo lo cierto que las normas sobre la materia, más de 60 años después, eran sustancialmente iguales a las de la ley de 1951, que adolecen de notables insuficiencias. Se cita en el Estudio las reformas recientes llevadas a cabo en materia de impugnación de acuerdos sociales en países de nuestro entorno, como por ejemplo, los casos de Alemania o Italia, cuyas reformas tienen evidentes similitudes: «la configuración de la impugnación de los acuerdos sociales como una institución en cierto modo autónoma e independiente del régimen común de nulidad de los actos y negocios jurídicos; un diseño más amplio de las causas de impugnación (señaladamente en lo relativo al concepto de interés social, que incluye también el interés del socio común o del común de los socios, frecuentemente amenazado por el interés del socio mayoritario), y la adopción de ciertas cautelas en materia de vicios formales poco relevantes y de legitimación, cuyo propósito es evitar el uso estratégico y puramente oportunista de la acción de impugnación por socios desaprensivos».

concepto de interés social; (iv) ampliar el supuesto de los acuerdos radicalmente nulos por contrariedad al orden público, incluidos no solo aquellos
que lo son por su causa o contenido, sino también por las circunstancias en
que se adoptan, por ejemplo, los acuerdos inexistentes.

Asimismo se proponen medidas que tratan de evitar el abuso del derecho de impugnación y su utilización con fines poco confesables, para minimizar el riesgo del uso estratégico y oportunista del derecho, y en concreto:
(i) restringir la legitimación; (ii) establecer una serie de casos de improcedencia de la impugnación; (iii) impedir determinadas impugnaciones
injustificadas, cual es el caso de aquellas que tienen por objeto un acuerdo
que se ha dejado ya sin efecto o ha sido sustituido válidamente por otro.

Por tanto, la reforma del art. 204.3 LSC se inserta entre las medidas
propuestas por la Comisión de Expertos para evitar el abuso del derecho
de impugnación y minimizar el riesgo del uso estratégico y oportunista
de este derecho, y en concreto se justifica señalando que se trata de una
serie de casos de improcedencia de la impugnación, «que se explican por
sí mismos: cuando la impugnación se funde en la infracción irrelevante
de los requisitos procedimentales, establecidos por la ley, los estatutos o el
reglamento de la junta y, en su caso, del consejo, pues en ese caso —como
viene sosteniendo nuestra jurisprudencia en materia de abuso de la nulidad por vicios de forma— no subsiste un interés legítimo en la anulación,
supuesto al cual es equiparable el caso en que la infracción se base en la
incorrección o insuficiencia de la información facilitada por la sociedad en
respuesta al ejercicio del derecho de información cuando la información
incorrecta o no facilitada no hubiera sido esencial para el ejercicio razonable, por parte del accionista o socio medio, del derecho de voto o de
cualquiera de los demás derechos de participación. También se propone la
explicitación legal de la improcedencia de la impugnación fundamentada
en la participación en la junta de personas no legitimadas cuando no ha
sido determinante para la válida constitución del órgano o en la invalidez
de uno o varios votos, o por el cómputo erróneo de los emitidos, salvo que
el voto inválido o el error de cómputo hubieran sido determinantes para
la consecución de la mayoría exigible (la llamada "prueba de resistencia",
ampliamente admitida ya por la doctrina).»[5]

---

[5]    La solución dada con la nueva redacción del art. 204.3 LSC no agota todos los problemas que pueden plantearse en la práctica. Como señala CABANAS TREJO, R.
(Cambios en el régimen de la Junta General con ocasión de la reforma del gobierno corporativo El Notario del Siglo XXI, Revista 59, 10 de febrero de 2015, http://

## 2. La prueba de relevancia: la «mera infracción de requisitos procedimentales»

En el apartado a) del art. 204.3 LSC se enuncia de forma clara la regla de la relevancia, pretendiendo con ello evitar que la infracción de requisitos meramente procedimentales pueda ser llevada a los Tribunales, salvo que sea relevante. Dichos requisitos pueden haber sido establecidos por la Ley, los estatutos o los reglamentos de la junta y del consejo, y han de estar referidos a la convocatoria, a la constitución del órgano o a la adopción del acuerdo. La excepción a la improcedencia de la impugnación lo constituyen los casos en los que la infracción tenga carácter relevante. El propio legislador ejemplifica supuestos en los que concurre dicha relevancia, cuando se trate de infracciones relativas a: (i) forma y plazo previo de la convocatoria; (ii) reglas esenciales de constitución del órgano; (iii) mayo-

---

www.elnotario.es/index.php/opinion/opinion/3971-cambios-en-el-regimen-de-la-junta-general-con-ocasion-de-la-reforma-del-gobierno-corporativo), «(e)l problema podrá darse cuando el discrepante no impugne el acuerdo, pero el RM tampoco inscriba sobre la base de ese mismo defecto, lo que obligará a tener que recurrir la calificación negativa, ya sea mediante un recuso gubernativo (y contra la Resolución de la DGRN cabrá recurso judicial, incluso a instancia del propio RM), ya sea directamente en el juzgado. Pero el ámbito de esta contienda, aunque desenvuelta finalmente en un Tribunal, no es propiamente la validez del acuerdo en toda su extensión y entre las partes interesadas (puede recurrir el notario, sin intervención de socios o de la sociedad), sino exclusivamente la calificación del RM, cuya limitación de medios no permite una valoración exhaustiva de todas las circunstancias del caso. Por eso convendría que la práctica registral se decantara por un concepto "algo" más amplio de irrelevancia a efectos del RM y permitiera la inscripción de acuerdos cuando la infracción procedimental detectada quede en el ámbito de lo opinable, no de la certeza, dejando que los Tribunales vayan forjando con el tiempo una jurisprudencia comprensiva (justo al revés de lo que entiende ahora la DGRN, que en caso de duda confirma el defecto, v. Resoluciones de 08/07/05 y 24/10/13; especialmente problemáticos resultan los requisitos informativos que deben cumplirse en la convocatoria de la JG, pues no entran en el derecho de información del apartado b), pero tampoco son estrictamente una cuestión de forma que excluya la valoración singular de la relevancia, v. Resoluciones de 30/05/13, de 24/10/13, de 26/02/14, de 12/04/12, de 29/11/12; incluso, para cuestiones de forma, v. Resolución de 28/02/14). El decaimiento de las posibilidades de impugnación ha de traducirse así en una mayor facilidad de acceso al RM, ante el riesgo de dejar fuera del mismo un acuerdo que no sería susceptible de anulación judicial, forzando muchas veces a reproducir un costoso procedimiento societario, sólo para salvar la negativa del RM a inscribir un acuerdo que nadie ha cuestionado (sobre la relación entre posibilidad de impugnación y extensión de la calificación del RM v. Resolución de 09/05/14).»

rías necesarias para la adopción de los acuerdos. Enumeración no exhaustiva que se completo con cualquier otra que tenga un «carácter relevante».

Sobre la interpretación del precepto, en las Conclusiones de Magistrados de lo Mercantil de Pamplona de 2015, respecto de los vicios de convocatoria o defectos de constitución de la junta o adopción de acuerdos siempre que no sean relevantes, que sin perjuicio de dejar que sea la jurisprudencia la que en cada caso vaya perfilando el concepto de «relevante», se acordó por unanimidad que «será un vicio o defecto relevante de convocatoria o de constitución de la junta cuando afecte a derechos esenciales del socio como el derecho de asistencia y voto».

Se ha criticado doctrinalmente (CARRASCO PEREDA), la utilización de demasiados conceptos jurídicos indeterminados, planteándose si cabría entonces estimar que hay reglas esenciales (de constitución de mayorías) y reglas relevantes[6]. En este sentido, este autor, con relación al Anteproyecto, criticaba los propios supuestos legales de relevancia, por estimar que pueda ser requisito esencial no relevante en el caso concreto, poniendo como ejemplo el incumplimiento del plazo de convocatoria cuando el socio estaba informado de la celebración de la Junta.

Por otra parte, cabe plantearnos la relación entre el art. 204.3 a) y el art. 206.5, relativo a la legitimación para impugnar, conforme al cual, «(n)o podrá alegar defectos de forma en el proceso de adopción del acuerdo quien habiendo tenido ocasión de denunciarlos en el momento oportuno, no lo hubiera hecho»[7]. Y en concreto, podemos cuestionarnos si en dicho

---

[6] CARRASCO PEREDA, A.: «La resistencia de los acuerdos de junta ante los "fallos procedimentales" en el Proyecto de reforma de la LSC», http://www.gomezacebo-pombo.com/media/k2/attachments/la-resistencia-de-los-acuerdos-de-junta-ante-los-fallos-procedimentales-en-el-proyecto-de-reforma-de-la-lsc.pdf.

[7] La Sentencia de la Audiencia Provincial de Madrid de 18 de mayo de 2012 se pronunció sobre el art. 206.2 LSC, antes de la reforma operada por la Ley 31/2014, que tenía una previsión similar para los entonces acuerdos anulables, y justificaba la función que esta oposición cumple en la ratio de la norma en los siguientes términos: «se exige que el socio manifieste su oposición al acuerdo precisamente para que la sociedad no se vea sorprendida por la presentación de la demanda y pueda adoptar, en su caso, las medidas adecuadas para evitar el pleito (revocar el acuerdo y adoptar otro distinto, por ejemplo).

El mero hecho de votar en contra de un acuerdo no significa, necesariamente, que el socio considere que el acuerdo es contrario al interés social (el voto es un derecho subjetivo del socio que éste puede ejercer en su propio interés). Si hay discrepancia entre los socios acerca de qué es lo mejor para el interés social, será normal que haya votos discrepantes pero no se sigue necesariamente de la exis-

supuesto, esto es, si el defecto de forma aun siendo relevante fue conocido por el socio, podríamos excluir la impugnación del acuerdo no por la vía del art. 204.3 a) sino por aplicación del art. 206.5 LSC[8].

Para CARRASCO PEREDA[9] no procedería la impugnación cuando: (i) La infracción pudo ser salvada por denuncia del socio que la omitió; (ii)

---

tencia de un acuerdo adoptado por mayoría que la minoría que votó en contra crea que el acuerdo perjudica al interés social. Una vez garantizado que el socio votó en contra porque creía que el acuerdo era contrario al interés social ("la sociedad está pagando dos veces"), no es necesario restringir la legitimación activa más allá.»

[8]   Con relación a la legitimación, MASSAGUER FUENTES, J. («Legitimación en materia de impugnación de acuerdos sociales», Almacén de derecho, May 29, 2016, Derecho Mercantil, Derecho Procesal, Lecciones), señala que desde un punto de vista sustantivo y una vez suprimida la diferenciación entre acuerdos nulos y anulables, la exigencia de denuncia previa ha de observarse en todos los casos, con independencia de que el defecto relevante resulte del incumplimiento de una formalidad impuesta legal o estatutariamente. Añade que desde esta perspectiva, por tanto, solo importa que el defecto formal constituya una causa eficiente para la impugnación del acuerdo o acuerdos considerados, esto es, que no se trate de los defectos mencionados en la letra a) del art. 204.3 LSC ni de los relacionados con los supuestos de las letras c) y d) de ese art. 204.3 LSC. O, a la inversa, solo importa la denuncia si versa sobre un defecto formal que tenga carácter esencial o determinante como motivo de impugnación en el sentido del art. 204.3 LSC. y considera que, entre otros, «son defectos formales que, cuando sea posible, deben ser denunciados para que prospere la impugnación del acuerdo o acuerdos impugnados por parte del socio que tuvo ocasión de hacerlo: (i) el incumplimiento de requisitos procedimentales estatutarios relativos a la forma y plazo de la convocatoria que no se correspondan con los legalmente previstos; (ii) el incumplimiento de las exigencias formales relativas a la puesta a disposición de documentación requerida a la vista de los puntos del orden del día de la junta general; (iii) el desconocimiento de la titularidad de todas o parte de las acciones o participaciones de uno o varios socios en la formación de la lista de asistentes o el desconocimiento de los derechos de voto asociados a las acciones o participaciones de los socios asistentes que hayan permitido la adopción del acuerdo impugnado, o lo contrario: el reconocimiento de la condición de asistente legitimado para votar y del voto de quien no debió ser incluido en la lista de asistentes o cuyo voto no debió ser computado cuando su asistencia o su voto sea determinante de la adopción del acuerdo impugnable; (iv) el incumplimiento de las exigencias de votación separada del art. 197 bis LSC respecto de asuntos sustancialmente independientes y en todo caso respecto de los asuntos para los que expresamente se exige esa votación separada».

[9]   CARRASCO PEREDA, A.: «La resistencia de los acuerdos de junta ante los "fallos procedimentales" en el Proyecto de reforma de la LSC», http://www.gomezace-

cuando la inobservancia no ha afectado negativamente al interés que se pretendía salvaguardar; (iii) cuando respetándose el derecho de participación del socio, el resultado se habría alcanzado igualmente de no haber existido la infracción. Se trata en este último caso de aplicar simultáneamente el test de resistencia.

Asimismo puede resultar polémica la aplicación simultánea del apartado a) y de los apartados c) y d). Supongamos la infracción procedimental consistente en intervención de personas no legitimadas cuyas acciones o participaciones han computado en el capital necesario para la constitución de la junta. La misma, ¿tiene carácter esencial a efectos del art. 204.3 a)? En caso afirmativo, si esa participación no hubiera sido *determinante* para la constitución del órgano, el apartado c) impone la improcedencia de la impugnación, por lo que al regular específicamente el supuesto, considero que habría que optar por aplicar el apartado c). y los mismo cabría decir respecto del apartado d). La invalidez de votos computados o el cómputo erróneo de los emitidos, ¿constituye una infracción procedimental relevante relativa a las mayorías necesarias para la adopción de los acuerdos? Aun en caso afirmativo, si el voto inválido o el error de cómputo no hubieran sido determinantes para la consecución de la mayoría exigible, cuál sería el apartado aplicable, ¿el a) o el d)? Considero igualmente que existiendo un precepto que regula el caso concreto, excluida la impugnación en virtud de su aplicación, no cabría cuestionarnos la aplicación del apartado a) para plantearnos la procedencia de la impugnación, y cedería el test de relevancia frente al de resistencia, y si éste no se supera no cabe plantearnos la aplicación del otro.

Por su parte, el profesor QUIJANO[10] sobre este primer supuesto del art. 204.3 a) señala que el mismo obligará a una primera distinción entre lo

---

bo-pombo.com/media/k2/attachments/la-resistencia-de-los-acuerdos-de-junta-ante-los-fallos-procedimentales-en-el-proyecto-de-reforma-de-la-lsc.pdf.

[10] QUIJANO GONZÁLEZ, J., «La reforma del régimen de la impugnación de los acuerdos sociales: aproximación a las principales novedades», en «Estudios sobre el futuro Código Mercantil. Libro Homenaje al profesor Rafael Illescas Ortiz», Getafe: Universidad Carlos III de Madrid, 2015, pág. 801. ISBN 978-84-89315-79-2. http://hdl.handle.net/10016/20961: «El primer caso es la "infracción de requisitos meramente procedimentales para la convocatoria o la constitución del órgano o para la adopción del acuerdo", ya sean legales, estatutarios o reglamentarios, lo que obligará a una primera distinción entre lo que es meramente procedimental en el itinerario que sigue la celebración de la reunión de la junta o del consejo, y lo que no lo es; tarea nada sencilla tratándose de órganos de naturaleza colegiada

que es meramente procedimental en el itinerario que sigue la celebración de la reunión de la junta o del consejo, tarea nada sencilla, y teniendo en cuenta la salvedad posterior sobre el carácter relevante del acuerdo, le lleva a concluir que la frontera entre lo impugnable y lo no impugnable queda remitida en este aspecto a los pronunciamientos judiciales o arbitrales que se irán sucediendo.

### 3. La inobservancia del deber de suministrar información y la impugnación de acuerdos

#### 3.1. El derecho de información del socio y su regulación

Reconocido el derecho de información en el art. 93 d) LSC, como uno de los derechos básicos del socio, es objeto de desarrollo en el art 196 LSC para la sociedad de responsabilidad limitada y en el art. 197 LSC para la sociedad anónima. El Tribunal Supremo ha superado en la más reciente jurisprudencia la concepción de derecho de información como un derecho instrumental y vinculado al derecho de voto, viniendo a afirmar su carácter autónomo, siendo paradigmática en este sentido la Sentencia de 12 de noviembre de 2014[11] al declarar que «esta Sala ha rechazado la concepción

---

en los que la corrección jurídica del proceso con que funcionan es la garantía de la formación adecuada de la voluntad societaria. Pero es que, de inmediato, la propia regla introduce una doble excepción de alcance a los requisitos meramente procedimentales, recuperando la impugnabilidad de los acuerdos afectados por la excepción; de un lado, ni la infracción relativa a la forma y plazo previo de la convocatoria, ni la relativa a las reglas esenciales de constitución del órgano, ni la relativa a las mayorías necesarias para la adopción de acuerdos, constituyen infracciones de requisitos meramente procedimentales, aunque lo fueran, por expresa disposición legal; de otro lado, tampoco lo es "cualquier otra infracción que tenga carácter relevante", lo que constituye una puerta abierta de par en par, o una especie de enmienda a la totalidad del primer postulado del precepto, que permitirá, con más o menos generalidad, atribuir carácter relevante en un caso concreto a un requisito que, en otro supuesto, podrá ser considerado como meramente procedimental. De manera que la frontera entre lo impugnable y lo no impugnable queda remitida en este aspecto a los pronunciamientos judiciales o arbitrales que se irán sucediendo con justificada expectación en torno al conjunto de elementos normativamente abiertos, que no son pocos (requisito meramente procedimental, regla esencial, infracción relevante).»

[11] STS 12-11-14: «Esta Sala ha rechazado la concepción restrictiva del derecho de información del socio de la sociedad anónima, pervivencia de la Ley de Sociedades Anónimas de 17 de julio de 1951, cuya exposición de motivos (apartado V, último

párrafo) no dejaba lugar a dudas sobre el ámbito restringido de tal derecho. En este sentido, la sentencia de la Sala 1ª del Tribunal Supremo núm. 652/2011 de 5 octubre, declaró:

"El ámbito restringido del derecho de información que propone el primer motivo del recurso de casación no solo carece del apoyo normativo y jurisprudencial que se pretende, como ya declaró esta Sala en sus anteriores sentencias sobre motivos idénticos de la misma parte ahora recurrente, sino que además contradice las tendencias normativas de la Unión Europea en pro de la ampliación de ese ámbito, como demuestra la reciente Ley 25/2011, de 1 de agosto, de reforma parcial de la Ley de Sociedades de Capital y de incorporación de la Directiva 2007/36/CE del Parlamento Europeo y del Consejo, de 11 de julio, sobre el ejercicio de determinados derechos de los accionistas de sociedades cotizadas".

El TRLSC, como antes el Texto Refundido de la Ley de Sociedades Anónimas de 1989, otorga al derecho de información el carácter de derecho inherente a la condición de accionista (art. 93.d TRLSC). La ley lo reconoce como un derecho "mínimo" en el estatuto del accionista de una sociedad anónima. Es irrenunciable, sin perjuicio de que el accionista sea libre de ejercitarlo o no en cada caso, según su conveniencia.

Esta Sala ha afirmado también que el Texto Refundido de la Ley de Sociedades Anónimas, y lo mismo puede decirse del TRLSC, lo configura como un derecho autónomo sin perjuicio de que pueda cumplir una finalidad instrumental del derecho de voto. Atribuye al socio la facultad de dirigirse a la sociedad en la forma prevista en el artículo 197 TRLSC, solicitando a los administradores las informaciones o aclaraciones que estime precisas o formulando por escrito las preguntas que estime pertinentes acerca de los asuntos comprendidos en el orden del día, con anterioridad a la celebración de la junta; o, durante el desarrollo de la junta, faculta al socio para solicitar verbalmente las informaciones o aclaraciones que consideren convenientes acerca de los asuntos comprendidos en el orden del día. La ley atribuye a los administradores la obligación de facilitar dicha información salvo en los casos en que la publicidad de la información solicitada perjudique el interés social, si bien no procederá la denegación de información cuando la solicitud esté apoyada por accionistas que representen, al menos, el veinticinco por ciento del capital social.

2.- Estas características determinan que la regulación legal del derecho de información del socio tenga carácter imperativo, en el sentido de que no puede ser restringido ni limitado por los estatutos de la sociedad ni por normas de régimen interno como el reglamento de la junta de socios.

Los estatutos pueden contener una regulación del derecho más favorable para el socio (por ejemplo, fijando un porcentaje menor al veinticinco por ciento de los accionistas, siempre que sea superior al cinco por ciento del capital social, para impedir que se deniegue la información por perjudicar el interés social, art. 197.4 TRLSC), respetando siempre los principios configuradores de las sociedades de capital en general, y del concreto tipo societario en particular. También pueden regular la forma de ejercicio del derecho para que el socio conozca los cauces a través de los que puede formular la solicitud de información.

3.- No es admisible que los estatutos sociales restrinjan el ámbito legalmente reconocido al derecho de información del socio. Tal restricción se produce cuando se prevén causas de denegación de la información que van más allá de las que resultan de la regulación legal del derecho, o cuando se otorga a los administradores o al presidente de la junta una excesiva discrecionalidad para denegar la información solicitada por el socio, mediante la inclusión en los estatutos de cláusulas generales muy amplias para definir los supuestos de rechazo de una solicitud de información.

4.- No es admisible la tesis sostenida por Iberdrola de que las normas habilitantes del ejercicio del derecho no vulneran la ley cuando contienen causas genéricas de denegación de la información que amplían la discrecionalidad de los administradores, pues lo que infringiría la ley sería únicamente el uso torcido de estas facultades.

La regulación estatutaria de las facultades de administradores y presidente de la junta otorgándoles una facultades discrecionales para denegar la información solicitada por el socio, que vayan más allá de las excepciones o limitaciones a dicho derecho contenidas en la ley, constituye en sí misma una infracción legal, sin perjuicio de que también lo sea la utilización de estas facultades con un resultado contrario a las previsiones legales.

No es admisible la pretensión de la recurrida de que se autoricen previsiones estatutarias que amparan denegaciones ilícitas de información, y que el socio deba impugnar los acuerdos adoptados cada vez que se le deniegue la información utilizando el margen previsto en los estatutos más allá de lo autorizado por la ley. Tanto más cuando la actuación del administrador o del presidente de la junta, al denegar la información, puede aparecer revestida de una cierta apariencia de regularidad por ajustarse a las previsiones estatutarias.

5.- En el caso objeto del recurso, la reforma de los estatutos y del reglamento de la junta general ha introducido una redacción de las causas de denegación de la información solicitada por los socios y de las facultades de administradores y presidente para denegarla que reducen ilícitamente el ámbito del derecho del accionista.

Conforme a la normativa aplicable al caso y la jurisprudencia que la interpreta, la pertinencia u oportunidad de la información corresponde enjuiciarla al socio que la solicita, no a quienes deben facilitarla. Así lo ha declarado esta Sala en sentencias como las núm. 858/2011, de 30 de noviembre, 986/2011, de 16 de enero de 2012, 741/2012, de 13 de diciembre, y 531/2013, de 19 de septiembre. No es admisible la tesis sostenida por Iberdrola de que es el administrador o el presidente de la junta quien debe decidir sobre la procedencia o no de facilitar la información solicitada por el socio atendiendo a la conveniencia para el interés social, y denegándola cuando considere que no concurre tal conveniencia o cuando la misma no guarde relación con los asuntos objeto del orden del día de la junta, si bien no es necesario que dicha relación sea "directa y estrecha" (sentencias de esta Sala núm. 204/2011, de 21 de marzo, y 531/2013, de 19 de septiembre). O, si la información es solicitada por accionistas que no alcanzan el veinticinco por ciento del capital social o el porcentaje inferior fijado en los estatutos, cuando la

restrictiva del derecho de información» y que se trata «de un derecho autónomo sin perjuicio de que pueda cumplir una finalidad instrumental del derecho de voto».

La regulación del derecho de información es diversa para ambos tipos sociales. El art. 196 LSC, para la sociedad de responsabilidad limitada, permite a los socios solicitar por escrito, con anterioridad a la reunión de la junta general, o verbalmente durante la misma, los informes o aclaraciones que estimen precisos acerca de los asuntos comprendidos en el orden del día. Se contempla la obligación del órgano de administración de proporcionar dicha información, en forma oral o escrita, de acuerdo con el momento y la naturaleza de la información solicitada, salvo en los casos en que, a juicio del propio órgano, la publicidad de ésta perjudique el interés social. No obstante, no podrá denegar la información ni siquiera entendiendo que pueda perjudicar el interés social, cuando la solicitud esté apoyada por socios que representen, al menos, el 25% del capital social.

El art. 197 LSC, regulador del derecho de información del accionista en la sociedad anónima, ha sido objeto de modificación por la Ley 31/2014, de 3 de diciembre, por la que se modifica la Ley de Sociedades de Capital para la mejora del gobierno corporativo. Se establece un plazo para el ejercicio de dicho derecho, al establecer el apartado 1º del precepto que hasta el séptimo día anterior al previsto para la celebración de la junta, los accionistas podrán solicitar de los administradores las informaciones o aclaraciones que estimen precisas acerca de los asuntos comprendidos en el orden del día, o formular por escrito las preguntas que consideren pertinentes; debiendo los administradores facilitar la información por escrito hasta el día de la celebración de la junta general. Asimismo, durante la celebración de la junta general, los accionistas de la sociedad podrán solicitar verbalmente las informaciones o aclaraciones que consideren convenientes acerca de los asuntos comprendidos en el orden del día, pudiendo ser facilitada la información, en caso de no ser posible en dicho momento, a posteriori, por escrito, dentro de los siete días siguientes al de la terminación de la junta. Al igual que para la sociedad de responsabilidad limi-

---

publicidad de la información perjudique el interés social, excepción que ha de ser interpretada restrictivamente (sentencia de esta Sala núm. 547/1997, de 12 de junio) y no puede confundirse con el interés de la sociedad en no difundir ciertos datos, ni siquiera en el limitado ámbito interno de los accionistas, con el interés de los administradores en esconder ciertos detalles de su gestión (entre las últimas, sentencias de esta Sala núm. 986/2011, de 16 de enero, y 531/2013, de 19 de septiembre).»

tada, los administradores vienen obligados a proporcionar la información solicitada, salvo que: (i) esa información sea innecesaria para la tutela de los derechos del socio; (ii) existan razones objetivas para considerar que podría utilizarse para fines extrasociales; (iii) su publicidad perjudique a la sociedad o a las sociedades vinculadas. Al igual que en la sociedad de responsabilidad limitada, no podrá denegarse la información cuando la solicitud la formule al menos, el 25% del capital social, si bien, se permite para la sociedad anónima, que los estatutos fijen un porcentaje inferior, pero en todo caso, superior al 5% del capital social.

## 3.2. La información exigida antes de la junta por socios de minoría cualificada: el art. 204.3 b) LSC

El art. 204.3 b) excluye la incorrección o insuficiencia de la información facilitada por la sociedad en respuesta al ejercicio del derecho de información con anterioridad a la junta, como motivo de impugnación de los acuerdos sociales, salvo que la información incorrecta o no facilitada hubiera sido esencial para el ejercicio razonable por parte del accionista o socio medio, del derecho de voto o de cualquiera de los demás derechos de participación. Por tanto, la impugnabilidad de los acuerdos por infracción del derecho de información solicitado antes de la junta dependerá de si la incorrección o insuficiencia haya sido esenciales para el ejercicio de algún derecho de participación, normalmente, para el derecho de voto[12].

---

[12]    CARRASCO PEREDA («La resistencia de los acuerdos de junta ante los "fallos procedimentales" en el Proyecto de reforma de la LSC», http://www.gomezace-bo-pombo.com/media/k2/attachments/la-resistencia-de-los-acuerdos-de-junta-ante-los-fallos-procedimentales-en-el-proyecto-de-reforma-de-la-lsc.pdf), a propósito de proyecto criticaba los arts. 197.5 y 204.3 b) argumentando: «Es razonable que si el "fallo procedimental" ha sido causalmente determinante de un acuerdo que en otro caso no se hubiera producido, la inobservancia del art. 197.5 tendría que ser relevante como causa de impugnación. Pero no basta que el voto del socio afectado hubiera sido otro, ni tampoco, contra el tenor del art. 204, que la posesión de dicha información hubiera sido "esencial" para determinar el voto de un socio de tipo medio, si aquél se ha ejercido de todas maneras en el mismo sentido que se hubiera ejercido alternativamente por ese socio singular de que se trata. Lo decisivo hubiera sido (sólo) que el acuerdo, no el voto individual, hubiera sido otro si no se hubiera procedido la infracción procedimental. De no haber sido así, la solución residual, pero única, es la reclamación de la indemnización correspondiente a los daños producidos».

Como señala QUIJANO[13] la improcedencia de la impugnación en este caso, alcanza, tanto a la incorrección, como a la insuficiencia de la información solicitada y proporcionada antes de la junta, lo que puede abarcar una amplia casuística (es incorrecta la información confusa, o la incomprensible, sesgada, etc.; es insuficiente la información parcial, o la incompleta), sin acepción de grados de mayor o menor intensidad en la incorrección o insuficiencia; si bien, considera este autor que para que haya incorrección o insuficiencia tiene que haber alguna información, de modo que una información totalmente falsa o una falta total de información no deberían quedar incluidas en el motivo genérico de inimpugnabilidad.

Nuevamente utiliza el precepto conceptos jurídicos indeterminados (información esencial, ejercicio razonable, socio medio). En primer lugar, para que opera la excepción, la información incorrecta o no facilitada ha de ser esencial, no meramente relevante[14], para el ejercicio del derecho de voto del socio, lo que doctrinalmente se ha considerado una especie de plus de exigencia en cuanto a la importancia de la información para el ejercicio de dichos derechos, llegando incluso a afirmarse que podría entenderse que «esencial» equivale a «decisiva»[15], en el caso en que de haberse suministrado la información de manera correcta el sentido del ejercicio de los derechos del socio o accionista hubiera sido diferente, en línea con lo establecido en la Ley de Sociedades Anónimas alemana en su artículo 243.4: «lo decisivo para considerar nulo un acuerdo es si un accionista que actuase objetivamente y que conociera las circunstancias que constituían el objeto de su solicitud de información habría votado en sentido diverso a como lo hizo sin conocer tales circunstancias, siendo lo relevante (no la respuesta hipotética sino) si el objeto de la pregunta es suficientemente importante como para influir en la votación con independencia de la respuesta».

---

[13]  QUIJANO GONZÁLEZ, J., *op. cit.*, págs. 802 y 803.
[14]  ALFARO ÁGUILA-REAL, J. («La reforma del gobierno corporativo de las sociedades de capital (X)», en El blog de Jesús Alfaro, 30 de junio de 2014), criticaba a propósito del Proyecto de Ley: «que la información deba ser "esencial" nos parece excesivo. Tal vez hubiera sido mejor decir "relevante". En efecto, de acuerdo con la ratio de la regla de la relevancia, no es necesario que la información sea esencial para el ejercicio del derecho de voto, basta con que la información hubiera podido afectar al sentido del voto de un socio hipotético, en la formulación que le da la jurisprudencia alemana a dicha regla».
[15]  GARCÍA-VILLARRUBIA, M: El derecho de información del socio como fundamento de la impugnación de los acuerdos sociales. Cuestiones sustantivas y procesales El Derecho. Revista de Derecho Mercantil, n.º 29, 2015.

Asimismo se utiliza la expresión «ejercicio razonable» de su derechos por el «accionista o socio medio»[16], lo que indica que el legislador pretende otorgar objetividad, aun cuando también estemos ante conceptos jurídicos indeterminados, si bien, parece estar referido a un socio o accionista razonablemente informado, que ejerce sus derechos de manera activa y no puramente pasiva[17].

Por último se vincula la infracción del derecho de información, y la esencialidad de la misma, con el ejercicio del derecho de voto «y demás derechos de participación»[18], expresión referida a aquellos derechos referidos a puntos concretas del orden del día que han podido verse afectados por la insuficiencia o incorrección de la información (adquisición preferente en un aumento de capital).

Por último, cabría plantearnos, como se hace por alguna doctrina, si lo decisivo sería que el acuerdo, no el voto individual, hubiera sido otro si no se hubiera procedido a la infracción del derecho de información, en cuyo caso, estaríamos ante un supuesto similar a la prueba de relevancia, pero estimo que dicha interpretación no cabe colegir del tenor del art. 203.3.b) LSC, al referirse al derecho de voto u otros derechos de participación.

---

[16] QUIJANO GONZÁLEZ, J., *op. cit.*, pág. 803, considera que la determinación del socio o accionista medio no será sólo una cuestión cuantitativa de participación en el capital, sino de perfil cualitativo, tal vez sociológico, o formativo, o de cultura accionarial, de la masa social en cada sociedad en concreto.

[17] GARCÍA VILLARRUBIA, que estima que el perfil de socio o accionista medio habrá de fijarse también atendiendo al tipo societario de que se trate (sociedad de responsabilidad limitada o sociedad anónima, cotizada o cerrada) y a las particulares características de la concreta sociedad afectada (teniendo en cuenta factores como la previa práctica aplicada en la sociedad respecto de la información suministrada a los socios o accionistas, la eventual existencia de una regulación propia sobre la forma de ejercicio del derecho y los cauces para la solicitud de información, etc.).

[18] QUIJANO GONZÁLEZ, J., *op. cit.*, pág. 803, se cuestiona qué derechos se pueden exactamente considerar como de participación a estos efectos: ¿el caso del socio que decidió no asistir a la vista de la información proporcionada?; ¿el que no otorgó representación en esa situación?, o, más aún, ¿el que no ejerció derecho de información verbal en la junta, condicionado por la información escrita proporcionada antes?, ¿el que no ejerció el derecho de voz en el debate sobre los asuntos del orden del día?

### 3.3. La información exigida durante la junta por socios de minoría cualificada

En este epígrafe se trata de abordar si puede ser motivo de impugnación de acuerdos sociales la vulneración del derecho de información durante el desarrollo de la junta general, y la respuesta puede ser diversa si estamos ante una sociedad anónima o de responsabilidad limitada. Respecto de la sociedad anónima, la respuesta que ha de ser negativa, la encontramos en el apartado 5º del art. 197 LSC por la Ley 31/2014, que establece que la vulneración del derecho de información previsto en el apartado 2, esto es, la información solicitada en la misma junta general, solo facultará al accionista para exigir el cumplimiento de la obligación de información y los daños y perjuicios que se le hayan podido causar, pero no será causa de impugnación de la junta general.

La cuestión resulta más polémica tratándose de una sociedad de responsabilidad limitada, al no encontrar un precepto similar, lo que suscita la duda de si puede impugnarse el acuerdo social adoptado en junta general de la sociedad de responsabilidad limitada por infracción del derecho de información, cuando ésta ha sido solicitada durante la misma junta general. En caso de ejercicio del derecho de información en la misma junta, la LSC prevé, para la sociedad de responsabilidad limitada, que dicha información se proporcione «de acuerdo con el momento y la naturaleza de la información solicitada», mientras que en la sociedad anónima, se establece que en caso de no poder ser proporcionada en el mismo acto de la junta, se facilite por escrito en un plazo no superior a una semana. Evidentemente, en ambos casos, si se proporciona con posterioridad, el accionista o socio, habrá emitido su voto sin contar con dicha información.

Aun cuando la falta de modificación del art. 196 LSC por la Ley 31/2014, a diferencia de lo acontecido con la sociedad anónima, podría inducirnos a pensar que son impugnables los acuerdos adoptados en junta general de la sociedad de responsabilidad limitada por infracción del derecho de información solicitado en la misma junta, resulta cuestionable por la modificación del art. 204.3 b) por dicha Ley, conforme al cual, y sin distinguir entre ambos tipos societarios, no procederá la impugnación de acuerdos sociales basada en «la incorrección o insuficiencia de la información facilitada por la sociedad en respuesta al ejercicio del derecho de información con anterioridad a la junta, salvo que la información incorrecta o no facilitada hubiera sido esencial para el ejercicio razonable por parte del accionista o socio medio, del derecho de voto o de cualquiera de los demás derechos de participación». La referencia no sólo al accionista sino también al socio medio, induce a entender que efectivamente el precepto es aplicable en ambos casos.

Pero continúa suscitando polémica si el acuerdo adoptado en junta general de sociedad de responsabilidad limitada es impugnable porque no se proporcione en la misma la información solicitada, esto es, si el art. 197.5° LSC resulta aplicable analógicamente a la sociedad de responsabilidad limitada. Si acudimos al Preámbulo de la Ley 31/2014, en el mismo se destaca la importancia del derecho de información, al señalar: «Un aspecto fundamental para el buen funcionamiento de las empresas y para el adecuado equilibrio entre sus órganos de gobierno es la regulación del derecho de información de los accionistas. Si bien el régimen actual para el ejercicio de este derecho es, con carácter general, adecuado, resulta sin embargo conveniente diferenciar entre las consecuencias jurídicas de las distintas modalidades de este derecho, así como modular su ejercicio atendiendo al marco de la buena fe.» Y en cuanto a la impugnación de acuerdos se establece en el Preámbulo: «Por lo que se refiere al régimen jurídico de la impugnación de los acuerdos sociales, se han ponderado las exigencias derivadas de la eficiencia empresarial con las derivadas de la protección de las minorías y la seguridad del tráfico jurídico. En consecuencia, se adoptan ciertas cautelas en materia de vicios formales poco relevantes y de legitimación, para evitar los abusos que en la práctica puedan producirse.»

Por tanto, el propio Preámbulo de la Ley 31/2014 no nos clarifica la limitación a la impugnabilidad de acuerdos sociales por infracción del derecho de información en las sociedades de responsabilidad limitada, pero es lo cierto que el legislador reformista, no introdujo en el art. 196 LSC una previsión similar a la del art. 197.5 LSC, y no considero que esta omisión sea involuntaria, y por ello, me inclino por no estimar aplicable el art. 197.5 LSC a la sociedad de responsabilidad limitada.

En el Encuentro de Magistrados Especialistas de lo Mercantil celebrado en noviembre de 2015 en Pamplona se convino no obstante «que no son impugnables los acuerdos sociales por infracción del derecho de información del socio ejercitado durante la junta, tanto si se trata de una sociedad anónima como de una sociedad de responsabilidad limitada. Aun cuando el art. 196 LC guarde silencio al respecto, no hay razón alguna que justifique esa diferencia de trato entre ambos tipos sociales, máxime cuando el art. 204.3 les da el mismo tratamiento. Con dicha previsión legal, lo que se está intentando es que el accionista ejercite su derecho de información antes de la junta y evitar así ejercicios abusivos de ese derecho de información durante la junta mediante una batería de preguntas abrumadoras y sorpresivas cuya única finalidad es fundamentar luego, una acción impugnatoria.»

La polémica está servida, y habrá que esperar por tanto a la solución que se le dé por los Tribunales.

## 4. La «prueba de resistencia» y la impugnación de acuerdos sociales

### 4.1. La prueba de resistencia de constitución del órgano

El art. 204.3.c) LSC excluye de la impugnación, acogiendo el llamado «test de resistencia», el supuesto en que hayan participado en la reunión personas no legitimadas, salvo que esa participación hubiera sido determinante para la constitución del órgano. A sensu contrario, si la participación de personas no legitimadas no ha sido determinante para la constitución del órgano, no cabe la impugnación del acuerdo.

Para FARRANDO DE MIGUEL[19], la aceptación de esta técnica está supeditada a asumir y reconocer una doble premisa. Por un lado, la asistencia irregular a la junta de una persona que no se encuentra legitimada no implica de forma automática que esta causa siempre anule la constitución del órgano y como consecuencia los acuerdos adoptados en el mismo. Por otra parte, la aplicación de la prueba de resistencia también implica considerar que la irregularidad de un voto implicará su nulidad, pero ello no implica siempre que se declare la nulidad de la votación completa.

Este precepto se encuentra íntimamente relacionado con el apartado siguiente (art. 204.3.d), que igualmente recoge la prueba de resistencia pero referida a la invalidez de uno o varios votos cuando no han sido determinantes para la adopción del acuerdo. Si la persona no legitimada además de computar para la constitución del órgano, vota a favor del acuerdo que pretende impugnarse, aplicaríamos el apartado d), y no cabría la impugnación, siempre que su voto, que ha de estimarse inválido por su falta

---

[19]    FARRANDO DE MIGUEL, I., «Impugnación de acuerdos sociales y prueba de resistencia» en Estudios de derecho mercantil liber amicorum profesor Dr. Francisco Vicent Chuliá, Tirant lo Blanch, Valencia, 2013, pág. 286. Para este autos, este supuesto se limita sólo a los asistentes no legitimados por encontrarse privados de su derecho de asistencia o voto, sin tener en cuenta a aquellos asistentes irregulares que sin ostentar tal derecho tampoco son tenidos en cuenta a la hora de la formación del quórum de asistencia (periodistas, personal técnico, traductores, etc...).

de legitimación para intervenir y votar, no haya sido determinante para la adopción del acuerdo. Pero y si la junta no hubiere podido constituirse sin la intervención de dicha persona no legitimada, ¿cabría impugnar?, pese a que el acuerdo, aun sin su voto, hubiera sido adoptado. Considero que en este caso debe prevalecer el art. 204.3.c), y que podría ser impugnado el acuerdo, porque no se supera la prueba de resistencia en cuanto a la constitución del órgano[20].

---

[20]    Sobre la aplicación registral del test de resistencia, la RDGRN de 18 de mayo de 2012, (BOE 142/2012, de 14 junio 2012), en la que se desestima la DGRN el recurso interpuesto contra la nota de calificación extendida por la Registradora Mercantil, por la que se suspende la inscripción de una escritura de elevación a público de acuerdos sociales de una sociedad anónima de gestión de estibadores portuarios. El recurrente alegaba que, en materia de calificación de acuerdos sociales de órganos colegiados, el Registrador Mercantil debe practicar una suerte de «prueba de resistencia» e inscribir aquellos acuerdos en que, incluso en el caso de haberse efectivamente incurrido en irregularidades meramente formales, hubieren de ser considerados válidos en todo caso y en referencia al caso del recurso, se aducía que como quiera que hubiera podido adoptarse el acuerdo de nombramiento de Consejero Delegado incluso con cinco de los seis votos de los Consejeros presentes, es irrelevante, tanto a efectos registrales como sustantivos, la eventual incorrección del contenido de la misma certificación del acuerdo social del Consejo (que contempla una reunión de consejo universal y que nos dice que se adoptan los acuerdos por unanimidad ...cuando el propio fedatario admite la posibilidad de que no sea así y que es posible que no deba darse por buena la asistencia y el voto del que se dice representante permanente de la persona jurídica consejera) o la eventual contradicción que se produciría entre lo que el Registro publica y lo que dice el certificado en relación con la identificación del dicho representante (dado que no coincide el representante inscrito con el que concurre a la reunión del Consejo de Administración). El Centro directivo sostiene: «Porque el legislador puede muy bien entender que interesa a los terceros o a los mismos socios conocer cuáles son los miembros asistentes a una reunión de consejo, sobre todo a la vista de la responsabilidad en que incurren, solidariamente, los que adoptan acuerdos irregulares o la responsabilidad que toca a quienes indebidamente asisten en representación de otros o a los vocales que faltan al deber de asistencia etc. Si fuera cierto que la calificación se reduce a un mero control de validez en aplicación de cualquier test de resistencia como el propuesto por el recurrente, muy probablemente sobrarían muchos de los preceptos que se encuentran en nuestro Derecho registral (como son todos los que establecen los requisitos que debe contener el título o los datos de las personas inscritas) e incluso, carecería de mucho sentido mantener la distinción entre faltas subsanables e insubsanables en los acuerdos inscribibles, hecho este último apuntado por el mismo autorizante en su recurso.»

Comparto la opinión de CARRASCO PEREDA que considera que la preterición de socios legítimos, a quienes no se convoca (o no se les permite votar, en el supuesto del apartado d), conduce a la nulidad del acuerdo, aunque se trate de votos irrelevantes para el resultado final, porque el derecho de participación es absolutamente «resistente», incluso, a su manifiesta inefectividad[21].

Pero en todos estos casos el test de resistencia resulta aplicable tanto a los acuerdos adoptados conforme a una convocatoria como a aquellos acuerdos incluidos ex novo en la reunión[22].

### 4.2. La «prueba de resistencia» de la mayoría precisa para el acuerdo

Como se ha expuesto, el último apartado del art. 204.3 LSC excluye la impugnación cuando el motivo sea la inclusión en el cómputo para la consecución de la mayoría de unos o varios votos inválidos. Se recoge de esta forma la llamada prueba o test de la resistencia que nos lleva a analizar si el acuerdo habría sido aprobado incluso descontando los votos indebidamente computados, en cuyo caso la validez del acuerdo se mantiene, y no cabe oponer dicho motivo de impugnación[23].

Antes de la reforma operada por la Ley 31/2014, podemos encontrar pronunciamientos judiciales que venía aplicando la conocida doctrinalmente como prueba de la resistencia, tanto en lo referido a la constitución como a la adopción de acuerdos. Resulta paradigmática la STS de 15 de

---

[21]   CARRASCO PEREDA, A.: («La resistencia de los acuerdos de junta ante los "fallos procedimentales" en el Proyecto de reforma de la LSC», http://www.gomezace-bo-pombo.com/media/k2/attachments/la-resistencia-de-los-acuerdos-de-junta-ante-los-fallos-procedimentales-en-el-proyecto-de-reforma-de-la-lsc.pdf),: «El socio de minoría tiene un derecho cuasi constitucional a participar en las deliberaciones sociales, aunque sus propósitos siempre sean derrotados. Aunque el art. 204 no formula —¿debería hacerlo?— esta especie de derecho cuasi-constitucional del socio sin poder a la participación irrelevante en los procedimientos orgánicos, implícitamente se halla reconocido en la arquitectura del precepto».

[22]   FARRANDO DE MIGUEL, I., op. cit., pág. 290-291.

[23]   FARRANDO DE MIGUEL, I. (op. cit., pág. 290-291) clasifica estos supuestos en dos grandes grupos, en primer lugar aquellos casos referentes a la anulación de los votos emitidos por aquellos socios que debían sujetarse al deber de abstención debido a un conflicto de intereses y por otro lado casos en que el socio no posee derecho a voto bien sea por disposición legal, bien porque se trata de socios titulares de acciones sin derecho a voto o bien por una restricción estatutaria.

enero de 2014[24], que resuelve sobre la impugnación de acuerdos sociales de ampliación de capital de la Sociedad Anónima Deportiva Club Atlético de Madrid, adoptados en junta general extraordinaria de accionistas el día 27 de junio de 2003, en el sentido de ratificar el fallo de segunda instancia que declaró su nulidad. La operación de ampliación de capital fue autorizada por la Audiencia Nacional durante la intervención judicial del club y en la demanda civil que dio origen al pleito, los demandantes fundaron su petición de impugnación de los acuerdos societarios, en la ilegal composición del Consejo de Administración que convocó la referida junta, y en la ilegal presidencia, constitución y quórum de la junta. La demanda fue desestimada en primera instancia, pero la Sección 28ª de la Audiencia Provincial de Madrid en sentencia de 4 de marzo de 2011, estimó en parte el recurso de apelación y declaró la nulidad de los acuerdos impugnados, acogiendo el motivo de impugnación referente a que no debió permitirse la asistencia a la junta a los señores Gil y Gil y Cerezo Torres, y, por extensión, a sus sociedades instrumentales, ni computar sus acciones para la conformación del quórum porque el importe de aquellas no estaba realmente desembolsado. La Audiencia Provincial entendió que existió fraude de ley por cuanto el ingreso en su día realizado por los señores Cerezo Torres y Gil y Gil en las cuentas del club, que formalmente suponía el desembolso que les legitimaba para concurrir como socios a la junta y votar los acuerdos de ampliación de capital, no fue sino un elemento más del entramado fraudulento diseñado para eludir las exigencias impuestas por la Ley del Deporte, pues estaba asegurado el reembolso inmediato de esas cantidades, por lo que la Audiencia concluyó que la legitimación que deriva de aparecer en el libro registro de acciones carece de virtualidad, pues se trata de una legitimación prima facie, que opera con fuerza de presunción iuris tantum (es decir, que se puede destruir mediante prueba en contrario)[25].

---

[24]  STS comentada por ALFARO ÁGUILA-REAL, J. en Almacén de Derecho (http://derechomercantilespana.blogspot.com.es/2014/02/gil-no-era-sutil.html). Este autor también se refiere a otras Senyemcias que han aplicado la prueba de resistencia, entre ellas, la Sentencia de la Audiencia Provincial de la Coruña de 18 de noviembre de 2011.

[25]  El Tribunal Supremo apreció que la sentencia recurrida no fue plenamente congruente al no examinar las objeciones que el club opuso como argumento subsidiario en su contestación a la demanda, las cuales, en síntesis, consistieron en que el sentido de los acuerdos impugnados no habría variado ni siquiera privando de voto a los señores Gil y Cerezo, por cuanto que los accionistas comparecidos alcanzaban el quórum exigido y los acuerdos se adoptaron por las mayorías legales,

En la Sentencia, el Tribunal Supremo razona que para saber qué relevancia tuvo en los acuerdos finalmente adoptados la participación indebida de los señores Gil y Cerezo, ha de realizarse el llamado *test o prueba de resistencia*, sobre el que argumenta en los siguientes términos:

«La doctrina, ya desde la vigencia de la originaria Ley de Sociedades Anónimas de 1951, como después bajo la aplicación del Texto Refundido de 1989 y ahora con la Ley de Sociedades de Capital, sostiene la procedencia de aplicar el test o prueba de resistencia. La prueba de resistencia se traduce en que de la cifra originariamente considerada (para el quórum de constitución o para la mayoría) se restan el porcentaje en el capital (o los votos) atribuidos irregularmente a personas que no estaban legitimadas para asistir (o para votar). Si, tras realizar esta sustracción, con el restante porcentaje de capital asistente se alcanza el quórum suficiente, la junta se entiende válidamente constituida; en caso contrario, la junta es nula (y con ella los acuerdos adoptados) por estar irregularmente constituida. Y del mismo modo en lo que respecta al cálculo de la mayoría.

Esta doctrina esta tomada del derecho italiano, que contiene esta regla en el art. 2377.V del Codice civile: "La deliberazione non può essera annullata: 1) per la partecipazione all'assemblea di persone non legittimate, salvo che tale partecipazione sia stata determinante ai fini della regolare costituzione dell'assemblea a norma degli articoli 2368 e 2369. 2) Per l'invalidità di singoli voti o per il loro errato conteggio, salvo che il voto invalido o l'errore di conteggio siano stati determinanti ai fini del raggiungimento della maggioranza richiesta". Esta regla aparece incorporada, con una redacción muy similar si no idéntica, en el art. 214-14 de la reciente propuesta de Código de Comercio Mercantil elaborada por la Sección de Derecho Mercantil de la Comisión General de Codificación (Ministerio de Justicia, 2013).

Aunque no contemos en la actualidad con una regulación expresa en nuestro derecho de sociedades[26] y la norma proyectada carezca de toda eficacia, nada impide entender, como ha venido haciéndolo la doctrina desde hace sesenta años, que la "prueba de la resistencia" estaría implícita en el cómputo de quórums y mayorías, a los efectos de la impugnación de acuerdos. Una muestra de ello es que esta misma ratio iuris subyace en la

---

por lo que el Tribunal Supremo asume funciones de tribunal de instancia, pese a lo cual no estima los argumentos de la parte recurrente.

[26]   Cabe recordar que la STS es de fecha anterior a la reforma operada por la Ley 31/2014.

regla adoptada por la Ley al regular supuestos con los que existe una relación de analogía, como es el alcance de la infracción de la prohibición de voto en caso de conflicto de intereses en la sociedad de responsabilidad limitada (actual art. 190 LSC).

Conviene advertir que esta regla se refiere únicamente a los casos en que se permitió de forma indebida la asistencia y el voto de quien no gozaba del derecho de asistencia o del derecho voto. No se extiende a los casos en que fue denegada de forma indebida la asistencia de quien sí gozaba de derecho para ello, pues en este segundo caso se impidió que su participación en la deliberación pudiera incidir en la conformación de la voluntad, más allá de la irrelevancia de su voto para alcanzar la mayoría exigida por la Ley.»

Al tiempo de celebrarse la junta de 27 de junio de 2003, el capital estaba dividido en 248.480 acciones, de las que tan sólo 12.986 acciones tenían derecho de voto. En el acta de la junta se dejó constancia de que habían comparecido socios titulares de 240.532 acciones. Si se descuentan las 235.494 acciones afectadas por el fraude de ley, las acciones correspondientes a los socios comparecidos serían 5.038, que constituían el 38,79% del capital social suscrito con derecho a voto. Dado que la junta del día 27 de junio se constituyó en primera convocatoria, la Sala concluye que no hay que resolver sobre lo que hubiera pasado en segunda convocatoria, sino que con los datos de esa primera convocatoria se demuestra que en ningún caso se habría superado la prueba de resistencia, «pues para ello hubiera sido necesario que quienes concurrieron poseyeran más del 50% del capital social suscrito con derecho a voto», lo que no fue el caso. Además, la Sala Primera reitera que la eficacia legitimadora del libro registro de acciones nominativas está supeditada al control judicial y puede realizarse no solo a priori, con anterioridad al ejercicio de los derechos sociales (antes de la celebración de la junta), sino también a posteriori, con ocasión de la impugnación de acuerdos sociales por un defecto en la constitución, con carácter prejudicial. Para el Tribunal Supremo, «la impugnación de los acuerdos adoptados en aquella junta, que se basa en un defecto en su constitución por el desacuerdo entre la apariencia que muestra el libro de socios, respecto del desembolso de las acciones, y la realidad, es un cauce adecuado para juzgar, a efectos incidentales, sobre la corrección de la inscripción».

Como hemos visto, el legislador de 2014, ha venido a recoger en los apartados c) y d) del art. 204.3 LSC, la aplicación de esta doctrina.

## II. EL INCIDENTE DE ESPECIAL PRONUNCIAMIENTO PARA DETERMINAR LA IMPUGNABILIDAD DEL ACUERDO

El párrafo 2º del art. 204.3 LSC[27] establece el cauce procedimental y el momento para determinar si concurren algunos de los supuestos del párrafo anterior, estableciendo: «Presentada la demanda, la cuestión sobre el carácter esencial o determinante de los motivos de impugnación previstos en este apartado se planteará como cuestión incidental de previo pronunciamiento.»[28]

---

[27] SÁNCHEZ-CALERO, J., «La impugnación de acuerdos sociales 16 diciembre, 2014», en su Blog (www.jsanchezcalero.blogspot.com.es), además de destacar el acierto del art. 204.3 LSC, señala que e socio demandante a quien el Juez de lo mercantil indica que el defecto alegado no da lugar a una situación de infracción esencial de sus derechos, o que el reconocimiento del derecho de votar a determinadas personas no fue determinante para la válida adopción del acuerdo, es probable que evite así continuar con un procedimiento cuyo desenlace se anuncia contrario a sus pretensiones. La sociedad demandada (art. 206.3 LSC) deberá prestar especial consideración a la resolución incidental que afirme el carácter esencial o determinante del motivo de impugnación señalado en la demanda y, en consecuencia, plantearse una forma de poner fin al procedimiento (conforme al art. 204.2 LSC o por medio de un acuerdo con el demandante).

[28] La polémica sobre la tramitación de este previo pronunciamiento ha llevado a los Jueces y Letrados de la Administración de Justicia de Barcelona a adoptar el siguiente ACUERDO SOBRE LA TRAMITACIÓN DE ESTAS CUESTIONES DE PREVIO PRONUNCIAMIENTO:

«De una primera lectura, pudiera entenderse que el legislador está imponiendo al actor que, simultáneamente con su demanda principal, plantee mediante otrosí, una demanda incidental que tenga por objeto solamente la pretensión declarativa sobre el carácter esencial, relevante o determinante del motivo de impugnación alegado. Hasta el punto que pudiera sostenerse que el secretario judicial, no daría curso a su admisión, hasta que el juez no se pronunciara al respecto.

Sin embargo, los Jueces y Secretarios Judiciales de Barcelona hemos considerado que existe otra interpretación más razonable del precepto, en concordancia con los arts. 404.2, 405.3 y 387 y ss. de la LEC.

En nuestra opinión, es el demandado quien, en su escrito de contestación, debe denunciar tal cuestión de previo pronunciamiento mediante otrosí pues el art. 405.3 LEC le impone a él el deber de advertir o suscitar aquellas excepciones procesales que impiden la válida prosecución del proceso, como sería el caso. Todo ello, sin perjuicio de cómo operará posteriormente el juego de las cargas de la prueba acerca del carácter esencial o relevante del motivo de impugnación alegado.

Los argumentos que respaldan nuestra tesis son los siguientes:

1) El art. 404.2 LEC establece en qué casos el secretario judicial, a la hora de admitir a trámite la demanda, debe dar cuenta al juez, no estando comprendido

en ninguno de ellos las cuestiones de previo pronunciamiento. De hecho, el secretario judicial, a la hora de admitir a trámite la demanda, debe limitarse a velar porque la misma cumple los requisitos de mera procedibilidad (competencia objetiva, territorial, poder de representación, tasas, etc.) no así de los requisitos de naturaleza jurídica o de orden sustantivo, como sería el caso, por mucho que el legislador se haya remitido para su tramitación, a las cuestiones de índole procesal o de previo pronunciamiento.

2) Cuando el art. 204 LEC dice "presentada la demanda", no debe entenderse como dies ad quem sino como dies a quo, pues el límite para poder plantearlas aparece recogido en los arts. 392 y 405.3 LEC. Esto es, el demandado tiene el deber de aducir en la contestación a la demanda, todas las excepciones procesales y demás alegaciones que pongan de relieve cuanto obste a la válida prosecución y término del procedimiento mediante sentencia sobre el fondo, como sería el caso conforme al art. 204.3 in fine LSC. Cuando el art. 392 LEC establece como límite para plantear estas cuestiones de previo pronunciamiento el acto del juicio en el procedimiento ordinario o una vez admitida a trámite la prueba en el juicio verbal, debe entenderse referido solamente a aquellos hechos nuevos o de nueva noticia, pero no respecto de aquellas excepciones procesales que eran conocidas por el demandado en el momento de contestar a la demanda, como sería el caso.

3) El art. 204.3 LSC no es una norma procesal propia sino que se remite a los arts. 387 y ss. de la LEC.

4) Aunque el Art. 390 LEC lleva por rúbrica "de la suspensión del curso de la demanda", posteriormente, en su redactado se refiere a la "suspensión de las actuaciones", actuaciones que sólo se inician con la admisión a trámite de la demanda (art. 410 LEC).

5) Por último, el término "cuestión" que emplea el art. 204.3 LSC debe ser entendido como "controversia" la cual sólo se suscitará cuando el demandado conteste a la demanda y se oponga a ésta. De hecho, pudiera darse el caso que el demandado no discuta el carácter esencial o determinante del motivo impugnado alegado versando su oposición únicamente en el hecho de que no hubo infracción.

En conclusión, el trámite a seguir será el siguiente:

1.- En caso de que se impugne un acuerdo social por alguno de los motivos previstos en el art. 204.3 LSC, si el demandado no está conforme con el carácter relevante, esencial o determinante del tal motivo de impugnación, lo planteará mediante demanda incidental de previo pronunciamiento bien mediante otrosí bien a continuación de su escrito de contestación.

En ambos casos, como se trata de una "demanda incidental", deberá reunir los requisitos del art. 399 LEC, a la que deberá acompañar los documentos necesarios e indicar los medios de prueba de los que intente valerse, siendo éste un momento preclusivo (art. 392 LEC).

2.- El secretario judicial dará cuenta al juez de dicha cuestión de previo pronunciamiento quien deberá resolver mediante providencia sucintamente motivada, si la admite o no. En caso afirmativo, suspenderá el curso de las actuaciones del pleito principal hasta que ésta no se resuelva.

La Ley de Enjuiciamiento Civil 1/2000 regula las cuestiones incidentales en los arts. 387 a 393, definiéndolas como «las que, siendo distintas
de las que constituyan el objeto principal del pleito, guarden con éste relación inmediata, así como las que se susciten respecto de presupuestos
y requisitos procesales de influencia en el proceso» (art. 387 LEC). En
dicha definición encaja la decisión sobre la concurrencia de algunos de os
supuestos de inimpugnabilidad del art. 204.3 LSC, debiendo ventilarse, a
falta de una tramitación específica en dicho precepto, en la forma estable-

---

3.- A continuación, el secretario judicial, mediante diligencia de ordenación, dará
traslado por 5 días al resto de partes para que se pronuncien por escrito sobre la
cuestión de previo pronunciamiento planteada. Aun cuando el art. 393.3 LEC
nada diga al respecto, en ese escrito de contestación, también deberán proponerse los medios de prueba pertinentes. Tal conclusión se alcanza de la lectura
conjunta del apartado 3 y 4 del art. 393 LEC pues el objeto de la comparecencia
solo es para admitir la prueba previamente "propuesta" y proceder a su práctica lo
que pone de manifiesto que la proposición de prueba es anterior a su celebración
y ello solo puede tener lugar en los escritos que a tal efecto se presenten. De hecho, por un principio de igualdad procesal de armas, no tiene sentido que el art.
392 LEC exija al actor incidental exponer sus alegaciones y anticipar sus medios
de prueba y no al demandado. Insistimos, la comparecencia sólo es para admitir
la prueba previamente propuesta y proceder a su práctica, pero no es una nueva
oportunidad para que las partes propongan prueba pues el trámite procesal ha
precluido.
Por esta misma razón, aun cuando el art. 393.3 LEC se pronuncie en términos
imperativos y exija al secretario judicial, una vez contestada a la demanda incidental, "citará a las partes a una comparecencia", hemos de entender que ello solo
es así si alguna de las partes ha planteado alguna excepción procesal prevista en
el art. 416 LEC o bien, si las partes proponen medios de prueba distintos de la
documental. En caso contrario, esto es, si las partes no solicitan vista ni proponen
otros medios de prueba distintos de la documental, como no habría propiamente
dicho prueba que practicar, el secretario judicial dictará diligencia de ordenación
dando cuenta al juez y dejando los autos en su poder para dictar la resolución que
corresponda conforme a derecho.
Para el supuesto de que el juez no aprecie el carácter esencial o determinante de
los motivos de impugnación alegados, así lo declarará mediante auto y ordenará
el archivo del pleito principal. Este auto es susceptible de ser recurrido en apelación.
Por contra, si estima que el motivo de impugnación sí fue "relevante o determinante" para la convocatoria de la junta, constitución de la misma o ejercicio del
derecho de información del socio, el juez así lo declarará mediante auto, no susceptible de recurso alguno y ordenará continuar el curso del pleito principal por
sus trámites ordinarios. El pleito principal tendría entonces como único objeto,
acreditar si hubo o no la infracción invocada.»

cida en la LEC (art. 388). Se trataría de cuestiones incidentales de previo pronunciamiento a las que se refiere el art. 390 LEC, esto es, cuestiones que supongan, por su naturaleza, un obstáculo a la continuación del juicio por sus trámites ordinarios, en cuyo caso impone la suspensión del curso de las actuaciones hasta que aquéllas sean resueltas. Los casos de cuestiones de previo pronunciamiento se recogen en el art. 391 LEC, y podríamos considerar que resulta aplicable el caso previsto en el n° 3° que se refiere a «cualquier otra incidencia que ocurra durante el juicio y cuya resolución sea absolutamente necesaria, de hecho o de derecho, para decidir sobre la continuación del juicio por sus trámites ordinarios o su terminación.» resulta patente que es necesario resolver sobre la concurrencia de las causas que excluye la impugnación del art. 204.3, ya que de apreciarse, no procedería la continuación del pleito.

El art. 392 LEC se refiere al planteamiento de las cuestiones incidentales e inadmisión de las que no sean tales, estableciendo:

«1. Las cuestiones incidentales se plantearán por escrito, al que se acompañarán los documentos pertinentes y en el que se propondrá la prueba que fuese necesaria y se indicará si, a juicio de quien proponga la cuestión, ha de suspenderse o no el curso normal de las actuaciones hasta la resolución de aquélla.

2. El tribunal repelerá, mediante auto, el planteamiento de toda cuestión que no se halle en ninguno de los casos anteriores.»

Debemos tener en cuenta que el art 204.3 párrafo 2° se refiere a la tramitación por los acuses incidentales, pero establece que ello ha de ser una vez presentada la demanda. Por ello, resulta procedente que sean planteadas por el demandado en la contestación a la demanda. Ello no obsta a que el actor pueda hacer alegaciones en la demanda respecto de la improcedencia de aplicar el art. 204.3 LSC, lo que podrá hacer mediante otrosídigo en la misma contestación o en otro escrito. La tramitación se recoge en el art. 393 LEC: En la providencia sucintamente motivada en que se admita el planteamiento de la cuestión se habrá de indicar que se considera una cuestión de previo pronunciamiento, suspendiéndose el curso ordinario de las actuaciones. El Letrado de la Administración de Justicia dará traslado del escrito en que se plantee la cuestión a las demás partes, quienes podrán contestar lo que estimen oportuno en el plazo de cinco días y, transcurrido este plazo, señalará día y hora, citando a las partes a una comparecencia ante el Tribunal, que se celebrará conforme a lo dispuesto para las vistas de los juicios verbales. En dicha vista, formuladas las alegaciones y practicada, en su caso, la prueba que en la misma se admita, se dictará, en el plazo de diez días, auto resolviendo la cuestión y disponiendo lo que sea procedente respecto a la continuación del proceso. Contra este auto, si se acordare poner fin al proceso, cabrá recurso de apelación, y si se decidiere su continuación, no cabrá recurso alguno, sin perjuicio de que la parte perjudicada pueda impugnar la resolución al apelar la sentencia definitiva.

La interpretación de la norma procesal del art. 204.3 párrafo 2º LSC fue debatida en el Encuentro de Magistrados Especialistas de lo mercantil celebrado en Pamplona los días 4, 5 y 6 de noviembre de 2015[29], en el que se adoptó el siguiente Acuerdo al respecto: «El sentir unánime es que el objetivo del citado precepto es facilitar la labor jurisdiccional y poder concluir rápidamente aquellos procedimientos en los que la demanda se basa en motivos de impugnación insignificantes o intrascendentes, evitando así tener que tramitar todo un procedimiento principal hasta sentencia, con

---

[29] El Tribunal de Instancia de Sevilla también se ha pronunciado en Acuerdo nº 3/2016, sobre este incidente de previo pronunciamiento, estableciendo las siguiente normas procesales:

«1. La alegación de que estamos ante un motivo de impugnación esencial o determinante corresponde plantearla al demandado, pues el actor, por el solo hecho de presentar la demanda, ya está afirmando asumiendo ese carácter esencial o determinante del mismo.

2. Las normas aplicables al incidente son los arts. 387 y ss. de la LEC, debiendo plantearse por escrito, ya en el escrito de contestación a la demanda, ya en escrito aparte en el que deberá expresarse motivadamente las razones de su pretensión, acompañando los documentos en que se funde y proponiendo la prueba correspondiente.

3. Si el escrito se presenta con la contestación a la demanda, el Letrado de la Administración de Justicia convocará a las partes a la audiencia previa y dará traslado al Juez para que se pronuncie sobre la admisión de la cuestión incidental. Si se admite, se suspenderá el curso del procedimiento principal (aunque no las piezas de medidas cautelares o prueba anticipada) y se tramitará conforme a las normas del juicio verbal, celebrándose o no vista y en caso de que ésta se acuerde, fijándose el mismo día de la audiencia previa y con anterioridad a la misma.

4. Si el escrito se presenta previamente a la contestación a la demanda, se tramitará conforme a lo previsto para el juicio verbal y con los mismos efectos de suspensión indicados.

5. Puede inadmitirse mediante auto por razones sustantivas (no motivarse, fundarse en motivos dilatorios o fraudulentos) o procesales (plantearse con posterioridad a la contestación a la demanda basándose en hechos anteriores).»

Desde mi punto de vista, tanto si se presenta con la contestación o en escrito distinto, el letrado de la administración de Justicia debe someterlo al juez para que resuelva sobre su admisión y acordar la suspensión del curso de los autos, sin que proceda convocar audiencia previa.

vistas innecesarias. Partiendo de esa premisa, y entrando ya en el análisis puramente procesal, la primera pregunta a responder es ¿sobre quién recae la carga de plantear la cuestión de previo pronunciamiento? Se consideró por unanimidad que no estamos ante un requisito de admisibilidad de la demanda por lo que no el demandante no está obligado a promover el incidente de previo pronunciamiento, sino que será normalmente el demandado quien, en su escrito de contestación a la demanda o bien, en escrito independiente, pero previo a la formulación de la contestación a la demanda, la pueda plantear.

El secretario judicial dará cuenta al juez del planteamiento de esa cuestión de previo pronunciamiento para que éste decida admitirla o no, por providencia motivada. Se aceptó que la tramitación de esa cuestión de previo pronunciamiento sólo tiene sentido si los motivos en los que se funda la demanda se basan única y exclusivamente en los del art. 204.3 LSC. Por el contrario, si en la demanda se alegan tanto los motivos de impugnación del art. 204.3 LSC como otros, por ejemplo, imagen fiel, abuso de derecho, etc. (art. 204.1 LSC) entonces, la cuestión de previo pronunciamiento carece de sentido pues el procedimiento principal siempre se tendrá que tramitar igualmente. Por tanto, en estos casos, no se admitirá a trámite la cuestión de previo pronunciamiento remitiendo a las partes al acto de la audiencia previa donde se fijará como hecho controvertido, las partes podrán proponer medios de prueba y se resolverá en sentencia, al igual que el resto de motivos de impugnación. Asimismo, se convino en que no resulta posible su planteamiento de oficio.»

## III. LA ADOPCIÓN DE MEDIDAS CAUTELARES EN LOS PROCESOS DE IMPUGNACIÓN DE ACUERDOS SOCIALES

Resulta frecuente en los procesos de impugnación de acuerdos sociales, que en la propia demanda se interese mediante otrosídigo[30], la adopción de medidas cautelares con la finalidad de asegurar la efectividad de la sentencia que en su día pueda dictarse. Las medidas cautelares en materia

---

[30] Es también posible la formulación de la solicitud de medidas cautelares con posterioridad a la interposición de la demanda, pero en dicho supuesto es necesario conforme al artículo 730.4 LEC, que la petición se base en hechos y circunstancias que justifiquen la solicitud en esos momentos. Aunque infrecuente, también es posible la presentación con anterioridad a la demanda si quien en ese momento las pide alega y acredita razones de urgencia o necesidad.

societaria, y en concreto de impugnación de acuerdos sociales, no difieren en cuanto a características que presupuestos de las restantes medidas cautelares que pueden ser adoptadas en procesos civiles, resultándoles de aplicación las disposiciones de la LEC, que regula las disposiciones generales de las medidas cautelares en los arts. 721 a 729, y el procedimiento para la adopción de medidas cautelares en los art. 730 y siguientes; señalando el art. 726 LEC las características que han de reunir. De dicha regulación legal se colige que la finalidad de las medidas cautelares radica en otorgar al solicitante una tutela análoga a la que habría de obtener en caso de una eventual sentencia estimatoria de sus pretensiones, de forma que no pueda verse frustrada por ninguna situación producida durante la pendencia del procedimiento; si bien la ley recoge el principio de proporcionalidad (art. 726.1.2ª y 721.2 in fine), y sólo podrá acordarse cuando no pueda ser sustituida por otra «menos gravosa o perjudicial» para el demandado. Y el art. 728 LEC exige la concurrencia de dos requisitos: fumus boni iuris o apariencia de buen derecho, y periculum in mora o peligro por la mora procesal[31].

Sobre la apariencia de buen derecho, el art. 728.2 LEC preceptúa que el solicitante de las medidas cautelares habrá de presentar los datos, argumentos y justificaciones documentales que conduzcan a fundar, por parte del tribunal, sin prejuzgar el fondo del asunto, un juicio provisional e indiciario favorable al fundamento de su pretensión; pudiendo en defecto de justificación documental, ofrecerla por otros medios. Ello no quiere decir que se exija la acreditación exacta y documental de la pretensión alegada[32].

---

[31] Sobre la aplicación de estos requisitos en medidas cautelares coetáneas a un proceso de impugnación de acuerdos sociales, en que se interesaba la suspensión de los acuerdos y anotación preventiva de la demanda, el AAP de Madrid (S. 28ª) nº 167/2010 de 19 de noviembre, que alza las medidas adoptadas en primera instancia respecto de los acuerdos de ampliación de capital y traslado de domicilio social de la entidad demandante y ratifica la suspensión de los acuerdos sociales relativos al cese, nombramiento y reelección de administradores solidarios.

[32] Sobre la apariencia de buen derecho en medida cautelar de suspensión de acuerdos sociales impugnados, se pronuncia el AAP de Málaga nº 248/2014, de 26 de diciembre (Pte. Orellana Cano, Nuria A.) en los siguientes términos: «En el presente caso la resolución recurrida, en primer lugar, no estima acreditada la apariencia de buen derecho de la parte actora, por entender que la prueba practicada y las alegaciones de dicha parte, se centran más en la acción principal que en la justificación de la medida solicitada, toda vez que lo solicitado como medida cautelar, en sí mismo, resulta ser la reproducción del suplico de la demanda, entendiendo que con ello se está solicitando una anticipación del posible fallo en su

Y el art. 728.1 LEC, establece que el solicitante de las medidas cautelares deberá justificar en cada caso, que de no adoptarse las medidas cautelares podrían producirse durante la pendencia del proceso, situaciones que impidieren o dificultaren la efectividad de la tutela que pudiera otorgarse en una eventual sentencia estimatoria. El *periculum in mora* constituye el fundamento de toda medida cautelar. Viene a contrarrestar o evitar no el daño jurídico —tutelado por lo general con el proceso ordinario— sino el peligro de ulterior daño marginal derivado de la lentitud del proceso. Se trata, pues, de que el elemento tiempo, consustancial con todo proceso, no altere el estado de hecho que debe ser mantenido durante la sustanciación del proceso, y puede ser definido como el peligro de que con el trascurso del tiempo se dificulte la ejecución de la sentencia o se cause grave daño por el retraso en su ejecución. El peligro por mora procesal tiende no sólo a impedir la desaparición de los medios necesarios para la ejecución forzosa (finalidad asegurativa), sino también a proteger contra la prolongación de un juicio que puede producir un grado de insatisfacción continuada y que, en ocasiones, cuando llega a la fase ejecutiva, ya no puede ser amparada en condiciones de plena efectividad[33].

---

caso. Ciertamente, debe discreparse de la concepción sobre la apariencia de buen derecho que subyace en dicho pronunciamiento, ya que precisamente lo que se trata con este requisito, es de justificar al menos indiciariamente el derecho de la actora; si bien es cierto, como expone la parte apelada, que la justificación de la solicitud es mínima, limitándose, respecto de este requisito, a decir que existen indicios documentales más que suficientes para basar la necesidad de la medida cautelar solicitada como se ha puesto de manifiesto en el relato, antecedentes y desarrollo de los motivos de impugnación contenido en la demanda principal, cuya argumentación da por reproducida, y con los documentos aportados a la misma con los números 1 a 87, entendiendo que concurre una apariencia de nulidad radical de los acuerdos impugnados. Pese a esta remisión a la demanda principal, no puede entenderse que la parte solicitante no haya acreditado dicha apariencia de buen derecho, debiendo haber entrado la resolución apelada a valorar los motivos alegados, y hacer ese juicio indiciario, para constatar si era favorable a la pretensión ejercitada.»

[33] Sobre este requisito del peligro por la mora procesal, en medidas cautelares en proceso de impugnación de acuerdos sociales, el AAP de Málaga de 14 de noviembre de 2013 (Pte. Orellana Cano, Nuria A.) señala: «En la solicitud de medidas cautelares, como acertadamente se señala en la resolución recurrida, ni siquiera se concreta el peligro por la mora procesal, limitándose a alegarse, respecto de la anotación preventiva de la demanda, que la finalidad es impedir a los terceros hacer valer su buena fe en una eventual adquisición, sin que se efectúe alegación alguna respecto de la medida cautelar de suspensión de acuerdos sociales. Esta falta de justificación del peligro por la mora procesal justifica per se la desestima-

Entre las medidas cautelares específicamente previstas en el art. 727, se recoge una específicamente prevista para la impugnación de acuerdos sociales, la 10ª: «La suspensión de acuerdos sociales impugnados, cuando el demandante o demandantes representen, al menos, el 1 o el 5 por 100 del capital social, según que la sociedad demandada hubiere o no emitido valores que, en el momento de la impugnación, estuvieren admitidos a negociación en mercado secundario oficial.»[34]

---

ción de la solicitud. Pero es más, en el recurso (y aunque no podrían introducirse argumentos nuevos) ni siquiera se justifica el requisito, ya que todo el motivo va relacionado con la posterior declaración de concurso de la entidad apelada, y la necesidad de que la administración concursal conozca la controversia. Vuelve a omitir cualquier alegación referida a la medida cautelar de suspensión de acuerdos sociales. Y en cuanto a la declaración de concurso de la apelada que como hecho nuevo se introduce en el debate, y que fue tenido en cuenta en la resolución recurrida, además de que el temor a su solicitud no es justificación adecuada para la adopción de la medida de anotación preventiva de la demanda (que además no fue alegada y resulta extemporánea), tampoco justifica la adopción de tal tipo de medida cautelar ya que la Ley Concursal prevé otros mecanismos para que la administración concursal conozca los procedimientos en que sea parte el concursado, sin que la puesta en conocimiento de los mismos pueda constituir el objeto de una medida cautelar de anotación preventiva de la demanda en el Registro Mercantil o en el Libro de socios. Y es más, como se señala en la resolución recurrida, la anotación preventiva de la demanda de impugnación de acuerdos sociales de aprobación de cuentas no es adecuada para la finalidad de evitar la buena fe de terceros en una eventual adquisición, que es en definitiva la única justificación que se alega en la solicitud.»

Igualmente, sobre el periculum in mora, cabe citar, el AAP Madrid de 20 de julio de 2012, que declara: «El requisito del peligro por la demora procesal ("periculum in mora") exige, para que pueda decretarse una medida cautelar, que exista un riesgo, racionalmente previsible y objetivo, bien de que la parte demandada pudiera aprovecharse del estado de pendencia inherente a la duración del proceso para hacer inefectiva la tutela judicial que podría otorgarle la sentencia resolutoria de la contienda o bien del advenimiento en ese ínterin de situaciones susceptibles de impedir o dificultar la efectividad de lo que pudiera obtener la otra parte en el procedimiento principal. ...incumbe a la parte peticionaria de las medidas... justificar ...cuál sería la coyuntura específica capaz de desvirtuar la eficacia del futuro pronunciamiento judicial que habría de conjurarse con la medida solicitada, como el deber de aportar elementos de juicio de los que razonablemente poder deducir la realidad del riesgo inherente a la situación denunciada.»

[34]  DÍEZ-PICAZO GIMÉNEZ, I., «Art. 727», en Comentarios a la Ley de Enjuiciamiento Civil, De la Oliva Santos, A., Díez-Picazo Giménez, L., Vegas Torres, J. y Banacloche Palao, J., Madrid, 2000, pág. 1229, «dicho porcentaje debe ostentarse

Se quiere con ello reservar la posibilidad de interesar esa medida cautelar a quienes tienen un determinado interés en la compañía o, si se quiere presentar en otras palabras, de evitar que puedan pedirla socios que tengan un porcentaje muy minoritario en el capital de la sociedad[35].

Por tanto, la LEC recoge como medida cautelar que pueden adoptarse en los procesos impugnación de acuerdos sociales la de suspensión de los acuerdos impugnados, pero en este caso, se establece un capital mínimo para la legitimación para solicitar dicha medida suspensiva, del 1 o el 5% del capital social[36], según que la sociedad cotice o no cotice en Bolsa. Di-

---

tanto en el momento de adopción del acuerdo como, por referencia al capital social existente en ese momento, cuando se pida la medida cautelar».

[35] GARCÍA-VILLARRUBIA, M.: «¿Cuándo debe reunir el socio que solicita la suspensión de acuerdos sociales el requisito de legitimación que exige el artículo 727.10 LEC, consistente en una determinada participación en el capital social?» El Derecho. Boletín de Mercantil, n.° 23, 2010.

[36] Cabe recordar que el art. 206.1 LSC limita la legitimación para la impugnación de los acuerdos sociales a los socios que hubieran adquirido tal condición antes de la adopción del acuerdo, siempre que representen, individual o conjuntamente, al menos el uno por ciento del capital.

Y sobre la legitimación en el supuesto de medidas cautelares interesadas en procedimiento de impugnación de acuerdos del Consejo de administración, el AAP Málaga n° 201/2013, de 3 de diciembre (Pte. Orellana Cano, Nuria A.), declara: «Ahora bien, cuando el art. 727.10ª limita la legitimación de los socios para pedir la suspensión de acuerdos sociales se está refiriendo a los acuerdos adoptados en Junta General, y en el presente caso, nos encontramos con una impugnación y petición cautelar de suspensión de acuerdos del Consejo de Administración, y aunque la impugnación de los mismos se ha de tramitar conforme a lo establecido para la impugnación de los acuerdos de la Junta general (art. 251.1 LSC), la Ley de Sociedades de Capital en su art. 251.1 limita la legitimación para la impugnación de acuerdos del consejo de administración a los administradores, que podrán impugnar los acuerdos nulos y anulables del consejo de administración o de cualquier otro órgano colegiado de administración, en el plazo de treinta días desde su adopción, y a los socios que representen un cinco por ciento del capital social, que tendrán un plazo de treinta días desde que tuvieren conocimiento de los mismos y siempre que no hubiere transcurrido un año desde su adopción. Es decir, la propia Ley de Sociedades de Capital limita la legitimación para la impugnación por los socios de los acuerdos del Consejo de Administración, a los socios titulares del 5% del capital social, sin distinguir entre sociedades cotizadas y no cotizadas.

Aunque a efectos prácticos en el presente caso, al tratarse de una sociedad no cotizada, la exigencia es del 5% del capital social para reconocer legitimación para impugnar los acuerdos del Consejo de Administración, no estamos ante un supuesto de ausencia del requisito de legitimación para pedir la suspensión de los

cho porcentaje lógicamente no está previsto para otros supuestos de legitimación distinta de los socios (art. 206 LEC). Se trata de una norma especial de legitimación activa para poder pedir la suspensión de acuerdos sociales consistente en que el solicitante o solicitantes ostenten un determinado porcentaje del capital social, teniendo como finalidad reservar la posibilidad de interesar esa medida cautelar a quienes tienen un determinado interés en la compañía, evitando que puedan pedirla socios que tengan un porcentaje muy minoritario en el capital de la sociedad[37].

GARNICA MARTÍN[38] se pronuncia sobre la interpretación del art. 727.10ª LEc, que exige distinguir dos aspectos, de una parte, el momento en que se han de reunir los especiales requisitos de legitimación y, de otra, la cifra de capital social relevante a los efectos de determinar si se dan o no esos requisitos. El AAP de Madrid (Sección 28ª) de 29 de octubre de 2007[39] exige su concurrencia tanto al tiempo de celebración de la Junta como al de formulación de la solicitud de medidas cautelares. Debemos tener en cuenta que el art. 206.1 LSC atribuye legitimación para impugnar a los socios que hubieran adquirido tal condición antes de la adopción del acuerdo, siempre que representen, individual o conjuntamente, al menos el uno por ciento del capital. Por tanto, tiene legitimación para impugnar el socio que supere dicho porcentaje, como mínimo del 1% en el momento de la adopción del acuerdo, aún cuando su porcentaje quedará redu-

---

mismos como medida cautelar (art. 727.10ª LEC), sino que la condición de socio y el porcentaje del 5% mínimo del capital social afectará a la legitimación para el ejercicio de la acción, y por ende, a la apariencia de buen derecho.»

[37]   AAP Málaga n° 201/2013, de 3 de diciembre.

[38]   GARNICA MARTÍN, J. F., «Las medidas cautelares en los procesos sobre impugnación de acuerdos sociales», en La impugnación de acuerdos sociales y del Consejo de Administración. Actuación en nombre de otro, Consejo General del Poder Judicial - Escuela Judicial, Madrid, 2007, págs. 82 y 83.

[39]   Auto de la Audiencia Provincial de Madrid (Sección 28ª) de 29 de octubre de 2007: «exigiéndose legalmente una participación mínima en el capital social para estar legitimado para solicitar la suspensión cautelar del acuerdo, quien tenga ese porcentaje de participación en el momento de adopción del acuerdo pero con posterioridad, antes de solicitar cautelarmente la suspensión del acuerdo, enajena una parte de tal participación, de modo que ésta queda situada por debajo del mínimo legal exigido en el art. 727.10 de la Ley de Enjuiciamiento Civil, no es acreedor de la tutela cautelar, que exige, en garantía del interés social, ese mínimo porcentaje de participación. Y, asimismo, se intenta evitar que quien no alcance ese porcentaje de participación cuando se adoptó el acuerdo, pueda maniobrar adquiriendo más participación social hasta conseguir una legitimación de la que carecía».

cido después del acuerdo, o incluso, si el mismo supusiera la pérdida de la condición de socio. Lo que cabe plantearnos es si en dicho supuesto el socio que tras el acuerdo no ostenta tal condición o cuyo porcentaje es inferior al 1%, que ostenta legitimación para impugnar, si cabría ostentar el cual legitimación para solicitar la suspensión del acuerdo. A estos efectos, debemos tener en cuenta que la LEC ha querido limitar la medida cautelar a los socios que ostenten un porcentaje mínimo del capital social del 5%. Si el socio como consecuencia del acuerdo ver reducida su participación un porcentaje inferior o, incluso, si el acuerdo conlleva la pérdida de la condición de socio, parece razonable que pueda denegársele la legitimación para la petición adopción de la medida cautelar tan gravosa como es la suspensión de los acuerdo. Distinto sería el caso de que el socio que ostenta la como mínimo los 5% del capital social en el momento de solicitud la media cautelar 10 ha disminuido su porcentaje con posterioridad a dicha solicitud, porque en dicho supuesto no considero que pueda acordarse una suerte de falta de legitimación sobrevenida para la medida, resultando de aplicación el principio de «perpetuatio legitimationis» (art. 411 LEC)[40].

En cuanto a la cifra del capital social a tener en cuenta para el cálculo del porcentaje exigible para la legitimación de la solicitud la media cautelar de suspensión de los acuerdos, considero que ha de atenderse a la cifra de capital social al tiempo de celebración de la Junta, de manera que eventuales variaciones en el capital social resultantes directamente del acuerdo o acuerdos impugnados no habrían de tenerse en cuenta a los efectos considerados (por ejemplo en el caso de un aumento de capital social como consecuencia del acuerdo)[41].

---

[40]   La STS de 4 de septiembre de 2014 recuerda que la litispendencia que se produce con la interposición de la demanda, siempre que la misma sea ulteriormente admitida (art. 410 de la Ley de Enjuiciamiento Civil), ocasiona el efecto de la «perpetuatio legitimationis» (perpetuación de la legitimación). En virtud de este efecto, como dispone el artículo 413.1 LEC, no se tendrán en cuenta en la sentencia las innovaciones que con posterioridad a este momento «introduzcan las partes o terceros en el estado de las cosas o de las personas que hubiere dado origen a la demanda y, en su caso, a la reconvención». Y cita la STS de 15 de julio de 2010, que declaró: «El principio de perpetuación de la jurisdicción, del que es un reflejo el artículo 413.1 LEC, no es aplicable únicamente al objeto del proceso, sino también a aquellas condiciones de las partes necesarias para el ejercicio de la acción que no impliquen una extinción de su capacidad jurídica o de su capacidad procesal».

[41]   GARCÍA-VILLARRUBIA, M.: «¿Cuándo debe reunir el socio que solicita la suspensión de acuerdos sociales el requisito de legitimación que exige el artículo

Asimismo, aun no prevista expresamente para la impugnación de acuerdos sociales, cabe adoptar en estos procedimientos una medida cautelar menos gravosa que la de suspensión de los acuerdos, cual es la anotación preventiva de la demanda prevista en el artículo 727.5ª, 5.ª cuando ésta se refiera a bienes o derechos susceptibles de inscripción en Registros públicos. El art. 727.6ª LEC se refiere igualmente a otras anotaciones registrales, en casos en que la publicidad registral sea útil para el buen fin de la ejecución[42]. Dichos preceptos no establecen un porcentaje mínimo, pero

---

727.10 LEC, consistente en una determinada participación en el capital social?» El Derecho. Boletín de Mercantil, n.º 23, 2010.

[42] Sobre la anotación preventiva de una demanda de impugnación de actos sociales, el AAP de Barcelona nº 13/2012, de 13 de enero, que se pronuncia en los siguientes términos: «Como ya hemos indicado en alguna ocasión anterior (A RA 642/04), la anotación preventiva de la demanda de impugnación de los acuerdos sociales se preveía en el originario Texto Refundido de la Ley de Sociedades Anónimas de 1989, en el art. 121 TRLSA, y también en el art. 155 RRM. La disposición derogatoria única 2.2º de la Ley de enjuiciamiento civil 1/2000 derogó entre otros preceptos el art. 121 TRLSA, sin hacer mención expresa al art. 155 RRM, que sigue vigente. Este precepto prevé que "la anotación preventiva de la demanda de impugnación de acuerdos sociales… se practicará cuando, previa solicitud del demandante y con audiencia de la sociedad demandada, el Juez, a su prudente arbitrio, así lo ordenare". Y aunque la anotación preventiva de la demanda de impugnación de acuerdos sociales no se prevé expresamente en el art. 727 LEC, a la vista del art. 155 RRM, cabe incluirla dentro de la medida prevista en el nº 6 ("las anotaciones registrales, en los casos en que la publicidad registral sea útil para el buen fin de la ejecución").

Los acuerdos impugnados han propiciado durante dos años un cambio en el accionariado de la compañía e, incluso, su capital social, de tal modo que si prospera la impugnación se alteraría la situación que muestra en la actualidad a los terceros inversionistas. Para evitar que los efectos de una hipotética sentencia estimatoria no puedan desenvolverse íntegramente por la aparición de algún tercero de buena fe, se advierte justificado la necesidad de dar publicidad registral a la demanda de impugnación, mediante su anotación preventiva. No en vano, el Registro Mercantil desempeña no solo una función de publicidad formal o mera divulgación, sino también de publicidad jurídica o legal, produciendo efectos presuntivos del conocimiento por los terceros del contenido de los Libros del Registro. Por este motivo, la anotación preventiva de la demanda de impugnación de acuerdos sociales sirve para destruir la buena fe de terceros, impidiendo que se pudieran acoger a la protección de confianza en la apariencia.

Atendiendo a lo anterior, en este caso, el peligro por la demora procesal es consustancial a la dilación propia del juicio ordinario, que puede dar lugar a que si no se adopta la medida solicitada informando a terceros de la pendencia de la

en cualquier si el impugnante es un socio o accionista deberá ostentarse al menos el 1% del capital social conforme al art. 206.1 LSC.

Asimismo, en supuestos en los que se impugna el nombramiento de determinados administradores societarios, en ocasiones se solicita como medida cautelar la suspensión del acuerdo y el nombramiento de un administrador judicial[43], pero estimo que ello es tanto como anticipar el fallo, excediendo de lo que debe ser el objeto de la pretensión cautelar, que impide que puedan anticiparse los efectos del fallo estimatorio, no resultando por tanto, proporcional, aun cuando habría que analizar el caso concreto, y la intensidad de la apariencia de buen derecho, dado que es una medida muy gravosa.

## Bibliografía

### Libros

AA.VV. (dirs. ROJO FERNÁNDEZ-RÍO, A. y BELTRÁN SÁNCHEZ, E.), Comentario de la Ley de Sociedades de Capital, t. I y II Thomson-Reuters Civitas, Madrid, 2011.
SÁNCHEZ CALERO, F. y SÁNCHEZ CALERO GUILARTE, J., Principios de Derecho Mercantil, Tomo I, Thomson-Reuters Aranzadi, Pamplona, 2014.

### Artículos y capítulos de libros

BERCOVITZ, A., «Los acuerdos impugnables en la sociedad anónimas», *Estudios de Derecho Mercantil en homenaje al profesor Manuel Broseta Pont*, Vol. 1, Tirant lo Blanch, Valencia 1995, págs. 373 y ss.
CABANAS TREJO, R., «Cambios en el régimen de la junta general de las sociedades de capital en la reforma del gobierno corporativo (Ley 31/2014, de 3 de diciembre)», en *Diario La Ley*, nº 8442, 2014.
DÍEZ-PICAZO, GIMÉNEZ, I., «Art. 727», en *Comentarios a la Ley de Enjuiciamiento Civil*, De la Oliva Santos, A., Díez-Picazo Giménez, L., Vegas Torres, J. y Banacloche Palao, J., Madrid, 2000.
FARRANDO DE MIGUEL, I., «Impugnación de acuerdos sociales y prueba de resistencia» en *Estudios de derecho mercantil liber amicorum profesor Dr. Francisco Vicent Chuliá*, Tirant lo Blanch, Valencia, 2013, págs. 281 y ss.

---

impugnación de los acuerdos sociales mencionados, se origine una situación que reste eficacia a una hipotética sentencia estimatoria de la demanda.»

[43]  Es el caso planteado en el AAP Málaga 183/2015, de 23 de septiembre (Pte. Orellana Cano, Nuria A.), aunque se desestima porque la solicitud ya había sido desestimada con anterioridad y no se considera que concurran hechos nuevos.

GARCÍA-VILLARRUBIA, M.: «¿Cuándo debe reunir el socio que solicita la suspensión de acuerdos sociales el requisito de legitimación que exige el artículo 727.10 LEC, consistente en una determinada participación en el capital social?» *El Derecho. Boletín de Mercantil*, n.º 23, 2010.

GARNICA MARTÍN, J. F., «Las medidas cautelares en los procesos sobre impugnación de acuerdos sociales», en *La impugnación de acuerdos sociales y del Consejo de Administración. Actuación en nombre de otro*, Consejo General del Poder Judicial - Escuela Judicial, Madrid, 2007.

GONZÁLEZ PAJUELO, M.: «Impugnación de acuerdos sociales», en *Mejora del Gobierno Corporativo de sociedades no cotizadas. A propósito de la Ley 31/2014, de 3 de diciembre* (Jordá García, R. y Navarro Matamoros, L., direc.), Ed. Dykinson, 1ª es. 2015, pág. 108.

MASSAGUER FUENTES, J. «Legitimación en materia de impugnación de acuerdos sociales», *Almacén de derecho*, May 29, 2016, Derecho Mercantil, Derecho Procesal, Lecciones.

QUIJANO GONZÁLEZ, J., «La reforma del régimen de la impugnación de los acuerdos sociales: aproximación a las principales novedades», en *Estudios sobre el futuro Código Mercantil. Libro Homenaje al profesor Rafael Illescas Ortiz*, Getafe: Universidad Carlos III de Madrid, 2015, pág. 801. ISBN 978-84-89315-79-2. http://hdl.handle.net/10016/20961.

SÁNCHEZ-CALERO GUILARTE, J., «Propuesta de revisión de la impugnación de acuerdos (especial referencia a las sociedades cotizadas)» en *La Junta General de las sociedades de capital: cuestiones actuales*, Rodríguez Artigas, F. (dir), Colegio Notarial de Madrid, Madrid, 2009.

**Publicaciones web**

ALFARO ÁGUILA-REAL, J. en Almacén de Derecho (http://derechomercantilespana.blogspot.com.es/2014/02/gil-no-era-sutil.html).

ALFARO ÁGUILA-REAL, J.: «La reforma del gobierno corporativo de las sociedades de capital (X)», en *El blog de Jesús Alfaro*, 30 de junio de 2014.

CABANAS TREJO, R. (Cambios en el régimen de la Junta General con ocasión de la reforma del gobierno corporativo El Notario del Siglo XXI, Revista 59, 10 de febrero de 2015, http://www.elnotario.es/index.php/opinion/opinion/3971-cambios-en-el-regimen-de-la-junta-general-con-ocasion-de-la-reforma-del-gobierno-corporativo).

CARRASCO PEREDA, A.: «La resistencia de los acuerdos de junta ante los "fallos procedimentales" en el Proyecto de reforma de la LSC», http://www.gomezacebo-pombo.com/media/k2/attachments/la-resistencia-de-los-acuerdos-de-junta-ante-los-fallos-procedimentales-en-el-proyecto-de-reforma-de-la-lsc.pdf.

SÁNCHEZ, C. en «Derecho de información de los socios» (https://sands.legal/blog/el-derecho-de-informacion-de-los-socios/).

SÁNCHEZ-CALERO, J., «La impugnación de acuerdos sociales 16 diciembre, 2014», en su Blog (www.jsanchezcalero.blogspot.com.es).

# 64. El carácter esencial del motivo de impugnación de los acuerdos sociales

**LOURDES V. MELERO BOSCH**

*Prof. Contratada Doctora de Derecho mercantil*
*Universidad de La Laguna*

**Sumario:** I. INTRODUCCIÓN. II. LA INFRACCIÓN DE REQUISITOS MERAMENTE PRO-CEDIMENTALES. 1. Infracción de requisitos en materia de convocatoria. 2. Infracción de requisitos de constitución. 3. Infracción de las normas determinantes de la válida adopción del acuerdo. III. LA VULNERACIÓN NO ESENCIAL DEL DERECHO DE INFORMACIÓN. 1. Incorrección o insuficiencia de la información facilitada. 2. Ejercicio del derecho de información con anterioridad a la junta. 3. Vulneración no esencial para el ejercicio razonable de un derecho de participación. IV. LA DECISIÓN SOBRE LA RELEVANCIA DEL MOTIVO DE IMPUGNACIÓN. 1. Legitimación para promover el incidente. 2. Momento procesal oportuno para plantear la cuestión incidental. 3. Efectos procesales de la resolución del incidente. Bibliografía.

## I. INTRODUCCIÓN

Como es sabido, la Ley 31/2014, de 3 de diciembre, por la que se modifica la Ley de Sociedades de Capital para la mejora del gobierno corporativo, introdujo importantes modificaciones en el régimen de impugnación de acuerdos sociales. Entre ellas, el objeto de este trabajo es el que tiene que ver con el catálogo de acuerdos de impugnación improcedente, o acuerdos no impugnables en atención al carácter no esencial o no determinante del motivo que permita sostener la impugnación. En efecto, el apartado tercero del artículo 204 LSC recoge un listado de motivos que, de concurrir, determinarán la improcedencia de la impugnación. El catálogo se ha establecido acogiendo la doctrina de la relevancia del motivo de impugnación desarrollada por nuestros tribunales[1], así como la doctrina de la resistencia.

---

[1] Se ha puesto en duda, sin embargo, que la incorporación de dicha doctrina al precepto se haya realizado de forma satisfactoria. En este sentido, se ha señalado que «la ambigüedad e imprecisión de los términos con los que se incorpora a dicho precepto la prueba de la relevancia plantea dudas que lejos de procurar la imprescindible seguridad jurídica, introducen una innecesaria confusión e inse-

La incorporación de dicho catálogo plantea, en nuestra opinión, al menos dos cuestiones que merecen ser tratadas con atención. En primer lugar, el parámetro establecido por el legislador para determinar la *escasa relevancia* de la infracción. Y, en segundo lugar, el cauce procesal arbitrado para analizar la relevancia del motivo de impugnación —la cuestión incidental de previo pronunciamiento—[2].

La finalidad perseguida con la incorporación del listado es mitigar el abuso del ejercicio del derecho de impugnación (finalidad confesada en la Exposición de Motivos de la Ley 31/2014)[3], de tal manera que sólo en los casos más relevantes de infracciones al orden social se permita el acceso a los tribunales[4]. El supuesto de hecho que determina la aplicación de la norma es, por tanto, la existencia de un acuerdo social viciado, esto es, en el que en el proceso de formación de la voluntad social se ha detectado la concurrencia de una infracción procedimental o formal[5], pero no obstante ello, el vicio no es esencial ni determinante para la adecuada formación

---

guridad interpretativa» (ALCALÁ DÍAZ, M. A., «La delimitación de los supuestos de infracción de requisitos procedimentales en los que se excluye la impugnabilidad de los acuerdos sociales [art. 204.3.a) LSC]», en *Junta general y consejo de administración en la sociedad cotizada*, RODRÍGUEZ ARTIGAS, F., FERNÁNDEZ DE LA GÁNDARA, L., QUIJANO GONZÁLEZ, J., ALONSO UREBA, A., VELASCO SAN PEDRO, L. A., ESTEBAN VELASCO, G. (dirs.), Tomo I, Thomson Reuters-Aranzadi, Navarra, 2016, pág. 351).

[2]   La cuestión de previo pronunciamiento se tramitará en los términos establecidos en los artículos 387 y ss. de la LEC. La previsión de este trámite procesal específico para decidir sobre la relevancia de la infracción fue introducida en sede parlamentaria, acogiendo la sugerencia del CGPJ manifestada en su informe al Anteproyecto, pues la redacción original del precepto contenida en el proyecto inicial no la contemplaba.

[3]   En el motivo IV puede leerse lo siguiente: «Por lo que se refiere al régimen jurídico de la impugnación de los acuerdos sociales, se han ponderado las exigencias derivadas de la eficiencia empresarial con las derivadas de la protección de las minorías y la seguridad del tráfico jurídico. En consecuencia, se adoptan ciertas cautelas en materia de vicios formales poco relevantes y de legitimación, para evitar los abusos que en la práctica puedan producirse».

[4]   Se ha advertido en la doctrina, no obstante, que el empleo de conceptos jurídicos indeterminados en la delimitación de los motivos dará lugar a mayor litigiosidad que la existente. En este sentido, CARRASCO PERERA, A., «La resistencia de los acuerdos de junta ante los "fallos procedimentales" en el Proyecto de reforma de la LSC», en Gómez-Acebo & Pombo, septiembre 2014, pág. 1.

[5]   El catálogo sólo se refiere a cuestiones de legalidad formal o procedimentales, de tal manera que vicios de legalidad material de los que adolezca el acuerdo nunca podrán ser reconducidos al art. 204.3 LSC ni, en consecuencia, ser objeto del

de la voluntad del órgano. En consecuencia, el vicio existe pero éste no es relevante.

La falta de relevancia del motivo de impugnación la clasifica el legislador en cuatro apartados: a) infracción de requisitos meramente procedimentales; b) vulneración no esencial del derecho de información; c) participación en la junta general de personas no legitimadas, y d) error de cómputo o invalidez de uno o varios votos.

Nos vamos a centrar en este trabajo en los dos primeros, para dejar apuntadas algunas cuestiones que nos sugiere la redacción del precepto. Respecto a la participación de personas no legitimadas en la junta o el cómputo erróneo de los votos o la invalidez de algunos de los emitidos, en la medida en que la concurrencia de estas circunstancias no sea determinante para la correcta constitución del órgano, en el primer caso, o para la consecución de la mayoría exigible, en el segundo, acoge el legislador la doctrina de la resistencia del acuerdo social. Esto es, si a pesar del cómputo erróneo en el quórum o en la mayoría exigible resulta que la junta estaría bien constituida o el acuerdo alcanza igualmente la mayoría exigible descontando el error, el acuerdo resiste y no procede, por tanto, entrar a conocer de la demanda de impugnación. En estos casos, creemos, no debieran presentarse especiales problemas ni interpretativos de la norma ni de prueba de la concurrencia de los motivos[6]. Son los dos primeros casos los que ahora merecen nuestra atención.

## II. LA INFRACCIÓN DE REQUISITOS MERAMENTE PROCEDIMENTALES

No procederá la impugnación de acuerdos basada en la infracción de requisitos meramente procedimentales establecidos por la Ley, los estatu-

---

[6]   planteamiento de una cuestión incidental de previo pronunciamiento sobre su relevancia.
Un estudio sobre estos motivos puede verse en MIQUEL, J., «Acuerdos sociales: prueba de resistencia y cómputo de votos [204.3 c) y d) LSC]», en *El nuevo régimen de impugnación de los acuerdos sociales de las sociedades de capital*, RODRÍGUEZ ARTIGAS, F., FARRANDO MIGUEL, I., TENA ARREGUI, R. (dirs.), Colegio Notarial de Madrid, Madrid, 2015, págs. 261-276, y en FLORES DOÑA, M., «La intervención en la Junta General de personas no legitimadas y los supuestos de invalidez de votos o error en el cómputo de los mismos», en *Junta general y consejo de administración en la sociedad cotizada, op. cit.*, págs. 441-473.

tos o los reglamentos de la junta y del consejo, para la *convocatoria* o la *constitución* del órgano o la *adopción* del acuerdo, salvando los que se refieran a la forma y plazo previo de la convocatoria, a las reglas esenciales de constitución del órgano o a las mayorías necesarias para la adopción de los acuerdos, así como cualquier otra que tenga *carácter relevante* (art. 204.3 letra a) LSC).

Como se advertía, la exigencia de la relevancia de la infracción obedece a la restricción legal del derecho de impugnación. Ello se consigue, además, negando la legitimación para impugnar acuerdos por motivos formales, como los que aquí nos ocupan, a quien «habiendo tenido ocasión de denunciarlos en el momento oportuno, no lo hubiera hecho» (apartado 5 del art. 206 LSC).

## 1. *Infracción de requisitos en materia de convocatoria*

El legislador parece imponer la regla de que los vicios que afecten al procedimiento de convocatoria no serán relevantes, salvo que se trate de una infracción relativa a la forma (art. 173 LSC) o al plazo previo de convocatoria (art. 176 LSC) o, en última instancia, otra que pudiera tener carácter relevante[7].

Se presume que todas las infracciones del art. 173 y del art. 176 LSC son relevantes y, por tanto, las normas allí establecidas no pueden considerarse requisitos meramente procedimentales en materia de convocatoria[8]. En nuestra opinión, sin embargo, nada impide que una infracción del plazo previo de la convocatoria (infracción del art. 176 LSC) no sea relevante, por ejemplo, porque en el momento de celebración de la junta general se encuentre presente o representado el 100% del capital social. La infracción, sin más, del art. 176 LSC no es relevante, lo relevante será que esa

---

[7]    Entre ellas, aquellas que permitan sostener que estamos en presencia de un acuerdo contrario al orden público. En este sentido, ya se ha advertido que la norma no aclara si va a ser necesario que la calificación de orden público se haga también de forma anticipada, en el incidente de previo pronunciamiento (LATORRE CHINER, N., «La impugnación de acuerdos por infracción de requisitos procedimentales [art. 204.3.a) LSC]», en *El nuevo régimen de impugnación de los acuerdos sociales de las sociedades de capital, op. cit.,* pág. 224).

[8]    Nos referimos a las normas relativas al proceso de adopción de acuerdos en el seno de la junta general pero somos conscientes de que el art. 204.3 LSC es aplicable también a la impugnación de acuerdos adoptados en el seno de otros órganos colegiados.

infracción haya impedido la asistencia de todos los socios o que les haya impedido el adecuado ejercicio de sus derechos —*v. gr.* el derecho de información—. Y lo mismo cabe decir en materia de infracción de las normas relativas a la publicidad de la convocatoria de la junta si, aun infringiéndose, en el momento de la celebración de la misma se comprueba que está presente o representado todo el capital social[9]. Quizás, la norma haya de interpretarse en el sentido de que cuando lo que se alegue sea una infracción de la forma y plazo de la convocatoria no cabe plantear la cuestión incidental de previo pronunciamiento, puesto que la infracción se presume relevante. Y será en la sentencia donde podrá el juez atender a la relevancia de esa infracción a la hora de estimar la demanda de impugnación o no[10].

Otra cuestión a plantearse es qué deba entenderse por «requisito meramente procedimental». Dentro de las normas para asegurar la correcta convocatoria a los socios para que asistan a la reunión podemos distinguir: i) normas en materia de *competencia para convocar* (arts. 166 a 171 LSC); ii) la *forma o régimen de publicidad* de la convocatoria (art. 173 LSC); iii) *contenido* de la convocatoria (arts. 174 y 172 LSC), y iv) *plazo* previo (arts. 176 y 177 LSC). ¿Puede entenderse que todas las normas contenidas en estos preceptos son de carácter *meramente* procedimental? La relevancia del planteamiento se pone de manifiesto en la delimitación del ámbito de la cuestión incidental, de tal forma que sólo respecto de aquellos requisitos que pudiéramos entender como *meramente* procedimentales cabría la presentación de la demanda incidental, cerrándose tal posibilidad para los que no lo fueran. Estamos convencidos de que sería posible hacer una distinción, por su relevancia en el proceso de convocatoria, de todos los requisitos contenidos en dichos preceptos —y, por tanto, distinguir los que son esenciales en ese proceso (*v. gr.*, la competencia para convocar) de los que son *meramente* procedimentales (*v. gr.*, aspectos poco relevantes del contenido de la convocatoria)—. A pesar de ello, creemos que la voluntad del legislador ha sido introducir la infracción de cualquiera de aquellos preceptos en la letra a) del art. 204.3 LSC, esto es, que cualquier vulneración de los mismos que no sea relevante para la asistencia de los socios a la

---

[9]  Se ha señalado, incluso, que las infracciones relativas a la forma y plazo de la convocatoria son las que la praxis acredita como menos determinantes y esenciales (CARRASCO PERERA, «La resistencia de los acuerdos de junta ante los "fallos procedimentales" en el Proyecto de reforma de la LSC», *op. cit.,* pág. 2).

[10]  En este sentido, CABANAS TREJO, R., «Cambios en el régimen de la junta general de las sociedades de capital en la reforma del gobierno corporativo (Ley 31/2014, de 3 de diciembre)», *Diario La Ley,* núm. 8442, 2014, pág. 9 (v. nota 47).

junta y el ejercicio en ella de su derecho al voto o cualquier otro derecho de participación, no justifica la impugnación del acuerdo en cuestión[11].

## 2. *Infracción de requisitos de constitución*

La infracción de los requisitos meramente procedimentales en materia de la adecuada constitución del órgano no permitirá sustentar la impugnación, salvo que se trate de *reglas esenciales de constitución*. No se dice, sin embargo, qué reglas de constitución del órgano pueden ser esenciales y cuáles no. En todo caso, la norma gravita sobre el carácter *relevante* de la infracción, por lo que la determinación de dicha relevancia habrá de realizarla el órgano judicial en la decisión de la cuestión incidental de previo pronunciamiento que se plantee.

A nuestro juicio, debieran ser tratados como requisitos esenciales de constitución aquellos que tengan que ver, en la constitución de la junta de las sociedades anónimas, con la adecuada representación del capital social según las normas legales o estatutarias sobre el *quorum* de constitución. Y podría no ser esencial, aquellas que tengan que ver con la designación del presidente y secretario de la mesa[12] o la formación de la lista de asistentes —salvo que, en este último caso, afecte a la formación del *quorum*—[13]. En

---

[11]  Se ha señalado, por ejemplo, que «no son relevantes a efectos de impugnación los errores en el contenido del anuncio de convocatoria (artículo 174 LSC) salvo que sean tan groseros que impidan a los destinatarios conocer los datos esenciales para poder asistir y deliberar» (ALFARO, J. y MASSAGUER, J., «Artículo 204. Acuerdos impugnables», en *Comentario de la reforma del régimen de las sociedades de capital en materia de gobierno corporativo (Ley 31/2014)*, JUSTE MENCÍA, J. (coord.), Thomson Reuters-Civitas, Navarra, 2015, pág. 174).

[12]  Para ALFARO y MASSAGUER, «Artículo 204. Acuerdos impugnables», *op. cit.*, pág. 177, los defectos en la constitución de la mesa de la Junta serán normalmente irrelevantes.

[13]  En este sentido, LATORRE CHINER, «La impugnación de acuerdos por infracción de requisitos procedimentales [art. 204.3.a) LSC]», *op. cit.*, págs. 232-233, quien añade como infracciones relevantes la contravención de los arts. 174 y 175 LSC y, en particular, la celebración de la junta en un lugar distinto al previsto estatutariamente con la finalidad de impedir la asistencia de algún socio a la reunión. En relación con el lugar de celebración de la junta, ALCALÁ DÍAZ diferencia este supuesto (convocatoria en un lugar distinto al previsto en los estatutos), que será motivo de impugnación sólo si se ha impedido la asistencia de los socios a la reunión, de aquél en el que la junta se celebra en un lugar distinto al mencionado en la convocatoria, en cuyo caso, la junta no habrá podido quedar válidamente constituida, salvo que se tratara de junta universal (ALCALÁ DÍAZ, «La delimitación

todo caso, el objeto de la cuestión incidental será declarar que el vicio alegado es, en apariencia, lo suficientemente relevante como para fundamentar la impugnación por haber podido afectar al ejercicio de los derechos de los socios. Si esos derechos han quedado afectados o no, será objeto de discusión en el pleito principal y resuelto en la sentencia.

### 3. *Infracción de las normas determinantes de la válida adopción del acuerdo*

Tampoco podrá sustentar la impugnación un vicio meramente procedimental relativo al proceso de adopción del acuerdo, salvo que se refiera a las mayorías necesarias para su adopción, así como cualquier otra que tenga carácter relevante. En esta materia, además de la mayoría legal o estatutaria necesaria que deba alcanzarse, podría ser relevante la falta de votación separada de los acuerdos a los que se refiere el art. 197 bis LSC[14].

Recuérdese, además, que el art. 204.3 LSC contiene en la letra d) una previsión específica para aquellos casos en los que se detecte la invalidez de algún voto o su cómputo erróneo, que no serán motivos de impugnación, salvo que la invalidez o el error sea relevante para la consecución de la mayoría exigible.

Por otro lado, como ya advertimos en otro lugar[15], un supuesto particular de impugnación de acuerdos sociales deriva de la privación ilegítima del derecho al voto por concurrir en el socio una situación de conflicto de interés (art. 190 LSC), que podría argumentarse como vulneración de las normas de adopción del acuerdo cuando el voto del socio hubiera sido determinante en la adopción del mismo. O aquellos casos en los que el voto del socio o socios incursos en conflicto haya sido decisivo para la adopción del acuerdo (art. 190.2 LSC), en cuyo caso corresponderá a la sociedad y, en su caso, al socio o socios afectados por el conflicto, la carga de la prueba de la conformidad del acuerdo al interés social.

---

de los supuestos de infracción de requisitos procedimentales en los que se excluye la impugnabilidad de los acuerdos sociales [art. 204.3.a) LSC]», *op. cit.*, pág. 371).

14   En este sentido, YANES YANES, P., «La adopción de acuerdos por la Junta General: régimen de mayorías y votación separada por asuntos (arts. 201 y 197 bis LSC)», en *Junta general y consejo de administración en la sociedad cotizada*, *op. cit.*, pág. 295.

15   MELERO BOSCH, L., con GARBERÍ LLOBREGAT, J. y GONZÁLEZ NAVARRO, A en *El proceso de impugnación de acuerdos de las sociedades de capital*, Bosch, 2015, págs. 226-227.

## III. LA VULNERACIÓN NO ESENCIAL DEL DERECHO DE INFORMACIÓN

La vulneración del derecho de información como motivo que pueda fundamentar la impugnación de los acuerdos sociales se ha visto sumamente restringida tras la reforma. Se manifiesta aquí, de nuevo, el objetivo del legislador de restringir el derecho a la impugnación y de corregir el abuso comprobado del mismo. La limitación de la impugnación por este motivo es tal que, con carácter general, puede afirmarse que no será posible fundamentar una acción de impugnación basada en la infracción del derecho de información, salvo que la información incorrecta o no facilitada haya sido *esencial* para el ejercicio razonable por parte del accionista o socio medio, del derecho de voto o de cualquiera de los demás derechos de participación.

### 1. *Incorrección o insuficiencia de la información facilitada*

El motivo alegado, en este caso, para la impugnación del acuerdo es la vulneración del derecho de información del socio bien porque no se le ha suministrado la información solicitada o la suministrada es insuficiente, según los términos en los que se ejerció el derecho de información, o ésta es incorrecta. Cabe, por tanto, encontrarse con supuestos de distinto alcance: i) que el socio haya solicitado cierta información y el órgano de administración se la haya denegado expresamente; ii) que no se le haya facilitado, sin que exista denegación expresa; iii) que se le suministre al socio información incorrecta —con independencia de la intención de quien la suministra—, y iv) que la información suministrada sea insuficiente, por ej., por estar incompleta.

Si en cualquiera de estos supuestos, la información omitida al socio no es relevante para el ejercicio de sus derechos políticos, no será posible impugnar el acuerdo en cuestión —o más bien, no será posible continuar con el proceso de impugnación—. En otras palabras, la omisión de la información —la no atención del derecho de información del socio— no permite, sin más, sostener la impugnación. Será necesario que por razón del objeto de la información solicitada, su denegación, incorrección o insuficiencia sea relevante para el ejercicio de los derechos de participación del socio[16].

---

[16]     Para que se satisfaga el derecho de información no es necesario que el socio quede convencido por la información que se le facilite, basta que se le informe ra-

## 2. Ejercicio del derecho de información con anterioridad a la junta

Cabe destacar ahora que la letra b) del art. 204.3 LSC sólo se refiere a la incorrecta o insuficiente información facilitada al socio en respuesta al ejercicio del derecho de información manifestado *con anterioridad a la junta*. Por tanto, la limitación a la que da lugar el precepto no será aplicable, aparentemente, cuando la vulneración se refiera al ejercicio del derecho de información *durante la celebración de la junta*. No obstante, el art. 197 LSC, en la redacción dada por la reforma del 2014, establece que no será causa de impugnación la vulneración del derecho de información ejercitada *durante la celebración* de la junta general y en este caso, con independencia de la relevancia de la infracción. Para estos supuestos, por tanto, cualquiera que sea la relevancia de la información denegada o suministrada de forma incorrecta o insuficiente, la vulneración del derecho de información ejercitado durante la celebración de la junta no será causa de impugnación, sin perjuicio de que el accionista pueda exigir el cumplimiento de la obligación de información y los daños y perjuicios que se le hayan podido causar (art. 197.5 LSC)[17].

La limitación del derecho a impugnar ante la infracción del derecho ejercitado durante la celebración de la junta, sin embargo, se circunscribe únicamente al ámbito de las sociedades anónimas. No hay previsión equivalente en el art. 196 LSC. Pese a la falta de previsión expresa, sin embargo, se ha mantenido la improcedencia de la impugnación también en el ámbito de las sociedades de responsabilidad limitada en los siguientes términos: «Aun cuando el art. 196 LC *(sic)* guarde silencio al respecto, no hay razón

---

zonablemente sobre los extremos interesados, lo que no es incompatible con la concisión o brevedad, y que la información no sea objetivamente falsa o sustancialmente inexacta o incompleta (SAP Baleares de 19 de marzo 2015).

[17] El diferente tratamiento de la infracción del derecho de información en sede de impugnación de acuerdos no convencía al CGPJ quien, en el informe emitido al Anteproyecto de la Ley 31/2014, señaló lo siguiente: «el prelegislador no concibe que, tratándose del derecho de información ejercido constante junta, pueda darse que la vulneración del mismo pueda resultar en modo alguno esencial para el ejercicio razonable por parte del accionista o socio medio, del derecho de voto o de cualquiera de los demás derechos de participación. Debe sugerirse la reconsideración de esta apreciación tan terminante, pues no es radicalmente descartable que la falta de información suficiente, y sobre todo el suministro de información incorrecta, en respuesta a una petición de información formulada durante la celebración de la junta, pueda comportar una afectación esencial, para un socio medio, del ejercicio de su derecho al voto» (p. 29 del Informe).

alguna que justifique esa diferencia de trato entre ambos tipos sociales, máxime cuando el art. 204.3 les da el mismo tratamiento. Con dicha previsión legal, lo que se está intentando es que el accionista ejercite su derecho de información antes de la junta y evitar así ejercicios abusivos de ese derecho de información durante la junta mediante una batería de preguntas abrumadoras y sorpresivas cuya única finalidad es fundamentar luego, una acción impugnatoria»[18]. En nuestra opinión, aunque pudiera tratarse de un descuido del legislador y, por tanto, aunque no haya existido una voluntad consciente de permitir la impugnación de los acuerdos adoptados en el seno de la sociedad limitada y no en el ámbito de las anónimas, lo cierto es que, tratándose de una limitación al ejercicio de un derecho atribuido a los socios con carácter general en el art. 93 LSC, esta limitación legal sólo se ha establecido en una sede y no en otra. Por ello, una interpretación a favor del ejercicio del derecho de impugnación permitiría sostener su vigencia en sede de limitadas cuando se trate de una vulneración del derecho de información ejercitado por el socio durante la celebración de la junta[19].

## 3. *Vulneración no esencial para el ejercicio razonable de un derecho de participación*

Señala el precepto que para que la infracción del derecho de información pueda fundamentar la demanda de impugnación ésta ha debido ser esencial para el ejercicio razonable por parte del accionista o socio medio, del derecho de voto o de cualquiera de los demás derechos de participación. Sólo en aquellos casos en los que la insuficiencia o incorrección de la información suministrada al socio, en respuesta a una solicitud formulada con anterioridad a la celebración de la junta —ejercitada en los términos de los arts. 196 y 197 LSC— haya sido esencial para la formación del voto del socio solicitante o para el ejercicio de cualquier otro derecho de participación (*v. gr.*, asistencia a la junta), podrá continuar la impugnación por vulneración del derecho de información.

La esencialidad o relevancia de la infracción la configura el legislador por referencia a dos parámetros: i) que la información solicitada y denega-

---

[18]  Así se recoge en las conclusiones alcanzadas en las Jornadas de magistrados especialistas de mercantil celebradas en Pamplona en noviembre de 2015 (Conclusión 3.1).

[19]  En el mismo sentido, MARTÍNEZ MARTÍNEZ, M., «Nuevas causas de impugnabilidad: defectos informativos», en *El nuevo régimen de impugnación de los acuerdos sociales de las sociedades de capital, op. cit.,* pág. 252.

da (o suministrada incorrecta o insuficientemente) sea esencial, y ii) que lo sea para el ejercicio razonable por parte de un socio medio de un derecho de participación.

La esencialidad de la información solicitada para el ejercicio del derecho de participación habrá de estar directamente relacionada con los asuntos a tratar en el orden del día y que sea relevante a los efectos de formar su voluntad. Quedarán, por tanto, fuera del supuesto contemplado en la norma aquellas solicitudes de información que a todas luces parecen desligadas del asunto o asuntos a tratar o que no debieran afectar al sentido del voto, en cuyo caso la apreciación de su irrelevancia podrá fin al proceso de impugnación. Por lo que se refiere a la delimitación del ejercicio *razonable* del derecho de participación (fundamentalmente del derecho al voto) y de lo que deba entenderse por *socio medio*, se advierte que nos encontramos con una dificultad añadida en la interpretación del precepto. El ejercicio razonable del derecho es contrario, en nuestra opinión, a su ejercicio abusivo, por lo que habrá que plantearse si la información solicitada era necesaria para su ejercicio o, por el contrario, se trataba de un recurso para el entorpecimiento del correcto funcionamiento del órgano. Por otro lado, la referencia al socio medio habrá de hacerse caso por caso. Parece difícil, dada la diversidad tipológica de nuestras sociedades, establecer *a priori* y con carácter general cuáles son las características de quedan concurrir en un socio para incluirlo en dicha categoría[20].

La regla del socio medio quiebra en aquellos casos en los que concurre en el socio la condición de administrador y la información solicitada la ha debido conocer como consecuencia del cargo que ocupa u ocupaba en la sociedad: el socio que es o ha sido administrador no puede alegar infracción de su derecho de información porque no se le facilite una información que, en función de su cargo, debía conocer[21].

Por lo demás, cuando la información no pueda denegarse, *v. gr.*, por venir avalada la solicitud por el 25% del capital en los términos de los arts. 196.3 y 197.4 LSC, cabrá la impugnación del acuerdo con independencia de que la denegación de la información haya sido o no esencial para el

---

[20]    Sobre la delimitación del socio medio puede verse ALONSO ESPINOSA, F. J., «El derecho de información del accionista ejercitado verbalmente durante la Junta General tras la Ley 31/2014 (anotaciones al art. 197.5 LSC)», en *Junta general y consejo de administración en la sociedad cotizada, op. cit.*, págs. 191-193.

[21]    Entre otras, SAP de Madrid de 29 de noviembre de 2013.

ejercicio razonable de algún derecho de participación de los socios[22]. Por tanto, la denegación por parte del órgano de administración de la solicitud de información que venga apoyada por socios que representen, al menos, el 25% del capital social no permitirá plantear la cuestión de previo pronunciamiento acerca del carácter esencial de la infracción.

## IV. LA DECISIÓN SOBRE LA RELEVANCIA DEL MOTIVO DE IMPUGNACIÓN

La reiterada utilización de términos como el carácter *esencial, relevante* o *determinante* de la infracción hace necesaria la intervención judicial. La improcedencia de la impugnación recae sobre estos términos: no procederá la impugnación de acuerdos basada en el carácter no esencial o irrelevante de la infracción detectada. Sólo si ésta es relevante o esencial procederá la impugnación, esto es, podrá entrarse a discutir sobre el fondo del asunto. Parece establecerse como un requisito de procedibilidad: sólo si hay infracción esencial o relevante podrá continuarse la tramitación de la impugnación. Los magistrados de lo mercantil, sin embargo, han rechazado esta interpretación entendiendo que no estamos ante un requisito de admisibilidad de la demanda, por lo que el demandante no está obligado a promover el incidente[23]. Por el contrario, cuando la sociedad demandada reciba la notificación de la demanda de impugnación deberá plantear, si así lo considera oportuno[24], una cuestión incidental de previo pronunciamiento, en nuestra opinión, con suspensión del curso de las actuaciones, para que el órgano judicial determine, antes de entrar en el fondo del asunto, si es relevante o no la infracción alegada.

Sobre la suspensión de las actuaciones, el art. 390 LEC señala que «cuando las cuestiones supongan, por su naturaleza, un obstáculo a la continuación del juicio por sus trámites ordinarios, se suspenderá el curso de las actuaciones hasta que aquéllas sean resueltas». A nuestro juicio, la relevancia del motivo de impugnación es determinante para la continua-

---

[22] En este sentido, CARRASCO PERERA, «La resistencia de los acuerdos de junta ante los "fallos procedimentales" en el Proyecto de reforma de la LSC», *op. cit.,* págs. 3-4.

[23] Conclusión cuarta de las alcanzadas en las Jornadas de magistrados especialistas de mercantil celebradas en Pamplona en noviembre de 2015.

[24] La oportunidad de plantear el incidente, no obstante, es discutible, puesto que requiere que la sociedad admita la existencia de la infracción.

ción del juicio toda vez que el art. 204.3 LSC señala expresamente que «no procederá la impugnación» cuando concurra dicho motivo, por tanto, la acreditación de la irrelevancia de la infracción impedirá la impugnación del acuerdo o, mejor dicho —porque el acuerdo ya ha sido impugnado y se ha admitido a trámite la demanda— impedirá la continuación del proceso una vez detectada la irrelevancia[25].

Además, los jueces de lo mercantil han entendido que cuando en la demanda se aleguen, además de la infracción de los motivos a los que se refiere el art. 204.3 LSC, otros motivos sobre los que necesariamente haya de procederse con la tramitación, no se admitirá a trámite la cuestión incidental puesto que ésta carece de sentido dado que el procedimiento principal tendrá que tramitarse igualmente[26]. Se hace con ello, en nuestra opinión, una interpretación restrictiva de lo establecido el art. 204.3 LSC que en nada limita la posibilidad de plantear el incidente a aquellos supuestos en los que sean éstos los únicos motivos en los que se sustente la impugnación.

Junto con lo anterior, el trámite procesal previsto en la norma plantea, desde nuestro punto de vista, estos otros interrogantes.

## 1. *Legitimación para promover el incidente*

En primer lugar, no aclara el precepto quién puede plantear la cuestión incidental. Aunque parece que lo razonable sea que deba ser la sociedad demandada, no está claro que no pueda hacerlo el actor, al que interese un previo pronunciamiento del órgano judicial sobre la relevancia de la infracción. De cualquier manera, aunque la norma no lo impida, no parece que convenga el propio actor solicitar el planteamiento de la cuestión y ello, no sólo porque se arriesga a que el órgano judicial resuelva en esta sede, sino porque —conforme a las normas en materia de carga de la prueba— vendría obligado a probar la relevancia de la infracción sin que la sociedad demandada lo haya siquiera planteado. En nuestra opinión, el

---

[25] En el mismo sentido, GONZÁLEZ PAJUELO, M., «Impugnación de acuerdos sociales», en *Mejora del gobierno corporativo de sociedades no cotizadas (A propósito de la Ley 31/2014, de 3 de diciembre)*, JORDÁ GARCÍA, R. y NAVARRO MATAMOROS, L., (dirs.), Dykinson, 2015, pág. 110. Así lo han entendido también los jueces y secretarios judiciales de Barcelona en el acuerdo sobre aspectos procesales introducidos por la Ley 31/2014 en materia de impugnación de acuerdos sociales, de 17 de marzo de 2015.

[26] Conclusión cuarta, Jornadas de magistrados especialistas de mercantil celebradas en Pamplona en noviembre de 2015.

tratamiento que ha de darse a la cuestión es el de las excepciones procesales y, en consecuencia, será la sociedad demandada quien debe plantearla como requisito necesario para la continuación del proceso[27].

No es posible, en cualquier caso, que se plantee la cuestión de oficio[28].

## 2. *Momento procesal oportuno para plantear la cuestión incidental*

Tampoco aclara el precepto en qué momento procesal debe plantearse la cuestión: ¿en el escrito de contestación a la demanda?, ¿antes?, ¿puede plantearse en la audiencia previa al juicio? Los jueces de lo mercantil han concluido que podrá hacerlo la demandada en el propio escrito de contestación a la demanda o bien en escrito independiente, pero previo a la formulación de la contestación[29], lo que excluye, en consecuencia, la posibilidad de plantear la cuestión en cualquier momento posterior, como la audiencia previa[30].

---

[27]    En el acuerdo alcanzado por los jueces y secretarios judiciales de Barcelona de 17 de marzo de 2015 se señala que «es el demandado quien, en su escrito de contestación, debe denunciar tal cuestión de previo pronunciamiento mediante otrosí pues el art. 405.3 LEC le impone a él el deber de advertir o suscitar aquellas excepciones procesales que impidan la válida prosecución del proceso, como sería el caso». En la doctrina, ALFARO y MASSAGUER, «Artículo 204. Acuerdos impugnables», *op. cit.*, pág. 227.

[28]    En este sentido se pronuncia la Conclusión cuarta de las alcanzadas en las Jornadas de magistrados especialistas de mercantil celebradas en Pamplona en noviembre de 2015. Así lo entiende, en la doctrina, MARTÍNEZ MARTÍNEZ, «Nuevas causas de impugnabilidad: defectos informativos», *op. cit.*, pág. 260.

[29]    Conclusión cuarta de las alcanzadas en las Jornadas de magistrados especialistas de mercantil celebradas en Pamplona en noviembre de 2015.

[30]    Los jueces de Barcelona, en el citado acuerdo de 17 de marzo de 2015, añaden que «cuando el art. 392 LEC establece como límite para plantear estas cuestiones de previo pronunciamiento el acto del juicio en el procedimiento ordinario o una vez admitida a trámite la prueba en el juicio verbal, debe entenderse referido solamente a aquellos hechos nuevos o de nueva noticia, pero no respecto de aquellas excepciones procesales que eran conocidas por el demandado en el momento de contestar a la demanda, como sería el caso». Por el contrario, ALFARO y MASSAGUER, «Artículo 204. Acuerdos impugnables», *op. cit.*, pág. 228, sostienen que «nada debe impedir que esta cuestión se plantee como alegación complementaria en el acto de la audiencia previa, pues no altera sustancialmente la negación de la concurrencia de la causa de impugnación alegada en la demanda, con aportación o proposición de las pruebas precisas (art. 426.1 y 5 LEC), e incluso tras ella siempre antes del inicio del juicio (arg. *ex* artículo 393.1 LEC)».

En este sentido, en el Auto del Juzgado de lo mercantil núm. 9 de Barcelona, de 1 de abril de 2016, dictado en resolución del incidente de previo pronunciamiento promovido por la sociedad demandada, puede leerse lo siguiente: «La citada norma ha hecho revivir los antiguos "incidentes de previo pronunciamiento", previstos en los arts. 390 a 393 LEC, tan superados en nuestro derecho procesal, pues desde la LEC 1/2000, todas las excepciones procesales se venían planteando y resolviendo en el acto de la audiencia previa, sólo permitiendo tales incidentes cuando estábamos ante hechos nuevos ocurridos con posterioridad al acto de la audiencia previa de los arts. 414 y ss. de la LEC. Sin embargo, al decir el art. 390 LSC "presentada la demanda" el legislador parece haber querido que esta cuestión se resuelva ex ante, a través de ese incidente, sin esperar siquiera al acto de la audiencia previa y poder concluir el procedimiento principal si se llega a la conclusión de que el vicio alegado no es relevante convirtiendo al acuerdo en inimpugnable».

En la doctrina se ha sostenido, no obstante, que los términos imperativos en los que está redactada la norma permite sostener que la sociedad que considere improcedente la impugnación *ex* art. 204.3 LSC, una de dos: *o suscita dicha improcedencia como cuestión incidental de previo pronunciamiento, o ya no podrá plantearla con posterioridad en su escrito de contestación a la demanda*[31]. De acuerdo con esta interpretación, la relevancia de la infracción sólo podrá plantearse como cuestión previa —y ni siquiera en el escrito de contestación a la demanda—, de tal manera que si la sociedad no lo plantea en este momento no podrá hacerlo con posterioridad y, en consecuencia, la sentencia que recaiga en el pleito principal no podría pronunciarse sobre ello, por lo que no cabría una desestimación de la impugnación ante el carácter irrelevante de la infracción[32].

---

[31]   En este sentido, GARBERÍ LLOBREGAT, en *El proceso de impugnación de acuerdos de las sociedades de capital, op. cit.*, pág. 407, para quien nos encontramos con un término preclusivo para la sociedad demandada, añadiendo que «de no ser así, el legislador debería haber manifestado que la cuestión sobre el carácter esencial o determinante de los motivos de impugnación previstos en el propio art. 204.3 LSC se *podrá plantear* (y no "se planteará") como cuestión incidental de previo pronunciamiento».

[32]   En contra de esta interpretación, ALFARO y MASSAGUER, «Artículo 204. Acuerdos impugnables», *op. cit.*, pág. 229.

## 3. Efectos procesales de la resolución del incidente

Por último, nos planteamos qué efectos procesales produce la resolución del incidente, particularmente en aquellos casos en los que el juez confirma que el vicio alegado es esencial y acuerda proseguir con la tramitación de la impugnación. Si el órgano judicial entiende que la infracción no es relevante, dictará el auto correspondiente, poniendo fin al proceso[33]. Si, por el contrario, estima la relevancia de la infracción, continuará por todos sus trámites la impugnación. Pero nos preguntamos: ¿la apreciación de la relevancia de la infracción no está adelantando el parecer del juez en el sentido de la estimación de la demanda? ¿y si se produce un cambio en la persona del juez de tal manera que el que conoció de la cuestión incidental no es el mismo que resolverá el fondo del asunto? ¿Está este último vinculado por la resolución anterior en el sentido de que no podrá estimar que la infracción no es relevante?

Por lo que se refiere a la primera de las cuestiones planteadas, ya se ha advertido en la doctrina que la resolución del incidente «no impide que una infracción reputada "objetivamente" esencial, después termine en el juicio con la desestimación de la demanda por las concretas circunstancias del caso, que habrán de valorarse en ese procedimiento, no en el incidente»[34]. En parecidos términos, los jueces y secretarios judiciales —ahora letrados de la administración de justicia— de Barcelona, han entendido que una vez resuelta la cuestión incidental confirmando la relevancia de la infracción, el pleito principal tendría entonces como único objeto, acreditar si hubo o no la infracción invocada[35].

En cuanto a la segunda cuestión que planteamos, esto es, qué ocurre cuando el juez que ha decidido sobre la cuestión incidental no es el mismo que el que resuelve el pleito principal, en nuestra opinión, el carácter relevante de la infracción ya ha sido dilucidado y resuelto como cuestión previa y, en consecuencia, el juez que conoce del pleito principal no podrá ya pronunciarse en sentido contrario en la sentencia que resuelva sobre la impugnación del acuerdo. De esta manera, el auto que recaiga en el incidente habrá adquirido fuerza de cosa juzgada por lo que se refiere a la relevancia de la infracción invocada.

---

[33]   Contra dicho auto cabrá interponer recurso de apelación (art. 393.5 LEC).

[34]   CABANAS TREJO, «Cambios en el régimen de la junta general de las sociedades de capital en la reforma del gobierno corporativo (Ley 31/2014, de 3 de diciembre)», *op. cit.*, pág. 9.

[35]   Acuerdo ya citado de 17 de marzo de 2015.

## Bibliografía

ALCALÁ DÍAZ, M. A., «La delimitación de los supuestos de infracción de requisitos procedimentales en los que se excluye la impugnabilidad de los acuerdos sociales [art. 204.3.a) LSC]», en *Junta general y consejo de administración en la sociedad cotizada,* RODRÍGUEZ ARTIGAS, F., FERNÁNDEZ DE LA GÁNDARA, L., QUIJANO GONZÁLEZ, J., ALONSO UREBA, A., VELASCO SAN PEDRO, L. A., ESTEBAN VELASCO, G. (dirs.), Tomo I, Thomson Reuters-Aranzadi, Navarra, 2016, págs. 331-381.

ALFARO, J. y MASSAGUER, J., «Artículo 204. Acuerdos impugnables», en *Comentario de la reforma del régimen de las sociedades de capital en materia de gobierno corporativo (Ley 31/2014),* JUSTE MENCÍA, J. (coord.), Thomson Reuters-Civitas, Navarra, 2015, págs. 155-229.

ALONSO ESPINOSA, F. J., «El derecho de información del accionista ejercitado verbalmente durante la Junta General tras la Ley 31/2014 (anotaciones al art. 197.5 LSC)», en *Junta general y consejo de administración en la sociedad cotizada, op. cit.,* págs. 185-223.

CABANAS TREJO, R., «Cambios en el régimen de la junta general de las sociedades de capital en la reforma del gobierno corporativo (Ley 31/2014, de 3 de diciembre)», *Diario La Ley,* núm. 8442, 2014, págs. 1-12.

CARRASCO PERERA, A., La resistencia de los acuerdos de junta ante los "fallos procedimentales" en el Proyecto de reforma de la LSC», en *Gómez-Acebo & Pombo,* septiembre 2014, págs. 1-4.

GARBERÍ LLOBREGAT, J., GONZÁLEZ NAVARRO, A. y MELERO BOSH, L., *El proceso de impugnación de acuerdos de las sociedades de capital,* Bosch, 2015.

GONZÁLEZ PAJUELO, M., «Impugnación de acuerdos sociales», en *Mejora del gobierno corporativo de sociedades no cotizadas (A propósito de la Ley 31/2014, de 3 de diciembre),* JORDÁ GARCÍA, R. y NAVARRO MATAMOROS, L., (dirs.), Dykinson, 2015, págs. 103-113.

LATORRE CHINER, N., «La impugnación de acuerdos por infracción de requisitos procedimentales [art. 204.3.a) LSC]», en *El nuevo régimen de impugnación de los acuerdos sociales de las sociedades de capital,* RODRÍGUEZ ARTIGAS, F., FARRANDO MIGUEL, I., TENA ARREGUI, R. (dir.), Colegio Notarial de Madrid, Madrid, 2015, págs. 215-235.

MARTÍNEZ MARTÍNEZ, M., «Nuevas causas de impugnabilidad: defectos informativos», en *El nuevo régimen de impugnación de los acuerdos sociales de las sociedades de capital, op. cit.,* págs. 237-260.

MIQUEL, J., «Acuerdos sociales: prueba de resistencia y cómputo de votos [204.3 c) y d) LSC]», en *El nuevo régimen de impugnación de los acuerdos sociales de las sociedades de capital, op. cit.,* págs. 261-276.

YANES YANES, P., «La adopción de acuerdos por la Junta General: régimen de mayorías y votación separada por asuntos (arts. 201 y 197 bis LSC)», en *Junta general y consejo de administración en la sociedad cotizada, op. cit.,* págs. 241-302.

# 65. Reflexiones críticas sobre la imposición del arbitraje administrado en caso de que estatutariamente se someta a la decisión de árbitros la impugnación de los acuerdos sociales[*]

**ALBERTO DÍAZ MORENO**

*Catedrático de derecho mercantil*
*Universidad de Sevilla*

## I. INTRODUCCIÓN

La Ley 11/2011, de 20 de mayo, introdujo en la Ley 60/2003, de 23 de diciembre, de Arbitraje (LAr), los nuevos artículos 11 *bis* y 11 *ter*. Mediante esta reforma la legislación española pasó a contar con un tratamiento gene-ral (no circunscrito, por tanto, a determinadas «especialidades» o «modali-dades» de formas sociales capitalistas —como la sociedad nueva empresa o las sociedades profesionales anónimas o limitadas—), y con fuerza de Ley[1],

---

[*] Este trabajo se encuadra en el Proyecto I+D titulado «*Crisis empresariales: preven-ción, tratamiento y solución desde el Derecho concursal y el Derecho de sociedades*» (refe-rencia DER2014-55427-C2-1-P), financiado por el Ministerio de Economía y Com-petitividad en el marco del Plan Estatal de Investigación Científica y Técnica y de Innovación 2013-2016.

[1] Desde el año 2007 los artículos 114 y 175 RRM (relativos, respectivamente, a las sociedades anónimas y a las sociedades de responsabilidad limitada) prevén la

del fenómeno del arbitraje en las sociedades de capital. Entre otras cosas, se admitió expresamente y, en principio, sin restricciones vinculadas con el motivo o causa de la impugnación —aunque siempre en las condiciones fijadas legalmente— la posibilidad de someter a arbitraje, mediante una específica previsión estatutaria, la impugnación de los acuerdos sociales.

Los artículos 11 *bis* y 11 *ter* LAr distan mucho de contener una regulación completa de la materia. Y, en este sentido, debe observarse que los preceptos referidos, si bien suponen un avance estimable por cuanto resuelven ciertas cuestiones que venían siendo discutidas hace tiempo, dejan sin respuesta otros problemas también identificados con anterioridad. Por lo demás, y como no podía ser de otra manera, la formulación de las nuevas reglas ha terminado por dar lugar al planteamiento de nuevas dudas interpretativas y de nuevas controversias.

A mero título de ejemplo cabría mencionar, entre los problemas preexistentes para los que la reforma de 2011 no ha ofrecido una respuesta clara y expresa, los referidos al requisito de la libre disponibilidad de la materia[2] o los relativos a las implicaciones (básicamente complicaciones) del reconocimiento a los terceros —no sometidos al convenio arbitral— de legitimación para impugnar[3]. Por su parte, entre las nuevas cuestiones

---

constancia registral del pacto por el que los socios «*se comprometen a someter a arbitraje las controversias de naturaleza societaria de los socios entre sí y de éstos con la sociedad o sus órganos*».

[2]    Una vez admitida legalmente la posibilidad de que los estatutos de las sociedades de capital sometan con carácter general la impugnación de los acuerdos sociales a arbitraje, la única restricción deberá derivar del artículo 2.1 LAr, según el cual no serán susceptibles de arbitraje las controversias sobre materias que no sean de libre disposición. La cuestión (que no está exenta de dificultades) se traslada entonces a identificar en qué supuestos esta regla debe encontrar *excepciones* y en qué casos, por tanto, ha de excluirse la posibilidad de someter a arbitraje la referida impugnación. Cfr., para un apunte en este sentido, OLAVARRÍA IGLESIA, «Comentario al artículo 11 *bis*», en Barona Vilar (coor.), *Comentarios a la Ley de Arbitraje*, 2ª ed., Cizur Menor, 2011, pág. 688 y RODRÍGUEZ ÁLVAREZ, «El arbitraje societario», en Jiménez-Blanco (coor.), *Anuario de arbitraje 2016*, Cizur Menor, 2016, págs. 363-364.

[3]    El hecho de que los terceros (no vinculados por el convenio arbitral estatutario) que acrediten un interés legítimo puedan impugnar los acuerdos sociales genera un conjunto de interrogantes (de difícil solución) en torno a las eventuales relaciones entre los procesos judiciales y los procedimientos arbitrales que pudieran llegar a iniciarse. Piénsese, por ejemplo, en la posibilidad de que un *tercero* impugne judicialmente un acuerdo estando ya pendiente el arbitraje sobre el mismo o, incluso, una vez dictado el laudo. Y obsérvese que lo podría hacer alegando los

mismos motivos sobre los cuales se está decidiendo (o se ha decidido ya) en el arbitraje. En el primer caso (pendencia del proceso arbitral) no hay posibilidad de alegar la excepción de litispendencia (ya que, por hipótesis, no hay identidad subjetiva y los efectos de la cosa juzgada del laudo no se extenderían nunca al tercero) ni de promover la declinatoria (dado que los terceros no están sometidos al convenio arbitral estatutario) (cfr. PICÓ I JUNOY y VÁZQUEZ ALBERT, «El arbitraje en la impugnación de acuerdos sociales: nuevas tendencias y nuevos problemas», *RdS*, núm. 11, 1999, págs. 199-200; GALLEGO SÁNCHEZ, «Sobre el arbitraje estatutario. En particular el de equidad», *RdS*, núm. 32, 2009, pág. 56; con ulteriores referencias, FRANCO ARIAS, «Comentario al artículo 118», en Arroyo, Embid y Górriz [coords.], *Comentarios a la Ley de Sociedades Anónimas*, vol. II, 2ª ed., Madrid, 2009, págs. 1293-1300). Tampoco existe la posibilidad —a pesar de lo que en algún caso se ha sugerido (cfr. FERNÁNDEZ DEL POZO, «XVI Tópicos antiarbitrales y un modelo de convenio arbitral en estatutos», *RdS*, núm. 24, 2005, págs. 253-254)— de acumular los procesos, dada la distinta naturaleza del procedimiento jurisdiccional y del arbitral. En la segunda hipótesis (cuando ya ha culminado el procedimiento arbitral) no hay posibilidad de alegar cosa juzgada dado que, aun admitiendo que el laudo tenga los mismos efectos que una sentencia, la eficacia negativa de la cosa juzgada sólo se extiende a los socios, nunca a los terceros (art. 222.3 LEC). Claro está que si el laudo arbitral declaró la nulidad del acuerdo impugnado carecería de sentido o finalidad útil el proceso judicial posterior impugnatorio del mismo acuerdo, ya que se produciría una satisfacción extraprocesal (en rigor, fuera del proceso judicial aunque dentro del primer proceso arbitral) con la consiguiente desaparición de cualquier interés legítimo en la obtención de la tutela judicial pretendida, esto es, en la declaración (por segunda vez) de la ineficacia del acuerdo (art. 22 LEC; un apunte en este sentido en PÉREZ DAUDÍ, «Comentario al artículo 118», en Arroyo, Embid y Górriz [coords.], *Comentarios a la Ley de Sociedades Anónimas*, vol. II, *cit.*, págs. 1253-1254 y CARAZO LIÉBANA, *El arbitraje societario*, Madrid, 2005, pág. 239). Ahora bien, si el laudo fuera absolutorio nada impediría que un tercero ajeno a la sociedad impugnara judicialmente el mismo acuerdo y por las mismas razones, ya que dicho tercero no habría quedado vinculado por la resolución del árbitro. Las consecuencias, como puede apreciarse fácilmente, son preocupantes y quizás insolubles: parece que no hay manera de evitar que —en una situación como la descrita— se lleguen a producir dos pronunciamientos (laudo y sentencia) que podrían ser contradictorios si el motivo de nulidad alegado fuera el mismo en ambos procedimientos (cosa nada descartable). Debe observarse, por lo demás, que la cuestión probablemente cambia algo de cariz si el proceso arbitral iniciado por un socio fuera posterior al proceso judicial de impugnación promovido por un tercero y tuviera el mismo objeto. Y es que en esta hipótesis sí cabría —en mi opinión— alegar ante los árbitros la litispendencia o la cosa juzgada (suponiendo identidad de causa de pedir y de *petitum*) porque las sentencias dictadas sobre impugnación de acuerdos sociales afectan a todos los socios, con independencia de quien hubiese sido el impugnante (cfr. CABALLOL I ANGELATS, «Comentario al artículo 122», en Arroyo, Embid y Górriz [coords.], *Comentarios a la Ley de Sociedades Anónimas*, vol.

suscitadas por la regulación vigente cabe citar, igualmente de manera no exhaustiva, las concernientes a la constitucionalidad de la norma contenida en el artículo 11 *bis*.2 LAr[4] o al preciso alcance de la (aparente) imposición del arbitraje administrado para decidir sobre la impugnación de acuerdos sociales.

Esta última cuestión es la que queremos abordar en las páginas que siguen. En efecto, el artículo 11 *bis*.3 LAr parece descartar la posibilidad de que la impugnación de acuerdos sociales pueda someterse estatutariamente a un arbitraje *ad hoc* (al menos es lo que se desprende de una primera lectura del precepto y sin perjuicio de lo que se precisará más adelante: apartado IV). Pero la razón de esta regla no aparece de manera evidente por lo que resulta oportuno, en mi opinión, preguntarse por la lógica que subyace a la norma y tratar de definir su alcance exacto. Nuestra tesis (que ya anticipamos) es que, en realidad, lo esencial en el artículo 11 *bis*.3 LAr no es tanto que el arbitraje sea administrado como que la designación de árbitros la efectúe un tercero independiente (en el sentido de diferente a los potenciales litigantes —sociedad e impugnantes—). De hecho com-

---

II, *cit.*, pág. 1358). En relación con estos asuntos, *vid.*, también, las observaciones recogidas *infra*, en nota 25.

4   La posibilidad de introducción en los estatutos sociales de una cláusula de sumisión a arbitraje mediante decisión mayoritaria ha suscitado dudas desde el punto de vista de su constitucionalidad por cuanto podría entenderse como contraria al derecho a la tutela judicial efectiva. No es este el lugar apropiado para abordar semejante cuestión. Para unas primeras referencias (con orientaciones diversas) bastará en este momento con remitir a los siguientes trabajos: OLIVENCIA, «La cláusula de arbitraje introducida por vía de modificación de los estatutos sociales», en en Jiménez Sánchez y Díaz Moreno (dirs.), *Estudios de Derecho del Comercio Internacional (Homenaje a Juan Manuel Gómez Porrúa)*, Madrid, 2013, págs. 17 y ss.; OLIVENCIA, «Artículo 11 *bis*. Arbitraje estatutario», en González Soria (coor.), *Comentarios a la nueva Ley de Arbitraje*, 2ª ed., Cizur Menor, 2011, págs. 175-176; OLIVENCIA, «Quórum y mayorías en las sociedades de capital. A propósito del artículo 11 bis.2 de la Ley de Arbitraje», en *Liber Amicorum Juan Luis Iglesias*, Madrid, 2014, págs. 806-817; GONZÁLEZ NAVARRO, «¿Cuáles son las condiciones de validez de una cláusula estatutaria de sometimiento a arbitraje no institucional?», *RdS*, núm. 40, 2013, págs. 326-331; MARINO MERCHÁN, «Configuración del arbitraje intrasocietario en la Ley 11/2011», *Rev. Jurídica de Castilla y León*, núm. 29, 2013, págs. 34-35; OLAVARRÍA IGLESIA, «Comentario al artículo 11 *bis*», en Barona Vilar (coor.), *Comentarios a la Ley de Arbitraje, cit.*, págs. 689-690; PÉREZ BERENGENA, «La incorporación a los estatutos sociales de la cláusula arbitral: notas sobre la constitucionalidad del sistema», *La Ley*, núm. 8634, 28 de octubre de 2015, págs. 10-12.

probaremos como, en rigor, lo que debe entenderse imperativo es, todo lo más, que los árbitros sean designados por una institución arbitral (y aun esto admitiría matices: *infra* IV) y no tanto que el arbitraje sea propiamente administrado. Y ello porque lo primero es lo realmente transcendente para preservar el derecho de las partes en el arbitraje a participar en condiciones de igualdad en el diseño del procedimiento de nombramiento del árbitro o árbitros (o en su propia designación) y, en definitiva, para tutelar su interés en no tener que participar en un arbitraje en el que los árbitros han sido designados por otros litigantes. Para tratar de justificar estas afirmaciones (que se exponen con más detalle *infra*, II) será preciso dedicar algunas líneas a recordar (e incluso precisar) ciertas ideas básicas acerca de cómo pueden proyectarse los institutos de la cosa juzgada, la litispendencia y la intervención adhesiva en los procedimientos arbitrales (*infra*, III).

## II. LA *RATIO* DEL ARTÍCULO 11 *BIS*.3 DE LA LEY DE ARBITRAJE

### 1. *Consideración previa*

El artículo 11 *bis*.3 LAr dispone que «*los estatutos sociales podrán establecer que la impugnación de los acuerdos sociales por los socios o administradores quede sometida a la decisión de uno o varios árbitros, encomendándose la administración del arbitraje y la designación de los árbitros a una institución arbitral*».

Como se apuntó previamente, la primera parte de la norma —probablemente la más importante— elimina cualquier duda que todavía pudiera subsistir acerca de la arbitrabilidad —con carácter general— de la impugnación de los acuerdos sociales en las sociedades de capital. Nuestro interés se centra ahora, sin embargo, en el segundo inciso del precepto comentado, esto es, en el que requiere que el arbitraje sea administrado por una institución arbitral que, además, designe al árbitro o árbitros.

Obsérvese que la redacción de la norma (en concreto de su segundo inciso, que es el que reclama ahora nuestra atención) podría hacer pensar que lo determinante es que el arbitraje sea administrado, mientras que el nombramiento de árbitros por la institución arbitral constituiría una condición en cierto modo accesoria en la medida en que (normalmente) irá unida a la primera. Sin embargo, en nuestra opinión la lectura correcta es justamente la contraria: en esta regla no es tan importante que el arbitraje sea *ad hoc* o administrado como la forma o el sistema de nombramiento de los árbitros (siendo esperable, eso sí, que, de acuerdo con la práctica más habitual, la institución que efectivamente los designe sea también quien administre el procedimiento). Poner el acento sobre este segundo extremo y no sobre el primero puede llegar a tener, como veremos más adelante (*infra*, IV) algunas consecuencias para la determinación del alcance del mandato legal.

Debe notarse a este respecto que el convenio arbitral puede encomendar a una institución arbitral sólo el nombramiento de árbitros, en cuyo caso el arbitraje no será propiamente administrado o institucional, sino un auténtico arbitraje *ad hoc*[5]. E igualmente cabe advertir que nada en la Ley impide que la institución arbitral administre un arbitraje (con la consiguiente aplicación de su Reglamento y Estatutos) sin que le haya correspondido nombrar a los árbitros, supuesto en el que el arbitraje sí será administrado[6]. Es cierto que muy frecuentemente las partes atribuirán a la institución arbitral ambas funciones (de ahí la expresión del inciso inicial del artículo 14 LAr), pero no cabe duda de que puede encargársele sólo una de ellas.

## 2. *La participación en términos de igualdad en el proceso de designación de los árbitros*

Si se examina el asunto con cierto detenimiento se comprueba que no hay ninguna razón evidente que justifique imponer que el arbitraje esta-

---

[5] Cfr. GONZÁLEZ MALABIA, «Comentario al artículo 14», en Barona Vilar (coor.), *Comentarios a la Ley de Arbitraje, cit.*, págs. 769-777; BACHMAIER, «Arbitraje institucional (art. 14)», en Arias Lozano (coor.), *Comentarios a la Ley de Arbitraje de 2003*, Cizur Menor, 2005, pág. 127. En suma, como señala esta última autora, la forma de designación del árbitro no constituye un elemento definitorio del arbitraje institucional. También MUNNÉ CATARINA, *La administración del arbitraje. Instituciones arbitrales y procedimiento prearbitral*, Cizur Menor, 2002, pág. 28 (aunque con alguna vacilación en págs. 20 y ss.).

[6] Todo ello siempre que los Reglamentos y Estatutos de la institución afectada prevean o permitan su intervención para designar árbitros sin al mismo tiempo administrar el arbitraje. O permitan o prevean que administre el arbitraje aun cuando no le haya correspondido la designación de los árbitros. Hay que tener en cuenta, en relación con este último supuesto, que no es raro que los Reglamentos establezcan que la institución arbitral nombrará al árbitro propuesto por las partes o que lo «ratificará» o «confirmará» (en su caso, previa comprobación de que reúne determinados requisitos). En estos casos el árbitro será *materialmente* designado (elegido) por las partes, aunque formalmente exista un nombramiento o una «ratificación» o «confirmación» por la institución arbitral (circunstancia que, por otra parte, puede tener transcendencia al ponerse en conexión con el régimen de responsabilidad previsto en el art. 21 LAr).

tutario de la impugnación de acuerdos sociales haya de ser administrado. En otras palabras: no resulta fácil encontrar un motivo o una causa para semejante decisión del legislador.

Podría pensarse[7] que la Ley ha optado por el arbitraje institucional, en razón de la transcendencia de la materia, buscando mayor «seriedad» o «rigor» en la tramitación de los procedimientos y, por consiguiente, mayor «acierto» o «fiabilidad» en los laudos que se dicten[8]. Todo ello atención, como se ha apuntado, a la especial relevancia que suelen tener (al menos para la compañía afectada) las controversias sobre la validez o la eficacia de los acuerdos sociales. Sin embargo, y sin detenernos ahora a polemizar sobre las «garantías» o «seguridades» (mayores o menores) que ofrece una u otra modalidad de arbitraje (institucional o *ad hoc*), creo que tal explicación no resulta satisfactoria[9]. De un lado porque nada permite presumir que el arbitraje *ad hoc* sea, como regla, menos «seguro» o «fiable» que el

---

[7]   Descartamos de inicio la utilidad a nuestros efectos de explicaciones que quieren ver en la norma comentada una manifestación de la capacidad de influencia de ciertos grupos de presión más o menos poderosos (el supuestamente existente «lobby» de «instituciones arbitrales»). En efecto, con independencia de la dosis de verdad que pueda encerrar una afirmación de este tipo (si realmente encierra alguna) permanecer en ese plano de discusión impide progresar en el entendimiento de la norma y, por tanto, definir su alcance y extraer consecuencias. Si no hay racionalidad subyacente a la regla, sino mero arbitrio, su interpretación y su aplicación —que suponen la correcta identificación de su *ratio*— devienen tareas extremadamente difíciles.

[8]   Así, se ha apuntado (por ejemplo, MERINO MERCHÁN, «Configuración del arbitraje intrasocietario en la Ley 11/2011», *cit.*, pág. 29) que la razón de esta preferencia legal (que en opinión del autor no es imposición, porque cabría el arbitraje *ad hoc* —vid. *infra* nota 49—) se encontraría en la mayor garantía que ofrece el arbitraje institucional sobre el arbitraje *ad hoc*. En la misma línea, ARIZA COLMENAREJO, «La regulación del arbitraje estatutario», en Damián Moreno (dir.), *La reforma de la Ley de Arbitraje de 2011*, Madrid, 2011, pág. 65.

[9]   Es cierto que en la Exposición de Motivos del Proyecto de Ley que finalmente desembocó en la Ley 11/2011 se decía, en cuanto al reconocimiento de la arbitrabilidad de la impugnación de los acuerdos sociales, que «*en línea con la seguridad y trasparencia que guía la reforma con carácter general, se exige unanimidad y la presencia de instituciones arbitrales*». Sin embargo (y prescindiendo ahora del valor interpretativo que quepa atribuir a las exposiciones de motivos de las leyes), esta inicial conexión entre la «presencia de instituciones arbitrales» y la «seguridad» y la «transparencia» (es de suponer que de los propios arbitrajes) desapareció en el texto final de la Exposición de Motivos de la Ley, en el que dichas «seguridad» y «transparencia» se vinculan con la exigencia de «*una mayoría legal reforzada para introducir en los estatutos sociales una cláusula de sumisión a arbitraje*», quedando en

arbitraje administrado[10]. De otro lado porque está por demostrar que otras cuestiones societarias, susceptibles también de ser sometidas a la decisión de árbitros, hayan de ser menos transcendentes, por principio, que cualquier impugnación de acuerdos sociales (y sin embargo, en relación con ellas no se requiere legalmente que el arbitraje sea administrado). Pero sobre todo porque, si la Ley hubiera partido de cualquiera de estos prejuicios, sería incomprensible que no hubiera extendido la necesidad del arbitraje administrado a todas las cuestiones societarias o, incluso, que no hubiera exigido siempre esta modalidad de arbitraje para controversias de toda naturaleza, cerrando el paso en nuestro sistema a los arbitrajes *ad hoc*. Esto es: si realmente el legislador hubiera considerado preferible el arbitraje institucional por atribuirle mayores garantías y fiabilidad debería haberlo exigido con carácter general y no sólo para la impugnación de acuerdos sociales.

En realidad, no hay ningún indicio en el texto legal que permita considerar que existe una preferencia legislativa por una modalidad del arbitraje frente a la otra. No hay trato favorable o favorecedor para ninguna de ellas (más allá, precisamente, del recogido en el artículo 11 *bis*.3 LAr, lo que, precisamente, dota a la norma de cierto interés). De hecho, y dejando aparte las posibles ventajas o desventajas operativas, organizativas o económicas (que la Ley no parece tomar en consideración y cuya estimación o valoración deja a las partes y a su libertad para optar por una u otra modalidad de arbitraje), ninguna diferencia debe haber (en cuanto al fondo de los asuntos y en cuanto a la salvaguarda de los derechos e intereses de las partes) entre un arbitraje *ad hoc* y un arbitraje administrado. En ambos casos regirá por igual la Ley de Arbitraje en los aspectos más relevantes: el convenio arbitral tendrá la misma naturaleza y los mismos requisitos y efectos; los árbitros —que deberán siempre ser designados por el procedimiento acordado— tendrán análogas competencias, funciones y responsabilidades y habrán de ser igualmente imparciales e independientes; el papel o la intervención de los tribunales competentes (en la medida en que sea procedente) se someterá a idénticas reglas; el procedimiento habrá de respetar los mismos principios de igualdad, audiencia y contradicción;

---

otro plano la exigencia de que la administración del arbitraje y la designación de los árbitros sean encomendadas a una institución arbitral.

[10]   Éste no ofrece, por sí mismo, ninguna garantía especial con respecto al arbitraje *ad hoc*: cfr. VICENTE-ALMAZÁN, «La reforma de la ley de arbitraje: aspectos notariales y registrales», *El Notario del Siglo XXI*, núm. 38, 2011, pág. 22.

el laudo que se dicte deberá reunir condiciones idénticas, tendrá efectos similares y podrá combatirse con iguales medios...

Parece, por tanto, que la razón de que el sometimiento a arbitraje de la impugnación de acuerdos societarios requiera de la administración y designación de los árbitros por una institución arbitral debe encontrarse en otro lugar. Y como ya sabemos que, desde el punto de vista jurídico sustantivo, no hay diferencias entre las garantías y consecuencias de los arbitrajes *ad hoc* y de los administrados, el motivo habrá de buscarse en alguna particularidad de tipo «procedimental» propia de la impugnación de los acuerdos sociales.

En este sentido se ha sugerido que encomendar la administración del arbitraje a una institución arbitral permitiría o facilitaría la acumulación de los procedimientos arbitrales que tuvieran como objeto la impugnación del mismo acuerdo social[11]. La idea no carece de sentido (parece que la acumulación será efectivamente más fácil si el arbitraje es administrado)[12] y se corresponde —salvando las distancias— con la lógica que inspira la regla del artículo 76.2.2º LEC[13].

Pero frente a este razonamiento hay que considerar, de un lado, que la acumulación de procesos arbitrales no se encuentra ni siquiera mencionada en la regulación legal del arbitraje; de manera que quizás resulte excesi-

---

[11] *Vid.* CREMADES, B., «El arbitraje societario», *La Ley*, 2000, ref. D-281, t. 9, págs. 5-6 (se cita por la versión electrónica).

[12] Desde luego, tratándose de arbitrajes *ad hoc* una eventual acumulación de procedimientos presenta graves dificultades. Sin ánimo de profundizar en un tema de gran complejidad baste ahora con señalar que los árbitros podrían ser diferentes, cada uno con su encargo y sus condiciones; que, a falta de previsiones específicas en los convenios arbitrales estatutarios (lo que será frecuente), seguramente se requeriría de la conformidad de las partes sobre la propia acumulación y sobre el procedimiento para realizarla; que la estructura y la regulación de los procedimientos establecidos podrían ser totalmente diferentes en un arbitraje y en otro, lo cual prácticamente impediría la acumulación...

[13] Recuérdese que este precepto dispone que será procedente la acumulación de los procesos cuyo objeto sea la impugnación de acuerdos sociales adoptados en una misma junta o asamblea o en una misma reunión del órgano colegiado de administración. Lo cual ha de entenderse —en mi opinión— sin perjuicio de la posibilidad de que se decida la acumulación (de oficio o a instancia de parte: art. 75 LEC) cuando, sin concurrir los requisitos temporales enunciados en el artículo 76.2.2º LEC (que, por lo demás, resultan discordantes con la vigente regulación de la materia en la LSC) se den las circunstancias que, con carácter general, posibilitan la acumulación (cfr. art. 76.1 LEC).

vo entender que es precisamente el artículo 11 *bis*.3 LAr el lugar en el que se habría manifestado (de forma indirecta en el mejor de los casos) la preocupación del legislador por tan compleja y delicada cuestión. En efecto, la legislación de arbitraje no se ocupa del problema de la acumulación de procedimientos de arbitraje, siendo este un problema de ámbito general y no circunscrito a las impugnaciones de acuerdos sociales. En cambio, y esto es relevante para lo que se dirá más tarde, sí constituyen preocupaciones evidentes de la Ley el régimen del nombramiento de los árbitros y la preservación de la igualdad de las partes —lo que se traduce en velar porque ningún interesado se vea obligado a litigar ante árbitros en cuyo proceso de designación no haya tenido ocasión de participar—.

Por otra parte, si esa hubiera sido la razón que impulsó al legislador a introducir la remisión al arbitraje administrado, habría que convenir en que la norma no resulta ni suficiente ni adecuada para el fin pretendido. En efecto, ninguna norma legal exige que los Reglamentos o Estatutos de las instituciones arbitrales prevean o regulen la posibilidad de la acumulación de los procedimientos arbitrales administrados por ellas (y, mucho menos, que la impongan en casos de conexión —por ejemplo, por existir prejudicialidad o riesgo de pronunciamientos «inarmónicos»—). De hecho, tales previsiones no siempre existen[14] o, cuando lo hacen, a veces son insuficientes e incompletas. Además, parece razonable pensar que será requisito para la acumulación que el procedimiento a seguir en ambos arbitrajes sea el mismo (es decir, que ambos arbitrajes se sustancien por los mismos trámites) lo que, si bien sucederá con cierta frecuencia cuando los expedientes se administren por la misma institución, puede no ocurrir si las partes han decidido modificar determinadas normas del Reglamento a los efectos de su particular controversia o si en el propio Reglamento de arbitraje se prevén procedimientos distintos (ordinario, abreviado, simplificado…). En definitiva, la opción por el arbitraje administrado no asegura que pueda llevarse a cabo una acumulación de procedimientos y, en ocasiones, ni siquiera supondrá un paso determinante para su facilitación.

---

[14]   Por supuesto hay numerosos Reglamentos que sí abordan específicamente esta cuestión. Por ejemplo, el Reglamento de la Corte Española de Arbitraje regula en su artículo 19.1 la acumulación de una nueva «solicitud de arbitraje» a un procedimiento ya en curso. Así lo hace también el artículo 14 del Reglamento de la Corte de Arbitraje del Ilustre Colegio de Abogados de Madrid. Por su parte, el Reglamento de Arbitraje de la Cámara de Comercio, Industria, Servicios y Navegación de Sevilla regula concisamente en su artículo 14 la acumulación de «expedientes arbitrales».

Cabría pensar, desde luego, que la intervención de una institución arbitral tendría el efecto de procurar (o, al menos, de favorecer) que se designara un mismo árbitro para los diferentes arbitrajes que pudieran tener por objeto la impugnación del mismo acuerdo social (o, incluso, los que tengan por objeto acuerdos distintos pero adoptados en la misma junta o reunión del órgano colegiado). Ello sería efectivamente esperable y probablemente conveniente; pero, al margen de que semejante resultado no siempre está garantizado[15], se trata de una consideración que desplaza el punto de atención desde la administración del arbitraje al nombramiento de los árbitros (es decir, de seguirse este enfoque lo determinante en el artículo 11 bis.3, *in fine*, LAr no sería ya que el arbitraje fuera o no *ad hoc*, sino que todas las impugnaciones de acuerdos sociales conexas sean resueltas por el mismo árbitro). Y esta reflexión nos permite conducir el discurso al que me parece el extremo fundamental (que trataré de exponer inmediatamente).

En efecto; en mi opinión, la lógica de la remisión legal al arbitraje institucional enlaza, no tanto con la oportunidad de que sea un mismo tribunal arbitral el que decida todas las impugnaciones relativas a un mismo acuerdo (lo que puede ser conveniente pero, en realidad, sólo resultará estrictamente necesario en relación con las impugnaciones fundadas en la misma causa de pedir y en las que haya identidad subjetiva), sino más bien con la necesidad de garantizar a las partes (y más en concreto a los restantes socios, potenciales impugnantes) su participación en términos de igualdad en el proceso de designación de los árbitros[16], de manera que no

---

[15] No todos los Reglamentos de arbitraje imponen que los árbitros designados sean los mismos en los diferentes procedimientos de impugnación que se inicien con respecto a un mismo acuerdo; con frecuencia ni siquiera prevén instrumentos para posibilitar o facilitar que se nombre un mismo árbitro en tales casos (ello al margen de los supuestos en los que dichos Reglamentos prevén el nombramiento, la «ratificación» o la «confirmación» institucional del árbitro precisamente elegido por las partes).

[16] Nótese que el problema concreto al que estamos haciendo referencia en este momento no estriba propiamente en la manera en que ha de formarse la voluntad (a efectos de designar árbitro) cuando una de las partes procesales es «plurisubjetiva», esto es, cuando hay varios demandantes y/o varios demandados en el mismo procedimiento (el llamado «arbitraje multiparte»). Esta es una cuestión, por así decirlo, «general» del arbitraje y no específica del arbitraje societario: en estas situaciones de plurisubjetividad no siempre resulta fácil determinar cómo se ha de formar la voluntad de la parte integrada por una pluralidad de sujetos. Precisamente el segundo párrafo del artículo 15.2.b LAr trata de solucionar, quizás sin

puedan verse obligados a formular sus pretensiones ante árbitros elegidos por otros litigantes y de acuerdo con un procedimiento en cuya determinación no hayan intervenido. Lo primero puede ser, sin duda relevante y oportuno; pero lo segundo constituye una condición previa cuya observancia es, además, estrictamente imprescindible desde el punto de vista de la garantía de los derechos de los legitimados para impugnar.

Se trata de evitar, en suma, que un socio se vea obligado a ejercitar su derecho de impugnación de los acuerdos sociales ante un árbitro o tribunal arbitral elegido por otros litigantes. Este es un resultado que, como trataremos de demostrar en este trabajo, podría producirse perfectamente si se aceptara la posibilidad de que el socio interesado en impugnar un acuerdo y la sociedad convinieran quiénes han de ser los árbitros llamados a decidir la impugnación. Y sucede que sólo cuando la designación de árbitros se encomienda a un tercero independiente (una institución arbitral en la opción legal) queda suficientemente asegurada esta igualdad de las partes en el nombramiento de los árbitros y su no sometimiento a un árbitro en cuya designación no han participado[17].

A este propósito debe recordarse que, según determina el artículo 15.2 LAr, «*las partes podrán acordar libremente el procedimiento para la designación de los árbitros, siempre que no se vulnere el principio de igualdad*». El respeto a este principio es básico para el funcionamiento del arbitraje como institución; la sumisión de controversias a la decisión de árbitros está basada en el con-

---

excesiva fortuna, este problema. Pero en nuestro caso, y dado que resulta evidente que cualquier socio puede —dándose los requisitos legales— impugnar un acuerdo social por su cuenta y de manera independiente, la cuestión que nos preocupa en este momento es otra: a saber, cómo eliminar el riesgo de que un demandante y la sociedad puedan convenir en la designación de un árbitro al que, después, hayan de someterse los posteriores impugnantes.

[17]   Cfr. OLAVARRÍA IGLESIA («Comentario al artículo 11 *bis*», en Barona Vilar [coor.], *Comentarios a la Ley de Arbitraje, cit.*, pág. 692 y «Arbitraje estatutario intrasocietario: su reconocimiento legal», en *Estudios de Derecho mercantil. Liber amicorum Profesor Dr. Francisco Vicent Chuliá*, Valencia, 2013, pág. 476) quien ha señalado que la prohibición de pactar un arbitraje *ad hoc* se encuentra probablemente relacionada con el propósito de salvaguardar el principio de igualdad de las partes que rige en materia de nombramiento de los árbitros. Creo que en la misma línea apunta OLIVENCIA («Artículo 11 *bis*: Arbitraje estatutario», *cit.*, pág. 178) cuando afirma que el artículo 11 *bis*.3 LAr tiende a garantizar la objetividad e independencia de los árbitros; y es que, ciertamente, la regla de la igualdad de las partes en el procedimiento de designación de los árbitros se vincula con la necesidad de asegurar su imparcialidad.

sentimiento de las partes (contenido en el convenio arbitral) que ha de abarcar también la identidad de la persona que ha de resolver el conflicto o, al menos, el procedimiento para designar a tal persona[18]. La idea es que nadie puede verse obligado a someterse a un arbitraje cuando el árbitro ha sido designado —sin mediar su conformidad— por otros litigantes. La Ley quiere que las partes puedan manifestar su voluntad desde posiciones de igualdad, sin que se llegue a situaciones en las que unos sujetos (unos litigantes) elijan el árbitro, o fijen el procedimiento para designarlo, y lo impongan (el árbitro o el procedimiento) a otros.

Pues bien, a mi juicio un convenio arbitral estatutario que remitiera al acuerdo de las partes (impugnante y sociedad) para la designación del árbitro encargado de conocer de la impugnación de un acuerdo social resultaría, quizá de modo paradójico, potencialmente perturbador para el derecho de otros socios de intervenir en pie de igualdad en el proceso de designación del árbitro que va a decidir sobre su pretensión. Es decir, una cláusula estatutaria que no encomiende a un tercero independiente de los posibles litigantes el nombramiento del árbitro no garantiza que éstos puedan de hecho participar en igualdad de condiciones en dicha designación (o, si se prefiere decirlo en otros términos: no les asegura que el árbitro o árbitros no serán elegidos por terceros sin su intervención). En mi opinión esta es la razón por la que la Ley determina expresamente que cuando los estatutos sociales establezcan que la impugnación de los acuerdos sociales quede sometida a la decisión de uno o varios árbitros habrá de encomendarse la designación de los árbitros a una institución arbitral.

En suma: si el árbitro no es nombrado por un tercero independiente (por ejemplo, por una institución arbitral) los efectos de cosa juzgada del laudo arbitral, la eventual aplicación de la excepción de litispendencia y la figura de la intervención adhesiva se combinan de tal forma que pueden dar como resultado que el socio impugnante se vea constreñido a defender su pretensión en el marco de un arbitraje cuyos árbitros han sido designados por otros litigantes. Creo, por ello, que el análisis de la manera en que estas instituciones se desenvuelven en el seno de los procedimientos arbitrales de impugnación de acuerdos sociales resulta imprescindible para valorar la tesis aquí sostenida. A ello dedicaremos las páginas que siguen.

---

[18]  Consideración indiscutida entre los autores. Por todos, *vid.* GONZÁLEZ MALABIA, «Comentario al artículo 15», en Barona Vilar (coor.), *Comentarios a la Ley de Arbitraje, cit.*, págs. 783-884 y BACHMAIER, «Nombramiento de los árbitros (art. 15)», en Arias Lozano (coor.), *Comentarios a la Ley de Arbitraje de 2003, cit.*, págs. 149 y ss.

## III. COSA JUZGADA, LITISPENDENCIA E INTERVENCIÓN ADHESIVA EN LOS PROCESOS ARBITRALES DE IMPUGNACIÓN DE ACUERDOS SOCIALES

### 1. Planteamiento

Como se ha apuntado al final del anterior epígrafe, para la correcta comprensión de lo que aquí se defiende es aconsejable detenerse sobre ciertas cuestiones fundamentales que han de funcionar a modo de premisas o presupuestos de nuestro razonamiento. Trataremos así de exponer con cierto detalle un conjunto de ideas (desde luego discutibles) que, de ser correctas, nos permitirán progresar hasta la conclusión antes aventurada. Por supuesto, en la medida en que no se comparta nuestra visión de estos asuntos se disentirá de nuestras conclusiones.

Nos referiremos así, de acuerdo con lo anticipado: (i) a la extensión *ultra partes* de la eficacia del laudo (*infra*, III.2); (ii) a la posibilidad de apreciar litispendencia en un arbitraje cuando sobre el mismo objeto se esté desarrollando un previo proceso arbitral (*infra*, III.3); y, finalmente, (iii) a la necesidad de admitir la intervención de cualquier socio en el arbitraje sobre impugnación de acuerdos sociales que eventualmente se encuentre ya en curso a iniciativa de otros socios (*infra*, III.4). Por supuesto, no trataremos estas cuestiones en toda su extensión (lo que sería sin duda excesivo dado el modesto propósito de estas líneas y las limitadas capacidades de quien las suscribe), sino que nos circunscribiremos a los aspectos que resultan esenciales para la comprensión de nuestra tesis y para el desenvolvimiento del razonamiento en el que pretendemos apoyarla (aunque no podremos evitar tratar algunas cuestiones colaterales y complementarias que sirven para precisar y aclarar la línea discursiva principal).

En todo caso conviene aclarar que en la exposición que sigue partiremos de una doble hipótesis. En primer lugar, asumiremos —para mantenernos en el ámbito del artículo 11 *bis*.3 LAr— que los estatutos sociales contienen una válida cláusula estatutaria de sumisión al arbitraje de las impugnaciones de acuerdos sociales (vinculante, por tanto, para todos los socios)[19]. Y, en segundo término, supondremos que tales impugnaciones

---

[19]    Al circunscribir el problema al terreno del arbitraje estatutario renunciamos conscientemente a terciar en una cuestión distinta (y que probablemente requeriría de un estudio mucho más detenido y cuidado que el que se le puede dispensar en estas páginas) cual es la admisibilidad de que, mediante un convenio concluido entre un socio interesado en impugnar un acuerdo social y la sociedad, se decida

someter a arbitraje ( *ad hoc* o administrado, este sería un segundo problema) esa concreta controversia (todo ello en ausencia, naturalmente, de convenio arbitral estatutario).

Con todo, y sin perjuicio —como se ha dicho— de que la cuestión requiera de mayor profundización, no puedo dejar de aventurar algunas ideas que me parecen fundamentales. En primer lugar conviene hacer notar que han de distinguirse claramente dos asuntos distintos. Uno, si los estatutos sociales pueden someter la impugnación de los acuerdos sociales a un arbitraje *ad hoc* (sobre este asunto, que sí guarda relación inmediata con el objeto de este trabajo, *vid. infra*, IV). Otro, si puede lícitamente someterse a arbitraje la impugnación de acuerdos sociales mediante la conclusión de un convenio arbitral extraestatutario entre uno o varios socios y la compañía (este es el problema al que nos referimos a continuación en esta nota). En segundo lugar creo que, en alguna medida como consecuencia de no abordar separadamente el tratamiento de ambas cuestiones, no se han valorado suficientemente las muy perturbadoras consecuencias que tendría admitir esta última posibilidad (se muestra a favor de admitirla, por ejemplo, GONZÁLEZ NAVARRO, «El arbitraje como método de resolución de conflictos derivados de la aprobación de acuerdos sociales», en *El proceso de impugnación de acuerdos de las sociedades de capital*, Barcelona, 2015, págs. 644-647 y «¿Cuáles son las condiciones de validez de una cláusula estatutaria de sometimiento a arbitraje no institucional?», *cit.*, pág. 322). De hecho, las consecuencias que tendría afirmar la licitud de tal manera de proceder aconsejan, en mi opinión, optar por negarla.

En efecto, repárese en las situaciones que podrían producirse (supuesta la licitud de un convenio arbitral extraestatutario entre algunos socios y la compañía) según se considere o no que el laudo que se dicte en el correspondiente proceso arbitral de impugnación de acuerdos sociales debe tener efectos de cosa juzgada para todos los socios (en mi opinión —como luego se dirá: *infra*, III.2— la respuesta afirmativa es clara cuando el arbitraje tenga su fundamento en un convenio arbitral *estatutario*). Optar por una respuesta afirmativa llevaría a admitir que se produciría una ruptura del alineamiento entre el ámbito subjetivo del convenio arbitral y el del laudo que recayera. O, dicho de otra forma, que el laudo afectaría finalmente a socios que no se habrían sometido a la jurisdicción de los árbitros. Lo cual a su vez obliga a plantearse uno de estos dos escenarios si un socio que no es parte en el convenio arbitral decide impugnar judicialmente el mismo acuerdo por los mismos motivos esgrimidos en el arbitraje. O bien se entiende que el proceso judicial no puede continuar al producirse litispendencia (ya que ésta tiene el mismo ámbito subjetivo que la cosa juzgada material en su vertiente negativa) y, en ese caso, se privaría al socio de la posibilidad de defender sus derechos (o se le obligaría a tratar de intervenir como parte —sin seguridad de conseguirlo— en un arbitraje que él no consintió); o bien se entiende que tal efecto de exclusión del segundo proceso no puede producirse en esas circunstancias y entonces se corre el riesgo de obtener resoluciones contradictorias o incompatibles (una en vía arbitral y otra en vía jurisdiccional) y ambas *con efectos para todos los socios*. Pero si, por el contrario, se entendiera que (en el caso de convenio arbitral extraestatutario) ese efecto de cosa juzgada del

son formuladas por socios y nunca por terceros (de manera que eliminaremos del problema la variable —que introduce grandes dosis de complejidad— derivada de la legitimación legalmente reconocida a los terceros —en determinadas condiciones— para impugnar acuerdos sociales)[20].

laudo sólo se extendería a los socios que se hubieran sometido voluntariamente al arbitraje (lo que parece razonable: *vid. infra* nota 23) habrá que pensar que cualquier otro socio podría posteriormente impugnar en vía jurisdiccional el mismo acuerdo por la misma causa de pedir (suponiendo que la primera resolución fuera desestimatoria), con lo que, de nuevo, se abriría la posibilidad a esa «pesadilla» jurídica que es la existencia de resoluciones con fuerza de cosa juzgada que sean contradictorias o incompatibles (porque la resolución judicial posterior tendría ese efecto para todos los socios, no sólo para los litigantes). En todo caso, cabría apuntar que si la primera resolución fuera estimatoria de la impugnación no tendría sentido iniciar o proseguir un segundo procedimiento, pero no por los efectos de la cosa juzgada y la litispendencia, sino por falta de interés legítimo (art. 22 LEC) ya que las pretensiones del impugnante habrían quedado ya satisfechas. Pero no así si el laudo fiera desestimatorio. El problema probablemente no es el mismo si lo que sucede es que un socio no vinculado por el convenio arbitral impugna un acuerdo en vía jurisdiccional y, después, uno de los socios firmantes del convenio arbitral recurre al arbitraje para impugnar el mismo acuerdo con base en la misma causa de pedir. Y no es el mismo porque en estas circunstancias, y dado que la sentencia afectaría —indiscutiblemente— a todos los socios (art. 222.3 LEC) si serían esgrimibles en el arbitraje las excepciones de litispendencia o, en su caso, de cosa juzgada.

En suma, mi impresión es que las dificultades y problemas que suscitaría el hecho de que un socio (o grupo de ellos) acordase con la sociedad someter la impugnación de un acuerdo social a arbitraje (no sería posible una solución unitaria y definitiva al conflicto sin afectar gravemente a los derechos de los interesados) desaconsejan vivamente admitir (al menos *de lege data*) esta posibilidad que, todo sumado, parece difícilmente compatible con nuestro sistema legal (de hecho, consideraciones de esta índole se encuentran en la base de la Sentencia del Tribunal Supremo alemán de 29 de marzo de 1996 mencionada *infra* en nota 47 —donde se ofrecen algunas referencias bibliográficas—). A mi juicio esta conclusión no sólo resulta perfectamente compatible con la dicción del artículo 11 *bis*.3 LAr sino que es lo que rectamente se desprende de ella: obsérvese que el precepto autoriza a las sociedades de capital a someter al arbitraje las impugnaciones de acuerdos sociales mediante la introducción de una cláusula estatutaria y no prevé (ni contempla, ni autoriza) que un convenio arbitral que englobe tales impugnaciones pueda ser extraestatutario. Lo que, a la vista de lo explicado previamente debe entenderse como una prudente proscripción de tal posibilidad.

[20] *Vid.* lo dicho *supra*, en nota 3.

## 2. *La extensión subjetiva de los efectos de cosa juzgada del laudo*

La primera idea a tener en cuenta es muy simple y pasa por considerar que resulta predicable del laudo lo dispuesto expresamente para las sentencias en el último párrafo del artículo 222.3 LEC[21]. De este modo sostenemos que los laudos que se dicten sobre impugnación de acuerdos societarios afectarán a todos los socios, aunque no hubieren litigado[22]. Siempre, eso sí, que el arbitraje en el que el laudo se hubiera dictado hubiese encontrado su fundamento en un convenio arbitral estatutario al que, por tanto, estarían sometidos todos los socios de la compañía[23].

Debe recordarse, a este propósito, que el laudo «*produce efectos de cosa juzgada*» (art. 43 LAr). Lo que unido al reconocimiento legal expreso de la posibilidad de someter estatutariamente a arbitraje la impugnación de

---

[21]  El antiguo artículo 122.1 LSA (aplicable igualmente a las sociedades limitadas) disponía (antes de su derogación por la LEC) que la sentencia *estimatoria* de la impugnación produciría efectos frente a todos los accionistas. El tenor de la norma dio lugar a diversas opiniones e interpretaciones que el artículo 222.3 LEC despejó definitivamente: ahora resulta indiscutible que las sentencias sobre impugnación de acuerdos sociales, sean estimatorias o desestimatorias, producen efectos de cosa juzgada para todos los socios (cfr. arts. 222.1 y 222.3 LEC).

[22]  Cfr. GALLEGO SÁNCHEZ, «Sobre el arbitraje estatutario. En particular el de equidad», *cit.*, págs. 56-57; BARONA VILAR, «Comentario al artículo 43», en Barona Vilar (coor.), *Comentarios a la Ley de Arbitraje, cit.*, págs. 1839-1840; PICÓ I JUNOY y VÁZQUEZ ALBERT, «El arbitraje en la impugnación de acuerdos sociales: nuevas tendencias y nuevos problemas», *cit.*, pág. 200. En sentido contrario, argumentado la falta de un mandato legal expreso que posibilite la extensión de efectos del laudo a terceros no litigantes, MARTÍNEZ GARCÍA, «Comentario al artículo 29», en Barona Vilar (coor.), *Comentarios a la Ley de Arbitraje, cit.*, págs. 1264-1265.

[23]  Aun suponiendo que fuera admisible someter a arbitraje mediante un convenio extraestatutario la impugnación de acuerdos sociales en sociedades de capital (postura que por las razones ya indicadas —*supra* nota 19— no parece convincente) no creo que pudiera sostenerse que el laudo que se dictara habría de afectar a todos los socios (esto es, no resulta factible aplicar en este caso una regla equivalente a la recogida en el artículo 222.3 LEC). En efecto, cuando el convenio arbitral es estatutario todos los socios se someten a él, por lo que no carece de lógica que el laudo correspondiente extienda también su eficacia a todos los socios, hayan o no litigado. Por el contrario, a falta de norma legal expresa resulta difícil sostener que el laudo que se dictase cuando el convenio arbitral no vinculara a todos los socios haya de tener fuerza de cosa juzgada para todos ellos, incluidos aquellos no sujetos al referido convenio (todo ello, repetimos, siempre que se admita la arbitrabilidad en tales condiciones de la impugnación de acuerdos sociales, lo que nos suscita serias dudas).

acuerdos sociales conduce inexorablemente a la necesidad de reconocer la extensión *ultra partes* de los efectos de cosa juzgada del laudo. Lo contrario, esto es, asumir que el laudo sólo tiene eficacia para las partes litigantes implicaría también asumir una situación insostenible desde el punto de vista jurídico e inmanejable desde el punto de vista práctico, porque los acuerdos podrían terminar por ser eficaces para unos socios y no para otros e ineficaces para la compañía (piénsese especialmente en el supuesto del laudo estimatorio)[24].

## 3. *La excepción de litispendencia*

En segundo lugar ha de tenerse en cuenta que en el procedimiento arbitral resulta perfectamente alegable —para procurar su terminación— la pendencia de otro procedimiento arbitral previo[25] (*litispendencia*) cuando

---

[24]   Aunque lo expuesto en el texto resulta claro en el caso de laudos estimatorios de la impugnación es indudable que también el laudo desestimatorio (igual que la sentencia desestimatoria) ha de afectar a todos los socios (en otras palabras: no puede pretenderse que la cosa juzgada *ultra partes* se produzca *secundum eventum litis*). Es cierto que, desestimada la pretensión impugnatoria, los problemas aparecen menos evidentes; pero desde luego existen y justifican sobradamente, desde el punto de vista de la seguridad jurídica y de la certidumbre de las relaciones, que en este supuesto la cosa juzgada se extienda también a terceros. Baste con pensar (cfr. DE LA OLIVA, *Objeto del proceso y cosa juzgada en el proceso civil*, Civitas, Madrid, 2005, pág. 191, en nota) que, en ausencia de eficacia *ultra partes* de la cosa juzgada, a pesar de la resolución firme desestimatoria de la impugnación cualquier otro socio no litigante estaría legitimado —en tanto no caducara la acción, lo que en el caso de acuerdos contrarios al orden público no sucederá nunca— para impugnar el mismo acuerdo por los mismos motivos (quizás obteniendo, incluso, una segunda resolución ahora estimatoria). En suma, si el laudo desestimatorio careciera de fuerza de cosa juzgada material para todos los socios la situación no dejaría de ser confusa y, por las razones que se acaban de apuntar, seriamente comprometedora para la estabilidad de la vida corporativa y para la seguridad jurídica. No cabe duda, por tanto, de que también en caso de pronunciamiento desestimatorio de la impugnación el laudo ha de desplegar efectos frente a todos los socios.

[25]   A los efectos que ahora interesan nos limitamos a analizar la posible (co)existencia de dos procedimientos arbitrales con el mismo objeto. Los problemas que se suscitan cuando iniciado un arbitraje da comienzo un proceso judicial con el mismo objeto o cuando después de iniciado un proceso judicial se pretende encomendar a árbitros la resolución del mismo asunto presentan perfiles extremadamente complejos; las cuestiones más graves son las que giran en torno a la posibilidad de que lleguen a dictarse resoluciones contradictorias o incompatibles.

el objeto ambos procedimientos sea el mismo[26]. Es cierto que la Ley de Arbitraje no menciona esta figura, pero su alegabilidad constituye una exigencia del propio principio de seguridad jurídica. En efecto, si —como se ha dicho frecuentemente por la jurisprudencia—[27] la *litispendencia* «anticipa» la cosa juzgada y, en esta medida, busca evitar que puedan producirse resoluciones firmes contradictorias sobre la misma cuestión, parece evidente que el árbitro no puede dejar de tener en cuenta la existencia

---

En este momento no podemos abordar este difícil asunto con el detenimiento necesario. Cabe recordar, con todo, que los autores que se ocupan en términos generales del régimen del arbitraje suelen observar que, como regla de principio, el tratamiento adecuado de las situaciones señaladas no vendrá normalmente de la mano de la excepción de litispendencia, sino más bien del cuestionamiento de la competencia de los árbitros o de los tribunales (en este segundo caso a través de la proposición de la declinatoria). En efecto, la idea fundamental es que la excepción de litispendencia puede entrar en juego cuando los dos procesos concurrentes están residenciados ante tribunales competentes (que podrían, por tanto, resolver ambos la cuestión, lo que impone que uno, el segundo, deba abstenerse de seguir conociendo para que la cuestión sea resuelta por el otro —el primero—). Sin embargo árbitros y jueces no pueden nunca ser competentes al mismo tiempo para resolver una concreta controversia. Ahora bien, este enfoque de carácter general no siempre será útil en relación con los procesos de impugnación de acuerdos sociales (piénsese, simplemente, en la posibilidad de que un acuerdo impugnado por un socio ante un tribunal arbitral sea después impugnado en vía judicial por un tercero por las mismas razones —*vid. supra* nota 3—; o repárese en la situación que se generaría si un socio impugnase un determinado acuerdo ante los tribunales de justicia sin que la sociedad propusiese en tiempo la declinatoria y, después, con base en el convenio arbitral estatutario, otros socio impugnase el mismo acuerdo alegando la misma causa de pedir en un procedimiento arbitral). En estos casos (y en otros que quizás podrían imaginarse) no parece que la cuestión pueda resolverse razonando en términos de falta de competencia o jurisdicción, por lo que habrán de buscarse otros remedios o soluciones (si es que existen) para evitar el riesgo mencionado de que lleguen a dictarse resoluciones (laudo y sentencia) contradictorias sobre la misma cuestión.

[26] GUZMÁN FLUJA, «Comentario al artículo 22», en Barona Vilar (coor.), *Comentarios a la Ley de Arbitraje, cit.*, pág. 1025; BERNARDO SAN JOSÉ, BERNARDO SAN JOSÉ, *Arbitraje y jurisdicción. Incompatibilidad y vías de exclusión*, Granada, 2002, págs. 200-201; MUNNÉ CATARINA, «Dossier de los tribunales sobre arbitraje», *La Ley*, núm. 8558, 10 de junio de 2015, págs. 15-16.

[27] *Vid.*, entre otras muchas, las SSTS de 23 de julio de 2003 *(Tol 305410)*, 20 de diciembre de 2005 *(Tol 795276)*, 11 de junio de 2007 *(Tol 1106761)* y 13 de marzo de 2012 *(Tol 2533175)*.

de otro previo proceso arbitral con el mismo objeto[28]. De hecho, un laudo que no tuviera en cuenta la cosa juzgada o la litispendencia habría de considerarse, probablemente, un laudo contrario al orden público en el sentido del artículo 40.1.f) LAr[29].

En ocasiones los autores ponen de manifiesto que no será frecuente que se den las circunstancias para que un arbitraje concluya por estar pendiente otro arbitraje con el mismo objeto. O, dicho en otros términos, entienden que raramente entrará en juego en un arbitraje la excepción de pendencia de otro arbitraje[30]. Y es cierto que en muchas ocasiones las posibilidades de que esta situación se verifique quedarán muy reducidas por el juego de los procedimientos de designación de los árbitros[31]. Pero existe desde luego

---

[28]  Cuestión distinta (y que puede resultar realmente delicada y compleja) es el tratamiento procesal que haya de darse a la litispendencia en el marco del procedimiento arbitral cuando, como es habitual, los convenios arbitrales y los Reglamentos de arbitraje no se preocupan específicamente de esta cuestión. Probablemente la solución deba encontrarse en el marco del artículo 22 LAr reconduciendo su régimen al de las «excepciones» *cuya estimación impida entrar en el fondo de la controversia.*

[29]  Así lo mantiene, con referencia a la cosa juzgada, BARONA VILAR, «Comentario al artículo 41», en Barona Vilar (coor.), *Comentarios a la Ley de Arbitraje, cit.,* págs. 1760-1761. En este mismo sentido se pronuncian, igualmente en el ámbito de la cosa juzgada, las sentencias de las AAPP de Asturias [7ª] de 13 de octubre de 2010 *(Tol 2016103)* y de Madrid [19ª] de 3 de diciembre de 2004 *(Tol 545962).*

[30]  Cfr., por ejemplo, GUZMÁN FLUJA, «Comentario al artículo 11», en Barona Vilar (coor.), *Comentarios a la Ley de Arbitraje, cit.,* págs. 619-620. BERNARDO SAN JOSÉ, *Arbitraje y jurisdicción. Incompatibilidad y vías de exclusión, cit.,* pág. 200; YÁÑEZ VELASCO, «Artículo 7», en *Comentarios a la nueva Ley de Arbitraje,* Valencia, 2004, pág. 265; GONZÁLEZ NAVARRO, «Artículo 27», en Garberí Llobregat (dir.), *Comentarios a la Ley 60/2003, de 23 de diciembre, de Arbitraje,* Barcelona, 2004, págs. 689-690. Por su parte, CUCARELLA [«Litispendencia y arbitraje», *Anuario de Justicia Alternativa,* núm. 1, 2001, págs. 58-60 y *El procedimiento arbitral (Ley 60/2003, 23 de diciembre, de Arbitraje),* Real Colegio de España, Bolonia, 2004, págs. 126-127] contempla como único supuesto en el que puede llegar a jugar efectivamente la excepción de litispendencia el caso en que se haya encomendado la designación de árbitros a varias instituciones distintas, porque —según el autor— en tal hipótesis podría suceder que se instara un primer arbitraje ante una de las instituciones señaladas y que después una de las partes (presumiblemente la demandada en el primer procedimiento) instase otro arbitraje, con el mismo objeto, ante otra de las instituciones indicadas en el convenio arbitral. En la misma línea, CORDERO ÁLVAREZ, «El arbitraje comercial internacional y la litispendencia jurisdiccional», *Anuario Jurídico y Económico Escurialense,* XL, 2007, pág. 177.

[31]  Si la designación de los árbitros requiere el acuerdo de las partes, la negativa de una de ellas bloqueará el acceso a un segundo arbitraje con el mismo objeto.

la posibilidad de que tal cosa suceda si se cometen errores o no se aplican correctamente las reglas legales y convencionales y, finalmente, se da curso a un segundo arbitraje que quizás nunca debió comenzar[32]. Además debe observarse que, en el caso concreto de la impugnación de acuerdos sociales, concurre una circunstancia que, llegado el caso, puede favorecer que se designen árbitros diferentes para impugnaciones idénticas y que, por ello, comiencen a desarrollarse procesos con el mismo objeto. En efecto, todos los socios están legitimados —en los términos y condiciones previstos en la LSC— para impugnar los acuerdos sociales. Lo que supone que, en principio, cada uno de ellos puede impulsar un procedimiento distinto (incluso referido al mismo acuerdo). Es decir, a diferencia de lo que sucede en los arbitrajes en los que se dirimen controversias relacionadas con negocios bilaterales, cuando se impugnan acuerdos sociales las partes no tienen por qué coincidir en los sucesivos procedimientos (los socios demandantes

---

Se ha dicho, además, que en tales circunstancias tampoco debería tener lugar el nombramiento judicial —art. 15.3 LAr— una vez que el tribunal competente constate que existe ya un arbitraje en marcha sobre el mismo objeto (cfr. BERNARDO SAN JOSÉ, *Arbitraje y jurisdicción. Incompatibilidad y vías de exclusión, cit.*, pág. 200; YÁÑEZ VELASCO, «Artículo 7», en *Comentarios a la nueva Ley de Arbitraje, cit.*, pág. 265). Y si las partes están de acuerdo en ese segundo y posterior arbitraje resulta lógico entender que, en realidad, habrán convenido iniciar un nuevo procedimiento con nuevos árbitros y, en todo caso, con terminación del primer procedimiento.

[32]  Algunos autores consideran que cuando el convenio arbitral identifica un único árbitro o una única entidad encargada de administrar el arbitraje es la falta de competencia del segundo árbitro (y no la litispendencia) lo que impide que pueda proseguirse un nuevo procedimiento sobre el mismo objeto (CUCARELLA, «Litispendencia y arbitraje», *cit.*, pág. 58; CORDERO ÁLVAREZ, «El arbitraje comercial internacional y la litispendencia jurisdiccional», *cit.*, págs. 176-177). En realidad da la impresión de que la cuestión es más terminológica que de fondo. Sobre todo teniendo en cuenta que en el contexto del régimen del arbitraje el término «competencia» ha de entenderse de forma muy amplia (cfr. el propio CUCARELLA, *El procedimiento* arbitral, *cit.*, pág. 123). Buena muestra de ello la ofrece la Exposición de Motivos de la vigente Ley de Arbitraje, en cuyo apartado V se lee: «*Además, bajo el término genérico de competencia han de entenderse incluidas no sólo las cuestiones que estrictamente son tales, sino cualesquiera cuestiones que puedan obstar a un pronunciamiento sobre el fondo de la controversia (salvo las relativas a las personas de los árbitros, que tienen su tratamiento propio)*». Por tanto, si se prefiere se puede plantear la cuestión en los siguientes términos: el árbitro del segundo procedimiento no tiene «competencia» para pronunciarse sobre el asunto sometido a su conocimiento precisamente porque existe otro procedimiento arbitral previo con el mismo objeto (y no porque la controversia exceda del ámbito subjetivo u objetivo del convenio arbitral).

pueden ser distintos). Desde luego, este hecho no impide (como se indicará más adelante en el texto) que exista identidad subjetiva a los efectos de apreciación de la existencia de litispendencia y de cosa juzgada, pero constituye un factor que puede propiciar que lleguen a iniciarse arbitrajes sucesivos con el mismo objeto y, precisamente por ello, que sea necesario recurrir a la excepción de litispendencia (una vez comenzado el segundo arbitraje) para evitar resoluciones contradictorias o incompatibles.

En suma, si el sistema de designación de árbitros no lo impide[33], entra dentro de lo posible que llegue a iniciarse un arbitraje para conocer de una pretensión (la impugnación de un acuerdo) que, con la misma causa de pedir, ya se está sustanciando en un previo procedimiento arbitral. A este respecto hay que recordar que, una vez aceptado por los árbitros el nombramiento, el proceso arbitral se pondrá en marcha y será en su seno, mediante la alegación de la parte interesada en hacerlo valer, donde se evidenciará la pendencia de un primer arbitraje sobre el mismo objeto (lo que pondrá al árbitro del segundo en condiciones de acordar la terminación del procedimiento). No resta sino admitir, por tanto, que la excepción de litispendencia de un previo arbitraje (igual que la de cosa juzgada) ha de encontrar espacio en el marco de un eventual segundo procedimiento arbitral (con independencia del tratamiento procesal que haya de recibir esta excepción).

Naturalmente, la existencia de *litispendencia* en sentido estricto exige que esté presente la llamada «triple» identidad (subjetiva, objetiva —lo que se pide o *petitum*— y causal —los fundamentos de lo que se pretende o *causa petitum*—) entre los procedimientos coexistentes en el tiempo. Esto quiere decir que, para su apreciación, el tribunal arbitral que conoce del

---

[33]    Obsérvese como, aunque el arbitraje fuera institucional, no puede descartarse totalmente la posibilidad de que la institución arbitral designe un nuevo árbitro (y abra la puerta a un segundo procedimiento arbitral sobre el mismo objeto). En efecto, puede perfectamente suceder que en el momento del nombramiento no esté aun definido en todos sus extremos el objeto de este segundo arbitraje, lo que dificulta a la institución arbitral rehusar en ese momento llevar a cabo el nombramiento aduciendo «duplicidad» (será el árbitro quien, posteriormente, a la vista de las circunstancias, apreciará o no la existencia de identidad de objeto y, por tanto, de litispendencia). *Vid.* un apunte en este sentido en MUNNÉ CATARINA, («Dossier de los tribunales sobre arbitraje», *cit.*, pág. 15). Desde luego, los problemas tienden a reducirse cuando el Reglamento de arbitraje aplicable contiene normas que prevén que los arbitrajes sobre impugnación de acuerdos sociales de una misma junta se atribuirán al mismo árbitro.

procedimiento iniciado con posterioridad debe comprobar que existe un proceso arbitral anterior con el mismo *objeto*[34] (recuérdese que dicho procedimiento puede acabar con una resolución —laudo— con efectos de cosa juzgada). De acuerdo con los principios generales, cuando se constate que un proceso arbitral posterior tiene el mismo objeto que otro arbitraje anterior el segundo proceso debe concluir (recuérdese, para el ámbito judicial, lo dispuesto en el art. 421 LEC). En el caso concreto de la impugnación de acuerdos sociales, el árbitro deberá apreciar la existencia de *litispendencia* y poner fin al procedimiento arbitral si comprueba[35] que existe un proceso arbitral previo en el que, por los mismos litigantes (o por otros, si son también socios), se ha impugnado el mismo acuerdo social que se impugna actualmente ante él y con base en la misma causa de pedir.

En cuanto a lo que se acaba de exponer debe aclararse que, a los efectos de establecer la existencia de litispendencia, será irrelevante que los impugnantes sean diversos en uno y otro procedimiento siempre que tengan la condición de socios. Y ello porque, según se señaló más arriba, la resolución que se pueda llegar a dictar en el primero de los arbitrajes (el anterior) producirá efectos de cosa juzgada para todos los socios, incluidos los que no participaron en dicho procedimiento[36]. Así pues existirá identi-

---

[34]  Conforme a la doctrina mayoritaria (DE LA OLIVA, *Objeto del proceso y cosa juzgada en el proceso civil, cit.*, págs. 51 y ss.), los elementos identificadores del objeto del proceso son los sujetos, lo que se pide (*petitum*) y la «causa de pedir» (*causa petendi*). Esta última comprende, según la opinión más atendible, tanto los fundamentos fácticos de la pretensión como los jurídicos (esto es, los títulos jurídicos esgrimidos: cfr. arts. 218.1 y 400 LEC).

[35]  Normalmente a instancia de parte. Sin embargo, y trasladando a este ámbito los criterios jurisprudenciales y doctrinales predominantes, no parece que haya obstáculo para que, llegado el caso, el árbitro aprecie de oficio la existencia de litispendencia.

[36]  Recuérdese, a este respecto, que a los efectos de apreciar la existencia de cosa juzgada (y el mismo criterio ha de seguirse en el caso de la litispendencia), ha de tenerse en cuenta el alcance subjetivo de la resolución previa (pasada en fuerza de cosa juzgada) o de la que con, idéntica eficacia de cosa juzgada, pueda recaer finalmente en el proceso previo pendiente. En el ámbito judicial es claro el tenor del artículo 421.1 LEC, que se remite expresamente, para determinar si el objeto del proceso anterior es o no idéntico, a los apartados 2 y 3 del artículo 222 LC, en los cuales se incluye la regla ya apuntada de la afectación de todos los socios por las sentencias dictadas sobre impugnación de acuerdos sociales. No parece que haya razón para que el criterio deba ser diferente en el caso del arbitraje una vez admitido —en los términos vistos *supra* en el texto— que la fuerza de cosa juzgada del laudo recaído en un procedimiento de impugnación de acuerdos sociales

dad subjetiva cuando se den las condiciones señaladas. Si la sentencia (o el laudo) producen efectos de cosa juzgada para todos los socios, aunque no hubieren litigado, es evidente que el mismo ámbito debe tener la pendencia de un proceso que puede acabar con una resolución de igual eficacia[37]. En suma: habrá litispendencia si en el segundo arbitraje un socio impugna (con fundamento en idéntica causa de pedir) el mismo acuerdo social que un socio diferente impugnó en el primero (de manera que resultará irrelevante que los demandantes no sean los mismos en ambos procesos)[38].

---

basado en un convenio arbitral estatutario se extiende a todos los socios, con independencia de que hubiesen o no litigado.

[37]    No podemos discutir en este momento si al comprobar la identidad entre el objeto del proceso arbitral pendiente y el de aquel en el que se plantea la excepción de litispendencia ha de atenderse al llamado por algún sector de la doctrina «objeto virtual» del primero o, únicamente, a su «objeto actual» (sobre estos conceptos, vid. DE LA OLIVA, *Objeto del proceso y cosa juzgada en el proceso civil, cit.*, págs. 75-88). Ello, supone —en términos estrictamente jurídico-positivos— decidir si habrá de regir en el seno del proceso arbitral una regla equivalente a la enunciada en el artículo 400 LEC en cuanto a la preclusión de la posibilidad de alegar hechos y fundamentos jurídicos. La cuestión puede resultar de enorme transcendencia porque, de admitirse que el principio preclusivo mencionado resulta de aplicación en el seno del procedimiento arbitral (lo que resulta controvertido), habría que entender que existiría litispendencia (supuesta la identidad subjetiva y de *petitum*), no sólo cuando los hechos y fundamentos jurídicos esgrimidos en el primer arbitraje fueran idénticos a los aducidos en el segundo, sino también si los utilizados en éste hubieran podido hacerse valer en aquél como fundamento de la pretensión impugnatoria (lo cual incluiría las circunstancias de hecho concurrentes y los títulos jurídicos para la impugnación que pudieron haberse invocado, aunque *de facto* no hubieran sido alegados ni discutidos en el proceso previo). Por lo demás, en nuestro caso el problema adquiere aun mayor complejidad porque a la cuestión (de ámbito general en lo que concierne al arbitraje) que se acaba de mencionar se añade otra (específica): la de determinar si los efectos preclusivos (de admitirse su existencia) se extienden a los mismos sujetos a los que alcanza la fuerza juzgada de las sentencias y de los laudos que resuelvan impugnaciones de acuerdos sociales y, por tanto, a todos los socios aunque no hubieran litigado.

[38]    Por supuesto, según se apuntó ya *supra* en nota 3, esta observación no vale cuando el demandante en un segundo proceso de impugnación (que previsiblemente será judicial, dado que los terceros, al no estar sometidos al convenio arbitral estatutario, encauzarán su demanda a través de los órganos jurisdiccionales) sea un tercero que ostente un interés legítimo (cfr. art. 206 LSC). En efecto, en este caso la resolución que se dicte por el árbitro o por el juez en el primer procedimiento no puede afectarle (no se extienden a él los efectos de la cosa juzgada) por lo que no cabe hablar de identidad subjetiva (y ello con independencia de que si la primera resolución es estimatoria de la impugnación pueda considerarse

## 4. La posibilidad de intervención adhesiva en el proceso de impugnación de acuerdos sociales

Normalmente se admite que el hecho de que el artículo 206.4 LSC reconozca expresamente el derecho de los socios que hubieran votado en contra del acuerdo a intervenir en el proceso para mantener su validez no impide la aplicación de las normas generales sobre la intervención voluntaria. De esta forma, «*quien acredite tener interés directo y legítimo en el resultado del pleito*» tendrá derecho a ser admitido como demandante en un proceso pendiente de impugnación de acuerdos sociales al amparo del artículo 13 LEC[39]. Y, en mi opinión, tal condición de interesado directo no puede negarse a los socios de la compañía cuyos acuerdos se impugnan dado el alcance subjetivo atribuido legalmente a la sentencia que finalmente haya de resolver el litigio (art. 222.3 LEC). Esto quiere decir que cualquier socio que ostente legitimación conforme a las reglas sustantivas[40] podrá intervenir como parte actora en un proceso judicial de impugnación de acuerdos sociales[41] ya que ostenta un interés jurídico directo. Su intervención será

---

que el segundo proceso debe terminar por desaparición de interés legítimo en obtener la tutela judicial pretendida —art. 22 LEC—). Por el contrario, cabe resaltar —como también se expuso previamente— que si el primer procedimiento es el iniciado por un tercero entonces podrá apreciarse litispendencia (supuesta la identidad objetiva y causal) en el posterior (arbitral o judicial) cuando los impugnantes sean socios (porque a ellos sí se les extenderá la fuerza de la cosa juzgada de la sentencia que recaiga). Es importante subrayar este extremo. Las sentencias que se dicten sobre impugnación de acuerdos sociales afectarán a todos los socios aunque no hubiesen litigado (art. 222.3 LEC) también cuando el impugnante no fuera un socio: cfr. CABALLOL I ANGELATS, «Comentario al artículo 122», en Arroyo, Embid y Górriz (coords.), *Comentarios a la Ley de Sociedades Anónimas*, II, *cit.*, pág. 1358.

[39] Por todos, ROJO, «Legitimación para impugnar (art. 206)», en Rojo-Beltrán (dirs.), *Comentario de la Ley de Sociedades de Capital*, I, Madrid, 2011, págs. 1463-1464.

[40] Como precisa MASSAGUER («Artículo 206. Legitimación para impugnar», en Juste [coor.], *Comentario de la reforma del régimen de las sociedades de capital en materia de gobierno corporativo (Ley 31/2014)*, Cizur Menor, 2015, pág. 267) el interviniente podrá formular pretensiones propias siempre que hubiera podido formular esas pretensiones por medio de demanda, lo que lleva a excluir de tal posibilidad, por ejemplo, al socio que no alcance la participación mínima para impugnar.

[41] *Vid.* FRANCO ARIAS, «Comentario al artículo 118», en Arroyo, Embid y Górriz (coords.), *Comentarios a la Ley de Sociedades Anónimas*, II, *cit.*, págs. 1290-1291; GRANDE SEARA, *La extensión subjetiva de la cosa juzgada en el proceso civil*, Valencia, 2008, págs. 177, 183.

adhesiva (no principal) y de carácter litisconsorcial[42], lo cual le atribuye la posibilidad de defender su pretensión impugnatoria de manera autónoma (y por tanto, incluso aunque el socio demandante originario renuncie a la acción o desista del procedimiento) utilizando a tal propósito los recursos que procedan contra las resoluciones que le perjudiquen (aun cuando el actor inicial las haya consentido)[43].

Pues bien, aunque en la regulación civil del arbitraje no existe norma equivalente al artículo 13 LEC, creo que resulta forzoso admitir la intervención de los socios en los procedimientos arbitrales de impugnación de acuerdos sociales. En efecto, una vez asumido que el laudo que se dicte ha de afectar a todos los socios (hayan o no litigado), que todos ellos están vinculados por el convenio arbitral estatutario y que, formulada la primera impugnación, entrará en juego (en las condiciones antes explicadas: *supra* III.3) la excepción de litispendencia, resulta imprescindible para salvaguardar el derecho de defensa reconocer a los socios legitimados la posibilidad de participar en calidad de demandantes en el primer expediente arbitral (es decir, es forzoso reconocerles, en términos análogos a los previstos en el artículo 13 LEC, la posibilidad de intervenir en forma adhesiva litisconsorcial)[44].

Obsérvese que el asunto del que ahora estamos tratando nada tiene que ver con el problema de la intervención en el arbitraje de terceros aje-

---

[42]    Como se dice en ocasiones, lo característico del interviniente litisconsorcial es que alega en el proceso un derecho propio, por lo que podría haber presentado la demanda él mismo o haber sido demandado como parte originaria del proceso, afectándole en todo caso la sentencia de forma directa (*vid.*, entre muchos, GONZÁLEZ PILLADO y GRANDE SEARA, «Comentarios prácticos a la LEC: artículos 13, 14 y 15», *InDret*, 1/2005, pág. 5; GRANDE SEARA, *La extensión subjetiva de la cosa juzgada en el proceso civil*, *cit.*, pág. 180; DÍEZ-PICAZO GIMÉNEZ, «Intervención procesal y sucesión procesal», en De la Oliva, Díez-Picazo Giménez, Vega Torres, *Curso de Derecho Procesal Civil*, I, Editorial Universitaria Ramón Areces, 2ª ed., Madrid, 2013, pág. 508; ORMAZÁBAL SÁNCHEZ, «Intervención adhesiva y cosa juzgada», *Revista Aranzadi Doctrinal*, núm. 10/2013, págs. 5-6 —se cita por la versión electrónica—; OROMI VALL-LLOVERA, *Intervención voluntaria de terceros en el proceso civil*, Madrid, 2007, págs. 19-20).

[43]    Cfr. MASSAGUER, «Artículo 206. Legitimación para impugnar», *cit.*, págs. 266-267; GRANDE SEARA, *La extensión subjetiva de la cosa juzgada en el proceso civil*, *cit.*, págs. 185-187; DÍEZ-PICAZO GIMÉNEZ, «Intervención procesal y sucesión procesal», *cit.*, págs. 508-511; OROMI VALL-LLOVERA, *Intervención voluntaria de terceros en el proceso civil*, *cit.*, págs. 57 y ss., especialmente págs. 89-108.

[44]    Cfr. PICÓ I JUNOY y VÁZQUEZ ALBERT, «El arbitraje en la impugnación de acuerdos sociales: nuevas tendencias y nuevos problemas», *cit.*, pág. 201.

nos al convenio arbitral (materia que presenta perfiles bien distintos). En nuestro caso partimos de la hipótesis (ya enunciada) de que el convenio arbitral adopta la forma de una cláusula estatutaria, por lo que todos los socios se encuentran vinculados por él (de manera que cualquiera de ellos —supuesta la concurrencia de las condiciones de legitimación previstas en la LSC— podría haber iniciado como demandante el proceso arbitral de impugnación). La cuestión es que, una vez iniciado un arbitraje en el que se impugne un determinado acuerdo, las instituciones de la litispendencia y de la cosa juzgada impiden a los restantes socios seguir un procedimiento arbitral independiente con el mismo objeto. Lo cual hace imperativo, en mi opinión, reconocerles la posibilidad de participar como intervinientes litisconsorciales (en suma, con la condición de parte demandante) en el proceso arbitral en marcha. En otro caso se estaría afectando gravemente a su derecho de defensa.

Como observación adicional puede llamarse la atención sobre la conveniencia de que los Reglamentos de arbitraje o, en su caso, los convenios arbitrales estatutarios, prevean la necesidad de que el árbitro comunique a los socios (de manera individualizada o mediante anuncios) que se ha presentado una demanda de impugnación de un acuerdo social[45]. Más aún, creo que no habría obstáculo para que el propio árbitro ordene que se lleve a cabo tal notificación (por los medios que se estimen apropiados y en la medida en que sea posible) aun cuando no estuviera prevista su realización[46]. De esta forma se favorecería la intervención en el arbitraje como demandantes de aquellos socios que lo consideraran conveniente para sus intereses.

## IV. CONCLUSIÓN Y CONSECUENCIAS

A tenor de todo lo expuesto puede formularse la siguiente conclusión: si en los estatutos de una sociedad de capital figurase una cláusula de sumisión a arbitraje en el que la designación de los árbitros encargados de

---

[45] Un apunte en esta línea en FERNÁNDEZ DEL POZO, «XVI Tópicos antiarbitrales y un modelo de convenio arbitral en estatutos», *RdS*, núm. 24, 2005, pág. 253; también en MARINO MERCHÁN, «Configuración del arbitraje intrasocietario en la Ley 11/2011», *cit.*, pág. 33.

[46] Cfr. PICÓ I JUNOY y VÁZQUEZ ALBERT, «El arbitraje en la impugnación de acuerdos sociales: nuevas tendencias y nuevos problemas», *cit.*, pág. 201; CARAZO LIÉBANA, *El arbitraje societario, cit.* pág. 154.

decidir sobre las impugnaciones de acuerdos sociales se encomendase al acuerdo de las partes, resultaría que podría verse afectado gravemente el derecho de los (restantes) socios a participar en el proceso de nombramiento de árbitros y a no verse forzados a defender sus intereses ante árbitros nombrados por otros litigantes sin su consentimiento ni intervención[47].

En efecto, repárese en lo que sucedería si en las condiciones descritas un socio impugnara un acuerdo social en un procedimiento arbitral y

---

[47] No son extrañas consideraciones de este tipo, al menos en cierta medida, a algunas de las reglas introducidas en Italia con ocasión de la reforma operada en esta materia por el Decreto Legislativo (núm. 5) de 17 de enero de 2003 (cuyos artículos 34 a 37 permanecen todavía en vigor). En concreto, el apartado 2 del artículo 34 del referido Decreto Legislativo ofrece un ejemplo de cómo evitar las dificultades enunciadas en el texto (aunque seguramente el objetivo inmediato de la reforma fue resolver otros problemas presentes en la práctica italiana y vinculados con la posibilidad de que fueran los órganos sociales los que ejercieran de árbitros o con la competencia para designar a los propios árbitros: cfr. PERALES VISCA-SILLAS, *Arbitrabilidad y convenio arbitral*, Cizur Menor, 2005, págs. 231-235, con referencias adicionales). Dicho precepto establece, en relación con las cláusulas estatutarias de sometimiento a arbitraje, lo siguiente: «2. *La clausola deve prevedere il numero e le modalità di nomina degli arbitri, conferendo in ogni caso, a pena di nullità, il potere di nomina di tutti gli arbitri a soggetto estraneo alla società. Ove il soggetto designato non provveda, la nomina è richiesta al presidente del tribunale del luogo in cui la società ha la sede legale*». Y, desde luego, la preocupación expresada en el texto enlaza con el contenido de alguna conocida resolución de los tribunales alemanes, como la Sentencia del BGH de 29 de marzo de 1996, en la que se subrayó —entre otras cosas— la importancia de que las partes participen en condiciones de igualdad en la designación de los árbitros y de que cuenten con un árbitro de su confianza, lo que según el Tribunal Supremo Federal no quedaba garantizado con arreglo a la legislación alemana de seguirse un procedimiento arbitral, ya que en estos casos podría suceder que los socios demandantes posteriores se vieran forzados a aceptar el árbitro elegido por los primeros impugnantes y la sociedad (sobre esta resolución y su significado, cfr. MUÑOZ PLANAS y MUÑOZ PAREDES, «La impugnación de acuerdos de la junta general mediante arbitraje», *RDM*, 2000, núm. 238, págs. 1453-1459, especialmente en nota 50; VICENT CHULIÁ, «Arbitraje de impugnación de acuerdos sociales. Acto final», en *Anuario de Justicia Alternativa*, núm. 1, 2001, págs. 98-99 y 115-117; GALLEGO SÁNCHEZ, «Sobre el arbitraje estatutario. En particular el de equidad», *cit.*, págs. 56-57; MARTÍNEZ MARTÍNEZ, «La modificación de los estatutos para extender la cláusula arbitral a las controversias sobre la impugnación de los acuerdos de la junta general de una SRL. A propósito de la Sentencia del Tribunal Supremo de 9 de julio de 2007», *RdS*, núm. 30, 2008, págs. 449-451; PICÓ I JUNOY y VÁZQUEZ ALBERT, «El arbitraje en la impugnación de acuerdos sociales: nuevas tendencias y nuevos problemas», *cit.*, págs. 187-188 y 197).

conviniera con la sociedad en nombrar como árbitro a una determinada persona. Ocurriría entonces que cualquier otro socio (que estuviera legitimado para ello) que posteriormente quisiera impugnar el mismo acuerdo con fundamento en la misma causa de pedir se vería imposibilitado para hacerlo en un procedimiento distinto, bien por aplicación en el segundo procedimiento de la excepción de litispendencia, bien por la fuerza de la cosa juzgada si el primer proceso arbitral hubiera ya concluido mediante laudo. En consecuencia se vería forzado, para defender sus intereses autónomamente (a lo que sin duda tiene derecho), a intervenir como actor (litisconsorte) en el primer procedimiento arbitral. Lo cual supondría, en definitiva, que tendría que aceptar la competencia del árbitro designado por otros sin su intervención ni consentimiento.

De ahí la relevancia de que el nombramiento de los árbitros se encomiende a un tercero independiente de la sociedad y de sus socios. Y también la importancia de que este procedimiento de designación de los árbitros conste en el convenio arbitral estatutario. Se trata en definitiva de evitar que unos socios puedan verse obligados a deducir sus pretensiones impugnatorias ante árbitros designados por quienes son partes en otro procedimiento (garantizando así, en suma, una posición de igualdad de las partes en cuanto a la designación de los árbitros). Aquí reside, a mi juicio, la *ratio* de la norma recogida en el último inciso del artículo 11 *bis*.3 LAr (y no tanto en imponer que la impugnación de los acuerdos sociales sea sometida a un arbitraje administrado).

Si se comparten las ideas anteriores, entonces creo que podrá compartirse también la afirmación de que el artículo 11 *bis*.3 LAr contiene una norma que peca tanto por *exceso* como por *defecto* en relación con la función que —según lo expuesto— está llamada a cumplir.

En efecto, la norma probablemente va más allá de lo necesario porque para garantizar los derechos de las partes no hace falta imponer que sea administrado el arbitraje al que se remita estatutariamente la impugnación de acuerdos sociales. Bastaría con exigir que fuera un tercero imparcial o independiente (que podría perfectamente ser una institución arbitral, pero no necesariamente) quien designara a los árbitros[48], lo que, como sabemos, es perfectamente compatible con el hecho de que el arbitraje sea *ad hoc*. Pues bien, si la que proponemos es la interpretación correcta del

---

[48]   *Vid.* OLAVARRÍA IGLESIA, «Comentario al artículo 11 *bis*», en Barona Vilar (coor.), *Comentarios a la Ley de Arbitraje, cit.*, pág. 692 y «Arbitraje estatutario intrasocietario: su reconocimiento legal», *cit.* pág. 476.

artículo 11*bis*.3 LAr, habrá que entender, a la luz de su finalidad y a pesar del tenor del precepto, que será válida la cláusula estatutaria que se limite a atribuir la competencia para dicha designación a una institución arbitral[49] (lo que supone asumir que no cabe obviar que la Ley ha optado expresa-

---

[49] Sobre esta cuestión están divididas las opiniones en la doctrina científica. Consideran que sólo es posible el arbitraje institucional, GOMÁ LANZÓN, «Algunos problemas de la impugnación de acuerdos sociales por vía arbitral (art. 204.1 LSC y 11 bis LA)», en Rodríguez Artigas, Farrando y Tena Arregui (dirs.), *El nuevo régimen de impugnación de los acuerdos sociales de las sociedades de capital*, Colegio Notarial de Madrid, Madrid, 2015, págs. 374-375; también DE ÁNGEL YÁGÜEZ, «Artículo 11 bis» en Prats Albentosa (coor.), *Comentarios a la Ley de Arbitraje*, Madrid, 2013, págs. 363-364. Por el contrario, piensan que es posible el arbitraje *ad hoc*, GONZÁLEZ NAVARRO, «El arbitraje como método de resolución de conflictos derivados de la aprobación de acuerdos sociales», *cit.*, págs. 646-647 y «¿Cuáles son las condiciones de validez de una cláusula estatutaria de sometimiento a arbitraje no institucional?», *cit.*, págs. 323-324; MARINO MERCHÁN, «Configuración del arbitraje intrasocietario en la Ley 11/2011», *cit.*, págs. 32-33; VICENTE-ALMAZÁN, «La reforma de la ley de arbitraje: aspectos notariales y registrales», *cit.*, págs. 21-22; PERALES VISCASILLAS, «Arbitraje Estatutario», en *Estudios sobre el futuro Código Mercantil: Libro Homenaje al Profesor Rafael Illescas Ortiz*, Getafe, Universidad Carlos III de Madrid, 2015, pág. 774 (accesible en http://e-archivo.uc3m.es/handle/10016/20763), quien ofrece ulteriores referencias bibliográficas sobre las posiciones mantenidas en la doctrina. Manifiesta dudas STAMPA, «La reforma de la Ley de Arbitraje», *La Ley*, núm. 7725, de 28 de octubre de 2011, pág. 4.
Sucede, sin embargo, que por regla general los autores se han limitado a razonar desde la letra del artículo 11*bis*.3 LAr y desde los principios generales que permiten someter a arbitraje (sin especificar modalidad) las controversias sobre las que las partes puedan disponer libremente. Además, da la impresión (aunque normalmente no se explicita este extremo) de que los autores que se inclinan por considerar que sólo cabe el arbitraje administrado lo hacen bajo el supuesto de que la designación de árbitros corresponderá igualmente a la institución arbitral. Mientras que los que defienden que resulta posible recurrir al arbitraje *ad hoc* suelen partir de la base de que el nombramiento quedará en manos de las partes. En cambio, se pronuncia con precisión RODRÍGUEZ ÁLVAREZ («El arbitraje societario», *cit.*, págs. 369-370) cuando opina que la cláusula estatutaria en cuestión no puede remitir al arbitraje *ad hoc* ni puede fijar un sistema de nombramiento de árbitros diferente al legal.
En este contexto es particular, por otro lado, la posición sostenida en el *Informe sobre el Arbitraje Societario en España* elaborado por el Club Español del Arbitraje, en el que, si bien se asume que la impugnación de acuerdos sociales ha de remitirse al arbitraje institucional, se entiende que —surgida la controversia— ya no hay obstáculo para que las partes se pongan de acuerdo sobre el nombramiento de árbitros eludiendo la designación de la institución arbitral (§§30-46 en págs. 25-29).

mente porque el tercero encargado de la designación sea precisamente una institución de esta naturaleza). Y ello, nótese, aunque no se le atribuya al mismo tiempo a esa institución la función de administrar el arbitraje (esto es, aunque el arbitraje fuera propiamente *ad hoc*). Más aún; llevando el razonamiento al límite podría incluso defenderse que sería ajustado a derecho el convenio estatutario que meramente encomiende a un tercero independiente (aunque no fuera una institución arbitral) el nombramiento de los árbitros que hayan de decidir sobre la impugnación de los acuerdos sociales. Desde luego, no escapará a nadie que el tenor del precepto no favorece esta lectura de la norma y que, precisamente por ello, puede no ser fácil para una cláusula con alguno de los contenidos señalados superar el trámite de la calificación registral. Pero creo que, en la medida en que con ella quedaría suficientemente garantizada la protección de los intereses de los socios, parece aconsejable una interpretación de la norma que reduzca el mandato legal (de carácter eminentemente restrictivo) a los términos estrictamente necesarios para cumplir su finalidad[50].

Al mismo tiempo, y por otro lado, la regla legal —tal y como esta enunciada— «se queda corta» dado que no asegura que se alcance su finalidad por cuanto los Reglamentos y Estatutos de las instituciones arbitrales pueden prever que se designará (o se «confirmará» o se «ratificará») a los árbitros que propongan las partes (en algunos casos previa comprobación de la concurrencia de determinados requisitos). Por ello me da la impresión de que es perfectamente posible defender (a la luz de la *ratio* que hemos identificado de la norma) que no sería lícita la designación de árbitro por una institución arbitral (a pesar de que se haya remitido a ella y a su reglamento un válido convenio arbitral estatutario) cuando dicha institución se hubiera limitado a nombrar a la persona indicada por las partes o a «confirmar» o «ratificar» dicho nombramiento (ilicitud que, previsiblemente,

---

[50]  Por supuesto nada de lo dicho supone negar que, desde el punto de vista práctico y operativo, el arbitraje administrado probablemente resulte más apropiado que el arbitraje *ad hoc* para dirimir las impugnaciones de los acuerdos de los órganos de las sociedades de capital. Lo que se pretende señalar es, simplemente, que este juicio de conveniencia y oportunidad (atendiendo a las circunstancias concretas) debe corresponder a los socios. Una vez que se respetan las normas precisas para salvaguardar los derechos e intereses de los socios en cuanto potenciales litigantes no hay razón para que la Ley imponga una u otra modalidad de arbitraje (de la misma forma que la LAr tampoco impone el arbitraje de derecho frente al de equidad aunque la opinión que parece mayoritaria tiende a afirmar que —al menos en el campo de la impugnación de los acuerdos sociales— normalmente resulta más conveniente y adecuado el primero que el segundo).

tendría repercusión en sede de anulación del laudo arbitral al amparo del artículo 41.1.d LAr). La referencia del artículo 11 *bis*.3 LAr a la designación de los árbitros por una institución arbitral debe entenderse como una exigencia (de naturaleza sustancial y no meramente formal) de que aquéllos sean nombrados con total independencia de las partes del procedimiento de impugnación (exigencia que no se entenderá cumplida, por tanto, cuando en el plano material —y con independencia de cómo denominen su actuación— las instituciones arbitrales se limiten a «validar», «ratificar» o «confirmar» la designación efectuada por las partes en la controversia).

## Bibliografía

ARIZA COLMENAREJO, «La regulación del arbitraje estatutario», en Damián Moreno (dir.), *La reforma de la Ley de Arbitraje de 2011*, Madrid, 2011.

BACHMAIER, «Arbitraje institucional (art. 14)» y «Nombramiento de los árbitros (art. 15)», en Arias Lozano (coor.), *Comentarios a la Ley de Arbitraje de 2003*, Cizur Menor, 2005.

BARONA VILAR, «Comentario al artículo 41» y «Comentario al artículo 43», en Barona Vilar (coor.), *Comentarios a la Ley de Arbitraje*, 2ª. ed., Cizur Menor, 2011.

BERNARDO SAN JOSÉ, *Arbitraje y jurisdicción. Incompatibilidad y vías de exclusión*, Granada, 2002.

CABALLOL I ANGELATS, «Comentario al artículo 122», en Arroyo, Embid y Górriz (coords.), *Comentarios a la Ley de Sociedades Anónimas*, vol. II, 2ª ed., Madrid, 2009.

CARAZO LIÉBANA, *El arbitraje societario*, Madrid, 2005.

CORDERO ÁLVAREZ, «El arbitraje comercial internacional y la litispendencia jurisdiccional», *Anuario Jurídico y Económico Escurialense*, XL, 2007.

CREMADES, B., «El arbitraje societario», *La Ley*, 2000, ref. D-281, t. 9.

CUCARELLA, «Litispendencia y arbitraje», *Anuario de Justicia Alternativa*, núm. 1, 2001.

CUCARELLA, *El procedimiento arbitral (Ley 60/2003, 23 de diciembre, de Arbitraje)*, Real Colegio de España, Bolonia, 2004.

DE ÁNGEL YÀGÜEZ, «Artículo 11 bis» en Prats Albentosa (coor.), *Comentarios a la Ley de Arbitraje*, Madrid, 2013.

DE LA OLIVA, *Objeto del proceso y cosa juzgada en el proceso civil*, Madrid, 2005.

DE LA OLIVA, DÍEZ-PICAZO GIMÉNEZ, VEGA TORRES, *Curso de Derecho Procesal Civil*, I y II, 2ª ed., Madrid, 2013.

FERNÁNDEZ DEL POZO, «XVI Tópicos antiarbitrales y un modelo de convenio arbitral en estatutos», *RdS*, núm. 24, 2005.

FRANCO ARIAS, «Comentario al artículo 118», en Arroyo, Embid y Górriz (coords.), *Comentarios a la Ley de Sociedades Anónimas*, vol. II, 2ª ed., Madrid, 2009.

GALLEGO SÁNCHEZ, «Sobre el arbitraje estatutario. En particular el de equidad», *RdS*, núm. 32, 2009.

GOMÁ LANZÓN, «Algunos problemas de la impugnación de acuerdos sociales por vía arbitral (art. 204.1 LSC y 11 bis LA)», en Rodríguez Artigas, Farrando y Tena Arregui (dirs.), *El nuevo régimen de impugnación de los acuerdos sociales de las sociedades de capital*, Colegio Notarial de Madrid, Madrid, 2015.

GONZÁLEZ MALABIA, «Comentario al artículo 14», en Barona Vilar (coor.), *Comentarios a la Ley de Arbitraje*, 2ª. ed., Cizur Menor, 2011.

GONZÁLEZ MALABIA, «Comentario al artículo 15», en Barona Vilar (coor.), *Comentarios a la Ley de Arbitraje*, 2ª. ed., Cizur Menor, 2011.

GONZÁLEZ NAVARRO, «Artículo 27», en Garberí Llobregat (dir.), *Comentarios a la Ley 60/2003, de 23 de diciembre, de Arbitraje*, Barcelona, 2004.

GONZÁLEZ NAVARRO, «¿Cuáles son las condiciones de validez de una cláusula estatutaria de sometimiento a arbitraje no institucional?», *RdS*, núm. 40, 2013.

GONZÁLEZ NAVARRO, «El arbitraje como método de resolución de conflictos derivados de la aprobación de acuerdos sociales», en *El proceso de impugnación de acuerdos de las sociedades de capital*, Barcelona, 2015.

GONZÁLEZ PILLADO y GRANDE SEARA, «Comentarios prácticos a la LEC: artículos 13, 14 y 15», *InDret*, 1/2005.

GRANDE SEARA, *La extensión subjetiva de la cosa juzgada en el proceso civil*, Valencia, 2008.

GUZMÁN FLUJA, «Comentario al artículo 11» y «Comentario al artículo 22», en Barona Vilar (coor.), *Comentarios a la Ley de Arbitraje*, 2ª. ed., Cizur Menor, 2011.

MARINO MERCHÁN, «Configuración del arbitraje intrasocietario en la Ley 11/2011», *Rev. Jurídica de Castilla y León*, núm. 29, 2013.

MARTÍNEZ GARCÍA, «Comentario al artículo 29», en Barona Vilar (coor.), *Comentarios a la Ley de Arbitraje*, 2ª. ed., Cizur Menor, 2011.

MARTÍNEZ MARTÍNEZ, «La modificación de los estatutos para extender la cláusula arbitral a las controversias sobre la impugnación de los acuerdos de la junta general de una SRL. A propósito de la Sentencia del Tribunal Supremo de 9 de julio de 2007», *RdS*, núm. 30, 2008.

MASSAGUER, «Artículo 206. Legitimación para impugnar», en Juste (coor.), *Comentario de la reforma del régimen de las sociedades de capital en materia de gobierno corporativo (Ley 31/2014)*, Cizur Menor, 2015.

MUNNÉ CATARINA, *La administración del arbitraje. Instituciones arbitrales y procedimiento prearbitral*, Cizur Menor, 2002.

MUNNÉ CATARINA, «Dossier de los tribunales sobre arbitraje», *La Ley*, núm. 8558, 10 de junio de 2015.

MUÑOZ PLANAS y MUÑOZ PAREDES, «La impugnación de acuerdos de la junta general mediante arbitraje», *RDM*, núm. 238, 2000.

OLAVARRÍA IGLESIA, «Comentario al artículo 11 *bis*», en Barona Vilar (coor.), *Comentarios a la Ley de Arbitraje*, 2ª ed., Cizur Menor, 2011.

OLAVARRÍA IGLESIA, «Arbitraje estatutario intrasocietario: su reconocimiento legal», en *Estudios de Derecho mercantil. Liber amicorum Profesor Dr. Francisco Vicent Chuliá*, Valencia, 2013.

OLIVENCIA, «Artículo 11 *bis*: Arbitraje estatutario», en González Soria (coor.), *Comentarios a la nueva Ley de Arbitraje*, 2ª ed., Cizur Menor, 2011.

OLIVENCIA, «La cláusula de arbitraje introducida por vía de modificación de los estatutos sociales», en en Jiménez Sánchez y Díaz Moreno (dirs.), *Estudios de Derecho del Comercio Internacional (Homenaje a Juan Manuel Gómez Porrúa)*, Madrid, 2013.

OLIVENCIA, «Quórum y mayorías en las sociedades de capital. A propósito del artículo 11 bis.2 de la Ley de Arbitraje», en *Liber Amicorum Juan Luis Iglesias*, Madrid, 2014.

ORMAZÁBAL SÁNCHEZ, «Intervención adhesiva y cosa juzgada», *Revista Aranzadi Doctrinal*, núm. 10/2013.

OROMI VALL-LLOVERA, *Intervención voluntaria de terceros en el proceso* civil, Madrid, 2007.

PERALES VISCASILLAS, *Arbitrabilidad y convenio arbitral. Ley 60/2003 de Arbitraje y Derecho societario*, Cizur Menor, 2005.

PERALES VISCASILLAS, «Arbitraje Estatutario», en *Estudios sobre el futuro Código Mercantil: Libro Homenaje al Profesor Rafael Illescas Ortiz*, Getafe, Universidad Carlos III de Madrid, 2015.

PÉREZ BERENGENA, «La incorporación a los estatutos sociales de la cláusula arbitral: notas sobre la constitucionalidad del sistema», *La Ley*, núm. 8634, 28 de octubre de 2015.

PÉREZ DAUDÍ, «Comentario al artículo 118», en Arroyo, Embid y Górriz (coords.), *Comentarios a la Ley de Sociedades Anónimas*, vol. II, 2ª ed., Madrid, 2009.

PICÓ I JUNOY y VÁZQUEZ ALBERT, «El arbitraje en la impugnación de acuerdos sociales: nuevas tendencias y nuevos problemas», *RdS*, núm. 11, 1999.

ROJO, «Legitimación para impugnar (art. 206)», en Rojo-Beltrán (dirs.), *Comentario de la Ley de Sociedades de Capital*, I, Madrid, 2011.

RODRÍGUEZ ÁLVAREZ, «El arbitraje societario», en Jiménez-Blanco (ccor.), *Anuario de arbitraje 2016*, Cizur Menor, 2016.

STAMPA, «La reforma de la Ley de Arbitraje», *La Ley*, núm. 7725, de 28 de octubre de 2011.

VICENT CHULIÁ, «Arbitraje de impugnación de acuerdos sociales. Acto final», en *Anuario de Justicia Alternativa*, núm. 1, 2001.

VICENTE-ALMAZÁN, «La reforma de la ley de arbitraje: aspectos notariales y registrales», *El Notario del Siglo XXI*, núm. 38, 2011.

YÁÑEZ VELASCO, «Artículo 7», en *Comentarios a la nueva Ley de Arbitraje*, Valencia, 2004.

# 66. Extensión subjetiva de los efectos de la cosa juzgada del laudo resolutorio de la impugnación de acuerdos sociales

MARÍA JESÚS ARIZA COLMENAREJO

*Profesora Titular de Derecho Procesal*
*Universidad Autónoma de Madrid*

## I. ARBITRAJE ESTATUTARIO EN LA LEY DE ARBITRAJE

La reforma de la Ley de Arbitraje (LA) en el año 2011 introdujo en el art. 11 bis la posibilidad de someter a arbitraje institucional las controversias surgidas en el seno de la sociedad de capital. Con ello se ha dado respuesta a una de las situaciones del derecho privado en la que puede ser de aplicación la institución arbitral. No obstante, la diversidad de conflictos jurisdiccionales que pueden surgir en torno al derecho de sociedades, ha generado diversas dudas respecto de la posibilidad de llevar la resolución de toda controversia societaria al arbitraje.

Así pues, tal y como se ha redactado la LA, se acepta ya casi unánimemente que el arbitraje decida sobre la impugnación de acuerdos sociales. Como especialidad, el apartado 3 del art. 11 bis reconoce que los estatutos sociales pueden incluir decisiones respecto del número de árbitros que pueden resolver la impugnación, pero en especial se exige que la impugnación sea resuelta en sede institucional[1].

Aunque el arbitraje estatutario ha sido introducido con anterioridad a la regulación actual de la impugnación de acuerdos sociales en la Ley de Sociedades de Capital (reformada en 2014), sus disposiciones deben analizarse a la luz del más actual sistema de impugnaciones, el cual ha sufrido ciertas modificaciones que pueden ser determinantes en el análisis de la extensión de efectos del laudo arbitral.

## 1. Materias susceptibles de arbitraje en el ámbito de la impugnación de acuerdos sociales: ámbito objetivo

La modificación que ha sufrido la impugnación de acuerdos sociales tras la Ley 31/2014, de 3 de diciembre, de reforma de la Ley de Sociedades de Capital, para la mejora del gobierno corporativo, ha sido fundamental en cuanto a los motivos por los que cabe, así como por la legitimación para impugnar. Si bien la norma nace con el punto de mira en un proceso judicial, estas cuestiones se arrastran para los casos en que se decide que la controversia sea resuelta por una institución arbitral, siendo de aplicación al proceso arbitral.

En relación al presupuesto objetivo de la acción de impugnación de acuerdos sociales, se ha suprimido la anterior distinción entre acuerdos nulos y anulables. El diferente régimen también se extendía a la legitimación para impugnar cada uno de ellos, así como a los plazos de caducidad para el ejercicio de la acción. Ello tenía consecuencias en orden a la estimación o desestimación del motivo invocado y la eficacia de cosa juzgada de la resolución judicial sobre los futuros litigantes. Igualmente, la consideración del acuerdo nulo o anulable ha repercutido en otras instituciones procesales como la litispendencia, acumulación objetiva y subjetiva de acciones, y la extensión de los efectos de la sentencia a terceros ajenos a la sociedad.

La nueva redacción dada a los arts. 204 y siguientes de la LSC suprime la clásica diferenciación entre acuerdos nulos y anulables, de tal modo que pasa a calificarlos como «impugnables». Se eliminan así los inconvenientes

---

[1]  Las razones por las que la LA remite la impugnación de los acuerdos sociales a un arbitraje institucional han sido diversas, si bien entendemos que la confianza que generan las instituciones arbitrales, así como la necesidad de conciliar voluntades sobre determinados extremos del arbitraje, se facilitan a través de esta exigencia.

derivados de la distinción por la simplificación del sistema de plazos y de legitimación[2]. Ahora cabe impugnar cuando el acuerdo sea contrario a la Ley, se oponga a los estatutos o al reglamento de la junta de la sociedad (novedad respecto de la regulación anterior), o lesione el interés social en beneficio de uno o varios socios o de terceros (art. 204.1 LSC).

Hay que tener en cuenta que a través del arbitraje sólo cabe resolver materias de libre disposición de las partes (art. 2 LA), circunstancia que se cuestiona cuando el orden público está en juego[3]. En cualquier caso, la existencia de acuerdos contrarios al orden público es determinante a efectos de legitimación puesto que se amplían los sujetos que pueden interponer una demanda, a diferencia del resto de motivos de impugnabilidad. Igualmente el régimen de la caducidad de la acción también está determinado en función de si el acuerdo es contrario al orden público o no. En el primer caso hablaremos de imprescriptibilidad de la acción, mientras que para el resto de motivos de nulidad la acción caduca en el plazo de un año.

Si se traslada el sistema de impugnación al ámbito arbitral, las consideraciones que cabe realizar son análogas. Así pues, desaparecida la diferencia entre nulidad y anulabilidad, puede afirmarse la arbitrabilidad de todo conflicto que surja en atención a la impugnación de acuerdos sociales. Se cuestionaría la alegación de orden público como motivo de impugnación, la cual tiene repercusión en materia de legitimación, y también en la caducidad de la acción, cuyo análisis no corresponde en este momento.

Ahora bien, las novedades introducidas en la reforma de la LSC también afectan al proceso arbitral en cuando a la delimitación del ámbito objetivo ante nuevas situaciones, así como la extensión de los efectos de resoluciones arbitrales en los diferentes tipos de pretensión.

---

[2] Vid. DAMIÁN MORENO, J. y ARIZA COLMENAREJO, M. J., *Impugnación de acuerdos de sociedades anónimas*, Madrid, 2000, pág. 27.

[3] GÓMEZ PORRÚA, J. M., «La cláusula compromisoria estatutaria y su aplicabilidad a la impugnación de acuerdos sociales en las sociedades de capital», en *Estudios Homenaje a Sánchez Calero*, T, II, Madrid, 2002, pág. 1973, negaba la arbitrabilidad de los acuerdos nulos contrarios al orden público. Vid. ARIZA COLMENAREJO, M. J., «La regulación del arbitraje estatutario», en *La reforma de la Ley de arbitraje de 2011*, dir. Damián Moreno, J., Madrid, 2011, pág. 46; GOMÁ LANZÓN, I., «Algunos problemas de la impugnación de acuerdos sociales por vía arbitral», en *El nuevo régimen de impugnación de los acuerdos sociales de las sociedades de capital*, dir. Rodríguez Artigas y otros, Madrid, 2015, pág. 370, quien entiende excluido el orden público como materia arbitrable.

En primer lugar, el art. 204.2 LSC excluye de la impugnación los acuerdos revocados o sustituidos[4]. Si estuviera en marcha un proceso jurisdiccional o arbitral, la consecuencia es la finalización del mismo por pérdida del objeto (art. 22.1 LEC). No obstante, subsiste el derecho a obtener el resarcimiento o a la eliminación de los efectos que ha llegado a producir el acuerdo convalidado. En este caso, la pretensión que se hace valer hipotéticamente por vía arbitral depende de una situación fáctica que el mismo órgano decisorio valorará. El árbitro también podrá decidir la terminación del procedimiento por desaparición sobrevenida del objeto, declaración que tendrá efecto vinculante en posteriores procesos de impugnación. Por otro lado, la pretensión resarcitoria que surge en este caso, puede instarse por vía arbitral, si bien la decisión sólo afectará a las partes del procedimiento, sin que se produzca la extensión a ningún tercero ajeno al mismo.

En segundo lugar, la LSC introduce la novedad de eliminar del ámbito objetivo de la impugnación, determinados acuerdos bajo ciertos requisitos (art. 204.3). Son supuestos de inimpugnabilidad en los que la infracción de carácter formal cometida no se considera esencial para evitar la adopción del acuerdo. Por ello, el legislador ha considerado que no debe someterse a la impugnación todo acto societario, con lo que protege del abuso que pueda producirse en el cuestionamiento de la validez de acuerdos, creando cierta seguridad jurídica en la vida societaria.

El precepto introduce una serie de conceptos jurídicos indeterminados como el carácter relevante de los requisitos procedimentales, o el carácter esencial de la insuficiencia de la información invalidante. Para la decidir su concurrencia, la propia ley prevé el cauce procesal de los incidentes de previo pronunciamiento, dentro del proceso judicial principal.

El carácter prejudicial de esta materia se ha configurado bajo la estructura de un proceso judicial, pero no se piensa en el procedimiento arbitral. En la LA no se prevé un incidente de previo pronunciamiento para resolver ciertas cuestiones. La duda puede surgir de la necesidad de acudir al juez para determinar el carácter esencial o determinante de los motivos de alegación en los términos del art. 204.3 LSC. Entendemos que dicha materia también debe ser resuelta por la misma institución arbitral a los meros

---

[4]    Según este precepto, no procede la impugnación de un acuerdo social cuando haya sido dejado sin efecto o sustituido válidamente por otro, antes de interponerse la demanda de impugnación. Si tal circunstancia tiene lugar tras la interposición de la demanda, debe alegarse en el proceso, el cual finalizará por pérdida sobrevenida de su objeto.

efectos prejudiciales, aunque no se es ajeno a los problemas derivados de este pronunciamiento, que puede tener efectos en otros procesos y que no puede ser revisable a través de recursos puesto que los laudos no son recurribles.

En definitiva, el marco de un proceso judicial, a la vista de las cuestiones susceptibles de ser sometidas a los tribunales, resulta más complejo que en la regulación anterior. Si afirmamos la posibilidad de instar un proceso arbitral en materia de impugnación de acuerdos societarios, también deberían adaptarse las decisiones a la multiplicidad de objetos controvertidos que pueden aparecer. No obstante, quizá sea materia para un debate posterior, ya que ahora todo ello nos sirve para delimitar los posibles afectados por un laudo arbitral en el cual se decida la nulidad de un acuerdo, al margen de cuestiones incidentales.

## 2. *Legitimación para la impugnación en sede arbitral*

Si el ámbito objetivo de la impugnación de acuerdos ha sufrido modificaciones tras la reforma de la LSC, la legitimación para impugnar también ha variado tras la misma. La principal novedad ha sido introducida en 2014, para lo cual se fijan límites a la legitimación para demandar en lo que a socios se refiere.

Como no puede ser de otra forma, la legitimación para llevar ante los tribunales la decisión sobre la nulidad de un acuerdo social se traslada también para el ejercicio de la acción ante la institución arbitral. Así pues, ostentan legitimación para impugnar cualquiera de los administradores, terceros que acrediten interés legítimo, y socios cuya condición fuera adquirida antes de la adopción del acuerdo, que representen al menos el uno por ciento del capital. Este porcentaje puede ser menor por vía estatutaria.

Si la impugnación se produce por contravenir el orden público, entonces la legitimación se amplía notablemente al suprimirse la cuota de representación en los socios (art. 206.2 LSC).

Distinto de la cuota para impugnar el acuerdo, es la cuota para establecer la cláusula de sumisión al arbitraje y poder someter a esta institución el conflicto surgido en el seno societario. A tal efecto, el art. 11 bis LA exige el voto favorable de, al menos, dos tercios de los votos correspondientes a las acciones o a las participaciones en que se divida el capital social. Con ello se condiciona la validez de la cláusula y se manifiesta la voluntad de sometimiento, al margen de la decisión del resto de socios y de aquellos que votaron en contra, así como de los que adquirieron tal condición con posterioridad a la inclusión de la cláusula compromisoria. Por lo tanto, el socio que entra a formar parte de la sociedad bajo el régimen jurídico de estatutos con dicha cláusula, acepta todo su contenido, incluyendo la posibilidad de sometimiento al arbitraje.

En consecuencia, tanto para impugnar ante los tribunales, como para impugnar ante la institución arbitral la nulidad de un acuerdo social, se aplica el régimen de legitimación de la LSC. El principal escollo a salvar reside en la legitimación de terceros que acreditan un interés legítimo[5], los cuales no han participado en absoluto en la formación de la voluntad de sometimiento al arbitraje de controversias societarias[6]. Las posibilidades en este caso pueden ser dos. Por un lado, negar que el tercero con interés legítimo pueda acudir al arbitraje, bajo el argumento de que no ha habido un acuerdo de voluntades al respecto. El pacto arbitral que consta en los estatutos sólo vincularía a socios y administradores, ya que forman parte de la sociedad y están sometidos a su régimen jurídico, en el que se incluye la vía de resolución de sus controversias. La consecuencia sería que el laudo arbitral instado por socios o administradores no afectaría al tercero, y tendría abierta la vía de la impugnación ante los tribunales. Eso nos lleva a considerar que estamos en presencia de una situación anómala donde se genera inseguridad jurídica ante el riesgo de tener decisiones contradictorias.

La otra posibilidad pasa por admitir la vía arbitral como mecanismo de impugnación de acuerdos sociales siempre que el tercero acuda a la misma desde el inicio. De este modo, cabe entender que concurren ambas voluntades y hay acuerdo sobre la vía de resolución: para el tercero, porque acude al arbitraje directamente como mejor opción; y para la sociedad,

---

[5]    Ostentarían legitimación los terceros que hayan sufrido daños o perjuicios como consecuencia del acuerdo impugnado, y también los que puedan verse afectados en el futuro. Vid. BAENA BAENA, P. J., *Legitimación activa para la impugnación de acuerdos sociales*, Madrid, 2006, pág. 126. Se incluirían, entre otros, los trabajadores, copropietarios de acciones, nudos propietarios o usufructuarios, etc. En definitiva, se ha considerado que también entrarían aquí los socios que no reúnen la cuota necesaria señalada en el art. 206 LSC, para los que la ley sí reconoce expresamente acción para ejercitar el derecho al resarcimiento. ESPINÓS BORRÁS DE QUADRAS, A., *Impugnación de acuerdos sociales*, Barcelona, 2007, pág. 420, no es de la misma opinión respecto de algunos anteriormente citados.

[6]    La problemática se expone en sentido más amplio en LORCA NAVARRETE, A. M., «Extensión del convenio arbitral a "terceros"», *Diario La Ley*, nº 8921, 14 de febrero de 2017.

porque previamente consta su voluntad en los estatutos sociales en abstracto. La referencia del art. 11 bis.3 LA al contenido de los estatutos sociales para la impugnación de acuerdos por socios o administradores, se dirige al establecimiento del arbitraje institucional, excluyendo la designación particular de árbitros. Pero esta mención no debe interpretarse en el sentido de eliminar la posibilidad de que otros legitimados que no sean socios o administradores acudan al arbitraje para la impugnación de acuerdos.

Como argumento adicional a esta idea, la vía arbitral, para el caso de impugnación del acuerdo por terceros con interés legítimo, unifica los criterios de tutela y posibilita la acumulación de pretensiones en un mismo proceso arbitral. De lo contrario, el ejercicio de la acción por parte de socios o administradores ante el arbitraje, impediría un hipotético litisconsorcio voluntario de terceros, y viceversa. La idea de establecer vías diferentes en función de la cualidad del actor se compatibiliza mal con un sistema de igualdad de armas y la tutela judicial. Además, como veremos más adelante, entran en juego otras instituciones procesales como la cosa juzgada en su vertiente objetiva, que exige un tratamiento uniforme en los mecanismos de solución de la nulidad del acuerdo, tal y como veremos más adelante.

## II. EFECTOS DE COSA JUZGADA DE LAS RESOLUCIONES ARBITRALES: CRITERIO GENERAL

El art. 43 LA establece como criterio general el efecto de cosa juzgada del laudo arbitral[7]. Ello significa que la decisión del árbitro se concibe de manera definitiva e irrevocable desde el momento en que se dicta. Contra el laudo no cabe recurso alguno que vuelva a revisar la decisión tomada en primera y única instancia[8]. Únicamente se prevé la acción de anulación,

---

[7]    MARTÍNEZ GONZÁLEZ, P., *El nuevo régimen del arbitraje*, Barcelona, 2011, pág. 140, refiere la eliminación de la diferencia entre laudo definitivo y firme en la reforma de 2011 como presupuesto de la adquisición de los efectos de cosa juzgada.

[8]    ÁLVAREZ SÁNCHEZ DE MOVELLÁN, P., «Régimen del laudo arbitral. Su anulación y ejecución», en *La Reforma de la Ley de Arbitraje de 2011, cit.*, pág. 161; MORENO CATENA, V., «El arbitraje», con Cortés Domínguez, V., en *Derecho Procesal Civil. Parte especial*, 8ª ed., Valencia, 2016, pág. 360. La Sentencia TSJ Valencia de 5 de mayo de 2015 afirma que el arbitraje es un instrumento jurisdiccional, que no judicial, que se diseña con una estructura procedimental de única instancia. Por ello se otorga la firmeza al laudo y se impide encuadrar la pretensión de anulación en situación de litispendencia.

que no es un recurso en el sentido estricto del término, sino una acción de impugnación de la cosa juzgada jurisdiccional[9]. Aunque la doctrina no es pacífica en cuanto a la consideración de la acción de anulación del art. 40 LA, el principal problema estriba en el instante en que el laudo puede considerarse firme. La diferencia varía entre el momento en que se dicta el laudo, o tras la finalización de la oportunidad de ejercitar la acción de anulación o su resolución por el TSJ.

La cuestión sería objeto de análisis ahora si de ello dependiera la determinación de los sujetos a quienes afecta la decisión arbitral. Pero no es este el momento de establecer a partir de cuándo el laudo tiene efectos de cosa juzgada, ya que el debate está al margen de esta cuestión. Así pues, si partimos de la base de que han transcurrido los plazos para impugnar el laudo, o deviene firme en todo caso por ser inmodificable, entonces habrá que considerar que la controversia sometida a decisión ha quedado fijada de manera irrevocable y puede oponerse frente a determinados sujetos (eficacia positiva de la cosa juzgada)[10], o bien va a impedir impugnar el mismo acuerdo nuevamente pero por otra vía o conducto jurisdiccional, o por otros legitimados que no intervinieron en el proceso arbitral inicial (eficacia negativa o excluyente)[11].

Los postulados clásicos sobre cosa juzgada imponen la triple identidad en cuanto a objeto, causa de pedir y sujetos, que también debe ser de aplicación a los laudos. Por lo tanto, una vez resuelta la controversia por la institución arbitral, no cabe reiterar la misma por los mismos contendientes

---

[9]  Los debates sobre la naturaleza jurídica de la acción de anulación del laudo arbitral se mantienen a pesar de lo que se establece en la propia LA y de los intentos legislativos por evitar una nueva decisión sobre el contenido del laudo por parte de los tribunales. Vid. ARTACHO MARTÍN-LAGOS, M., «La controvertida firmeza del laudo», en *Estudios sobre el arbitraje*, cood., González Montes, J. L., Madrid, 2008, pág. 199; BERMEJO REALES, L. F., «La eficacia de las decisiones arbitrales: la impugnación y ejecución de laudos», *Revista Jurídica de Castilla y León*, nº 29, enero de 2013, pág. 3.

[10]  CUCARELLA GALIANA, L. A., *El procedimiento arbitral*, Bolonia, 2004, pág. 192, considera que la eficacia positiva o prejudicial impide poner en marcha un nuevo procedimiento arbitral con el mismo objeto. Dicha circunstancia puede alegarse como falta de competencia del árbitro según el art. 22 LA. También podrá alegarse si se inicia un proceso jurisdiccional en base a la misma pretensión y con los mismos sujetos.

[11]  CUCARELLA GALIANA, L. A., *El procedimiento arbitral*, *cit.*, pág. 190, entiende que con la firmeza, la decisión arbitral se convierte en irrevocable, de igual modo que las sentencias firmes.

ni ante los tribunales, ni en otro procedimiento arbitral. En este sentido, la Sentencia del TS (Sala de lo Civil) de 4 de junio de 2010 ha afirmado que el laudo arbitral produce idéntica eficacia de cosa juzgada que las sentencias judiciales firmes, por lo que es de aplicación el mismo art. 222 LEC[12].

Por lo tanto, el laudo arbitral produce efectos de cosa juzgada, de tal modo que se impide un proceso posterior en base al mismo objeto y/o partes, bien se ejercite la acción ante los tribunales o ante otro árbitro[13]. Cabe plantear la excepción de cosa juzgada cuando se intente el nuevo proceso.

## III. LOS EFECTOS DE COSA JUZGADA DE LAS SENTENCIAS EN CASO DE IMPUGNACIÓN DE ACUERDOS SOCIALES: EXTENSIÓN A TERCEROS QUE NO LITIGARON (ART. 222.3, PFO. 3º LEC)

En relación con lo establecido en la LEC sobre los efectos de las sentencias que resuelven la impugnación de acuerdos sociales, hay que tener en cuenta tres preceptos. En primer lugar, el art. 222.4 LEC señala que, con carácter general, «*lo resuelto con fuerza de cosa juzgada en la sentencia firme que haya puesto fin a un proceso vinculará al tribunal de un proceso posterior cuando en éste aparezca como antecedente lógico de lo que sea su objeto, siempre que los litigantes de ambos procesos sean los mismos o la cosa juzgada se extienda a ellos por disposición legal*». En segundo lugar, el apartado 3 del mismo artículo entiende que la cosa juzgada afectará, entre otros, a «*sujetos, no litigantes, titulares de los derechos que fundamenten la legitimación de las partes conforme a lo previsto en el art. 11 de esta ley*», referencia limitada a los procesos en que intervienen consumidores y usuarios. Pero el precepto determinante para nuestro objeto se encuentra en el párrafo tercero, donde se regula expresamente el caso de las sentencias dictadas en materia de impugnación de acuerdos sociales, las cuales afectarán a todos los socios, aunque no hubiesen litigado.

---

[12]     La misma Sentencia reconoce que la eficacia de ambas decisiones no queda constreñida por la cosa juzgada, pudiendo proyectarse el «precedente» más allá de la triple identidad clásica. Así, «*cuando concurren las mismas partes, razones de seguridad jurídica y tutela efectiva impiden que los hechos sean una cosa para un tribunal o un árbitro y simultáneamente sea la contraria para otro árbitro u otro tribunal. Cuando siendo diferentes las partes se someten al mismo tribunal o al mismo árbitro los mismos hechos, el principio de igualdad en la aplicación de la Ley impone idénticas soluciones aunque sean diferentes las partes, siempre que la parte perjudicada haya tenido oportunidad de ser oída y defenderse en el primero*».

[13]     MARTÍNEZ GONZÁLEZ, P., *El nuevo régimen del arbitraje, cit.*, pág. 142.

En base a los anteriores, se pueden extraer varias consecuencias que repercuten en la eficacia de la sentencia.

## 1. *Eficacia de la sentencia para los socios no litigantes*

La primera tiene que ver con la extensión del pronunciamiento a los socios, aunque no hubiesen litigado. Con ello se produce una ampliación subjetiva de la cosa juzgada, o, según se ha considerado también, una afectación de la legitimación para impugnar, como ha señalado Cortés Domínguez[14].

Siguiendo esta línea, el efecto de la sentencia varía en función de si es estimatoria o desestimatoria. En el primer caso, se consideraría que se pierde la legitimación para volver a impugnar el acuerdo porque éste desaparece al declararse nulo. En el segundo caso, sí existirán efectos de cosa juzgada, que se extienden al acuerdo, a la pretensión de nulidad y a la causa o motivo que provocó la impugnación. El punto de atención se pone en el carácter constitutivo de la pretensión que se insta ante el tribunal.

Si mantuviéramos esa misma argumentación, entonces la extensión de los efectos debería llegar hasta todos aquellos legitimados para la impugnación, no sólo a los socios, ya que la pérdida de la condición de legitimado ante la estimación de nulidad del acuerdo, se produce tanto para el que es socio, como para el administrador, como para el tercero con interés legítimo en los términos del art. 206.1 LSC[15].

Por supuesto, si la sentencia es desestimatoria de la pretensión de nulidad, la misma tiene eficacia subjetiva para aquellos que litigaron. Pero hay

---

[14]    CORTÉS DOMÍNGUEZ, V., «La sentencia», en Cortés Domínguez, V. y Moreno Catena, V., *Derecho Procesal Civil. Parte general*, 8ª ed., Valencia, 2015, pág. 322, considera que la extensión de la cosa juzgada a todos los socios que no litigaron es una cuestión que se refiere a la teoría general de la legitimación. Si la sentencia es estimatoria de la nulidad del acuerdo, no es que despliegue sus efectos a todos los socios, sino que los que no litigaron pierden su derecho a impugnar porque se ha creado una situación jurídica diferente. En este mismo sentido, GRANDE SEARA, P., *La extensión subjetiva de la cosa juzgada*, Valencia, 2008, pág. 322.

[15]    También se ha considerado que la sentencia tiene eficacia *erga omnes*, es decir, no sólo limitada a los socios, sino también a terceros. Vid. CALAZA LÓPEZ, S., *La cosa juzgada*, Madrid, 2009, pág. 174; GARBERÍ LLOBREGAT, J., «La extensión subjetiva de los efectos de cosa juzgada de las sentencias dictadas en los procesos de impugnación de acuerdos sociales», en *El proceso de impugnación de acuerdos de las sociedades de capital*, dir. Garberí Llobregat, J., y otros, Barcelona, 2015, pág. 623.

que preguntarse si aquellos que no intervinieron en el proceso pueden volver a plantear una nueva demanda impugnatoria en base a otro motivo distinto[16]. Si se siguen los postulados clásicos sobre cosa juzgada, si no hay identidad en la *causa petendi*, y no habiendo tampoco identidad en el actor, entonces cabe ejercitar nueva acción bajo estas circunstancias, siempre y cuando estemos dentro del plazo del año para impugnar. Para limitar esta posibilidad, que en nada favorece la seguridad jurídica, se puede reflexionar sobre la delimitación objetiva de la cosa juzgada, íntimamente unida a la delimitación subjetiva.

## 2. *Alcance objetivo de la cosa juzgada: causas de impugnación no alegadas*

Desde el punto de vista objetivo, la cosa juzgada se predica del acuerdo y de la causa de nulidad invocada. Ahora bien, no puede olvidarse lo establecido en el art. 400 LEC, según el cual, deben aducirse en la demanda todos los hechos y títulos jurídicos conocidos o susceptibles de ser invocados en relación con una petición. Mediante este precepto, se establece la preclusión de la alegación de los hechos y fundamentos jurídicos. Se impide su alegación en un proceso ulterior, y entran en la cosa juzgada todas aquellas alegaciones realizadas, y las que pudieron alegarse aunque no se hiciera.

Dicho precepto puede interpretarse en el sentido de entender que, ante la impugnación de un mismo acuerdo social, deben incorporarse todos los motivos que ostente el actor, sin que puedan considerarse procesos diferentes aquellos que recojan causas de nulidad diferentes referidas a un mismo acuerdo. No obstante, la problemática tiene más relación con la idea de preclusión de las alegaciones, que con la eficacia de cosa juzgada, si bien, el apartado 2 del art. 400 LEC considera que la cosa juzgada se predicará de los hechos y fundamentos jurídicos que pudieron alegarse en un proceso anterior.

La doctrina procesalista viene debatiendo sobre el alcance de este precepto, más problemático que beneficioso[17]. Su lógica reside en el hecho de impedir que el mismo actor plantee sucesivos procesos hasta obtener una resolución favorable, reservándose argumentaciones para momentos

---

[16] GRANDE SEARA, P., *La extensión subjetiva de la cosa juzgada, cit.*, pág. 324, considera que la sentencia desestimatoria despliega los efectos de cosa juzgada material que deben extenderse a todos los sujetos legitimados para ejercitar la pretensión impugnativa.

[17] NIEVA FENOLL, J., *Derecho procesal II. Proceso Civil*, Madrid, 2015, pág. 144.

posteriores. Llevado al proceso de impugnación de acuerdos, parece lógico que se impida que el mismo demandante pretenda la nulidad en un proceso en base a un motivo, y en caso de desestimación de la demanda, intente un nuevo proceso sustentado en otro motivo. Dicha posibilidad no parece descartable a la vista de la unificación del plazo para el ejercicio de la acción, establecido en un año.

Llevada la aplicabilidad del art. 400.2 LEC al arbitraje societario, puesto que las instituciones procesales deben llevar vidas paralelas, entendemos que también deben realizarse las mismas consideraciones[18]. Así pues, interesa que en el procedimiento arbitral se debatan y resuelvan todos los argumentos, motivos y causas de nulidad que tengan relación con un acuerdo social. En caso de no plantearse, en la medida en que el demandante ha podido alegar otros motivos o causas de nulidad, no podrán dar lugar a un nuevo procedimiento arbitral o judicial. Como señala el art. 400.2 LEC, a efectos de litispendencia o cosa juzgada, se considerará los hechos y fundamentos jurídicos los mismos a los alegados, si se pudieron alegar. Por tanto, se crea la ficción jurídica de identidad objetiva que ha de tenerse en cuenta también en el ámbito arbitral.

La peculiaridad del proceso societario, en el que confluyen intereses procedentes de administradores, socios, y terceros, exige que se configure una idea de tutela jurisdiccional diferente de los postulados clásicos[19]. Así pues, la multiplicidad de sujetos que pueden intervenir en el proceso, las relaciones de preclusión entre los motivos, el sistema de acumulación subjetiva y objetiva, la intervención procesal, y otras instituciones procesales, dotan de peculiaridad a este proceso. El art. 400.2 LEC puede servir de enlace para garantizar que se incorporen al proceso de impugnación todas las causas de nulidad, procedentes de un legitimado, o promoviendo que se insten por parte de cualquier legitimado que tenga algo que decir. Por ello, alcance objetivo va íntimamente unido a la idea de pluralidad de partes. Aunque en principio este precepto está pensado para la preclusión de alegaciones provenientes de un sujeto, criterios de eficiencia procesal pueden hacer considerar necesaria su extensión también a todos los potenciales demandantes.

---

[18]  MARTÍNEZ GONZÁLEZ, P., *El nuevo régimen del arbitraje, cit.*, pág. 143.
[19]  El art. 222.3 pfo. 3º LEC sería una excepción a la eficacia subjetiva de la cosa juzgada, que va más allá de las partes en el proceso, como señala ÁLVAREZ SÁNCHEZ DE MOVELLÁN, P., *Estudios sobre el proceso de impugnación de acuerdos sociales*, Madrid, 2015, pág. 228.

Haciendo un paralelismo con procesos sobre consumidores y usuarios, la impugnación de acuerdos puede asemejarse a aquéllos y requerir la aplicación de ciertas instituciones similares. La similitud reside concretamente en la pluralidad de partes, la amplia legitimación, así como la extensión de los efectos de las sentencia. En especial puede traerse la figura de la intervención procesal del art. 15 LEC, la cual evita posteriores procesos en base a hechos similares, y permite dictar una sentencia con efectos frente a todos los que han comparecido, y también extensiva a los legitimados en los términos del art. 11 LEC[20]. Es cierto que se ha limitado la legitimación de socios para impugnar acuerdos sociales (1 % del capital), lo cual no se traduce en una limitación en cuanto a la eficacia de la sentencia. Pero también hay que tener en cuenta que se reconoce un derecho al resarcimiento del daño como consecuencia del daño ocasionado por el acuerdo impugnable. Encontramos diferentes pretensiones en torno al acuerdo societario así como limitaciones para la impugnación, pero ninguna posibilidad expresa de intervención del socio minoritario que puede quedar afectado por la sentencia.

Por ello, con el fin de evitar resoluciones judiciales contradictorias y posibles desajustes en la decisión que afecte a socios legitimados y otros no legitimados por no superar el porcentaje establecido, así como terceros con interés legítimo, debe revisarse el art. 222.3 pfo. 3º LEC en el sentido de delimitar con mayor precisión quiénes quedan afectados por la sentencia estimatoria de nulidad del acuerdo. Así pues, la inclusión de una referencia similar a la del art. 11 LEC puede servir de base para evitar la interposición de demandas sucesivas, aunque deriven de causas diferentes, en aras de la seguridad jurídica, y al margen de que la sentencia sea estimatoria o desestimatoria. De manera paralela, debería regularse expresa y específicamente la institución procesal de la intervención, posibilitando el llamamiento o la comunicación de la presentación de la demanda a todos aquellos que aparezcan como interesados, socios o no, a fin de acumular pretensiones de nulidad y también pretensiones de carácter resarcitorio en los términos del art. 206.1 pfo. 2º LSC[21].

---

[20]    Art. 222.3 LEC. No obstante, esta extensión se complementa con una regulación específica en materia de ejecución de la sentencia y la legitimación para instalarla de todos aquellos que se encuentran afectados aunque no litigaron en el proceso declarativo (art. 519 LEC).

[21]    En principio se reconoce la intervención de los socios que votaron a favor del acuerdo para su personación en la defensa de la validez del mismo (art. 206.4 LSC), pero nada se dice respecto de los que también pueden impugnarlo. Esta es

## IV. APLICACIÓN DE LA LEC A LOS LAUDOS ARBITRALES SOBRE IMPUGNACIÓN DE ACUERDOS SOCIALES

Puesto que tanto la LSC como la LA no dicen nada del efecto que producen los laudos arbitrales respecto de aquellos que no han litigado, la pregunta reside en determinar la posibilidad de aplicar los preceptos de la LEC sobre cosa juzgada de la sentencia, así como toda la problemática que surge en relación con el procedimiento arbitral.

Si la cuestión resulta controvertida en el seno de las sentencias dictadas en materia de impugnación de acuerdos sociales, la complejidad procesal aumenta si lo que ha decidido la impugnación es un laudo arbitral. Igualmente, se suscitan problemas relativos a la nueva regulación de la impugnación de los acuerdos sociales en caso de convalidación y pretensiones resarcitorias de la minoría social no legitimada.

Con todo ello, debe afirmarse la aplicación del art. 222.3 pfo. 3 LEC en materia de impugnación de acuerdos sociales. Si tenemos en cuenta que el pronunciamiento es el mismo, y las consecuencias idénticas, entonces no podemos obviar la extensión del laudo de nulidad a los socios, con independencia de que hayan litigado o no. Sería contradictorio el hecho de que si se elige la vía arbitral, la declaración de nulidad de un acuerdo societario vea restringido su efecto sólo a los que han sido parte.

Ahora bien, partiendo de la afirmación anterior, la conjunción de las normas de la LA y de la LSC, así como de la LEC, dejan muchas lagunas que deben ser resueltas casuísticamente, o al menos con la interpretación de todas las normas en conjunto. Los problemas, con consecuencias en la extensión subjetiva del laudo son, por un lado, el que tiene que ver con la legitimación para impugnar, la posibilidad de acumular acciones en el procedimiento arbitral, la simultaneidad de proceso judicial y proceso arbitral, o el posible litisconsorcio voluntario en el arbitraje. Son cuestiones que pueden servir de ejemplo a la insuficiente regulación respecto del arbitraje societario del art. 11 bis LA. Trataremos de abordar alguna de estas cuestiones que inciden en la eficacia subjetiva del laudo arbitral, con la idea de que al menos se pueden paliar problemas con determinadas instituciones procesales que pueden ser aplicables al procedimiento arbitral.

---

una de las materias que conviene reconocer y regular expresamente. Vid. ESPINÓS BORRÁS DE QUADRAS, A., *Impugnación de acuerdos sociales*, *cit.*, pág. 420.

## 1. Extensión por identidad en la legitimación para impugnar el acuerdo en el arbitraje y en los tribunales

La primera cuestión a resolver es la determinación de los legitimados para impugnar un acuerdo social por la vía del arbitraje. Tal y como hemos afirmado en ocasiones anteriores, tanto la LA como la LSC deben armonizarse para generar las mismas posibilidades jurisdiccionales para aquellos que aparecen legitimados en el art. 206 LSC. La existencia de una cláusula arbitral en los estatutos sociales habilita para que cualquier administrador, tercero con interés legítimo, y socio con al menos el uno por ciento del capital, pueda exigir su cumplimiento ante la institución arbitral en la que se ejercite la impugnación. De la aplicación del art. 11 bis.1 LA se deduce que cualquier conflicto planteado en el seno de la sociedad de capital puede resolverse por esta vía, y sólo se hace referencia a administradores y socios para determinar que hay que designar una institución arbitral[22]. Por ello, entendemos que también el tercero con interés legítimo puede acudir al arbitraje. El acuerdo de voluntades se deduce de la interposición de la correspondiente demanda ante el árbitro o árbitros, y la cláusula estatutaria de sometimiento[23].

En relación con esta materia, la conclusión a la que debe llegarse es la misma que en caso de impugnación por la vía judicial. Es decir, el laudo declarando la nulidad debe extender sus efectos a los socios, tal y como se produce si se dicta sentencia en aplicación del art. 222.3 pfo. 3º LEC. Pero si la sentencia estimatoria de la impugnación afecta a los administradores, en base a los mismos razonamientos mantenidos, el laudo también afectará a los administradores. En el tráfico jurídico no tiene sentido que sirva la nulidad a los socios sí, pero no a los administradores. Si es nulo, lo es para todos.

La misma consecuencia se da para los terceros que acreditan un interés legítimo: el laudo extenderá sus efectos a estos terceros puesto que el acuerdo desaparece, y también desaparece la legitimación para su impugnación. Además, como aspecto negativo de la cosa juzgada, ningún tercero con interés legítimo podrá interponer demanda de impugnación respecto del acuerdo declarado nulo por vía arbitral.

---

[22]   Además de la elección entre uno o varios árbitros.

[23]   La estructura de la manifestación de voluntad se asemeja al arbitraje de consumo, mediante el cual, el comercio se suma al arbitraje y el consumidor sólo tiene que plantear la reclamación ante dicha institución.

Mayores problemas presenta el laudo (como presentaba la sentencia) que desestima la impugnación, ya que el acuerdo subsiste. Si su eficacia se limita a la pretensión con el motivo invocado, entonces cualquier legitimado puede volver a instar un proceso arbitral de impugnación en base a otro motivo de nulidad. Ello nos devuelve a los problemas derivados de la falta de oportunidad procesal de intervenir en un proceso ya iniciado, acumular pretensiones, y considerar precluida la posibilidad de alegar cualesquiera motivos de impugnación en el primer proceso arbitral. Como iremos desgranando, en estos casos de desestimación, también puede extenderse el efecto de la cosa juzgada del laudo a todos aquellos inicialmente legitimados, hayan intervenido en el procedimiento arbitral o no.

## 2. Posible acumulación de procedimientos de impugnación en el arbitraje

Como se ha afirmado, al servicio de la cosa juzgada está la acumulación de procesos, que tiene como finalidad esencial evitar una multitud de procesos sobre un mismo acuerdo con el riesgo de pronunciamientos contradictorios[24]. Si afirmamos el efecto de cosa juzgada del laudo arbitral, también es de aplicación esta máxima, según la cual, frente a un mismo acuerdo social pueden accionar todos y cada uno de los legitimados por conducto arbitral. En consecuencia, existen los mismos riesgos de dictar laudos contradictorios si se mantienen varios procedimientos ante diferentes árbitros.

El problema se minimiza si se reconducen todos ellos ante una misma institución arbitral que se encargará de decidir todas las impugnaciones procedentes de administradores, socios o terceros con interés legítimo, llegado el caso. Los principios de seguridad jurídica y economía procesal exigen materializar en una sola decisión toda la controversia que gire en torno a un acuerdo, con sus múltiples alegaciones y causas.

Las propuestas al respecto han sido varias, pero todas ellas sin base legal suficiente[25]. Si resumimos, podemos evidenciar que la falta de regulación expresa del procedimiento arbitral y la libertad en su configuración, exige una solución en caso de arbitraje estatutario conforme a las posibilidades

---

[24]   ÁLVAREZ SÁNCHEZ DE MOVELLÁN, P., *Estudios sobre el proceso de impugnación de acuerdos sociales, cit.*, pág. 229, si bien referido al proceso judicial.

[25]   Una relación de las mismas se pueden ver en PICÓ I JUNOY, J. y VÁZQUEZ ALBERT, D., «La revitalización del arbitraje societario», en *El arbitraje: nueva regulación y práctica arbitral*, Valencia, 2013, pág. 107.

de impugnar y el amplio abanico de legitimados. La remisión expresa al arbitraje institucional en caso de impugnación por socios y administradores garantiza la existencia de un procedimiento previo al sometimiento al mismo. Por ello, sería conveniente promover procedimientos arbitrales dentro de las instituciones, que establecieran mecanismos de acumulación de acciones en sentido análogo a cómo lo hace la LEC en su art. 74 y siguientes. Así se evitarían los inconvenientes de encontrar varios laudos sobre un mismo acuerdo.

Diferente es el problema de la simultaneidad de proceso judicial y arbitral, ya que la relación de prejudicialidad entre ellos no está definida, pero resulta evidente también que debe establecerse un orden de decisión entre ellos. Aquí el problema reside en los terceros legitimados, que no siempre tienen por qué acudir al arbitraje. La mejor manera de unificar criterios y establecer bases en términos de igualdad consiste en aplicar las instituciones procesales al arbitraje, a los efectos de considerar la decisión del árbitro con los mismos efectos de prejudicialidad en futuros procesos.

## 3. Litispendencia del proceso de impugnación

Como se ha señalado, en principio, tal y como está configurada la LSC y la LA, no es extraño el supuesto en que un mismo acuerdo se impugne por los socios por la vía arbitral, y por terceros con interés legítimo por vía judicial[26]. Ello parte de la idea de que el pacto de arbitraje estatutario no vincula a los terceros, sin perjuicio de que, en la línea que hemos señalado asemejándolo al arbitraje de consumo, puedan optar entre ambos sistemas.

Las instituciones de la litispendencia y de cosa juzgada son figuras procesales íntimamente unidas, ya que tienen como función la evitación de procesos ulteriores a los iniciados en base a los mismos sujetos, objeto, y causa de pedir. Por ello, procede reflexionar sobre la posibilidad de apreciar una situación de litispendencia, antes de que se llegue a producir un efecto de cosa juzgada que afecte a pronunciamientos futuros. En consecuencia, si afirmamos que entre dos procesos, uno arbitral y otro judicial, puede haber litispendencia porque en ambos puede instarse la acción de impugnación del acuerdo, entonces concluiremos que también entre ellos se produce el efecto de cosa juzgada, afectando a todos los legitimados.

---

[26] ESPINÓS BORRÁS DE QUADRAS, A., *Impugnación de acuerdos sociales, cit.*, pág. 469, quien considera esta circunstancia una disfunción del sistema.

La situación no es extraña, ya que un socio o administrador puede optar por impugnar por la vía arbitral un mismo acuerdo en base a una causa de pedir, y el tercero con interés legítimo acudir a los tribunales. Entendemos que en aras de la seguridad jurídica, y en atención a la coherencia del sistema de resolución de controversias, es inevitable que prime el primer proceso iniciado. La extensión de los efectos subjetivos de la decisión a todos los legitimados exige unificar la impugnación a través de una vía resolutoria, ya sea la arbitral, ya sea la judicial. La razón estriba en la imposibilidad posterior de impugnar en otro proceso, del tipo que sea, de cualquiera de los legitimados del art. 206 LSC.

Este es uno de los puntos en los que la LA y la LSC dejan vacíos legales y generan una regulación parcial, en la cual también debe verse implicada la LEC. Tanto la LA como la LEC deberían incluir referencias procesales que determinen los efectos que un proceso arbitral produce en el judicial, y también que permita aplicar normas de estricto carácter procesal al arbitraje, tales como la acumulación de procesos, intervención de terceros, y eficacia del laudo[27].

En definitiva, entendemos que la relación de litispendencia entre proceso arbitral y judicial existe cuando el mismo acuerdo social es impugnado en base a motivos idénticos (con las consideraciones sobre el art. 400.2 LEC realizadas anteriormente), ya que se produce un efecto prejudicial en el segundo con identidad objetiva bastante. La eficacia de la decisión que primero se tome, extenderá sus efectos subjetivos a todos los que estuvieron en condiciones de impugnar, con independencia de que la decisión sea estimatoria o desestimatoria de la nulidad. Lo contrario significaría que los puntos decididos por el árbitro son revisables nuevamente por un órgano judicial, cuestión que no se cohonesta bien con la naturaleza jurídica del arbitraje.

## 4. *Intervención procesal en el arbitraje y litisconsorcio*

Como venimos señalando, la incorporación de instituciones procesales al régimen arbitral atenuaría algunos problemas en caso de dificultad

---

[27]   Así ha puesto de manifiesto CLAROS ALEGRÍA, P., «El sistema arbitral del centro internacional de arreglo de diferencias relativas a inversiones (CIADI)», *Revista de Derecho Procesal*, n° 1, 2007, pág. 248, para quien resulta difícil de entender el carácter vinculante del laudo firme respecto de la decisión judicial, que tendría que adoptar las decisiones como verdad material.

en la identificación del objeto a resolver, así como supuestos de pluralidad de partes. La referencia a pluralidad de partes puede ser tanto real, porque quieren aparecer como tales varios desde el inicio (casos de litisconsorcio) o porque pueden incorporarse durante el procedimiento aquellos afectados sobre los que el laudo tendrá efectos. En esta línea, el reglamento que regula el arbitraje de consumo estableció la posibilidad del arbitraje colectivo, pensando en situaciones de consumidores y usuarios donde el mismo presupuesto fáctico puede afectar a un número determinado o indeterminado de consumidores (art. 56 R.D. 231/2008, de 15 de febrero).

El R.D. 231/2008, de 15 de febrero puede ser un ejemplo en la incorporación de instituciones procesales al modelo arbitral. En el caso mencionado, el procedimiento de arbitraje de consumo colectivo prevé un trámite de llamamiento de posibles afectados, mediante la publicación de un anuncio en diario oficial. Ahora bien, llevada esta previsión a posibles laudos societarios, resultaría más factible el establecer una notificación a todos los legitimados que tengan vínculos con la sociedad (socios y administradores), sin perjuicio de un llamamiento general en la línea del mencionado reglamento, a fin de que se puedan incorporar aquellos legitimados que tengan interés en la resolución o puedan verse afectados por la misma. La seguridad jurídica alcanzada será mayor al evitarse situaciones de interposición de nuevas demandas por otros sujetos legitimados, alegando nuevos motivos de impugnación. Nuevamente la intervención procesal se pone al servicio de la cosa juzgada y de la seguridad jurídica.

## 5. *Efecto positivo o prejudicial de la cosa juzgada material (art. 222.2 LEC)*

Merece especial atención el supuesto en el que a la decisión arbitral debe reconocérsele el efecto positivo o prejudicial de la cosa juzgada material. Según el art. 222.2 LEC los tribunales tienen obligación de sujetarse a lo establecido en la sentencia firme cuando ésta constituye antecedente lógico o cuestión prejudicial del juicio sobre la pretensión pendiente de juzgar. En estos casos no hay necesidad de que se dé una identidad de procesos, ya que la relación difiere.

El caso en que puede afirmarse esta relación de prejudicialidad lo encontramos en el art. 204.2 y 206.1 pfo. 2º LSC. En ambos preceptos se reconoce el derecho al resarcimiento en caso de convalidación o sustitución del acuerdo impugnable, y también para reconocer la posibilidad de accionar de aquellos socios que no alcanzan la cuota mínima para impugnar.

Nos hallamos ante decisiones de nulidad o inimpugnabilidad sobrevenida que constituyen presupuesto previo del ejercicio de la acción de resarcimiento. Es indiferente, o al menos debiera serlo, el hecho de que la impugnación se haya instado vía judicial o arbitral, ya que los efectos de la sentencia o laudo se equiparan en aras de la seguridad jurídica. Así pues, podemos afirmar la aplicación del art. 222.2 LEC al laudo resolutorio de la impugnación; en determinadas circunstancias, lo decidido por el árbitro puede constituir antecedente lógico en la decisión de otro proceso.

Diferente es el medio que puede emplear el legitimado para resarcirse de los daños que le haya producido el acuerdo declarado nulo o convalidado. Puesto que se trata de acciones independientes, con ámbitos de decisión distintos, nada obliga a acudir al mismo sistema heterocompositivo. Ahora bien, entendemos que debería establecerse una norma de competencia objetiva y funcional que atribuyera de manera uniforme el asunto al órgano ante el que se ejercitó la impugnación del acuerdo. Con ello se agiliza y se optimiza la conveniencia de la decisión resarcitoria, siempre y cuando no contemos con una regulación específica en materia de acumulación de acciones y de intervención procesal en el procedimiento arbitral.

El art. 222.2 LEC constituye un argumento más en la extensión subjetiva de la cosa juzgada del laudo arbitral, ya que afecta de manera prejudicial a quien ostenta legitimación activa para el ejercicio de otro tipo de acción.

## Bibliografía

ÁLVAREZ SÁNCHEZ DE MOVELLÁN, P., «Régimen del laudo arbitral. Su anulación y ejecución», en *La Reforma de la Ley de Arbitraje de 2011*. dir. Damián Moreno, J., Madrid, 2011.

ÁLVAREZ SÁNCHEZ DE MOVELLÁN, P., *Estudios sobre el proceso de impugnación de acuerdos sociales*, Madrid, 2015.

ARIZA COLMENAREJO, M. J., «La regulación del arbitraje estatutario», en *La reforma de la Ley de arbitraje de 2011*, dir. Damián Moreno, J., Madrid, 2011.

ARTACHO MARTÍN-LAGOS, M., «La controvertida firmeza del laudo», en *Estudios sobre el arbitraje*, cood., González Montes, J. L., Madrid, 2008.

BAENA BAENA, P. J., *Legitimación activa para la impugnación de acuerdos sociales*, Madrid, 2006.

BERMEJO REALES, L. F., «La eficacia de las decisiones arbitrales: la impugnación y ejecución de laudos», *Revista Jurídica de Castilla y León*, n° 29, enero de 2013.

CALAZA LÓPEZ, S., *La cosa juzgada*, Madrid, 2009.

CLAROS ALEGRÍA, P., «El sistema arbitral del centro internacional de arreglo de diferencias relativas a inversiones (CIADI)», *Revista de Derecho Procesal*, n° 1, 2007.

CORTÉS DOMÍNGUEZ, V., «La sentencia», en Cortés Domínguez, V. y Moreno Catena, V., *Derecho Procesal Civil. Parte general*, 7ª ed., Valencia, 2013.

CUCARELLA GALIANA, L. A., *El procedimiento arbitral*, Bolonia, 2004.

DAMIÁN MORENO, J. y ARIZA COLMENAREJO, M. J., *Impugnación de acuerdos de sociedades anónimas*, Madrid, 2000.

ESPINÓS BORRÁS DE QUADRAS, A., *Impugnación de acuerdos sociales*, Barcelona, 2007.

GARBERÍ LLOBREGAT, J., «La extensión subjetiva de los efectos de cosa juzgada de las sentencias dictadas en los procesos de impugnación de acuerdos sociales», en *El proceso de impugnación de acuerdos de las sociedades de capital*, dir. Garberí Llobregat, J., y otros, Barcelona, 2015.

GOMÁ LANZÓN, I., «Algunos problemas de la impugnación de acuerdos sociales por vía arbitral», en *El nuevo régimen de impugnación de los acuerdos sociales de las sociedades de capital*, dir. Rodríguez Artigas y otros, Madrid, 2015.

GÓMEZ PORRÚA, J. M., «La cláusula compromisoria estatutaria y su aplicabilidad a la impugnación de acuerdos sociales en las sociedades de capital», en *Estudios Homenaje a Sánchez Calero*, T, II, Madrid, 2002.

GRANDE SEARA, P., *La extensión subjetiva de la cosa juzgada*, Valencia, 2008.

LORCA NAVARRETE, A. M., «Extensión del convenio arbitral a "terceros"», *Diario La Ley*, n° 8921, 14 de febrero de 2017.

MARTÍNEZ GONZÁLEZ, P., *El nuevo régimen del arbitraje*, Barcelona, 2011.

MORENO CATENA, V., «El arbitraje», con Cortés Domínguez, V., en *Derecho Procesal Civil. Parte especial*, 8ª ed., Valencia, 2016.

NIEVA FENOLL, J., *Derecho procesal II. Proceso Civil*, Madrid, 2015.

PICÓ I JUNOY, J. y VÁZQUEZ ALBERT, D., «La revitalización del arbitraje societario», en *El arbitraje: nueva regulación y práctica arbitral*, Valencia, 2013.

# X. DISOLUCIÓN, LIQUIDACIÓN Y EXTINCIÓN DE LA SOCIEDAD

# 67. Causas legales de disolución: estado de la jurisprudencia

## CARLOS I. ÁLVAREZ CAZENAVE
*Abogado del ICA de Málaga*

**Sumario:** I. LAS CAUSAS LEGALES DE DISOLUCIÓN A TRAVÉS DE LAS RESOLUCIONES DE LOS ÓRGANOS JURISDICCIONALES. 1. Cese en el ejercicio de la actividad o actividades que constituyen el objeto social. 1.1. Sobre el plazo de un año. 1.2. Actividades ajenas al objeto social y objeto que comprende varias actividades. 1.2. Actividades íntimamente relacionadas con el objeto social. 1.3. El desarrollo del objeto social a través de sociedades participadas. 2. Imposibilidad manifiesta de realizar el fin social. 2.1. El concepto de fin social. 2.2. Distinción de otras causas legales. 3. La paralización de los órganos sociales. 3.1. Requisitos clásicos de la paralización. 3.2. El bloqueo en la adopción de acuerdos por la minoría. 3.3. Funcionamiento de la empresa vs. Funcionamiento de la sociedad. 3.4. La irrelevancia de la atribución de culpas o la mala fe. 3.5. El conflicto societario reiterado no es causa de disolución. 3.6. ¿Es posible la paralización en la sociedad unipersonal?. 4. El desequilibrio patrimonial. 4.1. El encuadramiento de las aportaciones de los socios. 4.2. Falta de depósito de las cuentas anuales o ausencia de contabilidad. II. ALGUNAS CUESTIONES PRÁCTICAS EN TORNO A LA DISOLUCIÓN JUDICIAL DE SOCIEDADES. 1. La designación judicial del liquidador. 2. La legitimación activa. 3. La acumulación de acciones. 4. La causa de disolución en la sociedad profesional. Bibliografía. Libros. Artículos.

## I. LAS CAUSAS LEGALES DE DISOLUCIÓN A TRAVÉS DE LAS RESOLUCIONES DE LOS ÓRGANOS JURISDICCIONALES

Como ya se hiciera en la ponencia oral del I Congreso Nacional de Derecho de Sociedades, —Actualidad y Tendencias—, se ha de iniciar anunciando que no se han tratado en este trabajo todas las causas legales de disolución que se contienen en el artículo 363 de la Ley de Sociedades de Capital, sino solamente aquellas que, en opinión del ponente, generan un mayor interés práctico para los profesionales que se relacionan con esta materia.

### 1. Cese en el ejercicio de la actividad o actividades que constituyen el objeto social

Dispone el artículo 363.1 a) de la Ley de Sociedades de Capital, que la sociedad deberá disolverse por el cese en el ejercicio de la actividad o actividades que constituyan el objeto social. En particular, se entenderá que se ha producido el cese tras un período de inactividad superior a un año.

Como vienen señalando las resoluciones de los órganos jurisdiccionales, lo que se pretende con esta causa de disolución es la protección o tutela del socio que ante la inactividad de su sociedad podrá recuperar la plena disponibilidad de aquella parte de su patrimonio integrado en una mercantil que ya no se dedica al mismo tipo de actividad. Asimismo, por otro lado, también pretende evitar la existencia de sociedades carentes de actividad así como la disfunción que ello representa en cuanto a la publicidad registral.

Son diversos los supuestos que se han tratado recientemente en la jurisprudencia menor en relación con este precepto.

### 1.1. Sobre el plazo de un año

La versión inicial del artículo 363 LSC, en su apartado 2º, reprodujo literalmente el antiguo artículo 104. 1 d) de la LSRL que disponía que «*la sociedad de responsabilidad limitada se disolverá, además, por la falta de ejercicio de la actividad o actividades que constituyan el objeto social durante tres años consecutivos*».

Es posteriormente con la Ley 25/2011, de 1 de agosto, de reforma parcial de la Ley de Sociedades de Capital, cuando el artículo 363 adopta su actual versión introduciendo dos novedades de gran calado.

La primera, extender esta causa de disolución a las sociedades anónimas y, la segunda, reducir el plazo de inactividad que debía ser de tres años consecutivos al de un año actual.

Ante esta nueva configuración de la causa de disolución la Audiencia Provincial de Barcelona va un paso más allá, e interpreta que no es necesario que el periodo de inactividad se prolongue durante todo un año. Se trata de la sentencia de la sección 15ª, de 4 de abril de 2014, que señala lo siguiente:

> «*Diversamente a lo sostenido en la sentencia apelada, de la lectura del precepto en vigor se advierte que el plazo anual al que se refiere el art. 363 1 a/ in fine LSC tiene un carácter meramente ejemplificativo o ilustrativo de la efectiva concurrencia de la causa. Ello es así no solo porque así se desprende de la propia dicción del precepto sino por razones sistemáticas pues de constatarse en un momento dado la existencia de una completa inactividad social, el art 365 LSC no impone la necesidad de esperar el transcurso de un año para acordar la disolución y, por tratarse de una causa de disolución obligatoria, su*

> *efectiva concurrencia compele al administrador a convocar junta para promo-*
> *ver la disolución social tan pronto aquélla se evidencie.»*

Este mismo criterio es compartido por la Sentencia de la Audiencia Provincial de Jaén de 9 de junio de 2016 que se cita a continuación.

## 1.2. Actividades ajenas al objeto social y objeto que comprende varias actividades

No son pocas las veces en las que en el tráfico mercantil nos encontramos con sociedades que desempeñan actividades ajenas a aquellas que se contienen en el objeto social inscrito y, por supuesto, con sociedades cuyos objetos sociales comprenden diversas y dispares actividades muchas de ellas nunca ejercitadas. ¿Cómo casan estos supuestos con la causa de disolución que analizamos?

De ello se ocupan también las citadas sentencias de la Audiencia Provincial de Barcelona de 4 de abril de 2014, y de la Audiencia Provincial de Jaén de 9 de junio de 2016, disponiendo ésta última lo siguiente:

> *«Cuarto.- Finalmente, en lo que se refiere al cese en el ejercicio de la actividad*
> *o actividades que constituyan el objeto social, es cierto y así lo resalta la SAP*
> *de Barcelona, Secc. 15a de 4-4-14, que la inactividad constitutiva de causa*
> *de disolución ha de estar referida a las actividades que constituyan el objeto*
> *social. Si la sociedad desarrolla (claro es que indebidamente) actividades aje-*
> *nas al objeto social, ello no excluye la concurrencia de la causa de disolución.*
> *Asimismo si el objeto social comprende varias actividades, con tal de que la*
> *sociedad se mantenga activa en una de ellas, no concurrirá la causa de diso-*
> *lución que comentamos.»*

## 1.2. Actividades íntimamente relacionadas con el objeto social

La sentencia de la Audiencia Provincial de Guipúzcoa de 28 de septiembre de 2016, analiza la posible causa de disolución de una mercantil propietaria de un terreno rústico sobre el que, después de treinta años de titularidad, no se logra ejecutar obra alguna sobre el mismo.

La Audiencia confirma la sentencia del juzgado de lo mercantil que desestimó la existencia de la causa de disolución ya que, si bien no se había desarrollado el objeto social, si se acometieron actividades íntimamente relacionadas con éste.

> *«Constituye objeto social de la mercantil (art. 2 de los estatutos) la construc-*
> *ción y ejecución obras de todo tipo, así como la compraventa de terrenos e*
> *inmuebles.*

*La mercantil es propietaria de un terreno sito en Formentera sobre el que ha llevado una serie de actuaciones administrativas y judiciales para lograr una calificación que permita acometer una actividad de promoción inmobiliaria rentable. De hecho, a fecha de interposición de la demanda que ha dado origen al presente pleito se encontraba pendiente de resolución el recurso de casación interpuesto por la mercantil codemandada contra la resolución de fecha 6/2/2014 dictada por el TSJ de las Islas Baleares en el recurso contencioso-administrativo no 791/2010 con el fin de obtener una calificación urbanística más favorable para el aprovechamiento del citado terreno.*

*Por otra parte, no resulta discutido que la mercantil no ha llevado a cabo ninguna actividad constructora sobre el indicado terreno adquirido el 11/6/1986, que constituye la única propiedad de la misma, situación con la que se aquietó la actora hasta la junta universal celebrada ante notario el 4/12/2014 para aprobar las cuentas anuales de los ejercicios 2012 y 2013.*

*Ahora bien, esta sala comparte el criterio del juzgador de instancia que considera que no ha existido inactividad de la mercantil. Aun cuando la mercantil no haya desarrollado una actividad de construcción, sí ha desarrollado una actividad íntimamente ligada con lo que constituye su objeto social, comprensivo de la construcción y venta de terrenos e inmuebles, al estar orientada a obtener una calificación urbanística del terreno que permita obtener la máxima rentabilidad económica.»*

### 1.3. El desarrollo del objeto social a través de sociedades participadas

Sobre la cuestión de si existe o no cese en el ejercicio de las actividades que constituyen el objeto social cuando éste se lleva a cabo indirectamente a través de sociedades participadas han tratado las sentencias de la Audiencia Provincial de Las Palmas de 31 de julio de 2015 y, anteriormente, la de la Audiencia Provincial de Gerona de 2 de julio de 2014.

Ambas resoluciones estiman que no concurre la causa de disolución en estos supuestos, y ello, como en la sentencia de Las Palmas, incluso en el caso de que en los estatutos no se contemple expresamente esa posibilidad.

Concluyen que es irrelevante que en la sociedad matriz la cifra de negocio sea cero, que se haya dado de baja en el censo empresarios, profesionales y retenedores, o que carezca de empleados, ya que todo esto sí concurre en la sociedad participada que desarrolla la actividad.

## 2. *Imposibilidad manifiesta de realizar el fin social*

Dispone el artículo 363.1.c) de la LSC que la sociedad de capital deberá disolverse por la imposibilidad manifiesta de conseguir el fin social y, al respecto, la doctrina[1] viene entendiendo que las causas de dicha imposibilidad pueden ser múltiples, estableciendo la siguiente clasificación:

Externas a la sociedad: naturales, técnicas o económicas.

Internas de la sociedad: la paralización de órganos sociales (como subespecie de la imposibilidad manifiesta de realizar el fin social) o, v.gr., el incumplimiento del socio de realizar una prestación accesoria.

De derecho (legales o contractuales, como la extinción de una concesión administrativa o la resolución de un contrato de franquicia —sentencia de la Audiencia Provincial de Gerona de 31 de marzo de 2016—), y

De hecho (ausencia de materia prima, por siniestro o catástrofe).

## 2.1. El concepto de fin social

En relación con esta causa de disolución se ha venido discutiendo sobre el concepto de fin social, en contraposición al de objeto social.

Prueba de ello es la sentencia de la Audiencia Provincial de León de 19 de enero de 2009 que analiza extensamente esta cuestión al amparo del antiguo artículo 260.1.3° de la Ley de Sociedades Anónimas, y señala que:

*«El principio inmanente en la regulación legal es la disolución por justo motivo sobrevenido y lo característico de la causa prevista en el inciso segundo "imposibilidad manifiesta de realizar el fin social" es el advenimiento de una situación imprevisible que impide la prosecución de la actividad constitutiva del objeto social, de forma congruente con la finalidad asignada a la sociedad. Se trata del justo motivo de disolución por antonomasia. Pero a este respecto destaca, ante todo, la cuestión relativa a determinar sobre qué versa la imposibilidad, y en este sentido se plantea el primer motivo de recurso que diferencia "fin social" y "objeto social".*

*La expresión "realizar el fin social" es distinta de la utilizada en el precedente inciso 1°, referida a la empresa que constituya su objeto, discrepancias terminológicas en las que es preciso detenerse por presentar algunas consecuencias de trascendencia práctica.*

*La opinión más generalizada estima que no ha sido intención de la Ley establecer en este punto una diferencia rigurosa entre objeto y fin, pero no ha faltado una orientación doctrinal divergente que respetando el sentido literal del precepto examinado, entiende que la referencia al fin social incluye el objeto o actividad societaria pero no se limita al mismo, abarcando la causa típica o finalidad, normalmente dirigida a la obtención de beneficios, perseguida mediante dicha actividad. Y justamente la trascendencia práctica de la discusión*

---

[1] ROJO FERNÁNDEZ, A. J., BELTRÁN SÁNCHEZ E. M. Comentario de La Ley de Sociedades de Capital. Tomo II. Madrid. 2011.

*en torno a la noción de fin social, cobra sentido al tomarse en consideración la hipótesis de la falta de rentabilidad, obviamente duradera, sobrevenida a la explotación, pese a la posibilidad técnica de su continuación. Conforme a la tesis mayoritaria, tal circunstancia podría dar lugar a un acuerdo de diso- lución, no siendo por sí misma causa de disolución con base en el precepto analizado.»*

Más recientemente la sentencia de la Audiencia Provincial de Ponteve- dra de 27 de noviembre de 2015 resume, de un modo muy ilustrativo, la doctrina que ahora parece ser mayoritaria al respecto:

*«La imposibilidad manifiesta de conseguir el fin social suele venir ligada a de- terminadas circunstancias, normalmente de carácter económico o financiero, que impiden la realización del objeto que llevó a los socios a la creación de la sociedad, ya sean internas o externas, pero siempre que tengan una vocación de permanencia. El fin de toda sociedad es conseguir beneficios repartibles entre sus socios, por lo que el fin social no se identifica con el objeto social y la causa alegada sólo concurre en aquellos supuestos en que ha desaparecido la posibilidad de sacar provecho del objeto de la sociedad. La imposibilidad de conseguir el fin social debe tratarse, como hemos dicho, de imposibilidad manifiesta, clara y definitiva, de una situación insuperable.»*

Sobre el alcance de la causa y el requisito de la persistencia véanse las sentencias de la Audiencia Provincial de Córdoba de 13 de mayo de 2014, o la de Baleares de 20 de octubre de 2016.

Esta última resolución profundiza en la necesidad de hacer una inter- pretación amplia de este supuesto de hecho:

*«SEXTO.- Invocada la imposibilidad de conseguir el fin social, el art. 363.1.c LSC dispone que la sociedad de capital deberá disolverse "por la imposibili- dad manifiesta de conseguir el fin social". El supuesto de hecho previsto en esta norma ha de ser interpretado en sentido amplio. Desde luego, habrá que subsumir en él todos aquellos casos en que el objeto social —cuyo desarrollo supone la realización del fin social— devenga imposible por razones técnicas o naturales. También habría que incluir bajo tal rótulo todas aquellas situacio- nes en que, llegándose al mismo resultado de venir impedida la realización del sin social, ello fuera consecuencia de la imposibilidad de desarrollo del objeto social debido a otras causas (ad ex. Pérdida de sujetos con especiales características que resultan necesarias para el desarrollo de tal actividad, etc.). En todo caso, e insistiendo en la necesidad de hacer una interpretación amplia de este supuesto de hecho, no ha de olvidarse que el texto legal requiere que tal imposibilidad de realizar el fin social sea "manifiesta". Con este requisito, la norma viene a descartar aquellos otros supuestos en que ésta fuera subsana- ble, de modo que viene a exigirse una persistencia de la imposibilidad de rea- lización del fin social y un grado de dificultad relevante para poder superarla.»*

## 2.2. Distinción de otras causas legales

A menudo del análisis de la jurisprudencia asociada al artículo 363 de la LSC se aprecia como es frecuente que en las demandas se aleguen distintas causas mezcladas entre sí a modo de *totum revolutum*, cuando lo cierto es que cada una de ellas parte de sus propios presupuestos de hecho bien diferenciados.

En este sentido, a menudo se confunde la imposibilidad manifiesta de realizar el fin social con la falta de ejercicio de la actividad que constituye el objeto social.

En este sentido puede verse la Sentencia de la Audiencia Provincial de Madrid de 28 de abril de 2014.

## 3. La paralización de los órganos sociales

Sin duda se trata de la causa de disolución que más litigiosidad genera.

Un repaso por las abundantísimas sentencias asociadas al artículo 363.1 d) de la Ley de Sociedades de Capital (*La sociedad de capital deberá disolverse por la paralización de los órganos sociales, de modo que resulte imposible su funcionamiento*) nos muestra que en los procedimientos judiciales de disolución por paralización o bloqueo, se vienen reproduciendo sistemáticamente una serie de supuestos concretos que se pueden dividir en cinco apartados:

**(i)** requisitos clásicos de la paralización, **(ii)** la imposibilidad de adoptar acuerdos por el bloqueo de la minoría, **(iii)** el funcionamiento de la empresa en contraposición al funcionamiento de la sociedad, **(iv)** la irrelevancia de la atribución de culpas o la mala fe, y **(v)** el conflicto societario reiterado en relación con la causa de disolución.

Buena muestra de ello es la completa sentencia del Juzgado de lo Mercantil nº 1 de Palma de Mallorca de 4 de mayo de 2016 que recoge de forma extensa el estado de la jurisprudencia en relación con esta causa de disolución, resolución que ha sido confirmada por la sentencia de la Audiencia Provincial de Baleares de 15 de marzo de 2017.

Vemos a continuación cada uno de los supuestos:

## 3.1. Requisitos clásicos de la paralización

Los requisitos que han venido siendo recurrentes en la jurisprudencia son esencialmente dos, por un lado, el de que la paralización ha de darse en sede de la junta general y no del órgano de administración y, por otro, el carácter permanente y no transitorio del bloqueo.

**Paralización de la junta general y no del órgano de administración.**

Aunque la ley habla de disolución por paralización de los órganos sociales, se viene afirmando que la misma sólo tiene sentido referida a la junta general si se tiene en cuenta que la inactividad del órgano de administración siempre puede ser superada por el órgano deliberante, esto es, por la junta general, que es a quien corresponde nombrar y cesar administradores. Por ello, en la práctica, esta causa de disolución tiene un específico ámbito de aplicación a aquellos supuestos en que en las juntas no pueden alcanzarse acuerdos debido al enfrentamiento entre dos grupos paritarios de socios.

En este sentido, la sentencia de la Audiencia Provincial de Asturias de 18 de abril de 2005, la Audiencia Provincial de Álava de 28 de diciembre de 2007, o Audiencia Provincial de Pontevedra de 27 de noviembre de 2015.

O el caso de la Sentencia de la Audiencia Provincial de Toledo de 15 de febrero de 2017, donde el bloqueo es tal que la junta general ni siquiera llega a constituirse por la falta de acuerdo entre los dos bloques de socios para la designación de presidente y secretario.

**Carácter permanente de la paralización.**

Por otro lado, el criterio que más se ha reiterado por nuestros órganos jurisdiccionales es el que establece que para que pueda reputarse concurrente ésta causa de disolución no es suficiente con que se produzca una paralización momentánea de los órganos sociales. Ha de tratarse, por tanto, de una paralización permanente e insuperable, de forma que no puede reputarse causa de disolución una paralización transitoria y vencible que se pueda soportar sin grave quebranto para la sociedad.

Para determinar si estamos ante una paralización permanente e insuperable obviamente habrá que estar a las particularidades del caso concreto. No obstante, la Sentencia del Tribunal Supremo de 20 de julio de 2002, ofrece un criterio al señalar que:

> *«Las actas de las dos Juntas habidas (...) revelan enfrentamientos radicales e imposibilidad de tomar acuerdos sociales. En contra no se puede alegar que los bloques estuvieron de acuerdo en la adaptación de los Estatutos sociales, impuesto por la Ley».*

En todo caso, en la práctica, a buen seguro encontraremos que el bloqueo societario, ya sea más o menos intenso o duradero, irá acompañado en la mayoría de las ocasiones de otras circunstancias, tales como demandas o querellas previas entre los socios, solicitudes de designación de auditores de cuentas en el registro mercantil, revocación de poderes, procesos de divorcio, etc, que harán en todo caso patente la pérdida de la *affectio societatis*, fundamento esencial y determinante de esta causa de disolución.

## 3.2. El bloqueo en la adopción de acuerdos por la minoría

Esta causa de disolución no sólo ampara los casos típicos de dos socios o grupos de socios con participación del cincuenta por ciento y que son incapaces de adoptar acuerdos o constituirse en junta general, sino que en este apartado se amparan también aquellos supuestos de actuación sistemática de la minoría bloqueando adopción de acuerdos que requieren quórums reforzados (v.gr. ampliación o reducción de capital, modificación de estatutos).

Es el caso de la Sentencia del Tribunal Supremo de 7 de abril de 2000, o de la Audiencia Provincial de Madrid de 10 de junio de 2016.

> «la doctrina (aunque dictada para supuestos en que los dos únicos socios tenían iguales participaciones sociales) es igualmente aplicable a aquellos casos en el que, como aquí nos ocupa, aunque las participaciones sociales de los dos únicos socios no sean iguales, la labor obstruccionista de uno de ellos, por la patente hostilidad existente entre ambos, impida la adopción de determinados y fundamentales acuerdos sociales para cuya aprobación se exige un quórum especial o cualificado con la consiguiente paralización del funcionamiento de los órganos sociales y la imposibilidad manifiesta de realizar el fin social»

## 3.3. Funcionamiento de la empresa vs. Funcionamiento de la sociedad

Frecuentemente el socio (o bloque de socios) que se opone a la disolución de la sociedad alegará que la compañía continúa funcionando y que desarrolla su actividad con total normalidad en el tráfico mercantil.

Frente a esto, otro reiterado criterio jurisprudencial es el de que no puede identificarse el hecho de que las compañías continúen en funcionamiento, con la no concurrencia de la causa de disolución por paralización de los órganos sociales.

Sobre este punto es interesante la sentencia de 28 de diciembre de 2007 de la Audiencia Provincial de Álava, que señaló que:

> «En cuanto al argumento de que la empresa funciona y marcha bien, resulta evidente que la demandada confunde el funcionamiento de la sociedad con

*el de la empresa de la que es dueña (...). En definitiva, la recurrente identi-*
*fica el fin social con la empresa que explota la sociedad, lo que le sirve para*
*argumentar que los problemas en la Junta no llevan a su paralización, dado*
*que se cumple el fin social; pero la causa de disolución por paralización de*
*los órganos sociales es distinta y tiene sustantividad propia respecto a la causa*
*por imposibilidad de conseguir el fin social, y lo que resulta incuestionable es*
*la imposibilidad de alcanzar acuerdos en la sociedad, no sólo acuerdos fun-*
*damentales para la marcha de la persona jurídica que requieren de mayorías*
*cualificadas, sino cualquier acuerdo, pues cualquiera implica la necesidad de*
*una mayoría y ello es imposible ante la participación igual de los dos únicos*
*socios y el irreconciliable enfrentamiento entre ambos, que ha llegado a la vía*
*penal. Ni los más básicos acuerdos para la vida de la sociedad son posibles*
*en la actual situación (aprobación de cuentas y aplicación de resultados)».*

En el mismo sentido que la anterior, las Sentencias del Tribunal Supremo de 15 de junio de 2010, o la Sentencia de la Audiencia Provincial de
Pontevedra de 27 de noviembre de 2015.

Resulta por tanto indubitado que el funcionamiento de la empresa, incluso exitoso o rentable, no obsta a la concurrencia de la causa legal de
disolución por paralización de los órganos sociales.

### 3.4. La irrelevancia de la atribución de culpas o la mala fe

Es también frecuente que la sociedad demandada, o la parte que se opone a la disolución alegue, en defensa de la pervivencia de la sociedad, que
el socio instante ha venido propiciando el bloqueo societario con la única
y expresa finalidad de poner en marcha el mecanismo disolutorio.

Pues bien, ante esto, es criterio reiterado de nuestros tribunales el de
que resulta estéril buscar culpables, indagar en la causa del bloqueo, alegar
la existencia de abuso de derecho o un ejercicio antisocial del mismo.

En este sentido se ha pronunciado la sentencia del Tribunal Supremo
de 26 de noviembre de 2014, última de nuestro alto Tribunal que hasta la
fecha, salvo error, se pronuncia sobre la disolución por paralización de los
órganos sociales.

También las sentencias de la Audiencia Provincial de Barcelona de 16
de abril de 2015, o las de la Audiencia Provincial de Madrid de 10 de junio
de 2016 y 18 de julio de 2014 o de Vizcaya de 24 febrero 2015 se pronuncian en este sentido.

Las resoluciones de los órganos jurisdiccionales vienen reiterando que
lo único que afecta a la pertinencia de la declaración de disolución es que
se constate la paralización, naturalmente de modo permanente y definiti-

vo, de manera que resulta improcedente buscar grupos responsables del enfrentamiento y vincular la procedencia o no de la disolución a la imputabilidad de dicho enfrentamiento.

Obviamente quedan al margen el resto de acciones (responsabilidad, competencia desleal, etc) que no se extinguen con la disolución y liquidación de la sociedad.

### 3.5. El conflicto societario reiterado no es causa de disolución

El mero enfrentamiento entre socios, por reiterado que sea, resulta irrelevante o no constituye causa de disolución en sí misma. En este sentido, el Tribunal Supremo en una sentencia de 28 de marzo de 2011 señaló que:

> «No existe una situación de bloqueo en la toma de decisiones de la sociedad. Existe un órgano de administración para gestionar la sociedad, y una junta para adoptar acuerdos. El que un accionista (el aquí recurrente) pueda impugnar reiteradamente los acuerdos no produce paralización de los órganos, ni imposibilita el funcionamiento de la entidad. De admitirse una tesis tan singular cualquier socio minoritario podría por su voluntad dar lugar a la disolución de la sociedad.»

En el mismo sentido la sentencia de la Audiencia Provincial de Madrid de 26 de enero de 2015.

### 3.6. ¿Es posible la paralización en la sociedad unipersonal?

No cabe esta causa de disolución en la sociedad unipersonal a pesar de la gananciaidad de las participaciones sociales. Es el caso de la Sentencia de la Audiencia Provincial de Valencia de 19 de enero de 2016:

> «La parte actora había alegado la paralización de los órganos sociales, de modo que no resultaba posible su funcionamiento, para fundar la petición de disolución, lo que rechazó el Juzgado, argumentando que nos hallamos ante una sociedad mercantil unipersonal y con administrador único, sin que la demandante sea socia, por tanto, aunque se tratara de sociedad que posea carácter ganancial, y también lo fueran sus participaciones y porque, tal y como resulta del artículo 104 y 126 LSC, solo uno de los socios podrá ejercer los derechos políticos derivados de las participaciones sociales, sin perjuicio de que las cargas o beneficios redundaran en perjuicio o beneficio de la sociedad conyugal, lo que no significa que en la liquidación (de gananciales) se vaya a entregar a la demandante ni una sola de las participaciones, resultando posible que la demandante (que no tiene derechos políticos en la sociedad) no sea reputado socio por aquella. Por tanto, no puede considerarse que exista bloqueo de los órganos sociales, porque el socio único es el administrador único de la sociedad y no hay paralización de los órganos sociales de modo

*que resulte imposible su funcionamiento, sino una inactividad voluntaria, razones todas ellas que determinan la desestimación de la demanda.»*

## 4. El desequilibrio patrimonial

Dispone el artículo 363.1 apartado e) LSC que la sociedad de capital deberá disolverse por pérdidas que dejen reducido el patrimonio neto a una cantidad inferior a la mitad del capital social, a no ser que éste se aumente o se reduzca en la medida suficiente, y siempre que no sea procedente solicitar la declaración de concurso.

Dejando al margen los casos de responsabilidad de administradores, un análisis de la jurisprudencia asociada a este apartado nos muestra que son dos los grupos de casos que se producen con mayor frecuencia.

Por un lado, el del encuadramiento o no en el patrimonio neto de las aportaciones realizadas por los socios y, por otro, el de la verificación de la concurrencia de la causa en casos de inexistencia de depósito de cuentas o de ausencia de contabilidad.

### 4.1. El encuadramiento de las aportaciones de los socios

Es una situación muy frecuente en las pequeñas sociedades cerradas que el socio aporte fondos a la sociedad para atender gastos de la misma y que después no se sepa muy bien, o resulte discutido, en concepto de qué se aportó ese dinero.

Más tarde, una vez que acontece el desequilibrio patrimonial, resulta fundamental determinar cuál es la consideración de las aportaciones de los socios a efectos de la causa de disolución ya que habitualmente el socio o la sociedad que se oponga a la misma tratará de incluir ese importe dentro del patrimonio neto.

Sobre esta cuestión tratan las sentencias del Tribunal Supremo de 24 de noviembre de 2016, así como las de las Audiencias Provinciales de Pontevedra de 22 de octubre de 2013, de Madrid de 13 de enero de 2012, o de Castellón de 14 de noviembre de 2012.

Los criterios de estas resoluciones se pueden resumir como sigue:

- Las aportaciones no tendrán consideración de capital social si no ha mediado el correspondiente acuerdo de aumento de capital.

- Tampoco tendrán la consideración de aportaciones de los socios para compensar pérdidas (o a fondo perdido) si no se les ha dado el correspondiente tratamiento fiscal y contable.

- No serán préstamo participativo si no se han formalizado como tales cumpliendo los requisitos del artículo 20.1.d Real Decreto-Ley 7/1996.

En relación con la validez de los préstamos participativos es interesante la mencionada sentencia de la Audiencia Provincial de Castellón de 14 de noviembre de 2012, que parece exigir para la consideración de dichos fondos como patrimonio neto que se aporten los estados financieros intermedios a la fecha de la concesión del préstamo.

Por tanto, esas aportaciones serán un crédito del socio frente a la sociedad y formarán parte del pasivo exigible, y no del no exigible.

En cuanto a la carga probatoria, señala la sentencia del Tribunal Supremo de 24 de noviembre de 2016 que:

> «*Corresponde a la sociedad acreditar que las aportaciones de los socios lo fueron al patrimonio neto, esto es, para compensar pérdidas o, en general, a fondo perdido, ya sea desde el principio, ya sea por voluntad posterior de los aportantes.*
> *Es muy significativo que la propia sociedad demandada, que es la que ahora sostiene que 200.000 euros aportados por los socios deben tener la consideración de aportaciones de socios a fondo perdido, hubiera contabilizado esta aportación como pasivo exigible, y por ello sus fondos propios al término del ejercicio 2007 fueran negativos (-95.849,31 euros).*
> *Como muy bien argumenta la sentencia de apelación, la sociedad demandada ni ha justificado que esas aportaciones se hicieran a fondos propios, ni que hubiera habido una voluntad posterior de los socios aportantes de darle esta consideración a sus aportaciones, renunciando con ello al derecho de crédito a exigir de la sociedad su devolución.*»

## 4.2. Falta de depósito de las cuentas anuales o ausencia de contabilidad

¿Qué ocurre cuando no se han depositado las cuentas anuales o los libros de contabilidad en el registro mercantil y, por tanto, el actor no tiene la posibilidad de conocer si concurre o no la causa de disolución? ¿A quién corresponde acreditar la concurrencia del desequilibrio patrimonial?

Pues bien, la acreditación de la causa de disolución corresponde en principio a quien ejercita la acción que deberá aportar al menos las cuentas anuales de la sociedad y fundamentar, a partir de ellas, la concurrencia de la causa. Ahora bien, si las cuentas anuales no han sido depositadas, las resoluciones de los órganos jurisdiccionales vienen considerando automáticamente presumida la concurrencia de la causa, siendo para ello suficiente que el actor aporte una certificación negativa del depósito.

A partir de ese dato corresponderá a la sociedad enervar la presunción acreditando que la sociedad no está incursa en causa de disolución, lo que, si bien no será fácil, podría hacer aportando las cuentas aprobadas aunque no estén depositadas.

En este sentido la sentencia de la Audiencia Provincial de Pontevedra de 24 de septiembre de 2015 se señala que:

> *«En el caso analizado la sociedad administrada por la demandada no presentaba cuentas desde el año 2007. Venimos afirmando desde este órgano jurisdiccional que la falta de presentación de cuentas anuales opera una inversión de la carga probatoria, que se desplaza sobre el demandado, de suerte que será éste el que soporte la necesidad de convencer sobre la ausencia de concurrencia de la situación de desbalance (vid. por todas, sentencia de la AP de Pontevedra de 19 de abril de 2007), afirmación que se sostiene sobre el argumento de que con tal comportamiento omisivo los administradores, además de incumplir con un deber legal, imposibilitan a terceros el conocimiento de la situación económica y financiera de la sociedad, lo que genera la apariencia de una voluntad de ocultación de la situación de insolvencia.*
> *Como hemos indicado en otras ocasiones, la obligación de depositar en el Registro Mercantil las cuentas anuales dentro del mes siguiente a su aprobación por la junta general cuenta con una sanción específica, prevista en el art. 221 LSA (y en el art. 282 de la vigente LSC), consistente en el cierre de la hoja registral frente a cualquier documento referido a la sociedad, con la excepción de los títulos relativos al cese o dimisión de administradores o gerentes, la revocación o renuncia de poderes, o la disolución de la sociedad o nombramiento de liquidadores, a lo que se añade la previsión de una sanción económica, que será impuesta por el ICAC (art. 283 LSC). Declarado el concurso, dicha omisión se tipifica como presunción de dolo o culpa grave a efectos de culpabilidad concursal, en el art. 165.3o LC. Tal situación, unida a la doctrina general derivada de la aplicación del principio de facilidad probatoria (cfr. art. 217.7 LEC), lleva a estimar la concurrencia del desbalance patrimonial cuando, acreditados por el actor los hechos base de su pretensión, —en la medida en que le fuera posible y habiendo agotado un grado de diligencia suficiente en la aportación del material probatorio, en el caso sobradamente satisfecha con la aportación documental acompañada con la demanda, que además justifica la existencia de un acreedor público de una deuda en fase de recaudación ejecutiva—, la conducta de los demandados haya impedido conocer el estado patrimonial de la sociedad. En tales casos, se insiste, operando con criterios de facilidad probatoria, se ha acudido, como hecho base de la presunción de la existencia de desbalance, junto con otros indicios, —en el caso la falta de aportación de cualquier estado contable de la empresa demandada, su falta de comparecencia en juicio y la existencia de un embargo administrativo—, a la circunstancia de haber ocultado al conocimiento público las cuentas de la sociedad. Frente a este hecho incontestable, la mera alegación*

*de la existencia de un inmueble sobre el que todo se desconoce, determina la existencia de un patrimonio suficiente, resulta un hecho no probado.»*

Esta línea de interpretación es seguida por la mayoría de las Audiencias Provinciales, que atribuyen a la falta de presentación de las cuentas anuales, bien el carácter de presunción *iuris et tantum* de desbalance, bien la fuerza inherente a un serio indicio de la concurrencia de la causa de disolución por pérdidas patrimoniales graves, y ello con las correspondientes consecuencias añadidas en el ámbito de la responsabilidad de administradores.

Véanse las sentencias de las Audiencias Provinciales de Pontevedra de 26 enero 2017, Valencia de 29 de junio de 2016 y 28 de octubre de 2015, de las Palmas de 11 de octubre y de 28 de junio de 2016, de Málaga de 29 de abril de 2015, o de Barcelona de 30 de octubre de 2013.

En el marco de la responsabilidad de administradores pueden verse las sentencias de la Audiencia Provincial de Barcelona, sec. 15ª, de 9 de junio de 2015 y 6 de abril de 2015.

## II. ALGUNAS CUESTIONES PRÁCTICAS EN TORNO A LA DISOLUCIÓN JUDICIAL DE SOCIEDADES

### 1. *La designación judicial del liquidador*

Posiblemente una de las cuestiones prácticas de mayor interés a la hora de intervenir en un procedimiento judicial de disolución por causa legal es la determinación de la persona o personas que deban asumir el cargo de liquidador, cuestión que cobrará un especial interés en los supuestos de disolución por paralización de los órganos sociales.

La posibilidad de designación judicial del liquidador no está expresamente contemplada en la Ley de Sociedades de Capital, y las resoluciones de los órganos jurisdiccionales vienen resolviendo esta cuestión desde posturas totalmente contrapuestas, por lo que el asunto no es pacífico.

Así, en contra de admitir la designación judicial del liquidador, y con base en la aplicación de la literalidad del artículo 371 de la LSC, encontramos la sentencia del Tribunal Supremo de 11 de abril de 2011, la sentencias de la Audiencia Provincial de Almería de 16 de julio de 2012 o la ya citada sentencia del Juzgado de lo Mercantil nº 1 de Palma Mallorca de 4 de mayo de 2016 (que ha sido confirmada por la sentencia de la Audiencia Provincial de Baleares de 15 de marzo de 2017).

A favor, postura aparentemente mayoritaria, la doctrina que aplica al caso por analogía el artículo 377 de la LSC. Se encuentran las siguientes sentencias: del Tribunal Supremo de 30 de mayo de 2007, de las Audiencias Provinciales de Burgos de 18 de noviembre de 2016, de Murcia de 13 octubre de 2016 y 2 de diciembre de 2010, de Baleares de 26 de septiembre de 2016, de Guipúzcoa de 30 de junio de 2015, Alicante de 10 de enero de 2013, La Coruña de 26 de febrero de 2010, Barcelona de 4 de diciembre de 2009, Madrid de 25 de junio de 2003, Zaragoza de 10 de mayo de 1999, de Gerona de 16 de enero de 1998, o las del Juzgado de lo Mercantil n° 2 Bilbao 15 de mayo de 2013 y del Juzgado de lo Mercantil n° 1 de San Sebastián de 7 de noviembre de 2016.

Se produce a continuación el Fundamento de Derecho Segundo de está última resolución por condensar de forma brillante el estado de la cuestión:

> *«SEGUNDO.- Nombramiento de Liquidador*
> *El artículo 374 LSC establece que "Cese de los administradores. 1. Con la apertura del período de liquidación cesarán en su cargo los administradores, extinguiéndose el poder de representación. 2. Los antiguos administradores, si fuesen requeridos, deberán prestar su colaboración para la práctica de las operaciones de liquidación".*
> *Y el artículo 376 del referido texto legal reza "Nombramiento de liquidadores 1. Salvo disposición contraria de los estatutos o, en su defecto, en caso de nombramiento de los liquidadores por la junta general de socios que acuerde la disolución de la sociedad, quienes fueren administradores al tiempo de la disolución de la sociedad quedarán convertidos en liquidadores. 2. En los casos en los que la disolución hubiera sido consecuencia de la apertura de la fase de liquidación de la sociedad en concurso de acreedores, no procederá el nombramiento de los liquidadores."*
> *En el caso presente, la parte actora solicita que se nombre como liquidadores a los dos socios y a un liquidador tercero, designado por el Juzgado, con la condición de economista. A ello se opone la parte demandada que indica que, según la Ley y los estatutos, que se remiten a la misma, debe de ser nombrado liquidador quien era administrador, D. Félix, y que D. Blas, dado que no es administrador ya, no puede ser nombrado liquidador; también indica que, en realidad, el liquidador dirimente debería de nombrarse en ejecución de sentencia, por los cauces de los arts. 630 y ss., dedicados al administrador judicial.*
> *Por lo tanto, debe de decidirse si una vez acordada la disolución judicial de la sociedad por bloqueo societario, como es el caso, debe ser liquidador de la misma su actual administrador, al que el otro socio paritario se encuentra claramente enfrentado, en aplicación de lo dispuesto en los estatutos y art. 376.1 del TRLSC, o, si por el contrario, debe de atenderse al nombramiento de liquidadores propuesto por la parte actora, atendidas las relaciones existentes entre los socios.*

Estamos ante una cuestión controvertida entre las distintas Audiencias Provinciales, pues unas se decantan por la solución de la aplicación analógica del art. 377 TRLSC, y otras se pronuncian en sentido contrario.

Así se decantan por la solución de la aplicación analógica del art. 377 LSC (equivalente a los artículos 110.2 y 3 LSRL), las sentencias de la Audiencia Provincial de Gerona de fecha 16 de enero de 1998, la de la Sección 4a de la Audiencia Provincial de Zaragoza de fecha 10 de mayo de 1999, de la Sección 2ª de la Audiencia Provincial de Zaragoza de fecha 8 de mayo de 2000, la de la Sección 6ª de la Audiencia Provincial de Asturias de fecha 8 de julio de 2002, el auto de la Sección 9ª de la Audiencia Provincial de Valencia de fecha 8 de abril de 2003 (en el recurso se alude a sentencia, pero es un auto), la sentencia de la Sección 9ª de la Audiencia Provincial de Valencia de fecha 10 de mayo de 2003, la de la Sección 28ª de la Audiencia Provincial de Madrid de fecha 26 de enero de 2007, y la de la Audiencia Provincial de Salamanca de fecha 25 de noviembre de 2002.

Estarían en la posición contraria, por ejemplo, la Audiencia Provincial de Sevilla (sentencias de 5-12-05 y 11-12-07) y de Castellón (sentencias de 22-1-02 y 25-9-07).

Junto a las anteriores debe mencionarse la sentencia del Tribunal Supremo de 30 de mayo de 2007 que, desestima el recurso de casación interpuesto contra una sentencia dictada por la Sección 2ª de la Audiencia Provincial de Zaragoza de fecha 8 de mayo de 2000, donde se defendía la tesis mayoritaria, y que examina un caso idéntico al presente de nombramiento de liquidador en el supuesto de disolución por bloqueo social, recogiendo la siguiente doctrina: "La sentencia del Juzgado entiende aplicable el art. 110.1 LSRL porque no existe designación expresa de liquidadores en los Estatutos, ni fueron designados en la Junta General, añadiendo que la previsión del art. 26o de los Estatutos, redactados antes de LSRL, se limita a reproducir la previsión general del art. 268, sin indicar en modo alguno qué persona o personas debían ejercer las funciones ahora discutidas. La Sentencia de la Audiencia, que es la aquí recurrida, mantiene, en cambio, un criterio diferente señalando que tal proceder (se refiere a la intervención en la Junta de la dirección letrada de D. Lázaro), con el que quienes ostentaban la administración de la sociedad dejaban en sus manos la función y materialización liquidatoria, no puede entenderse diese vida al supuesto condicionante de la excepción a la conversión automática que el art. 110 contempla, pues no es que la Junta General no hubiese logrado la designación de los liquidadores que el art. 26 de los Estatutos le atribuye, sino que la parte a quien interesaba la conversión automática de administradores en liquidadores eliminaba de entrada toda posibilidad de designación, sin una concreta proposición de persona que pudiese desempeñar el cargo de liquidador, merced a la interpretación del artículo estatutario que directamente determinaba el triunfo de su posición. Lo que, como señalan los apelantes, encubre una actuación fraudulenta que no puede autorizar la conversión perseguida y debe justificar por razones de analogía la designación judicial del administrador o administradores que el art. 110.3 LSRL prevé para el supuesto, ciertamente distinto pero análogo, de que la Junta convocada al efecto no proceda al nombramiento de liquidadores, caso en el que cualquier interesado podrá solicitar su designación del Juez de primera instancia del domicilio social social..."

*De igual modo, la STS de 11 abril 2011, si bien indica que no hay ninguna razón estructural ni formal para sostener, o que permita entender, que la norma del artículo 110.1 de la LSRL (equivalente al artículo 376.1 del TRLSC) no es aplicable a las causas de disolución del artículo 104.1.c de la LSRL (Actual artículo 363.1.b y c del TRLSC) —"imposibilidad manifiesta de conseguir el fin social, o paralización de los órganos sociales de modo que resulte imposible su funcionamiento"—; y que el precepto del artículo 110.2 y 3 LSRL (actual 377 TRLSC) está previsto para unos casos perfectamente delimitados —"fallecimiento o cese del liquidador único, de todos los liquidadores solidarios, de alguno de los liquidadores que actúen colegiadamente, sin que existan suplentes"—, con los cuales no tienen similitud del supuesto general del artículo 104.1.c de la LSRL; también afirma que los supuestos del artículo 104.1.c en el caso concreto de dos socios con igual participación social del 50% cada uno, y claramente enfrentados, no es razón suficiente para objetar con carácter general la aplicación de la norma del artículo 110.1 de la LSRL. Puede suceder que concurriendo determinadas circunstancias objetivas (fraude; inidoneidad patente; manifiesta complejidad; imbricación de otras sociedades; etc) pueda justificarse una medida judicial, —de designación del liquidador o de intervención—, pero se trata, en todo caso, ante circunstancias excepcionales, que no se dan con desconfianzas subjetivas, o preparación de la situación mediante el ejercicio de acciones de responsabilidad social o de naturaleza penal, del resultado desconocido o incierto, por lo que basta, por lo general, la operatividad de la responsabilidad que está sujeto todo administrador-liquidador.*

*En el supuesto examinado, las razones alegadas por la actora para el nombramiento de liquidadores de la sociedad, —nombramiento que se propone en relación con los dos únicos socios de la sociedad, a los que se añade un tercero, y que se aleja de la estipulación estatutaria que se remite a la normativa contenida en el artículo 376.1 del TRLSC—, y la manifiesta enemistad y desconfianza entre los socios, pueden considerarse como causa suficiente para adoptar una decisión judicial de designación de liquidador al margen de lo que indica la pura norma estatutaria, dado que la aplicación automática de la misma implicaría la pervivencia de la situación de contienda en la liquidación. Esta postura también ha sido defendida por la AP Guipúzcoa, Sección 2ª, en Sentencia 153/2015 de 30 Jun. 2015, Rec. 2197/2015 "la Sala comparte el razonamiento del juzgador en un intento de evitar que la situación de bloqueo social haga inoperantes las operaciones de liquidación lo que podría dar lugar a la situación prevista en el art. 389 de la L.S.C. que regula la sustitución judicial de los liquidadores por duración excesiva de la liquidación.*

*En aras a evitar tales dilaciones resulta razonable que sea el juzgado quien nombre a un liquidador o liquidadores ajeno a las partes."*

*Por lo tanto, consideramos que se dan razones aquí para una aplicación analógica del art. 377 LSC y para el nombramiento judicial de liquidador, máxime cuando es el caso, como el presente, que se han considerado oportunas medidas cautelares de suspensión en sus funciones del administrador, lo cual haría una sinsentido nombrarle liquidador único en la sentencia.*

*En base a lo anterior, debemos de considerar adecuada la propuesta en cuanto al nombramiento de liquidadores hecha por la parte actora, al entender, además, que podría ser incongruente nombrar a un solo liquidador tercero, cuando la propia parte actora admite que sea, entre otros, liquidador el otro socio, D. Blas.»*

Por último, una posición intermedia entre ambas corrientes es la que se adopta por la Sentencia de la Audiencia Provincial de Córdoba de 13 de mayo de 2014, que señala que ha de haberse intentado un acuerdo social previo sobre el nombramiento de liquidador y, por tanto, que la intervención judicial ha de ser en todo caso subsidiaria.

> *«Esta Audiencia considera, al igual que el Juzgador de Instancia, que sin haberse agotado por parte de la demandante las actuaciones precisas para la celebración de una junta general, cuya convocatoria es viable, en el peor de los casos, mediante el trámite de auxilio judicial (en el seno del expediente previsto al efecto), no está justificado que el juzgador tenga que suplir la voluntad social. Es cierto que en sentencia de fecha 2.10.2013 (Rollo 225/2013) de esta Audiencia Provincial se estimó que era posible dicho nombramiento, pero el caso de autos no es similar puesto que en aquella ocasión se amparó tal designación habida cuenta de la confrontación de dos socios que imposibilitaba la adopción de un acuerdo social de nombramiento de liquidador, lo que no ocurre en el caso ahora enjuiciado. Ha de ser en previa celebración de una junta (órgano éste que subsiste en fase de liquidación) donde se debata por los socios sobre tal nombramiento y se haya, al menos, intentando, aun sin éxito, la obtención de un acuerdo social al respecto. Piénsese que no se da el caso de que hayan mediado previas actuaciones fraudulentas por parte de otros socios, ni consta la existencia de una situación que impidiese la posibilidad práctica de adoptar acuerdos en el seno de la junta, que tal vez pudieran haber justificado la aplicación de soluciones excepcionales (como la referida designación de un tercero imparcial).*
> *En consecuencia, de conformidad con lo dispuesto en los artículos 376 y 377 del texto refundido de la Ley de Sociedades de Capital, la intervención judicial ha de ser subsidiaria, procediendo el nombramiento por dicha vía cuando no haya voluntad o posibilidad de hacer la designación de liquidadores mediante el procedimiento ordinario de designación, pues de otro modo se afectaría al principio de autodeterminación de las sociedades mercantiles, lo que conlleva el rechazo de este motivo de apelación.»*

## 2. La legitimación activa

Otra cuestión práctica de interés es la de la legitimación activa que corresponde al socio, al órgano de administración o a cualquier tercero con interés legítimo. La pasiva no plantea mayor problema, pues corresponde en exclusiva a la sociedad.

No obstante, en cuanto a la legitimación activa *ad causam*, cuando la acción la interpone el socio, se ha discutido si es o no requisito previo que se requiera al órgano de administración la convocatoria de una Junta General, o que, en su caso, se impulse un expediente de jurisdicción voluntaria para instar la convocatoria.

Igualmente se ha discutido si cuando quien entabla la acción es el órgano de administración le es exigible a aquél que previamente convoque junta general.

Pues bien, mayoritariamente se entiende que tanto el socio como el órgano de administración pueden acudir directamente a la disolución judicial, sin necesidad de previa convocatoria o de celebración de la junta.

Es el caso resuelto por las sentencias de la Audiencia Provincial de Madrid de 3 de octubre de 2013, o la más reciente de la Audiencia Provincial de Gerona de 2 de julio de 2014 que dispone lo siguiente:

> «*TERCERO.- Legitimación para el ejercicio de la acción de disolución.*
> *Sostiene la demandada que el actor carece de legitimación activa ad causam para solicitar la disolución judicial al no haber intentado previamente que fuera la junta de socios la que se pronunciara sobre la existencia de la causa de disolución y la posible remoción de la misma.*
> *La idea central que subyace en el procedimiento de disolución es que, una vez acaecida la causa de disolución, la sociedad no puede seguir operando en el tráfico jurídico con normalidad, sino que es necesario decidir sobre su continuidad. Es preciso entonces el inicio de un proceso, el de disolución, respecto del que, en principio, la junta de socios es el órgano soberano. La causa de disolución no opera de forma automática, sino que requiere que la situación sea sometida a la consideración de los socios y resuelta, con arreglo al principio mayoritario, ya sea disolviendo la sociedad o, en su caso, removiendo la causa de disolución. La disolución va a requerir la doble constatación de la existencia de la causa alegada, ya sea por la junta de socios o por el juez, lo que dota al sistema de mayor seguridad jurídica a la vez que permite a todos los operadores conocer con exactitud cuándo se abre la liquidación.*
> *En la práctica resulta que las personas que, por su posición en la vida societaria, van a conocer con mayor exactitud si concurre o no la causa de disolución son los administradores. Es a ellos a quienes corresponde, constatada la existencia de la causa de disolución, convocar la junta a fin de que decida sobre la continuidad, con remoción de la misma, o la disolución. Si los administradores no convocan la junta los socios podrán solicitar la convocatoria o, finalmente, acudir a la convocatoria judicial. Los terceros interesados, cuando conozcan la concurrencia de causa de disolución, deberán acudir a la autoridad judicial en ejercicio de la acción de disolución.*
> *La cuestión controvertida en este supuesto es si el actor, que es a la vez socio y administrador de la sociedad, viene obligado, con carácter previo a presentar la demanda, a someter la cuestión a la decisión de la junta de socios. En definitiva se trata de determinar si, como requisito previo a la interposición de la demanda de disolución, es exigible al administrador que convoque la junta de socios o al socio que solicite de los administradores la convocatoria de junta y, de no acceder éstos a ello, acuda la convocatoria judicial.*

*Aunque la cuestión no es pacífica en la doctrina, por cuanto acudir directamente al ejercicio de la acción de disolución significa hurtar a los socios la posibilidad de decidir sobre una cuestión crucial en la vida societaria, lo cierto es que, a juicio de este Tribunal, la dicción literal del artículo 362 de la LSC cuando establece que "Las sociedades de capital se disolverán por la existencia de causa legal o estatutaria debidamente constatada por la junta general o por resolución judicial." no ampara la limitación de la legitimación que aquí se pretende, en tanto señala que la causa de disolución deberá ser constatada indistintamente por la junta general o la resolución judicial, sin establecer requisito alguno para el acceso a la jurisdicción.*

*Lo anterior ha de suponer la estimación del segundo motivo de recurso, si bien, no concurriendo la causa de disolución alegada, según se razona en el fundamento anterior, debe ser confirmada la sentencia de primera instancia en todos sus extremos, aunque por distinta fundamentación jurídica.»*

## 3. La acumulación de acciones

A la acción de disolución de la sociedad por concurrencia de causa legal se podrán acumular otras acciones como la acción de destitución del administrador social que se hallare incurso en la prohibición legal del artículo 230 de la LSC (sentencia de la Audiencia Provincial de Barcelona de 10 de junio de 2013), o las acciones de impugnación de acuerdos sociales y responsabilidad de administradores (sentencia de la Audiencia Provincial de Guipúzcoa de 28 de septiembre de 2016 y de la Audiencia Provincial de Pontevedra de 22 de octubre de 2013).

## 4. La causa de disolución en la sociedad profesional

Sobre la causa específica de disolución que para las sociedades profesionales se contiene en el artículo 4.5 de la LSP se pronuncia la sentencia del Tribunal Supremo de 14 de abril de 2014, que analiza un interesante supuesto en el que se combinan el derecho de separación del socio profesional y la automática causa de disolución que de ello se deriva para la sociedad.

*«Es lógico que este cálculo se haga teniendo en consideración que la sociedad está en funcionamiento. Pero si, como ocurre en este caso, la separación del socio ha provocado que la sociedad incurra en una causa legal de disolución porque deja de haber socios profesionales que reúnen los requisitos exigidos para prestar servicios de ingeniero superior, que es uno de las tres actividades profesionales que constituye el objeto social de la compañía, y la junta de socios acuerda a continuación la disolución, el reembolso de la cuota de liquidación que corresponde al socio que se separa debe realizarse teniendo en cuenta circunstancia. Esto es, el valor de sus participaciones debe realizarse teniendo en cuenta la liquidación de la compañía y se corresponderá con la*

*cuota de liquidación que le corresponda en función de la proporción de su participación en el capital social.*

*Lo verdaderamente relevante es que la disolución es consiguiente al ejercicio del derecho de separación, que genera la aparición de la causa legal de disolución. Es cierto que podría subsanarse el defecto en el plazo de seis meses, mediante la modificación de los estatutos sociales para adaptar el objeto social a las actividades profesionales para las que están capacitados y habilitados sus socios profesionales (art. 4.5 LSP), pero se trata de una posibilidad, no de una obligación o deber. De ahí que el acuerdo de disolución adoptado el 2 de diciembre de 2010, después de que el socio que pretendía separarse comunicara el ejercicio de este derecho de separación el día 9 de noviembre de 2010, en la medida en que está provocada por el derecho de separación, condiciona necesariamente el cálculo de la cuota de liquidación.»*

## Bibliografía

### Libros

BERCOVITIZ RODRÍGUEZ CANO, A. *La sociedad de Responsabilidad Limitada*. Pamplona. 2006.

MUÑOZ PAREDES, A. *Tratado Judicial de la Responsabilidad de los Administradores. Volumen 1*. Pamplona 2015.

RODRÍGUEZ ARTIGAS, F., FARRANDO MIGUEL, I., GONZÁLEZ CASTILLA, F. *Las Reformas de la Ley de Sociedades de Capital*. Pamplona. 2012.

ROJO FERNÁNDEZ, A. J., BELTRÁN E. M. *Disolución y Liquidación de Sociedades Mercantiles*. Valencia. 2009.

ROJO FERNÁNDEZ, A. J., BELTRÁN SÁNCHEZ E. M. *Comentario de La Ley de Sociedades de Capital*. Tomo II. Madrid. 2011.

URÍA, R., MENÉNDEZ, A., OLIVENCIA, M. *Comentario al Régimen Legal de las Sociedades Mercantiles. Tomo XIV*. Madrid. 1999.

### Artículos

ALFARO ÁGUILA-REAL, J. 26 de diciembre de 2016. ¿Inactividad de la sociedad como causa de disolución? y aumentos de capital contrarios al interés social. Almacén de Derecho. Disponible en: http://derechomercantilespana.blogspot.com.es/2016/12/inactividad-de-la-sociedad-como-causa.html.

# 68. El procedimiento de jurisdicción voluntaria para la disolución judicial de sociedades

**EDUARDO SÁNCHEZ ÁLVAREZ**

*Doctor en Derecho. Profesor Asociado de Derecho Civil*
*Universidad de Oviedo*

**Sumario:** I. INTRODUCCIÓN. II. LA JURISDICCIÓN VOLUNTARIA. CONCEPTO. LA HISTÓRICA DISCUSIÓN SOBRE SU NATURALEZA JURÍDICA. III. LA LEY 15/2015, DE 2 DE JULIO. RASGOS PRIMORDIALES. 1. Aspectos generales de la Ley. 2. Una desjudicialización parcial. 3. En particular, la inserción de un procedimiento común. IV. EL PROCEDIMIENTO DISEÑADO PARA LA DISOLUCIÓN JUDICIAL DE SOCIEDADES. V. APUNTE FINAL. Bibliografía.

## I. INTRODUCCIÓN

La promulgación y puesta en vigor de la Ley 15/2015, de 2 de julio, de Jurisdicción Voluntaria (LJV), supone un jalón de extraordinaria relevancia para la integridad del Sistema de Derecho Privado[1].

Con su incorporación al conjunto normativo de esa rama del Derecho, se anhela colmar la necesaria —y ya demasiado demorada en el tiempo— *modernización* de la tutela del Derecho Privado, especialmente en lo que a su vertiente procesal atañe, a la búsqueda de una mayor integración sistemática y de una aseverada *racionalidad*.

Sin duda, la ubicación nuclear en el desarrollo de esa labor ha de corresponder a la Ley de Enjuiciamiento Civil (LEC), por la simple razón de aprestarse a la integral ordenación del proceso civil que enhebra y conduce el derecho fundamental a la tutela judicial efectiva que consagra el art. 24 de nuestra Constitución (CE). Pero existen aspectos igualmente perentorios a quienes esa Norma no está llamada a reglar que precisan de

---

[1]  Estudiándola en profundidad, FERNÁNDEZ DE BUJÁN Y FERNÁNDEZ, A. (dir): «*Comentarios a la Ley 15/2015 de Jurisdicción Voluntaria*», Pamplona, 2016; DÍAZ BARBERO, A: «*Estudio práctico de la Ley de Jurisdicción Voluntaria*», Valencia, 2016; o LIÉBANA ORTIZ, J. R. y PÉREZ ESCALONADA, S: «*Comentarios a la Ley de Jurisdicción Voluntaria, Ley 15/2015, de 2 de julio*», Pamplona, 2015.

un régimen jurídico propio, diferenciado, y presidido por las correspondientes relaciones de prioritaria especialidad selectiva a la par que por la subsidiariedad de la norma común para la complitud armónica de lo que siempre ha de erigir un *Ordenamiento* jurídico.

Tal sucede con el ámbito propio de la LJV. Como es bien sabido, el mismo concepto de *Jurisdicción Voluntaria* se envuelve en oscuridades de tal calado que llegan incluso a obstaculizar, históricamente, su propia aprehensión unívoca. Pero todas esas dificultades prácticamente ontológicas no son capaces de obviar ni su autonomía conceptual —con la correlativa existencia de este bloque normativo en un enfoque netamente positivista— ni, lo que nos parece más reseñable, de minusvalorar la palpable relevancia y repercusión práctica que los distintos *expedientes* afectos a ella portan consigo[2].

En este trabajo se busca el análisis de un concreto expediente de Jurisdicción Voluntaria, tanto desde una perspectiva de inserción global en esa institución cuanto en el estudio detallado de las previsiones legalmente implementadas. Se trata del que se previene como *«De la disolución judicial de sociedades»*, dentro del Título VIII LJV denominado *«expedientes de Jurisdicción Voluntaria en materia mercantil»*, comprendiendo los arts. 125-128 LJV, ambos inclusive.

Tras el inevitable acercamiento a la Jurisdicción Voluntaria y su problemática intrínseca, se expondrán velozmente los rasgos genéricos de la LJV, las disposiciones supletorias aplicables al concreto expediente seleccionado y se desgranarán las específicas prevenciones con que se le adornan. Así, se abordarían aspectos genéricos que le son proyectables, considerando el procedimiento general de Jurisdicción Voluntaria inserto, ámbito de aplicación del expediente de disolución judicial de sociedades, competencia,

---

[2]    PICÓ I JUNOY se ha mostrado contrario a la denominación *«expediente»* por constituir a su entender una imprecisión terminológica. En su opinión, tal locución ha de utilizarse en aquellas modalidades de Jurisdicción Voluntaria que conocieran y tramitaran operadores jurídicos ajenos a la judicatura; mientras en los supuestos que ésta retuviera debería hablarse de *«procedimiento»* o *«acto»* (*Vid.* PICÓ I JUNOY, J: «La desjudicialización y procesalización de la Jurisdicción Voluntaria», en la obra *«Especial Nueva Ley de Jurisdicción Voluntaria»*, Madrid, 2015). De igual manera, GONZÁLEZ POVEDA utiliza esa denominación *«procedimiento»* para las diversas modalidades de Jurisdicción Voluntaria, con algunas salvedades —expedientes de reanudación de tracto sucesivo, de dominio, de excesos de cabida y de liberación de cargas y gravámenes— (GONZÁLEZ POVEDA, P: *«Jurisdicción Voluntaria»*, Pamplona, 2008, pág. 1840).

legitimación, postulación, tramitación y resolución, así como los efectos que se provocarían tras ella.

## II. LA JURISDICCIÓN VOLUNTARIA. CONCEPTO. LA HISTÓRICA DISCUSIÓN SOBRE SU NATURALEZA JURÍDICA

Es sobradamente conocido por todos los operadores jurídicos que el concepto de Jurisdicción Voluntaria erige una de los grandes escollos y dificultades con quienes académicamente nos topamos. Seguramente ello sucede dado que dentro de sus linderos se aglomeran expedientes y realidades abiertamente dispares. Como bien apunta GONZÁLEZ POVEDA, *«los actos de Jurisdicción Voluntaria tienen en nuestro Derecho naturaleza muy compleja»*[3].

¿Qué entender asépticamente por Jurisdicción Voluntaria? Doctrinalmente, no existe unanimidad *«ni sobre su definición, ni sobre su naturaleza jurídica, ni sobre la clasificación de los actos, expedientes o negocios, ni siquiera sobre su número concreto es posible dar una orientación clara»*[4]. Es cierto que contamos con un dato fundamental al observarla: se ciñe al ámbito del Derecho Privado y supone un instrumento de tutela jurídica alternativo a la vía procesal, si bien limitado, especialmente en óptica temporal, por no aparejársele tradicionalmente efecto de cosa juzgada, extremo por otra parte *«inmanente a dicha tutela pues lo contrario llevaría a la indefensión de los otros legitimados intervinieran o no en este expediente a los que afecta la resolución en alguna medida por falta de un sistema adecuado para su defensa»*[5]. Adelantemos que el paradigma legislativo de la LJV tal vez modulará este rasgo (*infra*).

La pretensión objetiva que se trata de obtener es plural: constitución, declaración, prevención o aseguramiento de derechos o de estados; ordenación de actos ejecutivos; autenticación de documentación... un espectro material muy amplio y poco permeable a sistematización simple. ¿Se enfrenta entonces un sintagma meramente nominal? ¿Qué se esconde

---

[3]    GONZÁLEZ POVEDA, P: *«Jurisdicción Voluntaria»*, *cit.* pág. 127.

[4]    GUZMÁN FLUJA, V. C: *«Jurisdicción Voluntaria y Secretarios judiciales»*, Madrid, vol. III, 2003, pág. 768.

[5]    ALONSO FURELOS, J. M: *«Reflexiones sobre la vigente legislación española de la Jurisdicción Voluntaria en su parte general y bases para su reforma»*, Dykinson, Madrid, 2012, pág. 129.

verdaderamente bajo esa denominación? Desgranemos esta locución intentando extraer aspectos incontrovertibles y definitorios.

*Jurisdicción*: en ese ramillete de actos no concurre ni se precisa en todo caso la presencia de la Jurisdicción en sentido estricto técnico-jurídico (función jurisdiccional, art. 117.1 CE). Aun siendo potencialmente la judicatura quien realizara todos o algunos de los actos encasillables en esta categoría, parece que esa labor no se envuelve en el ejercicio riguroso de la Jurisdicción. De otra manera, la judicatura puede perfectamente ostentar competencias en el materialmente difuso ámbito propio de la Jurisdicción Voluntaria; pero fuera del ejercicio de su función jurisdiccional.

*Voluntaria*: esto es, por contraposición a «contenciosa» o Jurisdicción propiamente dicha. Llevado a la letra del derogado art. 1811 de la venerable LEC de 1881, se trataría de cuestiones en las que no se halla empeñada ni se promueve cuestión alguna entre partes conocidas y determinadas, dando por sentado que no se plantea un conflicto entre las partes intervinientes en el correspondiente expediente. De ahí que, en esa extinta regulación, si en el curso de un procedimiento de esta índole apareciera el conflicto (mediante la oposición de la parte no promotora) se convirtiera en un supuesto de Jurisdicción contenciosa —art. 1817 precedente LEC—. La *ausencia de controversia*[6], por consiguiente, fue un criterio reseñable históricamente distintivo de este tipo de actuaciones respecto a la Jurisdicción *stricto sensu*[7].

Aglutinando inductivamente los rasgos que parecen conformar la Jurisdicción Voluntaria, ALONSO FURELOS nos aporta una definición descriptiva de este instituto jurídico, entendiéndolo como «*un método de tutela jurídica rápido, sencillo y económico para producir los efectos jurídicos previstos por el legislador y que solicitados y acordados se hallan limitados en el tiempo, consistentes en la mera declaración de una situación, la creación, modificación o extinción de la misma o su aseguramiento en virtud del cual el juez aplica una norma jurídica material civil o mercantil al caso concreto a petición del solicitante de la misma, sea una*

---

[6]     En este sentido, LIÉBANA ORTIZ, J. R: «Jurisdicción, conciliación y mediación: notas para su delimitación dogmática», *REDUR* nº 9, Logroño, 2011, págs. 147-164.

[7]     «*En ellas no se ejerce jurisdicción, no son actividades propiamente jurisdiccionales (…) aunque son actividades judiciales (…) se realizan por y ante un Tribunal, no tienen naturaleza jurisdiccional, es decir, se engloban dentro de la llamada jurisdicción voluntaria (…) Se trata de actividades encomendadas a los órganos judiciales donde no existe una verdadera controversia entre las partes*» (DÍEZ-PICAZO GIMÉNEZ, I. *et al.*: «*Derecho Procesal Civil. El proceso de declaración*», Madrid, 2004, pág. 226).

*persona pública o privada según el interés en juego*»[8]. También se han formulado definiciones negativas. Por ejemplo, estima VEGAS TORRES que Jurisdicción Voluntaria «*sería todo lo que queda fuera de la legislación, de la jurisdicción y de la administración (…) pero (…) caben actividades de lo más variado: adopción y acogimiento de menores, declaración de ausencia y fallecimiento, consignación, deslindes, convocatoria de juntas generales de sociedades, conciliación y otros muchos*», hasta tal punto que a parecer de este autor tal institución «*considerada sin referencia a actos, expedientes o procedimientos concretos no es prácticamente nada*», esto es, legalmente se regulan más bien actos, expedientes y determinados procedimientos antes que un instituto genérico[9].

En un enfoque etiológico, la gran duda estriba en cuál es la naturaleza jurídica de esa actividad, netamente administrativa, puramente judicial, híbrida…[10]. La doctrina ha discutido históricamente sobre este particular[11] sin que se hayan alcanzado tampoco conclusiones pacíficas[12]. A nuestro juicio, la Jurisdicción Voluntaria tiene intensa huella administrativa. Que pueda atribuirse su conocimiento o, mejor, el de alguno de los expedientes que la integran, a las autoridades judiciales conlleva que éstas actúan en garantía de derechos que precisan una especial protección por no ser estrictamente privados sino demostrar aspectos incardinables al orden público. Pero ello se produce en desarrollo de una potestad distinta a la rigurosamente jurisdiccional (Recomendación del Comité de Ministros del Consejo de Europa de 16 de septiembre de 1986). Ni se juzga ni se hace

---

[8]    ALONSO FURELOS, J. M: «*Reflexiones sobre…* ». *cit.* pág. 76.

[9]    VEGAS TORRES, J: «Competencia y procedimiento de los expedientes de Jurisdicción Voluntaria», en la obra colectiva «*Nuevos modelos de gestión del Derecho Privado: Jurisdicción Voluntaria*», Pamplona, 2016, págs. 140-141.

[10]   Cfr. LIÉBANA ORTIZ, J. R: «*Fundamentos dogmáticos de la Jurisdicción voluntaria*», Madrid, 2012. También, PRADA GONZÁLEZ, J. Mª DE: «Problemas que plantea la regulación de la Jurisdicción Voluntaria», *Revista Actualidad Civil, La Ley*, Madrid, nº 14, 2009.

[11]   *V. gr.*, ALCALÁ-ZAMORA Y CASTILLO, N: «*Premisas para determinar la índole de la llamada Jurisdicción Voluntaria*», Estudios en honor de ENRICO REDENTI, vol. I, Milán, 1951.

[12]   Por ejemplo, SERRA DOMÍNGUEZ procedió a diseccionar y clasificar los actos de Jurisdicción Voluntaria en cuatro categorías: constitutivos, homologadores, de documentación y de presencia. Tras argumentar sobre cada uno de ellos, a salvo alguna duda respecto al primer tipo referido, concluyó que todos tienen carácter administrativo. Si se confía su conocimiento a los Tribunales es simplemente por aprovechar algunas características intrínsecas a estos órganos estatales como pudiera ser su aseverada imparcialidad (SERRA DOMÍNGUEZ, M: «*Jurisdicción, acción y proceso*», Barcelona, 2008).

ejecutar lo juzgado. Se acude al juez como jurista dotado de potestad jurídica —no jurisdiccional— e imparcial[13]; resultando ser un cualificado agente jurídico que presta un servicio, pero no juzgaría.

Conviene dejar apuntada una realidad que ahora la LJV permite concluir, y que por otra parte parece lógica (*infra*). La institución ha experimentado una indudable *evolución histórica* que lleva a cuestionar alguno de los rasgos que le parecían connaturalmente insitos. Por ejemplo, de una catalogación original en la que la ausencia de controversia erigía elemento definidor —que persiste aún, todo sea dicho, en muchos de sus expedientes o modalidades—, se pasa a considerar también insertas en la Jurisdicción Voluntaria aquellas situaciones de tutela de intereses públicos, no meramente subjetivos y privados, por mor de verse en liza intereses de personas con capacidad judicialmente modificada o menores de edad, o incluso en los que se producen conflictos que legislativamente no quedan abocados a su canalización procesal, en los cuales su solventamiento deviene deferido a este tipo de expedientes o procedimientos, más ágil, pero que se busca goce de plenitud de garantías[14].

## III. LA LEY 15/2015, DE 2 DE JULIO. RASGOS PRIMORDIALES

Así las cosas, la Jurisdicción Voluntaria está orientada a actuar y dotar de efectividad a ciertos aspectos regulados por el Derecho Privado (Civil y Mercantil); en el Código Civil (CC), el Código de Comercio (CCOM) y el conjunto de leyes especiales que gozan de esta filiación académica. Y, en atención a la referida especialidad, cabe deducir razonablemente que tal

---

[13]    DE LA OLIVA SANTOS, A. et al: «*Curso de Derecho Procesal Civil*», Madrid, 2013. En sentido opuesto, la STS de 22 de mayo de 2000 razona que «*el que admita la existencia de actuaciones de Jurisdicción Voluntaria atribuidas a órganos no judiciales, para las que tal denominación es harto discutible, no supone que cuando un juez o Tribunal está llamado por la ley a definir un derecho o a velar por él, sin que exista contienda entre partes conocidas y determinadas (...) su actuación no deba estar revestida de las garantías propias de la Jurisdicción. Si en estos casos el juez (...) denegase su intervención (...) el derecho conculcado sería el contemplado en el art. 24.1 de la Constitución (...) de modo que no se puede afirmar que en la denominada Jurisdicción Voluntaria los jueces y Tribunales no estén ejerciendo potestades jurisdiccionales (...) con independencia de que ulteriormente quepa sobre lo mismo otro procedimiento contradictorio y, en consecuencia, esas potestades quedan amparadas por el art. 117.3*» CE.

[14]    Cfr. FERNÁNDEZ DE BUJÁN Y FERNÁNDEZ, A: «*Hacia una Teoría General de la Jurisdicción Voluntaria I*», Madrid, 2007, pág. 407.

tutela se va a brindar sobre diferencias sensiblemente sustanciales en relación a la ofrecida por la Jurisdicción *stricto sensu* que plasma la LEC.

## 1. Aspectos generales de la Ley

Decíamos que la LJV constituye un señero hito en un emprendido proceso de modernización y racionalización de la Administración de Justicia, buscando una adecuación a las circunstancias contemporáneas de su espectro material, más racional y garantista que la regulación preexistente a quien deroga. De hecho, FERNÁNDEZ DE BUJÁN considera que su aprobación supone el cierre del «*ciclo de reformas del proceso civil, iniciado con la Ley de Enjuiciamiento Civil (...) por la que se rige la Jurisdicción contenciosa*», ya que «*constituía un mandato legislativo pendiente de cumplimiento, contenido en la Disposición Final 18 de la LEC*». Más específicamente, la LJV se aquieta a asumir un rol esencial en orden a la actualización de un área de nuestro Ordenamiento en la cual, pese a la probablemente no intensa dedicación doctrinal o legislativa, se dilucidan «*intereses (...) de gran relevancia dentro de la esfera personal y patrimonial de las personas*»[15]. En consecuencia, porta en sí un espíritu codificador por sus linderos materiales, equivalente al que la LEC enhebra en la Jurisdicción en sentido estricto.

Académicamente, cabe subrayar su impronta *procesal*. En efecto, aun no reglando el despliegue de la función jurisdiccional o el ejercicio del derecho fundamental a la tutela judicial efectiva consagrado en el art. 24.1 CE[16], su naturaleza es procesal. Forma parte del sistema que encabeza la LEC. Su título competencial reposa, simultáneamente, en los apartados 6 y 8 del art. 149.1 CE (legislación procesal, civil y mercantil).

Es fundamental observar la acotación material que practica la LJV, pues el ámbito sobre el que proyecte su acción normativa determinará conclu-

---

[15]   FERNÁNDEZ DE BUJÁN Y FERNÁNDEZ, A: «La nueva concepción de la Jurisdicción Voluntaria en la Ley 15/2015», en la obra colectiva *cit.* «*Nuevos modelos de gestión del Derecho Privado: Jurisdicción Voluntaria*», págs. 22-23.

[16]   Lo cual no significa, aspecto a realzar debidamente, que el Tribunal Constitucional excluya a la Jurisdicción Voluntaria del influjo y viveza de este precepto, ya que su doctrina «*ha venido extendiendo los derechos procesales del art. 24 de la Constitución a esta parcela de la Justicia civil (...) La aplicación de los derechos del art. 24 CE se ha extendido también a procedimientos de Jurisdicción Voluntaria donde no hay prevista oposición (...) de modo que ante el menoscabo o lesión de garantías constitucionales en sustanciación, el Tribunal ha respondido con un pronunciamiento favorable al amparo*» (STC 61/2010, de 18 de octubre).

sivamente qué entender legislativamente por Jurisdicción Voluntaria. En este sentido, el art. 1.2 LJV dispone que «*se consideran expedientes de Jurisdicción Voluntaria a los efectos de esta Ley todos aquellos que requieran la intervención de un órgano jurisdiccional para la tutela de derechos e intereses en materia de Derecho Civil y Mercantil, sin que exista controversia que deba sustanciarse en un proceso contencioso*». Consiguientemente, resaltando una óptIca puramente positivista, tal espectro material queda delimitado por estos aspectos:

a) Requerir la intervención de un órgano jurisdiccional del orden civil (Juzgado de Primera Instancia e Instrucción, Juzgado de Primera Instancia, Juzgado de lo Mercantil o, eventualmente, Juzgado de Paz al considerarse —erróneamente a nuestro parecer—[17] que la conciliación preprocesal civil es un expediente de Jurisdicción Voluntaria, del que éste órgano puede objetivamente conocer, cfr. art. 140.1 LJV).

b) Que tal requerimiento tenga por misión la tutela de derechos e intereses en el ámbito del Derecho Privado (aunque su proyección pueda propulsarse más allá de los inicialmente concernidos).

c) La ausencia de una controversia que deba sustanciarse en un proceso contencioso, esto es, en el curso de la Jurisdicción *stricto sensu*.

## 2. *Una desjudicialización parcial*

El art. 117.4 CE prevé que «*Los Juzgados y Tribunales no ejercerán más funciones que las señaladas en el apartado anterior* —potestad jurisdiccional, juzgar y hacer ejecutar lo juzgado— *y las que expresamente les sean atribuidas por ley en garantía de cualquier derecho*». Es decir, la CE contempla la posibilidad de que los órganos jurisdiccionales desplieguen funciones no jurisdiccionales —no juzgar y ejecutar lo juzgado— siempre engarzadas a la garantía de derechos y previa habilitación legal. De otra forma, queda perfectamen-

---

[17]   Así es, «*la conciliación es una institución muy diferente a la Jurisdicción Voluntaria* (…) *que no debe regularse con ésta en una ley denominada de Jurisdicción Voluntaria* (…) *Debe regularse en la Ley de Enjuiciamiento Civil dentro de los actos previos al proceso si es preprocesal* (…) *O si es una conciliación procesal en la vista o comparecencia del juicio ordinario* (…) *Sólo razones de oportunidad legislativa más que de técnica jurídica* (mala, a nuestro particular parecer) *puedan justificar concentrar figuras tan diferentes como la conciliación y la Jurisdicción Voluntaria en una misma ley*», lo que además reconoce el art. 456.6 LOPJ al referirlas por separado y no englobada la una en la otra (ALONSO FURELOS, J. M: «*Reflexiones sobre…*», *cit.* págs. 130-131).

te conjugada *ope* CE la libertad para la implementación del diseño que legalmente se resuelva, con el límite garantista antedicho.

Así, es armónico a la CE que la ley pueda encomendar a otros responsables públicos no judiciales la tutela y salvaguarda de derechos e intereses susceptibles de expedientes de Jurisdicción Voluntaria que, aunque con anterioridad se hallaran cubiertos por su desenvolvimiento ante la autoridad judicial, se colocaran *extra muros* de los topes constitucionales y, por ende, no afectaran a derechos fundamentales o derechos o intereses de menores u otras personas que debieran ser reforzadamente protegidas por el Ordenamiento jurídico habida cuenta sus concretas circunstancias.

Acogiéndose a tal posibilismo constitucional, la LJV pauta la atribución de buena parte de los expedientes materialmente afectos a este sector normativo a otros operadores jurídicos ajenos a la judicatura: letrados de la Administración de Justicia, notarios y registradores de la propiedad y mercantiles, en la convicción de su sobrada cualificación jurídica para la tramitación y resolución, con pleno garantismo, de algunos de aquellos expedientes. En suma, se consagra la alternatividad como criterio rector de la LJV, orientada a que el ciudadano pueda seleccionar la modalidad y el operador jurídico que mejor se ajuste a sus necesidades e intereses caso de tener que acudir a un expediente de Jurisdicción Voluntaria. Habrá que observar cada modalidad de expediente etiquetado bajo la rúbrica de la Jurisdicción Voluntaria para dilucidar a quién compete su conocimiento.

Nótese que la máxima garantía de derechos e intereses subjetivos, aun sin juzgar, sigue en manos de la autoridad judicial, pero su protagonismo por este sector del Ordenamiento disminuye al estar compartido con otros muchos actores jurídicos.

Correlativamente, la LJV adapta su ámbito normativo exclusivamente a los expedientes tramitados y resueltos por operadores jurídicos insertos en la Administración de Justicia (jueces y letrados de la Administración de Justicia), pues la norma legal «*tiene por objeto la regulación de los expedientes de Jurisdicción Voluntaria que se tramitan ante los órganos jurisdiccionales*» (art. 1.1 LJV, en relación con el art. 85 de la Ley Orgánica del Poder Judicial —LOPJ—).

## 3. En particular, la inserción de un procedimiento común

La LJV se apresta a prevenir con minucioso detalle el impulso y dirección de los expedientes que permanezcan en el seno de los órganos jurisdiccionales. Se fija como criterio general que esa labor competa al letrado de la Administración de Justicia.

Mientras, a la hora de resolverlos y en función de los casos que vaya recorriendo el tenor legal, la competencia será bien del juez bien del letrado de la Administración de Justicia. La decisión de fondo queda de cuenta del juez en los expedientes en los cuales se afecte al interés público; al estado civil de las personas; se tutele específicamente a normas sustantivas; se deparen actos de creación, extinción, modificación, disposición o reconocimiento de derechos subjetivos; o se produzca pronunciamiento sobre derechos de menores o personas con capacidad judicialmente modificada —art. 2.3 LJV—. La decisión de los restantes expedientes retenidos en el ámbito de la Administración de Justicia y, consiguientemente, regidos por la LJV, competerá al letrado de la Administración de Justicia.

Otro eje verdaderamente neurálgico de la LJV pasa por la implementación de una serie de normas comunes en materia de tramitación de los expedientes de Jurisdicción Voluntaria. En efecto, los arts. 9 a 22, ambos inclusive, de la LJV contemplan un procedimiento tipo a aplicar a todos los expedientes previstos en la LJV en todo aquello que no se disponga con carácter específico y, por tanto, preferente. Se regulan su ámbito de aplicación, los presupuestos procesales y la tramitación procedimental del expediente[18].

Siguiendo un criterio cronológico, apuntemos someramente algunos de los hitos procedimentales más señeros:

a) *Iniciación.* Cabe que los expedientes de Jurisdicción Voluntaria sean iniciados de tres maneras: de oficio, a instancia del Ministerio Fiscal (art. 4 LJV) o por solicitud formulada por persona legitimada (art. 3.1 LJV). La solicitud podrá presentarse por cualquier medio, incluyendo los previstos

---

[18]   Apunta sobre el particular VEGAS TORRES que «*a diferencia de otras instituciones en las que la regulación de carácter general tiene más importancia que las previsiones legales especiales que regulan aspectos concretos de la materia que se trate, en la Jurisdicción Voluntaria las normas generales de los Títulos preliminar y primero de la LJV ven notablemente mermada su trascendencia ante el gran número e importancia de las normas de carácter especial que se incluyen en las regulaciones de cada expediente. Esta característica (…) no ha de ser entendida como una anomalía o defecto de dicha regulación, sino más bien como una consecuencia lógica del carácter residual del concepto mismo de Jurisdicción Voluntaria, en el que se incluyen actividades de diferentes autoridades (tribunales de Justicia, notarios, registradores, cónsules) de contenido muy variado y heterogéneo y, por tanto, difícilmente reconducibles a una esencia unitaria*» (VEGAS TORRES, J: «Competencia y procedimiento de los expedientes…», *cit.* pág. 140).

en la normativa de acceso electrónico de los ciudadanos a la Administración de Justicia. Sus requisitos son desgranados por el art. 14 LJV: datos y circunstancias identificativos del solicitante, identificación de las personas que puedan hallarse interesadas en el expediente —aspecto de especial relevancia en el supuesto particular que nos ocupa, *infra*—, hechos y fundamentación jurídica sustrato de lo que solicite y petición formulada, a expresar con la debida precisión y claridad. Si la postulación no fuera necesaria, el solicitante quedará lógicamente eximido de incluir en su escrito basamento jurídico.

Presentada la solicitud, el letrado de la Administración de Justicia habrá de examinar de oficio el cumplimiento de las normas en materia de competencia objetiva y territorial (art. 16.1 LJV). De apreciar algún defecto, se dará al solicitante trámite de subsanación. De no subsanarse en tiempo y forma, o de concurrir algún defecto u omisión directamente insubsanable, se habrá de dictar resolución archivando el expediente (arts. 16.4 y 17.1 LJV) que tendrá carácter definitivo, lo que la deriva al régimen de recursos que posteriormente se bosquejará.

b) *Postulación.* En este aspecto, la previsión general de la norma consiste en pautar que quien pretenda promover o actuar como interesado en un expediente de Jurisdicción Voluntaria no precisa la asistencia de letrado ni representación de procurador (art. 3.2 LJV). Por excepción, «*deberán actuar defendidos por letrado y representados por procurador en aquellos expedientes en que así lo prevea la presente Ley*». Así sucede, por ejemplo, «*para la presentación de los recursos de revisión y apelación que en su caso se interpongan contra la resolución definitiva que se dicte (...) así como a partir del momento en que se formulase oposición*»; o en el expediente del que aquí se trata (*infra*). Obviamente, en los expedientes en que la postulación no fuera preceptiva, nada impide a los interesados ejercitar su derecho a valerse de respaldo profesional.

c) *Admisión.* Una vez admitida la solicitud, se prevé la existencia de una *comparecencia* a la que deberá citar el letrado de la Administración de Justicia a quienes «*hayan de intervenir en el expediente*» siempre que concurra alguna de las circunstancias que tipifica el art. 17.2 LJV (si deben ser oídos interesados distintos al solicitante, si deben practicarse pruebas o si el juez o letrado de la Administración de Justicia responsables lo estimaran necesario para la mejor resolución del expediente). La LJV no veta que pueda decidirse el expediente directamente, sin ningún otro trámite. Con todo, la referida comparecencia deberá celebrarse tanto si la concreta modalidad de expediente la previniera específicamente cuanto en presencia de las relatadas situaciones legalmente arbitradas. La comparecencia se desarrollará en los términos y con las eventualidades que minuciosamente dibuja el art. 18 LJV, teniendo por esquema genérico «*los trámites previstos en la Ley de Enjuiciamiento Civil para la vista del juicio verbal*». Recordemos que toda la tramitación —«*impulso y dirección*» en la integridad de sus hitos y jalones— de los expedientes «*corresponderá a los*» letrados de la Administración de Justicia, *ex* art. 2.3 LJV. Contra las resoluciones interlocutorias que en su curso se vayan dictando cabrá recurso de reposición en los términos prevenidos en la LEC. Si la resolución impugnada se hubiera acordado durante la celebración de la comparecencia, el recurso se tramitará y resolverá «*oralmente en ese mismo momento*» (art. 20.1 LJV).

d) *Eventual oposición*. En este extremo se produce una notable novedad en parangón con la regulación preexistente contenida en el art. 1817 LEC de 1881. Y es que dispone ahora el art. 17.3 II LJV que por formularse oposición «*no se hará contencioso el expediente ni impedirá que continúe su tramitación hasta que sea resuelto*», con la salvedad de «*que la ley expresamente lo prevea*»[19]. En consecuencia, se ha quebrado el tradicional automatismo entre oposición y paso a la Jurisdicción contenciosa, ganando peso en directa relación de causalidad la posibilidad de prosecución del régimen y alcance de la Jurisdicción Voluntaria aun cuando pudiera haber contraposición de pareceres en concurrencia.

Ahora bien, se estima particularmente que esta continuación no acarrea la transformación del expediente, el cual seguirá siendo de Jurisdicción Voluntaria en su tramitación y resolución, con sus subsiguientes efectos (singularmente en lo que a la causación de cosa juzgada concierne, *infra*). El pedimento inicial permanece inmutable. Más aún, esa oposición no determina que la solicitud inicial pase a dirigirse frente a un determinado sujeto, tal cual perentoriamente sucede en el proceso[20]. Por contra, la tu-

---

[19]     Extremo que, concretamente, concurre en estos supuestos: necesidad del asentimiento de los progenitores en la adopción (art. 37 LJV); oposición en expediente de adopción (art. 39.3 LJV); oposición en la remoción de tutor o curador (art. 49.1 LJV) y oposición en los expedientes en que se fije plazo para el cumplimiento de las obligaciones (art. 97.3 LJV).

[20]     «*La acción surge necesariamente como consecuencia de la preexistencia de una relación jurídico-material (…) La acción (…) tan solo se despierta (…) procesalmente, en su posición activa, o se resiste, en su posición pasiva, bien cuando se ha producido un conflicto intersubjetivo o social o bien cuando, sin necesidad de esta controversia previa, una determinada situación jurídica requiere o precisa una concreta tutela judicial*». Entonces, «*la acción sólo se materializa o instrumenta (…) a través del proceso*», si bien «*la realidad de la acción (…) es más amplia que la del proceso*», por lo que «*el proceso es el instrumento de la acción. La acción abarca momentos que alcanzan periodos de tiempo anteriores, presentes y posteriores al proceso (…) Ahora bien, la acción (…) no tiene más realidad que la que el*»

tela interesada sigue siendo idéntica; no confrontada con ninguna otra posición por mucho que aparezca un oponente en forma que solamente podrá aspirar, se entiende, a que quien deba resolver el expediente valore también sus argumentos vertidos en ese curso procedimental.

e) *Resolución y régimen de recursos.* En los cinco días siguientes a contabilizar desde la conclusión de la comparecencia o, de no haberse celebrado, desde la última diligencia practicada, el art. 19.1 LJV ordena que se proceda a la resolución del expediente de Jurisdicción Voluntaria del que se tratara. Dado que el ámbito de la LJV cubre que la resolución se pueda dictar por dos operadores jurídicos diferentes, aunque insertos en la Administración de Justicia, también se bifurca la modalidad de resolución a dictar para cumplir ese trámite resolutorio.

Así las cosas, se dictará auto en aquellos expedientes cuya resolución competa al juez; mientras se dictará decreto en los que sean competencia del letrado de la Administración de Justicia. En ambos casos, de todas maneras, se exige fundamentación jurídica que justifique la determinación que se adopte (cfr. art. 208.2 LEC).

La apuntada bifurcación se propaga también a los medios impugnatorios que cabe interponer contra esas resoluciones definitivas. Considerando la previsión del art. 20.2 LJV, contra el auto del juez cabrá recurso de apelación ante la correspondiente Audiencia provincial, para cuya interposición se legitima a «*cualquier interesado que se considere perjudicado con ella*» y conforme a lo dispuesto en la LEC (reenvío, arts. 455 y ss.). Entre tanto, si la decisión proviniera del letrado de la Administración de Justicia, el decreto dictado podrá ser recurrido en revisión ante el juez competente, asimismo en los términos prevenidos en la LEC (nuevo reenvío, art. 454 *bis*).

Se añade que «*el recurso de apelación no tendrá efectos suspensivos, salvo que la ley expresamente disponga lo contrario*». Nada se indica en relación al recurso de revisión, aunque *mutatis mutandis* entendemos que se produciría igual situación, máxime cuando el art. 454 bis 1 II LEC prevé que «*dicho*

---

*proceso le otorga (…) La acción sin proceso es meramente virtual, una acción en potencia*». En definitiva, «*el objeto del proceso (…) no lo constituye la acción (…) sino la pretensión (…) sea activa (…) o pasiva (…) La pretensión no es un derecho subjetivo sino una mera petición, efectuada ante el órgano judicial, ya sea desde el lado activo (…) ya desde el pasivo (…) con vistas a que éste responda, por el cauce o vía del proceso, de manera motivada, congruente y estable*» (CALAZA LÓPEZ, S: «*El binomio procesal: derecho de acción-derecho de defensa, desde la concepción clásica romana hasta la actualidad*», Madrid, 2011, págs. 44 y ss.).

*recurso carecerá de efectos suspensivos sin que, en ningún caso* —nótese, sin salvedades— *proceda actuar en sentido contrario a lo que se hubiese resuelto».*

f) La cuestión de la *causación de efecto de cosa juzgada.* La resolución de
un expediente de Jurisdicción Voluntaria provoca efecto de cosa juzgada
abortando el planteamiento de otro expediente de esa naturaleza. Lo decidido vinculará necesariamente a cualquier otra actuación o expediente
posterior que resulte *conexo* con aquél. Ahora bien, la resolución de un expediente de Jurisdicción Voluntaria no impide la incoación de un *«proceso
jurisdiccional»,* esto es de Jurisdicción contenciosa, con su mismo objeto,
*«debiendo pronunciarse la resolución que se dicte sobre la confirmación, modifica-
ción o revocación de lo acordado en el expediente de Jurisdicción Voluntaria».* Por
tanto, una resolución firme que culmine un expediente de Jurisdicción Voluntaria no produce efecto de cosa juzgada respecto a la interposición de
una demanda contenciosa y el subsiguiente cauce procesal regulado por la
LEC. La diferenciación entre la causación o no de este efecto fluctúa en
función de que nos hallemos ante el régimen de la LJV o la LEC, de forma
además bastante drástica (cfr. apartados 3 y 4 del art. 19 LJV)[21].

## IV. EL PROCEDIMIENTO DISEÑADO PARA LA DISOLUCIÓN JUDICIAL DE SOCIEDADES

Bien, según anunciábamos, dentro de ese marco y bajo tal sustento normativo, la LJV contempla como expedientes especiales en su Título VIII los
que rotula como *«expedientes de Jurisdicción Voluntaria en materia mercantil»,*
dentro de los cuales su Capítulo V lleva por rúbrica *«De la disolución judicial
de sociedades»,* comprendiendo los arts. 125-128 LJV, ambos inclusive.

Son destacables sus previsiones especiales, por tanto preferentes, prio-
ritarias y excluyentes, en relación al particular. En lo que no se previera
específicamente, habría que acudirse a las normas genéricas de la LJV, singularmente al procedimiento común que se ha implementado y hemos
bosquejado en el anterior apartado —*supra*—.

El *ámbito de aplicación* de este expediente se orienta a la disolución judicial de una sociedad, con la importante modulación consistente en que no

---

[21]   *«Las resoluciones de los expedientes de Jurisdicción Voluntaria no son, por definición, la
       última palabra de nada, pues como la propia Ley expresamente establece en el artículo 19.4,
       pueden ser modificadas en un proceso jurisdiccional posterior»* (VEGAS TORRES, J:
       «Competencia y procedimiento…», *cit.* pág. 161).

desborde «*los casos en que proceda conforme a la ley*» (art. 125 LJV). De otro modo, se produce un *reenvío,* de tal manera que únicamente cabe acudir a sus prevenciones en los supuestos que a su vez la norma legal habilite o haga susceptibles de ser encauzables por este conducto.

La *competencia objetiva* para su conocimiento corresponde al Juzgado de lo Mercantil —cfr. art. 86 ter 2 a) LOPJ—. La *competencia territorial* vendrá atribuida por el lugar de domicilio social de la sociedad de cuya disolución se trate (art. 126.1 LJV). Ha de hacerse notar que en ambas modalidades atributivas de competencia la LJV predispone criterios imperativos —«*corresponderá*», *ius cogens*—. Es decir, no caben fenómenos de disponibilidad o sumisión pactada que los alteren, especialmente en lo que al ámbito territorial respecta.

La *legitimación activa* para instar el procedimiento se entrega a tres tipos de personas: los administradores, los socios y cualquier interesado (art. 126.2 LJV). Queremos resaltar que el criterio aquí adoptado es verdaderamente amplio. No solamente quienes forman parte de la sociedad afectada (socios) o aquéllos que se encargan de su gestión y representación (administradores, cfr. art. 209 del Real Decreto Legislativo 1/2010, de 2 de julio, por el que se aprueba el Texto Refundido de la Ley de Sociedades de Capital, TRLSC) ostentan por volición legal legitimación tendente a iniciar este expediente. La LJV confía idéntica potestad jurídica a «*cualquier interesado*», léase incluyendo a personas ajenas a la estructura de la sociedad afectada.

En lo que se refiere a la postulación, el art. 126.3 LJV dispone que «*en la tramitación de estos expedientes será preceptiva la intervención de abogado y procurador*». Consiguientemente, en esta concreta modalidad de expediente de Jurisdicción Voluntaria se invierte la regla inducida del art. 3.2 LJV, constituyéndose la disolución judicial de sociedades en uno de los que pide asistencia de letrado y representación de procurador (*supra*). La técnico-jurídica especificidad *ratione materiae,* y la indudable transcendencia del objeto del expediente, justifican debidamente, a nuestro entender, el posicionamiento legislativo sobre este extremo.

El expediente habrá de comenzar mediante «*escrito*», según expone el art. 127.1 LJV. Entendemos que tal alusión equivale a la solicitud que, genéricamente, previene el art. 14 LJV. Ahora bien, se le exige un cierto contenido que resulta ser doble: por una parte, «*se hará constar la concurrencia de los requisitos exigidos legalmente para proceder a la disolución judicial de la sociedad*», es decir, justificar la presencia de alguno de los motivos legalmente tipificados como causa de disolución que sean aplicables a la persona jurídica en liza (cfr. pág. ej. art. 363 TRLSC) y, por otra, habrán de acompañarse «*los documentos en que se apoye la solicitud*», por lo que la LJV predefine un momento procedimental concreto en el que han de exhibirse tales soportes. Aún se prevé otro requisito concreto a cumplimentar en este instante: «*cuando la solicitud se presente por un sujeto legitimado distinto de los administradores, se deberá acreditar que se ha procedido a notificar a la sociedad la solicitud de disolución*». Dado que, según se ha expuesto recientemente, el art. 126.2 LJV diseña una vasta legitimación activa para instar este tipo de expediente de Jurisdicción Voluntaria, la cual se extiende a administradores, socios y cualquier interesado, de no haber solicitado los administradores la iniciación del expediente, el activamente legitimado habrá de cumplir en la solicitud la justificación de haber satisfecho este concreto requisito.

Asimismo, en lo que concierne a la *tramitación* procedimental, el art. 127.2 LJV dispone que el letrado de la Administración de Justicia «*dará traslado del escrito* —solicitud— *a los administradores si no hubieran promovido el expediente*», lo cual es congruo a su condición jurídica de representantes de la sociedad. Igualmente, se deberá convocar a una perentoria comparecencia citando tanto a los administradores cuanto a los demás interesados que, conforme a la ley, deban intervenir en el expediente. Entendemos que el desarrollo de tal comparecencia, por supletoriedad interna dentro de la LJV, habrá de aquitarse a lo previsto por el art. 18 LJV. En consecuencia:

– Se celebrará ante el juez, considerando que es el competente para conocer de este expediente que analizamos, dentro de los treinta días siguientes a la admisión de la solicitud.

– Se sustanciará por los trámites previstos en la LEC para el juicio verbal con las modulaciones amparadas por el propio precepto, al que expresamente nos remitimos por considerarlas diáfanas.

Finalmente, la *resolución* del expediente corresponderá al juez, por medio de *auto*, en el plazo de los cinco días siguientes a contar desde la terminación de la comparecencia referida (art. 128.1 LJV). Si el juez declarara disuelta la sociedad, el auto incluiría la designación de las personas que vayan a desempeñar el cargo de liquidadores (cfr. arts. 375 y ss. TRLSC).

En aplicación del art. 20.2 LJV, visto el silencio que se guarda en esta regulación privativa, ha de considerarse a ese auto susceptible de ser recurrido en apelación para ante la correlativa Audiencia provincial que ostente competencia funcional sobre el Juzgado de lo Mercantil que lo hubiera dictado. La legitimación activa para su interposición se endosa a «*cualquier interesado que se considere perjudicado por ella*», con plena remisión a la regulación jurídica de este remedio impugnatorio instaurada por la LEC. Ha de exponerse también que este eventual recurso de apelación se admitirá solamente en un efecto, habida cuenta que «*no tendrá efectos suspensivos, salvo que la ley expresamente disponga lo contrario*», lo cual no sucede en la normación particular de esta modalidad de expediente de Jurisdicción Voluntaria —*supra*—.

Ganada firmeza por la resolución judicial, en el art. 22.1 LJV, con reenvío a los arts. 521 y 522 LEC, se prevé que su ejecución pueda ser instada *ipso facto*, «*pudiéndose en todo caso instar de inmediato la realización de aquellos actos que resulten precisos para dar eficacia a lo decidido*». Ha de subrayarse que la remisión a la LEC se produce a los preceptos que se encargan de reglar cómo ejecutar los pronunciamientos declarativos y constitutivos. Así pues, la resolución que culmina este tipo de expedientes no es apta para albergar un pronunciamiento puramente condenatorio, lo que modula sus efectos y parece refractario a una ejecución forzosa en sentido rigurosamente propio.

Obviamente, aspecto relevante *ratione materiae*, se remitirá al Registro Mercantil que corresponda testimonio de esa resolución judicial para su inscripción. Entendemos que en este punto se excepciona también, con abrigo en la técnica de norma especial de preferente y excluyente aplicación, el criterio genérico del art. 22.2 LJV. Dispone este precepto que si cualquiera de las resoluciones que concluye expedientes a quienes se refiere la LJV fuera inscribible en el Registro Mercantil «*deberá expedirse, a instancia de parte, mandamiento a los efectos de su constancia registral*». En el supuesto que se trata, más bien estimamos que la ley inutiliza que la parte interesada deba instar la expedición de testimonio, debiendo el mismo librarse de oficio. Consideramos lógica la determinación legal, pues se está declarando la extinción de una persona jurídica, lo que afecta al orden público económico y trasciende unos efectos meramente *inter privatos*. La seguridad y publicidad brindada registralmente, pues, ha de quedar en todo caso debidamente aseverada.

## V. APUNTE FINAL

El cierre de estas rápidas consideraciones subjetivas ha de articularse sistemáticamente en dos ejes fundamentales:

– Respecto a la *valoración global de la LJV*, cabe estimar positivamente la normación implementada. El legislador, tras tanto tiempo demorando esta tarea pendiente, ha acometido una regulación con ánimo modernizador y racionalizador, tendente al acompasamiento a los tiempos que corren y a su realidad social de un instrumento que ha de apoyar la gestión y tutela de intereses de distinta índole de forma eficaz y garantista. La LJV es una pieza que el sistema procesal del Derecho Privado precisaba en aras de su plenitud, por lo que su promulgación ha de ser aplaudida. Además, parece que la LJV ha pergeñado un cierto paradigma global, hasta donde ello es posible —y seguramente también conveniente— de lo que puede ser *legislativamente* la Jurisdicción Voluntaria, con respaldo constitucional y en ejercicio de las facultades de diseño volitivo de las que dispone el legislador. Su parcial desjudicialización, la modificación del criterio histórico de su truncamiento por la formulación de oposición, esa peculiar y parcial producción de efecto de cosa juzgada en su curso... son constataciones de los posicionamientos legislativos y de los nuevos enfoques que se parecen querer brindar a la institución *per se*, sujeta a una imprescindible evolución histórica a pesar de las nebulosas que la siguen envolviendo dificultando su indiscutida y nítida conceptuación. De ahí la importancia última de la LJV: a falta de un consenso doctrinal, tenemos un válido dibujo legislativo positivo al que asirnos con más certeza que en el obsoleto esquema precedente, quien ha nacido entre otros factores de la larga experiencia aplicativa de éste.

— Respecto a la *valoración específica del expediente de Jurisdicción Voluntaria para la disolución judicial de sociedades,* también propugnamos los efectos beneficiosos de su implementación. No en vano es posible alcanzar la tutela de los concretos intereses que en él se pueden verter y encauzar con integridad de garantías formales, celeridad, agilidad y prontitud, sin interferir con otras modalidades al efecto existentes y, en cierto modo, concurrentes (pensemos en la vía puramente jurisdiccional). En realidad, lo que el legislador arbitra es un itinerario *complementario* a los fines que se pretenden colmar. Por tanto, se consigue intensificar el instrumental disponible para la salvaguarda de los derechos e intereses en el ámbito del Derecho Privado. Tal inserción denota una modernización indudable, al ofrecerse legislativamente un abanico de modalidades orientadas a culminar esta meta que respalda una sociedad civil madura, con asentada cultura democrática, capaz de no tener que acudir indefectiblemente a la Jurisdicción *stricto sensu* para superar los conflictos y vicisitudes que en su seno surgen, pero sin arriesgar ni un ápice el imprescindible conjunto de formalidades, respaldadas por la autoridad pública (en este caso, nada menos que el juez, aun no en funciones jurisdiccionales).

## Bibliografía

AA.VV. *Curso de Derecho Procesal Civil,* Madrid, 2013.

AA.VV. *Derecho Procesal Civil. El proceso de declaración*, Madrid, 2004.

AA.VV. *Nuevos modelos de gestión del Derecho Privado: Jurisdicción Voluntaria*, Pamplona, 2016.

ALONSO FURELOS, J. M: *Reflexiones sobre la vigente legislación española de la Jurisdicción Voluntaria en su parte general y bases para su reforma*, Madrid, 2012.

CALAZA LÓPEZ, S.: *El binomio procesal: derecho de acción-derecho de defensa, desde la concepción clásica romana hasta la actualidad*, Madrid, 2011.

DÍAZ BARBERO, A: *Estudio práctico de la Ley de Jurisdicción Voluntaria*, Valencia, 2016.

FERNÁNDEZ DE BUJÁN Y FERNÁNDEZ, A. (dir.): *Comentarios a la Ley 15/2015, de Jurisdicción Voluntaria*, Pamplona, 2016.

FERNÁNDEZ DE BUJÁN Y FERNÁNDEZ, A: *Hacia una Teoría general de la Jurisdicción Voluntaria, I*, Madrid, 2007.

GONZÁLEZ POVEDA, P: *Jurisdicción Voluntaria*, Pamplona, 2008.

GUZMÁN FLUJA, V. C: *Jurisdicción Voluntaria y Secretarios Judiciales*, Madrid, 2003.

LIÉBANA ORTIZ, J. R. y PÉREZ ESCALONA, S: *Comentarios a la Ley de Jurisdicción Voluntaria, Ley 15/2015, de 2 de julio*, Pamplona, 2015.

LIÉBANA ORTIZ, J. R: *Fundamentos dogmáticos de la Jurisdicción Voluntaria*, Madrid, 2012.

LIÉBANA ORTIZ, J. R: «Jurisdicción, conciliación y mediación: notas para su delimitación dogmática», *REDUR*, nº 9, 2011.

PICÓ I JUNOY, J: «La desjudicialización y procesalización de la Jurisdicción Voluntaria», en *Especial Nueva Ley de Jurisdicción Voluntaria*, Madrid, 2015.

SERRA DOMÍNGUEZ, M: *Jurisdicción, acción y proceso*, Barcelona, 2008.

# 69. *La cancelación registral y la extinción de las sociedades de capital en la jurisprudencia del Tribunal Supremo de la presente década*[1]

**AURORA MARTÍNEZ FLÓREZ**

*Catedrática de Derecho mercantil Acreditada*
*Universidad Autónoma de Madrid*

**Sumario:** I. INTRODUCCIÓN. II. LA CONTINUACIÓN DE LA SOCIEDAD TRAS LA CAN-CELACIÓN. LA EFICACIA DECLARATIVA DE LA CANCELACIÓN. III. LA (PRETENDIDA) EXTINCIÓN DE LA SOCIEDAD CON LA CANCELACIÓN. LA NECESIDAD DE IMPUGNAR LA CANCELACIÓN PARA CONCLUIR LA LIQUIDACIÓN. IV. LA CONTINUACIÓN DE LA SOCIEDAD TRAS LA CANCELACIÓN. LA TERMINACIÓN DE LA LIQUIDACIÓN SIN NECESIDAD DE IMPUGNAR LA CANCELACIÓN. 1. La inexistencia de paralelismo entre la eficacia (constitutiva) de la inscripción a los efectos de la adquisición y de la pérdida de la personalidad jurídica. 2. La continuación de la personalidad jurídica a los efectos necesarios para concluir la liquidación de la sociedad. 3. La posibilidad de demandar a la sociedad cancelada y de concluir su liquidación sin necesidad de impugnar la inscripción cancelatoria. 4. La eventual necesidad de otras actuaciones para concluir la liquidación de la sociedad cancelada. V. VALORACIÓN DE LA ÚLTIMA DOCTRINA DEL TS. Bibliografía.

## I. INTRODUCCIÓN

En el Derecho vigente la extinción de las sociedades de capital puede tener lugar en el marco del Derecho de sociedades y en el del Derecho concursal; en este último caso cuando se trate de sociedades insolventes declaradas en concurso y cuyo procedimiento concursal termina por liquidación o por insuficiencia de masa (art. 178.3 LC). La extinción por la vía societaria puede ser consecuencia de un procedimiento de modificación estructural de naturaleza traslativa (de una fusión, de una escisión o una cesión global de activo y pasivo) o del procedimiento de disolución y liquidación societaria, regulado en los artículos 360 a 397 del Texto Refundido de la Ley de sociedades de capital de 2010 (en adelante, TRLSC).

---

[1] Este trabajo se enmarca en el Proyecto de Investigación «Organización y reestructuración de grandes empresas. Consideración especial de las reformas del sistema financiero» (DER2014-52014).

La extinción de la sociedad a través del procedimiento de disolución y liquidación societaria exige recorrer un largo camino que comienza con la disolución, continúa con la liquidación y finaliza con la extinción propiamente dicha. La regulación vigente —acogiendo las soluciones establecidas por la LSRL de 1995— exige, para la extinción de la sociedad, el otorgamiento por los liquidadores de una escritura pública de extinción y su inscripción en el Registro Mercantil con la correspondiente cancelación de todos sus asientos registrales (arts. 395 y 396 TRLSC). Pero, a su vez, el otorgamiento de la escritura pública de extinción requiere la concurrencia de determinados presupuestos, que se concretan en la terminación de las operaciones de liquidación material. El artículo 395 establece, en efecto, que la escritura pública de extinción debe contener las siguientes manifestaciones: a) que ha transcurrido el plazo para la impugnación del acuerdo de aprobación del balance final sin que se hayan formulado impugnaciones o que ha alcanzado firmeza la sentencia que las hubiera resuelto, b) que se ha procedido al pago de los acreedores o a la consignación de sus créditos, y c) que se ha satisfecho a los socios la cuota de liquidación o consignado su importe. La consecuencia de ello es que si los liquidadores otorgan la escritura pública de extinción y esta se inscribe en el Registro mercantil sin haber pagado a todos los acreedores o sin haber repartido todos los bienes sociales entre los socios, la extinción de la sociedad no se habrá producido.

Sin embargo, el TRLSC —siguiendo, una vez más, lo establecido por la LSRL de 1995— recoge normas que tratan de dar respuesta a los problemas que se plantean cuando los liquidadores han otorgado la escritura pública de extinción y esta ha sido inscrita en el Registro Mercantil sin haber terminado la liquidación; esto es, sin haber pagado a todos los acreedores sociales, sin haber repartido todo el activo social entre los socios o sin haber formalizado todos los actos de la sociedad (arts. 398 a 400); de manera que carece de sentido preguntarse si en dichos supuestos la sociedad se ha extinguido o no. En efecto, como ha señalado la doctrina más autorizada, si la Ley resuelve los problemas que surgen cuando tras la cancelación registral de la sociedad aparecen relaciones pendientes de la misma, no es precisa la existencia de la sociedad para atender a dichas relaciones. Esto lleva a la doctrina mayoritaria a defender la eficacia constitutiva de la extinción de la inscripción cancelatoria, esto es, a considerar que la inscripción registral extingue la sociedad[2].

---

[2]    V., entre otros, BELTRÁN, «La extinción de la sociedad de responsabilidad limitada y sus consecuencias», *AAMN*, 1997, págs. 446-447; PULGAR, *La cancelación registral de las sociedades de capital*, Madrid, 1998, págs. 56, 70 y 72; ID., «La extinción

Pero las resoluciones judiciales se han encargado de poner de manifiesto la insuficiencia de las normas citadas para resolver todos los problemas que puede llegar a plantear la aparición de relaciones pendientes tras la cancelación registral de la sociedad[3]. En la práctica, los operadores jurídicos y económicos se encuentran, con frecuencia, ante problemas que no tienen una respuesta en la Ley y eso ha llevado a plantearse de nuevo la vieja cuestión de si la sociedad se ha extinguido o no cuando la inscripción cancelatoria tuvo lugar antes de haber terminado la liquidación.

Los problemas que pueden surgir son diversos. El más habitual es el que tiene lugar cuando aparecen acreedores que necesitan, tras la cancelación registral de la sociedad, ejercitar una acción para que se declare su derecho de crédito frente a dicha sociedad, para lo cual es preciso que esta conserve la capacidad para ser parte[4]. Pero pueden surgir otros: por ejemplo, cuando para adquirir bienes sobrevenidos y adjudicarlos a los socios —como establece la Ley: art. 398 TRLSC— es necesario entablar procesos tras la cancelación de la sociedad (por ej., un deudor de la sociedad viene a mejor fortuna, pero se niega a pagar la deuda que tenía contraída con la sociedad cancelada, de manera que es preciso entablar un proceso en nombre de esta). O cuando aparecen activos sociales y la sociedad se

---

de las sociedades de capital: disolución, liquidación y cancelación registral», *RdS*, 2011, núm. 36, págs. 224, 225, 227; SACRISTÁN, *La extinción por disolución de la sociedad de responsabilidad limitada*, Madrid 2003, pág. 266; SOLER, en Arroyo/Embid/Górriz (coord.), *Comentarios a la Ley de sociedades de responsabilidad limitada*, (2ª ed.), Madrid, 2009, págs. 1338-1339, 1346; LARA, «La extinción de la sociedad», en Rojo/Beltrán (dir.), *La liquidación de las sociedades mercantiles*, (2ª. ed.), Valencia, 2012, págs. 298 y 303-305; FLAQUER, «Extinción de la sociedad anónima y desaparición de su personalidad jurídica (Comentario a la Sentencia del Tribunal Supremo de 25 de julio de 2012)», *RdS*, 2013, Núm. 40, pág. 15 (de la versión *on line*). En un sentido semejante PILOÑETA, en Rojo/Beltrán (dir.), *Comentario de la Ley de Sociedades de capital*, II, Cizur Menor, 2011, pág. 2719.

[3] También algunos autores se percataron ya hace varios años de que las normas sobre activo y pasivo sobrevenido y sobre formalización de los actos de la sociedad, incluidas entonces en la LSRL, podían ser insuficientes para resolver todos los problemas de las relaciones jurídicas pendientes (v. SOLER, en Arroyo/Embid/Górriz (coord.), *Comentarios*, pág. 1346; y MERCADAL, en Arroyo/Embid/Górriz, coord., *Comentarios a la Ley de Sociedades Anónimas*, II, (2ª ed.), Madrid, 2009, pág. 2770).

[4] Este es el problema que se ha planteado en las cuatro últimas sentencias del TS, a las que se va a hacer referencia con posterioridad; en dos de ellas, la reclamación la planteaban acreedores de la sociedad cancelada por daños derivados de la construcción inmobiliaria.

había cancelado sin haber satisfecho a todos los acreedores (en cuyo caso los bienes no pueden adjudicarse a los socios como indica la Ley). O en los supuestos en los que aparece pasivo y los *socios no hubieran recibido cuota de liquidación* y tampoco pueda exigirse responsabilidad a los liquidadores o ésta sea insuficiente, etc.

Tras las numerosas publicaciones que siguieron a la aprobación de la LSRL de 1995, la doctrina ha dispensado al tema una atención mucho menor[5]. Sin embargo, los jueces y tribunales se han visto obligados a seguir lidiando con él y lo han hecho, en buena medida, acogiendo las soluciones que habían sido patrocinadas por la doctrina en el período comprendido entre la aprobación de la LSA de 1951 y la de LSRL de 1995, en un momento en el que las normas reguladoras de las sociedades de capital *no contenían norma alguna para resolver el problema de las relaciones jurídicas aparecidas tras la cancelación registral.*

## II. LA CONTINUACIÓN DE LA SOCIEDAD TRAS LA CANCELACIÓN. LA EFICACIA DECLARATIVA DE LA CANCELACIÓN

En efecto, tras la promulgación del TRLSC —que extiende a todas las sociedades de capital las normas recogidas en la LSRL de 1995 para las SRL— el TS se enfrentó con un problema de pasivo sobrevenido (acreedores que demandaban a la sociedad cancelada para que se declararan sus derechos de crédito frente a dicha sociedad) que no encontraba solución en esas normas en la Sentencia de 27 de marzo de 2011 (relativa a una SRL), de la cual fue ponente Arroyo Fiestas. En ella el Alto Tribunal se decanta por la tradicional tesis de la eficacia declarativa de la cancelación registral

---

[5]   Al margen de la manualística, han sido pocos los trabajos que se han ocupado del tema en profundidad en los últimos años y los que lo han hecho se han limitado, con alguna excepción, a secundar la posición mantenida por la doctrina mayoritaria tras la aprobación de la LSRL de 1995. Entre esas excepciones destacan los trabajos de MARTÍNEZ FLÓREZ/RECALDE CASTELLS, «Los efectos de la cancelación registral en relación con la extinción de las sociedades de capital», *Liber amicorum Juan Luis Iglesias*, Cizur Menor, 2014, págs. 705 y ss., publicado también en *RDM*, 2013, Núm. 290, págs. 171 y ss.; y de MARTÍNEZ FLÓREZ, «Sobre las vías de solución al problema de las relaciones jurídicas pendientes tras la cancelación de las sociedades de capital», *Estudios jurídicos en memoria del profesor Emilio Beltrán*, I, Valencia, 2015, págs. 869 y ss.

y afirma que la sociedad cancelada que no terminó su liquidación continúa manteniendo su personalidad jurídica hasta la finalización de la liquidación y en la medida precisa para concluirla; y que la inscripción en el Registro Mercantil tiene eficacia meramente declarativa de una extinción ya producida. El TS acoge —como se ha indicado— la solución patrocinada por un autorizado sector doctrinal[6]; pero existe una diferencia importante entre la posición mantenida por ese sector y la STS: mientras aquel considera que, ante la inexistencia de normas que resolvieran el problema, para poder acoger la demanda presentada por los acreedores insatisfechos y terminar la liquidación es preciso que dichos acreedores ejerciten una acción de nulidad frente a las operaciones de liquidación y frente a la cancelación registral y que soliciten la reapertura de la liquidación[7], el TS no se manifiesta sobre esa necesidad, limitándose a afirmar que la sociedad sigue existiendo a los efectos de terminar su liquidación[8]. Esta doctrina es

---

[6]  V. GIRÓN, *Derecho de sociedades anónimas,* Valladolid 1952, pág. 595; ID., *Derecho de sociedades. Parte general y sociedades personalistas,* Madrid 1976, págs. 348-349 y 716; CARLÓN, «La extinción de la sociedad anónima», *RDP,* 1970, págs. 124 y 128; DE LA CUESTA, «Remedios de los acreedores sociales insatisfechos en la liquidación de sociedad anónima y promesa de sus socios de asumir deudas sociales; comentario a STS 10.11.1981», *La Ley* 1982, págs. 191 y 197. Recientemente se ha pronunciado en favor de la tesis de la eficacia declarativa de la cancelación ROJO, voz «Presupuesto subjetivo», en Beltrán/García-Cruces (dir.), *Enciclopedia de derecho concursal,* II, Cizur Menor, 2012, pág. 2308.

[7]  Vid. los autores citados en la nota anterior.

[8]  En efecto, señala la Sentencia que «en algunos casos, la personalidad jurídica de las sociedades mercantiles no concluye con la formalización de las operaciones liquidatorias, sino cuando se agotan todas sus relaciones jurídicas, debiendo, mientras, responder de las obligaciones antiguas no extinguidas y de las obligaciones sobrevenidas (Resolución Dirección General de los Registros y del Notariado, Resolución de 13 May. 1992)». «Como reiteradamente ha venido declarando el referido Centro, *la cancelación de los asientos registrales de una sociedad es una mera fórmula de mecánica registral que tiene por objetivo consignar una determinada vicisitud de la sociedad (en el caso debatido, que ésta se haya disuelto de pleno derecho), pero que no implica la efectiva extinción de su personalidad jurídica, la cual no se produce hasta el agotamiento de todas las relaciones jurídicas que la sociedad entablara (Cfr. arts. 121 y 123 LSRL,* 228 CC *y 274.1, 277.2 y 280 a y disp. trans. 6.ª2 LSA).* Dirección General de los Registros y del Notariado, Resolución de 27 Dic. 1999». «En este mismo sentido, esta Sala viene refiriéndose a esta situación como de *"personalidad controlada"* en sentencias de 4-6-2000 y 10-3-2001». «Como establece la doctrina más autorizada al no haberse concluido el proceso liquidatorio en sentido sustancial, aunque sí formal, los liquidadores continuarán como tales y deberán seguir representando a la sociedad mientras surjan obligaciones pendientes o sobrevenidas, máxime cuando *la inscripción de cancelación en el Registro Mercantil, no tiene efecto constitutivo,*

reiterada por la sentencia del mismo TS de 20 de marzo de 2013 (y con el mismo ponente: Arroyo Fiestas), referida en este caso a una SA, y es la defendida igualmente por la DGRN[9].

## III. LA (PRETENDIDA) EXTINCIÓN DE LA SOCIEDAD CON LA CANCELACIÓN. LA NECESIDAD DE IMPUGNAR LA CANCELACIÓN PARA CONCLUIR LA LIQUIDACIÓN

Sin embargo, en la sentencia de 25 de julio de 2012 (ponente Salas Carceller) —relativa a una SA y cuyos hechos se desarrollan bajo la vigencia del TRLSA— el TS, siguiendo a otro autorizado sector doctrinal[10], cambia de criterio y acoge, apoyándose tanto en el TRLSA de 1989 como en el

---

*sino meramente declarativo*». «En resumen, no se viola en la sentencia recurrida el art. 109 de la LSRL, pues el mismo debe ser interpretado en relación con el art. 123 del mismo texto legal, en la redacción vigente en la fecha de autos, y 228 del C. de Comercio, lo que da como resultado *la pervivencia de la personalidad jurídica de la sociedad liquidada, solo para atender a las relaciones pendientes*».

9    Vid. la RDGRN de 14 de diciembre de 2016 que reitera la doctrina de numerosas Resoluciones anteriores (entre otras, las de 13 y 20 de mayo de 1992, 15 de febrero de 1999, 14 de febrero de 2001, 29 de abril de 2011 y 17 de diciembre de 2012).

10   Así URÍA, en Garrigues/Uría (dir.), *Comentarios Ley de Sociedades Anónimas*, (2ª ed.), Madrid, 1976, pág. 912; URÍA/MENÉNDEZ/BELTRÁN, en Uría/Menéndez/Olivencia (dir.), *Comentario al régimen legal de la sociedades mercantiles*, XI, Madrid, 1992, pág. 207; DE LA CÁMARA, «Los efectos de la disolución», en *Estudios de Derecho Mercantil*, II, Madrid 1977, 659 y ss.; DE EIZAGUIRRE, *Disolución y liquidación*, en Sánchez Calero (dir.), *Comentarios Ley de Sociedades de Anónimas, T VIII*, Madrid, 1993, pág. 225. Esta interpretación ha sido defendida también por algunos autores bajo la vigencia del TRLSC, un Texto que —como se ha indicado— sí recoge normas de protección de los socios y de los acreedores tras la inscripción cancelatoria de la sociedad (v. ALFARO, http://derechomercantilespana. blogspot.com.es/2014/03/efectos-de-la-cancelacion-registral-en.html, pero debe advertirse que, a raíz de la réplica realizada por MARTÍNEZ FLÓREZ/RECALDE CASTELLS en «De nuevo sobre los efectos de la cancelación registral respecto de la extinción de la sociedad» http://derechomercantilespana.blogspot. com.es/2014/11/de-nuevo-sobre-los-efectos-de-la.html, dicho autor ha cambiado posteriormente de criterio, afirmando literalmente que la tesis que sostiene en dicha entrada «está equivocada» (http://derechomercantilespana.blogspot.com. es/2014/03/efectos-de-la-cancelacion-registral-en.html); en una línea semejante a la inicialmente patrocinada por ALFARO parece situarse GORRIZ, «Actualidad de Derecho Mercantil», http://blogs.uab.cat/dretmercantil/2013/05/08/cancelacion-registral-y-pervivencia-de-personalidad/).

TRLSC, la *tesis de la naturaleza constitutiva de la cancelación registral, pero sin efectos sanatorios de los defectos de la liquidación*. En efecto, esta Sentencia afirma —ante el mismo problema planteado en las Sentencias citadas en el apartado anterior— que la cancelación registral extingue la sociedad, pero esa cancelación no sana los defectos de la liquidación; de manera que si la sociedad se hubiera cancelado sin haber terminado la liquidación, los interesados (en este caso los acreedores) podrán pedir, de conformidad con las reglas generales, la nulidad de la cancelación y la reapertura de la liquidación. Pero, *para que los acreedores puedan demandar a la sociedad cancelada solicitando la declaración y la satisfacción de sus créditos, es preciso que al mismo tiempo pidan la nulidad de la cancelación registral*.

El argumento fundamental utilizado por esa Sentencia —y por el sector doctrinal al que sigue— para defender la eficacia constitutivo-extintiva de la inscripción cancelatoria es que, como la sociedad de capital adquiere su personalidad jurídica con la inscripción de su escritura de fundación en el Registro Mercantil, correlativamente dicha sociedad pierde la personalidad con la inscripción cancelatoria en el citado Registro[11].

---

[11]   Esa sentencia afirma que «[l]a cancelación de los asientos registrales señala el momento de extinción de la personalidad social. Si la sociedad anónima adquiere su personalidad jurídica en el momento en que se inscribe en el Registro (art. 7 TRLSA), correlativamente la cancelación de las inscripciones referentes a la entidad debe reputarse como el modo de poner fin a la personalidad que la Ley le confiere. Una sociedad liquidada y que haya repartido entre los socios el patrimonio social, es una sociedad vacía y desprovista de contenido, aunque resulta necesaria la cancelación para determinar de modo claro, en relación con todos los interesados, el momento en que se extingue la sociedad». «Sin embargo, como resulta obvio, la cancelación no tiene carácter sanatorio de los posibles defectos de la liquidación. La definitiva desaparición de la sociedad sólo se producirá cuando la cancelación responda a la situación real; o sea, cuando la sociedad haya sido liquidada en forma y no haya dejado acreedores insatisfechos, socios sin pagar ni patrimonio sin repartir. En otro caso, los socios y los acreedores podrán lógicamente, conforme a las normas generales, *pedir la nulidad de la cancelación y la reapertura de la liquidación*, para interesar al tiempo la satisfacción de su crédito, demandado en todo caso a aquellos que hubieren propiciado una indebida cancelación de la inscripción de la sociedad. Lo que no resulta conforme a lo ya razonado es que se demande, sin más, a una sociedad que carece de personalidad jurídica sin pretender al mismo tiempo que la recobre». «Apoyan tales conclusiones tanto el anterior TR de la *Ley de Sociedades Anónimas* como la nueva *Ley de Sociedades de Capital* (TR aprobado por RDLeg. 1/2010, de 2 de julio)».
El citado paralelismo entre la inscripción de la escritura de constitución y la deb-extinción ha sido afirmado, entre otros, por URÍA, en Garrigues/Uría (dir.), *Comentarios*, pág. 912; BELTRÁN, *AAMN*, 1997, págs. 446-447; URÍA/MENÉNDEZ/

Sin entrar ahora en las críticas que suscita este último argumento (v. *infra*), es necesario señalar que, en el fondo, esta Sentencia (al igual que la doctrina a la que sigue) no defiende, en rigor, que la cancelación registral extinga la sociedad: la inscripción cancelatoria por sí sola es insuficiente para extinguir la sociedad; la inscripción sólo pone fin a la sociedad si previamente se han terminado las operaciones de liquidación material[12]. Si la liquidación no se había terminado en el momento de la inscripción cancelatoria en el Registro, existirán defectos en la liquidación y los acreedores deberán pedir la nulidad de la cancelación y la reapertura de la liquidación para ver satisfechos sus derechos. *El reconocimiento de una acción de nulidad frente a la inscripción cancelatoria supone, en el fondo, negar efecto extintivo a la cancelación,* porque la inscripción realmente no produce la extinción[13].

## IV. LA CONTINUACIÓN DE LA SOCIEDAD TRAS LA CANCELACIÓN. LA TERMINACIÓN DE LA LIQUIDACIÓN SIN NECESIDAD DE IMPUGNAR LA CANCELACIÓN

El TS ha vuelto a pronunciarse sobre el mismo problema (acreedor que demanda a la sociedad cancelada para que se declare su derecho de crédito frente a dicha sociedad) en la reciente Sentencia del Pleno de la Sala Primera de 24 de mayo de 2017, relativa a una SA (ponente: Sancho Gargallo). En esta Sentencia el Alto Tribunal ratifica la doctrina de las Sentencias de 27 de diciembre de 2011 y de 20 de marzo de 2013, afirmando que la sociedad sigue teniendo personalidad jurídica tras la cancelación cuando esta se produjo sin haber terminado la liquidación y, por lo tanto, *conserva la capacidad para ser parte como demandada.* Pero, además de ratificar que la cancelación registral por sí sola carece de eficacia constitutiva respecto de la extinción de la personalidad jurídica, la Sentencia da un paso importan-

---

BELTRÁN, en Uría/Menéndez/Olivencia (dir.), *Comentario*, XI, pág. 207; URÍA/MENÉNDEZ/BELTRÁN, en Uría/Menéndez/Olivencia (dirs.), *Comentario régimen legal de las sociedades mercantiles*, T. XIV. 4°, *Disolución y liquidación de la sociedad de responsabilidad limitada*, Madrid 1998, pág. 311; LARA, en Rojo/Beltrán (dir.), *La liquidación*, pág. 305; PULGAR, «Extinción y cancelación de sociedades de capital sin activo», *RdS*, 2013, Núm. 41, pág. 48. Así también PILOÑETA, en Rojo/Beltrán, *Comentario*, II, 2718, aunque luego matiza esa idea.

[12]   Pone de manifiesto la contradicción en la que incurre la Sentencia FLAQUER, *RdS*, 2013, Núm. 40, pág. 2 (versión *on line*).

[13]   Vid. POSITANO, *L'estinzione della società per azioni fra tutela del capitale e tutela del credito*, Milano, 2012, págs. 32, 33 y 140 y ss. con otras referencias.

te en la línea en la que lo había hecho un reciente sector doctrinal[14], eliminando los obstáculos que suponía la doctrina de la sentencia de 2012 (y la de los autores a los que dicha sentencia seguía) para que los acreedores insatisfechos de la sociedad cancelada pudieran reclamar el cobro de sus créditos a la sociedad cancelada. Y, al mismo tiempo, pone de manifiesto las deficiencias de la doctrina de la sentencia de 25 de julio de 2012 desde el punto de vista dogmático.

## 1. La inexistencia de paralelismo entre la eficacia (constitutiva) de la inscripción a los efectos de la adquisición y de la pérdida de la personalidad jurídica

En efecto, en su última Sentencia, el TS niega la existencia de un paralelismo entre la eficacia de la inscripción en el Registro Mercantil de la escritura de constitución de la sociedad de capital y la de la escritura de extinción de la misma a los efectos de la adquisición y de la extinción respectivamente de la personalidad jurídica[15]. Recuérdese que este paralelismo se afirmó por la STS de 2012, de acuerdo con lo que había sostenido un autorizado sector doctrinal bajo la vigencia de la LSA y del TRLSA[16]. En la Sentencia de 24 de mayo de 2017, el TS indica que la afirmación de que las sociedades de capital adquieren su personalidad jurídica con la inscripción de la escritura de constitución y que la pierden con la inscripción de la escritura de extinción *no es del todo exacta*. Por un lado, señala —reiterando lo que hoy constituye doctrina asentada— que si bien la inscripción de la escritura de constitución de la sociedad es precisa para adquirir la personalidad jurídica propia del tipo social elegido (de SA, de SRL: v. art. 33 TRLSC), *no lo es* para que la sociedad adquiera cualquier grado de personalidad jurídica[17], en cuyo caso habrá de estarse al régimen de la sociedad en formación o, eventualmente, de la sociedad irregular. La sociedad no inscrita tiene cierto grado de personalidad jurídica (v. art. 37 TRLSC) y, por ello, goza de capacidad para ser parte. Y, por otro lado, tras la inscripción de la escritura de extinción y la cancelación de los asientos registrales,

---

14 V. MARTÍNEZ FLÓREZ/RECALDE CASTELLS, *Liber amicorum Juan Luis Iglesias*, Cizur Menor, 2014, págs. 729 y ss.; MARTÍNEZ FLÓREZ, *Estudios jurídicos en memoria del profesor Emilio Beltrán*, I, págs. 869 y ss.

15 Así lo habían hecho con anterioridad también MARTÍNEZ FLÓREZ/RECALDE CASTELLS, *Liber amicorum Juan Luis Iglesias*, págs. 705 y ss.

16 Vid. *supra.*

17 Vid. para las referencias al respecto MARTÍNEZ FLÓREZ/RECALDE CASTELLS, *Liber amicorum Juan Luis Iglesias*, pág. 706.

la sociedad conserva la personalidad jurídica respecto de las reclamaciones pendientes basadas en pasivos sobrevenidos que deberían haber formado parte de las operaciones de liquidación. A los efectos relacionados con la liquidación de la sociedad, esta sigue teniendo personalidad jurídica y, por ello, capacidad para ser demandada. Las reclamaciones de los acreedores para que se reconozcan judicialmente sus créditos pueden y deben dirigirse contra la sociedad, que, a estos efectos, sigue gozando de personalidad jurídica[18].

---

[18]    La Sentencia citada señala textualmente que *«[a]unque con carácter general suele afirmarse que las sociedades de capital adquieren su personalidad jurídica con la inscripción de la escritura de constitución y la pierden con la inscripción de la escritura de extinción, esto no es del todo exacto.* En el caso de las sociedades de capital, anónimas y limitadas, tanto bajo la actual Ley de Sociedades de Capital, como bajo las anteriores leyes de sociedades anónimas y de sociedades de responsabilidad limitada, la inscripción en el Registro Mercantil de la escritura de constitución es y era necesaria para adquirir la personalidad jurídica propia del tipo social elegido. En este sentido se expresa el actual art. 33 LSC, cuando regula los efectos de la inscripción, y antes lo hacía el art. 7.1 LSA. Pero la falta de inscripción de la escritura de constitución no priva de personalidad jurídica a la sociedad, sin perjuicio de cuál sea el régimen legal aplicable en función de si se trata de una sociedad en formación o irregular. En uno y en otro caso, tienen personalidad jurídica y consiguientemente gozan de capacidad para ser parte conforme al art. 6.1.3º LEC». «Por otra parte, *aunque la inscripción de la escritura de extinción y la cancelación* de todos los asientos registrales de la sociedad extinguida *conlleva, en principio, la pérdida de su personalidad jurídica, en cuanto que no puede operar en el mercado como tal, conserva esta personalidad respecto de reclamaciones pendientes basadas en pasivos sobrevenidos, que deberían haber formado parte de las operaciones de liquidación. A estos efectos, relacionados con la liquidación de la sociedad, esta sigue teniendo personalidad, y por ello capacidad para ser parte demandada.* En otros términos, empleados por la Dirección General de los Registros y del Notariado, "después de la cancelación persiste todavía la personalidad jurídica de la sociedad extinguida como centro residual de imputación en tanto no se agoten totalmente las relaciones jurídicas de que la sociedad es titular" (Resolución de 14 de diciembre de 2016)». «La Ley de Sociedades Anónimas de 1989, aplicable al caso, si bien no hace expresa referencia al otorgamiento de la escritura de extinción y a su inscripción en el Registro Mercantil, en su art. 278 prevé la cancelación registral de los asientos referentes a la sociedad, una vez concluida su liquidación: "Aprobado en el Balance final, los liquidadores deberán solicitar del Registrador mercantil la cancelación de los asientos referentes a la Sociedad extinguida y depositar en dicho Registro los libros de Comercio y documentos relativos a su tráfico". La Ley de Sociedades de Capital de 2010, al igual que la Ley de Sociedades de Responsabilidad Limitada de 1995, prevé que el liquidador otorgue una escritura pública de extinción (art. 395 LSC), que contendrá las siguientes manifestaciones: "a) Que ha transcurrido el plazo para la impugnación del acuerdo de

aprobación del balance final sin que se hayan formulado impugnaciones o que ha alcanzado firmeza la sentencia que las hubiera resuelto. b) Que se ha procedido al pago de los acreedores o a la consignación de sus créditos. c) Que se ha satisfecho a los socios la cuota de liquidación o consignado su importe". Además, el apartado 2 del art. 395 LSC dispone: "A la escritura pública se incorporarán el balance final de liquidación y la relación de los socios, en la que conste su identidad y el valor de la cuota de liquidación que les hubiere correspondido a cada uno". Esta última previsión tiene importancia para poder hacer efectiva la responsabilidad de los antiguos socios respecto de los pasivos sobrevenidos (art. 399 LSC). En cualquier caso, el art. 396 LSC prevé la inscripción registral de la escritura de extinción, en la que se "transcribirá el balance final de liquidación y se hará constar la identidad de los socios y el valor de la cuota de liquidación que hubiere correspondido a cada uno de ellos, y se expresará que quedan cancelados todos los asientos relativos a la sociedad". *Ya sea bajo la Ley de Sociedades Anónimas, ya sea bajo la Ley de Sociedades de Capital* que, como hemos visto, completa el régimen de extinción de las sociedades anónimas, *aunque formalmente la cancelación de los asientos registrales relativos a la sociedad conlleva su extinción, no podemos negarle cierta personalidad jurídica respecto de reclamaciones derivadas de pasivos sobrevenidos.* Estas reclamaciones presuponen que todavía está pendiente alguna operación de liquidación. Es cierto que la actual Ley de Sociedades de Capital, en su art. 399, prevé la responsabilidad solidaria de los antiguos socios respecto de las deudas sociales no satisfechas hasta el límite de sus respectivas cuotas de liquidación, en caso de pasivos sobrevenidos. En muchos casos, para hacer efectiva esta responsabilidad, no será necesario dirigirse contra la sociedad. Pero reclamaciones como la presente, sin perjuicio de que acaben dirigiéndose frente a los socios para hacer efectiva la responsabilidad solidaria hasta el límite de sus respectivas cuotas de liquidación, pueden requerir de un reconocimiento judicial del crédito, para lo cual resulte conveniente dirigir la demanda frente a la sociedad. *En estos supuestos, en que la reclamación se basa en que el crédito reclamado debería haber formado parte de la liquidación,* y que por lo tanto la practicada no es definitiva, *no sólo no debemos negar la posibilidad de que pueda dirigirse la reclamación frente a la sociedad sino que, además, no debemos exigir la previa anulación de la cancelación y la reapertura formal de la liquidación.* De este modo, no debe privarse a los acreedores de la posibilidad de dirigirse directamente contra la sociedad, bajo la representación de su liquidador, para reclamar judicialmente el crédito, sobre todo cuando, en atención a la naturaleza del crédito, se precisa su previa declaración. Dicho de otro modo, *a estos meros efectos de completar las operaciones de liquidación, está latente la personalidad de la sociedad, quien tendrá capacidad para ser parte como demandada,* y podrá estar representada por la liquidadora, en cuanto que la reclamación guarda relación con labores de liquidación que se advierte están pendientes. Además, el art. 400 LSC atribuye esta representación a los (antiguos) liquidadores para la formalización de actos jurídicos en nombre de la sociedad, tras su cancelación. De ahí que ratifiquemos la posición contenida en las sentencias de esta sala de 979/2011, de 27 de diciembre, y 220/2013, de 20 de marzo, y entendamos que la sociedad demandada gozaba de capacidad para ser parte en este concreto pleito, en el que se reclama la reparación del perjuicio su-

Si se miran bien las cosas, el paralelismo se produce precisamente en sentido contrario al afirmado por la STS de 2012: ni la inscripción de la escritura de constitución de la sociedad crea la personalidad jurídica, ni la inscripción de la escritura de extinción de la sociedad extingue necesariamente la personalidad jurídica. Dicho con otras palabras, la sociedad existe antes de la inscripción registral y sigue existiendo después de la cancelación registral si no terminó su liquidación[19]. Algo que es absolutamente coherente con la idea de que la inscripción en el Registro es meramente declarativa, a no ser que la Ley establezca lo contrario, cosa que no hace en este supuesto. No existe precepto alguno que diga que la inscripción cancelatoria produzca la extinción de la sociedad. Las mismas razones que demandan cierta personificación antes de que la sociedad se inscriba (una personalidad de carácter provisional y con relación a sus fines formativos), pueden reclamar la subsistencia de esa subjetivación una vez que la sociedad se cancela, incluso aunque se trate de una personalidad residual a los meros efectos liquidativos.

## 2. La continuación de la personalidad jurídica a los efectos necesarios para concluir la liquidación de la sociedad

En efecto, el TS afirma —y este es el segundo aspecto que debe ser destacado en la Sentencia de 24 de mayo de 2017— que *la sociedad cancelada* que tiene pasivos insatisfechos *sigue existiendo* y teniendo personalidad jurídica y, consecuentemente, capacidad para ser parte como demandada.

El rechazo de la extinción de la sociedad con la cancelación registral permite eludir los problemas que plantearía dicha extinción. La desaparición de la sociedad conduciría a considerar los activos sobrevenidos de la sociedad como «*res nullius*» y conllevaría la extinción de los derechos de los acreedores; o bien a entender, como ha señalado otro sector doctrinal, que se produce una sucesión universal de los socios en la posición de la sociedad, de manera que en caso de activos sobrevenidos se constituiría una comunidad de bienes entre los socios[20], con los correspondientes proble-

---

frido por un cumplimiento defectuoso de las obligaciones contractuales asumidas por la sociedad frente a la demandante» (la cursiva es nuestra).

[19]  En términos semejantes se pronunciaban ya MARTÍNEZ FLÓREZ/RECALDE CASTELLS, *Liber amicorum Juan Luis Iglesias*, págs. 706-707.

[20]  La tesis de la sucesión universal ha tenido y sigue teniendo predicamento en la doctrina y en la jurisprudencia italianas (v., por todos, POSITANO, *L'estinzione*, págs. 71 y ss. con numerosas referencias doctrinales y jurisprudenciales) y en una

mas de concurrencia de los eventuales acreedores sociales con los acreedores particulares de los socios (una concurrencia que resultaría contraria a las normas societarias, que exigen la satisfacción de los acreedores de la sociedad antes de la recepción del patrimonio social por los socios)[21]. En el supuesto planteado en la Sentencia que ahora se comenta (de pasivos sobrevenidos que precisan de reconocimiento judicial), la extinción de la sociedad y la sucesión de los socios en la posición de la misma supondría que *los acreedores sociales tendrían que demandar a todos los socios*[22], entre los cuales se constituiría un litisconsorcio pasivo necesario (al menos cuando se pretendiera exigir el pago a todos los socios que recibieron cuota de liquidación, puesto que sólo se podría condenar al pago a los socios que fueron llamados al proceso dirigido a la declaración del derecho de crédito). Esta solución es muy compleja y podría suscitar importantes dificultades tanto para los acreedores como para los propios socios. Baste pensar aquí, en primer lugar, en los supuestos en los que las sociedades canceladas tuvieran un elevado número de socios, los cuales, en cuanto litisconsortes, podrían actuar en el proceso con representación y defensa técnica separada, formulando alegaciones, proponiendo pruebas, etc.[23]. En segundo lugar, la tramitación del proceso con los socios, como sucesores de la sociedad, podría ser perjudicial para ellos, especialmente cuando

---

parte de la doctrina alemana (v. HUFFER, «Das Ende der Rechtspersönlichkeit von Kapitalgesellchaften. Überlegungen zur konstitutiven Wirkung von Gesellchaftslöschung und zur Zuordnung von Restvermögen», *Gedächtnisschrift Schultz*, 1987, págs. 106 y ss. con otras referencias). La doctrina española no se pronuncia expresamente en favor de la sucesión universal de los socios, pero existe un sector que considera que en caso de aparición de activos sobrevenidos surge entre los socios una comunidad de bienes (v., entre otros, PAZ-ARES, en Uría/Menéndez (dir.), *Curso de Derecho Mercantil I*, 2ª ed., Cizur Menor, 2006, pág. 740; PULGAR, *La cancelación*, págs. 70 y ss.; MUÑOZ PÉREZ, *El proceso de liquidación de la sociedad anónima*, Cizur Menor, 2002, pág. 641; SACRISTÁN, *La extinción*, pág. 272). En el mismo sentido ALFARO, en http://derechomercantilespana.blogspot.com. es/2014/03/efectos-de-la-cancelacion-registral-en.html, si bien, como se ha señalado, este autor ha cambiado de criterio (v. http://derechomercantilespana. blogspot.com.es/2014/03/efectos-de-la-cancelacion-registral-en.html).

[21] Vid. para más detalles MARTÍNEZ FLÓREZ/RECALDE CASTELLS, *Liber amicorum Juan Luis Iglesias*, 2014, págs. 708 y ss.

[22] Una solución que es seguida por una buena parte de la doctrina y de la jurisprudencia italianas (v. las referencias en MARTÍNEZ FLÓREZ/RECALDE CASTELLS, *Liber amicorum Juan Luis Iglesias*, 2014, pág. 724, nota 75).

[23] Vid. ORTELLS, en Ortells (dir.), *Derecho procesal civil*, (11ª ed.), Cizur Menor, 2012, pág. 214; BANACLOCHE, en De la Oliva/Díez-Picazo/Vegas/Banacloche, *Comentarios a la Ley de Enjuiciamiento civil*, Madrid, 2001, pág. 103.

hubieran permanecido ajenos a la gestión social, puesto que podrían no estar en condiciones de defenderse. Pero también si fueran condenados a realizar prestaciones cuya ejecución le resultara gravosa (piénsese, por ej., en el supuesto abordado en la Sentencia que ahora se comenta, que se condenara a los socios a reparar los defectos de la construcción). Todo ello sin olvidar que la sucesión de los socios en la posición de la sociedad podría conducir a la vulneración de la regla de la limitación de la responsabilidad de los socios por las deudas sociales, por la vía de la condena a estos al pago de las costas y de los gastos de la defensa y representación procesal[24]. Además, cuando los socios no hubieran recibido cuota de liquidación, la iniciación del proceso para que se declarara el derecho de crédito de los acreedores frente a los mismos sería inútil, porque no responden de las deudas sociales. En tales casos, la declaración del derecho de crédito sólo tendría sentido frente a la sociedad y en la medida en que aparecieran activos sobrevenidos de la misma o se declarara el concurso de la sociedad cancelada, lo cual no puede hacerse si esta no tiene personalidad jurídica (art. 1 LC).

La no extinción de la personalidad jurídica de la sociedad cancelada con pasivos insatisfechos se extrae con meridiana claridad del artículo 395 del TRLSC. Este precepto exige el pago a los acreedores para el otorgamiento de la escritura pública de extinción que debe inscribirse en el Registro Mercantil; de manera que si la escritura pública se otorgó y se inscribió en el Registro Mercantil sin haber satisfecho a todos los acreedores, la sociedad no se habrá extinguido. La citada sociedad *conserva la personalidad jurídica*. La terminación de la liquidación material constituye un elemento integrante del supuesto de hecho extintivo[25].

Ahora bien, es importante resaltar que —como había venido señalando de forma reiterada la DGRN y las SSTS de 2011 y de 2013— el mantenimiento de la personalidad jurídica no es a cualquier efecto, sino únicamente *a los efectos precisos para terminar la liquidación*; «a los meros efectos de completar las operaciones de liquidación» afirma el TS. La sociedad no sigue existiendo a otros efectos[26]. Se trata de un aspecto importante, porque la

---

[24]    V. MARTÍNEZ FLÓREZ/RECALDE CASTELLS, *Liber amicorum Juan Luis Iglesias*, 2014, págs. 726-727; MARTÍNEZ FLÓREZ, *Estudios jurídicos en memoria del profesor Emilio Beltrán*, I, págs. 877-878.

[25]    *Cfr.* MARTÍNEZ FLÓREZ, *Estudios jurídicos en memoria del profesor Emilio Beltrán*, I, págs.

[26]    Así ya MARTÍNEZ FLÓREZ/RECALDE CASTELLS, *Liber amicorum Juan Luis Iglesias*, págs. 707 y 732 y ss.

conservación de la personalidad jurídica se concibe únicamente como un expediente (sencillo y eficiente) para facilitar la extinción de las relaciones jurídicas pendientes de la sociedad cancelada; para completar su proceso de extinción. La sociedad cancelada conserva una *personalidad jurídica residual* a los limitados efectos de concluir su proceso de extinción, evitando así los abusos de que pudiera utilizarse con otros fines. *Para el tráfico la sociedad no existe*[27]. Una idea que seguramente intenta plasmar también la Sentencia que ahora se comenta cuando afirma que «aunque la inscripción de la escritura de extinción y la cancelación de todos los asientos registrales de la sociedad extinguida *conlleva, en principio, la pérdida de su personalidad jurídica, en cuanto que no puede operar en el mercado como tal, conserva esta personalidad respecto de reclamaciones pendientes basadas en pasivos sobrevenidos*, que deberían haber formado parte de las operaciones de liquidación. A estos efectos, relacionados con la liquidación de la sociedad, esta sigue teniendo personalidad, y por ello capacidad para ser parte demandada». Y es que, como se ha señalado acertadamente, la personalidad jurídica no es algo que deba concebirse en términos absolutos; no es algo que se tiene o de lo que se carece en términos categóricos[28]. En su concepción más sencilla supone el simple reconocimiento de un centro de imputación unificada (en el ámbito sustantivo y procesal) y la separación del patrimonio. Luego tendrá un alcance mayor o menor o, en su caso, se limitará ese reconocimiento a unos concretos efectos[29].

### 3. La posibilidad de demandar a la sociedad cancelada y de concluir su liquidación sin necesidad de impugnar la inscripción cancelatoria

Como la sociedad cancelada que no ha terminado la liquidación conserva la personalidad jurídica, *no es preciso impugnar la cancelación registral para que dicha sociedad pueda atender a los acreedores insatisfechos y concluir así su liquidación*. En efecto, la Sentencia de 24 de mayo de 2017 da un paso importante frente a las Sentencias anteriores y especialmente frente a la de 25 de julio de 2012, afirmando de forma clara que *no es necesario impugnar la inscripción cancelatoria* para poder concluir la liquidación de la sociedad. Recuérdese que la citada STS de 25 de julio de 2012, exigía, para que los

---

[27]     *Cfr.* MARTÍNEZ FLÓREZ/RECALDE CASTELLS, *Liber amicorum Juan Luis Iglesias*, pág. 733.

[28]     Así ya PILOÑETA, en Rojo/Beltrán (dir.), *Comentario*, II, pág. 2718.

[29]     *Cfr.* MARTÍNEZ FLÓREZ/RECALDE CASTELLS, *Liber amicorum Juan Luis Iglesias*, pág. 736.

acreedores pudieran demandar a la sociedad cancelada solicitando la declaración y satisfacción de sus créditos, que al mismo tiempo demandaran la nulidad de la cancelación registral para que la sociedad recobrara la personalidad jurídica. En cambio, la Sentencia que ahora se comenta afirma que los acreedores sociales insatisfechos pueden demandar directamente a la sociedad cancelada exigiéndole la satisfacción de sus derechos de crédito, sin que sea precisa la previa anulación de la cancelación y la reapertura formal de la liquidación[30].

Se trata de una solución sumamente acertada. Por un lado, es totalmente *coherente* con el planteamiento del que se parte: si la sociedad sigue existiendo a pesar de la inscripción cancelatoria, no hay necesidad de dejar sin efecto dicha inscripción para que la sociedad recobre su existencia y pueda concluirse su liquidación. Y, por otro lado, la tesis acogida por esta Sentencia permite superar los graves problemas a los que conduciría la interpretación que consideraba que la inscripción cancelatoria es constitutiva de la extinción y que es necesario declarar la nulidad de la cancelación para que la sociedad recobre la personalidad jurídica y la capacidad para ser parte.

Sin entrar aquí en los problemas de legitimación pasiva de la sociedad extinguida para ser parte en el proceso de declaración de nulidad de la cancelación y de recuperación de su personalidad jurídica[31], es preciso señalar que exigir a los acreedores insatisfechos, que reclaman la declaración y satisfacción de sus derechos de crédito, el ejercicio de una acción de nulidad frente a la cancelación conduce a resultados que repugnan a las más elementales ideas de justicia y economía.

Piénsese que, tras la cancelación de la sociedad, un acreedor reclama —como sucede en el supuesto abordado por las cuatro últimas SSTS— la declaración y satisfacción de su derecho de crédito y que, al mismo tiempo, debe ejercitar la acción de nulidad frente a la cancelación para que la sociedad recupere la personalidad jurídica y pueda ser parte en el proceso entablado por el acreedor. Terminados estos procesos y satisfecho, en su caso, el acreedor demandante, sería necesario otorgar nuevamente la

---

[30]   En este sentido también ya MARTÍNEZ FLÓREZ/RECALDE CASTELLS, *Liber amicorum Juan Luis Iglesias*, pág. 736; y, con mayor detalle, MARTÍNEZ FLÓREZ, *Estudios jurídicos en memoria del profesor Emilio Beltrán*, I, págs. 902 y ss.

[31]   Vid., al respecto, FLAQUER, *RdS*, 2013, Núm. 40, pág. 14 (versión *on line*); MONSALVE/BERENGUER/BIETE, «Capacidad para ser parte de una sociedad extinguida», *Revista Aranzadi Doctrinal*, n° 9/2013, pág. 6; MARTÍNEZ FLÓREZ, *Estudios jurídicos en memoria del profesor Emilio Beltrán*, I, pág. 888.

escritura pública de extinción de la sociedad e inscribirla en el Registro Mercantil, pues —según la orientación partidaria de la eficacia constitutivo-extintiva de la inscripción cancelatoria— esa inscripción es precisa para extinguir la sociedad. Si tras esta nueva cancelación vuelve a aparecer otro acreedor (cosa nada insólita en el supuesto de sociedades promotoras o constructoras canceladas, pero también en otros supuestos), sería necesario nuevamente entablar una acción de nulidad frente a la cancelación para que la sociedad recobrara su personalidad jurídica y después otorgar una nueva escritura pública de extinción y proceder a su inscripción para que la sociedad se extinguiera. Operaciones que habría que repetir tantas veces como acreedores insatisfechos aparecieran, e incluso en supuestos de activos sobrevenidos cuando surgieran problemas que no pueden solventarse con la norma del artículo 398 del TRLSC (v. gr., cuando un deudor de la sociedad cancelada viene a mejor fortuna tras la cancelación de la sociedad acreedora y aquel se niega a la satisfacción del derecho de crédito de la sociedad cancelada, siendo preciso entablar una acción frente al citado deudor)[32].

Esta interpretación conduciría, por tanto, a unos resultados bastante alejados de las ideas de certeza y de seguridad jurídica que alegaban quienes se decantaban por la tesis de la eficacia constitutiva de la inscripción cancelatoria (los cuales consideraban que sólo la inscripción podía determinar con certeza el momento exacto en el que la sociedad desaparece)[33]. Y estarían mucho más próximos a los que se reprochaban a la tradicional tesis de la eficacia declarativa de la cancelación registral, a la que se achacaba que la exigencia de la finalización de la liquidación material para la extinción de la sociedad conduciría, de hecho, a una pendencia indefinida sobre la extinción de la sociedad, puesto que siempre pueden aparecer acreedores insatisfechos o bienes sociales sin repartir[34].

---

[32]  Cfr. MARTÍNEZ FLÓREZ, *Estudios jurídicos en memoria del profesor Emilio Beltrán*, I, págs. 889-890.

[33]  Cfr. URÍA/MENÉNDEZ/BELTRÁN, en Uría/Menéndez/Olivencia (dir.), *Comentario*, XI, pág. 207; URÍA/MENÉNDEZ/BELTRÁN, en Uría/Menéndez/Olivencia (dir.), *Comentario*, XIV, 4°, pág. 311; BELTRÁN, *AAMN*, 1997, págs. 446-447; PULGAR, *La cancelación*, págs. 60 y 73.

[34]  Así se pronunciaban, en el marco de la LSA y de *lege ferenda*, URÍA/MENÉNDEZ/BELTRÁN, en Uría/Menéndez/Olivencia (dir.), *Comentario*, XI, pág. 209. Y ya bajo la vigencia de la LSRL, que preveía normas sobre activos y pasivos sobrevenidos y que —en su opinión— garantizaban los derechos de los acreedores y de los socios, BELTRÁN, *AAMN*, 1997, pág. 446, y SACRISTÁN, *La extinción*, pág. 265.

Como señala acertadamente la Sentencia que ahora se comenta y como se deduce del propio TRLSC, cuando se ha otorgado la escritura pública de extinción de la sociedad y se ha inscrito en el Registro Mercantil antes de haber pagado a todos los acreedores (y estos no pueden satisfacer sus derechos de conformidad con las normas sobre pasivos sobrevenidos), la sociedad sigue conservando la personalidad jurídica y, por ello, *no es preciso ejercitar una acción de nulidad frente a la inscripción cancelatoria para que la sociedad recobre la personalidad jurídica y la capacidad para ser parte.*

Pero *tampoco es necesario* ejercitar la acción de nulidad frente a la inscripción de la escritura de extinción para *desvirtuar la presunción de exactitud del Registro* (la presunción de extinción), por cuya virtud el contenido del Registro se presume exacto y válido y sus asientos «producirán sus efectos mientras no se inscriba la declaración judicial de su inexactitud o nulidad» (art. 20.1 C. de c.). No hace falta, en efecto, desvirtuar lo que dice el Registro para proteger a los terceros, al tráfico, porque para este la sociedad no existe. Y en el caso concreto que nos ocupa, la presunción de exactitud (la presunción de extinción de la sociedad) no puede ser invocada por la sociedad cancelada que resulta demandada, por haber sido precisamente ella la causante de la inexactitud. La presunción opera frente a los terceros, no frente al causante de la inexactitud[35]. Además, el ejercicio de una acción de declaración de inexactitud del Registro obligaría igualmente, tras la satisfacción de los pasivos insatisfechos, a otorgar de nuevo la escritura pública de extinción y a inscribirla para que el Registro concordara nuevamente con la realidad, lo que podría llevar igualmente a declaraciones de inexactitud y a inscripciones de extinción en cadena que no tienen sentido porque *no son necesarias a los efectos de terminar las operaciones de liquidación pendientes*[36].

En fin, *no es preciso dejar sin efecto la inscripción cancelatoria para practicar los nuevos asientos que sean necesarios para terminar la liquidación y que sean com-*patibles con el estado terminal de la sociedad cancelada. La inscripción en el Registro Mercantil de la escritura pública de extinción de la sociedad y la cancelación de todos sus asientos registrales no impide llevar a cabo las nuevas inscripciones relacionadas con las actuaciones que se practiquen para finalizar la liquidación de la sociedad cancelada. Así lo prevé expre-

---

[35]   Vid. PEDRÓN, voz «Registro Mercantil (Dº Mercantil)», *EJB*, IV, Madrid, 1999, pág. 5730.

[36]   V. MARTÍNEZ FLÓREZ, *Estudios jurídicos en memoria del profesor Emilio Beltrán*, I, pág. 903.

samente el RRM, estableciendo que cuando aparezca activo sobrevenido «los liquidadores otorgarán escritura pública de adjudicación de la cuota adicional a los antiguos socios, que *presentarán a inscripción en el Registro Mercantil* en el que la sociedad hubiera figurado inscrita». «Presentada a inscripción la escritura, el Registrador Mercantil, *no obstante la cancelación efectuada,* procederá a inscribir el valor de la cuota adicional de liquidación que hubiera correspondido a cada uno de los antiguos socios» (art. 248.1y 2). Tal previsión se explica por la necesidad de dejar constancia de la nueva cuota recibida por los socios, que queda expuesta a posibles reclamaciones por eventuales nuevos acreedores sociales (art. 399 TRLSC). Y lo mismo ocurre si el juez hubiera nombrado a persona que sustituya a los liquidadores en el cumplimiento de las funciones que le atribuye la Ley (la adjudicación de los bienes sobrevenidos a los socios, previa conversión en dinero cuando fuera necesario: art. 398): «el Registrador Mercantil, *no obstante la cancelación efectuada, procederá a inscribir el nombramiento* de dicha persona en virtud de *testimonio judicial* de la resolución correspondiente» (art. 248.3). En este mismo sentido se ha venido pronunciando también de forma reiterada la DGRN[37].

La conservación de la inscripción cancelatoria está en coherencia con el principio que informa la regulación legal para la fase posterior a la inscripción en el Registro de la escritura pública de extinción *de conservación de lo actuado y completamiento del proceso de liquidación inconcluso* (v. arts. 398-400 TRLSC y 248 RRM)[38]. Y es, además, una solución razonable: dado que siempre puede aparecer un nuevo acreedor (o un nuevo bien) después de la cancelación registral de la sociedad, es sensato articular vías que permitan conservar lo actuado con anterioridad (en la medida en que resulte posible) y completar el proceso inacabado, reflejando en el Registro las nuevas actuaciones cuando sea necesario. Carecen de sentido soluciones que obliguen a deshacer todo lo realizado con anterioridad, como sucede tanto en el supuesto de la tradicional tesis de la eficacia meramente declarativa

---

[37]   A este respecto, señala la RDGRN de 2 de abril de 1999 que «[l]a cancelación de los asientos registrales de una sociedad (…) *no puede ser considerada como obstáculo a la práctica de eventuales asientos posteriores que la subsistencia de esa personalidad jurídica implique y que sean compatibles con la transitoriedad y finalidad liquidatoria de esa subsistencia»,* idea que reitera la Resolución de 17 de diciembre de 2012.

[38]   Vid. especialmente PILOÑETA, en Rojo/Beltrán (dir.), *Comentario,* págs. 2719, 2731 y 2744; MARTÍNEZ FLÓREZ/RECALDE CASTELLS, *Liber amicorum Juan Luis Iglesias,* págs. 735 y ss.; MARTÍNEZ FLÓREZ, *Estudios jurídicos en memoria del profesor Emilio Beltrán,* I, págs. 902 y ss.

de la cancelación como en el de la tesis de la eficacia extintiva, pero no sanatoria de los defectos de la liquidación, puesto que las dos exigían la declaración de nulidad de la cancelación y la reapertura de la liquidación[39].

## 4. La eventual necesidad de otras actuaciones para concluir la liquidación de la sociedad cancelada

La Sentencia del TS de 24 de mayo de 2017 afirma que los acreedores pueden dirigirse directamente contra la sociedad cancelada *bajo la representación de su liquidador*, algo que es totalmente lógico. La realización de las actuaciones precisas para la terminación de las operaciones de liquidación corresponderá a los liquidadores como órganos de la persona jurídica. En efecto, si la Ley establece que incumbe a los liquidadores la adjudicación de los bienes a los socios, previa conversión en dinero cuando fuera necesario (art. 398.1), hay que entender que les competen también las demás actuaciones necesarias para concluir las operaciones pendientes y terminar el proceso de extinción de la sociedad: v. gr., ejercitar las acciones necesarias para la adquisición del activo sobrevenido, utilizar el activo sobrevenido para pagar a los acreedores sociales cuando no hubieran sido satisfechos íntegramente antes de la inscripción cancelatoria, o, como sucede en este supuesto, representar a la sociedad en los procesos que se entablen contra ella.

En el supuesto abordado en esa Sentencia existía un liquidador que había contestado a la demanda alegando la falta de capacidad para ser parte de la sociedad cancelada. Pero en la práctica puede suceder que no exista ya liquidador, planteándose entonces la cuestión del nombramiento de un sujeto que represente a la sociedad cancelada en el proceso correspondiente y en las actuaciones precisas para concluir su liquidación.

A falta de una norma expresa que resuelva el problema, debe aplicarse la regla prevista para el caso de activo sobrevenido, según la cual, «en defecto de liquidadores, cualquier interesado podrá solicitar del juez del último domicilio social el nombramiento de persona que los sustituya en el cumplimiento de sus funciones» (art. 398.2 TRLSC), interesados entre los cuales están, sin duda, los acreedores. Por lo tanto, el juez competente para el nombramiento de liquidador será el mismo que conozca de la demanda

---

[39]   Cfr. MARTÍNEZ FLÓREZ, *Estudios jurídicos en memoria del profesor Emilio Beltrán*, I, pág. 906.

planteada por los acreedores frente a la sociedad cancelada, por aplicación de lo establecido en el artículo 51.1 LEC[40].

Las normas recogidas en el TRLSC para el período posterior a la inscripción cancelatoria de la sociedad ponen de manifestó la voluntad del legislador de no poner en marcha toda la maquinaria societaria para terminar la liquidación de la sociedad. En coherencia con el carácter meramente residual de la personalidad jurídica de la sociedad tras la cancelación, la Ley no exige, ante la falta de liquidadores, que se ponga en funcionamiento la junta general de la sociedad cancelada para que los nombre, sino que atribuye a cualquier interesado la facultad de solicitar al juez del último domicilio social el nombramiento de persona que sustituya a los liquidadores en el ejercicio de sus funciones.

## V. VALORACIÓN DE LA ÚLTIMA DOCTRINA DEL TS

La STS de 24 de mayo de 2017 tiene una gran relevancia tanto desde el punto de vista dogmático como desde el práctico y debe ser valorada de forma muy positiva. Desde el punto de vista teórico, porque, al unificar la doctrina de la Sala afirmando la continuación de la personalidad jurídica tras la cancelación a los efectos precisos para terminar el proceso de liquidación de la sociedad, se rechazan definitivamente construcciones manejadas por algunos autores que encuentran difícil encaje en nuestro ordenamiento (v. gr., la teoría de la sucesión universal o la comunidad de bienes entre los socios) y que abocarían a quienes resultan afectados por la falta de liquidación íntegra de la sociedad a soluciones muy complejas y costosas (por ej., a la necesidad de demandar a todos los socios...) cuando no a resultados que no les ofrecen la tutela necesaria (v. gr., cuando concurriera activo y pasivo sobrevenido, dado que los acreedores sociales no

---

[40] El artículo 51 de la LEC establece que «[s]alvo que la Ley disponga otra cosa, *las personas jurídicas serán demandadas en el lugar de su domicilio*», añadiendo a continuación que «[t]ambién podrán ser demandadas en el lugar donde la situación o relación jurídica a que se refiera el litigio haya nacido o deba surtir efectos, siempre que en dicho lugar tengan establecimiento abierto al público o representante autorizado para actuar en nombre de la entidad». Como la sociedad cancelada no tiene establecimiento abierto al público ni —en el supuesto que ahora se está contemplando— representante para actuar en su nombre, el juez competente para conocer de las demandas que se dirijan frente a la sociedad cancelada será en todo caso el del lugar del último domicilio social, salvo que la Ley estableciera otra cosa.

tendrían preferencia para cobrar sobre los acreedores personales de los socios). Y también porque viene a erradicar algunas ideas erróneas en torno al surgimiento de la personalidad jurídica de las sociedades de capital. La inscripción en el Registro Mercantil es necesaria para que la sociedad adquiera la personalidad propia del tipo capitalista elegido (SA ó SRL) (art. 33 TRLSC), pero no, para que adquiera la personalidad jurídica.

También tiene destacables consecuencias desde el punto de vista práctico, al menos en términos de costes económicos. En la medida en que los acreedores de la sociedad cancelada no necesitarán ya ejercitar una acción para que se declare la nulidad de la cancelación, para poder ejercitar las pretensiones que les asistan frente a la sociedad cancelada, les resultará menos costoso y verán más fácilmente tutelados sus derechos. También para los socios será menos costoso, pues estos no necesitarán volver a otorgar la escritura pública de extinción e inscribirla nuevamente en el Registro Mercantil después de haber sido declarada la ineficacia de la escritura pública de extinción para liquidar las operaciones pendientes.

Ahora bien, debe tenerse presente que esta Sentencia sólo se refiere a uno de los muchos problemas que pueden plantearse tras la cancelación de la sociedad y que no encuentran una solución o al menos no, una solución sencilla en las normas societarias. Además de los supuestos en los que los acreedores necesitan ejercitar una acción para que se declare su derecho de crédito frente a la sociedad cancelada para poder reclamar luego el pago a los socios que recibieron una cuota de liquidación, la necesidad de la personalidad jurídica (con la consiguiente actuación unificada del grupo en el ámbito sustantivo y en el procesal, y la separación del patrimonio de la sociedad del de los socios) surge también en otros supuestos de pasivos sobrevenidos. Por ejemplo, cuando aparece pasivo y los *socios no hubieran recibido cuota de liquidación* y tampoco pueda exigirse responsabilidad a los liquidadores o ésta sea insuficiente. En tales hipótesis, la única vía para conseguir algún grado de satisfacción de los créditos sería la *declaración de concurso de la sociedad cancelada*, puesto que en el seno del concurso podrían ejercitarse acciones de reintegración y calificarse el concurso como culpable y obtenerse bienes. Pero, para declarar el concurso de la sociedad cancelada, es necesario que tenga personalidad jurídica; en el Derecho español, con la excepción de la herencia, sólo se puede declarar en concurso a las personas físicas y jurídicas.

Y la personalidad jurídica de la sociedad cancelada es necesaria igualmente, entre otros supuestos, cuando aparece *activo sobrevenido*, pero para adquirir este activo sobrevenido y adjudicarlo a los socios, es necesario entablar procesos tras la cancelación de la sociedad (en estos casos es necesario que la sociedad tenga capacidad para ser parte como demandante). O cuando aparece activo sobrevenido, pero este no puede ser adjudicado a los socios (como indica la Ley) porque la sociedad fue cancelada sin haber satisfecho a todos los acreedores.

En estos y otros supuestos que no encuentran una solución en las normas societarias (sobre activo y pasivo sobrevenidos y sobre la formalización de actos jurídicos tras la cancelación de la sociedad: arts. 398-400) entendemos que resulta aplicable la doctrina acogida por la STS de 24 de mayo de 2017, debiendo concluirse que la persona jurídica sigue existiendo tras la cancelación registral, si bien únicamente a los efectos precisos para terminar las operaciones de liquidación pendientes.

### Bibliografía

ALFARO, en http://derechomercantilespana.blogspot.com.es/2014/03/efectos-de-la-cancelacion-registral-en.html.

BANACLOCHE, en De la Oliva/Díez-Picazo/Vegas/Banacloche, *Comentarios a la Ley de Enjuiciamiento civil*, Madrid, 2001.

BELTRÁN, «La extinción de la sociedad de responsabilidad limitada y sus consecuencias», *AAMN*, 1997, págs. 437 y ss.

CARLÓN, «La extinción de la sociedad anónima», *RDP*, 1970, págs. 118 y ss.

DE EIZAGUIRRE, *Disolución y liquidación*, en Sánchez Calero (dir.), *Comentarios Ley de Sociedades de Anónimas, T VIII*, Madrid, 1993.

DE LA CÁMARA, «Los efectos de la disolución», en *Estudios de Derecho Mercantil*, II, Madrid 1977.

DE LA CUESTA, «Remedios de los acreedores sociales insatisfechos en la liquidación de sociedad anónima y promesa de sus socios de asumir deudas sociales; comentario a STS 10.11.1981», *La Ley* 1982, págs. 191 y ss.

FLAQUER, «Extinción de la sociedad anónima y desaparición de su personalidad jurídica (Comentario a la Sentencia del Tribunal Supremo de 25 de julio de 2012)», *RdS*, 2013, Núm. 40, págs. 361 y ss.

GIRÓN, *Derecho de sociedades anónimas*, Valladolid 1952.
— *Derecho de sociedades. Parte general y sociedades personalistas*, Madrid 1976.

GORRIZ, «Actualidad de Derecho Mercantil», http://blogs.uab.cat/dretmercantil/2013/05/08/cancelacion-registral-y-pervivencia-de-personalidad/.

HUFFER, «Das Ende der Rechtspersönlichkeit von Kapitalgesellschaften. Überlegungen zur konstitutiven Wirkung von Gesellschaftslöschung und zur Zuordnung von Restvermögen», *Gedächtnisschrift Schultz*, 1987, págs. 106 y ss.

LARA, «La extinción de la sociedad», en Rojo/Beltrán (dir.), *La liquidación de las sociedades mercantiles*, (2ª ed.), Valencia, 2012, págs. 309 y ss.

MARTÍNEZ FLÓREZ, «Sobre las vías de solución al problema de las relaciones jurídicas pendientes tras la cancelación de las sociedades de capital», *Estudios jurídicos en memoria del profesor Emilio Beltrán*, I, Valencia, 2015, págs. 869 y ss.

MARTÍNEZ FLÓREZ/RECALDE CASTELLS, «Los efectos de la cancelación registral en relación con la extinción de las sociedades de capital», *Liber amicorum Juan Luis Iglesias*, Cizur Menor, 2014, págs. 689 y ss., publicado también en *RDM*, 2013, Núm. 290, págs. 171 y ss.

— «De nuevo sobre los efectos de la cancelación registral respecto de la extinción de la sociedad», en http://derechomercantilespana.blogspot.com.es/2014/11/de-nuevo-sobre-los-efectos-de-la.html.

MERCADAL, en Arroyo/Embid/Górriz, coord., *Comentarios a la Ley de Sociedades Anónimas*, II, (2ª ed.), Madrid, 2009.

MONSALVE/BERENGUER/BIETE, «Capacidad para ser parte de una sociedad extinguida», *Revista Aranzadi Doctrinal*, nº 9/2013 (versión *on line*).

MUÑOZ PÉREZ, *El proceso de liquidación de la sociedad anónima*, Cizur Menor, 2002.

ORTELLS, en Ortells (dir.), *Derecho procesal civil*, (11ª ed.), Cizur Menor, 2012.

PAZ-ARES, en Uría/Menéndez (dir.), *Curso de Derecho Mercantil I*, 2ª ed., Cizur Menor, 2006.

PEDRÓN, voz «Registro Mercantil (Dº Mercantil), *EJB*, IV, Madrid, 1999.

PILOÑETA, en Rojo/Beltrán (dir.), *Comentario de la Ley de Sociedades de capital*, II, Cizur Menor, 2011.

POSITANO, L' *estinzione della società per azioni fra tutela del capitale e tutela del crédito*, Milano, 2012.

PULGAR, *La cancelación registral de las sociedades de capital*, Madrid, 1998.

— «La extinción de las sociedades de capital: disolución, liquidación y cancelación registral», *RdS*, 2011, núm. 36, págs. 203 y ss.

— «Extinción y cancelación de sociedades de capital sin activo», *RdS*, 2013, Núm. 41, págs. 23 y ss.

ROJO, voz «Presupuesto subjetivo», en Beltrán/García-Cruces (dir.), *Enciclopedia de derecho concursal*, II, Cizur Menor, 2012.

SACRISTÁN, *La extinción por disolución de la sociedad de responsabilidad limitada*, Madrid 2003.

SOLER, en Arroyo/Embid/Górriz (coord.), *Comentarios a la Ley de sociedades de responsabilidad limitada*, (2ª ed.), Madrid, 2009.

URÍA, en Garrigues/Uría (dir.), *Comentarios Ley de Sociedades Anónimas*, (2ª ed.), Madrid, 1976.

URÍA/MENÉNDEZ/BELTRÁN, en Uría/Menéndez/Olivencia (dir.), *Comentario al régimen legal de la sociedades mercantiles*, XI, Madrid, 1992.

— en Uría/Menéndez/Olivencia (dirs.), *Comentario régimen legal de las sociedades mercantiles*, T. XIV. 4º, *Disolución y liquidación de la sociedad de responsabilidad limitada*, Madrid 1998.

# XI. ÍNDICE ANALÍTICO